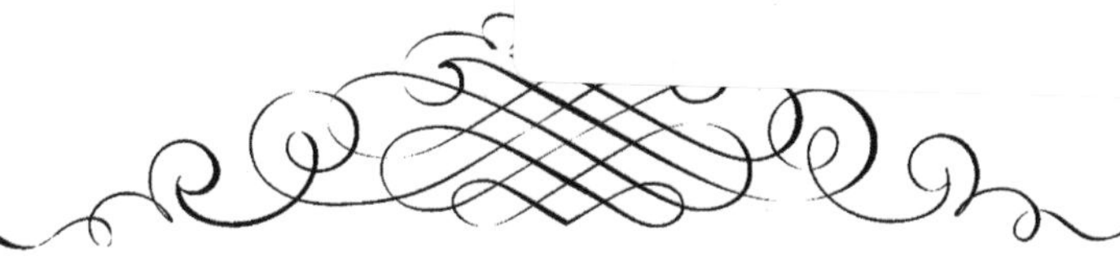

ISBN 978-0-428-26902-9
PIBN 11306787

FB &c Ltd, Dalton House, 60 Windsor Avenue, London, SW19 2RR.
Company number 08720141. Registered in England and Wales.

For support please visit www.forgottenbooks.com

Inhalts-Verzeichnis.

I. Gemeindegebiet.

Der Flächeninhalt des Gemeindegebiets betrug am Schlusse des Berichtsjahres 1 159 ha 60 a 92 qm = 4 638,44 hess. Morgen, hat sich also gegen das Vorjahr nicht verändert. Auf die einzelnen Kulturarten verteilt sich die Fläche des Gemeindegebiets wie folgt:

a. Grundsteuerpflichtige Flächen:

	Ende des Rechnungsjahres 1906	Ende des Rechnungsjahres 1905	Daher Zunahme	Daher Abnahme
Ackerfeld	221 ha 23 a 91 qm	247 ha 25 a 63 qm	— ha — a — qm	26 ha 01 a 72 qm
Wiesen	20 „ 06 „ 48 „	22 „ 70 „ 87 „	— „ — „ — „	2 „ 64 „ 39 „
Weinberge	11 „ 83 „ 28 „	11 „ 83 „ 28 „	— „ — „ — „	— „ — „ — „
Gärten	36 „ 72 „ 10 „	37 „ 53 „ 26 „	— „ — „ — „	— „ 81 „ 16 „
Bleichgärten	— „ 12 „ 94 „	— „ 10 „ 29 „	— „ 02 „ 65 „	— „ — „ — „
Baumschulen	2 „ 29 „ 50 „	2 „ 29 „ 50 „	— „ — „ — „	— „ — „ — „
Ödes Feld	— „ 96 „ 61 „	— „ 96 „ 61 „	— „ — „ — „	— „ — „ — „
Privat-Bosketts (Ziergärten)	— „ 03 „ 75 „	— „ 03 „ 75 „	— „ — „ — „	— „ — „ — „
Hofreiten	210 „ 32 „ — „	196 „ 30 „ 08 „	14 „ 01 „ 92 „	— „ — „ — „
Eisenbahn	23 „ 28 „ 57 „	.. „ — „ — „	23 „ 28 „ 57 „	— „ — „ — „
Summe a	526 ha 89 a 14 qm	519 ha 03 a 27 qm	7 ha 85 a 87 qm	— ha — a — qm

b. Grundsteuerfreie Flächen:

	Ende des Rechnungsjahres 1906	Ende des Rechnungsjahres 1905	Daher Zunahme	Daher Abnahme
Straßen und Wege	159 ha 09 a 07 qm	158 ha 72 a 69 qm	— ha 36 a 38 qm	— ha — a — qm
Bäche	— „ 58 „ 59 „	— „ 58 „ 59 „	— „ — „ — „	— „ — „ — „
Rhein	133 „ 83 „ 65 „	141 „ 60 „ 20 „	— „ — „ — „	7 „ 76 „ 55 „
Friedhof	15 „ 80 „ 25 „	15 „ 80 „ 25 „	— „ — „ — „	— „ — „ — „
Steuerfreie Hofreiten	14 „ 74 „ 98 „	14 „ 74 „ 98 „	— „ — „ — „	— „ — „ — „
„ Gärten	1 „ 36 „ 47 „	1 „ 36 „ 47 „	— „ — „ — „	— „ — „ — „
Festungswerke	256 „ 23 „ 97 „	256 „ 91 „ 37 „	— „ — „ — „	— „ 67 „ 40 „
Sonstige steuerfreie Flächen	51 „ 04 „ 80 „	50 „ 83 „ 10 „	— „ 21 „ 70 „	— „ — „ — „
Summe b	632 ha 71 a 78 qm	640 ha 57 a 65 qm	— ha — a — qm	7 ha 85 a 87 qm
„ a	526 „ 89 „ 14 „	519 „ 03 „ 27 „	7 „ 85 „ 87 „	— „ — „ — „
Im ganzen	1159 ha 60 a 92 qm	1 159 ha 60 a 92 qm	7 ha 85 a 87 qm	7 ha 85 a 87 qm

II. Bevölkerung, Wohnungsverhältnisse etc.

Nach dem Ergebnis der am 1. Dezember 1905 vorgenommenen Volkszählung bestand die Bevölkerung von Mainz einschließlich der 7 545 Köpfe starken Garnison aus 91 179 Personen. Es waren hierunter 46 409 männliche und 44 770 weibliche Personen enthalten. Dem Religionsbekenntnis nach waren es 52 756 Katholiken, 34 607 Evangelische, 3 058 Israeliten, 62 Alt-Katholiken, 137 Deutsch-Katholiken, 7 Angehörige der Russisch-orthodoxen Kirche, 6 Angehörige anderer orientalischer Kirchen, 140 Apostolische, 27 Mennoniten, 16 Baptisten, 230 Freireligiöse, 23 Freiprotestanten, 23 Dissidenten, 6 Angehörige der Engl. und Schottischen Kirche, 10 Adventisten, 2 Angehörige der Heilsarmee, 1 Mormone, 3 Freidenker, 63 ohne oder mit unbestimmter Bekenntnisangabe. Außerdem waren vorübergehend abwesend 893 Personen.

Die Bevölkerung bewohnte 4 187 Gebäude und verteilte sich auf 18 468 Haushaltungen von zwei und mehr Personen, 1421 einzeln lebende selbständige Personen und 62 Anstalten, zusammen 19 951 Haushaltungen.

Seit der Volkszählung vom 1. Dezember 1900 hat die Bevölkerung um 3 243 männliche und 3 685 weibliche, zusammen 6 928 Personen = 8,22 % zugenommen.

Die Bevölkerungsziffer am 31. Dezember 1906 kann, gleichmäßige Zunahme vorausgesetzt, auf rund 92 200 Personen angenommen werden.

Durch Geburten, Verehelichungen und Sterbefälle sind im Laufe des **Kalenderjahres** 1906 folgende Veränderungen in der Bevölkerung vorgekommen. Zur Vergleichung sind die entsprechenden Zahlen des Vorjahres beigesetzt.

1. Lebend geboren wurden:

	1906			1905		
	Knaben.	Mädchen.	Summe.	Knaben.	Mädchen.	Summe.
a) ehelich	1160	1029	2189	1108	981	2089
b) unehelich	207	192	399	210	195	405
zusammen	1367	1221	2588	1318	1176	2494
Verglichen				1367	1221	2588
so ergeben sich für 1906 mehr				49	45	94
so ergeben sich für 1906 weniger				—	—	—

Unter den 2588 Geburten des Jahres 1906 sind 126 Gedneten von Kindern enthalten, deren Eltern oder Mütter ihren Wohnsitz außerhalb Mainz hatten.

Unter den ehelich Geborenen sind 30 Paare Zwillinge, wovon 10 Paare männlichen, 11 Paare weiblichen Geschlechts und 9 Paare, von welchen das eine Kind männlichen und das andere Kind weiblichen Geschlechts war. Bei 2 Paaren männlichen Geschlechts wurde das eine Kind lebend, das ondere Kind totgeboren. Unter den unehelich Geborenen sind Drillinge weiblichen Geschlechts und 1 Paar lebend- und 1 Paar totgeborene Zwillinge, bei welchen das eine Kind männlichen und das andere Kind weiblichen Geschlechts war.

2. Totgeboren wurden:

	1906			1905		
	Knaben.	Mädchen.	Summe.	Knaben.	Mädchen.	Summe.
a) ehelich	35	32	67	44	35	79
b) unehelich	12	7	19	8	8	16
c) eheliche, deren Geschlecht nicht zu erkennen war	—	—	—	—	—	—
d) uneheliche, deren Geschlecht nicht zu erkennen war	—	—	—	—	—	—
zusammen	47	39	86	52	43	95
Verglichen				47	39	86
so ergeden sich für 1906 mehr				—	—	—
so ergeden sich für 1906 weniger				5	4	9

3. Von den Unehelichen kamen in der Großh. Hebammen-Lehranstalt zur Welt:

	1906	1905
a) Lebendgeborene	263	256
b) Totgeborene	9	11
Summe	272	267

4. Ehen wurden geschlossen:

	1906	1905
a) zwischen ledigen Männern und ledigen Frauen	687	664
b) „ „ „ „ Witwen	24	21
c) „ Witwern und ledigen Frauen	30	58
d) „ „ „ Witwen	15	13
e) „ ledigen Männern und geschiedenen Ehefrauen	16	11
f) „ geschiedenen Männern und ledigen Frauen	9	4
g) „ „ „ „ geschiedenen Ehefrauen	2	2
h) „ Witwern und geschiedenen Ehefrauen	8	2
i) „ geschiedenen Männern und Witwen	1	1
zusammen	792	776
Verglichen		792
ergeden sich für 1906 mehr		16

Unter den Eden befinden sich 1 zwischen einem Israeliten und einer Christin und 1 zwischen Schwager und Schwägerin. Bei dem Abschlusse der Ehen wurden 64 Kinder (32 männlichen und 32 weiblichen Geschlechts) gegen 70 im Jahre 1905, mithin 6 **weniger** anerkannt.

5. **Gestorben** sind im Jahre 1906 gegen die im Jahre 1905 gestorbenen:

	Männliche Personen	Weibliche Personen.	Summe.
Gestorben sind im Jahre 1906	859	829	1 688
gegen die im Jahre 1905 gestorbenen	865	781	1 646
ergibt 1906 mehr	—	48	42
ergibt 1906 weniger	6	—	—

Unter den Gestorbenen befanden sich:

	1906	1905
ledige Personen	940	902
verheiratete Personen	490	456
verwitwete Personen	248	275
geschiedene Personen	10	13
Summe wie oben	1 688	1 646

Dem Alter und Geschlecht nach verteilen sich die Gestorbenen wie folgt:

	1906 Männliche Personen.	1906 Weibliche Personen.	1906 Im ganzen.	1905 Im ganzen.
unter 1 Jahr	263	200	463	433
von 1 bis unter 5 Jahren	79	80	159	159
„ 5 „ „ 10 „	22	12	34	31
„ 10 „ „ 15 „	8	13	21	18
„ 15 „ „ 20 „	15	17	32	33
„ 20 „ „ 30 „	55	50	105	120
„ 30 „ „ 40 „	80	58	138	97
„ 40 „ „ 50 „	73	56	129	127
„ 50 „ „ 60 „	80	103	183	169
„ 60 „ „ 70 „	102	116	218	211
„ 70 „ „ 80 „	62	93	155	188
„ 80 „ „ 90 „	19	30	49	55
„ 90 „ „ 100 „	1	1	2	5
Unbekanntes Alter	—	—	—	—
Summe wie oben	859	829	1 688	1 646

Unter den 1 688 Gestorbenen des Jahres 1906 sind 187 hier verstorbene, aber auswärts wohnhaft gewesene Personen inbegriffen.

Über den Gesundheitszustand und die Sterblichkeit im Kreise Mainz während des Kalenderjahres 1906 hat das Großh. Kreisgesundheitsamt Mainz folgendes gütigst mitgeteilt:

Im Jahre 1906 sind in der Stadt Mainz 1688 (1646) Personen verstorben. Bei der Annahme einer mittleren Einwohnerzahl von 91 800 ergibt sich die Sterblichkeitsziffer von 18,4 auf je 1000 Einwohner (18,1); die eingeklammerten Zahlen beziehen sich auf das Vorjahr.

Von den Verstorbenen standen 463 (433) im ersten Lebensjahr, 214 (208) waren 1—15 Jahre alt, 587 (546) 15—60 und 424 (459) waren über 60 Jahre alt. Beide Jahre zeigen demnach keine erheblichen Unterschiede, weder in der Gesamtsterblichkeit, noch in der Beteiligung der einzelnen Altersklassen. Der mäßig erhöhten Sterblichkeit der Säuglinge und der Erwachsenen steht eine geringere Sterblichkeit im Greisenalter gegenüber; beide Jahre gehören zu den gesundheitlich günstigen des letzten Jahrzehnts. Auch in den letzten Monaten sind die Unterschiede in der Sterblichkeit nicht so ausgesprochen wie vielfach sonst. Die geringste Zahl der Sterbefälle fällt diesmal merkwürdigerweise auf den Februar (111), die höchste Zahl (163), wie fast regelmäßig, auf den August. Die Säuglingssterblichkeit hatte in diesem Monat ihr Maximum erreicht, nachdem sie bereits im Juli steil angestiegen war; auch in dem ausnehmend warmen September ging sie nur wenig herunter.

In dem späteren Kindesalter sind die Unterschiede in der Monatssterblichkeit gering gewesen; bei den Erwachsenen und den über 60 Jahre alten Leuten fällt das Maximam auf die Frühjahrsmonate, was der Regel entspricht.

Von den einzelnen Vierteljahren steht das erste mit 380 Todesfällen am günstigsten, während das dritte die meisten Todesfälle aufweist (477). Der Unterschied wird lediglich verursacht durch die Spannweite der Säuglingssterblichkeit, deren Anteil im ersten Quartal 84 und im dritten Quartal 180 Todesfälle beträgt. Wenn man die Zahl der im ersten Lebensjahr Verstorbenen zu der Zahl der im Berichtsjahr lebend Geborenen (2588) ins Verhältnis setzt, erhält man auf je 100 lebend Geborene 18 vor Vollendung des ersten Lebensjahres Gestorbene. Im Vorjahre war die Verhältniszahl gleich groß.

Von den Verstorbenen hatten 859 männliches, 829 weibliches Geschlecht. Im ersten Lebensjahr staeden 263 Knaben und 200 Mädchen.

Durch „epidemische“ Krankheiten wurden insgesante 94 Todesfälle verursacht, gleich 5,5 Prozent der Gesamtzahl, und zwar durch Scharlach 3, Masern 21, Diphtherie 13, Keuchhusten 49 und Typhus 8. Im Vergleich zu dem Vorjahr zeigen Masern und Scharlach eine Abnahme, Diphtherie eine mäßige, Keuchhusten eine sehr erhebliche Zunahme der Todesfälle. Die Sterblichkeit an Typhus war ebenso hoch wie im Vorjahr; unter den an Typhus Verstorbenen waren 3 Ortsfremde. An Scharlach sind 2 Erwachsene verstorben, an Diphtherie ein Erwachsener. Die an Masern Verstorbenen waren, mit Ausnahme von zwei, unter 5 Jahre alt, von den an Keuchhusten Verstorbenen hatte keins das 5. Lebensjahr überschritten.

An Wochenbettfieber sind 5 Frauen gestorben, darunter zwei auswärtige; bei den 3 anderen waren schwere geburtshilfliche Operationen der Erkrankung vorausgegangen. Anderen, nicht infektiösen Wochenbetterkrankungen erlagen 4 Frauen.

Die Zubl der Todesfälle an Lungentuberkulose (221) ist gegen das Vorjahe (202) etwas gestiegen, während die Sterblichkeit an Tuberkulose anderer Organe von 47 auf 39 zurückgegangen ist. Von sämtlichen Sterbefällen überhaupt fallen 13 P..zent auf Lungenschwindsucht, davon wieder 79 Prozent auf das Alter von 15—60 Jahren. Bei den Männern fällt das Maximum der Tuberkulosensterblichkeit auf das 4., bei den Franen auf das 3. Jahrzehnt. Unter den tuberkulösen Erkrankungen anderer Organe ist am häufigsten die tuberkulöse Hirnhautentzündung als Todesursache vertreten, nämlich mit 24 Todesfällen, darunter 17 im Alter bis zu 5 Jadren.

Die Sterbefälle an Erkrankungen der Atmungsorgane sind von 224 im Vorjahr auf 187 zurückgegangen. Es starben an kruppöser Lungenentzündung 53, an katarrhalischer 73, an akuter Luftröhrenentzündung 25, an Influenza 9, an Brustfellentzündung 4 und an chronischen Lungenerkrankungen außer Tuberkulose 21. Die Mehrzahl der in dieser Gruppe Verstorbenen gehört dem Kindes- oder Greisenalter an.

Von den 138 Todesfällen, die durch Erkrankungen der Kreislauforgane verursacht wurden, fallen 79 auf das Alter über 60 Jahre; es handelt sich vorwiegend um Altersveränderungen der Gefäße oder des Herzmuskels.

An Gehirnschlagfluß starben 38 Männer und 48 Frauen, davon waren nur 7 unter 50 Jahren alt. Von den 81 Todesfällen aus der Gruppe der übrigen Erkrankungen des Nervensystems kommen 60 auf „Krämpfe“. An Alkoholdelirium sind 7 Männer verstorben.

In der für das frühe Kindesalter wichtigsten Krankheitsgruppe der Magen-Darmkatarrhe sind 42 Todesfälle durch Brechdurchfall, 105 durch akuten Darmkatarrh und 89 durch chronischen Darmkatarrh (Atrophie) herbeigeführt worden. Davon fallen auf das erste Lebensjahr 211 Todesfälle und von dieser Summr rund 70 Prozent auf das dritte Vierteljahr. Auf alle übrigen Erkrankungen der Verdauungsorgane kommen 74 Todesfälle, darunter 31 auf akute Bauchfellentzündung und 26 auf Erkrankungen der Leber.

An krebsartigen Neubildungen starben 41 Männer und 58 Frauen; darunter waren 18 unter 50 und 81 über 50 Jahre alt. Das zuerst befallene Organ war in 22 Fällen der Magen, in 15 Fällen die Gebärmutter, in 10 der Mastdarm und in 9 die Speiseröhre. Durch andere bösartige Neubildungen wurde 17mal der Tod herbeigeführt.

An angeborener Lebensschwäche starben bald nach der Geburt 46 Knaben und 33 Mädchen, während Altersschwäche bei 28 Männern und 58 Frauen, meist im Alter über 70 Jahren, als Todesursache angegeben wurde.

Durch Selbstmord endeten 26 Männer und 11 Frauen, durch Unglücksfall 36 Männer und 9 Frauen, durch Körperverletzung mit tödlichem Erfolg 1 Mann und 4 Frauen. Bei 7 Verstorbenen blieb die Todesursache unbekannt.

Im Kreise Mainz (mit Ausnahme der Stadt Mainz) sind im Berichtsjahr 1013 Personen verstorben, sodaß sich die Sterblichkeitsziffer für den Landkreis auf 16,7 pro Mille und für den ganzen Kreis Mainz bei rund 152 000 Einwohnern auf 17,8 pro Mille stellt. Die höchste Sterblichkeit hatten, wie in den Vorjahren, Hechtsheim (22 pro Mille), Kostheim (21 pro Mille), Bretzenheim (20,2 pro Mille) und Finthen (20 pro Mille); die vier Orte zeichnen sich wieder durch hohe Kindersterblichkeit unvorteilhaft aus. Sehr günstig steht im Berichtsjahre Kastel da mit der Sterblichkeitsziffer von 12 pro Mille; Mombach hat 15 pro Mille, Weisenau und Gonsenheim je 17 pro Mille. Die Landorte im engeren Sinn zeigen nur geringe und mehr zufällige Unterschiede.

Der Gesundheitszustand wurde im Berichtsjahr günstig beeinflußt durch den gelinden Winter, den kühlen Vorsommer und den lang sich hinziehenden Herbst. Von epidemischen Krankheiten war über einen größeren Teil des Kreises nur Keuchhusten verbreitet; Masern herrschten stark unter den Kindern in Bretzenheim, Diphtherie und Scharlach kam nirgends in stärkerer Anhäufung vor. Aus der Stadt Mainz wurden insgesamt 105 Erkrankungen an Scharlach und 106 an Diphtherie gemeldet; aus dem übrigen Kreis 56 Scharlach und 75 Diphtheriefälle. Von den Kindern einer Schule in Hechtsheim erkrankten 9 an Unterleibstyphus; in Amöneburg kamen in einer Familie 3 gleichzeitige Erkrankungen von Kindern vor in einem Hause, in dem in den beiden Vorjahren wiederholt Typhus aufgetreten war. Aus Mainz wurden im Laufe des Jahres 28 Erkrankungen an Typhus angemeldet.

A. Todesfälle (ausschl. Totgeburten) in der Stadt Mainz im Kalenderjahre 1906.

Ordnungs-Nummer	Krankheiten und Todesursachen	Altersklassen der Gestorbenen: 0 bis unter 1 Jahr		1 bis unter 15 Jahren		15 bis unter 30 Jahren		30 bis unter 60 Jahren		60 bis unter 70 Jahren		70 Jahre und mehr		Zusammen		Gesamtsumme
		m.	w.	m.	w.	m	w.	m.	w.	m.	w.	m.	w.	m.	w.	
1	Angeborene Lebensschwäche und Bildungsfehler	46	33	—	—	—	—	—	—	—	—	—	—	46	33	79
2	Altersschwäche	—	—	—	—	—	—	—	—	6	4	22	54	28	58	86
3	Kindbettfieber	—	—	—	—	—	1	—	4	—	—	—	—	—	5	5
4	Andere Folgen der Geburt oder des Kindbetts	—	—	—	—	—	2	—	2	—	—	—	—	—	4	4
5	Scharlach	—	1	—	—	—	—	—	2	—	—	—	—	—	3	3
6	Masern und Röteln	6	1	9	5	—	—	—	—	—	—	—	—	15	6	21
7	Diphtherie und Krupp	2	—	5	5	—	—	1	—	—	—	—	—	8	5	13
8	Keuchhusten	13	13	7	16	—	—	—	—	—	—	—	—	20	29	49
9	Typhus	—	—	1	—	1	1	1	4	—	—		—	3	5	8
10	Rose (Erysipel)	1	—	—	—	—	—	—	3	—	—	—	—	1	3	4
11	Andere Wundinfektionskrankheiten	3	1	2	1	3	—	4	—	—	—	—	—	12	2	14
12	Tuberkulose der Lungen	—	—	10	7	19	34	78	44	12	8	1	8	120	101	221
13	„ anderer Organe	—	2	8	17	3	2	3	3	—	1	—	—	14	25	39
14	Akute allgemeine Miliartuberkulose	—	—	3	1	1	1	1	—	—	—	—	—	5	2	7
15	Lungenentzündung	20	15	19	17	3	1	10	9	9	10	5	8	66	60	126
16	Influenza	—	—	—	2	1	—	—	1	2	—	1	2	4	5	9
17	Andere übertragbare Krankheiten	2	5	—	1	1	1	1	2		—	—	—	4	9	13
18	Krankheiten der Atmungsorgane	10	6	6	3	1	—	7	4	4	5	3	3	31	21	52
19	„ der Kreislauforgane	—	1	—	3	5	4	16	30	19	34	12	14	52	86	138
20	Gehirnschlag	—	—	—	—	—	1	12	11	13	20	13	16	38	48	86
21	Andere Krankheiten des Nervensystems	29	18	8	4	—	1	5	9	2	4	—	1	44	37	81
22	Magen- und Darmkatarrh, Brechdurchfall	117	94	12	8	—	—	1	—	1	1	—	—	131	103	234
23	Andere Krankheiten der Verdauungsorgane	2	1	7	1	5	3	20	21	8	4	2	—	44	30	74
24	Krankheiten der Harn- und Geschlechtsorgane	—	—	—	1	1	5	17	18	5	3	6	5	29	32	61
25	Krebs	—	—	—	—	—	—	15	31	14	18	12	9	41	58	99
26	Andere Neubildungen	—	—	1	1	—	—	4	8	1	1	1	—	7	10	17
27	Selbstmord	—	—	—	—	14	5	10	5	2	1	—	—	26	11	37
28	Mord, Totschlag, tödliche Körperverletzung, Hinrichtung	1	3	—	—	—	1	—	—	—	—	—	—	1	4	5
29	Verunglückung	—	—	6	4	10	2	19	3	1	—	—	—	36	9	45
30	Andere benannte Todesursachen	8	4	5	8	2	2	7	3	3	2	3	4	28	23	51
31	Todesursache nicht angegeben	3	2	—	—	—	—	1	—	—	—	1	—	5	2	7
		263	200	109	105	70	67	233	217	102	116	82	124	859	829	1688

B. Monatsweise Übersicht der Todesfälle in der Stadt Mainz vom Kalenderjahr 1906.

Bezeichnung	Monate												Summe
	Januar	Februar	März	April	Mai	Juni	Juli	August	September	Oktober	November	Dezember	
I. Alter der Gestorbenen.													
Unter 1 Jahr	27	26	32	40	31	27	52	68	60	37	32	31	463
1 bis unter 15 Jahren	14	11	13	19	18	13	17	19	25	22	16	27	214
15 „ „ 30 „	7	10	15	13	16	13	11	13	8	11	9	11	137
30 „ „ 60 „	46	36	39	42	34	42	40	34	40	31	27	39	450
60 „ „ 70 „	16	16	27	18	19	20	21	14	10	21	19	17	218
70 und mehr Jahre	14	12	19	24	24	17	18	15	12	19	18	14	206
Summe	124	111	145	156	142	132	159	163	155	141	121	139	1688
II. Krankheiten und Todesursachen.													
Angeborene Lebensschwäche und Bildungsfehler	6	8	5	10	3	4	4	4	9	11	6	9	79
Altersschwäche	6	7	9	11	12	5	9	7	3	6	7	4	86
Kindbettfieber	—	—	1	1	1	1	—	—	—	—	—	1	5
Andere Folgen der Geburt oder des Kindbettes	1	—	—	1	—	1	—	1	—	—	—	—	4
Scharlach	1	—	—	—	2	—	—	—	—	—	—	—	3
Masern und Röteln	—	—	—	1	3	—	—	2	3	6	4	2	21
Diphtherie und Krupp	1	4	—	—	—	—	—	3	—	2	2	1	13
Keuchhusten	3	1	4	2	3	5	12	4	9	4	—	2	49
Typhus	2	—	—	—	—	1	—	—	—	2	1	2	8
Rose (Erysipel)	1	—	—	—	1	—	—	—	—	—	—	2	4
Andere Wundinfektionskrankheiten	—	2	2	—	—	—	3	—	2	1	2	2	14
Tuberkulose der Lungen	17	14	24	17	29	20	15	16	18	15	15	21	221
„ anderer Organe	2	4	1	5	4	2	4	1	1	5	2	8	39
Akute allgemeine Miliartuberkulose	—	2	1	1	3	—	—	—	—	—	—	—	7
Lungenentzündung	15	11	8	10	12	11	9	7	9	12	5	17	126
Influenza	—	1	—	1	2	—	—	—	—	—	2	3	9
Andere übertragbare Krankheiten	1	—	—	1	1	—	1	1	2	—	3	3	13
Krankheiten der Atmungsorgane	3	3	8	13	3	2	3	1	1	5	7	3	52
„ „ Kreislauforgane	10	11	9	10	9	12	19	12	9	9	14	14	138
Gehirnschlag	10	1	9	10	7	20	6	4	3	7	6	3	86
Andere Krankheiten des Nervensystems	5	7	12	7	10	7	7	7	6	3	5	5	81
Magen- und Darmkatarrh, Brechdurchfall	7	4	13	15	16	12	29	58	44	17	13	6	234
Andere Krankheiten der Verdauungsorgane	5	4	12	8	4	1	9	7	7	6	6	5	74
Krankheiten der Harn- und Geschlechtsorgane	5	3	5	4	1	7	7	5	8	7	3	6	61
Krebs	7	11	8	10	6	7	7	8	5	11	8	11	99
Andere Neubildungen	3	—	—	2	2	4	1	1	3	—	—	1	17
Selbstmord	3	4	4	2	6	6	2	3	—	5	1	1	37
Mord, Totschlag, tödliche Körperverletzung	—	—	—	—	—	1	1	—	—	—	2	1	5
Verunglückung	3	4	3	6	1	—	7	5	5	4	4	3	45
Andere benannte Todesursachen	6	5	7	6	1	2	4	6	6	3	3	2	51
Todesursache nicht angegeben	1	—	—	2	—	1	—	—	2	—	—	1	7
Summe	124	111	145	156	142	132	159	163	155	141	121	139	1688

Das Bureau für Statistik und Einquartierungswesen hat sich im Berichtsjahre mit nachstehend näher bezeichneten Arbeiten befaßt:

1. Fortführung des Einquartierungs-Katasters für die Stadt Mainz nach Maßgabe der im Berichtsjahre neu errichteten, umgebauten oder niedergelegten Wohn- und Geschäftshäuser;
2. Fortführung der Verzeichnisse über die in der Stadt Mainz und im Vorort Zahlbach neuerrichteten Wohngebäude mit Angabe der einzelnen Wohnungen, deren Zimmerzahl, des Flächen- und Kubikinhaltes der einzelnen Wohnräume und des geschätzten Mietwertes der Wohnungen sowie des Flächeninhalts der Geschäftsräume;
3. Statistische Bearbeitung der Marktberichte der städtischen Schlacht- und Viehhof-Verwaltung über den wöchentlichen und monatlichen Auftrieb und die Preisnotierungen des Viehmarktes sowie die im Schlachthaus vorgenommenen Schlachtungen;
4. Statistische Bearbeitung der Wochenmarktberichte bezüglich der Preise der auf dem Wochenmarkt zum Verkauf gestellten Viktualien und Futterartikel, der Brotpreise nach Erklärung der Bäckerinnung und der Fleischpreise nach Erklärung der Metzgermeister;
5. Wöchentliche bezw. monatliche Mitteilungen über die zu Ziffer 3 und 4 angegebenen Preisermittelungen und den Auftrieb auf dem städtischen Viehhof an die hiesige und teilweise auch die auswärtige Presse, an das Königl. Proviantamt Mainz, an die Großh. Hessische Zentralstelle für die Landesstatistik in Darmstadt, an die Königl. Lehranstalt für Wein-, Obst- und Gemüsebau in Geisenheim, an die allgemeine Fleischerzeitung in Berlin, an die Preisberichtstelle des Deutschen Landwirtschaftsrates in Berlin und andere Stellen;
6. Amtliche Marktpreisbestätigungen für Lebensmittel, Futterartikel und verschiedene Gebrauchsgegenstände für das Großh. Kreisamt Mainz, die Garnisonverwaltung, die Verwaltung des Garnisonlazaretts, das Proviantamt und die Verwaltung der Armee-Konservenfabrik;
7. Monatliche Berichterstattung über den Bevölkerungswechsel und -Stand der Stadt Mainz an das Statistische Amt der Stadt Breslau für das Statistische Jahrbuch deutscher Städte;
8. Ausarbeitung von verschiedenen statistischen Tabellen, nämlich:
   a) über Geburten, Sterbefälle, Eheschließungen und Ehescheidungen in der Stadt Mainz sowie in den Kreisen und Provinzen des Großherzogtums Hessen und in einigen Nachbarstädten für das Jahr 1906 bezw. 1905 und von 1900 bis 1906;
   b) über die Preise von Lebensmitteln und anderen Verbrauchsgegenständen in der Stadt Mainz im Kalenderjahre 1906;
   c) über den wöchentlichen Auftrieb auf dem städtischen Viehmarkte und die Preisnotierungen für das verkaufte Vieh;
   d) Zusammenstellung der monatlichen Schlachtungen im städtischen Schlachthaus;
   e) Zusammenstellung der Jahresdurchschnittspreise des auf dem städtischen Viehhofe verkauften Viehes für je 50 kg Schlachtgewicht sowie der Fleischpreise für $^1/_2$ kg der einzelnen Fleischsorten in den Jahren von 1896 bis einschließlich 1906;
   f) über die Bautätigkeit, die Wohnungsverhältnisse und den Immobilien-Umsatz in der Stadt Mainz im Rechnungsjahr 1906;
   g) über die Rheinwasserstände am Brückenpegel zu Mainz während des Kalenderjahres 1906.

Ferner wurden für das statistische Jahrbuch deutscher Städte verschiedene Fragebogen beantwortet und an die statistischen Ämter verschiedener Städte die erbetenen Auskünfte über statistische Verhältnisse der Stadt Mainz erteilt.

Nach den am 1. Dezember 1900 und 1. Dezember 1904 vorgenommenen Zählungen des Viehstandes waren vorhanden:

	am 1. Dezember 1900	am 1. Dezember 1904
1. Pferde . . .	1877	2247
2. Esel	2	—
3. Rindvieh . . .	62	127
4. Schafe . . .	4	10
5. Schweine . . .	270	842
6. Ziegen . . .	141	107
7. Federvieh . .	4 571	—
8. Bienenstöcke . .	83	

Erläuternd wird hierzu bemerkt, daß, soweit ein Bestand nicht angegeben ist, eine Zählung nicht stattgefunden hat.

III. Verwaltung im allgemeinen.

Am 1. April 1906 waren es 25 Jahre, daß der Großh. Beigeordnete Herr Baurat **Kuhn** und der Direktor des städtischen Krankenhauses Herr **Medizinalrat** Dr. **Reisinger** in den Dienst der Stadt Mainz traten. Die Bürgermeisterei und die Stadtverordneten-Versammlung beglückwünschten die beiden Jubilare herzlich und gaben dem Wunsche Ausdruck, daß ihre schätzbare Kraft noch recht viele Jahre unserer Stadt erhalten bleiben möchte.

In der Sitzung der Stadtverordneten-Versammlung vom 19. Juli 1906 wurde der besoldete Beigeordnete Herr **Bürgermeister** Dr. **Schmidt**, dessen Amtszeit am 1. Oktober desselben Jahres abgelaufen gewesen wäre, auf die Dauer von 12 Jahren wiedergewählt. Seine Königliche Hoheit der Großherzog bestätigte die Wahl mittels Allerhöchster Entschließung vom 23. August 1906; die Beeidigung und Diensteinführung des Herrn Dr. Schmidt erfolgte in der Sitzung der Stadtverordneten-Versammlung vom 5. Oktober 1906.

Die durch die Wahl des Großh. Beigeordneten Herrn Bürgermeisters Dr. **Göttelmann** zum Bürgermeister der Stadt Mainz freigewordene Stelle eines besoldeten Beigeordneten wurde auf Grund Beschlusses der Stadtverordneten-Versammlung vom 24. Oktober 1906 zur Wiederbesetzung öffentlich ausgeschrieben. In besonderer nichtöffentlicher Sitzung vom 18. Februar 1907 wählte die Stadtverordneten-Versammlung, nachdem der erste Wahlgang für keinen der zur Wahl vorgeschlagenen Bewerber die erforderliche absolute Stimmenmehrheit ergeben hatte, in engerer Wahl den Gerichtsassessor Herrn **Emil Berndt** zum besoldeten Beigeordneten der Stadt Mainz auf die Dauer von 12 Jahren. Nachdem die Wahl die landesherrliche Bestätigung gefunden hatte, erfolgte die Beeidigung und Diensteinführung des Gewählten in der Sitzung der Stadtverordneten-Versammlung vom 16. März 1907.

Herr Beigeordneter Berndt ist am 16. Januar 1874 in Bietzig, Kreis Usedom-Wollin geboren. Er besuchte zuerst die Volksschule daselbst, dann das Realprogymnasium zu Wollin, das Schiller-Realgymnasium und das Stadtgymnasium zu Stettin. Nach Ablegung der Reifeprüfung an letzterer Anstalt im Frühjahr 1893 studierte er von 1893 bis 1896 in Würzburg und Gießen die Rechtswissenschaften und bestand im Herbst 1896 die Fakultätsprüfung. Im Frühjahr 1900 bestand er die Staatsprüfung im Justiz- und Verwaltungsfach, worauf seine Ernennung zum Gerichtsassessor alsbald erfolgte. Zunächst beschäftigte er sich bei Herrn Rechtsanwalt Justizrat Görz in Mainz; in 1901 und 1902 war er stellvertretender Amtsrichter in Alzey und Gernsheim, vom 1. Juni 1902 bis zur Übernahme seines jetzigen Amtes stellvertretender Amtsrichter in Mainz.

Auch im Berichtsjahre hat die Stadt Mainz den Verlust verdienter Männer zu beklagen. Der ehemalige langjährige Beigeordnete der Stadt Mainz Herr **Geheimer Kommerzienrat Hermann Reinach**, der am 24. Mai 1905 in Anerkennung seiner hohen und bleibenden Verdienste um das städtische Gemeinwesen zum Ehrenbürger der Stadt Mainz ernannt worden war, starb am 10. Dezember 1906. An seinem Grabe sowohl, wie in der Sitzung der Stadtverordneten-Versammlung vom 12. Dezember 1906 gedachte der Oberbürgermeister der großen Verdienste des Entschlafenen um die Entwickelung und das Wohl seiner Vaterstadt. Am 4. Februar 1907 starb der frühere Stadtverordnete Herr **Wilhelm Usinger**. Eine lange Reihe von Jahren gehörte er der Stadtverordneten-Versammlung als Mitglied an und noch bis zum letzten Augenblicke unterstützte er, als Mitglied verschiedener Kommissionen, die städtische Verwaltung durch seine reichen Kenntnisse und Erfahrungen.

Zum ehrenden Andenken an den verstorbenen hochverdienten Oberbürgermeister Herrn Dr. **Gaßner** wurde der Wiesbadener Straße auf der Ingelheimer Au und deren Fortsetzung nach der Rheinallee durch einstimmigen Beschluß der Stadtverordneten-Versammlung vom 5. Dezember 1906 der Name „Gaßner-Allee" beigelegt.

Aus Anlaß seines 50jährigen Dienstjubiläums wurde der Großh. Landgerichtsdirektor Herr Dr. **Karl Georg Bockenheimer** in Anerkennung der Verdienste, die er sich als Bürger, Geschichtsforscher und Lokalschriftsteller um das Gemeinwesen und insbesondere um die Geschichte der Stadt Mainz erworben hat, durch Beschluß der Stadtverordneten-Versammlung vom 9. Januar 1907 zum Ehrenbürger ernannt.

Am 25. April 1906 fand die Einweihung der neuerbauten **Oberrealschule** statt, der eine eindrucksvolle akademische Schulfeier in der Stadthalle vorausging. Die städtische Verwaltung hatte aus Anlaß der Einweihung eine Festschrift mit erläuternden Plänen und Ansichten herausgegeben.

Nach Übereinkommen mit der französischen Regierung ließ die Stadt Mainz die Gebeine der in den Kriegsjahren 1870/71 hier gestorbenen französischen Soldaten sammeln und in zwei ausgemauerten Grüften betten. Am 30. Oktober 1906 fand in Anwesenheit eines Beauftragten Seiner Majestät des deutschen Kaisers, von Vertretern der französischen Regierung, der hiesigen militärischen und staatlichen Behörden die feierliche Weihe der Grüfte statt.

Aus Anlaß der Truppenschau auf dem großen Sande am 25. August 1906 hielten Seine Majestät der Kaiser und Seine Königliche Hoheit der Großherzog ihren Einzug in unsre Stadt.

Am 8. November 1906 brachte der Telegraph die frohe Kunde, daß dem Großherzoglichen Paare ein Prinz, dem Hessenlande der Erbgroßherzog geboren worden sei. Der Oberbürgermeister übermittelte dem Fürstenpaar in einem Telegramm die herzlichsten Glück- und Segenswünsche der Stadt Mainz.

Die infolge der Auflösung des Reichstags am 25. Januar 1907 vorgenommene Neuwahl eines Abgeordneten für den Wahlkreis Mainz-Oppenheim ergab keine absolute Stimmenmehrheit für einen Kandidaten. Bei der am 5. Februar 1907 vorgenommenen engeren Wahl wurde der Schriftsteller Herr Dr. David als Reichstagsabgeordneter für den genannten Wahlkreis gewählt. Die Wahllisten wiesen 18 825 Stimmberechtigte auf.

In der Sitzung der Stadtverordneten-Versammlung vom 27. März 1907 gab der Oberbürgermeister eine vom 14. März 1907 datierte Order Seiner Majestät des Kaisers bekannt, durch welche bestimmt wird, daß von den Werken der Festung Mainz aufzulassen seien:

1. die Umwallung von der Verlängerung der Straße nach Hechtsheim bis zum Bastion Alexander einschließlich;
2. die Forts Welsch, Elisabeth, Philipp, Joseph, Stahlberg, sowie die Tenaille Clairfait und die Schanze Dahlheim.

Der Verein Mainzer Liedertafel und Damengesangverein veranstaltete am 17. und 18. Mai 1906 in seinem Konzerthause die festliche Aufführung der Händelschen Werke „Judas Maccabäus“ und „Saul“, unter Mitwirkung hervorragender Künstler. Das Großherzogliche Paar beehrte diese Veranstaltung mit seiner Anwesenheit. In Würdigung der Verdienste, die sich die Liedertafel seit ihrem beinahe 75jährigen Bestehen durch wohltätige und volkstümliche Veranstaltungen und durch ihre hervorragende Beteiligung an den vaterstädtischen Festen erworben hat, und als Zeichen der Anerkennung ihrer Leistungen bewilligte die Stadt Mainz zu den Kosten der Händelfeier einen Beitrag von 5000 ℳ.

Die Landesversicherungsanstalt Großherzogtum Hessen brachte ihr Tuberkulose-Wandermuseum von Mitte November bis anfangs Dezember 1906 in dem Gewerbevereinshause zur unentgeltlichen Besichtigung zur Ausstellung. Die Stadt Mainz förderte das Unternehmen dadurch, daß sie einen Kredit bis zu 800 ℳ zur Deckung der Kosten zur Verfügung stellte. Die hochinteressante und lehrreiche Ausstellung wurde zahlreich besucht und fand den ungeteilten Beifall des Publikums.

Während der Osterfeiertage 1906 veranstaltete der Gartenbau-Verein in der Stadthalle eine gut beschickte Blumen- und Pflanzen-Ausstellung. Zur Bestreitung der Kosten bewilligte die Stadtverordneten-Versammlung einen Beitrag von 400 ℳ.

Ebenso wurde die Kollektivausstellung des Handelsgärtnervereins für Mainz und Umgegend auf der Mannheimer Jubiläums-Gartenbau-Ausstellung von der Stadt Mainz durch Gewährung eines Zuschusses von 150 ℳ unterstützt.

Am 1. Februar 1907 beschloß die Stadtverordneten-Versammlung den Beitritt der Stadt Mainz zu dem Verein zur Wahrung der Rheinschiffahrtsinteressen gegen Zahlung des satzungsmäßigen Beitrags von jährlich 50 ℳ.

Erlassen wurden folgende **Ortsstatute, Polizeiverordnungen und andere Vorschriften** von allgemeinem Interesse:

1. am 15. Mai 1906: Nachtrag zu dem Tarif der städtischen Straßenbahn;
2. am gleichen Tage: Nachtrag zu der Verkehrsordnung für die städtische Straßenbahn;
3. am 18. Mai 1906: Satzungen, die Bildung einer Deputation für den Geländeverkehr betreffend;
4. am gleichen Tage: Satzungen für die Bildung und Verwaltung eines Grundstücksfonds für die Stadt Mainz;
5. am 31. Mai 1906: Vorschriften betreffend die Überweisung, Benutzung und Unterhaltung der Dienstwohnungen;
6. am 10. Juli 1906: Polizeiverordnung über den Betrieb von Geflügelmästereien, Geflügelhandlungen und Geflügelschlächtereien;
7. am 25. August 1906: Ortsstatut betreffend die Räumungsfristen bei der Wohnungsmiete;
8. am 15. September 1906: Ortsstatut für den Ortsgesundheitsrat in Mainz;
9. im September 1906: Anweisung über das Ausrücken der Feuerwehr zu Bränden;
10. am 25. September 1906: Reorganisation der Fortbildungsschule — Organisations- und Lehrplan;
11. am 28. September 1906: Nachtrag zu den Stromabgabe-Satzungen und den Hausanschluß-Bestimmungen;
12. am 16. Oktober 1906: Nachtrag zum Reglement für das Oktroi der Stadt Mainz;
13. am 7. Dezember 1906: Änderung des Ortsstatuts betr. die Sonntagsruhe im Handelsgewerbe;
14. am 12. Dezember 1906: Arbeitsordnung für die in den Betrieben der städtischen Verwaltung zu Mainz beschäftigten Arbeiter;
15. am 12. Dezember 1906: Bestimmungen betr. die Gewährung von Familienzulagen an die in den Betrieben der Stadt Mainz beschäftigten ständigen Arbeiter;*)

*) Näheres hierüber s. Seite 251 und 252.

16. im Januar 1907: Lehrplan für den Handfertigkeitsunterricht an der Volksschule in Mainz;
17. am 5. Februar 1907: Polizeiverordnung betr. den Verkehr an den Karnevalstagen;
18. am 15. Februar 1907: Sonder-Bestimmungen für den Strombezug zur Betätigung von Klingeln, Türöffnern usw. unter Benutzung von Kleintransformatoren;
19. am 22. März 1907: Ortssatzung nebst Polizeiverordnung über die Anlage und Benutzung der Vorgärten im Stadtbezirk Mainz;
20. am 20. Februar 1907: Bewilligung von Teuerungszulagen.*)

Die Stadtverordneten-Versammlung beschäftigte sich in 38 Sitzungen (39 im Vorjahre) mit der Beratung von 826 Gegenständen (gegen 820 im Voejahre). Die bestehenden Ausschüsse, Deputationen und Kommissionen rc. hielten im ganzen 430 (469) Sitzungen ab, wovon entfallen auf:

	1906	1905
den Ausschuß für Finanzangelegenheiten	41	42
„ „ „ das Bauwesen	50	60
„ „ „ Rechtsangelegenheiten	17	15
„ „ „ Schul- sowie Bibliothek- und ästhetische Angelegenheiten	9	15
„ „ „ die Besetzung von Stellen sowie für Bürger-Aufnahme und Vergebung von Stiftungszinsen	23	29
die Deputation für Theaterangelegenheiten	16	24
„ Hafen- und Lagerhaus-Deputation	10	10
„ Deputation für die Verwaltung der Straßenbahn	16	16
„ Deputation für das Feuerlöschwesen	4	2
„ „ „ „ Einquartierungswesen	—	—
„ „ „ sozialpolitische Angelegenheiten	8	8
„ „ „ die Unterhaltung der öffentlichen Anlagen und Spaziergänge	6	4
„ „ „ „ Verwaltung der Gas- und Elektrizitätswerke	18	19
„ „ „ „ „ des Friedhofs	3	—
„ „ „ den Geländeverkehr	18	—
die Deputation für Wahrung von Museums-Angelegenheiten	8	14
die Deputation für die Verwaltung der Sparkasse	13	17
„ „ „ das Reinigungswesen	18	14
„ „ „ die Verwaltung des Arbeitsamts	4	2
„ „ „ die Verwaltung des Schlacht- und Viehhofs	7	7
„ „ „ das Feuerbestattungswesen	2	2
das Kuratorium der höheren Mädchenschule	8	5
den Ortsgesundheitsrat	2	9
die Verwaltungskommission der Schott-Braunrasch-Stiftung	11	13
„ Kommission für Eingemeindungen	6	5
„ Kommission für Hallenangelegenheiten	25	28
„ Schloßbau-Kommission	4	6
„ Kommission für Wasserversorgung	8	7
„ Delegation für Schuldverschreibungen	37	33
„ Abschätzungskommission städtischen Geländes**)	—	—
„ Kommission für Geländeverkehr**)	—	16
„ Kommission für Verwertung des städt. Geländes auf dem Gebiet der Schloßfreiheit**)	—	3
„ Kommission für Wohnungspflege	4	—
„ Kommission für die Verwaltung der städt. Auskunfts- und Fürsorgestelle für Lungenkranke	6	—
„ Kommission für den Krankenhausneubau	13	—
sonstige Kommissionen	15	43
zusammen	430	468

*) Näheres hierüber s. Seite 251.

**) Die Abschätzungskommission für städt. Gelände, die Kommission für Geländeverkehr, sowie die Kommission für Verwertung des städt. Geländes auf dem Gebiet der Schloßfreiheit sind durch die Deputation für Geländeverkehr erledt worden (siehe unter Deputationen).

Das Geschäftsregister der Bürgermeisterei weist 30 759 Einläufe auf gegen 25 092 im Vorjahre.

Als Ortsbürger wurden aufgenommen 45 Personen gegen 65 im Vorjahre.

Anträge auf Vornahme des Sühneversuchs liefen ein 327 (1905 = 331). Hiervon wurden erledigt:

a) durch Vergleich	57	Fälle gegen	67	im Vorjahre
b) auf andere Weise (Zurücknahme)	14	„ „	17	„ „
während erfolglos blieben:				
a) wegen Ausbleibens des Beklagten	197	„ „	185	„ „
b) in Ermangelung einer Einigung	59	„ „	62	„ „
	327	Fälle gegen	331	im Vorjahre.

Zur Erwirkung von Konzessionen zum Wirtschaftsbetrieb und zum Kleinhandel mit Branntwein, sowie zur Erlangung von Wandergewerbescheinen wurden 349 (338) Protokolle aufgenommen.

Die aufgestellte Urliste derjenigen Personen, welche zum Amte eines Schöffen oder Geschworenen berufen werden können, enthielt 11 949 (6 870) Wählbare.

IV. Ortsgericht.

Von dem Vorsteher Großh. Ortsgerichts Mainz sind der Bürgermeisterei folgende Mitteilungen zugegangen:

Die Geschäftstätigkeit des Ortsgerichts im Jahre 1906 blieb im wesentlichen unverändert, wie aus der nachfolgenden Aufstellung ersichtlich ist; nur die Anzahl der Grundbuchsauszüge verringerte sich mit der fortschreitenden Anlegung des Grundbuchs.

A. Auszug aus dem Gebührenregister 1906.

I. Obliegenheiten des Gesamtortsgerichts.		
1. Schätzungen in 50 Sitzungen		295
2. Fragebeantwortungen bei Geländeverkäufen		25
3. „ bei Anlegung des Grundbuchs		2
II. Obliegenheiten des Vorstehers.		
1. Unterschriftsbeglaubigungen:		
a) im Amtszimmer	1 782	
b) in der Wohnung der Antragsteller	100	1 882
Grundbuchsauszüge		969
Identitätsbescheinigungen		2
Nachschlagen im Grundbuch		6
Bestätigungen		8
Bescheinigungen		15
Abschriften ortsgerichtlicher Urkunden		8
Sterbefallsanzeigen, davon 1275 gebührenfrei		1 755
2. Nachlaßsicherungen		49
10. Siegelabnahmen		7
11. Vernehmungen im Immobilienverkauf		12
12. Auskunftserteilungen des Vorstehers		800

B. Verschiedene Geschäfte (gebührenfrei).

I. Gutachten des Gesamtortsgerichts zu vormundschaftsgerichtlichen Genehmigungen	15
II. Des Vorstehers:	
a) Fragebeantwortungen bei Anlegung des Grundbuchs	12
b) Schätzung des ungefähren Wertes von Immobilien für gerichtliche Zwecke . . .	42
c) Vernehmungen zur Einleitung der Vormundschaft und anderen gerichtlichen Aufträgen etwa	800

C. Zusammenstellung der Schätzungen im Jahre 1906.

im I. Quartal	= 57	Schätzungen mit	4 837 269	*M.* Wert
„ II. „	= 89	„ „	5 621 408	„ „
„ III. „	= 98	„ „	5 479 252	„ „
„ IV. „	= 51	„ „	4 275 720	„ „
	295	Schätzungen mit	19 713 649	*M.* Wert.

Hierbei 73 verschiedene Grundstücke
und 222 Hofreiten

zusammen 295 Schätzungen (z. T. über mehrere Positionen).

D. Überwachung der Mündel in 1906.

Der Gemeindewaisenrat (hier das Ortsgericht) hat nach den Bestimmungen des B.G.B. dem Vormundschaftsgerichte die Personen vorzuschlagen, die sich im einzelnen Falle zum Vormunde eignen. Das Ortsgericht hat ferner darüber zu wachen, daß die Vormünder ihren Verpflichtungen gegenüber den Mündeln nachkommen, und hat über wahrgenommene Mängel und Pflichtwidrigkeiten dem Vormundschaftsgerichte Anzeige zu erstatten.

Durch die Überwachung der Mündel, in der aus den früheren Berichten an dieser Stelle bekannten Weise, konnte das Ortsgericht auch im Jahre 1906 seiner Aufsichtspflicht genügen. Die beobachtete große Säuglingssterblichkeit ließ es außerdem angebracht erscheinen, die Beaufsichtigung auch auf die unehelichen Kinder zu erstrecken, über die eine Vormundschaft noch nicht eingeleitet war. Nachdem ein Antrag bei Großh. Ministerium der Justiz, zur Überwachung der unehelichen Kinder von der Geburt an vom Staat bezahlte, mit Fachkenntnissen ausgerüstete Pflegerinnen dem Gemeindewaisenrate zur Verfügung zu stellen, keine Annahme gefunden hatte, ist auch diese schwierige Aufgabe von einer Anzahl Damen der freiwilligen Waisenpflege nach bestem Können durchgeführt worden.

Die Vorarbeiten zu der durch den Erlaß Sr. Königl. Hoheit des Großherzogs vom 4. Dezember 1906 angeregten Schaffung einer Zentrale für Säuglingspflege und Mutterschutz beschäftigen zur Zeit eine durch das Großh. Ministerium des Innern gebildete Kommission, sodaß wohl für die Säuglingspflege, deren außerordentliche Wichtigkeit jetzt allgemein erkannt ist, eine besondere Fürsorge in Aussicht steht.

Die Vorbereitung der Überwachung der Mündel verursacht noch immer große Mühe. Die Ausgabe der Fragebogen kann meistens nur nach wiederholten Ermittelungen erfolgen, da die Vormünder, deren Auswahl sich ohnedies immer schwieriger gestaltet, fast niemals ihrer Verpflichtung gemäß die zahlreichen Wohnungsänderungen der Mündel anmelden.

Eine wesentliche Erleichterung der Obliegenheiten des Ortsgerichts als Gemeindewaisenrat dürfte auch hier davon zu erwarten sein, daß nach einer Mitteilung des Großh. Ministeriums der Justiz auf Grund Ortsstatuts demnächst voraussichtlich Anstalts- und Generalvormundschaften in allen größeren Städten eintreten werden.

V. Gewerbegericht.

Die Zahl der im abgelaufenen Geschäftsjahre (1. April 1906 bis dahin 1907) anhängig gewesenen Klagen war ungefähr die gleiche wie im Vorjahre: 450 gegen 441. Recht häufig kamen wiederum Klagen von Arbeitgebern gegen Arbeiter wegen widerrechtlichen Verlassens der Arbeit (Kontraktbruchs) vor. Fast die Hälfte dieser Klagen stand im Zusammenhange mit dem im Glasergewerbe im Juni 1906 ausgebrochenen Ausstande; sie erledigten sich ohne Entscheidung mit der Beendigung des Ausstandes. In den übrigen Fällen kam es nur viermal zur Entscheidung aufgrund kontradiktorischer Verhandlung: die Kläger begnügten sich in der Regel mit dem Anerkenntnisse der Beklagten, daß ihr Austritt aus dem Arbeitsverhältnisse zu Unrecht erfolgt sei und nahmen daraufhin die Klage zurück.

Die Zahl der auf Lohnzahlung und Entschädigung wegen kündigungsloser Entlassung gerichteten Klagen hat sich gegen das Vorjahr nur unwesentlich erhöht (243 und 144 gegen 233 und 133).

Hinsichtlich der Einführung neuer Tarifverträge wird auf Seite 21 Ziffer 13. Tätigkeit bei Streiks und Lohnbewegungen verwiesen. Ohne Mitwirkung des Gewerbegerichts kamen neue Vereinbarungen über die Lohn- und Arbeitsbedingungen zum Abschlusse zwischen dem Möbelfabrikanten- und Meisterverbande und den Schreinergesellen, sowie zwischen den Dachdeckermeistern und ihren Gehilfen.

1. Zahl der Sachen.

Im Laufe der letzten 5 Geschäftsjahre waren die in folgender Übersicht angegebenen Klagen anhängig gewesen:

Geschäftsjahr	Zahl der erhobenen Klagen	Zahl der aus dem Vorjahre als unerledigt übernommenen Klagen	Gesamtzahl der Klagen
1902/03	383	9	392
1903/04	399	16	415
1904/05	371	4	375
1905/06	436	5	441
1906/07	437	13	450

Durch den Gerichtsschreiber wurden 33 (51) Streitigkeiten erledigt, bevor eine Klage formell erhoben war.

Die meisten Klagen wurden im Monat Juni 1906, nämlich 52, und die wenigsten in den Monaten Mai und Dezember 1906, nämlich je 29, anhängig gemacht.

Zu Protokoll des Gerichtsschreibers wurden 431 Klagen erklärt, 4 (6) schriftlich eingereicht und 2 durch mündlichen Vortrag in der Sitzung erhoben.

Von den anhängig gewesenen 450 Klagen wurden erhoben:

a) von Arbeitgebern gegen Arbeiter und Lehrlinge . . . . 62 = 13,78 % (55 = 12,47 %)
b) von Arbeitern und Lehrlingen gegen Arbeitgeber . . . . 387 = 86,00 % (385 = 87,30 %)
c) von Arbeitern gegen Arbeiter desselben Arbeitgebers . . . . 1 = 0,22 % (1 = 0,23 %)

Zusammen 450 = 100,00 % (441 = 100,00 %)

2. Klagegegenstand.

Von den 62 Klagen der Arbeitgeber gegen Arbeiter und Lehrlinge waren gerichtet:

a) auf Aufnahme oder Fortsetzung des Arbeitsverhältnisses . . . . 1 = 0,18 % (3 = 0,59 %)
b) auf Fortsetzung des Lehrverhältnisses . . . . 2 = 0,37 % (0 = 0 %)
c) auf Entschädigung wegen Nichtaufnahme der Arbeit . . . . 0 = 0 % (2 = 0,39 %)
d) auf Entschädigung wegen widerrechtlichen Verlassens der Arbeit . . . . 57 = 10,30 % (48 = 9,45 %)
e) auf Entschädigung wegen widerrechtlicher Lösung des Lehrverhältnisses . . . . . 1 = 0,18 % (1 = 0,20 %)
f) auf Schadensersatz wegen fahrlässigerweise zugefügten Materialschadens . . . . 1 = 0,18 % (1 = 0,20 %)
g) auf Ersatz vereinnahmter, aber nicht abgelieferter Kundengelder . . . . 0 = 0 % (1 = 0,20 %)
h) auf Rückzahlung gegebener Lohnvorschüsse . . . . 4 = 0,74 % (1 = 0,20 %)

Zusammen 66 = 12,15 % (57 = 11,25 %)

Da in 4 Fällen je 2 Ansprüche in einer Klage gemeinsam geltend gemacht wurden, erhöht sich die Zahl der Ansprüche gegenüber der der Klagen um 4.

Widerklagen wurden von Arbeitgebern 2 erhoben; sie betrafen Zurückzahlung zu viel erhobener Vorschüsse und Ersatz für zugefügten Materialschaden.

Die 387 Klagen von Arbeitern und Lehrlingen gegen Arbeitgeber hatten folgende Streitigkeiten zum Gegenstande:

a) Aufnahme oder Fortsetzung des Arbeitsverhältnisses . . . . 1 Fall = 0,18 % (1 = 0,20 %)
b) Fortsetzung eines Lehrverhältnisses . . . . 0 „ = 0 % (1 = 0,20 %)
c) Lösung eines Lehrverhältnisses . . . . 1 „ = 0,18 % (0 = 0 %)
d) Erteilung, Änderung und Herausgabe von Zeugnissen, Arbeitsbüchern, Invalidenkarten usw. . . . . 30 Fälle = 5,48 % (25 = 4,93 %)

zu übertragen . . . . 32 Fälle = 5,89 % (27 = 5,32 %)

Übertrag	32 Fälle = 5,89 %	(27 = 5,33 %)
e) Lohnzahlung	243 „ = 44,75 %	(233 = 45,95 %)
f) Entschädigung wegen Entlassung ohne vorausgegangene Kündigung oder wegen vorzeitiger Entlassung	144 „ = 26,52 %	(133 = 26,23 %)
g) Entschädigung wegen verweigerter Einstellung in die Arbeit	12 „ = 2,21 %	(27 = 5,33 %)
h) Entschädigung wegen verweigerter Weiterbeschäftigung in seitheriger Weise	1 Fall = 0,18 %	(2 = 0,39 %)
i) Entschädigung wegen Entziehung übertragener Akkordarbeit	5 Fälle = 0,92 %	(0 = 0 %)
k) Entschädigung wegen schuldhaft verzögerter Lohnauszahlung	3 „ = 0,55 %	(1 = 0,20 %)
l) Entschädigung wegen verschuldeten Verlassens der Arbeit infolge vertragswidrigen Verhaltens des andern Teils	12 „ = 2,21 %	(5 = 0,99 %)
m) Entschädigung wegen verweigerter Erteilung von Arbeitszeugnissen, verweigerter Auslieferung von Arbeitsbüchern, Invalidenkarten 2c.	2 „ = 0,37 %	(6 = 1,18 %)
n) Herausgabe widerrechtlich einbehaltener Kleider usw.	8 „ = 1,47 %	(4 = 0,79 %)
o) Herauszahlung einbehaltener Kaution	7 „ = 1,29 %	(5 = 0,99 %)
p) Ersatz gemachter Vorlagen	6 „ = 1,11 %	(1 = 0,20 %)
q) Zahlung zugesicherter Gratifikation	1 Fall = 0,18 %	(1 = 0,20 %)
r) Berechnung und Anrechnung der von Arbeitern zu leistenden Krankenversicherungsbeiträge	1 „ = 0,18 %	(3 = 0,59 %)
s) Feststellung eines Vertragsverhältnisses	0 „ = 0 %	(1 = 0,20 %)
Zusammen	477 Fälle = 87,85 %	(449 = 88,56 %)

In verschiedenen Klagen wurden mehrere Ansprüche gemeinsam geltend gemacht, worauf der Unterschied zwischen der Zahl der Klagen und der der einzelnen Ansprüche beruht.

Widerklagen wurden von Arbeitern nicht erhoben.

Die zwischen 2 Arbeitern desselben Arbeitgebers anhängig gewesene Klage betraf die Herauszahlung anteiligen Akkordüberverdienstes.

3. Wertklassen.

Die 450 anhängig gewesenen Klagen verteilen sich dem Streitwerte nach auf die folgenden Wertklassen:

Klasse I (bis 20 ℳ)	198 = 44,00 %	(189 = 42,86 %)
„ II (mehr als 20— 50 ℳ)	147 = 32,67 %	(159 = 36,05 %)
„ III („ „ 50—100 „)	66 = 14,67 %	(57 = 12,93 %)
„ IV („ „ 100—200 „)	15 = 3,33 %	(14 = 3,17 %)
„ V („ „ 200—300 „) und höher	15 = 3,33 %	(9 = 2,04 %)
Ohne bestimmten Streitwert waren	9 = 2,00 %	(13 = 2,95 %)
Zusammen	450 = 100,00 %	

Der geringste Streitwert betrug 38 ₰, der höchste 1950 ℳ 41 ₰.

4. Art der Erledigung.

Von diesen 450 Klagen wurden erledigt:

I. durch Klagerücknahme vor dem Verhandlungstermin	74 = 16,44 %	(91 = 20,63 %)
II. durch den Vorsitzenden im ersten Verhandlungstermin an 52 (52) ordentlichen und 7 (3) außerordentlichen Sitzungstagen:		
a) durch Anerkenntnisurteil	7 = 1,56 %	(0 = 0 %)
b) durch Vergleich	108 = 24,00 %	(106 = 24,04 %)
c) „ rechtskräftiges Versäumnisurteil	33 = 7,33 %	(34 = 7,71 %)
d) „ anderes Endurteil	3 = 0,67 %	(4 = 0,91 %)
e) „ Verzicht und Klagerücknahme	70 = 15,56 %	(65 = 14,74 %)
Zusammen	221 = 49,12 %	(209 = 47,40 %)

III. unter Mitwirkung der Beisitzer an 43 (40) ordentl. Sitzungstagen:

a) durch Vergleich	32 = 7,11 %	(47 = 10,66 %)
b) „ rechtskräftiges Versäumnisurteil	11 = 2,44 %	(7 = 1,59 %)
c) „ anderes Endurteil	87 = 19,33 %	(57 = 12,92 %)
d) „ Verzicht und Klagerücknahme	13 = 2,89 %	(17 = 3,85 %)
Zusammen	143 = 31,77 %	(128 = 29,01 %)

Demnach wurden erledigt überhaupt	438 Sachen = 97,33 %	(428 = 97,05 %)
Unerledigt waren am Ende des Geschäftsjahres	12 „ = 2,67 %	(13 = 2,95 %)
Verglichen, ergibt wiederum die Zahl der anhängig gewesenen Klagen mit	450 Sachen = 100 %	

Nach vorstehender Zusammenstellung ist die Zahl der Vergleiche gegenüber dem Vorjahre um 3,55 % zurückgegangen, ebenso haben sich die Verzichte und Klagerücknahmen um 4,33 % vermindert. Dagegen haben sich erhöht: die Anerkenntnisurteile um 1,56 %, die Versäumnisurteile um 0,47 % und die anderen Urteile um 6,17 %.

Von den 62 durch Arbeitgeber anhängig gemachten Klagen wurden erledigt:

1. durch Vergleich	10 = 16,12 %	(8 = 14,55 %)
2. „ rechtskräftiges Versäumnisurteil lautend:		
a) auf Klagezusprechung	8 = 12,90 %	(6 = 10,91 %)
b) auf Klageabweisung	0 = 0 %	(1 = 1,82 %)
3. durch anderes Endurteil lautend auf Klagezusprechung	4 = 6,45 %	(4 = 7,27 %)
4. durch Klagerücknahme und Verzicht	32 = 51,62 %	(36 = 65,45 %)
Unerledigt	8 = 12,90 %	(0 = 0 %)
Zusammen	62 = 100,00 %	(55 = 100,00 %)

Von den beiden durch Arbeitgeber erhobenen Widerklagen erledigte sich die eine durch Verurteilung des Widerbeklagten, die andere durch Fallenlassen des erhobenen Anspruchs.

Von den durch Arbeiter und Lehrlinge erhobenen 387 Klagen kamen zur Erledigung:

1. durch Anerkenntnisurteil	7 = 1,81 %	(0 = 0 %)
2. „ Vergleich	131 = 33,85 %	(145 = 37,66 %)
3. „ rechtskräftiges Versäumnisurteil, lautend:		
a) auf Klagezusprechung	25 = 6,46 %	(23 = 5,97 %)
b) „ Klageabweisung (Ausbleiben des Klägers im Termin)	15 = 3,88 %	(11 = 2,86 %)
4. durch anderes Endurteil, lautend:		
a) auf Klagezusprechung	22 = 5,68 %	(16 = 4,16 %)
b) „ Klageabweisung	38 = 9,82 %	(28 = 7,27 %)
c) „ teilweise Zusprechung und teilweise Abweisung der Klage	23 = 5,94 %	(13 = 3,38 %)
5. durch Klagerücknahme und Verzicht	122 = 31,53 %	(136 = 35,32 %)
Unerledigt	4 = 1,03 %	(13 = 3,38 %)
Zusammen	387 = 100 %	

Die zwischen Arbeitern desselben Arbeitgebers anhängig gewesene Klage erledigte sich durch „anderes Endurteil", lautend auf teilweise Zusprechung und teilweise Abweisung der Kluge.

5. Urteile.

Von den erlassenen 141 (102) Urteilen sind ergangen:

a) zugunsten der Kläger	70 = 49,65 %	(49 = 48,04 %)
b) „ „ Beklagten	50 = 35,46 %	(40 = 39,22 %)
c) „ beider Parteien (teilweises Obsiegen, teilweises Unterliegen)	21 = 14,89 %	(13 = 12,74 %)
Zusammen	141 = 100 %	
d) zugunsten von Arbeitgebern	62 = 43,97 %	(50 = 49,02 %)
e) „ „ Arbeitnehmern	58 = 41,13 %	(39 = 38,24 %)
f) „ beider Parteien (teilweises Obsiegen, teilweises Unterliegen)	21 = 14,90 %	(13 = 12,74 %)
Zusammen	141 = 100 %	

Von den erlassenen 141 (102) Urteilen entfallen auf die Wertklasse:

I. (bis 20 ℳ)	47 = 33,33 %	(43 = 42,16 %)
II. (mehr als 20 bis 50 ℳ)	60 = 42,55 %	(37 = 36,27 %)
III. (mehr als 50 bis 100 „)	22 = 15,60 %	(18 = 17,65 %)
IV. (mehr als 100 bis 200 „)	4 = 2,84 %	(3 = 2,94 %)
V. (mehr als 200 bis 300 „) und höher	8 = 5,68 %	(1 = 0,98 %)
Zusammen	141 = 100 %	

6. Zeitdauer der Erledigung.

Vom Tage der Klageerhebung an gerechnet kamen von den 438 beendigten Sachen zur Erledigung:

a) innerhalb einer Woche	310 = 70,78 %	(263 = 61,45 %)
b) „ zwei Wochen	81 = 18,49 %	(99 = 23,13 %)
c) „ drei Wochen und später	47 = 10,73 %	(66 = 15,42 %)
Zusammen	438 = 100,00 %	

7. Berufungen.

Im abgelaufenen Jahre ergingen 10 (3) berufungsfähige Urteile; eins davon wurde mit Berufung angefochten, die bei Schluß des Geschäftsjahres noch nicht erledigt war. In einem Falle suchte der abgewiesene Kläger zwecks weiterer Verfolgung seines Anspruchs um Bewilligung des Armenrechts für die Berufungsinstanz nach. Das Landgericht lehnte jedoch die Erteilung des Armenrechts wegen Aussichtslosigkeit der Rechtsverfolgung ab, und das Oberlandesgericht billigte auf die von dem Kläger wegen Versagung des Armenrechts verfolgte Beschwerde die Entscheidung des Landgerichts. In diesem Falle handelte es sich um eine größere Entschädigungsforderung, die von dem Kläger darauf gestützt wurde, daß ihm der Beklagte, sein bisheriger Arbeitgeber, die ihm übergebenen Zeugnisse aus früheren Arbeitsverhältnissen nicht zurückgegeben habe. Das Gewerbegericht wies den Anspruch als unbegründet ab, weil gesetzlich der Beklagte als Verwahrer der Zeugnisse nur für diejenige Sorgfalt einzustehen habe, die er in eignen Angelegenheiten anzuwenden pflege, die Außerachtlassung dieser Sorgfalt dem Beklagten aber nicht nachgewiesen sei, im übrigen auch nicht feststehe, daß Kläger durch den Nichtbesitz der Zeugnisse zu Schaden gekommen sei, zumal da ihm der Beklagte Ersatzzeugnisse angeboten habe.

Die bei Schluß des Geschäftsjahres 1905 noch unerledigt gewesene Berufung wurde durch Vergleich vor dem Berufungsgericht erledigt.

8. Beweisbeschlüsse, bedingte Endurteile und Sonstiges.

Streitige mündliche Verhandlungen fanden 431 (422) statt. Beweisbeschlüsse wurden 57 (49) erlassen. Es wurden 115 (85) Zeugen, 13 (8) Sachverständige vernommen und 3 (1) schriftliche Gutachten erhoben. In einer Sache war die Zuziehung eines Dolmetschers für den der deutschen Sprache nicht mächtigen Kläger (einen Ungarn) notwendig. Zeugenbeeidigung erfolgte nur in einem Falle. Durch bedingtes Endurteil wurden 3 (3) Eide auferlegt, und in 4 (4) Fällen wurden Eide zugeschoben. In 2 Fällen wurde der Eid geleistet, während in einem Falle der schwurpflichtige Teil eidesweigernd erklärt und in einem weiteren Falle die Eideszuschiebung als überflüssig zurückgewiesen wurde. In zwei anderen Fällen erledigten sich die Klagen vor der Eidesleistung.

9. Arreste, einstweilige Verfügungen, Zwangsvollstreckungen u. a.

Arreste wurden nicht beantragt. Einstweilige Verfügungen ergingen zwei. In dem einen Falle wurde einem Lehrling gestattet, der Lehre bis zur erfolgten gerichtlichen Entscheidung über die Klage auf Auflösung des Lehrverhältnisses fern zu bleiben, in dem andern Falle handelte es sich um die Aushändigung einer Kundenliste.

In Zwangsvollstreckungssachen war das Gericht nicht tätig. Kostenfestsetzungsbeschlüsse wurden 3 erlassen.

10. Ausfertigungen.

Von Urteilen und Vergleichen wurden auf Antrag 36 (53) vollstreckbare Ausfertigungen und auf Antrag sowie von Amts wegen 88 (71) einfache Ausfertigungen erteilt.

11. Kostenwesen.

An Gerichtskosten — Gebühren und Auslagen — kamen zum Ansatz	311,40 ℳ	(223,50 ℳ)
Am Ende des Jahres 1905 standen noch aus	42,78 „	(4,50 „)
Zusammen	354,18 ℳ	(228,00 ℳ)

Davon gingen im Berichtsjahre ein	237,20 *M.* (143,72 *M.*)
Als uneinbringlich wurden niedergeschlagen	90,08 „ (41,50 „)
In Anforderung und Beitreibung befinden sich noch	26,90 „ (42,78 „)
Zusammen	354,18 *M.* (228,00 *M.*)

Von den in Einnahme gestellten Gerichtskosten kamen zur Mahnung 80 (53) und zur Beitreibung 65 (42) Posten.

12. Beisitzer-, Zeugen- und Sachverständigengebühren.

Im Berichtsjahre kamen durch das Gewerbegericht zur Auszahlung:

1. Beisitzergebühren	261,40 *M.* (240,60 *M.*)
2. Zeugengebühren	22,70 „ (27,35 „)
3. Sachverständigengebühren	25,50 „ (10,00 „)

13. Tätigkeit bei Streiks und Lohnbewegungen.

Als Einigungsamt ist das Gewerbegericht auch im abgelaufenen Jahre nicht tätig gewesen. Dagegen hat der Vorsitzende den Abschluß mehrerer Tarifverträge vermittelt und in 3 Fällen zur Beilegung oder Abwendung von Streiks mitgewirkt. Es handelte sich hierbei um folgende Fälle:

1. Im April 1906 traten die Mainzer Bäckergehilfen in eine Lohnbewegung ein. Sie verlangten in der Hauptsache: Abschaffung des Kost- und Wohnungszwanges, Festsetzung von Mindestlöhnen, Bezahlung von Überstunden und Bildung eines Tarifamtes. Nachdem die zwischen den Beteiligten unmittelbar geführten Verhandlungen zu einer Verständigung nicht geführt hatten, ließ der Vorsitzende auf Wunsch beider Teile seine Vermittelung eintreten. Diese hatte nach wiederholten Verhandlungen den Erfolg, daß am 11. Mai 1906 zwischen den Bäckermeistern und ihren Gehilfen ein Tarifvertrag zustande kam, der auf die Betriebe aller der hiesigen Bäckerinnung angehörigen, in Mainz, Kastel, Kostheim, Weisenau, Gonsenheim, Mombach, Bretzenheim, Hechtsheim und Finthen wohnhaften Meister Anwendung findet. Die Gehilfen drangen mit ihren Forderungen insofern durch, als der Kostzwang und — für die Verheirateten — der Wohnungszwang abgeschafft und ein Mindestlohn festgesetzt wurde. Durch den Abschluß dieses Vertrages, der zwei Jahre Giltigkeit hat, ist ein Streik im hiesigen Bäckergewerbe noch im letzten Augenblicke abgewendet worden.

2. Am 5. Juni 1906 riefen die am nämlichen Tage in den Ausstand getretenen Glasergehilfen von Mainz das Gewerbegericht als Einigungsamt an, nachdem sie sich in direkter Verhandlung mit den Arbeitgebern über einen diesen vorgelegten Tarifvertrag nicht verständigen konnten. Die Arbeitgeber lehnten es ab, sich der Anrufung des Einigungsamtes anzuschließen, erklärten sich jedoch bereit, unter der Leitung des Vorsitzenden mit den Gehilfen zu verhandeln. Die Gehilfen hatten bereits vorher die Arbeit niedergelegt und waren nicht dazu zu bewegen, dieselbe einstweilen wieder aufzunehmen. Nach mehrfachen längeren Verhandlungen kam am 13. Juni 1906 ein Tarifvertrag zum Abschluß, worauf am 15. Juni die Arbeit wieder aufgenommen wurde. Der Tarifvertrag hat Giltigkeit bis 1. Mai 1909. Er sieht in der Hauptsache die Einführung 9½ stündiger Arbeitszeit und die Erhöhung der bisherigen Stundenlöhne vor und setzt für Akkordarbeiten einen besonderen Tarif fest. An dem Streik beteiligten sich rund 40 Gehilfen, die bei 9 Meistern beschäftigt waren; der Lohnverlust betrug 1300 bis 1400 *M.*

3. Am 28. Juni 1906 reichten die Arbeiter und Arbeiterinnen einer hiesigen Schuhfabrik die Kündigung ein, weil einer Arbeiterin des Geschäfts gekündigt worden war und zwar nach ihrer Behauptung in der Absicht, den mit den Arbeitern abgeschlossenen Tarifvertrag zu umgehen oder doch zu durchbrechen. Mit Ablauf der Kündigungsfrist legten sämtliche Arbeiter und Arbeiterinnen am Abend des 5. Juli die Arbeit nieder. Wiederholte Verhandlungen, die unter der Leitung des Vorsitzenden zwischen den Streitteilen erfolgten, führten zunächst zu keinem Ergebnisse; erst am 5. September gelang es, eine Einigung zu erzielen. Auch dieser Streik war mit erheblichen materiellen Opfern verbunden; der den beteiligt gewesenen 23 Arbeitern entgangene Arbeitsverdienst allein betrug rund 4000 *M.*

4. Wegen verschiedener Differenzen mit ihren Arbeitgebern traten am 10. September 1906 die bei einer Anzahl von Fracht- und Regieflößereien beschäftigten Rheinflößer in den Ausstand. Nachdem der Vorsitzende vergeblich versucht hatte, in den Streik vermittelnd einzugreifen, ersuchte die Lohnkommission der Flößer des Gaues Südwestdeutschland am 29. September 1906 das Gewerbegericht um seine Vermittlung. Die am 1. Oktober 1906 unter der Leitung des Vorsitzenden gepflogenen Verhandlungen führten zum Abschluß eines Tarifvertrags mit Giltigkeit bis 31. Dezember 1908.

Mit diesem Abkommen erreichten die Flößer in der Hauptsache eine wesentliche Erhöhung der Tage- und Reiselöhne, speziell der letzteren um 10%, und eine geregelte Arbeitszeit für Tagelohn- und Floßbauarbeiten. Die Forderung der Arbeiter auf Einführung eines Arbeitsnachweises wurde, da sich die Arbeitgeber ihr energisch widersetzten, fallen gelassen. Der mit diesem Streik verbunden gewesene Lohnverlust der Streikenden ist auf ungefähr 5500 ℳ anzunehmen. Erwähnung verdient die Tatsache, daß eine Reihe von Firmen, obwohl sie ihr Flößereigeschäft in der Regel nicht von Mainz, sondern von anderen Orten (Kastel, Schierstein und Mannheim) aus betreiben, dennoch zur Verhandlung vor dem Gewerbegericht Mainz sich bereit erklärten und dem vereinbarten Tarifvertrage beitraten.

5. Eine Fabrik hatte den Vorsitzenden des Gewerbegerichts anfangs März 1907 um seine Vermittelung ersucht, nachdem Arbeiter einer bestimmten Abteilung ihres Betriebs mit der Forderung auf Erhöhung ihrer Löhne und auf Abschaffung der Akkordarbeit an sie herangetreten waren. Die am 8. März 1907 stattgehabte Verhandlung führte zu einer Einigung auf der Grundlage, daß die Forderung der Abschaffung der Akkordarbeit fallen gelassen, von dem Unternehmer aber ein gewisser Mindestlohn garantiert wurde. Der abgeschlossene Vertrag hat Gültigkeit bis zum 1. April 1909.

6. Von derselben Fabrik wurde der Vorsitzende am 23. März 1907 um seine Vermittlung in der Lohnbewegung der Arbeiter einer anderen Abteilung ihres Betriebes ersucht. Auch hier wurde, und zwar am 30. März, ein Vertrag zustande gebracht, der im wesentlichen die Löhne für die unter 20 und die über 20 Jahre alten Arbeiter regelt und die Bezüge festsetzt, welche den Arbeitern bei auswärtiger Beschäftigung zustehen. Dieser Vertrag ist giltig bis 1. April 1909.

14. Gutachten.

Im Monat Februar 1907 ersuchte die Bürgermeisterei das Gewerbegericht um Abgabe eines Gutachtens darüber, ob und welche Änderungen der zur Zeit geltenden Sätze des Durchschnittswertes der Naturalbezüge und des ortsüblichen Tagelohnes gewöhnlicher Tagearbeiter (§§ 1, 8 des Krankenversicherungsgesetzes) angezeigt erschienen und wodurch diese Änderungen begründet seien. Da die erforderlichen Erhebungen am Schlusse des Geschäftsjahres noch nicht beendet waren, konnte das gewünschte Gutachten erst zu Beginn des Geschäftsjahres 1907/08 erstattet werden.

15. Anträge.

Auch im abgelaufenen Jahre wurden Anträge nach § 75 des Gewerbegerichtsgesetzes nicht gestellt.

16. Aus der Spruchpraxis.

Die Frage, ob ein wegen Krankheit auf Grund des § 123 Z. 8 der Gewerbeordnung entlassener Arbeiter über den Zeitpunkt der Entlassung hinaus Lohnvergütung nach § 616 des Bürgerlichen Gesetzbuchs fordern kann, kam im abgelaufenen Geschäftsjahr zum ersten Male zur Entscheidung. Das Gewerbegericht erkannte durch Urteil vom 11. März 1907 dahin, daß der Anspruch auf Lohnvergütung auf Grund des § 616 durch die Entlassung nicht beseitigt werden könne. Es stellte sich hierbei auf den von Burchardt „Die Rechtsverhältnisse der gewerblichen Arbeiter" in § 13 Z. 5, von Neukamp in dem Aufsatze „Verhältnis des Bürgerlichen Gesetzbuchs zur Gewerbe-Ordnung" (Verwaltungsarchiv Bd. 5 S. 230) und von Nelken in dem Aufsatze „Der Lohnanspruch des gewerblichen Arbeiters bei Dienstverhinderungen infolge unverschuldeten Unglücks" (Deutsche Juristenzeitung, 8. Jahrgang, S. 211) vertretenen Standpunkt. Der gegenteiligen Ansicht von Sigel „Der gewerbliche Arbeitsvertrag", der sich auch das Gewerbegericht Stuttgart in seiner Entscheidung vom 24. Februar 1904 anschloß, konnte das Gewerbegericht nicht beipflichten.

17. Allgemeines.

Zwei außerhalb des Bezirks des Gewerbegerichts Mainz liegende Fabriken haben in ihre Arbeitsordnungen die Bestimmung aufgenommen, daß das Gewerbegericht Mainz für die zwischen ihnen und ihren Arbeitern vorkommenden Streitigkeiten zuständig sein solle. Diese Bestimmung bedeutet für die Stadtgemeinde eine Belastung mit Kosten in fremden Angelegenheiten, nach Lage der Gesetzgebung wird dagegen aber schwerlich etwas zu machen sein.

18. Personalien.

Durch Beschluß der Stadtverordneten-Versammlung vom 19. September 1906 wurde Herr Oberbürgermeister Dr. Göttelmann zum Vorsitzenden des Gewerbegerichts und durch gleichen Beschluß wurden Herr Beigeordneter Bürgermeister Dr. Schmidt, sowie Herr Obersekretär Schäfer zu Stellvertretern des Vorsitzenden des Gewerbegerichts mit Wirkung vom 1. Oktober 1906 ab auf die Dauer von 3 Jahren bestellt.

Von den Beisitzern schieden im Laufe des Jahres die Arbeitnehmer Philipp Bargon und Johann Syré wegen Verlustes der Eigenschaft eines gewerblichen Arbeiters aus. An ihre Stelle traten die Herren Hermann Kühne, Schuhmacher und Karl Schandt, Dachdecker.

In dem Kreise der Arbeitgeber-Beisitzer traten keine Veränderungen ein.

VI. Kaufmannsgericht.

Die im Kalenderjahre 1906 anhängig gewordenen Streitigkeiten bewegten sich ihrer Zahl noch in den Grenzen des Vorjahres. Es wurden nämlich innerhalb des Jahres 1905, das sich als erstes Geschäftsjahr nur auf die Zeit vom 8. März bis zum 31. Dezember erstreckte, 66 und im Laufe des Jahres 1906 76 Klagen anhängig gemacht. Dabei kann auch für das Berichtsjahr die erfreuliche Tatsache festgellt werden, daß bei den Beteiligten im allgemeinen eine große Geneigtheit zu gütlicher Erledigung der Streitigkeiten vorhanden gewesen ist: annähernd die Hälfte aller anhängig gewesenen Rechtsstreite ist durch gerichtlichen Vergleich und ein weiterer erheblicher Teil ist durch außergerichtliche Verständigung zwischen den Parteien erledigt worden.

1. Zahl der Streitigkeiten.

Es wurden Klagen eingereicht:

1. von Kaufleuten	4	= 5,26 %	(8 = 12,12 %)
2. von Handlungsgehilfen	67	= 88,16 %	(55 = 83,33 %)
3. von Handlungslehrlingen	5	= 6,58 %	(3 = 4,55 %)
	76		
Unerledigt waren am Ende des Jahres 1905	8		
Zusammen	84 Klagen.		

Widerklagen wurden nicht erhoben.

Von der Gerichtsschreiberei wurden 3 (5) Streitigkeiten durch Verhandlung mit beiden Teilen erledigt, bevor eine Klage formell eingeleitet war.

2. Verteilung der Klagen dem Stande der Kläger nach.

Als Kläger traten bei den anhängig gewesenen 84 Klagen auf:

1. 3 (8) Kaufleute und in das Handelsregister eingetragene Firmen und 1 (0) eingetragene Genossenschaft;
2. 54 (45) männliche und 20 (10) weibliche Handlungsgehilfen;
3. 2 (2) männliche und 4 (1) weibliche Handlungslehrlinge.

Als Kläger traten nach der Art ihres Handelsgewerbes bei den Kaufleuten auf: 1 Hobel- und Sägewerk, 1 Hut- und Mützengeschäft, 1 Kaffee-Importgeschäft, 1 Möbelhandlung.

Bei den Handlungsgehilfen waren als Kläger der Art ihrer Berufsstellung nach vertreten: 1 Betriebsleiter, 5 Buchhalter, 1 Buchhalterin, 1 Expedientin, 2 Filialleiterinnen, 1 Kassiererin, 1 Kommissionär, 3 Kontoristinnen, 1 Lagerhalter, 2 Prokuristen, 13 Reisende, 3 Verkäufer, 12 Verkäuferinnen, 1 Versicherungsinspektor, 27 sich allgemein als Handlungsgehilfen bezeichnende kaufmännische Angestellte.

Die als Kläger auftretenden Lehrlinge verteilen sich auf folgende Handelsgewerbe: 1 Eisenwarengeschäft, 1 Feuerversicherungsgesellschaft, 1 Huthandlung, 1 Kafferösterei, 1 Speditionsgeschäft, 1 Weißwarenhandlung.

3. Klagegegenstand.

Von den anhängig gewesenen 84 Streitfällen betrafen:

	auf Klage von			Zusammen
	a) Kaufleuten	b) Handlungsgehilfen	c) Handlungslehrlingen	
1. Antritt, Fortsetzung oder Auflösung des Dienst- oder Lehrverhältnisses, Aushändigung oder Inhalt des Zeugnisses	1 (1)	12 (12)	2 (3)	15 (16)
2. Leistungen aus dem Dienst- oder Lehrverhältnisse	0 (2)	68 (45)	0 (1)	68 (48)
3. Rückgabe von Sicherheiten, Zeugnissen, Legitimationspapieren oder anderen Gegenständen, die aus Anlaß des Dienst- oder Lehrverhältnisses übergeben wurden	1 (0)	3 (1)	0 (0)	4 (1)
4. Ansprüche auf Schadensersatz oder Zahlung einer Vertragsstrafe wegen Nichterfüllung oder nicht gehöriger Erfüllung der Verpflichtungen, welche die unter Nr. 1 bis 3 bezeichneten Gegenstände betreffen, sowie wegen gesetzwidriger oder unrichtiger Eintragungen in Zeugnisse, Krankenkassenbücher oder Quittungskarten der Invalidenversicherung	1 (4)	3 (19)	0 (0)	4 (23)
5. Berechnung und Anrechnung der von den Handlungsgehilfen oder Handlungslehrlingen zu leistenden Krankenversicherungsbeiträge und Eintrittsgelder	0 (0)	0 (0)	0 (0)	0 (0)
6. Ansprüche aus einer Vereinbarung, durch welche der Handlungsgehilfe oder Handlungslehrling für die Zeit nach Beendigung des Dienst- oder Lehrverhältnisses in seiner gewerblichen Tätigkeit beschränkt wird	1 (1)	0 (0)	0 (0)	1 (1)
Zusammen	4 (8)	86 (77)	2 (4)	92 (89)

Ab die in verschiedenen Klagen mehrfach geltend gemachten Ansprüche in 8

Fällen, ergibt wiederum die Zahl der anhängig gewesenen Klagen mit 84

4 Wertklassen.

Bei den anhängig gewesenen 84 (66) Klagen betrug der Wert des Streitgegenstandes:

1. bis zu 20 ℳ einschließlich . . . . 7 Fälle = 8,33 % (3 = 4,55 %)
2. mehr als 20 bis 50 ℳ . . . . 8 „ = 9,52 % (4 = 6,06 %)
3. „ „ 50 „ 100 „ . . . . 10 „ = 11,91 % (9 = 13,63 %)
4. „ „ 100 „ 300 „ . . . . 31 „ = 36,90 % (24 = 36,36 %)
5. „ „ 300 ℳ . . . . 16 „ = 19,05 % (15 = 22,73 %)

Nicht festgestellt warde der Streitwert in . . . . 12 Fällen = 14,29 % (11 = 16,67 %)

Zusammen . . . . 84 Fälle = 100 %.

Von den festgestellten Streitwerten belief sich der niedrigste auf 7,00 ℳ, der höchste auf 2550,00 ℳ

5. Art der Erledigung.

Von den anhängig gewesenen Klagen erledigten sich:

	1. durch Vergleich vor		2. durch Verzicht § 306 Z. P. O.) vor		3. durch Anerkenntnis vor		4. durch Klagerücknahme vor			5. durch Versäumnisurteil des		6. durch and. Endurteil des		7. auf andere Weise (Ruhenlassen)	8. Zahl aller erledigten Klagen
	Vorsitzenden	vollbesetzten Gericht	Vorsitzenden	vollbesetzten Gericht	Vorsitzenden	vollbesetzten Gericht	Vorsitzenden	vollbesetzten Gericht	außerhalb der Verhandlung	Vorsitzenden	vollbesetzten Gerichts	Vorsitzenden	vollbesetzten Gerichts		
a) von den 4 Klagen der Kaufleute	1 (1)	1 (2)	0 (0)	0 (0)	0 (0)	0 (0)	0 (0)	0 (1)	1 (2)	0 (0)	0 (0)	0 (0)	0 (2)	1 (0)	4 (8)
b) von den 74 Klagen der Handlungsgehilfen	24 (18)	9 (5)	0 (0)	0 (0)	0 (0)	0 (0)	4 (1)	0 (1)	17 (12)	3 (5)	1 (0)	1 (0)	7 (6)	5 (0)	71 (48)
c) von den 6 Klagen der Handlungslehrlinge	2 (0)	2 (0)	0 (0)	0 (0)	0 (0)	0 (0)	0 (0)	0 (0)	0 (2)	0 (0)	0 (0)	0 (0)	2 (0)	0 (0)	6 (2)
Zusammen	27	12	0	0	0	0	4	0	18	3	1	1	9	6	81
In Prozent . . .	32,14	14,29	0	0	0	0	4,76	0	21,43	3,57	1,19	1,19	10,72	7,14	96,43
1905	19	7	0	0	0	0	1	2	16	5	0	0	8	0	58
In Prozent . . .	28,79	10,61	0	0	0	0	1,52	3,03	24,24	7,57	0	0	12,12	0	87,88

Unerledigt blieben am Ende des Jahres 3 = 3,57 % (8 = 12,12 %).

Zu den unerledigt gebliebenen 3 Streitfällen ist zu bemerken, daß in einem Fulle die weitere mündliche Verhandlung bis zur Erledigung einer zwischen den Parteien anhängigen Beleidigungsklage ausgesetzt wurde, während in den beiden anderen Fällen die anberaumten ersten Termine in das Juhe 1907 fallen.

Von den erlassenen Versäumnisurteilen und anderen Endurteilen ergingen:

	1. auf vollständige Zusprechung der Klage	2. auf nur teilweise Zusprechung der Klage	3. auf vollständige Abweisung der Klage	Zusammen
a) auf Klage von Kaufleuten . . .	0 (0)	0 (0)	0 (2)	0 (2)
b) auf Klage von Handlungsgehilfen	8 (7)	1 (0)	3 (4)	12 (11)
c) auf Klage von Handlungslehrlingen	0 (0)	1 (0)	1 (0)	2 (0)

6. Streitwerte der erlassenen Urteile.

Bei den erlassenen Urteilen betrug der Wert des Streitgegenstandes:

	bis 20 ℳ einschl.	mehr als 20 bis 50 ℳ	mehr als 50 bis 100 ℳ	mehr als 100 bis 300 ℳ	mehr als 300 ℳ	Zusammen
a) bei den Versäumnisurteilen . .	0 (1)	1 (1)	1 (0)	2 (3)	0 (0)	4 (5)
b) bei den anderen Endurteilen . .	0 (0)	1 (0)	2 (1)	6 (4)	1 (3)	10 (8)

Gegen das Urteil, das einen Streitwert von mehr als 300 ℳ hatte, wurde Berufung nicht eingelegt.

7. Zeitdauer der Erledigung.

Von den beendigten 81 (58) Sachen wurden, gerechnet vom Tage der Klageeinreichung an, erledigt:

1. in weniger als einer Woche	30 = 37,04 %	(28 = 48,28 %)
2. in einer Woche bis (ausschl.) 2 Wochen	22 = 27,16 %	(14 = 24,14 %)
3. in zwei Wochen bis (ausschl.) 1 Monat	17 = 20,99 %	(12 = 20,69 %)
4. in einem Monat bis (ausschl.) 3 Monate	7 = 8,64 %	(3 = 5,17 %)
5. in drei Monaten und mehr	5 = 6,17 %	(1 = 1,72 %)
Zusammen	81 = 100 %.	

8. Sitzungen.

Es wurden 58 Sitzungen, darunter 15 unter Zuziehung von Beisitzern, abgehalten.

9. Arreste, einstweilige Verfügungen, Zwangsvollstreckungen.

Arreste oder einstweilige Verfügungen wurden nicht erlassen. In einem Falle wurde die einstweilige Einstellung der Zwangsvollstreckung aus einem Versäumnisurteil des Kaufmannsgerichts gegen Sicherheitsleistung angeordnet.

10. Mündliche Verhandlungen, Beweisbeschlüsse und sonstiges.

Streitige mündliche Verhandlungen fanden 89 (75) statt. Beweisbeschlüsse wurden 14 (10) erlassen, 17 (9) Zeugen, 1 (0) Sachverständiger vernommen und in 2 (2) Fällen schriftliche Gutachten erhoben. In einem Falle wurde ein Parteieid geleistet und zwar im Auslande vor einem deutschen Generalkonsul. Sachverständigen- oder Zeugeneide wurden nicht geleistet. Ein unentschuldigt ausgebliebener Zeuge wurde in Strafe genommen.

11. Ausfertigungen.

Vollstreckbare Ausfertigungen von Urteilen und Vergleichen wurden 5 (5) erteilt, auf Antrag und von Amts wegen 15 (14) Urteile in einfacher Form ausgefertigt.

12. Kostenwesen.

Gerichtskosten und Gebühren wurden angesetzt	290 ℳ 17 ₰	(201 ℳ 45 ₰)
Am Ende des Jahres 1905 befanden sich noch in Anforderung und Beitreibung	36 „ 75 „	
Zusammen	326 ℳ 92 ₰	
Bezahlt wurden	252 ℳ 97 ₰	(140 ℳ 70 ₰)
Uneinbringlich sind	46 „ 20 „	(24 „ — „)
In Anforderung und Beitreibung befinden sich noch	27 „ 75 „	(36 „ 75 „)
Wie vorstehend:	326 ℳ 92 ₰	(201 ℳ 45 ₰)

Von den vereinnahmten 252 ℳ 97 ₰ waren an auswärtige Behörden für Rechtshilfekosten 67 ℳ 92 ₰ zu ersetzen, so daß nur der Betrag von 185 ℳ 05 ₰ an die Stadtkasse abgeführt werden konnte.

13. Beisitzer-, Zeugen- und Sachverständigengebühren.

Es wurden ausbezahlt: Beisitzergebühren 90 ℳ (72 ℳ), Sachverständigengebühren 9 ℳ 25 ₰ (38 ℳ), Zeugengebühren 2 ℳ (0 ℳ).

14. Gutachten.

Dem Kaufmannsgericht liegen verschiedene Gegenstände zur Erstattung von Gutachten vor, die zur Vorbereitung an einen Ausschuß verwiesen wurden.

15. Anträge.

Das Kaufmannsgericht stellte am 5. Juli 1906 auf Grund des in seiner Plenarsitzung vom 12. Juni gefaßten Beschlusses bei dem Bundesrat und dem Reichstag den Antrag, der Bestimmung des Absatzes 1 des § 63 H.-G.-B. den Charakter zwingenden Rechts zu verleihen, demnach jede dieser Bestimmung zuwiderlaufende Vereinbarung für nichtig zu erklären, in diesem Falle aber die Anrechnung derjenigen Beträge zuzulassen, die dem Handlungsgehilfen aus einer auf gesetzlicher Verpflichtung beruhenden Kranken- oder Unfallversicherung zukommen. Zugleich wurde an das Großh. Staatsministerium das Ersuchen gerichtet, durch den Großh. Hess. Bevollmächtigten beim Bundesrate die gestellten Anträge unterstützen lassen zu wollen.

Der von dem Kaufmannsgericht München am 6. Februar 1906 gefaßte Beschluß, bei dem Bundesrat und dem Reichstag die Aufhebung oder doch die Milderung der die Konkurrenzklausel regelnden Bestimmungen der §§ 74 ff. H.-G.-B. zu beantragen, wurde in der Plenarsitzung des Kaufmannsgerichts Mainz an einen Ausschuß zur Behandlung verwiesen.

Auch im abgelaufenen Jahre kamte der Antrag auf Abänderung verschiedener, namentlich das Verfahren für die Beisitzerwahlen regelnden Bestimmungen des Ortsstatuts für das Kaufmannsgericht nicht zur Erledigung kommen. Der zur Prüfung der Abänderungsvorschläge eingesetzte Ausschuß hielt es vielmehr für angezeigt, zunächst die zweite Beisitzerwahl abzuwarten, um die weiteren Erfahrungen verwerten zu können. Nachdem diese Wahl inzwischen stattgefunden hat, kann die Angelegenheit demnächst von dem Ausschuß weiter behandelt werden.

16. Einigungsamt.

Als Einigungsamt war das Kaufmannsgericht nicht tätig.

17. Personalien.

Durch Beschluß der Stadtverordneten-Versammlung vom 19. September 1906 wurde Herr Oberbürgermeister Dr. Göttelmann zum Vorsitzenden des Kaufmannsgerichts auf die Daner von 3 Jahren gewählt. Infolge Verlegung ihrer Tätigkeit von Mainz sind im Lanfe des Jahres die Handlungsgehilfenbeisitzer Oskar Müllenbrock und Peter Schwaderlapp ausgeschieden.

18. Allgemeines.

Am 29. Oktodrr 1906 fanden die Neuwahlen der Beisitzer für das Kaufmannsgericht statt. Hierbei wurden gültige Stimmzettel abgegeben:

1. In der Abteilung für Kaufleute für die von dem Verrin Mainzer Kaufleute e. V. eingereichte Vorschlagsliste 42.
2. In der Abteilung für Handlungsgehilfen:
   a) für die Vorschlagsliste Nr. 1, eingereicht vom Verbande Deutscher Handlungsgehilfen Leipzig, Kreisverein Mainz, Kaufmännischer Verein „Mercur“ 50,
   b) für die Vorschlagsliste Nr. 2, eingereicht vom Deutschnationalen Handlungsgehilfen-Verband Hamburg, Ortsgruppe Mainz 94,
   c) für die Vorschlagsliste Nr. 3, eingereicht vom Katholischen kaufmännischen Verein Mainz 75,
   d) für die Vorschlagsliste Nr. 4, eingereicht vom Kaufmännischen Verein Frankfurt a. M., Bezirksverein Mainz 43,
   e) für die Vorschlagsliste Nr. 5, eingereicht vom Kaufmännischen Verein Mainz 177.

Der vom Verein Mainzer Kaufleute eingereichten Liste fielen sämtliche Sitze in der Abteilung für Kaufleute zu. In der Abteilung für Handlungsgehilfen verteilen sich die Sitze wie folgt: auf Liste Nr. 1 = 2, Nr. 2 = 3, Nr. 3 = 2, Nr. 4 = 1 nnd Liste Nr. 5 = 5.

Die Wahl der Handlungsgehilfen-Beisitzer ist von zwei Seiten mit Beschwerde angefochten worden, die eine Beschwerde richtete sich gegen die Wahl ihrem ganzen Umfange nach, die aubere focht die Wahl an bezüglich der vom Deutschnationalen Handlungsgehilfen-Verband und dem Katholischen kaufmännischen Vereine eingereichten Vorschlagslisten. Über diese Beschwerden war bei Jahresschluß von dem Kreisausschusse noch nicht entschieden. Die Handlungsgehilfenbeisitzer, deren Amtsdauer am 31. Dezember 1906 abgelaufen war, bleiben infolge der Wahlanfechtung solange im Amte, bis eine gültige Neuwahl vorliegt.

Über die Frage, ob der Anspruch, der den Angestellten nach § 63 Abs. 1 des H.-G.-B. für den Fall unverschuldeter Dienstverhinderung zusteht, durch Vereinbarung der Parteien ausgeschlossen werden kann, hatte das Kaufmannsgericht auch im abgelaufenen Jahre nicht zu entscheiden.

Wie die Praxis lehrt, bestehen oft in ganz einfach liegenden Fällen Ansichten, die vor dem Gesetze nicht standhalten können. Einige der am häufigsten vorkommenden Fälle, in denen irrige Auffassungen bestehen, mögen hier besprochen werden:

1. Mitunter wird von Kaufleuten bei Meinungsverschiedenheiten darüber, ob dem Angestellten außer seinem unbestrittenen Gehaltsanspruche noch weitergehende Forderungen zustehen, die Erteilung einer Quittung mit dem Zusatze verlangt, daß der Angestellte weitere Ansprüche nicht mehr zu machen habe. Eine solche Zumutung ist aber nicht berechtigt, und die Erteilung einer Quittung in dem angegebenen Sinne kann dem Angestellten, sofern er tatsächlich noch weitere Ansprüche hat, das Recht darauf nehmen oder doch die Geltendmachung dieses Rechts erheblich erschweren. Zu beachten ist ferner, daß die Weigerung der Auszahlung des unbestrittenen Anspruchs, weil die Erteilung einer Quittung in dem angegebenen Sinne abgelehnt wird, unter Umständen eine Schädigung des Angestellten (Verhinderung an der Abreise mangels der nötigen Mittel ꝛc.) und eine Ersatzpflicht des Prinzipals zur Folge haben kann.

2. Es ist eine anscheinend vielfach verbreitete Ansicht, daß Angestellte ohne zeitliche Begrenzung ihrer Tätigkeit „*auf Probe*" eingestellt werden können und daß in diesem Falle die Entlassung der Angestellten *jederzeit* möglich sei. Diese Ansicht findet aber im Gesetze keine Stütze, vielmehr ist hier ebenso zu kündigen, wie in jedem andern Falle, in dem das Vertragsverhältnis nicht für eine *bestimmte* Zeit abgeschlossen worden ist, es sei denn, daß gesetzliche Anfechtungs- oder Entlassungsgründe vorliegen (§§ 119 ff. B.-G.-B. und §§ 70, 72 H.-G.-B.). Diese Pflicht kann auch nicht etwa dadurch beseitigt werden, daß der Angestellte nur zur „vorübergehenden Aushilfe" (§ 69 H.-G.-B.) angenommen wird, wenn es sich nicht in der Tat um eine Einstellung zu vorübergehender Beschäftigung handelt. Derartige Einstellungen können zu gewissen Zeiten: Weihnachten, Ostern, zur Hochsaison usw., oder bei Beschaffung von Ersatz für erkrankte oder sonstwie an der Dienstleistung verhinderte Angestellte nötig werden. In diesen Fällen kann die Kündigungsfrist auf weniger als einen Manat, ja sogar auf einen Tag, festgesetzt und es kann weiter vereinbart werden, daß die Kündigung auch im Laufe eines Manats — flott am Ende desselben — abläuft.

Hervorzuheben ist, daß die Kündigungsfrist bei *allen* Dienstverträgen, also auch bei vorübergehender Beschäftigung, für dride Teile gleich sein muß.

Sofern ein zur vorübergehenden Aushilfe eingegangenes Dienstverhältnis über die Zrit von 3 Monaten hinaus fortgesetzt wird, tritt auch hier, gleichwie bei einem auf unbestimmte Zeit eingegangenen Vertragsverhältnisse, die Verpflichtung zur Auskündigung ein (§ 69 H.-G.-B.).

3. Ein für eine bestimmte Zeil eingegangenes Vertragsverhältnis gilt, wenn es nach deren Ablaufe von dem Angestellten mit Wissen des Prinzipals und ohne weitere Abrede fortgesetzt wird, als auf unbestimmte Zeit verlängert, *wenn nicht der Prinzipal unverzüglich widerspricht* (§ 625 B.-G.-B.). Also auch in einem solchen Falle kann das über die ursprünglich verabredete Dauer hinaus fortgesetzte Vertragsverhältnis nur noch unter Einhaltung der gesetzlichen oder vertragsmäßigen Kündigungsfrist gelöst *werden.*

In welchen Zeitabschnitten der Angestellte seine Gehaltszahlungen empfängt, ist auf die Bemessung der Kündigungsfrist in der Regel ohne jeden Einfluß.

4. Das Verlangen, daß in dem Zeugnisse angegeben werde, der Austritt des Angestellten erfolge auf *seinen* Wunsch, ist ebensowenig berechtigt, wie die Bemerkung in dem Zeugnisse, daß der Prinzipal dem Angestellten gekündigt habe.

Die günstigen Erfahrungen, die auch hier mit dem Reichsgesetze betreffend die Kaufmannsgerichte gemacht worden sind, berechtigen zu der Hoffnung, daß diese Gerichte eine dauernde Einrichtung im Rechtsleben bleiben und daß sie immer mehr Freunde und Anhänger finden werden.

VII. Arbeitsamt.

Kurz nach Ablauf des Rechnungsjahres 1906 waren 10 Jahre verflossen, seit das städtische Arbeitsamt eröffnet wurde — 6. Mai 1897. — Das Problem des Arbeitsnachweises hätte damit Aufnahme in die Verwaltungstätigkeit der Gemeinde gefunden. Wenn aus diesem Anlaß ein kurzer Rückblick auf die Entwickelung der damals neuen Einrichtung gegeben wird, so läßt sich zunächst feststellen, daß das Amt aus kleinen Anfängen heraus sich allmählich ein umfangreiches Tätigkeitsgebiet errungen hat. Fördernd und werbend haben sich namentlich gezeigt die von vornherein auf paritätische Grundlage gestellte Verwaltung des Arbeitsnachweises — gleichheitliche Beteiligung von je 4 Arbeitgebern und Arbeitnehmern unter einem unparteiischen Vorsitzenden —, die Allgemeinheit und Öffentlichkeit des Arbeitsnachweises d. i. Erstreckung der Tätigkeit möglichst auf das gesamte Gebiet der Lohnarbeit und freie Zugänglichkeit für alle Beteiligte, völlige Kostenfreiheit für jedermann, günstige zentrale Lage des Amts, räumlich getrennte Abteilungen für Männer und Frauen, Leitung der weiblichen Abteilung durch eine Frau, endlich eine würdige und maßvolle Werbetätigkeit.

Die Wirksamkeit des Amts in dem verflossenen Jahrzehnt — 6. Mai 1897 bis 1. April 1907 — lamont wohl am treffendsten in den nachstehenden Zahlen zur Anschauung. Es betrug in dieser Zeit die Gesamtzahl der

offenen Stellen	93 217
Arbeitsuchenden	111 759
besetzten Stellen	58 836

Hiervon entfallen auf die

männliche Abteilung

offene Stellen	64 394
Arbeitsuchende	87 495
besetzte Stellen	42 145

weibliche Abteilung

offene Stellen	28 823
Arbeitsuchende	24 264
besetzte Stellen	16 691

Diese Zohlen sprechen einerseits für die Leistungsfähigkeit, andererseits für den großen wirtschaftlichen Wert des Amts, da eine wesentliche Zeit- und Geldersparnis gegenüber den früheren Zuständen auf dem Gebiete der Arbeitsvermittlung darin zom Ausdruck kommt. Diese ersprießliche Tätigkeit wird auch dadurch nicht gemindert, daß der Erfolg der Arbeitsvermittlung immer nur ein teilweiser sein kann. Denn ein Erfolg in der Weise, daß jeder Arbeitgeber den verlangten, für seinen Betrieb passenden Arbeiter und jeder Arbeiter die gewünschte Arbeit erhält, kann noch Lage der Sache weder gefordert noch gewährleistet werden. Arbeitgeber und Arbeitnehmer sind es ja, die den Arbeitsvertrag schließen, auf dessen Abschluß der Arbeitsnachweis keinen Einfluß besitzt, ein Vertrag, der nicht selten an der Ungleichheit der beiderseitigen Bedingungen und Forderungen scheitert. Dabei wird der Arbeitsnachweis nur auf einem Teile des Arbeitsmarkts tätig, nur in einem verhältnismäßig kleinen Ausschnitte aus dem großen Wirtschaftsgebiete wirksam. Es sei auch diese Seite hervorgehoben, damit nicht übertriebene, unerfüllbare Erwartungen da gehegt werden, wo der Nachweis an der Grenze seines Könnens angelangt ist, wo sich die wirtschaftlichen Verhältnisse stärker erweisen. Es sei hier z. B. an den Dienstbotenmangel erinnert, der durch die blühende Industrie eine weitere Verschärfung erfahren hat. Immerhin bleibt ein großes Maß segensreicher Wirksamkeit übrig, das der Einrichtung die Sympathie und Unterstützung aller Verständigen sichern muß.

Was den Geschäftsverkehr im abgelaufenen Jahre anlangt, so geben die Übersichten I bis VI über die beim Arbeitsamt angebrachten Gesuche und deren Erledigung, den örtlichen und auswärtigen Verkehr sowie die Stellenbewegung in den einzelnen Monaten nähere Auskunft. Im großen und ganzen zeigen die Ziffern mit geringen Unterschieden dieselbe Höhe wie im Vorjahre, ein Zeichen dafür, daß die Gunst der Lage im allgemeinen fortgedauert hat. Bei der männlichen Abteilung waren von Arbeitgebern einschließlich der Restanten des Vorjahres 8 533 (8 537) offene Stellen, 12 271 (12 272) Arbeitsuchende, somit zusammen 20 804 (20 809) Gesuche zum Eintrag gekommen. Vermittelt wurden 6 090 (6 194) Stellen. Von den Gesuchen der Arbeitgeber wurden demnach 71,37 % (72,55 %), von denjenigen der Arbeitsuchenden 49,63 % (50,47 %) befriedigt. 1 200 (1 079) Arbeitgeber und 238 (177) Arbeitnehmer haben ihre Gesuche zurückgenommen. 1 048 (1 138) Gesuche von Arbeitgebern und 5 752 (5 715) Gesuche von Arbeitnehmern konnten nicht befriedigt werden und sind durch Ablauf der Vormerkungsfrist erloschen. Am 31. März 1907 waren noch unerledigt 195

(126) Gesuche von Arbeitgebern und 191 (186) Gesuche von Arbeitnehmern. Arbeitsanweisungen wurden im ganzen 10 300 (9 850) erteilt. Hiervon waren erfolgreich d. h. führten zur Einstellung 6 090 = 59,13 % (62,88 %). Die Höchstzahl der offenen Stellen wie der Stellengesuche entfällt auf den Monat Juli mit 937 bezw. 1369 Neumeldungen, ebenso die der Stellenbesetzungen mit 696. Entsprechend einem Wunsche des Kaiserlichen Statistischen Amtes in Berlin, dem auch im abgelaufenen Jahre die regelmäßigen Monatsübersichten eingereicht wurden, sei nachstehend angegeben, in welchem Verhältnis die Vermittlung ungelernter Arbeiter zu der von gelernten Arbeitern steht. Für die offenen Stellen wurden gesucht

gelernte Arbeiter	5 561 =	65,17 %
ungelernte Arbeiter	2 972 =	34,83 %
	8 533 =	100,00 %

Unter den Arbeitsuchenden befanden sich

gelernte Arbeiter	8 095 =	65,97 %
ungelernte Arbeiter	4 176 =	34,03 %
	12 271 =	100,00 %

Stellen wurden vermittelt

für gelernte Arbeiter	3 824 =	62,79 %
für ungelernte Arbeiter	2 266 =	37,21 %
	6 090 =	100,00 %

Von im Herbste zur Entlassung gekommenen Reservisten haben sich ohne Zutun des Amts 124 (113) gemeldet, von welchen 62 (56) in Stellung gebracht werden konnten.

Offene Stellen für landwirtschaftliche Arbeiter waren 509 (565) gemeldet, 41 von hier und 468 von auswärts wohnenden Arbeitgebern. Hierum bewarben sich 636 (717) landwirtschaftliche Arbeiter, 52 hiesige nnd 584 zugereiste. Vermittelt wurden 424 (469) Stellen, wooon 36 Stellen nach hier nnd 388 Stellen nach auswärts, 21 an hiesige und 403 an zugereiste Arbeiter.

Die Zahl der in der weiblichen Abteilung von Dienstherrschaften oder Arbeitgebern gemeldeten offenen Stellen beträgt einschließlich der Restanten des Vorjahres 4 106 (4 045), die Zahl der Stellesuchenden 4 259 (3 925), die Gesamtzahl der eingeschriebenen Gesuche somit 8 365 (7 970). Vermittelt wurden 2 548 (2 671) Stellen. Von den Gesuchen der Dienstgeber wurden sonach 62,05 % (66,03 %). von jenen der Stellesuchenden 59,83 % (68,05 %) befriedigt. 279 (247) Arbeitgeber und 82 (72) Arbeitnehmerinnen haben ihre Gesuche zurückgenommen. 1 182 (1 053) Gesuche von Arbeitgebern und 1 595 (1 121) Gesuche von Arbeitnehmerinnen konnten nicht befriedigt werden und sind durch Fristablauf erloschen. Am 31. März 1907 waren noch unerledigt 97 Gesuche von Arbeitgebern und 84 Gesuche von Arbeitnehmerinnen. Arbeitsanweisungen wurden im ganzen 4 400 (4 000) erteilt. Hiervon woren erfolgreich d. h. führten zur Einstellung 2 548 = 57,91 % (66,77 %). Die Höchstzahl der offenen Stellen entfällt auf den Monat März mit 403, jene der Stellengesuche auf den Monat Oktober mit 441 Neumeldungen, die der Stellenbesetzungen auf den Monat August mit 268 besetzten Stellen.

Bemerkenswert und charakteristisch in der weiblichen Abteilung ist die Abnahme des stellesuchenden häuslichen Dienstpersonals um 160 (908 gegen 1 068 i. V.), während in der Gruppe der Monat-, Putz-, Waschfrauen und Taglöhnerinnen ein Mehr von 496 Arbeitsuchenden (3 130 gegen 2 634 i. V.) zu verzeichnen ist. Die günstige Lage von Handel, Industrie und Landwirtschaft hat zweifellos weiter verringernd auf das Angebot von Dienstboten eingewirkt, während die vorgenannten Arbeitsfrauen zum Teil als Aushilfskräfte die Stelle der an Zahl nicht genügend vorhandenen Dienstmädchen einnehmen, da auch die Zahl der offenen Monat-, Putz- und Waschstellen um 208 (2 228 gegen 2 020 i. V.) gestiegen ist. Auch anderwärts wird über diesen Mangel an Dienstboten, der ja allgemein wirtschaftlicher Natur ist, geklagt. So wird in dem Jahresbericht des öffentlichen Arbeitsnachweisbureaus des Kantons Basel-Stadt für 1906 gesagt: „Beinahe in allen Gruppen (der Abt. für Frauenarbeit) erfolgt ein Rückgang der Stellesuchenden. Am empfindlichsten wirkt er natürlich beim häuslichen Dienstpersonal. Während sich noch vor zwei Jahren um 100 offene Stellen 83 Mädchen beworben, woren es im verflossenen Jahre nur noch 59. Wenn hier Besserung eintreten soll, so müssen schon Zeichen und Wunder geschehen." In demselben Sinne spricht sich der Jahresbericht der Allgemeinen Arbeitsnachweisstelle zu Kiel für 1906/07 aus: „Die Schwierigkeiten in der Befriedigung der an uns gestellten mannigfachen Wünsche blieben dieselben. In bezug auf die Versorgung mit tüchtigen, arbeitsfreudigen Dienstmädchen spitzen sich die Verhältnisse anscheinend immer mehr zu. Es liegt zum großen Teil daran, daß tatsächlich die Zahl der Dienstmädchen von Jahr zu Jahr abnimmt."

Die **Gesamtzahl** aller in beiden Abteilungen eingetragenen Gesuche beträgt 29 169 (28 779). Am stärksten war der **Gesamtverkehr** im Juli, in dem insgesamt 3 583 Gesuche von Arbeitgebern und Arbeitnehmern zur Behandlung standen. Den günstigsten Beschäftigungsgrad ergab der Monat März: auf 100 offene Stellen kamen in diesem Monat nur 100,3 Arbeitsuchende. Die geringste Arbeitsgelegenheit bot der Dezember, in dem sich um 100 offene Stellen 206 Arbeitsuchende bewarben.

In der Nachweisung über den Umfang der Geschäftstätigkeit der öffentlichen Arbeitsvermittlungsstellen des Rhein-Mainverbands — Mitglieder sind Frankfurt, Mannheim, Wiesbaden, Mainz, Darmstadt, Worms, Heidelberg, Kreuznach, Offenbach, Gießen, Friedberg, Butzbach, Großkarben — nimmt Mainz in der Zahl der Gesamtvermittlungen mit 8 638 die dritte Stelle ein und wird nur von Frankfurt und Mannheim überragt.

Der **auswärtige** Geschäftsverkehr, der sich gleichfalls nahezu auf der Höhe des Vorjahres gehalten hat, ist aus der nachstehenden vergleichenden Aufstellung zu ersehen:

Verwaltungsjahr	Zahl der von auswärts gemeldeten offenen Stellen	Zahl der nach auswärts vermittelten Stellen	Anzahl der auswärtigen Orte, nach welchen Stellen vermittelt wurden	Zahl der auswärtigen Arbeitsuchenden	Zahl der an auswärtige Arbeitsuchende vermittelten Stellen
1897/98	926	444	42		
1898/99	1 755	753	70		
1899/00	2 136	786	53		
1900/01	1 987	797	80		
1901/02	1 665	717	85		
1902/03	1 692	948	95		
1903/04	1 990	1 113	112		
1904	2 956	1 857	128	5 506	2 925
1905	3 985	2 678	131	7 135	3 970
1906	3 895	2 591	146	7 238	3 808

Nach Tabelle II, die auch den auswärtigen Interessentenverkehr veranschaulicht, waren von 16 283 Arbeitsuchenden 7 238 auswärtige = 44,4 %, von 12 439 offenen Stellen 3 895 auswärtige = 31,3 % des Gesamtverkehrs. Von den 8 638 besetzten Stellen wurden an auswärtige Arbeiter 3 808 = 44,1 % und bei auswärtigen Arbeitgebern 2 591 Stellen = 30,0 % vermittelt. Was den Umfang des Tätigkeitsgebiets anlangt, so stand das Amt mit 216 (182) auswärtigen Orten in Verbindung, welche in Tabelle VI näher aufgeführt sind, und hat hiernach auch geographisch seinen Wirkungskreis bedeutend erweitert. In einigen Fällen ist es sogar international tätig geworden, wie die Meldungen offener Stellen für Santo Paulo und Punta Arenas in Südamerika, für London und Zürich beweisen.

Aus der **Deputation für die Verwaltung des Arbeitsamts** ist ausgeschieden Herr Johann Syré, Mitglied seit 31. Mai 1899. An dessen Stelle wurde durch Stadtverordnetenbeschluß vom 1. Februar 1907 Herr Werkmeister Arnold Herrmann gewählt. Die Deputation besteht demnach zurzeit aus folgenden Mitgliedern: Vorsitzender: Bürgermeister Dr. Schmidt. Arbeitgebervertreter: Anton Bernhart, Schreinermeister; Georg Klingelschmitt, Maler- und Tünchermeister; Ludwig Kaiser und Philipp Stratemeyer, Fabrikanten. — Arbeitnehmervertreter: Heinrich Born, Buchdruckereifaktor; Heinrich Duchardt, Gürtler; Arnold Herrmann, Werkmeister; Adam Müller, Druckereiarbeiter. Sie hielt im Berichtsjahre drei Sitzungen ab: am 2. Juni, 26. Oktober 1906 und 19. März 1907; außerdem am 2. und 12. Juni 1906 je eine gemeinschaftliche Sitzung mit der Deputation für sozialpolitische Angelegenheiten unter Vorsitz des Herrn Oberbürgermeisters Dr. Göttelmann zur Beratung eines von Herrn Stadtverordneten Adelung gestellten Antrags betr. Arbeiterverhältnisse der zur Auflösung gekommenen Mainzer Lederwerke. Einem Auftrage der Deputation für das Arbeitsamt entsprechend war letzteres auch für Unterbringung der erwerbslos gewordenen Arbeiter der genannten Werke tätig geworden und hatte zu diesem Zwecke bei 37 auswärtigen Lederfirmen angefragt. In einer Anzahl von Fällen gelang es, Leute, deren sich im ganzen 62 gemeldet hatten, in Stelle zu bringen. — In der Sitzung vom 26. Oktober kam auch die Frage der **Lehrlingsvermittlung** in längerer Ausführung durch den Vorsitzenden zur Behandlung und weiteren Besprechung. Durch Zusammenwirken mit der Schule ist eine kräftigere Belebung dieses Vermittlungszweiges beabsichtigt.

Eine Beratung der Schüler über den zu ergreifenden Beruf zwischen Eltern (Vormund), Lehrer und Schularzt soll dabei vorausgehen.

Zur Schaffung eines speziellen Landesverbands der hessischen Arbeitsnachweisstellen fand auf Einladung Großh. Ministeriums des Innern, Abteilung für Landwirtschaft, Handei und Gewerbe am 31. Oktober 1906 in Darmstadt eine Besprechung statt, in deren Verlauf der Antrag des Bürgermeisters Dr. Schmidt—Mainz, vorerst von der Gründung eines Landesverbandes abzusehen und das Ergebnis der Versuche des Rhein-Mainverbandes in betreff Einführung und Austausches von sogenannten Balanzenlisten abzuwarten, wie sie von Dr. Flesch—Frankfurt a. M. angeregt wurden, einstimmige Annahme fand, insbesondere auch mit Rücksicht darauf, daß die geographische Enge Hessens der Schaffung eines selbständigen hessischen Verbandes entgegenstehe. Die vorerwähnten Versuche im Rhein-Main-Verband, dem auch die hessischen Nachweise angehören, haben inzwischen dahin geführt, daß allwöchentlich einmal eine Übersendung von Ortsvakanzenlisten der einzelnen Nachweise an die Zentrale Frankfurt stattfindet. Letztere versendet alsdann eine Sammelliste der von den Einzelämtern gemeldeten offenen Stellen an die Verbandsmitglieder, Naturalverpflegungsstationen im Verbandsgebiete, an die Landeszentralen Karlsruhe, München, Straßburg, Stuttgart. Die erste derartige Sammelliste vom 14. März 1907 wurde in der Sitzung vom 19. desselben Monats der Deputation zur Einsicht vorgelegt.

Erwähnt sei hier, daß der im Hauptstaatsvoranschlag zur Förderung des Arbeitsnachweises eingestellte Posten von 2 500 ℳ auf 3 000 ℳ in dankenswerter Weise erhöht worden ist. Diese Erhöhung um 500 ℳ wird der Stadt Mainz mit Rücksicht auf deren erhöhte Aufwendungen und den gestiegenen auswärtigen Verkehr des Amts zagate kommen, wodurch sich der bisherige jährliche Zuschuß von 700 ℳ auf 1 200 ℳ steigern wird.

Einladungen zu Versammlungen auswärtiger Arbeitsnachweisverbände sind hierher ergangen von dem Verbande bayerischer Arbeitsnachweise nach Nürnberg — 22. und 23. Juni 1906 — und von dem Verbande westfälischer Arbeitsnachweise nach Dortmund — 6. Dezember 1906. Erstere Versammlung hatte auf der Tagesordnung als von besonderem Interesse einen Vortrag von Rechtsrat Dr. Menzinger—München über „Lehrlingsvermittlung und Jugendfürsorge" und war von Bürgermeister Dr. Schmidt als Vertreter des Rhein-Mainverbands besucht.

Notstandsarbeiten wurden im letzten Winter nur insofern betätigt, als Arbeitslose in geringerer Anzahl — Höchstzahl im Januar betrug 30 Mann, die bis April auf 8 herabging — direkt vom Armenamt unter Verweisung an das Tiefbauamt mit Kleinschlag von Steinen beschäftigt wurden. Bei dem Arbeitsamt hatten nur etwa 10 Leute dieserhald nachgefragt. Gewerde, Handei und Industrie haben offendar aach am Platze an dem allgemeinen wirtschaftlichen Aufschwung teilgenommen, so daß sich ein Bedürfnis für Notstandsarbeiten größeren Umfangs nicht ergad.

Die auf Anordnung des Herrn Reichskanzlers von der Abteilung für Arbeiterstatistik im Kaiserlichen Statistischen Amte dearbeitete umfassende Denkschrift über „Die Versicherung gegen die Falgen der Arbeitslosigkeit im Auslande und im Deutschen Reich", ein Werk von höchstem Werte und u. a. auch den heutigen Stand des gemeinnützigen Arbeitsnachweises ausführlich behandelnd, wurde für das Amt angeschafft.

Auskunft über die hiesigen Einrichtungen wurde auch im Berichtsjahre wieder an auswärtige Verwaltungen und sonstige Interessenten erteilt, u. a. an das Bureau des Reichsverbandes der allgemeinen Arbeitsvermittlungsanstalten in Österreich zu Troppau (Österr. Schlesien), an die Arbeitsvermittlungsanstalt in Göteborg (Schweden).

Die Erteilung von Rat und Auskunft gemäß § 10 der Geschäftsordnung erfolgte in 261 Fällen gegen 206 im Vorjahre. Hiervon detrafen 96 die Gewerbeordnung, 29 Krankenversicherung, 21 Unfallversicherung, 13 Invalidenversicherung, 24 Lohnverhältnisse, 57 Gesindeordnung, 16 bürgerliches Recht, 5 Handelsrecht. Im Anschluß hieran sei auch die als Abteilung des Vereins „Mainzer Frauenarbeitsschule" von Damen geleitete Rechtsschutzstelle erwähnt, welche Frauen und Mädchen unentgeltlich Rat und Auskunft in Rechtsfragen erteilt und ihre Sprechstunden allwöchentlich zweimal, Mittwochs mittags von 12—1 Uhr und Freitags nachmittags von 7—8 Uhr, in den Räumen der Frauenabteilung des Arbeitsamts abhält.

I. Jahres-Zusammenstellung der Gesuche nach den einzelnen Berufsgruppen.

Berufsgruppen	Gesuche wurden gestellt von Arbeitgebern: Unerledigt aus dem Vorjahr	Neu gemeldete offene Stellen	zusammen	erledigt wurden durch: Vermittlung von Arbeitern	Zurücknahme	Fristablauf	Unerledigt auf das nächste Jahr zu übertragen	Arbeitnehmern: Unerledigt aus dem Vorjahr	Neue Arbeitsuchende	zusammen	erledigt wurden durch: Vermittlung von Arbeit	Zurücknahme	Fristablauf	Unerledigt auf das nächste Jahr zu übertragen
I. Männliche Abteilung.														
1. Landwirtschaft, Gärtnerei u. Tierzucht: Dienstknechte, Feld- und Gartenarbeiter, Gärtner, Schweizer, Viehschaffner	1	599	600	484	46	62	8	9	756	765	484	3	273	5
2. Forstwirtschaft und Fischerei: Fischer, Forstarbeiter, Holzknechte, Jagdgehilfen	—	—	—	—	—	—	—	—	—	—	—	—	—	—
3. Bergbau, Hütten- und Salinenwesen, Torfgräberei: Berg-, Hütten- und Salinenarbeiter, Torfgräber	—	—	—	—	—	—	—	—	—	—	—	—	—	—
4. Industrie der Steine u. Erden: Asphalteure, Betonarbeiter, Bildhauer in Stein, Glasmaler, Hafner, Kalkbrenner, Marmorarbeiter, Steinbrecher, Steinmetze, Zement- und Ziegeleiarbeiter	—	52	52	31	4	17	—	3	55	58	31	—	26	1
5. Metallverarbeitung: Bohrer, Drahtflechter, Dreher (Eisen, Metall), Gießer, Gold- und Silberarbeiter, Gürtler, Schlosser (Bau), Schmiede, Spengler, Zuschläger	17	1 048	1 065	743	127	158	37	27	1 442	1 469	743	30	678	18
6. Maschinen, Werkzeuge, Instrumente, Apparate: Bandagisten, Büchsen- und Instrumentenmacher, Elektrotechniker, Maschinisten, Mechaniker, Monteure, Mühlenbauer, Optiker, Schiffbauer, Schiffsheizer, Schlosser auf Armaturen, Fahrräder, Maschinen, Kessel- und Maschinenschmiede, Uhrmacher, Wagner, Zahntechniker	9	384	393	246	58	83	6	9	629	638	246	15	361	16
7. Chemische Industrie: Chemische Fabrikarbeiter, Knochensieder, Laboranten, Teerfabrikarbeiter	—	—	—	—	—	—	—	—	—	—	—	—	—	—
zu übertragen	27	2 083	2 110	1 504	235	320	51	48	2 882	2 930	1 504	48	1 338	40

Berufsgruppen	Gesuche wurden gestellt von: Arbeitgebern: Unerledigt aus dem Vorjahr	Arbeitgebern: Neu gemeldete offene Stellen	Arbeitgebern: zusammen	Arbeitgebern: erledigt wurden durch Vermittlung von Arbeitern	Arbeitgebern: erledigt wurden durch Zurücknahme	Arbeitgebern: erledigt wurden durch Fristablauf	Arbeitgebern: Unerledigt auf das nächste Jahr zu übertragen	Arbeitnehmern: Unerledigt aus dem Vorjahr	Arbeitnehmern: Neue Arbeitsuchende	Arbeitnehmern: zusammen	Arbeitnehmern: erledigt wurden durch Vermittlung von Arbeit	Arbeitnehmern: erledigt wurden durch Zurücknahme	Arbeitnehmern: erledigt wurden durch Fristablauf	Arbeitnehmern: Unerledigt auf das nächste Jahr zu übertragen
Übertrag	118	6 210	6 328	4 368	819	966	175	133	8 808	8 941	4 368	167	4 265	141
22. **Beherbergung u. Erquickung:** Kellner, Köche, Portiers, Kegel- und Zapfjungen, Hausburschen und Kutscher für Gastwirtschaften	1	252	253	194	44	12	3	8	370	378	194	5	174	5
23. **Häusliche Dienste (einschließlich persönliche Bedienung), Lohnarbeit wechselnder Art:** Ausläufer, Diener, Hausburschen bei Privaten, Herrschaftskutscher, Städtische Arbeiter, Taglöhner	7	1 938	1 945	1 525	337	66	17	44	2 879	2 923	1 525	66	1 287	45
24. **Freie Berufsarten:** Aufseher, Krankenwärter, Schreiber, Vorleser	—	7	7	3	—	4	—	1	28	29	3	—	26	—
Summe I.	126	8 407	8 533	6 090	1 200	1 048	195	186	12 085	12 271	6 090	238	5 752	191
II. Weibliche Abteilung:														
9. **Textilindustrie:** Posamentennäherinnen, Stickerinnen, Strickerinnen	—	—	—	—	—	—	—	—	—	—	—	—	—	—
10. **Papierindustrie:** Buchbindereiarbeiterinnen, Falzerinnen	—	—	—	—	—	—	—	—	—	—	—	—	—	—
11. **Lederindustrie:** Tapeziernäherinnen, Portefeuillearbeiterinnen	—	—	—	—	—	—	—	—	—	—	—	—	—	—
13. **Industrie der Nahrungs- und Genußmittel:** Bäckerei- und Metzgereiladnerinnen, Kaffeeverleserinnen, Zigarrenarbeiterinnen	—	—	—	—	—	—	—	—	—	—	—	—	—	—
14. **Bekleidung und Reinigung:** Blumenmacherinnen, Büglerinnen, Kleidermacherinnen, Näherinnen, Putzmacherinnen	—	48	48	24	2	22	—	1	70	71	24	1	46	—
16. **Polygraphische Gewerbe:** Buchdruckerei-Arbeiterinnen, Einlegerinnen	2	17	19	5	1	10	3	—	13	13	5	—	8	—
zu übertragen	2	65	67	29	3	32	3	1	83	84	29	1	54	—

Berufsgruppen	Gesuche wurden gestellt von Arbeitgebern: Unerledigt aus dem Vorjahr	Neu gemeldete offene Stellen	zusammen	erledigt wurden durch: Vermittlung von Arbeitern	Zurücknahme	Fristablauf	Unerledigt auf das nächste Jahr zu übertragen	Arbeitnehmern: Unerledigt aus dem Vorjahr	Neue Arbeitsuchende	zusammen	erledigt wurden durch: Vermittlung von Arbeit	Zurücknahme	Fristablauf	Unerledigt auf das nächste Jahr zu übertragen
Übertrag	2	65	67	29	3	32	3	1	83	84	29	1	54	—
18. Arbeiterinnen, deren nähere Erwerbstätigkeit zweifelhaft ist:														
Fabrikarbeiterinnen, Lehrmädchen ohne nähere Angabe	—	129	129	92	13	24	—	3	109	112	92	—	20	—
19. Handelsgewerbe:														
Buchhalterinnen, Ladnerinnen, Verkäuferinnen	—	3	3	2	1	—	—	—	24	24	2	—	22	—
22. Beherbergung u. Erquickung:														
Büfettmädchen, Kellnerinnen, Köchinnen, Küchen- und Zimmermädchen für Gastwirtschaften	11	472	483	180	31	249	23	2	245	247	180	4	60	3
23. Häusliche Dienste (einschl. pers. Bedienung), Lohnarbeit wechselnder Art:														
a) Ammen, Bonnen, Dienst-, Kinder-, Haus- und Zimmermädchen, Haushälterinnen, Köchinnen für Private	42	1 154	1 196	420	97	631	48	7	654	661	420	40	196	5
b) Laufmädchen, Monat-, Putz- und Waschfrauen, Taglöhnerinnen	19	2 209	2 228	1 825	134	246	23	48	3 082	3 130	1 825	37	1 242	26
24. Freie Berufsarten:														
Erzieherinnen, Krankenpflegerinnen, Vorleserinnen	—	—	—	—	—	—	—	—	1	1	—	—	1	—
Summe II:	74	4 032	4 106	2 548	279	1 182	97	61	4 198	4 259	2 548	82	1 595	34
III. Beide Abteilungen.														
Gesamtsumme:	200	12 439	12 639	8 638	1 479	2 230	292	247	16 283	16 530	8 638	320	7 347	225

II. Jahresübersicht nach Einzelberufen mit Berücksichtigung des auswärtigen Interessentenverkehrs.

Berufsgruppen	Arbeitsuchende		Offene Stellen		Besetzte Stellen		
	überhaupt	darunter von zugereisten Arbeitern	überhaupt	darunter von auswärt. Arbeitgebern	überhaupt	darunter an zugereiste Arbeiter	darunter bei auswärt. Arbeitgebern
A. Männliche Personen.							
1. Landwirtschaft, Gärtnerei und Tierzucht:							
Landwirtschaftliche Arbeiter	636	584	509	468	424	403	388
Gärtner, Gartenarbeiter, Weingärtner	120	81	90	35	60	37	25
zusammen	756	665	599	503	484	440	413
2. Forstwirtschaft und Fischerei:							
Fischer, Holzhauer, Kultur- u. Waldarbeiter	—	—	—	—	—	—	—
3. Bergbau, Hütten- und Salinenwesen, Torfgräberei:							
Hüttenarb., Torfgräber, Salinenarbeiter	—	—	—	—	—	—	—
4. Industrie der Steine und Erden:							
Steinhauer, Steinbildhauer	19	10	7	6	3	1	3
Asphalteure, Zementeure und übrige einschlägige Berufe	36	28	45	31	28	22	15
zusammen	55	38	52	37	31	23	18
5. Metallverarbeitung:							
Bauschlosser	594	321	455	181	347	174	124
Schmiede, Huf- u. Beschlag-, Kupferschmiede	276	212	229	140	151	120	83
Spengler (Blechner)	347	225	192	105	143	93	78
Dreher, Former, Gießer u. einschläg. Berufe	225	162	172	126	102	79	70
zusammen	1442	920	1048	552	743	466	355
6. Maschinen, Werkzeuge, Instrumente, Apparate:							
Maschinenschlosser, Kesselschmiede, Maschinisten, Monteure, Mechaniker	487	305	292	191	190	118	120
Wagner	136	108	89	71	55	48	39
Wagenlackierer und übrige einschl. Berufe	6	2	3	—	1	1	—
zusammen	629	415	384	262	246	167	159
7. Chemische Industrie:							
Arbeiter in chemischen Fabriken	—	—	—	—	—	—	—
8. Forstwirtschaftliche Nebenprodukte, Leuchtstoffe, Fette, Öle, Firnisse:							
Arbeiter in Gasanstalten, Lichter- und Seifenfabriken, Ölmühlen, Wachszieher	—	—	—	—	—	—	—
zu übertragen	2882	2038	2083	1854	1504	1090	945

Berufsgruppen	Arbeitsuchende		Offene Stellen		Besetzte Stellen		
	überhaupt	darunter von zugereisten Arbeitern	überhaupt	darunter von auswärt. Arbeitgebern	überhaupt	darunter an zugereiste Arbeiter	darunter bei auswärt. Arbeitgebern
Übertrag	2 882	2 038	2 083	1 354	1 504	1 096	945
9. Textilindustrie:							
Färber, Seiler, Weber und übrige einschl. Berufe	3	2	4	1	—	—	—
10. Papierindustrie:							
Buchbinder, Kartonnage- u. Papierarbeiter	66	52	27	9	19	14	7
11. Lederindustrie:							
Sattler und Tapezierer	464	258	276	111	202	113	84
Gerber, Lederfärber, Portefeuiller und übrige einschläg. Berufe	4	3	1	1	2	2	2
zusammen	468	261	277	112	204	115	86
12. Industrie der Holz- und Schnitzstoffe:							
Schreiner und Rahmenmacher, Lackierer	1 313	895	822	451	643	465	347
Holzküfer, Holzbildhauer, Drechsler, Bürstenbinder, Korbmacher und einschläg. Berufe	110	83	86	65	41	36	27
zusammen	1 423	978	908	516	684	501	374
13. Industrie der Nahrungs- und Genußmittel:							
Bäcker, Konditoren und Müller	62	48	14	8	8	7	4
Weinküfer, Brauer und Mälzer	436	211	262	48	166	81	31
Metzger	10	7	4	—	1	1	—
Übrige einschlägige Berufe	5	3	6	6	2	—	2
zusammen	513	269	286	62	177	89	37
14. Bekleidung und Reinigung:							
Schneider	366	242	361	96	222	150	50
Schuhmacher	326	218	330	166	184	126	72
Barbiere und Friseure	24	14	16	9	9	7	5
Übrige einschlägige Berufe	—	—	2	—	—	—	—
zusammen	716	474	709	271	415	283	127
15. Baugewerbe:							
Maler, Weißbinder, Anstreicher, Lackierer	459	208	247	117	200	73	100
Maurer, Stuckateure, Häfner, Kaminfeger	73	62	42	30	23	19	17
Glaser (Blankglaser)	15	5	26	16	9	2	2
Installateure, Gas- u. Wasser-Rohrleger	87	43	66	13	46	24	8
Zimmerleute, Dachdecker und übrige einschlägige Berufe	331	199	337	189	225	135	102
zusammen	965	517	718	365	503	253	229
zu übertragen	7 036	4 591	5 012	2 690	3 506	2 351	1 805

Berufsgruppen	Arbeitsuchende		Offene Stellen		Besetzte Stellen		
	überhaupt	darunter von zugereisten Arbeitern	überhaupt	darunter von auswärt. Arbeitgebern	überhaupt	darunter an zugereiste Arbeiter	darunter bei auswärt. Arbeitgebern
Übertrag	7 036	4 591	5 012	2 690	3 506	2 351	1 805
16. Polygraphische Gewerbe: Buchdrucker, Steindrucker, Schriftsetzer, Schriftgießer, Lithographen, Photographen und einschlägige Berufe	52	32	18	7	3	1	—
17. Künstler und künstlerische Betriebe für gewerbliche Zwecke: Formenstecher, Gipsgießer, Graveure und Ziseleure	6	3	4	4	1	—	1
18. Industrielle Arbeiter: Fabrikarbeiter	860	479	758	632	547	341	457
Heizer in industriellen Betrieben	5	1	3	3	—	—	—
zusammen	865	480	761	635	547	341	457
19. Handelsgewerbe: Kaufleute, Magaziniers und Packer	239	48	99	8	55	13	4
20. Versicherungsgewerbe:	—	—	—	—	—	—	—
21. Verkehrsgewerbe: Fuhrleute, Fahrburschen, Kutscher, Pferdeknechte	610	307	316	127	256	146	108
22. Beherbergung und Erquickung: Kellner, Oberkellner, Marqueure, Köche, Zapfjungen, Hausburschen, Küchenburschen, Kupferputzer	370	227	252	18	194	123	14
23. Häusliche Dienste (einschl. persönliche Bedienung) auch Lohnarbeit wechselnder Art: Auslaufer, Hausburschen, Hausdiener, Taglöhner	2 879	630	1 938	189	1 525	319	151
24. Freie Berufsarten: Aufseher, Krankenpfleger, Schreiber und sonstige Berufsarten	28	14	7	—	3	1	—
Summe	12 085	6 332	8 407	3 678	6 090	3 295	2 540

Berufsgruppen	Arbeitsuchende überhaupt	Arbeitsuchende darunter von zugereisten Arbeitern	Offene Stellen überhaupt	Offene Stellen darunter von auswärt. Arbeitgebern	Besetzte Stellen überhaupt	Besetzte Stellen darunter an zugereiste Arbeiter	Besetzte Stellen darunter bei auswärt. Arbeitgebern
B. Weibliche Personen.							
1. Landwirtschaft, Gärtnerei und Tierzucht:							
Dienstboten und Taglöhnerinnen	—	—	—	—	—	—	—
10. Papierindustrie:							
Arbeiterinnen in Buchbindereien und Kartonnagefabriken	—	—	—	—	—	—	—
14. Bekleidung und Reinigung:							
Büglerinnen, Näherinnen, Schneiderinnen	70	21	48	—	24	6	—
16. Polygraphische Gewerbe:							
Arbeiterinnen in Buchdruckereien	13	5	17	1	5	2	—
18. Industrielle Arbeiterinnen:							
Fabrikarbeiterinnen	109	33	129	25	92	28	14
19. Handelsgewerbe:							
Buchhalterinnen, Verkäuferinnen	24	9	3	1	2	—	1
22. Beherbergung und Erquickung:							
Büfettdamen, Kellnerinnen, Köchinnen Küchenmädchen, Zimmermädchen	245	106	472	38	180	72	7
23. Häusliche Dienste und Lohnarbeit wechselnder Art:							
Dienstboten für Private	654	266	1 154	133	420	178	20
Putz-, Wasch- und Monatfrauen	3 082	465	2 209	19	1 825	227	9
zusammen	3 736	731	3 363	152	2 245	405	29
24. Freie Berufsarten:							
Masseusen, Wärterinnen, Erzieherinnen .	1	1	—	—	—	—	—
Weibliche Personen	4 198	906	4 032	217	2 548	513	51
Männliche „	12 085	6 332	8 407	3 678	6 090	3 295	2 540
Insgesamt	16 283	7 238	12 439	3 895	8 638	3 808	2 591

III. Zusammenstellung der Gesuche nach den einzelnen Monaten.

Rechnungsjahr 1906.

	April m.	April w.	April zus.	Mai m.	Mai w.	Mai zus.	Juni m.	Juni w.	Juni zus.	Juli m.	Juli w.	Juli zus.	August m.	August w.	August zus.	September m.	September w.	September zus.
Bestand am 1. des Monats:																		
an offenen Stellen	126	74	200	94	52	146	65	74	139	167	29	196	147	58	205	135	67	202
an Arbeitsgesuchen	186	61	247	340	63	403	284	55	339	318	69	382	321	40	361	240	62	302
Im Laufe des Monats gemeldete:																		
offene Stellen	697	368	1065	637	372	1009	852	318	1170	937	359	1296	909	391	1300	827	350	1177
Arbeitsgesuche	997	315	1312	1190	372	1562	1176	382	1558	1369	340	1709	1248	405	1653	997	346	1343
besetzte Stellen	496	223	719	509	219	728	599	227	826	696	219	915	678	268	946	591	209	800
Auf 100 offene Stellen kamen:																		
Arbeitsuchende	143,7	85,1	123,2	209,3	102,6	170,1	159,2	111,5	144,9	152,4	105,4	140,1	148,6	99,1	133,8	128,6	97,8	119,3
Im Vorjahre	139,3	44,5	106,1	152,7	80,9	130,8	144,1	75,0	121,5	128,2	80,9	115,3	138,8	103,8	128,6	140,6	89,9	124,3

	Oktober m.	Oktober w.	Oktober zus.	November m.	November w.	November zus.	Dezember m.	Dezember w.	Dezember zus.	Januar m.	Januar w.	Januar zus.	Februar m.	Februar w.	Februar zus.	März m.	März w.	März zus.
Bestand am 1. des Monats:																		
an offenen Stellen	112	61	173	33	31	64	39	13	52	25	36	61	79	41	120	117	95	212
an Arbeitsgesuchen	222	74	296	272	92	364	203	97	300	133	39	172	194	53	247	209	57	266
Im Laufe des Monats gemeldete:																		
offene Stellen	750	357	1107	437	245	682	299	201	500	573	332	905	640	336	976	849	403	1252
Arbeitsgesuche	1191	441	1632	739	421	1160	583	255	838	904	344	1248	782	284	1066	909	293	1202
besetzte Stellen	623	263	886	306	195	501	237	139	376	405	197	602	423	175	598	527	214	741
Auf 100 offene Stellen kamen:																		
Arbeitsuchende	163,9	123,2	150,6	215,1	185,9	204,3	232,5	164,5	206,2	173,4	104,1	147,0	135,7	89,4	119,8	115,7	70,3	100,3
Im Vorjahre	158,8	110,0	143,7	219,9	146,7	195,1	278,8	158,8	231,6	200,8	182,3	177,3	203,5	126,8	178,0	136,3	101,4	124,7

IV. Gesamtergebnis.

	1906 m.	1906 w.	1906 zus.	1905 m.	1905 w.	1905 zus.
Bestand am Schlusse des Berichtsjahres an offenen Stellen .	195	97	292	126	74	200
Bestand am Schlusse des Berichtsjahres an Arbeitsgesuchen .	191	34	225	186	61	247
Neu gemeldete offene Stellen	8 407	4 032	12 439	8 407	3 959	12 366
Neue Arbeitsgesuche	12 085	4 198	16 283	12 011	3 908	15 919
Besetzte Stellen	6 090	2 548	8 638	6 194	2 671	8 865

V. Vergleichende Jahresübersicht.

Jahr	Männliche Abteilung			Weibliche Abteilung		
	Offene Stellen	Arbeit-suchende	Besetzte Stellen	Offene Stellen	Arbeit-suchende	Besetzte Stellen
1897/98	3 636	5 554	2 026	683	473	98
1898/99	6 212	8 183	3 479	806	625	168
1899/00	7 194	8 523	3 974	2 508	1 892	1 268
1900/01	6 420	8 067	3 955	3 334	2 522	2 025
1901/02	5 330	7 407	3 372	3 459	2 911	2 084
1902/03	5 260	7 336	3 594	3 158	2 713	1 955
1903/04	5 910	6 874	4 120	2 872	2 196	1 654
1904	7 362	11 008	5 341	3 852	2 748	2 220
1905	8 537	12 272	6 194	4 045	3 925	2 671
1906	8 533	12 271	6 090	4 106	4 259	2 548

VI. Arbeitsvermittlung nach auswärts.

Verzeichnis der Orte, mit denen das Amt im Berichtsjahre in Verbindung stand.

A. Männliche Abteilung.

Ord.-Nr.	Namen der Orte	Verlangt	Besetzt	Ord.-Nr.	Namen der Orte	Verlangt	Besetzt
1	Albisheim	8	—		Übertrag	327	233
2	Alsheim	7	5	21	Bischofsheim	22	14
3	Altheim	1	1	22	Bodenheim	12	9
4	Alzey	36	29	23	Bonames	12	5
5	Amöneburg	39	36	24	Boppard	7	6
6	Armsheim	1	—	25	Bornheim, Rh.	1	1
7	Aßmannshausen	2	2	26	Bretzenheim	91	75
8	Auringen	1	1	27	Budenheim	38	24
9	Bauma, Kant. Zürich	8	—	28	Bürgel	12	
10	Bauschheim	1	1	29	Burgbrohl	10	—
11	Bechtheim	1	1	30	Caub	4	3
12	Bechtolsheim	1	—	31	Colmar	2	—
13	Berkach	1	1	32	Crefeld	4	—
14	Berlin	12	—	33	Darmstadt	21	5
15	Biblis	11	3	34	Delkenheim	3	2
16	Biebelnheim	1	—	35	Dexheim	4	4
17	Biebrich	149	130	36	Dietenhofen	10	—
18	Bierstadt	5	2	37	Dienheim	1	1
19	Bingen	18	11	38	Dorndürkheim	1	1
20	Bingerbrück	14	10	39	Dortmund	1	—
	zu übertragen	327	233		zu übertragen	583	383

Ord.-Nr.	Namen der Orte	Verlangt	Besetzt
	Übertrag	583	383
40	Dotzheim	15	11
41	Drais	2	2
42	Dresden	6	—
43	Eddersheim	4	3
44	Eich	2	2
45	Eimsheim	2	—
46	Elsheim	3	3
47	Eltville	33	24
48	Ems, Bad	1	—
49	Erbenheim	3	2
50	Erbesbüdesheim	3	—
51	Essenheim	22	11
52	Eßlingen	3	—
53	Finthen	50	37
54	Flörsheim	77	58
55	Flonheim	10	—
56	Frankenthal	8	1
57	Frankfurt a. M.	2	2
58	Frauenstein	1	—
59	Freimersheim	5	4
60	Frei-Weinheim	17	16
61	Fürfeld	1	1
62	Gabsheim	1	1
63	Gau-Algesheim	11	8
64	Gau-Bickelheim	2	1
65	Gau-Bischofsheim	7	4
66	Gaulsheim	2	1
67	Gau-Odernheim	4	4
68	Geisenheim	8	4
69	Gernsheim	1	—
70	Gießen	1	—
71	Ginsheim	41	38
72	Goffontaine	6	—
73	Gonsenheim	49	38
74	Griesheim a. M.	22	22
75	Griesheim b. Darmstadt	1	—
76	Groß-Gerau	14	7
77	Güdingen	1	—
78	Gundersheim	5	4
79	Guntersblum	12	7
80	Gustavsburg	214	160
81	Hahnheim	1	—
82	Hanau	37	6
	zu übertragen . . .	1 293	865

Ord.-Nr.	Namen der Orte	Verlangt	Besetzt
	Übertrag	1 293	865
83	Hangenweisheim	1	1
84	Harxheim	2	1
85	Hechtsheim	127	101
86	Heerdt-Düsseldorf	31	3
87	Heidelberg	9	—
88	Heidesheim	49	37
89	Heppenheim a. d. B.	4	2
90	Herborn	3	—
91	Herrnsheim	1	—
92	Hersfeld	1	—
93	Herzogenrath	2	—
94	Heßloch	1	1
95	Hochheim a. M.	32	26
96	Höchst a. M.	39	29
97	Hohensülzen	1	1
98	Homburg v. d. H.	3	—
99	Ibersheim	1	1
100	Idar	1	1
101	Idstein	19	11
102	St. Johann a. d. S.	4	—
103	Kaiserslautern	38	11
104	Kamberg	1	1
105	Kapsweyer	1	1
106	Kastel	251	219
107	Kelkheim	1	—
108	Kempten	1	—
109	Kiedrich	2	2
110	Kirn	3	1
111	Klein-Winternheim	6	4
112	Königstein	5	—
113	Kostheim	89	70
114	Krausenberg	1	—
115	Kreuznach	101	58
116	Laasphe	2	1
117	Lampertheim	2	—
118	Langenlonsheim	2	1
119	Langenschwalbach	4	3
120	Laubenheim	12	10
121	Lauerbach	4	3
122	Lauterecken	1	—
123	Leverkusen	31	5
124	London	2	2
125	Lonsheim	2	2
	zu übertragen	2 186	1 474

Ord.-Nr.	Namen der Orte	Verlangt	Besetzt
	Übertrag	2 186	1 474
126	Lorsch	1	—
127	Lorsbach	1	—
128	Ludwigshafen	34	10
129	Mannheim	9	4
130	Marienborn	11	6
131	Massenheim	16	15
132	Miltenberg	1	—
133	Mönchbruch	4	4
134	Mombach	328	234
135	Montabaur	2	—
136	Münster a. Stein	3	3
137	Nackenheim	3	3
138	Neudorf	1	—
139	Nieder-Flörsheim	2	1
140	Nieder-Heimbach	3	1
141	Nieder-Hilbersheim	2	1
142	Nieder-Jeutz	1	—
143	Nieder-Ingelheim	36	27
144	Nieder-Olm	2	—
145	Nieder-Saulheim	9	7
146	Nieder-Walluf	5	3
147	Nierstein	7	6
148	Nordenstadt	1	1
149	Ober-Ingelheim	20	13
150	Ober-Olm	7	7
151	Ober-Saulheim	1	—
152	Ober-Walluf	25	23
153	Oberwesel	1	—
154	Ockenheim	8	7
155	Oestrich	16	8
156	Offenbach	6	3
157	Offstein	2	—
158	Oppenheim	8	6
159	Osthofen	3	—
160	St. Paulo, Brasilien	5	—
161	Pforzheim	24	—
162	Pfungstadt	3	2
163	Planig	1	1
164	Punto Arenas, Südamerika	1	—
165	Rauenthal	1	1
166	Rheinböllen	2	1
	zu übertragen	2 802	1 872

Ord.-Nr.	Namen der Orte	Verlangt	Besetzt
	Übertrag	2 802	1 872
167	Roth a. d. L.	1	—
168	Roxheim	1	1
169	Rüdesheim	11	9
170	Rüsselsheim	61	45
171	Schierstein	38	26
172	Schwabenheim a d. Selz	1	1
173	Schwetzingen	3	1
174	Sobernheim	2	2
175	Soden i. T.	8	6
176	Sörgenloch	1	1
177	Sonnenberg	5	1
178	Sprendlingen	18	17
179	Sprendlingen, Rheinh.	16	14
180	Stadecken	5	3
181	Trebur	16	11
182	Ulm	2	—
183	Undenheim	8	7
184	Villingen	9	—
185	Vockenhausen	5	5
186	Wackernheim	8	5
187	Wahlheim	2	—
188	Waldalgesheim	1	1
189	Waldülversheim	3	2
190	Wallau	1	1
191	Wallertheim	2	—
192	Walsdorf	1	—
193	Weilbach, Bad	3	3
194	Weilburg	2	—
195	Weilmünster	1	1
196	Weinheim a. d. B.	25	7
197	Weisenau	468	406
198	Wertheim	1	—
199	Westerburg	1	1
200	Westhofen	1	1
201	Wicker	3	1
202	Wiesbaden	109	66
203	Wöllstein	18	14
204	Wörrstadt	1	1
205	Worms	12	7
206	Zornheim	2	1
	Summe	3 678	2 540

B. Weibliche Abteilung.

Ord.-Nr.	Namen der Orte	Verlangt	Besetzt	Ord.-Nr.	Namen der Orte	Verlangt	Besetzt
1	Alzey	1	—		Übertrag	96	15
2	Biebernheim	1	—	24	Hochheim a. M.	1	—
3	Biebrich	1	—	25	Höchst a. M.	1	—
4	Bingen	1	—	26	Kastel	24	6
5	Bingerbrück	1	—	27	Königsborn	1	—
6	Bischofsheim	6	1	28	Königstädten	1	—
7	Bodenheim	10	4	29	Kostheim	13	3
8	Bretzenheim	4	—	30	Laubenheim	2	1
9	Darmstadt	1	—	31	Lonsheim	1	—
10	Dotzheim	2	1	32	Mannheim	1	—
11	Erbenheim	1	—	33	Mombach	39	21
12	Finthen	8	1	34	Nieder-Wöllstadt	1	—
13	Frankfurt a. M.	4	1	35	Ober-Saulheim	1	—
14	Freimersheim	1	—	36	Oberwesel	1	—
15	Friedberg	1	—	37	Pirmasens	2	—
16	Ginsheim	2	1	38	Rheinböllen	4	1
17	Gonsenheim	24	6	39	Rüsselsheim	1	—
18	Gustavsburg	12	—	40	Stadecken	1	—
19	Hanau	9	—	41	Vallendar a. Rh.	1	—
20	Hechtsheim	3	—	42	Weisenau	10	3
21	Heidelberg	1	—	43	Wiesbaden	12	1
22	Hering i. O.	1	—	44	Zabern i. E.	1	—
23	Heßloch	1	—	45	Zornheim	1	—
	zu übertragen	96	15	46	Zürich	1	—
					Summe	217	51

VIII. Arbeiterversicherung.

A. Krankenversicherung.

Die Betriebsergebnisse der unter Aufsicht der Bürgermeisterei stehenden Orts-, Betriebs- (Fabrik-) und Innungs-Krankenkassen für das Kalenderjahr 1906 sind aus den Übersichten auf Seite 58 bis 64 zu entnehmen. Über die einzelnen Kassenarten ist noch nachstehendes zu berichten, wozu im voraus bemerkt wird, daß die eingeklammerten Zahlen sich auf das Vorjahr beziehen.

1. Orts-Krankenkasse.

Die Mitgliederzahl betrug bei Beginn des Jahres 15117 männliche und 5991 weibliche, zusammen 21108 Personen, am Schlusse des Jahres 14251 männliche und 6004 weibliche, zusammen 20255 Personen. Der höchste ermittelte Stand entfällt auf den 1. Juni 1906 mit 22368, der niedrigste auf den 31. Dezember 1906 mit 20255 Mitgliedern, der durchschnittliche Mitgliederstand betrug 21317 (21570) oder gegen den des Vorjahres weniger 253 = 1,2 %. Freiwillig waren bei der Kasse versichert 3486 (3085) Personen. Kündigungen der Mitgliedschaft gemäß § 19 zweitletzter Absatz des Gesetzes sind in 67 (68) Fällen erfolgt. Die im August 1906 vorgenommene Zählung sämtlicher Mitglieder zum Zwecke des Nachweises, welchen Beitragsklassen sie angehören, hatte folgendes Ergebnis:

Klasse	Täglicher Arbeitsverdienst	Männliche Mitglieder	Weibliche Mitglieder	Im ganzen	In Prozent 1906	In Prozent 1905
1	weniger als 1,25 ℳ	1 488	2 134	3 622	17,20	17,13
2	von 1,25 ℳ bis einschl. 2,24 ℳ	775	2 366	3 141	14,91	13,69
3	„ 2,25 „ „ „ 3,24 „	2 528	755	3 283	15,59	18,79
4	„ 3,25 „ „ „ 4,24 „	5 585	169	5 754	27,31	28,21
5	„ 4,25 „ und mehr	5 188	76	5 264	24,99	22,18
	Summe	15 564	5 500	21 064	100,00	100,00

Die Zahl der Arbeitgeber versicherter Personen belief sich am Schlusse des Jahres auf 3 308 (3 327).

Anmeldungen erfolgten im Jahre 1906, einschließlich derjenigen zur Invalidenversicherung, 36 548 (36 073), denen 38 749 (35 632) Abmeldungen gegenüberstehen. Außerdem gingen 4 723 (4 078) Lohnveränderungsanzeigen ein. Der stärkste **Meldetag** war der 31. Januar mit 490, der schwächste der 27. Februar mit 31 Meldungen. Wegen versäumter Meldepflicht mußten 221 (235) Anzeigen erstattet werden. Außerdem sind säumige Arbeitgeber in 82 (57) Fällen mit dem Betrage von 3 279 ℳ 51 ₰ (3 952 ℳ 46 ₰) gemäß § 50 des Gesetzes der Kasse ersatzpflichtig geworden.

Krankmeldungen von Mitgliedern erfolgten im Jahre 1906 überhaupt 35 139 (34 723). Hiervon waren erwerbsfähig krank und erhielten nur freie ärztliche Behandlung und Arznei 22 144 (20 105) Personen oder 63,0 (57,9) % aller krank Gemeldeten. Über die Zahl der Erkrankungsfälle mit Erwerbsunfähigkeit, die Zahl der darauf entfallenden Krankheitstage und das Verhältnis dieser Erkrankungsfälle und Krankheitstage zueinander und zur Mitgliederzahl geben die Übersichten A und E Aufschluß. Von 100 männlichen Mitgliedern sind 63,8 (70,7) und von 100 weiblichen Mitgliedern 53,6 (59,2) erkrankt. Von den Krankheitstagen entfallen bei den männlichen Mitgliedern auf ein Mitglied 11,8 (11,6), auf eine Erkrankung 18,5 (16,4) und bei den weiblichen Mitgliedern auf ein Mitglied 13,2 (12,0), auf eine Erkrankung 24,7 (20,3).

Hiernach hat zwar die Zahl der auf 100 Mitglieder entfallenden Erkrankungen gegen das Vorjahr eine nicht unwesentliche Verminderung erfahren; dagegen hat sich die Zahl der auf ein Mitglied und auf eine Erkrankung entfallenden Krankheitstage, namentlich bei den weiblichen Versicherten, erhöht. Es ist dies darauf zurückzuführen, daß die Zahl derjenigen Mitglieder, welche die Krankenunterstützung auf die volle statutenmäßige Dauer in Anspruch genommen haben, wie weiter unten ersichtlich, im Berichtsjahre von 183 auf 253 gestiegen ist.

An **Heilmitteln** wurden verabfolgt: 1 593 (1 426) Brillen, 424 (407) Bruchbänder, 112 (87) Gummistrümpfe, 168 (153) Irrigateure, 66 (68) Inhalationsapparate, 67 (99) Plattfußeinlagen, 110 (97) Suspensorien, 32 (56) Eisbeutel, 22 (44) Gummispritzen, 197 (156) Leibbinden, 153 (139) Leder- und Gummifinger, 28 (27) Pessarien, 3 (4) Luftkissen, 24 (53) Nasenduschen ꝛc.

Bäder wurden abgegeben: 5 443 (4 645) Wannenbäder und 13 (6) Brausebäder, außerdem wurden für römische und elektrische Bäder, Heu- und Haferstrohbäder, Güsse ꝛc. 16 504 ℳ 50 ₰ (16 526 ℳ 10 ₰) verausgabt.

Im **Krankenhause** wurden verpflegt: 1 240 (1 270) männliche und 306 (253) weibliche, zusammen 1 546 (1 523) Mitglieder mit zusammen 41 447 (41 006) Verpflegungstagen und einem Kostenaufwand von 71 920 ℳ 53 ₰ (69 842 ℳ 97 ₰). An der Zahl der Verpflegungstage ist das städtische Krankenhaus (St. Rochushospital) mit rund 59 (62) % beteiligt.

Krankenunterstützung auf die volle statutenmäßige Dauer erhielten 253 (183) Mitglieder und zwar auf die Dauer von 13 Wochen 91 (58) und auf die Dauer von 26 Wochen 162 (125) Mitglieder. Gestorben sind 166 (148) männliche und 42 (33) weibliche, zusammen 208 (181) Mitglieder, für welche ein Sterbegeld von 13 624 ℳ 79 ₰ (12 351 ℳ 74 ₰) ausbezahlt wurde. Die Sterblichkeitsziffer berechnet sich für 1906 bei den männlichen Mitgliedern auf 1,1 (0,9) und bei den weiblichen Mitgliedern auf 0,7 (0,6), überhaupt auf 1,0 (0,8) vom Hundert. An 309 (281) Wöchnerinnen wurden 10 103 ℳ — ₰ (8 845 ℳ 50 ₰) Unterstützung gezahlt, an eine Wöchnerin also durchschnittlich 32 ℳ 70 ₰ (31 ℳ 48 ₰) oder 5 ℳ 45 ₰ (5 ℳ 25 ₰) die Woche.

An **Familienangehörige** sind ohne Erhebung von Zusatzbeiträgen folgende Unterstützungen geleistet worden: Ärztlich behandelt wurden 18 643 (17 714) Ehefrauen und Kinder, was einen Kostenaufwand von 61 917 ℳ (61 356 ℳ) verursachte. Für außerhalb des Kassenbezirks wohnende Familienangehörige, denen an ihrem Wohnorte ein Kassenarzt nicht gestellt werden konnte, sawie für Verpflegung von Angehörigen im Krankenhause wurden gemäß § 22 Abs. 3 und 4 des Statuts 3219 ℳ 24 ₰ (4063 ℳ 47 ₰) bezahlt, sodaß für die ärztliche Behandlung von Familienangehörigen insgesamt 65136 ℳ 24 ₰ (65419 ℳ 47 ₰) verausgabt wurden. Für 635 (634) Ehefrauen und Kinder wurden 6078 ℳ 60 ₰ (6092 ℳ 60 ₰) Sterbegeld gezahlt. Im ganzen beträgt daher der Aufwand für Familienunterstützung 71214 ℳ 84 ₰ (71512 ℳ 07 ₰).

Die Übersichten F und G enthalten die Ausgaben in Prozent ausgedrückt und die Verteilung der Beiträge, der Leistungen und des Vermögens auf den Kopf der Mitglieder.

Nach Übersicht G detragen die auf ein Mitglied entfallenden Ausgaben 38 ℳ 46 ₰ gegen 37 ℳ 25 ₰ im Vorjahre. Der Vermögensanteil eines Mitgliedes beträgt 23 ℳ 84 ₰ gegen 20 ℳ 37 ₰ im Jahre 1905. Es hat sich somit der Vermögensstand der Kasse gegen das Vorjahr gebessert. Die Besserung ist darauf zurückzuführen, daß es infolge der im Jadre 1905 eingetretenen Beitragserhöhung möglich war, dem Reservefonds den Betrag von rund 50000 ℳ zu überweisen.

Von dem durch § 57a des Gesetzes den Krankenkassen eingeräumten Rechte, die Fürsorge für erkrankte Mitglieder einer anderen Krankenkasse zu übertragen, hat die Orts-Krankenkasse in 71 (105) Fällen Gebrauch gemacht, wogegen ihr in 27 (35) Fällen die Fürsorge für fremde Mitglieder übertragen worden ist.

Betriebsunfälle wurden im Berichtsjahre 696 (776) von der Ortspolizeibehörde angemeldet. Von den Verletzten waren gestorben 9 (7), erwerbsunfähig 620 (657) und erwerbsfähig 35 (44); nicht krank gemeldet haben sich 32 (68) Mitglieder. Vom Beginne der fünften Woche nach Eintritt des Unfalls waren noch 163 (204) und vom Beginne der vierzehnten Woche ab noch 46 (53) Mitglieder erwerbsunfähig. Der Aufwand, den die Kasse für durch Unfall verletzte Kassenmitglieder gemacht hat, ist zu rund 43200 ℳ (45000 ℳ) anzunehmen. Gemäß § 12 Absatz 1 des Gewerbe-Unfallversicherungsgesetzes hat die Kosse in 188 (204) Fällen an Unfallverletzte 3170 ℳ 60 ₰ (3423 ℳ 59 ₰) Krankengeld vorschußweise für Rechnung der Betriebsunternehmer bezahlt.

Die schriftlichen Eingänge bezifferten sich auf 6588 (6756) Briefe und 1418 (666) Postkarten, während 6520 (4994) Briefe, 2156 (2394) Postkarten und 4803 (7411) Drucksachen zur Absendung gelangten.

Es wurden 30 (25) Vorstandssitzungen und 1 (2) Generalversammlung adgehalten. Das Beamtenpersonal bestand am 31. Dezember 1906 aus 29 (28) Personen und zwne aus 23 Bureaubeamten, 2 Kassenboten, 3 Krankenbesuchern und 1 Krankenbesucherin.

Im *Genesungsheim* Langen-Brombach i. O. wurden im Jahee 1906 im gunzen 145 (127) Personen verpflegt, wovon 143 (119) Mitglieder der Ortskrankenkasse selbst waren. Auf einen Erkrankten kommen durchschnittlich 42 (44) Verpflegungstage. Im einzelnen schwankt die Zeit des Aufenthalts in der Anstalt zwischen 6 und 99 Tagen. Es waren erkrankt an oder in Rekonvaleszenz von: Tuberkulose der Lungen (im Anfangsstadium) 19, Bleichsucht und Blutarmut 36, allgemeiner Nervosität 36, chron. Bronchialkatarrh 19, Herzkrankheiten 9, Magen- und Darmleiden 9, Nierenleiden 4, Brustfellentzündung 7, Gelenkrheumatismus 2, Kehlkopfleiden 1 und sonstigen Erkrankungen 3 Personen. Von den Pfleglingen konnten 91 % die Anstalt als arbeitsfähig verlassen, bei den anderen hatte sich der Zustand wesentlich gebessert. Wegen Verstoßes gegen die Hausdisziplin oder Unverträglichkeit mußten 4 Pfleglinge vor Beendigung der Kur entlassen werden, 7 Pfleglinge sind auf das Jahr 1907 übernommen worden.

Die Ausgaben des Genesungsheims detrugen	52090	ℳ	26 ₰
Die Einnahmen „ „ „	23347	„	94 „
Es mußten mithin aus der Ortskrankenkasse zugeschossen werden	28742	ℳ	32 ₰

gegen 9780 ℳ — ₰ im Vorjahre. Dirſre bedeutende Zuschuß tourde veranlaßt durch die Errichtung eines eigenen Elektrizitätswerks sowie durch die Anlage einer Niederdruck-Dampfheizung.

Unter den vorstehend angegebenen Ausgaben für 1906 sind 3½ % Zinsen des für das Genesungsheim aufgewendeten Kapitals mit 1975 ℳ 63 ₰, unter den Einnahmen 18276 ℳ Verpflegungskosten für eigene Mitglieder der Kasse indegriffen.

Streitigkeiten mit der Ortskrankenkasse waren im Jahre 1906 bei der Bürgermeisterei 51 anhängig gegen 40 im Vorjahre und zwar 3 über das Versicherungsverhältnis, 3 über Beitragsforderungen, 35 über Krankenunterstützungsansprüche, 3 über Sterbegeldansprüche, 1 über Wöchnerinnenunterstützung, 2 über den Krankengeld-Mehrbetrag aus § 12 Absatz 1 G.-U.-G., 1 über Familienunterstützung (Begräbnisgeld), 1 über Ordnungsstrafen, 1 über sonstige Forderungen

(Transportkosten), 1 über eine Ersatzforderung aus § 50 K.-V.-G. Davon wurden 8 zu Gunsten und 7 zu Ungunsten der Kasse entschieden; in 10 Fällen erfolgte Rücknahme der Klage und in 26 Fällen wurde seitens der Kasse der an sie gestellte Anspruch anerkannt oder der eigene Anspruch fallen gelassen. In 5 Fällen wurde gegen die Entscheidungen der Bürgermeisterei Berufung ans Amtsgericht und ans Landgericht verfolgt. In 4 Fällen wurde diesen Berufungen stattgegeben, in 1 Falle wurde sie verworfen. Gegen die amtsgerichtlichen Entscheidungen wurde in 4 Fällen Berufung ans Landgericht eingelegt. In 2 Fällen wurde die Berufung verworfen, in 2 anderen Fällen schwebt dieselbe noch.

Die im Jahre 1905 unentschieden gebliebene Berufung ans Landgericht ist von diesem verworfen worden.

Am 15. März 1906 wurde die Kasse von der Bürgermeisterei einer beschränkten Revision unterzogen.

2. Betriebs- (Fabrik-) und Innungs-Krankenkassen.

In dem Bestande der Betriebs- (Fabrik-) und Innungs-Krankenkassen sind im abgelaufenen Jahre folgende Änderungen eingetreten:

1. Die Firma Lederwerke vormals Mayer, Michel & Deninger zu Mainz ist in Liquidation getreten. Mit Rücksicht hierauf wurde auf Antrag der Firma zufolge Verfügung Großh. Kreisamts Mainz vom 24. Oktober 1906 die für die Fabriken dieser Firma errichtete Krankenkasse mit Wirkung vom 18. November 1906 ab aufgelöst. Die am Tage der Auflösung der Kasse noch vorhanden gewesenen Mitglieder sind der Ortskrankenkasse überwiesen worden, der verbliebene Vermögensrest der Kasse wurde nach einem von Großh. Kreisamt aufgestellten Plane verteilt.

2. Von der Barbier-, Friseur- und Perückenmacher-Innung wurde mit Genehmigung Großh. Kreisamts Mainz vom 16. November 1905 für die bei den Mitgliedern der Innung beschäftigten krankenversicherungspflichtigen Personen mit Wirkung vom 1. Januar 1906 eine Innungskrankenkasse errichtet.

Der durchschnittliche Mitgliederstand der Betriebs- (Fabrik-) und Innungs-Krankenkassen betrug 1235 männliche und 265 weibliche, zusammen 1500 Mitglieder.

Der Vermögensstand der am Schlusse des Jahres noch vorhandenen 3 Betriebs- (Fabrik-) Krankenkassen hat sich durch Rücklagen zum Reservefonds erhöht, dagegen mußten 2 Innungs-Krankenkassen zur Deckung ihrer Ausgaben auch im Berichtsjahre wieder den Reservefonds angreifen. Auch der Vermögensstand der neu gegründeten Innungs-Krankenkasse muß als ein ungünstiger bezeichnet werden. Die Kasse war nicht nur nicht imstande, die Rücklage zum Reservefonds in der gesetzlich vorgeschriebenen Höhe zu bewirken, sie hatte am Schlusse des Jahres auch noch unberichtigt gebliebene Forderungen zu verzeichnen.

Im Jahre 1906 waren 3 Streitigkeiten mit Innungs-Krankenkassen und 1 Streitigkeit mit einer Fabrik-Krankenkasse anhängig. Die ersteren fanden durch Anerkennung der erhobenen Ansprüche ihre Erledigung, im letzteren Falle wurde die erhobene Klage zurückgenommen.

Eine Fabrik-Krankenkasse und eine Innungs-Krankenkasse wurden im abgelaufenen Jahre von der Bürgermeisterei revidiert.

B. Unfallversicherung.

1. Im allgemeinen.

Auf Grund des § 56 des Gewerbe-Unfallversicherungsgesetzes sind im Kalenderjahre 1906 bei der Bürgermeisterei angemeldet worden:

1.	zur Fleischerei-Berufsgenossenschaft	10 Betriebe
2.	„ Hessen-Nassauischen Baugewerks-Berufsgenossenschaft . .	18 „
3.	„ Lagerei-Berufsgenossenschaft	11 „
4.	„ Südwestdeutschen Holz-Berufsgenossenschaft	12 „
5.	„ Berufsgenossenschaft der Feinmechanik	1 „
6.	„ Süddeutschen Eisen- und Stahl-Berufsgenossenschaft . .	4 „
7.	„ Fuhrwerks-Berufsgenossenschaft	6 „
8.	„ Nahrungsmittel-Industrie-Berufsgenossenschaft	1 „
9.	„ Deutschen Buchdrucker-Berufsgenossenschaft	5 „
10.	„ Berufsgenossenschaft der chemischen Industrie	4 „
	zu übertragen . .	72 Betriebe

	Übertrag . .	72	Betriebe
11. zur	Bekleidungsindustrie-Berufsgenossenschaft	7	„
12. „	Berufsgenossenschaft der Schornsteinfegermeister . . .	1	„
13. „	Westdeutschen Binnenschiffahrts-Berufsgenossenschaft . .	5	„
	zusammen	85	Betriebe

gegen 63 im Vorjahre.

Vorbezeichnete Anmeldungen wurden den zuständigen Berufsgenossenschaften überwiesen.

Nach dem von der Bürgermeisterei auf Grund der Mitteilungen der Berufsgenossenschaften fortgeführten Kataster der in der Stadt Mainz vorhandenen unfallversicherungspflichtigen Betriebe gehörten am Schlusse des Kalenderjahres 1906 an:

1. der	Steinbruchs-Berufsgenossenschaft	1	Betriebe
2. „	Berufsgenossenschaft der Feinmechanik	15	„
3. „	Süddeutschen Eisen- und Stahl-Berufsgenossenschaft .	72	„
4. „	Süddeutschen Edel- u. Unedel-Metall-Berufsgenossenschaft	24	„
5. „	Berufsgenossenschaft der Musikinstrumenten-Industrie .	3	„
6. „	Berufsgenossenschaft der chemischen Industrie. . . .	48	„
7. „	Berufsgenossenschaft der Gas- und Wasserwerke . . .	3	„
8. „	Leinen-Berufsgenossenschaft	1	„
9. „	Süddeutschen Textil-Berufsgenossenschaft	7	„
10. „	Papierverarbeitungs-Berufsgenossenschaft	9	„
11. „	Lederindustrie-Berufsgenossenschaft	7	„
12. „	Südwestdeutschen Holz-Berufsgenossenschaft	119	„
13. „	Müllerei-Berufsgenossenschaft	3	„
14. „	Nahrungsmittel-Industrie-Berufsgenossenschaft . . .	39	„
15. „	Berufsgenossenschaft der Molkerei-, Brennerei- und Stärke-Industrie	6	„
16. „	Brauerei- und Mälzerei-Berufsgenossenschaft	10	„
17. „	Tabak-Berufsgenossenschaft	4	„
18. „	Bekleidungsindustrie-Berufsgenossenschaft	42	„
19. „	Berufsgenossenschaft der Schornsteinfegermeister . . .	6	„
20. „	Hessen-Nassauischen Baugewerks-Berufsgenossenschaft .	238	„
21. „	Deutschen Buchdrucker-Berufsgenossenschaft	31	„
22. „	Straßen- und Kleinbahn-Berufsgenossenschaft	2	„
23. „	Lagerei-Berufsgenossenschaft	579	„
24. „	Fuhrwerks-Berufsgenossenschaft	88	„
25. „	Westdeutschen Binnenschiffahrts-Berufsgenossenschaft . .	29	„
26. „	Tiefbau-Berufsgenossenschaft	10	„
27. „	Fleischerei-Berufsgenossenschaft	169	„
28. „	Schmiede-Berufsgenossenschaft	17	„
29. „	Ziegelei-Berufsgenossenschaft	1	„
30. „	Nordwestdeutschen Eisen- und Stahl-Berufsgenossenschaft	1	„
	zusammen	1 584	Betriebe

gegen 1 534 Ende des Kalenderjahres 1905.

Im übrigen erstreckte sich die Tätigkeit der Bürgermeisterei auf die Zustellung der Mitgliedscheine oder ablehnenden Bescheide, die Entgegennahme von Beschwerden gegen die Aufnahme ins Genossenschaftskataster oder gegen die Ablehnung derselben sowie Vorlage dieser Beschwerden an das Reichsversicherungsamt (§§ 58 u. 59 G.-U.-G.), die Protokollierung von Äußerungen Verletzter ꝛc. auf Vorbescheide der Berufsgenossenschaften (§ 70 G.-U.-G.), die Entgegennahme der Mitteilungen der Genossenschaften über die den Berechtigten zustehenden Bezüge (§ 87 G.-U.-G.), die Begutachtung von Anträgen auf Kapitalabfindungen (§ 95 G.-U.-G.), die Entgegennahme der Regiebaunachweisungen und Einsendung derselben an die Genossenschaft (§ 24 B.-U.-G.) u. a. m.

Über die im Kalenderjahr 1906 bei dem Polizeiamt Mninz angemeldeten und von demselben untersuchten Unfälle gibt die Übersichr auf Seite 56 und 57 nähere Auskunft. Danach beträgt die Zahl der gemeldeten Unfälle 937, wodurch 914 männliche und 23 weibliche, 840 erwachsene und 97 jugendliche Personen verletzt wurden. Infolge der erhaltenen Verletzungen waren nach dett Unfallanzeigen länger als 13 Wochen erwerbsunfähig 182 und sind gestorben 16, zusammen 198 Personen. Untersucht wurden 238 Unfälle. Auf Ersuchen auswärtiger Polizeibehörden wurden 67 Verletzte und Zeugen vernommen.

Unfallentschädigungen fiud von dem Kaiserlichen Postamt I hier im Jahre 1906 insgesamt 168 707 ℳ 49 ₰ bezahlt worden.

2. Städtische Betriebe.

Für ihre unfallversicherungspflichtigen Betriebe mit Ausnahme der Baubetriebe und der Reinigungsanstalt hatte die Stadt für das Kalenderjahr 1906 die in nachfolgender Zusammenstellung aufgeführten Beiträge zu leisten:

Ord.-Nr.	Namen der Betriebe	Namen der Berufsgenossenschaften	Durchschnittszahl der Versicherten	Anrechnungsfähige Löhne und Gehalte ℳ	₰	Beitrag im ganzen ℳ	₰	Beitrag auf einen Versicherten ℳ	Beitrag auf eine Mark Lohn ₰
1	Hafen- und Lagerhausbetrieb einschl. Hafenbahnverwaltung	Lagerei-Berufsgenossenschaft . . .	80	94 890	—	2 048	20	25,60	2,16
2	Pumpstationen	Berufsgenossensch. d. Gas- u. Wasserwerke	2	2 888	52	46	18	23,09	1,60
3	Wasserwerk	dieselbe	23	29 986	65	424	16	18,44	1,41
4	Gaswerke	dieselbe	196	245 359	11	3 017	92	15,40	1,23
5	Elektrizitätswerk	Berufsgenossenschaft der Feinmechanik	27	37 340	—	523	29	19,38	1,40
6	Landwirtschaftlicher Betrieb einschließlich Stadtgärtnerei .	Land- und forstwirtschaftliche Berufsgenossenschaft	62	—	—*)	172	50	2,78	—
7	Schlacht- und Viehhof . .	Fleischerei-Berufsgenossenschaft . .	25	31 368	75	394	34	15,77	1,26
8	Motorenbetriebe in der Stadthalle und im Stadttheater .	Süddeutsche Eisen- und Stahl-Berufsgenossenschaft	1	42	—	—	43	0,43	1,02
9	Straßenbahn	Straßen- u. Kleinbahn-Berufsgenossenschaft	194	216 785	55	2 261	69	11,66	1,04
10	Dampfwasch- und Dampfkoch-Einrichtung im St. Rochushospital, Dampfkoch-Einrichtung und elektr. Aufzug im Invalidenhaus	Bekleidungsindustrie-Berufsgenossenschaft	25	14 530	—	119	30	4,77	0,82
		Summe für 1906 . . .	635	673 190	58	9 008	01	—	—
		„ „ 1905 . . .	610	613 527	57	8 427	24	—	—
		daher 1906 mehr . . .	25	59 663	01	580	77	—	—
		daher 1906 weniger . .	—	—	—	—	—	—	—

*) Bei der land- und forstwirtschaftlichen Berufsgenossenschaft erfolgt der Ausschlag der Beiträge nach Maßgabe des Grundsteuerkapitals der land- und forstwirtschaftlich benutzten Grundstücke.

Unfälle haben sich in den vorgenannten Betrieben während des Jahres 1906 im ganzen 48 (58) ereignet, und zwar bei den Gaswerken 20 (32), beim Elektrizitätswerk 2 (1), im Hafen- und Lagerhausbetrieb 10 (12), beim Hafenbahnbetrieb 8 (3), beim Straßenbahnbetrieb 4 (2), bei der Stadtgärtnerei 1 (1) und bei dem Schlacht- und Viehhofbetrieb 3 (6). Von diesen Unfällen mußten 10 (13) der vorgeschriebenen ortspolizeilichen Untersuchung unterzogen werden, da die Gewährung einer Entschädigung durch die Genossenschaft in Frage kam.

Bei der städtischen Bau-Unfallversicherung waren im Kalenderjahre 1906 durchschnittlich 411 (412) Personen versichert. Davon standen 181 (173) beim Tiefbauamt, 10 (12) beim Hochbauamt, 14 (15) bei der Wiederherstellung des Kurfürstlichen Schlosses und 206 (212) beim Reinigungsamt in Beschäftigung.

Zur Anmeldung gelangten 35 (26) Unfälle und zwar seitens des Tiefbauamtes 10 (6), des Hochbauamtes 1 (0) und des Reinigungsamtes 24 (19).

Bei zwei von den gemeldeten Unfällen und bei einem aus dem Jahre 1905 herrührenden Unfalle hatte die Bürgermeisterei das Entschädigungsverfahren einzuleiten und die Entschädigungen festzusetzen.

Die von der städt. Bau-Unfallversicherung für das Jahr 1906 gemachten Aufwendungen betrogen im ganzen 1 304 ℳ 36 ₰ gegen 1 921 ℳ 54 ₰ im Vorjahr und setzen sich zusammen aus:

	ℳ	₰
1. Kosten des Heilverfahrens	32	—
2. Renten an Verletzte	751	31
3. Renten an Witwen	433	80
4. Rente an Angehörige eines im Krankenhause untergebrachten Verletzten	40	80
5. Kur- und Verpflegungskosten an das Krankenhaus	39	—
6. Kosten für Formulare	7	45
Summe wie oben	1 304	36

Dem Reservefonds der städt. Bau-Unfallversicherung, welcher bei der städt. Sparkasse verzinslich angelegt ist und am Schlusse des Rechnungsjahres 1905 = 21 126 ℳ 70 ₰ betrug, sind im Rechnungsjahre 1906 einschließlich 715 ℳ 16 ₰ zum Kapital geschlagene Zinsen 3 410 ℳ 80 ₰ zugegangen, sodaß er sich auf 24 537 ℳ 50 ₰ erhöht hat.

C. Invalidenversicherung.

Über die durchschnittliche Zahl der im Kalenderjahre 1906 im hiesigen Gemeindebezirk gegen Invalidität und Alter versicherten, ständig beschäftigten Personen und die für dieselben von der Orts-Krankenkasse, den Betriebs- (Fabrik-) und Innungs-Krankenkassen und der städtischen Krankenkasse für Dienstboten und Lehrlinge für das Jahr 1906 eingezogenen Beiträge gibt folgende Zusammenstellung Auskunft.

	Ständig beschäftigte Versicherte:	Beitrag im ganzen:	daher durchschnittlich auf einen Versicherten:
Orts-Krankenkasse	18 034	367 746,28 ℳ	20,39 ℳ
Betriebs- (Fabrik-) Krankenkassen	557	7 257,88 „	13,03 „
Innungs-Krankenkassen	789	8 456,82 „	10,72 „
Städtische Krankenkasse für Dienstboten ꝛc.	4 719	46 026,38 „	9,75 „
Zusammen	24 099	429 487,36 ℳ	17,82 ℳ
Summe 1905	24 688	422 305,54 „	17,11 „
Mithin 1906 mehr	—	7 181,82 ℳ	0,71 ℳ
Mithin 1906 weniger	589	—	—

Unständige Arbeiter (Näherinnen, Wäscherinnen, Hafenarbeiter ꝛc.), deren Beiträge durch sie oder ihre Arbeitgeber dadurch entrichtet werden, daß dieselben die Marken selbst in die Quittungskarten einkleben, waren im Jahre 1906 im hiesigen Gemeindebezirk durchschnittlich 1 253 gegen Invalidität und Alter versichert. Die Gesamtzahl der Versicherten beträgt daher 25 352 gegen 26 071 im Jahre 1905 oder weniger 719.

An Beitragsmarken wurden von den vorgenannten Stellen im Jahre 1906 verwendet und zwar:

Lohnklasse	I	II	III	IV	V
von der Orts-Krankenkasse	83 251	18 257	109 516	191 286	540 328
„ den Betriebs- (Fabrik-) Krankenkassen	195	919	1 452	9 619	14 694
„ „ Innungs-Krankenkassen	8 863	1 997	28 300	82	—
„ der städtischen Krankenkasse für Dienstboten rc.	—	223 363	1 328	3 209	201
Im ganzen	92 309	244 536	140 596	204 196	555 223
Im Jahre 1905 kamen zur Verwendung	91 755	250 774	145 531	245 107	563 059
Mithin 1906 mehr	554	—	—	—	—
Mithin 1906 weniger	—	6 238	4 935	40 911	7 836

Die Versicherungsanstalt hat den Einzugsstellen an Hebgebühren vergütet und zwar:

	1906:	1905:
1. der Ortskrankenkasse	17 580 ℳ 37 ₰	18 422 ℳ 69 ₰
2. den Betriebs- (Fabrik-) Krankenkassen	245 „ 95 „	361 „ 85 „
3. den Innungs-Krankenkassen	444 „ 58 „	461 „ 55 „
4. der städtischen Krankenkasse	2 761 „ 58 „	2 810 „ 49 „
Zusammen	21 032 ℳ 48 ₰	22 056 ℳ 58 ₰

Anträge auf Bewilligung von Altersrente wurden im Jahre 1906 gestellt und waren von der Bürgermeisterei zu begutachten 22 gegen 12 im Vorjahre.

Davon fanden Erledigung:

a) durch Festsetzung der Rente	20
b) „ Ablehnung des Anspruchs	1
c) „ Zurücknahme des Antrags	1
zusammen	22

Von den Antragstellern waren:

männlichen Geschlechts	19
weiblichen „	3
zusammen	22

Der Jahresbetrag der bewilligten Altersrenten stellt sich auf 3 810 ℳ — ₰, sodaß auf einen der anerkannten Anträge durchschnittlich 190 ℳ 50 ₰ für das Jahr entfallen gegen 187 ℳ 35 ₰ im Vorjahre. Die höchste jährliche Altersrente betrug bei den männlichen Versicherten 213 ℳ — ₰, die niedrigste Rente 174 ℳ — ₰. Bei den weiblichen Versicherten betrug die höchste Jahresrente 167 ℳ 40 ₰, die niedrigste Rente 140 ℳ 40 ₰.

Von den 20 Altersrentenempfängern sind 19 im Jahre 1836 und einer im Jahre 1835 geboren.

Auf die Berufsarten verteilen sich die Rentenempfänger wie folgt: 1 Faktor, 3 Schreiner, 2 Hausburschen, 5 Taglöhner, 1 Werkmeister, 1 Former, 1 Metalldreher, 1 Fabrikarbeiter, 1 Küfer, 1 Schiffer, 1 Dienstbote, 1 Köchin und 1 Wärterin.

Anträge auf Bewilligung von Invalidenrente und Krankenrente wurden im Jahre 1906 gestellt und waren von der Bürgermeisterei zu begutachten 219 gegen 189 im Vorjahr.

Davon wurden erledigt:

a) durch Festsetzung der Rente	185
b) „ Ablehnung des Anspruchs	19
c) „ Zurücknahme des Antrags	14
d) auf andere Art	1
zusammen	219

Von den Antragstellern waren:

männlichen Geschlechts	138
weiblichen „	81
zusammen	219

Der Jahresbetrag der bewilligten Invalidenrenten und Krankenrenten beläuft sich auf 33 685 ℳ 20 ₰, auf einen der 185 anerkannten Anträge kommen daher durchschnittlich 182 ℳ 08 ₰ für das Jahr gegen 173 ℳ 43 ₰ in 1905.

Der Jahresbetrag der höchsten bewilligten Invalidenrente beläuft sich bei den männlichen Versicherten auf 236 ℳ 40 ₰, bei den weiblichen Versicherten auf 193 ℳ 80 ₰; die niedrigste jährliche Invalidenrente beträgt bei den männlichen Versicherten 136 ℳ 68 ₰, bei den weiblichen Versicherten 116 ℳ 40 ₰.

Die im Jahre 1906 bewilligten Invalidenrenten verteilen sich auf die Berufsarten und das Alter der betreffenden Versicherten wie folgt:

Berufsart	Zahl der Rentenempfänger im Alter von												Zusammen
	16–21	22–25	26–30	31–35	36–40	41–45	46–50	51–55	56–60	61–65	66–70	über 70	
	Jahren												
a. Männl. Versicherte:													
Asphaltarbeiter	—	—	—	—	—	—	—	1	—	—	—	—	1
Bildhauer	—	—	—	—	—	—	—	—	1	—	—	—	1
Buchbinder	—	—	—	—	—	—	—	1	—	—	—	—	1
Buchdrucker	—	—	—	—	—	—	1	—	—	—	—	—	1
Bureaubeamte	—	1	—	—	—	—	—	—	—	—	—	—	1
Bureaudiener	—	—	—	—	—	—	—	—	1	—	—	—	1
Depotarbeiter	—	—	—	—	—	—	—	—	—	2	—	—	2
Eisendreher	—	—	—	1	—	—	—	—	—	—	—	—	1
Fabrikarbeiter	—	—	—	1	—	—	—	4	4	9	7	1	26
Fabrikaufseher	—	—	—	—	—	—	—	—	—	1	—	—	1
Falzer	—	—	—	—	—	—	—	—	—	—	1	—	1
Gasarbeiter	—	—	—	—	—	—	1	—	—	—	—	—	1
Gürtlergehilfe	—	1	—	—	—	—	—	—	—	—	—	—	1
Hausburschen	—	—	—	—	1	—	—	1	—	1	—	1	4
Heizer	—	—	—	1	—	—	—	—	—	—	—	—	1
Installateure	—	1	—	—	—	—	—	1	—	—	—	—	2
Kammerdiener	—	—	—	—	—	—	—	—	—	—	1	—	1
Kellner	—	—	—	—	1	—	—	—	—	—	—	—	1
Kolporteur	—	—	—	—	—	—	—	—	—	—	1	—	1
Küfer	—	1	—	—	—	—	—	—	—	—	1	—	2
Laternenanzünder	—	—	—	—	—	—	—	—	—	1	—	—	1
Lederarbeiter	—	—	—	—	—	—	—	—	1	—	2	—	3
Magazinier	—	—	—	—	—	—	1	—	1	—	—	1	3
Maschinist u. Maschinenmeister	—	—	—	—	—	—	—	1	1	—	—	—	2
Maschinenarbeiter	—	1	—	—	—	—	—	—	—	—	—	—	1
Maurer	—	—	—	1	—	—	—	—	—	2	1	—	4
Metzger	—	—	—	—	—	1	—	—	—	—	—	—	1
Müller	—	—	—	—	—	1	—	—	—	—	—	—	1
Obmänner	—	—	—	—	—	—	—	1	—	1	—	—	2
Posamentiergehilfe	—	—	—	—	—	—	—	—	—	—	1	—	1
Schlossergehilfen	—	—	—	1	—	—	—	—	—	—	1	—	2
Schreiner	—	—	—	1	1	—	—	1	—	—	1	1	5
Schriftsetzer	—	—	—	1	—	—	—	—	1	—	—	—	2
Schuhmacher	—	—	—	—	—	—	—	—	—	1	1	—	2
Steinmetzen	—	—	—	1	—	—	1	—	—	—	—	—	2
Straßenreiniger	—	—	—	—	—	—	—	—	—	1	—	—	1
Taglöhner u. Fuhrknechte	—	—	1	1	1	—	3	2	6	4	8	2	28
Tüncher und Lackierer	—	1	—	1	—	—	1	1	—	—	—	—	4
Zigarrenarbeiter	—	—	—	—	—	—	—	1	—	—	—	—	1
Zimmerleute	—	—	—	—	—	1	—	—	—	—	1	—	2
zu übertragen	—	6	1	10	4	3	8	15	16	23	27	6	119

Berufsart	Zahl der Rentenempfänger im Alter von												Zusammen
	16–21	22–25	26–30	31–35	36–40	41–45	46–50	51–55	56–60	61–65	66–70	über 70	
	Jahren												
Übertrag . .	—	6	1	10	4	3	8	15	16	23	27	6	119
b. Weibl. Versicherte:													
Aufwärterin	—	—	—	—	—	—	—	—	—	1	—	—	1
Büglerin	—	—	—	—	—	—	—	—	—	1	—	—	1
Dienstboten	—	1	1	—	2	—	—	3	5	2	3	—	17
Einlegerin	—	—	—	—	—	—	—	—	—	1	—	—	1
Fabrikarbeiterinnen . . .	—	—	2	—	—	—	—	—	2	—	—	—	4
Haushälterin	—	—	—	—	—	—	—	—	—	—	1	—	1
Kartoffelschälerin	—	—	—	—	—	—	—	—	—	—	—	1	1
Köchinnen	—	—	—	—	—	—	—	—	2	1	—	—	3
Monatfrauen	—	—	—	—	1	1	1	1	—	2	2	1	9
Näherinnen u. Flickfrauen	—	—	—	—	—	—	—	2	—	2	3	—	7
Taglöhnerinnen	—	—	—	—	—	—	—	—	1	—	—	1	2
Verläuferinnen	—	1	1	—	—	—	—	—	—	—	—	—	2
Wärterin	1	—	—	—	—	—	—	—	—	—	—	—	1
Wäscherinnen und Putzfrauen	—	—	—	—	—	—	1	—	3	5	3	3	15
Zeitungsträgerin	—	—	—	1	—	—	—	—	—	—	—	—	1
Summe . .	1	8	5	11	7	4	10	21	29	38	39	12	185

Der Ausschuß für Invalidenversicherung hatte in 8 (6) Sitzungen bei der Begutachtung von 41 (28) Rentenanträgen (darunter 1 aus dem Vorjahr) und 9 (9) Rentenentziehungen mitzuwirken. Bei 17 Rentenanträgen sprach er sich für die Gewährung und bei 17 Anträgen gegen die Gewährung der Rente aus. In 2 Fällen erachtete der Ausschuß eine Beobachtung der Rentenansprecher im Krankenhause für erforderlich, in 4 Fällen beschloß er, vor Abgabe seines Gutachtens noch weitere Erhebungen anstellen zu lassen, und in 1 Falle führte die Verhandlung zur Zurücknahme des erhobenen Anspruchs. Bei den Rentenentziehungssachen sprach sich der Ausschuß in 8 Fällen für und in 1 Falle gegen die Entziehung der Renten aus.

Gestorben sind im Jahre 1906 nach den der Bürgermeisterei vom Standesamt erstatteten Anzeigen: 8 männliche und 1 weibliche, zusammen 9 Altersrentenempfänger, 60 männliche und 21 weibliche, zusammen 81 Invalidenrentenempfänger. Einem Altersrentenempfängern wurde an Stelle der Altersrente die Invalidenrente bewilligt, 5 Invalidenrentnern (4 männlichen und 1 weiblichen) wurden die Renten wegen Wiedereintritts der Erwerbsfähigkeit entzogen, 1 Invalidenrentnerin verzichtete aus diesem Grunde freiwillig auf den Weiterbezug der Rente.

Von dem Kaiserlichen Postamt I hier sind im Jahre 1906 gezahlt worden:

1.	Altersrenten	20 215	ℳ	92	₰
2.	Invalidenrenten	131 603	„	54	„
3.	Krankenrenten	7 640	„	76	„
4.	Beitragserstattungen an verheiratete weibliche Versicherte .	13 121	„	—	„
5.	Beitragserstattungen an Angehörige verstorbener Versicherter	4 310	„	24	„

Die Anträge zu 4 und 5 wurden bei der Bürgermeisterei gestellt und zwar wurden angebracht zu 4 = 351 (359) zu 5 = 56 (65) Anträge.

Von Personen, welche einer Krankenkasse nicht angehörten, sind im Jahre 1906 bei der Bürgermeisterei 17 (29) Anträge auf Übernahme des Heilverfahrens durch die Versicherungsanstalt gestellt worden. In 7 Fällen wurde diesen Anträgen stattgegeben, die übrigen Anträge wurden abgewiesen.

Auf ihren Antrag wurden von der Bürgermeisterei von der Versicherungspflicht befreit:

1. auf Grund des § 6 Absatz 1 des Invalidenversicherungsgesetzes 11 Personen, welche Pensionen im Mindestbetrage der gesetzlichen Invalidenrente beziehen;
2. auf Grund des § 6 Absatz 2 des vorgenannten Gesetzes 1 Person, welche im Laufe eines Kalenderjahres an weniger als 50 Tagen versicherungspflichtige Lohnarbeit verrichtet.

Streitigkeiten der im § 155 des Invalidenversicherungsgesetzes bezeichneten Art waren im Jahre 1906 bei der Bürgermeisterei 3 anhängig. In dem einen Falle wurde durch Entscheidung der Bürgermeisterei die Klage rechtskräftig abgewiesen, in den beiden anderen Fällen wurde der Klaganspruch von der beteiligten Kasse anerkannt.

Übersicht über die im Kalenderjahr 1906 bei dem Polizeiamt Mainz

Laufende Nummer	Berufsgenossenschaft	a. Zahl, Alter und Geschlecht der Verletzten					b. Gegenstände und Vorgänge, bei						
		Erwachsene		Jugendliche (unter 16 Jahren)		Zusammen	Motoren, Transmissionen und Arbeitsmaschinen ꝛc.	Fahrstühle, Aufzüge, Krane, Hebezeuge	Dampfkessel, Dampfleitungen u. Dampfkochapparate, Explosion u. sonstige	Sprengstoffe, Explosionen, Pulver, Dynamit ꝛc.	Feuergefährliche, heiße und ätzende Stoffe, Gase, Dämpfe ꝛc.	Zusammenbruch, Einsturz, Herab- u. Umfallen von Gegenständen	Fall von Leitern, Treppen ꝛc., aus Luken ꝛc., in Vertiefungen ꝛc.
		männlich	weiblich	männlich	weiblich								
1	Ziegelei-	5	—	—	—	5	—	—	—	—	—	1	2
2	Feinmechanik-	7	—	2	—	9	1	—	2	—	1	2	—
3	Südd. Eisen- und Stahl-	39	—	6	—	45	19	2	1	—	4	1	8
4	Rheinisch-Westfälische Hütten- u. Walzwerks-	1	—	—	—	1	—	—	—	—	—	—	—
5	Südd. Edel- und Unedelmetall-	36	—	5	—	41	19	—	4	—	7	4	3
6	Chemische Industrie-	24	—	7	—	31	6	—	3	—	11	1	4
7	Gas- und Wasserwerks-	19	—	—	—	19	3	—	—	—	1	1	1
8	Papierverarbeitungs-	9	1	—	4	14	6	—	—	—	—	1	2
9	Lederindustrie-	13	—	—	—	13	3	—	—	—	2	3	2
10	Südwestdeutsche Holz-	79	—	5	—	84	24	5	—	—	—	14	18
11	Müllerei-	7	—	—	—	7	2	1	—	—	—	—	1
12	Nahrungsmittelindustrie-	31	1	1	3	36	9	3	5	—	4	3	5
13	Fleischerei-	40	—	2	—	42	14	—	—	—	—	2	5
14	Brauerei- und Mälzerei-	97	5	4	—	106	18	19	3	—	—	9	7
15	Bekleidungsindustrie-	35	2	5	2	44	29	—	—	—	—	4	5
16	Heff. Naff. Baugewerks-	161	—	28	—	189	7	2	—	—	4	66	61
17	Südwestl. Baugewerks-	2	—	1	—	3	—	1	—	—	—	2	—
18	Städtische Bau-Unfallversicherung Mainz	34	—	—	—	*)34	—	—	—	—	1	—	5
19	Deutsche Buchdrucker-	16	2	1	—	19	14	—	—	—	—	—	2
20	Privatbahn-	7	—	—	—	7	—	—	—	—	—	—	2
21	Straßen- und Kleinbahn-	4	—	—	—	4	—	—	—	—	—	—	—
22	Lagerei-	90	3	19	—	112	17	19	—	—	—	4	18
23	Fuhrwerks-	15	—	—	—	15	—	—	—	—	—	1	—
24	Westdeutsche Binnenschiff.-	31	—	2	—	33	2	4	6	—	—	1	7
25	Tiefbau-	21	—	—	—	21	4	1	—	—	—	5	6
26	Land- und Forstwirtschaftliche	3	—	—	—	3	—	—	—	—	—	—	—
	Summe für 1906	826	14	88	9	937	197	57	24	—	35	125	164
	„ „ 1905	819	16	97	14	946	177	39	22	—	21	194	196
	1906 weniger	—	2	9	5	9	—	—	—	—	—	69	32
	1906 mehr	7	—	—	—	—	20	18	2	—	14	—	—

*) Ein weiterer gegen Ende des Berichtsjahres erfolgter Unfall ist erst im Jahre 1907 gemeldet worden.

angemeldeten und von demselben untersuchten Unfälle.

welchen sich die Unfälle ereigneten							c. Art der Verletzungen					d. Folgen der Verletzungen			e. Zahl der vorgenommenen Untersuchungen
							Verletzung von:					Weniger als 13 Wochen erwerbsunfähig	Mehr als 13 Wochen erwerbsunfähig	Tod	
Auf- und Abladen von Hand, Heben, Tragen 2c.	Fuhrwerk (Überfahren von Wagen u. Karren aller Art) 2c.	Eisenbahnbetrieb (Überfahren 2c.)	Tiere (Stoß, Schlag, Biß, einschl. aller Unfälle beim Reiten)	Schiffahrt u. Verkehr zu Wasser (Fall über Bord 2c.)	Handwerkszeug und einfache Geräte, (Hämmer, Äxte, Spaten)	Sonstige	Kopf und Gesicht (Augen)	Armen und Händen (Finger)	Beinen und Füßen	anderen oder mehreren Körperteilen zugleich	Sonstige				
1	1	—	—	—	—	—	1	2	2	—	—	4	—	1	1
2	—	—	—	—	—	1	1	3	2	2	1	6	3	—	4
3	—	—	—	—	2	5	7	11	5	18	4	37	8	—	9
1	—	—	—	—	—	—	—	—	—	1	—	1	—	—	—
—	—	—	—	—	2	2	9	7	4	14	7	31	10	—	10
2	1	—	1	—	2	—	7	15	2	4	3	26	3	2	6
5	1	—	—	—	1	6	2	8	4	2	3	15	4	—	4
1	—	—	—	—	—	4	2	8	1	3	—	12	2	—	2
1	1	—	—	—	—	1	—	7	3	1	2	11	2	—	2
2	8	—	2	—	6	5	20	41	13	8	2	70	14	—	16
3	—	—	—	—	—	—	—	3	2	2	—	6	1	—	1
4	—	—	—	—	2	1	10	16	5	2	3	30	5	1	7
4	2	—	4	—	11	—	8	13	9	7	5	37	5	—	7
21	6	—	10	—	4	9	14	37	19	30	6	80	26	—	34
—	—	—	—	—	3	3	16	19	2	4	3	33	11	—	13
11	7	—	4	—	13	14	35	44	31	56	23	151	34	4	56
—	—	—	—	—	—	—	1	2	—	—	—	2	1	—	1
8	8	—	5	—	2	5	3	15	11	4	1	32	2	—	2
1	—	—	—	—	2	—	5	11	1	1	1	14	5	—	5
3	—	1	—	—	1	—	—	3	2	2	—	6	1	—	2
1	—	—	—	—	1	2	1	1	1	—	1	2	2	—	2
29	14	5	2	—	2	2	31	29	18	19	15	86	25	1	27
4	6	—	4	—	—	—	4	4	5	2	—	9	6	—	6
1	—	—	—	10	2	—	7	13	6	4	3	21	6	6	12
4	—	—	—	—	1	—	11	5	3	2	—	14	6	1	9
1	—	—	—	—	2	—	—	2	—	—	1	3	—	—	—
113	55	6	32	10	59	60	195	319	151	188	84	739	182	16	238
88	48	2	35	8	41	74	185	253	207	182	119	731	194	21	268
—	—	—	3	—	—	14	—	—	56	—	35	—	12	5	30
25	7	4	—	2	18	—	10	66	—	6	—	8	—	—	—

Betriebs-Ergebnisse

der in

Mainz vorhandenen, unter Aufsicht der Bürgermeisterei stehenden Krankenkassen für das Kalenderjahr 1906.

A. Übersicht über die Mitglieder, sowie die Krankheits- und Sterbefälle etc.

Laufende Nummer	Bezeichnung der Kassen	Prozentverhältnis der Beiträge zum Lohn	Prozentverhältnis des Krankengeldes zum Lohn	Statutenmäßige Dauer der Krankenunterstützung a. mit vollem Krankengelde (Wochen)	Statutenmäßige Dauer der Krankenunterstützung b. von da ab mit geringerem Krankengelde (Wochen)	Zahl der Mitglieder am 1. Januar 1906 männlich	Zahl der Mitglieder am 1. Januar 1906 weiblich	Zahl der Mitglieder am 31. Dezember 1906 männlich	Zahl der Mitglieder am 31. Dezember 1906 weiblich	Mitgliederzahl in 1906 nach dem Durchschnitt der Monatsangaben des Rechnungsabschlusses männlich	Mitgliederzahl in 1906 nach dem Durchschnitt der Monatsangaben des Rechnungsabschlusses weiblich	Zahl der Erkrankungsfälle der männlichen Mitglieder	Zahl der Erkrankungsfälle der weiblichen Mitglieder	Zahl der Krankheitstage der männlichen Mitglieder	Zahl der Krankheitstage der weiblichen Mitglieder	Sterbefälle der männlichen Mitglieder	Sterbefälle der weiblichen Mitglieder
1.	2.	3.	4.	5.	6.	7.	8.	9.	10	11.	12.	13.	14.	15.	16.	17.	18.
	A. Orts-Krankenkasse	4	50	26	—	15 117	5 991	14 251	6 004	15 415	5 902	9 830	3 165	181 397	78 076	166	42
	B. Betriebs-(Fabrik-) Krankenkassen.																
1	Lederwerke vormals Mayer, Michel und Deninger *)	2 3/4	50	26	—	880	44	—	—	192	23	209	6	6 701	547	2	—
2	Julius Römheld	3	50	26	—	106	—	111	—	110	—	62	—	948	—	1	—
3	R. Ihm	3	50	26	—	147	9	160	10	158	10	101	2	1 415	14	2	—
4	B. Schott's Söhne	3	50	26	—	60	15	63	16	62	16	19	8	626	105	1	—
	Summe: B. Betriebs-(Fabrik-) Krankenkassen	—	—	—	—	693	68	334	26	522	49	391	16	9 690	666	6	—
	C. Innungs-Krankenkassen.																
1	Krankenkasse der Bäcker-Innung	1 3/4	59	26	—	302	152	318	175	319	179	197	89	3 076	500	—	2
2	Krankenkasse der Metzger-Innung	1 1/2	70	26	—	246	39	228	33	236	37	45	2	1 033	52	—	—
3	Krankenkasse der Barbier-, Friseur- u. Perückenmacher-Innung **)	2 1/2	50	26	—	97	—	179	1	158	—	45	—	855	—	1	—
	Summe: C. Innungs-Krankenkassen	—	—	—	—	645	191	725	209	713	216	287	91	4 964	552	1	2
	Zusammenstellung.																
	A. Orts-Krankenkasse	—	—	—	—	15 117	5 991	14 251	6 004	15 415	5 902	9 830	3 165	181 397	78 076	166	42
	B. Betriebs-(Fabrik-) Krankenkassen	—	—	—	—	693	68	334	26	522	49	391	16	9 690	666	6	—
	C. Innungs-Krankenkassen	—	—	—	—	645	191	725	209	713	216	287	91	4 964	552	1	2
	Summe 1906	—	—	—	—	16 455	6 250	15 810	6 239	16 650	6 167	10 508	3 272	196 051	79 294	173	44
	" 1905	—	—	—	—	16 338	5 668	16 886	6 259	17 321	5 781	12 007	3 375	199 085	68 733	165	37
	1906 mehr	—	—	—	—	117	582	—	—	—	386	—	—	—	10 561	8	7
	1906 weniger	—	—	—	—	—	—	1 076	20	671	—	1 499	103	3 034	—	—	—

*) Die Kasse wurde mit Wirkung vom 17. November 1906 aufgelöst. **) Die Kasse ist am 1. Januar 1906 ins Leben getreten.

B. Einnahmen.

Laufende Nummer	Bezeichnung der Kassen	Kassenbestand am 1. Januar 1906 ℳ ₰	Zinsen ℳ ₰	Eintrittsgelder ℳ ₰	Beiträge ℳ ₰	Ersatzleistungen Dritter für gewährte Krankenunterstützung ɿc. ℳ ₰	Zurückgezogene Kapitalien ℳ ₰	Aufgenommene Darlehen und Vorschüsse ℳ ₰	Vergütung der Inv.-Versicherungs-Anstalt Gr. Hessen ℳ ₰	Sonstige Einnahmen ℳ ₰	Summe der Einnahmen ℳ ₰
1.	2.	3.	4.	5.	6.	7.	8	9.	10.	11.	12.
	A. Orts-Krankenkasse	90 147 44	12 485 80	— —	856 720 44	16 378 62	10 000 —	— —	17 580 37	2 041 32	1 005 353 99
	B. Betriebs- (Fabrik-) Krankenkassen.										
1	Lederwerke vorm. Mayer, Michel und Deninger .	259 11	1 000 81	— —	5 584 77	504 59	32 006 07	200 —	75 80	302 40	39 983 56
2	Julius Römheld . . .	158 12	226 76	9 54	3 612 30	278 32	— —	— —	19 75	32 50	4 367 29
3	A. Ihm	299 24	222 99	— —	5 763 87	17 50	— —	— —	86 44	140 10	6 530 14
4	W. Schott's Söhne . .	69 52	147 17	2 88	2 644 86	— —	— —	732 —	33 96	— —	3 630 39
	Summe: B. Betriebs- (Fabrik-) Krankenkassen	785 99	1 597 73	12 42	17 605 80	800 41	32 006 07	932 —	245 95	475 —	54 461 37
	C. Innungs-Krankenkassen.										
1	Krankenkasse der Bäcker-Innung	424 44	380 —	8 02	5 656 44	— —	200 —	— —	283 48	— —	6 952 38
2	Krankenkasse der Metzger-Innung	4 31	206 87	— —	2 812 83	— —	270 —	— —	161 10	— —	3 455 11
3	Krankenkasse der Barbier-, Friseur- und Perückenmacher-Innung . . .	— —	4 94	— —	2 284 38	— —	200 —	— —	— —	10 —	2 499 32
	Summe: C. Innungs-Krankenkassen . . .	428 75	591 81	8 02	10 753 65	— —	670 —	— —	444 58	10 —	12 906 81
	Zusammenstellung.										
	A. Orts-Krankenkasse .	90 147 44	12 485 80	— —	856 720 44	16 378 62	10 000 —	— —	17 580 37	2 041 32	1 005 353 99
	B. Betriebs- (Fabrik-) Krankenkassen . . .	785 99	1 597 73	12 42	17 605 80	800 41	32 006 07	932 —	245 95	475 —	54 461 37
	C. Innungs-Krankenkassen	428 75	591 81	8 02	10 753 65	— —	670 —	— —	444 58	10 —	12 906 81
	Summe der Einnahmen für 1906	91 362 18	14 675 34	20 44	885 079 89	17 179 03	42 676 07	932 —	18 270 90	2 526 32	1 072 722 17
	Summe der Einnahmen für 1905	59 806 16	15 150 17	117 94	796 506 95	16 177 48	229 315 —	20 000 —	19 246 09	2 721 08	1 152 040 87
	1906 { mehr . .	88 556 02	— —	— —	88 572 94	1 001 55	— —	— —	— —	— —	— —
	1906 { weniger .	— —	474 83	97 50	— —	— —	186 638 93	19 068 —	975 19	194 76	79 318 70

C. Ausgaben.

Laufende Nummer	Bezeichnung der Kassen	Für ärztliche Behandlung ℳ ₰	Für Arznei und sonstige Heilmittel ℳ ₰	Krankengelder a. an Mitglieder ℳ ₰	Krankengelder b. an Angehörige der Mitglieder ℳ ₰	Unterstützungen an Wöchnerinnen ℳ ₰	Sterbegelder ℳ ₰	Kur- und Verpflegungskosten an Krankenanstalten ℳ ₰	Erstattungen an Dritte für gewährte Krankenunterstützung ℳ ₰	Kapitalanlagen ℳ ₰	Verwaltungskosten ℳ ₰	Sonstige Ausgaben ℳ ₰	Summe der Ausgaben ℳ ₰
1.	2.	3.	4.	5.	6.	7.	8.	9.	10.	11.	12.	13.	14.
	A. Orts-Krankenkasse	161492 74	93969 30	381800 35	9 926 37	10 103 —	19703 39	71920 53	8 323 66	60 219 67	62570 79	36446 43	916 476 23
	B. Betriebs- (Fabrik-) Krankenkassen.												
1	Lederwerke vormals Mayer, Michel u. Deninger	2 305 30	1 421 69	12 294 65	183 21	39 10	210 —	539 30	211 63	1 000 —	1 90	453 85	18 660 63
2	Julius Römheld	603 —	212 54	1 442 02	123 —	— —	80 —	228 —	85 75	1 200 —	— —	143 —	4 117 31
3	R. Ihm	1 128 85	631 09	2 692 —	15 —	— —	165 —	154 50	— —	1 622 99	103 76	1 —	6 513 69
4	B. Schott's Söhne	1 182 95	528 26	1 169 29	— —	5 —	100 —	195 —	— —	447 17	— —	— —	3 627 67
	Summe: B. Betriebs- (Fabrik-) Krankenkassen	5 219 60	2 793 58	17 597 96	321 21	44 10	555 —	1 116 80	297 38	4 270 16	105 66	597 85	32 919 30
	C. Innungs-Krankenkassen.												
1	Krankenkasse der Bäcker-Innung	1 397 50	474 99	1 107 54	— —	277 20	28 —	1 929 60	157 55	— —	1 114 92	10 94	6 798 24
2	Krankenkasse der Metzger-Innung	679 11	186 52	370 03	— —	— —	— —	1 359 —	— —	— —	834 56	19 36	3 448 58
3	Krankenkasse der Barbier-, Friseur- u. Perückenmacher-Innung	668 70	305 87	398 94	— —	— —	21 98	271 50	— —	404 94	322 90	33 90	2 428 73
	Summe: C. Innungs-Krankenkassen	2 745 31	967 38	1 876 51	— —	277 20	49 98	3560 10	157 55	404 94	2 572 38	64 20	12 675 55
	Zusammenstellung.												
	A. Orts-Krankenkasse	161492 74	93969 30	381800 35	9 926 37	10103 —	19703 39	71920 53	8323 66	60219 67	62570 79	36446 43	916 476 23
	B. Betriebs- (Fabrik-) Krankenkassen	5219 60	2793 58	17597 96	321 21	44 10	555 —	1116 80	297 38	4270 16	105 66	597 85	32 919 30
	C. Innungs-Krankenkassen	2745 31	967 38	1876 51	— —	277 20	49 98	3560 10	157 55	404 94	2572 38	64 20	12 675 55
	Summe der Ausgaben für 1906	169457 65	97730 26	401274 82	10 247 58	10 424 30	20308 37	76597 43	8778 59	64894 77	65248 83	37108 48	962 071 08
	Summe der Ausgaben für 1905	159129 58	93925 12	395075 40	9209 43	9227 —	20069 34	76388 12	13253 04	179801 56	66689 16	37910 94	1060 678 69
	1906 mehr	10328 07	3805 14	6199 42	1038 15	1 197 30	239 03	209 31	— —	— —	— —	— —	— —
	1906 weniger	— —	— —	— —	— —	— —	— —	— —	4474 45	114906 79	1440 33	802 46	98 607 61

D. Abschluß und Vermögens-Ausweis.

Laufende Nummer	Bezeichnung der Kassen	Summe der Einnahmen	Summe der Ausgaben	Mithin Barbestand Ende 1906	Ende 1906 betrugen: das Stammvermögen	der Reservefonds	der Betriebsfonds	der Wert der Immobilien	Daher Gesamt-Aktiv-Vermögen Ende 1906	Ende 1905 betrug das Gesamt-Aktiv-Vermögen	Demnach Ende 1906 mehr	weniger
		M. Pf.	M. Pf.	M. Pf.	M. Pf.	M. Pf.	M. Pf.	M. Pf.	M. Pf.	M. Pf.	M. Pf.	M. Pf.
1.	2.	3.	4.	5.	6.	7.	8.	9.	10.	11.	12.	13.
	A. Orts-Krankenkasse	1005 358 99	916 476 23	88 877 76	— —	255831 35	88 877 76	163576 51	508285 62	439335 63	68949 99	— —
	B. Betriebs- (Fabrik-) Krankenkassen.											
1	Lederwerke vormals Mayer, Michel und Deninger	39 933 55	24 260 63	15 672 92	— —	— —	— —	— —	— —	31 265 18	— —	31 265 18
2	Julius Römheld	4 367 29	4 117 31	249 98	— —	7 179 30	249 98	— —	7 429 28	6 137 42	1 291 86	— —
3	M. Ihm	6 530 14	6 513 69	16 45	— —	7 428 03	16 45	— —	7 444 48	6 104 28	1 340 20	— —
4	W. Schott's Söhne	3 630 39	3 627 67	2 72	— —	4 452 93	2 72	— —	4 455 65	4 075 28	380 37	— —
	Summe B. Betriebs- (Fabrik-) Krankenkassen	54 461 37	38 519 30	15 942 07	— —	19 060 26	269 15	— —	19 329 41	47 582 16	3 012 43	31 265 18
	C. Innungs-Krankenkassen.											
1	Krankenkasse der Bäcker-Innung	6 952 38	6 798 24	154 14	— —	9 802 —	169 03	— —	9 971 03	10 565 95	— —	594 92
2	Krankenkasse der Metzger-Innung	3 455 11	3 448 58	6 53	— —	5 431 —	6 53	— —	5 437 53	5 705 31	— —	267 78
3	Krankenkasse der Barbier-, Friseur- u. Perückenmacher-Innung	2 499 32	2 428 73	70 59	— —	204 94	70 59	— —	*) 275 53	— —	275 53	— —
	Summe C. Innungs-Krankenkassen	12 906 81	12 675 55	231 26	— —	15 437 94	246 15	— —	15 684 09	16 271 26	275 53	862 70
	Zusammenstellung.											
	A. Orts-Krankenkasse	1005 353 99	916 476 23	88877 76	— —	255831 35	88 877 76	163576 51	508285 62	439335 63	68949 99	— —
	B. Betriebs- (Fabrik-) Krankenkassen	54 461 37	38 519 30	15942 07	— —	19060 26	269 15	— —	19329 41	47582 16	3012 43	31 265 18
	C. Innungs-Krankenkassen	12 906 81	12 675 55	231 26	— —	15437 94	246 15	— —	15684 09	16271 26	275 53	862 70
	Summe	1072 722 17	967 671 08	105051 09	— —	290329 55	89 393 06	163576 51	543299 12	503189 05	72237 95	32 127 88

*) Diesem Aktivvermögen stehen 581 M. unberichtigt gebliebene Forderungen gegenüber.

E. Verhältnis der Unterstützungsfälle zur Mitgliederzahl etc.

Laufende Nummer	Bezeichnung der Kassen	Von 100 Mitgliedern sind erkrankt		gestorben		Auf 100 Erkrankungen kommen Sterbefälle		Krankheitstage auf ein Mitglied		eine Erkrankung		Aufwand für einen Erkrankungsfall		Krankheitstag		Sterbefall	
		männl.	weibl.	männl.	weibl.	männl.	weibl.	männl.	weibl.	männl.	weibl.	M	₰	M	₰	M	₰
1.	2.	3.	4.	5.	6.	7.	8.	9.	10.	11.	12.	13.		14.		15.	
	A. **Ortskrankenkasse** . . .	63,8	53,6	1,1	0,7	1,7	1,3	11,8	13,9	18,5	24,7	55	*) 98	2	*) 80	94	*) 73
	B. **Betriebs- (Fabrik)-Krankenkassen.**																
1	Lederwerke vormals Mayer, Michel u. Deninger	108,9	26,1	1,8	—	1,0	—	34,9	23,8	32,1	91,2	78	86	2	34	105	—
2	Julius Römheld	56,4	—	0,9	—	1,8	—	8,6	—	15,2	—	43	46	2	84	80	—
3	R. Ihm	63,9	20,0	1,2	—	2,8	—	9,6	1,4	14,0	7,0	44	86	3	23	82	50
4	B. Schott's Söhne	30,6	50,0	1,6	—	5,2	—	10,1	6,8	32,9	13,1	113	91	4	21	100	—
	B. Betriebs- (Fadeik-) Krankenkoffen	74,9	32,1	1,1	—	1,5	—	18,6	13,6	24,8	41,6	67	19	2	64	92	50
	C. **Innungs-Krankenkassen.**																
1	Krankenkasse der Bäcker-Innung .	61,8	49,7	—	1,1	—	2,3	9,6	2,8	15,6	5,6	17	72	1	42	14	—
2	Krankenkasse der Metzger-Innung .	19,1	5,4	—	—	—	—	4,4	1,4	23,0	26,0	55	21	2	39	—	—
3	Krankenkasse der Barbier-, Friseur- u. Perückenmacher-Innung . . .	28,3	—	0,6	—	2,2	—	5,4	—	19,0	—	36	56	1	92	21	98
	C. Innungs-Krankenkassen . . .	40,8	42,1	0,1	0,9	0,3	2,2	7,0	2,6	17,8	6,1	24	62	1	69	16	66
	Alle Kassen	63,1	53,1	1,0	0,7	1,6	1,3	11,8	12,9	18,1	24,2	55	45	2	78	93	59

*) Einschl. der Familienunterstützung. Nach Abzug derselben entfallen auf den Erkrankungsfall 50,97 M, auf den Krankheitstag 2,55 M, auf den Sterbefall 65,50 M

F. Die Ausgaben in Prozent ausgedrückt.

Laufende Nummer	Bezeichnung der Kassen	Von 100 Mark Ausgaben entfallen auf: Ärztliche Behandlung ℳ	₰	Arznei und sonstige Heilmittel ℳ	₰	Krankengelder ℳ	₰	Unterstützungen an Wöchnerinnen ℳ	₰	Sterbegelder ℳ	₰	Kur- und Verpflegungskosten an Krankenanstalten ℳ	₰	Ersatzleistungen an Dritte für gewährte Krankenunterstützg. ℳ	₰	Verwaltungskosten ℳ	₰	Sonstige Betriebs-Ausgaben ℳ	₰	Reine Kapitalanlage ℳ	₰
1.	2.	3.		4.		5.		6.		7.		8.		9.		10.		11.		12.	
	A. Orts-Krankenkasse	17	82	10	37	43	21	1	11	2	17	7	94	—	92	6	90	4	02	5	54
	B. Betriebs- (Fabrik-) Krankenkassen.																						
1	Lederwerke vormals Mayer, Michel und Deninger	13	06	8	05	70	65	—	22	1	19	3	03	1	20	—	01	2	57	—	—
2	Julius Römheld	14	65	5	16	38	01	—	—	1	94	5	54	2	08	—	—	3	47	29	15
3	M. Ihm	17	32	9	69	41	56	—	—	2	53	2	37	—	—	1	59	—	02	24	92
4	B. Schott's Söhne	32	61	14	56	32	23	—	13	2	76	5	38	—	—	—	—	—	—	12	33
	B. Betriebs- (Fabrik-) Krankenkassen	18	22	9	75	62	55	—	15	1	94	3	90	1	04	—	37	2	08	—	—
	C. Innungs-Krankenkassen.																						
1	Krankenkasse der Bäcker-Innung	20	56	6	99	16	29	4	08	—	41	28	38	2	32	20	81	—	16	—	—
2	Krankenkasse der Metzger-Innung	19	69	5	41	10	73	—	—	—	—	39	41	—	—	24	20	—	56	—	—
3	Krankenkasse der Barbier-, Friseur- u. Perückenmacher-Innung	30	—	13	72	17	90	—	—	—	99	12	18	—	—	14	49	1	52	9	20
	C. Innungs-Krankenkassen	22	37	7	89	15	29	2	26	—	41	29	02	1	28	20	96	—	52	—	—
	Alle Kassen	18	43	10	63	44	76	1	13	2	21	8	33	—	95	7	10	4	04	2	42

G. Verteilung der Beiträge, Leistungen und des Vermögens auf den Kopf der Mitglieder.

Laufende Nummer	Bezeichnung der Kassen	Auf ein Mitglied entfallen: Eintrittsgelder und Beiträge	Ausgaben: für ärztliche Behandlung	Ausgaben: für Arznei und sonstige Heilmittel	Ausgaben: Krankengelder	Ausgaben: Wöchnerinnen-Unterstützung	Ausgaben: Sterbegelder	Ausgaben: Kur- und Verpflegungskosten	Ausgaben: Ersatzleistung an Dritte für gewährte Krankenunterstützung	Ausgaben: Verwaltungskosten	Ausgaben: Summe der Spalten 4–11	Vermögen
		M Pf	M Pf	M Pf	M Pf	M Pf	M Pf	M Pf	M Pf	M Pf	M Pf	M Pf
1.	2.	3.	4.	5.	6.	7.	8.	9.	10.	11.	12.	13.
	A. Orts-Krankenkasse	40 19	7 58	4 41	18 38	— 47	— 92	3 37	— 39	2 94	38 46	23 84
	B. Betriebs- (Fabrik-) Krankenkassen.											
1	Lederwerke vormals Mayer, Michel und Deninger	25 98	10 72	6 61	58 03	— 18	— 98	2 51	— 98	— 01	80 02	—
2	Julius Römheld	32 93	5 48	1 93	14 23	— —	— 73	2 07	— 78	— —	25 22	67 54
3	R. Ihm	34 31	6 72	3 76	16 11	— —	— 98	— 92	— —	— 62	29 11	41 31
4	B. Schott's Söhne	33 95	15 17	6 77	14 99	— 06	1 28	2 50	— —	— —	40 77	57 12
	B. Betriebs- (Fabrik-) Krankenkassen	30 85	9 14	4 89	31 38	— 08	— 97	1 96	— 52	— 19	49 13	33 85
	C. Innungs-Krankenkassen.											
1	Krankenkasse der Bäcker-Innung	11 37	2 81	— 95	2 22	— 56	— 06	3 87	— 32	2 84	13 63	20 02
2	Krankenkasse der Metzger-Innung	10 30	2 49	— 68	1 36	— —	— —	4 98	— —	3 06	12 57	19 92
3	Krankenkasse der Barbier-, Friseur- u. Perückenmacher-Innung	14 46	4 23	1 94	2 52	— —	— 14	1 72	— —	2 04	12 59	1 74
	C. Innungs-Krankenkassen	11 58	2 96	1 04	2 02	— 30	— 05	3 83	— 17	2 77	13 14	16 88
	Alle Kassen	38 79	7 43	4 28	18 04	— 46	— 89	3 36	— 38	2 86	37 70	23 81

IX. Militär- und Einquartierungswesen.

1. Ersatzwesen.

In die Stammrolle für das Jahr 1906 wurden vor der Musterung 1 475 Militärpflichtige eingetragen gegen 1 496 im Jahre 1905. Nach der Musterung wurden außerdem noch 308 eingetragen gegen 320 im Vorjahre. Unter den Eingetragenen befanden sich 630 in Mainz Geborene (1905 = 640). Die Musterung wurde im Jahre 1906 in der Zeit vom 5. März bis einschl. 17. März, das Oberersatzgeschäft in der Zeit vom 31. Mai bis einschl. 9. Juni vorgenommen. Die Ladungen zur Musterung für die oben genannten Eingetragenen waren von der Bürgermeisterei auszufertigen. Diejenigen zur Generalmusterung wurden durch die Ober-Ersatzkommission ausgefertigt; sie beliefen sich auf 918 gegen 940 im Jahre 1905. Nach Beendigung der Musterung wurden durch die Ersatz-Kommission behufs Aushändigung an die Militärpflichtigen 930 Losungsscheine an die Bürgermeisterei abgegeben (1905 = 914), welche wie die Ladungen zur Musterung und zum Ober-Ersatzgeschäft durch die Schutzmannschaft zugestellt wurden.

Die Ergebnisse des Heeres-Ergänzungsgeschäfts in der Stadt Mainz für die Jahre 1904 bis 1906 sind aus der nachstehenden Übersicht zu entnehmen:

1	2	3	4	5	6	7	8	9	10	11	12	13	14	15	16	17	18	19	20	21	22	23	24	25	26	27
Jahr	In den alphabetischen und Restantenlisten werden im Aushebungsbezirk oder im Ausland Geborene geführt							Von den in Spalte 6 Geführten sind										Von den unter 18 Genannten sind ausgehoben				Freiwillig (einschl. vor Beginn des militärpfl. Alters) eingetreten, soweit sie im Aushebungsbezirk oder im Auslande geboren sind				
								dem Landsturm überwiesen			der Ersatzreserve überwiesen			der Marine-Ersatzreserve überwiesen				für das Heer zum Dienst		für die Marine		in das Heer			in die Marine	
	20jährige	21jährige	22jährige	ältere	Summe	ausgeschlossen	ausgemustert	wegen bürgerl. Verh.	überzählige	aus sonst. Gründen	wegen bürgerl. Verh.	überzählige	aus sonst. Gründen	wegen bürgerl. Verh.	überzählige	aus sonst. Gründen	ausgehoben (einschl. der überzählig Gebliebenen)	mit der Waffe	ohne Waffe	aus der Landbevölkerung	aus der seemännischen u. halbseemännischen Bevölkerung	Einj. Freiwillige	[illegible]	Sonstige Freiw.	Einj. Freiwillige	Sonstige Freiw.
1904	559	607	630	77	1872	4	40	—	—	116	15	2	61	—	—	1	180	158	5	11	6	38 (6)	—	36 (20)	2	1 (1)
1905	608	551	580	90	1829	1	33	—	—	99	4	2	57	—	—	—	155	147	1	5	2	34 (3)	—	31 (14)	—	2 (2)
1906	604	608	551	89	1852	2	38	—	—	100	4	2	45	—	—	1	179	150	8	9	1	26 (10)	1	49 (29)	—	2

Gesuche um Zurückstellung oder Befreiung vom Militärdienst wurden 89 gegen 76 im Vorjahre, ebenso 29 Anträge auf vorzeitige Entlassung aus dem Militärdienst gegen 36 in 1905 angefertigt. Die zur Erteilung von Meldescheinen zum 2- oder 3jährig-freiwilligen Dienst erforderlichen Bescheinigungen der Bürgermeisterei betrugen 260 (1905 = 244).

Zum Zwecke der Ermittelung von Militärpflichtigen, welche sich vor den Ersatzbehörden nicht gestellt hatten, waren umfangreiche Erhebungen erforderlich, ebenso waren zahlreiche Anfragen auswärtiger Gemeindebehörden über den Verbleib anderwärts geborener Militärpflichtiger zu beantworten.

Die vielen, infolge der Bewegung der Arbeiterbevölkerung vorkommenden An- und Abmeldungen machten die Ausfertigung und Einreichung von ungefähr 1 600 bis 1 700 Auszügen aus der Rekrutierungs-Stammrolle notwendig, wovon auf die zwischen der Musterung und dem Oberersatzgeschäft liegende Zeit allein etwa 700 bis 800 entfallen.

2. Einquartierungswesen.

Im Rechnungsjahre 1906 wurden folgende Quartierleistungen von der Stadt in Anspruch genommen:

Truppenteil	Es waren einquartiert bezw. untergebracht: Generäle	Stabs-Offiziere	Hauptleute u. Leutnants	Feldwebel	Fahnenjunker	Unteroffiziere	Gemeine	Pferde	Geschäftszimmer wurden gestellt	Zeit der Einquartierung: vom	bis	Tage	Vom Reich wurden vergütet ℳ	₰	Die Stadt hat bezahlt ℳ	₰
										1906						
Fuß-Art.-Regt. Nr. 10	—	—	2	1	—	—	—	—	—	12. 5.	1./6.	20	53	80	110	—
Ulanen-Regt. Nr. 6	—	2	2	2	—	—	—	—	—	13./6.	27./6.	14	81	02	232	—
Leibgarde-Regt. Nr. 115	—	5	50	2	1	—	—	—	—	18./8.	25./8.	7	434	62	1 155	46
Inf.-Regt. Nr. 116	—	2	4	—	—	—	—	—	—	24./8.	25./8.	1	7	54	20	—
	—	1	1	—	—	—	—	—	—	24./8.	25./8.	1				
Inf.-Regt. Nr. 166	—	4	42	2	1	—	—	—	—	4./9.	6./9.	2	217	72	621	10
	—	4	43	2	1	—	—	—	—	11./9.	13./9.	2				
Feld-Art.-Regt. Nr. 61	—	—	—	1	—	—	—	—	—	4. 9.	14./9.	10	6	10	20	—
	—	3	1	—	—	—	—	—	—	5. 9.	7./9.	2				
Ulanen-Regt. Nr. 6	—	—	10	—	—	—	—	—	—	6./9.	9./9.	3	149	56	461	06
	—	3	25	1	2	8	74	85	—	11./9.	13./9.	2				
Train-Bat. Nc. 18	—	—	1	—	—	—	—	—	—	6./9.	7./9.	1	1	04	3	—
										6./9.	7./9.	1				
Füsilier-Regt. Nr. 80	—	7	42	—	—	—	—	—	—	8. 9.	10./9.	2	274	86	812	20
										11./9.	13./9.	2				
										6./9.	7./9.	1				
Inf.-Regt. Nr. 81	—	5	39	3	1	—		—	—	8. 9.	10./9.	2	265	75	749	50
										11./9.	13./9.	2				
										19./9.	20./9.	1				
Feld-Art.-Regt. Nr. 63	—	1	3	—	—	—	—	—	—	10./9.	13./9.	3	14	22	42	—
42. Infanterie-Brigade	1	—	3	—	—	—		—	—	11./9.	13./9.	2	10	74	35	—
21. Kavallerie-Brigade	—	1	1	—	—	—	—	—	—	11./9.	13./9.	2	6	58	19	80
Summe	1	38	269	14	6	8	74	85	—	—	—	—	1 523	55	4 281	12
Außerdem wurden gewährt:																
a) 1 229 Portionen Morgenkost an Offiziere													614	50	932	30
b) 841 „ Verpflegung an Mannschaften													958	15	1 218	20
Im ganzen													3 096	20	6 431	62

Der von der Stadt geleistete Zuschuß beträgt mithin 3 335 ℳ 42 ₰ gegen 884 ℳ 77 ₰ im Vorjahre.

3. Unterstützungswesen.

a) Durch das Reichsgesetz vom 10. Mai 1892 ist bestimmt worden, daß an die Familien der zu Friedensübungen einberufenen Mannschaften auf Verlangen aus Reichs-Mitteln Unterstützungen zu gewähren sind. Die täglichen Unterstützungen sollen für die Ehefrau 30%, für jede der sonst unterstützungsberechtigten Personen 10% des ortsüblichen Taglohns erwachsener männlicher Arbeiter am Aufenthaltsorte des Einberufenen betragen, mit der Maßgabe jedoch, daß der Gesamtbetrag der Unterstützung 60% des ortsüblichen Taglohns nicht übersteigt. Der ortsübliche Taglohn erwachsener männlicher Arbeiter betrug für Mainz 3,00 ℳ.

Es wurden von der Stadtkasse gezahlt:

im Rechnungsjahr	1906	an 166	Familien	3 523 ℳ 80 ₰,
„ „	1905	„ 183	„	4 001 „ 80 „
„ „	1904	„ 176	„	3 025 „ 12 „

b) Nach dem Reichsgesetze vom 22. Mai 1895 erhalten solche Personen des Unteroffizier- und Mannschaftsstandes des Heeres und der Marine, welche an dem Feldzuge von 1870/71 oder an den von den deutschen Staaten vor 1870 geführten Kriegen ehrenvollen Anteil genommen haben und sich wegen dauernder gänzlicher Erwerbsunfähigkeit in unterstützungsbedürftiger Lage befinden, aus den Mitteln des Reichs-Invalidenfonds Beihilfen von 120 ℳ jährlich.

Von der Stadtkasse wurden gezahlt:

im Rechnungsjahr	1906	an 63	Personen	5 040 ℳ
„ „	1905	„ 37	„	3 840 „
„ „	1904	„ 29	„	3 400 „

Die vorstehend unter a und b aufgeführten Beträge wurden der Stadt aus der Kreiskasse ersetzt.

Bemerkt wird hier noch, daß nach § 53 der Arbeitsordnung für die in den Betrieben der städt. Verwaltung zu Mainz beschäftigten Arbeiter vom 12. Dezember 1906 den im Wochen-, Monats- oder Tagelohn stehenden verheirateten Arbeitern, welche mindestens 12 Monate ununterbrochen im städt. Dienst beschäftigt waren, während einer militärischen Übung der Unterschied zwischen dem bisherigen Lohnsatz und der nach dem obengenannten Gesetz aus Reichsmitteln bezogenen Familienunterstützung zu gewähren ist.

X. Polizeiwesen.

1. Allgemeines.

Das Geschäftsregister des Polizeiamts weist auch für das abgelaufene Geschäftsjahr eine erhebliche Arbeitszunahme bei dem Polizeiamt nach. An eingegangenen und bearbeiteten Dienstsachen wurden 51 749 gegen 46 993 Schriftstücke im Vorjahre, mithin 4 756 Aktenstücke mehr gebucht. Zur Registrierung dieser großen Anzahl von Dienstsachen wurden 3 Register geführt.

2. Meldewesen.

Bei dem Einwohnermeldeamt gelangten 1 154 Familien mit 3 531 Personen und 12 947 Einzelpersonen zur Anmeldung. Zur Abmeldung kamen 1 002 Familien mit 3 120 Personen und 14 385 Einzelpersonen. Innerhalb der Stadt haben 16 020 Personen ihre Wohnungen gewechselt. Niederlassungsverhandlungen wurden im abgelaufenen Jahre 4 686 aufgenommen und bearbeitet. Duplikat-Niederlassungsverhandlungen wurden in Ermangelung militärischer Legitimationspapiere ungefähr 70 aufgenommen und behufs Kontrolle der Militärersatzbehörde übersandt. Neue Meldekarten (einschließlich der auf den Polizeibezirken geführten Duplikate) wurden ungefähr 30 000 angefertigt. Die den Dienst- und Arbeitswechsel betreffenden Veränderungen sind im Rahmen des Vorjahres geblieben. 396 Personen wurden wegen unterlassener An- und Abmeldung zur Anzeige gebracht. Für Aufgebotsverhandlungen vor den Standesämtern wurden ungefähr 1 700 Aufenthaltsbescheinigungen ausgestellt und ungefähr 18 000 schriftliche wie mündliche Auskünfte über den Aufenthalt oder die Wohnung von Personen erteilt.

Die Tätigkeit des Einwohnermeldeamts erstreckte sich im abgelaufenen Jahre ferner noch auf das Nachschlagen von ungefähr 18 000 Meldekarten zur Ermittelung der Adressen steuerpflichtiger Personen auf Ersuchen der Großh. Bezirkskassen und der Stadtkasse behufs Zustellung der Mahnzettel usw. sowie auf die Vormerkung der standesamtlichen Mitteilungen über Geburten, Verehelichungen und Sterbfälle auf den einzelnen Meldekarten. Für das Kaiserl. Postamt waren täglich etwa 160 Adressen unbestellbarer oder nicht genügend adressierter Postsendungen nachzusehen. An Gebühren für Auskunfterteilungen im Interesse Privater sind 1257,00 ℳ zugunsten der Stadtkasse erhoben worden. Zeugnisse über den Leumund und die Führung von hiesigen Personen sind ungefähr 1 700 ausgestellt und etwa 1 900 amtliche Anfragen hierüber beantwortet worden.

3. Sicherheitspolizei.

Von der Schutzmannschaft wurden festgenommen:

	1906	1905	
wegen Bettelei	316	279	Perſ.
„ Obdachloſigkeit	3 177	3 408	„
„ Landſtreicherei	2	17	„
„ Ruheſtörung	119	93	„
„ Trunkenheit	114	124	„
„ Gewerbsunzucht	17	16	„
„ Kuppelei	—	2	„
„ Widerſtands	28	25	„
„ Diebſtahls und Hehlerei	99	95	„
„ Betrugs und Unterſchlagung	23	30	„
„ Körperverletzung	25	50	„
„ ſonſtiger Vergehen	165	150	„
auf Requiſition auswärtiger Behörden	84	47	„
Summe	4 119	4 336	Perſ.

Danach hat ſich die Zahl der wegen Bettelns feſtgenommenen Perſonen gegen das Vorjahr um 37 erhöht, die Zahl der Obdachloſen dagegen iſt um 231 herabgegangen.

Von der Schutzmannſchaft wurden 5 654 Polizeianzeigen wegen Übertretungen erhoben, hiervon entfallen allein auf Unfug und Ruheſtörung 1 784.

Von den der Landespolizeibehörde überwieſenen Perſonen wurden 15 aus dem Großherzogtum ausgewieſen und 21 in das Arbeitshaus Dieburg verbracht.

408 Perſonen wurden verſchubt.

4. Straßenpolizei.

Wegen Übertretung ſtraßenpolizeilicher Vorſchriften wurden 1 898 Perſonen zur Anzeige gebracht.

Die im Berichtsjahre erlaſſene Polizeiverordnung, betreffend den Verkehr an den Karnevalstagen, durch die den Auswüchſen und Roheiten, die ſich an den Karnevalstagen beſonders zeigen, wirkſam entgegengetreten werden kann, iſt inzwiſchen in Kraft getreten und hat ſich gut bewährt.

5. Tierſchutz.

Wegen Tierquälerei wurden 150 Perſonen angezeigt. Die Schutzmannſchaft wurde wiederholt angewieſen, gegen Tierquälereien energiſch einzuſchreiten.

6. Kriminalpolizei.

Nachdem ſich die Notwendigkeit ergeben hatte, zur Bekämpfung des Verbrechertums und zur Überwachung verdächtiger Perſonen beſondere Beamte ausſchließlich als Fahnder zu verwenden, ſind im Berichtsjahre zwei Schutzleute mit Handhabung der Steckbriefkontrolle und dem ſpeziellen Fahndungsdienſte betraut worden. Dieſe Einrichtung hat ſich bis jetzt bewährt. Eine Aufſtellung, aus der die Tätigkeit der Kriminalpolizei zu entnehmen iſt, folgt in nachſtehendem:

A. Allgemeines.

	1906	1905
1. Neu anhängig wurden Strafſachen	3 608	3 060
2. Eingegangen von Staats- und Amtsanwaltſchaften ſowie anderen hieſigen und auswärtigen Behörden ſind Erſuchen	10 220	8 916
3. Vernehmungen erfolgten	9 845	9 713
4. Vorgeführt bei hieſigen Behörden und Gerichten wurden Perſonen	684	749
5. Transportiert nach auswärts wurden Perſonen	56	41
6. Durchſuchungen erfolgten	504	460
7. Beſchlagnahmen erfolgten	369	332
8. Ausſchreiben wurden erlaſſen	182	222
9. Umfragen bei Trödlern, Goldarbeitern, Geldwechſlern, Banken und Antiquaren ꝛc. erfolgten	993	1 046

B. Angelegenheiten der Landespolizeibehörden.

Polizeiaufſicht wurde ausgeübt über 35 Perſonen.

C. Steckbriefkontrolle.

Durch die Steckbriefkontrolle wurden ermittelt:

wegen	Diebstahls	55	Pers.
„	Betrugs	30	„
„	Unterschlagung	22	„
„	Körperverletzung	18	„
„	Kuppelei	2	„
„	Brandstiftung	1	„
„	Gefangenen-Befreiung	1	„
„	Erpressung	1	„
„	Widerstands	10	„
„	Hausfriedensbruchs	12	„
„	Bettelei	16	„
„	Mißhandlung	1	„
„	Urkundenfälschung	8	„
„	Sachbeschädigung	17	„
„	Sittlichkeitsverbrechens	7	„
„	Meineids	1	„
„	Bedrohung	6	„
„	Beleidigung	6	„
„	Begünstigung	1	„
zwecks	Strafverbüßung	30	„
„	Aufenthaltsermittlung	32	„
„	Ausweisung	9	„
	Zusammen	286	Pers.

D. Strafrechtliche Untersuchungen.

Die zur Anzeige gebrachten und informierten Fälle sind folgende:

	1906	1905
Abtreibung	5	7
Anmaßung eines öffentlichen Amtes	4	2
Anschuldigung (falsche)	2	3
Aussetzen einer hilflosen Person	4	1
Beamtenbeleidigung	45	39
Begünstigung	3	3
Bestechung	—	1
Betrug und Betrugsversuch	283	245
Blutschande	3	—
Brandstiftung	7	4
Desertionsbeförderung	4	2
Diebstahl	1 073	1 017
Drohung	194	137
Erpressung	3	6
Falschmünzerei	4	2
Freiheitsberaubung	3	1
Gefährdung eines Eisenbahntransportes	4	—
Gefangenenbefreiung	11	6
Glücksspiel	10	7
Hausfriedensbruch	109	92
zu übertragen	1 771	1 575

	1906	1905
Übertrag	1 771	1 575
Hehlerei	8	16
Jagdvergehen	3	—
Kindestötung	4	1
Körperverletzung (vorsätzliche)	483	492
Körperverletzung (fahrlässige)	68	42
Kuppelei	36	29
Lotterievergehen	7	3
Majestätsbeleidigung	5	1
Meineid	2	2
Mord, Totschlag und Totschlagsversuch	3	5
Münzverbrechen und -Vergehen	5	2
Pfandverschleppung	2	—
Raub	15	17
Rheinschiffahrtsvergehen	2	—
Sachbeschädigung	293	240
Sittlichkeitsverbrechen und -Vergehen	68	52
Unlauterer Wettbewerb	4	2
Tötung (fahrlässige)	2	1
Unterschlagung	314	287
Urkundenfälschung	28	21
Vergehen gegen das Nahrungsmittelgesetz	244	61
Vergehen gegen das Vogelschutzgesetz	7	2
Vergehen gegen das Warenschutzgesetz	13	10
Verletzung des Briefgeheimnisses	8	2
Widerstand gegen die Staatsgewalt	74	62
Brände überhaupt	94	74
Unfälle	45	61
Zusammen	3 608	3 060

In den Arrestzellen des Polizeiamtes befanden sich 5562 Personen in Verwahrung, für welche 11 907 Portionen Essen verabreicht wurden.

E. Tragisches Ableben.

	1906	1905
Durch tragisches Ableben endeten Personen	55	37
a. durch Selbstmord:		
und zwar durch Ertränken	20	7
„ Erhängen	7	8
„ Erschießen	8	10
„ Vergiften	4	—
	39	25
b. durch Unglücksfall:		
und zwar durch Abstürzen	5	2
„ Ertrinken	4	7
„ Ersticken	1	1
„ Überfahren	4	1
„ Hinstürzen	—	1
„ Verbrennen	2	—
	16	12

F. Vermißte Personen.

Als vermißt wurden 40 Personen gemeldet.

7. Feuerpolizei.

Gemeinschaftlich mit dem Baupolizeiamt wurde im Berichtsjahr der Handhabung und Ausführung der feuerpolizeilichen Vorschriften besondere Aufmerksamkeit gewidmet.

Die Feuerungsanlagen in den hiesigen Gebäuden wurden von den als Feuervisitatoren bestellten Baupolizeiaufsehern einer gründlichen und gleichmäßigen Kontrolle unterzogen, dabei wurden zahlreiche Anstände wahrgenommen. Zur Beseitigung der Anstände wurden etwa 200 Aufforderungen an die Hauseigentümer gerichtet. Ein großer Teil der Anstände wurde alsbald erledigt. Gegen Säumige wurden wiederholte Aufforderungen erlassen, und da immer noch einige im Rückstande blieben, mußten gegen diese Strafanzeigen erhoben werden.

Die Lager- und Verkaufsräume von Sprengstoffen und von Mineralölen wurden öfters sachgemäß und eingehend besichtigt. Bei diesen Besichtigungen wirkten in vielen Fällen das Baupolizeiamt und der Branddirektor mit. Das Ergebnis war im allgemeinen zufriedenstellend. Die festgestellten Mängel sind beseitigt worden.

8. Feldpolizei.

Wegen Vertilgung der Kaninchen, die in der Gemarkung großen Schaden verursachen, ferner wegen Beseitigung der Raupen an Bäumen und anderer Schädlinge sind geeignete Maßnahmen getroffen worden. Anzeigen wegen feldpolizeilicher Übertretung wurden etwa 200 erstattet. Die Feldschützen haben beim Auffinden von in der Stadt gestohlenen und im Felde versteckten Gegenständen, ferner bei Festnahme von Dieben und bei Ermittelung von Vogelfängern gute Dienste geleistet.

Damit die Feldschützen bei Ausübung polizeilicher Funktionen alle Befugnisse eines Polizeibeamten haben, ist ihre Verpflichtung auf den allgemeinen Polizeischutz erfolgt.

Die Verwendung von besonders abgerichteten Hunden hat sich als vorteilhaft erwiesen.

9. Gesundheitspolizei und Nahrungsmittel-Kontrolle.

Damit eine wirksame und gleichmäßigere Kontrolle der Nahrungs- und Genußmittel sowie der Gebrauchsgegenstände erfolgen kann, sind auf Antrag des Polizeiamts der Gesundheitspolizei seit 1. Oktober 1906 als Nahrungsmittel-Kontrollbeamten zwei Schutzleute beigegeben. Die Tätigkeit dieser zwei Kontroll-Beamten wird nach einheitlichen Grundsätzen ausgeübt, die zwischen den Vorständen der hessischen Polizeiverwaltungen vereinbart worden sind. Die Erhebung der Proben geschieht planmäßig im Einvernehmen mit dem Chemischen Untersuchungsamt der Provinz Rheinhessen. Die für die Dienstleistungen des Untersuchungsamts festgesetzte jährliche Vergütung von 800 ℳ ist auf das Doppelte erhöht worden, damit eine größere Anzahl von Proben als seither untersucht und eine verhältnismäßig stärkere Inanspruchnahme des Untersuchungsamts ermöglicht werden kann.

Nachstehende Übersicht gibt ein Bild über die Ausführung der Kontrolle und über das Ergebnis der Untersuchungen.

Ord.-Nr.	Gegenstand der Untersuchung	Zahl der Untersuchungen	Beanstandungen		Grund der Beanstandung
			absolute Zahl	Prozentzahl	
1	Albumin	1	—	—	
2	Backwaren	1	—	—	
3	Bier	2	2	100	Beide Proben waren Tröpfelbier.
4	Branntwein	10	—	—	
5	Butter	265	42	15,8	10 Proben hatten einen zu hohen Wassergehalt, unter 3 %. 28 Proben waren verdächtig, mit Schweineschmalz vermischt zu sein. 2 Proben hatten einen Kokosfettzusatz von etwa 10 %. 1 Probe war stark ranzig. 1 Probe war 25 % Butter und 75 % Margarine.
6	Eier	164	15	9,1	Sämtliche beanstandeten Eier waren vollständig verdorben.
	zu übertragen . . .	443	59	—	

Ord.-Nr.	Gegenstand der Untersuchung	Zahl der Unter-suchungen	Beanstandungen absolute Zahl	Beanstandungen Prozent-zahl	Grund der Beanstandung
	Übertrag	443	59	—	
7	Eierkonserven	1	—	—	
8	Essig	78	14	17,9	Bei 10 Proben lag der Essigsäuregehalt unter 3 %, 4 Proben mußten wegen starker Verunreinigung mit Essiggülchen als in hohem Grade unappetitlich bezeichnet werden.
9	Fette	3	—	—	
10	Fleisch	46	1	2,2	1 Hackfleischprobe war mit schwefelig-saurem Salz konserviert.
11	Fruchtsäfte	15	—	—	
12	Gebrauchsgegenstände	60	—	—	
13	Gemüsekonserven	3	—	—	
14	Gewürze	46	—	—	
15	Honig	3	1	33,3	Der fragliche Honig war mit Rohrzuckersyrup vermischt.
16	Käse	26	—	—	
17	Kakao	22	—	—	
18	Kriminelin	8	—	—	
19	Laktodensimeter	1	—	—	
20	Leguminosenkotelett	1	—	—	Ist ein mit Kurkumawurzel schwach gewürztes Bohnen- bezw. Erbsenmehl. Preis vom kg Leguminosenkotelett 3,30 ℳ Preis vom kg Bohnenmehl ꝛc. 1,00 ℳ
21	Limonaden	16	—	—	
22	Margarine	51	—	—	
23	Mehl und Müllereiprodukte .	121	6	5,0	Das beanstandete Mehl war stark mit Mehlwürmern und Kehricht vom Mehlboden verunreinigt.
24	Milch (Markt- und Übergangsproben)	818	166	20,3	86 Proben hatten einen Wasserzusatz erhalten, 78 Proben waren entrahmt, 2 Proben hatten stark ranzigen Geschmack.
25	Milch (Stallproben)	100	—	—	
26	Mineralwasser	68	2	2,9	Das Mineralwasser war unter Verwendung von verunreinigtem Brunnenwasser hergestellt worden.
27	Obstkonserven	50	—	—	
28	Petroleum	82	3	3,7	Die drei Petroleumproben hatten einen zu niederen Entflammungspunkt, unterlagen demnach den Beschränkungen der Kaiserl. Verordnung vom 24. Februar 1882.
29	Schmalz	50	—	—	
30	Schokolade	14	1	7,1	In der beanstandeten Probe war das Kakaofett teilweise durch Arachisöl resetzt worden.
31	Suppenwürze	5	—	—	
32	Tee	50	—	—	
33	Wasser	1	—	—	
	Abwasser	1	—	—	
34	Wein	45	2	4,4	Beide Weinproben mußten auf Grund der chemischen Beschaffenheit als überstreckt bezeichnet werden.
35	Wurst	228	15	6,6	Die Proben Leberwurst waren infolge vorgeschrittener Zersetzung nicht mehr verkaufsfähig.
	Summe	2 456	270	11,0	

Wegen leichterer Verfehlungen sind vielfach Warnungen sowohl mündlich als schriftlich ergangen und ist Abhilfe in den meisten Fällen geschaffen worden. Dagegen mußten wegen schwerer Verfehlungen und wegen Fälschungen in 85 Fällen Strafanzeigen an die Staatsanwaltschaft abgegeben werden. Seitens des Gerichts ist im Einzelfall auf Geldstrafen von 5 bis 400 ℳ erkannt worden.

Ein Hauptaugenmerk hat die Gesundheitspolizei naturgemäß der Milchkontrolle zugewendet und mit Entschiedenheit die Vorschriften der neuen Milchverkaufsordnung durchgeführt. Während im Vorjahr mittels des Laktodensimeters 7 812 Prüfungen stattfanden, konnten im Berichtsjahr 10 120 solcher Prüfungen vorgenommen werden. An Markt- und Übergangsproben sind in 1905 = 635 und 78, im Berichtsjahr 738 und 84 erhoben worden. Lediglich wegen gröberer Verfehlung gegen die Milchverkaufsordnung kamen 92 Personen zur Anzeige. Um erzieherisch auf die Milchlieferanten und -Händler einzuwirken, hat das Polizeiamt mit dem Chemischen Untersuchungsamt vereinbart, daß zukünftig die Untersuchungsergebnisse in kürzeren Zeitabschnitten in amtlicher Bekanntmachung durch die hiesigen Zeitungen veröffentlicht werden. Über die seit Einführung der neuen Milchverkaufsordnung gemachten Wahrnehmungen wurde dem Großh. Kreisamt Mainz ausführlicher Bericht erstattet und darin zum Ausdruck gebracht, daß die Beaufsichtigung und Überwachung der Produktionsstätten gemäß den eingehenden und klaren Vorschriften ein Haupterfordernis sei zur Versorgung der Einwohnerschaft mit reiner, appetitlicher und unverfälschter Milch, und daß zu diesem Zwecke die Bestellung von besonderen Aufsichtsbeamten für Gemeindeverbände von großem Wert erscheine.

Zur Aufgabe der Gesundheitspolizei gehört auch die Überwachung gewerblicher Anlagen, in denen Nahrungs- und Genußmittel hergestellt, zugerichtet und bereitet, sowie auch verkauft werden. Demzufolge wurden die Geschäftsräume der hiesigen Mineralwasserhändler und der Geflügelmetzgereien öfters besichtigt und wahrgenommene Mängel beseitigt. Auf Antrag der Gesundheitspolizei ist im Berichtsjahr eine Polizeiverordnung, betreffend den Betrieb von Geflügelmästereien, Geflügelhandlungen und -Schlächtereien, erlassen worden. Zur Bekämpfung ansteckender Krankheiten wurden Desinfektionen von Wohnungen und Schlafstellen in Gebäuden und auf Schiffen, ferner von Kleidern und Betten, die von Erkrankten benutzt worden waren, veranlaßt. Zur Beseitigung übelriechender und gesundheitsschädlicher Gerüche und zwecks ordnungsgemäßer Herstellung von dem Reinigungsamt als mangelhaft befundener Latrinengruben sind mit Erfolg Aufforderungen an Hauseigentümer gerichtet worden. Die Annahmestellen und Lagerräume der Häute-, Knochen- und Lumpenhändler wurden mehrfach besichtigt und Mißstände beseitigt. Der Befolg der Vorschriften betreffend Einfuhr von frischem Fleisch wurde geeignet überwacht und in einzelnen Fällen Anzeige vorgelegt.

Zur Vermeidung von Unfällen wurden die Bestimmungen über den Verkehr mit Giften und Säuren sowie den freigegebenen Apothekerwaren den betreffenden Verkäufern mündlich und schriftlich zur Kenntnis gebracht. Mehrere Verkäufer mußten, nachdem Warnungen erfolglos geblieben waren, zur Anzeige gebracht werden.

In Ausführung des Gesetzes betreffend den Verkehr mit Margarine- und Pflanzenbutter ꝛc. wurden 150 Verkaufsstellen öfters revidiert. Nur in zwei Fällen war die Erhebung einer Anzeige erforderlich.

Die Kontrolle der Bäcker und Brothändler erstreckte sich auf die Feststellung des Brotgewichts. Bei 142 Bäckern und 191 Brothändlern wurden Brote gewogen. In 12 Fällen mußte Anzeige erhoben und zusammen 114 Brote wegen Mindergewicht beschlagnahmt werden.

Auf den Wochenmärkten wurde öfters Butter nachgewogen, wobei sich Mindergewichte ergaben, auch Fische und andere Lebensmittel besichtigt. Wegen Verkaufs von verdorbenen Waren kamen einige Personen zur Anzeige. Dem Verlauf von Nahrungs- und Genußmitteln wird stets besondere Aufmerksamkeit zugewendet.

Von dem mit den Revisionen der Bierpressionen beauftragten Elektrotechniker wurden 1 513 Revisionen in Wirtschaften vorgenommen und hierbei 629 Plomben angelegt. Wegen Reparaturen und Aufstellen von neuen Bierpressionen sind 410 Plomben angebracht worden. Über einige Zuwiderhandlungen gegen die Vorschriften der Polizei-Verordnung vom 26. April 1904 wurden Strafanzeigen erhoben.

10. Veterinärpolizei.

Die zur Abwehr und Unterdrückung übertragbarer Seuchen der Haustiere geeigneten Maßregeln wurden ausgeführt. An die Anstalt zur technischen Verarbeitung und Verwertung von Tierkadavern sind abgeliefert worden:

Hunde	68
Katzen	20
Pferde	18
Schweine	5
Ziegen	4
Stallhasen	3
Gänse	3
zusammen	121 Kadaver.

Ein Hund mußte wegen Tollwut getötet werden. Der Hund hatte einen Knaben gebissen, doch hatte der Biß keine nachteiligen Folgen für den Verletzten.

In zwei Gehöften war Schweineseuche ausgebrochen. Die deshalb verhängten Sperrmaßregeln konnten später wieder aufgehoben werden.

11. Sittenpolizei.

Es wurden 415 der Unzucht nachgehende Personen aufgegriffen und der polizeiärztlichen Untersuchung zugeführt. Dabei wurden 104 (70) geschlechtskrank befunden und dem St. Rochushospital zur Heilung überwiesen. Wegen Übertretung sittenpolizeilicher Vorschriften wurden 106, wegen gewerbsmäßiger Unzucht 49 und wegen Konkubinats 10 Anzeigen erstattet.

Durchschnittlich standen in Mainz 60 Frauenspersonen unter sittenpolizeilicher Aufsicht.

12. Gewerbepolizei.

Die Gewerbeabteilung des Polizeiamts hat auch im abgelaufenen Jahre eine rege Tätigkeit entfaltet. Zunächst sei auf die Erfolge und die Ergebnisse der Revisionen auf dem Gebiete des **Kinderschutzgesetzes** verwiesen.

Im letzten Jahresbericht wurde über die Handhabung und Ausführung des Kinderschutzgesetzes ausgeführt, daß sowohl die Arbeitgeber wie auch die gesetzlichen Vertreter der gewerblich tätigen Kinder dem Gesetze nur geringes Interesse und Verständnis entgegengebracht hätten. Nach den im abgelaufenen Jahre gemachten Erfahrungen ist eine wesentliche Änderung in den Ansichten und der Auffassung des Publikums in dieser Richtung nicht eingetreten. Die Eltern wollen nicht einsehen, daß der gesetzgeberische Eingriff in das Bestimmungsrecht über die Arbeitskraft des Kindes lediglich in deren eigensten Interesse erfolgt. Das Strafmaß der Gerichte ist im Vergleich zu den angesetzten Höchststrafen ein mildes zu nennen.

Im Berichtsjahre 1905 betrug die Gesamtzahl der gewerblich tätigen Kinder 239. Daß die Kinderbeschäftigung gegen das Vorjahr nicht zurückgegangen ist, beweist der Umstand, daß im abgelaufenen Jahre im ganzen 268 Kinder gewerblich tätig waren und zwar 181 Knaben und 87 Mädchen. Im Berichtsjahre wurden zwei umfassende Revisionen vorgenommen, die eine fiel in das Sommer-, die andere in das Winterhalbjahr.

Im Sommerhalbjahr waren im ganzen 135 Kinder gewerblich tätig, darunter 95 Knaben und 40 Mädchen. Von eigenen Kindern wurden in elterlichen Betrieben 12 Knaben und 9 Mädchen beschäftigt. An eigenen Kindern waren für Dritte 22 Knaben und 22 Mädchen beschäftigt und endlich waren 51 Knaben und 19 Mädchen — fremde Kinder — gewerblich tätig. Die Beschäftigung der Kinder, mit Ausnahme der bei dem Theater beschäftigten Kinder, bestand hauptsächlich in dem Austragen von Waren, Besorgung von Botengängen, Austragen von Zeitungen usw.

Im Winterhalbjahre waren 86 Knaben und 47 Mädchen beschäftigt. Die Beschäftigung der Kinder im Vergleich zu dem Sommerhalbjahr ist somit auf gleicher Höhe geblieben. In 16 elterlichen Betrieben wurden 16 eigene Kinder beschäftigt. Eigene Kinder für dritte Personen waren 52 und fremde Kinder 65 tätig. Der Direktion des Mainzer Stadttheaters war die kreisamtliche Genehmigung zur Beschäftigung von 47 Kindern und zwar 22 Knaben und 25 Mädchen erteilt worden. Die Kinder traten in 62 Abendvorstellungen und 15 Nachmittagsvorstellungen auf. Revidiert wurde 77 mal, Beanstandungen sind nicht erhoben worden.

Wegen Verfehlungen gegen das Kinderschutzgesetz mußten im Berichtsjahre insgesamt 39 Anzeigen erhoben werden.

In Gast- und Schankwirtschaften wurde eine Kinderbeschäftigung nicht festgestellt. Mehrfache, auf Kegelbahnen hinsichtlich Kinderbeschäftigung vorgenommene Revisionen gaben keinen Anlaß zu Anzeigen. Das Aufsetzen der Kegel geschieht fast überall durch aus der Schule entlassene Burschen.

Im Berichtsjahre 1906 wurden 167 Arbeitskarten ausgestellt. Eine Anzahl Kinder besaß bereits Karten aus dem Vorjahre.

Die Kaiserliche Verordnung vom 17. Februar 1904, betreffend die Ausdehnung der §§ 135—139, 139b der Gewerbeordnung auf die **Werkstätten der Kleider- und Wäschekonfektion**, war im Berichtsjahr der Gegenstand mehrerer Revisionen. Es wurden zwei Hauptrevisionen und mehrere Revisionen an den Vorabenden der Sonn- und Festtage vorgenommen. Die eine der Hauptrevisionen fand im Frühjahr, die andere gegen Schluß des Jahres statt. Bei der ersten Hauptrevision wurden 92 Schneidereibetriebe und 24 Betriebe der Putzmacherinnen kontrolliert. In den Schneidereien waren im ganzen 535 Arbeiterinnen beschäftigt. In den Putzmachereien wurden 146 Arbeiterinnen gezählt. Die Verfehlungen, die in den Schneidereien und Putzmachereien festgestellt worden sind, waren geringfügiger Natur. Nur in drei Fällen sah man sich zur Erhebung von Strafanzeigen veranlaßt.

Der zweiten, gegen Schluß des Jahres vorgenommenen Hauptrevision unterlagen 91 Schneidereibetriebe und 24 Betriebe der Putzmacherinnen. Die Zahl der beschäftigten Arbeiterinnen sowohl in den Schneiderei- als auch in den Putzmachereibetrieben war auf der gleichen Höhe geblieben. Verfehlungen sind bei der zweiten Hauptrevision nicht festgestellt worden. Dagegen lieferten die an den Vorabenden der Sonn- und Festtage vorgenommenen Revisionen eine Reihe von Beanstandungen. In mehreren Fällen fand Überarbeit statt, ohne daß der Eintrag vorher gemacht worden war. Des weiteren wurden Arbeiterinnen über die gesetzlich zulässige Zeit hinaus beschäftigt. Wegen dieser Verfehlungen mußten Strafanzeigen erhoben werden. Im übrigen wird dem Befolg der Vorschriften der angezogenen Verordnung die größte Beachtung geschenkt. Die Zahl der Beanstandungen hat sich gegen das Vorjahr erheblich vermindert. In den Schneidereibetrieben fanden auch an mehreren Sonntagen Revisionen statt. Nur in einigen Fällen wurden Verfehlungen festgestellt. Die Schuldigen kamen zur Anzeige.

Die *Gast- und Schankwirtschaften* wurden entsprechend der Verfügung Großh. Kreisamts Mainz im Berichtsjahre zweimal revidiert. Es wurden 234 Betriebe gezählt, in denen Kellner und Lehrlinge über 16 Jahre 186, unter 16 Jaher 9, Köche und Lehrlinge über 16 Johre 97, unter 16 Jahren 3, Büfettdamen, Kellnerinnen, Köchinnen über 18 Jahre 365, zwischen 16 und 18 Jahren 5, zusammen 665 Gewerbsgehilfen, darunter 295 männlichen und 370 weiblichen Geschlechts beschäftigt waren. In 50 Fällen wurden Verfehlungen festgestellt und zwae: wegen Nichtgewährung der vorgeschriebenen Ruhezeiten, wegen des Nichtführens des Verzeichnisses und wegen Zuwiderhandlung gegen die Vorschriften über die Arbeitsbücher. Im ganzen wurden 396 Revisionen vorgenommen.

Die Handhabung und Ausführung der *Bäckerei-Verordnung* vom 4. März 1896 machte im Berichtsjahre gleichfalls eine große Zahl von Revisionen erforderlich. Der ersten Revision unterlagen 126 Betriebe, in denen 219 Gehilfen, 12 Lehrlinge im ersten und 5 Lehrlinge im zweiten Lehrjahre beschäftigt waren. Bei der zweiten Revision wurden 129 Betriebe mit 194 Gehilfen, 14 Lehrlingen im ersten Lehrjahre und 11 Lehrlingen im zweiten Lehrjahre kontrolliert. Verfehlungen sind bei einzelnen Revisionen festgestellt worden, weil a. die Arbeiter in verbotenen Stunden beschäftigt worden sind, in 15 Fällen und b. weil eine Beschäftigung von Minderjährigen ohne Arbeitsbuch stattfand, in 4 Fällen. Überarbeit fand an 55 Tagen stott. Diese war vorschriftsmäßig auf der Kalendertafel vorgemerkt. In 10 Fällen mußten Strafanzeigen erhoben werden, weil die Arbeitgeber trotz wiederholter Aufforderung und Belehrung die vorgefundenen Anstände nicht beseitigten.

An Sonntagen wurden in den Bäckereien mehrfache Revisionen vorgenommen. Es drehte sich um die Feststellung, ob etwa Arbeiter nach 8 Uhr beschäftigt wurden. Tatsächlich wurden hierdei mehrere Verfehlungen festgestellt. Es mußten Strafanzeigen erhoben werden.

Die *Steinhauereien* wurden im Berichtsjahre zweimal revidiert. Der Revision unterlagen jedesmal 11 Betriebe mit 39 erwachsenen Arbeitern. Jugendliche Arbeiter wurden nicht beschäftigt. Die gesetzlichen Vorschriften werden genau befolgt, Beanstandungen sind nicht erhoben worden.

Zwei Hauptrevisionen fanden im Berichtsjahre in den offenen Verkaufsstellen statt hinsichtlich des Befolgs der Vorschriften der Verordnung vom 28. November 1900, betreffend die *Einrichtung von Sitzgelegenheit für Angestellte*. Das Ergebnis dieser Revisionen war ein überaus befriedigendes. Überall ist für die erforderliche Sitzgelegenheit für das Personal gesorgt, nur in einem Falle mußte eine Beanstandung erhoben werden, die aber sofort von dem betreffenden Gewerbetreibenden beseitigt worden ist.

Die Anordnung des Gr. Kreisamts Mainz vom 29. Dezember 1905 betreffend *Einführung des 8-Uhr-Ladenschlusses* für das Gewerbe der Uhrmacher, Optiker, Gold- und Silberwarenhändler ist im Berichtsjahre wiederholt zum Gegenstand mehrerer Revisionen gemacht worden. Die vorgenommenen Revisionen hinsichtlich des Ladenschlusses zeigten überwiegend, daß die Verkaufsläden pünktlich um 8 Uhr abends geschlossen werden; nur in ganz vereinzelten Fällen war die Erhebang von Strafanzeigen notwendig.

Wegen Verletzung der Vorschriften über die *Sonntagsruhe im Handelsgewerbe* mußten im abgelaufenen Jahre 66 Strafanzeigen erhoben werden.

Der *Sonntagsruhe in Industrie und Handwerk* wuede ebenfalls besondere Aufmerksamkeit gewidmet. Ebenso unterlag der werk- wie der sonntägliche *Hausierhandel* einer fortgesetzten Kontrolle. Wegen Hausierens in verbotnen Stunden und ohne Gewerbepapiere mußten im Berichtsjahre 37 Anzeigen erhoben werden.

Die *Fabriken* und die diesen gleichgestellten Anlagen wurden im abgelaufenen Jahre zweimal revidiert und dabei 916 Revisionen vorgenommen. Die Anstände, die hierbei festgestellt worden sind, waren im allgemeinen geringfügiger Natur. Auf eine einfache Aufforderung hin wurden sie bereitwilligst beseitigt, sodaß von Ergreifung von Zwangsmaßregeln abgesehen werden konnte.

Aus der nachstehenden Übersicht ist die Zahl der in den einzelnen Industriezweigen beschäftigten Arbeiter und Arbeiterinnen, in Altersklassen eingeteilt, zu entnehmen.

Gruppe	Bezeichnung der Industriezweige	Zahl der Betriebe	Zahl der erwachsenen männlichen Arbeiter	Zahl der Arbeiterinnen über 16 Jahre			Gesamtzahl der erwachsenen Arbeiter	Zahl der jungen Leute von 14—16 Jahren			Zahl der Kinder unter 14 Jahren			Gesamtzahl der jugendlichen Arbeiter
				a 16—21 Jahre	b über 21 Jahre	c im ganzen		a männlich	b weiblich	c im ganzen	a männlich	b weiblich	c im ganzen	
IV.	Industrie der Steine und Erden	3	19	—	—	—	19	1	—	1	—	—	—	1
V.	Metallverarbeitung	39	374	19	21	40	414	111	19	130	10	1	11	141
VI.	Maschinen, Werkzeuge, Instrumente, Apparate	29	1 294	34	38	72	1 366	110	21	131	12	—	12	143
VII.	Chemische Industrie	4	2	6	5	11	13	—	1	1	—	—	—	1
VIII.	Forstwirtschaftliche Nebenprodukte, Leuchtstoffe, Fette, Öle und Firnisse	26	241	11	7	18	259	—	2	2	—	—	—	2
IX.	Textilindustrie	5	21	13	27	40	61	7	11	18	—	1	1	19
X.	Papierindustrie	8	77	33	41	74	151	3	23	26	—	1	1	27
XI.	Lederindustrie	5	483	13	18	31	514	1	2	3	1	—	1	4
XII.	Industrie der Holz- und Schnitzstoffe	66	1 141	33	65	98	1 239	66	6	72	13	1	14	86
XIII.	Nahrungs- und Genußmittel	146	967	111	83	194	1 161	96	66	162	8	—	8	170
XIV.	Bekleidung und Reinigung	141	294	459	300	759	1 053	9	276	285	—	—	—	285
XV.	Baugewerbe (Zimmerplätze und andere Bauhöfe)	11	160	—	—	—	160	2	—	2	2	—	2	4
XVI.	Polygraphische Gewerbe	33	435	134	88	222	657	47	14	61	8	—	8	69
	Zusammen	516	5 508	866	693	1 559	7 067	453	441	894	54	4	58	952

Im Berichtsjahre fanden mehrere Revisionen hinsichtlich des Befolgs der Vorschrift in § 15a der Gewerbe-Ordnung statt. Nach dieser Gesetzesvorschrift sind Gewerbetreibende, die einen offenen Laden haben oder Gast- oder Schankwirtschaft betreiben, verpflichtet, ihren Familiennamen mit mindestens einem ausgeschriebenen Vornamen an der Außenseite oder am Eingange des Ladens oder der Wirtschaft in deutlich lesbarer Schrife anzubringen. Eine Reihe von Beanstandungen wurde zu Tage gefördert und in 23 Fällen Strafanzeige erhoben.

Die Bierabfüllräume, die auf Grund der Polizeiverordnung vom 30. Juli 1904, betreffend den Handel mit Bier in Flaschen und ähnlichen Gefäßen, besonderer polizeilicher Kontrolle unterliegen, wurden im abgelaufenen Jahre zweimal revidiert. Die vorgefundenen Mängel, die geringfügiger Natur waren, sind auf einfache Aufforderung hin bereitwilligst beseitigt worden. Zur Ergreifung von Zwangsmaßregeln lag keine Veranlassung vor. Seit der letzten Berichterstattung sind etwa 8 Bierabfüllräume neu hinzugekommen, die nach vorgenommener Besichtigung sämtlich als den Vorschriften entsprechend zugelassen worden sind. Zurzeit unterliegen der polizeilichen Beaufsichtigung 111 Flaschenbierhandlungen, in denen Bier abgefüllt wird.

Im Berichtsjahre fand eine eingehende Revision in den *Barbier- und Friseurstuben* der Stadt Mainz hat hinsichtlich des Befolgs der Vorschrift in der Bekanntmachung Großh. Kreisamts Mainz vom 22. Dezember 1900. Hiernach soll das in den Rasier- und Friseurstuben an Sonntagen beschäftigte Personal, wenn die Sonntagsarbeiten länger als 3 Stunden dauern, entweder an jedem 3. Sonntag für volle 36 Stunden oder an jedem 2. Sonntag mindestens von 6 Uhr früh bis 6 Uhr abends oder in jeder Woche während der zweiten Hälfte eines Arbeitstages und zwar spätestens von 1 Uhr Nachmittags ab von jeder Arbeit freigelassen werden. Die vorgenommene Revision hatte indes nicht den gewünschten Erfolg. Es wurde fast allgemein gegen die erwähnte Vorschrift gefehlt, und man sah sich mit Rücksicht auf die erstmals vorgenommene Kontrolle veranlaßt, nochmals eine Verwarnung der betreffenden Gewerbetreibenden eintreten zu lassen.

Nachdem sich in einer mit dem Vorstand der Barbier-, Friseur- und Perückenmacher-Innung gepflogenen Rücksprache ergeben hatte, daß die wöchentliche Gewährung eines freien Nachmittags im Interesse der Gewerbetreibenden gelegen ist, wurde eine nochmalige Revision vorgenommen. Hierbei ergab sich, daß dem Personal der freie Nachmittag in der Woche allenthalben gewährt worden ist. Nur bezüglich der Lehrlinge wurde insofern eine Beanstandung erhoben, als diese an dem freien Nachmittag noch die Fach- und Fortbildungsschule besuchen mußten, wodurch sie in ihrer freien Zeit verkürzt worden sind. Das Großh. Ministerium des Innern, dem diese Frage zur Entscheidung vorlag, stellte sich auf den Standpunkt, daß den an Sonntagen länger als 3 Stunden beschäftigten Lehrlingen *außer* der zum Besuch der Fortbildungs- oder Fachschule erforderlichen Zeit auch noch ein freier Nachmittag zu gewähren sei. Hierauf wurden Strafanzeigen gegen ungefähr 30 Friseure erhoben, die jedoch vom Schöffengericht mit der Begründung freigesprochen wurden, daß die Gewerbetreibenden nicht gefehlt hätten, wenn sie ihren Lehrlingen die Ruhepause in der angegebenen Zeit gewährt hätten. Dieselbe Entscheidung hat die Berufungsinstanz gefällt. Von einer weiteren Verfolgung der Sache wurde abgesehen; es verbleibt somit bei dem von den Gewerbetreibenden beliebten Verfahren bezüglich der Gewährung von *einem* freien Nachmittag in der Woche.

Im abgelaufenen Jahre fand in der Stadt Mainz eine vom Großh. Kreisamt Mainz angeordnete allgemeine *Maß- und Gewichtsrevision* statt. Unter Zuziehung eines Eichmeisters wurden ungefähr 945 Revisionen vorgenommen, die sich auf alle offenen Verkaufsstellen, sowie auf die öffentlichen Märkte erstreckten. Hierbei wurden 355 teils zu leichte, teils ungeeichte Gewichte, 23 unvorschriftsmäßige Wagen und 49 vorschriftswidrige Gefäße konfisziert und an das Großh. Amtsgericht Mainz abgeliefert, das auf Einziehung der beschlagnahmten Gegenstände erkannte. Außerdem mußten gegen die betreffenden Gewerbetreibenden Strafanzeigen erhoben werden, deren Zahl sich auf 206 belief.

Eine von den Kauf-, Handels- und sonstigen Gewerbsleuten vielfach noch unbeachtete Vorschrift ist *das Verbot des Ausstellens und Aushängens von Waren an Sonn- und Feiertagen während der für den Hauptgottesdienst bestimmten Zeit.* Es fanden dieserhalb an Sonn- und Feiertagen öftere Revisionen statt, die ungefähr 48 Strafanzeigen zur Folge hatten.

Auf Grund der kreisamtlichen Bekanntmachung vom 18. September 1905, betr. *die Bierzufuhr an Sonn- und Festtagen*, mußten im abgelaufenen Jahre ungefähr 18 Strafanzeigen erhoben werden, die zum Teil hohe Geldstrafen nach sich zogen.

13. Gesindewesen.

Im Dienstbotenregister erfolgten 4 292 neue Einträge, Stellenwechsel wurde bei 4 397 Dienstboten registriert und 913 neue Dienstbücher wurden ausgefertigt.

14. Aufsicht über die Pflegekinder.

216 Kinder unter 6 Jahren wurden in Pflege gegeben und über sie ebensoviele Fragebogen beantwortet und die ordentliche Beschaffenheit der Pflegestätten durch zeitweilige Revisionen überwacht.

15. Kranken-, Armen- und Unterstützungswesen.

Zur städtischen Krankenkasse haben sich 4 292 Dienstboten angemeldet.

Zum Zwecke der Aufnahme in die Irrenanstalten fanden bei 18 Personen Verhandlungen statt.

Die Berichte in Unterstützungsangelegenheiten (§ 63 des Unterstützungswohnsitzgesetzes), worin auch die bezüglichen lokalen Anfragen des Armenamtes inbegriffen sind, sowie die sonstigen behördlichen Anfragen über Familien-, Einkommens- und Vermögensverhältnisse beliefen sich auf ungefähr 3 500.

Gesuche um Erteilung des Armenrechts wurden etwa 500—600 eingereicht und begutachtet.

16. Paßwesen.

Reisepässe wurden 252 und Paßkarten 139 ausgefertigt.

17. Fundbureau.

Als verloren wurden in dem abgelaufenen Jahre 1 600 Gegenstände bei dem Fundbureau angezeigt. Demgegenüber gelangten 624 Gegenstände als gefunden zur Anmeldung, wovon 280 von den Eigentümern reklamiert und an diese ausgehändigt worden sind.

344 Gegenstände wurden von den Verlierern nicht reklamiert. Diese Gegenstände wurden entweder an die Finder zurückgegeben oder, falls dieselben zugunsten der Stadt auf den Erwerb des Fundstückes verzichteten, öffentlich an den Meistbietenden versteigert. Der Erlös wird an das hiesige Armenamt abgeliefert.

Der Wert der einzelnen Fundstücke bewegte sich zwischen 1 und 400 ℳ.

XI. Wohnungsinspektion.

1. Allgemeines.

Die Erkenntnis der gesundheitlichen und sittlichen Bedeutung der Wohnungsverhältnisse gab Veranlassung, auf Mittel und Wege zu sinnen, durch welche eine Besserung des Wohnungswesens der minder begüterten Volksklassen auf Grund des für das Großherzogtum Hessen erlassenen Gesetzes vom 1. Juli 1893, die Beaufsichtigung der Mietwohnungen und Schlafstellen betreffend, zu zeitigen sei. In allen zu diesem Zwecke veranstalteten Besprechungen, zu denen erfahrene Fachleute herangezogen worden waren, wurde zum Ausdruck gebracht, daß die jetzige Organisation in der Beaufsichtigung der Mietwohnungen ꝛc. vollständig unzulänglich erscheine, und daß die Verbesserung der Wohnungsverhältnisse mehr wie seither praktisch in Angriff genommen werden müsse. Es wurde daher eine Vorlage zur wirksameren Durchführung und Handhabung der Wohnungsaufsicht ausgearbeitet und der Stadtverordneten-Versammlung in der Sitzung vom 29. März 1905 nach vorheriger eingehender Prüfung durch die Deputation für sozialpolitische Angelegenheiten und nach Befürwortung durch den Finanzausschuß unterbreitet.

Die Stadtverordneten-Versammlung hat in Anerkennung der Notwendigkeit einer gründlicheren Beaufsichtigung der unter das Gesetz fallenden Mietwohnungen und Schlafstellen die Vorlage gutgeheißen und die Bildung einer „Kommission für Wohnungspflege“ sowie die Errichtung eines dieser Kommission zu unterstellenden Wohnungsamtes beschlossen. Nachdem die Kommission, die aus dem Oberbürgermeister als Vorsitzenden, vier Mitgliedern der Stadtverordneten-Versammlung, dem Kreisarzt, dem Vorstand des Polizeiamtes, dem Vorstand der Gewerbeinspektion und aus einem Mitglied der Bürgerschaft besteht, gewählt worden war, konnte die Organisation der Wohnungspflege als beendet angesehen werden.

Noch im Laufe des gleichen Jahres wurde die Wahl des Wohnungsinspektors vorgenommen, dem sein Amt vorläufig auf ein Jahr probeweise übertragen wurde. Er hat dieses Amt am 1. Januar 1906 angetreten. Von der Annahme eines Schreibgehilfen wurde vorerst abgesehen, weil erst die notwendigsten Einrichtungen ꝛc. für das Amt getroffen werden mußten. Sie erfolgte am 1. Juli 1906. Die Diensträume im Stadthause mußten wegen der Vermehrung des Personals anderer Ämter dortselbst geräumt und am 27. Juli 1906 nach den gemieteten Räumen im 2. Stock des Hauses Stadthausstraße Nr. 23/25 verlegt werden. Mit der allgemeinen straßenweisen Revision aller Mietwohnungen und Schlafstellen, besonders aber derjenigen, die unter das Wohnungsaufsichtsgesetz vom 1. Juli 1893 fallen, konnte bereits Mitte März dieses Jahres begonnen werden. Da mit der Besichtigung gleichzeitig auch die Aufnahme aller Wohnungen zur Aufstellung eines Wohnungskatasters verbunden ist, so mußte jedes einzelne Haus ohne Ausnahme betreten werden, was außerdem auch noch durch die Besichtigung der Dienstbotenschlafräume bedingt war.

Im Berichtsjahre wurde die allgemeine Besichtigung der Mietwohnungen ꝛc. hauptsächlich in den Häusern des 2. Polizeibezirkes vorgenommen, woselbst sich eine recht große Zahl von Mißständen vorgefunden hat, deren Beseitigung sich im allgemeinen seitens der Hausbesitzer keine allzu großen Schwierigkeiten in den Weg stellten. Für die soziale Bedeutung der Wohnungsverbesserung zeigte zuerst nur ein Teil der Hausbesitzer Verständnis, eine stetige Belehrung aber führte zur Erkenntnis, daß die Reformen nicht allein im Interesse der minderbemittelten Bevölkerungskreise selbst liegen, sondern daß sie auch den allgemeinen gesundheitlichen, wirtschaftlichen und sittlichen Fortschritt fördern.

Es soll nicht unerwähnt bleiben, daß bei der Wohnungsuntersuchung mit aller Vorsicht und Mäßigung vorzugehen war, da das Wohnungsaufsichtsgesetz vielen als Neuheit vorkam, und da es von einschneidender Wirkung auf die bestehenden Verhältnisse und Interessen sein konnte.

Um allen Kreisen der Bevölkerung Kenntnis von den einzelnen Bestimmungen des Wohnungsaufsichtsgesetzes zu geben und sie zur Mitarbeit bei der Ausführung des Gesetzes anzuspornen, war es notwendig, gleich bei Beginn der Tätigkeit des Wohnungsinspektors, wie auch in weiteren Zeitabschnitten, besonders am Schlusse eines jeden Vierteljahres, die Bestimmungen des Gesetzes in allen Mainzer Zeitungen zu veröffentlichen. Dadurch wurde erreicht, daß die durch die Vermieter zu erstattenden Anzeigen beim Vermieten der Kleinwohnungen und Schlafstellen rc. zum großen Teil regelmäßig vorgelegt wurden. Auch wurden viele Vermieter dadurch vor den Unannehmlichkeiten und Kosten einer Bestrafung geschützt. Eine Rücksprache mit der Geschäftsleitung des Schutzverbandes Mainzer Hauseigentümer in dieser Angelegenheit hatte den erwünschten Erfolg, daß der Vorstand beschloß, ein besonderes Zirkular, in dem die wichtigsten Bestimmungen des Wohnungsaufsichtsgesetzes enthalten sind, an alle Mitglieder des Verbandes zu verteilen.

Daß der Wohnungsinspektor bei seinen Untersuchungen auch manches bittere Wort zu hören bekam, besonders wenn es sich um Abstellung von Mißständen handelte, die eine Gefahr für die Gesundheit der Bewohner zur Folge haben konnten oder deren Beseitigung aus feuerpolizeilichen Gründen gefordert werden mußte, war vorauszusehen, aber trotzdem kann an dieser Stelle gesagt werden, daß die Leute sich einer freundlichen Belehrung immer zugänglicher zeigen und daß die erteilten mündlichen und schriftlichen Ratschläge zur Besserung der Wohnungsverhältnisse nach den gesetzlichen Bestimmungen stets oder fast immer ohne Anwendung von Zwangsmaßregeln befolgt worden sind.

Oft war die Unterlassung notwendiger Reparaturen und Abänderungen auf Unkenntnis des Besitzers oder auf übertriebene Vorstellung von den Kosten zurückzuführen. Da mußte der Wohnungsinspektor Berater sein, er mußte die in Betracht kommenden gesetzlichen Bestimmungen erörtern, Mißstände sofort ausfindig machen und die bautechnischen Mittel und Wege zur Abstellung der Mißstände angeben.

2. Tätigkeit des Wohnungsamtes.

Die Kommission für Wohnungspflege hat im Berichtsjahr (Kalenderjahr 1906) 5 Sitzungen abgehalten, in denen nach Ausweis der geführten Protokolle 44 Sachen, unter anderem eine Dienstanweisung für den Wohnungsinspektor und eine Polizeiverordnung zu Artikel 2 und 3 des Wohnungsaufsichtsgesetzes vom 1. Juli 1893 bearbeitet und 40 Beschlüsse gefaßt worden sind. In einem Falle wurde der Wohnungsinspektor beauftragt, die Angelegenheit durch nochmalige mündliche Verhandlung mit dem Vermieter und dem Mieter zu regeln; in einem zweiten Falle beschloß die Kommission, wegen der großen Zahl von Mißständen, insbesondere wegen Feuersgefahr, eine Ortsbesichtigung vorzunehmen.

Im Berichtsjahre weist das geführte Register insgesamt 746 Sachen auf, die größtenteils eine eingehendere Bearbeitung durch örtliche Besichtigungen und Erstattung von Berichten gefunden haben.

Schriftliche Aufforderungen wegen Unterlassung der gesetzlich vorgeschriebenen Anzeigen bei der Vermietung von Wohnungen und Schlafstellen wurden insgesamt 440 erlassen. In allen Fällen wurde der Aufforderung Folge gegeben, nur in einem Falle zeigte sich der Vermieter fortdauernd widersetzlich, so daß Strafanzeige erhoben werden mußte. Die Ermittelungen über die nicht angezeigten Wohnungen wurden durch den Wohnungsinspektor mit Unterstützung des Polizeiamtes geführt und raubten mitunter viele Zeit; denn auf die rechtzeitige und vollständige Erstattung der Anzeigen mußte großer Wert gelegt werden.

Das Rechtsmittel der Beschwerde gegen Verfügungen der Bürgermeisterei wurde in 4 Fällen beim Kreisausschuß eingelegt. In zwei Fällen wurde die Beschwerde als unbegründet verworfen, während in einem Falle die vorgeschriebene Beschwerdefrist verstrichen war und der andere Fall sich noch in der Schwebe befindet. Der vorletzt genannte Fall fand durch die schriftliche Erklärung des Beschwerdeführers beim Kreisausschuß noch nachträglich im Sinne der Verfügung der Bürgermeisterei seine Erledigung.

In einem Fall wurde festgestellt, daß ein Hausbesitzer Teile einer Kellerwohnung, deren Weiterbenutzung zum Wohnen oder Schlafen für dauernd untersagt war, wieder vermietet hatte, ohne die vorgeschriebene Anzeige zu machen. Da der Besitzer auf Anordnung des Wohnungsinspektors die Räumung der betreffenden gesundheitsschädlichen Räume sofort veranlaßte, konnte von einer Bestrafung Abstand genommen werden.

Über die insgesamt beim Wohnungsamt eingegangenen Beschwerden über wohnungspolizeiliche Angelegenheiten gibt die nachstehende Tabelle ein Bild:

Wohnungspolizeiliche Angelegenheiten wurden anhängig						
durch Anzeigen von Privatpersonen			durch den Wohnungsinspektor		durch Verdacht der Überfüllung	durch Mitteilung von anderen städtischen Ämtern
schriftlich	mündlich	anonym	infolge Wohnungswechsel	infolge der allgemeinen Revision		
98	40	16	127	200	26	31

Die folgenden Tabellen zeigen, welcher Art die gemeldeten bezw. selbst vorgefundenen Mißstände gewesen sind, die Art der Bearbeitung und Erledigung, sowie die Art der Beseitigung derselben:

Die vorgefundenen Mißstände bestanden hauptsächlich in																	
								Feuchtigkeit			schadhaften						
											in Gebäuden		in Wohnungen				
Luftverderbnis	Verunreinigung und Unsauberkeit	Ungeziefer	Überfüllung	mangelhaften Abort- und Entwässerungs-Anlagen	Mangel an Licht und Luft	ungesetzlichen Schlafstellen	Wohnungen im 6. Geschoß	infolge baulicher Mängel	infolge unzweckmäßiger Benutzung der Räume	baulich schlecht gehaltenen Wohnungen	Dächern	Treppen	Feuerungs-Anlagen	Fußböden	Fenster und Türen	feuergefährlichen Zugängen zu Dach-Wohnungen
31	35	22	77	104	33	74	13	41	21	242	23	40	214	65	25	100
Zusammen 1160 Fälle.																	

Erledigt wurden die Fälle durch							Die Beseitigung der Mißstände erfolgte durch										am Schluß des Berichtsjahres waren noch unerledigt
Leerstellung der							Verbot von										
Wohnungen	Schlafstellen	Verfügung der Bürgermeisterei	Aufforderung durch das Wohnungsamt	mündl. Verhandlung auf dem Wohnungsamt	sonstige Maßnahmen	als unbegründet erachtet	Wohnungen	Teile von Wohnungen	Schlafstellen	Schlafräume der Dienstboten rc.	Vornahme baulicher Reparaturen und Verbesserungen	Vornahme zweckentsprechender Reinigung	Einschränkung der Zahl der Benützer einzelner Räume bezw. Betten	veränderten Belag aus sittlichen Gründen	Beseitigung der Gegenstände, durch welche die Mißstände hervorgerufen	
99	47	46	219	157	16	30	15	3	2	4	573	17	20	11	18	315

Daß eine verhältnismäßig große Zahl von Beschwerden und Mißständen am Schluß des Berichtsjahres noch nicht erledigt bezw. beseitigt war, erklärt sich einmal daraus, daß sich für den Anfang kein allzuscharfes Vorgehen empfahl, dann aber auch aus dem Umstande, daß die vorgebrachten Beschwerden und sonstigen wohnungspolizeilichen Angelegenheiten rc. gewisse Vorarbeiten und eingehende Besichtigungen und zum Teil Beschlußfassung durch die Kommission für Wohnungspflege erforderten. Auch ließ sich in manchen Fällen mit Rücksicht auf ungünstige Witterungs- oder Mietverhältnisse und wegen Mittellosigkeit der Hauseigentümer eine raschere Erledigung nicht erreichen.

Die nach der vorletzten Tabelle gemachten Beanstandungen konnten meistens durch Verbesserungen baulicher Art erledigt werden, in einigen Fällen mußte die Räumung der Wohnungen erfolgen, in anderen Fällen wieder mußten teils längere teils kürzere Fristen zur Beseitigung der Mißstände bewilligt werden. Die größte Zahl der angeführten Beschwerden fallen in die Monate der kalten Jahreszeit und beziehen sich meistens auf das Vorhandensein von Feuchtigkeit, Schimmelbildung usw. Über den letzteren Mißstand (Schimmelbildung), der sich in neu hergestellten und erstmalig bezogenen Wohnungen häufig bemerkbar machte, wurden viele Klagen geführt, deren Erledigung sehr zeitraubend war. In den meisten Fällen war diese Erscheinung auf das allzufrühe Tapezieren noch ungenügend ausgetrockneter Wände zurückzuführen und konnte nur durch kräftiges Heizen und Lüften beseitigt werden. Die Ursachen des Feuchtwerdens lagen aber auch sehr oft in der schlechten Ventilation besonders in Verbindung mit den häuslichen Verrichtungen des Kochens und Waschens (Wäschetrocknens) in den zu Wohnzwecken benutzten Räumen.

Die Beseitigung der Mißstände stieß bei den Hausbesitzern, wie auch bei den Mietern im allgemeinen nicht auf nennenswerte Schwierigkeiten. Es bedurfte in den meisten Fällen nur einer Aufforderung durch den Wohnungsinspektor, manchmal mußte dieselbe wiederholt werden. Zwangsmittel wurden nirgends angewendet; in Fällen, in denen die Anwendung solcher Mittel unumgänglich schien, ist es dem Wohnungsinspektor immer wieder gelungen, die Mißstände durch Veranlassung zur Räumung der Wohnung oder zur zweckentsprechenden baulichen Herrichtung der Räume zu beheben. Ziemlich groß ist die Zahl der Beanstandungen an den Abortanlagen in der Altstadt, besonders in den im Berichtsjahre revidierten Wohnungen in den Gebäuden des 2. Polizeibezirks. Die Verbesserung der Abortanlagen hat in vielen

Fällen vorerst hauptsächlich darin bestanden, daß die vorhandenen Aborte mit Dunstabzügen bis über das Dach versehen worden sind. Es muß deshalb hier darauf hingewiesen werden, daß bezüglich der Aborte in den Altstadtbezirken noch sehr viele Maßnahmen zur Verbesserung in gesundheitlicher, wie auch in sittlicher Hinsicht zu treffen sind. Ein Hauptmißstand ist, daß viele Aborte von einer zu großen Anzahl von Familien bezw. Personen benutzt werden, weshalb gefordert werden muß, daß die genügende Zahl neuer Aborte angelegt wird. Nachstehende Übersicht gibt ein Bild über die Benutzungsweise der Aborte, besonders der im Berichtsjahre besichtigten Wohnungen bezw. Gebäude. Es sind nur diejenigen Fälle angeführt, wo drei und mehr Familien auf die Benutzung eines Abortes angewiesen sind.

Anzahl der Familien, die auf die Benutzung je eines Abortes angewiesen sind:	3	4	5	6	7	8	9	11	12	14
Anzahl der betr. Wohngebäude, die im Berichtsjahre untersucht wurden:	382	170	90	43	14	4	2	2	1	1

In vielen der angeführten Fälle läßt sich vorerst eine Verbesserung der Aborte nicht durchführen, insbesondere wegen der Lage derselben (unterhalb der Treppe) und wegen der ganzen Bauart der Gebäude (kein Hof ꝛc.) Den Verbesserungen stehen große Schwierigkeiten und hohe Herstellungskosten hinderlich im Wege. Dieser Frage kann wohl erst näher getreten werden, wenn die Einführung der Fäkalien in die Kanäle gestattet ist und die Aufstellung von Klosetts mit Wasserspülung gefordert werden kann.

Bezüglich der Dachgeschoßwohnungen ist zu sagen, daß die Zugänge zu denselben manchmal von sehr bedenklicher Art waren. Es mußte daher wegen Feuergefährlichkeit ein Verputz der Decken und Dachteile über dem Treppenhaus und der Ausbau des Ganges zwischen den Wohnungen und dem Treppenhaus gefordert werden. Gleiche Maßnahmen mußten auch da getroffen werden, wo Wohnungen in unmittelbarer Nähe von Stallungen, Heu- und Strohspeichern usw. sich befanden, oder in direkter Verbindung mit diesen Räumen lagen, falls nicht auf dauerndes Verbot zum Weitervermieten der Wohnräume erkannt werden mußte.

Die Zahl der durch polizeiliche Verfügung erlassenen Verbote, durch welche die weitere Benutzung von Wohnungen, Schlafstellen und Schlafräumen für das Dienstpersonal für dauernd untersagt wurde, die teils durch Feuchtigkeit, teils wegen Mangel an Licht und Luft und durch mangelhafte Bauart der Räume ꝛc. begründet waren, betrugen:

1. Wohnungen von einem Raume . . 7
2. „ „ zwei Räumen . . 4
3. „ „ drei Räumen . . 4
4. Teile von Wohnungen 3
5. Schlafstellen 2
6. Schlafräume für Dienstboten ꝛc. . 4

Außerdem wurde auf Grund der Polizeiverordnung vom 5. Januar 1903, das Bewohnen von Dachräumen im Stadtbezirk Mainz betreffend, noch eine Anzahl von Wohnungen und Schlafstellen unter Androhung von Strafe zum Weitervermieten untersagt und auch leergestellt.

Im Berichtsjahre wurden durch den Wohnungsinspektor im ganzen 6013 Besichtigungen vorgenommen. In dieser Zahl sind etwa 254 Nachbesichtigungen mit inbegriffen.

Die Zahl der der polizeilichen Kontrolle unterstehenden Mietwohnungen, Schlafstellen und Schlafräume für das Dienstpersonal betrug hierbei:

1. Wohnungen von einem Raum 344
2. „ „ zwei Räumen 1203
3. „ „ drei Räumen 2262
4. Schlafstellen 404
5. Schlafräume für Dienstboten ꝛc. 228

Es waren zu beanstanden: von den untersuchten Kleinwohnungen 527
„ „ „ Schlafstellen 65
„ „ „ Schlafräumen für das Dienstpersonal 29

Die Zahl der Bewohner in vorbenannten untersuchten Wohnungen, Schlafstellenräumen und Schlafräumen der Lehrlinge ꝛc. ergibt nachstehende Übersicht:

von 3 Räumen		von 2 Räumen		von 1 Raum		Schlafstellenräume		Schlafräume der Lehrlinge ꝛc.	
über 10 Jahre alt	unter 10 Jahren	über 10 Jahre alt	unter 10 Jahren	über 10 Jahre alt	unter 10 Jahren	Zahl derselben	Zahl der einlogierten Schläfer	Zahl derselben	Zahl der einlogierten Personen
5 692	2 649	2 335	1 007	447	79	404	556	228	273

Nnch Ausweis der geführten Register wuede bezüglich des Luftraumes bei 1994 Wohnungen das folgende festgestellt:

Es kam auf eine Person über 10 Jahren bezw. zwei Personen unter 10 Jahren
ein Luftraum bis zu 10 cbm in 77 Wohnungen
„ „ über 10 „ „ 15 „ „ 320 „
„ „ „ 15 „ „ 20 „ „ 413 „
„ „ von über 20 „ „ 1184 „

Bezüglich der Wohndichtigkeit in den untersuchten und in die Register eingetragenen Kleinwohnungen ist nachstehendes anzuführen:

Es wohnten

a) in Wohnungen, die nur aus einem Nnnen bestanden:
in 216 Wohnungen 2 Personen und weniger
„ 62 „ je 3 „
„ 24 „ „ 4 „
„ 22 „ „ 5 „
„ 4 „ „ 6 „
„ 3 „ „ 7 „

b) in Wohnungen von 2 Räumen einschl. etwaiger Wohnküchen:
in 797 Wohnungen 3 Personen und weniger
„ 305 „ je 4 „
„ 186 „ „ 5 „
„ 91 „ „ 6 „
„ 49 „ „ 7 „
„ 20 „ „ 8 „
„ 10 „ „ 9 „
„ 4 „ „ 10 „
„ 1 „ „ 11 „

c) in Wohnungen mit 3 Räumen (sonst wie vorher):
in 132 Wohnungen 5 Personen und weniger
„ 30 „ je 6 „
„ 20 „ „ 7 „
„ 11 „ „ 8 „
„ 4 „ „ 9 „
„ 3 „ „ 10 „

Die Besichtigungen konnten meistens nur in den Vormittagsstunden vorgenommen werden. Die Dienststunden an den vier Nachmittagen der Woche, an denen der Wohnungsinspektor keine Sprechstunden abzuhalten hatte, genügten kaum zur Bewältigung der sehr umfangreichen Schreibarbeiten und mündlichen Verhandlungen mit Mietern und Vermietern. Auch war die Besichtigung der angezeigten Wohnungen und Schlafstellen, die sich auf alle Straßen des ganzen Stadtbezirkes verteilten, mitunter sehr zeitraubend. Ein großer Teil mußte wiederholt aufgesucht werden, wenn die Bewohner nicht anwesend und die Wohnungen nicht zugänglich waren. Aus letzterem Grunde konnte eine bestimmte Zahl von Wohnungen überhaupt nicht oder nur außerhalb der gesetzlich vorgeschriebenen Zeit besichtigt werden.

An Anzeigen auf Grund der Art. 4, 5 und 6 des Gesetzes vom 1. Juli 1893 wurden im Berichtsjahre bei der Wohnungsinspektion eingereicht:

a) für Mietwohnungen 2 030
b) für Schlafstellen 205

Zieht man hierbei in Betracht, daß eine bestimmte Zahl von Anzeigen aus Gesetzes-Unkenntnis der Vermieter unterblieben ist, so muß man die Schlußfolgerung ziehen, daß der Wechsel in den Kleinwohnungen heutzutage in großem Umfange vor sich geht und die Kosten und sonstigen Unannehmlichkeiten, die beim Umzug erwachsen, in den seltensten Fällen gefürchtet werden.

In die vorgeschriebenen Register wurden auf Grund der eingegangenen Anzeigen und besonderen Ermittelungen Eintragungen gemacht:

Wohnungen insgesamt 1 994
Schlafstellenräume 234
Schlafräume für Dienstpersonal 14

Die Durchschnittsmietpreise für Kleinwohnungen betrogen für das Quartal:

Zahl der Räume einschl. Küche	1	2	3
	ℳ	ℳ	ℳ
a) in alten Häusern der Altstadt und im Ortsinnern	30,15	44,29	60,82
b) in den neuen Stadtteilen	27,70	51,87	74,70
c) für Dachwohnungen in der Altstadt . . .	24,07	38,40	51,06
d) für Dachwohnungen in neuen Stadtteilen .	26,00	45,77	61,09

Die Zahl der im Berichtsjahre neu hergestellten und bezugsfertigen Wohnungen betrug in 89 Häusern nach den geführten Registern:

Wohnungen mit Räumen einschl. der Küche	1	2	3	4	5	6	7	8	9
Zugang im Jahre 1906	—	20	357	213	89	22	18	2	—
Abgang im Jahre 1906 durch Abbruch und Vergrößerungen von Wohnungen sowie durch Wohnungsverbote ꝛc.	7	19	44	28	8	5	1	—	—
Mithin Mehr- Zugang	—	1	313	185	81	17	17	2	—
Mithin Mehr- Abgang	7	—	—	—	—	—	—	—	—

Im Bau begriffen sind noch etwa 46 Wohngebäude mit zusammen 282 Wohnungen, wobei 132 Wohnungen die unter das Gesetz fallen.

Im Laufe des Jahres sind folgende ältere Häuser niedergelegt und an deren Stelle zum Teil neue Wohngebäude errichtet worden: Raupelsweg Nr. 6, Fabrikweg (Lederwerke), Graben Nr. 2, Bahnhofstraße (Lederwerke), Kurzer Hunikel Nr. 12, Kapuzinerstraße (Hinterbau) Nr. 33, Stadthausstraße Nr. 29, Stadthausstraße Nr. 27, Schusterstraße Nr. 55,

Stadionerhofstraße Nr. 2, hintere Synagogenstraße Nr. 15/17, Zanggasse Nr. 22, kurzer Hunikel Nr. $14\frac{1}{10}$, hintere Flachsmarktstraße Nr. 4, Rochusstraße Nr. 12, Hauptweg Nr. $35\frac{5}{10}$, Forsterstraße Nr. 21, hintere Bleiche Nr. 32, mittlere Bleiche Nr. 6, Kästrich Nr. 65, am blauen Stein Nr. 10, Rochusstraße Nr. 10.

Ein Mißstand, der im Laufe des Berichtsjahres verschiedentlich in neueren Wohngebäuden des Neustadtbezirks beobachtet wurde, ist das Vermieten einer für e i n e Familie errichteten Wohnung an m e h r e r e Familien. Wenn die Errichtung von Kleinwohnungen auch im allgemeinen nur begrüßt werden kann, so kann andererseits dieser Segen zur Plage werden, wenn nicht eine völlige Trennung der entstandenen kleinen Wohnungen in baulicher Hinsicht stattfindet, sodaß der Zugang zur Wohnung, die Küche, der Abtritt, die Wasserzapfstellen und die Brauchwasserausgüsse gemeinsam bleiben. Diese Zustände führen zur Überfüllung, Verschmutzung, Übertragung ansteckender Krankheiten, zu Unfrieden und sittlichen Unzuträglichkeiten. Auch wird die Feuersgefahr gesteigert, weil die Zahl der an einer Treppe wohnenden Personen unverhältnismäßig groß wird. Auf einen Fall in einem Haus in der Neustadt sei besonders hingewiesen. Die ursprünglichen fünf 3-Zimmerwohnungen des im Jahre 1902 erbauten Hauses waren bei der Besichtigung im Laufe dieses Jahres an nicht weniger als elf Familien vermietet; bauliche Veränderungen zur Vermehrung der Aborte waren nicht vorgenommen worden. Obgleich die Mieteinnahme hierdurch ganz bedeutend höher geworden war und von den Mietern trotz der Unbequemlichkeit und Unbehaglichkeit aufgebracht wurde, ergab sich ein viel größeres Risiko bezüglich des Mietausfalles und ein Anwachsen der Kosten für die bauliche Unterhaltung, zudem auch eine schnellere Abnutzung des Gebäudes.

Wohnungskataster wurden bis jetzt für insgesamt 65 Straßen angelegt, die teils vollständig abgeschlossen, zum Teil wegen Fehlens der Unterlagen und Mangel an Zeit zum Eintragen des gewonnenen Materials noch nachträglich fertiggestellt werden.

Zu den Sprechstunden, die für die Montag- und Donnerstag-Nachmittage angesetzt sind, haben sich im ganzen etwa 550 Personen eingefunden, um Rat und Auskünfte in wohnungspolizeilichen Angelegenheiten zu erhalten; auch konnten in den Sprechstunden durch die Vermittlung des Wohnungsinspektors viele Streitigkeiten zwischen Vermieter und Mieter geschlichtet werden.

XII. Baupolizei.

Für bauliche Anlagen und Veränderungen wurden Baubescheide erteilt:

	1906	1905
a) In der Altstadt.		
1. Größere Neubauten	13	24
2. Um- und Aufbauten und kleinere Neubauten	122	63
3. Sonstige bauliche Veränderungen	99	114
b) In der Neustadt und auf dem Gebiet der Ufererweiterung (altes Bahnhofsterrain und Stromkorrektionsgelände).		
1. Größere Neubauten	60	82
2. Provisorische Bauten und kleinere Bauausführungen	209	205
c) Im Festungsrayon.		
Bauliche Anlagen in Zahlbach und im übrigen Festungsrayon	19	31
d) Im Industriegebiet.		
Bauliche Anlagen im Industriegebiet (Ingelheimer Au)	17	16

Bei den 355 (357) vorgenommenen Besichtigungen wurden 1 145 (1 392) Feuerungsanlagen geprüft.

Die städtischen Feuervisitatoren haben in 22 (21) Protokollen die verschiedensten Mißstände bei den Feuerungsanlagen von 203 (179) Hofreiten festgestellt.

Auf Grund der Gebührenordnung für baupolizeiliche Verrichtungen bei der Ausführung von Neubauten vom 4. Dezember 1905 sind für Verrichtungen des Baupolizeiamts 4035 ℳ 50 ₰ erhoben worden.

XIII. Hochbauwesen.

Das Beamtenpersonal des unter Leitung des Hochbauinspektors stehenden Hochbauamts bestand im abgelaufenen Berichtsjahr aus 28 Personen. Es waren tätig:

a) bei der Neubauabteilung:

6 Architekten, 3 Bauzeichner, 1 Bauführer, 3 Bautechniker, 4 Bauaufseher, 1 techn. Bureaugehilfe;

b) bei der Abteilung für Gebäudeunterhaltung:

1 Architekt, 3 Bauaufseher, 1 Bauzeichner;

c) bei der Buchhaltung und dem Sekretariat:

1 Buchhalter nud Sekretär, 1 Bauschreiber, 1 Bureaugehilfe, 1 Schreibgehilfe, 1 Bureaudiener.

Hiervon sind 17 angestellte Beamte und 11 Hilfsarbeiter.

Außerdem wurden beschäftigt: 1 Polier, 9 Steinhauer, 3 Maurer 1 Tüncher, 2 Taglöhner.

Nach Ausweis der Geschäftsregister wurden 6402 Einläufe gegen 4358 im Vorjahre bearbeitet, wobei die wiederholt eingelaufenen und bearbeiteten Aktenstücke nur unter einer Nummer erscheinen.

Nach den vorbereitenden Arbeiten zur Einleitung von 73 (59) Submissionsverhandlungen wurden auf Graud von 113 (127) abgeschlossenen Verträgen und 3961 (3729) Bestellzetteln 5258 (3117) Rechnungen erledigt.

Der Voranschlag des Hochbauamts belief sich im abgelaufenen Berichtsjahre einschließlich der aus dem Vorjahre übertragenen Summen auf 1 828 357,78 ℳ (1 955 000 ℳ), wovon auf die Unterhaltung der Gebäude 176 977,78 ℳ (184 000 ℳ) entfallen.

Außer der Durchführung einer vollständigen Umgestaltung der Registratur nach dem bei der Allgemeinen Verwalrung eingeführten System und Neuregistrierung der 638 Bücher umfassenden Bibliothek wurde im Berichtsjahr eine Plankammer angelegt, in deren Register heute in 10 Abteilungen 7902 Pläne verzeichnet siad.

A. Neubauten.

1. Neubau der Höheren Mädchenschule nebst Direktorwohnhaus.

Auch im abgelaufenen Jahr wurden die Arbeiten tüchtig gefördert, sodaß sowohl das Schulhaus, als auch das Wohnhaus für den Direktor im Rohbau vollendet sind und bereits mit den Arbeiten des inneren Ausbaues begonnen werden konnte.

Im Laufe des Berichtsjahres gelangten noch die nachstehenden Arbeiten zur Vergebung: die massiven Steintreppen, die Blitzableiteranlage, die Steinbildhauerarbeiten, die Dachdeckerarbeiten, Spenglerarbeiten, Entwässerung, Boden- und Wandplattenlieferung, Linoleumlieferung, Korksteinwände, Glaserarbeiten, Installationsarbeiten, Heizungsanlage, Schreinerarbeiten, Abortanlage und Tüncherarbeiten.

Da z. Z. der Aufstellung des Kostenanschlags für den Neubau eine Entscheidung darüber, od und inwieweit eine Beleuchtung in das Schulhaus eingeführt, sawie ob Gas- oder elektrisches Licht angewendet werden soll, noch nicht getroffen war, konnte für die Beleuchtungsanlage ein Betrog nicht eingesetzt werden.

Eine eingehende Prüfung der Frage, in welchem Umfange in der Höheren Mädchenschule eine Beleuchtung erforderlich wird, oder ob sich die Verteilung des Unterrichts derart ermöglichen läßt, daß eine künstliche Beleuchtung der Klassenzimmer vielleicht ganz entbehrt werden könnte, führte zu dem Resultat, daß in einer Reihe neuer ähnlicher Schulbauten in den Klassenzimmern entweder keinerlei Beleuchtung oder nur in einer kleinen Anzahl von Klassen ausgeführt ist.

Auf Grund dieser Erwägnngen beschloß die Stadtverordneten-Versammlung in ihrer Sitzung vom 1. Febeme 1907, außer in den Nebenräumen, wie Direktorzimmer, Lehrerzimmer, Konferenzzimmer, Bibliothek rc., in den Korridoren, dem Turn- und Singsaal und in 10 Klassen künstliche Beleuchtung einzuführen und hierfür elektrisches Licht zu wählen. Freuer wurde beschlossen, in allen übrigen Klassenzimmern Abzweigdosen einzubauen, um erforderlichenfalls später die Beleuchtung anschließen zu können.

Für die Ausführung der Beleuchtungsanlage wuede ein Kredit von 15 000 ℳ bewilligt.

Weiterhin waren in dem genehmigten Kostenanschlag für den Neubau die Kosten für Mobiliar und Lehrmittel- nicht enthalten. Seitens des Hochbauamts wurde nach Benehmen mit dem Direktorium der Schule eine Zusammen stellung der erforderlichen Lehrmittel und Mobiliargegenstände gefertigt und der Bürgermeisterei unterbreitet. Im Laufe der nachfolgenden Verhandlungen und Beratungen im Kuratorium der Schule und im Bauausschuß wurden, unter Berücksichtigung der aus dem alten Schulgebäude mit zu übernehmenden, noch brauchbaren Mobilien und noch eingehenden Prüfungen der vorgelegten Kostenanschläge durch eine besondere Kommission, die Kosten auf zusammen 82 376 ℳ festgesetzt, welcher Betrag durch Beschluß der Stadtverordneten-Versammlung vom 10. April 1907 genehmigt wurde. Der gesamte bewilligte Kredit für den Schulhausneubau beträgt somit 674 000 + 15 000 + 82 376 = 771 376 ℳ.

2. Renovierung der Kirche des ehemaligen Reich-Klara-Klosters und Umbau derselben zu einem Naturhistorischen Museum.

Die Renovierungsarbeiten konnten trotz der bei dem Alter des Bauwerks und der Beschaffenheit des Mauerwerks sich ergebenden Schwierigkeiten unter Beobachtung der äußersten Vorsichtsmaßregeln derart gefördert werden, daß heute die Erhaltung dieses altehrwürdigen Gebäudes gesichert erscheint und die Durchführung der Renovierungsarbeiten nach dieser Richtung insofern als gelungen bezeichnet werden kann, als jede Gefahr für den absoluten Bestand des Gebäudes beseitigt ist.

Was die Ausführung des schwierigsten Teiles der Renovierung anlangt, so dürfte es von Interesse sein, auf die einzelnen Daten derselben hier näher einzugehen.

Ganz besondere Vorsicht war für die erforderlich gewordenen Fundierungsarbeiten, die Neuherstellung der Strebepfeiler, welche ein Unterfangen der Fundamentmauern in großem Umfange erforderte, sowie bei dem Beseitigen der Holzeinbauten und der Zwischendecken geboten.

Mit Rücksicht darauf, daß die Mittelsäulen im Erdgeschoß, welche die Hauptdeckenlast aufnehmen müssen, beibehalten bleiben sollen, war es erforderlich, deren Fundament bis auf den tragfähigen Boden, der erst bei ca. + 0,50 M. P. beginnt, hindurchzutreiben, da der Boden der Kirche, welcher durch Jahrhunderte sehr oft zu Begräbnissen benutzt wurde, vielfach Hohlräume zeigte und in seinen oberen Schichten durch die lockere Beschaffenheit zu Fundierungen vollständig ungeeignet ist. Welche Gefahr eine solch' tiefe Fundierung für den Bestand des alten Gebäudes bedeutet, möge daraus entnommen werden, daß der Fußboden der Kirche vor der Renovierung auf + 7,30 M. P. lag und die Fundamente der Umfassungsmauern nur bis auf + 2,45 hinuntergehen. Es erschien daher geboten, mit den Fundierungs- und Unterfangungsarbeiten an den Mittelsäulen, Strebepfeilern und Treppenhausmauern zu beginnen und diese Teile bis zum Erdgeschoß instand zu setzen, bis zur Herstellung dieser Arbeiten auf die genannte Höhe die vorhandene Gebälkverspannung zu belassen, alsdann erst die Betoneisendecken einzuspannen und hierdurch eine wirksame Horizontalverspannung herbeizuführen. Erst als diese Decke vorhanden war, konnten ohne weitere Gefahr die Arbeiten an den Fenstern usw. begonnen werden.

In gleicher Weise wurde auch in den oberen Geschossen verfahren: zuerst wurden die Mauern und Pfeiler wieder in richtigen Verband gebracht und dann erst erfolgte die Verankerung durch die Decken.

In dieser Reihenfolge wurden dann im abgelaufenen Jahr die einzelnen Arbeiten ausgeführt und konnten derart gefördert werden, daß diese zu Ende desselben soweit gediehen sind, um dem inneren Ausbau nähertreten zu können.

Für die Planfeststellung war es von Bedeutung, daß seitens der Rheinischen naturforschenden Gesellschaft der Wunsch geäußert wurde, es möge bei dem Umbau gleichzeitig ein Aufzug zum Transport der zum Teil großen und schweren Gegenstände nach allen Geschossen angeordnet werden.

Da bezüglich der Platzwahl für den Aufzug zu berücksichtigen war, daß derselbe in unmittelbarer Nähe der Arbeitsräume liegen sollte, konnte die Anordnung nur an der Hofseite und zwar an der Ecke des Westgiebels erfolgen.

Durch Beschluß der Stadtverordneten-Versammlung vom 9. Januar 1907 wuede sowohl die veränderte Ausführungsweise im Innern, als auch die Anordnung des Aufzugs genehmigt.

3. Ausbau des städtischen Gaswerks II. Errichtung einer Koksgasanstalt.

Die Fertigstellung des Gebäudes erfolgte ohne Schwierigkeit. Ende Juli 1906 konnte die Rohbauabnahme erfolgen und bereits am 15. Oktober der Betrieb aufgenommen werden.

Durch das Einbauen der zwei neuen Kessel für die Koksgasfabrik und den dort immer noch stattfindenden beanstandeten Betrieb der Ammoniakfabrik sind die Raumverhältnisse im alten Kesselhaus des Gaswerks II derartig beschränkt, daß seitens des Dampfkesselinspektors gelegentlich der am 26. März 1906 vorgenommenen Prüfung der neuen Kessel die alsbaldige Beseitigung der Ammoniakfabrik aus dem Kesselhaus gefordert worden ist.

Im Einvernehmen mit dem Gasamt wuede seitens des Hochbauamts ein Projekt ausgearbeitet, das die Verlegung der Ammoniakfabrik auf das Gebiet zwischen Kesselhaus und Pumpenhaus vorsieht.

Die zu 6000 ℳ veranschlagten Kosten sollen aus den Ersparnissen, die an dem Kredit für Erbauung der Koksgasanstalt erzielt wurden, bestritten werden.

Durch Beschluß der Deputation für die Verwaltung der Gas- und Elektrizitätswerke wurde das Projekt gutgeheißen; die Ausführung ist mittlerweile in die Wege geleitet.

4. Erbauung eines Schulhauses an der Colmarstraße.

Durch Beschluß der Stadtverordneten-Versammlung vom 1. Februar 1907 wurde das mit Bericht des Hochbauamts vom 3. Juli 1906 vorgelegte, definitive Projekt für Erbauung eines Schulhauses an der Colmarstraße genehmigt und der hierfür angeforderte Kredit von 672000 ℳ bewilligt.

Das Projekt ist auf Grund der bereits im vorjährigen Bericht erwähnten Skizze ausgearbeitet, mit welcher sich die Stadtverordneten-Versammlung bereits in ihrer Sitzung vom 14. März 1906 grundsätzlich einverstanden erklärt hatte.

Nach erfolgter Genehmigung des Projekts fand am 8. März die Vergebung der Maurerarbeiten statt und bereits am 14. März wurde mit der Ausführung derselben begonnen.

Die Arbeiten sind trotz der bei der tiefen Lage des Terrains — dasselbe lag ungefähr 5 m unter Straßenniveau — umständlichen Erstellung der in Beton auszuführenden Fundamentmauern derart gefördert worden, daß das Gebäude zu Ende des Berichtsjahres bis Sockeloberkante gediehen ist.

Im Laufe des Berichtsjahres gelangten noch zur Vergebung: die Isolierungsarbeiten, die Lieferung der Dübelsteine, die massiven Zwischendecken und die Heizungsanlage.

5. Errichtung zweier Unterstandshäuschen für Polizei-, Oktroi- und Straßenbahnbeamte am Hauptbahnhof.

Die mit Beschluß der Stadtverordneten-Versammlung vom 11. Juli 1906 auf Grund der vom Hochbauamt ausgearbeiteten Pläne genehmigten zwei Unterstandshäuschen für die Beamten der Polizei, der Straßenbahn und der Oktroiverwaltung gelangten zur Ausführung und konnten bereits mit Eintritt des Winters bezogen werden.

Die Häuschen sind in einfachster Weise in Holzfachwerk mit Backsteinausmauerung, die Felder verputzt ausgeführt, die Dächer mit Schiefer gedeckt.

Beide Häuschen enthalten je eine Oktroierhebestelle und außerdem das am Kaiser Wilhelm-Ring eine Polizeiwache, das an der Alicestraße einen Aufenthaltsraum für die Straßenbahnbeamten.

Die Kosten betrugen für beide Häuschen 9382 ℳ. 62 ₰.

6. Simon Kapp-Denkmal.

Der am 19. Juli 1903 dahier verstorbene Rentner Simon Kapp hat die Stadt Mainz zur Universalerbin eingesetzt und ihr u. a. die Auflage gemacht, ungefähr 2000 ℳ für Aufstellung eines Grabsteines für ihn zu verwenden. In Ausführung dieser Auflage wurde das Hochbauamt mit der Ausarbeitung eines entsprechenden Entwurfs beauftragt. Der vorgelegte Entwurf wurde durch Beschluß der Stadtverordneten-Versammlung vom 13. Dezember 1905 zur Ausführung gutgeheißen.

Das in strengen Formen gehaltene Grabmal wurde nach dem Entwurf des Hochbauamts in Muschelkalk ausgeführt. Die Kosten betrugen 1804 ℳ. 54 ₰.

7. Schaltstation im Zollhafen.

Einer Anregung der Firma Thomae, Castelhun & Koch vom 23. Februar 1905 zufolge wurde durch Beschluß der Stadtverordneten-Versammlung vom 30. Mai 1906 die Errichtung eines elektrisch betriebenen Portalkrans im Zollhafen gutgeheißen und das Hochbauamt mit der Ausführung des noch feinen Plänen genehmigten Transformatorenhäuschens beauftragt. Die Arbeiten wurden sofort in Angriff genommen und innerhalb 4 Wochen fertiggestellt. Das Gebäude ist massiv in Backsteinen beiderseits verputzt, die Fundamente sind in Beton ausgeführt und das Dach ist mit Schiefer gedeckt. Die Kosten haben rd. 1300 ℳ betragen.

8. Herstellung eines Schutzdaches als Unterstand an der Straßenbahnhaltestelle „Anlage".

Nach Beschluß der Stadtverordneten-Versammlung vom 4. April 1906 sollte an der Haltestelle „Anlage" der Straßenbahn nach den von dem Hochbauamt ausgearbeiteten Plänen ein Wartehäuschen errichtet werden. Da die Errichtung eines Häuschens gewissen Schwierigkeiten degegnete, indem bei Wahl drs einzig richtigen Standorts eine Beeinträchtigung nachbarlicher Interessen nicht vermieden werden lanute, wurde die Anbringung eines Schutzdaches unter der Eisenbahnbrücke als dem Zweck entsprechend erachtet und die Anbringung eines falchen in der Sitzung der Stadtverordneten-Versammlung vom 5. Dezember 1906 gutgeheißen. Die Ausführung wurde nach den Plänen des Hochbauamts von demselden mit einem Kostenaufwand von 453 ℳ 95 ₰ bewirkt.

B. Erweiterungsbauten.

Erweiterung des Stallgebäudes im Reinigungsamt.

Infolge Aufgabe des Gebiets auf der Ingelheimer Au als Müllabladeplatz und Bestimmung der vor dem Gautor gelegenen Hospizienäcker für diesen Zweck, ferner durch die Vergrößerung des Fuhrparks und Vermehrung des Pferdebestands des städtischen Reinigungsamtes wurde eine Erweiterung des Stallgebäudes um 16 Stände notwendig. Auf Grund der vom Hochbauamt ausgearbeiteten Pläne, welche die Erweiterung dem bestehenden Gebäude entsprechend vorsehen, wurde von der Stadtverordneten-Versammlung am 20. Februar 1907 die Ausführung der Erweiterung beschlossen und der erforderliche Kredit im Betrage von 19000 ℳ genehmigt. Die Arbeiten gelangten nach weiterer Bearbeitung der Pläne zur Vergebung; zu Ende des Berichtsjahres sind die Maurerarbeiten in Ausführung degriffen.

Einrichtung weiterer Klassen im Gebäude der Oberrealschule.

Die Direktion der Großh. Oberrealschule teilte untrem 27. September 1906 mit, daß für diese Anstalt im Hauptstaatsvoranschlag für 1907 die Errichtung zwtier weiterer Klassen vorgesehen sei. Durch diese Klassenvermehrung wurde die Einrichtung zweier Räume des Schulgebäudes zu Klassenzimmern erforderlich, da infolge der unvorhergesehenen Steigerung der Schülerzahl noch Bezug des Neubaues bereits alle Reservesäle in Anspruch genommen worden waren. Während ein Klassenzimmer durch Verlegung der Klasse der Handelsschule nach einem anderen Schullokale der Stadt gewonnen werden konnte, wuede das zweite Klassenzimmer gemäß Vorschlag des Hochbauamts durch entsprechende Herrichtung eines Nebenraumes der Aula bereitgestellt.

Weiterhin wurde noch vorgeschlagen, die Verlegung der mineralogischen Sammlung nach dem Flur vor der Chemischen Abteilung vorzunehmen und den Erkersaal für Sammlungszwecke herzurichten.

Ferner wurde von der Direktion der Schule beabsichtigt, den nach der Raimundistraße zu liegenden Teil der Wandelhalle im 1. Obergeschoß als Museum auszugestalten und hier die von ihr erwordene Statue der Athena Lemnia auf einem entsprechenden Sackel aufzustellen.

Mit Bericht des Hochbauamts vom 6. Oktober wurden diese Vorschläge der Bürgermeisterei unterdreitet mit dem Hinweis, daß die zu 2800 ℳ ermittelten Kosten aus den Ersparnissen des für den Neudou bewilligten Kredits bestritten werden könnten. Nachdem durch Beschluß der Stadtverordneten-Versammlung vom 16. Jauuar 1907 die erforderlichen baulichen und sonstigen Veränderungen noch den Vorschlägen des Hochbauamts gutgeheißen worden waren, konnte die Ausführung bewirkt werden.

Sämtliche Arbeiten sind zu Ende des Berichtsjahres fertiggestellt.

Erwerbung und anderweite Aufstellung eines Pumpbrunnens aus dem 18. Jahrhundert.

Auf Veranlassung des Denkmalpflegers für Rheinhessen war von der Stadt ein im Hofe des Hauses Rentorstraße Nr. 18 vorhandener, künstlerisch ausgeführter, gut erhaltener steinerner Pumpbrunnen im Stil Louis XVI. zwecks Aufstellung an einem geeigneten Platze zum Preise von 400 ℳ erworben worden. Der Brunnen wurde noch Angabe des Hochbauamts niedergelegt und vorerst im Karmeliterkloster aufdewahrt. Als zukünftiger Standort wurde seitens des Bauausschusses der Bischofsplatz in Aussicht genommen.

C. Unterhaltungsarbeiten.

Im Rechnungsjahr 1906 wurde in der Abteilung für Unterhaltung der städtischen und Fonds-Gebäude außer dem lanfenden Unterhaltungsarbeiten noch folgende Arbeiten ausgeführt:

Wirtschaftsgebäude in der Anlage. Neuanstrich der Holzumwandungen des Musikzeltes.

Professorenhäuser in der Betzelsgasse. Erneuerung des Anstrichs und der Tapezierung in dem Häusern Nr. 18 und 20.

Wohn- und Dienstgebäude im Zollhofen. In 5 Wohnungen der Steueraufseher sowie in den Bureauräumen der Hafenverwaltung wurden die Anstriche und die Tapezierung erneuert. Die Wandflächen der beiden Lichthöfe wurden neu gestrichen.

Ehemaliges Schulhaus in Zahlbach. Die Erdgeschoßräume, das Treppenhaus, die Küche, 1 Zimmer im I. Stock sowie die Dachgeschoßräume wurden neu getüncht und die Tapezierung erneuert.

Haus Rosengasse Nr. 12. In die Wohnräume des Erdgeschosses und im ersten Stock wurde die Gasleitung eingeführt.

Meßwachthäuschen. Der äußere Anstrich des Holzes und des Eisenwerks wuede ernenert.

Eichamtsgebäude. Nach Auszug des chemischen Untersuchungsamtes wurden die beiden oberen Stockwerke zu Mietwohnungen hergerichtet. Die Fußböden wurden teilweise umgelegt, die Anstriche und Tapezierungen erneuert sowie zwei Küchenböden, deren Gebälk faul war, durch Eisenbetondecken ersetzt.

Lagerhaus im Zollhafen.

1. Der ausgetretene Zementboden im Erdgeschoß der Lagerhalle wurde stellenweise entfernt und durch Asphaltbelag ersetzt.
2. Zur besseren Lüftung der Dachräume wurden Dachentlüfter eingebaut.

Lagerhallen am Rheinufer. Einbauen eines Aborts mit zugehöriger Abortgrube in der Halle Nr. 9.

Getreidespeicher.

1. Der ausgetretene Zementboden im Erdgeschoß wurde stellenweise durch einen Asphaltboden ersetzt.
2. Behufs Unbrauchbarmachung von ausländischer Gerste zur Malzbereitung wurde im Getreidespeicher auf Veranlassung des Hauptsteueramts eine Maschine mit Silos eingebaut.

Revisionshalle. Die Zinkeinfassung des Holzzementdaches wurde zum Teil erneuert.

Petroleumlager. Die Holzteile des Lagerhauses wurden mit Karbolineum neu gestrichen.

Schlacht- und Viehhof.

1. In der Schlachthalle für Schweine wurde die projektierte Entnebelungsanlage eingebaut.
2. In der Wohnung eines Hallenmeisters wuede im Dachraum eine Dachkammer hergestellt.
3. In der Wohnung eines anderen Hallenmeisters wurden die Dachkammer neu hergerichtet und der Zementboden mit Linoleum delegt.
4. Die defekt gewordenen Wasserklosetts im Gebäude der Grobkuttelei wurden durch neue ersetzt.

Gutenbergbad. Zur Beseitigung des Wasserdampfes und zur Vermeidung von Schwitzwasser an der Decke wurden Rippenheizrohre eingebaut.

Stadthaus.

1. Erneuerung des Anstrichs und der Tapezierung in den 3 Räumen des 1. Polizeibezirks.
2. Einbauen von Käufferschen Mantelöfen in die Arrestzellen des Polizeibezirks sawie Instandsetzung der Arrestlokale.
3. Erneuerung des Anstrichs und der Tapete im kleinen Sitzungssaal sawie Belegen des Fußbodens mit Linoleum.
4. Erneuerung der Tapezierung und des Anstrichs im Zimmer 40 und Vorplatz, desgl. in deil Zimmern 73, 75 und 77.
5. Entfernen der ausgetretenen Platten der Treppenpodeste des rechtsseitigen Treppenhauses und Belegen derselben mit eichenen Riemen.
6. Verbesserung der Beleuchtung im kleinen Sitzungssaal durch Anbringen von zwei Hängelampen.
7. Auswechslung von faulem Gebälk im Flur des 1. Stocks.

Polizeiamt. Instandsetzung des vom Hausschwamm befallenen Kellers. Erneuerung des Bodenbelags daselbst sawie Herstellung eines Zementverputzes auf die Wände.

III. Polizeibezirk, Breidenbacherstraße. Erneuerung des Anstrichs und der Tapezierung in zwei Zimmern des 1. Obergeschosses. Neuanstrich des Treppenhauses.

IV. Polizeibezirk, Neubrunnenstraße.

1. Erneuerung des Anstrichs und der Tapeten in zwei Geschäftsräumen des Bezirks.
2. Instandsetzung der Wohnung des 2. Obergeschosses für den Feuerwehrwachtmeister.
3. Instandsetzung der Wohnung im 1. Obergeschoß und Abtrennung eines Zimmers für die Oktroiverwaltung.

V. Polizeibezirk, Frauenlobstraße. Erneuerung der Tapezierung und des Anstrichs im Zimmer des Polizeikommissärs sowie Anstricherneuerung in der Torfahrt und des Holzwerks der Fassaden.

Hochbauamt, Klarastraße.

1. Entfernung der Zwischenwand zwischen Zimmer 13 und 14 sowie Erneuerung des Anstrichs und der Tapeten in diesem Raum.
2. Herrichtung eines Lagerraums als Druckraum.

Friedhof. Ersetzen fauler Holzteile am Abortgebäude, sowie Neuanstrich desselben.

Provisorisches Schulhaus in der Leibnizstraße. Die beiden vorderen Säle im Erdgeschoß des Schulhauses wurden als Arbeitsräume für den Knabenhandfertigkeitsunterricht hergestellt, sowie die hierzu nötigen Möbel und Handwerkszeuge beschafft und eingerichtet. Herstellung eines Zementsockels am Gebäude.

Kochschulen. Für die Kochschulen in der Emmeransstraße und der Feldbergschule wurden Gaskochherde beschafft und die nötigen Gaszuleitungen hergestellt.

Schulhaus in der kleinen Emmeransstraße. Die Hofdachseite des Schulhauses wurde umgedeckt.

Schulhaus in Zahlbach. In zwei Lehrsälen wurden die Decken neu gestrichen und die Wände abgewaschen.

Leibnizschule. Herstellung einer Spaliereinfriedigung für den Vorgarten.

Schillerschule.

1. Erneuerung der Deckenanstriche und Abwaschen der Ölfarbwände sowie Neuanstrich des Mobiliars in den Sälen Nr. 1, 5, 6, 8, 9, 14, 16, 17, 21, 23, 24, 26, 27, 29, 31 und 35.
2. Neuanstrich der Holzrouleaux.
3. Neubeschaffung von 75 Schulbänken (Ersatzstücke).

Fürstenbergerhofschule.

1. Neuanstrich der Decken und Abwaschen der Ölfarbwände in den Sälen 2, 3, 6, 7 und 10.
2. Verlegen der Kleiderleisten aus den Klassenzimmern nach den Korridoren.

Eisgrubschule.

1. Erneuerung des Anstrichs im Treppenhaus und in den Korridoren.
2. Einführung der Gasbeleuchtung in den Zeichensaal.

Schulhaus am Emmeranskirchhof.

1. Erneuerung des Anstrichs in den beiden Lehrsälen sowie Instandsetzung des Mobiliars.
2. Abbruch des Mädchenaborts.

Holztorschule.

1. Erneuerung des Anstrichs der Decke und Abwaschen der Ölfarbwände in den Mädchenklassenzimmern Nr. 2, 3, 5, 6, 7, 9, 10, 11 und 13.
2. Neuanstrich der Decke des Mädchenturnsaals.
3. Einbauen eines Ventilators im Baderaum der Mädchenabteilung.
4. Einführung der Gasbeleuchtung in den Zeichensaal.

Feldbergschule.

1. Erhöhung eines Schornsteines vom Lehrerwohnhaus bei Gelegenheit der Errichtung des anschließenden Neubaues.
2. Anbringen von Klappläden an den Fenstern der Schuldienerwohnungen.
3. Einführung der elektrischen Beleuchtung in den Zeichensaal.

Karmeliterschule. Neuanstrich der Decken und Wände der Klassenzimmer Nr. 3,4, 9, 23, 24 und im Turnsaal.

Wallauschule. Neuherrichtung der Räume für die landwirtschaftliche Winterschule. Erweiterung der Gas- und Wasserleitung.

Realgymnasium.

1. Erneuerung des Standkändels am Hauptgebäude sowie Instandsetzung des Hauptgesimses.
2. Instandsetzung verschiedener Schulräume sowie Umstellung des Mobiliars bei Gelegenheit der Trennung der beiden Anstalten Realgymnasium und Oberrealschule.

Höhere Mädchenschule Bauhofstraße.

1. Belegen der ausgetretenen Hausteinstufen der Haupttreppe mit Steinholz.
2. Einführung der Gasbeleuchtung im Saal Nr. 15.

Stadttheater.

1. Erneuerung des Anstrichs im Ballettprobesaal.
2. Herrichtung einer feuerfesten Untermauerung des Bühnenvorhangs, Erneuerung der Bühnenrampe und des Souffleurkastens.
3. Herstellung einer Orchesterüberdeckung mit Stoff.

Stadthalle.

1. Erneuerung des Anstrichs der Fenster der Fassaden nach der Rheinstraße und dem Meßplatz.
2. Neuanstrich des Männeraborts an der Rheinstraße.
3. Verlängerung des Luftzuführungskanals im Stadthallegarten bis zum neuen Musikzelt.
4. Neuanstrich der Küchenräume.
5. Herstellung einer Kochgaszuführung nach dem rheinseitigen Fayer.
6. Herstellung einer Wasser-Zu- und -Ableitung für das Büfett des Fayers.
7. Erneuerung der Decke im rheinseitigen Restaurationssälchen sowie Erneuerung der Tapeten und Instandsetzung des Lüsters.

Reinigungsamt.

1. Beschaffen und Einbauen einer Turmuhr für das Verwaltungsgebäude.
2. Einrichtung einer Lackiererwerkstätte in der Wagenhalle.
3. Anbringen von Saugern auf den Schornsteinen der Schmiede und des Wohnhauses.

Oktroi.

1. Neuanstrich der Oktroihäuschen am Rheintor und Holztor.
2. Herstellen eines Zementsockels am Oktroigebäude am Gantor.
3. Erneuerung des Anstrichs und der Tapete in zwei Zimmern im ersten Stock des Oktroigebäudes am Bingertor sowie Erneuerung des Ölfarbanstrichs der Fenster und der Einfriedigung.
4. Verlegen des Oktroigebäudes am Brückenkopf der Straßenbrücke Mainz-Kastel.

Wasserwerk.

1. Herrichtung zweier Räume im IV. Stock des Hinterhauses zur Aufbewahrung von Materialien.
2. Erneuerung des Anstrichs im Treppenhaus des Seitenbaues sowie Anbringen eines Holzsockels daselbst.
3. Ersatz eines schadhaften Klosetts in der Wohnung des 3. Obergeschosses vom Hause Nr. 19.
4. Erneuerung der Tapete und des Anstrichs in einem Zimmer des ersten Stocks vom Hause Nr. 21.

Gaswerk Weisenauerstraße. Erweiterung der Badeeinrichtung sowie Verlegen der Wascheinrichtung.

Steingasse Nr. 4 und 8.

1. Umdecken der hinteren Dachseite des Hauptgebäudes.
2. Belegen der Holzfußböden des ersten und zweiten Stockes mit Linoleum.
3. Neuanstrich des Hauseingangs.

Schottenhof.

1. Umdecken einer Dachseite des Hauses Stephansstraße Nr. 13.
2. Einbauen eines Trenn- und Klärbehälters in die Abortgrube des Hauses Gangasse Nr. 18.
3. Erneuerung der Tapete und des Anstriches in einem Zimmer der Wohnung im III. Stock des Hauses Stephansplatz 1.
4. Ersetzen des Sandsteinplattenbodens in der Küche des Hausmeisters durch Pitsch-Pine-Riemen.
5. Erneuerung des Anstrichs und der Tapete im Vorplatz sowie Legen eines neuen Holzfußbodens in der Küche der Wohnung im 2. Stock des Hauses Stephansplatz 1.
6. Erneuerung des Anstrichs und der Tapete in je einem Zimmer in verschiedenen Wohnungen.

Kleinzsches Haus. Erneuerung eines gebrochenen Wasserrohres im Hofe.

Haus Hintere Bleiche Nr. 6.

1. Herrichtung der Räume im I. und II. Stock für vorübergehende Aufbewahrung der zoologischen Sammlung.
2. Instandsetzen der Parterreräume für vorübergehende Aufstellung der Sammlung des Vereins für plastische Kunst.

Kirschgarten 22 und Badergasse 10. Erneuerung des Verputzes der im Miteigentum der Stadt stehenden Giebel sowie Anstrich derselben.

Neubrunnenstraße 13. Einrichtung einer Feuerwachstube im Spritzenmagazin des Hauses Neubrunnenstraße.

Flachsmarktstraße 20. Einrichtung einer Fürsorgestelle für Lungenkranke.

Ehem. Marxsches Anwesen bei Zahlbach. Instandsetzung der Dächer, Fenster und Türen sowie Ausführung von Aufräumungsarbeiten im Kesselhaus und Maschinenhaus, Instandsetzung der Hausentwässerung.

Abtragung eines romanischen Bagens an der Rheinstraße auf dem Gebiete von Boos und Verbringen desselben in den Vorgarten des Eisernen Turmes.

D. Projektbearbeitungen.

Überbauung der Stadthalleterrasse.

Vom Hochbauamt war für eine Überbauung der Stadthalleterrasse und Schaffung weiterer Nebenräume für den Restaurationsbetrieb citte Reihe non Projekten ausgearbeitet, über die jedoch teils mit Rücksicht auf die Höhe der aufzuwendenden Kosten, teils aus andern Gründen eine Einigung der maßgebenden Kommissionen der Stadtverordneten-Versammlung nicht erzielt werden konnte.

Mit Bericht des Hochbauamts vom 5. April 1907 wurde der Bürgermeisterei ein weiteres Projekt vorgelegt, das noch einer Grundrißskizze, die bei einer Besprechung im Bauausschuß in der Sitzung vom 11. März 1907 günstige Aufnahme gefunden hatte, ausgearbeitet ist. Nach diesem Projekt erhält der sich an das rheinseitige Foyer angliedernde Erweiterungsbau einen mittleren Saal von 20,80 m Breite und 16,50 m Tiefe, an welchen sich zu beiden Seiten, durch große Türen zugänglich, je eine Halle von 10,20 m Breite und 13,20 m Tiefe anschließt. Die Höhe des Mittelsaales beträgt 7,0 m, diejenige der seitlichen Hallen 4,75 m. Im Anschluß an die Hallen sind die Toiletten für Damen und Herren vorgesehen. Rheinabwärts ist das neu projektierte Treppenhaus angegliedert, das die nach der oberen freien Terrasse führende Treppe enthält.

Gleichzeitig sieht das Projekt auch eine Verbesserung der Küchenverhältnisse vor, die dadurch erzielt wird, daß das seitherige Treppenhaus und der mittlere Durchgang für diese Zwecke verwendbar gemacht wird. Hierdurch erhält der Pächter einen erweiterten Spülraum, eine Kaffeeküche und einen weiteren Vorratsraum, womit den dringendsten Bedürfnissen entsprochen wird. Weiterhin sind zwei Speiseaufzüge vorgesehen, die bis zu dem jetzigen Galerieboden führen, woselbst ein weiteres Büfett für Zwecke der Bedienung des Publikums auf der Terrasse errichtet werden soll. Anschließend an dieses Büfett ist ein weiterer Vorratsraum angeordnet.

Eine Unterkellerung des Vorbaues ist nur insoweit vorgesehen, als noch einige Vorratsräume und Aborte für das Küchenpersonal unterzubringen sind.

Der von dem neuen Vorbau bis zur krenelierten Mauer noch verbleibende Teil soll auf die Höhe der letzteren angefüllt werden, wodurch eine weitere, offene Terrasse geschaffen wird.

Die Räume des neuen Vorbaues sawie der Terrassen erhalten elektrische Beleuchtung, die neugeschaffenen Säle Zentralheizung im Anschluß an die Heizanlage der Stadthalle.

Die ursprünglich auf 165000 ℳ veranschlagten Kosten mußten eine Erhöhung um 5000 ℳ erfahren, da bei Aufstellung des Kostenanschlags sich herausstellte, daß an der für die äußere Längsmauer vorgesehenen Stelle innerhalb der früheren Militärstraße ein Kanal vorhanden ist, der mittels Eisenbetonkonstruktion überwölbt werden soll.

Nach vorausgegangener eingehender Beratung dieses Projekts und Gutheißung desselben durch die maßgebenden Kommissionen fand dasselbe in der Sitzung der Stadtverordneten-Versammlung vom 12. Juli 1907 deren Genehmigung und wurde gleichzeitig der erforderliche Kredit im Betrage von 170000 ℳ bewilligt.

Nachdem auch seitens der Militärbehörde bereits unterm 26. Januar 1907 die Genehmigung zur Überbauung der Militärstraße erteilt worden ist, soll alsbald nach Beendigung der Saison mit der Inangriffnahme der Bauarbeiten begonnen werden.

Umbau des Stadttheaters.

In der Sitzung vom 24. März 1906 hat sich der Bauausschuß damit einverstanden erklärt, daß die Seelingschen Handskizzen zu dem Gutachten nunmehr dem Hochbauamt zur weiteren Bearbeitung überwiesen werden, um festzustellen, ob und inwieweit die von Seeling vorgeschlagenen Maßnahmen durchführbar sind und insbesondere, ob die Anordnung der Treppen in den vorderen Teilen der Seitenflügel nach diesem Vorschlag möglich ist. In Erledigung der daraufhin an das Hochbauamt erlassenen Verfügung wurde von demselben mit Bericht vom 30. Oktober 1906 ein bezügliches Projekt vorgelegt.

In der am 4. Februar 1907 abgehaltenen gemeinsamen Sitzung des Bauausschusses und der Theaterdeputation wurde über dieses Projekt beraten und hierbei hinsichtlich des baulichen Teiles folgender Beschluß gefaßt:

1. Über die vorliegenden Geliusschen Pläne besteht grundsätzliches Einverständnis und kann deren Genehmigung durch die Stadtverordneten-Versammlung empfohlen werden.
2. Über die Frage der Durchführung des Umbaues, ob unter Abkürzung der Spielzeit für einen oder mehrere Winter, oder unter Einrichtung eines Interimtheaters in einem vorhandenen Gebäude oder in einem Bauprovisorium, soll der Bauausschuß weitere Erwägungen anstellen.

Für die Einrichtung eines Interimtheaters war angeregt, die Stadthalle in Aussicht zu nehmen, doch wurde von diesem Projekt mit Rücksicht auf die ungünstigen akustischen Verhältnisse und sonstige sich aus der Verpachtung der Halle ergebende Umstände Abstand genommen.

Einer weiteren, in obengenannter Sitzung gegebenen Anregung zufolge wurde das Hochbauamt beauftragt, wegen der Möglichkeit der Durchführung des Umbaues unter Abkürzung der Spielzeiten sich mit einigen bedeutenden, auf dem Gebiete des Theaterbauwesens erfahrenen Baufirmen ins Benehmen zu setzen. Die Gutachten sämtlicher zu Rat gezogenen Firmen gingen dahin einig, daß es möglich ist, den Umbau des Theaters unter Inanspruchnahme einer Spielsaison, ohne Unterbrechung des Theaterbetriebs in dem Gebäude selbst, und zweier Ferienzeiten durchzuführen; es wurde hierdurch die von dem Vorstand des Hochbauamts bereits in der Sitzung vom 4. Februar 1907 vorgeschlagene Möglichkeit der Durchführung der Umbaufrage bestätigt.

Im weiteren Verfolg der Theaterumbaufrage wurde seitens des Bauausschusses in dessen Sitzung vom 18. April 1907 der Beschluß gefaßt, daß, unerwartet der noch zu fassenden Entscheidung der Stadtverordneten-Versammlung über die Ausführung des Umbaues selbst, alsbald eine neue Fluchtlinie aufgestellt und offengelegt wird, damit über etwa gegen die Fluchtlinie zu erhebenden Einwendungen vorher entschieden wird.

Auch der Denkmalratausschuß für die Baudenkmäler der Provinz Rheinhessen befaßte sich in seiner Sitzung vom 5. März 1907 mit der Umbaufrage und kam hierbei zu dem Resultat, daß, wenn auch die Veränderung der Platzseite mit dem vorgebauten dreigeschossigen Halbrund lebhaftes Bedauern erwecke, doch der Bau in seinem jetzigen Zustand auch den bescheidensten heutigen Ansprüchen an Verkehrs- und Feuersicherheit nicht genügen könne. Es wurde anerkannt, daß eine Beseitigung der vorhandenen schwerwiegenden Mängel und die Herbeiführung besserer Verkehrs- und Sicherheitseinrichtungen nicht möglich sei, ohne das Äußere des Gebäudes zu verändern. Dabei wurde noch ausdrücklich betont, daß deshalb eine Umgestaltung des Halbrunds nicht zu umgehen und ohne entschiedene Umgestaltung des Äußeren die wünschenswerten Verbesserungen nicht zu erreichen seien. Wenn auch das Platzbild wesentlich geändert werde, so würde doch als Rahmen des Theaters auch das verbleibende Platzbild durchaus befriedigend sein.

Erbauung eines Krankenhauses.

Seitens der gewählten Sonderkommission wurden im Laufe des Jahres das Stadtkrankenhaus zu Offenbach a. M., die Universitätskrankenanstalten in Gießen, das Virchow-Krankenhaus in Berlin, die Königl. Charité in Berlin, das neue Krankenhaus in Charlottenburg, die Arbeiterheilstätten in Beelitz bei Berlin, die Krankenhäuser Friedrichstadt und Johannstadt in Dresden, die städt. Krankenhäuser in Bamberg und Nürnberg, das ev. Krankenhaus in Köln, das städt. Elisabeth-Krankenhaus in Aachen, das allgem. Krankenhaus St. Georg in Hamburg und das allgemeine Krankenhaus in Hamburg-Eppendorf besichtigt und der Reisebericht am 15. Dezember 1906 vorgelegt.

Mit Verfügung der Bürgermeisterei vom 20. Februar 1907 wurde das Hochbauamt beauftragt, gemäß dem Beschluß der Kommission für Bearbeitung des Krankenhausprojekts vom 9. Februar 1907 im Einvernehmen mit der Krankenhausdirektion zwei generelle Projekte für einen Krankenhausneubau und zwar eines im Pavillonsystem und eines im gemischten System mit einer Belegfähigkeit von je 800 Betten zu entwerfen und mit Berechnungen darüber vorzulegen, welche Kosten entstehen werden, wenn eines dieser Projekte zunächst nur für 600, 400 bezw. 300 Betten ausgebaut wird. Bereits zu Ende des Berichtsjahres, am 22. Juni 1907, konnten die beiden umfangreichen generellen Projekte nebst den zugehörigen annähernden Kostenberechnungen und umfangreichen Erläuterungsberichten der Bürgermeisterei vorgelegt werden.

Dienstgebäude für das Gas- und Elektrizitäts-Amt.

Obgleich das im vorigen Jahre vom Hochbauamt ausgearbeitete Projekt die Zustimmung der Mehrheit der Mitglieder der Deputation für die Verwaltung der Gas- und Elektrizitätswerke gefunden hatte und der Stadtverordneten-Versammlung vorgelegt werden sollte, wurde dasselbe dennoch einer weiteren Umarbeitung unterzogen.

Das neu bearbeitete Projekt fand in der Sitzung der genannten Deputation vom 8. Februar 1907 deren Genehmigung und sollte der Stadtverordneten-Versammlung zur Ausführung vorgeschlagen werden.

Zu Ende des Berichtsjahres ist auch über dieses Projekt eine Entscheidung nicht getroffen.

Umbau der Karmeliterschule.

In dem Bericht des Schularztes vom November 1905 waren die Verhältnisse der Schulräume in der Karmeliterschule ausführlich dargelegt und die Notwendigkeit eines Umbaues nachgewiesen.

Wenn früher beabsichtigt war, auf dem Gebiet des Karmeliterklosters beim Umbau nur eine 16klassige Schule zu errichten, die anderen 16 Klassen jedoch in den frei werdenden Gebäuden der Höheren Mädchenschule unterzubringen, so haben doch Erwägungen verschiedener Art dazu geführt, dieses Vorhaben aufzugeben und eine 32klassige Volksschule auf dem Gebiet des Karmeliterklosters unterzubringen. Mit Bericht vom 14. Juli 1906 wurde vom Hochbauamt eine nach dieser Richtung ausgearbeitete Projektskizze vorgelegt, welche die Unterbringung der erforderlichen 32 Klassen derart vorsieht, daß die Mehrzahl der Klassen in einem Hauptflügel mit 4 Geschossen einschl. Erdgeschoß untergebracht ist, während die seltener benutzten Räume der ausgebaute Dachstock aufnehmen soll.

Bei dem nur in beschränktem Maße zur Verfügung stehenden Bauplatz konnte den erforderlichen Höfen nur eine geringe Ausdehnung gegeben werden. Die Möglichkeit, die Hoffläche zu vergrößern, wurde daher in der Weise vorgesehen, daß der 3,50 m hohe Unterbau der Knabenturnhalle als offene Halle gedacht ist.

Bei diesem Projekt ist gegenüber den früheren Projekten für den Schulhausbau insofern eine Verbesserung vorgesehen, als die Kirche in ihrer jetzigen Gestalt im Zusammenhang mit dem Schulhaus erhalten bleibt. In ihrem oberen Teil und südlichen Seitenschiff ist die Kirche als Museum für mittelalterliche Steindenkmäler gedacht, da der jetzige Aufstellungsort in der Steinhalle des kurfürstlichen Schlosses nicht mehr ausreichend ist. Von dem Vorhof, der auch der Schule dient, gelangt man in einen Vorraum mit eingebauter Treppe zum Obergeschoß, wobei die ganzen jetzigen Gewölbe des Langhauses und Seitenschiffes erhalten bleiben.

In der Sitzung des Schulvorstandes vom 13. November 1906 wurde über das Projekt beraten und ergaben sich hierbei keine wesentliche Beanstandungen. Nachdem einige geäußerte Wünsche über Abänderungen seitens des Hochbauamtes berücksichtigt worden waren, wurde das geänderte Projekt unterm 3. Dezember wieder vorgelegt. Zu Ende des Berichtsjahres liegt das Projekt dem Denkmalrat zur Begutachtung vor.

Erbauung eines Realgymnasiums.

Als Bauplatz für die Errichtung des Realgymnasiums ist das in der Schloßfreiheit Ecke der Greiffenklau- und Diether von Isenburg-Straße gelegene Gebiet vorgesehen.

Die Bearbeitung des generellen Projektes erfolgte auf Grund des vom Großh. Ministerium im Jahre 1898 aufgestellten Programms, das gelegentlich einer im Mai 1906 stattgehabten Besprechung des Direktors der Schule, des Vertreters der Bürgermeisterei und des Vorstandes des Städt. Hochbauamtes noch als maßgebend anerkannt wurde mit dem Unterschied, daß die Schülerzahl nicht mit 400 als abgeschlossen betrachtet, sondern die Möglichkeit, bis zu 600 Schüler unterzubringen, vorgesehen werden sollte.

Mit Bericht vom 4. Oktober 1906 wurde vom Hochbauamt ein auf diesen Grundlagen ausgearbeitetes Projekt der Bürgermeisterei vorgelegt, das außer 9 Normalklassen und 3 Reserveklassen noch 6 Parallelklassen sowie Räume für den naturwissenschaftlichen Unterricht, Turnsaal, Gesangsaal und Zeichensaal, ferner die erforderlichen Nebenräume enthält. Für den Pedellen ist eine aus 3 Zimmern nebst Küche bestehende Wohnung, von der Torfahrt aus zugänglich, vorgesehen. Das Direktorwohnhaus wurde an der westlichen Grundstücksgrenze an der Greiffenklaustraße angeordnet und ist mit dem Schulgebäude durch einen überdeckten Gang verbunden.

Das Gebäude enthält im Erdgeschoß 3 Zimmer und eine Küche, im ersten Obergeschoß 4 Zimmer und Badezimmer.

Die Kosten der gesamten Anlage sind annähernd zu 570000 ℳ veranschlagt.

Erweiterung der Wagenhalle für die elektrische Straßenbahn.

Infolge der günstigen Entwickelung der Straßenbahn sowie durch Erweiterung des Bahnnetzes infolge Schaffung der neuen Linien nach der Ingelheimer Au, nach Gonsenheim und nach Kostheim war eine Vermehrung der Motor- und Anhängewagen und hierdurch eine Erweiterung der Wagenhalle sowie eine Vergrößerung der Werkstätten notwendig geworden.

Nach eingehenden Verhandlungen in der Deputation für die Verwaltung der Straßenbahn wurde die Notwendigkeit der Vergrößerung der Wagenhalle anerkannt und der gleichzeitig gemachte Vorschlag, für die Unterbringung der neuen Wagen nur provisorische Schuppen zu errichten, mit der Begründung abgelehnt, daß die Errichtung eines solchen Provisoriums, mit Rücksicht auf die erforderlichen Nebenarbeiten, wie Auffüllung des Geländes, Anlage der Geleise, der Revisionsgruben, der Oberlichte ꝛc. unverhältnismäßig teuerer sein würde als die Erstellung eines definitiven Gebäudes durch Erweiterung der bestehenden Wagenhalle.

Durch Beschluß der Stadtverordneten-Versammlung vom 12. Juni 1907 wurde ein Kredit von 30000 ℳ für die erforderliche Auffüllung des Terrains bewilligt und das Hochbauamt gleichzeitig mit der Ausarbeitung eines Entwurfs nebst Kostenanschlag für die Erweiterung der Halle nebst Werkstätten beauftragt.

Außer den vorstehend erläuterten Projekten sind noch die nachgenannten von dem Hochbauamt bearbeitet worden:

1. Projekt über die Weiterverwertung des Gebiets der Gendarmeriekaserne;
„ „ ein Bureaugebäude im Schlacht- und Viehhof;
„ für ein Lagerhaus an der Rheinallee;
„ „ einen Futterstall des Reinigungsamts;
„ über die Aufstellung der Jupitersäule;
„ „ die Anlage von Grüften für französische Soldaten;
2. „ „ die Weiterverwertung des Gebiets Universitätsstraße 9;
3. „ „ die Bebauung des Zahlbacher Tales.

Schließlich sei noch die vom Hochbauamt ausgeführte Dekoration des Bahnhofplatzes gelegentlich der Anwesenheit Sr. Majestät des deutschen Kaisers erwähnt.

E. Wiederherstellung des Kurfürstlichen Schlosses.

Hierüber hat der Bauleiter, Herr Baurat R. Opfermann, folgendes berichtet:

Zu Beginn des Rechnungsjahres 1906 mußte in den Bauarbeiten ein Stillstand eintreten, weil mit den Umräumungsarbeiten der im Schlosse verbleibenden Sammlungen nicht begonnen werden konnte, bevor die Sammlung des Vereins für plastische Kunst außerhalb des Gebäudes Unterkunft gefunden hatte. So mußten am 8. September 1906 die letzten drei Taglöhner und am 10. Oktober der Maurerpolier entlassen werden. Erst am 8. Februar 1907 konnten wieder ein Maurer und zwei Taglöhner eingestellt und am Schluß des Rechnungsjahres drei Maurer und fünf Taglöhner beschäftigt werden.

Der Umzug der Sammlung des Vereins für plastische Kunst nach den Räumen im ersten Obergeschoß des Hauses Hintere Bleiche Nr. 6 und im Untergeschoß der Oberrealschule wurde vom 18. Februar bis 30. April 1907 bewerkstelligt. Das Verbringen und Aufhängen der Bilder der Gemäldegalerie an die neu errichteten Bilderwände im weißen und roten Saale und der Umzug des sogenannten Ateliers hat die Zeit vom 19. März bis 17. April in Anspruch genommen. Vom 22. Februar bis 11. April konnte der Umzug der Sammlungen des Römisch-Germanischen Zentral-Museums nach den neuen Sälen und der Werkstätten betätigt werden.

Für die Vorarbeiten der Steinmetzarbeiten, die in der zweiten Bauperiode in Regie ausgeführt werden, mußten zu Beginn des Rechnungsjahres ein Polier und ein Steinmetz eingestellt werden; die Zahl der Steinmetzen hat sich sodann vom 26. Februar bis 20. Juni von zwei auf zehn erhöht und sind in dieser Zeit in 160 Stücken 16,565 cbm fertige Arbeit hergestellt worden.

Der Vorsitzende der Schloßbaukommission hat mit dem Ortsausschuß am 31. August, am 16. November 1906 und am 7. Januar 1907 Sitzungen abgehalten. Gegenstand der Verhandlung waren zunächst Vergebungen von größeren Arbeiten, die fast ausnahmslos auf Grund beschränkter Submission hiesigen Firmen übertragen worden sind, so die neuen Bilderwände im weißen und roten Saal an Phil. Gräf jr., die provisorische Heizung für die Bildersäle, das Atelier und die Werkstätten des Römisch-Germanischen Zentral-Museums an Käuffer & Co., die Beleuchtungskörper in den neuen Sälen an Gasapparat- und Gußwerk, die Vorhänge dort an Joseph Strohm, das Haustein-Rohmaterial, das einfarbig rote an Joseph Albert und Friedrich Walter I. in Bürgstadt a. M., das gestreifte an Arnold & Söhne in Reistenhausen a. M., die eiserne Eingangstür mit zwei Ziergittern und ein Abschlußgitter im neuen Treppenhaus an Ciszewski und die Balkongitter an Heinrich Schwab.

Es wurden beschlossen: die Beleuchtung des Gerüstes an der Rheinseite mit einer Bogenlampe, die Grundabfuhr im Graben, das Einsäen der Böschung, die Einfriedigung an der Böschungskrone, der nächtliche Wächterdienst mit Kontrolluhren, die Übernahme der Ausführung der Erkerendigung auf die zweite Bauperiode und die Besprechung der Frage der Steinmetz-Regie in der Stadtverordneten-Versammlung. Die wiederholten Verhandlungen über die Unterbringung der Sammlung des Vereins für plastische Kunst sind in der Sitzung vom 7. Januar 1907 zu einem allseitig befriedigenden Abschluß gekommen.

Der Kostenanschlag und die Kreditforderung für die zweite Bauperiode, der, gegen die ursprüngliche Teilung der Bauperioden, aus technischen Gründen das Osteinsche Treppenhaus angegliedert wurde, waren Gegenstand eingehender Verhandlung. Es darf hier wohl auf den Bericht und Kostenanschlag des Bauleiters vom 4. Januar 1907, die Anträge der Bürgermeisterei vom 7. Januar 1907, denen die Schloßbaukommission beigetreten ist, und den zustimmenden Beschluß der Stadtverordneten-Versammlung vom 1. Februar 1907 verwiesen werden, in der für die zweite Bauperiode ein Kredit von 284000 ℳ bewilligt worden ist, während dafür in der Stadtverordneten-Sitzung vom 29. November 1905 bereits 10000 ℳ bewilligt worden waren.

Im Rechnungsjahr 1906 sind für die erste Bauperiode ausgegeben worden 28018 ℳ 33 ₰, die damit vollständig zum Rechnungsabschluß gekommen ist, und für die zweite Bauperiode 26342 ℳ 04 ₰. Der Kredit, dessen Übertragung auf das Rechnungsjahr 1907 beantragt ist, beläuft sich auf 257086 ℳ 07 ₰. Die Wiederherstellungsarbeiten sind jetzt wieder in vollem Gong.

XIV. Maschinenwesen.

Der Voranschlag des Amtes für Maschinenwesen belief sich im Berichtsjahre 1906 auf rund 276000 ℳ (Vorjahr 278000 ℳ), einschl. der für Neubeschaffungen bewilligten Summen. Die auf Grund von 1590 (1586) Belegen angewiesene Gesamtausgabe beziffert sich auf rund 258000 ℳ (260000 ℳ). Bestellungen wurden im Laufe des Jahres 965 (970) aufgegeden.

Die beim Amt für Maschinenwesen im Berichtsjahre eingelaufenen und ausgefertigten Schriftstücke und Berichte sind im Einlaufregister unter 864 (861) Nummern eingetragen, wobei wiederholt eingegangene und dearbeitete Altenstücke nur unter einer Nummer gezählt wurden.

Die erfolgten Neubeschaffungen und die dafür verausgabten Summen sind nachstehend zusammengestellt:

Ord.-Nr.	Gegenstand	Betriebsstelle	Verausgabt ℳ	Verausgabt ₰
1	Entnebelungsanlage	Schweineschlachthalle im Schlachthof	2514	26
2	Drehbank	Werkstätte im Schlachthof	832	37
3	Automatische Absackwage	Getreidespeicher im Zollhafen	1710	—
4	Erneuerung des Heizkessels	Sparkasse	1853	82
5	desgl.	St. Rochus-Hospital	1435	53
6	2 Fahrräder	Hafenbahnverwaltung und Polizei	309	50
		Zusammen	8655	48

Die Betriebsergebnisse der maschinellen Betriebe im Hafen und Schlachthof sind, um die Übersichtlichkeit der Jahresberichte dieser Verwaltungszweige nicht zu stören, bei letzteren aufgeführt und hier nur die dem Amt für Maschinenwesen unmittelbar unterstellten Betriebe aufgenommen.

A. Pumpstationen.

Mit dem Berichtsjahre war die definitive Kanalpumpstation I am Schloßtor zum ersten Male ein volles Jahr im Betrieb. Die maximale Leistungsfähigkeit der Kanalpumpstationen ist folgende:

1. **Pumpstation I am Schloßtor**, zum Auspumpen des oberen und unteren Kanalsystems der Altstadt.

a) **Brauchwasserpumpen.**

Pumpen I und II je 252 = . 504
Pumpe III = ... 576 1080 cbm pro Stunde.

b) **Regenwasserpumpen.**

Pumpe IV = ... 900
„ V = ... 1050 1950 „ „ „

Station I zusammen 3030 cbm pro Stunde.

Sämtliche Pumpen sind direkt mit Elektromotoren gekuppelt.

2. **Pumpstation II am Rheintor**, zum Auspumpen des Kanalsystems der Neustadt, besitzt eine Lokomobile zum Antrieb von 2 kleinen Zentrifugalpumpen, von denen bei einer mittleren Umdrehungszahl der Lokomobile von 80 in der Minute die Pumpen folgende Leistung haben:

a) Pumpe I = ... 180
b) „ II = ... 200 380 cbm pro Stunde.

Ferner besitzt die Station eine direkt mit einer Dampfmaschine gekuppelte Zentrifugalpumpe mit einer Leistungsfähigkeit von 660 cbm bei 280 Umdrehungen in der Minute. . . . 660 „ „ „

Station II zusammen 1040 cbm pro Stunde.

Die gesamte Leistungsfähigkeit der beiden Stationen zusammen beträgt 3030 + 1040 = 4070 cbm prn Stunde.

Nachstehende Tabellen geben ein **Bild über** den Betrieb und **dessen Ergebnisse in beiden Stationen.**

Station I (Schloßtor)

Monat	Brauchwasserpumpen												Regenwasserpumpen								Zusammen		Stromverbrauch pro 100 cbm gefördertes Wasser
	Pumpe I				Pumpe II				Pumpe III				Pumpe IV				Pumpe V						
	Betrieb in Stunden			Gefördertes Wasser	Betrieb in Stunden			Gefördertes Wasser	Betrieb in Stunden			Gefördertes Wasser	Betrieb in Stunden			Gefördertes Wasser	Betrieb in Stunden			Gefördertes Wasser	Gefördertes Wasser	Stromverbrauch	
	Tag	Nacht	zusammen	cbm	Tag	Nacht	zusammen	cbm	Tag	Nacht	zusammen	cbm	Tag	Nacht	zusammen	cbm	Tag	Nacht	zusammen	cbm	cbm	Kw	Kw
April 1906	133	—	133	23940	92	—	92	16560	54	—	54	17280	1	—	1	900	—	—	—	—	58680	2744	4,7
Mai „	130	58	188	33840	111	70	181	32580	56	—	56	18080	3	—	3	2700	3	—	3	3675	90875	3957	4,4
Juni „	169	66	235	42300	165	78	243	43740	41	—	41	13120	1	—	1	900	—	—	—	—	100060	3911	3,9
Juli „	160	18	178	32040	136	23	159	28620	56	—	56	17920	1	—	1	900	—	—	—	—	79480	3190	4,0
August „	176	—	176	31680	192	—	192	34560	78	—	78	24960	—	—	—	—	—	—	—	—	91200	3332	4,3
September „	240	—	240	43200	114	—	114	20520	54	—	54	17280	—	—	—	—	—	—	—	—	81000	3192	3,9
Oktober „	130	—	130	23400	118	—	118	21240	13	—	13	4160	—	—	—	—	—	—	—	—	48800	2030	4,2
November „	96	—	96	17280	90	—	90	16200	18	—	18	5760	½	—	½	450	—	—	—	—	39690	1882	4,7
Dezember „	84	—	84	15120	86	—	86	15480	23	—	23	7360	—	—	—	—	—	—	—	—	37960	1756	4,6
Januar 1907	89	—	89	16020	102	—	102	18360	20	—	20	6400	—	—	—	—	—	—	—	—	40780	1885	4,6
Februar „	91	—	91	16380	78	—	78	14040	15	—	15	4800	½	—	½	450	—	—	—	—	35670	1662	4,7
März „	132	58	190	34200	119	20	139	25020	12	1	13	4160	—	—	—	—	3½	—	3½	5675	69055	2929	4,2
Zusammen	1630	200	1830	329400	1403	191	1594	286920	440	1	441	141280	7	—	7	6300	6½	—	6½	9350	773250	33073	4,3

Station II (Rheintor)

Monat	Große Zentrifugalpumpe				Lokomobile			Pumpe I	Pumpe II			Zusammen		Kohlenverbrauch pro 100 cbm gefördertes Wasser
	Betriebszeit in Stunden			Gefördertes Wasser	Betriebszeit in Stunden			Betriebszeit in Stunden			Gefördertes Wasser	Gefördertes Wasser	Kohlenverbrauch	
	Tag	Nacht	zusammen	cbm	Tag	Nacht	zusammen	Tag u. Nacht	Tag u. Nacht	zusammen	cbm	cbm	kg	kg
April 1906	—	—	—	—	—	—	—	—	—	—	—	—	—	—
Mai „	5	2	7	4290	57	38	95	95	5	100	18100	22390	2352	10,5
Juni „	2	2	4	4620	30	15	45	45	—	45	8160	12720	1454	11,4
Juli „	28	8	36	23760	6	13	19	19	7	26	4820	28580	2620	9,2
August „	—	—	—	—	—	—	—	—	—	—	—	—	—	—
September „	—	—	—	—	—	—	—	—	—	—	—	—	—	—
Oktober „	—	—	—	—	—	—	—	—	—	—	—	—	—	—
November „	—	—	—	—	—	—	—	—	—	—	—	—	—	—
Dezember „	—	—	—	—	—	—	—	—	—	—	—	—	—	—
Januar 1907	—	—	—	—	—	—	—	—	—	—	—	—	—	—
Februar „	—	—	—	—	—	—	—	—	—	—	—	—	—	—
März „	—	6	6	3960	44	24	68	68	2	70	12640	16600	2385	14,4
Zusammen	35	18	53	36630	137	90	227	227	14	241	43660	80290	8811	11,0

Beide Stationen zusammen

Monat	Gefördertes Wasser in cbm		
	Station I	Station II	Zusammen
April 1906	58 680	—	58 680
Mai „	90 875	22 890	113 265
Juni „	100 060	12 720	112 780
Juli „	79 480	28 580	108 060
August „	91 200	—	91 200
September „	81 000	—	81 000
Oktober „	48 800	—	48 800
November „	39 690	—	39 690
Dezember „	37 960	—	37 960
Januar 1907	40 780	—	40 780
Februar „	35 670	—	35 670
März „	69 055	16 600	85 655
Zusammen	773 250	80 290	853 540
Im Vorjahr	592 010	17 500	609 510

Der Betrieb der beiden Pumpstationen verursachte folgende Kosten:

1. Löhne für Bedienung der Maschinen	4 738,95 M.
2. Brennmaterialien und Stromverbrauch	6 633,44 „
3. Putz- und Schmiermittel	560,78 „
4. Unterhaltung der Maschinen und Pumpen	1 972,30 „
5. Anschaffungen für die Werkstätte ꝛc.	616,52 „
Summe	14 521,99 M.
Im Vorjahre	11 819,20 „

Die Förderkosten für den cbm belaufen sich demnach auf $\frac{14\,521,99}{853\,540}$ = 1,70 ₰ (Vorjahr 1,94 ₰).

In der in vorstehender Zusammenstellung angegebenen Summe von 6 633,44 M. für Brennmaterialien und Stromverbrauch sind auch die Kosten zum Anfeuern, sowie diejenigen zur Ergänzung des eisernen Bestandes an Kohlen enthalten.

Die ständige Bedienungsmannschaft besteht aus einem Maschinisten und einem Heizer. Bei wachsendem Betrieb wird die Bedienungsmannschaft von den mit der Bedienung der Station vertrauten Maschinisten des Zollhafens und des Baggers nach Bedarf unterstützt oder abgelöst. Die Maschinisten erhalten Taglöhner zur Beihilfe, welche der Kolonne für Kanalreinigung entnommen werden. Die Verrechnung der Löhne der gesamten Bedienungsmannschaft erfolgt auf den Kredit der Pumpstation.

In der Zeit niederen Wasserstandes, wenn nur Pumpstation I wenig beansprucht wurde oder beide Stationen ganz außer Betrieb waren, wurden Maschinist und Heizer der Pumpstation bei Unterhaltung der Spüleinrichtungen der Kanäle, der städtischen Zentralheizungsanlagen und Prüfung der Fuhrwerkswagen verwendet. Die hierbei entstandenen Kosten wurden zu Lasten der betr. Kredite verrechnet.

B. Heizungs- und Lüftungsanlagen.

Die auf Seite 100 und 101 befindliche Tabelle enthält eine Zusammenstellung der größeren städtischen Heizungs- und Lüftungsanlagen. Dieselbe gibt Aufschluß über den Verbrauch an Brennmaterial bei den einzelnen Betriebsstellen und die hierdurch entstandenen Kosten für die Heizperioden 1905/06 und 1906/07. Neu aufgenommen wurde die Zentralheizung in der Oberrealschule.

In den Zahlen, welche den Inhalt der geheizten Räume in cbm angeben, sind diejenigen Räume, die auf 20 ° C. geheizt werden, voll in Rechnung gestellt, während der Inhalt der Turnsäle, Korridore ꝛc., welche nur auf 12 ° C. zu heizen sind, entsprechend reduziert ist.

Um Vergleichszahlen für die unter verschiedenen Betriebsverhältnissen arbeitenden Heizungsanlagen zu erhalten, sind die für einen Heiztag und 100 cbm beheizten Raum entstandenen Kosten in besonderer Spalte aufgeführt.

In direkten Vergleich zueinander können nur die unter Nr. 1—11 aufgeführten Heizungen der Schulen und die unter 12 und 13 aufgeführten Heizungen der Bureauräume gebracht werden, da nur bei diesen annähernd die gleichen Betriebsverhältnisse vorliegen.

Bei den mit Zentralheizung versehenen Schulen Nr. 1—9 einschließlich berechnen sich die Kosten an Brennmaterialien für 100 cbm zu beheizenden Raum pro Heizperiode durchschnittlich auf 20,62 M. (Vorjahr 21,38 M.) und bei den mit Ofenheizung versehenen Nr. 10 und 11 durchschnittlich auf 33,06 M. (31,05 M.)

Ein Vergleich der Kosten der verschiedenen Heizungssysteme im Stadthaus ergibt, daß die Heizungskosten, bezogen auf 100 cbm Raum, für die Zentral-, Ofen- und Gasheizung im Verhältnis stehen wie 1 : 1,04 : 2,09 (Vorjahr 1 : 1,49 : 2,56).

C. Beschaffung der Brennmaterialien.

Nachstehende Tabelle gibt Aufschluß über die Mengen der für den städtischen Haushalt (mit Ausnahme des Gas-, Elektrizitäts-, Wasserwerkes und der Badeanstalten) beschafften Brennmaterialien und die dafür verausgabten Summen sowie die in den letzten Jahren für Brennmaterialien gezahlten Preise.

Ordn.-Nr.	Art des Brennmaterials	1906 Im ganzen beschafft	1906 Im ganzen verausgabt einschl. Oktroi M	Pf	1905 Im ganzen beschafft	1905 Im ganzen verausgabt einschl. Oktroi M	Pf	Einheitspreise einschl. Oktroi frei Lagerpl. für	1906 M	1905 M	1904 M
	I. Für Heizungen.										
1	Anthracit	738 dz	2 878	20	735 dz	2 866	50	1 dz	3,90	3,90	3,90
2	Nußkohlen	1 590 „	4 324	80	1 179 „	3 124	35	„	2,72	2,65	2,65
3	Stückkohlen	2 292 „	6 371	76	2 329 „	6 288	30	„	2,78	2,70	2,70
4	Fettschrot	737 „	1 709	84	897 „	2 018	25	„	2,32	2,25	2,25
5	Gabelkoks	7 926 „	19 026	24	9 185 „	21 125	50	„	2,40	2,30	2,30
6	Nußkoks	928 „	2 408	80	256 „	640	—	„	2,60	2,50	2,50
7	Buchenholz	1 066 „	3 752	32	1 147 „	3 968	62	„	3,52	3,46	2,80
8	Tannenholz	152 rm	1 793	60	196 rm	2 250	08	1 rm	11,80	11,48	9,65
9	do. klein gehackt . .	96 dz	374	40	76 dz	273	60	1 dz	3,90	3,60	3,50
10	Tannene Wellen	2 000 St.	190	—	2 400 St.	220	80	100 Stck.	9,50	9,20	8,24
	II. Für Hochdruckdampfkessel.										
1	Nußkohlen										
	a) für d. St. Rochus-Hosp.	1 686 dz	4 383	60	1 674 dz	4 185	—	1 dz	2,60	2,50	2,50
	b) „ die Pumpstationen	150 „	408	—	95 „	251	75	„	2,72	2,65	2,65
2	Steinkohlenbriketts										
	a) für den Hafen . . .	9 700 „	20 758	—	8 100 „	16 524	—	„	2,14	2,04	2,06
	b) „ „ Schlachthof .	13 650 „	29 757	—	16 400 „	34 112	—	„	2,18	2,08	2,10
3	Tannnenholz f. d. Hafenbahn	70 rm	826	—	—	—	—	1 rm	11,80	—	—
4	Tannene Wellen										
	a) für den Hafen . . .	300 St	28	50	—	—	—	100 Stck.	9,50	—	—
	b) „ d. St. Rochus-Hosp.	425 „	40	38	—	—	—	„	9,50	—	—

Ordn.-Nr.	Heizungsstelle	Art der Heizung	Art der Lüftung	Zu beheizender Raum cbm	Art des Brennmaterials
1	Schillerschule	Warmwasser- und Luftheizung	Zentrale selbsttätige Lüftung. Die Luft wird durch Kaloriferenheizung erwärmt.	8 397	Koks Stückkohlen Wellen Tannenholz
2	Leibnizschule	Niederdruckdampfheizung	Zentrale selbsttätige Lüftung. Die Luft wird in Heizkammern durch Niederdruckdampf erwärmt.	6 882	Koks Tannenholz
3	Bezirksschule am Feldbergplatz	do.	do.	16 925	Koks Tannenholz
4	Bezirksschule in der Holzstraße	do.	do.	14 387	Koks Tannenholz
5	Bezirksschule am Eisgrubeweg, alter Bau	do.	do.	5 231	Koks Tannenholz
6	Bezirksschule am Eisgrubeweg, neuer Bau	do.	Örtliche selbsttätige Lüftung.	3 379	Koks Tannenholz
7	Höhere Mädchenschule	do.	do.	5 481	Koks Tannenholz
8	Realgymnasium	do.	Lüftung durch Öffnen der Fenster.	7 623	Koks Wellen
9	Oberrealschule	do.	Zentrale selbsttätige Lüftung. Die Luft wird in Heizkammern durch Niederdruckdampf erwärmt.	17 800	Koks Tannenholz
10	Fürstenbergerhofschule	Schachtofenheizung	Lüftung durch Öffnen der Fenster.	3 875	Stückkohlen Tannenholz
11	Schule im Karmeliterkloster	Ofenheizung	do.	5 522	Stückkohlen Tannenholz
12	Stadthaus	a) Zentralheizung	Zentrale Pulsionslüftung bezw. Lüftung durch Öffnen der Fenster.	1 290	Koks Wellen
		b) Ofenheizung	Lüftung durch Öffnen der Fenster.	4 128	Kohlen und Koks Buchenholz Tannenholz
		c) Gasheizung	do.	435	Gas
13	Dienstgebäude in der Stiftstraße	Niederdruckdampfheizung	—	2 557	Koks Tannenholz
14	Stadttheater	do.	Für den Zuschauerraum zentrale, selbsttätige u. Pulsionslüftung mit Niederdruckdampferwärmung.	24 973	Koks Wellen
15	Stadthalle	Luftheizung	Zentrale selbsttätige u. Pulsionslüftung mit Erwärmung durch Kaloriferen.	27 224	Kohlen Wellen Tannenholz
16	Stadtbibliothek	Niederdruckdampfheizung	—	2 652	Koks Tannenholz

Heizperiode 1906/07					Heizperiode 1905/06				
Brennmaterialien-Verbrauch im ganzen	Geldwert des Verbrauchs ℳ	Kosten für 100 cbm beheizten Raum ℳ	Anzahl der Heiztage im Durchschnitt	Kosten pro Heiztag und 100 cbm beheizten Raum ₰	Brennmaterialien-Verbrauch im ganzen	Geldwert des Verbrauchs ℳ	Kosten für 100 cbm beheizten Raum ℳ	Anzahl der Heiztage im Durchschnitt	Kosten pro Heiztag und 100 cbm beheizten Raum ₰
771 dz 150 „ 200 Stck. 3 rm	2 332	27,8	181	15,3	833 dz 150 „ 200 Stck. 3 rm	2 385	28,40	181	15,7
759 dz 2 rm	1 851	26,9	181	14,9	744 dz 2 rm	1 741	25,30	181	14,0
1 039 dz 2 rm	2 524	14,9	181	8,2	1 038 dz 2 rm	2 417	14,28	181	7,9
1 019 dz 2 rm	2 475	17,2	181	9,5	1 178 dz 2 rm	2 739	19,04	181	10,5
435 dz 2 rm	1 074	20,5	181	11,3	510 dz 2 rm	1 202	22,98	181	12,7
245 dz 2 rm	618	18,3	181	10,1	277 dz 2 rm	666	19,71	181	10,9
517 dz 2 rm	1 270	23,2	181	12,8	574 dz 2 rm	1 350	24,63	181	13,6
564 dz 100 Stck.	1 363	17,9	181	9,9	549 dz 100 Stck.	1 272	16,69	181	9,2
1 177 dz 3 rm	3 314	18,6	181	10,3	— —	—	—	—	—
429 dz 18 rm	1 463	37,8	181	20,9	388 dz 18 rm	1 312	33,86	181	18,7
499 dz 16 rm	1 638	29,7	181	16,4	480 dz 17 rm	1 559	28,23	181	15,6
280 dz 100 Stck.	682	52,9	212	24,9	271 dz 100 Stck.	633	49,07	214	22,9
206 dz 628 „ 5 rm	3 050	73,9	212	34,8	218 dz 631 „ 5 rm	3 027	73,33	214	34,3
5 503 cbm	660	151,7	212	71,6	4 541 cbm	547	125,75	214	58,8
266 dz 2 rm	673	26,3	212	12,4	277 dz 2 rm	666	26,05	214	12,2
1 259 dz 200 Stck.	3 040	12,2	208	5,9	1 313 dz 200 Stck.	3 038	12,17	203	6,0
468 dz 400 Stck. 7 dz	1 366	5,0	55	9,1	375 dz 200 Stck. —	1 031	3,79	37	10,2
209 dz 4 rm	562	21,2	—	—	238 dz 4 rm	606	22,85	—	—

XV. Tiefbauwesen.

Das Beamtenpersonal des Tiefbauamtes bestand im Berichtsjahre aus 42 (40) Personen.

Die beim Tiefbauamte im Berichtsjahre eingelaufenen und ausgefertigten Schriftstücke sind im Einlaufregister unter 6246 (6000) Nummern eingetragen, wobei jedoch die wiederholt eingegangenen und bearbeiteten Aktenstücke unter einer Nummer gezählt werden, sodaß die Anzahl der tatsächlich eingelaufenen und ausgefertigten Schriftstücke 8318 (7071) beträgt.

Die ausgearbeiteten Berichte, Voranschläge, Gutachten, Aussprachen und Anzeigen beliefen sich auf 4223 (4102).

Zur Erteilung von Baubescheiden und Festsetzung der zu hinterlegenden Sicherheiten für Straßen- und Kanalbaukosten ꝛc. waren in 52 (58) Fällen die Anliegerbeiträge zu ermitteln.

Ferner waren bei Errichtung von 64 (59) Neubauten die Trottoirhöhen anzutragen und die Sockel bezüglich Bauflucht und Höhe zu revidieren; außerdem waren 68 (82) Bauzaunreverse für Benutzung von Straßenterrain zur Lagerung von Baumaterialien ꝛc. auszustellen, sowie 16 (10) Abrechnungen über fällige Straßen- und Kanalbaukosten in der Neustadt zu fertigen; letztere erstreckten sich auf 869,10 Frontmeter Straßenbau mit einem Kostenbetrage von 77781 ℳ 77 ₰ und auf 1525,78 Frontmeter Kanalbau mit einem Kostenbetrage von 28366 ℳ 41 ₰.

Für baupolizeiliche Verrichtungen des Tiefbauamtes sind auf Grund der Gebührenordnung vom 4. Dezember 1905 im ganzen 1682 ℳ 50 ₰ (485 ℳ 50 ₰) erhoben worden.

Für Ausführung von Arbeiten und Lieferungen wurden im Berichtsjahre 51 (76) Verträge abgeschlossen.

Stadterweiterung.

Die Herstellung der grundlegenden Lagepläne für die zu bearbeitenden Bebauungspläne der Stadterweiterung machte umfangreiche Vermessungen und Aufnahmen des Festungsgebietes erforderlich. Die Aufnahmen erstreckten sich über die Festungswerke zwischen dem Gautor und Bingertor und entlang des Zahlbacher Hanges, über Schanze Dalheim, Fort Stahlberg, ferner über Tenaille Clairfait, sowie über Teile von Fort Joseph, Fort Elisabeth und Fort Welsch. Über das Festungsgebiet zwischen Gautor und Linsenberg wurde ein Spezialplan in größerem Maßstab gefertigt.

Zur Aufstellung von Bebauungsplänen sind über folgende Gebiete geometrische Lagepläne samt Höhennivellements bearbeitet worden:

1. zwischen der Anlage und der Hechtsheimer-Straße,
2. bei den Römersteinen,
3. zwischen Gautor und Linsenberg hinter dem Cästrich,
4. zwischen der Oberen und der Unteren Zahlbacher-Straße,
5. zwischen der Oberen Zahlbacher- und der Pariser-Straße,
6. zwischen der Pariser- und der Hechtsheimer-Straße und
7. zwischen Neutor, Gautor und dem Weg um die Stadt.

Die umgearbeiteten Bebauungspläne für die Gebiete bei den Römersteinen und bei der Anlage (Fort Karl und Fort Karthaus) nebst den zugehörigen Ortssatzungen wurden im Oktober von der Stadtverordneten-Versammlung genehmigt, nachdem auf Grund der Besprechungen im September zwischen den zuständigen Reichsbehörden und der Stadt der Bebauungsplan des Gebietes bei der Anlage und die Vereinbarung bezüglich der Verteilung des Kostenaufwandes für die Baureifmachung von Fort Karl und Fort Karthaus die Zustimmung des Reichsschatzamtes erhalten hat. Mit der Baureifmachung obengenannten Gebietes ist am 28. Januar begonnen worden; bis zum Schlusse des Rechnungsjahres wurden geleistet: an Erdbewegung rd. 13400 cbm, an Mauerwerkabbruch rd. 1200 cbm.

Hand in Hand mit der Bearbeitung der Bebauungspläne wurden zur besseren Veranschaulichung Modelle für einzelne Bebauungsgebiete gefertigt.

Industriegebiet.

Die Baureifmachung des Industriegebietes auf der Ingelheimer Au oberhalb und unterhalb des Dammes der Staatsbahn ist weiter gefördert worden. In den Gebieten, für welche die Stadtverordneten-Versammlung schon im Jahre 1905 die Mittel bewilligt hat, sind die Arbeiten so weit gediehen, daß die Anschüttungen und Uferbefestigungen bis auf die Strecke unter der Bahnüberführung über den Floßhafen fertiggestellt sind. Zur Anschüttung gelangten rd. 176000 cbm Auffüllmaterial; nach Abzug von Straßen und Hafenbahngelände sind 70614 qm netto Industriegelände geschaffen worden, wovon 64298 qm verkauft, 500 qm vermietet und die restlichen 5816 qm voraussichtlich für städtische Zwecke Verwendung finden werden. Für die Baureifmachung von weiteren 20000 qm Industriegelände, wovon bereits rd. 18100 qm veräußert sind, und von rd. 46000 qm Lagerplatzgelände wurden die Anschüttungsarbeiten im Herbst 1906 vergeben; durch die außerordentlich niedrigen Wasserstände und die Eisverhältnisse im Winter konnte aber mit den Arbeiten erst Ende Februar begonnen werden. Die Unternehmer, Gebr. Meyer in Edla, förderten die Arbeiten jedoch so, daß bis zum 1. April 30000 cbm und bis Mitte Juni 80000 cbm Auffüllmaterial eingebaut war und die verkauften Plätze den Erwerbern Ende Mai und Mitte Juni überwiesen werden konnten.

Von den Straßen im Industriegebiet ist der Mittelweg auf seine ganze Länge und die Ingelheimstraße auf 370 m Länge ausgebaut worden. In der Unteren Ingelheimstraße wurden 218 lfd. m Gehweg hergestellt.

Wasserbau.

Im Zusammenhang mit der Baureifmachung von Industriegelände waren umfangreiche Bagger- und Uferbefestigungsarbeiten auszuführen. Sowohl die Bagger- als auch die Uferbefestigungsarbeiten sind bis auf die Strecke unter der Floßhafenüberbrückung fertiggestellt. An Baggergut sind rd. 22000 cbm gefördert worden, die zur Anschüttung von Industriegelände verwendet wurden. Die Uferbefestigungsarbeiten sind durch hohen und darauffolgenden außerordentlich niedrigen Wasserstand des Rheines äußerst ungünstig beeinflußt worden. Sie erforderten 3450 cbm Beton, der unter Wasser eingebracht wurde, 3640 cbm Uferbausteine zur Sicherung des Böschungsfußes und Stückung der Böschungen sowie 1850 cbm Mauersteine, aus welchen rd. 4500 qm Abrollung hergestellt worden ist.

Durch lang andauernden außergewöhnlich niedrigen Wasserstand des Rheines im Sommer und Herbst 1906 war Gelegenheit geboten zu umfangreichen Ausbesserungen an den unteren Schichten der Kaimauern, die gewöhnlich von Wasser bedeckt und wohl zum ersten Male seit ihrer Erbauung zu Tage getreten sind. Diese Ausbesserungsarbeiten sind auf die ganze Länge der Kaimauern am Rhein von deren Fuß bis zur Höhe + 1,50 m M. P., das ist bis über Mittelwasser, betätigt worden.

Bei der Kaiserbrücke und unterhalb derselben wurde das Ufer auf eine Länge von 200 m neu gestückt und der Steinvorwurf verlesen.

Zur Vergrößerung der Ausladestelle am Wachsbleicharm sind 750 qm Vorland neu befestigt worden.

Kläranlage.

Nachdem im Juni 1906 in Gemeinschaft mit Vertretern Großh. Ministeriums des Innern und des Großh. Kreisgesundheitsamtes Mainz eine Besichtigung auswärtiger städtischer Kläranlagen stattgefunden hatte, wurde seitens Großh. Ministeriums Ende Dezember 1906 der Stadt Mainz die Genehmigung erteilt, das Abwasser einschließlich der Fäkalien nach Klärung durch eine Feinrechen-Anlage in den Rhein einleiten zu dürfen, wie dies in dem im Jahre 1905 vom Tiefbauamt ausgearbeiteten und von der Stadtverordneten-Versammlung z. Zt. gutgeheißenen generellen Projekte vorgesehen war. Nachdem die Genehmigung der Großh. Regierung eingetroffen war, wurden im Einverständnis mit dem Bauausschuß mehrere Firmen, die Rechenanlagen zur Klärung von Abwasser als Spezialität bauen, zur engeren Submission auf Lieferung der maschinellen Einrichtung für die Kläranlagen aufgefordert. Den Firmen wurden Pläne, Erläuterungsbericht nebst Angebotsformular zugesandt und anheimgestellt, auf alle für die maschinelle Einrichtung der Anlage zu liefernden Gegenstände oder nur auf solche, die von ihnen als Spezialität hergestellt werden, Angebote einzureichen. Der Ablieferungstermin der Offerten war auf den 25. April 1907 festgesetzt. Die an diesem Tage eingelaufenen Angebote werden geprüft und mit erläuterndem Bericht demnächst zur Beschlußfassung vorgelegt werden.

Müllverbrennung.

Wie im vorigen Jahre berichtet worden ist, wurden vorläufige Bedingungen über Lieferung der Verbrennungsöfen nebst Kesseln für die Müllverbrennungsanlage ausgearbeitet; diese Bedingungen sind den 4 Spezialfirmen, mit denen bisher Verhandlungen wegen Erbauung der Müllverbrennungsanstalt gepflogen wurden, mit dem Ersuchen zugesandt worden, die von ihnen bei etwaiger Übertragung der Lieferung der Öfen und Kessel zu gewährenden Garantiezahlen einzusetzen. Die Bedingungen wurden von einer der Firmen ohne jede Veränderung und von einer anderen nur mit Abänderung der in den Bedingungen angegebenen Art der Zahlung der Lieferungen angenommen, wogegen die beiden anderen Firmen größere Änderungen der Bedingungen über die zu übernehmende Gewährleistung verlangten. Eine Entschließung, welcher der 4 Firmen die Lieferung der Verbrennungsöfen und Kessel übertragen werden soll, ist bis jetzt nicht getroffen worden. Die Angelegenheit ist aber bereits spruchreif und dürfte im nächsten Jahre ihre Erledigung finden.

Müllablagerungsplatz.

Am 1. November 1906 wurde laut Beschluß der Stadtverordneten-Versammlung der bisherige Müllablagerungsplatz auf der Ingelheimer Au wegen des zunehmenden Anbaues von industriellen Werken aufgegeben und mußte Ersatz dafür an anderer, dem zukünftigen Baugelände entfernter liegender Stelle geschaffen werden. Zu diesem Zwecke wurden zwei Projekte ins Auge gefaßt und Aufnahmen und Berechnungen über die Menge des auf den als Müllablagerungsplätze in Aussicht genommenen Grundstücken unterzubringenden Mülls angefertigt. Bei dem einen Projekt war als Ablagerungsplatz ein Teil der Steinbrüche bei Budenheim in Erwägung gezogen, bei dem anderen waren zwei Hospizienäcker nebst 4 im Privatbesitz befindlichen Grundstücken und ein Teil militärfiskalischen Geländes bei Fort Hechtsheim in Gemarkung Bretzenheim zu dem genannten Zwecke vorgesehen. — Da das letztere Projekt sowohl in der Anlage als auch im Betriebe das billigere war, wurde das Gelände beim Fort Hechtsheim als Müllablagerungsplatz bestimmt. Nach den Berechnungen lassen sich auf diesem Platze etwa 60 000 cbm Müll ablagern, sodaß dessen Unterbringung für die nächsten zwei Jahre gesichert sein dürfte.

Straßenbau.

Größere Straßenbauten wurden betätigt: im Barbarossa-Ring, in der Feldbergstraße, auf dem Sömmerringplatz, in der Goethestraße, Hardenbergstraße, auf dem Hohenzollernplatz, im Kaiser Karl-Ring, Kaiser Wilhelm-Ring, in der Lennigstraße, Nackstraße, Sömmerringstraße, Wallaustraße, Rheinallee, auf dem Rheingauwall, in der Gaßner-Allee, in der Mozartstraße, zusammen auf eine Frontlänge von rd. 3 050 m.

Straßenregulierungen und Umpflasterungen haben stattgefunden in der Neutorstraße, auf dem Bischofsplatz, in der Drususstraße, Gaustraße, Zeughausgasse. Neues Pflaster erhielten die Bonifaziusstraße, Frauenlobstraße, Leibnizstraße, Mombacherstraße (Zufahrt zum Bahnhof), Rheinallee, Raimundistraße, Schulstraße und Heiliggrabgasse. Es wurden an neuer Straßenbefestigung 7 312 qm hergestellt und zwar:

Stampfasphaltpflaster	2 797	qm
Gußasphaltpflaster	249	„
Holzpflaster	1 458	„
4-häuptiges Steinpflaster	1 901	„
Kleinpflaster	907	„

Straßenbahn.

Nachdem am 16. Dezember 1905 die Konzessionierung der Straßenbahnlinie nach der Ingelheimer Au erfolgt war, wurde mit dem Bau dieser Vorortbahn begonnen und dieselbe im April 1906 vollendet. Die landespolizeiliche Abnahme fand im Juni und die Inbetriebnahme am 1. Juli 1906 statt. Die Linie zweigt beim Straßenbahnamt von der bestehenden Linie ab und endigt hinter der Biebricherstraße. Die Bahn ist eingleisig, liegt zum Teil auf eigenem Bahnkörper und hat eine Länge von 1 986 m. Zur Verwendung kamen, soweit öffentliche Straßen benutzt werden, Rillenschienen, Profil 18 F, und Vignolschienen auf eisernen Querschwellen auf den Strecken, wo die Bahn auf eigenem Bahnkörper liegt.

Die Vorortbahn Kastel-Kostheim wurde ebenfalls am 16. Dezember 1905 und die Änderungen dieser Linie innerhalb der Ortslage Kastel am 4. Juli 1906 konzessioniert. Mit dem Bau ist am 8. Oktober angefangen worden. Bis Ende Dezember war der Gleisbau von der Endweiche in Kostheim bis zur Gemarkungsgrenze Kastel beendigt, mit Ausnahme einer etwa 450 m langen Strecke bei der Überführung der Kreisstraße Kastel-Kostheim über die Taunusbahn. Wegen des strengen Winters ruhten alsdann die Arbeiten bis zum 18. Februar. Zwischen dem 18. Februar und Ende März wurden die Gleise in Kastel in der Mainzer- und Frankfurter-Straße bis zum Frankfurter-Tor verlegt. Von Ende März bis Anfang Mai mußten die Arbeiten wieder unterbrochen werden, da die Einebnung im früheren Festungsgebiet von Kastel und die Anschüttungen der Auffahrtsrampen nach der Überführung der Kreisstraße über die Taunusbahn noch nicht genügend weit gefördert waren. Die Wiederaufnahme der Gleisverlegungsarbeiten fand Anfang Mai statt und ihre Vollendung am 29. Juni 1907. Da auch die Oberleitungsarbeiten bis zum 15. Juli fertiggestellt waren, so konnte die landespolizeiliche Abnahme am 18. Juli stattfinden und der Betrieb am 25. Juli aufgenommen werden. Die Straßenbahn ist in der Ortslage Kastel zweilinig ausgebaut. Die eine Strecke, auf der die Wagen nach Kostheim fahren, zweigt von dem bestehenden Straßenbahngleis am Bahnhof Kastel ab, geht durch die projektierte Ringstraße bis zur Abzweigung der Hochheimer-Straße und biegt dann in die Kastel-Kostheimer Kreisstraße ein. Die andere Strecke, die von den von Kostheim zurückkehrenden Wagen befahren wird, zweigt am Fuße der Brückenrampe in Kastel ab, führt durch die Mainzer- und Frankfurter-Straße bis zur

Vereinigung mit der vorhergenannten Strecke. Nach der Vereinigung dieser beiden Strecken benutzt die Straßenbahn die Kreisstraße Kastel-Kostheim und endigt in Kostheim in der Hauptstraße hinter der Mainbrücke. Die Länge der Linie beträgt 3 062,8 m; in dieselbe sfud 9 Weichen eingebaut. Zur Verwendung sind durchweg Rillenschienen Profil 18 F gelangt.

Mit dem Ban der am 4. Juli 1906 konzessionierten Vorortbahn Mombach-Gonsenheim, wurde in der letzten Hälfte Dezember angefangen, wegen des harten Winters konnten die Arbeiten vorerst nur langsam betrieben und mußten zeitweise eingestellt werden. Bis zum 1. April war der Unterbau auf eine Länge von 2,7 km von der Waggonfabrik in Mombach bis zur evangelischen Kiechr in Gonsenheim fertiggestellt und 1 100 m Gleis verlegt; bis zum 10. Juni 1907 war die ganze 3,4 km lange Teilstrecke bis zur Schule in Gonsenheim betriebsfähig ausgebaut. Am 11. Juni fand die landespolizeiliche Abnahme statt und am 15. Juni kautte der Betried eröffnet werden. Die Linie zweigt bei der Waggonfabrik von der bestehenden Straßenbahn nach Mombach ab, benutzt die neue Kreisstraße Mombach-Gonsenheim bis zur evangelischen Kieche in Gonsenheim, von da ab die Kaiserstraße bis zum Schulhaus. Entlang der Kreisstraße konnte die Straßenbahn fast durchgehends auf eigenem Bahnkörper geführt werden. Zur Verlegung kamen 2 192 m Rillengleis, 1 962 m Vignolgleis und 12 Weichen.

Zwecks Erweiterung der Gleisanlage im Betriebsbahnhof wurde ein Abstellgleis links der Wagenhalle ausgeführt, wobei die Herstellung in einfachster Weise durch Einbauen einer Weiche und Verlegung von 100 lfd. m altem Pferdebahngleis erfolgte. Ebenso wurde die Einpflasterung der Schiebebühnengleise und des Zufahrtsgleises rechts der Wagenhalle, zusammen etwa 1 200 qm, vorgenommen.

Erweiterungen und Ergänzungen des bestehenden Gleisnetzes der Straßenbahn wurden ausgeführt: 1. Ausweiche im Kaiser Karl-Ring, etwa 60 m lang, im April 1906; 2. Ausweiche in der Rheinstraße in Weisenau, etwa 77 m lang, im Mai 1906; 3. Ausweiche an der Anlage durch Verbindung des Abstellgleises mit dem Durchgangsgleis, etwa 41 m lang, im Mai 1906; 4. im Kaiser Wilhelm-Ring, zwischen Lessing- und Goethestraße, ist ein zweites Gleis von rd. 400 m Länge verlegt und das alte Gleis, etwa 400 m, aus dem Mittelsquare herausgenommen und in die Fahrbahn eingebaut worden, im Oktobre bis Dezember 1906; 5. die Umgestaltung der Gleisanlagen auf dem Graben, wobei 176 m Gleis aufgenommen und rd. 208 m Gleis neu verlegt wurden, fand im März 1907 statt. In der Zeit vom 1. April 1906 bis 1. April 1907 wurden aufgenommen und anderwärts verwendet 778 m Gleis und neu verlegt rd. 8 190 m Gleis, sowie 29 Weichen eingebaut.

Hafenbahn.

Die im Jahre 1905 beschlossene Erweiterung der Hafenbahn auf der Ingelheimer Au ist vollendet und in Betrieb genommen worden. Es kamen hierbei 1 236,28 lfd. m neues und 1 218 lfd. m altes Gleis zur Verlegung. In das Hafenbahngleis sind 13 neue und 4 vorhandene Weichen, sowie 2 Drehscheiben eingebaut worden. Von diesen Gleisanlagen wurden auf Rechnung von Dritten 129 lfd. m Gleis verlegt sowie 3 Weichen und die 2 Drehscheiben eingebaut.

Zum Zwecke der Veräußerung oder Verpachtung von Plätzen an der Mombacher-Straße wurde ein Gleisanschluß vom Bahngebiet hergestellt. Zur Anschüttung des Bahndammes für den genannten Gleisanschluß wurden 23 000 cbm Material durch Unternehmer L. Krämer mittels Transportbahn von Mombach angeliefert und eingebaut; ferner sind 361,75 lfd. m Gleis verlegt, eine Weiche und eine Drehscheibe eingebaut worden.

Friedhof.

Zur Bestattung der Überreste der im Jahre 1870/71 hier gestorbenen kriegsgefangenen französischen Soldaten sind im Benehmen mtie der französischen Regierung auf dem Friedhofe zwei Massengruften errichtet worden.

An ständigen Arbeitern waren beim Tiefbauamte 156 (148) Mann beschäftigt und zwar

a) beim Straßenbau und der Straßenunterhaltung:

19 (20) Obleute,
1 (1) Magazinier,
13 (13) Vorarbeiter,
10 (9) Meßgehilfen,
19 (17) Bauarbeiter,
6 (6) Halbinvaliden,
45 (42) Straßenreiniger,
1 (2) Steinschläger,
1 (1) jugendlicher Arbeiter,
5 (7) Handwerker;

b) beim Kanalbau:

1 (1) Obmann,
3 (2) Handwerker,
1 (1) Vorarbeiter,
3 (2) Arbeiter;

c) bei der Kanal- und Sinkkastenreinigung:

2 (2) Obleute,
2 (2) Vorarbeiter,
16 (13) Arbeiter;

d) bei der Reinigung der Bedürfnisanstalten:

1 (1) Obmann,
4 (3) Arbeiter;

e) beim Wasserbau:

1 (1) Obmann,
2 (2) Schiffer.

Der Durchschnittslohn für die beim Tiefbauamte beschäftigten Arbeiter betrug im Berichtsjahre:

Obleute und Schiffer	3,70	ℳ	Taglohn,
Handwerker	0,43—0,60	„	Stundenlohn,
Vorarbeiter	0,34	„	„
Meßgehilfen 1. Klasse	0,36	„	„
Meßgehilfen 2. Klasse	0,32	„	„
Bauarbeiter	0,32	„	„
Hilfsarbeiter und Straßenreiniger	0,52	„	„
Kanalarbeiter und Reiniger der Bedürfnis-Anstalten	0,34	„	„

Der höchste Lohn betrug durchschnittlich 3,70 (3,70) ℳ, der niedrigste 3,20 (3,10) ℳ für den Tag.

Außerdem wurde den mindestens ein Jahr im Dienste der Stadt beschäftigten Arbeitern in Anbetracht der hohen Lebensmittelpreise zufolge Beschlusses der Stadtverordneten-Versammlung vom 12. Dezember 1906 mit Wirkung vom 1. April 1906 ab eine Familienzulage gewährt. Dieselbe beträgt:

a) für verheiratete Arbeiter ohne aber mit höchstens 2 Kindern unter 16 Jahren für jede Woche . 1,50 ℳ
b) für verheiratete Arbeiter mit 3 und 4 Kindern unter 16 Jahren für jede Woche . . . . 1,75 „
c) für verheiratete Arbeiter mit 5 und mehr Kindern unter 16 Jahren für jede Woche . . . . . . 2,00 „
d) für ledige Arbeiter für jede Woche . . . . 0,75 „

Verwitwete oder geschiedene Arbeiter mit Kindern unter 16 Jahren werden wie verheiratete behandelt, verwitwete Arbeiter ohne Kinder werden den ledigen Arbeitern gleichgestellt. Ledige Arbeiter, welche die einzigen Ernährer von Eltern sind, werden den verheirateten unter pos. a gleichgestellt.

Die an die Arbeiter des Tiefbauamtes im Berichtsjahr ausbezahlte Familienzulage beträgt im ganzen 10 606,50 ℳ und verteilt sich wie folgt:

	ℳ	₰
a) 84 verheiratete und verwitwete Arbeiter ohne bezw. mit höchstens 2 Kindern 4 ledige Arbeiter, welche die einzigen Ernährer der Eltern sind	6 594	95
b) 28 verheiratete Arbeiter mit 3 und 4 Kindern	2 531	—
c) 7 „ „ 5 und mehr Kindern	700	58
d) 16 ledige Arbeiter über 30 Jahre alt	600	60
e) 7 „ „ unter 30 „ „	179	37
146 Arbeiter mit zusammen	10 606	50

Für die letztaufgeführten ledigen Arbeiter unter 30 Jahren wurde die Familienzulage bei der städt. Sparkasse verzinslich angelegt.

An Taglöhnen wurden im Berichtsjahre im ganzen 188 414 ℳ 75 ₰ (177 065 ℳ 02 ₰) verausgabt; zu dem Zwecke sind 2061 (2 173) Stück wöchentliche Lohnlisten aufgestellt worden.

Die Fuhrleistungen waren im Berichtsjahre vertragsmäßig dem Mainzer Fuhrverein und W. Hofmann übertragen.

Bei verschiedenen Neubauten und der Straßenunterhaltung wurden außer 469 (905) Taglohnfuhren 52 506 (58 641) Fuhren geleistet; auf einen Arbeitstag entfallen mithin im Durchschnitt 171 (196) Fuhren.

Für die Kanalreinigung und -Unterhaltung waren 2045 (1898) Fuhren erforderlich, für den Arbeitstag also im Durchschnitt 6,8 (6) Fuhren.

An Fuhrlöhnen wurden vergütet:

für Neubauten nud Straßenunterhaltung	47 997 ℳ 80 ₰	(55 741 ℳ 46 ₰)
für Kanalreinigung und -Unterhaltung	9 612 „ — „	(8 281 „ 75 „)
Im ganzen	57 609 ℳ 80 ₰	(64 023 ℳ 21 ₰)

Die Dampfwalze fand bei folgenden Ausführungen Verwendung:

Art der Ausführung.	Straßenzahl bezw. Baustellen.	Gewalzte Fläche.	Stunden.	Walzlohn.
Straßenunterhaltung	33 (47)	20 018 qm (46 306 qm)	1 119 (1 843)	4 202 ℳ 46 ₰ (7 108 ℳ 89 ₰)
Neubauten	37 (47)	22 899 „ (31 322 „)	1 755 (2 102)	6 672 „ 52 „ (9 066 „ 53 „)
zusammen	70 (94)	42 917 qm (77 628 qm)	2 874 (3 945)	10 874 ℳ 98 ₰ (16 175 ℳ 42 ₰)

An Materialien für Neubauten und Unterhaltung wurden im Berichtsjahre angeschafft:

vierhäuptige Pflastersteine = 137 (182) Waggons (Melaphyr)	199 818	Stück	(281 094 Stück)
einhäuptige „ = 115 (—) „ „	571,29	cbm	(—)
„ „ (Steinheimer Basalt) = 1 (17) Waggons	4,50	„	(95,51 cbm)
geschliffene Pflastersteine (Steinheimer Basalt)	15,64	qm	(30 qm)
Holzpflasterklötze =	10,50	cbm	(26,203 cbm)
Decksteine a) von Dossenheim (Porphyrsteine)	995,93	„	(1 394,50 cbm)
Decksteine b) „ C. Fehr Söhne, Wiesbaden (Melaphyrsteine)	2 582,18	„	(2 509,72 „)
Decksteine c) „ Basaltaktiengesellschaft Linz a. Rh. (Basalt)	439,80	„	(825,24 „)
Decksteine d) „ Odenw. Hartsteinindustrie, Darmstadt (Basalt)	497,04	„	(885,74 „)
Steingrus von C. Fehr Söhne, Wiesbaden	20,26	„	(—)
Stücksteine a) von C. Fehr Söhne, Wiesbaden	4 803,51	„	(1 384,97 „)
Stücksteine b) altbrauchbare Stücksteine	3 092,10	„	(1 275,80 „)
Randsteine aus Granit = 55 (39) Waggons	3 690,49	lfd. m	(2 650,33 lfd. m)
Uferbausteine und Abrollsteine	5 414,67	cbm	(566,25 obm)
Pflasterkies und Sand = 13 719 (12 128) Fuhren	8 398,00	„	(7 414,85 „)
Betonsteine = 3 387 (3 719) Fuhren	2 032,20	„	(2 231,40 „)
Bessunger Kies = 81 (72) Waggons	685,18	„	(639,49 „)
Kanalbausteine a) Parallelsteine	541 142	Stück	(505 039 Stück)
Kanalbausteine b) Keilsteine	86 970	„	(95 275 „)
Kanalbausteine c) Spülschachtsteine	38 295	„	(49 700 „)
Kanalbausteine d) Hintermauerungssteine	544 750	„	(519 470 „)
Zement	983 642	kg	(767 102 kg)
Zementwaren a) Zementrohre	277,00	lfd. m	(306,00 lfd. m)
Zementwaren b) Sohlsteine	6,00	„	(40,00 „)
Zementwaren c) Einlaßstücke	308	Stück	(192 Stück)
Zementwaren d) Verschlußteller	325	„	(80 „)
Zementsohlsteine mit Steinzeugsohlschalen	903,20	lfd. m	(2 208,80 lfd. m)
Basaltlava-Sohlsteine	2 134,00	„	(289,52 „)
Tonröhren bezw. Steinzeugröhren	100,75	„	(775,95 „)
Eisenwerk	31 239	kg	(92 432 kg)
Tonsinkkasten Modell A	181	Stück	(150 Stück)
Tonsinkkasten „ B	22	„	(11 „)
Klinker	26 700	„	(11 000 „)
Tonsteine von J. Tittelbach Nachf. in Buschbad-Meißen = 8 500 (25 500) Stück	50	qm	(150 qm)
Stampfasphaltplatten von J. S. Kahlbeyer in Cöln-Deutz	50	„	(50 „)
Pflasterkitt	123 620	kg	(78 833 kg)

Westrumit } für Teeren chaussierter	. . . .	1 314 kg	(1 168 kg)
Asphaltlack } und Holzpflaster-	. . . .	1 744 „	(4 079 „)
Teer } Straßen	. . . .	39 189 „	(7 133 „)
Formsteine	. . . .	15 244 Stück	(8 000 Stück)
Kleinschlag wurde hergestellt:			
a) aus Hartgestein	. . . .	268,65 cbm	(738 cbm)
b) aus Kalksteinen, Backsteinen ꝛc.	. . . .	97,80 „	(1 237 „)
Altbrauchbare Pflastersteine wurden nachgerichtet	. . . .	157,25 „	(194 „)
Mosaiksteine wurden hergestellt	. . . .	42,00 „	(68 „)
Von den beim Abbruch der Schloßkaserne gewonnenen Materialien wurden verwendet:			
Stücksteine	. . . .	63,65 „	(5 301,52 „)

Auch im Berichtsjahre wurden für Beschaffung der Straßen- und Kanalbaumaterialien besondere Kredite eingestellt, auf welche die Anschaffungskosten vorlagsweise zur Anweisung kamen und nach Verwendung der Materialien bei den verschiedenen Bauausführungen zu Lasten der einzelnen Baukredite umgebucht wurden.

Angeschafft wurden einschließlich der im Vorjahre unverwendet gebliebenen Materialien:

Straßenbaumaterialien im Werte von	120 531 ℳ 46 ₰	(112 028 ℳ 96 ₰)
Kanalbaumaterialien „ „ „	35 193 „ 69 „	(67 616 „ 35 „)

Verwendet und auf die Baukredite umgebucht wurden:

Straßenbaumaterialien im Werte von	107 966 ℳ 02 ₰	(99 811 ℳ 16 ₰)
Kanalbaumaterialien „ „ „	23 319 „ 30 „	(56 100 „ 71 „)

Die noch vorhandenen Materialien kommen im Rechnungsjahre 1907 zur Verwendung; der Wert derselben wird als Ausgabe auf dieses Rechnungsjahr umgebucht.

Der Voranschlag des Tiefbauamtes belief sich im Berichtsjahre 1906 auf rund 4 340 500 ℳ (3 768 700 ℳ), worunter die aus dem Vorjahre übertragenen Kredite in Höhe von 1 652 619 ℳ 61 ₰ (1 497 652 ℳ 25 ₰) mit inbegriffen sind.

Die auf Grund von 5 465 (5 712) Belegen und Rechnungen angewiesene Gesamtausgabe beziffert sich auf 2 089 496 ℳ 73 ₰ (2 343 591 ℳ 52 ₰).

Für die in Angriff genommenen und bis zum Schlusse des Rechnungsjahres noch nicht vollendeten Ausführungen sind Kreditübertragungen in Höhe von 2 419 389 ℳ 82 ₰ (1 659 269 ℳ 59 ₰) beantragt worden.

In der folgenden Tabelle sind die Flächen der regulierten Straßen in der Altstadt und der planmäßig ausgebauten Straßen der Neustadt zusammengestellt.

Am Schlusse des Rechnungsjahres waren vorhanden:

Gegenstand.	Annäherndes Flächenmaß.	
1. Gepflasterte Fahrbahnen:		
a) mit vierhäuptigen Steinen	215 663 qm	
b) „ einhäuptigen „	72 465 „	
c) „ belgischen Granitsteinen	6 518 „	
d) „ geschliffenen Steinen	376 „	
e) „ Holz auf Betonunterlage		
1. Weichholz	48 021 „	
2. Hartholz	2 576 „	
f) „ Asphaltplatten auf Betonunterlage	989 „	
g) „ Asphaltzementplatten auf Betonunterlage	1 835 „	
h) „ Gußasphalt	3 855 „	
i) „ Stampfasphalt	12 014 „	
k) „ Temperschlackensteinen	9 174 „	
l) „ Basaltzementstein	2 170 „	
m) „ Kleinpflaster	4 140 „	379 796 qm
zu übertragen		379 796 qm

Übertrag . . .	379 796 qm	
Hierzu kommen noch die mit einhäuptigen Steinen gepflasterten Fahrstraßen längs dem Rheinufer und die Straßen im Zollhafengebiet mit	88 784 „	
Summe gepflasterte Fahrbahnen	468 580 qm	(458 570)
2. Chaussierte Fahrbahnen	145 627 „	(135 688)
Summe Fahrbahnen	614 207 qm	(594 258)

3. Befestigte Fußwege:

a) mit einhäuptigen Steinen	59 366 qm	
b) „ gerichteten „	2 580 „	
c) „ Gußasphalt	121 951 „	
d) „ Asphaltplatten	2 982 „	
e) „ Zementplatten	5 720 „	
f) „ Granitplatten	230 „	
g) „ Mosaik	22 574 „	
Summe befestigte Fußwege	215 403 qm	(209 541)
4. Kiesbankette und Kiesplätze	139 324 „	(135 162)
5. Reitwege	29 046 „	(29 046)

An Randsteinen waren in den vorstehend genannten Straßen vorhanden:

Basaltlava	Profil I	10 903 lfd. m	
	„ II	15 190 „	
Granit	„ I	1 270 „	
	„ II	74 192 „	
Kalkstein		967 „	
Summe Randsteine		102 522 lfd. m	(98 280)

Bei Schluß des Berichtsjahres betrug die Fläche der noch zu regulierenden Straßen in der Altstadt 28 020 qm
Abnahme gegen das Vorjahr . . . . . 121 „

Außer den bezeichneten Straßenflächen waren noch zu unterhalten:

a) Kreisstraßen:

chaussierte Fläche	21 319 qm
gepflasterte „	2 140 „
Summe Kreisstraßen	23 459 qm

b) Gartenfelder Wege:

chaussierte Fläche	22 734 qm
gepflasterte „	3 700 „
Summe Gartenfelder Wege	26 434 qm

c) Wege vor den Toren:

chaussierte Fläche	51 182 qm
gepflasterte „	2 700 „
Summe Wege vor den Toren	53 882 qm

Bau- und Unterhaltungsarbeiten wurden im Berichtsjahre ausgeführt:

A. Straßenbau.

Die nachstehende Zusammenstellung bietet eine Übersicht über die Regulierung und Neupflasterung der Straßen in der Alt- und Neustadt und den planmäßigen Ausbau der Straßen in der Neustadt.

Ord.-Nummer	Namen der Straßen	Fahrbahnen mit						Trottoirs mit				Randsteine		Ausgebaute Straßenfläche
		Steinpflaster	Stampfasphalt	Gußasphalt	Weichholzpflaster	Kleinpflaster	Chaussierung	Steinpflaster	Gußasphalt	Mosaikpflaster	Kies	in Granit Profil II	in Basalt Profil I	
		qm	qm	qm	qm	qm	qm	qm	qm	qm	qm	lfd. m	lfd. m	qm
	I. Altstadt.													
	a. Straßen-Regulierungen.													
1	Neutorstraße, längs des Hauses Graben Nr. 2	62,32	—	—	—	—	—	—	42,85	12,12	—	9,65	11,04	121,28
	b. Straßen-Neupflasterungen													
2	Heiliggrabgasse, zwischen Augustinerstraße und Heiliggrabgasse Nr. 7	—	—	206,79	—	—	—	—	—	—	—	—	—	206,79
	c. Trottoir-Ergänzungen.													
3	Stiftsstraße vor den Häusern Nr. 13 u. 15	—	—	—	—	—	—	—	75,16	—	—	33,66	—	83,58
4	Karthäuserstraße-Rochusstraße, vor den Anwesen Nr. 10 und 12 . . .	—	—	—	—	—	—	60,00	—	—	—	41,26	—	70,31
	Summe I. . .	62,32	—	206,79	—	—	—	60,00	118,01	12,12	—	84,57	11,04	481,96
	II. Neustadt. (Ausbau)													
1	Barbarossa-Ring vor Nr. 21—27 u. Barbarossastraße vor Nr. 3 u. 5	16,13	—	—	—	—	—	52,81	—	—	—	136,63	—	103,10
2	Barbarossa-Ring zwischen Barbarossastraße und Bismarckplatz	184,35	—	—	—	—	—	—	—	—	—	182,98	—	230,09
3	Dalbergstraße, Ecke Kaiser Wilhelm-Ring . . .	—	—	—	—	—	—	58,59	—	—	—	99,50	—	83,47
4	Feldbergstraße zwischen Sömmerringplatz und Wallaustraße u. Sömmerringplatz vor Nr. 2 und 4	129,80	—	—	—	—	425,51	228,64	—	—	—	127,74	—	815,88
5	Goethestraße vor Nr. 1 bis 5 und Barbarossa-Ring vor Nr. 1 u. 3	—	—	—	—	—	301,55	—	—	—	—	81,40	—	321,90
6	Hardenbergstraße zwischen Hafenbahn und Rheingauwall	110,00	—	—	—	—	—	514,45	—	—	—	170,04	—	666,96
7	Hohenzollernplatz mit umgebenden Straßen . .	508,24	—	—	—	—	1 462,31	938,62	—	—	—	374,27	—	2 997,74
8	Kaiser Karl-Ring zwischen Mozart- u. Beethovenstraße	356,61	—	—	—	—	1 074,71	—	—	—	—	302,91	—	1 507,05
9	Kaiser Karl-Ring zwischen Beethovenstraße und Rheinallee . . .	54,95	—	—	—	—	857,96	94,00	—	—	—	118,99	—	1 036,66
10	Kaiser Karl-Ring vor Nr. 11	13,74	—	—	—	—	—	44,66	—	—	—	13,74	—	61,84
11	Kaiser Wilhelm-Ring vor Nr. 59—65 u. 72 u. Colmarstraße vor Nr. 4 und 6	254,92	—	—	—	—	333,98	358,91	—	—	—	254,92	—	1 011,49
12	Kaiser Wilhelm-Ring vor Nr. 71—75 und Uhlandstraße vor Nr. 2	175,55	—	—	—	—	318,92	314,04	—	—	—	173,95	—	852,00
	zu übertragen . .	1 804,29	—	—	—	—	4 774,89	2 599,72	—	—	—	2 037,07	—	9 688,18

Ord.-Nummer	Namen der Straßen	Fahrbahnen mit						Trottoirs mit				Randsteine		Ausgebaute Straßenfläche
		Steinpflaster	Stampfasphalt	Gußasphalt	Weichholzpflaster	Kleinpflaster	Chaussierung	Steinpflaster	Gußasphalt	Mosaikpflaster	Kies	in Granit Profil II	in Basalt Profil I	
		qm	qm	qm	qm	qm	qm	qm	qm	qm	qm	lfd. m	lfd. m	qm
	Übertrag . .	1 804,29	—	—	—	—	4 774,89	2 599,72	—	—	—	2 037,07	—	9 688,18
13	Kaiser Wilhelm-Ring vor Nr. 56 und Ecke Lessingstraße	204,16	—	—	—	—	682,64	544,75	—	—	—	222,87	—	1 437,27
14	Lennigstraße	132,81	—	—	—	—	430,92	316,82	—	—	—	105,70	—	906,97
15	Rackstraße, zwischen Lennig- u. Colmarstraße .	121,71	—	—	—	—	303,00	275,47	—	—	—	134,91	—	733,91
16	Sömmerringstraße, zwischen Neckarstraße und Haus Nr. 14	221,86	—	—	—	—	650,28	323,76	—	—	—	157,92	—	1 235,38
17	Wallaustraße, zwischen Feldberg- u. Mainstraße	433,99	—	—	—	—	2 102,18	1 350,71	—	—	—	393,42	—	3 985,23
	Summe II. . .	2 918,82	—	—	—	—	8 893,91	5 411,23	—	—	—	3 051,89	—	17 986,94
	III. Neustadt. (Neupflasterung)													
1	Bonifaziusstraße zwischen Frauenlob- und Kurfürstenstraße	—	—	—	—	—	—	—	693,34	—	—	—	—	693,34
2	Bonifaziusstraße zwischen Schul- und Frauenlobstraße	—	846,67	—	—	—	—	—	557,52	(siehe auch Stadterweiterung)				1 404,19
3	Boppstraße, vor Nr. 44	—	—	—	—	—	—	—	88,88	—	—	—	—	88,88
4	Frauenlobstraße, zwischen Leibniz- u. Forsterstr.	1 842,67	—	—	—	—	—	—	1 016,11	—	—	—	—	2 358,78
5	Leibnizstraße, zwischen Schul- und Frauenlobstraße	—	442,01	—	—	—	—	—	215,79	(siehe auch Stadterweiterung)				657,80
6	Mombacherstraße Zufahrt nach dem Güterbahnhof	291,79	—	—	—	—	—	—	—	—	—	—	—	291,79
7	Rheinallee zwischen Kaiser Karl-Ring u. Goßner-Allee	204,99	—	—	—	907,26	—	—	—	—	—	161,70	—	1 152,67
	Summe III. . .	1 839,45	1 288,68	—	—	907,26	—	—	2 571,64	—	—	161,70	—	6 647,45
	IV. Stadterweiterung.													
	a. Neupflasterung.													
1	Bonifaziusstraße zwischen Schul- und Frauenlobstraße	—	438,61	—	—	—	—	—	240,69		(siehe auch Neustadt)			679,30
2	Leibnizstraße, zwischen Schul- und Frauenlobstraße	—	560,80	—	—	—	—	—	146,69		(siehe auch Neustadt)			707,49
3	Raimundistraße, zwischen Schul- und Frauenlobstraße	—	508,94	—	—	—	—	—	73,01	—	—	—	—	581,95
4	Schulstraße, zwischen Raimundistr. u. Rheinallee	—	—	—	1 457,86	—	—	—	45,16	—	—	—	—	1 503,02
	b. Fußsteigbefestigungen.													
5	Frauenlobstr. vor Nr. 62	—	—	—	—	—	—	—	64,57	—	—	—	—	64,57
6	Frauenlobstr. vor Nr. 82	—	—	—	—	—	—	—	39,00	—	—	—	—	39,00
7	Schulstraße, vor der Oberrealschule . . .	—	—	—	—	—	—	—	146,69	—	—	—	—	146,69
8	Kaiserstraße, Fußsteig um die Christuskirche . .	—	—	—	—	—	—	—	494,00	—	—	—	—	494,00
	Summe IV. . .	—	1 508,35	—	1 457,86	—	—	—	1 249,81	—	—	—	—	4 216,02

Ord.-Nummer	Namen der Straßen	Fahrbahnen mit: Stein-pflaster	Stampf-asphalt	Guß-asphalt	Weich-holz-pflaster	Klein-pflaster	Chaus-sierung	Trottoirs mit: Stein-pflaster	Guß-asphalt	Mosaik-pflaster	Kies	Randsteine: in Granit Profil II	in Basalt Profil I	Aus-gebaute Straßen-fläche
		qm	qm	qm	qm	qm	qm	qm	qm	qm	qm	lfd. m	lfd. m	qm
	V. Stromkorrektion. (Fußsteigbefestigungen)													
1	Straße am Zollhafen vor dem Chemischen Untersuchungsamt	—	—	—	—	—	—	—	232,71	—	—	—	—	232,71
2	Rheinallee v. den Häusern Nr. 24 und 26 . . .	—	—	—	—	—	—	—	85,83	—	—	—	—	85,83
	Summe V. . .	—	—	—	—	—	—	—	318,54	—	—	—	—	318,54
	VI. Nordwestfront. (Ausbau)													
1	Rheinallee zwischen Gaßner-Allee u. Straße 6													
2	Rheingauwall, zwischen Rheinallee u. Mozartstraße													
3	Gaßner-Allee u. Obere Austraße	1 931,13	—	—	—	—	6 927,39	—	—	—	5 082,24	867,85	—	14 157,72
4	Mozartstraße, zwischen Rheingauwall und Straße 4													
	Summe VI. . .	1 931,13	—	—	—	—	6 927,39	—	—	—	5 082,24	867,85	—	14 157,72
	Zusammenstellung.													
	Summe I. . .	62,32	—	206,79	—	—	—	60,00	118,01	12,12	—	84,57	11,04	481,96
	„ II. . .	2 918,82	—	—	—	—	8 893,91	5 411,23	—	—	—	3 051,89	—	17 986,94
	„ III. . .	1 839,45	1 288,68	—	—	907,26	—	—	2 571,64	—	—	161,70	—	6 647,45
	„ IV. . .	—	1 508,35	—	1 457,86	—	—	—	1 249,81	—	—	—	—	4 216,02
	„ V. . .	—	—	—	—	—	—	—	318,54	—	—	—	—	318,54
	„ VI. . .	1 931,13	—	—	—	—	6 927,39	—	—	—	5 082,24	867,85	—	14 157,72
	Gesamtsumme . .	6 751,72	2 797,03	206,79	1 457,86	907,26	15 821,30	5 471,23	4 258,00	12,12	5 082,24	4 166,01	11,04	43 808,63
	Auf Kosten der Königl. Preuß. und Gr. Hess. Eisenbahndirektion Mainz wurden ausgeführt: Pflasterung der Unterführungen der Umgehungsbahn und zwar in der Gaßner-Allee und in der verlängerten Mozartstraße	266,91	—	—	—	—	—	136,57	—	—	—	—	Profil II 86,80	425,18

Weiter wurden noch folgende Ausführungen betätigt:

1. Verbesserung alter Wege auf dem Friedhof und Herstellung von 347,09 lfd. m Backsteingossen; die Kosten belaufen sich auf 999 ℳ 95 ₰.

2. Verlegung der Entleerungsstelle für wasserhaltige Latrine hinter die prov. Pumpstation am Rheintor mit einem Kostenaufwand von 1557 ℳ 29 ₰.

3. Verlängerung der am Rheinufer zwischen Fischtor und oberem Eisernen Tor gelegenen Lagerhalle um 6 m stromabwärts; die Kosten hierfür betrugen 5055 ℳ 11 ₰, ohne die durch die Einführung der Wasserleitung verursachten Aufwendungen im Betrage von 584 ℳ 18 ₰.

B. Unterhaltung der Straßen.

1. Chaussierte Straßen.

Größere Unterhaltungsarbeiten unter Aufbringung einer neuen Decklage wurden in folgenden Straßen ausgeführt: Obere Austraße, Barbarossa-Ring, Citadelleweg, Dalbergstraße, Eisgrubweg, Frauenlobstraße, Gartenfeldplatz, Gaßner-Allee, Gaustraße, Goethestraße, Hardenbergstraße, Hechtsheimerstraße, Josephstraße, Kaiser Karl-Ring, Kaiser Wilhelm-Ring, Kurfürstenstraße, Langer Hunikel, Leibnizstraße, Lessingstraße, Mombacherstraße, Nahestraße, Pankratiusstraße, Raimundistraße, Raupelsweg, Rheinallee, Wallaustraße, Wallstraße, Xaveriusweg, Obere Zahlbacher-Weg, Straße am Rheintormagazin; im ganzen wurden neu eingedeckt 20018 qm.

Die Teerung chaussierter Straßen zur Beseitigung der Staub- und Schlammbildung wurde fortgesetzt und in folgenden Straßen vorgenommen:

a) Fahrbahnen: Rheinallee zwischen Main- und Lahnstraße, Barbarossa-Ring zwischen Goethestraße und Bismarckplatz, Hardenbergstraße zwischen Bismarckplatz und Rheingauwall, Kaiser Friedrich-Straße zwischen Kaiser- und Stiftsstraße, Kreyßigstraße, Stiftsstraße zwischen Bahnhof- und Kaiser Friedrich-Straße.

b) Fußsteige: Haltestelle der elektrischen Straßenbahn am Bismarckplatz, Hardenbergstraße zwischen Bismarckplatz und Rheingauwall, Rheinallee vor Haus Nr. 43, Straße am Zollhafen von der Rheinallee bis zur Hafenstraße, Hafenstraße von Feldbergplatz bis zur Straße am Zollhafen.

Im ganzen wurde eine Fläche von 11591 qm geteert, wofür 1770 ℳ verausgabt wurden, somit für das qm 15,3 ₰.

Ebenso wurden weitere Versuche mit Westrumitbesprengung in folgenden Straßen gemacht: Hardenbergstraße, zwischen Rheingauwall und ehem. Gemarkungsgrenze mit Mombach, Gaßner-Allee von der Kaiserbrücke abwärts; im ganzen wurden 4407 qm besprengt. Die Kosten beliefen sich auf 397 ℳ 49 ₰, es kostet somit 1 qm 9 ₰.

Die durch Teeren und Westrumitbehandlung von chaussierten Straßen entstandenen Kosten wurden teilweise bei den Kosten für Unterhaltung der Straßen verrechnet.

2. Gepflasterte Straßen.

Größere Pflasterumlegungen unter Wiederverwendung der alten Steine wurden in nachstehenden Straßen vorgenommen:

Bingerstraße, Bischofsplatz, Bonifaziusstraße, Breidenbacherstraße, Citadelleweg, Dalbergstraße, Drususstraße, Erthalstraße, Forsterstraße, Frauenlobstraße, Gartenfeldplatz, Goethestraße, Josephstraße, Kaiser Wilhelm-Ring, Kurfürstenstraße, Mombacherstraße, Münsterstraße, Nackstraße, Neckarstraße, Neutorstraße, Rheinallee, Rheinstraße, Stallgasse, am Schloßtor, Templerstraße, Wallstraße, Zeughausgasse, Straße am Zollhafen; im ganzen wurden umgelegt rd. 6500 qm.

Desgleichen unter teilweiser Verwendung von neuen Steinen: Citadelleweg, Drususstraße, am Gautor und in der Zeughausgasse mit zusammen 305 qm.

Eine vollständige Pflasterumlegung unter Verwendung von teilweise neuen Steinen fand statt: in der Gaustraße und in der Mathildenstraße mit zusammen 2670 qm.

Desgleichen unter Verwendung von neuen einhäuptigen Steinen: Straße am Rheinufer zwischen Holztor und Weintor, zusammen 366 qm.

Der beschädigte Asphaltplattenbelag in der Fahrbahn der Rechengasse wurde in einer Fläche von 63 qm durch Gußasphalt ersetzt.

Ferner wurde das Mosaikpflaster in dem Citadelleweg, am Gautor, in der Goethestraße, Templerstraße und Uferstraße in einer Fläche von 203 qm umgelegt.

3. Unterhaltung der Asphalttrottoirs.

Größere Erneuerungen des Asphalibelages wurden in folgenden Straßen vorgenommen:

Bahnhofstraße, Bahnhofplatz, Bauhofstraße, Bingerstraße, Bilhildisstraße, Große Bleiche, Boppstraße, Citadelleweg, Clarastraße, Hintere Flachsmarktstraße, Forsterplatz, Fuststraße, Gartenfeldstraße, Gärtnergasse, Gymnasiumsstraße, Höfchen, Holzhofstraße, Hopfengarten, Jakobsbergergasse, Kaiser Friedrich-Straße, Kaiser Wilhelm-Ring, Köthergäßchen, Große Langgasse, Lotharstraße, Mombacherstraße, Münsterstraße, Neubrunnenstraße, Parkusstraße, Kleine Quintinsgasse, Raimundistraße, Rheinstraße, Schießgartenstraße, Schillerstraße, Schöfferstraße, Schottstraße, Schulstraße, Spritzengasse, Stadthausstraße, Steingasse, Neue Universitätsstraße, Zanggasse; im ganzen wurden erneuert 3 050 qm.

4. Unterhaltung des Holzpflasters.

Auch im adgelaufenen Rechnungsjahr wuede die der Stadt obliegende Unterhaltung des Holzpflasters in eigener Regie ausgeführt. Es waren die nachstehend angegebenen Ausbesserungen erforderlich:

	Mit	
	neuem Holz	altem Holz
	qm	qm
Bingertor	9,09	56,58
Emmeransstraße	44,96	7,73
Kaiserstraße	121,29	15,50
Rosengasse	2,00	0,58
Schottstraße	0,97	—
Schulstraße	20,26	8,99
Stadthausstraße	3,91	0,60
Uferstraße	6,18	6,84
Im ganzen	208,66	96,82

Die Kosten der Unterhaltung des Holzpflasters betrugen 5 626 M 48 ₰, ausschließlich der an die Firma Lönholdt & Co. in Frankfurt a. M. entrichteten Snmme für das von dieser Firma vertraglich zu unterhaltende Holzpflaster auf der Kaiserstraße.

Ausgeschlagen auf die ganze, von der Stadt zu unterhaltende Holzpflasterfläche von 33 685 qm berechnet sich die Unterhaltungsquote für das Jahr und das qm zu 16,7 ₰.

In folgenden Straßen wurden Holzpflasterstrecken mit Teer übergossen: Clarastraße, Kaiserstraße, Markt, Schottstraße, Schulstraße, Stadthausstraße, Stadionerhofstraße und Templerstraße; im ganzen wurden übergossen 20 960 qm.

5. Ausgießen von Pflasterfugen mit Pflasterkitt.

Mit Pflasterkitt wurden ausgegossen: Mittlere Bleiche zwischen Schießgarten- und Kaiser Friedrich-Straße, Hintere Bleiche zwischen Zang- und Gärtnergasse, Hintere Bleiche zwischen Heidelbergerfaßgasse und Schießgartenstraße, Boppstraße von der Frauenlobstraße abwärts, Frauenlobstraße zwischen Gartenfeld- und Forsterstraße, Straßen im Schlacht- und Viehhof; im ganzen 4 730,73 qm.

C. Straßenbeleuchtung.

Zur Vervollständigung der Straßenbeleuchtung wurden in der Altstadt 25 Wandarme angebracht, im Oberen Zahlbacher-Weg 37 Kandelaber und in der Neustadt 93 Kandelaber versetzt.

D. Baggerungen.

Die Baggermaschine war im Berichtsjahre beim Freihalten der Einfahrten zum Zoll- und Binnenhafen sowie zum Floßhafen und Winterhafen, ferner zum Freihalten der Fahrrinne in diesen Häfen sowie an verschiedenen Stellen längs des Rheinufers an 123 Tagen in Betrieb.

Im ganzen sind 19900 cbm Baggergut gefördert worden. Von dem Baggergut waren rund 13000 cbm sandiges Matrrial, das zur Anschüttung des militärfiskalischen Geländes an der Spitze der Ingelheimer Au Verwendung fand.

Die Anschüttung dieses Geländes ist soweit gediehen, daß sie voraussichtlich im kommenden Jahre vollendet sein wird. Das übrige Baggergut bestand aus wasserhaltigem Schlamm und wurde an geeigneten Stellen am Ufer der Petersau und Ingelheimer Au ausgeladen. Die Kosten der Baggerarbeiten betrugen 17 335 ℳ 69 ₰.

Mit der Freihaltung der Fahrrinne im Wachsbleicharm war der Unternehmer F. Minthe vom 10. September bis 22. Dezember 1906 und vom 3. bis 23. Januar 1907 beschäftigt. Es sind hierbei rd. 25 000 cbm Material gebaggert worden. Die Arbeit wurde gegen Überlassung des Baggergutes kostenlos betätigt.

E. Kanalbau.

Die Kanalisationsarbeiten auf dem Gebiete der Nord-West-Front, welche im vorigen Rechnungsjahre in Angriff genommen und einige Male wegen Hochwasser unterbrochen werden mußten, sind am 23. März 1907 beendigt worden. Um auch in den an das Gebiet der Nord-West-Front anschließenden Straßen fertige Zustände zu schaffen, wurden, nachdem durch die Stadtverordneten-Versammlung die erforderlichen Mittel zur Verfügung gestellt waren, die Rheinallee bis zur Zwerchallee und letztere bis zur Mombacher-Straße mit planmäßigen Kanälen versehen. In den Straßen des Gebietes der Lederwerke wurde mit dem Einbau der Kanäle in der Nack- und Lessingstraße begonnen.

Die neuerbauten Kanäle sind in nachstehender Tabelle zusammengestellt:

Ord. Nr.	Namen der Straßen	Gonsbach-Dücker Eisenrohr	Gemauerte Kanäle						Zement-Rohrkanäle Prof. IX 30/20 cm	Tonrohr-Kanäle					Im ganzen	
			Prof. Ib 225/200 cm	Prof. Ic 167/156 cm	Prof. II 175/105 cm	Prof. III 135/80 cm	Prof. IV 115/70 cm	Prof. V 100/60 cm		D 40 cm	D 35 cm	D 30 cm	D 25 cm	D 20 cm	Planmäßige Kanäle	Provisorische Kanäle
		lfd. m	lfd. m	lfd. m	lfd. m	lfd. m	lfd. m	lfd. m	lfd. m	lfd. m	lfd. m	lfd. m	lfd. m	lfd. m	lfd. m	lfd. m
1.	Straßen in der Nordwestfront . .	18	472	64	633	—	13		—	17	—	222	358	329	2 126	—
2.	Rheinallee bis Zwerchallee . . .	—	—	360	—	—	—	—	—	—	17	17	—	—	394	—
3.	Zwerchallee	—	—	—	—	178	—	192	—	—	—	66	134	—	570	—
4.	Mombacherstraße .	—		—	—	—	—	—	—	—	—	—	49 (provis.) 317 (provis.)	—	—	366
5.	Nackstraße	—	—	—	—	—	—	275	—	—	—	—	—	—	275	—
6.	Lennigstraße	—	—	—	—	—	—	—	91	—	—	—	—	—	91	—
7.	Lessingstraße	—	—	—	—	—	—	—	72	—	—	—	—	—	72	—
8.	Aliceстraße	—	—	—	—	—	—	—	—	—	—	—	251	—	251	—
	Summe:															
	Planmäßige Kanäle	18	472	424	633	178	13	467	163	17	17	305	743	329	3 779	—
	Provisorische Kanäle	—	—	—	—	—	—	—	—	—	—	—	366	—	—	366
	Zusammen	—	—	—	—	—	—	—	—	—	—	—	—	—	4 145	lfd. m

An vorhandenen planmäßigen Kanälen wurden umgelegt: in der Rochusstraße, Fürstenbergerhofgasse und Goldenluftgasse zusammen 356 lfd. m. Die Kanäle waren mit Letten gedichtet gewesen und sind nunmehr unter Auswechselung der schadhaften Rohre mit Asphaltkitt gedichtet worden.

Am Schlusse des Rechnungsjahres 1905 betrug die Länge der ausgeführten Kanäle	74 098 lfd. m
Hierzu die im Jahre 1906 ausgeführten Strecken	4 145 „
zusammen . .	78 243 lfd. m
ab an Kanälen, die im Rheingauwall beseitigt wurden	595 „
ergibt eine Gesamtlänge Ende des Rechnungsjahres 1906 von	77 648 lfd. m

Unterhaltung der Kanäle und Straßeneinläufer.

Die Kosten für Unterhaltung der Kanäle und Straßeneinläufer beziffern sich auf 11 809 ℳ 40 ₰. Dieselben sind entstanden durch Einsetzen von Einlaßstücken in gemauerten Kanälen, Herstellung von Einlässen in Rohrkanälen zwecks Ermöglichung des Anschlusses von Entwässerungsanlagen, Beseitigung alter Schlammfänge und Ersetzen von Straßensinkkasten an deren Stelle. Wiederherstellen von schadhaftem Kanalmauerwerk, Ersatz beschädigter Kanalausrüstungsgegenstände, als gußeiserne Deckel, Schlammeimer und Blechtrichter zu Sinkkasten ꝛc., Einbauen von Schächten an bestehenden Rohrleitungen und gemauerten Kanälen zwecks besserer Spülung und Reinigung derselben, Vermehrung der Straßensinkkasten um 165 Stück ꝛc.

Hausentwässerungen.

Zur Ausführung neuer Hausentwässerungsanlagen und zur Vervollständigung bestehender Anlagen wurden im ganzen 124 (137) Baubescheide erteilt. Hiervon entfallen:

a) auf Neuanlagen . . . . 88 Baubescheide
b) „ Ergänzung bestehender Anlagen . . . . 36 „
Summe 124 Baubescheide.

Die Prüfung und Revision von Hausentwässerungsanlagen wird von einem besonderen Bauaufseher wahrgenommen. Es kamen im Berichtsjahre 81 Neuanlagen und 30 Ergänzungen zur Prüfung sowie 223 Hausentwässerungen zur Revision, von welchen 214 Stück den Vorschriften entsprechend fertiggestellt wurden. Ferner sind an 114 Hausentwässerungsanlagen Reparaturen und Ergänzungen vorgenommen worden.

F. Kanalreinigung.

1. Reinigung der Straßenkanäle.

Die Stadt ist in zwei Reinigungsbezirke eingeteilt; die Reinigung und Spülung der Kanäle wird von zwei Arbeitskolonnen mit je einem Obmann und drei Arbeitern ausgeführt. Bei gemauerten Hauptkanälen Profil I bis V geschieht die Reinigung durch Einlassen des mittels Spültüren und Schiebern bis auf Widerlagerhöhe aufgestauten Wassers, das durch plötzliches Öffnen der Türen die unterhalbliegende Kanalstrecke mit großer Gewalt durchströmt und alle leichten Schlammteile fortspült. Nur Sand und schwere Teile setzen sich auf der Sohle ab und werden dann mittels eines besonderen beweglichen Spülapparates nach den Einsteigschächten gefördert und daselbst von Hand zutage geschafft und abgefahren.

Die Reinigung der Zementrohrkanäle Profil VI bis IX und der Tonrohrkanäle geschieht mittels Durchziehens der den betreffenden Profilformen angepaßten Bürsten und mittels Durchlassens des in den Spülschächten aufgestauten Wassers, das dann alle durch die Profilbürsten gelösten Fett- und Schlammansätze fortspült.

Nachstehende Tabelle gibt eine Übersicht der bei Reinigung der Kanäle betätigten Leistungen und der dabei entstandenen Kosten:

Ord.-Nr.	Bezeichnung	1906 ℳ	1905 ℳ
1.	Arbeitslöhne:		
	a) Unterhaltung der Spüleinrichtungen	408,98	586,56
	b) Spülung mit Stauwasser durch Schließung der Spültüren	1 041,04	599,51
	c) Spülung mit dem Spülapparat	2 788,50	2 565,64
	d) Reinigen mit der Profilbürste	613,47	989,91
	e) Ausräumen des Schlammes	5 187,86	2 941,95
	Summe Arbeitslöhne	10 039,85	7 683,57
2.	Fuhrlöhne für Schlammtransport	450,50	351,70
3.	Wasserverbrauch ꝛc.	149,22	423,27
4.	Anschaffung und Unterhaltung des Inventars . .	1 653,18	1 999,23
5.	Dienstkleider	137,30	—
6.	Gehalt des Kanalwärters einschl. Teuerungszulage	2 120,00	1 875,00
	Gesamtausgabe	14 550,05	12 332,77
7.	Länge der Kanäle	77 648 m	74 098,44 m
8.	Demnach Reinigungskosten für 1 lfd. m Kanal .	18,7 ₰	16,6 ₰
9.	Anzahl der Arbeitsschichten	2 698	2 248
10.	Menge des geförderten Schlammes	196 cbm	222,60 cbm
11.	Wasserverbrauch	46,50 „	1491,00 „

Die Reinigung und Unterhaltung des Wildgrabens, des Gonsbaches und des Zaybaches erforderte einen Kostenaufwand von 1 599 ℳ 01 ₰ (1200 ℳ).

2. Reinigung der Entwässerungsanlagen.

Zu reinigen sind:

1. normale Straßensinkkasten,
2. gemauerte Straßensinkkasten in provisorischen und chaussierten Straßen sowie kleinere Einläufer in engen Straßen, Reulen und an öffentlichen Brunnen,
3. Apparate der Entwässerungsanlagen städtischer und Fonds-Gebäude,
4. Apparate der Entwässerungsanlagen von Privatgebieten.

Die unter 1. erwähnten Straßensinkkasten sind ausnahmslos mit Schlammeimern versehen, die in geschlossene Schlammwagen mittels eines an letzteren angebrachten Handkrans entleert werden.

Die Reinigung der unter 2. genannten Einläufer erfolgt mittels Kitschen. Der Schlamm wird in einen bereitstehenden Eimer gebracht und letzterer in den geschlossenen Handschlammwagen entleert. Für die Reinigung der Straßensinkkasten ist die Stadt in 5 Reinigungsbezirke eingeteilt, in welchen je ein Schlammwagen im Betriebe ist. Jedem Wagen ist außer dem Fuhrmann noch ein Arbeiter beigegeben.

Die Reinigung der Entwässerungsanlagen von Privatgrundstücken wird von sechs Arbeitern vorgenommen, denen jedem ein Handwagen mit großem Schlammeimer und entsprechenden Gerätschaften beigegeben ist. Die Stadt ist in sechs Reinigungsbezirke eingeteilt; die mittlere Tagesleistung eines Arbeiters umfaßt ungefähr 148 Apparate.

Die Beaufsichtigung der genannten Arbeiten für Kanalreinigung und Reinigung der Entwässerungsanlagen wurde von einem Aufseher und einem Kanalwärter ausgeübt.

Die nachstehende Tabelle gibt eine Übersicht über die Leistungen und die entstandenen Kosten:

Ord.-Nr.	Bezeichnung der Apparate	Zahl der am 1. April 1907 vorhandenen Apparate	Anzahl der vorgenommenen Reinigungen	Anzahl der abgefahrenen Schlammwagen	Geförderter Schlamm in cbm	Anzahl der Tagschichten	Verausgabte Taglöhne ℳ	Anschaffung und Unterhaltung des Inventars ℳ	Kosten der Abfuhr des Kanalschlammes ℳ	Dienstkleider ℳ	Zusammen ℳ
1	Normale Straßensinkkasten mit Eimern	2 540	19 620	1383 Einsp. 15 Zweisp.	1 266,20	1 336	5 261,16	803,65	8 258,00	34,80	14 357,61
2	a) Gemauerte Sinkkasten	134	6 783								
	b) Kleinere Einläufer	291									
3	Apparate der Entwässerungsanlagen städtischer und Fonds-Gebäude .	604	31 408	23 Einsp.	20,70	127	579,55	18,08	58,80	—	656,43
4	Apparate der Privat-Entwässerungsanlagen einschließlich derjenigen in den Hospizien-Gebäuden und dem Großh. Palais .	7 002	212 949	284 Einsp.	214,20	1 473	6 426,42	221,17	641,20	29,00	7 317,79
	Summe	—	—	—	—	—	12 267,13	1 042,90	8 958,00	63,80	22 331,83

Nach dieser Zusammenstellung berechnen sich die Kosten der einzelnen Apparate im Durchschnitt für das Jahr:

	1906	1905
1. für einen normalen Straßensinkkasten mit Eimer, sowie einen gemauerten Sinkkasten bezw. einen kleinen Sinkkasten, die von Hand entleert werden, auf	4,84 ℳ	4,29 ℳ
2. für einen Apparat der Entwässerungsanlagen der städtischen und Fonds-Gebäude auf	1,09 „	1,07 „
3. für einen Apparat der Privatentwässerungsanlagen auf	1,05 „	1,07 „

Der Vollständigkeit halber sei noch erwähnt, daß außer den in vorstehender Tabelle aufgeführten Straßeneinläufern noch etwa 132 Stück in chaussierten, größtenteils außerhalb der eigentlichen Stadt befindlichen Straßen vorhanden sind, die von den bei Unterhaltung der Straßen beschäftigten Arbeitern gereinigt werden. Die hierbei entstandenen, auf etwa 600 ℳ zu veranschlagenden Kosten wurden auf Rubrik 62. II. 3 verrechnet.

Eine übersichtliche Darstellung der Zahl der zur Reinigung der Entwässerungsanlagen angemeldeten Hofreiten und der vorgenommenen Reinigungen gibt nachstehende Tabelle:

Bezeichnung	Zahl der Hofreiten	Anzahl der Revisionen oder Reinigungen
1. Privatanwesen:		
1. Quartal	716	50 595
2. „	716	51 003
3. „	730	51 910
4. „	731	52 218
2. Häuser des Hospizienfonds	13	6 500
3. Städtische und Fonds-Gebäude	60	31 408
4. Großh. Palais	1	832
Im ganzen	805	244 466
Im Rechnungsjahr 1905	783	229 541

Nach der Tabelle auf Seite 117 betrugen die Ausgaben:

a) für Reinigung der Privatentwässerungsanlagen einschließlich der Hospiziengebäude und des Großh. Palais	7 317 ℳ 79 ₰	(6 489 ℳ 94 ₰)
b) für Reinigung der städtischen und Fonds-Gebäude	656 „ 43 „	(608 „ 17 „)
Zusammen	7 974 ℳ 22 ₰	(7 098 ℳ 11 ₰)
Die Einnahme für Ausführung der vorbemerkten Revisionen (5 ₰ für eine Revision) einschl. 11 ℳ 88 ₰ für besondere Reinigungen betrug	12 235 „ 18 „	(11 479 „ 31 „)
Demnach Überschuß	4 260 ℳ 96 ₰	(4 381 ℳ 20 ₰)

Die eingeklammerten Zahlen beziehen sich auf das Vorjahr.

G. Öffentliche Bedürfnisanstalten.

Die Zahl der öffentlichen Bedürfnisanstalten betrug am Schlusse des Rechnungsjahres 1906 = 24 Stück. Es ist eine neue Anstalt mit drei Ständen im Hofe des Karmeliterklosters hinzugekommen.

Außer den öffentlichen Bedürfnisanstalten wurden durch Arbeiter des Tiefbauamtes auch die Bedürfnisanstalten der Volksschulhäuser für Knaben am Eisgrubeweg, Ballplatz, Holztor, Feldbergplatz und in der Schulstraße sowie diejenigen im Stadttheater, in der Stadthalle, dem Realgymnasium und der Oberrealschule gereinigt.

Im ganzen sind vorhanden:

a) öffentliche Bedürfnisanstalten

	2 Stück	mit je 2 Ständen	=	4	Stände
	14 „	„ „ 3 „	=	42	„
	3 „	„ „ 4 „	=	12	„
	2 „	„ „ 5 „	=	10	„
	2 „	„ „ 6 „	=	12	„
	1 „	„ „ 9 „	=	9	„
Zusammen	24 Stück	mit		89	Ständen.

b) Bedürfnisanstalten in den Volksschulhäusern für Knaben .... 8 Stück mit 141 Ständen

c) Bedürfnisanstalten im Stadttheater .... 7 „ „ 43 „

d) Bedürfnisanstalten in der Stadthalle .... 2 „ „ 18 „

e) Bedürfnisanstalten in dem Realgymnasium, Steingasse .... 2 „ „ 33 „

f) Bedürfnisanstalten in der Ober-Realschule, Schulstraße .... 2 „ „ 60 „

Die Kosten der Reinigung und Spülung oder Ölung sind in nachfolgenden Tabellen zusammengestellt:

a) Anstalt mit Wasserspülung (Anstalt für Frauen auf dem Höfchen)

Anzahl der Stände	Anschaffungen ℳ	Kosten des Wassers ℳ	Gesamtkosten ℳ	Kosten für den Stand u. das Jahr ℳ
9	— (—)	848,76 (658,08)	848,76 (658,08)	94,31 (73,12)

Die Kosten für Unterhaltung des Inventars der Aborte in den Bedürfnisanstalten am Frauenlobplatz und am Höfchen betrugen 10 ℳ 80 ₰.

b) Anstalten mit Ölspülung.

I. bei täglich zweimaliger Ölung.

Bezeichnung der Anstalten	Zahl der Anstalten	Zahl der Stände	Taglöhne sowie Anschaffungen und Unterhaltung des Inventars ℳ	Kosten von Öl und Wasser ℳ	Gesamtkosten ℳ	Kosten für den Stand u. das Jahr ℳ
Öffentliche . . .	23	80	3043,01 (3418,01)	281,07 (292,33)	3324,08 (3710,34)	41,55 (48,19)
Stadthalle . . .	2	18	— —	— —	663,93 (587,65)	36,88 (32,65)

II. bei täglich einmaliger Ölung.

Bezeichnung der Anstalten	Zahl der Anstalten	Zahl der Stände	Taglöhne, Öl u. Wasser sowie Anschaffungen u. Unterhaltung des Inventars ℳ	Kosten für den Stand u. das Jahr ℳ
Knabenschulen	8	141	1 193,32 (1 181,98)	8,46 (8,38)
Stadttheater	7	43	262,09 (339,28)	6,10 (7,89) (für 7 Monate)
Realgymnasium . . .	2	33	360,57 (383,11)	10,93 (11,61)
Ober-Realschule . .	2	60	523,96 (—)	8,73 (—) (für 12 Monate)

Die Kosten der Reinigung und Spülung einschließlich Anschaffung und Unterhaltung des Inventars sowie des Bedarfes an Öl und Wasser betrugen demnach bei den öffentlichen Straßenpissoirs:

für den Stand und das Jahr 46 ℳ 46 ₰ (48 ℳ 19 ₰)
„ „ „ „ den Monat 3 „ 87 „ (4 „ 02 „)

Desgleichen bei der Bedürfnisanstalt für Frauen auf dem Höfchen:

für den Stand und das Jahr 94 ℳ 31 ₰ (73 ℳ 12 ₰)
„ „ „ „ den Monat 7 „ 86 „ (6 „ 09 „)

Die Instandhaltung der öffentlichen Bedürfnisanstalten selbst erforderte einen Kostenaufwand von 1 403 ℳ 58 ₰ (1 310 ℳ 31 ₰), welche durch Erneuerung des Anstrichs und Ersatz von beschädigten Schieferplatten &c. entstanden sind.

Die eingeklammerten Zahlen beziehen sich auf das Rechnungsjahr 1905.

H. Reichstelegraphenkabel.

Für Rechnung des Kaiserlichen Telegraphenamtes sind in nachstehenden Straßen Erdkabelleitungen verlegt worden: Mitternachtsgasse, Mitternacht, Petersplatz, Hintere Bleiche, Zanggasse, Kaiserstraße, Boppstraße, Osteinstraße.

J. Vermessungswesen.

Von dem städtischen Geometerpersonal wurden folgende Arbeiten geleistet: Arbeitstage

1. Anfertigung von 34 Meßbriefen 457
   Die Kosten für diese Arbeiten werden zum größeren Teil von den Beteiligten zurückerhoben.
2. Abstecken der Straßen- und Baufluchtlinien und Revision der Sockel auf Anrufen der Beteiligten bei Neubauten in 145 Fällen, den Fall durchschnittlich zu 2 Arbeitsstunden gerechnet 46
3. Arbeiten für das Ortsgericht, Anfertigung von Grundbuchsauszügen, Unterlagen für Taxationen sowie Überwachung und Dienstleistungen bei der Beibringung der Bauveränderungs-Meßbriefe, Aufstellung der Verzeichnisse 128
4. Arbeiten für das Kreisvermessungsamt, bestehend in Prüfung der von den Privatgeometern eingebrachten Meßbriefe (150 Stück mit 1 207 Parzellen), außerordentliche Wahrung von Besitzwechseln sowie der alljährlichen ordentlichen Ab- und Zuschreibung im Grundbuch, alphabetischen Namensverzeichnis und dem Steuerkataster (1 248 Item), Einzeichnen von 165 Meßbriefen mit 1 013 Parzellen in die Grundbuchssupplementkarten, Aufstellen der Hebregister mit Anforderungszetteln, Aufstellung der Bau- und Kulturveränderungsverzeichnisse, sowie als besondere Arbeit die Anfertigung des Sachregisters zum neuen Grundbuch der Flur V nebst den zugehörigen Ergänzungs- und Berichtigungsarbeiten. Es wurden hierzu verwendet 348

Hierin sind nicht eindegriffen die in Verwaltung der Kreisgeometergeschäfte erwachsenen Zeitverluste für

Berichte, Korrespondenzen, Auskunftserteilungen, Nachschlagen von Akten und Beglaubigung von etwa 100 Unterschriften auf Meßbriefen.

Für einen Teil der Arbeiten wurden der Staatskasse zur Erhebung angewiesen 925 *M* — *Pf*. Nicht zur Erhebung gelangten die einschlägigen Arbeiten für den Staat selbst im Betrage von 30 *M* 75 *Pf*.

5. Die übrige Zeit wurde verwendet für:
   a) Herstellung und Unterhaltung der trigonometrisch bestimmten Punkte einschl. der Gemarkungsgrenzen,
   b) Neuaufnahmen für Flurgrenzverlegungen und größere Veränderungen,
   c) Aufstellung von Konsolidationsplänen,
   d) Aufstellung von Originalplänen für das Industriegebiet, Ergänzung und Fortführung der sog. Arbeitspläne für die Neustadt,
   e) Aufstellung von Alignementsplänen und Eintrag der genehmigten Alignements in den Ortsbauplan,
   f) Verteilung der Gartenfeldsteuer nach den Eigentumsübergängen der Mutations-Periode 1905/06 und Nachtrag der Veränderungen in den Katasterplänen dieser Steuer,
   g) Aufstellung von Verzeichnissen und Plänen für die Verrechnung des zu den einzelnen Straßenstrecken zu stellenden Geländes,
   h) als besondere Arbeit: Fortführung und Berichtigung der den Feldschützen übergebenen Verzeichnisse über den Grundbesitz in der Feldgemarkung,
   i) sonstige Hilfeleistung für das Tiefbauamt, Absteckungen von Straßen, besonders im Stadterweiterungsgebiet und auf der Ingelheimer Au, Prüfung von Lageplänen zu den Baugesuchen, Spezialberichte und andere schriftliche Arbeiten,
   k) Anfertigung von neuen Supplementkarten für das Gebiet der Schloßfreiheit,
   l) Geländezusammenlegung bei Durchführung der Sömmerringstraße und der Beethovenstraße sowie für den Baublock V bei den Römersteinen.
6. Die Eingemeindung von Mombach bedingte die Vervollständigung der dortigen Bebauungs- und Übersichtspläne und die Bearbeitung von Fluchtlinienprojekten.
7. Außerdem wurden durch den städtischen Geometer im Nebenamt auf dem Friedhof 211 Erbbegräbnisse abgesteckt und die nötigen schriftlichen Arbeiten dazu geliefert.

K. Alignierungen.

Gemeinschaftlich mit dem Baupolizeiamt wurden im Berichtsjahre die Unterlagen und Pläne für die nachstehenden Alignierungen ausgearbeitet:

Kästrich, längs der Gebiete Nr. 61—65,
Verbindungsstraße zwischen Rheinstraße und Schlossergasse,
Stadionerhofstraße }
Schusterstraße } längs dem Tietzschen Anwesen,
Stadthausstraße }
Hintere Bleiche }
Heidelbergerfaßgasse } längs des Hauses Hintere Bleiche Nr. 32,
Reiche Klarastraße, längs eines Teiles der Reichen Klarakirche.

L. Notstandsarbeiten.

Für die Abhaltung von Notstandsarbeiten im Winter 1906/07 sind von der Stadtverordneten-Versammlung 5000 *M* bewilligt worden. Eine Notwendigkeit zur Abhaltung solcher Arbeiten hat sich nicht ergeben; dagegen wurden Arbeitslose auf Rechnung des Armenamtes mit Steinschlagarbeiten beschäftigt.

Beschäftigung von Wandergesellen.

Auch im Berichtsjahre wurden wieder auf Antrag der Verpflegungsstation Mainz vom Tiefbauamt die um Unterstützung nachsuchenden Wandergesellen in geeigneter Weise beschäftigt. Die Arbeiten bestanden hauptsächlich in der Reinigung chaussierter Straßen und Wege, Eindeckung und Bekiesung derselben sowie Aufstapeln von Chaussee-Abraum. Die Zahl der in der Zeit vom 1. April 1906 bis 31. März 1907 an 164 Arbeitstagen beschäftigten Wandergesellen belief sich im ganzen auf 1 120 oder im Durchschnitt auf 7 Mann pro Tag. Die Arbeitszeit betrug täglich $3^1/_2$ Stunden; dieselbe wurde nur am Vormittag abgeleistet. Die Arbeitsleistung der meisten Gesellen war zufriedenstellend.

XVI. Städtische Gartenanlagen.

Im Rechnungsjahr 1906 setzte sich das Personal der Stadtgärtnerei wie folgt zusammen:

a) während der Sommermonate aus:	b) während der Wintermonate aus:
1 Gartendirektor	1 Gartendirektor
1 Obergärtner	1 Obergärtner
5 Obergehilfen	5 Obergehilfen
10 Gärtnergehilfen	10 Gärtnergehilfen
4 Anlageschützen	4 Anlageschützen
32 Arbeitern	21 Arbeitern
7 Arbeiterinnen	2 Arbeiterinnen
zusammen 60 Personen;	zusammen 44 Personen.

Mit obigem Personal wurde wiederum die Anzucht und Kultur der Pflanzen in der Gärtnerei, dem Kulturgarten an der Fintherstraße, der Pflanzschule am Hochbehälter des Hechtsheimer Berges sowie im Palmenhaus in der Anlage bewirkt, weiter die Unterhaltung der Anlage (Stadtpark), der Kaiserstraße, 52 kleinerer und größerer Schmuckplätze und Zieranlagen im ganzen Stadtbezirk, die Pflege von rund 15 000 Alleebäumen auf 72 verschiedenen Straßen und Plätzen, die Unterhaltung der Kreisstraßen-Baumpflanzungen in der Gemarkung Mainz, der Schulgärten und der Vorgärten bei allen Schulen, der Gartenanlagen im St. Rochushospital, im Invalidenhaus und im städtischen Schlacht- und Viehhof und schließlich auch die Unterhaltung des Promenadenweges zwischen Anlage (Stadtpark) und Bingertor.

An den Geburtstagen des Deutschen Kaisers und des Großherzogs von Hessen wurden sämtliche Schulsäle mit Blattpflanzen ausgeschmückt.

Zu Lasten der bewilligten Kredite wurden im Rechnungsjahr 1906 noch folgende Arbeiten durch die Stadtgärtnerei ausgeführt:

1. Anpflanzung von Bäumen auf dem Kaiser Wilhelm-Ring;
2. Herstellung der Gartenanlagen entlang der Hardenbergstraße;
3. Neuherstellung der Grabstätten ehemaliger französischer Krieger;
4. Fertigstellung der Anlagen an der Oberrealschule;
5. Anpflanzung von Bäumen in der Goethestraße;
6. Fertigstellung der Anlagen am Verwaltungsgebäude der Städtischen Straßenbahn;
7. Ansäen der Böschungen an den Rheintorbaracken;
8. Herstellung des Gartens im Hofe der Oberrealschule;
9. Einsäen der Rasenböschung am Kurfürstlichen Schloß;
10. Festdekorationen am Deutschhausplatz gelegentlich des Besuches des Deutschen Kaisers im August 1906;
11. Entfernen und Ausputzen von Bäumen im Rheingauwall;
12. Fertigstellung der Anlage am Feldbergplatz.

Die Entstehung und Vollendung der schönen gärtnerischen Anlage am Feldbergplatze ist dem Verschönerungs-Verein zu verdanken. Bei Schaffung dieses kleinen Parks wurden auch Kinderspielplätze angelegt und kam eine Anzahl Ruhebänke zur Aufstellung, womit den Bewohnern jenes Stadtteiles ein längst gehegter Wunsch erfüllt worden ist. Auch die eiserne Einfriedigung, die hier zur Aufstellung kam, wurde auf Kosten des Verschönerungs-Vereins ausgeführt.

Die Gesamtkosten der Feldbergplatz-Anlagen, die alle aus Mitteln des Verschönerungs-Vereins bestritten wurden, sind:

a) für den gärtnerischen Teil . . . . 3195,54 ℳ
b) „ die Einfriedigung . . . . 2665,14 „

Zusammen . . . . 5860,68 ℳ

Vom Verschönerungs-Verein wurden ferner 50 neue Ruhebänke angeschafft, die der Stadt in Eigentum übergeben sind und die Sitzgelegenheit in der Rheinpromenade vermehren sollen. Die Anzahl der Gartenbänke, von denen wiederum ein großer Teil während der Wintermonate durch die Stadtgärtnerei repariert und gestrichen wurde, beträgt demnach jetzt 570 Stück.

Für Unterrichtszwecke wurden an die Kinderhorte 120 Topfpflanzen im Werte von 36,00 ℳ, an die Volksschulen 120 Topfgewächse und 175 mit Erde gefüllte Töpfe, zusammen im Werte von 75,00 ℳ abgegeben. Die Transportkosten sind in beiden Beträgen eindegriffen. Die Kosten der Gesamtlieferung wurden aus den Mitteln der Stadtgärtnerei bestritten.

Die Zahl der Pflanzen, die in der Anzuchtsgärtnerei am Gonsenheimer-Tor und im Kulturgarten an der Fintherstraße herangezogen wurden, betrug ungefähr 270000 Stück.

Im Berichtsjahre 1906 beträgt die Zahl der ausgefertigten und eingelaufenen Schriftstücke 955, wobei zu einem Sachverhalt gehörige Akten unter einer Nummer im Einlaufregister geführt wurden.

Bestellzettel für Lieferungen und Reparaturen wurden im ganzen 353 Stück ausgefertigt. Rechnungsbelege, einschließlich der Lohnlisten, kamen 805 Stück zur Erledigung.

Die im Rechnungsjahr 1906 gemachten Aufwendungen für Unterhaltung der gärtnerischen Anlagen am Schlacht- und Viehhof, für Unterhaltung der Friedhofsanlagen und Grabstätten, der Schulgärten sowie der öffentlichen Promenaden- und Gartenanlagen sind aus dett Erläuterungen auf Seite 301, 340, 345 und 372 (Rubeik 16. VII. 3, Rubrik 40. IV, Rubrik 42. III. 11 und Rubrik 64. IV der Betriebs-Rechnung) ersichtlich.

Die unter Rubrik 64. IV. 2 verrechneten Arbeitslöhne verteilen sich auf die einzelnen Arbeitsstellen wie folgt:

Lfd. Nr.	Bezeichnung der Arbeitsstellen	1906		1905	
		ℳ	₰	ℳ	₰
1.	Anlage	10540	37	9545	
2.	Gärtnerei	10117	23	8063	
3.	Plätze	9668	69	7321	
4.	Alleen	6983	62	6164	
5.	Kaiserstraße	4087	88	3974	31 66
		41397	79	35069	79

In der Summe für 1906 sind bei den einzelnen Positionen die Mehrausgaben für die nach den Bestimmungen vom 12. Dezember 1906 bewilligten Familienzulagen, der Bezahlung der halben Wochenfeiertage sowie die erhöhte Vergütung für Feiertagsarbeit mit enthalten.

Die Pflege und Unterhaltung des Promenadenweges zwischen Anlage (Stadtpark) und Bingertor erforderte im Rechnungsjahr 1906 nachstehende Ausgaben, die auf Rubrik 62. II. 1—3 zur Verrechnung kamen:

a) für Lieferungen . . . . 398,32 ℳ
b) „ Fuhrlöhne . . . . 272,75 „
c) „ Arbeitslöhne . . . . 2468,03 „

Zusammen . . . . 3139,10 ℳ

Notstandsarbeiter wurden im Winter 1906/07 der Stadtgärtnerei nicht zugeteilt.

XVII. Eichanstalt.

Die Eichanstalt ist eine staatliche Einrichtung. Die Stadt hat ihr die Geschäftsräume in dem Hause Stiftstraße Nr. 1 gestellt und bezieht dafür 10 % der jährlichen Brutto-Einnahme.

Nach den von der Großh. Eichungs-Inspektion aufgestellten Übersichten wurden

	geeicht: im Kalenderjahr 1906	geeicht: im Kalenderjahr 1905	geprüft: im Kalenderjahr 1906	geprüft: im Kalenderjahr 1905
1. Längenmaße	1	44	10	—
2. Flüssigkeitsmaße	53	29	646	25
3. Meßwerkzeuge für Flüssigkeiten und Meßflaschen	5	2	13	2
4. Fässer	33 454	36 374	50	76
5. Hohlmaße für trockene Gegenstände	2	—	45	—
6. Kasten- und Rahmenmaße	—	—	—	—
7. Handelsgewichte	7 341	827	5 682	1 687
8. Präzisionsgewichte	7	—	50	—
9. Postgewichte	—	—	43	26
10. Gleicharmige Balkenwagen	140	74	1 252	99
11. Oberschalige oder Tafelwagen	413	62		
12. Dezimal- und Zentesimal-Brückenwagen	234	171	162	47
13. Einfache Balkenwagen mit Laufgewicht	6	9	4	4
14. Zusammengesetzte Balkenwagen	—	—	—	—
15. Brückenwagen mit Laufgewicht und Skala	40	71	10	23
16. Präzisionswagen	2	3	10	—
17. Selbsttätige Registrierwagen	27	23	2	2
18. Wagen für Eisenbahn-Passagiergepäck und Wagen für Postpäckereien	3	3	2	—
19. Gasmesser	37 150	42 353	19	45
20. Herbstgefäße	7	14	1	—
Summe	78 885	80 059	8 001	2 036

Eichgebühren wurden im Kalenderjahr 1906 im ganzen erhoben 131 225 ℳ 61 ₰ gegen 145 296 ℳ 52 ₰ im Vorjahr. Der Stadt wurden für das Rechnungsjahr 1906 10 % von 128 554 ℳ 10 ₰ mit 12 855 ℳ 41 ₰ vergütet. Für 1905 betrug die Vergütung 14 520 ℳ 48 ₰.

XVIII. Wäganstalten.

Die auf de„ Zentesimalbrückenwagen im Rechnungsjahr 1906 gegen Wäggebühr verwogenen Gegenstände sind au der nachstehenden Übersicht zu entnehmen.

Die Brückenwagen lieferten einen Ertrag von 4009 ℳ 06 ₰ gegen 3693 ℳ 36 ₰ im Jahre 1905, mith 315 ℳ 70 ₰ mehr.

Benennung der Gegenstände	Verwogene Mengen im Jahre		1906	
	1906 dz	1905 dz	mehr dz	weniger dz
Abfälle:				
Borsten, Haare, Hörner	34	362	—	328
Knochen	1 684	2 659	—	975
Lumpen	5 738	3 616	2 122	—
Papierschnitzel, Makulatur	4 574	3 447	1 127	—
Altes Leder, Lederabfälle	257	401	—	144
Altes Tau- und Seilwerk	101	32	69	—
Glasscherben	1 422	870	552	—
Altes Eisen	23 164	18 372	4 792	—
Bruchmetall, Metallabfälle	1 957	1 757	200	—
Treber	1 339	935	404	—
Andere	1 893	1 220	673	—
Baumaterialien:				
Kalk	819	665	154	—
Steine	299	255	44	—
Erde, Sand, Kies, Zement	11 912	5 526	6 386	—
Andere	791	1 300	—	509
Brennmaterialien:				
Brennholz	3 110	1 827	1 283	—
Steinkohlen	47 811	47 561	250	—
Koks	2 145	1 920	225	—
Holzkohlen	157	178	—	21
Tannäpfel	18	—	18	—
Andere	2 956	1 838	1 118	—
zu übertragen	112 181	94 741	17 440	—

Benennung der Gegenstände	Verwogene Mengen im Jahre		1906	
	1906 dz	1905 dz	mehr dz	weniger dz
Übertrag	112 181	94 741	17 440	
Dungstoffe	1 219	2 091	—	87
Eis	16 753	14 438	2 315	
Feldfrüchte:				
Getreide	1 813	25	1 788	
Heu	3 380	4 131	—	7.
Stroh	3 787	8 122	—	4 3.
Kartoffeln	25 445	33 319	—	7 8
Obst	1 407	679	728	
Rüben	5 209	4 008	1 201	
Kraut	1 881	1 742	139	
Andere	1 494	2 149	—	65
Metalle:				
Eisenbleche, Stab- und Winkeleisen	299	1 488	—	1 18
Eisen	11 807	4 418	7 389	
Blei	518	471	47	
Kupfer	77	98	—	2
Andere	297	837	—	54
Schlachtvieh:				
Ochsen	2 068	1 676	392	
Kühe, Rinder	991	657	334	
Schweine	19	33	—	1
Anderes	126	474	—	34
Alle nicht genannten Gegenstände	4 476	3 974	502	
Summe	195 247	179 571	15 676	

XIX. Hafen und Hafenanstalten.

Der Güterverkehr in den Mainzer Häfen hat sich wie folgt gestaltet:

	1906	1905	1906 mehr	1906 weniger
I. Wasserverkehr:				
a) Inlandshafen	5 256 731 dz	5 636 387 dz	—	379 656 dz
b) Zollhafen	1 445 694 „	1 569 127 „	—	123 433 „
c) Floßhafen	4 349 520 „	3 754 010 „	595 510 dz	—
d) Güterüberladungen von Bord zu Bord in diesen Häfen	444 540 „	341 385 „	103 155 „	—
im ganzen	11 496 485 dz	11 300 909 dz	195 576 dz	—
II. Bahnverkehr in den Häfen (ohne Schiffsgüter)	1 319 994 „	988 706 „	331 288 „	—
Summe des Wasser- und Bahnverkehrs in den Mainzer Häfen	12 816 479 dz	12 289 615 dz	526 864 dz	—
Außerdem:				
III. Kasteler Hafen einschl. Amdneburg . . .	6 218 160 „	6 217 320 „	840 „	—
IV. Gustavsburger Hafen	7 986 690 „	8 676 480 „	—	689 790 dz
Gesamtverkehr	27 021 329 dz	27 183 415 dz	—	162 086 dz

Erläuternd wird hierzu bemerkt, daß die vorstehenden Zahlen nur einfach, nicht doppelt, in Ankunft und Abgang gerechnet sind.

Die Rheinschiffahrt konnte im Berichtsjahre, begünstigt durch guten Wasserstand, bis Ende September flott betrieden werden. Von Oktober ab jedach verschlechterte sich der Wasserstand infolge anhaltender Trockenheit dreuer, daß die Fahrten hierdurch und auch wegen der in dett letzten Tagen des Dezember, ferner in der zweiten Hälfte des Januar und weiter bis gegen Mitte Februar hinzugetretenen Eisperioden wiederholt gänzlich eingestellt werben mußten. Die hiesigen Schutzhäfen wurden daraufhin von 368 Fahrzeugen aufgesucht. Darch die mehrfach erforderlich gewordenen Schiffahrtseinstellungen wurde ein größerer Teil der Güter, hauptsächlich Kahlen und andere Rohprodukte, dem Wasserweg entzogen und auf dem Eisenbahnweg verfrachtet. Trotzdem hat die Verkehrsziffer dank des erfreulichen Aufschwungs, der vorwiegend beim Holzverkehr, außerdem während der günstigeren Schiffahrtsperiode auch dei einigen andeten Gütergattungen zu deobachten war, eine Einbuße gegenüber dem wasserreichen Vorjahre nicht nur nicht erlitten, saudern es wurde die vorjährige Gesamtverkehrsziffer in dett Mainzer Höfen sagar noch um ein Wesentliches überholt. Die Abwickelung des Verkehrs erfolgte auch im adgelaufenen Jahre im allgemeinen glatt, nur kam es vor, daß Fahrzeuge, welche Güter in die Revisionsräume im Zollhafen zu löschen hatten, mitunter etwas warten mußten, bis der eine oder audert Kran an geeigneter Stelle freigeworden war. Durch die beabsichtigte Vermehrung der Revisionsräume und durch die in Verbindung damit zu erstellenden weiteren Lagerräume sawie duech Beschaffung eines modernen leistungsfähigen Getreide-Exkavators für den Getreideumschlag soll den derzeitigen Verkehrsanforderungen in zweckentsprechender Weise Rechnung getragen werden.

Da die Einengung des derzeitigen Floßhafens durch Anschüttungen für industrielle Niederlassungen nicht vermieden werden kann, erscheint es zweckmäßig, die angedahnten Verhandlungen wegen Erbauung eines neuen Floßhafens recht dald zu Ende zu führen, damit dieser wichtige Verkehrszweig und gleichzeitig damit auch der Hauptstapelplatz für Langholz deen Mainzer Hafen erhalten dleidt.

Die Reedereien erzielten während der Niederwasserperiode wohl etwas günstigere Frachten, indes verlief das Rheinschiffahrtsgeschäft für die Transportunternehmer ebenso unbefriedigend wie im Vorjahre.

Der Minderverkehr in Gustavsburg war vorwiegend durch die geringeren Kohlenausladungen infolge des ungünstigen Wasserstandes verursacht, der kleine Mehrverkehr in Kastel-Amöneburg durch umfangreichere Holzbezüge seitens einer dort ansässigen Holzhandlung veranlaßt.

Die Benutzung der Hafenanstalten zum Aus- und Einladen von Gütern ꝛc., sowie die erhobenen Gebühren ergeben sich aus folgender Zusammenstellung:

Bezeichnung der Güterbehandlung	Gesamt-Verkehr im Rechnungsjahre		Im Rechnungsjahre 1906		An Gebühren wurden erhoben im Rechnungsjahre				Im Rechnungsjahre 1906			
	1906 dz	1905 dz	mehr dz	weniger dz	1906 ℳ	₰	1905 ℳ	₰	mehr ℳ	₰	weniger ℳ	₰
A. Schiffsverkehr.												
I. Ausladungen:												
1. Werftgebührenpflichtig:												
a) auf's Land und zwar Sand, Kies und gemeine Erde für jeden cbm 2 ₰ = 160 495 cbm gegen 116 578 cbm in 1905 oder	2 725 748	1 930 158	795 590	—	3 209	90	2 331	60	878	30	—	—
b) andere Güter auf's Land, in die Hallen, in die Lagerhäuser, auf die Eisenbahn im Platzverkehr und auf Fuhren für jeden dz 2 ₰:												
1) bei der Hafenverwaltung . .	1 536 330	1 795 120	—	258 790	30 786	70	35 966	05	—	—	5 179	35
2) „ „ Lagerhaus-Verwaltung	144 157	175 803	—	31 646	2 883	60	3 516	35	—	—	632	75
2. Werftgebührenfrei:												
a) auf die Eisenbahn im Fernverkehr:												
1) bei der Hafenverwaltung . .	1 111 718	1 107 425	4 293	—	—	—	—	—	—	—	—	—
2) „ „ Lagerhausverwaltung.	94 307	114 037	—	19 730	—	—	—	—	—	—	—	—
b) auf's Land, Fuhren ꝛc.												
1) Militärgut einschl. des für die Militärverwaltung am Elevator ausgeladenen Getreides . .	75 830	76 706	—	876	—	—	—	—	—	—	—	—
2) Marktgut	5 880	6 655	—	775	—	—	—	—	—	—	—	—
3) Steine, Sand und Kies ꝛc. zu Anschüttungszwecken im Floßhafengebiet	466 560	1 446 618	—	980 058	—	—	—	—	—	—	—	—
Gesamtsumme aller Ausladungen	6 160 530	6 652 522	—	491 992								
zu übertragen . .	—	—	—	—	36 880	20	41 814	—	878	30	5 812	10

Bezeichnung der Güterbehandlung	Gesamt-Verkehr im Rechnungsjahre 1906 dz	1905 dz	Im Rechnungsjahre 1906 mehr dz	weniger dz	An Gebühren wurden erhoben im Rechnungsjahre 1906 ℳ	₰	1905 ℳ	₰	Im Rechnungsjahre 1906 mehr ℳ	₰	weniger ℳ	₰
Übertrag . .	—	—	—	—	36 880	20	41 814	—	878	30	5 812	10
II. Einladungen:												
1. Vom Land . . . . (Werftgebührenfrei)	522 204	528 642	—	6 438		—	—	—	—	—	—	—
2. Durch die Lagerhaus-Verwaltung	2 177	2 674	—	497	—	—	—	—	—	—	—	—
3. Von den Mietlagern in den Lagerhäusern. . .	100	1 649	—	1 549	—	—	—	—	—	—	—	—
4. Von der Eisenbahn . .	6 979	7 542	—	563	—	—	—	—	—	—	—	—
5. Marktgut	10 435	12 485	—	2 050	—	—	—	—	—	—	—	—
Gesamtsumme aller Einladungen	541 895	552 992	—	11 097								
III. Kranungen:												
1. Vom Schiff auf die Eisenbahn oder das Land (Kohlen, Sand, Kies) für jeden dz 2 ₰ . .	344 305	352 536	—	8 231	7 041	70	7 082	05	—	—	40	35
2. Umgekehrt " " " " . .	7 731	1 515	6 216	—								
3. Vom Schiff direkt nach den Mietlagern in den Lagerhäusern (Stückgüter) für jeden dz 4 ₰	35 618	44 133	—	8 515								
4. Umgekehrt " " " " "	100	1 649	—	1 549								
5. Vom Schiff auf das Land (Stückgüter) für jeden dz 4 ₰	373 560	385 991	—	12 431	16 868	05	17 656	80	—	—	788	75
6. Umgekehrt " " " " "	11 518	8 701	2 817	—								
7. Von Schiff zu Schiff überschlagene verpackte Güter für jeden dz 3,2 ₰	5 610	1 284	4 326	—	182	25	41	35	140	90	—	—
Gesamtsumme aller Kranungen .	778 442	795 809	—	17 367								
8. Überlassung von Dampfkranen für jede Stunde 2 ℳ. Zahl der Stunden . .	531	135	396	—	1 062	—	270	—	792	—	—	—
IV. Verwiegungen:												
1. Stückgüter für jeden dz 3 ₰	124 943	128 249	—	3 306	3 769	10	3 869	55	—	—	100	45
2. Eisenbahn-Waggons Stückzahl zu 1 ℳ	1 701	1 293	408	—	1 701	—	1 293	—	408	—	—	—
" 40 ₰	407	233	174	—	162	80	93	20	69	60	—	—
V. Verladungen:												
1. Vom Schiff auf die Eisenbahn im Fernverkehr für jeden dz 4 ₰	311 880	331 921	—	20 041								
2. Umgekehrt " " " 4 "	3 890	7 342	—	3 452								
3. Vom Schiff auf die Eisenbahn im Platzverkehr für jeden dz 4 ₰	19 686	24 117	—	4 431	13 439	05	14 568	95	—	—	1 129,90	
4. Umgekehrt " " " 4 "	—	300	—	300								
Summe der verladenen Güter	335 456	363 680	—	28 224								
zu übertragen . .	—	—	—	—	81 106	15	86 688	90	2 288	80	7 871	55

Bezeichnung der Güterbehandlung	Gesamt-Verkehr im Rechnungsjahre		Im Rechnungsjahre 1906		An Gebühren wurden erhoben im Rechnungsjahre				Im Rechnungsjahre 1906			
	1906 dz	1905 dz	mehr dz	weniger dz	1906 ℳ	₰	1905 ℳ	₰	mehr ℳ	₰	weniger ℳ	₰
Übertrag . .	—	—	—	—	81 106	15	86 688	90	2 288	80	7 871	55
B. Verkehr innerhalb der Häfen.												
I. Verladungen vom Land auf Fuhrwerk oder umgekehrt und sonstige Kranungen für jeden dz 4 ₰	2 758	1 287	1 471	—	112	—	53	25	58	75	—	—
II. Verwiegungen:												
1. Stückgüter für jeden dz 3 ₰	57 808	50 173	7 635	—	1 943	40	1 711	05	232	35	—	—
2. „ „ „ „ 6 „	3 449	3 387	62	—								
3. Eisenbahn-Waggons Stückzahl zu 1 ℳ	1 647	1 402	245	—	1 647	—	1 402	—	245	—	—	—
„ 40 ₰	68	27	41	—	27	20	10	80	16	40	—	—
III. Verladungen:												
1. Von der Eisenbahn im Fernverkehr auf das Land, Fuhren rc. bezw. umgekehrt für jeden dz 4 ₰	84 381	79 009	5 372	—	3 592	65	3 360	30	232	35	—	—
2. Desgl. im Platzverkehr für jeden dz 4 ₰	940	2 835	—	1 895								
IV. Be- und Abdecken von Eisenbahnwagen. Stückzahl zu 1 ℳ	153	123	30	—	153	—	123	—	30	—	—	—
V. Reinigung von solchen. Stückzahl zu 1 ℳ	64	134	—	70	64	—	134	—	—	—	70	—
C. Lagerungen im Freien.												
1. Von Brennholz, Nutzholz und Baumaterialien für jeden qm Bodenfläche und Monat 10 ₰	46 918	37 979	8 939	—	4 691	80	3 797	90	893	90	—	—
2. Von Stückgütern für jeden dz und Monat 3 ₰	21 532	16 595	4 937	—	648	50	500	55	147	95	—	—
3. Von Holz auf Wasser im Binnenhafen für jeden qm Wasserfläche und Monat 3 ₰	4 370	13 637	—	9 267	131	20	409	35	—	—	278	15
4. Für Trocknung von Sand am Rheinufer für jeden qm Bodenfläche und Monat 5 ₰ . .	12 256	13 586	—	1 330	612	80	679	30	—	—	66	50
Summe . .	—	—	—	—	94 729	70	98 870	40	—	—	4 140	70

Der Wagenverkehr auf den städtischen Bahnanlagen im Hafen ꝛc., sowie die erhobenen Gebühren sind unter der Abteilung „Hafenbahn“ enthalten. (Vergl. Seite 182 bis 186).

Die Wasserstände des Rheins, sowie der Schiffs- und Güterverkehr in den Mainzer Häfen und dessen Vergleichung mit den Ergebnissen des Vorjahres sind aus den Übersichten auf Seite 135 bis 143 dieses Berichts zu ersehen.

Zugenommen hat der Verkehr im Rechnungsjahre 1906 **nach Art der Güter** vorwiegend bei Sand, Kies und geflößtem Stammholz.

Eine **Abnahme** weist derselbe hauptsächlich auf bei Hafer, Steinkohlen, Backsteinen und sonstigen nicht benannten Gegenständen.

Die Mehrzufuhren von Sand und Kies stehen mit den umfangreichen Anschüttungsarbeiten im Gebiete der Nordwestfront der Stadt und auf der Ingelheimer Au im Zusammenhang, auch wurden bedeutende Mengen mit der Eisenbahn nach auswärts versandt. Die Mehr-An- und -Abfuhr von Langholz ist der regeren Nachfrage nach Tannenstammholz zuzuschreiben.

Die Abnahme in der Zufuhr von Hafer war durch den nach Menge und Beschaffenheit schlechten Ausfall der Ernten, diejenige bei Steinkohlen durch den ungünstigen Wasserstand während der Herbstmonate veranlaßt. Die Wenigeranfuhr von Backsteinen zu Tal ist durch die Mehrbezüge dieses Artikels auf dem Landwege aus benachbarten Fabriken begründet. Die Abnahme bei sonstigen nicht benannten Gegenständen erklärt sich in der Hauptsache damit, daß im Vorjahre die auf die Eisenbahn in Fernverkehr verladenen Mengen Sand und Kies in dem statistischen Verzeichnis versehentlich unter Ord.-Nr. 62 (Alle sonstigen Gegenstände) statt unter Ord.-Nr. 13 (Erde, Lehm, Sand, Kies ꝛc.) aufgeführt wurden.

Die in den Häfen zwecks Lagerung oder direkten Bezugs eingelaufenen Bahntransporte, einschließlich der angekommenen und abgegangenen Wagenladungssendungen nach und von der Ladestelle Rheinallee und der Ingelheimer Au, beziffern sich, wie eingangs erwähnt, auf 1 319 994 dz gegen 988 706 dz im Vorjahre.

Die Versorgung der Häfen mit Wagenmaterial durch die Staatsbahn war während der Hauptverkehrssaison zumeist unbefriedigend.

Die Sicherheitshäfen wurden benutzt:

	Im Rechnungsjahre: 1906	1905
1) von Dampfschiffen	24	19
2) „ Segelschiffen über 50 dz Tragfähigkeit	134	30
3) „ Nachen unter 50 dz Tragfähigkeit	156	55
4) „ Badeanstalten	13	18
5) „ Fischkasten	2	4
6) „ Flößen	16	2
7) „ Baggermaschinen	7	4
8) „ sonstigen Fahrzeugen	11	21
9) „ Kranen und Elevatoren	5	4

An Schutzgebühren für diese Fahrzeuge ꝛc. wurden erhoben 7 588 ℳ 75 ₰ gegen 2 004 ℳ — ₰ im Vorjahre.

In der Fahrrinne des Floßhafens wurde während der Schutzperiode 1906/07 eine Fläche von 3 378 qm mit Floßholz gegen Entrichtung der tarifmäßigen Schutzgebühr von 3 ₰ für jeden qm Wasserfläche = 101 ℳ 35 ₰ belegt. Von den dem allgemeinen Verkehr nicht dienenden und zur Lagerung von Holz verfügbaren Flächen dieses Hafens waren an 6 Firmen 248 878 qm gegen eine Jahresmiete von 10 ₰ und an eine Firma 6 050 qm gegen eine Jahresmiete von 6 ₰ für jeden qm Wasserfläche vermietet.

Nach den Rechnungsergebnissen (siehe Seite 286 ff.) betrugen:

	1906	1905	1904
die Gesamtausgaben der Hafenverwaltung	238 052 ℳ 80 ₰	232 231 ℳ 67 ₰	226 441 ℳ 32 ₰
die Gesamteinnahmen derselben	194 805 „ 51 „	180 548 „ 41 „	165 360 „ 21 „

Der Hafen erforderte hiernach im Rechnungsjahre 1906 einen Zuschuß von 43 247 ℳ 29 ₰ gegen den im Voranschlag vorgesehenen Betrag von 56 445 ℳ und gegen 51 683 ℳ 26 ₰ im Vorjahre.

Die für das Rechnungsjahr 1906 verausgabten Beträge für Verzinsung und Tilgung der für die Hafenanlage, die maschinellen Betriebseinrichtungen und die elektrische Beleuchtungsanlage aufgewendeten Kapitalien und der Kapitalbestand sind aus der folgenden Übersicht zu ersehen:

Aufwendungen für:	Ursprungskapital bis Ende des Rechnungsjahres 1904		Tilgungen bis Ende des Rechnungsjahres 1905		Restkapital am Ende des Rechnungsjahres 1905		3½ %-Zinsen vom Restkapital für das Rechnungsjahr 1906		Tilgungen für das Rechnungsjahr 1906: ½ % des Ursprungskapitals zuzügl. der erspart. Zinsen		Tilgungen für das Rechnungsjahr 1906: 5 % des Ursprungskapitals		Restkapital am Ende des Rechnungsjahres 1906	
	ℳ	₰	ℳ	₰	ℳ	₰	ℳ	₰	ℳ	₰	ℳ	₰	ℳ	₰
I. Gebäude u. Hafenanlage:														
a) Maschinen- und Kesselhaus . . .	75 806	62												
b) Anschüttung . . .	346 518	71												
c) Kaibauten . . .	1 047 399	65												
d) Drehbrücke . . .	245 287	40												
e) Pflasterung und Kanalisation . .	135 499	50												
f) Hafeneinfriedigung .	17 809	96												
g) Herrichtung von Kohlenlagerplätzen einschl. 69 ℳ 53 ₰ Ausgaben in 1904	51 366	39												
h) Erwerbung von Lagerplätzen an der Rheinallee . . .	251 881	38												
i) Herstellung von Lagerplätzen am Floßhafen, Ausgaben im Rechnungsjahre 1904 . . .	11 468	24												
Zusammen . .	2 183 037	85	58 005	39	2 125 032	46	74 376	14	12 945	37	—	—	2 112 087	09
II. Maschinelle Betriebseinrichtungen . .	342 884	72	163 025	05	179 859	67	6 295	09	—	—	17 144	24	162 715	43
III. Elektrische Beleuchtungsanlage . .	40 252	43	19 244	07	21 008	36	735	29	—	—	2 012	62	18 995	74
Summe . .	2 566 175	—	240 274	51	2 325 900	49	81 406	52	12 945	37	19 156	86	2 293 798	26

Außer den odigen Beträgen sind die Kasten für Errichtung einer Werkstätte im Zollhafen mit 2 946,90 ℳ in den Rechnungsjahren 1906—1908 zu tilgen. Es wurden 1000 ℳ abgetragen, so daß Ende 1906 noch ein Rest von 1 946,90 ℳ verblieb.

Die Hafenkasse vereinnahmte an Hafen-, Hafenbahn- und Lagerhaus-Gebühren, Zöllen und Vorlagen und lieferte in bar und in Belegen an die Stadtkasse, das Hauptsteueramt ꝛc. ab 373 383 ℳ 90 ₰ gegen 804 415 ℳ 63 ₰ im Vorjahre. Der Wenigerumsatz gegenüber dem Vorjahre ist auf den Wegfall der Zollverrechnungen infolge Aufhebung des gemischten Getreide-Privattransitlagers der Stadt Mainz zurückzuführen.

Die Hafenkasse-Kontrolle prüfte und verbuchte 10 551 Belege gegen 10 139 Belege im Vorjahre.

Über den Kesselhausbetrieb im Hafen im Berichtsjahre gibt nachstehende Übersicht Aufschluß. Der hier erzeugte Dampf dient sowohl zum Betrieb der hydraulischen Anlage als auch der elektrischen Beleuchtungsanlage sowie zum Betrieb einer Dampfpumpe zur Wasserversorgung der Lokomotiven. Mit dem Abdampf der Maschinen wird das Kesselspeisewasser vorgewärmt und außerdem im Winter sowohl das Maschinenhaus, als auch die Geschäftsräume der Hafenverwaltung geheizt.

Monate	Speisewasserverbrauch cbm	Kohlenverbrauch dz	Verdampfung
April 1906	248,80	338,25	7,4
Mai „	279,75	372,46	7,5
Juni „	265,80	372,47	7,1
Juli „	289,30	393,80	7,3
August „	331,00	442,12	7,4
September „	377,90	491,34	7,9
Oktober „	460,00	579,38	7,9
November „	483,30	563,05	8,5
Dezember „	436,30	613,36	7,1
Januar 1907	467,20	607,54	7,7
Februar „	451,50	572,72	7,8
März „	363,00	578,50	6,3
Summe	4 453,85	5 924,99	—
im Mittel	—	—	7,5

Die Kosten für den Betrieb des Kesselhauses betrugen:

1. Brennmaterialien . . . . 12 615,88 ℳ
2. Löhne für Heizer und Hilfsheizer . . . . 2 226,56 „
3. Unterhaltung einschl. Löhne für Schlosser in der Werkstätte rund . . . . 800,— „

Summe . . . 15 642,44 ℳ

Die Bruttobetriebskosten zur Verdampfung von 1 cbm Wasser betrugen demnach $\frac{15\,642{,}44}{4\,453{,}85} = 3{,}51$ ℳ

Über den Verbrauch an Kraftwasser und Kahlen beim hydraulischen Betrieb im Hafen wurde die nachfolgende Übersicht aufgestellt:

Monate	Zahl der Arbeitstage	Monatsverbrauch		Tagesverbrauch				Mit 1 dz Kohlen wurde Wasser erzeugt cbm	1 cbm = 1000 Liter Wasser kosten an Kohlen kg
		Kraftwasser cbm	Kohlen dz	an Kraftwasser größter cbm	an Kraftwasser kleinster cbm	an Kraftwasser mittlerer cbm	an Kohlen mittlerer dz		
April 1906	23	3 263	284	211	93	141,9	12,3	11,5	8,7
Mai „	26	4 052	316	190	115	155,8	12,2	12,8	7,8
Juni „	24	3 688	315	190	109	153,7	13,1	11,7	8,5
Juli „	26	4 136	324	201	111	159,1	12,6	12,8	7,8
August „	26	4 937	366	239	150	189,9	14,1	13,5	7,4
September „	26	5 203	392	239	131	200,1	15,1	13,3	7,5
Oktober „	27	5 172	417	247	151	191,6	15,4	12,4	8,0
November „	25	4 435	366	241	90	177,4	14,6	12,1	8,3
Dezember „	24	4 470	386	238	144	186,3	16,1	11,7	8,5
Januar 1907	26	4 659	373	254	119	179,2	14,3	12,5	8,0
Februar „	24	4 760	375	272	152	198,3	15,6	12,7	7,8
März „	25	4 695	402	234	146	187,8	16,1	11,6	8,6
Summe . . .	302	53 470	4 316	—	—	—	—	—	—
Mittelwerte . .	—	—	—	230	126	177,1	14,3	12,4	8,1
Entsprechende Zahlen des Vorjahres	304	53 742	4 226	237	102	176,9	13,9	12,7	8,0

Der Verbrauch an Kraftwasser hat gegen das Vorjahr um 0,5 % ab- und derjenige an Kohlen um 2,1 % zugenommen. Im vorigen Jahre hatte der Kraftwasserverbrauch um 27 % und der Kohlenverbrauch um 16 % zugenommen.

Die Lastenhebung, welche mittels der an die hydraulische Zentralanlage angeschlossenen Hebevorrichtungen und zwar mit 5 Portal- und 3 Fairbairnkranen von je 15 dz Tragkraft, 1 Fairbairnkran von 20 dz Tragkraft, 1 Fairbairnkran von 10 dz Tragkraft, 5 Aufzügen von je 12 dz Tragkraft, dem Weinkran von 15 dz Tragkraft, 2 Öllellerkranen von je 10 dz Tragkraft, der fahrbaren Winde von 7,5 dz Tragkraft und den Vorrichtungen im Getreidespeicher bewirkt wurde, betrug 1 220 559 dz (im Vorjahre 1 321 855 dz). Demnach ergibt sich eine Minderleistung der hydraulischen Hebevorrichtungen gegenüber dem Vorjahre von 7,67 %. Im Vorjahre hatte die Leistung um 26 % zugenommen.

Außer den vorstehenden Kranen rc. sind die vorhandenen Kapstände an die hydraulische Zentralanlage angeschlossen. Mit deren Hilfe wurden von den unter der Abteilung „Hafenbahn" genannten Wagen ungefähr 10 300 Stück rangiert. Bei der Rangierung eines Wagens über eine Drehscheibe werden etwa 0,6 cbm Druckwasser verbraucht. Da jeder Wagen über 4 Drehscheiben zu rangieren ist, sind 4.0,6 = rund 2,5 cbm für einen Wagen erforderlich. Für Rangierzwecke wurden hiernach 10 300 . 2,5 = 25 750 cbm Druckwasser verbraucht, so daß für die Hebezeuge ein Verbrauch von 53 470 — 25 750 27 720 cbm verbleibt.

Die Ausgaben für den hydraulischen Betrieb waren folgende:

1.	Bauliche Unterhaltung des Kessel- und Maschinenhauses	137,81 ℳ
2.	Gehalte für den Maschinenmeister und den Maschinisten sowie Löhne der Kranenführer rc.	16 913,75 „
	(Ein Teil des Gehaltes eines Kranenführers ist unter den Kosten des Dampfkranbetriebs berücksichtigt.)	
3.	Brennmaterialien	9 493,39 „
4.	Putz- und Schmiermittel, Verdichtungsmaterial rc.	1 849,48 „
5.	Instandsetzung der Maschinen, Kessel, Hebe- und Fortbewegungsapparate, Anschaffungen für die Werkstätte und Revision der Dampfkessel	3 980,16 „
6.	Wasserverbrauch	112,32 „
7.	Für Taglöhne in der Werkstätte	5 346,75 „
	zusammen	37 833,66 ℳ

gegen 34 884 ℳ 14 ₰ im Vorjahre.

Es betragen somit:

1. die Tageskosten für den gesamten hydraulischen Betrieb 125,28 ℳ gegen 114,75 ℳ im Vorjahre,
2. die Kosten für Erzeugung und Abgabe des Kraftwassers an den einzelnen Verbrauchsstellen 71 ₰ für 1 cbm gegen 65 ₰ im Vorjahre,
3. die Kosten für die Hebung von 1 dz Last (mit Ausschluß des Wasserverbrauchs an den Kapständern) 1,61 ₰ gegen 1,29 ₰ im Vorjahre.

Außer den hydraulischen Hebezeugen waren zwei Dampfkrane im Betrieb und zwar ein Kran von 50 dz Tragkraft vor dem Kaisertor an 231 Tagen und 1 Kran von 50 dz Tragkraft im Zollhafen an 3 Tagen. (210 und 12 Tage im Vorjahre.) Mit den beiden Kranen wurden 104 825 dz Güter gehoben gegen 174 491 dz im Vorjahre.

Die Ausgaben für den Betrieb dieser Krenen waren folgende:

1.	Löhne für die Dampfkrahnenführer	1 759,00 ℳ
2.	Brennmaterialien	748,72 „
3.	Putz- und Schmiermittel, Verdichtungsmaterialien	133,01 „
4.	Unterhaltung der Krane einschl. Revision der Dampfkranenkessel	262,24 „
	zusammen	2 902,97 ℳ

gegen 2 187 ℳ 92 ₰ im Vorjahre.

Da der Gehalt der beiden Kranenführer mit je 2 270 ℳ ganz unter dem hydraulischen Betrieb verrechnet wird, so wurde derselbe in den vorstehenden Aufstellungen unter den hydraulischen und Dampfbetrieb nach den tatsächlichen Arbeitsleistungen der Führer bei jedem der beiden Betriebe verteilt. Bei dem Dampfkranbetrieb waren für einen Kranenführer (die Krane waren nach oben 231 + 3 = 234 Tage in Betrieb) einzusetzen: $\frac{2\,270 . 234}{302}$ = rund 1 759 ℳ.

Die Kasten für die Hebung von 1 dz Last belaufen sich demnach auf 2,77 ₰, gegen 1,25 ₰ im Vorjahre.

Die Lastketten der Hebezeuge im Hafengebiete wurden zur Vermeidung von Unglücksfällen sämtlich innerhalb des Berichtsjahres ausgewechselt, wo nötig repariert und vor ihrer Wiederinbetriebnahme auf der vorhandenen Kettenprüfungsmaschine mit der für dieselben festgesetzten Probebelastung, welche der doppelten Beanspruchung der Ketten entspricht, geprüft. Die beiden Lastketten der Kohlenkrane wurden der häufigen Benutzung wegen zweimal ausgewechselt und geprüft.

In dem Berichtsjahre wurden an die elektrische Beleuchtungsanlage im Hafen 9 Glühlampen neu angeschlossen, so daß nunmehr 614 Glühlampen und 2 Bogenlampen in den Gebäuden und 25 Bogenlampen im Freien installiert sind. Außer diesen Lampen sind noch 1 Korkstopfenbrennapparat und 2 Elektromotore von 1 P. S. angeschlossen.

Die im Maschinenhaus aufgestellten beiden Dynamomaschinen dienen abwechselnd zur Erzeugung des elektrischen Stromes und werden von der Reservepumpmaschine aus angetrieben. Letztere war in Betrieb:

im	Monat	April	1906	an	16	Tagen	mit	einer	Leistung	von	2 160	Pferd	und	Stunden
„	„	Mai	„	„	17	„	„	„	„	„	2 250	„	„	„
„	„	Juni	„	„	16	„	„	„	„	„	2 310	„	„	„
„	„	Juli	„	„	19	„	„	„	„	„	2 760	„	„	„
„	„	August	„	„	18	„	„	„	„	„	3 030	„	„	„
„	„	September	„	„	22	„	„	„	„	„	3 940	„	„	„
„	„	Oktobre	„	„	27	„	„	„	„	„	6 510	„	„	„
„	„	November	„	„	25	„	„	„	„	„	7 870	„	„	„
„	„	Dezember	„	„	24	„	„	„	„	„	9 080	„	„	„
„	„	Januar	1907	„	26	„	„	„	„	„	9 400	„	„	„
„	„	Februar	„	„	24	„	„	„	„	„	6 870	„	„	„
„	„	März	„	„	25	„	„	„	„	„	7 070	„	„	„

zusammen an 259 Tagen mit einer Leistung von 63 250 Pferd und Stunden, gegen 298 Tage und 69 610 Pferd und Stunden im Vorjahre.

An Kohlen wurden verbraucht 1 452 dz (Vorjahr 1 840 dz).

An den Tagen, an welchen die Dynamomaschinen nicht im Gange waren, genügte der in der Akkumulatorenbatterie aufgespeicherte elektrische Strom zur Speisung der elektrischen Lampen.

Bei der Annahme, daß 65 % der gesamten Kraftleistung in elektrischen Strom umgewandelt werden, entspricht die obige Leistung von 63 250 Pferd und Stunden $\frac{63\,250 . 0{,}65 . 736}{55}$ = 550 160 Glühlampenbrennstunden (605 480 Brennstunden im Vorjahre).

Verausgabt wurden:

1.	Lohn für einen Maschinisten	2 018,20 ℳ
2.	für Brennmaterialien	3 122,49 „
3.	„ Putz- und Schmiermittel, Verdichtungsmaterialien	697,24 „
4.	„ Unterhaltung der Maschinen und Anschaffungen für die Werkstätte	996,67 „
5.	„ „ „ Bogen- und Glühlampen	1 057,57 „
6.	„ „ „ Akkumulatorenbatterie einschließlich 704 ℳ jährlich für Überwachung ꝛc. derselben	879,36 „
	zusammen	8 771,53 ℳ

gegen 9 140 ℳ 77 ₰ im Vorjahre.

Eine Glühlampenbrennstunde verursachte demnach an direkten Betriebskosten den Betrag von $\frac{877\,153}{550\,106} = 1{,}59$ gegen 1,51 ₰ im Vorjahre.

A. Übersicht

der Wasserstände des Rheines am Mainzer Pegel in der Zeit vom 1. April 1906 bis 31. März 190

Monate	Durchsch Staats		
April 1906	1,14	1,34	1,00
Mai "	1,76	3,39	0,98
Juni "	2,33	3,00	1,98
Juli "	2,10	2,43	1,28
August "	1,39	2,12	0,85
September "	0,47	0,82	0,25
Oktober "	— 0,07	0,27	0,19
November "	0,05	0,30	— 0,27
Dezember "	0,41	0,59	0,00
Januar 1907	0,72	1,68	0,00
Februar "	1,55	1,93	0,04
März "	1,75	3,36	0,82
Für das Rechnungsjahr 1906	1,13	3,39	— 0,27
" " " 1905	1,45	3,57	+ 0,34

Anmerkung: Die Wasserstandsverhältnisse waren bis Ende September befriedigend. Von Oktober ab trat eine längere Nied wasserperiode ein, die durch hinzugetretenen Frost in den letzten Tagen des Dezember sowie in der zweiten Hälfte des Monats Januar u weiter bis gegen Mitte Februar die mehrmalige Einstellung der Fahrten erforderte.

B. Übersicht

der in den Häfen von Mainz in der Zeit vom 1. April 1906 bis 31. März 1907 angekommenen Schiffe nach Gattung und Tragfähigkeit.

Monate	Dampfschiffe					Segelschiffe		Flöße	
	Personenschiffe	Schlepper	Tau- und Kettenschiffe	Güterschiffe			Tragfähigkeit		Bestand
					Tragfähigkeit				
	Zahl	Zahl	Zahl	Zahl	dz	Zahl	dz	Zahl	dz
I. zu Berg:									
April . . 1906	257	66	—	60	327 062	89	574 851	—	—
Mai . . „	695	73	—	69	374 732	89	598 809	—	—
Juni . . „	662	70	—	61	323 746	91	615 165	—	—
Juli . . „	662	83	—	65	354 340	85	580 831	—	—
August . „	726	59	—	68	363 757	95	634 035	—	—
September „	556	90	—	63	344 561	98	587 010	—	—
Oktober . „	261	75	—	58	322 458	101	689 395	—	—
November . „	75	66	—	48	251 628	102	684 314	—	—
Dezember . „	74	60	—	43	229 849	103	735 199	—	—
Januar . 1907	43	54	—	46	240 777	74	551 460	—	—
Februar . „	73	57	—	50	274 121	78	601 808	—	—
März . . „	61	76	—	66	356 222	119	847 272	—	—
Summe I. zu Berg .	4 145	829	—	697	3 763 253	1 124	7 700 149	—	—
II. zu Tal:									
April . . 1906	486	20	—	49	246 743	474	587 990	1	21
Mai . . „	517	14	—	49	254 656	531	670 310	2	190
Juni . . „	529	18	—	50	262 879	407	397 449	—	—
Juli . . „	561	18	—	53	275 142	371	387 962	2	387
August . „	543	20	—	55	292 436	557	525 557	5	20 124
September „	502	25	—	55	286 735	436	422 920	—	—
Oktober . „	483	19	—	31	162 006	367	356 903	4	7 246
November . „	465	14	—	34	173 580	262	300 688	—	—
Dezember . „	473	11	—	32	149 438	303	247 360	3	6 899
Januar . 1907	465	10	—	36	196 572	132	175 251	—	—
Februar . „	401	9	—	34	189 179	237	324 986	2	1 753
März . . „	527	17	—	52	280 122	420	771 213	2	18 751
Summe II. zu Tal .	5 952	195	—	530	2 769 488	4 497	5 168 589	21	55 371
„ I. „ Berg .	4 145	829	—	697	3 763 253	1 124	7 700 149	—	—
Gesamtsumme im Rechnungsjahre 1906 .	10 097	1 024	—	1 227	6 532 741	5 621	12 868 738	21	55 371
„ „ „ 1905 .	11 276	1 092	—	1 294	6 757 033	7 527	13 548 554	34	38 844
1906 mehr .	—	—	—	—	—	—	—	—	16 527
1906 weniger .	1 179	68	—	67	224 292	1 906	679 816	13	—

C. Übersicht

der in den Häfen von Mainz in der Zeit vom 1. April 1906 bis 31. März 1907 abgegangenen Schiffe nach Gattung und Tragfähigkeit.

Monate	Dampfschiffe					Segelschiffe		Flöße	
	Personenschiffe	Schlepper	Tau- und Kettenschiffe	Güterschiffe			Tragfähigkeit		Bestand
					Tragfähigkeit				
	Zahl	Zahl	Zahl	Zahl	dz	Zahl	dz	Zahl	dz
I. zu Berg:									
April . . 1906	486	75	—	54	292 469	502	833 055	—	—
Mai . . "	517	75	—	54	290 469	567	972 962	—	—
Juni . . "	529	75	—	53	280 886	440	697 886	—	—
Juli . . "	561	92	—	54	285 925	398	627 220	—	—
August . . "	543	67	—	56	295 151	585	770 537	—	—
September . "	502	99	—	58	304 519	483	722 380	—	—
Oktober . "	483	85	—	39	209 448	403	730 694	—	—
November . "	465	72	—	41	214 348	300	629 615	—	—
Dezember . "	473	67	—	32	157 849	348	632 827	—	—
Januar . 1907	465	60	—	39	209 837	161	501 076	—	—
Februar . "	401	63	—	42	227 969	277	678 577	—	—
März . . "	527	84	—	55	299 440	461	1 142 897	—	—
Summe I. zu Berg .	5 952	914	—	577	3 068 310	4 925	8 939 726	—	—
II. zu Tal:									
April . . 1906	257	11	—	55	281 336	61	329 786	—	—
Mai . . "	695	12	—	64	338 919	53	296 157	—	—
Juni . . "	662	13	—	58	305 739	58	314 728	—	—
Juli . . "	662	9	—	64	343 557	58	341 573	—	
August . . "	726	12	—	67	361 042	67	389 055	—	—
September "	556	16	—	60	326 777	51	287 550	—	—
Oktober . "	261	9	—	50	275 016	65	315 604	—	—
November . "	75	8	—	41	210 860	64	355 387	—	—
Dezember . "	74	4	—	43	221 438	58	349 732	—	—
Januar . 1907	43	4	—	43	227 512	45	225 635	—	—
Februar . "	73	3	—	42	235 331	38	248 217	—	—
März . "	61	9	—	63	336 904	78	475 588	—	—
Summe II. zu Tal .	4 145	110	—	650	3 464 431	696	3 929 012	—	—
" I. " Berg .	5 952	914	—	577	3 068 310	4 925	8 939 726	—	—
Gesamtsumme im Rechnungsjahre 1906 .	10 097	1 024	—	1 227	6 532 741	5 621	12 868 738	—	—
" " " 1905 .	11 276	1 092	—	1 294	6 757 033	7 527	13 548 554	—	—
1906 mehr .	—	—	—	—	—	—	—	—	—
1906 weniger .	1 179	68	—	67	224 292	1 906	679 816	—	

D. Übersicht

der in den Häfen von Mainz in der Zeit vom 1. April 1906 bis 31. März 1907 angekommenen Schiffe nach Heimatsstaat und Beladung.

Heimatsstaat	Dampfschiffe										Segelschiffe		Flöße	
	Personenschiffe		Schlepper			Tau- und Kettenschiffe			Güterschiffe		beladen	unbeladen	beladen	unbeladen
	Allgemeiner Verkehr	Lokal-Verkehr	mit Anhang	Anhang	ohne Anhang	mit Anhang	Anhang	ohne Anhang	beladen	unbeladen				
	Zahl		Zahl			Zahl			Zahl		Zahl		Zahl	
I. zu Berg:														
Baden	—	—	111	113	18	—	—	—	133	—	170	—	—	—
Bayern	—	—	—	—	—	—	—	—	—	—	22	—	—	—
Elsaß	—	—	—	—	—	—	—	—	—	—	—	—	—	—
Hessen	—	—	71	86	—	—	—	—	—	—	80	—	—	—
Niederlande	369	—	12	16	—	—	—	—	175	—	150	1	—	—
Preußen	1 638	2 138	612	693	5	—	—	—	160	1	689	2	—	—
Württemberg	—	—	—	—	—	—	—	—	—	—	1	—	—	—
Belgien	—	—	—	—	—	—	—	—	216	12	8	1	—	—
Summe I. zu Berg	2 007	2 138	806	908	23	—	—	—	684	13	1 120	4	—	—
II. zu Tal:														
Baden	—	—	—	—	3	—	—	—	117	—	76	2	14	—
Bayern	—	—	—	—	—	—	—	—	—	—	172	2	7	—
Elsaß	—	—	—	—	—	—	—	—	—	—	—	—	—	—
Hessen	—	5 275	35	40	51	—	—	—	5	1	4 174	5	—	—
Niederlande	260	—	—	—	1	—	—	—	88	12	6	2	—	—
Preußen	417	—	21	21	84	—	—	—	125	8	31	27	—	—
Württemberg	—	—	—	—	—	—	—	—	—	—	—	—	—	—
Belgien	—	—	—	—	—	—	—	—	141	33	—	—	—	—
Summe II. zu Tal	677	5 275	56	61	139	—	—	—	476	54	4 459	38	21	—
„ I. „ Berg	2 007	2 138	806	908	23	—	—	—	684	13	1 120	4	—	—
Gesamtsumme im Rechnungsjahr 1906	2 684	7 413	862	969	162	—	—	—	1 160	67	5 579	42	21	—
Gesamtsumme im Rechnungsjahr 1905	3 664	7 612	901	567	191	—	—	—	1 146	148	7 467	60	34	—
1906 mehr	—	—	—	402	—	—	—	—	14	—	—	—	—	—
1906 weniger	980	199	39	—	29	—	—	—	—	81	1 888	18	13	—

E. Übersicht

der in den Häfen von Mainz in der Zeit vom 1. April 1906 bis 31. März 1907 abgegangenen Schiffe nach Heimatsstaat und Beladung.

Heimatsstaat	Dampfschiffe										Segelschiffe		Flöße	
	Personenschiffe		Schlepper			Tau- und Kettenschiffe			Güterschiffe					
	Allgemeiner Verkehr	Lokal-Verkehr	mit Anhang	Anhang	ohne Anhang	mit Anhang	Anhang	ohne Anhang	beladen	unbeladen	beladen	unbeladen	beladen	unbeladen
	Zahl		Zahl			Zahl			Zahl		Zahl		Zahl	
I. zu Berg:														
Baden	—	—	33	86	96	—	—	—	92	25	42	154	—	—
Bayern	—	—	—	—	—	—	—	—	—	—	25	146	—	—
Elsaß	—	—	—	—	—	—	—	—	—	—	—	—	—	—
Hessen	—	5 275	67	106	83	—	—	—	1	3	305	3 895	—	—
Niederlande	260	—	—	—	12	—	—	—	21	102	7	75	—	—
Preußen	417	—	20	28	603	—	—	—	118	20	30	238	—	—
Württemberg	—	—	—	—	—	—	—	—	—	—	—	1	—	—
Belgien	—	—	—	—	—	—	—	—	143	52	2	5	—	—
Summe I. zu Berg	677	5 275	120	170	794	—	—	—	375	202	411	4 514	—	—
II. zu Tal:														
Baden	—	—	2	2	1	—	—	—	130	3	27	25	—	—
Bayern	—	—	—	—	—	—	—	—	—	—	15	10	—	—
Elsaß	—	—	—	—	—	—	—	—	—	—	—	—	—	—
Hessen	—	—	5	5	2	—	—	—	2	—	18	41	—	—
Niederlande	369	—	1	1	—	—	—	—	150	2	43	34	—	—
Preußen	1 638	2 138	98	178	1	—	—	—	147	9	317	164	—	—
Württemberg	—	—	—	—	—	—	—	—	—	—	—	—	—	—
Belgien	—	—	—	—	—	—	—	—	196	11	—	2	—	—
Summe II. zu Tal	2 007	2 138	106	186	4	—	—	—	625	25	420	276	—	—
„ I. „ Berg	677	5 275	120	170	794	—	—	—	375	202	411	4 514	—	—
Gesamtsumme im Rechnungsjahre 1906	2 684	7 413	226	356	798	—	—	—	1 000	227	831	4 790	—	—
Gesamtsumme im Rechnungsjahre 1905	3 664	7 612	261	364	831	—	—	—	1 042	252	938	6 589	—	—
1906 mehr	—	—	—	—	—	—	—	—	—	—	—	—	—	—
1906 weniger	980	199	35	8	33	—	—	—	42	25	107	1 799	—	—

F. Übersicht

der in den Häfen von Mainz in der Zeit vom 1. April 1906 bis 31. März 1907 angekommenen Schiffe nach Herkunft und Gewicht der ausgeladenen Güter.

Herkunftsorte	Von Personen-Dampfschiffen ausgeladene Güter	Güter-Dampfschiffe			Segelschiffe			Flößt	
		beladen	ausgeladene Güter	unbeladen	beladen	ausgeladene Güter	unbeladen		Bestand
	dz	Zahl	dz	Zahl	Zahl	dz	Zahl	Zahl	dz
I. zu Berg:									
Antwerpen	—	94	21 552	3	225	423 374	1	—	—
Amsterdam	—	90	40 093	—	—	—	—	—	—
Rotterdam	128 225	218	82 135	6	469	651 391	1	—	—
Andere niederländische Häfen	1 602	—	—	—	—	—	—	—	—
Emmerich	2 547	—	—	—	—	—	—	—	—
Häfen zwischen Emmerich u. Düsseldorf	12 738	—	—	—	—	—	—	—	—
Ruhrhäfen	—	—	—	—	131	611 671	—	—	—
Düsseldorf	9 408	—	—	—	—	—	—	—	—
Häfen zwischen Düsseldorf und Köln	2 469	—	—	—	—	—	—	—	—
Köln	19 848	282	111 476	4	106	75 438	1	—	—
Häfen zwischen Köln und Koblenz	5 888	—	—	—	—	—	—	—	—
Koblenz	4 512	—	—	—	—	—	—	—	—
Häfen zwischen Koblenz und Bingen	—	—	—	—	189	7 571	1	—	—
Bingen	2 539	—	—	—	—	—	—	—	—
Häfen zwischen Bingen und Mainz	—	—	—	—	—	—	—	—	—
Summe I. zu Berg	189 776	684	255 256	13	1 120	1 769 445	4	—	—
II. zu Tal:									
Häfen zwischen Mainz und Mannheim	1 999	—	—	—	3 881	3 665 596	7	—	—
Mannheim	10 031	394	26 951	30	109	38 939	6	14	53 020
Häfen oberhalb Mannheim	—	—	—	—	11	4 993	—	—	—
Mainhäfen	—	82	5 562	24	428	97 230	25	7	2 351
Neckarhäfen	—	—	—	—	30	39 381	—	—	—
Summe II. zu Tal	12 030	476	32 513	54	4 459	3 846 139	38	21	55 371
„ I. zu Berg	189 776	684	255 256	13	1 120	1 769 445	4	—	—
Gesamtsumme im Rechnungsjahre 1906	201 806	1 160	287 769	67	5 579	5 615 584	42	21	55 371
„ „ „ „ 1905	209 787	1 146	327 673	148	7 467	6 076 218	60	34	38 844
1906 mehr	—	14	—	—	—	—	—	—	16 527
1906 weniger	7 981	—	39 904	81	1 888	460 634	18	13	—

G. Übersicht

der in den Häfen von Mainz in der Zeit vom 1. April 1906 bis 31. März 1907 abgegangenen Schiffe nach Bestimmung und Gewicht der eingeladenen Güter.

Bestimmungsorte	Von Personen-Dampfschiffen eingeladene Güter	Güter-Dampfschiffe			Segelschiffe		
		beladen	eingeladene Güter	unbeladen	beladen	eingeladene Güter	unbeladen
	dz	Zahl	dz	Zahl	Zahl	dz	Zahl
I. zu Berg:							
Häfen zwischen Mainz und Mannheim . .	2 551	—	—	—	75	21 223	4 136
Mannheim	7 141	287	17 559	154	—	—	—
Häfen oberhalb Mannheim	—	—	—	—	—	—	—
Mainhäfen	—	88	5 950	48	336	27 918	347
Neckarhäfen	—	—	—	—	—	—	31
Summe I. zu Berg .	9 692	375	23 509	202	411	49 141	4 514
II. zu Tal:							
Antwerpen	—	64	15 163	5	—	—	—
Amsterdam	—	63	8 877	—	—	—	—
Rotterdam	116 649	246	74 525	8	222	55 538	95
Andere niederländische Häfen	4 967	—	—	—	—	—	—
Emmerich	1 493	—	—	—	—	—	—
Häfen zwischen Emmerich und Düsseldorf .	7 925	—	—	—	—	—	—
Düsseldorf	11 979	—	—	—	—	—	—
Häfen zwischen Düsseldorf und Köln . . .	2 652	—	—	—	—	—	—
Köln	20 635	252	63 222	12	13	6 288	150
Häfen zwischen Köln und Koblenz	9 685	—	—	—	—	—	—
Koblenz	15 220	—	—	—	—	—	—
Häfen zwischen Koblenz und Bingen . . .	—	—	—	—	185	36 918	31
Bingen	7 817	—	—	—	—	—	—
Häfen zwischen Bingen und Mainz . . .	—	—	—	—	—	—	—
Summe II. zu Tal .	199 022	625	161 787	25	420	98 744	276
Summe I. zu Berg .	9 692	375	23 509	202	411	49 141	4 514
Gesamtsumme im Rechnungsjahre 1906 .	208 714	1 000	185 296	227	831	147 885	4 790
„ „ „ 1905 .	223 820	1 042	184 032	252	938	145 140	6 589
1906 { mehr . .	—	—	1 264	—	—	2 745	—
1906 { weniger .	15 106	42	—	25	107	—	1 799

H. Übersicht

der in den Häfen von Mainz in der Zeit vom 1. April 1906 bis 31. März 1907 aus- und eingeladenen Güter.

Ordnungs-Nummer	Benennung der Güter	Zufuhr zu Berg	Zufuhr zu Tal	Abfuhr zu Berg	Abfuhr zu Tal	Zusammen	Verkehr in 1905	Im Rechnungsjahre 1906 mehr	Im Rechnungsjahre 1906 weniger
		dz	dz	dz	dz	dz	dz	dz	dz
1	Düngemittel aller Art	42 836	—	1 210	1 952	45 998	88 181	—	42 183
2	Lumpen aller Art	96	—	—	33	129	145	—	16
3	Knochen	332	—	—	—	332	54	278	—
4	Rohe Baumwolle	—	—	—	—	—	25	—	25
5	Soda	3 629	376	21	905	4 931	3 266	1 665	—
6	Farbholz	16		11	—	27	26	1	—
7	Knochenkohle, Knochenmehl	534	4	9	52	599	1 835	—	1 236
8	Salpeter, Salz- u. Schwefelsäure	623	—	—	14	637	—	637	—
9	Roh- und Brucheisen	1 013	—	—	—	1 013	—	1 013	—
10	Andere unedle Metalle, roh und als Bruch	55 854	2 932	1 902	17 966	78 654	90 970	—	12 316
11	Verarbeitetes Eisen aller Art	50 844	2 227	1 654	2 599	57 324	56 179	1 145	—
12	Zement, Traß, Kalk	12 209	324	—	474	13 007	27 088	—	14 081
13	Erde, Lehm, Sand, Kies, Kreide	112	3 600 854	1 290	100	3 602 356	3 376 776	225 580	—
14	Eisenerz	306	—	—	—	306	14	292	—
15	Andere Erze	—	—	—	—	—	25	—	25
16	Flachs, Hanf, Heede, Werg	1 667	15	—	41	1 723	1 983	—	260
17	Weizen und Spelz	121 776	12 081	505	1 068	135 430	163 954	—	28 524
18	Roggen	66 730	248	270	248	67 496	34 235	33 261	—
19	Hafer	85 890	10 623	—	2	96 515	314 658	—	218 143
20	Gerste	74 453	4 927	288	4 512	84 180	48 841	35 339	—
21	Anderes Getreide u. Hülsenfrüchte	55 523	4 000	925	15 150	75 598	69 061	6 537	—
22	Ölsaaten	47 787	33	44	10	47 874	67 098	—	19 224
23	Stroh und Heu	—	—	—	—	—	1 660	—	1 660
24	Kartoffeln	—	500	—	6	506	12	494	—
25	Obst, frisches und getrocknetes	8 355	600	175	953	10 083	10 644	—	561
26	Gemüse und Pflanzen	7	—	18	18	43	—	43	—
27	Glas und Glaswaren	65	42	59	837	1 003	672	331	—
28	Häute, Felle, Leder, Pelzwerk	2 052	365	957	2 912	6 286	9 029	—	2 743
29	Harte Stämme, (Nutz-, Bau- und Schiffsholz)	12 314	1 132	317	25	13 788	3 270	10 518	—
30	Harte Schnittware	27 723	6 986	50	854	35 613	62 791	—	27 178
31	Harte Brennholzscheite	—	6 150	—	—	6 150	11 453	—	5 303
32	Weiche Stämme	149	54 366	—	—	54 515	34 699	19 816	—
33	Weiche Schnittware	118 338	4 533	40	5 822	128 733	106 685	22 048	—
34	Weiche Brennholzscheite	—	13 427	—	230	13 657	11 599	2 058	—
35	Reisig und Faschinen	—	—	—	—	—	—	—	—
36	Borke, Lohe	—	—	—	—	—	—	—	—
37	Fastage, Fässer, Kisten, Säcke	31 730	2 169	579	2 284	36 762	39 759	—	2 997
38	Holzwaren und Möbel	139	12	46	—	197	79	118	—
	zu übertragen	823 102	3 728 926	10 370	59 067	4 621 465	4 636 766	—	15 301

Ordnungs-Nummer	Benennung der Güter	Zufuhr zu Berg	Zufuhr zu Tal	Abfuhr zu Berg	Abfuhr zu Tal	Zusammen	Verkehr in 1905	Im Rechnungsjahre 1906 mehr	Im Rechnungsjahre 1906 weniger
		dz	dz	dz	dz	dz	dz	dz	dz
	Übertrag . . .	823 102	3 728 926	10 370	59 067	4 621 465	4 636 766	—	15 301
39	Instrumente, Maschinen und Maschinenteile	713	244	499	1 102	2 558	1 935	623	—
40	Bier	47	1 332	243	62 937	64 559	63 505	1 054	—
41	Branntwein	9 356	267	480	389	10 492	10 915	—	423
42	Wein	16 077	2 960	7 038	88 862	114 937	122 870	—	7 933
43	Fische, auch Heringe . . .	23 961	3	125	136	24 225	18 342	5 883	—
44	Mehl und Mühlenfabrikate .	42 327	28 759	8 442	3 290	82 818	72 465	10 353	—
45	Reis	23 140	24	130	260	23 554	17 748	5 806	—
46	Salz	53	28	5	10	96	171	—	75
47	Kaffee, Kaffeesurrogate, Kakao .	31 126	66	145	347	31 684	30 988	696	—
48	Zucker, Melasse und Syrup .	82 819	702	309	1 482	85 312	75 334	9 978	—
49	Rohtabak	2 577	19	57	104	2 757	2 510	247	—
50	Fette Öle und Fette . . .	56 558	6 273	7 317	11 660	81 808	86 917	—	5 109
51	Petroleum und andere Mineralöle	144 369	258	6 646	37 801	189 074	235 371	—	46 297
52	Steine und Steinwaren . .	64	15 633	1 045	4 961	21 703	16 331	5 372	—
53	Steinkohlen	611 671	—	9 342	—	621 013	704 636	—	83 623
54	Koks	—	—	—	—	—	2 067	—	2 067
55	Braunkohlen	—	—	—	—	—	605	—	605
56	Torf	—	—	—	—	—	—		
57	Teer, Pech, Harze aller Art, Asphalt	37 825	709	2 071	6 474	47 079	48 866	—	1 787
58	Lebendes Vieh	—	—	—	—	—	—	—	—
59	Mauersteine u. Fliesen aus Ton, Dachziegel und Tonröhren .	3 258	77 215	—	—	80 473	50 930	29 543	—
59a	Backsteine	—	35 066	2 450	1 750	39 266	124 554	—	85 288
60	Tonwaren, Steingut, Porzellan	276	459	58	1 145	1 938	2 275	—	337
61	Wolle, roh	162	—	—	—	162	41	121	—
62	Alle sonstigen Gegenstände . .	304 996	47 110	25 570	177 776	555 452	879 372	—	323 920
	Summe der aus- u. eingelad. Güter	2 214 477	3 946 053	82 342	459 553	6 702 425	7 205 514	—	503 089
	Geflößt im Floßhafen:								
1	Harte Brennholzscheite . . .	—	—	—	—	—	—	—	—
2	Harte Stämme	—	10 960	—	7 960	18 920	—	18 920	—
3	Harte Schnittwaren	—	—	—	—	—	11 360	—	11 360
4	Weiche Brennholzscheite . . .	—	—	—	—	—	—	—	—
5	Weiche Stämme	—	2 195 000	—	2 129 600	4 324 600	3 732 850	591 750	—
6	Weiche Schnittwaren . . .	—	3 000	—	3 000	6 000	9 800	—	3 800
	Summe des geflößten Holzes .	—	2 208 960	—	2 140 560	4 349 520	3 754 010	595 510	—
	„ der geladenen Güter .	2 214 477	3 946 053	82 342	459 553	6 702 425	7 205 514	—	503 089
	zusammen . . .	2 214 477	6 155 013	82 342	2 600 113	11 051 945	10 959 524	92 421	—
	Hierzu die Summe der von Schiff zu Schiff überschlagenen Güter mit	—	—	—	—	444 540	341 385	103 155	—
	Ergibt Gesamtsumme des Wasserverkehrs	—	—	—	—	11 496 485	11 300 909	195 576	—

XX. Lagerhäuser.

1. Lagerhaus im Binnenhafen.

Zur Lagerung von Gütern sind nachstehende Räume vorhanden:

a) im Keller . . . . 2 512,8 qm
b) „ Erdgeschoß . . . . 501,8 „
(Die übrigen Räume im Erdgeschoß mit zus. 1 516 qm werden zu den Bureaus des Hauptsteueramtes und der Städtischen Lagerhaus-Verwaltung, sowie als Revisionsräume benutzt.)
c) im I. Obergeschoß . . . . 1 962,0 „
d) „ II. „ . . . . 1 991,2 „
e) „ III. „ . . . . 2 024,3 „
f) „ IV. „ . . . . 1 655,2 „
g) „ V. „ (Kehlgebälk) . . . . 1 368,5 „
zusammen . 12 014,4 qm

Von diesen Räumen waren der öffentlichen Niederlage für zollpflichtige Güter 1 191 qm überwiesen. Der Städtischen Lagerhaus-Verwaltung stand ein Lagerraum von 3 357,8 qm zur Verfügung. Alle übrigen Lagerräume mit 7 465,6 qm waren vermietet.

Die Räume der Städtischen Lagerhausverwaltung wurden in der Zeit vom 1. April 1906 bis 31. März 1907 zur Lagerung folgender Güter benutzt:

Ord.-Nr.	Benennung der Waren	Lagerbestand am 1. April 1906	Zugang vom 1. April 1906 bis 31. März 1907	Summe	Abgang vom 1. April 1906 bis 31. März 1907	Lagerbestand am 1. April 1907
		dz	dz	dz	dz	dz
1	Benzin	34	18	52	52	—
2	Biertreber	2 238	1 982	4 220	4 212	8
3	Borax	—	41	41	41	—
4	Bronze	—	100	100	100	—
5	Canariensaat	—	50	50	—	50
6	Cement	—	13	13	13	—
7	Conserven	—	527	527	527	—
8	Eisenvitriol	—	69	69	69	—
9	Essig	—	4	4	4	—
10	Farbe	—	13	13	13	—
11	Futtermehl	—	208	208	208	—
12	Gerste	855	161	1 016	1 016	—
13	Hafer	2 510	—	2 510	2 510	—
14	Hanfsamen	94	—	94	94	—
15	Harz	—	38	38	38	—
16	Hirsen	—	488	488	203	285
17	Holzstoff	—	518	518	518	—
18	Hopfen	19	1 083	1 102	1 099	3
19	Hopfenblechtrommeln	—	5	5	3	2
20	Hülsenfrüchte	3	50	53	18	35
21	Ingber	—	5	5	—	5
22	Kaffee	466	1 532	1 998	1 375	623
23	Kakao	11	—	11	11	—
24	Kartoffelmehl	113	—	113	113	—
	zu übertragen . . .	6 343	6 905	13 248	12 237	1 011

Ord.-Nr.	Benennung der Waren	Lagerbestand am 1. April 1906 dz	Zugang vom 1. April 1906 bis 31. März 1907 dz	Summe dz	Abgang vom 1. April 1906 bis 31. März 1907 dz	Lagerbestand am 1. April 1907 dz
	Übertrag . . .	6 343	6 905	13 248	12 237	1 011
25	Kleien	—	1 270	1 270	647	623
26	Korkstopfen	—	33	33	33	—
27	Leim	87	—	87	87	—
28	Mais	—	50	50	50	—
29	Malzkeime	—	357	357	269	88
30	Maschinenteile	14	50	64	15	49
31	Mehl	495	1 099	1 594	1 224	370
32	Mineralschmieröl	103	3	106	106	—
33	Mineralwasser	—	1 000	1 000	1 000	—
34	Muskatnüsse	—	30	30	18	12
35	Nellen	—	27	27	17	10
36	Obst getr.	—	75	75	75	—
37	Ölkuchen	—	200	200	—	200
38	Papier ordin.	—	38	38	38	—
39	Paraffin	—	18	18	18	—
40	Pfeffer	—	196	196	179	17
41	Pflanzenhaare afrik.	—	31	31	31	—
42	Piment	—	20	20	16	4
43	Raps	535	760	1 295	1 138	157
44	Reis	17	25	42	42	—
45	Roggen	6 987	—	6 987	6 987	—
46	Roggenabfall	—	59	59	—	59
47	Rübenschnitzel getr.	—	104	104	—	104
48	Sardellen	—	15	15	15	—
49	Schlempe	—	300	300	—	300
50	Schwefel	87	—	87	87	—
51	Schweinefett	—	275	275	242	33
52	Spirituosen	7	54	61	53	8
53	Sumach-Extrakt	62	—	62	62	—
54	Tabak	3 781	2 072	5 853	3 020	2 833
55	Tee	23	—	23	13	10
56	Terpentinöl	—	1 734	1 734	1 698	36
57	Wein	—	37	37	37	—
58	Weizen	1 007	1 301	2 308	2 308	—
59	Wicken	408	45	453	413	40
60	Zimmt	—	81	81	62	19
61	Zucker	1 345	7 083	8 428	4 930	3 498
	Summe im Rechnungsjahre 1906 . . .	21 301	25 347	46 648	37 167	9 481
	„ „ „ 1905 . . .	13 318	39 382	52 700	31 399	21 301
	1906 { mehr	7 983	—	—	5 768	—
	1906 { weniger . . .	—	14 035	6 052	—	11 820

Über die Mietlager im Lagerhaus wurden durch die Städtische Lagerhaus-Verwaltung 9 004 dz Waren bearbeitet (Vorjahr 6 560 dz), außerdem wurden noch 86 190 dz mit den Fahrstühlen befördert (Vorjahr 86 940 dz).

2. Getreidespeicher.

Folgende Lagerräume sind vorhanden:

a) Kellerraum . . . . 722,0 qm

b) Schüttböden für Getreide im Erdgeschoß, in den 4 Obergeschossen und im Speicherboden je 779,2 qm, zusammen . . . . 4 675,2 „

c) im Erdgeschoß des Mittelbaues ist das Bureau der Städt. Lagerhaus-Verwaltung untergebracht, der weitere Raum dient als Maschinenraum. In den übrigen Stockwerken des Mittelbaues ist ein Flächenraum von vorhanden, der zur Lagerung von gesacktem Getreide benutzt werden kann. 776,6 „

d) die Silos haben einen Inhalt von . . . . 718,0 cbm

Die Schüttböden haben eine Tragfähigkeit von 15 dz auf 1 qm Fläche.

Von den Kellerräumen waren 278,45 qm vermietet. Ungefähr 317,55 qm waren der öffentlichen Niederlage des Großh. Hauptsteueramtes zugeteilt. Die übrigen Kellerräume mit 126 qm wurden von der Städtischen Lagerhausverwaltung zur Lagerung nachgenannter Waren benutzt und zwar:

Ord.-Nr.	Benennung der Waren	Lagerbestand am 1. April 1906 dz	Zugang vom 1. April 1906 bis 31. März 1907 dz	Summe dz	Abgang vom 1. April 1906 bis 31. März 1907 dz	Lagerbestand am 1. April 1907 dz
1	Baumwollsaatöl	—	44	44	44	—
2	Cottonöl	43	10	53	53	—
3	Cylinderöl	2	—	2	2	—
4	Därme	1	—	1	1	—
5	Mineralschmieröl	176	35	211	70	141
6	Mineralwasser	—	36	36	17	19
7	Öle, gewöhnliche	2	—	2	2	—
8	Sirup	—	274	274	274	—
	Summe im Rechnungsjahre 1906	224	399	623	463	160
	„ „ „ 1905	286	785	1 071	847	224
	1906 mehr	—	—	—	—	—
	1906 weniger	62	386	448	384	64

Im Getreidespeicher waren 1 336 qm Lagerraum in den Magazinen und die Silo-Abteilung Nr. 4 vermietet. Die übrigen Räume wurden von der Städtischen Lagerhausverwaltung benutzt.

Der Warenverkehr im Getreidespeicher vom 1. April 1906 bis 31. März 1907 war folgender:

Ord.-Nr.	Benennung der Waren	Lagerbestand am 1. April 1906 dz	Zugang vom 1. April 1906 bis 31. März 1907 dz	Summe dz	Abgang vom 1. April 1906 bis 31. März 1907 dz	Lagerbestand am 1. April 1907 dz
	A. Verkehr in den der städtischen Lagerhausverwaltung überwiesenen Räumen:					
1	Gerste	1 025	13 356	14 381	11 369	3 012
2	Hafer	6 251	21 185	27 436	24 010	3 426
3	Leinsaat	-	262	262	229	33
4	Mais	326	1 321	1 647	1 196	451
5	Raps	12 106	6 070	18 176	17 384	792
6	Roggen	958	4 370	5 328	5 328	—
7	Weizen	2 519	3 949	6 468	5 958	510
	Zusammen	23 185	50 513	73 698	65 474	8 224
	B. Verkehr in den Mietlagern	11 775	38 764	50 539	42 310	8 229
	Gesamtverkehr im Rechnungsjahr 1906	34 960	89 277	124 237	107 784	16 453
	" " " 1905	19 103	118 603	137 706	102 746	34 960
	1906 mehr	15 857	—	—	5 038	—
	1906 weniger	—	29 326	13 469	--	18 507

Mit dem Elevator am Getreidespeicher wurden vom 1. April 1906 bis 31. März 1907 überschlagen:

Ord.-Nr.	Benennung der Waren	Vom Schiff auf Waggons dz	Vom Schiff auf Fuhren dz	Von Schiff zu Schiff dz	Zusammen im Rechnungsjahre 1906 dz	Zusammen im Rechnungsjahre 1905 dz
1	Gerste	25 607	4 225	—	29 832	8 186
2	Hafer	37 096	18 240	—	55 336	116 379
3	Mais	10 211	2 409	1 423	14 043	7 818
4	Raps	15 364	10	—	15 374	7 241
5	Roggen	3 270	30 661	665	34 596	8 788
6	Weizen	12 008	18 718	3 970	34 696	35 109
	Summe im Rechnungsjahre 1906	103 556	74 263	6 058	183 877	183 521
	" " " 1905	112 256	65 692	5 573	183 521	—
	1906 mehr	—	8 571	485	356	—
	1906 weniger	8 700	—	—	—	—.

Am Getreidespeicher sind im Berichtsjahre
52 Waggons beladen angekommen (9 im Vorjahre.)
1 607 " " abgegangen (1 601 " ")
4 171 Fuhren " abgefahren (4 409 " ")

Im Warenlagerhause hat sich der Warenzugang zum Lager vermehrt bei Kaffee, Tabak und Zucker, wogegen sich derselbe vermindert hat bei Getreide, Futterartikeln und Raps. Die Mehrlagerung von Kaffee war durch billige Einkaufspreise und geringere Nachfrage bedingt, während der Mehrzugang von Tobak durch teilweisen Aufbrauch älterer

Bestände veranlaßt war. Zucker gelangte in etwas größeren Mengen für den Herbstbedarf zur Lagerung. Der Minderzugang an Getreide ist auf die größeren Bezüge dieser Produkte vor Inkrafttreten des neuen Zolltarifs zurückzuführen, wogegen Futterartikel infolge besserer Nachfrage in entsprechend geringeren Mengen gelagert wurden. Auch Raps gelangte ohne Lagerberührung aus Schiffen meist unmittelbar zum Versand.

Im Ölkeller unter dem Getreidespeicher weist der Warenzugang annähernd dieselbe Frequenz auf wie im Vorjahre.

Im Getreidespeicher gestalteten sich die Lagerzugänge in Gerste und Roggen besser, in Hafer dagegen etwas geringer als im Vorjahre. Infolge der inländischen wie ausländischen Mindererernten waren die Preise für dieses Produkt, trotz durchweg geringerer Beschaffenheit desselben, sehr hohe, weshalb nur das Notwendigste hiervon eingeführt wurde. Diese Wenigerbezüge verursachten auch den Rückgang des Haferumschlags. Mais war infolge der Hafernot etwas begehrter, daher der Umschlag hierin, wie bei Gerste, Roggen und Weizen, recht lebhaft.

Die Betriebskosten der maschinellen Einrichtungen im Getreidespeicher setzen sich zusammen wie folgt:

1. Taglöhne für die Arbeiter zur Bedienung der maschinellen Einrichtungen	4 748,72 ℳ
2. Unterhaltung der maschinellen Einrichtungen	2 057,42 „
3. Gasverbrauch der Motoren	3 548,88 „
4. Verdichtungsmaterialien, Putz- und Schmiermittel	697,79 „
5. Wasserverbrauch der Motoren	268,32 „
Summe	11 321,13 ℳ

gegen 11 291 ℳ 76 ₰ im Vorjahre.

Die maschinellen Einrichtungen waren an 254 Tagen mit insgesamt 1 593 Stunden (268 Tage und 1 878 Stunden im Vorjahr) in Betrieb. Die Betriebskosten pro Stunde Arbeitszeit betrugen somit 7,11 ℳ (Vorjahr 6,01 ℳ). Mit dem Schiffselevator wurden eingenommen 290 443 dz Getreide (Vorjahr 328 600 dz). Die Betriebskosten, auf den dz gefördertes Getreide ausgeschlagen, betrugen sonach 3,9 ₰ (Vorjahr 3,4 ₰).

Das Fassungsvermögen der Schüttspeicher beträgt 55 000 dz, für die 4 Silos 6 000 dz, für den ganzen Getreidespeicher somit 61 000 dz. Der Getreidespeicher hätte also mit dem vom Elevator eingenommenen Getreide 4,8 mal (Vorjahr 5,4 mal) voll belegt werden können.

Über die Reinigungsanlagen gingen an 65 Tagen mit 167 Stunden 11 926 dz Getreide, d. i. im Durchschnitt stündlich 71 dz (Vorjahr 99 Tage, 496 Stunden, 23 706 dz, durchschnittlich stündlich 48 dz).

3. Revisionshalle I im Binnenhafen.

Die Kellerräume mit 741 qm waren zur Lagerung von Wein vermietet. Weiter war das Magazin im Obergeschoß mit 834 qm vermietet. Die Räumlichkeiten im Erdgeschoß dienen als Revisions- und Abfertigungsraum des Gr. Hauptsteueramts und der Hafenverwaltung, werden aber auch ab und zu und soweit der Raum es gestattet, von der Städtischen Lagerhausverwaltung zur Lagerung von Gütern benutzt. Der Keller neben der Revisionshalle (früherer Ölkeller) 260 qm enthaltend, war der öffentlichen Niederlage für zollpflichtige Güter zugeteilt.

4. Lager für Petroleum, Terpentinöl, Benzin ꝛc.

Dasselbe enthält 12 Abteilungen mit einer Lagerfläche von 671 qm. Hiervon waren 615 qm vermietet. Die übrigen 56 qm wurden von der Städtischen Lagerhausverwaltung benutzt.

5. Spritlager.

Dieses Lager enthält 12 Abteilungen mit je 68,40 qm Flächeninhalt, mithin im ganzen 820,80 qm. Hiervon waren 478,80 qm vermietet. Die übrigen 342 qm wurden von der Städtischen Lagerhausverwaltung und der öffentlichen Zollniederlage des Großh. Hauptsteueramts zur Lagerung von Wein und Spirituosen benutzt.

6. Lagerhallen am Rheinufer.

Die Lagerhallen zwischen Fischtor und oberem Eiserntor (diese in drei Abteilungen), zwischen der Straßenbrücke und dem Agenturgebäude der Niederländischen Reederei, vor dem Raimunditor, zwischen Raimundi- und Kaisertor (diese in 4 Abteilungen), zwischen Kaiser- und Frauenlobtor, zwischen Frauenlob- und Feldbergtor und die beiden Hallen vor dem Hafentore sind auf längere Zeit in Miete gegeben. Außer den vermieteten Räumen befindet sich in der großen Halle zwischen Kaiser- und Raimunditor eine 411 qm große Abteilung, welche als Bureau- und Abfertigungsstelle der Hafen- und Lagerhausverwaltung sowie der Oktroiverwaltung dient, auch bisweilen zur Lagerung von Gütern Verwendung findet.

7. Verzeichnis der in den städtischen Lagerhäusern gelagerten und bearbeiteten Mengen, sowie der hierfür vereinnahmten Gebühren für die Zeit vom 1. April 1906 bis 31. März 1907.

Tarif-Nummer	Bezeichnung der Güterbehandlung	Maßstab	Tarifsatz ₰	Im Rechnungsjahre 1906 bearbeitete Menge	Im Rechnungsjahre 1906 erhobene Gebühren ℳ	₰	Im Rechnungsjahre 1905 erhobene Gebühren ℳ	₰	Mithin im Rechnungsjahre 1906 an Gebühren mehr ℳ	₰	weniger ℳ	₰
	1) Gebühren von der Städt. Lagerhausverwaltung erhoben:											
	A. Lagergebühren.											
	a) Verschiedene Artikel	1 dz und Monat	4	21 469	2 696	45	2 149	30	547	15	—	—
	b) " "	"	5	49 639	5 706	25	7 100	45	—	—	1 394	20
	c) " "	"	6	92 350	12 995	35	15 030	40	—	—	2 035	05
	d) " "	"	8	—	—	—	—	—	—	—	—	—
	e) " "	"	9	53	10	25	66	30	—	—	56	05
	f) " "	"	10	599	157	15	—	—	157	15	—	—
	g) " "	"	12	1 880	453	45	624	35	—	—	170	90
	h) " "	"	18	279	182	85	117	45	65	40	—	—
	B. Betrifft die Vermietung ganzer Räume.											
	C. Sonstige Gebühren. (Arbeitsgebühren.)											
	I. Allgemeiner Tarif.											
1	Auflagerbringen zu Wasser ankommender Güter zc.	1 dz	9	12 707	1 147	30	957	65	189	65	—	—
2	Auflagerbringen zu Lande ankommender Güter	"	6	17 032	1 038	10	763	05	275	05	—	—
3	Vomlagerbringen zu Wasser oder zu Land abgehender Güter zc.	"	6	24 611	1 523	85	1 397	60	126	25	—	—
4	Aufwinden oder Ablassen mittelst der hydraulischen Hebewerkzeuge zc.	"	3	86 190	2 723	10	2 723	85	—	—	—	75
5	Verladen von Gütern aus dem Schiff auf Eisenbahnwagen, Fuhren zc.	"	4	—	—	—	28	85	—	—	28	85
6	Zuschlag für Werftgebühr, wenn die Verladung nach pos. 5 auf die Eisenbahn im Platzverkehr, auf Fuhren oder in die öffentlichen Werfträume stattfindet . . .	"	2	—	—	—	5	55	—	—	5	55
7	Verladen von Gütern von Eisenbahnwagen oder von Fuhren auf Eisenbahnwagen zc.	"	4	1 373	56	20	52	50	3	70	—	—
8	Umschichten von in Säcken verpackten Waren	"	6	370	22	35	16	30	6	05	—	—
9	Stürzen, Wiedereinfassen und Aufschichten von in Säcken verpackten Waren	"	12	11	1	60	—	—	1	60	—	—
				zu übertragen	28 714	25	31 033	60	1 372	—	3 691	35

Tarif-Nummer	Bezeichnung der Güterbehandlung	Maßstab	Tarifsatz ₰	Im Rechnungsjahre 1906 bearbeitete Menge	Im Rechnungsjahre 1906 erhobene Gebühren M	₰	Im Rechnungsjahre 1905 erhobene Gebühren M	₰	Mithin im Rechnungsjahre 1906 an Gebühren mehr M	₰	weniger M	₰
				Übertrag	28 714	25	31 033	60	1 372	—	3 691	35
10a	Verwiegen von Stückgütern	1 dz	3	29 700	925	80	724	20	201	60	—	—
10b	Verwiegen mit Egalisieren von in Säcken verpackten Waren	„	6	343	20	60	33	90	—	—	13	30
11	Verwiegung von Eisenbahnwagen . . .	1 Wag.	100	57	57	—	63	—	—	—	6	—
12	Musterziehen, sowie Besichtigung von Waren, nach Maßgabe der verwendeten Zeit, mindestens jedesmal	—	20	30	11	20	1	70	9	50	—	—
13	Reparaturen nach Auslage ꝛc. mindestens jedesmal	—	20	—	—	—	—	—	—	—	—	—
14	Für Sackband	100 St.	40	323 835	1315	—	1 333	95	—	—	18	95
15	Säckezählen	„ „	20	113	—	40	—	—	—	40	—	—
16	Zunähen gefüllter Säcke	1 St.	5	20	1	—	—	—	1	—	—	—
17	Werftgeleisegebühren für Verbringung von beladen ankommenden oder beladen abgehenden Eisenbahnwagen von der Übergabestelle nach den Verladeplätzen ꝛc. .	1 Wag.	100	1 708	1 708	—	1 819	—	—	—	111	—
18	Für einmalige Rangierung von Eisenbahnwagen von einer Verladestelle zur anderen	„	100	11	11	—	14	—	—	—	3	—
19	Für das Belegen von Eisenbahnwagen mit Decken oder für das Abnehmen der letzteren	„	100	6	6	—	8	—	—	—	2	—
20	Für einmalige Reinigung von Eisenbahnwagen	„	100	—	—	—	2	—	—	—	2	—
21	Fuhrlohn für Stückgüter an den Hauptbahnhof oder das Schiff in Mainz, oder umgekehrt	1 dz	30	222	76	90	128	30	—	—	51	40
22	Sonstige Arbeiten, nach der Zeit zu berechnen:											
	a) für den Mann und eine Stunde oder eine kürzere Zeit	1 Std.	50	29	14	50	10	00	4	50	—	—
	b) für den Mann und einen halben Tag	½ Tag	250	2	5	—	—	—	5	—	—	
	c) „ „ „ „ „ ganzen „	1 Tag	450	2	9	—	108	00		—	99	—
23	Überweisungsgebühr ꝛc.	1 dz	3	—	—	—	11	05	—	—	11	05
24	Besorgungsgebühr:											
	a) für Getreide	„	2	7 281	147	30	643	50	—	—	496	20
	b) für andree Güter	„	3	282	12	30	19	60	—	—	7	30
25	Ausfertigung von Schriftstücken:											
	a) Frachtbriefe in doppelter Ausfertigung	—	20	214	42	80	65	60	—	—	22	80
	b) Warrant	1 Stück	100	1	1	—	5	—	—	—	4	—
	c) Zollpapiere	„	50	34	17	—	48	—	—	—	31	—
26	Porto nach Auslage	—	—	—	103	45	122	60	—	—	19	15
				zu übertragen	33 199	50	36 195	—	1 594	—	4 589	50

Tarif-Nummer	Bezeichnung der Güterbehandlung	Maßstab	Tarifsatz ₰	Im Rechnungsjahre 1906 bearbeitete Menge	Im Rechnungsjahre 1906 erhobene Gebühren M	₰	Im Rechnungsjahre 1905 erhobene Gebühren M	₰	Mithin im Rechnungsjahre 1906 an Gebühren mehr M	₰	weniger M	₰
				Übertrag	33 199	50	36 195	—	1 594	—	4 589	50
	C. II. Spezialtarif für Zucker in losen Broden ꝛc.											
1	Bei der Behandlung derartiger Güter nach den Positionen 1—3 und 5 und 7 zu C. I. „Allgemeiner Tarif" kommen außer den dort vermerkten Gebühren hier als Zuschlagsgebühr in Anrechnung . . .	1 dz	2	990	20	35	14	65	5	70	—	—
	C. III. Spezialtarif für Getreide aller Art, ferner für Dari, Mais, Malz, Ölsaaten und Hülsenfrüchte.											
	a) Mit Schiffen ankommendes loses Getreide ꝛc.											
1	Ausladen, verwiegen und lose einlagern:											
	a) Getreide ꝛc., ausgenommen Hafer .	„	8	42 510	3 404	15	3 708	05	—	—	303	90
	b) Hafer	„	9	17 835	1 607	60	3 307	05	—	—	1 699	45
2	Ausladen, verwiegen, sacken und einlagern:											
	a) Getreide ꝛc., ausgenommen Hafer .	„	10	11 708	1 173	—	1 230	20	—	—	57	20
	b) Hafer	„	11	497	55	30	778	20	—	—	722	90
3	Ausladen, verwiegen, sacken und unmittelbar auf Eisenbahnwagen verladen:											
	a) Getreide ꝛc., ausgenommen Hafer .	„	11	66 497	7 323	40	4 039	40	3 284	—	—	—
	b) Hafer	„	12	36 037	4 329	50	9 404	25	—	—	5 074	75
4	Ausladen, verwiegen, sacken und unmittelbar auf die Fuhre verladen:											
	a) Getreide ꝛc., ausgenommen Hafer .	„	11	56 453	6 214	65	2 958	50	3 256	15	—	—
	b) Hafer	„	12	19 833	2 383	65	3 762	45	—	—	1 378	80
5	Ausladen, verwiegen und lose unmittelbar ins Schiff überschlagen:											
	a) Getreide ꝛc., ausgenommen Hafer .	„	10	8 356	836	30	576	20	260	10	—	—
	b) Hafer	„	11	—	—	—	78	15	—	—	78	15
6	Ausladen, verwiegen sacken und unmittelbar ins Schiff überschlagen:											
	a) Getreide ꝛc., ausgenommen Hafer .	„	11	—	—	—	—	—	—	—	—	—
	b) Hafer	„	12		—	—	72	—	—	—	72	—
	b) Mit Schiffen ankommendes gesacktes Getreide ꝛc.											
7	Ausladen, auf Lager ohne verwiegen:											
	a) Getreide ꝛc., ausgenommen Hafer .	„	7	3 014	211	15	1 209	30	—	—	998	15
	b) Hafer	„	8	—	—	—	258	05	—	—	258	05
				zu übertragen	60 758	55	67 591	45	8 399	95	15 232	85

Tarif-Nummer	Bezeichnung der Güterbehandlung	Maß-stab	Tarifsatz ₰	Im Rechnungsjahre 1906 bearbeitete Menge	Im Rechnungsjahre 1906 erhobene Gebühren M	₰	Im Rechnungsjahre 1905 erhobene Gebühren M	₰	Mithin im Rechnungsjahre 1906 an Gebühren mehr M	₰	weniger M	₰
				Übertrag	60 758	55	67 591	45	8 399	95	15 232	85
8	Ausladen und unmittelbar auf Eisenbahnwagen verladen ohne verwiegen . . .	1 dz	4	1 234	49	45	265	60	—	—	216	15
9	Ausladen und unmittelbar auf Fuhren verladen ohne verwiegen	"	4	1 008	40	35	18	30	22	05	—	—
10	Gesackt unmittelbar ins Schiff überschlagen ohne verwiegen:											
	a) Getreide ꝛc., ausgenommen Hafer .	"	7	—	—	—	—	—	—	—	—	—
	b) Hafer	"	8	—	—	—	—	—	—	—	—	—
11	Ausladen, entleeren und lose einlagern ohne verwiegen:											
	a) Getreide ꝛc., ausgenommen Hafer .	"	10	148	14	90	—	—	14	90	—	—
	b) Hafer	"	11	281	31	05	99	—	—	—	67	95
12	Ausladen, entleeren, wieder sacken und einlagern mit einmal verwiegen:											
	a) Getreide ꝛc., ausgenommen Hafer .	"	15	54	8	10	—	—	8	10	—	—
	b) Hafer	"	16	—	—	—	—	—	—	—	—	—
13	Ausladen, entleeren und lose unmittelbar ins Schiff überschlagen ohne verwiegen:											
	a) Getreide ꝛc., ausgenommen Hafer .	"	10	—	—	—	—	—	—	—	—	—
	b) Hafer	"	11	—	—	—	—	—	—	—	—	—
14	Ausladen, entleeren, wieder sacken und auf Eisenbahnwagen, Fuhren oder ins Schiff überladen mit einmal verwiegen:											
	a) Getreide ꝛc., ausgenommen Hafer .	"	15	—	—	—	—	—	—	—	—	
	b) Hafer	"	16	23	3	70	—	—	3	70	—	—
15	Zuschlag für Wertgebühr für die vom Schiff auf die Eisenbahn im Platzverkehr und auf Fuhren verladenen Mengen (pos. a 3, 4 und b 8, 9 und 14)	"	2	55 025	1 104	45	964	75	139	70	—	—
	c) Mit der Bahn oder Fuhrwerk ankommendes gesacktes Getreide ꝛc.											
16	Gesackt einlagern ohne verwiegen:											
	a) Getreide ꝛc., ausgenommen Hafer .	"	5	1 806	90	70	52	95	37	75	—	—
	b) Hafer	"	6	1 009	61	25	6	25	55	—	—	—
17	Entleeren und lose einlagern ohne verwiegen:											
	a) Getreide ꝛc., ausgenommen Hafer .	"	8	218	17	60	66	10	—	—	48	50
	b) Hafer	"	9	2 527	228	75	14	30	214	45	—	—
18	Entleeren, wieder sacken und einlagern mit einmal verwiegen:											
	a) Getreide ꝛc., ausgenommen Hafer .	"	13	71	9	25	6	50	2	75	—	—
	b) Hafer	"	14	34	4	90	—	—	4	90	—	—
				zu übertragen	62 423	00	69 085	20	8 903	25	15 565	45

Tarif-Nummer	Bezeichnung der Güterbehandlung	Maßstab	Tarifsatz ₰	Im Rechnungsjahre 1906 bearbeitete Menge	Im Rechnungsjahre 1906 erhobene Gebühren ℳ	₰	Im Rechnungsjahre 1905 erhobene Gebühren ℳ	₰	Mithin im Rechnungsjahre 1906 an Gebühren mehr ℳ	₰	weniger ℳ	₰
				Übertrag	62 423	—	69 085	20	8 903	25	15 565	45
19	Gesackt unmittelbar auf Eisenbahnwagen, Fuhrwerk oder ins Schiff einladen ohne verwiegen	1 dz	4	—	—	—	—	—	—	—	—	—
20	Entleeren und lose unmittelbar einladen ins Schiff ohne verwiegen:											
	a) Getreide rc., ausgenommen Hafer .	"	7	—	—	—	—	—	—	—	—	—
	b) Hafer	"	8	—	—	—	—	—	—	—	—	—
21	Entleeren, wieder sacken und unmittelbar ins Schiff, auf Eisenbahnwagen oder Fuhren verladen mit einmal verwiegen:											
	a) Getreide rc., ausgenommen Hafer .	"	15	141	21	15	2	40	18	75	—	—
	b) Hafer	"	16	168	27	55	78	55	—	—	51	—
	d) Vom Lager loses Getreide rc.											
22	Verwiegen, sacken und unmittelbar auf Eisenbahnwagen, auf Fuhren oder ins Schiff verladen:											
	a) Getreide rc., ausgenommen Hafer .	"	9	56 547	5 101	05	2 964	50	2 136	55	—	—
	b) Hafer	"	10	24 852	2 498	30	3 196	20	—	—	697	90
23	Lose einladen ins Schiff ohne verwiegen:											
	a) Getreide rc., ausgenommen Hafer .	"	6	—	—	—	29	60	—	—	29	60
	b) Hafer	"	7	—	—	—	—	—	—	—	—	—
	e) Vom Lager gesacktes Getreide rc.											
24	Gesackt unmittelbar auf Eisenbahnwagen, auf Fuhren oder ins Schiff verladen ohne verwiegen:											
	a) Getreide rc., ausgenommen Hafer .	"	5	25 858	1 297	20	1 261	65	35	55	—	—
	b) Hafer	"	6	5 570	339	40	500	35	—	—	160	95
25	Entleeren und lose ins Schiff einladen ohne verwiegen:											
	a) Getreide rc., ausgenommen Hafer .	"	8	—	—	—	40	90	—	—	40	90
	b) Hafer	"	9	—	—	—	—	—	—	—	—	—
26	Entleeren, lose umlaufen lassen, wieder sacken und einlagern, unmittelbar auf Eisenbahnwagen, auf Fuhren oder ins Schiff verladen, mit verwiegen:											
	a) Getreide rc., ausgenommen Hafer .	"	13	910	119	—	65	80	53	20	—	—
	b) Hafer	"	14	189	26	80	8	25	23	55	—	—
				zu übertragen	71 853	45	77 228	40	11 170	85	16 545	80

Tarif-Nummer	Bezeichnung der Güterbehandlung	Maßstab	Tarifsatz ₰	Im Rechnungsjahre 1906 bearbeitete Menge	Im Rechnungsjahre 1906 erhobene Gebühren ℳ	₰	Im Rechnungsjahre 1905 erhobene Gebühren ℳ	₰	Mithin im Rechnungsjahre 1906 an Gebühren mehr ℳ	₰	weniger ℳ	₰
				Übertrag	71 853	45	77 228	40	11 170	85	16 545	80
	f) Bearbeitung von Getreide ꝛc. auf Lager, in den Werfträumen oder im Schiff.											
27	Loses Getreide ꝛc. sacken und wieder einlagern ohne verwiegen:											
	a) Getreide ꝛc., ausgenommen Hafer .	1 dz	7	2 574	180	65	125	60	55	05	—	..
	b) Hafer	„	8	775	62	35	88	50	—	—	26	15
28	Loses Getreide ꝛc. mittelst Transportbandes umlaufen lassen (lüften) ohne verwiegen:											
	a) Getreide ꝛc., ausgenommen Hafer .	„	3	6 492	195	05	287	75	—	—	92	70
	b) Hafer	„	4	5 045	202	40	105	45	96	95	—	—
29	Loses Getreide umschaufeln:											
	a) Getreide ꝛc., ausgenommen Hafer .	„	1 ½	16 750	251	50	179	40	72	10	—	—
	b) Hafer	„	2	2 446	49	10	310	40	—	—	261	30
30	Gesacktes Getreide ꝛc. entleeren, lose umlaufen lassen und lose wieder einlagern ohne verwiegen:											
	a) Getreide ꝛc., ausgenommen Hafer .	„	6	880	53	05	36	60	16	45	—	—
	b) Hafer	„	7	102	7	15	—	—	7	15	—	
31	Gesacktes Getreide ꝛc. umschichten ohne verwiegen:											
	a) Getreide ꝛc., ausgenommen Hafer .	„	5	395	19	80	5	55	14	25	—	—
	b) Hafer	„	6	465	27	95	—	—	27	95	—	—
32	Umstürzen von gesacktem Getreide ꝛc. in andere Säcke ohne verwiegen:											
	a) Getreide ꝛc., ausgenommen Hafer .	„	3	43	1	35	11	90	—	—	10	55
	b) Hafer	„	4	515	20	85	17	20	3	65	—	—
33	Verwiegen	„	2	6 242	127	15	153	55	—	—	26	40
34	Verwiegen mit egalisieren	„	4	5 543	223	75	91	45	132	30	—	—
35	Mischen	„	4	11 041	443	25	527	90	—	—	84	65
36	Gebühr für Getreide ꝛc., welches nach den Positionen a 5, 6, b 8, 9, 10, 13, 14 und c 19, 20 und 21 bearbeitet, aber nicht unmittelbar überladen, sondern erst abgestellt oder niedergelegt und dann weiter verladen wird (Abstellgebühr) . .	„	2	1 285	26	05	15	60	10	45	—	—
37	Entleeren von gesacktem Getreide ꝛc. im Schiff beim Ausladen	„	2	199	4	10	—	60	3	50	—	—
				zu übertragen	73 748	95	79 185	85	11 610	65	17 047	55

Tarif-Nummer	Bezeichnung			Im Rechnungsjahre 1906			Im Rechnungsjahre 1905		Mithin im Rechnungsjahre 1906 an Gebühren			
	der Güterbehandlung	Maßstab	Tarifsatz ₰	bearbeitete Menge	erhobene Gebühren M	₰	erhobene Gebühren M	₰	mehr M	₰	weniger M	₰
				Übertrag	73 748	95	79 185	85	11 610	65	17 047	55
38	Für einfache Reinigung (Vorreinigung):											
	a) Getreide zc., ausgenommen Hafer	1 dz	5	7 717	386	15	190	90	195	25	—	—
	b) Hafer	„	7	2 535	177	75	225	25	—	—	47	50
39	Für einfache Reinigung (Vorreinigung) mit Umlaufen:											
	a) Getreide zc., ausgenommen Hafer	„	8	347	28	05	59	95	—	—	31	90
	b) Hafer	„	11	176	19	50	254	15	—	—	234	65
40	Für vollständige Reinigung, Entfernen von Unkrautsamen zc. durch Separateure und Trieure:											
	a) Getreide zc., ausgenommen Hafer	„	10	861	86	30	19	90	66	40	—	—
	b) Hafer	„	12	169	20	60	290	35	—	—	269	75
41	Für vollständige Reinigung, Entfernen von Unkrautsamen zc. durch Separateure und Trieure mit Umlaufen:											
	a) Getreide zc., ausgenommen Hafer	„	13	1 204	157	70	172	45	—	—	14	75
	b) Hafer	„	16	149	24	65	1 603	80	—	—	1 579	15
	g) Für feuchtes oder warm gewordenes Getreide zc. und andere besonders vereinbarte Gebühren.	—	—	—	151	65	71	15	80	50	—	—
	D. Feuerversicherungsgebühren. (Prämie.)	100 M und 1 Monat	4	Für 134 953 M Wert	147	10	120	20	26	90	—	—
	E. Provisionen:											
1	Für Vorlagen	1/2 %	—	v. 4 830,13 M	26	60	5	85	20	75	—	—
2	„ Zollkredite*)	1 ‰	—	—	—	—	155	60	—	—	155	60
	2) Gebühren von Gr. Hauptsteueramt Mainz für zollpflichtige Waren erhoben:											
	A. Lagergebühren.											
	a) Verschiedene Artikel	1 dz u. Monat	3	1 538	78	20	59	55	18	65	—	—
	b) „ „	„	5	588	76	85	482	15	—	—	405	30
	c) „ „	„	6	5 404	2 039	50	3 458	75	—	—	1 419	25
	d) „ „	„	12	4 844	3 442	05	4 750	65	—	—	1 308	60
	e) „ „	„	18	75	65	45	220	80	—	—	155	35
				zu übertragen	80 677	05	91 327	30	12 019	10	22 669	35

*) Das gemischte Privattransitlager für Getreide der Stadt Mainz wurde am 1. März 1906 aufgehoben und sind von diesem Tage an die Zollverrechnungen durch die Lagerhaus-Verwaltung in Wegfall gekommen.

Tarif-Nummer	Bezeichnung der Güterbehandlung	Maßstab	Tarifsatz ₰	Im Rechnungsjahre 1906 bearbeitete Menge	Im Rechnungsjahre 1906 erhobene Gebühren ℳ	₰	Im Rechnungsjahre 1905 erhobene Gebühren ℳ	₰	Mithin im Rechnungsjahre 1906 an Gebühren mehr ℳ	₰	weniger ℳ	₰
				Übertrag	80 677	05	91 327	30	12 019	10	22 669	35
	C. Sonstige Gebühren. (Arbeitsgebühren.)											
	I. Allgemeiner Tarif.											
2 u. 3	**Auf- und Vomlagerbringen von Gütern**	1 dz	6	13 792	898	15	1 265	65	—	—	367	50
4	**Aufwinden oder Ablassen mittelst der hydraulischen Hebewerkzeuge**	„	3	5 740	174	70	155	25	19	45	—	—
10a	**Verwiegen von Stückgütern**	„	3	1 883	65	05	151	70	—	—	86	65
	Summe aller **Gebühren**				81 814	95	92 899	90	—	—	11 084	95
	Hiervon gehen ab die unter verschiedenen Positionen des vorstehenden Verzeichnisses enthaltenen:											
	1) Werftgebühren mit für **144 157 dz Waren, welche von der städtischen Lagerhausverwaltung direkt aus Schiffen eingelagert oder auf Fuhren und auf die Eisenbahn im Platzverkehr verladen wurden.**			**2 883,60 ℳ**								
	2) Werftgleisegebühren für die von der Lagerhausverwaltung be- und entladenen Eisenbahnwagen mit **Diese Gebühren werden mit** den Lagerhausgebühren er**hoben und am Ende eines jeden** Monats unter Hafen- und **Hafenbahngebühren übergebucht.**			**1 719,00 „**	4 602	60	5 349	35	—	—	746	75
	Verbleiben Lagerhausgebühren				77 212	35	87 550	55	—	—	10 338	20

8. Rechnungs-Ergebnisse.

Die Einnahmen aus dem gesamten Lagerhausbetrieb während des Berichtsjahres betragen:

Bezeichnung der Einnahmen	Lagerhaus ℳ	₰	Getreidespeicher ℳ	₰	Ölkeller ℳ	₰	Revisionshalle I ℳ	₰	Lager für Petroleum, Terpentinöl ꝛc. ℳ	₰	Spritlager ℳ	₰	Lagerhallen am Rheinufer ℳ	₰	Im ganzen ℳ	₰
Mieten	26 412	16	4 360	—	788	90	6 143	08	2 274	50	2 154	60	21 449	50	63 582	68
Lagergebühren	12 411	85	11 480	70	759	35	1 947	10	234	85	863	95	206	—	27 903	80
Gebühren für Bearbeitung der Güter ꝛc.	6 981	85	39 712	15	303	90	792	—	653	90	600	60	90	45	49 134	85
Feuerversicherungsgebühren	122	35	6	25	18	50	—	—	—	—	—	—	—	—	147	10
Ersatz von Brandversicherungsbeiträgen und Umlagen, Erlös aus Kehrgut ꝛc.	10	—	875	41	—	—	—	—	—	—	—	—	524	69	1 410	10
Provisionen für Vorlagen	—	—	26	60	—	—	—	—	—	—	—	—	—	—	26	60
Kellerheizungskosten	3 988	70	—	—	—	—	—	—	—	—	—	—	—	—	3 988	70
Summe	49 926	85	56 461	11	1 870	65	8 882	18	3 163	25	3 619	15	22 270	64	146 193	83
Einnahmen im Vorjahre	53 713	67	61 742	31	2 766	—	7 713	45	3 255	47	3 590	25	21 737	93	154 519	08
1906 **mehr**	—	—	—	—	—	—	1 168	73	—	—	28	90	532	71	—	—
1906 **weniger**	3 786	82	5 281	20	895	35	—	—	92	22	—	—	—	—	8 325	25

Die Ausgaben während des Berichtsjahres betragen:

Bezeichnung der Ausgaben	Lagerhaus M.	₰	Getreidespeicher M.	₰	Ölkeller M.	₰	Revisionshalle I M.	₰	Lager für Petroleum, Terpentinöl rc. M.	₰	Spritlager M.	₰	Lagerhallen am Rheinufer M.	₰	Im ganzen M.	₰
Gehalte und Gebühren für Erhebung des Lagergeldes . .	5 543	96	5 390	—	—	—	—	—	—	—					10 933	9
Taglöhne der Maschinisten und Arbeiter	8 853	41	20 840	73	—	—	—	—	—	—					29 694	14
Reinigung, Heizung, Beleuchtung und Wasserverbrauch	314	42	265	68	—	—	23	80	-	—			49	99	653	8
Umlagen für die Gebäude und Feuerversicherung derselben	1 844	93	1 131	93	—	—	415	10	159	48		8		03	4 168	25
Bauliche Unterhaltung der Gebäude	4 333	83	1 427	05	—	—	963	79	365	82	73	55	516	37	7 680	41
Für Bureaueinrichtung und Bureaubedürfnisse	234	03	183	04	—	—	—	—	—	—					417	07
Unterhaltung der Gerätschaften	121	17	162	95	—	—	—		—	-					284	1
Sackband, Fuhrlöhne	—	—	791	62	—	—	—	—	—	—		—			791	62
Unterhaltung und Ergänzung der maschinell. Einrichtungen	—	—	2 057	42	—	—	—	—	—	—					2 057	42
Gas- und Wasserverbrauch der Motoren	—	—	3 817	20	—	—	—	—	—	—					3 817	
Putz- und Schmiermittel . .	—	—	697	79	—	—	—	—	—	—					697	79
Feuerversicherung der Waren rc.	105	60	1 255	25	—	—	—	—	—	—						
Verzinsung und Tilgung der Kosten für die Gebäude und die maschinellen Einrichtungen	26 949	28	23 669	65	—	—	4 820	01	—	—	1 474	51				
Kellerheizungskosten und Verschiedenes	4 168	70	40	—	—	—	40	—	—	—	—	—				
Anschaffung einer automat. Absackwage	—	—	1 710	—	—	—	—	—	—	—	—	—	·	—	1 710	
Summe	52 469	33	63 440	31	—	—	6 262	70	525	30	1 579	84	9 629	17	133 906	
Ausgaben im Vorjahre . . .	51 737	69	61 816	86	—	—	6 841	-	335	66	1 591	31	10 099	30	132 421	
1906 { mehr	731	64	1 623	45	—	—	—	—	189	64	—	—	—	—	1 484	
1906 { weniger	—	—	—	—	—	—	578	30	—	—	11	47	470	13	—	
Eine Vergleichung der Einnahme mit der Ausgabe ergibt für 1906:																
Einnahme	49 926	85	56 461	11	1 870	65	8 882	18	3 163	25	3 619	15	22 270	64	146 193	8
Ausgabe	52 469	33	63 440	31	—	—	6 262	70	525	30	1 579	84	9 629	17	133 906	63
Mehreinnahme	—	—	—	—	1 870	65	2 619	48	2 637	95	2 039	31		47	12 287	
Mehrausgabe	2 542	48	6 979	20	—	—	—	—	—	—	—	—		—	—	
Im Vorjahre betrug: die Mehreinnahme	1 975	98	—	—	2 766	—	872	45	2 919	81	1 908	94			22 097	
" Mehrausgabe	—	—	74	55	—	—	—	—	—	—	—	—			—	

Die für das Rechnungsjahr 1906 verausgabten Beträge für Verzinsung und Tilgung der für die einzelnen Gebäude ꝛc. aufgewendeten Baukapitalien und der Kapitalbestand sind aus der folgenden Übersicht zu ersehen:

Aufwendungen für:	Ursprungskapital bis Ende des Rechnungsjahres 1904		Tilgungen bis Ende des Rechnungsjahres 1905		Restkapital am Ende des Rechnungsjahres 1905		3½% Zinsen vom Restkapital f. das Rechnungsjahr 1906		Tilgungen für das Rechnungsjahr 1906: ½% des Ursprungskapitals zuzügl. der erspart. Zinsen		Tilgungen für das Rechnungsjahr 1906: 5% des Ursprungskapitals		Restkapital am Ende des Rechnungsjahres 1906	
	ℳ	₰	ℳ	₰	ℳ	₰	ℳ	₰	ℳ	₰	ℳ	₰	ℳ	₰
I. Lagerhaus	673 731	96	17 837	88	655 894	08	22 956	29	3 992	99	—	—	651 901	09
II. Getreidespeicher und zwar:														
a. Gebäude mit Ölkeller.	344 886	95	9 192	19	335 694	76	11 749	32	2 046	16	—	—	333 648	60
b. Maschinelle Einrichtungen	145 681	20	71 678	—	74 003	20	2 590	11	—	—	7 284	06	66 719	14
III. Revisionshalle I . . .	120 500	30	3 230	88	117 269	42	4 104	43	715	58	—	—	116 553	84
IV. Lager für Petroleum, Terpentinöl, Benzin ꝛc.*) .	—	—	—	—	—	—	—	—	—	—	—	—	—	—
V. Spritlager	32 766	98	511	41	32 255	57	(4% Zinsen) 1 290	22	184	29	—	—	32 071	28
VI. Lagerhallen am Rheinufer	210 944	51	5 646	13	205 298	38	7 185	44	1 252	34	—	—	204 046	04
Summe . . .	†1 528 511	90	108 096	49	1420415	41	49 875	81	8 191	36	7 284	06	1404939	99

*) Die Baukapitalien mit 14080 ℳ 67 ₰ wurden bereits getilgt. †) Ohne den Wert des Grund und Bodens.

9. Der **Verkehr in zollpflichtigen Gütern**, welche zur Niederlage in den städtischen Lagerhäusern angemeldet worden sind, gestaltete sich während des Kalenderjahres 1906, wie in nachstehender von dem Großh. Hauptsteueramt Mainz aufgestellten Übersicht angegeben:

Position des Zolltarifs	Benennung der Waren	Lagerbestand am 1. Januar 1906	Warenzugang vom 1. Jan. 1906 bis 31. Dezember 1906	Summe	Warenabgang v. 1 Januar 1906 bis 31. Dez. 1906: zur Verzollung	Warenabgang v. 1 Januar 1906 bis 31. Dez. 1906: unter Begleitschein-Kontrolle	Summe des Warenabgangs	Lagerbestand am 1. Januar 1907
		dz	dz	dz	dz	dz	dz	dz
1	Roggen	2 121	15 309	17 430	7 895	7 195	15 090	2 340
2a	Weizen	3 033	15 886	18 919	9 874	1 007	10 881	8 038
3b	Gerste	227	1 414	1 641	399	1 015	1 414	227
4	Hafer	6 654	8 597	15 251	8 597	—	8 597	6 654
6	Mohr Hirse	5	22	27	7	—	7	20
7	Mais	2 445	1 880	4 325	1 880	—	1 880	2 445
11a	Trockene reife Speisebohnen	30	150	180	100	—	100	80
12c	„ „ Wicken	—	1 008	1 008	1 008	—	1 008	—
13a	Raps	23 225	17 833	41 058	17 833	—	17 833	23 225
13c	Senfsaat	—	10	10	5	1	6	4
14a	Mohn- und Sonnenblumensamen . .	—	18	18	18	—	18	—
14e	Sesamsaat	—	204	204	204	—	204	—
22a	Getr. Kümmel	—	44	44	25	5	30	14
22b	„ Koriander und Anis	—	8	8	8	—	8	—
29	Unb. Tabaksblätter	4 863	1 835	6 698	117	2 259	2 376	4 322
30	Hopfen	82	974	1 056	65	870	935	121
34	Getr. Lorbeerblätter und Majoran .	—	32	32	24	—	24	8
46a	Trock. reife ausgeschälte Haselnüsse .	—	60	60	53	—	53	7
48a	Getr. Apfelscheiben	138	125	263	130	—	130	133
48c	„ Aprikosen	—	23	23	23	—	23	—
48d	„ Pflaumen	—	27	27	17	—	17	10
	zu übertragen . . .	42 823	65 459	108 282	48 282	12 352	60 634	47 648

Position des Zolltarifs	Benennung der Waren	Lagerbestand am 1. Januar 1906	Warenzugang vom 1. Jan. 1906 bis 31. Dezember 1906	Summe	Warenabgang v. 1. Januar 1906 bis 31. Dez. 1906		Summe des Warenabgangs	Lagerbestand am 1. Januar 1907
					zur Verzollung	unter Begleitschein-Kontrolle		
		dz	dz	dz	dz	dz	dz	dz
	Übertrag . . .	42 823	65 459	108 282	48 282	12 352	60 634	47 648
49	Pflaumenmus	—	560	560	—	—	—	560
52 a	Getrocknete Feigen	—	70	70	39	—	39	31
52 b	Korinthen	—	131	131	54	—	54	77
52 c	Rosinen (Sultaninen)	52	477	529	218	—	218	311
53	Getrocknete Datteln	—	22	22	15	—	15	7
54 a	„ Mandeln	18	92	110	105	—	105	5
55 b	Johannisbrot	—	15	15	10	—	10	5
58	Mit Salzwasser übergossene zerschnittene Cedreten	—	527	527	—	527	527	—
61 a	Roher Kaffee	5 874	7 564	13 438	4 089	1 467	5 556	7 882
63	Rohe Kakaobohnen	97	551	648	561	—	561	87
65	Tee	376	212	588	70	76	146	442
67 a	Gewürznelken	242	36	278	40	—	40	238
67 d	Muskatnüsse	—	199	199	175	7	182	17
67 c	Piment	—	20	20	10	—	10	10
67 g	Schwarzer Pfeffer	—	364	364	310	—	310	54
67 h	Weißer Pfeffer	—	333	333	233	—	233	100
67 l	Zimt, echter (Kanel)	—	15	15	12	—	12	3
67 m	Kassiabruch	—	138	138	94	—	94	44
74 c	Nutz- und Bauholz	65	—	65	65		65	—
76 g	Nur gesägte Fichtenholzbretter	1 993	—	1 993	675	1 018	1 693	300
117 b	Nur gesalzene Sardellen	—	15	15	15	—	15	—
126 a	Schweineschmalz	219	145	364	130	16	146	218
131 a	Tran	1	29	30	21	—	21	9
134	Eigelb	90	—	90	90	—	90	—
140	Honig	26	170	196	24	55	79	117
163	Polierter Reis	912	2 785	3 697	2 189	—	2 189	1 508
166 h	Baumwollensamenöl	—	10	10	10	—	10	—
166 i	Holzöl	14	164	178	164	—	164	14
167	Olivenöl	—	5	5	5	—	5	—
172	Olein	—	10	10	10	—	10	—
175	Tapioka	7	6	13	—	—	—	13
176 a	Verbrauchszucker aus Rohr	240	10 367	10 607	5 373	252	5 625	4 982
176 i	Kandiszucker	—	235	235	215	19	234	1
178 b	Kognak, Rum in Fässern	3 116	1 295	4 411	534	757	1 291	3 120
179 c	Branntwein in Flaschen	22	15	37	13	—	13	24
180 c	Wein in Fässern	9 307	15 086	24 393	11 530	2 854	14 384	10 009
181 a	Schaumwein in Flaschen	424	952	1 376	462	554	1 016	360
181 b	Stiller Flaschenwein	39	433	472	114	349	463	9
199	Zuckerwerk	1	—	1	1	—	1	—
220	Tabakstengel	—	253	253	—	—	—	253
239 a	Mineralschmieröl	726	5 330	6 056	4 318	435	4 753	1 303
247 b	Wachs	—	5	5	—	—	—	5
249	Ceresin in Blöcken	—	24	24	13	7	20	4
250 b	Geriebenes Hartparaffin	—	241	241	215	—	215	26
251	Weichparaffin	—	10	10	10	—	10	—
255	Feste Seife	1	10	11	10	—	10	1
	zu übertragen . . .	66 685	114 380	181 065	80 523	20 745	101 268	79 797

Position des Zolltarifs	Benennung der Waren	Lagerbestand am 1. Januar 1906 dz	Warenzugang vom 1. Jan. 1906 bis 31. Dezember 1906 dz	Summe dz	Warenabgang v. 1. Januar 1906 bis 31. Dez. 1906: zur Verzollung dz	Warenabgang v. 1. Januar 1906 bis 31. Dez. 1906: unter Begleitschein-Kontrolle dz	Summe des Warenabgangs dz	Lagerbestand am 1. Januar 1907 dz
	Übertrag . . .	66 685	114 380	181 065	80 523	20 745	101 268	79 797
260	Mineralschmierfett	—	28	28	8	20	28	—
280 a	Seesalz	20	—	20	20	—	20	—
286	Hirschhornsalz	—	4	4	4	—	4	—
390 d	Sacharin	—	1	1	—	—	—	1
402	Ganz seidenes Möbelzeug	14	1	15	1	1	2	13
403	Möbelzeug, teilweise aus Seide . . .	59	4	63	4	9	13	50
427	Fußdecken aus Rindviehaaren	2	—	2	2	—	2	—
428a/b	Wollene Fußdecken	256	914	1 170	661	112	773	397
429	„ Möbelzeugstoffe	106	4	110	3	10	13	97
431	Wollener Samt und Plüsch	—	1	1	—	1	1	—
445	Baumwollenes Möbelzeug	99	10	109	10	5	15	94
448 b	Baumwollener Samt und Plüsch . . .	—	2	2	1	1	2	—
465	Stickerei auf Wolle	1	—	1	1	—	1	—
487 a	Fußdecken aus Kolosfasern	67	67	134	67	3	70	64
497	Zeugwaren aus Jute	2	—	2	—	—	—	2
552 b	Lackiertes Schafleder	5	21	26	—	21	21	5
592	Ruhebett aus Schilfgeflecht in Verbindung mit Holz und Eisen . .	—	1	1	1	—	1	—
607 b	Echte Korallen	4	2	6	—	—	—	6
623 b	Holzfässer mit eisernen Reifen . . .	—	1	1	1	—	1	—
638 b	Korkstopfen	666	3 775	4 441	1 159	114	1 273	3 168
639 a	Rohe gezogene Stäbe aus Zellhorn .	—	2	2	—	—	—	2
654	Packpapier	—	38	38	—	38	38	—
799	Eisenwaren	66	—	66	—	66	66	—
680	Marmorwaren	—	19	19	—	19	19	—
—	Ohne Revision	12	23	35	—	23	23	12
—	Inländischer Branntwein	7 039	13 220	20 259	7 960	4 960	12 920	7 339
—	„ Zucker	—	766	766	495	—	495	271
	Summe 1906 . . .	75 103	133 284	208 387	90 921	26 148	117 069	91 318
	„ 1905 . . .	94 201	183 772	277 973	183 145	19 725	202 870	75 103
	1906 mehr	—	—	—	—	6 423	—	16 215
	1906 weniger . . .	19 098	50 488	69 586	92 224	—	85 801	—

Anmerkung. In der vorstehenden Übersicht sind die Tarifpositionen und die Waren nach dem am 1. März 1906 in Kraft getretenen neuen Zolltarif bezeichnet.

XXI. Schlacht- und Viehhof.

1. Allgemeines.

Im abgelaufenen Jahre dauerten die schon in 1905 bestandenen ungünstigen Verhältnisse, veranlaßt durch den Viehmangel, außergewöhnlich hohe Vieh- und Fleischpreise in allen Viehgattungen, teilweisen Rückgang der Marktzufuhren, der Schlachtungen und des Verbrauchs, ungeschwächt fort. Wenn auch gegen Ende des Jahres 1906 die hohen Preise für Schweine nachließen und hierdurch eine mäßige Zunahme des Marktauftriebs und der Schlachtungen herbeigeführt wurde, so stiegen dafür fortgesetzt die Preise für Schlachttiere aller anderen Gattungen und eine wesentliche Zunahme des Verbrauchs war damit, selbst bei dem billiger gewordenen Schweinefleisch, unterbunden. Bei den erheblichen Ausfällen an Markt- und Schlachtgebühren gegen normale Jahre konnte die nur geringe Zunahme des Schweineauftriebs und der Schlachtungen einen günstigeren Rechnungsabschluß als im Vorjahre nicht bringen, und es war nur mit Hilfe der beträchtlichen Einnahme aus dem Hilfspumpwerk mit 40 394 ℳ 03 ₰ (19 603 ℳ 32 ₰), von welcher Summe nach Abzug der Betriebskosten und erhöhter Abschreibungen dem Schlacht- und Viehhof noch 4481 ℳ 06 ₰, rein zuflossen, möglich, den Fehlbetrag auf annähernder Höhe wie in 1905 zu halten.

Die Einnahmen und Ausgaben sind in 1906 um 12 629 ℳ 74 ₰ bezw. 13 820 ℳ 41 ₰ gegen das Vorjahr gestiegen. Es betrugen die Einnahmen 315 248 ℳ 74 ₰ (302 619 ℳ), die Ausgaben 347 974 ℳ 08 ₰ (334 153 ℳ 67 ₰). Der Schlacht- und Viehhof erfordert somit nach der Rechnung einen Zuschuß von 32 725 ℳ 34 ₰ (31 534 ℳ 67 ₰). Hierbei ist zu bemerken, daß neben der im Voranschlage vorgesehenen Tilgungssumme von 15 400 ℳ zur Deckung der Kosten des Hilfspumpwerkes weitere 8 243 ℳ 59 ₰, mithin im ganzen in 1906 = 23 643 ℳ 59 ₰ abgeschrieben wurden, so daß zuzüglich der in 1905 getilgten 14 417 ℳ 41 ₰ nunmehr 38 061 ℳ gedeckt sind Die Kosten des Hilfspumpwerks sind damit größtenteils getilgt, und es kommt für 1907 ein höherer Überschuß als im Voranschlag vorgesehen dem Schlachthof zu gute. Würden die Kosten des Hilfspumpwerkes voranschlagsgemäß zur Abschreibung mit je einem Drittel in 3 Jahren gekommen und der in 1906 über die Voranschlagssumme hinaus abgeschriebene Betrag von 8 243 ℳ 59 ₰ erst in 1907 getilgt worden sein, so hätte sich die Rechnung des Schlacht- und Viehhofs um diesen Betrag günstiger gestellt und das Defizit nur eine Höhe von 24 481 ℳ 75 ₰ (31 534 ℳ 67 ₰) erreicht. Gegen den Voranschlag für 1906 ergibt sich ein Einnahmeausfall von 36 118 ℳ 04 ₰ und eine Ersparnis an Ausgaben von 9 204 ℳ 74 ₰. Der im Voranschlag zu 5 812 ℳ angenommene Zuschuß erhöht sich um 26 913 ℳ 34 ₰ (17 908 ℳ 67 ₰).

Durch Entschließung Großh. Ministeriums des Innern vom 7. Juli 1906 wurde der Stadt Mainz die Genehmigung erteilt, alljährlich auch im Spätjahre im Gebiet des Viehhofs einen Pferde- und Fohlenmarkt abzuhalten. Der erste Herbst-Pferde- und -Fohlenmarkt fand am 25. Oktober 1906 statt. (Näheres siehe unter Pferdemarkt.)

An größeren Bauausführungen und Unterhaltungsarbeiten sind zu erwähnen:

1. die Erbauung einer Entnebelungsanlage für die Schweineschlachthalle;
2. die Instandsetzung verschiedener Beamten-Dienstwohnungen, insbesondere die Herrichtung von Mansarden zu den Dienstwohnungen zweier Hallenmeister;
3. die Abänderung der Klosettanlage für das Arbeitspersonal bei der Kuttelei;
4. die Einrichtung eines Teiles der Großviehmarkthalle und der Souterrainstallung unter der Kleinviehmarkthalle mit Futter- und Tränkekrippen, sowie Lattierbäumen für die Pferdemärkte;
5. die Anschaffung einer Drehbank und deren Aufstellung im Maschinenhause.

Es fanden im Berichtsjahre 7 Sitzungen der Deputation und für die Pferdemarktveranstaltungen 6 Sitzungen der Marktkommissionen statt, in denen 52 Beschlüsse gefaßt worden sind.

Die tierärztliche Überwachung des Schlacht- und Viehhofs erfolgte wie auch früher auf Grund des Übereinkommens zwischen der Großh. Staatsregierung und der Stadt Mainz durch den Großh. Kreis-Veterinärarzt und den zu dessen Vertretung und zur Wahrnehmung der Funktionen des Schlachthoftierarztes bestellten Großh. zweiten Veterinärarzt. Nach dem am 30. Juli 1906 erfolgten Ableben des Großh. Kreisveterinärarztes Veterinärrat May übernahm der zum Kreisveterinärarzt bestellte seitherige Großh. zweite Veterinärarzt Dr. Beiling die amtstierärztliche Beaufsichtigung, während zum Großh. zweiten Veterinär- und Schlachthoftierarzt Dr. Peters ernannt wurde, der ab 19. Oktober 1906 fungiert.

Zur Ausbildung von nichttierärztlichen Fleischbeschauern ist von Großh. Ministerium des Innern, Abteilung für öffentliche Gesundheitspflege, der Schlachthof Mainz zugelassen und dem Schlachthoftierarzte die Leitung der Unterrichtskurse in der theoretischen und praktischen Fleischbeschau übertragen. In 1906 wurden 4 Kurse von je vierwöchiger

Dauer abgehalten und zusammen 21 Fleischbeschauer ausgebildet, die sämtlich die Prüfung bestanden und den Befähigungsausweis als Fleischbeschauer erhalten haben.

Nach dem Einlauf-Journal des Direktors fanden 607 Angelegenheiten, außer den nicht verbuchten, täglich aus- und eingehenden Meldungen und Berichten, schriftliche Erledigung. Die Veranstaltung der Pferde- und Fohlenmärkte sowie die Durchführung der damit verbundenen Prämiierungen, Verlosungen rc. bedeutete eine nicht unerhebliche Erweiterung der Geschäftstätigkeit der Schlachthofverwaltung.

Legitimationskarten zum Ausweise auf dem Schlacht- und Viehhofe beschäftigter Personen und Interessenten wurden im ganzen 450 ausgestellt.

Strafanzeigen wegen Zuwiderhandlungen gegen die Betriebsvorschriften wurden durch die Bediensteten in 29 Fällen erhoben. Es wurde insgesamt auf 71 ℳ Geldstrafen erkannt.

Die Schlacht- und Viehhof-Anlagen wurden gegen Zahlung von Eintrittsgeld von 403 (580) Personen besichtigt. Außerdem erfolgten Besuche seitens einer Reihe von Vertretern und Deputationen von Staaten, Städten, Innungen und sonstigen Interessenten, u. a. im Auftrag der Regierung von Chile, für Valparaiso und Santiago, Reims, Paris, Stockholm rc.

Den Herbst-Pferdemarkt besuchten gegen Zahlung von Eintrittsgeld 1986 Personen.

Die Kasse verbrauchte an Wertkarten:

Einbringgebühren	13 358	Stück
Marktkarten	87 429	„
desgl. für Pferde	185	„
Wagscheine	4 529	„
Stall- und Futtergebührquittungen	5 416	„
Schienengleisegebührquittungen	1 795	„
Schlachtkarten	72 258	„
Wagkarten	43 219	„
Quittungen für Kühlzellhaken	3 281	„
Eisabgabescheine	77 259	„
Eintrittskarten (inkl. Pferdemarkt)	2 389	„
Badekarten	598	„
Badekarten (2. Handtücher)	12	„
Fanggebühren	2	„
Zusammen	311 730	Stück
im Vorjahre	302 761	„
somit im Jahre 1906 mehr	8 969	Stück.

Die Oktroiabfertigung erforderte die Ausstellung von 224 Durchgangsscheinen und von 75 Oktroiquittungen. Die Kontrolle des Zu- und Abtriebs erfolgte mittels 11 987 Eintrieb- und 8 994 Austriebscheinen.

2. Verkehr.

A. Viehhof.

Der Auftrieb zu den Viehmärkten betrug:

1906	Bullen	Ochsen	Kühe	Rinder	Schweine	Kälber	Schafe	Ziegen	Spanferkel	Lämmer	Zusammen Tiere
April	59	363	951	311	3 637	901	25	27	—	4	
Mai	80	346	1 043	273	3 927	1 138	42	21	1	—	
Juni	71	435	826	403	4 612	1 174	6	24	—	1	
Juli	91	366	1 038	354	5 203	1 063	21	17	—	—	
August	65	339	763	314	4 912	1 138	11	21	—	—	
September	76	339	696	343	4 818	979	4	16	—	—	
Oktober	65	448	900	367	5 454	948	8	20	1	—	
November	37	333	742	307	4 021	1 130	17	18	2	—	
Dezember	18	385	921	298	4 757	1 201	—	11	3	—	
Januar	20	335	863	316	4 185	1 047	2	12	25	—	
Februar	17	320	908	374	4 350	964	12	13	1	—	
März	18	283	909	446	4 710	1 170	—	22	1	—	
Gesamtzutrieb	617	4 292	10 560	4 106	54 586	12 853	148	222	34	5	87 423
	19 575										
gegen 1905	626	3 691	11 959	4 815	48 876	12 731	42	255	4	—	82 999
mithin gegen das Vorjahr	21 091										
mehr	—	601	—	—	5 710	122	106	—	30	5	4 424
weniger	9	—	1 399	709	—	—	—	33	—	—	
weniger	1 516										

Der Auftrieb an Großvieh zu den Märkten ist gegen die Vorjahre stark zurückgeblieben. Es waren gegen 1905 = 1 516 Stück weniger zum Markte gestellt. Der Mangel machte sich besonders bei Kühen und Rindern geltend, wogegen der Auftrieb an Ochsen, der bekanntlich in den letzten Jahren stets zurückging, sich um 601 Stück gehoben hat. Schweine waren gegen 1905 5 710 Stück mehr angetrieben, die Auftriebsziffern günstiger Jahre konnten aber nicht bei ihnen erreicht werden. Der Auftrieb an Kälbern und Schafen hat sich auf gleicher Höhe wie im Vorjahre gehalten.

Die Zufuhr erfolgte:

	Bullen	Ochsen	Kühe	Rinder	Schweine	Kälber	Schafe	Ziegen	Span-ferkel	Lämmer	Zusammen Tiere 1906	1905
auf dem Landweg .	310	2 131	6 979	2 756	2 958	11 715	143	186	34	5	27 217	28 201
mit der Eisenbahn .	307	2 161	3 581	1 350	51 628	1 138	5	36	—	—	60 206	54 798
aus der Stadt . .	—	—	—	—	—	—	—	—	—	—	—	—
	617	4 292	10 560	4 106	54 586	12 853	148	222	34	5	87 423	82 999
Bestand aus Vorjahr	2	9	—	1	114		—		—	—	126	42
Nicht marktgebührpflichtig sind eingegangen:												
auf dem Landweg .	5	136	102	237	2	4	—	—	—	—	486	212
mit der Eisenbahn .	32	171	191	184	98	1	—	—	—	—	677	1 610
zusammen . . .	656	4 608	10 853	4 528	54 800	12 858	148	222	34	5	88 712	84 863

Die nicht marktgebührpflichtigen Tiere kommen nicht zum Marktauftrieb, zahlen deshalb nur Stallgeld und werden demnächst mit anderen Transporten wieder ausgeführt.

Die auf dem Landweg zugetriebenen Tiere kamen vorzugsweise aus Orten der näheren Umgebung (Provinz Rheinhessen und Nassau). Die mit der Bahn beigebrachten Tiere sind eingegangen und zwar:

Großvieh von den Viehmärkten zu Berlin, Breslau, Frankfurt a. M. Mannheim, München, weiter aus Bayern, Württemberg, der Rheinpfalz, der Provinz Hessen-Nassau, den Provinzen Rheinhessen und Oberhessen, sowie aus Österreich;

Kleinvieh von München, Schweinfurt, aus Rheinhessen und der Pfalz;

Schweine aus Hannover, Pommern, Holstein, Mecklenburg, Baden, Württemberg, den Provinzen Rheinhessen und Starkenburg, sowie vom Berliner und Hamburger Viehmarkt.

Von den zugeführten Tieren kamen zum Abtriebe:

	Bullen	Ochsen	Kühe	Rinder	Schweine	Kälber	Schafe	Ziegen	Span-ferkel	Lämmer	Zusammen Tiere
auf dem Landwege und in die Stadt	109	1 612	6 518	3 460	15 421	840	7	24	—	3	27 994
zum Schlachthofe behufs Abschlachtung	532	2 886	3 507	1 007	38 141	11 962	141	198	34	2	58 410
mit der Eisenbahn .	15	104	824	49	1 158	56	—		—	—	2 206
Bestand am 1. IV. 07	—	6	4	12	80	—	—	—	—	—	102
zusammen . .	656	4 608	10 853	4 528	54 800	12 858	148	222	34	5	88 712

Die **Ausfuhr** erfolgte **auf dem Landwege** vorzugsweise nach den benachbarten Landorten der Provinzen Rheinhessen und Starkenburg, zum Wiesbadener Markt und in die Rheingauorte.

Mit der Eisenbahn kamen zur Ausfuhr:

Großvieh nach Bingen, Dieburg, Frankfurt a. M., Köln, Koblenz,

Schweine nach Mannheim, Speyer, Landau, Kreuznach, Metz, Frankenthal.

Im ganzen sind 1597 Viehwagen (gegen 1917 im Vorjahre) beladen mit der Eisenbahn angekommen oder abgegangen. Weiter sind 169 (im Vorjahre 226) mit Kohlen, Häuten, Betriebsmaterialien ꝛc. beladene Güterwagen eingegangen, zusammen also 1766 Eisenbahnwagen (2143 in 1905) abgefertigt worden.

Der wöchentliche Marktauftrieb betrug:

Bezeichnung	Höchster wöchentlicher Auftrieb			Niedrigster wöchentlicher Auftrieb			Durchschnittlicher wöchentlicher Auftrieb	
	Woche	Stückzahl		Woche	Stückzahl		Stückzahl	
		1906	1905		1906	1905	1906	1905
Großvieh	18.–23. Juni 1906	483	477	31./12. 06–5./1. 07	274	275	376	405
Kleinvieh	28./5.–2./6. 1906	429	341	30./4.–5./5. 1906	135	131	255	250
Schweine	10.–15. Sept. 1906	1276	1209	24.–29. Dezbr. 1906	609	519	1049	940

Die Marktpreise betrugen im Durchschnitt für erste Qualität:

1906	Bullen	Ochsen	Kühe, Rinder	Kälber	Schafe, Ziegen	Schweine
	Zentner Schlachtgewicht ohne Oktroi	Zentner Schlachtgewicht ohne Oktroi	Zentner Schlachtgewicht ohne Oktroi	Pfund Schlachtgewicht ohne Oktroi	Pfund Schlachtgewicht ohne Oktroi	Pfund Schlachtgewicht ohne Oktroi
	ℳ	ℳ	ℳ	ℳ	ℳ	ℳ
April	67.—	77.—	72.—	0,94	—	0,75
Mai	68.—	76.—	74.—	0,93	—	0,69
Juni	69.—	80.—	75.—	0,88	—	0,71
Juli	70.—	83.—	77.—	0,84	—	0,74
August	76.—	87.—	81.—	0,94	—	0,77
September . . .	78.—	87.—	85.—	0,96	—	0,80
Oktober	79.—	87.—	86.—	0,91	—	0,77
November	78.—	84.—	84.—	0,89	—	0,72
Dezember	73.—	84.—	78.—	0,95	—	0,69
Januar	73.—	85.—	79.—	0,93	—	0,70
Februar	73.—	83.—	77.—	0,96	—	0,64
März	72.—	82.—	74.—	0,95	—	0,60
zusammen . . .	876.—	995.—	942.—	11,08	—	8,58
Jahresdurchschnitt	73.—	82.91	78.50	0.92	—	0,71
„ 1905	65.08	77.17	70.67	0.83	—	0,74

In welcher Weise die Marktpreise in den letzten Jahren sich verändert haben und gerade in dem abgelaufenen Betriebsjahre gestiegen oder doch hochgeblieben sind, ist aus nachstehender Übersicht zu entnehmen.

Die Durchschnittsmarktpreise betrugen für:

Jahr	Bullen	Ochsen	Kühe und Rinder	Kälber	Schweine
	Zentner Schlachtgewicht ohne Oktroi	Zentner Schlachtgewicht ohne Oktroi	Zentner Schlachtgewicht ohne Oktroi	Pfund Schlachtgewicht ohne Oktroi	Pfund Schlachtgewicht ohne Oktroi
	ℳ	ℳ	ℳ	ℳ	ℳ
1899/00	55.80	65.00	55.30	0,71	0,51
1900/01	51.60	67.30	56.59	0,73	0,54
1901/02	53.50	67.75	59.75	0,73	0,63
1902/03	57.08	69.33	64.17	0,76	0,65
1903/04	61.75	71.08	63.58	0,79	0,55
1904	63.25	73.00	68.16	0,78	0,58
1905	65.08	77.17	70.67	0,83	0,74
1906	73.00	82.91	78.50	0,92	0,71

In den Viehhofstallungen waren gegen Zahlung der festgesetzten Stallgebühren eingestellt:

	1906	1905
Großvieh	14 610 Stück	14 285 Stück
Kleinvieh	166 „	170 „
Pferde	425 „	628 „

Für Kleinvieh ist für die ersten 24 Stunden und für Schweine Stallgeld überhaupt nicht zu zahlen, da solches in der Marktgebühr einbegriffen ist.

Verwiegungen.

Verwogen wurden im Viehhofe:	1906	1905
Ochsen, Stiere, Bullen	2 094 Stück	167 Stück
Kühe, Rinder		1 153 „
Schweine, Kälber, Schafe (einzeln verwogen)	19 021 „	16 098 „
Schweine und Kleinvieh (in Partien nicht unter 6 Stück verwogen)	45 716 „	37 847 „
zusammen . . .	66 831 Stück	55 265 Stück.

Pferde- und Fohlenmärkte.

Wie bereits erwähnt, finden künftig zweimal im Jahre, im Frühjahr und Herbst, im Viehhofgebiete Pferde- und Fohlenmärkte statt. Für das Berichtsjahr kommt nur der am 25. Oktober 1906 erstmalig abgehaltene Herbstmarkt in Betracht. Es waren im ganzen 472 Pferde und Fohlen aufgetrieben, wovon 287 in den reservierten Stallungen untergebracht und 185 unmittelbar zum Markte gekommen waren. Mit der Eisenbahn sind 29 Wagen mit Pferden rc. angekommen bezw. abgegangen. An der mit dem Markte verbundenen Prämiierung nahmen teil: 39 Händlerpferde und 36 Pferde bezw. Fohlen im Besitz von Landwirten und Züchtern Hessens und der an Rheinhessen angrenzenden Gebietsteile. Für Geldprämien, Diplome und Halsbänder wurden 1 929 ℳ 45 ₰ aufgewendet. Die Mittel hierzu brachte eine günstig abgeschlossene Verlosung von Wagen, Pferden, Geschirren und Silbergegenständen (240 Gewinne) im Werte von 10 000 ℳ. Es kamen 20 000 Lose zu 1 ℳ zum Vertrieb. Die mit dem Markte verbundene Ausstellung von Wagen, Geschirren, landwirtschaftlichen Maschinen rc. war von 16 Ausstellern beschickt, beanspruchte eine Ausstellungsfläche von ungefähr 200 qm und fand allgemeinen Anklang. Mit den erzielten Kaufabschlüssen waren alle Beteiligte sehr zufrieden. Die Markt- und Stallräume sowie Vorführungsplätze waren unter Berücksichtigung der Erfahrungen beim Frühjahrs-Pferdemarkt hergerichtet und erweitert worden.

Auch diese zweite Pferdemarkt-Veranstaltung brachte einen vollen Erfolg und den Beweis der Lebens- und Entwickelungsfähigkeit der im Interesse der Hebung von Handel und Verkehr getroffenen Einrichtung.

Die Einnahmen betrugen	14 619 ℳ 63 ₰
Die Ausgaben „	12 506 „ 67 „
Der Herbst-Pferdemarkt hat also mit einem Überschusse für die Stadt von . .	2 112 ℳ 96 ₰

(Frühjahrsmarkt 3 370 ℳ 75 ₰) abgeschlossen.

B. Schlachthof.

Geschlachtet wurden:

1906	Bullen	Ochsen	Kühe	Rinder	Schweine	Kälber	Schafe	Ziegen	Lämmer	Ziegen-lämmer	Span-ferkel	Pferde	Zus. Tiere
April	52	333	274	151	2 966	1 433	334	35	—	163	—	29	
Mai	80	345	288	168	3 455	1 603	334	28	—	41	2	36	
Juni	74	335	240	137	3 190	1 512	251	26	—	—	—	23	
Juli	89	329	284	165	3 473	1 320	369	19	—	1	1	22	
August	76	253	235	140	3 502	1 474	387	22	—	—	—	25	
September . .	81	241	221	119	3 142	1 217	367	27	—	—	—	34	
Oktober . . .	68	344	294	146	3 664	1 097	395	30	—	—	6	48	
November . .	40	276	279	120	3 439	1 394	575	20	—	—	10	77	
Dezember . . .	25	314	368	135	3 282	1 296	493	21	—	—	6	84	
Januar . . .	23	281	388	139	3 445	1 223	327	25	—	—	26	57	
Februar . . .	23	267	330	148	3 200	1 314	325	23	—	2	1	52	
März	21	276	340	154	3 655	1 585	330	34	—	135	2	43	
	652	3 594	3 541	1 722	40 413	16 468	4 487	310	—	342	54	530	
im Seuchenhof geschlachtet .	—	82	—	1	—	—	60	2	—	—	—	—	
zusammen . .	652	3 676	3 541	1 723	40 413	16 468	4 547	312	—	342	54	530	72 258
		4 328		5 264			21 723						
		9 592											
gegen 1905		10 133			39 478		23 697					546	73 854
mithin mehr .		—			935		—					—	—
weniger . . .		541			—		1 974					16	1 596

Die Schlachtungen von Bullen, Ochsen, Ziegenlämmern und Spanferkeln haben sich gegen die des Vorjahres unwesentlich vermehrt. Die Schweineschlachtungen haben sich um 935 Stück gehoben, sind indessen gegen normale Jahre um fast 10 000 Stück zurückgeblieben. In allen übrigen Viehgattungen ist eine Abnahme der Schlachtungen gegen das Vorjahr und die früheren Jahre zu verzeichnen. Der erhebliche Ausfall an Schlachtungen, verursacht durch den Mangel an Vieh und die hohen Vieh- und Fleischpreise, macht den auch in diesem Berichtsjahr weiterhin festgestellten Rückgang des Fleischverbrauchs erklärlich.

Stärkste Schlachttage:

Großvieh:	Kleinvieh:	Schweine:	Pferde:
29. Mai 1906	1. Juni 1906	28. Mai 1906	4. Dezember 1906
131 Stück	198 Stück	308 Stück	12 Stück

Durchschnittszahlen pro Schlachttag:

	Großvieh:	Kleinvieh:	Schweine:	Pferde:
1906	32 Stück	72 Stück	134 Stück	1—2 Stück
1905	33 „	78 „	131 „	1—2 „

Dem Schlachthof unmittelbar zugeführt und nicht auf dem Viehhofe gekauft wurden:

	1906	1905
Großvieh	1 652 Stück	1 610 Stück
Schweine	2 323 „	3 794 „
Kälber	4 501 „	11 168 „
Schafe, Ziegen	4 882 „	
zusammen . . .	13 358 Stück	16 572 Stück

Österreicher Ochseu siad unter Sperre eingetroffen:

10 Transporte	mit	100	Stück	gegen
38 „	„	364	„	in 1905, des weiteren kam
1 Transport	„	60	„	österr. Hämmel.

Die Königl. Armee-Konservenfabrik schlachtete im Winterhalbjahre 1473 (2202) Ochsen und 1686 Schweine. Hiervon sind 10 Ochsen, die bei der Fleischbeschau beanstandet wurden, der Freibank im städt. Schlachthofe überwiesen und daselbst verwertet worden.

Die Zahl der Einstallungen in den Stallungen des Schlachthofes betrug:

	1906	1905
Großvieh	2 848 Stück	3 090 Stück
Kleinvieh	1 546 „	2 114 „
Pferde	7 „	40 „

Bei den im abgelaufenen Jahre bestandenen hahen Viehpreisen wurden die Tiere meist sofort zur Ersparung von Stall- und Futtergeld abgeschlachtet.

Verwiegungen fanden statt:	1906	1905
Großvieh, Pferde oder Teile	7 694	8 286
Kälber, Schafe, Ziegen, dz Fett und Häute	2 100	1 742
Schweine ader Teile	40 381	41 382
zusammen	50 175	51 410

Das gleichzeitig mit der Schlachtgebühr durch die Kasse erhobene Oktroi betrug einschließlich des Oktroi für Kohlen, Futterartikel ꝛc. sowie der Gebühr für ausgefertigte Durchgangsscheine 170 658 ℳ 18 ₰ gegen 178 034 ℳ 04 ₰ im Vorjahre.

An frischem Fleisch kauten von auswärts zur Einfuhr und Beschau 92 400 kg gegen 215 800 kg im Vorjahre.

Die Einfuhr und die für die eingeführten Mengen entrichtete Besichtigungsgebühr verteilen sich auf die einzelnen Monote wie folgt:

1906	Eingeführtes Fleisch, Eingeweide ꝛc. kg	Besichtigungsgebühr ℳ	₰
April	11 200	224	16
Mai	9 800	196	11
Juni	7 860	159	90
Juli	7 050	141	08
August	7 400	148	31
September	6 770	137	52
Oktober	5 720	114	26
November	5 500	111	22
Dezember	9 200	184	36
Januar	6 140	123	38
Februar	6 660	133	90
März	9 100	182	25
zusammen	92 400	1 856	45
gegen 1905	215 800	4 366	73
mehr	—	—	—
weniger	123 400	2 510	28

Der Rückgang der Einfuhr auswärts geschlachteten Fleisches erklärt sich aus dem Wegfall der im Jahre 1905 aus Holland eingebrachten geschlachteten Schweine (2009 Stück).

Fleischverbrauch.

Das Durchschnittsgewicht der geschlachteten Tiere beträgt unter Zugrundelegung der durch die Verwiegungen und durch Schätzung ermittelten Gewichte:

für Bullen	385	kg
„ Ochsen	341	„
„ Kühe	259	„
„ Rinder	250	„
„ Schweine	73	„
„ Kälber	37	„
„ Schafe	24	„
„ Ziegen	15	„
„ Ziegenlämmer	3	„
„ Spanferkel	4	„
„ Pferde	200	„

Die im städt. Schlachthofe geschlachteten Tiere ergaben hiernach folgende Fleischmengen:

652	Bullen	zu 385 kg =		251 020,00	kg
3 676	Ochsen	„ 341 „ =		1 253 516,00	„
3 541	Kühe	„ 259 „ =		917 119,00	„
1 723	Rinder	„ 250 „ =		430 750,00	„
40 413	Schweine	„ 73 „ =		2 950 149,00	„
16 468	Kälber	„ 37 „ =		609 316,00	„
4 547	Schafe	„ 24 „ =		109 128,00	„
312	Ziegen	„ 15 „ =		4 680,00	„
342	Ziegenlämmer	„ 3 „ =		1 026,00	„
54	Spanferkel	„ 4 „ =		216,00	„
530	Pferde	„ 200 „ =		106 000,00	„
Zuzüglich der bei den Schlachtungen der Konservenfabrik beanstandeten und auf der Freibank verkauften 10 Ochsen mit einem Fleischgewichte von				3 410,00	„
und des von auswärts eingeführten auf dem Schlachthofe untersuchten frischen Fleisches mit				92 400,00	„
			beträgt die Gesamtfleischmenge	6 728 730,00	kg
Hiervon ab das Gewicht der vernichteten Tiere mit				10 091,00	„
ergibt sich eine Fleischmenge von				6 718 639,00	kg

Bei dieser Berechnung sind die Eingeweide der sämtlichen geschlachteten Tiere sowie Köpfe und Füße von Großvieh, Kälbern, Schafen, Ziegen und Pferden, ferner bei den von auswärts eingeführten Fleischmengen die für sich eingebrachten Eingeweide unberücksichtigt geblieben. Ferner sind außer Betracht gelassen die in die Stadt eingeführten Quantitäten konservierten Fleisches, von Wurstwaren ꝛc., von Geflügel, Wildbret, sowie die nicht unbedeutende Ausfuhr von Fleisch und Fleischwaren. Es ergibt sich hiernach auf den Kopf der Bevölkerung (im Mittel 91 800, einschl. Militär) ein Fleischverbrauch von jährlich 73 kg oder für den Tag 0,20 kg gegen 76 kg bezw. 0,21 kg im Vorjahre.

3. Fleischbeschau.

Aus der Zahl der Beanstandungen sind besonders zu erwähnen:

Eitrige oder jauchige Blutvergiftung	1	1	20	—	8	4	1	—	4
Schweinepest-Seuche	—	—	—	—		197	—	—	—
Rotlauf	—	—	—	—		9	—	—	—
Maul- und Klauenseuche	—	—	—	—		—	—	—	—
Tuberkulose	592	107	880	91		462	4	6	1
Strahlenpilz	7	7	4	1		2	—	—	—
Gesundheitsschädliche Finnen	43	14	17	17		—	—	—	—
Hülsenwürmer	40	5	101	—		430	1	—	—
Leberegel	—	—	4	—		—	65	—	—
Gelbsucht	—	—	1	—		3	1	—	—
Entzündungen	39	9	77	4		113	10	—	18
Wassersucht	—	—	8	—		—	3	—	—

Bezüglich der Tuberkulose ist zu bemerken, daß von Ochsen 14,15 %, von Bullen 9,46 %, von Kühen 25,01 % von Rindern 8,43 %, von Schweinen 1,21 % mit dieser Krankheit behaftet waren.

Finnig wurden befunden von Ochsen 1,47 %, von Bullen 2,6 %, von Kühen 0,85 %, von Rindern 2,57 % v Großvieh insgesamt 1,3 %.

Es waren zu erklären:

	Pferde	Ochsen	Bulle						
Untauglich	5	2	2	41	1	20	16	4	1
Bedingt tauglich	—	$30\,{}^{12}/_{4}$	$8\,{}^{5}/_{4}$	$31\,{}^{20}/_{4}$	$16\,{}^{3}/_{4}$	—	$60\,{}^{82}/_{4}$	—	
Minderwertig	—	$38\,{}^{20}/_{4}$	$12\,{}^{5}/_{4}$	$95\,{}^{40}/_{4}$	$9\,{}^{2}/_{4}$	6	$35\,{}^{185}/_{4}$	3	

Als Ursachen der Minderwertigkeitserklärung sind hervorzuheben:

Tuberkulose	
Finnen	—
Gelbsucht	—
Allgemeine Wassersucht	—
Blutige Durchtränkung des Fleisches	—
Unreife der Kälber	—
Fäulnis — Schimmelbildung	
Geruch — Geschmacksabweichungen	

Als bedingt tauglich waren zu erklären:

wegen	Ochsen	Bullen	Kühe	Rinder	Kälber	Schweine	Schafe	Ziegen
Tuberkulose . . .	7 12/4	2 5/4	24 20/4	4 3/4	—	50 22/4	—	—
Finnen	23	6	7	12	—	—	—	—
Schweineseuche-Pest	—	—	—	—	—	1	—	—
Rotlauf	—	—	—	—	—	9	—	—

Die Gründe zur Ausschließung des Fleisches vom Konsum waren in der Hauptsache:

	Ochsen	Bullen	Kühe	Rinder	Kälber	Schweine	Schafe	Ziegen
Eitrige oder jauchige Blutvergiftung . . .	1	1	20	—	8	4	1	.
Schweineseuche bezw. Pest	—	—	—	—	—	4	—	—
Tuberkulose	—	1	15	1	9	5	—	1
Finnen	1	—	—	—	—	—	—	—
Gelbsucht	—	—	—	—	1	1	—	—
Allgemeine Wassersucht	—	—	5	—	1	—	3	—
Uraemie	—	—	1	—	—	—	—	—
Geruchs- und Geschmacksabweichungen . .	—	—	—	—	1	1	—	—
In der Agonie geschlachtet	—	—	—	—	—	1	—	—

Von auswärts eingeführtes Fleisch.

Die von auswärts eingeführten Fleischsendungen wurden in 1 Falle, weil untauglich zum Genusse für Menschen, beschlagnahmt und zur Wasenmeisterei verwiesen, in 3 Fällen noch Entfernung der kranken oder verdorbenen Teile freigegeben.

Freibankverkehr.

Das Gesamtgewicht des auf der Freibank im Schlachthofe verkauften Fleisches betrug 68 713 1/4 kg (hiervon waren gekocht 8 942 3/4 kg). Verkauft wurden 5262 3/4 kg Bullenfleisch, 21 377 kg Ochsenfleisch, 25 687 1/2 kg Kuhfleisch, 7 148 kg Rindfleisch, zusammen 59 475 1/4 kg Fleisch von Großvieh, 8 990 1/2 kg Schweinefleisch, 152 1/4 kg Kalbfleisch, 65 1/4 kg Hammelfleisch und 30 kg Ziegenfleisch. Die Preise betrugen per kg Ochsenfleisch 80 ₰—1,20 ℳ, für Kuh- und Rindfleisch 56—96 ₰, für Schweinefleisch 0,90—1,20 ℳ, Kalbfleisch 80 ₰, Hammelfleisch 50 ₰, Ziegenfleisch 40 ₰. Die Gesamteinnahme beim Verkauf dieses Fleisches einschließlich des verwerteten Fettes und der Häute betrugen 59 621 ℳ 57 ₰ gegen 72 844 ℳ 94 ₰ im Vorjahre. An Unkosten kamen in Abzug 3 957 ℳ 55 ₰ (4 875 ℳ 25 ₰), so daß den Interessenten 55 664 ℳ 02 ₰ (67 969 ℳ 69 ₰) als Reinerlös ausbezahlt werden konnten.

Die für Benutzung der Freibank erhobenen Gebühren und sonstigen Auslagen betrugen 3 957 ℳ 55 ₰ (1905: 4 876 ℳ 25 ₰.)

Diese Gebühren ꝛc. zergliedern sich wie folgt:

a) Verkaufsgebühr 4 % bezw. 6 % des Erlöses	2 419 ℳ	78	₰
b) Kühlhausgebühr	1 386 „	—	„
c) Barauslagen (Einsalzen)	151 „	77	„
Summe wie oben . . .	3 957 ℳ	55	₰

Der Verkehr auf der Freibank war stets ein lebhafter und es gelang, trotz zum Teil erhöhter Verkaufspreise die nicht geringen Fleischanfälle abzusetzen.

4. Veterinärpolizei.

Seuchenerkrankungen wurden im abgelaufenen Berichtsjahre im Schlacht- und Viehhof zweimal und zwar Rotlauf bei einem Schweinetransport festgestellt.

5. Futter und Streu.

Einschließlich des Bestandes am 1. April 1906 und der gutgemachten Futtermengen stellt sich der Bezug und Verbrauch an Futter und Streumaterialien wie folgt:

	Heu kg	Stroh kg	Gersten-schrot kg	Kleie kg	Hafer kg	Mehltrank bezw. Milch Liter	Sägemehl kg	Weizen-schalen kg	Häcksel kg
Bezug einschl. Bestand am 1. April 1906	113 061	78 461	40 075	12 150	1 800	11 955	17 234	1 495	319
Verbrauch:									
a) Schlacht- und Viehhof	97 384	65 332	38 050	11 881	299	11 955	16 100	511	—
b) Pferdemarkt	2 117½	3 175	—	—	1258½	—	250	766	319
Bestand am 1. April 1907 einschl. der gutgemachten Mengen	19 725	9 970	2 025	650	225	—	875	218	—
Gegen Zahlung wurden verabfolgt in den:							Säcke zu ungef. 25 kg		
a) Viehhofstallungen 1906	84 759	28 562	38 050	11 864	294	10 623	644	511	—
1905	77 848	20 785	33 830	10 214	100	12 770	444	50	—
b) Schlachthofstallungen 1906 . . .	12 625	495	—	17	5	1 328	—	—	—
1905 . . .	20 699½	25	—	38	—	971	—	—	—

10 Säcke Sägemehl fanden als Streumaterial gelegentlich des Pferdemarktes Verwendung.

Das verbrauchte, unentgeltlich zu stellende Streustroh betrug 725¼ Zentner und ist mit 1 334 ℳ 92 ₰ zu bewerten gegen 990 Zentner im Werte von 1 732 ℳ 50 ₰ in 1905. Der Verbrauch entfällt annähernd je zur Hälfte auf die Stallungen des Viehhofes und Schlachthofes.

Die verkauften Futter- und Streumengen erbrachten:	1906	1905
a) Viehhof	19 418,41 ℳ	19 716,59 ℳ
b) Schlachthof	1 361,27 „	1 930,03 „
zusammen	20 779,68 ℳ	21 646,62 ℳ

Die Bezugskosten für Futter und Streu betrugen insgesamt 19 849 ℳ 01 ₰ (19 809 ℳ 37 ₰ in 1905), wovon 17 441 ℳ 19 ₰ auf den Verbrauch im Berichtsjahr entfallen. Der Wert des am 1. April 1907 vorhandenen Futter- ꝛc. Bestandes ist mit 2 078 ℳ 75 ₰ zu veranschlagen und auf neue Rechnung übernommen. Ferner wurden 329 ℳ 07 ₰ zu Lasten des Pferdemarktes umgebucht.

6. Miete von Gebäuden.

A. Wirtschaftsgebäude.

Im Pachtverhältnis ist eine Änderung nicht eingetreten. Es sind 2 900 ℳ Miete eingegangen.

An elektrischem Strom wurden verbraucht:

299 Kilowattstunden und hierfür erhoben	179 ℳ 40 ₰
Hierzu Messermiete	24 „ — „
zusammen	203 ℳ 40 ₰ (113 ℳ 40 ₰)

B. Dienstwohnungen.

Ein Wechsel der Mieter ist nicht eingetreten und die im Voranschlag vorgesehenen Mieten — 2408 ℳ — sind eingegangen. Für Verbrauch von elektrischem Strom in einzelnen dieser Dienstwohnungen wurden 84 ℳ 60 ₰ (111 ℳ) vereinnahmt.

C. Räume zur Lagerung von Fett, Fellen und Häuten sowie Pferdeschlachthaus.

Die vermieteten Räume erbrachten die im Voranschlage unter II. 3—5 vorgesehenen Mieten mit zusammen	3 819 ℳ	78 ₰
An weiteren Einnahmen erscheinen:		
1. zu II. 3. die von der Häute- und Fettverwertung der Mainzer Fleischer-Innung (e. G. m. b. H.) dahier zu leistende Vergütung für den zum Betrieb der Fettschmelze und des Autoklavs abgegebenen Dampf und zwar für Dampfabgabe während 1 605¼ Stunden zu 1 ℳ	1 605 ℳ	25 ₰
Dampfverbrauch des Autoklavs während 406 Stunden zu 30 ₰	121 „	80 „
2. zu II. 5. die Vergütung der Bluthandlung Ewald Kroth zu Frankfurt a. M.-Sachsenhausen (halbjähriger Betrieb)		
a) für Dampfverbrauch	116 ℳ	80 ₰
b) „ elektr. Beleuchtung	36 „	60 „
zusammen	5 700 ℳ	23 ₰
Einnahme in 1905	5 654 „	43 „
demnach in 1906 mehr	45 ℳ	80 ₰

D. Kühlhausanlagen.

a) Kühlzellen.

Von den außer der amtlichen Zelle vorhandenen 136 Kühlzellen mit einem Gesamtflächeninhalte von 457 qm waren 75 (77 im Vorjahre) mit 248,15 (252,15) qm Flächeninhalt für das ganze Jahr oder auf kürzere Zeit an 63 (68 Mitter) vermietet und erbrachten 9 464 ℳ 69 ₰ gegen 9 462 ℳ 04 ₰ in 1905.

b) Der Pökelkeller hat 46 Pökelräume mit zusammen 140 qm Flächeninhalt. Hiervon waren 20 (22) mit 61,56 (66,93) qm Flächeninhalt vermietet, für welche 1 704 ℳ 40 ₰ (1 675 ℳ 50 ₰ in 1905) eingingen.

Im ganzen waren von den verfügbaren 597 qm Kühlraum 309,71 qm, also etwas über die Hälfte, vermietet und wurden für Kühlzellenmiete und Kellermiete erlöst 11 169 ℳ 09 ₰, mithin gegen das Vorjahr 31 ℳ 55 ₰ mehr. Die wünschenswerte Nutzbarmachung der gesamten Räume läßt sich, solange die in der Stadt bestehenden, den Interessenten bequemer und vorteilhafter gelegenen privaten Kühlräume zur Verfügung sind, nur noch und nach erreichen. Die Kühlanlage hat im Betriebe keine Anstände ergeben und allgemein befriedigt. Im Laufe des Winters wurden sämtliche Kühlräume gründlich gereinigt und instandgesetzt.

c) Kühlzellhaken.

In der Berichtsperiode waren gegen Zahlung einer Tagesgebühr von 20 ₰ für den Haken 3281 Haken benutzt, wofür 656 ℳ 20 ₰ eingingen.

Für Verwahrung des Freibankfleisches in den Kühlräumen kamen zur Erhebung 1 386 ℳ — ₰.

Die Gesamteinnahme aus der Benutzung des Kühlhauses, dessen untere Räume auch in dem abgelaufenen Jahre während einzelner Monate gegen eine Miete von 240 ℳ von mehreren hiesigen Obstkonservenfabriken zur vorübergehenden Einlagerung ihrer Rohprodukte benutzt waren, stellt sich auf 13 451 ℳ 29 ₰ gegen 13 587 ℳ 14 ₰ im Vorjahre. Gegen die Voranschlagssumme wurden 398 ℳ 71 ₰ weniger erzielt.

E. Eisabgabe.

Verkäuflich wurden ab Schlachthof im ganzen 1 445 180 kg Eis (1 486 660 kg im Vorjahre), das kg zu 1 ₰, abgegeben. Erlöst wurden 15 451 ℳ 80 ₰ somit 951 ℳ 80 ₰ gegen den Voranschlag und 585 ℳ 20 ₰ gegen das Vorjahr mehr. In einzelnen Fällen wurde auf Grund ärztlicher Bescheinigung Eis unentgeltlich an Unbemittelte verabfolgt. Das St. Rochus-Hospital bezog für 252 ℳ 60 ₰ Eis.

7. Maschinenbetrieb.

In nachstehender Tabelle sind zunächst die nicht getrennt gebuchten Ausgaben für Kohlen, Löhne, Unterhaltung ꝛc. nach Maßgabe der nach den Aufzeichnungen ermittelten Maschinenleistungen auseinander gezogen und für die verschiedenen hier in Betracht kommenden Betriebszwecke gesondert angegeben:

Ordn.-Nummer	Betriebszweck	Kohlenverbrauch dz	Kohlen, Betrieb d. Wasserreinigers und Schlackenabfuhr ℳ	Löhne des Maschinenpersonals ℳ	Unterhaltung der Dampfkesselanlage ℳ	Anschaffungen für die Werkstätte und Unterhaltung des Inventars ℳ	Unterhaltung der maschinellen Einrichtungen ℳ	Betriebsmittel wie Ammoniak, Salz-, Putz- u. Schmiermittel ℳ
1	Eiserzeugung	1 892	4 020,00	2 450,00	135,00	191,00	225,80	407,97
2	Kühlbetrieb	7 013	14 900,00	8 620,00	500,00	710,00	855,00	1 530,00
3	Elektrische Beleuchtung . .	1 776	3 780,00	2 200,00	126,00	179,00	—	—
4	Wasserversorgung d. Schlachthofes	857	1 820,00	1 072,84	59,53	85,74	—	—
5	Städt. Wasserversorgung .	4 023	8 407,86	—	280,51	388,58	—	—
6	Schlacht-, Brüh- u. Heizzwecke	1 799	3 930,77	—	—	—	—	—
	Summe . . .	17 360	36 858,63	14 342,84	1 101,04	1 554,32	1 080,80	1 937,97

A. Kesselhaus.

In nachstehender Übersicht sind die in den einzelnen Monaten verbrauchten Kohlen und verdampften Wassermengen, sowie die erzielten Verdampfungen zusammengestellt.

Monat	Speisewasserverbrauch cbm	Kohlenverbrauch dz	Verdampfung
April 1906	918,4	1 227	7,57
Mai „	1 112,4	1 482	7,50
Juni „	1 108,5	1 533	7,30
Juli „	1 235,0	1 723	7,20
August „	1 276,1	1 756	7,30
September „	1 137,6	1 577	7,25
Oktober „	1 049,2	1 429	7,40
November „	960,8	1 342	7,20
Dezember „	938,2	1 337	7,05
Januar 1907	1 013,4	1 418	7,15
Februar „	878,5	1 202	7,36
März „	984,2	1 334	7,40
Summen und Mittelwerte . . .	12 612,3	17 360	7,3

Die Kesselanlage war täglich 24 Stunden lang in Betrieb.

Die Kosten für den Betrieb des Kesselhauses betragen:

1.	für Brennmaterialien, Betrieb des Wasserreinigers und Schlackenabfuhr	36 858 ℳ 63 ₰
2.	„ Unterhaltung der Kesselanlage	1 101 „ 04 „
3.	„ Löhne von zwei Heizern	2 782 „ — „
4.	„ sonstige Ausgaben (Kesselreinigung, Unterhaltungsarbeiten durch das Schlosserpersonal ꝛc.)	1 000 „ — „
	Summe . . .	41 741 ℳ 67 ₰

Die Bruttobetriebskosten zur Verdampfung von 1 cbm Wasser betragen demnach $\frac{41\,741{,}67}{12\,612{,}30} = 3{,}31$ ℳ.

B. Kühl- und Eismaschinenanlage.

a) Eiserzeugung.

Über die Erzeugung von Eis in den einzelnen Monaten gibt die nachstehende Übersicht Aufschluß:

Monat	Es wurden gezogen			
	an Tagen	in Stunden	an dz	durchschnittlich pro Tag an dz
April 1906	30	172	899,4	30,0
Mai "	31	334	1 736,8	56,0
Juni "	30	427	2 225,6	74,2
Juli "	31	509	2 646,8	85,4
August "	31	497	2 587,0	83,5
September "	30	370	1 936,6	64,6
Oktober "	31	282	1 466,4	47,3
November "	30	190	988,0	32,9
Dezember "	31	112	585,0	18,9
Januar 1907	2	12	59,8	29,9
Februar "	5	8	44,2	8,8
März "	30	113	587,6	19,6
Summen und Mittelwerte	312	3 026	15 763,2	45,9
Entsprechende Zahlen des Vorjahres	359	2 888	15 140,0	42,2

Die Brutto-Betriebskosten zur Erzeugung der 15 763,2 dz Eis setzen sich zusammen aus:

		M	₰
1.	Anteil an den Kosten der Brennmaterialien rc.	4 020	—
2.	" " " Löhnen des Maschinenpersonals	2 450	—
3.	" " " Kosten der Unterhaltung der Dampfkesselanlage	135	—
4.	" " " " " Anschaffungen für die Werkstätte rc.	191	—
5.	" " " " " Unterhaltung der masch. Einrichtungen	225	80
6.	" " " " " Betriebsmittel, wie Ammoniak rc.	407	97
	Summe	7 429	77

Die Brutto-Betriebskosten zur Erzeugung von 1 dz Eis betragen sonach $\frac{7\,429,77}{15\,763,2}$ = 0,47 M (Vorjahr 0,40 M)

b) Kühlbetrieb.

Über den Betrieb der Kühlanlage, die im Freien und in der Kühlhalle jeweilig herrschenden mittleren Temperaturen und die relative Feuchtigkeit der Kühlhausluft wurde die nachstehende Übersicht aufgestellt.

Monat	Betriebszeiten der Dampfmaschinen				Betriebszeiten der Kompressoren				Mittlere Temperaturen in ° C		Mittlere relative Feuchtigkeit der Kühlhausluft in %
	Hauptmaschine		Reservemaschine		Kompressor I		Kompressor II				
	Tage	Stunden	Tage	Stunden	Tage	Stunden	Tage	Stunden	in der Kühlhalle	im Freien	
April 1906	—	—	30	528	29	509	2	19	+ 1,15	+ 11,40	83
Mai „	24	478	8	138	31	616	24	478	+ 1,40	+ 16,84	82
Juni „	30	696	—	—	30	696	30	696	+ 1,50	+ 18,50	81
Juli „	31	743	—	…	31	743	31	743	+ 2,50	+ 21,80	81
August „	31	744	—	—	31	744	31	744	+ 1,90	+ 20,90	81
September „	30	680	—	—	30	680	19	437	+ 1,50	+ 16,30	81
Oktober „	31	718	—	—	31	718	—	—	+ 2,00	+ 12,50	81
November „	30	634	—	—	30	634	—	—	+ 0,96	+ 8,70	80
Dezember „	31	556	1	12	31	568	—	—	+ 0,75	+ 0,90	80
Januar 1907	—	—	31	505	28	458	—	—	+ 0,80	+ 2,60	80
Februar „	—	—	28	418	24	353	—	—	+ 1,80	+ 1,80	80
März „	—	—	31	484	31	484	—	—	+ 1,60	+ 6,00	80
Summen und Mittelwerte . .	238	5 249	129	2 085	357	7 203	137	3 117	+ 1,49	+ 11,52	80,8
Entsprechende Zahlen des Vorjahres	159	3 249	207	4 057	268	5 570	238	4 824	+ 1,80	+ 10,90	83

Die Brutto-Betriebskosten für den Kühlbetrieb setzen sich zusammen aus:

1. Anteil an den Kosten der Brennmaterialien ꝛc. . . . . 14 900 ℳ — ₰
2. „ „ „ Löhnen des Maschinenpersonals . . . . 8 620 „ — „
3. „ „ „ Kosten der Unterhaltung der Dampfkesselanlage . . . 500 „ — „
4. „ „ „ „ „ Anschaffungen für die Werkstätte . . . . 710 „ — „
5. „ „ „ „ „ Unterhaltung der masch. Einrichtungen . . 855 „ — „
6. „ „ „ „ „ Betriebsmittel, wie Ammoniak ꝛc. . . . . 1 530 „ — „

Summe . . . 27 115 ℳ — ₰

Die beiden Kompressoren waren einzeln oder zusammen an 365 Tagen in Betrieb. Die direkten Betriebskosten für einen Kühlbetriebstag betrogen sonach $\frac{27115}{365}$ = 74,29 ℳ (Vorjahr 70,00 ℳ).

Der Rauminhalt des Kühlhauses beträgt 2 346 cbm, die mittlere Temperatur + 1,49°, Vorkühlraum 1 127 cbm und + 4°, Pökelkeller 631 cbm und + 5° C.

Bringt man die einzelnen Rauminhalte auf gleiche Basis, etwa in bezug auf die mittlere Kühlhaustemperatur von + 1,49° und die mittlere Außentemperatur von + 11,52° C., so betragen dieselben:

1. Kühlhaus, bleibt . . . . 2 346 cbm
2. Vorkühlraum $\frac{1127 . (11,52-4)}{(11,52-1,49)}$ = ... 845 „
3. Pökelkeller $\frac{631 . (11,52-5)}{(11,52-1,49)}$ = ... 410 „

Verhältnis: 2 346 : 845 : 410 = 5,7 : 2,06 : 1.

Die direkten Betriebskosten verteilen sich dementsprechend auf:

1. Kühlhaus $\frac{27\,115 \;.\; 5,7}{8,76}$ = ... 17 643,32 ℳ

2. Vorkühlraum $\frac{27\,115 \;.\; 2,06}{8,76}$ = ... 6 376,36 „

3. Pökelkeller $\frac{27\,115 \;.\; 1}{8,76}$ = ... 3 095,32 „

Summe . . . . 27 115,00 ℳ

Dementsprechend betrugen die direkten Betriebskosten pro Jahr:

1. für einen qm vermietbare Fläche im Kühlhaus $\frac{17\,643,32}{457}$ = 38,61 ℳ (Vorjahr 36,22 ℳ).

2. „ „ „ Grundfläche im Vorkühlraum $\frac{6\,376,36}{225}$ = 28,34 ℳ (Vorjahr 27,10 ℳ).

3. „ „ „ vermietbare Fläche im Pökelkeller $\frac{3\,095,32}{140}$ = 22,11 ℳ (Vorjahr 20,74 ℳ).

C. Elektrische Beleuchtungsanlage.

Die Anlage enthält insgesamt 37 Bogen- und 433 Glühlampen.

Die beiden im Maschinenhaus aufgestellten Dynamomaschinen dienen abwechselnd zur Erzeugung des elektrischen Stromes; ihr Antrieb erfolgt durch die die Kühl- und Eismaschine jeweils treibende Dampfmaschine.

An den Tagen, an welchen die Dynamomaschinen nicht im Gange waren, genügte der in der Akkumulatorenbatterie aufgespeicherte Strom zur Speisung der elektrischen Lampen.

Nachstehende Tabelle gibt Aufschluß über die erforderlich gewesenen Betriebszeiten der Dynamomaschinen und die mit denselben geleisteten Kilowattstunden.

Monat	Betriebszeiten								Leistung insgesamt in Kilowattstunden
	Dynamomaschine Nr. I				Dynamomaschine Nr. II				
	Laden der Batterie		Direkt für Beleuchtung		Laden der Batterie		Direkt für Beleuchtung		
	Tage	Stunden	Tage	Stunden	Tage	Stunden	Tage	Stunden	
April 1906	—	—	30	78	30	113,5	—	—	3 713
Mai „	2	7	17	32,5	29	111,5	—	—	2 800
Juni „	12	48	—	—	18	70,5	—	—	2 086
Juli „	15	62	—	—	16	63	—	—	2 200
August „	15	68	—	—	16	75	—	—	2 517
September „	15	61,5	18	45	15	63,5	15	44	4 058
Oktober „	15	62	19	91	16	65,5	18	84	6 094
November „	17	69	14	101	13	55,5	16	116	6 965
Dezember „	14	61	14	124	16	65	16	139	8 004
Januar 1907	17	68	17	141	14	55	14	115	7 797
Februar „	14	56	14	92	14	56	14	95	6 085
März „	16	63	16	65	15	60	15	70	5 135
Summe	152	625,5	159	769,5	212	854	108	663	57 454
Entsprechende Zahlen des Vorjahres	92	369	174	1 284	186	961	212	1 924	65 542

Die Brutto-Betriebskosten setzen sich wie folgt zusammen:

1. Anteil an den Kosten der Brennmaterialien ꝛc. . . . . . 3 780,00 ℳ
2. „ „ „ Löhnen des Maschinenpersonals . . . . . . 2 200,00 „
3. „ „ „ Kosten der Unterhaltung der Dampfkesselanlage . . . . . . 126,00 „
4. „ „ „ „ „ Anschaffungen für die Werkstätte . . . . . . 179,00 „
5. für Instandhaltung der Maschinen, Lampen, Leitungen ꝛc. . . . . . . 1 515,60 „
6. für Putz- und Schmiermittel und Verdichtungsmaterialien . . . . . . 992,62 „

Summe 8 793,22 ℳ

Die Brutto-Betriebskosten betrugen demnach:

1. zur Erzeugung von 1 Kilowattstunde $\frac{8\,793{,}22}{57\,454} = 15{,}3$ ₰ (Vorjahr 13,15 ₰).

2. zur Erzeugung von 1 Glühlampenbrennstunde $\frac{15{,}3 \cdot 55}{1000} = 0{,}84$ ₰ (Vorjahr 0,72 ₰).

D. Wasserversorgung des Schlachthofes.

Über die Leistungen der beiden Pumpen gibt nachstehende Tabelle Aufschluß:

Monat	Transmissionspumpe			Dampfpumpe			Gefördertes Wasser im ganzen cbm
	Betriebszeiten		Gefördertes Wasser cbm	Betriebszeiten		Gefördertes Wasser cbm	
	Tage	Stunden		Tage	Stunden		
April 1906	30	448	14 555	—	—	—	14 555
Mai „	31	585	18 922	1	1	33,3	18 955,3
Juni „	30	642	20 780	—	—	—	20 780
Juli „	31	686	22 305	—	—	—	22 305
August „	31	708	23 038	1	3	91	23 129
September „	30	637	20 720	—	—	—	20 720
Oktober „	31	663	21 698	—	—	—	21 698
November „	30	585	19 143	1	1,5	46	19 189
Dezember „	31	470	15 332	—	—	—	15 332
Januar 1907	31	402	13 100	1	0,5	18,6	13 118,6
Februar „	28	317	10 270	—	—	—	10 270
März „	31	427	13 861	—	—	—	13 861
Summe	365	6 570	213 724	4	6	188,9	213 912,9
Vorjahr	337	6 629	198 880	25	243	9 722	208 602

Die durch den Betrieb der beiden Pumpen entstandenen Betriebskosten betrugen:

1. Anteil an den Kosten der Brennmaterialien ꝛc. . . . . . . 1 820,00 ℳ
2. „ „ „ Löhnen des Maschinenpersonals . . . . . . 1 072,84 „
3. „ „ „ Kosten der Unterhaltung der Dampfkesselanlage . . . . . . 59,53 „
4. „ „ „ „ „ Anschaffungen für die Werkstätte ꝛc. . . . . . . 85,74 „
5. für Unterhaltung der Maschinen, Leitungen ꝛc. . . . . . . 358,18 „
6. für Putz- und Schmiermittel ꝛc. . . . . . . 109,78 „

Summe . . . . . . 3 506,07 ℳ

Die Brutto-Betriebskosten für ein Kubikmeter geförderten Wassers stellen sich auf $\frac{3\,506{,}07}{213\,912{,}9} = 1{,}64$ ₰ (Vorjahr 1,65 ₰).

E. Hilfspumpwerk für die städt. Wasserversorgung.

Das Hilfspumpwerk für die städt. Wasserversorgung im Schlachthof, eine Dampfpumpe mit einer maximalen stündlichen Leistungsfähigkeit von 100 Kubikmeter, dient dazu, einen Teil des Wasserbedarfs der Stadt Mainz zu decken. Die Pumpe erhält ihren Dampf von der Dampfkesselanlage des Schlachthofes, sie saugt aus der daselbst vorhandenen Brunnenanlage und drückt unmittelbar in das städt. Rohrnetz.

Über den Betrieb der Pumpe gibt nachstehende Tabelle Aufschluß.

Monat	Betriebszeit in		Gefördertes Wasser in cbm
	Tagen	Stunden	
April 1906	30	631	59 780
Mai „	31	665	63 910
Juni „	30	672	65 660
Juli „	31	699	70 150
August „	31	719	70 320
September „	30	697	67 690
Oktober „	31	650	62 640
November „	20	420	36 700
Dezember „	10	213	17 741
Januar 1907	31	724	55 126
Februar „	28	662	42 330
März „	31	712	58 440
Summe	334	7 464	670 487
Vorjahr	191	3 746	326 722

Die Brutto-Betriebskosten betragen:

1. Anteil an den Kosten der Brennmaterialien ꝛc. . . . 8 407,86 ℳ
2. Lohn für einen Hilfsheizer . . . 1 313,55 „
3. Anteil an den Kosten der Unterhaltung der Dampfkesselanlage . . . 280,51 „
4. „ „ „ „ „ Anschaffungen für die Werkstätte . . . 388,58 „
5. Putz- und Schmiermittel ꝛc. . . . 556,59 „
6. Unterhaltung des Pumpwerkes . . . 310,25 „

Summe 11 257,34 ℳ

Die Bruttokosten für Hebung von 1 cbm Wasser betragen demnach $\frac{11\,257{,}34}{670\,487}$ = 1,68 ₰ (Vorjahr 1,57 ₰).

8. Erlös für Dünger, Blut, Milch und sonstige Abfallstoffe.

a) Dünger:

Laut Vertrag vom 21. April 1906 hatte Metzgermeister Adam Riffel in Mainz die Abfuhr und den Bezug der Dunganfälle auf die Dauer von 5 Jahren ab 1. April 1906 gegen eine Jahrespacht von 2400 ℳ übernommen. Infolge erheblicher Schwierigkeiten in bezug auf Unterbringung und Lagerung der Dungmengen sah sich der Übernehmer veranlaßt, die Abfuhr anfangs Dezember einzustellen. Die Abfälle wurden deshalb bis zur Beschaffung und Anlage eines Lagerplatzes außerhalb des Stadtgebietes provisorisch im Schlacht- und Viehhofgebiete gelagert. Riffel wurde durch Stadtverordnetenbeschluß vom 29. Mai l. Js. ab 1. Januar 1907 von seinem Vertrage entbunden. Die bis zum 1. März 1907 erwachsenen Dungmengen wurden freihändig veräußert. Die ab 1. März 1907 noch lagernden Dungstoffe finden in 1907 Verwertung. Es wurden erlöst:

a) Pacht von Riffel für $^{3}/_{4}$ Jahre . . . . 1800,00 ℳ
b) für den im Schlacht- und Viehhof in der Zeit vom 5. Dezember 1906 bis 1. März 1907 gelagerten und veräußerten Dung . . . . 350,00 „
Summe . . . 2150,00 ℳ

b) und c) **Blut, Milch und Borsten.**

Hier ist eine Änderung gegen das Vorjahr nicht eingetreten. Der am 15. Februar 1906 abgelaufene Vertrag mit Stein & Bey wegen des Rechts der Milchgewinnung und -Verwertung ist auf weitere 3 Jahre (bis 1909) erneuert worden.

Es gingen ein:

für Blut	300 ℳ
„ Milch	600 „
„ Borsten	500 „
	1400 ℳ

Für Kranen und sonstige Abfallstoffe wurden vereinnahmt 43 ℳ 83 ₰. Im ganzen beträgt die Einnahme 3593 ℳ 83 ₰ (5344 ℳ 81 ₰).

Die bei der Fleischbeschau als ungenießbar erkannten Tiere und Teile sowie die sich ergebenden Schlachtabfälle fanden in Ermangelung einer eigenen Fleischvernichtungsanlage Beseitigung und Verwertung in der für die Provinz Rheinhessen errichteten Anstalt zur technischen Verarbeitung und Verwertung von Tierkadavern. Es wurden hierfür an die Anstalt an Gebühren im ganzen 4220 ℳ bezahlt gegen 4230 ℳ des Vorjahres.

9. Badeanstalt.

Die Benutzung der Anstalt hat sich etwas gebessert. Es wurden abgegeben 357 Wannebäder, 241 Brausebäder und 12 zweite Handtücher. Vereinnahmt wurden 113 ℳ 95 ₰ gegen 108 ℳ 10 ₰ im Vorjahre.

10. Arbeitspersonal.

An Löhnen wurden verausgabt:

	1906	1905
a) für das Maschinenpersonal, bestehend aus 2 Maschinisten, 2 Heizern, 1 Hilfsheizer, 3 Schlossern und 1 Maschinenarbeiter	14342 ℳ 84 ₰	12010 ℳ 92 ₰
b) für einen Nachtwächter	1370 „ 15 „	1207 „ 60 „
c) „ „ amtlichen Metzger und Taglöhner	1806 „ 72 „	1822 „ 68 „
d) „ zwei Stallknechte, 10 Taglöhner und Aushilfsleute einschl. des Personals zur Reinigung der Straßensinkkasten	13033 „ 80 „	12806 „ 57 „
e) für die Aufseherin der Garderobe und Badeanstalt	645 „ 80 „	565 „ — „
Summe	31199 ℳ 31 ₰	28412 ℳ 77 ₰

Die dem Arbeitspersonal gewährten Familienzulagen erforderten 1875 ℳ 72 ₰ und weiter wurden an Lohnzulagen 554 ℳ 50 ₰ bewilligt, welche Mehrausgaben zum Teil durch Ersparnisse infolge zeitweiser Einschränkung des Arbeitspersonals ausgeglichen wurden.

11. Wasserverbrauch.

Die Wasserversorgung des Schlacht- und Viehhofes erfolgte im Berichtsjahre ohne besondere Anstände aus dem eigenen Wasserwerk. Näheres hierüber ergibt das unter Maschinenbetrieb, D, Gesagte. Der Bezug von Leitungswasser war nur vorübergehend während notwendiger Reparaturen oder Reinigungen des Reservoirs nötig. Für Leitungswasser wurden 203 ℳ 28 ₰ (715 ℳ 36 ₰) verausgabt.

Der Wasserverbrauch in den einzelnen Betriebsräumen des Schlacht- und Viehhofs läßt sich getrennt für dieselben mangels besonderer Wassermesser nicht ermitteln.

Das an die Dienstwohnungen und sonstigen vermieteten Betriebsräume abgegebene Wasser erbrachte eine Einnahme von 226 ℳ 95 ₰ (Voranschlag 300 ℳ).

Die durch das Hilfspumpwerk im Schlacht- und Viehhofe für die allgemeine Wasserversorgung geförderten Wassermengen (s. näheres unter Maschinenbetrieb, E) erbrachten:

a) für 670 487 cbm zu 6 ₰ an das Stadtrohrnetz	40 229	ℳ	22	₰
b) für an die Wagenhalle des Straßenbahnamts abgegebenes Wasser	154	„	98	„
c) für an das Tiefbauamt zu Kanalarbeiten in der Mozartstraße abgegebenes Wasser	9	„	83	„
zusammen	40 394	ℳ	03	₰

Dieser Betrag fand in folgender Weise Verwendung:

a) zur Deckung der Betriebsausgaben (s. Maschinenbetrieb)	11 257	ℳ	34	₰
b) für Pacht des Brunnengeländes	50	„	—	„
c) für Pacht des an das Brunnengelände anstoßenden Eisenbahnterrains (2800 qm)	150	„	—	„
d) für Zinsen und Tilgung des Restes der Kosten des Hilfspumpwerks an die Vermögensrechnung	24 455	„	63	„
e) zugunsten des Schlacht- und Viehhofs verbleiben	4 481	„	06	„
Summe wie oben	40 394	ℳ	03	₰

Die Kosten des Hilfspumpwerks betrugen bis Ende 1906 im ganzen . . . . 38 061 ℳ — ₰

Dieselben wurden getilgt:

in 1905 mit	14 417 ℳ	41	₰			
„ 1906 dem Voranschlag gemäß mit	15 400 „	—	„			
„ „ durch außerordentliche Abschreibung	8 243 „	59	„	38 061 ℳ	—	₰

12. Kassenverkehr und Rechnungsergebnisse.

Die Kasse durchliefen an Einnahmen und es wurden in bar und an Belegen an die Stadtkasse abgeliefert bezw. an die Interessenten ausbezahlt:

	1906				1905			
Viehhof	79 474	ℳ	16	₰	78 139	ℳ	65	₰
Schlachthof	337 996	„	36	„	350 695	„	61	„
Herbst-Pferde- und -Fohlenmarkt	2 673	„	13	„	—	„	—	„
Freibankerlös abzügl. 3 957 ℳ 55 ₰ Gebühren, welche bereits unter Schlachthof vereinnahmt sind	59 621	„	57	„	72 366	„	72	„
Miete und sonstige vereinnahmte Posten	11 846	„	68	„	11 136	„	86	„
Summe	491 611	ℳ	90	₰	512 338	ℳ	84	₰

Die Verzinsung und Tilgung der für die Schlacht- und Viehhofanlage aufgewendeten Kapitalien hat sich für das Rechnungsjahr 1906 wie folgt gestaltet:

Bezeichnung	Ursprungskapital		Tilgungen bis 31. März 1906		Restkapital 31. März 1906		3 ½ % Zinsen vom Restkapital für 1906		Tilgungen für 1906: ½ % des Ursprungskapitals zuzüglich der ersparten Zinsen		Tilgungen für 1906: 5 % des Ursprungskapitals		Restkapital 31. März 1907	
	ℳ	₰	ℳ	₰	ℳ	₰	ℳ	₰	ℳ	₰	ℳ	₰	ℳ	₰
1. Grund und Boden	760 050	67	20 378	75	739 671	92	25 888	52	4 513	51	—	—	735 158	41
2. Gebäude und Straßen	1 799 448	45	100 292	40	1 699 156	05	59 470	46	12 507	48	—	—	1 686 648	57
3. Maschinen, Einrichtungen	504 747	89	181 001	21	323 746	68	11 331	13	—	—	25 237	39	298 509	29
4. Vorarbeiten rc. rc.	9 066	75	2 905	16	6 161	59	215	66	—	—	453	34	5 708	25
Summe	3 073 313	76	304 577	52	2 768 736	24	96 905	77	17 020	99	25 690	73	2 726 024	52

Ferner wurden als 1. Tilgungsrate der Kosten für den Einbau einer Entnebelungsanlage in der Schweineschlachthalle 1 980 ℳ an die Vermögensrechnung abgeführt.

Im übrigen wird auf die ziffernmäßige Darstellung der Rechnungsergebnisse des Schlacht- und Viehhofs Seite 296 ff. verwiesen.

XXII. Hafenbahn.

1. Im allgemeinen.

Im Schlacht- und Viehhof haben die Materialientransporte um 57 und die Viehtransporte um 291 Wagen abgenommen. Es ist somit eine Abnahme von 348 Wagenladungen zu verzeichnen. Unter den Transporten sind 29 Wagenladungen Pferde und Ausstellungsgegenstände enthalten, welche gelegentlich des Herbst-Pferdemarktes im Oktober 1906 im Viehhof ein- bezw. abgingen.

In den Häfen, einschließlich der Ladestelle Rheinallee und dem Industriegebiet auf der Ingelheimer Au, hat der Verkehr wiederum zugenommen. Er weist eine Steigerung von 2480 Wagenladungen und 440 Extrarangierungen auf. Es wurden somit 2920 beladene Eisenbahnwagen mehr rangiert als in 1905. Außerdem wurden mit den stadteigenen Wagen „Hafenbahn Mainz Nr. 1 und 2" in dem Berichtsjahr 190 und mit nicht stadteigenen Wagen 20 Transporte von Gütern auf den Bahnanlagen innerhalb des Hafen- und Industriegebietes ausgeführt.

Die Verkehrszunahme hat sich hauptsächlich beim Empfang und Versand von Roh- und bearbeiteten Materialien im Industriegebiet ergeben.

Bezüglich der Zu- und Abnahme des Verkehrs wird hier noch auf die Erläuterungen unter den Abteilungen Hafen und Lagerhäuser, sowie Schlacht- und Viehhof, Seiten 126, 144 und 161 dieses Berichtes, verwiesen.

Der Bahnbetrieb fand im Schlacht- und Viehhof an 365 und in den Häfen an 301 Tagen statt. In der Übernahme der Wagen von der Staatseisenbahnverwaltung und der Übergabe der Wagen an dieselbe sind im Berichtsjahre sowohl beim Viehhofverkehr als auch beim Hafenverkehr keine Änderungen eingetreten. Durch den weiteren Ausbau des Industriegebietes auf der Ingelheimer Au und an der verlängerten Rheinallee sowie infolge Vermehrung der dort geschaffenen räumlich weit auseinander liegenden Gleisanschlüsse wurde die dauernde Indienststellung der dritten Lokomotive nebst zugehörigem Rangierpersonal erforderlich. An 11 sehr verkehrsreichen Tagen wurden außer den drei ständigen Übernahme- und Übergabezügen noch die fahrplanmäßig vorgesehenen beiden Bedarfszüge gefahren. Ferner wurden durch Sonderfahrten mit Bier beladene und auch leere Wagen übernommen.

Das Personal der Hafenbahn-Verwaltung setzte sich am Schlusse des Jahres, abgesehen von dem Bahnverwalter, zusammen aus:

1. einem Bahnverwaltungsgehilfen (zugleich mit Dienstobliegenheiten bei der Hafenverwaltung betraut);
2. zwei Lokomotivführern;
3. drei Lokomotivheizern (davon ist einer zum Lokomotivführer geprüft und mit Führung der dritten Lokomotive betraut);
4. drei Rangiermeistern (davon ist einer mit der Wagenkontrolle betraut);
5. sieben Weichenstellern (davon ist einer mit Wahrnehmung des Rangiermeisterdienstes bei der dritten Lokomotive betraut und ein zweiter zur Dienstleistung auf das städtische Wagenbureau kommandiert);
6. neun Rangierarbeitern (davon ist einer zum Aushilfslokomotivheizer geprüft);
7. vier Bahnunterhaltungsarbeitern;
8. einem Weichenschlosser;
9. einem Bureauhilfsarbeiter (derselbe ist auch zum Rangiermeister geprüft und mit der Abfertigung der Züge betraut).

Zwecks weiterer Anschüttung von Gelände im Industriegebiet auf der Ingelheimer Au verlegte die Baufirma Gebr. Meyer in Köln eine schmalspurige Förderbahn mit Lokomotivbetrieb, die das Hafenbahngleis an einer Stelle kreuzt.

2. Bahnerweiterung und Bahnunterhaltung.

Infolge der weiteren Erschließung des Industriegebiets auf der Ingelheimer Au und an der verlängerten Rheinallee wurden umfangreiche Um- und Erweiterungsbauten am städtischen Hafenbahnnetz vorgenommen und im Laufe des Berichtsjahres dem Betrieb übergeben. Die Zugänge an Gleisen, Weichen ꝛc. betragen 2 454,28 lfd. m Gleis, 13 Weichen und 2 Drehscheiben, die Abgänge dagegen 1 025,36 lfd. m Gleis. Ferner entstanden infolge des im Berichtsjahre fertiggestellten Gleisanschlusses an der Mombacherstraße an städtischen Gleisanlagen: 361,75 lfd. m Gleis, 1 Weiche und 1 Drehscheibe.

Außer den laufenden Unterhaltungsarbeiten ꝛc. wurden noch folgende besonders hervorzuhebende Arbeiten ausgeführt:

a) Das hinter der Revisionshalle 1 nach dem Rangierbahnhof zu liegende Ladegleis wurde zwecks Nutzbarmachung desselben beim Zusammenstellen der abgehenden Staatsbahnzüge auf eine Länge von 126 m um 44 cm weiter von der Halle abgerückt. Es war dies erforderlich, um beim Plombieren, Reinigen und Bezetteln der Wagen gefahrlos zwischen diesen und der Halle hergehen zu können. Mit den genannten Gleisarbeiten waren größere Pflasterarbeiten verbunden.

b) Zum Schutze des beim Rangieren verschiedentlich beschädigten Mauerwerks des Lokomotivschuppens wurde eine besonders konstruierte Prellvorrichtung angefertigt und in unmittelbarer Nähe vor dem Lokomotivschuppen aufgestellt.

c) Zwei viel befahrene Drehscheiben von 8,00 m Durchmesser wurden einer gründlichen Reparatur unterzogen, die Eisenkonstruktionen gereinigt, von Rost befreit und mit Ölfarbe gestrichen. Die Drehscheiben-Umfassungen wurden gehoben und auf die richtige Lage gebracht.

d) Ein Schutzgeländer gelangte zur Anfertigung und Aufstellung beim Elektrizitätswerk am Bahnübergang Biebricherstraße.

e) Ein Wellblechhäuschen, als Aufenthaltsraum für das Bahnunterhaltungspersonal dienend, wurde angefertigt und bei der Freiladestelle Rheinallee aufgestellt.

f) Infolge Beschlusses der Stadtverordneten-Versammlung vom 2. März 1906 gelangte ein großer offener Güterwagen von 10,12 m Bodenlänge und einer Tragfähigkeit von 15 750 kg zur Neuanschaffung. Derselbe wurde mit der Bezeichnung „Hafenbahn Mainz 2" versehen und am 21. September 1906 dem Hafenbahnbetrieb übergeben.

g) Infolge der im Vorjahre vorgenommenen Gleisneubauten auf der Ingelheimer Au und der damit verbundenen Verschiebungen von vorhandenen Gleisen wurden größere Strecken Bettungskies freigelegt. Derselbe wurde aufgenommen und an anderen Stellen des Bahngebiets wieder verwendet.

h) Infolge Ausbaus der Gaßnerallee sonner auf der Strecke zwischen Rheinallee und oberer Austraße das daneben herziehende Hafenbahngleis auf die richtige Höhe gelegt werden, wozu größere Mengen Stopfkies und Kleinschlag verwendet wurden.

i) Die bei Verlegung des Kabels für den zur Aufstellung kommenden elektrischen Kran vorzunehmenden Erdarbeiten gelangten zur Ausführung und wurde dabei die landseitige Kranschiene der Länge nach mit einer Betonunterlage versehen; zu gleicher Zeit wurden die dortselbst liegenden Hafenbahngleise reguliert, gehoben und neu unterstopft. Bei den vorgenannten Arbeiten waren umfangreiche Pflasterarbeiten und wesentliches Heben der Hafenbahn vorzunehmen.

k) Sämtliche Gleise wurden auf Spurweiten und Höhenlagen zweimal nachgemessen, die gefundenen Anstände beseitigt und gleichzeitig die Temperaturöffnungen reguliert, auch wurde eine einmalige Messung der Abstände fester Gegenstände von den Gleisen vorgenommen.

l) Die Drehscheibengruben wurden von Schutt und Unrat einmal gründlich gereinigt, eine Anzahl Warnungstafeln infolge Verlegung von Übergängen ausgegraben und versetzt, die Spurrillen der eingepflasterten Haarmanngleise fünfmal und sämtliche Gleise zweimal von Gras und Unrat gründlich befreit.

m) 2 442 lfd. m Gleis wurden gehoben und nachgestopft, wobei verschiedentlich größere Mengen Stopfkies oder Kleinschlag zur Verwendung gelangten und ferner öfters Neupflasterungen und Chaussierungen von Straßenübergängen vorgenommen werden mußten.

n) Die vorhandenen Böschungsgräben wurden von Laub und Unrat gereinigt, neu ausgehoben und die Gleise zwischen dem Elektrizitätswerk und der Fabrik von L. Marx sowie neben der Fabrik von C. Kempnich von Flugsand befreit.

o) Eine Anzahl unbrauchbar gewordener Schienen, Schwellen und Kreuzungspfähle gelangte zur Auswechselung.

p) Während der Winterperiode waren zusammen an neun Tagen größere Arbeitsleistungen beim Entfernen von Schneemassen aus den Bahnanlagen erforderlich und mußten hierbei verschiedentlich Aushilfsarbeitskräfte in Anspruch genommen werden.

Nach Vornahme der genannten Veränderungen bestanden am Schlusse des Berichtsjahres die städtischen Hafenbahnanlagen aus:

a) Im Hafen- und Industriegebiet:

19 286,68 lfd. m Gleis,	81 einfachen Weichen,
27 Drehscheiben,	2 Gleiswaggonwagen mit einer Tragfähigkeit von 25 000 kg bezw. 35 000 kg,
5 Gleiskreuzungen,	3 Lokomotiven,
1 doppelten Kreuzungsweiche,	2 Güterwagen (Hafenbahn Mainz Nr. 1 u. 2).
1 einfachen Kreuzungsweiche,	

b) An der Mombacher Straße:

361,75 lfd. m Gleis,	1 einfache Weiche,
1 Drehscheibe.	

3. Bahnbetrieb und Bahnverkehr.

Angekommen sind in den Häfen einschließlich der Ladestelle Rheinallee und Ingelheimer Au 21 496, abgegang von da 21 492 beladene und leere Wngen. Im ganzen wurden also 42 988 Wagen (ohne die Extrarangierungen und ol die Gütertransporte innerhalb des Hafenbahngebietes) befördert gegen 41 157 Wagen im Vorjahre, oder 4,4 % me Im Vorjahre hatte der Verkehr um 29,2 % zugenommen.

Nach und von dem Schlacht- und Viehhof sind zusammen 3 826 beladene und leere Wagen befördert word gegen 4 338 Wagen im Vorjahre.

Der Verkehr an beladenen Wagen auf der Verbindungsbahn Hauptbahnhof — Schlacht- und Viehhof — Häf in der Zeit vom 1. April 1906 bis 31. März 1907 und die Anteile der Stadt Mainz an den Überfuhrgebühren für Frac gut- und Wagenladungsendungen auf Grund der mit der Eisenbahnverwaltung am 3. März 1894 abgeschlossenen V träge sind in der nachstehenden Übersicht enthalten:

Beschreibung	Ankunft			Abgang			Im ganzen	
	Zahl der Wagen	Anteile an den Gebühren ℳ	₰	Zahl der Wagen	Anteile an den Gebühren ℳ	₰	Zahl der Wagen	Anteil an den Gebühr ℳ
A. Vertragsmäßige Anteile.								
1. Für Wagen (Güter) vom Zentralbahnhof nach dem Schlacht- und Viehhofe und umgekehrt, für jeden Wagen 3 ℳ (zur Hälfte)	135	202	50	38	57	—	173	259
2. Für Wagen (Vieh) nach dem Schlacht- und Viehhofe und umgekehrt, für jeden Wogen 3 ℳ (zur Hälfte)	1 418	2 127	—	221	331	50	1 639	2 458
3. Für Wagen nach der Ladestelle Rheinallee und umgekehrt für jeden Wagen 3 ℳ (hiervon 1 ℳ)	6 399	6 399	—	4 137	4 137	—	10 536	10 536
4. Für Wagen nach den Höfen und umgekehrt und zwae:								
für jeden Wagen 3 ℳ, hiervon die Hälfte	1 750			2 673			4 423	
" " " 2 " " " "	217	3 051	—	3 999	11 313	50	4 216	14 364
" " " 1 " " " "	418			6 610			7 028	
B. Vorbehaltene und nachträglich vereinbarte Anteile für Wagenladungssendungen ꝛc., welche weder unter den Rheinallee- noch unter den Hafenverkehr fallen. (½ der eingehenden Gebühren.)								
für jeden Wagen 1,00 ℳ	3			—			3	
" " " 2,00 "	90			856			946	
" " " 2,50 "	256			—			256	
" " " 3,00 "	—			—			—	
" " " 4,00 "	939			—			939	
" Übergewichte der Wagen zu 2,50 ℳ (Kohlen) für je 1 000 kg = 25 ₰ von 621 830 kg	—	1 583	57	—	569	68	—	2 153
" Stückgüter für je 100 kg = 12 ₰ von 13 815 kg	7			—			7	
Gesamtsumme im Rechnungsjahre 1906	11 632	13 363	07	18 534	16 408	68	30 166	29 771
" " " 1905	9 809	11 612	91	18 156	15 960	41	27 965	27 573
Im Rechnungsjahre 1906 mehr	1 823	1 750	16	378	448	27	2 201	2 198
Im Rechnungsjahre 1906 weniger	—	—	—	—	—	—	—	—

Von den Wagen des Schlacht- und Viehhofverkehrs wurden folgende beladene Wagen auf den Gleisen innerhalb des Schlacht- und Viehhofgebietes rangiert und hierfür die beigesetzten Schienengleisgebühren erhoben:

Beschreibung	Gesamtverkehr im Rechnungsjahre		Im Rechnungsjahre 1906		An Gebühren wurden erhoben im Rechnungsjahre				Im Rechnungsjahre 1906			
	1906	1905	mehr	weniger	1906		1905		mehr		weniger	
	Wagen		Wagen		ℳ	₰	ℳ	₰	ℳ	₰	ℳ	₰
Wagen zu 50 ₰	79	72	7	—	39	50	36	—	3	50	—	—
" " 1 ℳ	24	60	—	36	24	—	60	—	—	—	36	—
" " 2 "	1 692	2 011	—	319	3 384	—	4 022	—	—	—	638	—
Summe . .	1 795	2 143	—	348	3 447	50	4 118	—	—	—	670	50

Von den Wagen des Rheinallee- und Hafenverkehrs sowie des sonstigen Verkehrs wurden folgende beladene Wagen auf den Gleisen von der Übergabestelle der Staatsbahn in der Rheinallee nach den Verladeplätzen im Hafen- und Industriegebiet oder umgekehrt rangiert und hierfür die beigesetzten Werftgleisgebühren erhoben:

Beschreibung	Gesamtverkehr im Rechnungsjahre		Im Rechnungsjahre 1906		An Gebühren wurden erhoben im Rechnungsjahre				Im Rechnungsjahre 1906			
	1906	1905	mehr	weniger	1906		1905		mehr		weniger	
	Wagen		Wagen		ℳ	₰	ℳ	₰	ℳ	₰	ℳ	₰
1. nach und von dem Zoll- und Binnenhafen, dem Inlandhafen von der Drehbrücke am Zollhafen bis zur Straßenbrücke und der Latrinestation am Floßhafen Wagen zu 1 ℳ	22 166	20 750	1 416	—	22 166	—	20 750	—	1 416	—	—	—
2. nach und von dem linken Ufer des Floßhafens *) Wagen zu 2 ℳ	380	—	380	—	760	—	—	—	760	—	—	—
3. nach und von der Ingelheimer Au Wagen zu 1,50 ℳ	5 907	5 223	684	—	8 860	50	7 834	50	1 026	—	—	—
4. Extra-Rangierungen von Wagen von einer Verladestelle zur andern Wagen zu 1 ℳ	1 117	677	440	—	1 117	—	677	—	440	—	—	—
Summe . .	29 570	26 650	2 920	—	32 903	50	29 261	50	3 642	—	—	—

*) Die infolge der Verlängerung und des Ausbaues der Rheinallee s. Zt. entfernten Gleise nach dem linken Ufer des Floßhafens wurden wiederhergestellt und dem Betrieb übergeben.

Mit den stadteigenen Wagen Hafenbahn Nr. 1 und 2 wurden 190 Transporte ausgeführt und hierfür je 6 ℳ = 1 140 ℳ Gebühren vereinnahmt gegen 70 Transporte und 420 ℳ Gebühren im Vorjahre.

4. Rechnungsergebnisse.

Nach den Erläuterungen auf Seite 306 bis 308 betrugen:

	1906	1905	1904
a) die Gesamteinnahmen der Hafenbahnverwaltung	68 254 ℳ 72 ₰	62 586 ℳ 94 ₰	51 663 ℳ 05 ₰
b) " Gesamtausgaben " " " .	127 328 " 52 "	124 882 " 35 "	116 826 " 50 "

Der Hafenbahnbetrieb erforderte somit im Rechnungsjahr 1906 einen Zuschuß von 59073 ℳ 80 ₰ gegen den im Voranschlag vorgesehenen Betrag von 74140 ℳ und gegen 62295 ℳ 41 ₰ im Vorjahre.

Die für das Rechnungsjahr 1906 verausgabten Beträge für Verzinsung und Tilgung der für die Gebäude, Lokomotiven und Gleisanlagen aufgewendeten Baukapitalien und der Kapitalbestand sind aus der folgenden Übersicht zu ersehen:

Aufwendungen für	Ursprungskapital bis Ende des Rechnungsjahres 1904		Tilgungen bis Ende des Rechnungsjahres 1905		Restkapital am Ende des Rechnungsjahres 1905		3½% Zinsen vom Restkapital für das Rechnungsjahr 1906		Tilgungen für das Rechnungsjahr 1906: ½% des Ursprungskapitals zuzüglich der ersparten Zinsen		Tilgungen für das Rechnungsjahr 1906: 5% des Ursprungskapitals		Restkapital am Ende des Rechnungsjahres 1906	
	ℳ	₰	ℳ	₰	ℳ	₰	ℳ	₰	ℳ	₰	ℳ	₰	ℳ	₰
1. Lokomotivschuppen .	20027	10	427	03	19600	07	686	—	115	08	—	—	19484	99
2. Weichenstellerhaus im Viehhof	6381	44	360	58	6020	86	210	73	44	53	—	—	5976	33
3. Lokomotive I . . .	10800	—	6480	—	4320	—	151	20	—	—	540	—	3780	—
4. Lokomotive II . . .	17411	90	6964	80	10447	10	365	65	—	—	870	60	9576	50
5. Lokomotive III . .	18502	94	2775	45	15727	49	550	46	—	—	925	15	14802	34
6. Gleisanlagen im Hafen einschließlich 10901 ℳ 62 ₰ Ausgaben im Rechnungsjahre 1904	565200	68	246824	40	318376	28	11143	17	—	—	28260	03	290116	25
7. Gleisanlagen im Schlacht- und Viehhof	60701	09	22740	11	37960	98	1328	63	—	—	3035	05	34925	93
8. Bahnanlagen längs der Ingelheimer Au . .	181236	82	34927	99	146308	83	4% Zinsen 5852	35	—	—	9061	84	137246	99
Summe . . .	880261	97	321500	36	558761	61	20288	19	159	61	42692	67	515909	33

XXIII. Straßenbahn.

Es wird auf den zur Ausgabe gelangenden Sonderbericht verwiesen.

XXIV. Gaswerke.

Über die Betriebsergebnisse der Gaswerke wird ein besonderer Bericht erstattet.

XXV. Elektrizitätswerk.

Über die Betriebsergebnisse des Elektrizitätswerks wird ebenfalls ein besonderer Bericht erstattet.

XXVI. Wasserwerk.

Auch über die Betriebsergebnisse des Wasserwerks wird ein besonderer Bericht erstattet.

XXVII. Badeanstalten.

Die Zahl der im Rechnungsjahre 1906 abgegebenen Bäder einschl. der Schülerbäder im Fürstenbergerhofbade betrug 218 210 gegen 206 667 im Vorjahre; sie entspricht einer Zunahme von 11 543 Bädern. Der Besuch der Badeanstalten war hiernach ein sehr erfreulicher. Obwohl der Betrieb in dem Gartenfeldbade wegen Reinigung der Heizkörper und Reparatur der Entwässerungsanlage an 14 Tagen, ebenso im Gutenbergbade wegen Untermauerung der Niederdruck-Dampfkessel an 19 Tagen eingestellt werden mußte, ist die Zahl der im Berichtsjahre abgegebenen Bäder gegen das Vorjahr um 5,58 % gestiegen.

Der Gattung nach wurden abgegeben:

Wannenbäder I. Klasse	12 575 Stück,	in Prozenten der Gesamtziffer	5,76 (6,03)
„ II. „	62 743	„ „ „ „ „	28,75 (29,03)
Brausebäder	142 892	„ „ „ „ „	65,49 (64,94)

An der Abgabe der Bäder sind beteiligt:

das Fürstenbergerhofbad	mit 54 932 Stück	= 25,17 %	(24,18 %)
„ Gartenfeldbad	„ 46 560 „	= 21,34 %	(18,00 %)
„ Gutenbergbad	„ 116 718 „	= 53,49 %	(57,82 %)

Auf je 100 in den einzelnen Badeanstalten abgegebene Bäder entfallen der Gattung nach:

in der Badeanstalt	auf Wannenbäder I. Klasse zu 50 ₰	auf Wannenbäder II. Klasse zu 25 ₰	auf Brausebäder zu 10 ₰
Fürstenbergerhofbad	1,45	27,86	70,69
„ im Vorjahre	1,48	28,74	69,78
Gartenfeldbad	3,64	23,22	73,14
„ im Vorjahre	3,81	22,16	74,03
Gutenbergbad	8,64	31,38	59,98
„ im Vorjahre	8,63	31,29	60,08

Der städtische Zuschuß für ein abgegebenes Bad beträgt im

	Rechnungsjahre 1906	Rechnungsjahre 1905	Unterschied
Fürstenbergerhofbad	11,63 ₰	12,91 ₰	— 1,28 ₰
Gartenfeldbad	12,82 „	29,85 „	— 17,03 „
Gutenbergbad	4,35 „	3,61 „	+ 0,74 „

Über den Besuch der Anstalten, die Benutzung der Badezellen sowie die Rechnungsergebnisse geben die nachstehenden Tabellen 1 und 2 Aufschluß.

1. Besuch der Anstalten.

Rechnungsjahr	Zahl der. Betriebstage	Wannenbäder I. Klasse	Wannenbäder II. Klasse	Brausebäder	zweiten Handtücher	Durchschnittliche tägliche Besucherzahl	Stärkster Besuch am Tag	Monat	Jahr	Zahl der abgegebenen Bäder	Schwächster Besuch am Tag	Monat	Jahr	Zahl der abgegebenen Bäder
A. Fürstenbergerhof-Bad.														
1906	359	794	15 304	38 834	2 724	153	14.	April	1906	472	12.	Febr.	1907	33
1905	350	741	14 361	34 864	2 388	143	10.	Juni	1905	410	11.	Sept.	1905	18
1906 mehr	9	53	943	3 970	336	10	—	—	—	62	—	—	—	15
1906 weniger	—	—	—	—	—	—	—	—	—	—	—	—	—	—
B. Gartenfeld-Bad.														
1906	342	1 694	10 814	34 052	2 956	136	2.	Juni	1906	463	25.	Dezbr.	1906	20
1905	283	1 417	8 246	27 550	2 432	131	10.	„	1905	409	25.	„	1905	29
1906 mehr	59	277	2 568	6 502	524	5	—	—	—	54	—	—	—	—
1906 weniger	—	—	—	—	—	—	—	—	—	—	—	—	—	9
C. Gutenberg-Bad.														
1906	339	10 087	36 625	70 006	8 195	344	2.	Juni	1906	848	14.	Juni	1906	95
1905	341	10 312	37 383	71 793	8 774	350	29.	April	1905	779	1.	Novbr.	1905	84
1906 mehr	—	—	—	—	—	—	—	—	—	69	—	—	—	11
1906 weniger	2	225	758	1 787	579	6	—	—	—	—	—	—	—	—

2. Rechnungs-Ergebnisse.

Rechnungsjahr	Im Tagesdurchschnitt kommen auf eine Zelle an Bädern: Wannenzellen I. Klasse	Wannenzellen II. Klasse	Brausezellen	Durchschnittl. Wasserverbrauch für ein abgegebenes Bad einschl. Selbstverbrauch Liter	Brennmaterialien (Koks) für ein Bad im Durchschnitt kg	Gesamt-Betriebs-Kosten ℳ	₰	Gesamt-Einnahme einschl. des Geldaufschlags der Wohnung ℳ	₰	Mithin Zuschuß (aus den Überweisungen der Sparkasse) ℳ	₰	Durchschnittliche Selbstkosten eines Bades ₰	Durchschnittseinnahme für ein Bad ₰	Mithin mußten für ein Bad zugelegt werden ₰
A. Fürstenbergerhof-Bad.														
1906	2,21	7,10	8,32	311	2,3	15 071	86	8 684	80	6 387	06	27,44	15,81	11,63
1905	2,12	6,84	7,66	300	2,4	14 575	20	8 125	65	6 449	55	29,17	16,26	12,91
1906 mehr	0,09	0,26	0,66	11	—	496	66	559	15	—	—	—	—	—
1906 weniger	—	—	—	—	0,1	—	—	—	—	62	49	1,73	0,45	1,28

Rechnungsjahr	Im Tagesdurchschnitt kommen auf eine Zelle an Bädern: Wannenzellen I. Klasse	Wannenzellen II. Klasse	Brausezellen	Durchschnittl. Wasserverbrauch für ein abgegebenes Bad einschl. Selbstverbrauch Liter	Brennmaterialien (Koks) für ein Bad im Durchschnitt kg	Gesamt-Betriebs-Kosten ℳ	₰	Gesamt-Einnahme einschl. des Geldanschlags der Wohnung ℳ	₰	Mithin Zuschuß (aus den Überweisungen der Sparkasse) ℳ	₰	Durchschnittliche Selbstkosten eines Bades ₰	Durchschnittseinnahme für ein Bad ₰	Mithin mußten für ein Bad zugelegt werden ₰
B. Gartenfeld-Bad.														
1906	2,48	5,27	7,11	303	2,4	13 171	77	7 203	50	5 968	27	28,29	15,47	12,82
1905	2,50	4,85	6,95	279	2,4	16 853	60	5 746	60	11 107	—	45,29	15,44	29,85
1906 mehr	—	0,42	0,16	24	—	—	—	1 456	90	—	—	—	0,03	—
1906 weniger	0,02	—	—	—	—	3 681	83	—	—	5 138	73	17,00	—	17,03
C. Gutenberg-Bad.														
1906	7,44	13,50	11,47	311	2,2	26 787	64	21 710	10	5 077	54	22,95	18,60	4,35
1905	7,56	13,70	11,70	272	2,0	26 537	72	22 224	45	4 313	27	22,21	18,60	3,61
1906 mehr	—	—	—	39	0,2	249	92	—	—	764	27	0,74	—	0,74
1906 weniger	0,12	0,20	0,23	—	—	—	—	514	35	—	—	—	—	—

D. Gesamtergebnis des Jahres 1906.

	Ausgabe		Einnahme		Zuschuß	
1. Fürstenbergerhofbad	15 071	86	8 684	80	6 387	06
2. Gartenfeldbad	13 171	77	7 203	50	5 968	27
3. Gutenbergbad	26 787	64	21 710	10	5 077	54
Im ganzen	55 031	27	37 598	40	17 432	87

Die Selbstkosten eines abgegebenen Bades setzen sich wie folgt zusammen:

Ordn.-Nr.	Bezeichnung der Ausgaben	Fürstenbergerhofbad 1906 ₰	Fürstenbergerhofbad 1905 ₰	Gartenfeldbad 1906 ₰	Gartenfeldbad 1905 ₰	Gutenbergbad 1906 ₰	Gutenbergbad 1905 ₰
1	Gehalte und Wäscherinnen-Löhne	5,31	5,53	6,40	7,00	4,83	4,20
2	Unterhaltung des Inventars, Seife, Drucksachen	1,21	1,41	2,05	3,36	1,29	1,89
3	Wasser, Heizung und Beleuchtung	12,07	12,39	11,18	11,56	10,03	9,38
4	Steuern und Brandversicherungsbeiträge	0,22	0,27	0,19	0,27	0,11	0,12
5	Unterhaltung der Kessel, Röhrenleitungen und der Gebäude	0,91	0,92	2,22	15,28	1,64	1,69
6	Verzinsung und Tilgung der Baukosten	7,72	8,65	6,25	7,82	5,05	4,93
	zusammen	27,44	29,17	28,29	45,29	22,95	22,21

XXVIII. Feuerlöschwesen.

Der Personalbestand der Feuerwehr betrug außer den Chargen und Signalisten am 1. April 1906		146 Mann
Eingetreten sind im Berichtsjahre		12 „
zusammen		158 Mann
Ausgetreten sind:		
auf ihren Antrag	9 Mann	
zurückgetreten als Ehrenmitglieder nach mehr als 25 Dienstjahren	5 „	
gestorben	4 „	
Als Brandmeister gewählt	1 „	19 Mann
Bestand am 31. März 1907		139 Mann

Übungen wnrden gehalten an 34 Abenden und an 15 Sonntagen.

Bei den Übungen kamen keine Verletzungen vor. Bei den Bränden erlitten 3 Mann leichte Verletzungen, wodurch 2 Mann je 14 Tage und 1 Mann 30 Tage arbeitsunfähig waren.

Außer den regelmäßigen Nachtwachen, Theaterwachen, Sonn- und Feiertagswachen und Meßwachen wurde noch Sicherheitsdienst geleistet in der Stadthalle 56mal, im Konzerthaus der Liedertafel und im Gutenberg-Kasino je 1mal.

Von den am 1. April 1906 vorhandenen 4 857 m gummierten Schläuchen wurden im Laufe des Jahres als unbrauchbar 396 m ausrangiert. Neu beschafft wurden 840 m, mithin war der Schlauchbestand am 31. März 1907: 5 301 m.

Die Zahl der öffentlichen Hydranten war bei Beginn des Jahres 1 123; hinzu kamen 64 Stück, so daß jetzt 1 187 vorhanden sind. Außerdem liegen noch 43 plombierte Hydranten in Privatgrundstücken. Von den öffentlichen Hydranten sind 75 Über- und 1 112 Unterflurhydranten.

Am 30. April 1906 wurde die in dem seitherigen Löschgerätemagazin im Gebäude des 4. Polizeibezirks (Neubrunnenstraße 13) neuerrichtete Feuerwache I dem Betrieb übergeben. Ein ständiger Wachtmeister wurde angenommen und die Zahl der ständigen Feuerwehrleute von 4 auf 6 vermehrt. Seit Inbetriebnahme der neuen Wache ist die Wachtbesetzung des Nachts folgende: auf Feuerwache I = 1 Wachtmeister, 1 ständiger Feuerwehrmann und 6 freiwillige Feuerwehrleute, hierunter stets 2 Steiger; auf Feuerwache II (Stadttheater) = 4 freiwillige Feuerwehrleute. — Feuerwache I rückt bei jeder eingehenden Feuermeldung sofort aus. Feuerwache II rückt nur bei Bränden in der Altstadt aus zur sofortigen Unterstützung von Wache I, besorgt sonst die nächtliche Bewachung des Theaters durch stündliche Rundgänge und dient als Reserve für den Fall, daß Wache I in der Neustadt oder den Vororten beschäftigt sein sollte und eine zweite Feuermeldung eingeht. Den ersten Angriff bei Tage betätigt der Wachtmeister mit den ständigen Feuerwehrleuten.

Der als Angriffsfahrzeug für Feuerwache I beschaffte elektro-automobile Mannschafts- und Gerätewagen wurde nach dem Einfahren der Mannschaft und erfolgter Ausrüstung am 1. Dezember 1906 in Dienst gestellt. Mit dem Fahrzeug wurden sowohl zu Übungszwecken als bei 36 Fahrten zum Feuer im ganzen 1 277 km zurückgelegt.

Die Feuerwehr kam während des Jahres 91mal (51) mehr oder weniger in Tätigkeit. Es rückten aus: Feuerwache I 84mal, Feuerwache II 16mal und die Gesamtwehr 6mal.

Außerdem wuede die Feuerwehr und zwar Wache I 33mal in Anspruch genommen, um Kranke oder Verwundete zu transportieren.

Von den 91 Bränden entfallen auf

den I. Polizeibezirk	25 Brände	(18)
„ II. „	14 „	(9)
„ III. „	16 „	(7)
„ IV. „	28 „	(8)
„ V. „	5 „	(8)
„ VI. „	3 „	(1)
zusammen	91 Brände	(51).

Ihrer Ausdehnung und dem angerichteten Schaden nach waren es 6 (3) Großfeuer, hierunter eines in Zahlbach, 4 (3) Mittelfeuer, 40 (29) Kleinfeuer und 41 (16) Schornsteinbrände.

Besonders bemerkenswerte Brände waren:
am 11. April 1906: Zahlbach, Hauptstraße 17, Wohnhaus mit Nebengebäude;
am 6. August 1906: Emmeransstraße 34, Lackiererwerkstätte mit Wohngebäude;
am 11. September 1906: Betzelsstraße 6, Holzlager und Möbelschreinerei unter Wohngebäude;
am 1. Oktober 1906: Bilhildisstraße 5, Dachstuhl;
am 6. Dezember 1906: Löhrstraße 29, Etage und Treppenhaus in leerstehendem Hotel;
am 16. Dezember 1906: Schusterstraße 17, großer Laden.

Ihrer Art nach waren es 20 Zimmerbrände, 8 Kellerbrände, 4 Wechselbrände, 2 Dachstuhlbrände, 2 Stallbrände, je 1 Brand von Wohn- und Nebengebäude, Werkstätte mit Wohngebäude, eines Gartenhauses, Kleidungsstücke auf dem Dache, eines Grasraines, einer Zwischenwand, Unrat im Hofe, Holzlager unter Wohngebäude, Holzverschlag unter Treppe, eines Pechkessels, leerstehendes Hotel, großer Laden, Holzscheite im Hofe, in einem Magazin und 41 Schornsteinbrände.

Die Entstehungsursache war in 9 Fällen unvorsichtiges Umgehen mit Feuer und Licht, in 9 Fällen Umfallen bezw. Explosion von Petroleumlampen, Petroleum- und Spirituskochern, in 8 Fällen fehlerhafte Heiz- und Beleuchtungsanlage, in 2 Fällen mit Feuer spielende Kinder, in je 1 Falle Umfallen eines brennenden Christbaumes, Überheizen einer Räucherkammer, Aufgießen von Petroleum auf Feuer, in 41 Fällen Entzündung von Ruß und in 18 Fällen blieb die Ursache unbekannt.

Die Brände verteilen sich auf die einzelnen Monate des Berichtsjahres wie folgt:

1906			1906			1907		
April	5 Brände	(4)	September	10 Brände	(2)	Januar	15 Brände	(2)
Mai	1 „	(3)	Oktober	5 „	(6)	Februar	7 „	(6)
Juni	11 „	(6)	November	6 „	(6)	März	12 „	(6)
Juli	5 „	(3)	Dezember	9 „	(2)			
August	5 „	(5)						

Der Zeit nach verteilen sich die Brände:
auf den Tag (von 6 Uhr morgens bis 10 Uhr abends) 76 Brände (40)
„ die Nacht („ 10 „ abends „ 6 „ morgens) 15 „ (11)

Die Kosten des Feuerlöschwesens im Berichtsjahre waren folgende:

A. Vergütungen.

1.	Ständische Wehr und Türmer	10 106,61 ℳ
2.	Freiwillige Wehr	6 607,90 „
3.	Nacht-, sowie Sonn- und Feiertagswachen	10 497,40 „

B. Sachliche Ausgaben.

4.	Uniformierung	1 836,00 „
5.	Wachtlokale und Wachegerätschaften	1 644,64 „
6.	Signaleinrichtungen	1 238,75 „
7.	Ausrüstungsstücke und Löschgeräte	4 217,68 „
8.	Übungen und Brände	1 078,32 „
9.	Löschgerät-Magazine	777,62 „
10.	Tilgung größerer Aufwendungen	9 050,00 „
	Gesamtkosten des Feuerlöschwesens . . .	47 054,92 ℳ
	Im Vorjahre . . .	32 882,69 „

Die Ausgabe auf den Kopf der Bevölkerung berechnet sich zu 51 ₰ (36 ₰).

Die gegenüber dem Vorjahre zu verzeichnende Mehrausgabe ist auf die Errichtung der ständigen, mit einem Automobilfahrzeug ausgerüsteten Wache, die dadurch bedingte Vermehrung der ständigen Feuerwehrleute, sowie auf die Besetzung von 2 Wachen des Nachts, statt seither nur einer, zurückzuführen.

XXIX. Öffentliches Reinigungswesen.

1. Allgemeines.

Die Aufgaben des Reinigungsamtes haben sich im Berichtsjahre nicht geändert. Sie erstreckten sich auf:

a) die Straßenreinigung (ausschließlich der chaussierten Straßen),
b) „ Straßenbegießung,
c) „ Schnee- und Eisbeseitigung,
d) „ Abfuhr der Haushaltungsabfälle,
e) „ Entleerung der Abortgruben,
f) „ Prüfung neu errichteter sowie schadhafter Abortgruben,
g) „ Revision der nach den Systemen Brix und Gibian erbauten Abortgruben,
h) „ Bedienung der öffentlichen Bedürfnisanstalten,
i) „ Reinigung der Markt- und Meßplätze,
k) „ Wohnungsdesinfektion,
l) „ Reinigung der Straßenschilder, Gaskandelaber und Wandarme.

Das Bureau- und Aufsichtspersonal bestand außer dem Vorsteher aus:

1 Verwalter,	1 Sekretariatsgehilfen II. Kl.
1 Sekretariatsgehilfen I. Kl.,	4 Aufsehern und
1 Verwalter des Fuhrwesens,	1 Hilfsarbeiter.

Das Arbeiterpersonal setzte sich am Jahresschluß zusammen aus:

11 Handwerkern,	12 Vorarbeitern,	33 Fuhrleuten,
5 Maschinisten,	1 Boten,	108 Arbeitern und
2 Hilfsmaschinisten,	5 Hilfsheizern,	3 Wärterinnen.
15 Obleuten,	1 Wächter,	

Außer diesem ständigen Arbeiterpersonal wurden bei Schneefällen noch unständige Arbeiter in größerer Zahl beschäftigt.

Dem ständigen Arbeiterpersonal wurde Dienstkleidung geliefert, die für die Handwerker und das Latrinenreinigungspersonal aus Hose und Kittel, für Straßenkehrer, Müllader, Planierer und Fuhrleute aus Joppe bezw. Kittel, Mütze und Handschuhen bestand; die Fuhrleute erhielten außerdem Regenkragen und Filzstiefel. Im Durchschnitt wurden 20 ℳ 13 ₰ für den Mann und das Jahr für Dienstkleidung aufgewendet.

Von dem Arbeiterpersonal standen

28 Leute im Alter von 20 bis 30 Jahren
35 „ „ „ „ 30 „ 40 „
59 „ „ „ „ 40 „ 50 „
47 „ „ „ „ 50 „ 60 „
22 „ „ „ „ 60 „ 70 „ und
2 Mann „ „ „ über 70 „

9 Arbeiter haben das Arbeitsverhältnis freiwillig gelöst und 2 sind entlassen worden; 4 weitere Arbeiter sind infolge eingetretener Invalidität ausgeschieden und 3 andere gestorben.

An Lohn bezog das ständige Arbeiterpersonal durchschnittlich 1188 ℳ 83 ₰ (1118 ℳ 30 ₰) für den Mann und das Jahr — einschließlich der den Arbeitern seit dem 1. April 1906 gewährten Familienzulagen —, während die unständigen Arbeiter 30 ₰ für die Stunde erhielten.

Die zu reinigende Fahrbahnfläche hat sich um 4 950 qm und die der Fußsteige um 4 034 qm, mithin die ganze Reinigungsfläche um 8 984 qm vergrößert und zwar infolge Neupflasterung in der Leibnizstraße, Frauenlobstraße, Bonifaziusstraße, Schulstraße und Raimundistraße. Am Schlusse des Berichtsjahres umfaßte die Reinigungsfläche insgesamt rund 624 534 qm, wovon 405 450 qm auf Fahrbahnen und 219 084 qm auf Fußsteige entfielen.

Von den zu reinigenden Fußsteigflächen waren 54 925 qm auch von Schnee und Eis zu befreien und bei Bedarf zu entglätten.

Die zu begießende Straßenfläche hat sich von 583 400 qm auf 589 000 qm, demnach um 5 600 qm vergrößert.

Die Zahl der bewohnten Häuser betrug am Jahresschlusse 4 063.

Die zu entleerenden Abortgruben haben sich gegen das Vorjahr um 106 vermehrt; deren Zahl betrug am Schlusse des Berichtsjahres 5016.

Die Latrinensammelgruben in Bodenheim, Dornberg, Kastel, Kostheim, Mörfelden, Nauheim und Weiterstadt waren im Berichtsjahre verpachtet, wogegen die Grube in Heidesheim für Rechnung der Stadt Mainz verwaltet wurde.

Der Wagenpark bestand am Schlusse des Rechnungsjahres aus: 7 Dampfluftpumpen, 15 Eisenbahnwagen zum Latrinetransport (außerdem waren 3 von der Eisenbahnverwaltung gemietet), 20 gedeckte Müll- und Straßenkehricht-Abfuhrwagen, 20 Gießwagen, 50 Latrinefaßwagen, 6 Schlauchwagen, 5 Bollerwagen, 5 Rollen, 5 Kehrmaschinen, 2 Kastenkarren, 3 Bodensatzkarren, 2 Kübellatrinewagen, 1 Kübeltransportwagen, 1 Leiterwagen, 1 Straßenwaichmaschine, 1 Saug- und Druckapparat, 1 Chaise, 14 Handgießwagen, 3 Straßenbespritzungskarren (Schlauchhaspel), 24 Schneekarren und 42 andere Hand- und Schubkarren.

2. Straßenreinigung.

Von der gereinigten Fahrbahnfläche waren am Ende des Rechnungsjahres 1906 etwa 337 460 qm mit Steinpflaster und 67 990 qm mit Asphalt-Zement- oder Holzpflaster befestigt. Die 219 084 qm umfassende Fußsteigfläche war zum weitaus größten Teil asphaltiert.

Beschäftigt waren bei der Straßenreinigung

13 Obleute
8 Vorarbeiter und durchschnittlich
68 Arbeiter

mit insgesamt 296 018 (306 145) Arbeitsstunden und einem Aufwand an Löhnen von 104 949 ℳ 39 ₰ (102 420 ℳ 59 ₰).

Kehrmaschinen waren an 181 (208) Tagen = 1 760 (3 030) Arbeitsstunden in Tätigkeit. Der Verbrauch an Kehrwalzen betrug 13 (24) Stück.

3 716 (3 865) Piassavabesen, 10 (49) Haarbesen und 299 (255) Reiserbesen wurden verbraucht. Das zum Vorgießen benötigte Wasser betrug 14 590 cbm.

Der zusammengebrachte und abzufahrende Straßenkehricht belief sich auf 7 639 (7 570) cbm.

Die Ausgaben für die gewöhnliche Reinigung der Straßen und der Markt- und Meßplätze betrugen 134 851 ℳ 30 ₰, (133 896 ℳ 85 ₰), welche durch folgende Einnahmen vermindert wurden:

1. Erlös aus verkauftem Straßenkehricht	4 246 ℳ	— ₰	(2 206 ℳ	25 ₰)
2. für Reinigung der Fußsteige um das Großherzogliche Palais	140 „	— „	(140 „	— „)
3. für abgängige Gegenstände und sonstige nicht vorherzusehende Einnahmen .	325 „	80 „	(305 „	82 „)
Summe der Einnahmen . . .	4 711 ℳ	80 ₰	(2 652 ℳ	07 ₰)

nach deren Abzug noch aufzubringen waren 130 139 ℳ 50 ₰ (131 244 ℳ 78 ₰).

Der nachstehenden Übersicht A, Seite 199, sind die durch die gewöhnliche Reinigung der Straßen sowie der Markt- und Meßplätze und des Zollhafengebietes in den letzten 5 Jahren verursachten Kosten und deren Verteilung auf den Kopf der Bevölkerung und das qm Reinigungsfläche zu entnehmen.

3. Straßenbegießung.

Die Begießung der Straßen und öffentlichen Plätze begann am 1. April und endete am 18. Oktober; vom 23. bis 31. März war außerdem eine teilweise Begießung der Straßen vorzunehmen. Insgesamt fand sie an 135 (127) Tagen statt.

Der Wasserverbrauch zu diesem Zweck betrug 37 629 (40 693,5) cbm. Davon wurden entnommen:

	der Stadtleitung cbm		der Leitung des Reinigungsamtes cbm	
April	3 015	(2 724)	168	(253,5)
Mai	2 703	(7 371)	249	(595,5)
Juni	7 549,5	(6 480)	486,5	(516)
Juli	8 530,5	(11 944,5)	426,5	(874,5)
August . . .	7 764	(7 735,5)	366,5	(606)
September .	5 386,5	(1 362)	277,5	(168)
Oktober . .	615	(—)	40,5	(—)
März . . .	—	(58,5)	51	(4,5)
Summe .	35 563,5	(37 675,5)	2 065,5	(3 018)

Die Kosten der Begießung einschließlich des Kostenanteils an der eigenen Pferdehaltung beliefen sich auf 13 687 ℳ 46 ₰ (13 997 ℳ 73 ₰). Die Bespannung der Gießwagen erfolgte ausschließlich mit eigenen Pferden.

4. Schnee- und Eisbeseitigung.

Bei den Schneefällen am 9., 11., 12., 25., 26. und 29. Dezember 1906, 7., 21., 22., 28. und 31. Januar, 4., 12., 13., 20., 22. und 23. Februar, 9. und 11. März 1907 betrug die Schneehöhe 2, 3, 4, 6, 15, 3, 3, 2, 1, 3, 3, 3, 2, 3, 2, 2, 2, 2 und 4 cm, sonach insgesamt 65 cm.

An den vorstehenden und den darauffolgenden Tagen war die Verwendung von Hilfsarbeitern erforderlich. Es wurden insgesamt 190 (119) Mann 7 612 (2 198) Arbeitsstunden beschäftigt. Der hierdurch bedingte Lohnaufwand betrug 2 410 ℳ 90 ₰ (558 ℳ 05 ₰).

2 577 (1 358) cbm Schnee und Eis wurden durch eigenes Fuhrwerk und 2 598 (881) cbm mittels Handkarren und 3 828 (567) cbm durch Mietfuhrwerk, demnach insgesamt 9 003 (2 806) cbm aus der Stadt geschafft.

Zur Bestreuung der öffentlichen Treppen, der Bürgersteige vor städtischen Gebäuden und Plätzen, sowie der Straßenübergänge und des Holz- und Asphaltpflasters wurden 283 (479) cbm Rheinsand an- und wieder abgefahren.

Die für die Schnee- und Eisbeseitigung aufgewendeten Kosten beliefen sich auf insgesamt 12 191 ℳ 55 ₰ (7 970 ℳ 85 ₰).

5. Abfuhr der Haushaltungsabfälle.

Abgefahren wurden an Haushaltungs- und gewerblichen Abfällen, letztere gegen Bezahlung, 28 698 (25 715) cbm. Diese Abfuhr erforderte 533 (524) Doppelspänner- und 3 768 (3 244) Einspänner-Tagewerke.

Beschäftigt wurden mit Aufladen der Abfälle und Planieren derselben auf den Abladeplätzen durchschnittlich 40 (40) Arbeiter mit insgesamt 90 207 (91 952) Arbeitsstunden und einem Aufwand an Löhnen von 32 410 ℳ 80 ₰ (31 045 ℳ 01 ₰).

Die Gesamtkosten für Abfuhr der Haushaltungsabfälle bestehend in Löhnen und Kleiderkosten für Auflader und Planierer, Unterhaltung des Inventars, Anteil an der Pferdehaltung, Verzinsung und Tilgung des für Kehrichtwagen aufgewendeten Kapitals betrugen einschl. 16 ℳ uneinbringlicher Kosten 71 947 ℳ 60 ₰ (67 975 ℳ 55 ₰), welchen folgende Einnahmen gegenüberstehen:

1. für Abfuhr von Haushaltungsabfällen in außergewöhnlichen Fällen nach Vereinbarung mit den Hauseigentümern gemäß des Regulativs vom 22. Oktober 1896	1 063 ℳ 08 ₰.	(993 ℳ 11 ₰)
2. für desgleichen aus städtischen und Fonds-Gebäuden	974 „ 52 „	(888 „ 16 „)
3. für Abfuhr von gewerblichen Abfällen gemäß den Beschlüssen der Deputation für das Reinigungswesen vom 18. Mai 1899 und 5. Januar 1900 . .	2 420 „ 50 „	(2 295 „ — „)
4. für Abfuhr des Kehrichts und der Feuerungsabfälle aus dem Realgymnasium	70 „ — „	(70 „ — „)
5. für Abfuhr des Kehrichts und der Feuerungsabfälle aus dem Oster- und dem Herbstgymnasium	70 „ — „	(70 „ — „)
6. Erlös für abgängige Gegenstände	285 „ 69 „	(191 „ 10 „)
7. Vergütung für Ablagerung gewerblicher Abfälle auf dem Abladeplatz . . .	90 „ 50 „	(— „ — „)
8. Erlös aus Verpachtung der Berechtigung zum Aussuchen brauchbarer Gegenstände auf dem Abladeplatz	51 „ — „	(— „ — „)
Summe der Einnahmen . . .	5 025 ℳ 29 ₰	(4 507 ℳ 37 ₰)
Sonach blieben noch aufzubringen	66 922 ℳ 31 ₰	(63 462 ℳ 46 ₰)

Die trotz der höheren Einnahmen entstandene Erhöhung des Zuschusses war durch die am 1 November 1906 erfolgte Verlegung des Müllabladeplatzes vor das Gantor bedingt.

Der Übersicht B, Seite 199, sind die durch die Abfuhr der Haushaltungs- ꝛc. Abfälle in den letzten 5 Jahren verursachten Kosten und deren Verteilung auf den Kopf der Bevölkerung und das Kubikmeter der abgefahrenen Unratmenge zu entnehmen.

6. Latrinenreinigung.

Abortentleerungen fanden 9424 (10156) statt. Ferner waren 2592 (2501) Entleerungen von Abortkübeln aus 38 (38) kleineren Häusern erforderlich. Der Inhalt der Kübel ergab 527 (522,40) hl Latrine, die zu 16 ₰ für das hl verkauft wurde und demnach einen Erlös von 84 ℳ 32 ₰ (83 ℳ 58 ₰) brachte. Für 148 (148) Kübelentleerungen hatten die Hauseigentümer die festgesetzte Gebühr von 50 ₰, sonach zusammen 74 ℳ (74 ℳ) Kosten zu tragen.

Die insgesamt geförderte Latrinenmasse betrug 585 778,62 (626 210,71) hl, wovon 146 136,75 (148 742,36) hl wasserhaltig waren, d. h. weniger als 20 Grad nach der Beck'schen Senkwage wogen.

Die Abfuhr und Verwendung der geförderten Latrinenmasse ist aus den Tabellen C und D, Seite 200 ersichtlich.

Die Förderung der Masse in den einzelnen Monaten stellte sich wie folgt:

	1906	1905
April	44 770,07 hl	(47 446,69 hl)
Mai	54 509,10 „	(61 283,33 „)
Juni	34 917,33 „	(37 609,88 „)
Juli	41 044,04 „	(37 535,58 „)
August	44 676,57 „	(54 439,17 „)
September	49 445,66 „	(53 057,75 „)
Oktober	51 284,24 „	(45 181,99 „)
November	44 659,35 „	(47 759,44 „)
Dezember	41 516,17 „	(51 181,37 „)
Januar	56 179,61 „	(68 175,86 „)
Februar	58 509,30 „	(59 856,16 „)
März	64 267,18 „	(62 683,49 „)
Summe	585 778,62 hl	(626 210,71 hl)

Aus 56 (32) Abortgruben wurde durch nächtliche Handarbeit der Bodensatz entfernt und durch eigene Gespanne in 91 (59) Fuhren aus der Stadt geschafft. Die hierdurch entstandenen Kasten in Höhe von 1652 ℳ 85 ₰ (926 ℳ 06 ₰) wurden durch die Ersatzpflichtigen der Stadt zurückerstattet.

Neuerbaute sowie bei einer Revision schadhaft befundene und wiederhergestellte Abortgruben wurden 141 (180) auf ihre Dichtigkeit mittels Wasserfüllung geprüft. Bei 7 (23) Gruben mußte die Herstellung und Prüfung infolge festgestellter Undichtigkeit einmal, bei 2 Gruben zweimal wiederholt werden. Die Kosten dieser Prüfungen betrugen 1196 ℳ 23 ₰ (1 603 ℳ 45 ₰) und waren von den betreffenden Hauseigentümern zu tragen.

Die Gesamtausgaben für Latrinenreinigung betrugen einschließlich des Anteils an den Selbstkosten der Pferdehaltung und der uneinbringlichen Kosten 139 869 ℳ 59 ₰ (143 007 ℳ 23 ₰), welche durch folgende Einnahmeposten entlastet wurden:

	1906	1905
1. Erlös aus der Latrinenmasse	52 930 ℳ 49 ₰	(61 364 ℳ 03 ₰)
2. Ersatz der Abfuhrkosten wasserhaltiger Latrine	33 393 „ 98 „	(34 065 „ 83 „)
3. Ersatz der Kosten für Abfuhr von unbrauchbarem Bodensatz	1 652 „ 85 „	(926 „ 06 „)
4. Ersatz der Kosten für Abfuhr von Abortkübeln	74 „ — „	(74 „ — „)
5. Ersatz der Kosten für Prüfung der Latrinengruben	1 196 „ 23 „	(1 603 „ 45 „)
6. Erlös aus abgängigem Material	555 „ 15 „	(674 „ 80 „)
7. Erlös für vermietete Latrinenfaßwagen, sowie Ersatzkosten für Reparaturen an denselben	3 320 „ — „	(3 451 „ 34 „)
8. Miete von Gelände an Latrinensammelgruben	70 „ — „	(70 „ — „)
9. Unvorhergesehenes	2 „ 50 „	(4 „ — „)
10. Ersatz der Kosten für Prüfung von Abortgruben nach den Systemen Brix und Gibian	520 „ — „	(470 „ — „)
Summe der Einnahmen	93 715 ℳ 20 ₰	(102 703 ℳ 51 ₰)
Der Nettoaufwand betrug sonach	46 154 „ 39 „	(40 303 „ 72 „)

Um das Überlaufen von Abortgruben zu verhüten, mußten in den Monaten Juli bis Dezember 100 894,13 (64 685,19) hl Latrine ausgeschüttet werden.

7. Pferdehaltung.

3 Pferde, deren Leistungen den Anforderungen nicht mehr entsprachen, wurden ausrangiert und durch jüngere ersetzt. Erkrankt waren 41 Stück, davon 9 an Hufverletzungen, die sie sich auf den Unratabladeplätzen an Glasscherben, Nägeln ꝛc. zugezogen hatten. Die übrigen Krankheiten bestanden in Kolik, Druse ꝛc. Die Gebrauchsunfähigkeit der erkrankt gewesenen Pferde betrug insgesamt 405 (540,5) Tage.

Für Löhne und Dienstkleidung der Fuhrleute wurden nach Abzug der anteiligen Einnahmen insgesamt aufgewendet 34 196 ℳ 20 ₰ (33 012 ℳ 62 ₰) oder 3 ℳ 80,$_{63}$ ₰ für den Mann und den Arbeitstag.

Die Kosten für Futter, Streu, Unterhaltung des Geschirrs und des Hufbeschlags, sowie für tierärztliche Behandlung beliefen sich nach Abzug der Einnahmen auf 40 036 ℳ 43 ₰ (43 065 ℳ 98 ₰) oder 3 ℳ 35,$_{37}$ ₰ für das Pferd und den Arbeitstag.

Für einen Arbeitstag stellen sich demnach die Kosten eines Einspänners auf 3 ℳ 80,$_{63}$ ₰ + 3 ℳ 35,$_{37}$ ₰ = 7 ℳ 16 ₰ und die eines Doppelspänners auf 3 ℳ 80,$_{63}$ ₰ + 3 ℳ 35,$_{37}$ ₰ + 3 ℳ 35,$_{37}$ ₰ = 10 ℳ 51 ₰. Die Gesamtaufwendungen für die Pferdehaltung betrugen 95 927 ℳ 56 ₰ (100 452 ℳ 25 ₰.)

An Einnahmen waren zu verzeichnen:

1. für Abfuhr wasserhaltiger Latrinenmasse	16 480 ℳ	60 ₰	(17 726 ℳ	96 ₰)
2. für Abfuhr von 228 cbm Abraum zu 2 ℳ aus dem Zollhafengebiet	456 „	— „	(484 „	— „)
3. für Abfuhr von 81,5 cbm Abraum zu 2 ℳ vom Schlacht- und Viehhof	163 „	— „	(202 „	— „)
4. für Abfuhr von Abraum vom Friedhof 832 cbm zu 1,50 ℳ =	1 248 „	— „	(1 350 „	— „)
5. für Leistungen für verschiedene andere städtische Verwaltungen	465 „	60 „	(313 „	80 „)
6. Erlös aus Pferdedung	1 071 „	27 „	(1 076 „	52 „)
7. für Transport des Speisewagens für die Hospizienverwaltung	600 „	— „	(600 „	— „)
8. Erlös aus alten Hufeisen ꝛc.	550 „	46 „	(210 „	57 „)
9. Erlös aus abgängigen Pferden	640 „	— „	(2 310 „	— „)
10. Verschiedene Leistungen	— „	— „	(99 „	80 „)
Summe der Einnahmen	21 674 ℳ	93 ₰	(24 373 ℳ	65 ₰)
so daß ein Nettoaufwand verbleibt von	74 252 „	63 „	(76 078 „	60 „)

mit welchem die einzelnen Unterabteilungen des Reinigungsamts nach dem Verhältnis ihres Anteils belastet wurden.

Der nachstehenden Übersicht E, Seite 201, sind die sämtlichen Leistungen der Pferde im Berichtsjahre und die dadurch entstandenen Kosten im einzelnen zu entnehmen. Auf jedes Pferd entfielen 319 (320) Arbeitstage. Der Berechnung der Kosten wurden die oben ermittelten Einheitspreise zugrunde gelegt und bei denjenigen Fuhrleistungen, die noch zum Teil durch Mietfuhrwerke betätigt wurden, auch die an die Unternehmer vertraglich zu zahlenden Preise beigefügt, wodurch die langjährige Erfahrung von neuem bestätigt wird, daß mit der eigenen Pferdehaltung wesentliche Ersparnisse gemacht werden.

8. Bedürfnisanstalten.

Die Bedürfnisanstalt am Meßplatz wurde von 1 770 (2 171) Personen in der ersten Klasse zu 10 ₰ und von 4 801 (4 820) Personen in der zweiten Klasse zu 5 ₰ benutzt. Die Einnahme der Wärterin hieraus betrug 417,05 (458,10) ℳ. Für ihre Mühewaltung erhielt dieselbe außerdem eine Vergütung von täglich 1 ℳ aus der Stadtkasse.

Die am Markt befindliche Bedürfnisanstalt wurde von 1 912 (1 857) Personen in der ersten Klasse zu 10 ₰ und von 5 462 (5 213) Personen in der zweiten Klasse zu 5 ₰ benutzt. Die Einnahme der Wärterin, welche einen Zuschuß aus der Stadtkasse nicht erhält, betrug demnach 464,30 (446,35) ℳ.

Die Bedürfnisanstalt am Frauenlobplatz, in der sich nur Sitze zu 5 ₰ befinden, wurde von 1 613 (1 608) Personen aufgesucht, wodurch sich für die Wärterin eine Einnahme von 80,65 (80,40) ℳ ergab. Außerdem wurde ihr eine Vergütung von 1 ℳ für den Tag gewährt.

Für hinreichende Desinfektion in den Anstalten mittels Lysols usw. wurde durch das Reinigungsamt Sorge getragen und hierfür der Betrag von 60,95 (74,00) ℳ aufgewendet.

9. Wohnungsdesinfektion.

In 18 (11) Wohnungen mit 27 Zimmern, in denen ansteckende Krankheiten wie Diphtherie, Typhus, Tuberkulose &c. vorgekommen waren, wurden Desinfektionen mittels Formalin vorgenommen.

10. Reinigung der Straßenschilder, Gaskandelaber und Wandarme.

Straßenschilder, Gaskandelaber und Wandarme wurden nach Bedarf gereinigt, und zwar die Straßenschilder durchweg zweimal, die Kandelaber und Wandarme zwei- bis dreimal im Jahr.

Außerdem lag dem Reinigungsamte die Belebung, Unterhaltung und Bedienung der in der verlängerten Rheinallee aufgestellten Spiritusglühlichtlaternen ob. Die hierdurch entstandenen Ausgaben fielen aber nicht dem Reinigungswesen, sondern der Rubrik 66 der Betriebsrechnung zur Last.

11. Sonstige Leistungen.

1.	Umwechseln von Abortkübeln in dem Bedürfnishäuschen am Markt	76	Arbeitsstunden.
2.	„ „ „ „ „ „ „ Meßplatz	38	„
3.	„ „ „ „ „ „ am Frauenlobplatz	30	„
4.	desgl. in der Fürstenbergerhofschule	40	„
5.	„ „ der Eisgrubschule	6	„
6.	„ „ dem Hafengebiet	24	„
7.	„ „ den Oktroierhebestellen und den Baumagazinen	10	„
8.	Reinigen der Aborte in der höheren Mädchenschule	210	„
9.	Aufladen und Transportieren von Mobilien, Drucksachen und dergl., sowie Ankleben von Plakaten:		
	für die Oktroiverwaltung	7	„
	für die Polizeiverwaltung	6	„
	zusammen	447	Arbeitsstunden.

12. Verwaltung.

Die Verwaltungskosten, bestehend in Beamtengehalten, Bureaukosten, Steuern, Feuerversicherung, Unterhaltung und Beleuchtung der Gebäude der Reinigungsanstalt nebst Wasserversorgungsanlage, der Wagenhalle und des Wärterhäuschens &c. auf der Fintherhöhe, sowie des Meldebureaus an der Rheinallee

betrugen	36 167 ℳ 28 ₰	(28 668 ℳ 53 ₰)
Hiervon sind an Einnahmen in Abzug zu bringen:		
1. für Miete von Dienstwohnungen	751 „ 67 „	(760 „ — „)
2. Erlös für verkaufte Bezugsanweisungen und sonstige Drucksachen sowie für Unvorhergesehenes	289 „ 59 „	(303 „ — „)
3. Pacht für eine zwischen der Reinigungsanstalt und dem Bahndamme gelegene kleine Ackerfläche	3 „ — „	(3 „ — „)
zusammen	1 044 ℳ 26 ₰	(1 066 ℳ — ₰)
so daß der Nettoaufwand	35 123 ℳ 02 ₰	(27 602 ℳ 53 ₰)

betrug.

13. Verzinsung und Tilgung der für den Neubau der Reinigungsanstalt aufgewendeten Kapitalien.

1.	2.		3.		4.		5.		6.		7.	
Bezeichnung	Aufwendungen bis Ende des Rechnungsjahres 1904		Tilgungen bis 31. März 1906		Restkapital 31. März 1906		Zinsen 4% vom Restkapital		Tilgung 4½% des Ursprungskapitals abzüglich der Zinsen in Spalte 5		Restkapital 31. März 1907	
	ℳ	₰	ℳ	₰	ℳ	₰	ℳ	₰	ℳ	₰	ℳ	₰
1. Grund u. Boden 6047 qm zu 10 ℳ	60 470	—	663	—	59 807	—	2 392	28	328	87	59 478	13
2. Gebäude, Straßen, Einfriedigung, Entwässerungsanlage 2c.	152 734	48	1 557	89	151 176	59	6 047	06	825	99	150 350	60
									Tilgung 6% des Ursprungskapitals			
3. Wasserversorgungs-, elektrische Licht- und sonstige maschinelle Anlagen 2c. ..	25 931	84	3 111	82	22 820	02	912	80	1 555	91	21 264	11
4. Vorarbeiten 2c. für die Bebauung	2 434	95	292	20	2 142	75	85	71	146	10	1 996	65
Summe ...	241 571	27	5 624	91	235 946	36	9 437	85	2 856	87	233 089	49

14. Gesamtergebnis.

Aus der beigefügten Übersicht F, Seite 202, sind die gesamten Einnahmen und Ausgaben des Reinigungsamtes zu ersehen.

A. Übersicht

über die in den Rechnungsjahren 1902/03 bis 1906 durch die ordentliche Straßenreinigung verursachten Kosten und deren Verteilung auf den Kopf der Bevölkerung und das qm Reinigungsfläche.

Laufende Nr.	Bezeichnung der Ausgaben	1902/03 Mittlere Einw.-Zahl: 87 000 R.-Fläche: 532 000 qm Betrag		1903/04 Mittlere Einw.-Zahl: 88 500 R.-Fläche: 538 000 qm Betrag		1904 Mittlere Einw.-Zahl: 90 000 R.-Fläche: 547 000 qm Betrag		1905 Mittlere Einw.-Zahl: 91 000 R.-Fläche: 615 550 qm Betrag		1906 Mittlere Einw.-Zahl: 91 800 R.-Fläche: 624 534 qm Betrag	
		ℳ	₰	ℳ	₰	ℳ	₰	ℳ	₰	ℳ	₰
1.	Taglöhne und Dienstkleidung	83 961	65	84 839	16	96 469	53	104 037	52	106 749	56
2.	Besen und Kehrwalzen	8 499	82	7 000	—	7 267	76	7 696	95	6 860	04
3.	Unterhaltung des Inventars	3 997	43	3 909	57	4 395	18	4 699	80	4 999	89
4.	Kostenanteil an der Pferdehaltung .	11 309	40	15 217	60	14 766	88	15 670	98	14 490	68
5.	Wasserverbrauch	—	—	1 999	89	1 999	95	1 791	60	1 750	93
	Summe . . .	107 768	30	113 056	22	124 899	30	133 896	85	134 851	30
	Abzüglich der entstandenen Einnahmen	2 624	49	3 493	87	3 570	97	2 652	07	4 711	80
	verbleiben	105 143	81	109 562	35	121 328	33	131 244	78	130 139	50
	oder										
	auf den Kopf der Bevölkerung . . .	1	21	1	24	1	35	1	44	1	42
	auf das qm Reinigungsfläche . . .	—	19,8	—	20,4	—	22,2	—	21,3	—	21

B. Übersicht

über die in den Rechnungsjahren 1902/03 bis 1906 durch die Abfuhr der Haushaltungs- ꝛc. Abfälle verursachten Kosten und deren Verteilung auf den Kopf der Bevölkerung und das cbm der abgefahrenen Menge.

Laufende Nr.	Bezeichnung der Ausgaben	1902/03 Mittlere Einw.-Zahl: 87 000 Abgef. Menge: 23 990 cbm Betrag		1903/04 Mittlere Einw.-Zahl: 88 500 Abgef. Menge: 24 066 cbm Betrag		1904 Mittlere Einw.-Zahl: 90 000 Abgef. Menge: 24 340 cbm Betrag		1905 Mittlere Einw.-Zahl: 91 000 Abgef. Menge: 25 715 cbm Betrag		1906 Mittlere Einw.-Zahl: 91 800 Abgef. Menge: 28 698 cbm Betrag	
		ℳ	₰	ℳ	₰	ℳ	₰	ℳ	₰	ℳ	₰
1	Taglöhne und Dienstkleider	24 574	—	26 319	02	28 461	78	30 399	44	33 241	15
1a	Abdeckung der Müllmassen auf dem erweiterten Abladeplatz auf der Ingelheimer Au mit Mutterboden	—	—	—	—	—	—	1 464	45	—	—
2	Unterhaltung des Inventars (einschl. 407 ℳ 49 ₰ für eine in 1906 beschaffte Säulenbohrmaschine)	2 346	94	2 501	—	3 050	65	4 053	61	4 492	15
3	Kostenanteil an der Pferdehaltung	24 293	60	25 265	96	29 792	47	29 482	89	32 580	71
4	Für Beschaffung von 2 gedeckten Kehrichtwagen	—	—	—	—	174	40	1 719	06	44	65
5	Verzinsung und Tilgung des für Beschaffung von Kehrichtwagen aufgewendeten Kapitals	850	38	850	38	850	38	850	38	850	38
6	Kosten der Verlegung des Müllabladeplatzes; hier Pachtentschädigung, Einzäunung des Platzes und Errichtung eines Aborthäuschens auf demselben	—	—	—	—	—	—	—	—	722	56
	Summe	52 064	92	54 936	36	62 329	68	67 969	83	71 931	60
	Abzüglich der entstandenen Einnahmen	3 823	82	3 944	80	4 030	87	4 507	37	5 025	29
	verbleiben	48 241	10	50 991	56	58 298	81	63 462	46	66 916	31
	oder										
	auf den Kopf der Bevölkerung	—	55,5	—	57,6	—	64,7	—	70	—	72,9
	auf das cbm abgefahrene Menge	2	01	2	11	2	39	2	47	2	33

C. Übersicht

über die in der Zeit vom 1. April 1906 bis Ende März 1907 abgefahrene vollhaltige Latrine.

Gemeinden	Vertragsmäßig zu beziehende Mengen	Durch Landwirte bezogen		In die Sammelgruben		Lade-Verluste	Ausgeschüttet	Im ganzen
		an der Maschine	aus Kübeln	per Achse	per Bahn			
	hl	hl	hl	hl	hl	hl	hl	hl
Bodenheim	2 000,00	1 001,22	—	—	—	—	—	1 001,22
Bretzenheim	75 000,00	70 393,92	—	—	—	—	—	70 393,92
Budenheim	8 500,00	10 642,00		—	—		—	10 642,00
Dornberg	20 000,00	—	—	—	22 400,00	—	—	22 400,00
Drais	7 700,00	10 091,88	—	—	—	—	—	10 091,88
Ebersheim	700,00	172,24	—	—	—	—	—	172,24
Finthen	15 000,00	11 446,46	—	—		—	—	11 446,46
Gonsenheim	55 300,00	74 839,89	—	—	—	—	—	74 839,89
Hechtsheim	16 000,00	19 008,03	—	—	—	—	—	19 008,03
Heidesheim	1 000,00	451,30	—	—	2 600,00	—	—	3 051,30
Kastel	9 000,00	12 771,03	—	4 660,50	—	—	—	17 431,53
Kostheim	15 000,00	11 774,89	—	3 683,23	—	—	—	15 458,12
Mainz	3 000,00	2 481,30	—	—	—	—	—	2 481,30
Marienborn	11 700,00	11 396,30	—	—	—	—	—	11 396,30
Mörfelden	12 000,00		—	—	12 900,00	—	—	12 900,00
Mombach	350,00	636,20	527,00	—	—	—	—	1 163,20
Nauheim	6 000,00	—	—	—	6 200,00	—	—	6 200,00
Weiterstadt	25 000,00	—	—	—	32 200,00	—	—	32 200,00
An Private	4 500,00	—	—	—	5 000,00	—	—	5 000,00
Städt. Reinigungsamt	—	—	—	—	—	11 553,58	100 973,14	112 526,72
Summe 1906	287 750,00	237 106,28	527,00	8 344,23	81 300,00	11 553,58	100 973,14	439 804,73
„ 1905	298 200,00	287 580,06	522,40	4 458,49	102 700,00	17 541,87	64 685,19	477 488,[illegible]
Mithin 1906 mehr	—	—	4,60	3 885,74	—	—	36 287,95	—
weniger	10 450,00	50 473,78	—	—	21 400,00	5 988,29	—	37 683,28

D. Übersicht

über die in der Zeit vom 1. April 1906 bis Ende März 1907 abgefahrene wasserhaltige Latrinenmasse und die an die Abfuhrunternehmer bezahlten Vergütungen.

Abfuhrunternehmer	Wasserhaltige Latrinenmasse bei einem Gehalte von							Geldbetrag im ganzen	
	unter 15 Grad	per hl 25 ₰		von 15—20 Grad	per hl 15 ₰		Zusammen		
	hl	ℳ	₰	hl	ℳ	₰	hl	ℳ	₰
Zöll, Karl	57 707,47	14 426	89	16 568,31	2 485	22	74 275,88	16 912	11
Städtisches Reinigungsamt	57 164,03	14 291	03	14 597,04	2 189	54	71 761,07	16 480	60
Summe 1906	114 871,50	28 717	92	31 165,25	4 674	76	146 036,75	33 392	71
„ 1905	117 510,01	29 377	56	31 232,35	4 684	85	148 742,36	34 062	41
Mithin 1906 mehr	—	—	—	—	—	—	—	—	—
weniger	2 638,51	659	64	67,10	10	09	2 705,61	669	70

Anmerkung: Von Karl Zöll sind 4,78 ℳ aus dem Vorjahr wegen Nichterbringung des Ausfuhrnachweises zurückerhoben und in diesem Jahre an den Ausgaben der Rubrik 65. III. 3. abgesetzt worden.

E. Übersicht

über die Gesamtleistungen der Pferde im Rechnungsjahre 1906 und die hierdurch entstandenen Kosten ꝛc.

Laufende Nr.	Bezeichnung der Leistungen	Selbstkostenpreis				Unternehmerpreis			
		im einzelnen		im ganzen		im einzelnen		im ganzen	
		ℳ	₰	ℳ	₰	ℳ	₰	ℳ	₰
1	Für Bespannung der Wasch- und Kehrmaschinen und Abfuhr des Straßenkehrichts:								
	327 Einspänner	7	16	2 341	32	—	—	—	
	1 156 Doppelspänner	10	51	12 149	56	—	—	—	—
2	Straßenbegießung:								
	795 Einspänner } insgesamt 37 629 cbm Wasserverbrauch	7	16	5 692	20	pro cbm			
	122 Doppelspänner }	10	51	1 282	22	—	24	9 030	96
3	Abfuhr von Schnee und Eis ꝛc.:								
	40 Einspänner	7	16	286	40	—	—	—	—
	108 Doppelspänner	10	51	1 135	08	—	—	—	—
4	Abfuhr der Haushaltungsabfälle:								
	3 768 Einspänner	7	16	26 978	88	—	—	—	—
	533 Doppelspänner	10	51	5 601	83	—	—	—	—
5	Bespannung der Dampfluftpumpen, Kübel-, Tonnen- und Trommelwagen:								
	1 006 Einspänner	7	16	7 202	96	—	—	—	-
	268 Doppelspänner	10	51	2 816	68	—	—	—	—
6	Abfuhr von Latrinenmasse:								
	a) wasserhaltige:								
	4 Einspänner } 57 164,03 hl zu 18 ₰ u. 14 597,04 hl zu 8 ₰	7	16	28	64	—	—	11 457	29
	688 Doppelspänner }	10	51	7 230	88				
	b) vollhaltige:								
	772 Doppelspänner = 77 585,39 hl zu 12 ₰ u. 4 745,45 hl zu 15 ₰	10	51	8 113	72	—	—	10 022	07
7	Anfuhr von Wasser auf dem Betriebsplatz:								
	40 Einspänner	7	16	286	40	—	—	—	—
8	Transport von Geräten zum Meldebureau:								
	22 Einspänner	7	16	157	52	—	—	—	—
	1 Doppelspänner	10	51	10	51	—	—	—	—
9	Abfuhr von Unrat ꝛc. vom Hafen, Friedhof und Viehhof:								
	117 Einspänner } 832 cbm zu 1 ℳ 50 ₰ u. 309,5 cbm zu 2 ℳ	7	16	837	72	—	-	1 867	—
	52 Doppelspänner }	10	51	546	52				
10	Verschiedene Fuhrleistungen für andere städtische Verwaltungen ꝛc.:								
	306 Einspänner	7	16	2 190	96	—	—	—	—
	108 Doppelspänner	10	51	1 135	08	—	—	—	—
	6 425 Einspänner-Tagewerke } zusammen 14 041 Pferdeleistungstage	—	—	86 025	08	—	—	—	—
	3 808 Doppelspänner-Tagewerke }								

F. Übersicht

über die durch Rubrik 65 „Reinigungswesen" im Rechnungsjahr 1906 verursachten Kosten.

Laufende Nr.	Bezeichnung der Positionen	Einnahme				Ausgabe				Zuschuß			
		Nach dem Voranschlag		Nach der Rechnung		Nach dem Voranschlag		Nach der Rechnung		Nach dem Voranschlag		Nach der Rechnung	
		ℳ	₰	ℳ	₰	ℳ	₰	ℳ	₰	ℳ	₰	ℳ	₰
1	Straßenreinigung	3 390	—	4 711	80	170 019	—	160 730	31	166 629	—	156 018	51
	Kreditübertrag aus 1905	—	—	—	—	3 000	—			3 000	—		
2	Abfuhr der Haushaltungsabfälle	4 400	—	5 025	20	72 426	—			68 026	—		
	Kredit zu Lasten des Reservefonds	—	—	—	—	3 006	91	71 947	60	3 006	91	66 922	31
	Kreditübertrag aus 1905	—	—	—	—	706	54			706	54		
3	Latrinenreinigung	115 050	—	93 715	20	152 784	—	139 869	59	37 734	—	46 154	39
	Kredit zu Lasten des Reservefonds	—	—	—	—	3 359	52			3 359	52		
4	Pferdehaltung	100 436	—	95 927	56	100 436	—			—	—		
	Kreditübertrag aus 1905	—	—	—	—	—	—	95 927	56	—	—	—	—
	Kredit zu Lasten des Reservefonds	—	—	—	—	93	50			93	50		
5	Verwaltungskosten	1 063	—	1 044	26	35 794	43	36 167	28	34 731	43	35 123	02
	Kredit zu Lasten des Reservefonds	—	—	—	—	2 735	76			2 735	76		
6	Verzinsung und Tilgung der für den Neubau aufgewendeten Kapitalien	—	—	—	—	12 498	57	12 294	72	12 498	57	12 294	72
	Summe	224 339	—	200 424	11	556 860	23	516 937	06	332 521	23	316 512	95

XXX. Armen- und Krankenpflege, Wohltätigkeitsanstalten.

Hier wird auf den von der Armen-Deputation und der Hospizien-Deputation erstatteten Sonderbericht verwiesen.

Über die Benutzung der städtischen Wärme- und Unterstandshalle in der Münsterstraße, deren Bewirtschaftung dem Verein für Volkswohlfahrt übertragen ist, hat der letztere nachstehende Angaben gemacht:

Monat	Rechnungsjahr 1906		Rechnungsjahr 1905	
	Die Anstalt war geöffnet Tage	Die Anstalt haben benutzt Personen	Die Anstalt war geöffnet Tage	Die Anstalt haben benutzt Personen
April	23	1 230	23	1 390
Mai	26	1 214	27	1 435
Juni	25	1 223	24	1 145
Juli	26	1 210	26	1 070
August	26	1 218	26	1 005
September	26	1 220	26	1 144
Oktober	26	1 233	26	1 275
November	25	1 325	25	1 475
Dezember	24	1 337	24	1 499
Januar	26	1 337	26	1 585
Februar	23	1 345	23	1 590
März	25	1 335	27	1 465
Summe	301	15 227	303	16 078

Im Rechnungsjahr 1906 wurde hiernach die Anstalt im Durchschnitt täglich von rund 51 Personen besucht gegen 53 im Vorjahre.

Ferner hat der Verein für Volkswohlfahrt über die Benutzung der von ihm in der Liebfrauenstraße eingerichteten Wärme- und Unterstandshalle folgendes mitgeteilt:

Monat	Rechnungsjahr 1906		Rechnungsjahr 1905	
	Die Anstalt war geöffnet Tage	Die Anstalt haben benutzt Personen	Die Anstalt war geöffnet Tage	Die Anstalt haben benutzt Personen
April	23	903	23	945
Mai	26	931	27	973
Juni	25	1 047	24	945
Juli	26	1 085	26	960
August	26	945	26	930
September	26	993	26	940
Oktober	26	1 011	26	1 005
November	25	1 000	25	1 020
Dezember	24	1 000	24	1 023
Januar	26	1 098	26	1 045
Februar	23	1 065	23	1 017
März	25	1 041	27	1 005
Summe . . .	301	12 119	303	11 808

Im Rechnungsjahre 1906 wurde hiernach diese Anstalt im Durchschnitt täglich von rund 40 Personen besucht gegen 39 im Vorjahre.

XXXI. Städtische Sparkasse.

Über die Betriebsergebnisse der Städtischen Sparkasse wurde ein besonderer Bericht erstattet.

XXXII. Friedhof.

Durch das Gesetz vom 22. Juli 1905, das Beerdigungswesen betreffend, sind die Bestimmungen der französischen Gesetzgebung, wonach in Rheinhessen den Kirchenfabriken und Konsistorien das alleinige Recht zur Führung der Leichenwagen zustand, aufgehoben und ist dieses Recht auf die bürgerlichen Gemeinden übertragen worden. Die Verordnung vom 14. Februar 1906 setzte den Zeitpunkt des Inkrafttretens des Gesetzes auf den 1. April 1906 fest. Da es nicht möglich war, bis dahin das nunmehr von der Stadt zu betätigende Leichenfuhrwesen endgültig zu regeln, wurde von der Stadtverordneten-Versammlung in der Sitzung vom 29. März 1906 beschlossen, eine vorläufige Regelung eintreten zu lassen und in den von der Verwaltungskommission des christlichen Begräbnisplatzes mit dem Verein Mainzer Droschkenbesitzer abgeschlossenen Vertrag einzutreten sowie die im Gebrauch befindlichen 5 Leichenwagen von genannter Verwaltungskommission zu erwerben.

In der Zeit vom 1. April 1906 bis zum 31. März 1907 wurden mit Ausschluß des Militärs vom Feldwebel abwärts 1 665 Leichen gegen 1 589 im Vorjahr nach dem Friedhof verbracht und zwar:

	1906	1905
a) mit dem Prunkwagen	272	289
b) „ „ goldenen Wagen	424	402
c) „ „ silbernen Wagen	170	136
d) „ „ goldenen Kinderwagen	123	127
e) „ „ silbernen Kinderwagen	582	541
f) ohne Wagen	94	94
zusammen	1 665	1 589

Zur Beerdigung im Turnus wurden verwendet:

a) für Katholiken:
2 Reihen vom Quadrat 8, das ganze Quadrat 13 und etwa 3 Reihen vom Quadrat 14, zusammen etwa 290 Gräber.

b) für Evangelische:

3 Reihen vom Quadrat 22, die ganzen Quadrate 26a, 43, 44 und 1 Reihe vom Quadrat 27, zusammen etwa 190 Gräber.

c) für Kinder:

1. auf dem katholischen Teil:

8 Reihen vom Quadrat 34a und etwa 2 Reihen vom Quadrat 57 mit ungefähr 250 Gräbern.

2. auf dem evangelischen Teil:

1 Reihe vom Quadrat 26b, der ganze Rand des Quadrats 31a und 1 Reihe vom Quadrat 26a mit ungefähr 220 Gräbern.

d) für Freireligiöse 4 Gräber auf dem reservierten Quadrat 25.

Die übrigen Leichen fiud in Familiengräber beigesetzt worden.

Von auswärts wurden 59 Leichen nach dem Friedhof verbracht. Zur Beerdigung in anderen Gemeinden wurden 12 Leichen aus dem Leichenhause übergeführt. Leichen von Militärpersonen vom Feldwebel abwärts wurden 10 beerdigt.

In dem Sektionssaal wurden 15 Sektionen vorgenommen.

Familiengräber wurden 211 gegen 182 im Vorjahre in Eigentum verkauft und zwar 178 in Erbbestand und 33 auf Zeitbestand von 30 Jahren. Der Erlös für die verkauften Gräber beträgt 13432 ℳ 67 ₰, wovon der Teil, welcher auf die gegen Terminzahlung erworbenen Grabstätten entfällt, erst in den nächsten Jahren bezahlt wird. Im Vorjahre betrug die Einnahme 12887 ℳ 76 ₰. Grabdenkmäler wurden 57 errichtet, im Vorjahre 75.

Gemäß der Begräbnisordnung vom 20. September 1881 beträgt das Ruherecht der in Reihengräbern beerdigten erwachsenen Personen 10 Jahre und der Kinder bis zum 6. Lebensjahre 5 Jahre. Nach Ablauf dieser Zeiträume können die Gräber zu weiteren Beerdigungen wieder benutzt werden.

Seit dem Bestehen des christlichen Begräbnisplatzes, 31. Mai 1803, bis Ende März 1907 wurden auf demselben 130167 Zivil- und 18438 Militärpersonen, im ganzen 148605 Personen beerdigt.

Die **Unterhaltung der Friedhofsanlagen** erfolgte wie bisher durch die Stadtgärtnerei und umfaßte die bereits in früheren Rechenschaftsberichten angeführten Arbeiten. Das Personal für Unterhaltung der gärtnerischen Anlagen betrug während der Sommermonate 10 nnd während der Wintermonate 5 Mann. Zu außerordentlichen Arbeiten wie Bepflanzung und Schmückung der Grabstätten ꝛc. mußten zeitweise noch Gärtner und Handarbeiter aus der Stadtgärtnerei herangezogen werden.

Die Zahl der von der Stadtgärtnerei zu unterhaltenden Grabstätten betrug am Schlusse des Berichtsjahres 88.

Zur Ausschmückung der Grabstätten, des Urnenhains am Krematorium sowie der Friedhofsanlagen selbst kaurn ungefähr 15000 Pflanzen zur Verwendung, die in der Gärtnerei am Gonsenheimertor und im Kulturgarten an der Fintherstraße gezüchtet wurden.

Die Abfuhr des Unrats vom Friedhofe geschah wie in früheren Jahren durch das städtische Reinigungsamt. Da der für diese Arbeiten bewilligte Kredit von 1300 ℳ bei weitem nicht ausreichte, wurde eine große Menge dürrer Kränze, Zweige, Papier usw. am hinteren Teile des Friedhofes verbrannt. Irgend welche Benachteiligungen für den Verkehr haben sich dabei nicht gezeigt, weshalb in Zukunft die genannten Gegenstände in noch ausgedehnterem Umfang auf gleiche Weise beseitigt werden sollen. Mon hofft durch diese Maßnahme jährlich etwa 800 ℳ zu ersparen.

Mit der Bewachung des Friedhofes sind jetzt 2 ständige Friedhofswächter (früher Anlageschützen) betraut, die nicht mehr der Stadtgärtnerei, sondern, der besseren Kontrolle halber, dem Friedhofsverwalter unterstellt sind.

Die Alleebäume des Friedhofes erfuhren keine Vermehrung; eile Teil derselben wurde durch Kappen der Kronen verjüngt.

Bezüglich der Aufwendungen, welche die Unterhaltung nnd Überwachung der Friedhofsanlagen im Berichtsjahre veranlaßt haben, wird auf die Angaben Seite 340 u. 341 verwiesen.

Im **Krematorium** wurden in der Zeit vom 1. April 1906 bis 31. März 1907 228 Leichen eingeäschert gegen 203 im Vorjahre. Von den eingeäscherten Leichen kaurn 193 von auswärts.

Die Aschenreste von 24 Leichen wurden in Reihengräbern beigesetzt. 18 Grabstätten wurden in Erbbestand von den Angehörigen erworben. Ferner wurden 7 Nischen für 1 und 2 Uenen verkauft.

Von den Gebühren für die Einäscherungen fallen der Stadt die nachstehend aufgeführten Anteile zu und zwar:

1. Schutz- ꝛc. Gebühr für eine Einäscherung . . . . 4 ℳ
2. Gebühr für Beisetzung in ein Reihengrab des Urnenhains . . . . . 1 „

3. Schutzgebühr für eine verkaufte Erd-Erbbegräbnisstätte im Urnenhain . . 10 M
4. Desgl. für Erb-Urnennischen und zwar:
a) für eine Nische für 1 oder 2 Urnen . . . . 5 „
b) „ „ „ „ 4 „ . . . . 10 „

Die der Stadt im Rechnungsjahr 1906 zugefallenen Gebührenanteile betragen daher:

für 228 Einäscherungen zu 4 M . . . . 912 M
„ 24 Reihengräber (Beisetzungen) zu 1 M . . . . 24 „
„ 18 Erbbegräbnisstätten zu 10 M . . . . 180 „
„ 7 Nischen zu 5 M . . . . 35 „

Ferner wurden an Schutzgebühren für Transferierung von Aschenresten erhoben 6 „

zusammen 1 157 M gegen 1 070 M im Vorj.

Die Unterhaltung der gärtnerischen Anlagen des Urnenhaines am Krematorium wurde ebenfalls seitens der Stadtgärtnerei betätigt. Die Zahl der im Urnenhain zu unterhaltenden Grabstätten beträgt jetzt 125.

XXXIII. Schulwesen.

1. Großh. Ostergymnasium mit Vorschule.

Am Schlusse des Schuljahres 1906/07 wirkten an der Anstalt außer dem Direktor 26 Lehrer, davon 2 außerordentliche (Religions-)Lehrer. Hiervon waren an der Vorschule tätig 5, darunter 1 außerordentlicher (Religions-)Lehrer. Unterricht erteilt wurde am Gymnasium in 14 Klassen, an der Vorschule in 3 Klassen. Die Anstalten besuchten im Schuljahr 1906/07 und zwar:

	das Gymnasium	die Vorschule
	Schüler	Schüler
Im ganzen	413	157
Davon waren:		
aus Mainz und Kastel	252	153
„ anderen hessischen Orten	117	4
„ „ deutschen Staaten	42	—
„ nichtdeutschen Staaten	2	—
Es gehörten an:		
der katholischen Konfession	228	48
„ evangelischen „	160	80
„ israelitischen „	23	29
anderen Konfessionen	2	—
Ende des Schuljahres 1906/07 besuchten die Anstalten	391	144

Das Zeugnis der Reife erhielten im Frühjahr 1907 = 35 Schüler.

Das Schulgeld beträgt in den Klassen I bis III = 108 M und in den Klassen IV bis VI = 96 M, in der Vorschule ebenfalls 96 M für das Jahr. Für Schüler, deren Eltern oder sonstige Unterhaltspflichtige nicht im Großherzogtum wohnen, wird ein Schulgeldzuschlag von 20 M jährlich erhoben. Von diesem Zuschlag sollen indessen befreit sein:

a) Schüler, die selbständig im Großherzogtum zur staatlichen Einkommensteuer zugezogen sind,
b) Schüler, deren Eltern oder sonstige Unterhaltspflichtige hessische Staatsbeamte sind und ihren dienstlichen Wohnsitz außerhalb des Großherzogtums haben.

Für Brüder, welche gleichzeitig verschiedene staatliche höhere Lehranstalten des Großherzogtums (Gymnasium, Realgymnasium, Ober-Realschule, Realschule und Progymnasium) besuchen, tritt eine Ermäßigung des Schulgeldes in der Weise ein, daß für den zweiten Bruder zwei Drittel und jeden folgenden die Hälfte des vollen Schulgeldes zu zahlen ist.

2. Großh. Herbstgymnasium mit Vorschule.

Das Lehrerkollegium bestand am Schlusse des Schuljahres 1906/07 (umfassend die Zeit von Herbst 1906 bis dahin 1907) außer dem Direktor aus 19 ordentlichen und 4 außerordentlichen (Religions-), zusammen 23 Lehrern. An der Vorschule waren davon tätig 7, darunter 1 außerordentlicher (Religions-) Lehrer. Unterrichtet wurde am Gymnasium in 10 Klassen, an der Vorschule in 4 Klassen. Die Anstalten besuchten im Schuljahr 1906/07 und zwar:

	das Gymnasium	die Vorschule
	Schüler	Schüler
Im ganzen	315	109
Davon waren:		
aus Mainz	210	96
„ anderen hessischen Orten	86	12
„ „ deutschen Staaten	19	1
„ nichtdeutschen Staaten	—	—
Es gehörten an:		
der katholischen Konfession	187	41
„ evangelischen „	105	53
„ israelitischen „	21	15
anderen Konfessionen	2	—
Ende des Schuljahres 1906/07 besuchten die Anstalten	282	102

Die Reifeprüfung am Schlusse des Schuljahres 1906/07 bestanden 18 Schüler.

Das Schulgeld ist in derselben Weise festgesetzt wie für das Ostergymnasium.

3. Großh. Realgymnasium.

Mit Beginn des Schuljahres 1906/07 wurden die seither vereinigten Anstalten Realgymnasium, Oberrealschule und höhere Handelsschule in zwei besondere Anstalten geteilt. Die Oberrealschule und höhere Handelsschule bezogen den Neubau in der Schulstraße, während das Realgymnasium in dem Hauptbau der seither vereinigten Anstalten verblieb.

Das Lehrerkollegium des Realgymnasiums bestand am Schlusse des Schuljahres 1906/07 außer dem Direktor aus 21 ordentlichen und 3 außerordentlichen (Religions-) Lehrern. Unterrichtet wurde in 14 Klassen. Die Anstalt besuchten im Schuljahre 1906/07 im ganzen . . . . 371 Schüler.*)

Davon waren	
aus Mainz und Kastel	277 Schüler
„ anderen hessischen Orten	85 „
„ „ deutschen Staaten	7 „
„ nichtdeutschen Staaten	2 „
Es gehörten an	
der katholischen Konfession	166 „
„ evangelischen „	171 „
„ israelitischen „	31 „*)
anderen Konfessionen	3 „
Ende des Schuljahres 1906/07 besuchten die Anstalt	356 Schüler

Das Reifezeugnis erhielten im Frühjahr 1907 = 19 Schüler.

Das Schulgeld ist in derselben Weise festgesetzt wie für die Gymnasien.

*) Darunter 1 Schülerin.

4. Großh. Ober-Realschule und Höhere Handelsschule.

Das Lehrerkollegium vorgenannter Anstalten bestand am Schlusse des Schuljahres 1906/07 außer dem Direktor aus 35 ordentlichen Lehrern und 1 außerordentlichen (Stenographie-)Lehrer. Unterrichtet wurde an der Ober-Realschule in 24 Klassen, an der Handelsschule in 1 Klasse. Die Anstalten besuchten im Schuljahre 1906/07 und zwar:

	die Ober-Realschule	die Handelsschule
	Schüler	Schüler
Im ganzen	900	13
Davon waren		
aus Mainz und Kastel	654	6
„ anderen hessischen Orten	207	3
„ „ deutschen Staaten	34	—
„ nichtdeutschen Staaten	5	4
Es gehörten an		
der katholischen Konfession	428	8
„ evangelischen „	381	3
„ israelitischen „	85	1
anderen Konfessionen	6	1
Ende des Schuljahres 1906/07 besuchten die Anstalten	853	10

Das Reifezeugnis erhielten im Frühjahr 1907 16 Schüler der Ober-Realschule.

Das Schulgeld ist in derselben Weise festgesetzt wie bei den Gymnasien. Für die Klassen der Handelsschule gilt das allgemeine Schulgeld der betr. Altersklasse. Bezüglich des Schulgeldzuschlags für nicht-hessische Schüler und der Ermäßigung des Schulgeldes sind dieselben Bestimmungen wie bei den Gymnasien maßgebend.

5. Kunstgewerbeschule und Handwerkerschule.

a. Im allgemeinen.

Die Kunstgewerbeschule und die Handwerkerschule Mainz unterstehen dem Großh. Ministerium des Innern, Abteilung für Landwirtschaft, Handel und Gewerbe und zunächst der oberen Leitung der Großh. Zentralstelle für die Gewerbe.

Die unmittelbare Aufsicht und Verwaltung führt ein Aufsichtsrat und der Direktor der Schule.

Der Aufsichtsrat hat insbesondere die Beziehungen zwischen der Schule und den örtlichen Behörden und Körperschaften, sowie zu der Großherzoglichen Zentralstelle für die Gewerbe wahrzunehmen und zu vermitteln.

Dem Direktor der Schule kommt die innere, insbesondere die technische Leitung, nach Maßgabe der ihm hierfür zu teil werdenden Anweisung, die Handhabung der Schulordnung, sowie die allgemeine Dienstaufsicht zu. Der Direktor und die Hauptlehrer haben Staatsdienerqualität.

Die Mittel zur Unterhaltung der Schulen werden aufgebracht durch Beiträge des Staates, der Stadt Mainz (für 1906 = 23400 ℳ, s. S. 352 der Verwaltungs-Rechenschaft), des Gewerbe-Vereins Mainz, des Kreises Mainz, sonstiger Körperschaften und gemeinnütziger Kassen sowie durch die eingehenden Schulgelder.

1. Kunstgewerbeschule.

Die Gründung der Schule erfolgte im Jahre 1879.

Dieselbe besteht aus 4 Abteilungen und zwar:

I. Abteilung: Vorschule (2 Stufen).

II. „ : 8 Fachschulen zu je 6 Halbjahrskursen für Architektur, Bauschmuck, Baukonstruktion; Innendekorationen, Kleinkunst, Schmuck, Kunstschlosserei; Kunst- und Bautischler, Möbelzeichner; Dekorationsmaler; Modelleure und Ziseleure; Graphische Künste; Keramik; Zeichenlehrer und Zeichenlehrerinnen.

III. Abteilung: Frauen und Mädchen.
IV. „ : Mit den Fachschulen verbundene Arbeitsstuben und Werkstätten für: Möbelschreinerei, Holzbildhauerei und Intarsienschnitt; Gipsformen und Modellieren; Dekorationsmalerei; Ätzen, Radieren, Linoleumschnitt, Algraphie, Kupferdruck; Keramik; Ziselieren; Lederschnitt; Lithographie; Buchdruck; Kunstschmiedewerkstätte.

Die Kunstgewerbeschule hat im allgemeinen die Aufgabe, für die verschiedenen Zweige des Kunstgewerbes, zunächst für Mainz und Umgebung, dann aber auch für weitere Kreise die erforderliche künstlerische Ausbildung zu vermitteln, besonders das zu lehren, was in der Praxis in der Werkstättenlehre nicht erreicht werden kann. Eine weitere Aufgabe der Schule ist die Ausbildung von Lehrern und Lehrerinnen für den Freihandzeichenunterricht und den kunstgewerblichen Zeichenunterricht. Außerdem soll sie jedem befähigten strebsamen jungen Manne oder Mädchen Gelegenheit geben, sich in seinem kunstgewerblichen Berufe weiter auszubilden.

Das Schulgeld für die Kunstgewerbeschule und deren Vorschule beträgt:

für ordentliche Schüler der Vorschule und Fachschulen	im halben Jahr	45 M.
„ außerordentliche „ „ „ „	„ „ „	50 „
„ Abendzeichen- und Modellierschule	„ „ „	6 „
„ Frauen- und Mädchenschule	„ „ „	45 „

An den Schulen wirkten im Schuljahre 1906/07 19 ständige Lehrer.

Die Schülerzahl betrug 688.

2. Handwerkerschule.

Die Schule wurde im Jahre 1841 gegründet und zerfällt in 2 Abteilungen.

I. Abteilung: Sonntags-Zeichenschule; Abend-Fortbildungsschule.
II. „ : Dreistufige Gewerbeschule für Bauhandwerker und Dekorationsmaler. (Winter).

Der Zweck der Handwerkerschule ist, die praktische Meisterlehre möglichst vieler Zweige des Handwerks durch regelmäßigen Schulunterricht, vorläufig außerhalb der Geschäftsstunden (Abends und Sonntags), zu ergänzen.

Die Fächer der Sonntagszeichenschule sind: Freihandzeichnen, geometrisches Zeichnen, darstellende Geometrie, Schattenlehre und Perspektive, ferner Fachunterricht für Bauzeichner, Maurer, Zimmerleute, Schreiner, Spengler, Schlosser, Wagner und Schmiede, Elektrotechniker, Modelleure und Bildhauer, Dekorationsmaler, Tapezierer, Setzer und Drucker. Der Unterricht an der Abendfortbildungsschule ist ebenfalls den einzelnen Gewerben angepaßt. Der Unterricht an der dreistufigen Gewerbeschule findet für Bauhandwerker im Sommer und Winter, für Dekorationsmaler im Winter an den Wochentagen statt.

Das Schulgeld beträgt für die Sonntagszeichenschule im Halbjahr	für Lehrlinge	6 M
„ Vierteljahr	„ Gesellen	3 „
„ „ Abendfortbildungsschule im Halbjahr	. . . . . .	2 „
„ „ dreistufige Gewerbeschule (Winterkurs)	. . . . .	45 „ .

An der Handwerkerschule (Sonntagszeichenschule) wirkten im Schuljahre 1906/07 26, an der Abendfortbildungsschule 9 Lehrkräfte.

Die Schülerzahl betrug 1 099.

3. Abendzeichen- und Modellierschule.

Diese Schule wurde im Jahre 1884 gegründet und ist für alle diejenigen bestimmt, welchen keine Zeit zum Besuche der Tagesschule zur Verfügung steht; auch ergänzt sie für die außerordentlichen Schüler der Kunstgewerbeschule, welche nicht den ganzen Tagesunterricht besuchen können, das Fehlende.

17 Lehrkräfte waren an dieser Schule tätig.

6. Landwirtschaftliche Winterschule.

An der Schule waren im Schuljahr (Winterhalbjahr) 1906/07 zwei Landwirtschaftslehrer (darunter der Vorsteher) und acht Hilfslehrer tätig. Die Schule wurde in der oberen Abteilung von 9, in der unteren Abteilung von 21, zusammen von 30 Schülern besucht; davon waren aus dem Kreise Mainz 18, Bingen 8 und Oppenheim 4.

Das Schulgeld beträgt 20 M für jeden Kursus.

7. Städtische Höhere Mädchenschule und Großh. Lehrerinnen-Seminar.

Die Zusammensetzung des Kuratoriums hat durch das Ableben des Geheimen Kommerzienrats Stephan Karl Michel eine Änderung erfahren. Anstelle dieses Mitgliedes trat Fabrikant Hermann Heß.

Die Lehrkräfte beider Anstalten bestanden außer dem Direktor aus 6 akademisch gebildeten, 9 seminaristisch gebildeten Lehrern, 9 Lehrerinnen des höheren Lehrfachs, 1 seminaristisch gebildeten Lehrerin, 9 prov. Lehrerinnen, 1 Hilfslehrerin, 4 Handarbeitslehrerinnen und 10 außerordentlichen (Religions-) Lehrern. Unterrichtet wurde im Seminar in 3, in der höheren Mädchenschule in 25 Klassen. Die Anstalten besuchten im Schuljahre 1906/07 insgesamt 961 Schülerinnen und zwar:

in der Seminarklasse I	14	Schülerinnen
„ „ „ II	15	„
„ „ „ III	25	„
„ den Klassen I a (Selekta) und 1 bis 3	192	„
„ „ „ 4 bis 6	371	„
„ „ „ 7 „ 10	344	„

Von den Schülerinnen waren:

aus Mainz und Kastel	866	Schülerinnen
„ anderen hessischen Orten	77	„
„ „ deutschen Staaten	17	„
„ nichtdeutschen Staaten	1	„

Es gehörten an:

der katholischen Konfession	264	Schülerinnen
„ evangelischen „	541	„
„ israelitischen „	152	„
anderen Konfessionen	4	„

Am Schlusse des Schuljahres 1906/07 zählten die Anstalten 892 Schülerinnen.

Das Schulgeld für das Seminar ist durch Beschluß der Stadtverordneten-Versammlung vom 29. März 1906 vom Schuljahr 1906/07 ab wie folgt festgesetzt worden:

a) für Seminaristinnen, deren Eltern oder an ihre Stelle getretene Unterhaltspflichtige oder sie selbst, insofern sie volljährig sind, zur Zeit des Eintritts in das Seminar mindestens seit 2 Jahren die hessische Staatsangehörigkeit besitzen oder seit mindestens 2 Jahren im Großherzogtum Hessen ihren Hauptwohnsitz haben, auf jährlich 160 ℳ. Bezüglich der Töchter von öffentlichen Beamten und Militärpersonen, die aus dem Ausland nach Hessen dienstlich versetzt werden, soll von dem Erfordernis des zweijährigen Zeitablaufs abgesehen werden;

b) für alle nicht unter a) fallenden Seminaristinnen auf jährlich 180 ℳ.

Für die Klassen der höheren Mädchenschule beträgt das Schulgeld und zwar für die Selekta und die Klassen 1 bis 3 = 120 ℳ, für die Klassen 4 bis 6 = 84 ℳ und für die Klassen 7 bis 10 = 66 ℳ pro Jahr. Bezüglich der Ermäßigung des Schulgeldes gelten die gleichen Bestimmungen wie für die Staatslehranstalten (Gymnasien ꝛc.) mit der Maßgabe, daß in dieser Hinsicht das Seminar und die Höhere Mädchenschule als eine Anstalt betrachtet werden.

Die tägliche Reinigung der Schullokale im Hauptgebäude und in der Bauhofstraße wurde unter Mithilfe des Schuldieners und eines Hilfsschuldieners von 7 Putzfrauen vorgenommen. Die an dieselben ausbezahlten Löhne beliefen sich auf 2 323 ℳ 78 ₰. Die Kosten für Putzmaterialien betrugen 272 ℳ 62 ₰. Im ganzen betrugen demnach die Kosten der Reinigung 2 596 ℳ 40 ₰.

Die Rechnungsergebnisse der Höheren Mädchenschule und des Großh. Lehrerinnen-Seminars finden sich im übrigen auf den Seiten 354 bis 357 der Verwaltungs-Rechenschaft.

8. Volksschule.

Im Schuljahr 1906/07 wirkten an der achtklassigen Volksschule außer den Ober-(Haupt-)Lehrern:

	Lehrer	Schulverwalter	Lehrerinnen	Schulverwalterinnen
im I. Schulbezirk	13	2	—	—
„ II. „	4	2	8	3
„ III. „	10	5	—	—
„ IV. „	3	—	10	2
„ V. „	9	5	—	2
„ VI. „	2	—	7	7
„ VII. „	16	4	1	—
„ VIII. „	2	1	13	4
„ IX. „	15	1	—	—
„ X. „	4	—	10	2
in der Hilfsschule für schwachbegabte Kinder	4	—	1	—
zusammen	82	20	50	20

Außerdem wirkten an der Schule 1 provisorischer Turnlehrer, 5 definitive Zeichenlehrer und 1 provisorische Zeichenlehrerin, 2 definitive Gesanglehrer, 8 definitive und 2 provisorische Handarbeitslehrerinnen, 2 ständige Vikare (zur Vertretung erkrankter zc. Lehrer), 2 definitive Lehrerinnen für den Kochunterricht und die verschiedenen Religionslehrer.

Unterrichtet wurde während des Schuljahres 1906/07:

	Knabenklassen	Mädchenklassen
im I. Schulbezirk in	16	—
„ II. „ „	—	16
„ III. „ „	16	—
„ IV. „ „	—	15
„ V. „ „	17	—
„ VI. „ „	—	18
„ VII. „ „	22	—
„ VIII. „ „	—	20
„ IX. „ „	17	—
„ X. „ „	—	16
zusammen	88	85
	173 Klassen	
in der Schule zu Zahlbach in	2 „	
„ „ Hilfsschule in	5 „	
Im ganzen in	180 Klassen.	

Mit Beginn des Schuljahres 1906/07 sind 6 Schulklassen neu errichtet worden. Zwei Klassen mußten wegen Mangel an Lehrern aufgelöst werden.

Über die Zahl der Schüler am Anfang und Ende des Schuljahres sowie die Art ihres Bekenntnisses gibt die nachstehende Übersicht Auskunft.

a) Knaben.

Bezeichnung	Bestand		Unter dem Bestand am Ende des Schuljahres sind			
	am Anfang des Schuljahres	am Ende des Schuljahres	Katholische	Evangelische	Israelitische	von anderen Bekenntnissen
I. Bez. .	838	821	528	284	—	9
III. „ .	786	810	593	214	1	2
V. „ .	813	825	510	302	8	5
VII. „ .	1210	1217	695	502	10	10
IX. „ .	887	883	518	354	5	6
Hilfsschule .	61	67	40	26	—	1
Zahlbach . .	34	38	33	5	—	—
Zusammen .	4649	4661	2917	1687	24	33
Zusammenstellung:						
Knaben . .	4649	4661	2917	1687	24	33
Mädchen . .	4670	4633	2996	1575	29	33
Im ganzen .	9319	9294	5913	3262	53	66

b) Mädchen.

Bezeichnung	Bestand		Unter dem Bestand am Ende des Schuljahres sind			
	am Anfang des Schuljahres	am Ende des Schuljahres	Katholische	Evangelische	Israelitische	von anderen Bekenntnissen
II. Bez. .	847	803	537	256	3	7
IV. „ .	824	805	583	220	2	—
VI. „ .	914	905	595	287	15	8
VIII. „ .	1077	1095	662	413	5	15
X. „ .	886	894	534	353	4	3
Hilfsschule .	54	56	35	21	—	—
Zahlbach . .	68	75	50	25	—	—
Zusammen .	4670	4633	2996	1575	29	33
Hiervon in der Stadt:						
Knaben . .	4615	4623	2884	1682	24	33
Mädchen . .	4602	4558	2946	1550	29	33
Im ganzen .	9217	9181	5830	3232	53	66

Am Anfange des Schuljahres betrug hiernach die Gesamtzahl der Schulkinder 9319 (4649 Knaben und 4670 Mädchen), am Ende desselben 9294 (4661 Knaben und 4633 Mädchen), sodaß die Gesamtzahl der Schulkinder während des Schuljahres um 25 abgenommen hat. Die Zunahme gegen die gleiche Zeit im Vorjahre beträgt 258.

Von den aufgeführten 9294 Kindern besuchten 9181 (4623 Knaben und 4558 Mädchen) die Klassen der Stadt, während die übrigen 113 Kinder (38 Knaben und 75 Mädchen) die zweiklassige Schule zu Zahlbach besuchten. 123 Kinder (67 Knaben und 56 Mädchen) waren der Hilfsschule zugeteilt. Die anderen 9058 (4556 Knaben und 4502 Mädchen) wurden in den 173 normalen Schulklassen (88 Knaben- und 85 Mädchenklassen) der achtklassigen städtischen Volksschule unterrichtet. Die durchschnittliche Schülerzahl einer dieser Klassen betrug hiernach am Schlusse des Schuljahres bei den Knaben rund 52 und bei den Mädchen rund 53.

In religiöser Beziehung gehörten 5913 Kinder der katholischen, 3262 der evangelischen, 53 der israelitischen Konfession an; 66 Kinder waren anderen (davon 57 freireligiösen) Bekenntnisses.

Die Zahl der katholischen Schulkinder verhielt sich zu der der evangelischen wie 1,81 : 1.

Im Laufe des Schuljahres traten in die hiesige Volksschule ein:

a) aus anderen hiesigen Lehranstalten	58	Kinder
b) von auswärts	376	„
zusammen	434	Kinder.

In andere hiesige Lehranstalten traten über	33	Kinder
nach auswärts verzogen	327	„
in Besserungsanstalten bezw. auswärtige Familien kamen	21	„
von den Schulärzten wurden Kinder, die bei der Aufnahme noch nicht das 6. Lebensjahr zurückgelegt hatten und nicht schulfähig waren, zurückgewiesen	27	„
auf ein Jahr zurückgestellt wurden	29	„
es starben	22	„
zusammen	459	Kinder.

Es sind somit 25 Kinder mehr aus- als eingetreten.

Außerdem erhielten am Ende des Schuljahres 152 Kinder (86 Knaben und 66 Mädchen) Zeugnisse zum Eintritt in höhere Lehranstalten.

Am Ende des Schuljahres wurden nach achtjährigem Schulbesuche 1002 Kinder (466 Knaben und 536 Mädchen) entlassen, davon aus den normalen Klassen der Stadt 963 Kinder und zwar aus den I. Klassen 714 = 74,1 %, aus den II. Klassen 152 = 15,8 %, aus den III. Klassen 80 = 8,3 %, aus den IV. Klassen 16 = 1,7 %, aus den V. Klassen 1 = 0,1 %, aus der Schule zu Zahlbach 15 und aus der Hilfsschule 24 Kinder. 2 Mädchen mußten wegen verschuldeten Zurückbleibens troß achtjährigen Schulbesuches auf Anordnung Großherzoglicher Kreisschulkommission die Schule weiter besuchen. 10 Kinder (3 Knaben und 7 Mädchen) wurden vor erfüllter Schulpflicht durch Verfügung Großherzoglichen Ministeriums aus der Schule entlassen.

40 normale Klassen der Stadt (21 Knaben- und 19 Mädchenklassen) wurden von Großherzoglicher Kreisschulkommission einer Visitation unterzogen.

Die Hilfsschule zählte am Anfange des Schuljahres 115, am Ende desselben 123 Kinder (67 Knaben und 56 Mädchen), die in 5 Klassen, ohne Trennung der Geschlechter, unterrichtet wurden. 24 Kinder (14 Knaben und 10 Mädchen) wurden, wie bereits erwähnt, nach erfüllter Schulpflicht aus der Schule entlassen.

Die im Schuljahr 1906/07 vorgekommenen Schulversäumnisse sind aus nachstehender Übersicht zu entnehmen:

a) Knaben. Bezeichnung	Versäumnisse in Halbtagen: mit Entschuldigung	ohne Entschuldigung	wegen Krankheit	zusammen	b) Mädchen. Bezeichnung	Versäumnisse in Halbtagen: mit Entschuldigung	ohne Entschuldigung	wegen Krankheit	zusammen
I. Bez.	1 429	608	11 675	13 712	II. Bez.	2 018	1 101	14 439	17 558
III. „	1 172	1 264	12 209	14 645	IV. „	2 585	1 176	14 493	18 254
V. „	815	889	12 691	14 395	VI. „	2 388	1 622	15 074	19 084
VII. „	1 493	1 379	18 341	21 213	VIII. „	1 799	1 626	18 157	21 582
IX. „	1 313	818	12 707	14 838	X. „	2 810	1 154	18 381	22 345
Im ganzen	6 222	4 958	67 623	78 803	Im ganzen	11 600	6 679	80 544	98 823
Im Durchschnitt per Klasse	71	56	768	895	Im Durchschnitt per Klasse	136	79	948	1 163
In % v. Kl. Durchschnittlich 53 Kinder	0,36	0,29	3,95	4,60	In % v. Kl. Durchschnittlich 53 Kinder	0,69	0,40	4,78	5,87
Hilfsschule	383	181	2 581	3 145	Zahlbach	183	30	1 582	1 795
In %	0,89	0,42	6,00	7,31	In %	0,48	0,08	4,15	4,71

Aus früheren Jahren befinden sich noch Schulstrafen im Rückstand		622,60 ℳ
Im Rechnungsjahr 1906 sind vom Schulvorstand angesetzt worden		1 646,00 „
zusammen		2 268,60 ℳ
Davon sind eingegangen	1 244,60 ℳ	
erlassen worden	254,20 „	
durch Haft verbüßt worden	82,40 „	1 581,20 „
Mithin befinden sich noch im Rückstand		687,40 ℳ

Die Kochschule in der Emmeransstraße wurde von 228 Mädchen, darunter 5 aus den II. Klassen und 5 aus der Hilfsschule, die Kochschule im Feldbergschulhause von 180 Schülerinnen, darunter 16 aus den II., 3 aus den III. Klassen und 2 aus der Hilfsschule, besucht.

Bei der täglichen Reinigung der Schullokale waren außer den Schuldienern tätig:

im I. und II. Schulbezirk einschl. Hilfsschule und Schule in Zahlbach	11 Putzfrauen
„ III. u. IV. „	8 „
„ V. u. VI. „	9 „
„ VII. u. VIII „	7 „
„ IX. u. X. „	9 „
zusammen	44 Putzfrauen.

Die an die Putzfrauen bezahlten Löhne beliefen sich auf 15 325 ℳ 25 ₰. Die Kosten der Putzmaterialien bezifferten sich auf 3921 ℳ — ₰. Im ganzen betragen hiernach die Kosten der Reinigung 19 246 ℳ 25 ₰.

Der *Gesundheitszustand* der Lehrkräfte ließ auch in diesem Berichtsjahre zu wünschen übrig. Dagegen war der Gesundheitszustand der Schulkinder auch diesmal als gut zu bezeichnen.

In jedem Schulbezirk wurde vorschriftsmäßig alle 14 Tage von dem betreffenden *Schularzte* eine Sprechstunde abgehalten. Alle Kinder wurden im Berichtsjahr einmal ärztlich untersucht, die unter Kontrolle stehenden öfter. Im übrigen sei auf den Jahresbericht der Schulärzte verwiesen, der besonders zur Ausgabe gelangen wird.

Die *Schulbäder* wurden im allgemeinen fleißig benutzt. Es wurden in den beiden Schulbädern im Holztorschulhause 16 799 Bäder (12 224 für Knaben und 4 575 für Mädchen), in der Anstalt am Fürstenbergerhof 7 174, in dem Schulbad im Eisgrubschulhause 9 657 und in den beiden Schulbädern im Feldbergschulhause 16 694 Bäder (10 036 für Knaben und 6 658 für Mädchen) und in den beiden Bädern im Leibnizschulhause 25 010 Bäder (15 146 für Knaben und 9 864 für Mädchen), im ganzen 75 334 Bäder verabreicht.

In der heißen Jahreszeit durften die Kinder der Klassen I bis V des V. und VI. sowie die der oberen Knabenklassen des I., III., VII. und IX. Schulbezirks wöchentlich zweimal das Volksbad auf städtische Kosten und unter Aufsicht einer Lehrperson besuchen, auch erhielten die älteren Knaben Schwimmunterricht; an letzterem nahmen 214 Knaben teil, von denen sich 105 freigeschwommen haben.

Auch in diesem Berichtsjahre haben sich die *Jugendspiele* in erfreulicher Weise weiter entwickelt. Zum erstenmal nahmen an denselben in diesem Jahre auch die Kinder der Hilfsschule teil. Hierdurch stieg die Zahl der Spielgruppen auf 52. Im ganzen nahmen an den Spielen 2 379 Kinder (1 420 Knaben und 959 Mädchen) teil, 96 mehr als im Vorjahre. Maßgebend bei allen Spielarten sind jetzt allein die „Spielregeln des technischen Ausschusses für Volks- und Jugendspiele in Deutschland“.

Bezüglich der *Ferienwanderungen* ist zu erwähnen, daß der Zudrang der Schulkinder zu denselben auch im Berichtsjahre ein ganz außerordentlicher war. Mit Rücksicht auf die vorhandenen Geldmittel war es jedoch nur möglich, etwa ein Drittel der Angemeldeten (rund 700 Kinder) zu den Wanderungen zuzulassen. Aus diesen konnten 17 Wandergruppen (8 Knaben- und 9 Mädchengruppen) gebildet werden. Mit denselben wurden unter sachgemäßer Leitung von Lehrern und Lehrerinnen während der Herbstferien 68 ganztägige und 136 halbtägige Wanderungen in die nähere und weitere Umgebung unserer Stadt unternommen, die sämtlich ohne jeden Unfall verliefen und Belehrungen und Erholung in reicher Fülle boten. Möge sich diese segensreiche Neueinrichtung immer mehr ausbreiten zum Wohle unserer Schuljugend!

Der Verein für *Ferienkolonien* sandte im Berichtsjahre 299 hiesige Kinder (124 Knaben und 175 Mädchen) zur Erholung und Kräftigung ihrer Gesundheit ins Gebirge. Außerdem gab der Verein 85 Kinder (31 Knaben und 54 Mädchen) in Solbadpflege. Dem Verein sei für seine segensreiche Wirksamkeit auch diesmal der beste Dank ausgesprochen.

Auch im vergangenen Winter wurde an 63 Schultagen für 1 552 arme Schulkinder ein *warmes Frühstück* verabreicht, das nach dem Urteile der Lehrer und Lehrerinnen einen wohltätigen Einfluß auf die betreffenden Kinder ausübte. — Ebenso erhielten in der Winterzeit an allen Schultagen um 10 Uhr des Vormittags 373 schwächliche Kinder je $1/4$ Liter Milch aus den Mitteln, die der Verband der Mainzer Frauenvereine aus den Erträgnissen des Kinderhilfstages zu diesem Zwecke zur Verfügung gestellt hat. Dafür sei dem Verband wiederholt der beste Dank ausgesprochen.

Im Laufe des Berichtsjahres wurde der *Knaben-Handfertigkeitsunterricht*, der bereits seit 1899 in einer Klasse des VII. Schulbezirks probeweise betrieben wurde, in der Weise ausgestaltet, daß die vier obersten Jahrgänge der Leibnizschule in wöchentlich 2 Lehrstunden Unterricht in Karton-, Papp-, Holz- und Metallarbeiten erhielten. Der Unterricht wurde dem übrigen Schulunterricht eng an- und eingegliedert. Der erforderliche Unterrichtsraum steht in dem „alten Schulhause“ der Leibnizschule zur Verfügung, für das nötige Inventar wurden 4 667 ℳ 93 ₰. aufgewendet. Der für diesen Unterrichtszweig aufgestellte Lehrplan erhielt die erforderliche Genehmigung durch Verfügung Großh. Ministeriums des Innern, Abteilung für Schulangelegenheiten, vom 13. August 1906.

Im abgelaufenen Schuljahre wurden 2 Heilkurse für *Kinder, die an Sprachgebrechen leiden*, abgehalten.

Der Sommerkursus fand in der Zeit vom 24. April bis 30. Juli 1906 statt. An demselben haben 12 Kinder teilgenommen, von denen am Schlusse des Kursus 9 als geheilt, 2 als gebessert und 1 als nicht gebessert bezeichnet wurden.

Der Winterkursus fand in der Zeit vom 21. November 1906 bis 15. März 1907 statt. An demselben haben ebenfalls 12 Kinder teilgenommen, von denen am Schlusse des Kursus 8 als geheilt, 3 als sehr gebessert und 1 als wenig gebessert bezeichnet wurden.

Über die Schulkinder, welche die Lernmittel im Schuljahre 1906/07 unentgeltlich von der Stadt erhielten, gibt die nachstehende Übersicht Auskunft.

Schulbezirke	Zahl der Schulkinder	Davon erhielten unentgeltlich Lernmittel	
		Anzahl	in % (in ganzen Zahlen)
I. Schulbezirk	821	722	88
II. „	803	665	83
III. „	810	679	84
IV. „	805	649	81
V. „	825	660	80
VI. „	905	770	85
VII. „	1 217	1133	93
VIII. „	1 095	966	88
IX. „	883	716	81
X. „	894	744	83
Hilfsschule	123	115	93
Zahlbach	113	74	65
Im ganzen	9 294	7 893	85

Der Unterricht in der Volksschule ist unentgeltlich. Die Rechnungsergebnisse der Volksschule finden sich auf Seite 343 u. ff.

9. Fortbildungsschule.

Eine wichtige Neueinrichtung hat im Berichtsjahre die Fortbildungsschule erfahren, indem in den gewerblichen Klassen der Zeichenunterricht, in den kaufmännischen Klassen der Stenographieunterricht zur Einführung gelangte. Weiter wurde ein neuer Lehrplan aufgestellt, der im Druck erschien und durch Verfügung Großherzoglichen Ministeriums vom 25. September die erforderliche Genehmigung erhielt. Eine von der Stadtverordneten-Versammlung gewählte Spezialkommission wurde beauftragt, die für die Fortbildungsschule erforderlichen Lehrmittel zu prüfen und vorzuschlagen.

Der Unterricht in der Fortbildungsschule, auch in Zahlbach, fand während des ganzen Jahres statt und zwar derart, daß jede Klasse während des Sommerhalbjahres wöchentlich einmal und im Winterhalbjahre jede Woche zweimal, die gewerblichen und kaufmännischen Klassen jedesmal von 4—7 Uhr, die übrigen Klassen im allgemeinen von 5—7 Uhr, die Berufsklasse der Kellner jedoch von 4—6 Uhr und die Berufsklassen der Bäcker von 2—4 Uhr bezw. 3—5 Uhr nachmittags Unterricht erhielten.

Das Schuljahr begann am 30. April 1906 und endete mit dem 22. März 1907.

Am Anfange des Schuljahres besuchten die Fortbildungsschule 763 Schüler, die nach ihren Fähigkeiten und möglichst nach verwandten Berufsarten in Klassen eingeteilt und in 32 Berufsklassen und 2 gemischten Klassen (davon 1 in Zahlbach) unterrichtet wurden.

Von diesen 763 Schülern der gesamten Fortbildungsschulklassen waren 463 katholisch, 282 evangelisch, 12 israelitisch und 6 anderen Bekenntnisses; 587 waren aus der Gemeinde Mainz, 91 aus anderen hessischen Gemeinden und 85 aus anderen deutschen Staaten.

Am Schlusse des Schuljahres war die Gesamtschülerzahl auf 865 gestiegen.

Erfreulicher Weise ist der Prozentsatz der ungerechtfertigten Schulversäumnisse wieder gegen das Vorjahr um etwas zurückgegangen, nämlich von 5,44% auf 5,30%.

7 Klassen wurden gegen Schluß des Schuljahres einer Prüfung durch den Schulvorstand unterzogen. Entlassen wurden am Ende des Schuljahres nach erfüllter Schulpflicht 310 Schüler.

10. Privatlehranstalten.

Die der Großh. Kreis-Schulkommission unterstellten 5 Privatlehranstalten zerfallen

a) nach dem Bekenntnis der Schüler:
in 2 gemeinsame,
„ 2 katholische,
„ 1 israelitische;

b) nach dem Geschlecht der Schüler:
in 1 gemeinsame,
„ 2 für Knaben,
„ 2 „ Mädchen.

Das Lehrpersonal bestand aus 32 Lehrern und 25 Lehrerinnen. Besucht wurden die Anstalten im ganzen von 451 Knaben, 770 Mädchen, zusammen 1221 Schülern. Davon waren

katholisch	979
evangelisch	152
israelitisch	89
anderer Konfession	1

Die Gesamtzahl der Schüler betrug in den staatlichen, städtischen und Privatlehranstalten mit Ausnahme der Gewerbeschulen, der landwirtschaftlichen Winterschule und der Fortbildungsschule

im Schuljahr 1906/07:		im Schuljahr 1905/06.	
männliche	7 377	männliche	7 104
weibliche	6 402	weibliche	6 234
zusammen	13 779	zusammen	13 338

XXXIV. Städtische Sammlungen.

1. Stadtbibliothek

Gutenbergmuseum, Aechin, Münzkabinett.

Auch im vergangenen Jahr ist eine Zunahme in der Benutzung der Stadtbibliothek zu verzeichnen. Sie wurde — wie seit Jahrzehnten — durch das Anwachsen der einheimischen Bevölkerung und die gesteigerten Bedürfnisse auf allen Wissensgebieten hervorgerufen.

Es wurden ausgeliehen 14535 Bände aus diesseitigem Bestand und 792 Bände aus anderen Bibliotheken, zusammen 15 327 Bände (1905 = 13 225 Bände); im Lesezimmer wurden etwa ebensoviele Bände benutzt, abgesehen von den Nachschlagewerken der daselbst aufgestellten Handbibliothek, deren Gebrauch sich nicht zahlenmäßig angeben läßt.

Von auswärtigen Bibliotheken trafen fast allwöchentlich Büchersendungen hier nicht vorhandener Werke ein, die von der Stadtbibliothek für hiesige Entleiher bestellt waren und an diese weitergegeben wurden, während umgekehrt die Stadtbibliothek öfters an anderen Orten aushelfen konnte.

Die seit mehreren Jahren regelmäßig ausgelegten Patentschriften des Kaiserlichen Patentamtes wurden von 143 Personen eingesehen und in 24 Fällen mit 54 Nummern auf kürzere Zeit verliehen.

Durch den fortwährenden Zuwachs der Bibliothek infolge von Neuanschaffungen, Pflichtlieferungen und Geschenken sind jetzt die Bücherräume derart überfüllt, daß sogar ein Teil der Fensternischen mit Büchergestellen versehen werden mußte.

Um den oft störenden Lärm des Ausleihzimmers von den Benutzern des anstoßenden Lesesaales nach Möglichkeit fernzuhalten, ist eine Doppeltür mit geräuschlosem Türschließer angebracht worden. Diese Einrichtung hat sich als Schalldämpfer vorzüglich bewährt.

Das Gutenberg-Museum hat während des verflossenen Jahres in allen Teilen Bereicherung erfahren. Die stattliche Reproduktion des Brevіarium Grimani, die in den früheren Berichten bereits mehrfach Erwähnung gefunden hat, ist bis zum 8. Bande gediehen. Von den Geschenkgebern verdienen besonderen Dank Herr Dr. Heinrich Heidenheimer, der nicht nur eine Reihe interessanter Zuweisungen selbst gemacht, sondern auch von anderer Seite erwirkt hat, und Herr Emil Schirmer in Frankfurt a. M., der zu den eifrigsten Förderern unseres Instituts zählt. Auch Waldemar Zachrisson in Gothenburg (Schweden) und der unermüdliche, verdienstvolle Theodor Goebel in Stuttgart haben wiederum wertvolles Material beigesteuert. Herr Paul Große, früher in Mannheim, jetzt in Freiburg i. Br., hat seine Absicht jetzt ausgeführt und dem Gutenberg-Museum eine umfangreiche Sammlung von selbstentworfenen Akzidenzen und Original-Entwürfen geschenkt. Über die Fortschritte auf dem Gebiete des Buch- und Druckwesens unterrichten, wie bisher, die zahlreichen Fortsetzungswerke, vor allem die deutschen und ausländischen Fachorgane, darunter auch die von ihren Herausgebern weiter geschenkten schwedischen Zeitschriften.

Eine hervorragende Bereicherung konnte dem Gutenberg-Museum durch den Ankauf von 2 Werken aus der Druckerei Christoph Küchlers beschert werden, die sich im Privatbesitze befunden haben. Es sind: Cantus Gregoriano-Moguntinus und Graduale cantui Gregoriano-Moguntino accommodatum aus den Jahren 1666/67 und 1671. Die Bedeutung dieser Bücher als Druckwerke können wir nicht besser vorführen, als durch die Schätzung, die der beste einheimische Kenner liturgischer Druckerzeugnisse, Dr. Friedrich Schneider von ihnen ausgesprochen hat. Er sagt in seinem Aufsatze: Mainz und seine Drucker: „Die Umgestaltung der alten Mainzer Liturgie bezw. deren Anschluß an den Römischen Ritus erforderte den Neudruck aller liturgischen Bücher. Die Druckerei von Christoph Küchler trat um 1666 in diese schwierige, großartige Aufgabe mit solcher Geschicklichkeit und Ausdauer ein, daß die Erzeugnisse ihrer Presse mit zu dem hervorragendsten gehören, was auf diesem Gebiete überhaupt geleistet worden. Die Riesendrucke des Chorbreviers, des Graduales, des Vesperales und der kleineren, zum Handgebrauch bestimmten liturgischen Bücher aus einer Zeit, die eben die furchtbarsten Kriegsstürme überstanden hatte, sind wahre Denkmale aus dem Bereich der Mainzer Druckgeschichte.“

Der Zuwachs der Stadtbibliothek betrug diesmal etwa 3500 Werke. Unter den im Laufe des Jahres der Bibliothek überwiesenen Geschenken verdient besondere Erwähnung das Vermächtnis des verstorbenen Architekten und Stadtverordneten Wilhelm Usinger, bestehend aus einer umfangreichen Sammlung meist älterer Architektur-Werke, die eine wertvolle Bereicherung der betreffenden Abteilung bilden; ferner haben eine größere Anzahl von Werken geschenkt: die Universitätsbibliothek in Upsala, Reichs- und Landtagsabgeordneter Dr. David und Buchdruckereibesitzer H. Prickarts in Mainz, sowie die Verlagsbuchhandlung Emil Roth in Gießen.

Weitere Geschenkgeber waren: Die Großherzoglich Hessischen Ministerien, die Kammern der Hessischen Landstände, die Großherzogliche Zentralstelle für die Gewerbe, der Hessische Landwirtschaftsrat, die Hessische Landwirtschaftskammer und die land- und forstwirtschaftliche Berufsgenossenschaft, das Großherzogliche Katasteramt, die Großherzoglich geologische Landesanstalt, der akademische Senat der Landesuniversität Gießen, die Stadtverwaltungen von Altona, Alzey, Bad-Nauheim, Bamberg, Bensheim, Berlin, Bingen, Bonn, Boston, Brandenburg, Breslau, Brüssel, Cassel, Chemnitz, Cöln, Colmar, Darmstadt, Dortmund, Dresden, Düren, Düsseldorf, Duisburg, Elberfeld, Erfurt, Essen, Frankfurt a. M., Frankfurt a. O., Freiburg i. B., Friedberg, Gießen, Graz, Halle a. S., Hamburg, Hamm, Hanau, Hannover, Heilbronn, Höchst a. M., Iserlohn, Kaiserslautern, Karlsruhe, Krefeld, Kreuznach, Leipzig, Magdeburg, Mannheim, Mailand, Marseille, Metz, Mülheim a. d. Ruhr, München, München-Gladbach, Nürnberg, Offenbach, Paris, Pisa, Prag, Ruhrort, Saalfeld, Schöneberg, Stettin, Straßburg, Stuttgart, Trier, Wien, Wiesbaden, Worms, Würzburg, Zwickau; die ostpreußische General-Landschafts-Direktion in Königsberg, die Großh. Bürgermeisterei, das städtische Finanzsekretariat, das Gewerbe- und das Kaufmannsgericht, die bischöfliche Kanzlei in Mainz, die Königliche Akademie der Wissenschaften in Berlin (Deutsche Kommission), die Universitäten in Cambridge (England), Chicago und Czernowitz, die American Philosophical Society in Philadelphia, die Königliche Bibliothek in Berlin, die Stadtbibliotheken in Berlin und Breslau, die Universitätsbibliothek in Chicago, die Stadtbibliothek in Coblenz, die Landes- und Stadtbibliothek in Düsseldorf, die Krupp'sche Bücherhalle in Essen, die Biblioteca Nazionale in Florenz, die Stadtbibliothek und die Freiherrlich Karl von Rothschildsche öffentliche Bibliothek in Frankfurt a. M., die Universitätsbibliotheken in Gießen und Greifswald, die Stadtbibliotheken in Hamburg und Hannover, die Hof- und Landesbibliothek in Karlsruhe, die Kaiser-Wilhelm-Bibliothek in Posen, die Public Library in New-York, die Carnegie Library in Pittsburg, die Stadtbibliothek in Stettin, die Library of Congress in Washington, die Landesbibliothek in Wiesbaden, die Stadtbibliothek in Zürich, die Free Public Library Commission in Boston; die Verleger der Mainzer Zeitungen, die Großh. Handelskammer, die Königl. Preußische und Großh. Hess. Eisenbahndirektion, die Direktion des Römisch-Germanischen Zentralmuseums, die Großh. Kulturinspektion, die Verlagsbuchhandlung C. A. Diemer, die Buchdruckereien Joh. Falk III. Söhne, E. Herzog, H. Prickarts, K. Thyer,

G. A. Walter, die Ph. von Zabernsche Hofbuchdruckerei, das Konsulat für die Vereinigten Staaten von Amerika, die Mainzer Volksbank, das Kasino „Hof zum Gutenberg", die Rheinische Naturforsch. Gesellschaft, der Verein zur Erforschung der Rheinischen Geschichte und Altertümer, der Medizinische Leseverein, der Gewerbeverein, der Mainzer Journalisten- und Schriftstellerverein, die Mitglieder der städtischen Kapelle, der Verein für Volkswohlfahrt, der Evangelische Verein, der Verein Kreditreform, der Verein Mainzer Frauenarbeitsschule, der Verein für Ferienkolonien, der Mainzer Kriegerverein, der Gartenbauverein, der Mainzer Ruderverein, die Mainzer Schützengesellschaft, Liedertafel und Damengesangverein, der Liederkranz, der Ruppsche Männerchor „Moguntia", der Mainzer Männergesangverein, der Sängerbund, der Turnverein von 1817, die Mainzer Typographia, der Schutzverband Mainzer Hauseigentümer, das Verkehrsbureau, der Verband deutscher Eisenwarenhändler — sämtlich in Mninz; die Direktionen der höheren Schulen und die Kunstgewerbeschule in Mainz, die Direktionen der Gymnasien in Bensheim, Darmstadt und Worms, der Realschulen in Alsfeld, Alzey, Bingen, Darmstadt, Dieburg, Oppenheim, Groß-Umstadt, Wimpfen und Worms, des Schullehrerseminars in Alzey, des Großh. Lehrerinnen-Seminars in Mainz und des Großh. Seminars für Volksschullehrerinnen in Darmstadt, die Buchhandlung Großh. Staatsverlags, die Handelskammer, der Hessische Schutzverein für entlassene Gefangene, der Ernst-Ludwig-Verein, der Historische Verein für das Großherzogtum Hessen, der Verein für Erdkunde, der Hessische Oberlehrerverein und der Richard Wagner-Verein — sämtlich in Darmstadt, das Kaiser Friedrich-Museum der Stadt Magdeburg, die Verlagsbuchhandlungen Macmillan & Sons in London, H. W. Traumüller in Oppenheim, der Zentralausschuß des Evangelischen Kirchengesangvereins für Deutschland, die Gehe-Stiftung in Dresden, der deutsche Buchgewerbe-Verein in Leipzig, der Verein für Volksvorlesungen im Main- und Rheingebiet, die Aktienbaugesellschaft für kleine Wohnungen in Frankfurt a. M., Dr. von Kunowski's Verlag für Nationalstenographie in Liegnitz, die Langenscheidtsche Verlagsbuchhandlung in Berlin-Schöneberg, das Zentralbureau der internationalen Erdmessung in Potsdam.

Außerdem haben folgende Personen die Stadtbibliothek mit Geschenken bedacht: Bibliothekar Hofrat A. Börckel, Herm. Kalwary Nachfolger, Buchbindermeister Leonh. Fäeber, Dr. Jean Falk, Buchhändler H. Forck, Eduard Goldschmidt, Bibliotheksekretär Dr. H. Heidenheimer, Geh. Med.-Rat Dr. Kirnberger, Karl Kneib, Oskar Lehmann, Carl Mordziol, Prof. E. Neeb, Buchdruckereibesitzer H. Prickarts, Ober-Postsekretär Quetsch, Privatgelehrter Hugh Raynbird, Fried. Karl Ritz, Fabrikant Hugo Römheld, P. Salesius, Oberlehrer Prof. W. Schleußner, Prälat Dr. Fr. Schneider, Staatsanwalt Dr. Hans Schneider, Fabrikant K. Scholz, J. Schrapenborg, Konsul Schumann, Baumeister Franz Joseph Usinger, Oberbibliothekar Prof. Dr. W. Velke, Geschäftsführer C. L. Volk — sämtlich in Mainz.

Auswärtige Geschenkgeber: Edwin Swift Balch in Philadelphia, Dr. Julius Baum in Wiesbaden, Paul Bordeaux in Neuilly sur Seine, J. Brehm in Hochheim a. M., Pfarrer Dr. W. Diehl in Hirschhorn, Pfarrer Prof. Dr. Falk in Klein-Winternheim, Dr. S. Feist in Berlin, Richard E. Helbig in New York, Dr. Erwin Hensler in Wiesbaden, Buchhändler Karl W. Hiersemann in Leipzig, Charles Janet in Beauvais, Engelbert Keßler in Wien, W. E. Nebel in Worms, Prof. Theod. Mitsert in Darmstadt, Heinrich Mühl in Darmstadt, Dr. Arnold Sack in Heidelberg, Otto Schöndörffer in Berlin, Oberlehrer Dr. Joh. Schwab in Andernach, Kaplan H. F. Singer in Bieber, Univ.-Professor Dr. Stieda in Leipzig, Philipp Straßer in Salzburg, Rechtsanwalt Dr. M. Strauß in Worms, Emil Streicher in Wien und Oberleutnant Karl Welcker in Düsseldorf.

Bei der Versteigerung der Kunstsammlungen, die ehemals im Schlosse zu Miltenberg am Main sich befunden haben, konnten erfreulicherweise die Stadt und das Kurfürstentum Mainz betreffende Werke erstanden werden, ebenso eine umfängliche handschriftliche Studie des Geschichtforschers Johann Konrad Dahl: „Gutenberg, Fust und Schöffer, oder kurze Geschichte der Erfindung der Buchdruckerkunst in Mainz," die in dessen 1832 erschienener Schrift über die Buchdruckerkunst nur teilweise verwertet ist.

Durch Kauf wurden an Stücken, die für das innere Leben in Mainz von Belang sind, u. a. erworben: die Handschrift eines Bußsermons, den der Abt der Mainzer Karthause 1495 bei der Jahresversammlung des Kapitels hielt, die „Einladung Hoher Gönner, Herren, Freunden und Bürgern" zur feierlichen Begehung des 700jährigen Jubeljahres der Erhebung der Pfarrkirche Unser Lieben Frauen zu einer Kollegiat-Stiftskirche, 1769 in der Wailandschen Druckerei hergestellt, sowie ein mit einem Kupfer versehener Einblattdruck, der ein ausgefülltes Aufnahmeformular in die Bruderschaft der Allerheiligsten Dreifaltigkeit in der Augustinerkirche aus dem Jahre 1774 darstellt.

Eine große Zahl von Druckschriften aus dem alten Bestande konnte mit der Signatur versehen und dadurch für die Benutzung rasch brauchbar gemacht werden.

Dem Stadtarchiv wurde aus der Großherzoglichen Bürgermeisterei das Quittungsbuch der Mainzer Seilerzunft übergeben, das deren freiwilliges Quartal-Almosen an das Mainzer Armenhaus in den Jahren 1754—1795 angibt. Durch Ankauf erhielt es die Statuten des Ritterstiftes zu St. Alban bei Mainz, ein Kopialbuch, in Pergament, aus dem 16. und 17. Jahrhundert, mit Nachträgen aus dem 18., einem Kupferstich und 3 Handmalereien. Das Exemplar ist auch durth Randbemerkungen und Änderungen interessant, die eine Änderung der Statuten beweisen.

Aus einer größeren Zahl zusammen angekaufter archivalischer Stücke seien angeführt: das höchst stattliche, mit dem Familienwappen in Handmalerei versehene, von Kaiser Rudolf II. ausgestellte Adelsdiplom für den Kurfürstlich Mainzischen Rat Franz Philipp Faust, sowie die gleichfalls auf Pergament, in Buchform, von demselben Kaiser gegebene Bestätigung des Pfalz- und Hofgrafendekrets für Faust, der mittlerweile kurmainzischer Kanzler geworden war. — Von Urkunden sind zu erwähnen: das kulturgeschichtlich interessante Testament des Mainzer Bürgers Jakob Schenkenberg von 1414 und eine aus dem Jahre 1430, durch die von der Geistlichkeit der St. Christophskirche ein städtischer Zins, wegen der Schuldenlust der Stadt, gemindert wird. Insbesondere aber muß hier darauf hingewiesen werden, daß dieser Gesamtkauf auch eine Anzahl von Urkunden wieder in Mainz festgelegt hat, die das Haus zum Korbe betreffen. Aus dem Zeitraume von 1434—1602 berichten sie van wechselnden Besitzern dieses Honses, das einstmals Peter Schöffer gehört hat, und auch „das Druckhaus", das Haus zum Humbrecht, kommt in dieser Urkundensammlung, gleich wie Baugeschichtliches von Interesse, vor.

Für die Schenkung eines handschriftlichen Gedichtes über die Kriegspest in Mainz im Jahre 1813 ist die Verwaltung Herrn Fabrikanten Hermann Heß zu Danke verpflichtet.

Lebhaft wurden Bibliothek und Archiv durch schriftlich und mündlich gestellte Anfragen für wissenschaftliche Forschung, besonders auf dem reichen Gebiete der heimischen Geschichte, der Kunst- und Familiengeschichte, in Anspruch genommen. Auch dem pietätvollen Zwecke der Deutschen Bibliographischen Gesellschaft, ältere Zeitschriften durth die Verzeichnung ihres wertvollen Inhaltes wieder lebendiger zu machen, suchte man, nach Möglichkeit, gerecht zu werden.

Im **Münzkabinett** sind durch mehrere Käufe vorhandene Lücken weiter ausgefüllt; überwiesen wurde dem Kabinett die „Silberne Medaille", die der Stadt Mainz für hervorragende Leistungen auf der Weltausstellung von St. Louis zuerkannt worden ist.

2. Gemäldegalerie.

Die Gemäldegalerie hat durch Ankäufe, Vermächtnisse und ein Geschenk einen Zuwachs von 54 Bildern erhalten.

A. Ankäufe.

1—3. Joh. Conrad Seekatz, 1719—1768, Darmstadt: „Christus vor Kaiphas", „Der Auszug der Juden aus Ägypten", „Die Kundschafter mit Trauben aus dem gelobten Lande".

4. Joh. Kaspar Schneider, 1753—1839, Mainz: „Rheinlandschaft von Larth bis Trechtingshausen".

5. Paul Meyer, Mainz-München: „Flirt".

B. Vermächtnisse.

a) **Aus der Hinterlassenschaft des Herrn Joseph Schick, Weingutsbesitzer in Nackenheim.**

6. Niederländischer Meister des 15. Jahrh.: „Anbetung der drei Könige".

7. Niederdeutscher Meister aus der zweiten Hälfte des 16. Jahrh., Monogramm HB: „Anbetung der drei Könige".

8. Niederländischer Meister des 17. Jahrh.: „Stilleben".

9. Gortzius Geldorp, 1553—1616: „Bildnis eines Mannes aus der Schickschen Familie". Ganze Figur, in Lebensgröße.

10. Derselbe: „Bildnis einer Frau aus der Schickschen Familie". Ganze Figur, in Lebensgröße.

11. Joh. Conrad Seekatz, 1719—68, Darmstadt: „Landschaft".

12—13. Unbekannter Meister, Monogramm R, datiert 1746: „Maria und Mutter Anna", und „Die heilige Familie in einer Landschaft".

14—16. Unbekannte, vielleicht spanische Meister des 17. Jahrh.: „Der heilige Franziskus", „Ein Mönch auf dem Totenbette", und „Heiliger Petrus".

17. R. Huth: „Bildnis des Franz Anton Schick im dritten Lebensjahre. (Aquarell.)

18. Fischer: „Bildnis des späteren Domdekans Dr. Franz Werner, Mainz, als Schüler des Collegium germanicum in Rom.

19—21. Benjamin Orth, Mainz, 1803—1875: „Drei Bildnisse von Mitgliedern der Familie Schick".

22. Unbekannter Maler: „Jugendbildnis der Magdalene Lang" (der späteren Frau des Hofrat Hermann Joseph Valentin Schick).

23—25. Wilh. Ohaus Mninz: „Spanisches Wirtshaus", „Kathedrale von Segovia", „Maurisches Gehöft".

b) Vermächtnis des Herrn Maximilian Oppenheim, Rentner, Mainz.

26. Q. Brekelenkam: „Fisch- und Gemüsehändlerin".
27—29. Jan Brueghel: „Wirtshaus an der Landstraße", „Flußlandschaft", „Landstraße mit Schmiede".
30. P. Codde: „Tric-Trac-Spieler".
31. Albert Cuyp: „Landschaft mit Pferden".
32. Dirk Hals: „Die Wachtstube".
33. Thomas de Kaiser: „Herr und Dame in einer Kanal-Landschaft".
34. Alex. Kieringhs: „Waldlandschaft".
35. J. M. Molenaer: „Das Tischgebet".
36. Klaas Molenaer: „Schnitter und Schnitterin".
37. Pieter Molijn: „Landschaft mit Jäger".
38. Pieter Neefs: „Inneres einer Kirche".
39. Aart van der Neer: „Flußufer bei Mondschein".
40. Pieter Nolpe: „Wirtshaus mit Wagen".
41. Adrian van Ostade: „Zechende Bauern".
42. Anthoni Stevaerts Palamedes: „Eine musizierende Gesellschaft".
43. Derselbe: „Gesellschaftsbild" (Dame am Spinett).
44. Hendrik M. Sorgh: „Die Kartenspieler".
45. Abraham Storck: „Fischerbarke".
46. David Teniers d. J.: „Wachtstube".
47. Derselbe: „Bauernpaar vor einem Hause".
48. Derselbe: „Brustbild einer alten Frau".
49. Egidius van Tilborgh: „Bauernfamilie".
50. Pieter Verelst: „Matrosenschenke".
51. Simon de Vlieger: „Die Küste bei Scheveningen".
52. Hendrik van der Vlied: „Inneres der alten Kirche zu Delft".
53. Thomas Wyck: „Weberstube".

c) Als Geschenk übergab Frau Wilh. Fülling Wwe., Mainz, das nachstehende Gemälde:

54. Abraham Blomaert, 1564—1651: „Auszug der Juden aus Ägypten nach der siebenten Plage".

Der Zuwachs, den die Galerie in diesem Jahre infolge der erwähnten Zuwendungen erhalten hat, ist in jeder Hinsicht bedeutend. Aus dem Schickschen Nachlaß sind, wenn man auch von den kleineren Familienporträts, die nur von lokalem Interesse sind, absieht, die unter 6, 7, 9 und 10 aufgeführten Gemälde als künstlerisch wertvolle Werke zu bezeichnen, während die Oppenheimsche Sammlung fast durchweg charakteristische Arbeiten guter niederländischer Meister in bester Erhaltung aufweist. Die zuletzt genannte Gruppe hat bereits Aufstellung in der Galerie gefunden. Die Schickschen Bilder konnten dagegen bis jetzt noch nicht in die Sammlung eingereiht werden, da sie zunächst einer konservierenden Behandlung unterzogen werden mußten. Besonders waren es die auf Holz gemalten besseren Bilder, die der Hilfe bedurften; die zahlreichen offenen Fugen und Sprünge mußten auf der Rückseite durch Leimen und Verkitten geschlossen werden. Sorgfältige Reinigung erfuhren auch die angekauften Bilder von Srekatz und Kasp. Schneider und, aus dem alten Bestand der Galerie, das Gemälde Nr. 206 Barbieri: „St. Franziskus". Das große, unter 54 genannte Bild von Abraham Blomaert wurde auf neue Leinwand gezogen und gefirnißt.

Die durch bauliche Arbeiten im Museum veranlaßte Überführung der sämtlichen Gemälde neuerer Meister in den roten und weißen Saal des Museumsgebäudes hatte eine gründliche Reinigung aller Bilder und Rahmen im Gefolge. Das Ausräumen der Bilder und deren Neuaufstellung nahm die Zeit vom 19. März bis zum 22. Mai in Anspruch.

Zur Ausstellung in anderen Städten wurden im Laufe des Berichtsjahres fünf Bilder verliehen.

Der deutschen Kunstausstellung in Köln:

Nr. 586. Wilh. Leibl: „Porträt eines jungen Mannes".

Nr. 446. Deutscher Meister nach 1500: „Die Mutter Gottes wird von Engeln gekrönt".

Der historischen Ausstellung der Stadt Nürnberg:

Nr. 444. Ulmer Meister 1482: „Bildnis des Ulmer Dombaumeisters Moritz Ensinger".

Nr. 415. Hans Leonh. Schäuffelein: „Steinigung des heil. Stephanus".

Der Ausstellung bayerischer Kunst in München:

Nr. 459. Wilh. Lindenschmit d. Ä.: „Tod Luitpolds von Bayern in der Schlacht bei Preßburg 970".

Im Laufe des Jahres haben 12 Personen an 4003 Stunden in der Gaierie kopiert; es wurden 27 Kopien hergestellt.

Auch die Sammlung von Kupferstichen, Radierungen und Handzeichnungen wurde durch Ankäufe und durch das Schicksche Vermächtnis stattlich vermehrt.

A. Ankäufe.

Es wurden erworben:

Neununddreißig Blätter von den Meistern Aichinger, Bantzer, Calame, H. am Ende, Carlos Grethe, A. H. Haig, Hubert von Herkomer, John, von Kalckreuth, A. Kampf, K. Kollwitz, Krüger, E. Liebermann, Liesegang, Lührig, Meyer-Basel, Overbeck, Pietschmann, G. Schönleber, P. Skarbina, Stauffer-Bern, Ubbelohde, Wilh. Unger, Zeising.

Eine Gruppe von 20 Stichen von J. G. Wille, betitelt: „Variétés des gravures".

Die Publikationen der Gesellschaft für vervielfältigende Künste in Wien, des Radiervereins in Weimar und des Vereins für Originalradierung in München.

Ferner für die Sammlung der Handzeichnungen drei Kohlenzeichnungen von Dr. J. Mancfeld, Mainz.

B. Vermächtnis des Heren Joseph Schick in Nackenheim.

Es umfaßt hundertzweiundsechzig Blätter von 96 niederländischen, deutschen, italienischen und französischen Meistern und sechs mit Kupfern gezierte Werke. Für diese Gruppe wurde ein Zettelkatalog angelegt.

Die Aufnahme der aus dem Laskeschen Vermächtnis stammenden Stiche in den Zettelkatalog wurde fortgesetzt. Auch der Bücherbestand der Laskeschen Hinterlassenschaft fand Aufnahme in einen Zettelkatalog. Es sind 66 illustrierte und Kupferwerke, 182 Bücher kunstwissenschaftlichen Inhalts und 63 Kataloge und Führer durch Ausstellungen und Museen des In- und Auslands.

Diese Sammlung bedeutet einen wertvollen Zawachs zu der kleinen Bibliothek der Galerie und des Kupferstichkabinetts. Eine Vermehrung dieser Bücherei fand durch Ankauf der im Laufe des Jahres erschienenen Knackfußschen Monographien und vier anderer Werke, darunter Wurzbachs Niederländisches Künstler-Lexikon und die Neuauflage von Naglers allgemeinem Künstler-Lexikon statt.

Die Sammlung photographischer Aufnahmen alter Mainzer Bau- und Kunstdenkmäler wurde um 35 Tafeln mit 62 Aufnahmen vermehrt.

3. Naturhistorisches Museum.

Für die Anschaffungen war der früher bewährte Grundsatz maßgebend, der alten, breit angelegten systematischen Sammlung nur noch die ihr fehlenden, charakteristischen Typen hinzuzufügen, von einer Bereicherung an Arten aber ganz abzusehen. Hierdurch wied eine instruktive Übersicht über das Tierreich erreicht, die durch Überfülle nur beeinträchtigt werden konn.

So wurde durch Ankauf von J. Rosenberg in London die Vogelsammlung ergänzt mit Didunculus strigirostris, der im Aussterben befindlichen oder bereits ausgerotteten Zahnschnabeltaube, „Manumea" der Eingeborenen von Samoa, und mit Irrisor erythrorhynchus, einem rotschnäbligen Honigkukuk vom Senegal.

Die geologisch-paläontologische Abteilung, insbesondere die Sammlung aus dem „Mainzer Becken", erhielt in einem ganz vollständigen Unterkiefer des dem Mammut-Elefanten zeitlich vorausgegangenen Elephas trogontherii einen sehr beachtenswerten Zuwachs. Das Stück wurde in der westlichen Sandgrube oberhalb Mosbach (Biebrich) gefunden, zerfiel jedoch, wie dies bei dergleichen Fossilien fast immer der Fall zu sein pflegt, beim Aushub in viele einzelne Teile, die später durch geeignete Präparation wieder so zusammengefügt wurden, daß fehl keinerlei Beschädigung mehr zu sehen ist. Nur wenige Museen dürften ein solches Prachtstück aufzuweisen haben.

Von derselben Elefantenart, welche zu der Zeit hier gelebt, als der Rhein erstmals seinen Weg durch die mit Absätzen eines tertiären Sees angefüllte Grabenversenkung zwischen den jurassischen Alpen südlich von Basel und dem Taunus bei Rüdesheim genommen, wurde ein Stoßzahn erhalten. Die Elle (ulna) von der gleichen Spezies wurde von dem Tertianer Günther Voß zu Wiesbaden dem Museum zum Geschenk gemacht.

Der Schädel eines Bison priscus wurde bei dem Auffinden im Sande leider mit dem Pickel mittendurch geschlagen, doch gelang es, schöne und wichtige Schädelteile davon zu bergen, wie das Hinterhaupt, die beiden Stirnzapfen und die beiden Oberkiefer mit den Backenzähnen. Von dieser Wildochsenart wurden auch drei Extremitätenknochen erhalten.

Von dem großen **Mosbacher Pferd**, Equus mosbachensis, dessen Reste zur Zeit im hiesigen Museum wissenschaftlich bearbeitet werden, kanute eine tibia geborgen werden. Herr Oberförster A. **Behlen** zu Haiger schenkte der Sammlung einen isoliert gefundenen wohlerhaltenen ersten Molar des Oberkiefers.

Von dem **Flußpferd**, Hippopotamus amphibius oder major (Cuvier), wurde bei Oppenheim im unteren Rheinkies ein Oberkiefer-Eckzahn ausgebaggert und dem Museum verkauft.

Der Litorinellenkalk von Mombach-Budenheim lieferte eine linke Oberkieferhälfte des Aceratherium lemanense, eines noch hornlosen Vorläufers der Nashorngattung; sowie einige Rumpf- und Extremitätenknochen desselben Individuums.

Behufs Ankaufs eines vollständigen Skelettes vom irischen **Riesenhirsch**, Megaceros euryceros var. hibernicus, wurde bei Mitgliedern der „Rheinischen naturforschenden Gesellschaft", der Besitzerin der Sammlungen, eine Geldsammlung veranstaltet, welche ihren Zweck erreichte. Es war um so wünschenswerter für die Anstalt, diese große Damhirschart in einem ganzen Skelett repräsentiert zu haben, als diese Tiere in der jüngeren Diluvialzeit auch in unserer mittelrheinischen Gegend gelebt haben, wie eine ganze Anzahl Belegstücke aus der Gegend von Nierstein-Oppenheim nnd aus dem unteren Mainbett, die das Museum aufzuweisen hat, dem Besucher lehren. So nähert sich die Sammlung immer mehr ihren Zielen: einesteils eitum Überblick über die Schar der Lebewesen unsres Planeten zu bieten, anderenteils aber, anknüpfend an die Naturobjekte der Heimat, an der Hand möglichst vollkommener Fundstücke — unwiderleglicher Tatsachen — hinüberzuleiten in die historischen Zeiten und rückwärts noch weit jenseits derselben. Der Besucher empfängt somit ein Bild des Seienden und seiner Entwicklung im Laufe der Zeit, wie des Werdens unserer mütterlichen Erde nebst dem, was sie hervorgebracht.

Die Sammlung fossiler Konchylien, Fische und Blätter erhielt gleichfalls einen namhaften Zuwachs.

Gelegentlich der Ausstellung von Aquarien und Terrarien vonseiten des hiesigen Vereins „Cyperus" machten die Vorstandsmitglieder Herren F. **von Kittlitz** und W. **Kölsch** der zoologischen Heimatsabteilung willkommene Geschenke, bestehend in:

1. einer Anzahl Exemplare des interessanten, in Pfützen auftretenden Krebstieres Apus productus von Raunheim a. M. Unter einigen vierzig Stück befand sich nur ein Männchen.
2. vier erwachsenen **Ringelnattern** (Tropidonotus natrix) aus der Umgebung von Mainz,
3. einer **Würfelnatter** (Tropidonotus tessellatus) von Kreuznach, dem Verein zur Verfügung gestellt von Herrn Oberlehrer L. **Geisenheyner** daselbst,
4. einer **Schlingnatter** (Coronella austriaca) von Mainz,
5. einer **Äskulapschlange** (Coluber Aesculapii) von Schlangenbad.

Bekanntlich ist letztere Schlangenart von den Römern in deutschen Bädern eingeführt worden, weil sie ihr Heilkraft zuschrieben; in dem sonnigen Gebirgskessel von Schlangenbad haben sich diese Reptilien bis auf den heutigen Tag fortgepflanzt.

Eine mehrjährige wissenschaftliche Museumsarbeit, welche zur Festlegung des paläontologischen Materiales notwendig sich erwies, fand ihren Abschluß und erschien unter dem Titel: „Abhandlungen der Großherzoglich Hessischen geologischen Landesanstalt zu Darmstadt, Band IV, Heft 2: Wilhelm von Reichenau, Beiträge zur näheren Kenntnis der Carnivoren aus den Sanden von Maner und Mosbach. Mit 14 Tafeln in Autotypiedruck. Darmstadt 1906".

Was den Stand der Sammlungen selbst betrifft, so mußte wegen Beanspruchung der Säle im ehemaligen kurfürstlichen Schlosse vonseiten der Bauleitung das gesamte Material an ausgestopften Tieren, Insekten und Mineralien geräumt werden.

Die erstgenannten Objekte fouden in dem hierfür geeigneten sogenannten Lappenhause, die Mineralien im Realgymnasium Unterkunft. Die wiederholte Magazinierung und der Transport der ausgestopften Tiere brachte nicht nur eine Anzahl geringer Beschädigungen mit sich, wie solches unvermeidlich ist, sondern versetzte auch die äußere Bekleidung der Säugetiere und namentlich der Vögel in solche Unordnung, daß eine gründliche Wiederherstellung vorgenommen werden muß, ehe dieselben aufs neue dem Beschauer vor Augen zu bringen sind.

Wie alljährlich, wurde die schöne Sammlung einheimischer Schmetterlinge und Pflanzen tunlichst durch Sammeln ergänzt und vermehrt.

4. Altertümer-Sammlung.

Weitaus die meisten Erwerbungen verteilen sich diesmal wiederum auf die Sammlung römischer Altertümer und auf die Abteilung für Gegenstände aus dem Mittelalter und der neueren Zeit. Unter den römischen Altertümern nehmen die Inschriften und Skulpturen durch ihre Zahl wie auch durch ihre wissenschaftliche Bedeutung die erste Stelle ein. Die Überwachung der großen Erdbewegungen bei Fundamentierungsarbeiten für Neubauten hat die Bergung einer Reihe von

Denkmälern der genannten Art ermöglicht. Ausschachtungen für das Warenhaus Tietz an der Schustergasse und für das Justizgebäude auf dem Schloßplatz brachten allein eine Gruppr von 14 römischen Schriftdenkmalen und Skulpturen zu Tage. Von den auf der zuletzt genannten Fundstelle erhobenen Denkmälern ist die Hälftr eines Reliefbildes besonders hervorzuheben. Das Bildwerk zeigte nach Analogie anderer, gleichartiger Darstellungen Mann und Frau in einer Nische nebeneinander sitzend. Nur die männliche Figur ist erhalten; sie trägt den Kapuzenmantel und hält eine Traube in der Hand. Zu ihren Füßen liegt ein kleiner Hund. Die eine Schmalseite zeigt eine Tänzerin und darunter die sinnende Gestalt des Attis, als Verkörperung der Winterruhe, Sinnbild des Todes. Vielleicht hat man in dem Denkmal den Grabstein eines wohlhabenden Winzers zu sehen. Die Inschrift ist leider nicht erhalten.

Bemerkenswert sind auch drei ebenfalls auf dem Schloßplatz gefundene, reichgemusterte Architekturzierrate, von denen einer, ein Fries, noch die Reste von bunter Bemalung aufweist. Eine zweite Gruppe von Steindenkmälern und Architekturteilen römischer Herkunft wurde beim Abbruch eines Teils der Stadtmauer am Kästrich gewonnen. Es sind in der Hauptsache: ein der gallischen Göttin Epona von dem Militärtribunen der XXII. Legion, Claudianus aus Antiochia, gewidmeter Altar und 16 mächtige Quader mit verzierten Pilastern, Teile von Fenstern und Arkadenbogen der Außenarchitektur eines mächtigen achteckigen Bauwerks, das ehemals im Kastrum stand und dessen Material bei Errichtung der Stadtmauer in spätrömischer Zeit zu Fundamentanlagen wieder benutzt wurde.

Aus Weisenau stammen drei, dicht an der Römerstraße gefundene Grabsteine römischer Soldaten, von denen zwei Reliefdarstellungen zeigen. Besonderes Interesse nimmt die kräftig modellierte Figur des **Imaginifer Genialis** aus der VI. Cohorte der Raeter in Anspruch. Der Signumträger ist in voller Bewaffnung abgebildet; die rechte Hand hält den Schaft, auf dem in einem nischenartigen Gehäuse das Bild des Kaisers befestigt ist. Die Skulptur zeigt noch die Reste ehemaliger Bemalung. Wie der Inhalt der in unmittelbarer Nähe gefundenen Gräber und außerdem der Charakter der bildnerischen Arbrir erlemten lassen, stammen die Denkmäler aus dem ersten Drittel des ersten Jahrhunderts. Die aus den Gräbern erhobenen 36 Gefäße aus Ton und Glas, wie die übrigen Beigaben gelangten in das Museum.

Von den übrigen Funden römischer Herkunft seien hier noch genannt: Aus Weisenau, von anderer Stelle: Fünf prächtige Glasgefäße, die aus Bruchstücken zusammengefügt werden konnten. Die Gruppe besteht aus einer Vase mit zwei Henkeln aus ultramarinblauem Glase, einer Vase mit zwei Henkeln, einem einfachen Bechrr, einer blauen Flasche und einer flachen Schale aus braunem Glas mit weißtn Flecken. Die Fundstücke wurden dem Museum durch die Direktion der Portland-Zementwerke Heidelberg-Mannheim in dankenswerter Weise überwiesen.

Aus Mainz, von der Mombacher Stenße: Der Inhalt von zwei Steinsärgen, bestehend aus drei Glasgefäßen, von denen eine bauchige Flasche mit eingeschliffenen Verzierungen und ein überaus zierliches Fläschchen mit vier feinen Henkeln besonderes Interesse verdienen. Diese kunstvollen Arbeiten gehören der zweiten Hälfte des dritten Jahrhunderts an.

Aus Mainz, von verschiedenen Fundstellen in der Altstadt und aus dem Rhein: Ein goldener, mit einem großen Granat geschmückter Fingerring, ein Fingerring aus Bronze mit Gemme, eine guterhaltene Schreibfeder aus Bronze, zwei Statuetten, ein schwebender Genius und Mars, aus demselben Metall, und ein Dolch mit Scheide aus Eisen. Das zuletzt genannte Fundstück ist rin Geschenk des Herrn Antiquar Franz Broo, Mainz.

Der Abteilung fränkischer Altertümer dürfen vielleicht vier Steinsäulen zugeteilt werden, die bei den Kanalisierungsarbeiten vor dem ehemaligen Neutor in der Tiefe von 4 Meter aus einer Ablagerung von Bauschutt erhoben wurden. Sie sind aus spätrömischen Grabsteinen gemeißelt und rühren anscheinend von einem arkadenartigen Bau her. Wenn sie im allgemeinen Verwandtschaft mit spätrömischen Formen zeigen, so unterscheiden sie sich doch durch bestimmte Eigentümlichkeitrn von diesen. Der Gedanke, daß diese Architekturteile, ebenso wie eine gewaltige Säulenbasis von gleichem Charakter gefunden bei dem Bau des Hauses Groben Nr. 1, vielleicht von der Burg des Frankenkönigs Dagobert herrühren, die der Überlieferung nach am Fuße des Jakobsberges stand, liegt nahe. Von Kleinaltertümern, die der fränkischen Abteilung zugeführt werden konnten, sind hier nur zwei silberne, mit Granaten verzierte Fibeln aus einem auf dem Albansberg nahe bei spätrömischen Gräbern aufgedeckten fränkischen Grabe und eine ungewöhnlich große, spätfränkische Flügellanze zu erwähnen.

Die Abteilung für Gegenstände aus dem Mittelalter und der neueren Zeit hat auch in diesem Jaher wiederum rrichen Zuwachs zu verzeichnen, von dem ein beträchtlicher Teil dem Vermächtnis des Herrn Joseph Schick in Nackenheim zu verdanken ist. Von ihm stammen außer anderen, weniger wertvollen Gegenständen: Eine aus Birnbaumholz geschnitzte, mit Silber montierte Winzerfigur, ein sog. Buttenmännchen in der Tracht vom Anfang des 16. Jahrhunderts. Der grüßend an seine Mütze greifende Bauersmann trägt eine Butte auf dem Rücken, die abgenommen und als Trinkbecher benutzt werden konn. Die Figur zeigt die Schicksche Familien- und Hausmarke, die Jahreszahl 1517 und die Silberschmiedmarke M. E. Ein Kruzifixus aus Elfenbein, ein feines Kunstwerk aus dem 17. Jahrhundert, einer Zeit, in der die deutsche Elfenbeinschnitzerei in hoher Blüte stand. Der Körper des Gekreuzigten hat, von der ausgestreckten Hand bis zu den Füßen gemessen, die bedeutende Größe von 41 cm. Ein silberner Schraubtaler, der die Jahreszahl 1641 trägt und auseinandergenommen die Miniaturbildnisse des Valentin Schick und der Anna Philippine Schick im Kostüm der Mitte des 17. Jahrhunderts zeigt. Ein künstlerisch bedeutendes Miniaturporträt des Faktors Joh. Bapt. Werner, geb. 1748, in eine goldene Kapsel gefaßt, die mit goldenem Hängeschlößchen verwahrt ist. Ein goldener Fingerring mit dem Miniaturporträt des Joh. Bapt. Werner, 18. Jahrhundert. Miniaturbild der Agnes Werner, als Brosche in Gold gefaßt, Ende des 18. Jahrhunderts. Ein goldener Fingerring aus dem Anfang des vorigen Jahrhunderts. Eine Gruppe von etwa 50 zum Teil reich verzierten Silbergeräten, Leuchter, Tafelgerät verschiedener Art aus der Rokoko- und Empirezeit, oder aus den dreißiger Jahren des vorigen Jahrhunderts. Die Gegenstände tragen die Stempel von Augsburger und von Mainzer Silberschmieden. Eine weiße, mit Löwenköpfen und Festons verzierte Terrine aus der Höchster Fabrik, mit blauer Marke. Eine Kanne aus Porzellan mit prächtigem Blumenstrauß, eine zylindrische Tosse, beide Höchster Fabrikat mit blauer Marke. Eine Fayenceplatte mit Streublümchen verziert und eine ovale, weiße Schüssel mit der Flörsheimer Marke. Eine Präsentierplatte mit Streublumen, Käfern und Schmetterlingen, Straßburger Arbeit. (?) Eine weißblaue Delfter Platte. Eine Wedgewood-Schale mit Deckel. Ein Relief-Porträt aus Fayence des Kurfürsten Friedrich Karl von Erthal, Fabrikat von Dirmstein, Worms. Ein Trinkbecher aus rubinfarbigem Glase, angeblich aus dem 17. Jahrhundert. Eine gestickte Leinendecke vom Ausgang des 13. Jahrhunderts. Sie besieht aus weißen Leinenfeldern in drei Reihen, zwischen denen schmale Felder in Durchbrucharbeit eingesetzt sind. Die Leinenfelder sind teils geometrisch gemustert, ähnlich den Fliesen aus jener Zeit, teils zeigen sie in streng stilisierter Auffassung Löwen, Hirsche, Hasen, Adler, Greife, Tauben und verschiedene Phantasiegebilde. In den Streifen, die die beiden Querenden bilden, sind geometrische und Pflanzenmotive vertreten. Die ungefähr 2,70 m lange und 85 cm breite Decke gehört ohne Zweifel zu den wertvollsten Gegenständen aus dem Schick'schen Vermächtnis. Die noch in ihren Anfängen stehende Sammlung von Textilien und Stickereien erhielt durch dieses Prachtstück gewissermaßen einen Mittelpunkt, um den sich künftige Erwerbungen gruppieren können. Zu erwähnen sind noch einige schön gemusterte Spitzen aus dem 18. Jahrhundert.

Aus den übrigen, der Abteilung meist durch Ankauf zugeführten Gegenständen seien hervorgehoben: Eine Elfenbeinskulptur, die vom Deckel eines Evangelienbuches herrührt und dem 10. bis 11. Jahrhundert angehört. Sie stellt zwei nimbierte Engel dar, die zwischen sich einen Kranz halten, in dem das Lamm Gottes steht. Das seltene Kunstwerk wurde auf dem Schloßplatz in einer von sonstigen Kulturresten freien Schicht gefunden. — Zwei ineinander geschlungene Hände in fast natürlicher Größe, aus Elfenbein geschnitten, gefunden beim Bau des Warenhauses von Tietz. Am oberen und unteren Ende des in seiner Bedeutung noch nicht erkannten Gegenstandes zeigen sich Durchbohrungen, die anscheinend zur Befestigung auf einer Unterlage dienten. Nach seiner Formensprache gehört das Fundstück dem frühen Mittelalter an. — Ein wohlerhaltenes gotisches Ritterschwert, gefunden im Rhein. — Eine Pulverflasche aus Zinn mit reicher Dekoration im Renaissancestil, 16. Jahrhundert, 2. Hälfte. — Drei kleine Biskuit-Statuetten der Höchster Fabrik, Blumen und Früchte tragende Kinder darstellend, und eine reizende Gruppe aus Biskuit, ein Mädchen, das einen schlafenden Knaben bekränzt. Die kleine Zahl der im Museum bis dahin bewahrten Werke der Altmainzer Fabrik in Höchst hat durch diese Erwerbungen einen recht beachtenswerten Zuwachs erhalten. — Eine Gruppe von Apothekergefäßen aus der Flörsheimer Fabrik; sie ist ein Geschenk des Herrn Apotheker Thurn in Mainz. — Zwei mit Blumengitter reizend dekorierte Krüge aus Fayence und ein reichbemaltes Tintenfaß in Rocaille-Stil, Flörsheim. — Ein schöner Fayencekrug mit Marke HD (Hessen-Darmstadt). — Neunzehn buntbemalte und glasierte Tongefäße, sog. Bauernmajolika, aus dem 18. und vom Anfang des 19. Jahrhunderts. Diese oft mit recht possierlichen, immer aber charaktervollen figürlichen Darstellungen und Pflanzenmotiven in kräftigen, leuchtenden Farben dekorierten und häufig mit kernhaften Sprüchen versehenen Geräte bilden schon jetzt eine recht instruktive Gruppe der keramischen Sammlung.

Im Laufe des Winters wurden bei Gelegenheit der baulichen Veränderungen in der St. Johanniskirche auf Kosten des Staates Untersuchungen der ältesten Teile des Baues und Nachforschungen nach den unter 3 m hohen Schuttablagerungen verborgenen alten Anlagen vorgenommen. Die Ergebnisse blieben, soweit altertümliche Funde in Betracht kommen, hinter den Erwartungen zurück. Ein als Baustein vermauertes römisches Kapitell, sowie einige romanische und gotische Architekturtrümmer fanden Aufbewahrung im Museum.

5. Römisch-Germanisches Zentralmuseum.

Langwierige Arbeiten, wie die Verlegung der Verwaltungsräume und die Überführung eines Teils der Sammlungen in neue Ausstellungssäle haben im Laufe des Berichtsjahres ihren störenden Einfluß auf die Tätigkeit der Werkstätten wiederholt geltend gemacht. Wenn trotz dieser Störungen und einer auch in diesem Jahre wieder starken Inanspruchnahme der Zeit durch Arbeiten für auswärtige Museen und für Schulen die Zahl der in den eigenen Werkstätten hergestellten Nachbildungen die Ziffre des vorigen Jahres übertrifft, so ist das auf den zufälligen Umstand zurückzuführen, daß eine große Zahl der nachzubildenden Gegenstände den Kopisten verhältnismäßig geringe Schwierigkeiten bot.

Es wurden in den Werkstätten des Museums 469 Nachbildungen aus Gips oder Metall hergestellt. Von auswärtigen Sammlungen gelangten durch Ankauf oder Tausch 28 Nummern in den Besitz des Museums. Indem sich also die Ziffer der zugegangenen Nachbildungen im ganzen auf 497 beläuft, sind die im Römisch-Germanischen Zentralmuseum vereinigten Kopien auf 21 473 Nummern angewachsen.

Die zur Nachbildung und meist auch zur Konservierung und Wiederherstellung nach Mainz gesandten Altertümer gehörten 30 Staats- und städtischen Sammlungen an. Wie bemerkt, wurden auch in diesem Jahre Nachbildungen und Modelle für auswärtige Museen und Lehranstalten hergestellt. Die lebensgroßen Standbilder, der römische Legionar und der fränkische Krieger, wurden dem städtischen Museum in Haltern geliefert. Auch das historische Museum in Frankfurt a. M. erhielt das lebensgroße Standbild des Legionars. Gruppen von Kopien und Modellen wurden für das städtische Museum in Carcasonne, die städtische Oberrealschule in Essen, das Provinzialmuseum in Hannover, die Großh. Altertümer-Sammlung in Karlsruhe, das städtische Museum in Saarbrücken und die Staatssammlung in Stuttgart angefertigt.

Führungen durch die Sammlungen haben mehrfach stattgefunden, so für den bayerisch-hessischen Gymnasiallehrerkursus; eine Anzahl Oberlehrer, Museumsassistenten, Studenten usw.; eine Anzahl Lehrer aus Mainz; zwei Abteilungen von Studierenden der technischen Hochschule in Darmstadt; mehrere Klassen hiesiger und auswärtiger Schulen u. a. m.

Von dem durch das Museum herausgegebenen Werk „Die Altertümer unserer heidnischen Vorzeit“ wurden die Hefte 7 und 8 des V. Bandes ausgegeben.

Mit dem Schlusse des Berichtsjahres wurde die Aufstellung der neolithischen Abteilung der vorgeschichtlichen Sammlung in den zwei neu hergestellten Sälen des Erdgeschosses des Museumsgebäudes vollendet.

6. Sammlungen für plastische Kunst.

Diese Sammlungen fanden im verflossenen Jahre keine Vermehrung. Sie mußten infolge der fortschreitenden baulichen Arbeiten aus dem Museumsgebäude entfernt und provisorisch in der Gr. Oberrealschule und in dem städtischen Haus, hintere Bleiche 6, untergebracht werden.

7. Im allgemeinen.

Das Museum wurde in der Zeit vom 1. April 1906 bis 31. März 1907 von 3214 zahlenden Personen besucht (im Jahre 1905 = 2581). Es wurden demnach 633 Eintrittskarten mehr verkauft als im vorhergehenden Jahre. Von dem Verzeichnis der Gemäldegalerie wurden 523 Exemplare (im Vorjahre 406) verkauft, also 117 mehr als im Jahre 1905.

Allen denen, die im Berichtsjahre die städtischen Sammlungen durch Zuwendungen bereichert haben, sowie allen sonstigen Förderern und Gönnern sei an dieser Stelle nochmals verbindlichst gedankt.

XXXV. Stadttheater.

Mit Zustimmung der Stadtverordneten-Versammlung laut Beschlüssen vom 31. Januar und 25. Oktober 1905 wurde die Leitung des Stadttheaters dem seitherigen Leiter des Deutschen Theaters in London, Herrn Max Behrend, auf die Dauer von vier Jahren vom 1. Juni 1905 ab auf eigene Rechnung übertragen.

Das Theater bietet Raum für 1377 Personen und zwar: 1. Rang-Logen für 125, Balkon für 80, Sperrsitz für 187, Sperrsitz-Stehplatz für 52, 2. Rang für 203, Parterre für 104, Parterre-Stehplatz für 81, Rondell für 217 und Galerie für 328 Personen.

Die Spielzeit 1906/07 begann Sonnabend den 15. September 1906 und endigte Donnerstag den 25. April 1907. In dieser Zeit fanden 254 Vorstellungen statt und zwar 160 im Abonnement, 17 außer Abonnement, 26 im Zyklus, darunter 4 in einem besonderen „Ring“-Zyklus, 6 im Faustzyklus, sowie 6 Volksvorstellungen und 45 Nachmittagsvorstellungen.

Zur Aufführung gelangten nachverzeichnete Werke (die beigesetzten Zahlen geben an, wie vielmal die einzelnen Stücke aufgeführt wurden):

I. Oper und Operette.

Die Afrikanerin (1), Aïda (2), Bajazzo (5), Der Barbier von Sevilla (3), Der Bettelstudent (3), Boccaccio (1), La Bohème (5), Carmen (3), Cartouche (2), Cavalleria rusticana (4), Don Juan (4), Eine Nacht in Venedig (4), Fidelio (1), Fledermaus (3), Der fliegende Holländer (1), Fra Diavolo (2), Der Freischütz (4), Frieden (4), Geisha (5), Die Götterdämmerung (2), Hänsel und Gretel (3), Die Hugenotten (1), Die Jüdin (1), Liebesgeige (2), Lohengrin (3), Margarethe (3), Martha (2), Die Meistersinger von Nürnberg (3), Mignon (4), Orpheus in der Unterwelt (1), Othello (2), Der Prophet (4), Das Rheingold (1), Rigoletto (2), Salome (9), Siegfried (2), Tannhäuser (3), Tausend und eine Nacht (10), La Traviata (2), Tristan und Isolde (2), Der Troubadour (2), Der Waffenschmied (2), Walküre (2), Zar und Zimmermann (2), Zehn Mädchen und kein Mann (6), Der Zigeunerbaron (2).

Im ganzen 46 Werke mit 135 Aufführungen.

II. Schauspiel.

1. Klassische Stücke.

Ein Glas Wasser (1), Faust I. und II. Teil (Musik von Lassen) (1), Die Geschwister (1), Iphigenie auf Tauris (1), Die Jungfrau von Orleans (3), Das Käthchen von Heilbronn (3), Der Kaufmann von Venedig (3), König Oedipus (2), Narziß (3), Phaedra (1), Die Räuber (1), Romeo und Julia (3), Torquato Tasso (1), Uriel Acosta (2), Wilhelm Tell (5).

Im ganzen 15 Werke mit 31 Aufführungen.

2. Neuere Stücke.

a) Trauer- und Schauspiele.

Adelaïde (1), Alt-Heidelberg (4), Anima (1), Das Blumenboot (3), Das Buch Hiob (2), Dorf und Stadt (3), Drei Erlebnisse eines englischen Detektivs (6), Die Ehre (1), Ein idealer Gatte (4), Elga (2), Flachsmann als Erzieher (4), Hedda Gabler (1), Heimat (1), Der Hüttenbesitzer (1), Rosenmontag (1), Die Scholle (1), Sherlock Holmes (6), Zapfenstreich (1).

Im ganzen 18 Werke mit 43 Aufführungen.

b) Lustspiele und Schwänke.

Die von Hochsattel (3), Dr. Klaus (1), Ein toller Einfall (1), Eine lustige Doppelehe (4), Florette und Patapon (1), Haben Sie nichts zu verzollen? (2), Hasemanns Töchter (1), Husarenfieber (12), Im weißen Rößl (2), König Edelweiß (1), Lutti (1), Madame Sans Gêne (3), Der neue Agent (2), Der Raub der Sabinerinnen (1), Renaissance (1), Die Tyrannei der Tränen (1), Um Liab und Leb'n (1), Der Veilchenfresser (1), Das vierte Gebot (1), Die zärtlichen Verwandten (3).

Im ganzen 20 Werke mit 43 Aufführungen.

Außerdem brachte Herr Hofschauspieler Adalbert Steffter verschiedene Märchen zum Vortrag, illustriert durch zirka 100 Lichtbilder.

3. Stücke mit Musik, Ausstattungsstücke ꝛc.

Besondere Balletaufführungen (3), Der gestiefelte Kater (7), Der Hauptmann von Köpenick (2), Lumpazi Vagabundus (2), Mein Leopold (1), Die Puppenfee (5), Robert und Bertram (3), Unsere afrikanischen Kolonien (1), Der Verschwender (1).

Im ganzen 9 Werke mit 25 Aufführungen.

Novitäten sind zu verzeichnen:

a) In der Oper und Operette.

La Bohème, Cartouche, Frieden, Salome, Tausend und eine Nacht.

b) Im Schauspiel.

Anima, Das Blumenboot, Die von Hochsattel, Drei Erlebnisse eines englischen Detektivs, Ein idealer Gatte, Eine lustige Doppelehe, Elga, Husarenfieber, König Edelweiß, Der neue Agent, Sherlock Holmes, Die Tyrannei der Tränen, Um Liab und Leb'n, Das vierte Gebot.

c) Stücke mit Musik.

Der Hauptmann von Köpenick, Unsere afrikanischen Kolonien.

Als Gäste traten auf:

a) In der Oper.

Die Damen: Mme. Aina Ackté, Sigrid Arnoldson, Maria Herzer-Deppe, Frl. Kosler, Adrianne v. Kraus-Osborne Lilly Marlow, Gerle Meyer, Francheschina Prevosti, Flora Wolf, Lina Ziegler und die Herren: Baron-Berthald, Georg Bonin, Ernst Bürstinghaus, Karl Braun, Silvano Isalberti, Herr Lommertsheim, Konrad Roeßner, Heinrich Speemann, Hans Wuzél. Herr Dirrktar Bruno Heyderlch dirigierte seine Oper „Frieden".

b) Im Schauspiel.

Die Damen: Rosa Poppe mit Gesellschaft und die Herren: Kael Eberhardt, Georg Hacker, Richard Kiech, Willy Lachr, Adalbert Steffter.

Außerdem gastierten das Berliner Baudeville-Ensemble, Frankfurter Schauspielhaus-Mitglieder, das Oberbayerische Bauerntheater.

Auf den von der Stadtverordneten-Versammlung zur Unterhaltung des Bühneninventars bewilligten Kredit von 10000 ℳ und den aus dem Vorjahre übertragenen Kreditrest von 588 ℳ 61 ₰ wurden verausgabt:

1.	Für neue Dekorationen zu der Oper „Salome" und für „Greife" und „Sphinxe" zur Faustaufführung sowie für Unterhaltung der Dekorationen (darunter Ummalen der Dekorationsstücke zu „Faust Verdammnis" und zu „Peter Gerneklein", des Tannhäuser Saales, des Weißen Saales und des „Michü-Zimmers") und Möbel	5 776	ℳ 85	₰
2.	Für Unterhaltung der Gewandstücke	579	„ 48	„
3.	Für Anschaffung von Gewandstücken, darunter 12 Wertherkostüme	1 911	„ 37	„
4.	Für Requisiten, Möbel- und Waffenreparaturen, einschließlich eines Beitrages von 300 ℳ zu den Kosten der vom Theaterdirektor Behrend beschafften Flugapparate	467	„ 10	„
5.	Für die Bibliothek	23	„ 85	„
6.	Für Herstellung einer Stoffbespannung des Orchesterraumes	232	„ 02	„
	Zusammen	6 990	ℳ 67	₰

Von dem bewilligten Kredit sind noch 1 597 ℳ 94 ₰ verfügbar, welche mit Genehmigung der Stadtverordneten-Versammlung vom 16. Oktober 1907 auf das Rechnungsjahr 1907 übertragen worden sind.

Die Rechnungsergebnisse des Stadttheaters, insoweit sie die Stadt Mainz betreffen, sind auf Seite 361 bis 363 verzeichnet.

Die Betriebsergebnisse des Theaterunternehmens waren ausweislich der Angaben der städtischen Kontrolleure in den letzten neht Jahren folgende:

Bezeichnung	Spielzeit 1899/1900 ℳ	₰	1900/01 ℳ	₰	1901/02 ℳ	₰	1902/03 ℳ	₰	1903/04 ℳ	₰	1904/05 ℳ	₰	1905/06 ℳ	₰	1906/07 ℳ	₰
Einnahme . .	209 956	22	225 207	30	225 560	51	226 452	70	222 188	30	219 709	04	245 655	66	261 729	03
Ausgabe . . .	191 419	86	201 169	15	217 891	38	206 299	81	199 354	67	213 366	12	213 684	13	231 296	63
Mithin Mehreinnahme	18 536	36	24 038	15	7 669	13	20 152	89	22 833	63	6 342	92	31 971	53	30 432	40

In obigen Beträgen sind die Einnahmen aus den Aufführungen an auswärtigen Bühnen nicht mitenthalten, da diese der städtischen Kontrolle nicht unterliegen. In den Ausgaben der Jahre 1899/1900 bis 1902/03 sind ungefähr 19000 ℳ für Anschaffung von Dekorationen und Garderobe enthalten, aus deren Verkauf nach namhafte Summen erlöst worden sind (beispielsweise von der Stadt Mainz für einen Teil dieser Dekorationen und Garderobe 5539 ℳ 44 ₰), um die der Reingewinn sich erhöht. Ebenso erhöht sich der Reingewinn des Jahres 1904/05 um 2734 ℳ 44 ₰ für von der Stadt Mainz von dem früheren Theaterdirektor Steinert erworbene Dekorationsstücke ꝛc.

XXXVI. Städtische Konzerte.

Die städtische Kapelle hat einschließlich des Kapellmeisters 49 Mitglieder. Die Besetzung der Instrumente ist folgende: 1 Harfe, 8 erste Violinen, 6 zweite Violinen, 4 Bratschen, 4 Celli, 4 Contrabässe, 2 Flöten, 2 Oboen, 2 Klarinetten, 2 Fagotte, 4 Hörner, 2 Trompeten, 3 Posaunen, je 1 Tuba, Pauke, kleine Trommel und Schlagwerk.

Die Symphonie-Konzerte wurden im Theater-Gebäude in der Zeit vom 10. Oktober 1906 bis 20. März 1907 abgehalten, davon 10 Konzerte im Abonnement und 1 Konzert außer Abonnement, dieses zum Besten des Orchester-Pensionsfonds. Die Leitung hatte der städtische Kapellmeister Herr Hofrat Emil Steinbach.

Als Solisten traten in den Konzerten auf:

Klavier: Frau Clotilde Kleeberg, Herr Frederik Lamond, Herr Alfred Reisenauer; Violine: Frl. Stefy Geyer, Herr Bronislaw Hubermann, Herr Franz v. Vecsey; Violoncello: Herr Prof. Friedrich Grützmacher; Flöte: Herr Oskar Richter; Gesang: Herr Kammersänger Alois Hadwiger, Herr Kammersänger Ludwig Heß, Herr Fritz Klarmüller, Frl. Mientje Lammen, Frau Dina Mahlendorff, Frau Karl Masbach, Frau Ottilie Metzger-Froitzheim, Frl. Marcella Pregi, Herr Max Sturz, Frl. Angèle Vidron. Chor der Mainzer Liedertafel und Damengesangverein. Deklamation: Herr Direktor Max Behrend.

Zum erstenmal wurden in den Symphonie-Konzerten folgende Orchesterstücke gespielt: Bach, J. S., Suite in H-moll für Streichorchester und Flöte; Händel, Konzert in D-dur für Streichorchester, 2 oblig. Violinen und Violoncello; Haydn, Symphonie in C-moll; Mozart, Symphonie in C-dur; Raff, Symphonie „Im Sommer"; Scholz, Ouverture und Zwischenaktsmusik zu „Mirandolina"; Sibelius, „Der Schwan von Tuonela"; Trémisot, Ouverture zu „Pyramus und Thisbe".

Der Besuch der Konzerte war auch im letzten Jahre als ein guter zu bezeichnen. Abonniert waren auf die 10 Konzerte 690 Personen gegen 670 Personen im Jahre 1905/06; Kassekarten wurden an 3494 Personen gegen 4068 Personen im Jahre 1905/06 ausgegeben, so daß durchschnittlich jedes Konzert von 1039 Personen besucht war gegen 1077 Personen im Jahre 1905/06, 1010 Personen im Jahre 1904/05, 944 Personen im Jahre 1903/04, 907 Personen im Jahre 1902/03, 908 Personen im Jahre 1901/02 und 964 Personen im Jahre 1900/01. Zu den Generalproben wurden 49 Abonnements- und 139 Kassekarten ausgegeben.

Die Einnahmen für die 10 Symphoniekonzerte betragen 19 156,90 ℳ (im Vorjahre 19 845,90 ℳ), die Ausgaben 9 707,40 ℳ (im Vorjahre 10077,51 ℳ), der Überschuß 9 449,50 ℳ (im Vorjahre 9 768,39 ℳ).

Die Sommer-Konzerte begannen Sonntag, den 20. Mai und endigten Mittwoch, den 12. September 1906. Sie wurden an Sonn- und Feiertagen, Dienstags und Donnerstags abends im Saal und im Garten der Stadthalle, an Sonn- und Feiertagen, Mittwochs und Samstags nachmittags in der Anlage abgehalten. Bei ungünstiger Witterung wurden die für die Anlage vorgesehenen Konzerte in den Saal der Stadthalle verlegt.

Dirigent der Konzerte war Herr Konzertmeister Alfred Stauffer. In der erwähnten Zeit wurden 96 Konzerte abgehalten, davon 31 in der Stadthalle, 30 im Stadthallegarten und 35 in der Anlage. Unter den in der Stadthalle abgehaltenen Konzerten waren 4 Symphonie-Konzerte, die der städt. Kapellmeister dirigierte. Drei Konzerte, darunter zwei Benefiz-Konzerte, wurden außer Abonnement abgehalten; außerdem wurden 2 Réunions dansantes und ein Kinderfest veranstaltet.

Als Gäste traten in den Konzerten auf:

1. Gesangs-Solisten:

Frau Elsa Launhardt-Arnoldi, Frau Sophie Schmidt, Frau Rosalie Zerlett-Alfenius.

2. Gesangs-Quartette und Gesang-Vereine:

Mainzer Liederkranz, Russische National-Vokal-Kapelle „Nadina Slavianska", Vokal-Doppel-Quartett „Singer".

3. Instrumental-Solisten:

Klavier: Frau Adele Ries von Trzaska; Violine: Frl. Melanie Michaelis, Herr Konzertmeister Alfred Stauffer, Herr Konzertmeister Ernst Schmidt; Piston: Herr Ludwig Werle; Posaune: Herr Serafin Alschauski.

Abonnementskarten wurden ausgegeben: 101 für eine Person, 113 für zwei Personen, 93 für drei Personen, 61 für vier Personen, 44 für fünf Personen. Kassekarten wurden gelöst: zu den Konzerten in der Stadthalle 9 792 für

Erwachsene und 91 für Kinder, zu den Konzerten in der Anlage 2827 für Erwachsene und 347 für Kinder. Die Gesamteinnahmen der Sommer-Konzerte betragen 13136,50 ℳ gegen 15156,25 ℳ im Vorjahre, die Ausgaben 8979,67 ℳ gegen 6481,94 ℳ im Vorjahre, der Überschuß 4156,83 ℳ gegen 8674,31 ℳ im Vorjahre. Trotz der billigen Abonnementspreise und trotz aller Bestrebungen der Verwaltung, die Konzerte abwechslungsreich zu gestalten — wie beispielsweise durch die Einführung der Sommersymphoniekonzerte — ist der Besuch der Konzerte in stetem Rückgang begriffen.

Die Rechnungsergebnisse des Orchesterfonds sind auf Seite 460 u. ff. zusammengestellt.

XXXVII. Stadthalle.

Die Restauration der Stadthalle — das rheinseitige Foyer nebst Sälchen und Küche — war vom 1. April 1906 ab auf 3 Jahre, alsdann auf unbestimmte Zeit immer auf 1 Jahr an den Restaurateur Heinrich Reith für jährlich 12000 ℳ verpachtet. Mit Zustimmung der Stadtverordneten-Versammlung laut Beschluß vom 6. März 1907 ist der Restaurateur August Bökemeier aus Wiesbaden mit Wirkung vom 9. März 1907 in den Pachtvertrag des Restaurateurs Reith eingetreten.

Der große Saal und die übrigen Räumlichkeiten waren überlassen:	Mietpreis
1. an Restaurateur Reith zur Veranstaltung eines bayrischen Kellerfestes in der Zeit vom 31. März bis einschl. 4. April 1906 und zur Abhaltung von Militärkonzerten ꝛc. am 6. Mai, 29. Juni, 7. Oktober, 4. November und 9. Dezember 1906, sowie am 24. Februar 1907	300 ℳ
2. an den Gartenbauverein Mainz zu einer Blumenausstellung in der Zeit vom 12. bis 18. April 1906	530 „
3. an den Vorstand der Mainzer Börse das stadtseitige Foyer und ein Teil des großen Saales zur Abhaltung der Fruchtmärkte in der Zeit vom 1. April 1906 bis dahin 1907	300 „
4. an den Orchesterfonds zur Abhaltung der Sommerkonzerte, zusammen 31 Konzerte	775 „
5. an das Gewerkschaftskartell Mainz zur Veranstaltung einer Maifeier am 1. Mai 1906	25 „
6. an die Mainzer Spar-, Konsum- und Produktionsgenossenschaft zur Abhaltung eines Kommerses am 13. Mai 1906	50 „
7. an den Verein „Cyperus" das stadtseitige Foyer zur Abhaltung einer Aquarien- und Terrarienausstellung in der Zeit vom 13. bis 24. Juni 1906	100 „
8. an die Freie Turngemeinde Mainz das stadtseitige Foyer zum Aus- und Ankleiden gelegentlich der Veranstaltung des Bezirksturnfestes auf dem Halleplatz in der Zeit vom 21. bis 23. Juli 1906	30 „
9. an die Militärischen Vereine von Mainz zur Abhaltung eines patriotischen Bezirksfestes am 30. September 1906	50 „
10. an den Gesangverein „Harmonie" zur Veranstaltung einer Festversammlung und eines Konzerts mit Ball am 14. Oktobre 1906	200 „
11. an Direktor J. Poznieczek das stadtseitige Foyer zur Abhaltung von Obstmärkten am 26. Oktober und 7. Dezember 1906	40 „
12. an den Gesangverein „Mainzer Sängerbund" zur Veranstaltung eines Wohltätigkeits-Konzerts am 28. Oktober 1906	40 „
13. an die Mainzer Prinzengarde zur Abhaltung eines Konzerts mit Tanz und eines karnevalistischen Konzerts am 11. November 1906 und 13. Januar 1907	300 „
14. an den Verein für Geflügel- und Vogelzucht das stadtseitige Foyer zur Veranstaltung einer Jung-Geflügelschau am 18. November 1906	20 „
15. an das Albert Schumann-Theater in Frankfurt a. M. zur Veranstaltung einer Variété-Vorstellung am 21. November 1906	800 „
16. an den Eisenbahnverein Mainz zur Feier des Geburtstags Sr. Königl. Hoheit des Großherzogs am 25. November 1906	200 „
17. an die Mainzer Spar-, Konsum- und Produktionsgenossenschaft zur Abhaltung einer Generalversammlung am 2. Dezember 1906	25 „
18. an den Vergolder Justin das stadtseitige Foyer zur Veranstaltung einer Gemäldeausstellung am 9., 10. und 11. Dezember 1906	20 „
zu übertragen	3805 ℳ

		Übertrag	3 805 ℳ
19.	an das Gewerkschaftskartell Mainz zur Abhaltung einer Weihnachtsfeier am 26. Dezember 1906		200 „
20.	an den Mainzer Karnevalverein zu seinen Veranstaltungen im Januar und Februar 1907		5 000 „
21.	an das Berliner Schauspiel-Ensemble zur Aufführung des Gastspiels „Sherlock Holmes" am 14. Januar 1907		100 „
22.	an den Eisenbahnverein Mainz zur Feier des Geburtstags Sr. Majestät des Kaisers am 26. Januar 1907		200 „
23.	an die Mainzer Ranzengarde zur Abhaltung eines karnevalistischen Konzerts am 27. Januar 1907		200 „
24.	an den Mainzer Karnevalklub zur Abhaltung einer karnevalistischen Abendunterhaltung mit Ball am 9. Februar 1907		100 „
25.	an Restaurateur Bökemeier zur Veranstaltung eines Konzerts am 10. März 1907		25 „
26.	an den Mainzer Männer-Gesangverein zur Abhaltung eines Volkskonzerts am 17. März 1907		40 „
		zusammen	9 670 ℳ

Unentgeltlich war der große Saal überlassen:

1. dem **Festausschuß** zur Veranstaltung der Feier des 75jährigen Jubiläums der Mainzer Realschule am 24. und 25. **April 1906;**
2. dem **Ausschuß** der deutschen Pensionskasse für Musiker zur Abhaltung eines Wohltätigkeitskonzerts am 15 Juni 1906;
3. der **sozialdemokratischen** Partei Mainz zur Abhaltung von zwei Volksversammlungen am 3. Septbr. und 2. Oktbr. 1906;
4. dem **Mainzer Karnevalverein** zu seiner Generalversammlung am 10. November 1906;
5. der **sozialdemokratischen** Partei Mainz zur Abhaltung von Wählerversammlungen am 8. und 24. Januar und am **4. Februar 1907;**
6. der **Zentrumspartei** Mainz zu dem gleichen Zwecke am 21. Januar und 3. Februar 1907;
7. der **nationalliberalen** Partei Mainz zu dem gleichen Zwecke am 22. Januar 1907;
8. dem **Festausschuß** zur Veranstaltung einer allgemeinen Feier des Geburtstages Sr. Majestät des Kaisers am 28. Januar 1907.

Benutzt wurden der große Saal und die Nebenräume der Stadthalle:

im April	1906	an	17 Tagen
„ Mai	„	„	15 „
„ Juni	„	„	28 „
„ Juli	„	„	12 „
„ August	„	„	11 „
„ September	„	„	9 „
„ Oktober	„	„	9 „
„ November	„	„	11 „
„ Dezember	„	„	11 „
„ Januar	1907	„	17 „
„ Februar	„	„	13 „
„ März	„	„	7 „

Im **Garten** und auf der Terrasse der Stadthalle wurden an 36 Abenden Konzerte abgehalten, wovon 6 durch den Restaurateur **Reith** veranstaltet wurden.

Für **Benutzung der Kleiderablage** sind laut Beschluß der Stadtverordneten-Versammlung vom 17. November 1897 zu erheben, und zwar für Aufbewahrung der Kleidungsstücke:

a) von einer Person unter einer Nummer 20 ₰,

b) von mehreren, aber nicht mehr als vier Personen unter einer Nummer:

für die erste Person . . . . 20 ₰

für jede weitere Person . . . . 10 „

In dem **Berichtsjahre** wurden ausgegeben 10584 Scheine zu 20 ₰ und 3776 Scheine zu 10 ₰. Die Hallekommission hat in ihren Sitzungen vom 2. Mai und 15. Oktober 1906 beschlossen, an die Besucher der Fruchtbörse für Benutzung der Kleiderablage Jahresabonnementskarten zu 5 ℳ und halbe Jahresabonnementskarten zu 2 ℳ 50 ₰ auszugeben. Im **Berichtsjahre** wurden 3 Jahresabonnementskarten und 1 halbe Jahresabonnementskarte gelöst und hierfür 20 ℳ vereinnahmt. Die Gesamt-Einnahme beträgt 2515 ℳ 40 ₰ gegen 2903 ℳ 20 ₰ im Vorjahre. Die Wenigereinnahme ist auf den anhaltenden geringen Besuch der Veranstaltungen des Karnevalvereins zurückzuführen. — Die Ausgaben betragen für Bedienung, Druck der Nummerzettel, Feuerversicherungsprämie, Vergütung an den Hallenverwalter für die Beaufsichtigung und etwaige Verluste, sowie für die Oberaufsicht zusammen 1 351 ℳ 54 ₰. Der Einnahme-Überschuß beträgt sonach 1 163 ℳ 86 ₰; im vorigen Jahre betrug derselbe 1 369 ℳ 58 ₰.

Für die **Reinigung**, deren Kosten die Mieter zu ersetzen haben, sind zu zahlen bei Benutzung

a) des Foyers und der kleinen Säle, für jeden Raum . . . . . 3 ℳ
b) des großen Saales nebst Vestibül . . . . 15 „
c) sämtlicher vermietbarer Räume . . . . 20 „

Im Berichtsjahre wurden für Reinigung ausschließlich der Kosten des Wasserverbrauchs verausgabt 1 331 ℳ 50 ₰; ersetzt wurden 1 709 ℳ 43 ₰.

An dem zur Entnahme der **Besichtigungskarten** für die Stadthalle am Haupteingange aufgestellten Automaten wurden 1 441 Karten gelöst. Die eingegangenen Gebühren für die Besichtigung betragen 288 ℳ 20 ₰ gegen 293 ℳ im Vorjahr.

Die Aufsicht über die Bedienung der **Heizung und Ventilation** wurde von dem Amt für Maschinenwesen ausgeübt. Geheizt wurde der große Saal nebst Nebenräumen an 50 Tagen, wobei 1 123,6 Zentner Steinkohlen verbraucht worden sind. Die Kosten der Heizung belaufen sich auf 1 594 ℳ 34 ₰. Von den Mietern der Stadthalleräume, für deren Rechnung die Heizungen vorgenommen wurden, gelangten 2 000 ℳ 10 ₰ zur Rückerhebung. Der Unterschied zwischen der Ausgabe und dem Ersatz erklärt sich durch die bei der schätzungsweisen Feststellung der verbrauchten Menge unvermeidlich vorkommenden Gewichtsdifferenzen. Die Heizung der beiden Garderoberäume, welche dem Hausverwalter gleichzeitig als Aufenthaltsräume dienen, erforderte einen Kostenaufwand von 291 ℳ 40 ₰.

Zur Ventilation des großen Saales war der Gasmotor an 16 Tagen in Betrieb und verbrauchte 201 cbm Gas.

Zur **Beleuchtung** des Saales und der Nebenräume sowie des Gartens, mit Ausschluß der dem Restaurateur vermieteten Räumlichkeiten, wurden 31 806 cbm Gas verbraucht, außerdem wurde bei verschiedenen Veranstaltungen im großen Saale mittels provisorisch hergerichteter Beleuchtungsanlagen sowie zur Belebung der im Garten aufgestellten Bogenlampen elektrischer Strom beansprucht. Der durch Zähler festgestellte Stromverbrauch betrug 8 712 Hektowatt.

Die Keller unter der Stadthalle, welche zur Lagerung von Rotwein vermietet sind, haben im Berichtsjahre 1686 ℳ 25 ₰ Miete eingetragen. Die Kosten der Kellerheizung im Betrage von 80 ℳ 72 ₰ wurden von den Mietern ersetzt.

Die Rechnungsergebnisse der Stadthalle sind auf Seite 363 und ff. zusammengestellt.

XXXVIII. Brandversicherung der Gebäude.

Im Kalenderjahre 1906 wurden 254 Brandversicherungsanträge ausgefertigt gegen 295 im Vorjahre und zwar:

101 (127) Versicherungsanträge für Neubauten,
85 (84) „ „ Gebäude, die im Rohbau versichert waren,
52 (48) „ „ Bauveränderungen und unversicherte Bauten,
16 (36) „ „ Gebäude, die unter dem Werte versichert waren.

Besitzveränderungen haben 1 060 stattgefunden gegen 1 048 im Jahre 1905.

Aus der nachfolgenden Tabelle sind die in der Großh. Brandversicherungsanstalt versicherten Gebäude (Hofreiten) in der Stadt Mainz nebst deren Brandversicherungskapitalien und den Brandversicherungsbeiträgen aus den letzten fünf Kalenderjahren sowie die in diesen Jahren gezahlten Brandentschädigungen ersichtlich:

Jahr	Zahl der versicherten Gebäude (Hofreiten)	Brandversicherungs- (Umlage-) Kapitalien ℳ	Zunahme gegen das Vorjahr in %	Beitrag von je 100 ℳ Brandversicherungs-Kapital ₰	Brandversicherungs-Beiträge im ganzen ℳ	₰	Gezahlte Brandentschädigungen ℳ	₰
1906	4 351	236 344 400	2,12	6	141 806	64	34 241	—
1905	4 273	231 427 190	3,84	7	161 999	03	43 461	—
1904	4 178	222 856 920	2,75	10	222 856	92	8 329	—
1903	4 111	216 883 660	2,30	10	216 883	66	11 924	—
1902	4 043	211 993 820	4,17	8	167 767	89	17 415	25

XXXIX. Steuerwesen.

1. Oktroi.

Nach der Übersicht auf Seite 234 und 235 hat das Oktroi ertragen:

	1906		1905		Mithin 1906			
					mehr		weniger	
	ℳ	₰	ℳ	₰	ℳ	₰	ℳ	₰
a) für Getränke	290 179	09	302 167	94	—	—	11 988	85
b) „ Schlachtvieh, Fleisch und Fleischwaren	197 563	58	205 990	07	—	—	8 426	49
c) „ Dürrgemüse, Mehl, Brot	53 751	46	55 444	68	—	—	1 693	22
d) „ Brennmaterialien	123 880	77	127 766	53	—	—	3 885	76
e) „ Fütterungsartikel	25 605	66	24 754	57	851	09	—	—
f) „ Verschiedenes	5 855	52	5 590	63	264	89	—	—
g) Verwaltungsgebühr für Wein	18 393	65	19 657	26	—	—	1 263	61
h) von der Armee-Konservenfabrik	28 397	75	36 032	69	—	—	7 634	94
Summe	743 627	48	777 404	37	—	—	33 776	89

Durch die Verteuerung der Lebenshaltung, von der alle Schichten der Bevölkerung betroffen worden sind, hat der Verbrauch verschiedener Artikel eine Verminderung erfahren. Besonders hat sich dies bei Schlachtvieh und Fleischwaren sowie dem Bierverbrauch bemerkbar gemacht. Durch den schlechten Ausfall der Weinernte wurde ferner der Weinhandel ungünstig beeinflußt. Die Einfuhr von Wein im Faß gegen Entrichtung der Verwaltungsgebühr blieb gegen das Vojahre zurück (Minder-Einnahme 1 263 ℳ), dagegen waren die Einfuhr von Flaschenweinen und der Stadtverkauf von Wein, der von Weinhändlern gegen Verwaltungsgebühr eingeführt worden ist, stärker (Mehr-Einnahme 1 060 ℳ bezw. 424 ℳ). Der Verkehr mit Branntwein war etwas lebhafter. Es wurde eine Oktroi-Mehreinnahme von 537 ℳ erzielt. Bei Bier beträgt der Einnahmeausfall 13 993 ℳ, davon kommen 124 ℳ auf das von auswärts eingeführte und 13 869 ℳ auf das in der Stadt gebraute Bier. Der Ausfall ist auf die Erhöhung des Bierpreises und die dadurch verursachte Verminderung des Verbrauchs zurückzuführen.

Die Schlachtungen haben durch den Mangel an Schlachtvieh und die fortgesetzte Steigerung der Viehpreise gegen das Vorjahr, in welchem schon ein erheblicher Ausfall zu verzeichnen war, noch eine weitere Verminderung erfahren. Die Mindereinnahme an Oktroi beträgt 6 095 ℳ. Die Einfuhr von frischem und gesalzenem Fleisch war ebenfalls geringer; der Einnahmeausfall hiervon beträgt 1 892 ℳ. Dagegen ist bei Würsten eine Mehreinnahme von 551 ℳ zu vermerken. Für Wildbret und Geflügel sind 991 ℳ weniger eingegangen, was auf das geringe Ergebnis der Feldjagd und die Erhöhung der Verkaufspreise zurückzuführen ist.

Der Ausfall für Mehl beträgt 1 796 ℳ. Die im Berichte des Vorjahres erwähnte Mehreinfuhr ließ eine Minderzufuhr im laufenden Jahre erwarten. Im Berichtsjahre ist der Betrieb einer Dampfmühle eingestellt und infolgedessen der s. Zt. mit dem Müller abgeschlossene Oltrai-Aversionierungsvertrag gekündigt worden. Die Broteinfuhr ergab 180 ℳ Oktroi mehr als im Vorjahre.

Für Brennholz sind 432 ℳ, für Steinkohlen und Briketts 4 354 ℳ weniger eingegangen. Der Ausfall ist hauptsächlich bedingt durch die Einstellung des Fabrikbetriebes der Lederwerke und die Verlegung einiger Gewerbebetriebe nach dem Industriegebiet, woselbst Oktroifreiheit für Brennmaterialien besteht. Koks lieferte eine Mehreinnahme von 878 ℳ.

Die Mehreinnahme für Fütterungsartikel beträgt 851 ℳ, wovon auf die infolge guter Ernte gesteigerte Heueinfuhr 787 ℳ entfallen.

Von der Armee-Konservenfabrik wurden 28 397 ℳ 75 ₰ Oktroi erhoben, d. s. 7 634 ℳ 94 ₰ weniger als im Vorjahr.

An Oktroirückvergütungen wurden bezahlt:

	1906	1905
a) für ausgeführtes Bier	129 278 ℳ 21 ₰	128 889 ℳ 52 ₰
b) „ ausgeführte Steinkohlen	457 „ 03 „	310 „ 38 „
c) „ „ Holzkohlen	331 „ 87 „	292 „ 78 „
Zusammen	130 067 ℳ 11 ₰	129 492 ℳ 68 ₰

Die Gesamt-Oktroieinnahme beträgt einschließlich 137 ℳ Rückvergütungsgebühr gemäß § 69 des Oktroireglements	743 764 ℳ 48 ₰
hiervon ab die Rückvergütungen	130 067 „ 11 „
bleibt Reineinnahme	613 697 ℳ 37 ₰
Im Vorjahre betrug dieselbe	648 054 „ 19 „
mithin in 1906 weniger	34 356 ℳ 82 ₰

Die Kosten der Oktroierhebung betragen:

a) Gehalte und Tagegelder einschl. 4 800 ℳ Teuerungszulage	91 908 ℳ 28 ₰	
abzüglich des aus Rubrik 6. II. 2 für Kontrollierung des Marktstandgeldes geleisteten Gehaltsersatzes von	1 400 „ — „	90 508 ℳ 28 ₰
b) Vergütungen an Aufseher für Dienstleistungen als Erheber		1 277 „ 50 „
c) Vergütung an Gr. Hauptsteueramt für Mitwirkung bei der Oktroierhebung		1 921 „ 85 „
d) für Dienstmützen und -Mäntel		231 „ 20 „
e) für Bureaukosten		3 267 „ 76 „
f) für Reinigung der Geschäftszimmer und Erheberlokale		1 494 „ 05 „
Zusammen		98 700 ℳ 64 ₰
Im Vorjahre betrugen die Kosten		92 967 „ 68 „
mithin im Berichtsjahre mehr		5 732 ℳ 96 ₰

Die Mehrausgabe ist durch die dem Aufsichtspersonal bewilligte Teuerungszulage entstanden.

Von der oben berechneten Okteoi-Reineinnahme im Betrag von	613 697 ℳ 37 ₰
die Verwaltungskosten in Abzug gebracht mit	98 700 „ 64 „
verbleibt ein Überschuß zugunsten der Stadtkasse von	514 996 ℳ 73 ₰
im Vorjahre betrug derselbe	555 086 ℳ 51 ₰

Die Kosten der Oktroierhebung belaufen sich auf 13,27 % der Gesamteinnahme und 16,08 % der Reineinnahme, gegen 14,35 % der Reineinnahme in 1905 und 13,48 % derselben in 1904.

Strafanzeigen wegen Zuwiderhandlungen gegen das Oktroireglement wurden 54 erstattet (im Vorjahre 59), und zwar 31 gegen hiesige Einwohner und 23 gegen Auswärtige. Von den Anzeigen entfallen 21 auf die Einfuhr von Fleisch und Fleischwaren, 7 auf andere Eßwaren, 11 auf Postsendungen, 7 auf den Privatlagerverkehr, 4 auf Gertönte und der Rest auf andere Gegenstände. An Strafen sind 415 ℳ 05 ₰ eingegangen, gegen 320 ℳ 45 ₰ im Vorjahre. Die Strafen sind zur Hälfte an das Aufsichtspersonal verteilt und zur Hälfte an die Städt. Witwen- und Waisenkasse abgeliefert worden.

An 16 Erhebstellen wurden 368 345 ℳ Oktroi vereinnahmt, wozu 288 850 Registereinträge — 4 200 weniger als im Vorjahre — erforderlich waren. Der restliche Oktroibetrag ist zum Teil von der Stadtkasse, znm Teil von der Schlacht- und Viehhofkasse erhoben worden. Zur Oktroierhebung auf den Strecken der Vorortbahnen Mainz-Hechtsheim und Mainz-Finthen werden seie Einführung des Halbstundenverkehrs ständig zwei Aufseher verwendet. Erhoben wurden 335 ℳ 53 ₰ gegen 483 ℳ 25 ₰ im Vorjahre. Der Ausfall ist durch Mindereinfuhr von Hasen und frischem Fleisch entstanden.

Von oktroipflichtigen Postsendungen sind 4 303 ℳ 62 ₰ Okteoi erhoben worden (34 ℳ 83 ₰ weniger als im Vorjahre). Weniger eingeführt wurden Hasen und Wurst, mehr eingeführt: Gänse, Welschhühner, frisches und gesalzenes Fleisch.

Von Paketen und Expreßsendungen, die mit der Bahn angekommen waren, sind durch den amtlichen Paketbesteller von 1 350 Sendungen 772 ℳ 68 ₰ Oktroi erhoben worden, gegen 995 ℳ 87 ₰ im Vorjahr.

Bei den Erhebstellen wurden im Berichtsjahre 71 Kassenrevisionen vorgenommen und dabei die Kassenführung im allgemeinen in Ordnung befunden. Die Dienstversäumnisse der fünf Erheber erstrecken sich auf 74 Urlaubs- und 19 Krankheitstage.

Der Aufsichtsdienst einschließlich Kontrollierung des Marktstandgeldes wurde von 41 Aufsehern wahrgenommen. Abgeleistet wurden 112456 Dienststunden bei Tag und 8524 Stunden bei Nacht, zusammen 120980 Stunden (gegen das Vorjahr 1480 Stunden mehr). Die Krankheitstage der Aufseher betragen 174, Urlaub wurde für 266 Tage bewilligt, zusammen Dienstversäumnisse 440 Tage gegen 492 im Vorjahre. Auf den Mann und Tag entfallen durchschnittlich rund 8,4 Stunden Dienst und bei Anrechnung der freien Tage täglich 10,2 Stunden (im Vorjahre täglich 8,5 bezw. 10,3 Stunden).

Dem Personal konnten freigegeben werden:

a) ganze Sonntage	990
b) halbe Sonntage	787
c) ganze Werktage	246
d) halbe Werktage	1834

Es kommen somit durchschnittlich auf einen Mann 25 ganze und 19 halbe Sonntage, 6 ganze und 46 halbe Werktage, zusammen 63,5 Tage.

Privatlager bestanden zu Anfang des Berichtsjahres	60	
neu bewilligt wurde	1	
zusammen	61	Lager
aufgegeben wurden	4	
somit Bestand Ende 1906	57	Lager.

Davon sind 31 für Branntwein, 24 für Landesprodukte und 2 für Wildbret und Geflügel. Zwei Lager wurden nicht benutzt und in zwei Lagern waren keine Vorräte vorhanden. In den übrigen Lagern sind die Vorräte aufgenommen worden. Nach den Vierteljahresabschlüssen waren zu erheben:

	Oktroi	Kontrollgebühren
a) für Branntwein	6448 ℳ 26 ₰	600 ℳ 78 ₰
b) „ Landesprodukte	8502 „ 97 „	1706 „ 87 „
c) „ Wildbret und Geflügel	598 „ 10 „	360 „ 20 „
zusammen	15549 ℳ 33 ₰	2667 ℳ 85 ₰
gegen das Vorjahr	14784 „ 66 „	2654 „ 91 „
mehr	764 ℳ 67 ₰	12 ℳ 94 ₰

Der Privatlagerverkehr ist in der Übersicht Seite 236 zusammengestellt. Bei Branntwein war die Ein- und Ausfuhr sowie der Stadtverkauf stärker als im Vorjahre, letzterer um 424 hl. Bei Mehl hat die Zu- und Ausfuhr abgenommen, der Stadtverkauf war um 64 dz höher als im Vorjahre. Das gleiche Verhältnis besteht auch bei dem Verkehr in Hafer, der Stadtverkauf hat um 281 dz zugenommen. Bei Welschhühnern und Gänsen war der Verkehr stärker, bei Hasen und Rehen dagegen geringer.

Von den im Oktroibezirk erzeugten Gegenständen wurde Oktroi erhoben: für geerntetes Heu 298 ℳ 03 ₰, für gekelterten und für gallisierten Wein und Obstwein 248 ℳ 84 ₰ Oktroi und 239 ℳ 39 ₰ Verwaltungsgebühr.

Für Gegenstände, die im äußeren Oktroibezirk — dem Gebiet vor der Festungsumwallung, einschließlich Zahlbach und Jugelheimer Au — verbraucht worden sind, gingen 3077 ℳ 76 ₰ Oktroi ein (583 ℳ 76 ₰ mehr als im Vorjahre).

I. Übersicht

der in der Zeit vom 1. April 1906 bis Ende März 1907 in die Stadt Mainz eingeführten oktroipflichtigen Gegenstände und des von denselben erhobenen Oktroi, sowie der geleisteten Oktroi-Rückvergütungen.

Nr. des Tarifs	Bezeichnung der Gegenstände	Maßstab	Eingeführte Mengen im Rechnungsjahr 1906	Eingeführte Mengen im Rechnungsjahr 1905	Im Rechnungsjahr 1906 mehr	Im Rechnungsjahr 1906 weniger	Tarifsatz ℳ	Tarifsatz ₰	Oktroi-Ertrag im Rechnungsjahr 1906 ℳ	₰	Oktroi-Ertrag 1905 ℳ	₰	Im Rechnungsjahr 1906 mehr ℳ	₰	Im Rechnungsjahr 1906 weniger ℳ	₰
	I. Getränke.															
1	Wein, in Fässern	hl	26 589,91	26 579,75	9,16	—	—	55	14 624	07	14 618	85	5	22	—	—
1	Wein, in Fässern	„	8 029,36	6 817,81	1 211,56	—	—	35	2 810	28	2 386	23	424	05	—	—
1	Obstwein, in Fässern	„	1 331,01	1 032,23	298,81	—	—	55	782	07	567	73	164	34	—	—
2	Wein, ungekelterter	„	161,28	674,64	—	513,36	—	45	72	58	303	68	—	—	231	10
3	Wein in Flaschen oder Krügen: a) in Mengen bis zu 200 Ltr.	l	441 195,20	401 436,50	39 758,60	—	—	02	8 823	91	8 028	73	795	18	—	—
3	b) darüber	„	220 642,25	194 160,05	26 482,20	—	—	01	2 206	42	1 941	60	264	82	—	—
3	Obstwein in Flaschen oder Krügen: a) in Mengen bis zu 200 Ltr.	„	3 439,00	3 612,25	—	173,25	—	02	68	78	72	25	—	—	3	47
3	b) darüber	„	—	—	—	—	—	01	—	—	—	—	—	—	—	—
4	Branntwein, eingeführt	hl	7 701,72	7 548,26	153,46	—	2	15	16 558	72	16 228	74	329	98	—	—
4	Branntwein, denaturiert	„	12 116,34	9 242,97	2 873,36	—	—	—	—	—	—	—	—	—	—	—
5	Branntwein in der Stadt bereitet (hergestellte Alkoholmenge)	„	1,37	—	1,37	—	4	30	5	89	—	—	5	89	—	—
6	Branntwein u. Likör in Flaschen oder Krügen	l	19 034,63	18 025,50	1 009,13	—	—	20	3 806	93	3 605	10	201	83	—	—
7	Bier, eingeführt	hl	64 611,94	64 802,38	—	190,44	—	65	41 997	76	42 121	64	—	—	123	88
7	Bier, in der Stadt bereitet: 1. aus Getreide (Malz, Schrot ꝛc.)	dz	85 741,25	91 771,50	—	6 030,25	2	30	197 204	89	211 074	47	—	—	13 869	58
	2. aus Reis	„	—	—	—	—	2	90	—	—	—	—	—	—	—	—
	3. aus grüner Stärke	„	—	—	—	—	2	30	—	—	—	—	—	—	—	—
	4. aus Stärke, Stärkemehl ꝛc.	„	—	—	—	—	3	40	—	—	—	—	—	—	—	—
	5. aus Zucker aller Art	„	—	—	—	—	5	70	—	—	—	—	—	—	—	—
	6. aus Syrup aller Art	„	—	—	—	—	4	60	—	—	—	—	—	—	—	—
	7. aus anderen Malzsurrogaten	„	—	—	—	—	3	40	—	—	—	—	—	—	—	—
8	Essig und Essigsprit	hl	1 055,00	1 015,17	39,83	—	1	20	1 266	79	1 218	92	47	87	—	—
	Summe I. Getränke	.	.	.	.	.	.	.	290 179	09	302 167	94	—	—	11 988	85
	II. Eßwaren.															
9	Ochsen, Stiere, Farren	Stück	4 332	4 210	122	—	11	—	47 652	—	46 310	—	1 342	—	—	—
10	Kühe, Rinder	„	5 257	5 883	—	626	7	—	36 799	—	41 181	—	—	—	4 382	—
11	Schweine	„	40 333	41 349	—	1 016	1	75	70 582	75	72 360	75	—	—	1 778	—
12	Kälber	„	16 474	17 821	—	1 347	—	70	11 531	80	12 474	70	—	—	942	90
13	Hämmel, Lämmer, Geißen	„	4 887	5 578	—	691	—	50	2 443	50	2 789	—	—	—	345	50
13a	Junge Schafe und junge Ziegen (Säuglinge)	„	895	869	26	—	—	10	89	50	86	90	2	60	—	—
14	Spanferkel, kleine Zuchtschweine, Hasen und Gänse	„	40 142	44 478	—	4 336	—	20	8 028	40	8 895	60	—	—	867	20
15	Rehe	„	1 417	1 494	—	77	1	—	1 417	—	1 494	—	—	—	77	—
15	Hirsche: a) bis zu 25 kg	„	7	5	2	—	1	—	7	—	5	—	2	—	—	—
15	b) über 25 kg	„	53	71	—	18	2	—	106	—	142	—	—	—	36	—
15	Wildschweine	„	21	31	—	10	2	—	42	—	62	—	—	—	20	—
16	Welschhühner	„	687	654	33	—	—	50	343	50	327	—	16	50	—	—
17	Frisches Fleisch von Schlachtvieh und Wildbret	kg	76 610,40	85 894,10	—	9 283,70	—	06	4 596	62	5 153	65	—	—	557	03
18	Gesalzenes, geräuchertes, getrocknetes oder in Büchsen konserviertes Fleisch	„	44 342,40	55 467,95	—	11 125,55	—	12	5 321	09	6 656	15	—	—	1 335	06
18	Würste aller Art	„	71 695,70	67 102,44	4 592,55	—	—	12	8 603	42	8 052	32	551	10	—	—
19	Dürrgemüse	dz	8 885,47	9 013,76	—	128,29	—	60	5 331	28	5 408	26	—	—	76	98
20	Mehl, eingeführt	„	59 699,97	60 473,28	—	773,31	—	50	29 849	99	30 236	64	—	—	386	65
20	Mehl, in der Stadt bereitet	„	34 366,68	37 186,60	—	2 819,92	—	50	17 183	34	18 593	30	—	—	1 409	96
21	Brot u. Wecke (10 kg = 6 Pfg.)	kg	231 142,00	201 080,00	30 062,00	—	—	06	1 386	85	1 206	48	180	37	—	—
	Summe II. Eßwaren	.	.	.	.	.	.	.	251 815	04	261 434	75	—	—	10 119	71

Nr. des Tarifs	Bezeichnung der Gegenstände	Maßstab	Eingeführte Mengen im Rechnungsjahr 1906	1905	Im Rechnungsjahr 1906 mehr	weniger	Tarifsatz M	₰	Oktroi-Ertrag im Rechnungsjahr 1906 M	₰	1905 M	₰	Im Rechnungsjahr 1906 mehr M	₰	weniger M	₰
	III. Brennmaterialien.															
22	Brennholz aller Art, Reisig und Tannäpfel	dz	44 194,64	47 282,06	—	3 087,42	—	14	6 187	25	6 619	53	—	—	432	28
23	Holzkohlen	„	3 206,14	3 173,97	32,16	—	—	72	2 308	41	2 285	26	23	15	—	—
24	Steinkohlen	„	746 243,[illegible]	789 612,[illegible]	—	43 369,[illegible]	—	12	89 549	19	94 753	53	—	—	5 204	34
25	Koks	„	57 013,[illegible]	53 159,[illegible]	3 853,[illegible]	—	—	18	10 262	35	9 568	73	693	62	—	—
26	Koks aus den städt. Gaswerken	„	50 587,[illegible]	49 560,46	1 026,[illegible]	—	—	18	9 105	68	8 920	87	184	81	—	—
27	Torf	„	—	3,[illegible]	—	3,[illegible]	—	20	—	—	1	13	—	—	1	13
28	Braunkohlen, Briketts ꝛc.	„	53 899,[illegible]	46 812,[illegible]	7 086,[illegible]	—	—	12	6 467	89	5 617	48	850	41	—	—
	Summe III. Brennmaterialien	.	.	.	.	.	.	.	123 880	77	127 766	53	—	—	3 885	76
	IV. Fütterungsartikel.															
29	Heu, Krummet, trockener Klee	dz	41 867,[illegible]	38 587,[illegible]	3 280,[illegible]	—	—	24	10 048	31	9 261	03	787	28	—	—
30	Stroh	„	10 605,[illegible]	11 495,[illegible]	—	890,[illegible]	—	10	1 060	50	1 149	55	—	—	89	05
31a	Hundekuchen, Futterbrot u. ähnliche Zubereitungen	„	144,[illegible]	137,[illegible]	6,[illegible]	—	—	50	72	09	68	98	3	11	—	—
31b	Futtermehle aller Art	„	534,[illegible]	1 023,[illegible]	—	488,[illegible]	—	30	160	24	306	92	—	—	146	68
32 {	Hafer	„	28 647,[illegible]	28 366,[illegible]	280,[illegible]	—	—	48	13 750	89	13 616	06	134	83	—	—
	Wicken	„	224,[illegible]	215,[illegible]	9,[illegible]	—	—	48	107	77	103	32	4	45	—	—
33 {	Schrot	„	180,[illegible]	6,[illegible]	174,[illegible]	—	—	18	32	41	1	09	31	32	—	—
	Kleien	„	2 074,[illegible]	1 375,[illegible]	699,[illegible]	—	—	18	373	45	247	62	125	83	—	—
	Summe IV. Fütterungsartikel	.	.	.	.	.	.	.	25 605	66	24 754	57	851	09	—	—
	V. Verschiedenes.															
	Oktroi für diverse Gegenstände, erhoben mittelst Wertscheinen: a) zu je 6 Pfennig	Stück	21 929	4 492	17 437	—	—	06	1 315	74	269	52	1 046	22	—	—
	b) zu je 3 Pfennig	„	13 802	44 548	—	30 746	—	03	414	06	1 336	44	—	—	922	38
	Oktroizahlungen der Kgl. Armee-Konservenfabrik	—	—	—	—	—	—	—	28 397	75	36 032	69	—	—	7 634	94
	Gebühren für Ausstellung von Durchgangsscheinen	—	—	—	—	—	—	—	1 441	45	1 372	40	69	05	—	—
	Verwaltungsgebühr für Wein	hl	91 968,[illegible]	98 286,[illegible]	—	6 318,[illegible]	—	20	18 393	65	19 657	26	—	—	1 263	61
	Kontrollgebühren v. Privatlagern: a) für Branntwein	hl	3 940,[illegible]	3 662,[illegible]	278,[illegible]	—	—	15	591	12	549	39	41	73	—	—
	b) für Dürrgemüse	dz	20 250,[illegible]	19 951,[illegible]	299,[illegible]	—	—	06	1 215	02	1 197	07	17	95	—	—
	c) für Mehl	„	4 388,[illegible]	4 047,[illegible]	341,[illegible]	—	—	06	263	33	242	83	20	50	—	—
	d) für Kaffee	„	4 376,[illegible]	4 475,[illegible]	—	98,[illegible]	—	06	262	60	268	50	—	—	5	90
	e) für Wicken	„	234,[illegible]	303,[illegible]	—	69,[illegible]	—	06	14	05	18	20	—	—	4	15
	f) für Gänse	Stück	8 409	6 982	1 427	—	—	02	168	18	139	64	28	54	—	—
	g) für Welschhühner	„	1 006	957	49	—	—	05	50	30	47	85	2	45	—	—
	h) für Hasen	„	5 636	6 912	—	1 276	—	02	112	72	138	24	—	—	25	52
	i) für Hirsche	„	10	13	—	3	—	05	—	50	—	65	—	—	—	15
	k) für Rehe	„	111	167	—	56	—	05	5	55	8	35	—	—	2	80
	l) für Wildschweine	„	18	31	—	13	—	05	—	90	1	55	—	—	—	65
	Summe V. Verschiedenes	.	.	.	.	.	.	.	52 646	92	61 2[illegible]	58	—	—	8 633	66
	Summe I. Getränke	.	.	.	.	.	.	.	290 179	09	302 167	94	—	—	11 988	85
	Summe II. Eßwaren	.	.	.	.	.	.	.	251 315	04	261 434	75	—	—	10 119	71
	Summe III. Brennmaterialien	.	.	.	.	.	.	.	123 880	77	127 766	53	—	—	3 885	76
	Summe IV. Fütterungsartikel	.	.	.	.	.	.	.	25 605	66	24 754	57	851	09	—	—
									743 627	48	777 404	37	—	—	33 776	89
	Die Oktroi-Rückvergütungen betragen:															
	a) für ausgeführtes Bier	hl	307 805,[illegible]	306 879,[illegible]	925,[illegible]	—	—	42	129 278	21	128 889	52	388	69	—	—
	b) für ausgeführte Steinkohlen	dz	4 570,[illegible]	3 103,[illegible]	1 466,[illegible]	—	—	10	457	03	310	38	146	65	—	—
	c) für ausgeführte Holzkohlen	„	553,[illegible]	487,[illegible]	65,[illegible]	—	—	60	331	87	292	78	39	09	—	—
	Zusammen	.	.	.	.	.	.	.	130 067	11	129 492	68	574	43	—	—
	Verglichen mit obigen	.	.	.	.	.	.	.	743 627	48	777 404	37	—	—	33 776	89
	Bleibt wirkliche Einnahme	.	.	.	.	.	.	.	613 560	37	647 911	69	—	—	34 351	32

II. Übersicht

des Privatlager-Verkehrs mit oktroipflichtigen Gegenständen in der Zeit vom 1. April 1906 bis Ende März 1907.

Ordnungs-Nummer	Der Waren Benennung	Maßstab	Lagerbestand am 1. April 1906	Zugang vom 1. April 1906 bis Ende März 1907	Zusammen	Abgang vom 1. April 1906 bis Ende März 1907: In die Stadt	Ausgeführt	Zusammen	Lagerbestand am 1. April 1907
1	Branntwein	hl	1 910	6 995	8 905	2 999	4 005	7 004	1 901
2	Dürrgemüse	dz	4 549	25 629	30 178	6 035	20 053	26 088	4 090
3	Mehl	„	723	6 435	7 158	2 368	4 126	6 494	664
4	Hafer	„	2 820	10 098	12 918	7 606	4 062	11 668	1 250
5	Wicken	„	82	351	433	98	206	304	129
6	Gänse	Stück	115	10 946	11 061	1 419	9 360	10 779	282
7	Welschhühner	„	9	1 098	1 107	115	981	1 096	11
8	Hasen	„	—	6 479	6 479	694	5 785	6 479	—
9	Hirsche über 25 kg	„	—	13	13	3	10	13	—
10	Hirsche unter 25 kg	„	—	2	2	2	—	2	—
11	Rehe	„	—	230	230	108	122	230	—
12	Wildschweine	„	—	34	34	1	33	34	—

2. Hundesteuer.

Nach dem Deklarationsregister betrug die Zahl der Hunde Ende 1905 . . . . 1 883

Im Laufe des Jahres 1906 wurden

abgemeldet 634

angemeldet 596

folglich mehr abgemeldet 38

Daher Bestand Ende 1906 . . . . 1 845

Nach den von den Großh. Bezirks-Kassen gefertigten Jahresabrechnungen hat sich die Erhebung und Ablieferung der städtischen Steuer für 1906 wie folgt gestaltet:

Ausstände aus dem Jahr 1905 . . . . 90 ℳ — ₰

Schuldigkeit für das Jahr 1906 . . . . 20 020 „ — „

zusammen . . 20 110 ℳ — ₰

Hievon sind:

1. uneinbringlich . . . . 1 687 ℳ — ₰
2. erlassen . . . . 230 „ — „
3. noch in Beitreibung . . . . . . 50 „ — „ 1 967 „ — „

Verglichen, bleibt wirkliche Einnahme . . . . 18 143 ℳ — ₰

Von diesem Betrage waren dem Staate 3 $\frac{1}{3}$ % Hebgebühren zu vergüten mit . . . . 604 „ 76 „

Demnach Ablieferung an die Stadtkasse . . . . 17 538 ℳ 24 ₰

Gegen die für 1905 abgelieferten . . . . 18 020 „ 31 „

weniger 482 ℳ 07 ₰

3. Direkte Staats- und Gemeindesteuern.

In nachstehender Übersicht sind die einzelnen Klassen der staatlichen Einkommensteuer, der Steuerbetrag für jede Klasse und die Zahl der in den einzelnen Klassen besteuerten Personen angegeben.

Klasse	Einkommen	Steuerbetrag ℳ	Zahl der Besteuerten 1906	Zahl der Besteuerten 1905	Zahl der Besteuerten 1904	Zahl der Besteuerten 1903/04	Zahl der Besteuerten 1902/03
	II. Abteilung.						
1	500 ℳ bis weniger als 600 ℳ	3.—	2 587	2 559	2 470	2 312	2 542
2	600 „ „ „ „ 750 „	6.—	1 913	1 957	2 291	2 050	2 231
3	750 „ „ „ „ 900 „	9.—	4 346	4 439	4 671	4 294	4 901
4	900 „ „ „ „ 1 100 „	11.—	6 011	5 835	5 747	5 235	5 632
5	1 100 „ „ „ „ 1 300 „	14.50	3 771	3 638	3 399	3 241	3 320
6	1 300 „ „ „ „ 1 500 „	18.50	1 909	1 859	1 719	1 629	1 697
7	1 500 „ „ „ „ 1 700 „	23.—	1 442	1 460	1 364	1 285	1 343
8	1 700 „ „ „ „ 2 000 „	28.—	1 245	1 210	1 187	1 151	1 184
9	2 000 „ „ „ „ 2 300 „	33.50	1 063	1 052	1 051	969	976
10	2 300 „ „ „ „ 2 600 „	39.—	1 076	1 087	1 060	927	995
	zu übertragen	. . . .	25 423	25 095	24 959	23 093	24 821

Klasse	Einkommen	Steuerbetrag M.	Zahl der Besteuerten 1906	Zahl der Besteuerten 1905	Zahl der Besteuerten 1904	Zahl der Besteuerten 1903/04	Zahl der Besteuerten 1902/03
	Übertrag .	.	25 423	25 095	24 959	23 093	24 821
	I. Abteilung.						
1	2 600 M. bis weniger als 2 900 M. . .	50	626	627	617	632	561
2	2 900 " " " " 3 200 " . .	57	483	472	450	462	431
3	3 200 " " " " 3 600 " . .	66	479	468	447	469	440
4	3 600 " " " " 4 000 " . .	78	430	396	389	384	362
5	4 000 " " " " 4 500 " . .	90	402	394	378	382	387
6	4 500 " " " " 5 000 " . .	106	258	280	264	244	255
7	5 000 " " " " 6 500 " . .	126	242	240	222	228	240
8	5 500 " " " " 6 000 " . .	144	182	184	194	179	164
9	6 000 " " " " 6 500 " . .	160	153	152	165	157	158
10	6 500 " " " " 7 000 " . .	176	139	150	144	151	138
11	7 000 " " " " 7 500 " . .	192	118	106	96	104	118
12	7 500 " " " " 8 000 " . .	210	98	113	115	108	106
13	8 000 " " " " 8 500 " . .	230	89	88	84	96	102
14	8 500 " " " " 9 000 " . .	250	93	77	63	67	68
15	9 000 " " " " 9 500 " . .	270	60	66	68	59	58
16	9 500 " " " " 10 000 " . .	290	68	52	54	53	56
17	10 000 " " " " 11 000 " . .	315	95	88	106	115	108
18	11 000 " " " " 12 000 " . .	350	66	82	72	73	69
19	12 000 " " " " 13 000 " . .	385	79	76	80	69	74
20	13 000 " " " " 14 000 " . .	420	61	55	58	63	64
21	14 000 " " " " 15 000 " . .	455	43	45	55	41	42
22	15 000 " " " " 16 000 " . .	490	38	35	38	36	32
23	16 000 " " " " 17 000 " . .	525	40	40	42	37	30
24	17 000 " " " " 18 000 " . .	560	28	38	34	35	33
25	18 000 " " " " 19 000 " . .	595	29	36	29	30	29
26	19 000 " " " " 20 000 " . .	630	24	24	27	25	24
27	20 000 " " " " 21 000 " . .	665	27	22	20	18	21
28	21 000 " " " " 22 000 " . .	700	15	16	22	21	22
29	22 000 " " " " 23 000 " . .	735	17	16	12	9	8
30	23 000 " " " " 24 000 " . .	770	16	12	19	20	20
31	24 000 " " " " 25 000 " . .	805	19	17	6	12	17
32	25 000 " " " " 26 000 " . .	840	20	15	12	12	12
33	26 000 " " " " 27 000 " . .	875	18	15	14	9	6
34	27 000 " " " " 28 000 " . .	910	12	13	4	6	13
35	28 000 " " " " 29 000 " . .	945	12	7	13	7	10
36	29 000 " " " " 30 000 " . .	980	9	6	8	7	8
37	30 000 " " " " 31 000 " . .	1 015	8	6	7	9	8
38	31 000 " " " " 32 000 " . .	1 050	7	10	7	10	12
39	32 000 " " " " 33 000 " . .	1 085	5	5	5	4	6
40	33 000 " " " " 34 000 " . .	1 120	6	6	11	9	11
41	34 000 " " " " 35 000 " . .	1 160	10	11	8	8	9
42	35 000 " " " " 36 000 " . .	1 200	1	5	5	7	2
43	36 000 " " " " 37 000 " . .	1 240	5	6	4	6	7
44	37 000 " " " " 38 000 " . .	1 280	10	8	6	7	7
45	38 000 " " " " 39 000 " . .	1 320	5	3	3	10	10
46	39 000 " " " " 40 000 " . .	1 360	5	2	6	7	7
47	40 000 " " " " 41 000 " . .	1 400	5	5	5	4	5
48	41 000 " " " " 42 000 " . .	1 445	5	9	9	4	4
49	42 000 " " " " 43 000 " . .	1 490	7	4	8	5	1
50	43 000 " " " " 44 000 " . .	1 535	6	6	6	2	5
51	44 000 " " " " 45 000 " . .	1 580	3	1	2	5	3
52	45 000 " " " " 46 000 " . .	1 625	1	2	2	2	3
	zu übertragen .	. . .	30 100	29 707	29 474	27 612	29 207

Klasse	Einkommen	Steuerbetrag ℳ	Zahl der Besteuerten 1906	Zahl der Besteuerten 1905	Zahl der Besteuerten 1904	Zahl der Besteuerten 1903/04	Zahl der Besteuerten 1902/03
	Übertrag .	—	30 100	29 707	29 474	27 612	29 207
53	46 000 ℳ bis weniger als 47 000 ℳ . .	1 670	3	5	3	4	2
54	47 000 „ „ „ „ 48 000 „ . .	1 715	3	2	1	4	6
55	48 000 „ „ „ „ 49 000 „ . .	1 760	1	3	2	2	3
56	49 000 „ „ „ „ 50 000 „ . .	1 805	3	1	—	—	3
57	50 000 „ „ „ „ 51 000 „ . .	1 850	2	1	—	—	3
58	51 000 „ „ „ „ 52 000 „ . .	1 895	1	3	4	4	2
59	52 000 „ „ „ „ 53 000 „ . .	1 940	—	1	3	1	2
60	53 000 „ „ „ „ 54 000 „ . .	1 985	1	2	2	2	4
61	54 000 „ „ „ „ 55 000 „ . .	2 030	1	2	2	3	5
62	55 000 „ „ „ „ 56 000 „ . .	2 075	1	2	1	3	2
63	56 000 „ „ „ „ 57 000 „ . .	2 120	3	2	1	4	1
64	57 000 „ „ „ „ 58 000 „ . .	2 165	2	3	4	1	1
65	58 000 „ „ „ „ 59 000 „ . .	2 205	2	3	2	1	—
66	59 000 „ „ „ „ 60 000 „ . .	2 255	2	3	—	—	1
67	60 000 „ „ „ „ 61 000 „ . .	2 300	1	3	2	1	3
68	61 000 „ „ „ „ 62 000 „ . .	2 345	4	1	3	2	—
69	62 000 „ „ „ „ 63 000 „ . .	2 390	2	—	1	2	—
70	63 000 „ „ „ „ 64 000 „ . .	2 435	2	—	—	2	2
71	64 000 „ „ „ „ 65 000 „ . .	2 480	1	—	1	—	1
72	65 000 „ „ „ „ 66 000 „ . .	2 525	—	—	—	1	2
73	66 000 „ „ „ „ 67 000 „ . .	2 570	1	—	—	—	—
74	67 000 „ „ „ „ 68 000 „ . .	2 615	1	2	1	—	—
75	68 000 „ „ „ „ 69 000 „ . .	2 660	—	—	1	—	2
76	69 000 „ „ „ „ 70 000 „ . .	2 705	—	—	2	—	1
77	70 000 „ „ „ „ 71 000 „ . .	2 750	—	—	—	—	2
78	71 000 „ „ „ „ 72 000 „ . .	2 795	—	—	1	3	—
79	72 000 „ „ „ „ 73 000 „ . .	2 840	—	3	—	2	—
80	73 000 „ „ „ „ 74 000 „ . .	2 885	—	—	—	—	—
81	74 000 „ „ „ „ 75 000 „ . .	2 930	2	1	2	2	2
82	75 000 „ „ „ „ 76 000 „ . .	2 975	1	1	2	3	—
83	76 000 „ „ „ „ 77 000 „ . .	3 020	1	—	—	—	1
84	77 000 „ „ „ „ 78 000 „ . .	3 065	2	2	—	—	—
85	78 000 „ „ „ „ 79 000 „ . .	3 110	—	—	—	1	—
86	79 000 „ „ „ „ 80 000 „ . .	3 155	3	2	—	—	3
87	80 000 „ „ „ „ 81 000 „ . .	3 205	1	—	1	2	2
88	81 000 „ „ „ „ 82 000 „ . .	3 255	—	—	—	1	—
89	82 000 „ „ „ „ 83 000 „ . .	3 305	1	—	—	1	1
90	83 000 „ „ „ „ 84 000 „ . .	3 355	—	—	—	1	1
91	84 000 „ „ „ „ 85 000 „ . .	3 405	1	—	2	—	1
92	85 000 „ „ „ „ 86 000 „ . .	3 455	—	—	1	1	—
93	86 000 „ „ „ „ 87 000 „ . .	3 505	—	2	—	1	1
94	87 000 „ „ „ „ 88 000 „ . .	3 555	—	—	1	—	—
95	88 000 „ „ „ „ 89 000 „ . .	3 605	1	1	—	—	2
96	89 000 „ „ „ „ 90 000 „ . .	3 655	—	—	2	—	—
97	90 000 „ „ „ „ 91 000 „ . .	3 705	1	—	1	1	1
98	91 000 „ „ „ „ 92 000 „ . .	3 755	—	1	1	—	1
99	92 000 „ „ „ „ 93 000 „ . .	3 805	—	1	1	1	1
100	93 000 „ „ „ „ 94 000 „ . .	3 855	1	3	—	1	—
101	94 000 „ „ „ „ 95 000 „ . .	3 905	—	—	1	—	—
102	95 000 „ „ „ „ 96 000 „ . .	3 955	1	1	—	2	2
103	96 000 „ „ „ „ 97 000 „ . .	4 005	—	—	1	3	3
104	97 000 „ „ „ „ 98 000 „ . .	4 055	—	1	1	—	1
	zu übertragen .	.	30 153	29 765	29 528	27 675	29 278

Klasse	Einkommen	Steuerbetrag ℳ	Zahl der Besteuerten 1906	Zahl der Besteuerten 1905	Zahl der Besteuerten 1904	Zahl der Besteuerten 1903/04	Zahl der Besteuerten 1902/03
	Übertrag .	—	30 153	29 705	29 528	27 675	29 278
106	99 000 ℳ bis weniger als 100 000 ℳ . .	4 155	—	1	1	—	1
107	100 000 „ „ „ „ 101 000 „ . .	4 205	1	—	2	—	—
108	101 000 „ „ „ „ 102 000 „ . .	4 255	1	1	1	1	—
109	102 000 „ „ „ „ 103 000 „ . .	4 305	—	—	1	—	—
110	103 000 „ „ „ „ 104 000 „ . .	4 355	1	1	1	—	—
111	104 000 „ „ „ „ 105 000 „ . .	4 405	—	—	1	1	1
112	105 000 „ „ „ „ 106 000 „ . .	4 455	—	1	—	1	—
114	107 000 „ „ „ „ 108 000 „ . .	4 555	1	—	—	—	—
115	108 000 „ „ „ „ 109 000 „ . .	4 605	—	—	1	2	
116	109 000 „ „ „ „ 110 000 „ . .	4 655	—	—	1	—	—
117	110 000 „ „ „ „ 111 000 „ . .	4 705	—	2	1	—	1
118	111 000 „ „ „ „ 112 000 „ . .	4 755	1	—	—	1	—
122	115 000 „ „ „ „ 116 000 „ . .	4 955	—	—	—	—	1
125	118 000 „ „ „ „ 119 000 „ . .	5 105	—	1	1	—	—
126	119 000 „ „ „ „ 120 000 „ . .	5 155	1	1	—	2	—
128	121 000 „ „ „ „ 122 000 „ . .	5 255	1	—	—	1	—
129	122 000 „ „ „ „ 123 000 „ . .	5 305	1	1	1	—	—
130	123 000 „ „ „ „ 124 000 „ . .	5 355	—	1	—	—	1
131	124 000 „ „ „ „ 125 000 „ . .	5 405	1	1	1	—	—
132	125 000 „ „ „ „ 126 000 „ . .	5 455	1	—	—	—	—
137	130 000 „ „ „ „ 131 000 „ . .	5 605	—	1	—	—	1
138	131 000 „ „ „ „ 132 000 „ . .	5 755	1	—	—	—	—
139	132 000 „ „ „ „ 133 000 „ . .	5 805	1	—	2	—	1
142	135 000 „ „ „ „ 136 000 „ . .	5 955	1	—	—	1	—
143	136 000 „ „ „ „ 137 000 „ . .	6 005	—	—	1	—	—
144	137 000 „ „ „ „ 138 000 „ . .	6 055	1	—	—	—	—
145	138 000 „ „ „ „ 139 000 „ . .	6 105	—	1	—	1	—
149	142 000 „ „ „ „ 143 000 „ . .	6 305	—	1	1	—	—
151	144 000 „ „ „ „ 145 000 „ . .	6 405	1	—	—	—	—
155	148 000 „ „ „ „ 149 000 „ . .	6 605	—	—	—	—	1
157	150 000 „ „ „ „ 151 000 „ . .	6 705	2	—	—	—	—
159	152 000 „ „ „ „ 153 000 „ . .	6 805	—	1	—	—	1
160	153 000 „ „ „ „ 154 000 „ . .	6 855	1	1	—	—	1
162	155 000 „ „ „ „ 156 000 „ . .	6 955	—	—	—	2	—
167	160 000 „ „ „ „ 161 000 „ . .	7 205	—	1	1	—	—
168	161 000 „ „ „ „ 162 000 „ . .	7 255	—	—	1	—	—
175	163 000 „ „ „ „ 164 000 „ . .	7 355	—	1	—	1	—
178	171 000 „ „ „ „ 172 000 „ . .	7 755	1	—	—	—	—
179	172 000 „ „ „ „ 173 000 „ . .	7 805	—	—	—	1	—
182	175 000 „ „ „ „ 176 000 „ . .	7 955	—	—	—	—	1
189	182 000 „ „ „ „ 183 000 „ . .	8 305	—	—	1	—	1
191	184 000 „ „ „ „ 185 000 „ . .	8 405	—	—	—	1	—
201	194 000 „ „ „ „ 195 000 „ . .	8 905	—	—	—	—	1
208	201 000 „ „ „ „ 202 000 „ . .	9 255	—	—	—	1	—
213	206 000 „ „ „ „ 207 000 „ . .	9 455	1	—	—	—	—
219	212 000 „ „ „ „ 213 000 „ . .	9 805	—	—	1	—	—
225	218 000 „ „ „ „ 219 000 „ . .	10 055	—	—	1	—	—
233	226 000 „ „ „ „ 227 000 „ . .	10 455	—	1	1	—	—
267	260 000 „ „ „ „ 261 000 „ . .	12 205	—	1	—	1	—
281	274 000 „ „ „ „ 275 000 „ . .	12 905	—	—	—	—	1
318	311 000 „ „ „ „ 312 000 „ . .	14 755	1	—	—	—	—
324	317 000 „ „ „ „ 318 000 „ . .	15 055	1	—	—	—	—
	zu übertragen .		30 175	29 785	29 551	27 693	29 292

Klasse	Einkommen	Steuerbetrag ℳ	Zahl der Besteuerten 1906	Zahl der Besteuerten 1905	Zahl der Besteuerten 1904	Zahl der Besteuerten 1903/04	Zahl der Besteuerten 1902/03
	Übertrag .	—	30175	29785	29551	27693	29292
326	319 000 ℳ bis weniger als 320 000 ℳ . .	15 155	1	—	—	—	—
336	329 000 „ „ „ „ 330 000 „ . .	15 655	—	1	—	—	—
357	350 000 „ „ „ „ 351 000 „ . .	16 705	—	—	—	—	1
392	385 000 „ „ „ „ 386 000 „ . .	18 455	1	—	—	—	—
393	386 000 „ „ „ „ 387 000 „ . .	18 505	—	—	—	1	—
397	390 000 „ „ „ „ 391 000 „ . .	18 705	—	—	1	—	—
452	445 000 „ „ „ „ 446 000 „ . .	21 405	1	—	—	—	—
473	466 000 „ „ „ „ 467 000 „ . .	22 505	—	1	—	—	—
509	502 000 „ „ „ „ 503 000 „ . .	24 305	—	—	1	—	—
574	567 000 „ „ „ „ 568 000 „ . .	27 555	—	—	—	1	—
586	579 000 „ „ „ „ 580 000 „ . .	28 155	—	—	—	—	1
	Zusammen .		30 178	29 787	29 553	27 695	29 294

Vom Staate wurden erhoben:	1906	1905	Zunahme	Abnahme
a) Einkommensteuer von 30 178 (29 787) Perf.	1 569 543 ℳ 50 ₰	1 517 737 ℳ 50 ₰	3,41 %	—
b) Vermögenssteuer von 6 849 (6 881) „	340 692 „ 75 „	337 529 „ 25 „	0,94 %	—
zusammen	1 910 236 ℳ 25 ₰	1 855 266 ℳ 75 ₰	2,94 %	—

Die Vermögenssteuer betrug auch im Rechnungsjahre 1906 = 75 ₰ von 1000 ℳ Reinvermögen. Das dem Steuerbetrag von 340 692 ℳ 75 ₰ zugrunde gelegte Reinvermögen beträgt daher 454 257 000 ℳ (im Vorjahre 450 039 000 ℳ).

Die Steuerkapitalien für den Ausschlag der Gemeindesteuer betrugen:

	1906	1905	Zunahme	Abnahme
a) für die Gewerbsteuer	1 631 526,0 ℳ	1 643 202,0 ℳ	—	0,71 %
b) „ „ Grundsteuer	2 030 288,2 „	1 973 347,0 „	2,89 %	—
c) „ „ Kapitalrentensteuer . . .	678 921,8 „	654 981,8 „	3,66 %	—
zusammen .	4 340 736,0 ℳ	4 271 530,8 ℳ	1,62 %	—

Zur Gemeindesteuer waren zugezogen und zwar:

	1906	1905	1904	1903/04	1902/03
a) zur Gewerbesteuer . . .	5 336 Perf.	5 315 Perf.	5 259 Perf.	5 285 Perf.	5 228 Perf.
b) „ Grundsteuer	3 341 „	3 438 „	3 441 „	3 406 „	3 340 „
c) „ Kapitalrentensteuer .	3 087 „	3 182 „	3 126 „	3 046 „	3 060 „
d) „ Einkommensteuer .	31 381 „	31 014 „	30 573 „	28 763 „	30 425 „

Mit einem Einkommen unter 500 ℳ waren nur zur Gemeindesteuer zugezogen:

1906	1 611 Personen
1905	1 227 „
1904	1 089 „
1903/04	1 110 „
1902/03	1 189 „

Die Gewerbesteuerpflichtigen verteilten sich in den letzten fünf Jahren auf die verschiedenen Klassen der Gewerbe wie folgt:

				1906	1905	1904	1903/04	1902/03
Klasse	I A	Normalsteuerkapital	500 ℳ =	96 Perf.	96 Perf.	96 Perf.	94 Perf.	95 Perf.
„	I B	„	340 „ =	367 „	368 „	371 „	387 „	386 „
„	II	„	160 „ =	181 „	187 „	198 „	210 „	218 „
„	III	„	120 „ =	344 „	336 „	334 „	327 „	316 „
„	IV	„	80 „ =	1 178 „	1 196 „	1 153 „	1 149 „	1 145 „
„	V	„	60 „ =	1 333 „	1 325 „	1 279 „	1 251 „	1 180 „
„	VI	„	40 „ =	1 286 „	1 242 „	1 222 „	1 256 „	1 246 „
„	VII	„	10 „ =	551 „	565 „	570 „	611 „	593 „
			zusammen	5 336 Perf.	5 315 Perf.	5 223 Perf.	5 285 Perf.	5 179 Perf.

Bei den in Zahlbach betriebenen Gewerben betragen die Steuerkapitalien:

in Klasse	II = ...	80 ℳ
„	III = ...	60 „
„	IV = ...	40 „
„	V = ...	20 „
„	VI = ...	10 „
„	VII = ...	5 „

Für das Rechnungsjahr 1906 wurden wie im Vorjahr als Gemeindesteuer 91,8 % Zuschlag zur staatlichen Einkommensteuer und zum doppelten Betrage der Grundzahlen für den Ausschlag der Grundsteuer, der Gewerbesteuer und der Kapitalrentensteuer erhoben. Es betrugen, abgesehen von den Nachträgen:

	1906	1905	Zunahme	Abnahme
a) die Gewerbesteuer . .	449 322 ℳ 26 ₰	452 537 ℳ 83 ₰	—	0,71 %
b) „ Grundsteuer . . .	559 141 „ 41 „	543 459 „ 76 „	2,89 %	—
c) „ Kapitalrentensteuer	186 975 „ 03 „	180 381 „ 95 „	3,64 %	—
d) „ Einkommensteuer	1 425 782 „ 15 „	1 377 788 „ 56 „	3,48 %	—
zusammen	2 621 220 ℳ 85 ₰	2 554 168 ℳ 10 ₰	2,63 %	—

Im Rechnungsjahre 1906 wurden 5 314 (5 273) Jahres-Gewerbs-Patente ausgestellt, 1 017 (980) Gewerbe angemeldet, 1 057 (837) Gewerbe abgemeldet und 974 (961) Gewerbs-Patente im Laufe des Jahres erteilt.

Nachträglich wurden 5 609 (5 879) Personen zur Einkommensteuer veranlagt und etwa 28 000 (25 000) Wohnungswechsel und Wegzüge in der Ortssteuerliste gewahrt.

Zwecks Zustellung von 805 Staatssteuerzetteln und 1 270 Gemeindesteuerzetteln an die im Laufe des Steuerjahres von hier verzogenen Steuerpflichtigen wurden 702 Requisitionen ausgefertigt.

XL. Zwangsvollstreckung im Verwaltungswege.

Nach dem von dem Finanzsekretariat geführten Tagebuch sind im Rechnungsjahr 1906 im ganzen 1 924 Pfändungsbefehle erlassen worden gegen 1 704 im Vorjahre. Die Pfändungsbefehle enthielten insgesamt 37 935 Posten gegen 37 764 Posten im Rechnungsjahre 1905. Inhaltlich der von den Vollziehungsbeamten eingereichten Nachweisungen wurden die Pfändungsbefehle in nachstehender Weise erledigt:

Bezeichnung	1906		1905	
	Posten	%	Posten	%
1. Vor Beginn der Pfändung eingegangen	1 473	3,9	1 230	3,3
2. Infolge der Beitreibung bezahlt oder Pfändung vorgenommen	26 618	70,1	26 040	69,0
3. Vorläufig uneinbringlich (infolge Wegzugs der Zahlungspflichtigen nach bekannten Orten ꝛc.)	3 482	9,2	3 182	8,4
4. Definitiv uneinbringlich (infolge Wegzugs nach unbekannten Orten, Todesfalls ꝛc.)	2 842	7,5	3 405	9,0
5. Zahlungsunfähig (aus Mangel an Pfandobjekten)	3 520	9,3	3 907	10,3
Summe	37 935	100,0	37 764	100,0

Die den vorstehenden Posten entsprechenden, zur Beitreibung überwiesenen Geldbeträge sind aus der folgenden Übersicht zu entnehmen:

Bezeichnung	1906			1905		
	ℳ	₰	%	ℳ	₰	%
1. Vor Beginn der Pfändung eingegangen	64 043	85	7,5	64 453	85	7,6
2. Infolge der Beitreibung bezahlt oder Pfändung vorgenommen	712 459	67	83,4	680 833	24	80,3
3. Vorläufig uneinbringlich	34 775	08	4,1	59 675	38	7,1
4. Definitiv uneinbringlich	12 615	76	1,5	14 649	75	1,7
5. Zahlungsunfähig	30 292	85	3,5	28 006	85	3,3
Summe	854 187	21	100,0	847 619	07	100,0

Unter den in der zweiten Tabelle aufgeführten Summen sind die Forderungen inbegriffen, welche von dem städtischen Personal für Rechnung anderer Behörden und Kassen beizutreiben waren. Der für 1906 zur Beitreibung überwiesene Betrag verteilt sich auf Einkünfte der Stadt und andere Einkünfte wie folgt:

Bezeichnung	Einkünfte der Stadt			Einkünfte fremder Kassen		
	ℳ	₰	%	ℳ	₰	%
1. Vor Beginn der Pfändung eingegangen	45 271	56	7,8	18 772	29	6,9
2. Infolge der Beitreibung bezahlt oder Pfändung vorgenommen	478 639	61	82,0	233 820	06	86,4
3. Vorläufig uneinbringlich	28 206	24	4,8	6 568	84	2,4
4. Definitiv uneinbringlich	11 987	81	2,1	627	95	0,2
5. Zahlungsunfähig	19 304	54	3,3	10 988	31	4,1
Summe	583 409	76	100,0	270 777	45	100,0

In 3 012 Fällen (gegen 3 361 im Vorjnhee) wurden durch Zahlungsverbote für eine Gesamtschuldigkeit von 50 121 ℳ 39 ₰ (gegen 40 469 ℳ 91 ₰ im Vorjahre) Geldforderungen der Schuldner gepfändet (beschlagnahmt).

Versteigerung von Pfändern hat für im Berichtsjahre zur Beitreibung überwiesene Schuldigkeiten nicht stattgefunden. Tagegen wurde im Rechnungsjahr 1906 in 15 Fällen gemäß § 46 der Verordnung vom 7. März 1894, das Verfahren der Zwangsvollstreckung im Verwaltungswege betr., Antrag auf Ableistung des Offenbarungseides gestellt. Infolge der Antragstellung wurde in 5 Fällen die ganze und in 1 Fall ein Teil der Schuldigkeit bezahlt. Ein Steuerpflichtiger hat den Offenbarungseid geleistet. In einem Falle wurde das Verfahren eingestellt. In den übrigen 7 Fällen schwebt noch das Verfahren.

An Gebühren wurden auf Grnnd der von den Vollziehungsbeamten eingereichten Kostenverzeichnisse festgesetzt:

	1906	1905
für die vier Vollziehungsbeamten	11 037 ℳ 75 ₰	10 506 ℳ 90 ₰
„ „ „ Zeugen (Mahnboten)	4 471 „ 30 „	4 337 „ 30 „
zusammen . . .	15 509 ℳ 05 ₰	14 844 ℳ 20 ₰

Fristgesuche toaren im Berichtsjahre zu bearbeiten 90 gegen 98 im Vorjahre. An Gemeinde-Vollstreckungsbehörden in Hessen wurden Ersnchen um Zwangsvollstreckung gerichtet 587 gegen 559 im Jahre 1905. Von auswärtigen Stellen gingen außer den von hessischen Gemeinden gestellten, in obiger Aufstellung enthaltenen Pfändungsanträgen 927 Ersuchen nm Mahnung und bezw. Zwangsvollstreckung ein (im Vorjahr 1 005).

Über das Ergebnis der Erhebung und Beitreibung der Gemeindesteuern für das Rechnungsjahr 1906 hat die Stadtkasse nachstehende Übersicht aufgestellt:

Ordnungs-Nummer	Bezeichnung	Anzahl der Steuerpflichtigen	Umlagen für die evangelische Kirchengemeinde ℳ	₰	freie christliche Gemeinde ℳ	₰	katholischen Kirchengemeinden ℳ	₰	Stadt Mainz ℳ	₰	Steuerbetrag im ganzen ℳ	₰
	Es waren zu erheben:											
1	Nach dem Hauptheberegister	33 055	78 353	28	2 804	76	71 576	88	2 621 203	56	2 773 938	48
2	„ den Nachtragsregistern	5 285	4 150	66	157	—	2 394	65	97 460	87	104 163	18
	Summe der Soll-Einnahme	38 340	82 503	94	2 961	76	73 971	53	2 718 664	43	2 878 101	66
	Von vorsteh. Summen sind:											
3	bar eingegangen	—	74 777	94	2 919	73	68 384	74	2 516 511	41	2 662 593	82
4	erlassen infolge Reklamation	—	5 149	21	31	92	3 513	42	143 952	39	152 646	94
5	uneinbringlich	—	2 121	70	10	11	1 415	35	41 256	65	44 803	81
6	noch In Beitreibung	—	455	09	—	—	658	02	16 943	98	18 057	09
	Summe wie oben	—	82 503	94	2 961	76	73 971	53	2 718 664	43	2 878 101	66

Wie aus vorstehender Übersicht hervorgeht, sind von der Summe der Gemeindesteuern für 1906

1. bar eingegangen	92,51 %	(im Vorjahr 92,69 %)
2. erlassen	5,30 „	(„ „ 5,00 „)
3. uneinbringlich .	1,56 „	(„ „ 1,64 „)
4. noch in Beitreibung	0,63 „	(„ „ 0,67 „)
zusammen	100,00 %	100,00 %.

Von der unter Ord.-Nr. 5 der Übersicht aufgeführten Summe von 44 803 ℳ 81 ₰, welche sich aus 5 006 Posten zusammensetzt, sind nach den Beitreibungsakten als uneinbringlich bezeichnet:

a) aus Mangel an Pfändern (1 030 Posten)	10 792 ℳ	54 ₰
b) infolge Wegzugs, wodurch das Beitreibungsverfahren ohne Erfolg blieb (1 533 Posten)	10 904 „	85 „
c) „ „ und Todesfalls rc., wodurch die Steuerpflicht aufhörte (2 443 „)	23 106 „	42 „
zusammen	44 803 ℳ	81 ₰

Bei den unter c aufgeführten 2 443 Posten war eine Steuerpflicht infolge Wegzugs oder Todesfalls nicht mehr vorhanden. In Wirklichkeit können daher nur die vorstehend unter a und b verzeichneten 2 563 Posten mit 21 697 ℳ 39 ₰ = 0,75 % (im Vorjahr 0,74 %) der Soll-Einnahme als uneinbringlich angesehen werden.

Die Gemeindesteuerzettel für 1906 kamen in der Zeit vom 13.—24. April 1906 zur Austeilung, mit der Erhebung wurde am 17. April 1906 begonnen. Das Hebregister wurde am 26. Mai 1906 von Großh. Kreisamt für vollziehbar erklärt und nach achttägiger Offenlegung am 8. Juni der Stadtkasse zur Vereinnahmung überwiesen.

Die Beitreibung der Gemeindesteuern erfolgte den bestehenden Bestimmungen gemäß für je 2 Ziele zusammen. Gemahnt wurden hierbei

bezüglich des 1. und 2. Ziels vom 26. Juli 1906 ab	14 682 Schuldner
„ „ 3. „ 4. „ „ 28. November 1906 ab	14 516 „
„ „ 5. „ 6. „ „ 26. März 1907 ab	12 878 „
zusammen	42 076 Schuldner

gegen 45 987 Schuldner im Jahre 1905.

Zur Pfändung wurden überwiesen:

für das 1. und 2. Ziel am 17. August	1906	10 436 Posten mit	149 124 ℳ	69 ₰
„ „ 3. „ 4. „ „ 15. Dezember	„	8 912 „ „	147 562 „	11 „
„ „ 5. „ 6. „ „ 20. April	1907	7 775 „ „	129 464 „	28 „
zusammen		27 123 Posten mit	426 151 ℳ	08 ₰

Da die uneinbringlichen Posten sich belaufen auf . . 44 803 ℳ 81 ₰
und die noch in Beitreibung befindlichen Ausstände auf 18 057 „ 09 „ 62 860 „ 90 „
so sind demnach von der zur Pfändung überwiesenen Summe eingegangen . . . . . . 363 290 ℳ 18 ₰ = 13,65 % der Bar-Einnahme. Im Vorjahre kamen 27 711 Posten mit 423 453 ℳ 49 ₰ in Pfändung, wovon 358 868 ℳ 30 ₰ oder 13,81 % der Bar-Einnahme eingingen.

Für die Beitreibung rückständiger Gemeindesteuern von verzogenen Steuerpflichtigen wurden in 3 206 Fällen (gegen 2 969 im Vorjahre) auswärtige Behörden für eine Steuerschuld von 26 882 ℳ 53 ₰ in Anspruch genommen, wodurch 1 673 Posten mit 15 977 ℳ 68 ₰ = 59,43 % gegen 54,02 % im Vorjahre bezahlt worden sind. Wie bereits oben bei pos. b angegeben, hatte die Beitreibung bei 1 533 Posten mit einem Steuerbetrag von 10 904 ℳ 85 ₰ keinen Erfolg.

Der Gebührenbezug des Beitreibungspersonals stellt sich für das Berichtsjahr ungefähr wie folgt:

a) der Mahnboten:

1. Zeugengebühren laut Seite 243	4 471 ℳ	30 ₰
2. Mahngebühren aus der Stadtkasse	3 988 „	20 „
3. „ von der Städtischen Krankenkasse	1 404 „	90 „
zusammen	9 864 ℳ	40 ₰

Auf einen der vier Mahnboten entfallen hiernach durchschnittlich 2 466 ℳ 10 ₰ gegen 2 400 ℳ 60 ₰ im Jahre 1905. Hierzu kommen noch die bei den Schuldnern unmittelbar erhobenen Gebühren für Zustellung der Mahnungen hessischer Gemeindekassen rc., deren Höhe nicht festzustellen ist.

b) der Vollziehungsbeamten laut Seite 243 . . . . 11 037 ℳ 75 ₰
oder durchschnittlich 2 759 ℳ 44 ₰ auf einen der vier Vollziehungsbeamten gegen 2 626 ℳ 72 ₰ im Vorjahre.

Außer den eingehenden Gebühren erhalten die Mahnboten aus der Stadtkasse eine feste jährliche Vergütung von je 300 ℳ, drei Vollziehungsbeamte eine solche von je 900 ℳ, ein Vollziehungsbeamter 500 ℳ

XLI. Finanz- und Rechnungswesen.

A. Im allgemeinen.

Die Ergebnisse der Betriebs- und Vermögens-Rechnung der Stadt Mainz für 1906, deren Vergleichung mit dem Voranschlag, sowie die Erläuterung der Unterschiede sind in den Übersichten und Nachweisen auf den Seiten 254 bis 259 und 273 bis 447 dieses Berichtes enthalten.

Die gesamten Einnahmen der Betriebs-Rechnung betrugen		7 992 216 ℳ 11 ₰
die gesamten Ausgaben beliefen sich auf		7 516 294 „ 74 „
mithin verblieb ein Rechnungsrest von		475 921 ℳ 37 ₰
welcher sich bei einer Vergleichung mit den Beträgen des Voranschlages zusammensetzt, wie folgt:		
a) Mehreinnahmen	473 239 ℳ 34 ₰	
b) Weniger-Ausgaben	249 823 „ 30 „	723 062 ℳ 64 ₰
Hiervon gehen ab:		
c) Weniger-Einnahmen	102 059 ℳ 59 ₰	
d) Mehr-Ausgaben	145 081 „ 68 „	247 141 „ 27 „
demnach gleicher Betrag wie oben		475 921 ℳ 37 ₰

An dem vorstehend berechneten Überschusse im Betrage von . . . . 475 921 ℳ 37 ₰

sind in Abzug zu bringen:

I. Nach dem Beschlusse der Stadtverordneten-Versammlung vom 16. Oktober 1907 die auf das Rechnungsjahr 1907 übertragenen Kredite für Arbeiten, welche im Voranschlag für 1906 vorgesehen waren oder im Laufe des Jahres genehmigt wurden, aber nicht zur Ausführung gelangten und zwar:

Rubrik	3.	XX. 2b.	Für Einführung der Gasleitung in das Haus Rosengasse Nr. 12	350 ℳ — ₰	
„	12.	I. 3b.	Für Instandsetzung des Hauseingangs, des Treppenhauses, der sämtlichen Räume im 1. und 2. Stock des Eichamtsgebäudes sowie Herrichtung der letzteren Räume und der Räume im Dachstock zu Wohnungen für Eichmeister	749 „ 53 „	
„	21.	III. 4.	Herstellung eines Schuppens zur Lagerung von Holz und Kohlen für die Lokomotiven der Hafenbahn	650 „ — „	
„	24.	IV. 5b.	Beschaffung eines Panzerschrankes, Einbau von 3 Dokumentenschränken mit Panzerung und von 4 Tresors sowie Aufstellung von elektrischen Sicherheitsapparaten ꝛc. und Einrichtung der elektrischen Beleuchtung für das Kassengewölbe der Stadtkasse	3 500 „ — „	
„	„	XVI.	Für Vervollständigung und Vervielfältigung der bei dem Tiefbauamt in Ausarbeitung befindlichen Parzellenpläne	2 000 „ — „	
„	„	XXVI.	Herstellung einer Skizze zu einem Stadtbilde	300 „ — „	
„	„	XXVIII.	Anteilige Kosten für das Hochzeitsgeschenk der rheinhessischen Städte für Se. Königl. Hoheit den Großherzog	8 930 „ — „	
„	35.	VI.	Zinsenerträgnis des Vermächtnisses des Privatmanns Karl Schion	144 „ 90 „	
„	„	XII.	Zinsenanteile aus 1906 der Jean Baptiste und Wilhelm Hofmann-Stiftung	1 257 „ 39 „	
„	43.	I.	Zuschuß an die Handelskammer zu den Kosten der kaufmännischen Fortbildungsschule	1 305 „ — „	
			zu übertragen	19 186 ℳ 82 ₰	475 921 ℳ 37 ₰

			Übertrag . . .	19 186 ℳ 82 ₰	475 921 ℳ 37 ₰
Rubrik	55.	II. 1/2	Anschaffung neuer Gemälde und Rahmen und Renovation von Gemälden	2 577 „ 60 „	
„	„	III.	Unverwendet gebliebene Mittel aus dem Zinsenerträgnis der Laske'schen Stiftung	320 „ 05 „	
„	„	IV. 4.	Für Ausgrabungen und Untersuchungen im Gebiete des Römischen Kastells	84 „ 09 „	
„	56.	VI.	Unterhaltung des Bühneninventars	1 597 „ 94 „	
„	58.	I. 3k.	Instandsetzung des stadtseitigen Zinkdaches der Stadthalle durch Aufbringung eines Ruberoidbelags	1 500 „ — „	
„	62.	II. 5.	Trottoirergänzungen	2 734 „ 46 „	
„	„	IV.	Regulierung und Umbau von Straßen	25 647 „ 77 „	
„	63.	III. 3.	Umpflasterung der Drehbrücke am Zoll- und Binnenhafen . .	4 800 „ — „	
„	65.	I. 3a.	Beschaffung von 3 Fahrzeugen für die Kehrichtabfuhr	3 661 „ 89 „	
„	„	II. 4a.	Beschaffung von zwei gedeckten Kehrichtwagen		
„	„	III. 4a.	Für Beschaffung einer Radfabrikationsmaschine	900 „ „	
„	„	IV. 6.	Ersatz von alten Pferden	3 530 „ — „	
„	66.	IV. 4.	Aufstellung von Kandelabern in Straßen der Neustadt . . .	2 493 „ 51 „	
„	„	IV. 4b.	Verbesserung der Beleuchtung an den Haupthalte- und Kreuzungsstellen der Straßenbahn	1 222 „ 01 „	
„	68.	V. 2.	Vorarbeiten und Versuche bei Aufstellung der Projekte für eine definitive Pumpstation, die Kläranlagen, sowie eine Müllverbrennungsanstalt	382 „ 07 „	
„	82.		Für die ausgelosten, bis Ende des Rechnungsjahres 1906 noch nicht eingelösten Schuldverschreibungen	9 700 „ — „	
„	83.		Zur Deckung der bis Ende des Rechnungsjahres 1906 fälligen, aber noch nicht erhobenen Zinsen von ausgegebenen Schuldverschreibungen	8 713 „ — „	
				89 051 ℳ 21 ₰	
		II.	Die Ausstände aus dem Rechnungsjahre 1906, welche laut Beschluß der Stadtverordneten-Versammlung vom 16. Oktober 1907 zur Nachführung in der Rechnung für 1906 und zum Vortrag in der Rechnung für 1907 genehmigt worden sind, mit	24 059 „ 77 „	113 110 „ 98 „
sodaß ein wirklicher Rechnungs-Überschuß verbleibt von					362 810 ℳ 39 ₰

Wie in den vorhergehenden Rechnungsjahren wurde auch in 1906 mit Genehmigung der Stadtverordneten-Versammlung vom 16. Oktober 1907 der vorstehende Betrag einstweilen und vorbehaltlich des späteren Ersatzes durch die Vermögensrechnung zur Bestreitung außerordentlicher Ausgaben, welche zu Lasten der Kapitalaufnahme für 1906 bewilligt waren, verwendet; es erscheint derselbe demzufolge unter Rubrik 85 der Betriebsrechnung in Ausgabe und unter Rubrik 34 der Vermögensrechnung in Einnahme.

Am Schlusse des Rechnungsjahres 1905 war ein wirklicher Überschuß von 419 365 ℳ 08 ₰ verblieben. Über die Umstände, die den Rechnungsabschluß für 1906 ungünstig beeinflußt haben, sind auf Seite 251 nähere Angaben gemacht.

Die Überschüsse und Zuschüsse der einzelnen Rubriken der Betriebsrechnung für 1906 nach den Gruppen der Rubriken-Ordnung zusammengestellt, ergeben nachstehendes Bild:

	Bezeichnung der Grupppen	Überschuß ℳ	₰	Zuschuß ℳ	₰	In Prozent 1906 Über-schuß	1906 Zu-schuß	1905 Über-schuß	1905 Zu-schuß
I	Rechnungsrest aus früheren Jahren 99 155 ℳ 42 ₰ „ des laufenden Jahres 113 110 „ 98 „	—	—	13 955	56	—	0,35	—	0,82
II	Grundbesitz (Gebäude, Grundstücke, Plätze, Straßen, Messen und Märkte, Jagd und Fischerei, Grundrenten und Rekognitionsgebühren, Eichanstalt, Stadthalle)	48 369	08	—	—	1,23	—	1,44	—
III	Wirtschaftliche Betriebe:								
	a) Gas-, Wasser- und Elektrizitätswerk. . .	741 182	71	—	—	18,79	—	15,40	—
	b) Hafen, Lagerhäuser und Eisenbahnen . .	—	—	90 033	91	—	2,28	—	2,42
	c) Schlacht- und Viehhof	—	—	32 725	34	—	0,83	—	0,83
	d) Wäganstalten, Badeanstalten u. Stadtapotheke	8 082	66	—	—	0,20	—	0,16	—
	e) Rheinüberfahrten	83	13	—	—	—	—	0,01	—
IV	Allgemeine Verwaltung einschl. Polizei, Gewerbegericht, Arbeitsamt, Ortsgericht, Bauämter, Fernsprechanlagen	—	—	767 497	10	—	19,45	—	19,53
V	Arbeiterversicherung	—	—	27 875	74	—	0,71	—	0,69
VI	Ruhegehalte, Witwen- und Waisenversorgung . .	—	—	148 591	86	-	3,77	—	3,56
VII	Stiftungen und Vermächtnisse	—	—	*) 22 309	73	—	0,57	*) 0,39	—
VIII	Armen- und Krankenpflege und Wohltätigkeitsanstalten	—	—	169 078	54	—	4,29	—	4,35
IX	Friedhof	—	—	19 038	52	—	0,48	—	0,47
X	Kirchliche Bedürfnisse	—	—	1 792	13	—	0,05	—	0,05
XI	Volksschule einschließlich Fortbildungsschule . .	—	—	791 712	79	—	20,07	—	19,39
XII	Höhere Lehranstalten (Gewerbeschule, Realgymnasium und Ober-Realschule, Gymnasium, Höhere Mädchenschule, Landwirtschaftliche Winterschule, Handelsschule, Großh. Lehrerinnen-Seminar) .	—	—	.116 962	98	—	2,96	—	2,20
XIII	Städtische Sammlungen	—	—	65 996	37	—	1,67	—	1,77
XIV	Theater und Musik	—	—	155 154	45	—	3,93	—	3,76
XV	Unterhaltung der Straßen, Plätze und Anlagen .	—	—	524 569	44	—	13,30	—	13,46
XVI	Reinigungswesen einschl. Kanalisation	—	—	379 431	19	—	9,62	—	9,71
XVII	Feuerlöschwesen und Vergütungen der Landes-Brandversicherungsanstalt	—	—	2 067	92	—	0,05	0,31	—
XVIII	Überweisungen der Städtischen Sparkasse . . .	—	02	—	—	—	—	—	—
XIX	Verschiedene gemeinnützige Anstalten.	—	—	9 113	60	—	0,23	—	0,19
XX	Provinzial- und Kreisanstalten	—	—	224 608	99	—	5,69	—	5,66
XXI	Naturalleistungen für die bewaffnete Macht . .	—	—	3 335	42	—	0,08	—	0,02
XXII	Schloßfreiheitsfonds.	4 251	88	—	—	0,11	—	—	0,04
XXIII	Verzinsung und Tilgung der Gemeindeschulden .	—	—	379 611	48	—	9,62	—	11,08
XXIV	Überschüsse der Betriebsrechnungen	92 739	75	—	—	2,35	—	2,24	—
XXV	Oktroi	510 658	28	—	—	12,94	—	14,56	—
XXVI	Direkte Gemeindesteuern	2 540 093	55	—	—	64,38	—	65,49	—
	Summe . . .	3 945 461	06	3 945 461	06	100,00	100,00	100,00	100,00

*) Nach der Anmerkung auf Seite 263 des vorjährigen Rechenschaftsberichts konnten 19000 ℳ, die für eine Hypothek bestimmt waren, erst im Rechnungsjahr 1906 verausgabt werden. Hierdurch wies die Rubrik „Stiftungen und Vermächtnisse“ im Jahre 1905 einen Überschuß auf, während für 1906 die 19 000 ℳ als Zuschuß unter dieser Rubrik erscheinen.

Bei der **Vermögensrechnung** betragen die Ausgaben nach der Übersicht auf Seite 259		=	9 089 098 ℳ 83 ₰
Diesen Ausgaben stehen an wirklichen Einnahmen gegenüber			6 408 033 „ 85 „
Mithin waren durch Kapitalaufnahme zu decken			2 681 064 ℳ 98 ₰
An Kapitalien standen zur Verfügung:			
a) der Rechnungsrest aus 1905 mit	1 384 081 ℳ 89 ₰		
b) der Betrag des Anlehens lit. R einschl. Agiogewinn mit	6 052 800 „ — „		
c) der Überschuß des Kapitalkontos des Schloßfreiheitsfonds für 1906 mit	629 046 „ 73 „		
d) der vorbemerkte Überschuß der Betriebsrechnung für 1906 mit	362 810 „ 39 „		8 428 739 „ 01 „
Verglichen mit dem durch Kapitalaufnahme zu deckenden Betrag ergibt sich ein Unterschied von			5 747 674 ℳ 03 ₰
Dieser Unterschied wird nachgewiesen:			
1. in Ausständen			33 934 ℳ 54 ₰
2. in Vorlagen			835 390 „ — „
3. in Vorschüssen für das Wasserwerk			28 030 „ 45 „
4. „ „ „ „ Gas- und Elektrizitätsamt			203 286 „ 72 „
5. auf Giro-Konto bei der Reichsbank			72 451 „ 92 „
6. in Guthaben beim Bankhaus Bamberger u. Cie.			104 156 „ 23 „
7. „ „ bei den Bankhäusern Mendelssohn & Cie. u. Konf.			3 982 924 „ 25 „
8. in bar und Zahlungen für das Rechnungsjahr 1907			487 499 „ 92 „
Summe			5 747 674 ℳ 03 ₰

Eine übersichtliche Darstellung der gesamten Kosten der ausgeführten und der gegenwärtig in Ausführung begriffenen größeren Bau-Unternehmungen findet sich auf Seite 465 und folgenden.

In der Übersicht auf Seite 478 u. ff. sind die **Schulden** und das **Vermögen** der Stadt und der einzelnen Fonds nach dem Stande am Ende des Rechnungsjahres 1906 aufgeführt.

Über die in den Rechnungsjahren 1878 bis einschließlich 1906 **aufgenommenen Anlehen und deren Verwendung** sei folgendes mitgeteilt:

Zur Bestreitung von außerordentlichen Aufwendungen hat die Stadt Mainz bis Ende 1906 folgende Anlehen aufgenommen:

Anlehen lit. G von 1878 im Nennwert von	1 500 000,00 ℳ	
„ „ H „ 1883 „ „ „	2 500 000,00 „	
„ „ J „ 1884 „ „ „	3 000 000,00 „	
„ „ K „ 1886 „ „ „	3 000 000,00 „	
„ „ L „ 1888 „ „ „	3 000 000,00 „	
„ „ M „ 1891 „ „ „	5 000 000,00 „	
„ „ N „ 1894 „ „ „	5 000 000,00 „	
„ „ O „ 1899 „ „ „	3 000 000,00 „	
„ „ P „ 1900 „ „ „	4 000 000,00 „	
„ „ Q „ 1905 „ „ „	3 000 000,00 „	
„ „ R „ 1907 „ „ „	6 000 000,00 „	
zusammen	39 000 000,00 ℳ	
Von diesem Betrage sind bis Ende 1906 durch planmäßige Tilgungen abgetragen worden	2 204 100,00 „	
verbleiben	36 795 900,00 ℳ	
Vorstehender Restsumme sind jedoch weiter zuzurechnen:		
1. der Betrag des Anlehens beim Stadterweiterungsfonds Ende 1906 mit	1 328 536,23 „	
2. der Betrag des Guthabens der Betriebsrechnung aus den ordentlichen Rechnungs-Überschüssen und zwar:		
a) Rest Ende des Rechnungsjahres 1897/98		332 961,59 ℳ
b) „ „ „ „ 1898/99		195 931,06 „
c) „ „ „ „ 1899/00		364 905,71 „
d) „ „ „ „ 1900/01		64 211,40 „
e) „ „ „ „ 1903/04		90 701,07 „
zusammen und zu übertragen	38 124 436,23 ℳ	1 048 710,83 ℳ

Übertrag . . .	1 048 710,83 ℳ	38 124 436,23 ℳ
Hiervon wurden im Rechnungsjahre 1904 zurückerhoben	40 371,63 „	
Rest . . .	1 008 339,20 ℳ	
Dagegen gehen noch zu:		
aus dem Rechnungsjahr 1905	419 365,08 „	
„ „ „ 1906	362 810,39 „	1 790 514,67 „
3. der vom Stadterweiterungsfonds geleistete Ersatz der s. Zt. von der Stadt zur teilweisen Deckung des Fehlbetrages des Betriebskontos gewährten Zuschüsse mit		1 792 267,24 „
Summe . . .		41 707 218,14 ℳ
Dagegen sind in Abzug zu bringen:		
a) der Ende 1906 verbliebene Kassenvorrat der Vermögensrechnung mit	5 747 674,03 ℳ	
b) die Beträge der in den Jahren 1899/1900 und 1904 zurückbezahlten Kautionen von 6 000 ℳ und 3 000 ℳ, abzüglich der als Stiftungsvermögen in den Jahren 1899/1900, 1900/01 und 1904 vereinnahmten 540,43 ℳ, welche Beträge bei der nachfolgenden Nachweisung außer Betracht zu lassen sind (vergleiche die am Schluß gegebene Erläuterung pos. 2) mit	8 459,57 „	
im ganzen mithin		5 756 133,60 „
Die Verwendung des alsdann verbleibenden Betrags an Kapitalmitteln mit		35 951 084,54 ℳ

wird durch umstehende Tabelle nachgewiesen.

Ord.-Nr.	Bezeichnung der Zwecke, für welche die Aufwendungen gemacht worden sind	Betrag der Aufwendungen ℳ	₰	Betrag der unmittelbaren Ersatzleistungen ℳ	₰	Restbetrag Ende 1906 ℳ	₰
1	Verwaltungszwecke, Beschaffung von Verwaltungsräumen u. dgl.:						
	a. Für die allgemeine Verwaltung	415 163	05	100	—	415 063	05
	b. „ „ Polizeiverwaltung	245 306	67	640	43	244 666	24
	c. „ „ Stadtkasse	39 926	23	—	—	39 926	23
	d. „ „ Oktroiverwaltung	30 118	93	—	—	30 118	93
	e. „ „ Verwaltungsgebäude im Hafen	204 506	25		—	204 506	25
2	Wasserwerk	2 965 555	36	1 583 261	88	1 382 293	48
3	Gaswerk	4 612 829	31	2 066 465	38	2 546 363	93
4	Elektrizitätswerk	3 808 211	21	1 019 920	03	2 788 291	18
5	Neuer Schlacht- und Viehhof	3 133 407	03	295 252	44	2 838 154	59
6	Alte Viehhofanlage	89 504	08	610	—	88 894	08
7	Hafenanlagen	2 629 920	26	209 762	04	2 420 158	22
8	Lagerhäuser	1 594 358	67	88 253	67	1 506 105	—
9	Bahnanlagen nach dem Schlacht- und Viehhof, den Häfen und der Ingelheimer Au	961 186	60	367 078	95	594 107	65
10	Straßenbahnen	4 023 839	27	554 921	02	3 468 918	25
11	Badeanstalten	228 613	91	42 116	56	186 497	35
12	Eichanstalt	94 596	20	—	—	94 596	20
13	Krankenanstalten	104 321	86	—	—	104 321	86
14	Volksschulen	3 694 710	61	233 892	73	3 460 817	88
15	Höhere Schulen	1 815 613	01	29 110	18	1 786 502	83
16	Theater	297 681	55	45 504	67	252 176	88
17	Baugelände für Kirchen	360 360	—	—		360 360	—
18	Stadthalle	718 670	30	—	—	718 670	30
19	Gartenanlagen	220 477	90	89 420	07	131 057	83
20	Straßenverbreiterungen in der Altstadt	1 467 999	65	480 571	76	987 427	89
21	Pflasterung in der Altstadt	29 614	03	29 614	03	—	—
22	Kanalisation in der Altstadt	1 397 702	94	14 518	14	1 383 184	80
23	Straßenbau in der Neustadt	2 641 088	59	1 413 281	04	1 959 261	44
24	Kanalisation in der Neustadt	731 453	89				
25	Brückenbauten	57 811	75	—	—	57 811	75
26	Abfuhrwesen	389 889	68	153 278	58	236 611	10
27	Friedhöfe	78 588	25	—	—	78 588	25
28	Ufererweiterung, Uferbau vom Raimunditor abwärts, Stromkorrektion und Dammbauten	4 452 688	40	3 909 685	25		
29	Erschließung der Ingelheimer Au	1 143 767	68	1 097 360	85		
30	Straßen- und Kanalbau im Gelände der Nordwestfront	754 587	75	1 042 966	28	346 842	82
31	Auflassung der Festungsumwallung	45 811	37	—	—		
32	Grunderwerbung zur Rückveräußerung oder für zukünftige Verwendung	4 630 356	56	6 617 821	35		
33	Schloßfreiheitsfonds	3 617 539	86	1 938 763	53	4 919 752	64
34	Grundstücksfonds	5 228 441	10	—	—		
35	Darlehen an die Gemeinde Mombach	112 000	—	—	—	112 000	—
36	Tilgung älterer Schulden, Kursverluste ꝛc.	1 886 493	—	100 308	45	1 786 184	55
37	Kurfürstliches Schloß	461 037	76	442 119	21	18 918	55
38	Verschiedene Zwecke	782 316	41	176 283	87	606 032	54
	Summe	62 198 066	93	24 042 882	39	38 155 184	54
	An dem Restbetrag ist die Summe der planmäßigen Tilgungen der Anlehen abzusetzen mit	—	—	—	—	2 204 100	—
	Verbleiben, wie auf voriger Seite angegeben	—	—	—	—	35 951 084	54

Erläuternd wird zu vorstehender Nachweisung noch bemerkt:

1. Eine Verteilung der planmäßigen Tilgungen der Anleihen auf die einzelnen Unternehmungen ist nicht möglich.
2. Die im Schuldenstandsverzeichnis dieses Rechenschaftsberichts unter pos. III, V und VI aufgeführten Schulden blieben außer Betracht, weil solche auch in vorstehender Nachweisung unberücksichtigt geblieben sind.
3. Die im Schuldenstandsverzeichnis unter pos. VII aufgeführten Beträge sind ebenfalls nicht zu berücksichtigen, da die Beträge noch nicht verausgabt sind.

Die Nachweisungen über die Rechnungsergebnisse des Stadterweiterungsfonds, des Schloßfreiheitsfonds, des Grundstücksfonds, des Orchesterfonds, der Witwen- und Waisenkasse für städtische Angestellte, des Altenauer-Schulfonds, sowie des Exjesuiten- und Welschnonnen-Schulfonds für 1906 sind auf den Seiten 260 bis 271 und 448 bis 464 enthalten.

Die Bilanzen des Stadterweiterungsfonds, des Schloßfreiheitsfonds und des Grundstücksfonds befinden sich auf den Seiten 472 bis 477.

Zu dem Abschluß der Betriebsrechnung sei noch folgendes bemerkt:

Für die von der Stadtverordneten-Versammlung durch Beschlüsse vom 12. Dezember 1906 und 20. Februar 1907 genehmigten Familienzulagen an Arbeiter und Teuerungszulagen an Beamte &c. waren in dem Voranschlag für 1906 keine besonderen Mittel eingestellt. Durch die entstandenen Aufwendungen ist der Rechnungsüberschuß entsprechend vermindert worden.

An Teuerungszulagen an Beamte, Lehrer (Lehrerinnen), Schulverwalter (Schulverwalterinnen), Orchestermitglieder und Hilfsarbeiter, welch' letztere am 1. April 1906 mindestens 1 Jahr im städtischen Dienst beschäftigt waern, wurden im ganzen . . . . . 56 910 ℳ 95 ₰
und an Familienzulagen an Arbeiter zusammen . . . . . 57 728 „ 98 „
bezahlt.

An dem Gesamtbetrag von . . . . . 114 639 ℳ 93 ₰
sind jedoch diejenigen Beträge, welche auf die Berechnung des Rechnungsüberschusses ohne Einfluß sind, abzusetzen und zwar:

1. die Teuerungszulagen an Beamte des Pfandhauses, der städtischen Sparkasse und der Straßenbahnverwaltung mit . . . . . 2 950 ℳ 33 ₰
2. die Familienzulagen an Arbeiter der Straßenbahnverwaltung mit . . . 9 966 „ 84 „ — 12 917 „ 17 „

sodaß verbleiben . . . . . 101 722 ℳ 76 ₰
um welchen Betrag der Rechnungsüberschuß vermindert worden ist.

Die Teuerungszulagen — 120 ℳ für die Verheirateten und 60 ℳ für die Ledigen — wurden nur denjenigen Beamten &c. für das Rechnungsjahr 1906 gewährt, deren Gehalte oder Dienstbezüge den Betrag von 2650 ℳ nicht überstiegen. Hierbei war jedoch die weitere Beschränkung, daß die Gehalte oder Dienstbezüge einschl. Wohnungsentschädigung mit der Teuerungszulage den Gesamtbetrag von 2700 ℳ nicht überschreiten durften. Witwer mit Kindern unter 16 Jahren wurden den Verheirateten, Witwer ohne solche Kinder den Ledigen gleichgestellt.

Die vom 1. April 1906 ab an Arbeiter, welche mindestens 1 Jahr im Dienste der Stadt beschäftigt sind, gewährten Familienzulagen betragen, wie bereits auf Seite 106 dieses Rechenschaftsberichts bemerkt:

a) für verheiratete Arbeiter ohne oder mit höchstens 2 Kindern unter 16 Jahren für jede Woche . . 1,50 ℳ
b) für verheiratete Arbeiter mit 3 und 4 Kindern unter 16 Jahren für jede Woche . . . . . 1,75 „
c) für verheiratete Arbeiter mit 5 und mehr Kindern unter 16 Jahren für jede Woche . . . . . 2,00 „
d) für ledige Arbeiter für jede Woche . . . . . 0,75 „

Verwitwete oder geschiedene Arbeiter mit Kindern unter 16 Jahren werden wie verheiratete behandelt, verwitwete Arbeiter ohne Kinder werden den ledigen Arbeitern gleichgestellt. Ledige Arbeiter, welche die einzigen Ernährer von Eltern sind, werden den verheirateten unter pos. a gleichgestellt. Für die ledigen Arbeiter unter 30 Jahren, welche nicht die Ernährer ihrer Eltern oder eines Elternteils sind, wird die Zulage bei der Sparkasse angelegt. Das auf deren Namen ausgestellte Quittungsbuch wird denselben bei ihrer Verheiratung oder bei ihrem Austritt aus dem städtischen Dienste ausgeliefert, bei Erreichung des 30. Lebensjahres auf Verlangen.

Über die bei den einzelnen städtischen Dienstzweigen verausgabten Familienzulagen gibt die nachstehende Zusammenstellung Aufschluß.

Ord.-Nr.	Bezeichnung der Dienstzweige	Betrag der Familienzulagen und Anzahl der Arbeiter:																		Zahl der ledigen Arbeiter, welche die einzigen Ernährer der Eltern sind
		Anzahl der Arbeiter	Wöchentliche Zulagen zu 1,50 M		Anzahl der Arbeiter	Wöchentliche Zulagen zu 1,75 M		Anzahl der Arbeiter	Wöchentliche Zulagen zu 2 M		Wöchentliche Zulagen zu 75 ₰						Gesamt-Anzahl der Arbeiter	Zusammen		
											Anzahl der Arbeiter	Barzahlung		Anzahl der Arbeiter	Verzinsliche Anlage					
			M	₰		M	₰		M	₰		M	₰		M	₰		M	₰	
1	Hafen- und Lagerhausverwaltung	29	2 203	46	7	579	75	3	310	32	5	192	87	8	71	15	47	3 357	55	—
2	Schlacht- und Viehhofverwaltung	8	620	40	5	372	50	1	103	45	1	38	80	—	—	—	15	1 135	15	—
3	Hafenbahnverwaltung	9	629	56	—	—	—	—	—	—	—	—	—	2	42	—	11	671	56	—
4	Finanzsekretariat	1	77	57	—	—	—	—	—	—	—	—	—	—	—	—	1	77	57	—
5	Hochbauamt	5	387	95	2	181	—	1	103	43	—	—	—	—	—	—	8	672	38	—
6	Tiefbauamt	88	6 594	95	28	2 531	—	7	700	58	16	600	60	7	179	87	146	10 606	50	4
7	Amt für Maschinenwesen . . .	18	779	56	3	189	75	1	103	43	—	—	—	—	—	—	17	1 072	74	—
8	Friedhofverwaltung	5	317	70	—	—	—	—	—	—	—	—	—	—	—	—	5	317	70	—
9	Schulen	1	77	57	—	—	—	—	—	—	—	—	—	—	—	—	1	77	57	—
10	Stadttheater	1	77	57	—	—	—	—	—	—	1	32	03	—	—	—	2	109	60	—
11	Stadtgärtnerei	21	1 554	40	5	452	50	1	103	43	9	309	36	9	273	78	45	2 693	47	—
12	Reinigungsamt	123	9 143	69	34	2 811	75	13	1 237	73	17	636	60	3	116	37	190	13 946	14	2
13	Feuerwehr	2	126	64	1	90	50	1	103	43	1	38	79	—	—	—	5	359	36	—
14	Gaswerk	72	5 329	19	30	2 637	25	13	1 340	59	12	422	18	4	92	04	131	9 821	25	1
15	Elektrizitätswerk	11	807	20	6	522	50	2	77	58	2	33	24	—	—	—	21	1 440	52	1
16	Wasserwerk	12	892	27	1	90	50	2	206	86	5	193	95	1	19	50	21	1 403	08	—
17	Straßenbahn	94	6 963	11	17	1 497	—	4	413	68	16	438	82	22	659	78	153	9 966	84	—
		495	36 582	79	139	11 956	—	49	4 804	51	85	2 981	74	51	1 453	94	819	57 728	98	8

B. Rechnungs-Ergebnisse.

I. Summarische Übersicht

der

Einnahmen und Ausgaben

der

Stadt Mainz

für die Zeit

vom 1. April 1906 bis 31. März 1907.

Ia. Betriebs-

Ord.-Nr.	Bezeichnung der Rubriken	Betrag nach dem Voranschlag							
		Einnahme		Ausgabe		Überschuß		Zuschuß	
		M.	Pf.	M.	Pf.	M.	Pf.	M.	Pf.
1	Rechnungsrest uns früheren Jahren	—	—	—	—	—	—	—	—
2	Revisionsersatzposten	—	—	—	—		—	—	—
3	Gebäude	35 494	—	52 201	—	—	—	16 707	—
4	Grundstücke	15 043	19	932	19	14 111	—	—	—
5	Plätze und Straßen	10 130	31	1 352	31	8 778	—	—	—
6	Messen und Märkte	53 050	—	4 214	—	48 836	—	—	—
7	Jagd und Fischerei	68	57	—	—	68	57	—	—
8	Grundrenten und Rekognitionsgebühren	2 401	20		—	2 401	20	—	—
11	Gaswerke	300 000	—		—	300 000	—	—	—
12	Eichanstalten	10 566	67	4 397	67	6 169	—	—	—
13	Wäganstalten	4 000	—	905	—	3 095	—	—	—
14	Hafen	176 043	—	232 488	—	—	—	56 445	—
15	Lagerhäuser	138 267	—	133 181	—	5 086	—	—	—
16	Schlacht- und Viehhof	351 366	78	357 178	78	—	—	5 812	—
17	Wasserwerk	158 823	—	—	—	158 823	—	—	—
18	Badeanstalten	56 444	—	56 444	—	—	—	—	—
19	Stadtapotheke	8 000	—	3 006	—	4 994	—	—	—
20	Elektrizitätswerk	130 000	—	—	—	130 000	—	—	—
21	Hafenbahn	49 450	—	123 590	—	—	—	74 140	—
22	Rheinüberfahrten	200	—	—	—	200	—	—	—
23	Straßenbahn	—	—	—	—		—	—	—
24	Allgemeine Verwaltung	11 370	—	277 622	—	—	—	266 252	—
25	Polizei	32 460	—	377 641	—	—	—	345 181	—
26	Gewerbegericht und Kaufmannsgericht	300	—	6 258	—	—	—	5 958	—
27	Arbeitsamt	850	—	7 791	—	—	—	6 941	—
28	Arbeiterversicherung	746	68	29 016	68	—	—	28 270	—
29	Ortsgericht	40	—	954	—	—	—	914	—
30	Städtische Bauämter	113 010	—	250 214	—	—	—	137 204	—
34	Ruhegehalte, Witwen- und Waisenversorgung	—	—	148 856	14	—	—	148 856	14
35	Stiftungen und Vermächtnisse	76 441	51	80 631	51	—	—	4 190	—
36	Armen- und Krankenpflege	72	—	204 697	75	—	—	204 625	75
37	Unterstützung gemeinnütziger Vereine und Anstalten	1 257	15	1 257	15	—	—	—	—
40	Friedhof	23 702	41	38 221	41	—	—	14 519	—
41	Kirchliche Bedürfnisse	149 248	—	152 248	—		—	3 000	—
42	Volksschule	54 300	—	819 854	—	—	—	765 554	—
43	Fortbildungsschule	700	—	11 600	—	—	—	10 900	—
44	Gewerbeschule	23 400	—	23 400	—	—	—	—	—
45	Realgymnasium und Ober-Realschule	600	—	95 789	—	—	—	95 189	—
46	Gymnasium	—	—	250	—	—	—	250	—
47	Höhere Mädchenschule	84 415	—	119 190	—	—	—	34 775	—
	zu übertragen	2 072 260	47	3 615 381	59	682 561	77	2 225 682	89

Rechnung.

Betrag nach der Rechnung								Mithin gegen den Voranschlag								Rubrik-Nr.
Einnahme		Ausgabe		Überschuß		Zuschuß		Einnahme				Ausgabe				
								mehr		weniger		mehr		weniger		
ℳ	₰	ℳ	₰	ℳ	₰	ℳ	₰	ℳ	₰	ℳ	₰	ℳ	₰	ℳ	₰	
99 153	12	—	—	99 153	12	—	—	99 153	12	—	—	—	—	—	—	1
2	30	—	—	2	30	—	—	2	30	—	—	—	—	—	—	2
35 559	03	49 624	45	—	—	14 065	42	65	03	—	—	—	—	2 576	55	3
14 215	63	880	—	13 335	63	—	—	—	—	827	56	—	—	52	19	4
10 640	56	1 371	03	9 269	53	—	—	510	25	—	—	18	72	—	—	5
55 218	45	4 337	—	50 881	45	—	—	2 168	45	—	—	123	—	—	—	6
68	57	—	—	68	57	—	—	—	—	—	—	—	—	—	—	7
2 485	91	—	—	2 485	91	—	—	84	71	—	—	—	—	—	—	8
341 651	94	—	—	341 651	94	—	—	41 651	94	—	—	—	—	—	—	11
13 973	47	7 873	32	6 100	15	—	—	3 406	80	—	—	3 475	65	—	—	12
4 009	06	920	60	3 088	46	—	—	9	06	—	—	15	60	—	—	13
194 805	51	238 052	80	—	—	43 247	29	18 762	51	—	—	5 564	80	—	—	14
146 193	83	133 906	65	12 287	18	—	—	7 926	83	—	—	725	65	—	—	15
315 248	74	347 974	08	—	—	32 725	34	—	—	36 118	04	—	—	9 204	70	16
157 426	13	—	—	157 426	13	—	—	—	—	1 396	87	—	—	—	—	17
57 431	27	57 431	27	—	—	—	—	987	27	—	—	987	27	—	—	18
8 000	—	3 005	80	4 994	20	—	—	—	—	—	—	—	—	—	20	19
242 104	64	—	—	242 104	64	—	—	112 104	64	—	—	—	—	—	—	20
68 254	72	127 328	52	—	—	59 073	80	18 804	72	—	—	3 738	52	—	—	21
83	13	—	—	83	13	—	—	—	—	116	87	—	—	—	—	22
—	—	—	—	—	—	—	—	—	—	—	—	—	—	—	—	23
11 492	34	289 137	96	—	—	277 645	62	122	34	—	—	11 515	96	—	—	24
31 688	55	372 626	74	—	—	340 938	19	—	—	771	45	—	—	5 014	26	25
395	25	5 624	35	—	—	5 229	10	95	25	—	—	—	—	633	65	26
850	—	7 405	30	—	—	6 555	30	—	—	—	—	—	—	385	70	27
764	86	28 640	60	—	—	27 875	74	18	18	—	—	—	—	376	08	28
43	60	840	36	—	—	796	76	3	60	—	—	—	—	113	64	29
119 021	92	242 701	44	—	—	123 679	52	6 011	92	—	—	—	—	7 512	56	30
—	—	148 591	86	—	—	148 591	86	—	—	—	—	—	—	264	28	34
80 960	53	103 270	26	—	—	22 309	73	4 519	02	—	—	22 638	75	—	—	35
70	—	169 146	54	—	—	169 076	54	—	—	2	—	—	—	35 551	21	36
1 227	15	1 227	15	—	—	—	—	—	—	30	—	—	—	30	—	37
25 658	75	44 697	27	—	—	19 038	52	1 956	34	—	—	6 475	86	—	—	40
160 530	85	162 322	98	—	—	1 792	13	11 282	85	—	—	10 074	98	—	—	41
57 189	70	833 559	69	—	—	776 369	99	2 889	70	—	—	13 705	69	—	—	42
711	20	16 054	—	—	—	15 342	80	11	20	—	—	4 454	—	—	—	43
23 400	—	23 400	—	—	—	—	—	—	—	—	—	—	—	—	—	44
2 636	36	68 391	39	—	—	65 755	03	2 036	36	—	—	—	—	27 397	61	45
—	—	173	94	—	—	173	94	—	—	—	—	—	—	76	06	46
83 491	35	119 740	54	—	—	36 249	19	—	—	923	65	550	54	—	—	47
2 366 658	42	3 610 257	89	942 932	34	2 186 531	81	334 584	39	40 186	44	84 064	99	89 188	69	

Ord.-Nr.	Bezeichnung der Rubriken	Betrag nach dem Voranschlag						
		Einnahme		Ausgabe		Überschuß		Zuſc
		ℳ	₰	ℳ	₰	ℳ	₰	ℳ
	Übertrag .	2 072 260	47	3 615 381	59	682 561	77	2 225
48	Landwirtſchaftliche Winterſchule	—	—	3 200	—	—	—	3
49	Handelsſchule	—	—	4 772	—	—	—	4
50	Großherzogliches Lehrerinnen-Seminar	8 000	—	16 740	—	—	—	8
54	Stadtbibliothek	7 183	11	44 693	11	—	—	37
55	Öffentliche Kunſtſammlungen	4 270	13	34 780	13	—	—	30
56	Stadttheater	2 380	—	112 580	—	—	—	10
57	Orcheſterfonds	—	—	39 309	—	—	—	39
58	Stadthalle	28 816	25	48 268	25	—	—	19
59	Volkskonzerte und Volksvorträge	1 600	—	1 600	—	—	—	—
61	Öffentliche Monumente	—	—	380	—	—	—	
62	Unterhaltung der Straßen	113 763	48	387 530	48	—	—	273
63	Unterhaltung des Rheinufers	—	—	20 025	—	—	—	
63a	Baggerungen	—	—	18 400	-	—	—	
64	Spaziergänge	500	—	76 884	—	—	—	
65	Reinigungsweſen	224 339	—	543 958	—	—	—	319
66	Straßenbeleuchtung	—	—	135 525	—	—	—	
67	Brunnen und Waſſerleitungen	80	—	18 200	—	—	—	
68	Unterhaltung und Reinigung der Kanäle	46 810	—	125 460	—	—	—	
70	Feuerlöſchweſen	—	—	49 187	—	—	—	
71	Fernſprechanlagen	—	—	13 549	—	—	—	
73	Vergütungen der Landes-Brandverſicherungs-Anſtalt	45 000	—	—	—	45 000	—	
74	Überweiſungen der Städtiſchen Sparkaſſe	80 770	06	80 770	06	—	—	
75	Verſchiedene gemeinnützige Anſtalten	2 138	—	12 252	—	—	—	
76	Provinzial- und Kreis-Anſtalten	—	—	220 000	—	—	—	
77	Naturalleiſtungen für die bewaffnete Macht . . .	4 000	—	9 000	—	—	—	
78	Stadterweiterung	—	—	—	—	—	—	
79	Schloßfreiheitsfonds	-	—	3 465	89	—	—	
82	Schuldentilgung	74 764	91	214 487	06	—	—	
83	Kapitalzinſen	1 066 988	78	1 289 088	78	—	—	
84	Reſervefonds	—	—	73 360	01	—	—	
85	Überſchüſſe der Betriebsrechnungen	455 550	14	—	—	455 550	14	
86	Oktroi	743 600	—	227 570	—	516 030	—	
87	Kommunalſteuern	2 638 222	03	180 620	—	2 457 602	03	
	Summe: a) Betriebsrechnung . .	7 621 036	36	7 621 036	36	4 156 743	94	4 156

Nach Vergleich der Einnahmen mit den Ausgaben verbleibt ein Reſt von . . . . 113 110,98 ℳ
und dieſer beſteht:
a) in Ausſtänden . . . . . 24 059,77 ℳ
b) in Vorlagen . . . . . 24 227,59 „
c) in barem Vorrat . . . . 64 823,62 „
Gleiche Summe wie oben 113 110,98 ℳ

Betrag nach der Rechnung								Mithin gegen den Voranschlag								Rubrik-Nr.
Einnahme		Ausgabe		Überschuß		Zuschuß		Einnahme				Ausgabe				
								mehr		weniger		mehr		weniger		
ℳ	₰	ℳ	₰	ℳ	₰	ℳ	₰	ℳ	₰	ℳ	₰	ℳ	₰	ℳ	₰	
2 366 658	42	3 610 257	89	942 932	34	2 186 531	81	334 584	39	40 186	44	84 064	99	89 188	69	
—	—	3 251	65	—	—	3 251	65	—	—	—	—	51	65	—	—	48
—	—	3 635	31	—	—	3 635	31	—	—	—	—	—	—	1 136	69	49
8 420	—	16 317	86	—	—	7 897	86	420	—	—	—	—	—	422	14	50
7 304	82	44 637	78	—	—	37 332	96	121	71	—	—	—	—	55	33	54
4 601	73	33 265	14	—	—	28 663	41	331	60	—	—	—	—	1 514	99	55
2 516	—	110 307	46	—	—	107 791	46	136	—	—	—	—	—	2 272	54	56
—	—	47 362	99	—	—	47 362	99	—	—	—	—	8 053	99	—	—	57
30 080	11	49 786	85	—	—	19 706	74	1 263	86	—	—	1 518	60	—	—	58
1 010	—	1 010	—	—	—	—	—	—	—	590	—	—	—	590	—	59
—	—	588	55	—	—	588	55	—	—	—	—	208	55	—	—	61
142 277	17	394 537	54	—	—	252 260	37	28 513	69	—	—	7 007	06	—	—	62
—	—	13 842	80	—	—	13 842	80	—	—	—	—	—	—	6 182	26	63
—	—	17 977	26	—	—	17 977	26	—	—	—	—	—	—	422	74	63a
669	60	82 069	24	—	—	81 399	64	169	60	—	—	5 185	24	—	—	64
200 424	11	516 937	06	—	—	316 512	95	—	—	23 914	89	—	—	27 020	94	65
39	25	140 420	89	—	—	140 381	64	39	25	—	—	4 895	89	—	—	66
99	66	18 218	84	—	—	18 119	18	19	66	—	—	18	84	—	—	67
35 953	21	98 871	45	—	—	62 918	24	—	—	10 850	79	—	—	26 588	55	68
—	—	47 054	92	—	—	47 054	92	—	—	—	—	—	—	2 132	08	70
—	—	12 652	61	—	—	12 652	61	—	—	—	—	—	—	896	39	71
44 987	—	—	—	44 987	—	—	—	—	—	13	—	—	—	—	—	73
81 919	86	81 919	84	—	02	—	—	1 149	80	—	—	1 149	78	—	—	74
2 060	49	11 174	09	—	—	9 113	60	—	—	77	51	—	—	1 077	91	75
—	—	224 608	99	—	—	224 608	99	—	—	—	—	4 608	99	—	—	76
3 096	20	6 431	62	—	—	3 335	42	—	—	903	80	—	—	2 568	38	77
—	—	—	—	—	—	—	—	—	—	—	—	—	—	—	—	78
4 251	88	—	—	4 251	88	—	—	4 251	88	—	—	—	—	3 465	89	79
72 333	96	217 687	06	—	—	145 353	10	—	—	2 430	95	3 200	—	—	—	82
1 043 902	57	1 278 160	95	—	—	234 258	38	—	—	23 086	21	—	—	10 927	83	83
—	—	—	—	—	—	—	—	—	—	—	—	—	—	73 360	01	84
455 550	14	362 810	39	92 739	75	—	—	—	—	—	—	362 810	39	—	—	85
747 829	53	236 671	25	510 658	28	—	—	3 729	53	—	—	9 101	25	—	—	86
2 736 730	40	196 636	85	2 540 093	55	—	—	98 508	37	—	—	16 016	85	—	—	87
7 992 216	11	7 879 105	13	4 135 662	82	4 022 551	84	473 239	34	102 059	59	507 892	07	249 823	30	

Ord.-Nr.	Bezeichnung der Rubriken	Betrag nach dem Voranschlag						
		Einnahme		Ausgabe		Überschuß		Zus[chuß]
		M	Pf	M	Pf	M	Pf	M
1	Rechnungsrest aus früheren Jahren	—	—	—	—	—	—	—
2	Revisionsersatzposten	—	—	—	—	—	—	—
3	An- und Verkauf von Grundstücken	—	—	405 202	–		—	405
4	Gaswerke	—	—	200 000	—	—	-	200
5	Wasserwerk		—	57 200	—	—	—	57
6	Elektrizitätswerk	—	—	130 000	—	—	—	130
7	Erbauung von Schulhäusern	8 300	–	328 896	—	—	—	320
8	Wiederherstellung des kurfürstlichen Schlosses	25 000	—	—	—	25 000	—	—
9	Stadttheater	—	—	—	—	—	—	—
10	Straßenbahnen	—	—	34 100	—	—	—	34
11	Krankenhäuser	—	—	—	—	—	—	—
14	Erbauung sonstiger Gemeinde-Gebäude und -Anstalten	27 430	—	5 950	—	21 480	—	—
16	Straßenverbreiterungen in der Altstadt	—	—	24 050	—	—	–	24
17	Kanalisation der Altstadt	—	—	—	—	—	—	—
18	Pflasterung der Altstadt	—	—	—	—	—	—	—
19	Erbauung von Straßen und Kanälen in der Neustadt	2 536	—	70 750	—	—	–	68
20	Desgl. im Gelände der Nordwestfront	495 136	—	—	–	495 136	—	—
21	Auflassung der Festungsumwallung	—	—	10 000	—	—	—	10
22	Eingemeindungen	—	—	2 000	—	—	—	2
23	Stromkorrektion	4 212	–	2 000	—	2 212	—	—
25	Hafenbau	1 000	—	440 376	–	—	–	439
28	Ingelheimer Au	20 562	89	—	—	20 562	89	—
34	Überschüsse der Betriebsrechnungen	—	—	455 550	14	—	—	455
35	Kapitalmittel	1 710 229	20	128 331	95	1 581 897	25	—
	Summe: b) Vermögensrechnung	2 294 406	09	2 294 406	09	2 146 288	14	2 146

Nach Vergleichung der Einnahmen mit den Ausgaben verbleibt ein Rest von . . . . 5 747 674,03 M

welcher besteht:

1. in Ausständen . . . . . . 33 934,54 M
2. in Vorlagen . . . . 835 390,00 „
3. in Vorschüssen an das Gas- und Elektrizitätswerk . . . . 203 286,72 „
4. in Vorschüssen an d. Wasserwerk 28 030,45 „
5. in Guthaben bei der Reichsbank 72 451,92 „
6. in Guthaben beim Bankhaus Bamberger & Cie. . . . . 104 156,23 „
7. desgl. bei den Bankhäusern Mendelssohn & Cie. u. Konf. 3 982 924,25 „
8. in bar und in Zahlungen für 1907 . . . . 487 499,92 „

Gleiche Summe wie oben 5 747 674,03 M

Wiederholung:

	Einnahme M	Pf	Ausgabe M	Pf	Überschuß M	Pf	Zus[chuß] M
a) Betriebsrechnung	7 621 036	36	7 621 036	36	4 156 743	94	4 156
b) Vermögensrechnung	2 294 406	09	2 294 406	09	2 146 288	14	2 146
Gesamt-Summe	9 915 442	45	9 915 442	45	6 303 032	08	6 303

Rechnung.

Betrag nach der Rechnung								Mithin gegen den Voranschlag								Rubrik-Nr.
Einnahme		Ausgabe		Überschuß		Zuschuß		Einnahme				Ausgabe				
								mehr		weniger		mehr		weniger		
M	₰	M	₰	M	₰	M	₰	M	₰	M	₰	M	₰	M	₰	
1 384 081	89	—	—	1 384 081	89	—	—	1 384 081	89	—	—	—	—	—	—	1
16	70	—	—	16	70	—	—	16	70	—	—	—	—	—	—	2
4 409 603	60	544 769	63	3 864 833	97	—	—	4 409 603	60	—	—	139 567	63	—	—	3
—	—	299 265	54	—	—	299 265	54	—	—	—	—	99 265	54	—	—	4
—	—	135 437	51	—	—	135 437	51	—	—	—	—	78 237	51	—	—	5
—	—	184 887	92	—	—	184 887	92	—	—	—	—	54 887	92	—	—	6
8 990	85	527 115	59	—	—	518 124	74	690	85	—	—	198 219	59	—	—	7
25 000	—	64 952	11	—	—	39 952	11	—	—	—	—	64 952	11	—	—	8
—	—	4 859	34	—	—	4 859	34	—	—	—	—	4 859	34	—	—	9
425	54	243 272	98	—	—	242 847	44	425	54	—	—	209 172	98	—	—	10
—	—	3 728	15	—	—	3 728	15	—	—	—	—	3 728	15	—	—	11
35 811	11	99 296	95	—	—	63 485	84	8 381	11	—	—	93 346	95	—	—	14
14 250	—	32 911	27	—	—	18 661	27	14 250	—	—	—	8 861	27	—	—	16
10 000	—	—	—	10 000	—	—	—	10 000	—	—	—	—	—	—	—	17
—	—	—	—	—	—	—	—	—	—	—	—	—	—	—	—	18
111 427	79	246 454	49	—	—	135 026	70	108 891	79	—	—	175 704	49	—	—	19
1 003 574	12	412 832	06	590 742	06	—	—	508 438	12	—	—	412 832	06	—	—	20
—	—	23 033	57	—	—	23 033	57	—	—	—	—	13 033	57	—	—	21
—	—	171	15	—	—	171	15	—	—	—	—	—	—	1 828	85	22
16 712	—	2 125	02	14 586	98	—	—	12 500	—	—	—	125	02	—	—	23
1 000	—	10 297	97	—	—	9 297	97	—	—	—	—	—	—	430 078	03	25
165 708	98	315 707	99	—	—	149 999	01	145 146	09	—	—	315 707	99	—	—	28
—	—	—	—	—	—	—	—	—	—	—	—	—	—	—	—	31
362 810	39	455 550	14	—	—	92 739	75	362 810	39	—	—	—	—	—	—	34
7 287 359	89	5 482 429	45	1 804 930	44	—	—	5 577 130	69	—	—	5 354 097	50	—	—	35
14 836 772	86	9 089 098	83	7 669 192	04	1 921 518	01	12 542 366	77	—	—	7 226 599	62	431 906	88	
7 992 216	11	7 879 105	13	4 135 662	82	4 022 551	84	473 239	34	102 059	59	507 892	07	249 823	30	
14 836 772	86	9 089 098	83	7 669 192	04	1 921 518	01	12 542 366	77	—	—	7 226 599	62	431 906	88	
22 828 988	97	16 968 203	96	11 804 854	86	5 944 069	85	13 015 606	11	102 059	59	7 734 491	69	681 730	18	

Ic. Summarische Übersicht der Einnahmen und Ausgaben des

Ordnungs-Nummer	Einnahme	Betrag nach dem Voranschlag M	₰	Betrag nach der Rechnung M	₰	Mithin gegen den Voranschlag mehr M	₰	weniger M	₰
	I. Kapital-Konto.								
1	Neu aufgenommene Kapitalien	—	—	—	—	—	—	—	—
2	Aus Wertpapieren	—		—	—	—	—	—	—
3	Zurückempfangene Kapitalien	128 331	95	119 488	35	—	—	8 843	60
4	Erlös aus Gelände	6 654	06	21 910	06	15 256	—	—	—
5	Ersatz von Straßenbaukosten	—	—	17 590	93	17 590	93	—	—
6	„ „ Kanalbaukosten	—	—	—	—	—	—		—
7	Überschuß aus dem Betriebs-Konto	60 780		62 118	34	1 338	34	—	—
	Summe I	195 766	01	221 107	68	25 341	67	—	—
	II. Betriebs-Konto.								
8	Rechnungsrest aus früheren Jahren	—	—	415	24	415	24	—	—
8a	Ersatzposten	—		—	—	—	—	—	—
9	Steuer vom Gartenfeld	40 716	89	41 728	20	1 011	31	—	—
10	Zuschuß aus der Stadtkasse	—	—	—	—	—	—	—	—
11	Zuschuß aus dem Kapital-Konto	—	—	—	—	—	—	—	—
12	Zinsen von Wertpapieren	—	—	—	—	—	—	—	—
13	Zinsen von ausgeliehenen Kapitalien	50 940	53	50 680	86	—	—	259	67
14	Zinsen von Restkaufschillingen	3 000	—	3 042	97	42	97	—	—
14a	Zinsen von Straßenbaukosten	—	—	—	—	—	—	—	—
14b	Zinsen von Kanalbaukosten	—	—	—	—	—	—	—	—
15	Miete von Gebäuden	—	—	—	—	—	—	—	—
16	Miete von Grundstücken	68	—	68	—	—	—		—
17	Nebennutzungen von Grundstücken	2	—	2	—	—	—	—	—
18	Zufällige Einnahmen	912	35	1 506	37	594	02	—	
	Summe II	95 639	77	97 443	64	1 803	87	—	—
	Summe I	195 766	01	221 107	68	25 341	67	—	—
	Hauptsumme	291 405	78	318 551	32	27 145	54	—	—

Stadterweiterungsfonds für die Zeit vom 1. April 1906 bis Ende März 1907.

Ordnungs-Nummer	Ausgabe	Betrag nach dem Voranschlag ℳ	₰	Betrag nach der Rechnung ℳ	₰	Mithin gegen den Voranschlag mehr ℳ	₰	weniger ℳ	₰
	I. Kapital-Konto.								
25	Tilgung der Anleihen	68 202	90	68 202	90	—	—	—	—
26	Ankauf von Grundstücken und Vertragsleistungen	—	—	37 000	—	37 000	—	—	—
27	Erbauung von Straßen und Kanälen	68 100	—	56 131	51	—	—	11 968	49
28	Anlage öffentlicher Plätze	—	—	—	—	—	—	—	—
28a	Ersatzposten	—	—	—	—	—	—	—	—
29	Zuschuß zum Betriebs-Konto	—	—	—	—	—	—	—	—
30	Ausgeliehene Kapitalien	—	—	—	—	—	—	—	—
31	Rückerstattung von Zuschüssen	—	—	—	—	—	—	—	—
32	Überweisung an den Schloßfreiheitsfonds	59 463	11	59 773	27	310	16	—	—
	Summe I	195 766	01	221 107	68	25 341	67	—	—
	II. Betriebs-Konto.								
33	Revisions-Ersatzposten	—	—	—	—	—	—	—	—
34	Zinsen der Anleihen	34 654	24	34 654	24	—	—	—	—
35	Unterhaltung der Gebäude	—	—	—	—	—	—	—	—
36	Unterhaltung der Grundstücke	—	—	—	—	—	—	—	—
37	Steuern und öffentliche Lasten	20	—	18	09	—	—	1	91
38	Bauleitung, Inventar, Verwaltungskosten	185	53	23	90	—	—	161	63
39	Nachlässe, Herauszahlungen	—	—	—	—	—	—	—	—
40	Überschuß an das Kapital-Konto	60 780	—	62 118	34	1 338	34	—	—
	Summe II	95 639	77	96 814	57	1 174	80	—	—
	Summe I	195 766	01	221 107	68	25 341	67	—	—
	Hauptsumme	291 405	78	317 922	25	26 516	47	—	—
	Abschluß.								
	Hauptsumme aller Einnahmen	291 405	78	318 551	32	27 145	54	—	—
	Hauptsumme aller Ausgaben	291 405	78	317 922	25	26 516	47	—	—
	Verglichen, bleibt Rest welcher in Ausständen besteht.	—	—	629	07	629	07	—	—

Iа. Summarische Übersicht der Einnahmen und Ausgaben des Schloß-

Ordnungs-Nummer	Einnahme	Betrag nach dem Voranschlag ℳ	₰	der Rechnung ℳ	₰	Mithin gegen den Voranschlag mehr ℳ	₰	weniger ℳ	₰
	A. Kapital-Konto.								
1	Rechnungsrest aus früheren Jahren	—	—	—	—	—	—	—	—
2	Revisionsersatzposten	—	—	—	—	—	—	—	—
3	Erlös aus verkauften Grundstücken	359 288	52	629 400	52	270 112	—	—	—
4	Erlös für Baumaterialien	—	—	686	78	686	78	—	—
8	Kapitalaufnahme	—	—	—	—	—	—	—	—
	Summe A	359 288	52	630 087	30	270 798	78	—	—
	B. Betriebs-Konto.								
21	Rechnungsrest aus früheren Jahren	—	—	1 214	99	1 214	99	—	—
22	Revisionsersatzposten	—	—	—	—	—	—	—	—
23	Zinsen von Restkaufpreisen	6 000	—	10 727	66	4 727	66	—	—
24	Miete von Gebäuden	1 880	—	2 201	67	321	67	—	—
25	Miete von Grundstücken	91	—	91	—	—	—	—	—
27	Zuschüsse	62 929	—	59 773	27	—	—	3 155	73
	Summe B	70 900	—	74 008	59	3 108	59	—	—
	Summe A	359 288	52	630 087	30	270 798	78	—	—
	Hauptsumme	430 188	52	704 095	89	273 907	37	—	—

freiheitsfonds für die Zeit vom 1. April 1906 bis Ende März 1907.

Ordnungs-Nummer	Ausgabe	Betrag nach dem Voranschlag ℳ	₰	Betrag nach der Rechnung ℳ	₰	Mithin gegen den Voranschlag mehr ℳ	₰	Mithin gegen den Voranschlag weniger ℳ	₰
	A. Kapital-Konto.								
9	Revisionsersatzposten	—	—	—	—	—	—	—	—
10	Grundstück der Militärbäckerei im Bauquadrat 105	—	—	—	—	—	—	—	—
11	Kaserne am Barbarossa-Ring	—	—	—	—	—	—	—	—
12	Erwerbung von Gelände	—	—	—	—	—	—	—	—
13	Herstellung verkäuflicher Bauplätze	—	—	705	69	705	69	—	—
14	Notariatskosten und Vermittelungsgebühren	1 000	—	334	88	—	—	665	12
15	Kosten des Bebauungsplanes	—	—	—	—	—	—	—	—
20	Kapitalabtragungen	358 288	52	629 046	73	270 758	21	—	—
	Summe A	359 288	52	630 087	30	270 798	78	—	—
	B. Betriebs-Konto.								
28	Revisionsersatzposten	—	—	—	—	—	—	—	—
29	Zinsen von aufgenommenen Kapitalien	69 591	36	69 262	45	—	—	328	91
30	Steuern, Umlagen und sonstige öffentliche Lasten	298	64	153	84	—	—	144	80
31	Unterhaltung der Gebäude	1 010	—	340	42	—	—	669	58
32	Rückerstattung von Zuschüssen	—	—	4 251	88	4 251	88	—	—
	Summe B	70 900	—	74 008	59	3 108	59	—	—
	Summe A	359 288	52	630 087	30	270 798	78	—	—
	Hauptsumme	430 188	52	704 095	89	273 907	37	—	—
	Abschluß.								
	Hauptsumme aller Einnahmen	430 188	52	704 095	89	273 907	37	—	—
	Hauptsumme aller Ausgaben	430 188	52	704 095	89	273 907	37	—	—
	Vergleicht sich	—	—	—	—	—	—	—	—

Ie. Summarische Übersicht der Einnahmen und Ausgaben des Grund-

Ord-nungs-Num-mer	Einnahme	Betrag nach dem Voranschlag		Betrag nach der Rechnung		Mithin gegen den Voranschlag mehr		Mithin gegen den Voranschlag weniger	
		ℳ	₰	ℳ	₰	ℳ	₰	ℳ	₰
	A. Kapital-Konto.								
1	Rechnungsrest aus früheren Jahren	—	—	—	—	—	—	—	—
2	Revisionsersatzposten	—	—	—	—	—	—	—	—
3	Veräußerung von Grundbesitz	—	—	198670	—	198 670	—	—	—
4	Bildung und Verstärkung des Fonds	4581000	—	5228441	10	647 441	10	—	—
5	Überweisungen aus dem Betriebs-Konto	—	—	—	—	—	—	—	—
6	Ersatzposten	—	—	860	83	860	83	—	—
	Summe A	4581000	—	5427971	93	846 971	93	—	—
	B. Betriebs-Konto.								
8	Rechnungsrest aus früheren Jahren	—	—	—	—	—	—	—	—
19	Revisionsersatzposten	—	—	—	—	—	—	—	—
20	Ertrag des Grundbesitzes	11 000	—	15 350	71	4 350	71	—	—
21	Zinsen von Restkaufpreisen und sonstigen Kapitalausständen	—	—	18 153	79	18 153	79	—	—
24	Überweisungen aus dem Kapital-Konto	81 000	—	75 891	81	—	—	5 108	19
	Summe B	92000	—	109396	31	17 396	31	—	—
	Summe A	4581000	—	5427971	93	846 971	93	—	—
	Hauptsumme	4673000	—	5537368	24	864 368	24	—	—

...ücksfonds für die Zeit vom 1. April 1906 bis Ende März 1907.

Ord-nungs-Num-mer	Ausgabe	Betrag nach dem Voranschlag		Betrag nach der Rechnung		Mithin gegen den Voranschlag mehr		Mithin gegen den Voranschlag weniger	
		ℳ	₰	ℳ	₰	ℳ	₰	ℳ	₰
	A. Kapital-Konto.								
9	Revisionsersatzposten	—	—	—	—	—	—	—	—
10	Erwerbung von Grundbesitz	4 500 000	—	5 202 785	67	702 785	67	—	—
11	Kosten für Verbesserung oder Aufschließung von Grundstücken	—	—	46 655	54	46 655	54	—	—
12	Auszuleihende Kapitalien	—	—	—	—	—	—	—	—
13	Kapitalabtragungen	—	—	—	—	—	—	—	—
14	Überweisungen an das Betriebs-Konto	81 000	—	75 891	81	—	—	5 108	19
15	Vermittlungsgebühren bei Verkauf	—	—	807	26	807	26	—	—
	Summe A	4 581 000	—	5 326 140	28	745 140	28	—	—
	B. Betriebs-Konto.								
	Revisionsersatzposten	—	—	—	—	—	—	—	—
	Kapitalzinsen	90 000	—	104 568	82	14 568	82	—	—
	Gemeindesteuern und sonstige öffentliche Lasten	1 650	—	3 832	25	2 182	25	—	—
25	Unterhaltung der Gebäude	350	—	995	24	645	24	—	—
26	Überweisungen an das Kapital-Konto	—	—	—	—	—	—	—	—
	Summe B	92 000	—	109 396	31	17 396	31	—	—
	Summe A	4 581 000	—	5 326 140	28	745 140	28	—	—
	Hauptsumme	4 673 000	—	5 435 536	59	762 536	59	—	—
	Abschluß.								
	Hauptsumme aller Einnahmen	4 673 000	—	5 537 368	24	864 368	24	—	—
	Hauptsumme aller Ausgaben	4 673 000	—	5 435 536	59	762 536	59	—	—
	Verglichen, bleibt Rest	—	—	101 831	65	101 831	65	—	—
	welcher in barem Vorrat besteht und als Rechnungsrest nachzuführen ist.								

I f. Summarische Überſicht der Einnahmen und Ausgaben des Orcheſterfonds

Bezeichnung der Rubriken	
Rechnungsreſt aus früheren Jahren	
Reviſions-Erſatzpoſten	
Gebäude	10 597
Orcheſter	
Muſikalien, Inſtrumente und Mobilien	
Symphonie-Konzerte	8 605
Sommer-Konzerte	8 189
Orcheſterpenſionsfonds	
Kapitalvermögen	
Zuſchuß aus der Stadtkaſſe	39 309
Summe	

für die Zeit vom 16. April 1906 bis 16. April 1907.

Betrag nach der Rechnung								Mithin gegen den Voranschlag								Rubrik-Nr.
Einnahme		Ausgabe		Überschuß		Zuschuß		Einnahme				Ausgabe				
								mehr		weniger		mehr		weniger		
ℳ	₰	ℳ	₰	ℳ	₰	ℳ	₰	ℳ	₰	ℳ	₰	ℳ	₰	ℳ	₰	
—	—	—	—	—	—	—	—	—	—	—	—	—	—	—	—	1
—	—	—	—	—	—	—	—	—	—	—	—	—	—	—	—	1a
16 025	—	6 024	35	10 000	65	—	—	—	—	875	—	—	—	278	65	2
51 946	35	116 287	78	—	—	64 341	43	416	35	—	—	3 437	78	—	—	3
—	—	2 110	06	—	—	2 110	06	—	—	—	—	—	—	219	94	4
19 156	90	9 707	40	9 449	50	—	—	156	90	—	—	—	—	687	60	5
13 136	50	8 979	67	4 156	83	—	—	—	—	2 363	50	1 609	17	—	—	6
34 220	54	38 844	02	—	—	4 623	48	27 535	54	—	—	29 003	52	—	—	7
105	—	—	—	105	—	—	—	—	—	—	—	—	—	—	—	8
47 362	99	—	—	47 362	99	—	—	8 053	99	—	—	—	—	—	—	9
181 953	28	181 953	28	71 074	97	71 074	97	36 162	78	3 238	50	34 110	47	1 186	19	

Ig. Summarische Übersicht

der Einnahmen und Ausgaben der Witwen- und Waisenkasse für städtische Angestellte zu Mainz für die Zeit vom 1. April 1906 bis Ende März 1907.

Ord.-Nr.	Bezeichnung der Einnahmen und Ausgaben	Betrag ℳ	Betrag ₰	Bemerkungen
	I. Einnahme.			
	a) Ordentliche.			
1	Jährliche Beiträge der Angestellten	263	51	
2	Kapitalzinsen	8 339	59	
3	Anteil an Konfiskationen ꝛc.	207	52	
4	Gehaltshälften suspendierter Beamten	—	—	
5	Strafen wegen Dienstversäumnissen	135	—	
6	Reinertrag vakanter Stellen	1 693	74	
7	Beitrag der Stadt	60 613	17	
	Summe: a) Ordentliche Einnahme	71 252	53	
	b) Außerordentliche.			
8	Kassevorrat	—	—	
10	Eintrittsgelder	—	—	
11	Zurückempfangene Kapitalien	—	—	
	Summe: b) Außerordentliche Einnahme	—	—	
	Wiederholung.			
	a) Ordentliche Einnahme	71 252	53	
	b) Außerordentliche Einnahme	—	—	
	Gesamtsumme aller Einnahmen	71 252	53	
	II. Ausgabe.			
	a) Ordentliche.			
13	Kasseverwaltung	8	50	
14	Pensionen an Witwen und Waisen	69 207	77	
	Summe: a) Ordentliche Ausgabe	69 216	27	
	b) Außerordentliche.			
16	Zurückgezahlte Eintrittsgelder	—	—	
17	Ausgeliehene Kapitalien	2 036	26	
18	Uneinbringliche Posten und Nachlässe	—	—	
	Summe: b) Außerordentliche Ausgabe	2 036	26	
	Wiederholung.			
	a) Ordentliche Ausgabe	69 216	27	
	b) Außerordentliche Ausgabe	2 036	26	
	Gesamtsumme aller Ausgaben	71 252	53	
	Abschluß.			
	Die Einnahme beträgt	71 252	53	
	Die Ausgabe beträgt	71 252	53	
	Vergleicht sich	—	—	

Stand des Kapitalvermögens am Schlusse des Rechnungsjahres 1906:

a) Hypotheken zu $4\frac{1}{4}$ %	80 000 ℳ	— ₰
b) " " 4 %	112 000 "	— "
c) Kapitalanlage bei der Städtischen Sparkasse zu $3\frac{1}{2}$ %	15 873 "	28 "
Zusammen	207 873 ℳ	28 ₰
Am Eude des Vorjahres betrug das Kapitalvermögen	205 837 "	02 "
Mithin Zugang in 1906	2 036 ℳ	26 ₰

Ih. Summarische Übersicht

der Einnahmen und Ausgaben des Altenauer-Schulfonds zu Mainz
für die Zeit vom 1. April 1906 bis Ende März 1907.

Ord.-Nr.	Bezeichnung der Einnahmen und Ausgaben	Betrag nach dem Voranschlag ℳ	₰	Betrag nach der Rechnung ℳ	₰	Mithin nach der Rechnung mehr ℳ	₰	weniger ℳ	₰
	I. Einnahme.								
	a) Ordentliche.								
1	Miete von Gebäuden	2 702	—	2 702	—	—	—	—	—
5	Grundrenten und Rekognitionsgebühren	1	—	1	—	—	—	—	—
6	Kapitalzinsen	4 089	12	4 089	12	—	—	—	—
11	Verschiedene Einnahmen	—	—	—	—	—	—	—	—
	Summe: a) Ordentliche Einnahme	6 792	12	6 792	12	—	—	—	—
	b) Außerordentliche.								
21	Kassenvorrat	—	—	615	—	615	—	—	—
22	Zurückempfangene Kapitalien	—	—	—	—	—	—	—	—
	Summe: b) Außerordentliche Einnahme	—	—	615	—	615	—	—	—
	Wiederholung.								
	a) Ordentliche Einnahme	6 792	12	6 792	12	—	—	—	—
	b) Außerordentliche Einnahme	—	—	615	—	615	—	—	—
	Gesamtsumme aller Einnahmen	6 792	12	7 407	12	615	—	—	—
	II. Ausgabe.								
	a) Ordentliche.								
30	Landessteuern	—	—	—	—	—	—	—	—
32	Provinzial- und Gemeindelasten	115	—	112	08	—	—	2	92
33	Brandversicherungsbeiträge	44	—	30	17	—	—	13	83
35	Gerichtskosten	—	—	—	—	—	—	—	—
36	Gehalte und Gebühren	—	—	—	—	—	—	—	—
37	Schreibmaterialien, Drucksachen ꝛc.	12	—	4	50	—	—	7	50
39	Botenlohn, Postgeld, Verkündigungskosten	15	—	—	—	—	—	15	—
41	Pensionen	—	—	—	—	—	—	—	—
47	Unterhaltung der Gebäude	520	—	409	63	—	—	110	37
49	Reservefonds	86	12	—	—	—	—	86	12
50	Uneinbringliche Posten und Nachlässe	—	—	65	—	65	—	—	—
52	Überschuß an die Stadtkasse	6 000	—	6 785	74	785	74	—	—
	Summe: a) Ordentliche Ausgabe	6 792	12	7 407	12	615	—	—	—
	b) Außerordentliche.								
66	Neu ausgeliehene Kapitalien	—	—	—	—	—	—	—	—
67	Erbauung von Gebäuden	—	—	—	—	—	—	—	—
	Summe: b) Außerordentliche Ausgabe	—	—	—	—	—	—	—	—
	Wiederholung.								
	a) Ordentliche Ausgabe	6 792	12	7 407	12	615	—	—	—
	b) Außerordentliche Ausgabe	—	—	—	—	—	—	—	—
	Summe aller Ausgaben	6 792	12	7 407	12	615	—	—	—
	Abschluß.								
	Die Einnahme beträgt	6 792	12	7 407	12	615	—	—	—
	Die Ausgabe beträgt	6 792	12	7 407	12	615	—	—	—
	Vergleicht sich	—	—	—	—	—	—	—	—

Stand des Kapitalvermögens am Schlusse des Rechnungsjahres 1906:

	ℳ	₰
a) Hypotheken zu 4¼ %	80 000	—
b) Hessische Staatsschuldverschreibungen zu 3 %	7 000	—
c) Schuldverschreibungen der Stadt Mainz zu 4 %	5 000	—
d) Schuldverschreibungen der Stadt Mainz zu 3½ %	7 400	—
e) Kapitalanlage bei der Städtischen Sparkasse zu 3½ %	575	04
Zusammen	99 975	04

Der Stand des Kapitalvermögens ist gegen das Vorjahr unverändert geblieben

II. Summarische Übersicht

der Einnahmen und Ausgaben des Exjesuiten- und Welschnonnen-Schulfonds für die Zeit vom 1. April 1906 bis Ende März 1907.

Ord.-Nr.	Bezeichnung der Einnahmen und Ausgaben	Betrag nach dem Voranschlag ℳ	₰	Betrag nach der Rechnung ℳ	₰	Mithin nach der Rechnung mehr ℳ	₰	weniger ℳ	₰
	I. Einnahme.								
	a) Ordentliche.								
1	Miete von Gebäuden	12 166	29	12 166	29	—	—	—	—
3	Pacht von Grundstücken	4 596	—	4 596	—	—	—	—	—
4	Von abzugebenden Naturalien	1 100	85	1 060	88	—	—	39	97
6	Kapitalzinsen	23 856	68	23 926	10	69	42	—	—
11	Verschiedene Einnahmen	—	—	—	—	—	—	—	—
	Summe: a) Ordentliche Einnahme	41 719	82	41 749	27	29	45	—	—
	b) Außerordentliche.								
21	Kassenvorrat	—	—	—	—	—	—	—	—
21a	Ausstände aus vorderen Jahren	—	—	—	—	—	—	—	—
22	Zurückempfangene Kapitalien	—	—	38 300	—	38 300	—	—	—
24	Verkauf von Häusern und Gütern	970	—	36 644	17	35 674	17	—	—
	Summe: b) Außerordentliche Einnahme	970	—	74 944	17	73 974	17	—	—
	Wiederholung.								
	a) Ordentliche Einnahme	41 719	82	41 749	27	29	45	—	—
	b) Außerordentliche Einnahme	970	—	74 944	17	73 974	17	—	—
	Gesamtsumme aller Einnahmen	42 689	82	116 693	44	74 003	62	—	—
	II. Ausgabe.								
	a) Ordentliche.								
30	Landessteuern	—	—	—	—	—	—	—	—
32	Provinzial- und Gemeindesteuern	1 500	—	1 386	06	—	—	113	94
33	Brandversicherungsgelder	315	—	219	70	—	—	95	30
34	Kapitalzinsen	—	—	—	—	—	—	—	—
35	Gerichtskosten	—	—	—	—	—	—	—	—
36	Gehalte und Gebühren	200	—	200	—	—	—	—	—
37	Schreibmaterialien, Drucksachen ꝛc.	30	—	7	50	—	—	22	50
38	Belohnungen, Taggelder ꝛc.	50	—	—	—	—	—	50	—
39	Botenlohn, Postgeld, Verkündigungskosten	40	—	—	—	—	—	40	—
41	Pensionen	—	—	—	—	—	—	—	—
47	Unterhaltung der Gebäude	2 227	—	2 083	23	—	—	143	77
48	Unterhaltung der Grundstücke	—	—	—	—	—	—	—	—
49	Reservefonds	356	97	—	—	—	—	356	97
50	Uneinbringliche Posten und Nachlässe	1 100	85	1 060	88	—	—	39	97
52	Überschuß an die Stadtkasse	35 900	—	36 768	05	868	05	—	—
	Summe: a) Ordentliche Ausgabe	41 719	82	41 725	42	5	60	—	—

Ord.-Nr.	Bezeichnung der Einnahmen und Ausgaben	Betrag nach dem Voranschlag ℳ	₰	Betrag nach der Rechnung ℳ	₰	Mithin nach der Rechnung mehr ℳ	₰	weniger ℳ	₰
	ferner **II. Ausgabe.**								
	b) Außerordentliche.								
66	Ausgeliehene Kapitalien	970	—	74 944	17	73 974	17	—	—
	Summe: b) Außerordentliche Ausgabe	970	—	74 944	17	73 974	17	—	—
	Wiederholung.								
	a) Ordentliche Ausgabe	41 719	82	41 725	42	5	60	—	—
	b) Außerordentliche Ausgabe	970	—	74 944	17	73 974	17	—	—
	Gesamtsumme aller Ausgaben	42 689	82	116 669	59	73 979	77	—	—
	Abschluß.								
	Die Einnahme beträgt	42 689	82	116 693	44	74 003	62	—	—
	Die Ausgabe beträgt	42 689	82	116 669	59	73 979	77	—	—
	Verglichen, bleibt ein Rest von der in Ausständen besteht.	—	—	23	85	23	85	—	—

Stand des Kapitalvermögens am Schlusse des Rechnungsjahres 1906:

a) Hypotheken zu $4\frac{1}{2}$%	42 000 ℳ	— ₰
b) " " $4\frac{1}{4}$%	158 571 "	43 "
c) " " 4%	256 000 "	— "
d) Schuldverschreibungen der Stadt Mainz zu 4%	2 000 "	— "
e) " " " " " $3\frac{1}{2}$%	114 700 "	— "
f) " " Berliner Stadt-Anleihe aus 1898 zu $3\frac{1}{2}$%	9 200 "	— "
g) Kapitalanlage bei der Städtischen Sparkasse zu $3\frac{1}{2}$%	43 336 "	83 "
Summe	625 808 ℳ	26 ₰
Am Ende des Vorjahres betrug das Kapitalvermögen	589 164 "	09 "
Mithin Zugang in 1906	36 644 ℳ	17 ₰

II. Erläuterung der in den Übersichten Ia, Ib, Ic, Id, Ie und If (Seite 254 bis 267) dargestellten Unterschiede zwischen den Ansätzen des Voranschlags und den Ergebnissen der Rechnung.

Stadt Mainz.

a) Betriebsrechnung.

	Betrag nach dem Voranschlag ℳ	₰	Betrag nach der Rechnung ℳ	₰	Mithin gegen den Voranschlag mehr ℳ	₰	weniger ℳ	₰
1. Rechnungsrest aus früheren Jahren.								
Einnahme	—	—	99 153	12	99 153	12	—	—
Der aus dem Rechnungsjahr 1905 verbliebene Rest, welcher in vorgetragenen Ausständen, Vorlagen und in barem Vorrat bestand, betrug nach Seite 272 des vorjährigen Rechenschaftsberichts 100212 ℳ 33 ₰. Hiervon erscheinen 99153 ℳ 12 ₰ unter dieser Rubrik und 1059 ℳ 21 ₰ unter Rubrik 41 in Einnahme.								
2. Revisions-Ersatzposten.								
Einnahme	—	—	2	30	2	30	—	—
Infolge von Revisionsbemerkungen Großh. Oberrechnungskammer zur Rechnung für 1903/04 waren 2 ℳ 30 ₰ zu erheben.								
Ausgabe	—	—	—	—	—	—	—	—
3. Gebäude.								
Einnahme.								
I. Karmeliterkloster:								
1. Miete von Lokalen	1 640	—	1 660	—	20	—	—	—
Die Mehreinnahme wurde durch vorübergehende Vermietung eines Raumes erzielt.								
2. Geldanschlag von Dienstwohnungen	260	—	260	—	—	—	—	—
II. Kurfürstliches Schloß:								
1. Geldanschlag von Dienstwohnungen	300	—	300	—	—	—	—	—
2. Geldanschlag unentgeltlich abgegebener Räume	860	—	860	—	—	—	—	—
zu übertragen	3 060	—	3 080	—	20	—	—	—

	Betrag nach				Mithin gegen den Voranschlag			
	dem Voranschlag		der Rechnung		mehr		weniger	
	M	₰	M	₰	M	₰	M	₰
Übertrag . . .	3 060	—	3 080	—	20	—	—	—
III. **Wirtschaftsgebäude in der Anlage:**								
1. Miete	3 000	—	3 000	—	—	—	—	—
2 Sonstige Einnahmen	-	-	20	—	20	-	—	—
Von dem früheren Pächter waren für Glasglocken der Gasbeleuchtung, welche bei der Bestandaufnahme am 19. Juni 1906 fehlten, 20 M zu ersetzen.								
IV. **Professorenhäuser in der Brezelsgasse** . . .	6 920	-	6 920	—	—	—	—	—
V. **Hauptsteueramtsgebäude im Hafen**	6 805	50	6 773	70	—	—	31	80
Anstatt der im Voranschlag vorgesehenen Brandversicherungsbeiträge von 106 M wurden nur 74 M 20 ₰ vereinnahmt.								
VI. **Wohn- und Dienstgebäude im Zollhafen** . .	4 452	50	4 483	44	30	94	—	—
Die bis zum 15. Mai 1906 für jährlich 427 M 50 ₰ vermieteten Kellerabteilungen Nr. I bis IV wurden mit Wirkung vom 1. Juli 1906 ab für jährlich 540 M vermietet. Es wurde daher eine Mehreinnahme von 30 M 94 ₰ erzielt. Vom 16. Mai bis 1. Juli 1906 waren die Abteilungen unvermietet.								
VII. **Ehemaliges Stationsgebäude der Nassauischen Staatsbahn**	2 000	—	2 000	—	—	—	—	—
VIII. **Haus Rheinstraße Nr. 57**	1 000	—	1 000	—	—	—	—	—
IX. **Haus Schlossergasse Nr. 15**	150	—	150	—	—	—	—	—
X. **Haus Schlossergasse Nr. 18**	—	-	—	—	—	-	—	-
XI. **Haus Schlossergasse Nr. 19**	504	—	319	—		—	185	—
Die Wohnung im 1. Stock war gegen eine jährliche Miete von 108 M vermietet. Der Mieter hat diese Wohnung am 10. November 1906 ohne Kündigung verlassen. Das eingeleitete Beitreibungsverfahren war ergebnislos, so daß hier nur die eingegangene Miete mit 67 M in Einnahme erscheint. Vom 10. Dezember 1906 bis 31. März 1907 war die Wohnung unvermietet. Die Wohnung im 3. Stock war im Rechnungsjahr 1906 unvermietet.								
XII. **Haus Schlossergasse Nr. 20**	728	-	300	—	—	—	428	—
Die Wohnungen im 1., 2. und 4. Stock waren im Rechnungsjahr 1906 nicht vermietet.								
XIII. **Haus Schlossergasse Nr. 25**	78	—	198	—	120	—	—	-
Es erscheinen hier, außer dem Erträgnis des zur Vermietung noch freigegebenen Kellers mit 78 M, die Abtragungen der früheren Mieterin der Wohnräume auf die ihr gestundeten Beträge für rückständige Miete, Gemeindesteuern und Brandversicherungsbeiträge mit 120 M in Einnahme.								
zu übertragen . . .	28 698	-	28 244	14	190	94	644	80

	Betrag nach				Mithin gegen den Voranschlag			
	dem Voranschlag		der Rechnung		mehr		weniger	
	ℳ	₰	ℳ	₰	ℳ	₰	ℳ	₰
Übertrag . . .	28 698	—	28 244	14	190	94	644	80
XIV. **Haus Stallgasse Nr. 4.**	-	—	4	67	4	67	. .	—
Der Keller ist vom 1. Februar 1907 ab gegen eine jährliche Miete von 28 ℳ vermietet. Es erscheint daher hier die Miete für die Zeit vom 1. Februar bis Ende März 1907 mit 4 ℳ 67 ₰ in Einnahme. Vorher war der Keller unvermietet.								
XV. **Haus Stallgasse Nr. 10**	—	—	—	—	—	—	—	—
XVI. **Ehemaliges Schulhaus in Zahlbach**	800	—	800	—	—	—	·	—
XVII. **Haus Augustinerstraße Nr. 57** (früher 63) . . .	3 716	—	3 948	—	232	—	·	—
Obgleich vereinzelt Wohnungen leer standen, so wurden doch durch die Vermietung der seither unbenutzten Wohnungen, welche mit Zustimmung der Stadtverordneten-Versammlung durch Beschluß vom 30. Mai 1906 instandgesetzt wurden, eine Mehreinnahme von 232 ℳ erzielt. Das Haus ging am 1. April 1907 in anderen Besitz über; siehe die Erläuterung zur Vermögens-Rechnung Rubrik 16. II — Einnahme.								
XVIII. **Haus Emmeransstraße Nr. 34/36**	1 000	—	97	22	—	—	902	78
Durch Stadtverordnetenbeschluß vom 8. November 1906 wurde genehmigt, daß das Mietverhältnis bezüglich der Wohnung und Werkstätte in dem am 6. August 1906 durch Brand beschädigten Hause mit Wirkung vom Tage des Brandes ab aufgelöst und dem Mieter als Ersatz seiner Aufwendungen für Herstellungen in dem Hause die Miete für ein Vierteljahr nachgelassen werde. Es wurde daher hier nur die Miete für die Zeit vom 1. April bis einschl. 5. Mai 1906 mit 97 ℳ 22 ₰ vereinnahmt.								
XIX. **Anwesen Rheinallee Nr. 27 u. 29**	—	—	200	—	200	—	—	—
Mit Wirkung vom 1. Dezember 1906 ab wurde ein 600 qm großer Lagerplatz gegen eine Jahresmiete von 600 ℳ vermietet. Bis zum 1. Dezember 1906 hat dieser Platz keinen Mietertrag geliefert.								
XX. **Haus Rosengasse Nr. 1'.**	650	—	650	—	—	—	—	—
XXI. **Anwesen Rheinallee Nr. 35**	—	—	—	—	—	—	—	—
Die seither unter dieser Rubrik verrechneten Beträge sind in der Rechnung des Grundstücksfonds enthalten.								
XXII. **Anwesen Rheinallee Nr. 45**	—	—	—	—	—	—	—	—
XXIII. **Kaponnièren in der Rheinkehlbefestigung** .	630	—	650	—	20	—	—	—
Durch Beschluß der Stadtverordneten-Versammlung vom 9. Mai 1906 wurde die Jahresmiete für die Kaponnière Nr. II								
zu übertragen . . .	35 494	—	34 594	03	647	61	1 547	58

	Betrag nach				Mithin gegen den Voranschlag			
	dem Voranschlag		der Rechnung		mehr		weniger	
	ℳ	₰	ℳ	₰	ℳ	₰	ℳ	₰
Übertrag . .	35 494	—	34 594	03	647	61	1 547	58
für die Zeit vom 1. April 1906 bis dahin 1910 auf 500 ℳ und von da an auf 750 ℳ festgesetzt. Die Mehreinnahme beträgt daher 20 ℳ.								
XXIV. Holzturm	—	—	—	—	—	—	—	—
XXV. Stephansturm	—	—	—	—	—	—	—	—
XXVI. Quintinsturm	—	—	—	—	—	—	—	—
XXVII. Eisernturm	—	—	—	—	—	—	—	—
XXVIII. Stadtmauer und Neule	—	—	—	—	—	—	—	—
XXIX. Haus Alte Universitätsstraße Nr. 11⅒ . . .	—	—	810	—	810	—	—	—
Das Haus wurde mit Wirkung vom 1. Oktober 1906 ab erworben. Siehe die Erläuterung zur Rubrik 3. X — Ausgabe — der Vermögensrechnung. Hier erscheinen die Mieten für den Keller und die übrigen Räume für ein halbes Jahr in Einnahme.								
XXX. Haus Schlossergasse Nr. 46	—	—	105	—	105	—	—	—
Das Haus ist am 1. Januar 1907 in den Besitz der Stadt übergegangen. Vergleiche die Erläuterung zur Rubrik 3. XI — Ausgabe — der Vermögensrechnung. In Einnahme erscheint die Miete für ein viertel Jahr mit 105 ℳ.								
XXXI. Haus Schlossergasse Nr. 44	—	—	50	—	50	—	—	—
Die Besitzüberweisung des Hauses erfolgte am 1. Januar 1907. Vergleiche die Erläuterung zur Rubrik 3. XI — Ausgabe — der Vermögensrechnung. Vereinnahmt wurden nur die Mieten für die Wohnungen im 2. und 3. Stock für ein viertel Jahr mit 50 ℳ.								
Summe . . .	35 494	—	35 559	03	65	03	—	—
Ausgabe.								
I. Karmeliterkloster:								
1. Gemeinde-Grundsteuern	120	—	118	97	—	—	1	03
2. Brandversicherungsbeiträge	336	—	235	06	—	—	100	94
Bei Aufstellung des Voranschlags war von Großh. Brandversicherungskammer der Ausschlag für 100 ℳ Versicherungskapital noch nicht bekannt gegeben. Es wurden daher 10 ₰ für 100 ℳ Versicherungskapital in den Voranschlag eingestellt. Erhoben wurden aber nur 7 ₰. Hierdurch sind die Ersparnisse bei den einschlägigen Rubriken bedingt.								
3. Baukosten:								
a) Unterhaltung in Dach und Fach	1 600	—	1 598	70	—	—	1	30
4. Reinigung der Hausentwässerungsanlage	100	—	80	60	—	—	19	40
zu übertragen . . .	2 156	—	2 033	33	—	—	122	67

	Betrag nach				Mithin gegen den Voranschlag			
	dem Voranschlag		der Rechnung		mehr		weniger	
	M	₰	M	₰	M	₰	M	₰
Übertrag . . .	2 156	–	2 033	33	—	—	122	67
II. Kurfürstliches Schloß:								
1. Gemeinde-Grundsteuern	1 110	—	1 104	72	—	—	5	28
2. Brandversicherungsbeiträge	1 138	—	770	71	—	—	367	29
3. Baukosten:								
a) Unterhaltung in Dach und Fach	1 000	—	684	19	—	—	315	81
b) Unterhaltung der Zentralheizungen	250	-	196	63	—	—	53	37
4. Reinigung der Hausentwässerungsanlage	70	—	70	20	—	20	—	—
5. Wiederherstellung des kurfürstlichen Schlosses	25 000	—	25 000	—	—	—	—	—
III. Wirtschaftsgebäude in der Anlage:								
1. Gemeinde-Grundsteuern	130	—	127	51	—	—	2	49
2. Brandversicherungsbeiträge	80	—	55	58	—	—	24	42
3. Baukosten:								
a) Unterhaltung in Dach und Fach	1 000	—	1 000	84	—	84	—	—
b) Neuanstrich der äußeren Holzumwandungen des Musikzeltes	225	—	219	88	—	—	5	12
c) Aufstellung zweier Kandelaber mit Laternen am Eingang zu dem Konzertplatz sowie für Einführung der Gasbeleuchtung in das Kaffehäuschen	140	—	176	33	36	33	—	—
4. Reinigung der Hausentwässerungsanlage	60	—	—	—	—	—	60	—
IV. Professorenhäuser in der Betzelsgasse:								
1. Gemeinde-Grundsteuern	350	—	348	36	—	—	1	64
2. Brandversicherungsbeiträge	117	—	81	47	—	—	35	53
3. Baukosten:								
a) Unterhaltung in Dach und Fach	900	—	277	35	—	—	622	65
b) Herstellungen in Mietwohnungen der Häuser Nr. 18 und 20, sowie Erneuerung des Anstrichs und der Tapezierung des Treppenhauses in letzterem	425	—	286	51	—	—	138	49
4. Reinigung der Hausentwässerungsanlage	60	—	59	80	—	—	—	20
V. Hauptsteueramtsgebäude im Hafen:								
1. Gemeinde-Grundsteuern	240	—	238	50	—	—	1	50
2. Brandversicherungsbeiträge	120	—	85	95	—	—	34	05
3. Baukosten:								
a) Unterhaltung in Dach und Fach	300	—	349	87	49	87	—	—
4. Für Reinigung der Hausentwässerungsanlage	20	—	15	60	—	—	4	40
5. Für Unterhaltung der Zentralheizung und für Wasserverbrauch bei der Heizung	100	—	98	96	—		1	04
6. Verzinsung und Tilgung der Baukosten	4 194	13	4 194	13			—	—
VI. Wohn- und Dienstgebäude im Zollhafen:								
1. Gemeinde-Grundsteuern	285	—	280	45	—	—	4	55
2. Brandversicherungsbeiträge	117	—	81	55	—	—	35	45
zu übertragen . .	39 587	13	37 838	42	87	24	1 835	05

	Betrag nach				Mithin gegen den Voranschlag			
	dem Voranschlag		der Rechnung		mehr		weniger	
	M	₰	M	₰	M	₰	M	₰
Übertrag . . .	39 587	13	37 838	42	87	24	1 835	95
3. Baukosten:								
a) Unterhaltung in Dach und Fach	300	—	322	91	22	91	—	—
b) Instandsetzen von fünf Wohnungen und Anstrich der Eingangstüren des Gebäudes	480	—	403	25	—	—	76	75
c) Instandsetzen der Geschäftsräume der Hafenverwaltung und der Güterabfertigung	580	—	576	66	—	—	3	34
d) Neuanstrich der Wandflächen der Lichthöfe	360	—	267	74	—	—	92	26
4. Für Reinigung der Hausentwässerungsanlage	60	—	52	—	—	—	8	—
5. Für Wasserverbrauch in den dem Staate vermieteten Wohnungen	70	—	78	—	8	—	—	—
6. Verzinsung und Tilgung der Baukosten	3 986	12	3 986	12	—	—	—	—
VII. Ehemaliges Stationsgebäude der Nassauischen Staatsbahn:								
1. Gemeinde-Grundsteuern	115	—	110	44	—	—	4	56
2. Brandversicherungsbeiträge	17	—	11	90	—	—	5	10
VIII. Haus Rheinstraße Nr. 57:								
1. Gemeinde-Grundsteuern	40	—	35	89	—	—	4	11
2. Brandversicherungsbeiträge	6	—	3	60	—	—	2	40
3. Baukosten	100	—	—	—	—	—	100	—
4. Reinigung der Hausentwässerungsanlage	6	—	5	20	—	—	—	80
IX. Haus Schlossergasse Nr. 15:								
1. Gemeinde-Grundsteuern	25	—	23	60	—	—	1	40
2. Brandversicherungsbeiträge	8	—	5	10	—	—	2	90
3. Unterhaltung in Dach und Fach	50	—	—	—	—	—	50	—
X. Haus Schlossergasse Nr. 18:								
1. Gemeinde-Grundsteuern	9	—	7	53	—	—	1	47
2. Brandversicherungsbeiträge	2	—	1	34	—	—	—	66
3. Baukosten:								
Unterhaltung in Dach und Fach	100	—	—	—	—	—	100	—
4. Reinigung der Hausentwässerungsanlage	8	—	—	—	—	—	8	—
XI. Haus Schlossergasse Nr. 19:								
1. Gemeinde-Grundsteuern	15	—	11	85	—	—	3	15
2. Brandversicherungsbeiträge	7	—	4	80	—	—	2	20
3. Baukosten	100	—	18	28	—	—	81	72
4. Reinigung der Hausentwässerung	8	—	7	80	—	—	—	20
XII. Haus Schlossergasse Nr. 20:								
1. Gemeinde-Grundsteuern	15	—	11	85	—	—	3	15
2. Brandversicherungsbeiträge	7	—	4	55	—	—	2	45
3. Baukosten	100	—	—	—	—	—	100	—
4. Reinigung der Hausentwässerungsanlage	8	—	—	—	—	—	8	—
zu übertragen . . .	46 169	25	43 788	83	118	15	2 498	57

	Betrag nach				Mithin gegen den Voranschlag			
	dem Voranschlag		der Rechnung		mehr		weniger	
	ℳ	₰	ℳ	₰	ℳ	₰	ℳ	₰
Übertrag . .	46 169	25	43 788	83	118	15	2 498	57
XIII. Haus Schlossergasse Nr. 25:								
1. Gemeinde-Grundsteuern	40	—	35	89	—	—	4	11
2. Brandversicherungsbeiträge	18	—	12	—	—	—	6	—
3. Unterhaltung in Dach und Fach	50	—	7	65	—	—	42	35
XIV. Haus Stallgasse Nr. 4:								
1. Gemeinde-Grundsteuern	20	—	16	98	—	—	3	02
2. Brandversicherungsbeiträge	9	—	6	—	—	—	3	—
3. Unterhaltung in Dach und Fach	50	—		80	—	—	49	20
4. Wasserverbrauch	—	—	7	20	7	20	—	—
In dem mit Ausnahme des Kellers unvermieteten Hause wurde der Wassermesser noch belassen, wofür eine Miete von 7 ℳ 20 ₰ zu entrichten war.								
XV. Haus Stallgasse Nr. 10:								
1. Gemeinde-Grundsteuern	12	—	10	83	—	—	1	17
2. Brandversicherungsbeiträge	4	—	2	16	—	—	1	84
3. Baukosten	50	—	8	35	—	—	41	65
4. Reinigung der Hausentwässerungsanlage	8	—	—	—	—	—	8	—
5. Jährliche Rente an Frz. Jos. Pabst Wwe.	800	—	800	—	—	—	—	—
XVI. Ehemaliges Schulhaus in Zahlbach:								
1. Gemeinde-Grundsteuern	35	—	31	78	—	—	3	22
2. Brandversicherungsbeiträge	13	—	8	58	—	—	4	42
3. Baukosten:								
a) Unterhaltung in Dach und Fach	200	—	105	37	—	—	94	63
b) Herstellungen in verschiedenen Räumen	500	—	398	39	—	—	101	61
XVII. Haus Augustinerstraße Nr. 57 (früher 63):								
1. Gemeinde-Grundsteuern	225	—	220	96	—	—	4	04
2. Brandversicherungsbeiträge	77	—	53	38	—	—	23	62
3. Baukosten:								
a) Unterhaltung in Dach und Fach	300	—	113	31	—	—	186	69
b) Herstellung von Verputz und Anstrich in den Mietwohnungen	225	—	223	10	—	—	1	90
c) Instandsetzung des Daches	440	—	438	02	—	—	1	98
d) Herstellung der bisher unvermietet gewesenen Räume	—	—	999	27	999	27	—	—
Durch Stadtverordnetenbeschluß vom 30. Mai 1906 war hierfür ein Kredit von 1000 ℳ zu Lasten des Reservefonds eröffnet worden.								
4. Reinigung der Hausentwässerungsanlage	20	—	13	—	—	—	7	—
5. Wasserverbrauch	80	—	91	56	11	56	—	—
zu übertragen . . .	49 345	25	47 393	41	1 136	18	3 088	02

	Betrag nach dem Voranschlag ℳ	₰	der Rechnung ℳ	₰	Mithin gegen den Voranschlag mehr ℳ	₰	weniger ℳ	₰
Übertrag . . .	49 345	25	47 393	41	1 136	18	3 088	02
6. Vergütung für Versehung der Hausmeisterstelle und Ersatz von Umzugskosten	--	--	125	--	125	--	—	--
Für die Dienstverrichtungen eines Hausmeisters in der Zeit vom 1. Oktober 1906 bis 1. April 1907 waren 75 ℳ zu vergüten. Ferner wurden an den Hausmeister, der infolge Verkaufs des Hauses und Niederlegung desselben seine Tätigkeit als Hausmeister und seine Wohnung am 1. April 1907 wieder aufgeben mußte, als Ersatz seiner Aufwendungen für den unverschuldeten Umzug 50 ℳ Entschädigung bezahlt.								
7. Uneinbringliche Miete	—	—	268	20	268	20	—	—
Genehmigt durch Stadtverordnetenbeschluß vom 16. Okt. 1907.								
XVIII. **Haus Emmeransstraße Nr. 34/36:**								
1. Gemeinde-Grundsteuern	50	--	46	73	--	--	3	27
2. Brandversicherungsbeiträge	17	—	11	40	—	--	5	60
3. Unterhaltung in Dach und Fach	200	--	250	35	50	35	—	—
XIX. **Anwesen Rheinallee Nr. 27 und 29:**								
1. Gemeinde-Grundsteuern	115	--	110	43	—	--	4	57
2. Brandversicherungsbeiträge	20	-	13	79	—	--	6	21
3. Außerordentliche Kommunalsteuern	239	27	239	27	—	--	—	—
XX. **Haus Rosengasse Nr. 12:**								
1. Brandversicherungsbeiträge	29	-	20	16	--	--	8	84
2. Baukosten:								
a) Unterhaltung in Dach und Fach	200	--	132	15	--	--	67	85
b) Einführung der Gasleitung	--	--	—	—	—	--	—	--
Durch Beschluß der Stadtverordneten-Versammlung vom 1. Februar 1907 wurde ein Kredit von 350 ℳ bewilligt. Auf Wunsch des Mieters unterblieb die Ausführung der Arbeiten im Rechnungsjahr 1906, weshalb der bewilligte Kredit mit Zustimmung der Stadtverordneten-Versammlung vom 16. Oktober 1907 auf das Rechnungsjahr 1907 übertragen worden ist.								
XXI. **Anwesen Rheinallee Nr. 35:**								
1. Gemeinde-Grundsteuern	270	-	--	—	—	--	270	--
Das Anwesen Rheinallee Nr. 35 wurde mit Wirkung vom 1. April 1906 dem Grundstücksfonds überwiesen, weshalb die Gemeinde-Grundsteuern, außerordentlichen Kommunalsteuern und die Kosten der baulichen Unterhaltung dieses Anwesens zu Lasten des Grundstücksfonds verrechnet werden.								
zu übertragen . . .	50 485	52	48 610	89	1 579	73	3 454	36

	Betrag nach				Mithin gegen den Voranschlag			
	dem Voranschlag		der Rechnung		mehr		weniger	
	ℳ	₰	ℳ	₰	ℳ	₰	ℳ	₰
Übertrag . . .	50 485	52	48 610	89	1 579	73	3 454	36
2. Brandversicherungsbeiträge für das Kalenderjahr 1905	108	—	75	40	—	—	32	60
3. Außerordentliche Kommunalsteuern	197	90	—	—	—	—	197	90
Siehe Erläuterung zu pos. 1.								
4. Baukosten:								
a) Unterhaltung in Dach und Fach	300	—	—	—	—	—	300	—
Siehe Erläuterung zu pos. 1.								
XXII. Anwesen Rheinallee Nr. 45	—	—	—	—	—	—	—	—
XXIII. Kaponnièren in der Rheinkehlbefestigung .	—	—	40	—	40	—	—	—
Für Abschätzung der Kaponnièren am Dagoberttor, Templertor, Fischtor und Feldbergtor behufs Versicherung bei der Gr. Brandversicherungskasse wuren 40 ℳ Gebühren zu entrichten.								
XXIV. Holzturm:								
1. Brandversicherungsbeiträge	22	—	15	40	—	—	6	60
2. Baukosten:								
a) Unterhaltung in Dach und Fach	150	—	124	91	—	—	25	09
3. Reinigung der Entwässerungsanlage	3	—	2	60	—	—	—	40
XXV. Stephansturm:								
1. Brandversicherungsbeiträge	52	—	36	—	—	—	16	—
2. Baukosten:								
a) Unterhaltung in Dach und Fach	250	—	249	47	—	—	—	53
3. Reinigung der Entwässerungsanlage	3	—	2	60	—	—	—	40
XXVI. Quintinsturm:								
1. Brandversicherungsbeiträge	26	—	18	—	—	—	8	—
2. Baukosten:								
a) Unterhaltung in Dach und Fach	250	—	96	65	—	—	153	35
3. Reinigung der Entwässerungsanlagen	3	—	2	60	—	—	—	40
XXVII. Eiserturm:								
1. Baukosten:								
a) Unterhaltung in Dach und Fach	250	—	217	73	—	—	32	27
XXVIII. Stadtmauer und Reule:								
1. Baukosten	100	58	97	91	—	—	2	67
XXVIIIa Anwesen Kellerweg Nr. 7	—	—	5	07	5	07	—	—
Das Haus ist am 1. Oktober 1905 in den Besitz von Emil Strieder übergegangen. Es sind hier noch verausgabt die Brandversicherungsbeiträge für die Zeit vom 1. Januar bis 1. Oktober 1905.								
zu übertragen . . .	52 201	—	49 595	23	1 624	80	4 230	57

	Betrag nach				Mithin gegen den Voranschlag			
	dem Voranschlag		der Rechnung		mehr		weniger	
	M	₰	M	₰	M	₰	M	₰
Übertrag . . .	52 201	—	49 595	23	1 624	80	4 230	57
XXIX. Haus Alte Universitätsstraße Nr. 11 1/10. (Seit 1. Oktober 1906 im Besitz der Stadt.)								
1. Gemeindegrundsteuern	—	—	21	50	21	50	—	—
XXX. Haus Schlossergasse Nr. 46. (Seit 1. Junnae 1907 im Besitz der Stadt.								
1. Gemeindegrundsteuern	—	—	3	65	3	65	—	—
XXXI. Haus Schlossergasse Nr. 44. (Seit 1. Januar 1907 im Besitz der Stadt.)								
1. Gemeindegrundsteuern	—	—	4	07	4	07	—	—
Summe . . .	52 201	—	49 624	45	—	—	2 576	55

4. Grundstücke.

Einnahme.

	dem Voranschlag M	₰	der Rechnung M	₰	mehr M	₰	weniger M	₰
I. Zeitpächte	3 356	—	3 374	—	18	—	—	
Entgegen der Annahme dei Aufstellung des Voranschlags wurden die Grundstücke Fine X Nr. 351 1/10 und Flur XII Nr. 14 1/10 mit einem Pachtertrag von 68 M nicht dem Grundstücksfonds überwiesen, sondern der Betriebsrechnung belassen. Dagegen wurde das an der Hardenbergstraße gelegene Gelände, auf dem sich die Brunnen des im Schlacht- und Viehhof errichteten Hilfspumpwerkes befinden, dem Grundstücksfonds überwiesen, wodurch ein Pachtausfall von 50 M entstand.								
II. Miete von Geschäftsplätzen	11 483	—	10 680	50	—	—	802	50
Durch Überweisung eines Platzes auf dem Gebiete der Nordwestfront an den Grundstücksfonds ist ein Mietausfall von 1 000 M und durch die bis zum 1. Juli 1907 erfolgte Entfernung einer Kantine auf dem Gelände der Ingelheimer Au ein solcher von 52 M 50 ₰, mithin zusammen eine Wenigereinnahme von 1052 M 50 ₰ entstanden. Dagegen wurde mit Wirkung vom 1. Oktober 1906 ab ein 500 qm großer Lagerplatz an der Ingelheimstraße für jährlich 500 M vermietet, wodurch eine Mehreinnahme von 250 M erzielt wurde.								
III. Nutzungen	50	19	20	—	—	—	30	19
IV. Ersatz von Steuern	154	—	141	13	—	—	12	87
Summe . . .	15 043	19	14 215	63	—	—	827	56

	Betrag nach				Mithin gegen den Voranschlag			
	dem Voranschlag		der Rechnung		mehr		weniger	
	M.	₰	M.	₰	M.	₰	M.	₰
Ausgabe.								
1. Gemeinde-Grundsteuern	420	—	400	47	—	—	19	53
Siehe die Erläuterung zur Rubrik 5 pos. 1 — Ausgabe.								
2. Brandversicherungsbeiträge von dett Gebäuden auf der Ingelheimer Au	94	—	65	37	—	—	28	63
3. Unterhaltung der Gebäude auf der Ingelheimer Au:								
a) Unterhaltung in Dach und Fach	400	—	394	10	—	—	5	90
4. Entschädigung für entgangene Nutznießung .	18	19	18	19	—	—	—	—
5. Außerordentliche Kommunalsteuern	—	—	1	87	1	87	—	—
Hier erscheinen die außerordentlichen Kommunalsteuern der Grundstücke Flur XI Nr. 13 15/100 und 53, von deren Überweisung an den Grundstücksfonds mit Rücksicht auf ihre spätere Verwendungsart Abstand genommen wurde.								
Summe . . .	932	19	880	—	—	—	52	19
5. Plätze und Straßen.								
Einnahme.								
I. Miete von Straßenterrain:								
1. Platzgeld von Verkaufsständen für Backwaren ꝛc.	20	—	55	—	35	—	—	—
2. Platzgeld von Droschken	290	—	292	—	2	—	—	—
3. Platzgeld für Aufstellung eines Zeitungsverkaufshäuschens	100	—	100	—	—	—	—	—
4. Platzgeld von Trinkhallen	3 850	—	3 850	—	—	—	—	—
5. Platzgeld für Aufstellung von Karren	140	—	150	—	10	—	—	—
6. Sonstige Platzgelder	769	—	788	50	19	50	—	—
II. Miete von Plätzen innerhald der Stadt . . .	1 652	80	1 645	30	—	—	7	50
III. Trottoirmiete für den Sommer 1906	3 308	51	3 759	76	451	25	—	—
Summe . . .	10 130	31	10 640	56	510	25	—	—
Ausgabe.								
1. Gemeinde-Grundsteuern	24	18	42	40	18	22	—	—
Verschiedene Gemeindegrundsteuerbeträge, zu deren Bestreitung die erforderlichen Mittel im Voranschlag unter Rubrik 4 vorgesehen wuren, wurden unter odiger Rubrik verrechnet, wodurch hier 18 M. 22 ₰ Mehrausgaben und bei Rubrik 4 die entsprechenden Ersparnisse entstanden sind.								
2. Rekognitionsgebühren	5	—	5	—	—	—	—	—
3. Außerordentliche Kommunalsteuern	6	74	6	74	—	—	—	—
4. Abtragung außerordentlicher Kommunalsteuern	1 316	39	1 316	89	—	50	—	—
Summe . . .	1 352	31	1 371	03	18	72	—	—

	Betrag nach				Mithin gegen den Voranschlag			
	dem Voranschlag		der Rechnung		mehr		weniger	
6. Messen und Märkte.	ℳ	₰	ℳ	₰	ℳ	₰	ℳ	₰
Einnahme.								
I. Messen:								
Platzgeld von der Herbstmesse 1906	29 500	—	13 133	—	—	—	134	50
Platzgeld von der Ostermesse 1907			16 232	50				
Bewachungsgebühren für die Meßbuden	1 700	—	1 634	—	—	—	66	—
Platzgeld von Schaubuden außer der Meßzeit	—	—	1 680	—	1 680	—	—	—
II. Märkte:								
1. Standgeld vom Viktualienmarkte	15 100	—	15 100	—	—	—	—	—
2. Strafstandgelder	50	—	24	26	—	—	25	74
3. Platzgeld von Verkaufsständen auf dem Schöfferplatze, dem Höfchen und Gutenbergsplatz	3 200	—	3 378	—	178	—	—	—
4. Platzgeld für Aufstellung von Buden während der Gartenfelder Kirchweihe 1906	450	—	421	50	—	—	28	50
5. Platzgeld für Aufstellung von Buden während der Zahlbacher Kirchweihe 1906	150	—	159	20	9	20	—	—
6. Desgleichen von Verkaufsständen am Friedhofe während der Tage Allerheiligen und Allerseelen 1906	450	—	607	50	157	50	—	—
7. Desgleichen von Verkaufsständen während des Nikolaus- und Christmarktes 1906	950	—	1 058	—	108	—	—	—
8. Desgleichen von Karussells, Schaubuden und Verkaufsständen ꝛc. während der Fastnachtstage 1907	1 500	—	1 790	49	290	49	—	—
Summe . . .	53 050	—	55 218	45	2 168	45	—	—
Ausgabe.								
I. Messen:								
1. Unterhaltung und Bekiesung des Meßplatzes	360	—	359	94	—	—	—	06
2. Beleuchtung des Meßplatzes	300	—	277	—	—	—	23	—
3. Bewachungsgebühren	1 700	—	1 725	40	25	40	—	—
In Einnahme erscheinen 1634 ℳ Gebühren. Hierzu kommen noch die Ausstandsposten aus 1905 im Betrage von 91 ℳ 40 ₰, welche im Rechnungsjahr 1906 zur Kasse eingegangen sind. Mithin konnten zur Verteilung gelangen 1725 ℳ 40 ₰.								
4. Wacht- und Spritzenhaus:								
a) Gemeinde-Grundsteuern	9	—	8	54		—	—	46
b) Brandversicherungsbeiträge	5	—	3	50	—	—	1	50
c) Unterhaltung in Dach und Fach	50	—	13	19	—	—	36	81
d) Reinigung und Beleuchtung	55	—	50	24	—	—	4	76
e) Brennmaterialien für die Ofenheizung	20	—	13	60	—	—	6	40
f) Neuanstrich der Eisenteile der Umwandungen und der Türen und Läden	130	—	134	59	4	59	—	—
5. Uneinbringliche Meßplatzgelder	—	—	214	—	214	—	—	—
Verausgabung genehmigt durch Beschluß der Stadtverordneten-Versammlung vom 16. Oktober 1907.								
zu übertragen	2 629	—	2 800	—	243	99	72	99

	Betrag nach				Mithin gegen den Voranschlag			
	dem Voranschlag		der Rechnung		mehr		weniger	
	M.	₰	M.	₰	M.	₰	M.	₰
Übertrag . . .	2 629	—	2 800	—	243	99	72	99
II. **Märkte:**								
1. Für Speisung des Überflurhydranten auf dem Fischmarkt	60	—	60	—	—	—	—	—
2. Kontrollierung des Marktstandgeldes:								
a) Gehalt eines Oktroiaufsehers	1 400	—	1 400	—	—	—	—	—
b) Für Schreibmaterialien und Drucksachen	50	—	—	—	—	—	50	—
c) Für Beschaffung von Schutzkleidern für die zur Kontrollierung verwendeten Aufseher	75	—	54	—	—	—	21	—
3. Uneinbringliche Posten	—	—	23	—	23	—	—	—
Zur Verrechnung dieses Betrags hat die Stadtverordneten-Versammlung durch Beschluß vom 16. Oktober 1907 ihre Genehmigung erteilt.								
Summe . . .	4 214	—	4 337	—	123	—	—	—
8. Grundrenten und Rekognitionsgebühren.								
Einnahme.								
I. Grundzinsen	164	73	164	73	—	—	—	—
II. Für Benutzung der Stadtmauer	423	94	423	94	—	—	—	—
III. Zur Sicherung der Eigentumsverhältnisse in der Wallstraße	272	87	272	87	—	—	—	—
IV. Sonstige Rekognitionsgebühren	1 539	66	1 624	37	84	71	—	—
Summe . . .	2 401	29	2 485	91	84	71	—	—
11. Gaswerk.								
Einnahme	300 000	—	341 651	94	41 651	94	—	—
Über die Rechnungsergebnisse des Gaswerks wird ein besonderer Bericht erstattet.								
12. Eichanstalten.								
Einnahme.								
I. 1. Anteil der Stadt an den Eichgebühren	10 000	—	12 855	41	2 855	41	—	—
Vergleiche die Ausführungen auf Seite 124 dieses Rechenschaftsberichts.								
2. und 3. Miete für die Räume im I. und II. Stock des Hauses Stiftstraße Nr. 1	566	67	1 118	06	551	39	—	—
Für die Räume im II. Stack, für die im Voranschlag eine Miete nur bis 1. Mai 1906 vorgesehen war, ist noch bis 1. Oktober 1906 von dem Chemischen Untersuchungsamt die seitherige Miete bezahlt worden. Mit Zustimmung der Stadtverordneten-Versammlung vom 16. August 1906 wurden diese Räume vom 9. Oktober 1906 ab an einen Eichmeister zu Wohnzwecken gegen eine jährliche Miete von 500 M. vermietet. Es entstand daher eine Mehreinnahme von 572 M. 22 ₰. Diese Mehreinnahme vermindert sich auf den Betrag von 551 M. 39 ₰, da die Wohnung im I. Stock, für die vom Chemischen Untersuchungsamt die Miete ebenfalls bis 1. Oktober 1906 entrichtet worden ist, erst vom 16. Oktober 1906 ab wieder vermietet werden konnte.								
Summe . . .	10 566	67	13 973	47	3 406	80	—	—

	Betrag nach				Mithin gegen den Voranschlag			
	dem Voranschlag		der Rechnung		mehr		weniger	
Ausgabe.	M	₰	M	₰	M	₰	M	₰
I. Gebäude:								
1. Gemeinde-Grundsteuern	190	82	187	—	—	—	3	82
2. Brandversicherungsbeiträge	43	—	30	10	—	—	12	90
3. Baukosten:								
a) Unterhaltung in Dach und Fach	350	—	301	10	—	—	48	90
b) Instandsetzung des Hauseingangs, des Treppenhauses, der sämtlichen Räume im 1. und 2. Stock, sowie Herrichtung der letzieren Räume und der Räume im Dachstock zu Wohnungen für Eichmeister	—	—	3 550	47	3 550	47	—	—
Durch die Beschlüsse der Stadtverordneten-Versammlung vom 16. August und 8. November 1906 wurde ein Kredit von 4 300 M bewilligt. Da die Arbeiten wegen der örtlichen Verhältnisse im Eichamtsgebäude bis zum Bücherschlusse nicht beendigt werden konnten, wurde der Kreditrest von 749 M 53 ₰ mit Zustimmung der Stadtverordneten-Versammlung vom 16. Oktober 1907 auf das Rechnungsjahr 1907 übertragen.								
4. Reinigung der Entwässerungsanlage	30	—	20	80	—	—	9	20
5. Verzinsung und Tilgung der Kosten für die Eichanstalt	3 783	85	3 783	85	—	—	—	—
Summe	4 397	67	7 873	32	3 475	65	—	—
13. Wäganstalten.								
Einnahme.								
I. Zentesimalwagen	4 000	—	4 009	06	9	06	—	—
Ausgabe.								
I. Zentesimalwagen:								
1. Für Unterhaltung rc. der Wagen	900	—	916	10	16	10	—	—
2. Feuerversicherung	5	—	4	50	—	—	—	50
Summe	905	—	920	60	15	60	—	—
14. Hafen.								
Einnahme.								
I. Gebühren:								
1. Werftgebühr			36 880	20				
2. Krangebühr			25 266	—				
3. Waggebühr:								
a) Für Güter			5 712	50				
b) „ Waggons			3 538	—				
4. Verladungsgebühren			17 031	70				
5. Abdeckungsgebühren	87 000		153	—	15 536	17	—	—
6. Lagergebühr für Güter im Freien			6 084	30				
7. Schutzgebühr:								
a) Für Fahrzeuge			7 588	75				
b) „ Flöße			101	35				
8. Wagenreinigungsgebühren			64	—				
9. Erlös aus Drucksachen			116	37				
zu übertragen	87 000	—	102 536	17	15 536	17		—

	Betrag nach				Mithin gegen den Voranschlag			
	dem Voranschlag		der Rechnung		mehr		weniger	
	M.	₰	M.	₰	M.	₰	M.	₰
Übertrag . . .	87 000	—	102 536	17	15 536	17	—	—
Über die Gestaltung des Hafenverkehrs sind auf Seite 126 u. ff. dieses Rechenschaftsberichts nähere Angaben gemacht.								
II. Miete von Plätzen	62 984	92	64 527	88	1 542	96	—	—
III. Miete von Wasserflächen im Floßhafen	25 250	80	25 250	80	—	—	—	—
IV. Vergütung für elektrischen Strom	341	70	567	—	225	30	—	—
V. Versicherung der der Stadt zur Aufbewahrung, zur Bearbeitung oder zum Transport übergebenen Sachen	370	97	417	39	46	42	—	—
Außer den im Voranschlag bemerkten Zinsen waren auch noch die Zinsen von den verfügbar gebliebenen Mitteln aus dem Rechnungsjahre 1905 im Betrage von 1 990 M., welche vom 1. Mai 1906 ab verzinslich angelegt worden sind, in Einnahme zu stellen. Im übrigen vergleiche auch die Erläuterung zu pos. XV der Ausgabe.								
VI. Verschiedene Einnahmen:								
Erlös aus altem Eisen, leeren Fässern 2c.	94	61	1 506	27	1 411	66	—	—
Hierunter sind 863 M. Erneuerungskosten für einen beschädigten Pfahl in der Zollhafenmündung enthalten. Wegen Verausgabung dieses Betrages siehe Rubrik 14. XI der Betriebsrechnung für 1907. Vergleiche auch Stadtverordneten-Beschluß vom 11. Juli 1907.								
Summe . . .	176 043	—	194 805	51	18 762	51	—	—
Ausgabe.								
I. 1. bis 7. Gehalte 2c. der Angestellten:								
a) Gehalte	31 350	—	31 466	13	116	13	—	—
Durch anderweite Besetzung der Bureaugehilfenstelle wurde eine Ersparnis von 100 M. erzielt. Eine Mehrausgabe von 216 M. 13 ₰ entstand dagegen durch die Aushilfeleistungen eines Hilfsaufsehers der Oktroiverwaltung für einen erkrankten Werftmeister und den erkrankten Lademeister, ferner durch die Verrechnung des dem Hinterbliebenen des verstorbenen Hafen- und Bahnassistenten für die Zeit vom 1. bis einschließlich 5. April 1906 noch zustehenden Teils des Sterbequartals.								
zu übertragen . . .	31 350	—	31 466	13	116	13	—	—

	Betrag nach				Mithin gegen den Voranschlag			
	dem Voranschlag		der Rechnung		mehr		weniger	
	M	₰	M	₰	M	₰	M	₰
Übertrag . . .	31 350	–	31 466	13	116	13	—	—
b) Teuerungszulage	—	—	1 140	—	1 140	—	—	—
Die durch Stadtverordneten-Beschluß vom 20. Februar 1907 gewährte Teuerungszulage bedingte hier eine Ausgabe von 1140 M, in welcher Höhe ein Kredit zu Lasten des Reservefonds zur Verfügung gestellt wurde.								
8. Für Dienstmäntel, Dienstjoppen und Dienstmützen . . .	25	—	18	90	—	—	6	10
II. Bureaukosten:								
1. Schreibmaterialien rc.	600	—	810	88	210	88	—	—
2. Unterhaltung des Mobiliars	200	—	86	72	—	—	113	28
3. Reinigung der Diensträume	300	—	234	—		—	66	—
4. Heizung:								
a) Für den Gasverbrauch in den Geschäftsräumen im Wohn- und Dienstgebäude	50	—	8	76	—	—	41	24
b) Für Heizung der Wagstellen rc.	150	—	132	68	—	—	17	32
III. Hafenarbeiter:								
1. Für Taglöhne der Hafenarbeiter	24 900	—	27 377	66	2 477	66	—	—
Die durch Stadtverordnetenbeschluß vom 12. Dezember 1906 gewährte Familienzulage für die Arbeiter verursachte eine Mehrausgabe von 1307 M 04 ₰, wofür die erforderlichen Mittel zu Lasten des Reservefonds zur Verfügung gestellt wurden. Die weiteren Mehrausgaben sind durch den stärkeren Hafenverkehr bedingt. Diesen Mehrausgaben stehen bedeutende Mehr-Einnahmen gegenüber.								
2. Für Nachtwachedienst	1 380	—	1 420	67	40	67	—	—
Mehrausgabe bedingt durch die Gewährung einer Familienzulage, wozu die Stadtverordneten-Versammlung durch Beschluß vom 12. Dezember 1906 die erforderlichen Mittel bewilligt hat.								
3. Für Dienstmäntel und Dienstmützen für die Nachtwache und Dienstjoppen für das Ladepersonal	5	—	4	40	—	—	—	60
IV. Dampfkrane und Wippen:								
1. Unterhaltung der Dampf- und Handkranen rc.	600	—	262	24	—	—	337	76
2. Betriebskosten der Dampfkranen:								
a) Brennmaterialien	315	—	748	72	433	72	—	—
Durch Beschluß der Stadtverordneten-Versammlung vom 20. Februar 1907 wurde der Kredit um 450 M zu Lasten des Reservefonds ergänzt.								
b) Verdichtungsmaterialien, Putz- und Schmiermittel . .	150	—	133	01	—	—	16	99
zu übertragen . . .	60 025	—	63 844	77	4 419	06	599	29

	Betrag nach				Mithin gegen den Voranschlag			
	dem Voranschlag		der Rechnung		mehr		weniger	
	ℳ	₰	ℳ	₰	ℳ	₰	ℳ	₰
Übertrag . . .	60 025	—	63 844	77	4 419	06	599	29
V. Hydraulische Betriebseinrichtungen:								
1. Maschinen- und Kesselhaus:								
a) Gemeinde-Grundsteuern	180	—	178	45	—	—	1	55
b) Brandversicherungsbeiträge	85	—	58	75	—	—	26	25
c) Unterhaltung in Dach und Fach	200	—	137	81	—	—	62	19
2. bis 4. Gehalt ꝛc. für den Maschinenmeister, zwei Kranenführer und den Heizer:								
a) Gehalte	8 250	—	8 250	—	—	—		—
b) Teuerungszulage	—	—	480	—	480	—		—
Für die durch Stadtverordnetenbeschluß vom 20. Februar 1907 gewährte Teuerungszulage wurden die erforderlichen Mittel zu Lasten des Reservefonds zur Verfügung gestellt.								
5. Taglohn für einen Hilfsheizer	200	—	208	36	8	36		
6. Für Taglöhne der Arbeiter	9 200	—	9 734	39	534	39		
Mehrausgabe im wesentlichen bedingt durch die Gewährung der Familienzulagen, wozu durch Stadtverordnetenbeschluß vom 12. Dezember 1906 die erforderlichen Mittel bewilligt wurden.								
7. Brennmaterialien	7 850	—	9 493	39	2 143	39	—	—
Durch Beschluß der Stadtverordneten-Versammlung vom 20. Februar 1907 wurde der Kredit um 2000 ℳ zu Lasten des Reservefonds ergänzt.								
8. Putz- und Schmiermittel ꝛc.	1 700	—	1 849	48	149	48	—	—
Die Steigerung des Hafenverkehrs bedingte die Mehrausgaben.								
9. Unterhaltung der maschinellen Einrichtungen ꝛc.:								
a) Für Anschaffungen in die Werkstätte	4 000	—	3 980	16	—	—	19	84
b) Taglöhne für Schlosser und Arbeiter	5 700	—	5 346	75	—	—	353	25
10. Für Wasserverbrauch	150	—	112	32	—	—	37	68
11. Für Dienstmäntel an die Kranenführer und den Heizer der Zentralheizung im Lagerhaus	400	—	376	50	—	—	23	50
VI. Elektrische Beleuchtungsanlage:								
1. Für einen Maschinisten	2 100	—	2 018	20	—	—	81	80
2. „ Brennmaterialien	2 940	—	3 122	49	182	49	—	—
3. „ Putz- und Schmiermittel ꝛc.	700	—	697	24	—	—	2	76
4. „ Unterhaltung der Maschinen ꝛc.	1 000	—	996	67	—	—	3	33
5. „ „ „ Bogen- und Glühlampen . .	1 050	—	1 057	57	7	57	—	—
6. „ „ „ Akkumulatorenbatterie:								
a) Versicherungsprämie	704	—	704	—	—	—	—	—
b) Zur Bestreitung von weiteren der Stadt zur Last fallenden Ausgaben	200	—	175	36	—	—	24	64
VII. Aufseher- und Wiegerhäuschen ꝛc.:								
1. Gemeinde-Grundsteuern	1	28	1	01	—	—	—	27
2. Brandversicherungsbeiträge	4	—	2	66	—	—	1	34
3. Für bauliche Unterhaltung	200	—	138	25	—	—	61	75
zu übertragen . . .	106 339	28	112 964	58	7 924	74	1 299	44

	Betrag nach				Mithin gegen den Voranschlag			
	dem Voranschlag		der Rechnung		mehr		weniger	
	ℳ	₰	ℳ	₰	ℳ	₰	ℳ	₰
Übertrag . . .	106 339	28	112 964	58	7 924	74	1 299	44
VIII. **Hafengerätschaften:**								
1. Für Unterhaltung der Wagen, Karren, Pritschen, des Ketten- und Seilwerks rc.	2 000	—	1 535	35	—	—	464	65
IX. **Feuerversicherung**	300	—	294	63	—	—	5	37
X. **Zoll- und Binnenhafen:**								
1. Unterhaltung des Pflasters	750	—	749	34	—	—	—	66
2. Drehbrücke:								
a) Brandversicherungsbeiträge von dem Wärterhäuschen	2	—	1	11	—	—	—	89
b) Bedienung der Drehbrücke	2 630	—	2 775	94	145	94	—	—
Gleiche Erläuterung wie zu pos. III. 2								
c) Unterhaltung der Drehbrücke	300	—	209	25	—	—	90	75
d) Für Dienstmäntel rc. an die beiden Brückenwärter .	85		79	70	—	—	5	30
3. Für Unterhaltung der Ufer	400		389	87	—	—	10	13
4. „ „ „ schmiedeeisernen Einfriedigung rc.	100	—	61	46	—	—	38	54
5. „ Arbeiter zum Freihalten des Hafens von Eis .	200	—	20	—	—	—	180	—
XI. **Winterhafen:**								
1. Brandversicherungsbeiträge von dem Wärterhäuschen .	2	—	1	30	—	—	—	70
2. Bauliche Unterhaltung der Ufer rc.	400	—	398	43	—	—	1	57
3. Unterhaltung der Drehbrücke und des Wärterhäuschens	500	—	492	75	—	—	7	25
4. Für Arbeiter zum Freihalten des Hafens von Eis . .	200	—	—		—	—	200	—
XII. **Floßhafen:**								
1. Bauliche Unterhaltung der Ufer	500	—	499	85	—	—	—	15
2. Für Arbeiter zum Freihalten der Einfahrt von Eis .	200	—	—		—	—	200	—
XIII. **Lagerplätze:**								
1. Gemeinde-Grundsteuern	200	—	197	10	—	—	2	90
XIV. **Abfuhr des Abraumes rc. aus dem Hafengebiete**	500	—	456	—	—	—	44	—
XV. **Versicherung der der Stadt zur Aufbewahrung, zur Bearbeitung oder zum Transport übergebenen Sachen**	2 370	97	2 417	39	46	42	—	—
Bis Ende des Rechnungsjahres 1905 betrug der angesammelte Fonds 12 589 ℳ 26 ₰. Die Zinsen für 1906 sind mit 417 ℳ 39 ₰ dem Kapital zugeschlagen worden. Von dem im Rechnungsjahre 1906 vorgesehenen Betrag von 2 000 ℳ wurden zur Begleichung einer Entschädigung 36 ℳ 58 ₰ beansprucht. Der Rest von 1 963 ℳ 42 ₰ wurde dem Fonds zugeschlagen, sodaß dieser Ende des Rechnungsjahres 1906 beträgt 14 970 ℳ 07 ₰.								
zu übertragen . . .	117 979	25	123 544	05	8 117	10	2 552	30

	Betrag nach				Mithin gegen den Voranschlag			
	dem Voranschlag		der Rechnung		mehr		weniger	
	ℳ	₰	ℳ	₰	ℳ	₰	ℳ	₰
Übertrag . . .	117 979	25	123 544	05	8 117	10	2 552	30
XVI. Verzinsung und Tilgung der für die Hafenanlage, die maschinellen Betriebseinrichtungen und die elektrische Beleuchtungsanlage aufgewendeten Kapitalien	114 508	75	114 508	75	—	—	—	—
Summe . . .	232 488	—	238 052	80	5 564	80	—	—
15. Lagerhäuser.								
Einnahme.								
I. Lagerhaus im Binnenhafen:								
1. u. 2. Miete von Kellern und von überwölbten Räumen	13 090	30	13 090	30	—	—	—	—
3.—5. Miete von Magazinen	12 838	80	13 321	80	483		—	—
Die Abteilung Nr. 23 im I. Obergeschoß mit 138 qm wurde vom 1. Juni 1906 ab für jährlich 414 ℳ vermietet. Bis zum 1. Juni 1906 war das Magazin der öffentlichen Zollniederlage zugeteilt. Ferner wurde mit Wirkung vom 16. Februar 1907 ab die Abteilung Nr. 80—84 im 3. Obergeschoß mit 368 qm für jährlich 1104 ℳ vermietet. Bis zum 16. Februar 1907 wurde der Raum von der städt. Lagerhaus-Verwaltung benutzt.								
6. Lagergebühren für die öffentliche Zollniederlage . . .	6 000	—	2 978	60	—	—	3 021	40
7a. Lagergebühren von unverzollten Gütern	12 000	—	9 433	25	—	—	2 566	75
7b. Gebühren für Auf- und Ab-Lagerbringen ꝛc. von Gütern	8 500		6 981	85	—	—	1 518	15
7c. Feuerversicherungsgebühr	100	—	122	35	22	35	—	—
8. Sonstige Einnahmen	10	—	10	—	—	—	—	—
II. Getreidespeicher:								
1. Miete von Kellern	464	—	788	90	324	90	—	—
Die Abteilung Nr. 1 mit 162,45 qm wurde mit Wirkung vom 1. Oktober 1906 gegen eine jährliche Miete von 649 ℳ 80 ₰ vermietet. Bis 1. Oktober 1906 wurde der Keller zu Zwecken der öffentlichen Zollniederlage benutzt.								
2a. Lagergebühr für Kellerräume	1 000	—	759	35	—	—	240	65
2b. Gebühren für Auf- und Ab-Lagerbringen und Bearbeitung von Gütern im Keller	400	—	303	90	—	—	96	10
2c. Feuerversicherungsgebühren	25	—	18	50	—	—	6	50
3. Miete von Magazinen	4 008	—	4 008	—	—	—	—	—
4. Miete von Silo-Abteilungen	352	—	352	—	—	—	—	—
5a. Lagergebühren für Getreide	11 500	—	11 480	70	—	—	19	30
5b. Gebühren für Auf- und Ab-Lagerbringen von Getreide ꝛc.	28 000	—	39 712	15	11 712	15	—	—
5c. Feuerversicherungsgebühren	20	—	6	25	—	—	13	75
6. Verschiedene Einnahmen:								
a) Erlös für Kehrgut aus dem Getreidespeicher . . .	200	—	875	41	675	41	—	—
zu übertragen . . .	98 508	10	104 243	31	13 217	81	7 482	60

	Betrag nach				Mithin gegen den Voranschlag			
	dem Voranschlag		der Rechnung		mehr		weniger	
	ℳ	₰	ℳ	₰	ℳ	₰	ℳ	₰
Übertrag . . .	98 508	10	104 243	31	13 217	81	7 482	60
III. Revisionshalle I im Binnenhafen:								
1. Miete von Kellern	3 671	60	3 641	08	—	—	30	52
Der 37 qm große Keller der Abteilung 47/48, der bis zum 1. Jali 1906 eine Miete von jährlich 222 ℳ eindrachte (einjährige Mietzeit), ist vom 1. Juli 1906 für jährlich 181 ℳ 30 ₰ vermietet worden (dreijährige Mietzeit), daher eine Wenigereinnahme von 30 ℳ 52 ₰.								
2. Miete von Magazinen	2 502	—	2 502	—	—	—	—	—
3a. Lagergebühren	900	—	1 947	10	1 047	10	—	—
3b. Für Bearbeitung von Gütern	300	—	792	—	492	—	—	—
IV. Lager für Petroleum, Terpentinöl, Benzin rc.:								
1. Mieten	2 248	—	2 274	50	26	50	—	—
Die seither für Zwecke der Städtischen Lagerhausverwaltung benutzte Abteilung Nr. 6 ist vom 16. Februar 1907 ab gegen eine Jahresmiete von 212 ℳ vermietet worden.								
2a. Lagergebühren	100	—	234	85	134	85	—	—
2b. Für Bearbeitung von Gütern	300	—	653	90	353	90	—	—
V. Spritlager:								
1. Mieten	2 154	60	2 154	60	—	—	—	—
2a. Lagergebühren	1 000	—	863	95			136	05
2b. Für Bearbeitung von Gütern	200	—	600	60	400	60	—	—
VI. Lagerhallen am Rheinufer:								
1. Mieten	21 472	—	21 449	50	—	—	22	50
Infolge verspäteter Fertigstellung eines Teiles der Lagerhalle zwischen Fischtor und oderem Eiserntor entstand gegen den Voranschlag ein Mietausfall von 63 ℳ 50 ₰. Dieser Betrag verminderte sich durch die Erhöhung der Mietpreise für die Räume genaunter Halle vom 1. Juli bezw. 1. Oktober 1906 ad um 40 ℳ, sowie durch Erhedung einer Anerkennungsgebühr für Einfriedigung einer Rampe um 1 ℳ, zusammen um 41 ℳ.								
2. Ersatz von Gemeinde-Grundsteuern und Brandversicherungsbeiträgen	550	70	524	69	—	—	26	01
3a. Lagergebühren	30	—	206	—	176	—	—	—
3b. Für Bearbeitung von Gütern	10	—	90	45	80	45	—	—
VII. Provisionen:								
1. Für Vorlagen	5	—	26	60	21	60	—	—
2. „ Zollkredite	175	—	—	—	—	—	175	—
Provisionen für Zollkredite gelangen nicht mehr zur Erhedung, da durch Beschluß des Bundesrates vom 25. Junuae 1906								
zu übertragen . . .	134 127	—	142 205	13	15 950	81	7 872	68

	Betrag nach				Mithin gegen den Voranschlag			
	dem Voranschlag		der Rechnung		mehr		weniger	
	M.	₰	M.	₰	M.	₰	M.	₰
Übertrag . . .	134 127	---	142 205	13	15 950	81	7 872	68
das der Stadt Mainz bewilligte gemischte Privat-Transitlager für Getreide mit Wirkung vom 1. März 1906 an aufgehoben worden ist und deshalb Zollverrechnungen durch die städtische Lagerhaus-Verwaltung für das Großh. Hauptsteueramt Mainz in Wegfall kamen.								
VIII. Ersatz der Kellerheizungskosten	4 140	—	3 988	70	---	—	151	30
Vergleiche die Erläuterungen bei der Ausgabe.								
Summe . . .	138 267	—	146 193	83	7 926	83	—	—
Ausgabe.								
I. Lagerhaus im Binnenhafen:								
1. Gemeinde-Grundsteuern	1 360	—	1 359	66	--	—	-	34
2. Brandversicherungsbeiträge	694		485	27	--	-	208	73
3. Baukosten:								
a) Unterhaltung in Dach und Fach	2 200	—	2 233	60	33	60	—	--
b) Unterhaltung der Zentralheizung	300	-	253	25	--	-	46	75
c) Ausbesserung des Zementfußbodens im Erdgeschoß mit Asphaltbelag	888	—	880	49	--	—	7	51
d) Einsetzen von Dachluken zur Ventilation der Lagerböden im Dachgeschoß	960	—	966	49	6	49	—	—
4. Für Reinigung des Erdgeschosses ꝛc., sowie für Wasserverbrauch	200	—	97	40	—	—	102	60
5. Reinigung der Entwässerungsanlage	20	—	15	60	—	—	4	40
6. Für Aufziehen ꝛc. der Uhren	140	—	140	—	—	--	—	—
7. Öffentliche Zollniederlage:								
a) Für Erhebung der Lagergebühren ꝛc.	1 100	—	683	96	—	—	416	04
b) Gehalt und } des Lagerhauswärters	1 650	—	1 650	—	--	—	—	—
Teuerungszulage } des Lagerhauswärters	—	—	120	-	120	—	--	—
Der zur Bestreitung der Teuerungszulage erforderliche Kredit wurde durch Beschluß der Stadtverordneten-Versammlung vom 20. Februar 1907 bewilligt.								
c) Taglöhne	2 230	—	2 077	99	--	—	152	01
d) Für Heizung	160	—	173	20	13	20	—	—
e) „ Fütterung der Katzen	40	—	40	—	—	—	--	—
8. Betrieb der städtischen Lagerhausverwaltung:								
a) Gehalt und } des Buchhalters	2 100	—	2 100	—	—	—	—	—
Teuerungszulage } des Buchhalters	--	—	120	—	120	—	—	—
Gleiche Erläuterung wie zu pos. I. 7 b								
zu übertragen . . .	14 042	—	13 396	91	293	29	938	38

	Betrag nach				Mithin gegen den Voranschlag			
	dem Voranschlag		der Rechnung		mehr		weniger	
	ℳ	₰	ℳ	₰	ℳ	₰	ℳ	₰
Übertrag . . .	14 042	—	13 396	91	293	29	938	38
b) Gehalts-Hälfte und } des Bureaugehilfen	750	—	750	—	—	—	—	—
Teuerungszulage	—	—	120	—	120	—	—	—
Gleiche Erläuterung wie zu pos. I. 7 b								
c) Bureaubedürfnisse	300	—	234	03	—	—	65	97
d) Unterhaltung der Lagerhausgerätschaften	250	—	121	17	—	—	128	83
e) Taglöhne für Arbeiter	4 120	—	4 131	15	11	15	—	—
Mehrausgabe bedingt durch die Gewährung einer Familienzulage, wozu die Stadtverordneten-Versammlung durch Beschluß vom 12. Dezember 1906 die erforderlichen Mittel bewilligt hat.								
f) Für Brennmaterialien für die Ofenheizung . . .	30	—	28	22	—	—	1	78
g) Feuerversicherung	255	—	105	60	—	—	149	40
9. Taglöhne für Arbeiter zur Bedienung der hydraulischen Aufzüge	2 600	—	2 644	27	44	27	—	—
Gleiche Erläuterung wie zu pos. I. 8 e.								
10. Verzinsung und Tilgung der Kosten für das Lagerhaus	26 949	28	26 949	28	—	—	—	—
II. Getreidespeicher:								
1. Gemeinde-Grundsteuern	785	—	781	87	—	—	3	13
2. Brandversicherungsbeiträge	505	—	350	06	—	—	154	94
3. Baukosten:								
a) Unterhaltung in Dach und Fach	600	—	597	49	—	—	2	51
b) Herstellung eines Bretterverschlages für die Arbeiter	350	—	349	75	—	—	—	25
c) Erneuerung eines Teils des Fußbodenbelags im Erdgeschoß	480	—	479	81	—	—	—	19
4. Abfuhr wasserhaltiger Latrinenmasse	20	—	—	—	—	—	20	—
5. Reinigung der Entwässerungsanlage	20	—	15	60	—	—	4	40
6. Gehalte und Löhne:								
a) Gehalt und } des Lagerhausverwalters . . .	2 525	—	2 525	—	—	—	—	—
Teuerungszulage	—	—	120	—	120	—	—	—
Gleiche Erläuterung wie zu pos. I. 7 b.								
b) Gehalts-Hälfte des Bureaugehilfen	750	—	750	—	—	—	—	—
c) Gehalt und } des Speichermeisters	1 875	—	1 875	—	—	—	—	—
Teuerungszulage	—	—	120	—	120	—	—	—
Gleiche Erläuterung wie zu pos. I. 7 b.								
d) Taglöhne der Lagerhausarbeiter	13 550	—	16 092	01	2 542	01	—	—
Durch Beschluß der Stadtverordneten-Versammlung vom 20. Februar 1907 wurde zur Bestreitung der Mehrausgaben der Kredit um 3 000 ℳ zu Lasten des Reservefonds ergänzt.								
zu übertragen . . .	70 756	28	72 537	22	3 250	72	1 469	78

	Betrag nach				Mithin gegen den Voranschlag			
	dem Voranschlag		der Rechnung		mehr		weniger	
	ℳ	₰	ℳ	₰	ℳ	₰	ℳ	₰
Übertrag . . .	70 756	28	72 537	22	3 250	72	1 469	78
e) Taglöhne für Arbeiter zur Bedienung der Gasmotoren ꝛc.	4 200	—	4 748	72	548	72	—	—
Die Mehrausgabe ist zum Teil durch Gewährung einer Familienzulage bedingt, wozu durch Beschluß der Stadtverordneten-Versammlung vom 12. Dezember 1906 die erforderlichen Mittel bewilligt wurden.								
7. Bureaubedürfnisse:								
a) Schreibmaterialien, Drucksachen ꝛc.	400	—	183	04	—	—	216	96
b) Für Gasverbrauch der Ofenheizung	320	—	250	08	—	—	69	92
8. Unterhaltung der Gerätschaften	300	—	162	95	—	—	137	05
9. Für Fütterung von Katzen	40	—	40	—	—	—	—	—
10. „ Sackband, Fuhrlöhne und sonstige Arbeitsleistungen	500	—	791	62	291	62	—	—
11. „ Unterhaltung der maschinellen Einrichtungen . .	2 000	—	2 057	42	57	42	—	—
12. „ Putz- und Schmiermittel	700	—	697	79	—	—	2	21
13. „ Gasverbrauch der zwei Motoren	3 500	—	3 548	88	48	88	—	—
14. „ Wasserverbrauch der zwei Motoren	330	—	268	32	—	—	61	68
14a. Anschaffung einer automatischen Absackwage . . .	2 500	—	1 710	—	—	—	790	—
15. Feuerversicherung	1 230	—	1 255	25	25	25	—	—
16. Verzinsung und Tilgung der Kasten für den Getreidespeicher	23 669	65	23 669	65	—	—	—	—
III. Revisionshalle I im Binnenhafen:								
1. Gemeinde-Grundsteuern	310	—	305	96	—	—	4	04
2. Brandversicherungsbeiträge	160	—	109	14	—	—	50	86
3. Für Fütterung von Katzen	40	—	40	—	—	—	—	—
4. „ Reinigung und Wasserverbrauch	50	—	18	60	—	—	31	40
5. Baukosten:								
a) Unterhaltung in Dach und Fach	300	—	306	07	6	07	—	—
b) Unterhaltung der Kellerheizung	200	—	107	81	—	—	92	19
c) Teilweise Erneuerung der Zinkeinfassungen des Holzzementdaches	550	—	549	91	—	—	—	09
6. Reinigung der Entwässerungsanlage	6	—	5	20	—	—	—	80
7. Verzinsung und Tilgung der Kosten für die Revisionshalle	4 820	01	4 820	01	—	—	—	—
IV. Lager für Petroleum, Terpentinöl, Benzin ꝛc.:								
1. Gemeinde-Grundsteuern	105	—	101	98	—	—	3	02
2. Brandversicherungsbeiträge	85	—	57	50	—	—	27	50
3. Baukosten:								
a) Unterhaltung in Dach und Fach	150	—	128	47	—	—	21	53
b) Erneuerung des Karbolineum-Anstriches	260	—	237	35	—	—	22	65
V. Spritlager:								
1. Gemeinde-Grundsteuern	120	—	—	—	—	—	120	—
zu übertragen . . .	117 601	94	118 708	94	4 228	68	3 121	68

	Betrag nach				Mithin gegen den Voranschlag			
	dem Voranschlag		der Rechnung		mehr		weniger	
	M.	Pf.	M.	Pf.	M.	Pf.	M.	Pf.
Übertrag . . .	117 601	94	118 708	94	4 228	68	3 121	68
2. Brandversicherungsbeiträge	50	—	31	78	—	—	18	22
3. Baukosten:								
a) Unterhaltung in Dach und Fach	100	—	73	55	—	—	26	45
4. Verzinsung und Tilgung der Kosten für das Spritlager	1 474	51	1 474	51	—	—	—	
VI. Lagerhallen am Rheinufer:								
1. Gemeinde-Grundsteuern	450	—	444	31	—	—	5	69
2. Brandversicherungsbeiträge	206	77	140	72	—	—	66	05
3. Baukosten:								
a) Unterhaltung in Dach und Fach	500	—	516	37	16	37	—	—
4. Für Reinigung und Beleuchtung der für den allgemeinen Verkehr bestimmten Räume und der Abfertigungsstelle in der Halle am Kaisertor	180	—	49	99	—	—	130	01
5. Für Unterhaltung von 2 Katzen	40	—	40	—	—	—	—	—
6. Verzinsung und Tilgung der Kosten für die Lagerhallen	8 437	78	8 437	78	—	—	—	
VII. Heizung der Keller	4 140	—	3 988	70	—	—	151	30
Die Kosten der Heizung belaufen sich auf 97,308 Pf. für 1 qm Fläche, gegen 85,564 Pf. im Vorjahre.								
Summe . . .	133 181	—	133 906	65	725	65	—	—

16. Schlacht- und Viehhof.

Einnahme.

	Betrag nach				Mithin gegen den Voranschlag			
	dem Voranschlag		der Rechnung		mehr		weniger	
	M.	Pf.	M.	Pf.	M.	Pf.	M.	Pf.
I. 1. Viehhofgebühren:								
a) Marktgebühren	46 651	—	44 026	90	—	—	2 624	10
b) Wiegegebühren	6 110	—	8 052	95	1 942	95	—	—
c) Stallgebühren	4 525	—	4 518	80	—	—	6	20
d) Desinfektionsgebühren	—	—	—	—	—	—	—	—
e) Einstreugebühren	10	—	—	—	—	—	10	—
I. 2. Schlachthofgebühren:								
a) Einbringgebühren	5 000	—	3 969	60	—	—	1 030	40
b) Schlachtgebühren	112 685	—	99 921	75	—	—	12 763	25
α) Gebühren für Schlachtungen im Krankenschlachthaus	50	—	—	—	—	—	50	—
β) Beschaugebühr gemäß Art. 7—11 des Hessischen Ausführungsgesetzes zum Reichsfleischbeschaugesetz	23 200	—	20 595	—	—	—	2 605	—
c) Beschaugebühren für frisches Fleisch ꝛc.	1 800	—	1 856	45	56	45	—	—
d) Stallgebühren	1 103	—	933	80	—	—	169	20
e) Wiegegebühren	9 275	—	8 190	65	—	—	1 084	35
f) Freibankgebühren	3 000	—	2 571	55	—	—	428	45
zu übertragen . . .	213 409	—	194 637	45	1 999	40	20 770	95

	Betrag nach				Mithin gegen den Voranschlag			
	dem Voranschlag		der Rechnung		mehr		weniger	
	M.	₰	M.	₰	M.	₰	M.	₰
Übertrag . . .	213 409	—	194 637	45	1 999	40	20 770	95
I. 3. Sonstige Gebühren:								
a) Gebühren für Ausbildung von Fleischbeschauern . .	100	—	420	—	320	—	—	—
b) Gebühren für tierärztliche Zeugnisse und Bescheinigungen	50	—	39	60	—	—	10	40
II. Miete von Gebäuden:								
1. Wirtschaftsgebäude	3 020	—	3 103	40	83	40	—	—
Für die elektrische Beleuchtung wurden 83 M 40 ₰ mehr als vorgesehen vereinnahmt.								
2. Geldanschlag von Dienstwohnungen	2 408	—	2 408	—	—	—	—	—
2a. Vergütung für Abgabe von elektrischem Strom in Dienstwohnungen	—	—	84	60	84	60	—	—
3. Räume zur Lagerung von Fett und Häuten:								
a) Miete	3 369	78	3 369	78	—	—	—	—
b) Für Dampfverbrauch	1 800	—	1 727	05	—	—	72	95
4. Pferdeschlachthaus	150	—	150	—	—	—	—	—
5. Krankenschlachthaus:								
a) Miete	300	—	300	—	—	—	—	—
b) Für Dampfverbrauch c) Für elektrische Beleuchtung }	250	—	153	40	—	—	96	60
6. Kühlhaus	13 850	—	13 451	29	—	—	398	71
7. Wassergeld	300	—	226	95	—	—	73	05
III. Erlös für Futter und Streu	23 000	—	20 779	68	—	—	2 220	32
IV. Erlös für Eis	14 500	—	15 451	80	951	80	—	—
V. Erlös für Dünger, Blut, Milch und Abfallstoffe:								
1. Für Dünger	4 000	—	2 150	—	—	—	1 850	—
Laut Vertrag vom 21. April 1906 und mit Genehmigung der Stadtverordneten-Versammlung vom 30. Mai 1906 wurde dem A. Riffel der im Gebiete des Schlacht- und Viehhofes sich ergebende Dung vom 1. April 1906 ab gegen einen jährlichen Pacht von 2 400 M überlassen. Von diesem Vertrag wurde der Pächter laut Stadtverordnetenbeschluß vom 29. Mai 1907 mit Wirkung vom 1. Januar 1907 ab entbunden. Für die im I. Vierteljahr 1907 angesammelte Dungmenge wurden 350 M gelöst.								
2. Für Blut	300	—	300	—	—	—	—	—
3. „ Milch	600	—	600	—	—	—	—	—
4. „ Borsten	500	—	500	—	—	—	—	—
5. „ Klauen und sonstige Abfallstoffe	100	—	43	83	—	—	56	17
VI. Eintrittsgelder	150	—	120	90	—	—	29	10
VII. Gebühren für Benutzung der Badeanstalt . . .	100	—	113	95	13	95	—	—
VIII. Gebühren für Benutzung der Brückenwage . .	50	—	63	10	13	10	—	—
zu übertragen . . .	282 308	78	260 194	78	3 466	25	25 578	25

	Betrag nach				Mithin gegen den Voranschlag			
	dem Voranschlag		der Rechnung		mehr		weniger	
	M.	₰	M.	₰	M.	₰	M.	₰
Übertrag . . .	282 306	78	260 194	78	3 466	25	25 578	25
IX. **Erlös für durch das Hilfspumpwerk gefördertes Wasser**	42 000	—	40 394	03	—	—	1 605	97
Die Inanspruchnahme des Werks für die allgemeine Wasserversorgung war erheblich geringer als im Voranschlag vorgesehen.								
X. **Pferde- und Fohlenmarkt.**								
A) Markt im Herbst 1906:								
1. Marktgebühren	—	—	1 190	—	1 190	—	—	—
2. Stallgebühren	—	—	18	—	18	—	—	—
3. Erlös für Futter- und Streuartikel	—	—	580	83	580	83	—	—
4. Eintrittsgelder	—	—	595	80	595	80	—	—
5. Zuschuß zur Prämiierung durch den Landespferdezuchtverein	—	—	—	—	—	—	—	
6. Platzmiete	—	—	235	—	235		—	—
7. Einnahme aus der Lotterieveranstaltung:								
a) Für Beschaffung der Gewinne	—	—	10 000	-	10 000	—	—	—
b) Vergütung für Übertragung der Latterie	—	—	2 000	—	2 000	—	—	—
c) Erlös aus den nicht abgeholten Gewinnen	—	—	—	—	—	—	—	-
Durch Beschluß der Stadtverordneten-Versammlung vom 5. Oktober 1906 wurde der im Herbst 1906 abgehaltene im Voranschlag nicht vorgesehene zweite Pferde- und Fohlenmarkt genehmigt.								
B) Markt im Frühjahr 1907	27 060	—	—	—	—	—	27 060	—
Die Einnahmen dieses am 7. April 1907 abgehaltenen Marktes erscheinen im Rechnungsjahr 1907.								
XI. **Sonstige Einnahmen:**								
Erlös für verkaufte Ölfässer, Fanggeld ꝛc.	—	—	40	30	40	30	—	—
Summe . . .	351 366	78	315 248	74	—	—	36 118	04
Ausgabe.								
I. 1.—8. **Gehalte und Vergütungen ꝛc.**								
a) Gehalte und Vergütungen	40 375	—	40 615	—	240	—	—	—
Als Vergütung für die Leitung des Unterrichts zur Ausbildung nicht tierärztlicher Fleischbeschauer hatte der 2. Großh. Veterinärarzt nicht wie im Voranschlag angenommen 75 M, sondern 315 M zu erhalten.								
b) Teuerungszulagen	—	—	1 260	—	1 260	—	—	—
Zur Bestreitung der Teuerungszulagen wurde durch Beschluß der Stadtverordneten-Versammlung vom 20. Februar 1907 der erforderliche Kredit zu Lasten des Reservefonds bewilligt.								
9. Für einen Nachtwächter	1 250	—	1 370	15	120	15	—	—
Mehrausgabe im wesentlichen bedingt durch die Gewährung der Familienzulagen, wozu durch Beschluß der Stadtverordneten-Versammlung vom 12. Dezember 1906 die erforderlichen Mittel bewilligt wurden.								
zu übertragen . . .	41 625	—	43 245	15	1 620	15	—	—

	Betrag nach				Mithin gegen den Voranschlag			
	dem Voranschlag		der Rechnung		mehr		weniger	
	ℳ	₰	ℳ	₰	ℳ	₰	ℳ	₰
Übertrag . . .	41 625	—	43 243	15	1 620	15	—	—
10. Für Arbeitsleistungen in der Freibank und im Krankenschlachthaus	2 000	—	1 806	72	—	—	193	28
11. Für Dienstkleidung	300	—	248	10	—	—	51	90
II. Bureaukosten:								
1. Für Schreibmaterialien, Drucksachen ꝛc.	2 000	—	1 791	52	—	—	208	48
2. „ Unterhaltung und Ergänzung des Inventars	500	—	268	90	—	—	231	10
3. „ Reinigung der Diensträume	250	—	250	—	—	—	—	—
4. „ Heizung	410		332	—	—	—	78	—
5. „ Notbeleuchtung	25	—	—	—	—	—	25	—
6. „ Unterhaltung der Betriebs-Fernsprecheinrichtung	100	—	86	75	—		13	25
7. Sonstige Ausgaben	100	—	36	90	—	—	63	10
III. Taglöhne und Reinigungskosten ꝛc.:								
1. Für Stallknechte, Taglöhner ꝛc.	13 500	—	12 542	23	—	—	957	77
2. „ Reinigungsmaterial	500	—	660	94	160	94	—	—
3. „ Desinfektionsmittel	100	—	51	90	—	—	48	10
4. „ Verbandmaterialien ꝛc.	200	—	77	07	—	—	122	93
5. „ Wasser aus der städtischen Wasserleitung	500	—	203	28	—	—	296	72
6. „ Abfuhr von Dung	1 200	—	39	60	—	—	1 160	40
Infolge anderweiter Verpachtung des Düngers kam die seither bezahlte Vergütung für die Düngerabfuhr mit Wirkung vom 1. April 1906 ab in Wegfall. Dagegen waren für Transport von Düngerwagen innerhald des Gebietes des Schlacht- und Viehhofes durch das Reinigungsamt diesem Amt 39 ℳ 60 ₰ zu vergüten.								
IV. Fleischbeschaukosten:								
1. Kosten der Obergutachten	50	—	—	—	—	—	50	—
2. Für Stempel, Farbe ꝛc.	200	—	98	95	—	—	101	05
3. „ Salz zum Tauglichmachen des Freibankfleisches	200	—	112	50	—	—	87	50
4. „ Vernichtung des untauglichen Fleisches ꝛc.	4 500	—	4 220	—	—	—	280	—
V. Gebäude:								
1. Für Gemeinde-Grundsteuern	2 470	—	2 517	72	47	72	—	—
Verschiedene, seither unter Rubrik 4 verrechnete Gemeindegrundsteuerbeträge von Gebietsteilen des Schlacht- und Viehhofes werden nunmehr unter obiger Rubrik verrechnet, wodurch die Mehrausgabe hier entstanden ist.								
2. Für Brandversicherungsbeiträge	1 232	—	862	18	—	—	369	82
zu übertragen . . .	71 962	—	69 452	41	1 828	81	4 338	40

	Betrag nach				Mithin gegen den Voranschlag			
	dem Voranschlag		der Rechnung		mehr		weniger	
	ℳ	₰	ℳ	₰	ℳ	₰	ℳ	₰
Übertrag . . .	71 962	—	69 452	41	1 828	81	4 338	40
3. Baukosten:								
a) Markthalle für Großvieh			482	42				
b) Marktställe „ „			234	15				
c) Markthalle und Marktställe für Kleinvieh			278	42				
d) Verwaltungsgebäude			1 222	85				
e) Wirtschaftsgebäude nebst Remise 2c.			741	68				
f) Seuchenhof			156	30				
g) Ausladerampe im Viehhof			82	15				
h) Schlachthalle für Groß- und Kleinvieh . .			462	47				
i) „ „ Schweine	9 000	—	909	89	—	—	42	53
k) Markthalle „ „			916	39				
l) Pferdeschlachthaus			118	47				
m) Lager- und Wohngebäude nebst Freibank			1 392	23				
n) Kühlhaus nebst Maschinenhaus und Betriebsnebengebäude			851	45				
o) Kesselhaus, Wasserturm, Kuttelei, Düngerhaus und Schlachtstallungen			754	92				
p) Ausladerampe im Schlachthof			137	65				
q) Einfriedigung			216	03				
4. Für Unterhaltung der Zentralheizung im Wirtschaftsgebäude	50	—	14	60	—	—	35	40
5. „ Unterhaltung der Pump- und Ventilbrunnen . .	200	—	88	08	—	—	111	92
6. „ Abfuhr wasserhaltiger Latrinenmasse	100	—	130	58	30	58	—	—
7. „ Schornsteinfegergebühren	100	—	77	95		—	22	05
VI. Maschinelle Betriebseinrichtungen:								
1. Gehalte und Löhne 2c. des Maschinenpersonals:								
a) Gehalt und des Obermaschinisten	2 175	—	2 175	—	—	—	—	
Teuerungszulage des Obermaschinisten	—	—	120	—	120	—	—	
Gleiche Erläuterung wie zu pos. I 1—8 b.								
b) Löhne des Maschinenpersonals	11 470	—	12 047	84	577	84	—	
Durch Gewährung von Familienzulagen, wozu durch Stadtverordnetenbeschluß vom 12. Dezember 1906 die erforderlichen Mittel bewilligt wurden, ist die Mehrausgabe entstanden.								
2. Dampfkesselanlage:								
a) Unterhaltung der Dampfkessel 2c.	1 000	—	820	53	—	—	179	47
b) Brennmaterialien für die Dampfkessel	28 500	—	28 008	97	—	—	491	03
c) Betriebsmaterialien für die Reinigungsapparate . .	250	—	278	80	28	80	—	—
d) Abfuhr des Unrats	250	—	163	—	—	—	87	—
3. Anschaffungen für die Werkstätte 2c. .	1 500	—	1 165	74	—	—	334	26
3a. Beschaffung einer Drehbank	900	—	832	37	—	—	67	63
4. Kühl- und Eismaschinenanlage:								
a) Unterhaltung der maschinellen Einrichtungen . . .	1 000	—	1 080	80	80	80	—	—
b) Betriebsmittel	2 000	—	1 937	97	—	—	62	03
zu übertragen . . .	130 457	—	127 352	11	2 666	83	5 771	72

	Betrag nach				Mithin gegen den Voranschlag			
	dem Voranschlag		der Rechnung		mehr		weniger	
	ℳ	₰	ℳ	₰	ℳ	₰	ℳ	₰
Übertrag . . .	130 457	—	127 352	11	2 666	83	5 771	72
5. Elektrische Beleuchtungsanlage:								
a) Unterhaltung der Maschinen ꝛc.	1 500	—	1 515	60	15	60	—	—
b) Putz- und Schmiermittel ꝛc.	1 000	—	992	62	—	—	7	38
6. Kalt- und Warmwasserförderungsanlage ꝛc.:								
a) Unterhaltung der Maschinen	400	—	358	18	—	—	41	82
b) Putz- und Schmiermittel ꝛc.	100	—	109	78	9	78	—	—
7. Schlacht- und Transportvorrichtungen ꝛc.:								
a) Unterhaltung der Vorrichtungen	3 500	—	3 347	68	—	—	152	32
b) Putz- und Schmiermittel ꝛc.	200	—	181	01	—	—	18	99
8. Fleischsterilisator	100	—	99	82	—	—	—	18
VII. Straßen und Entwässerungsanlagen:								
1. Für Unterhaltung der Fußwege ꝛc.	500	—	236	94	—	—	263	06
2. „ Reinigung der Sinkkasten	500	—	491	57	—	—	8	43
3. „ Unterhaltung der gärtnerischen Anlagen	400	—	399	71	—	—	—	29
VIII. Wagen und Gerätschaften:								
1. Für Unterhaltung ꝛc. der Wagen	300	—	316	87	16	87	—	—
2. „ „ „ Gerätschaften	4 000	—	3 203	51	—	—	796	49
3. „ Apparate und Munition zum Betäuben des Großviehs	700	—	593	25	—	—	106	75
IX. Futter und Streu:								
1. Für Futter und Streu	20 000	—	17 441	19	—	—	2 558	81
2. „ Anschaffung ꝛc. von Säcken ꝛc.	50	—	49	60	—	—	—	40
3. „ Brennmaterial für die Futter- und Tränkeküche .	230	—	281	—	51	—	—	—
X. Garderobe und Badeanstalt:								
1. Lohn der Aufseherin . . . . Gleiche Erläuterung wie zu pos. VI. 1 b.	625	—	645	80	20	80	—	—
2. Für Unterhaltung des Inventars, Seife ꝛc.	50	—	41	65	—	—	8	35
XI. Feuerversicherung	320	29	299	06	—	—	21	23
XII. Verzinsung und Tilgung der Baukapitalien .	141 597	49	141 597	49	—	—	—	—
XIII. Hilfspumpwerk für die allgemeine Wasserversorgung:								
1. Betriebsausgaben:								
a) Lohn für einen Hilfsheizer . . . . Gleiche Erläuterung wie zu pos. I. 9.	1 250	—	1 313	55	63	55	—	—
b) Anteil an den Kosten der Brennmaterialien . . . . Durch Beschluß der Stadtverordneten-Versammlung vom 16. Oktober 1907 wurde der Kredit entsprechend ergänzt.	4 200	—	8 407	86	4 207	86	—	—
c) Anteil an den Kosten der Unterhaltung der Dampfkesselanlage	100	—	280	51	180	51	—	—
d) Anteil an den Kosten der Anschaffungen für die Werkstätte und der Unterhaltung des Inventars . .	100	—	388	58	288	58	—	—
e) Für Unterhaltung des Pumpwerks	300	—	310	25	10	25	—	—
f) Für Putz- und Schmiermittel	600	—	556	59	—	—	43	41
zu übertragen . . .	313 079	78	310 811	78	7 531	63	9 799	63

	Betrag nach				Mithin gegen den Voranschlag			
	dem Voranschlag		der Rechnung		mehr		weniger	
	ℳ	₰	ℳ	₰	ℳ	₰	ℳ	₰
Übertrag . .	313 079	78	310 811	78	7 531	63	9 799	63
g) Pacht für das ungefähr 4000 qm große Gelände an der Hardenbergstraße, auf welchem sich die Brunnen befinden	50	—	50	—	—	—	—	—
h) Pacht für ungefähr 2800 qm Gelände, welches an das städtische Gebiet angrenzt, auf dem sich die Brunnenanlage für das Hilfspumpwerk befindet	—	—	150	—	150	—	—	—
Das Gelände wurde laut Vertrag vom $\frac{1.\ 10.\ 1906}{17.\ 11.\ 1906}$ und mit Zustimmung der Deputation für die Verwaltung des Schlacht- und Viehhofs von der Staatsbahnverwaltung gepachtet.								
2. Verzinsung und Tilgung des Baukapitals	16 989	—	24 455	63	7 466	63	—	
Die Verzinsung der restlichen Baukapitalien erforderte nur 812 ℳ 04 ₰ statt der vorgesehenen 1589 ℳ. Getilgt wurden außer den im Voranschlag vorgesehenen 15 400 ℳ weitere aus Mitteln des Betriebsüberschusses entnommene 8243 ℳ 59 ₰								
XIV. **Pferde- und Fohlenmarkt:**								
A) Markt im Herbst 1906:								
1. Stempelbetrag für die Genehmigung der Marktveranstaltung	—	—	200	—	200	—	—	—
2. Für Herrichtung der Stallungen, Straßen und Musterungsplätze	—	—	495	45	495	45	—	—
3. Für Inserate, Plakate, tierärztliche Überwachung . . .	—	—	439	70	439	70	—	—
4. „ Beschaffung der Futter- und Streuartikel	—	—	329	07	329	07	—	—
5. Kosten der Prämiierung:								
a) Geldprämien	—	—	1 610	—	1 610	—	—	—
b) Für Druck und Vorbereitungskosten der Prämiierungsordnung ꝛc., Halsbänder und Diplome	—	—	389	04	389	04	—	—
6. Kosten der Verlosung:								
a) Für Ankauf der Gewinne	—	—	8 781	13	8 781	13	—	
b) „ Aufbewahrung, Versicherung und Verabfolgung der Gewinne	—	—	7	30	7	30	—	—
7. Unvorhergesehene Kosten	—	—	254	98	254	98	—	—
Der mit Genehmigung der Stadtverordneten-Versammlung durch Beschluß vom 5. Oktober 1906 im Herbst 1906 abgehaltene Pferde- und Fohlenmarkt erzielte bei einer Einnahme von 14 619 ℳ 63 ₰ und einer Ausgabe von 12 506 ℳ 67 ₰ einen Überschuß von 2112 ℳ 96 ₰.								
B) Markt im Frühjahr 1907	27 060	—	—	—	—	—	27 060	
Die Kosten dieses im Monat April 1907 abgehaltenen Marktes erscheinen im Rechnungsjahr 1907. Siehe auch die Erläuterung zu pos. X. B. der Einnahme.								
Summe . . .	357 178	78	347 974	08	—	—	9 204	70

	Betrag nach				Mithin gegen den Voranschlag			
	dem Voranschlag		der Rechnung		mehr		weniger	
	ℳ	₰	ℳ	₰	ℳ	₰	ℳ	₰
17. Wasserwerk.								
Einnahme	158 823	- -	157 426	13	–	–	1 396	87
Über die Einnahmen und Ausgaben des Werkes wird ein besonderer Bericht erstattet.								
18. Badeanstalten.								
Einnahme.								
I. Fürstenbergerhofbad:								
1. Einnahme aus Bädern 2c.	7 000	—	7 884	80	884	80	—	—
2. Geldanschlag der Dienstwohnung	100	—	100	—	—	—	—	—
3. Vergütung für Heizung von Schulräumen	700	—	700	—	—	—	—	—
II. Gartenfeldbad:								
1. Einnahme aus Bädern 2c.	6 500	—	7 103	50	603	50	—	—
2. Geldanschlag der Dienstwohnung	100	—	100	—	—	—	—	—
III. Gutenbergbad:								
1. Einnahme aus Bädern 2c.	23 000	—	21 610	10	—	—	1 389	90
Wegen Untermauerung der Niederdruck-Dampfkessel mußte der Betrieb an 19 Tagen eingestellt werden.								
2. Geldanschlag der Dienstwohnung	100	—	100	—	—	—	—	—
IV. Zuschuß aus den Überweisungen der Städtischen Sparkasse	18 944	—	19 832	87	888	87	—	—
Summe . . .	56 444	—	57 431	27	987	27	—	—
Ausgabe.								
I. Fürstenbergerhoibad:								
1. Für den Badediener:								
a) Gehalt und } des Badedieners	1 600	—	1 600	—	—	—		—
Teuerungszulage } des Badedieners	—	—	120	—	120	—		—
Zur Bestreitung der Teuerungszulage wurde durch Beschluß der Stadtverordneten-Versammlung vom 20. Februar 1907 der erforderliche Kredit bewilligt.								
b) Besondere Vergütung für Dienstleistungen der Frau	250	—	250	—	—	—	—	—
2. Für den Hilfsbadediener	125	—	125	—	—	—	—	—
3. Lohn für Wäscherinnen und sonstige Aushilfe	800	—	823	59	23	59	—	—
Mehrausgaben bedingt durch die Gewährung der Familienzulagen, wozu durch Beschluß der Stadtverordneten-Versammlung vom 12. Dezember 1906 die erforderlichen Mittel bewilligt wurden.								
zu übertragen . . .	2 775	—	2 918	59	143	59	—	—

	Betrag nach				Mithin gegen den Voranschlag			
	dem Voranschlag		der Rechnung		mehr		weniger	
	ℳ	₰	ℳ	₰	ℳ	₰	ℳ	₰
Übertrag . . .	2 775	—	2 918	59	143	59	—	—
4. Für Unterhaltung des Inventars, Seife ꝛc.	700	—	662	22	—	—	37	78
5. „ Wasser, Beleuchtung, Abfuhr wasserhaltiger Latrinenmasse	2 400	—	2 766	67	366	67	—	—
6. „ Brennmaterialien	3 600	—	3 861	33	261	33	—	—
7. „ Gemeinde-Grundsteuern	95	80	93	73	—	—	2	07
8. „ Brandversicherungsbeiträge	39	—	26	88	—	—	12	12
9. „ bauliche Unterhaltung:								
a) Unterhaltung in Dach und Fach	350		188	26	—	—	161	74
10. Für Unterhaltung der Dampfkessel ꝛc.	700	—	312	03	—	—	387	97
11. „ Feuerversicherung	2	20	2	15	—	—	—	05
12. „ Verzinsung und Tilgung des Baukapitals . . .	4 240	—	4 240	—	—	—	—	—
II. Gartenfeldbad:								
1. Für den Badediener:								
a) Gehalt und } des Badedieners	1 700	—	1 700	—	—	—	—	—
Teuerungszulage }	—	—	120	—	120	—	—	—
Gleiche Erläuterung wie zu pos. I. 1 a.								
b) Besondere Vergütung für Dienstleistungen der Frau	250	—	250	—	—	—	—	—
2. Für den Hilfs-Badediener	125	—	125	—	—	—	—	—
3. Lohn für Wäscherinnen und sonstige Aushilfe . . .	800	—	786	20	—	—	13	80
4. Für Unterhaltung des Inventars, Seife ꝛc.	900	—	953	23	53	23	—	—
5. „ Wasser, Beleuchtung, Abfuhr wasserhaltiger Latrinenmasse	2 100	—	2 398	16	298	16	—	—
6. „ Brennmaterialien	2 700	—	2 808	39	108	39	—	—
7. „ Gemeinde-Grundsteuern	56	50	55	26	—	—	1	24
8. „ Brandversicherungsbeiträge	46	—	31	78	—	—	14	22
9. „ bauliche Unterhaltung:								
a) Unterhaltung in Dach und Fach	350	—	348	83	—	—	1	17
10. Für Unterhaltung der Dampfkessel ꝛc.	700	—	681	47	—	—	18	53
11. „ Feuerversicherung	3	50	3	45	—	—	—	05
12. „ Verzinsung und Tilgung des Baukapitals . . .	2 910	—	2 910	—	—	—	—	—
III. Gutenbergbad:								
1. Für den Badediener:								
a) Gehalt und } des Badedieners	1 700	—	1 700	—	—	—	—	—
Teuerungszulage }	—	—	120	—	120	—	—	—
Gleiche Erläuterung wie zu pos. I. 1 a.								
b) Besondere Vergütung für Dienstleistungen der Frau	350	—	350	—	—	—	—	—
2a. Vergütung des Hilfs-Badedieners	1 050	—	1 000	—	—	—	50	—
Die hier zu verrechnende Vergütung beträgt 1000 ℳ; vorgesehen waren dagegen 1050 ℳ								
zu übertragen . . .	30 643	—	31 413	63	1 471	37	700	74

	Betrag nach				Mithin gegen den Voranschlag			
	dem Voranschlag		der Rechnung		mehr		weniger	
	ℳ	₰	ℳ	₰	ℳ	₰	ℳ	₰
Übertrag . . .	30 643	—	31 413	63	1 471	37	700	74
b) Teuerungszulage des Hilfs-Badedieners		—	120	—	120	—	—	—
Gleiche Erläuterung wie zu pos. I. 1 a.								
3. Lohn für Wäscherinnen und sonstige Aushilfe . . .	2 250	—	2 344	53	94	53	—	—
Durch die Gewährung von Familienzulagen, wozu durch Stadtverordnetenbeschluß vom 12. Dezember 1906 die erforderlichen Mittel bewilligt wurden, ist die Mehrausgabe im wesentlichen bedingt.								
4. Für Unterhaltung des Inventars, Seife, Drucksachen ꝛc.	1 600	—	1 505	23	—	—	94	77
5. „ Wasser, Beleuchtung, Abfuhr wasserhaltiger Latrinenmasse	5 500	—	5 506	11	6	11	—	—
6. „ Brennmaterialien	6 350	—	6 202	19	—	—	147	81
7. „ Gemeinde-Grundsteuern	85	50	85	01	—	—	—	49
8. „ Brandversicherungsbeiträge	62	—	43	—	—	—	19	—
9. „ bauliche Unterhaltung des Gebäudes:								
a) Unterhaltung in Dach und Fach	350	—	458	28	108	28	—	—
Die Mehrausgabe ist durch die Instandsetzung der Röhrenleitung der Entwässerungsanlage des Hauses Franziskanerstraße Nr. 1 ¹/₁₀, die durch den Hof des Gutenbergbades führt, verursacht worden. Zur Tragung der hierdurch entstandenen Kosten war die Stadt Mainz als Eigentümerin des Hauses Franziskanerstraße Nr. 1 (Gutenbergbad) lt. Notariatsakt vom 10. November 1880 verpflichtet.								
b) Reinigung der Entwässerungsanlage	110	—	104	—	—	—	6	—
10. Für Unterhaltung der Dampfkessel, Röhrenleitungen ꝛc.	1 200	—	1 356	02	156	02	—	—
11. „ Feuerversicherung	3	50	3	27	—	—	—	23
12. „ Verzinsung und Tilgung des Baukapitals . . .	5 890	—	5 890	—	—	—	—	—
IV. Volksbad im Rhein	2 400	—	2 400	—	—	—	—	—
Summe . . .	56 444	—	57 431	27	987	27	—	—
19. Stadtapotheke.								
Einnahme.								
I. Pacht für die Apotheke	8 000	—	8 000	—	—	—	—	—
Ausgabe.								
I. Miete für die Geschäftsräume ꝛc.	3 000	—	3 000	—	—	—	—	—
II. Mobilienversicherung	6	—	5	80	—	—	—	20
Summe . . .	3 006	—	3 005	80	—	—	—	20
20. Elektrizitätswerk.								
Einnahme	130 000	—	242 104	64	112 104	64	—	—
Über die Einnahmen und Ausgaben des Werks wird ein besonderer Bericht erstattet.								

21. Hafenbahn.

Einnahme.

	Betrag nach				Mithin gegen den Voranschlag			
	dem Voranschlag		der Rechnung		mehr		weniger	
	M	₰	M	₰	M	₰	M	₰
I. Gebühren:								
1. Werftgleisegebühren	22 000	—	32 903	50	10 903	50	—	—
2. Überfuhrgebühren	23 000	—	29 771	75	6 771	75	—	—
3. Gebühren für Benutzung des Schienengleises und der Ladestellen im Schlacht- und Viehhof	4 100	—	3 447	50	—	—	652	50
4. Standgeld für Privatkesselwagen und stadteigene Wagen	10	—	576	50	566	50	—	—
5. Wagenfrachten für stadteigene Wagen zc.	100	—	1 230	—	1 130	—		—
Durch die beiden städtischen Eisenbahnwagen, von denen der eine im Monat September 1906 in Betrieb gesetzt wurde, wurden 1140 M und durch den Transport nicht stadteigener Wagen 90 M Einnahme erzielt.								
II. Geldanschlag von Dienstwohnungen	100	—	100	—	—	—	—	—
III. Entschädigung für Unterhaltung von Anschlußgleisanlagen Privater	105	53	105	53	—	—	—	—
IV. Verschiedene Einnahmen	34	47	119	94	85	47	—	—
Dieser Betrag setzt sich zusammen: a) aus Erlös für abgegebene Materialien . 90 M 39 ₰ b) „ dem Ersatz von Kosten für Arbeitsleistung . 29 „ 55 „ 119 M 94 ₰								
Summe	49 450	—	68 254	72	18 804	72	—	—
Ausgabe.								
I. 1. bis 6. Gehalte und Löhne zc.:								
a) Gehalte zc.	24 350	—	23 327	92	—	—	1 022	08
Durch die probeweise Besetzung der Stelle des Bahnverwaltungsgehilfen und die Nichtbesetzung der erledigten Stelle eines Weichenstellers entstand eine Wenigerausgabe von 1400 M, welche Ersparnis sich auf den Betrag von 1022 M 08 ₰ verminderte infolge Inbetriebnahme der 3. Lokomotive und der dadurch bedingten Annahme eines weiteren Lokomotivheizers. Hierzu war durch Stadtverordnetenbeschluß vom 20. Februar 1907 ein weiterer Kredit von 450 M zu Lasten des Reservefonds zur Verfügung gestellt worden.								
b) Teuerungszulagen	—	—	1 440	—	1 440	—	—	—
Zur Bestreitung der Teuerungszulagen wurden durch Beschluß der Stadtverordneten-Versammlung vom 20. Februar 1907 die erforderlichen Mittel bewilligt.								
7. Lohn für einen Weichensteller	1 250	—	1 234	79	—	—	15	21
8. Taglöhne für Rangierer und Bahnunterhaltungsarbeiter zc.	14 000	—	15 251	57	1 251	57		
Zur Bestreitung der Mehrausgaben, welche infolge Vermehrung des Rangierpersonals entstanden, wurde durch Beschluß der Stadtverordneten-Versammlung vom 20. Februar 1907 der Kredit um 1280 M ergänzt.								
zu übertragen	39 600	—	41 254	28	2 691	57	1 037	29

	Betrag nach				Mithin gegen den Voranschlag			
	dem Voranschlag		der Rechnung		mehr		weniger	
	ℳ	₰	ℳ	₰	ℳ	₰	ℳ	₰
Übertrag . . .	39 600	—	41 254	28	2 691	57	1 037	29
9. Taglohn für einen Weichenschlosser	1 450	—	1 577	77	127	77	—	—
Die durch Beschluß der Stadtverordneten-Versammlung vom 12. Dezember 1906 gewährte Familienzulage verursachte eine Mehrausgabe von 77 ℳ 57 ₰. Die weiter entstandenen Mehrausgaben sind durch die Erhöhung des Wochenlohnes des Weichenschlossers von 27 ℳ 50 ₰ auf 29 ℳ bedingt.								
10. Für Beschaffung von Dienstkleidern	315	—	291	75	—	—	23	25
II. Bureaukosten:								
1. Für Schreibmaterialien ꝛc.	150	—	150	36	—	36	—	—
2. „ Unterhaltung des Mobiliars	50	—	5	40	—	—	44	60
3. „ Reinigung der Diensträume	65	—	56	—	—	—	9	—
4. „ Heizung derselben	30	—	—	24	—	—	29	76
III. Gebäude:								
1. Lokomotivschuppen:								
a) Gemeinde-Grundsteuern	10	—	8	45	—	—	1	55
b) Brandversicherungsbeiträge	25	—	15	79	—	—	9	21
c) Unterhaltung in Dach und Fach	100	—	458	40	358	40	—	—
Durch zwei Unfälle sind 398 ℳ 44 ₰ Kosten entstanden, und zwar durch die Wiederherstellung des am 26. April 1906 beim Einfahren eines Güterzuges in das Hafengebiet von dem Kamine der Lokomotive der Staatsbahnverwaltung beschädigten Bogens über dem Eingangstor des Lokomotivschuppens und des am 11. Juni 1906 beim Rangieren durch einen abgestoßenen Wagen beschädigten Mauerwerks des Lokomotivschuppens.								
2. Weichenstellerhaus im Schlacht- und Viehhof:								
a) Gemeinde-Grundsteuern	5	—	—	—	—	—	5	—
b) Brandversicherungsbeiträge	6	—	4	13	—	—	1	87
c) Unterhaltung in Dach und Fach	50	—	22	50	—	—	27	50
3. Oberbaumaterialienmagazin und Weichenstellerhäuschen:								
a) Gemeinde-Grundsteuern	3	—	—	—	—	—	3	—
b) Brandversicherungsbeiträge	3	—	1	94	—	—	1	06
c) Unterhaltung in Dach und Fach	—	—	—	—	—	—	—	—
4. Herstellung eines Schuppens zur Lagerung von Holz und Kohlen für die Lokomotiven	650	—	—	—	—	—	650	—
Die Ausführung der Arbeiten erfolgt im Rechnungsjahr 1907, weshalb der Kredit mit Zustimmung der Stadtverordneten-Versammlung durch Beschluß vom 16. Oktober 1907 auf das Rechnungsjahr 1907, woselbst ein weiterer Kredit für diesen Zweck zur Verfügung steht, übertragen wurde.								
zu übertragen . . .	42 512	—	43 847	01	3 178	10	1 843	09

	Betrag nach				Mithin gegen den Voranschlag			
	dem Voranschlag		der Rechnung		mehr		weniger	
	ℳ	₰	ℳ	₰	ℳ	₰	ℳ	₰
Übertrag . . .	42 512	—	43 847	01	3 178	10	1 843	09
5. Gemeindesteuer von Bahngelände	—	—	12	30	12	30	—	
Die seither unter Rubrik 4 verrechneten Gemeindegrundsteuerbeträge des Bahngeländes auf der Ingelheimer Au und am Kaiser Karl-Ring werden nunmehr unter obiger Rubrik verrechnet, wodurch hier 12 ℳ 30 ₰ Ausgaben und unter Rubrik 4 die entsprechenden Ersparnisse entstanden.								
IV. Betriebskosten:								
1. Für Brennmaterialien für die Lokomotiven	6 000	—	9 592	31	3 592	31	—	
Durch Stadtverordnetenbeschluß vom 20. Februar 1907 wurde der Kredit um 3500 ℳ zu Lasten des Reservefonds ergänzt.								
2. Für Wasserverbrauch	100	—	16	92	—	—	83	08
3. „ Putz- und Schmiermittel ꝛc.	1 600	—	1 925	89	325	89	—	
Die Steigerung des Hafenbahnbetriebes bedingte die Mehrausgabe.								
4. Für Belebung der Laternen in den Rangiergleisen an den Petroleumtanks	80	—	80	—	—	—		
5. Für Belebung der Weichenlaternen	300	—	220	76	—	—	79	24
6. „ Unterhaltung der Gleise ꝛc.	6 000	—	4 948	18	—	—	1 051	82
7. „ „ „ Lokomotiven	2 500	—	2 438	22	—	—	61	78
8. „ Heizung der Weichenstellerhäuschen ꝛc.	150	—	66	76	—	—	83	24
9. Fernsprechanlagen	208	—	208	—	—	—		
10. Sonstige Ausgaben	50	—	36		—	—	14	
V. Ergänzung und Unterhaltung der Bahnunterhaltungs- und Betriebsgerätschaften:								
1. Für Unterhaltung ꝛc. von Gerätschaften	700		566	72	—	—	133	28
2. „ Vervollständigung der Einrichtung der Werkstätte des Weichenschlossers	200		182	49	—	—	17	51
VI. Feuerversicherung	49	53	46	49	—	—	3	04
VII. Tilgung der für die Lokomotiven und die Gleisanlagen aufgewendeten Kapitalien	63 140	47	63 140	47	—	—	—	
Summe . .	123 590	—	127 828	52	3 738	52	—	

22. Rheinüberfahrten.

	dem Voranschlag ℳ	₰	der Rechnung ℳ	₰	mehr ℳ	₰	weniger ℳ	₰
Einnahme	200	—	83	13	—		116	87
Aus dem Betriebsjahr vom 1. Oktober 1905 bis dahin 1906 ist von dem Reingewinn, den die Unterpächterin, die Mainzer Rhederei-Gesellschaft, aus dem Betrieb der Rheinüberfahrten erzielt hat, der Stadt der nebenstehende Anteil zugefallen.								

	Betrag nach				Mithin gegen den Voranschlag			
	dem Voranschlag		der Rechnung		mehr		weniger	
	M.	₰	M.	₰	M.	₰	M.	₰
24. Allgemeine Verwaltung.								
Einnahme.								
I. Gebühren für administrative Verrichtungen im Interesse von Privaten	2 900		2 982	90	82	90	—	—
II. Erlös aus Drucksachen	150	—	109	90	—		40	10
III. Provision von Stempelmarken	60		51	18	—		8	82
IV. Gebühren für Abgabe und Fortführung von Familien-Stammbüchern	120		80	75	—		39	25
V. Erlös aus alten Mobilien und Baumaterialien	200		30		—		170	—
VI. Geldanschlag und Mieten von Wohnungen	7 880	—	7 825		—		55	—
Die Wohnung im 2. Stock des Kleintz'schen Nebenhauses (Stadtkassegebäude) war im IV. Quartal 1906 unvermietet, wodurch ein Mietausfall von 55 M. entstanden ist.								
VII. Verschiedene Einnahmen:								
1. Geldstrafen wegen Zuwiderhandlung gegen das Reichsgesetz vom 6. Februar 1875, betreffend die Beurkundung des Personenstandes	30	-	27	46		—	2	54
2. Ersatz von Reinigungs- und Beleuchtungskosten	30	-	30		—		—	-
3. Erlös für altes einzustampfendes Papier	—		353	15	353	15	—	—
4. Ersatz der Kosten für eine zertrümmerte Fensterscheibe	-	-	2	—	2	-		—
Summe	11 370	-	11 492	34	122	34	—	
Ausgabe.								
I. Besoldung der Angestellten:								
1. Bürgermeisterei	40 200	—	31 108	33			9 091	67
Durch Beschluß der Stadtverordneten-Versammlung vom 18. Februar 1907 wurde Gerichtsassessor Emil Berndt auf die Amtszeit von 12 Jahren zum 3. besoldeten Beigeordneten gewählt. Die Verpflichtung und Diensteinführung erfolgte in der Sitzung der Stadtverordneten-Versammlung vom 16. März 1907. Von dem für die Stelle eines dritten Beigeordneten im Voranschlag vorgesehenen Betrag von 9400 M. wurden für die Zeit vom 16. bis Ende März 1907 aus jährlich 7400 M. nur 308 M. 33 ₰ beansprucht.								
2. Sekretariat:								
a) Gehalte und Vergütungen	49 107	50	48 126	61			980	89
Die erst im Laufe des Jahres erfolgte Besetzung der 2 urgeschaffenen Hilfsarbeiterstellen verursachte eine Ersparnis von 1130 M., der Dienstaustritt des Sekretärs des Oberbürgermeisters am								
zu übertragen	89 307	50	79 234	94	—	—	10 072	56

	Betrag nach				Mithin gegen den Voranschlag			
	dem Voranschlag		der Rechnung		mehr		weniger	
	M.	₰	M.	₰	M.	₰	M.	₰
Übertrag . . .	89 307	50	79 234	94	—	—	10 072	56
15. März 1907 eine falche von 88 M. 89 ₰. Eine weitere Ersparnis brachte die Aufrechnung von 12 M. Krankengeld an der Vergütung rines Hilfsarbeiters. Vermindert um den Betrag von 259 M wurden diese Weniger-Ausgaben infolge Beschäftigung rines seither als Volontär tätigen Hilfsarbeiters gegen Vergütung.								
b) Teuerungszulagen	—	—	1 294	50	1 294	50		
Zur Bestreitung der Teuerungszulagen wurden durch Beschluß der Stadtverordneten-Versammlung vom 20. Februar 1907 die erforderlichen Mittel dewilligt.								
c) Dienstkleidung der Ratsdiener	200		199		—	—	1	
3. Finanz- und Steuerbureau:								
a) Gehalte und Vergütungen	52 625		52 385	33	—	—	239	67
Die erst im Laufe des Jahres erfolgte Besrtzang der neugeschaffenen Hilfsarbeiterstelle verursachte eine Ersparnis von 141 M 67 ₰. die Aufrechnung der von zwei Hilfsarbeitern bezogenen Krankengelder an deten Vergütungen eine solche von 220 M. Ferner verblieben von dem Kredit für außergewöhnliche Schreibhilfe bei Neuanlegung der Ortssteuerliste 478 M. Diese Ersparnisse wurden dagegen vermindert um den Betrag von 600 M infolge der aushilfsweisen Annahme einer weiteren Schreibgehilfin.								
b) Teuerungszulagen	—		937	82	937	82		
Gleiche Erläuterung wie zu pos. I. 2b.								
4. Standesamt:								
a) Gehalte und Vergütungen	17 130		17 114		—	—	16	
Durch die Aufrechnung von 16 M Krankengeld an der Vergütung eines Hilfsarbeiters entstand die Weniger-Ausgabe.								
b) Teuerungszulagen	—		240	—	240	—		
Gleiche Erläuterung wie zu pos. I. 2b.								
5. Stadtkasse:								
a) Gehalte und Vergütungen	42 295		41 712	89	—	—	582	11
Infolge Ernennung eines Untererhebers zum Kassierer der Städtischen Sparkasse war eine Untererheberstelle frei geworden, welche von einem Hilfsarbeiter mit 1600 M Jahresvergütung versehen wurde. An dessen Stelle wuede ein neuer Hilfsarbeiter angenommen. Hierdurch trat, odgleich an die Witwen- und Waisenkasse ein Vakanzüberschuß von 195 M 56 ₰ abzuliefern war, eine Ersparnis an Gehalt ein. Weitere Ersparnisse entstanden infolge Versetzung rines Vollziehungsbeamten mit Wirkung vom 1. Oktober 1906 in den Ruhestand und Besetzung dieser Stelle vom 5. November								
zu übertragen . . .	201 557	50	193 118	48	2 472	32	10 911	34

	Betrag nach				Mithin gegen den Voranschlag			
	dem Voranschlag		der Rechnung		mehr		weniger	
	ℳ	₰	ℳ	₰	ℳ	₰	ℳ	₰
Übertrag . . .	201 557	50	193 118	48	2 472	32	10 911	34
1906 ab, durch die Aufrechnung von Krankengeld an der Vergütung eines Hilfsarbeiters, sowie durch den Gehaltsersatz der Städtischen Sparkasse für Aushilfeleistungen eines Hilfsarbeiters. Erspart wurden ferner die für Beschaffung von Dienstmützen für das Pfandpersonal vorgesehenen 20 ℳ Diesen Weniger-Ausgaben stehen die Mehraufwendungen gegenüder anläßlich der probeweisen Versehung der erledigten Kassedienerstelle durch einen Oktroiaufseher, des Austritts eines Hilfsarbeiters mit einer Jahresvergütung von 840 ℳ und Annahme eines solchen mit einer Jahresvergütung von 1200 ℳ sowie anläßlich der vorübergehenden Annahme eines Hilfsarbeiters für den erkrankten Hilfsstadtkassenbuchhalter.								
b) Teuerungszulagen	—	—	916	—	916	—	—	—
Gleiche Erläuterung wie zu pos. I. 2 b.								
6. Bureau für Statistik und Einquartierungswesen:								
a) Gehalte und Vergütungen	5 200	—	5 200	—	—	—	—	—
b) Teuerungszulagen	—	—	120	—	120	—	—	—
Gleiche Erläuterung wie zu pos. I. 2 b.								
7. Wohnungsamt:								
a) Gehalte und Vergütungen	3 550	—	3 397	22	—	—	152	78
Die mit einer Jahresvergütung von 1200 ℳ vorgesehene Hilfsarbeiterstelle wurde erst am 2. Juli 1906 durch einen Hilfsarbeiter mit riner Jahresvergütung von 1000 ℳ besetzt, wodurch 452 ℳ 78 ₰ respart wurden. Diese Ersparnisse verminderten sich auf den Betrag von 152 ℳ 78 ₰, da an den auf Prode ernannten Wohnungsinspektor die von demselben seither als Bauaufseher bezogene Bauzulage zufolge Stadtverordnetenbeschlusses vom 29. November 1905 für die Zeit der probeweisen Verwendung als Wohnungsinspektor zu zahlen war.								
b) Teuerungszulagen	—	—	110	—	110	—	—	—
Gleiche Erläuterung wie zu pos. I. 2 b.								
II. Repräsentationsgehalt	3 000	—	3 000	—	—	—	—	—
III. Diäten und Gebühren:								
1. und 2. Ständige Posten	2 100	—	2 100	—	—	—	—	—
3. Reiseauslagen	2 000	—	2 315	63	315	63	—	—
IV. Bureaukosten:								
1. Für Schreibmaterialien ꝛc.	1 500	—	1 603	65	103	65	—	—
2. „ Drucksachen	13 000	—	15 876	25	2 876	25	—	—
Zur Bestreitung der Mehrausgabe wurde der Kredit durch Stadtverorductenbeschluß vom 16. Oktober 1907 um 2 876 ℳ 25 ₰ zu Lasten der Ersparnisse bei den iibrigen Unterpositionen ergänzt.								
zu übertragen . . .	231 907	50	227 757	23	6 913	85	11 064	12

	Betrag nach				Mithin gegen den Voranschlag			
	dem Voranschlag		der Rechnung		mehr		weniger	
	M.	*ℌ*	*M.*	*ℌ*	*M.*	*ℌ*	*M.*	*ℌ*
Übertrag . . .	231 907	50	227 757	23	6 913	35	11 064	12
2a. Für Formular zur neuaufzustellenden Ortssteuerliste .	500	—	449	80	—		50	20
2b. Drucklegung eines Nachtrags zum Ortsrecht der Stadt Mainz			730	05	730	05		
Durch Stadtverordnetenbeschluß vom 12. Dezember 1906 war ein Kredit von 440 *M.* zu Lasten des Reservefonds bewilligt worden. Da statt der vorgesehenen 10 Druckbogen 16½ Druckbogen erforderlich geworden sind, haben sich die Kosten um 290 *M.* 05 *ℌ* erhöht.								
3. Für Zeitschriften, Bücher 2c.	1 000	—	880	57	—	—	119	43
4. „ Buchbinderarbeiten	1 300	—	1 625	45	325	45	—	
5. „ Unterhaltung des Mobiliars	2 000	—	3 446	89	1 446	89	—	—
Zur Bestreitung der Mehrausgaben wurde der Kredit durch Stadtverordnetenbeschluß vom 16. Oktober 1907 um 1446 *M.* 89 *ℌ* zu Lasten der Ersparnisse bei den übrigen Unterpositionen ergänzt.								
5a. Für Neuanschaffungen von Mobiliar	320	—	350	65	30	65		
5b. Für Beschaffung eines Panzerschrankes, Einbau von 3 Dokumentenschränken mit Panzerung und von 4 Tresors, sowie Aufstellen von elektrischen Sicherheitsapparaten 2c. und Einrichtung der elektrischen Beleuchtung für das Kassengewölbe der Stadtkasse . . .	—	—	2 100		2 100	—		
Durch Beschluß der Stadtverordneten-Versammlung vom 16. Januar 1907 wurde hierfür ein Kredit von 5600 *M.* zu Lasten des Reservefonds bewilligt. Da die Arbeiten und Lieferungen bis zum Bücherschlusse nicht beendigt waren, wurde der Restkredit von 3500 *M.* mit Zustimmung der Stadtverordneten-Versammlung durch Beschluß vom 16. Oktober 1907 auf das Rechnungsjahr 1907 übertragen.								
6. Für Verschiedenes	700	—	811	71	111	71	—	
V. Heizung der Geschäftsräume:								
1. Für die Heizung im Stadthaus:								
a) Für Gas	900	—	660	36	—	—	239	64
b) „ sonstige Brennmaterialien	2 900		3 878	80	978	80	—	
Die Mehrausgabe ist in der Hauptsache auf die Einführung der Zentralheizung zurückzuführen. Des weiteren trug die hier erfolgte Verrechnung der Kosten für Heizung der Geschäftsräume des Statistischen Amtes und Wohnungsamtes im Hause Stadthausstraße Nr. 23/25 zu den entstandenen Mehrausgaben bei.								
c) für Bedienung der Heizung im III. Stock . . .	1 248		1 335	57	87	57		
Die Mehrausgabe ist im wesentlichen bedingt durch die Gewährung einer Familienzulage an den Hilfsdiener, zu deren Bestreitung die Stadtverordneten-Versammlung durch Beschluß vom 12. Dezember 1906 die erforderlichen Mittel bewilligt hat.								
zu übertragen . . .	242 775	50	244 027	08	12 724	97	11 473	39

	Betrag nach				Mithin gegen den Voranschlag			
	dem Voranschlag		der Rechnung		mehr		weniger	
	M	₰	M	₰	M	₰	M	₰
Übertrag . . .	242 775	50	244 027	08	12 724	97	11 473	39
2. Brennmaterialien für die Geschäftsräume der Stadtkasse:								
a) für Gas	200	—	377	76	177	76	..	—
b) „ sonstige Brennmaterialien	700	—	466	85	—	—	233	15
VI. Beleuchtung der Geschäftsräume:								
Für die Beleuchtung einschl. der Beschaffung von Glühkörpern rc.:								
1. im Stadthause	2 600	—	2 472	35	—	—	127	65
2 „ Stadtkassengebäude	400		510	87	110	87	—	—
VII. Reinigung der Geschäftsräume:								
1. Im Stadthause:								
a) Gehalt an den Hausmeister	1 600	—	1 762	96	162	96	—	—
Infolge Erkrankung des Hausmeisters mußte Aushilfe für Bedienung der Heizungsanlage rc. gestellt werden, wodurch die Mehrausgabe entstand								
aa) Teuerungszulage des Hausmeisters	—	—	120	—	120	—	—	—
Gleiche Erläuterung wie zu pos. I. 2 b.								
b) Vergütung an den Hausmeister für Reinigung der Handtücher und Vorhänge	200	—	200	—	—	—	—	—
c) Löhne für Putzfrauen	1 900	—	2 180	06	280	06	—	—
Die Kosten für Reinigung der im Hause Stadthausstraße Nr. 23/25 gemieteten Räume bedingten die Mehrausgabe.								
d) Putzmaterialien	120	—	187	92	67	92	—	—
2. Im Stadtkassengebäude	720	—	720	—	—	—	—	—
VIII. Wasserverbrauch:								
1. Im Stadthause	110	—	75	84	—	—	34	16
2. „ Stadtkassengebäude	40	—	24	72	—	—	15	28
IX. Gebäude:								
A. Stadthaus.								
1. Gemeindegrundsteuern von den vermieteten Räumen . .	54	—	50	95	—	—	3	05
2. Brandversicherungsbeiträge	276	—	192	85	—	—	83	15
3. Baukosten:								
a) Unterhaltung in Dach und Fach	2 700	—	2 620	43	—	—	79	57
b) Unterhaltung der Fernsprechanlagen rc. innerhalb des Hauses	150	—	—	—	—	—	150	—
c) Unterhaltung der Zentralheizung	100	—	129	—	29	—	—	—
d) Instandsetzen von 3 Geschäftsräumen des I. Polizeibezirks	200	—	195	64	—	—	4	36
e) Verputzausbesserungen und Neuanstrich der Arrestzellen sowie Einbau von zwei Käuffer'schen Mantelöfen in dieselben	360	—	359	73	—	—	—	27
zu übertragen . . .	255 205	50	256 675	01	13 673	51	12 204	03

	Betrag nach				Mithin gegen den Voranschlag			
	dem Voranschlag		der Rechnung		mehr		weniger	
	ℳ	₰	ℳ	₰	ℳ	₰	ℳ	₰
Übertrag . . .	255 205	50	256 675	01	13 673	54	12 204	03
f) Instandsetzen des kleinen Sitzungssaales	700	—	724	42	24	42		-
g) Instandsetzen des Zimmers Nr. 40 und des Vorplatzes zum Sekretariat der allgemeinen Verwaltung . . .	270	—	269	70	—	—	—	30
h) Desgleichen der Zimmer Nr. 73, 75 und 77 und des Vorplatzes	310	—	307	22	—	—	2	78
i) Entfernen der alten Plattenböden auf den Podesten des rechtsseitigen Treppenhauses und Verlegen neuer richener Riemenfußböden auf denselben	220	—	191	52	—	—	28	48
k) Kosten der Herstellungen, die durch anderweite Unterbringung des Bureaus für Statistik und Einquartierungswesen, sowie des Amts für Baupolizei in verschiedenen Räumen des Stadthauses notwendig geworden sind .	—		416	80	416	80		
Durch die Verlegung der fraglichen Geschäftsräume, welche von der Stadtverordneten-Versammlung gutgeheißen worden ist, sind die bemerkten Kosten entstanden.								
4. Reinigung der Hausentwässerungsanlage	50	—	39	—	—	—	11	-
5. Reinigung und Unterhaltung der Bedürfnisanstalten:								
a) Abfuhr wasserhaltiger Latrinenmasse	350	—	395	17	45	17	—	-
b) Unterhaltung der Pissoirs	120	—	109	20	—	—	10	80
6. Spiegelglasversicherung	—	—	—	—	—	—	—	
B. Stadtkassengebäude.								
1. Mieten	3000	—	3000	—	—	—		
2. Baukosten:								
a) Unterhaltung in Dach und Fach	400	—	417	51	17	51	—	-
3. Für Reinigung der Hausentwässerungsanlage	20	—	15	60	—	—	4	40
4. „ Abfuhr wasserhaltiger Latrinenmasse	60	—	73	14	13	14	—	-
C. Geschäftsräume für das Wohnungsamt und das Bureau für Statistik und Einquartierungswesen.								
1. Miete	—	—	551	11	551	11	—	-
Mit Zustimmung der Stadtverordneten-Versammlung durch Beschluß vom 20. Juni 1906 wurde das 2. Obergeschoß im Hause Stadthausstraße Nr. 23/25 für jährlich 1500 ℳ vom 23. Juli 1906 ab zwecks Unterbringung des Amtes für Maschinenwesen, des Wohnungsamtes und des Bureaus für Statistik und Einquartierungswesen gemietet. Hier erscheint der Miet-Anteil des Wohnungsamtes und des Bureaus für Statistik und Einquartierungswesen aus jährlich 800 ℳ. — Siehe auch Rubrik 30 pos. IV. 3.								
zu übertragen . . .	260 705	50	263 185	40	14 741	69	12 261	79

	Betrag nach				Mithin gegen den Voranschlag			
	dem Voranschlag		der Rechnung		mehr		weniger	
	M.	₰	M.	₰	M.	₰	M.	₰
Übertrag . . .	260 705	50	263 185	40	14 741	69	12 261	79
2. Für Herstellung der Beleuchtungseinrichtung	—	—	237	76	237	76	—	—
Für Legung der elektr. Leitung und Beschaffung der erforderlichen Beleuchtungsgegenstände entstanden die aufgeführten Ausgaben.								
X. Kosten für Anschaffung von Familien-Stammbüchern	60	—	—	—	—	—	60	—
XI. Mobilienversicherung	46	50	47	11	—	61	—	—
XII. Gerichtskosten	1 000	—	139	25	—	—	860	75
XIII. Porto	2 200	—	2 457	38	257	38	—	—
XIV. Einrückungsgebühren	3 500	—	3 367	16	—	—	132	84
XV. Unterhaltung der Gemarkungsgrenzen .	250	—	90	—	—	—	160	—
XVI. Grundkataster	140	—	135	90	—	—	4	10
Der aus dem Vorjahr für Vervollständigung und Vervielfältigung der beim Tiefbauamt in Ausarbeitung befindlichen Parzellenpläne übertragene Kredit von 2000 M fand auch im Rechnungsjahre 1906 wegen anderweiter starker Inanspruchnahme des Tiefbauamts keine Verwendung, weshalb derselbe mit Zustimmung der Stadtverordneten-Versammlung vom 16. Oktober 1907 auf das Rechnungsjahr 1907 übertragen worden ist.								
XVII. Kosten der Musterung	80	—	62	50	—	—	17	50
XVIII. Für öffentliche Feierlichkeiten	4 000	—	4 626	25	626	25	—	—
XIX. Haftpflichtversicherung	5 500	—	5 263	04	—	—	236	96
XX. Versicherung gegen Einbruchdiebstahl . . .	—	—	—	—	—	—	—	—
XXI. Kosten der Wahlen 2c.	—	—	1 090	37	1 090	37	—	—
Zur Bestreitung der durch die Reichstagswahlen am 25. Januar und 5. Februar 1907 entstandenen Kosten wurde durch Beschluß der Stadtverordneten-Versammlung vom 16. Oktober 1907 ein Kredit von 1090 M 37 ₰ zu Lasten des Reservefonds bewilligt.								
XXII. Städtetage	140	—	138	—	—	—	2	—
XXIII. Vergütung für Vorarbeiten zu einem Stadtbilde	—	—	300	—	300	—	—	—
Durch Stadtverordnetenbeschluß vom 9. Mai 1906 wurde der erforderliche Kredit zu Lasten des Reservefonds bewilligt.								
XXIV. Zuschuß zu den Kosten der Händel-Aufführungen in 1906	—	—	5 000	—	5 000	—	—	—
Zur Bestreitung des dem Verein Mainzer Liedertafel und Damengesangverein gewährten Zuschusses wurde ein Kredit von 5000 M durch Beschluß der Stadtverordneten-Versammlung vom 2. März 1906 zur Verfügung gestellt und zwar zu Lasten des Reservefonds.								
zu übertragen . . .	277 622	—	286 140	12	22 254	06	13 735	94

	Betrag nach				Mithin gegen den Voranschlag			
	dem Voranschlag		der Rechnung		mehr		weniger	
	M	Pf	M	Pf	M	Pf	M	Pf
Übertrag . . .	277 622	—	286 140	12	22 254	06	13 735	94
XXV. Zuschuß zu den Kosten der Blumen- und Pflanzen-Ausstellung des Gartenbauvereins im Monat April 1906 . . . . Der Zuschuß wurde durch Beschluß der Stadtverordneten-Versammlung vom 4. Juli 1906 zu Lasten des Reservefonds bewilligt.	—	—	400	—	400	—		
XXVI. Herstellung einer Skizze zu einem Stadtbilde. Für Herstellung einer farbigen Skizze zu einem Bilde der Stadt Mainz aus der Vogelschau wurde durch Beschluß der Stadtverordneten-Versammlung vom 11. Juli 1906 ein Kredit von 300 M bewilligt.. Da die Skizze bis zum Bücherschlusse noch nicht fertiggestellt war, wurde der Kredit mit Zustimmung der Stadtverordneten-Versammlung durch Beschluß vom 16. Oktober 1907 auf das Rechnungsjahr 1907 übertragen.	—	—	—	—	—	—	—	
XXVII. Tuberkulose-Wander-Ausstellung der Landesversicherungsanstalt Gr. Hessen . . . . Der erforderliche Kredit wurde durch Beschluß der Stadtverordneten-Versammlung vom 30. Oktober 1906 zu Lasten des Reservefonds bewilligt.	—	—	447	84	447	84	—	
XXVIII. Hochzeitsgeschenk für Seine Königliche Hoheit den Großherzog . . . . Für ein von den rheinhessischen Städten gemeinsam zu stiftendes Hochzeitsgeschenk war durch Stadtverordnetenbeschluß vom 31. Januar 1905 ein Kredit von 8930 M bewilligt worden, der aus dem Rechnungsjahre 1905 hierher übertragen worden war. Da dieses Geschenk — Porträt Ihrer Königl. Hoheit der Großherzogin — noch nicht fertiggestellt ist, wurde der Kredit mit Zustimmung der Stadtverordneten-Versammlung vom 16. Oktober 1907 auf das Rechnungsjahr 1907 weiter übertragen.	—	—	—	—	—	—	—	
XXIX. Unterstützung der Hinterbliebenen der in Reden im Saargebiet verunglückten Bergleute . . Durch Beschluß der Stadtverordneten-Versammlung vom 1. Februar 1907 wurde ein Kredit von 2000 M zu Lasten des Reservefonds eröffnet.	—	—	2 000		2 000		—	
XXX. Zuschuß zu den Kosten der Beschickung der Mannheimer Jubiläums-Gartenbau-Ausstellung durch den Handelsgärtnerverein von Mainz und Umgegend . . . . Durch Stadtverordnetenbeschluß vom 6. Februar 1907 war der erforderliche Kredit zu Lasten des Reservefonds zur Verfügung gestellt worden.	—	—	150	—	150	—	—	
Summe . . .	277 622	—	289 137	96	11 515	96	—	—

	Betrag nach				Mithin gegen den Voranschlag			
	dem Voranschlag		der Rechnung		mehr		weniger	
	M	₰	M	₰	M	₰	M	₰
25. Polizei.								
Einnahme.								
I. Zuschuß des Staates	26 900	—	26 603	65		—	296	35
Hier erscheint 1/10 der Ausgaben der Rubrik 25. I. 1 und 2; II. 1, 2 und 4 abzüglich der Einnahme von pos. II. für das Rechnungsjahr 1905 in Einnahme.								
II. Rückerstattung von Ausrüstungskosten	50	–	133	85	83	85	-	—
III. Miete von Wohnungen ꝛc. in Polizeigebäuden	3 130	—	3 088	75	—	-	41	25
Der unter dem Polizeiamtsgebäude befindliche Keller war wegen Instandsetzung im III. Quartal 1906 unvermietet, wadnech ein Mietausfall von 41 M 25 ₰ entstanden ist.								
IV. Wasenmeisterei	100	—	100	–	—	–	–	–
V. Ersatz von Verpflegungskosten Gefangener . .	450	-	298	95	—	–	151	05
VI. Ersatz von Transport- und Beerdigungskosten Verunglückter	150	—	45	65	—	-	104	35
VII. Strafen	30	—	21	30	—	-	8	70
Die Anteile der Stadt an Feldstrafen betrugen 3 M. Außerdem wurden 18 M 30 ₰ Anteile der Privaten an Feldstrafen erhoben. (Siehe die Ausgabe pos. X.)								
VIII. Gebühren für Auskunfterteilungen.	1 100	–	1 257	–	157	–	—	—
IX. Ersatz der Kosten für Wohnungsdesinfektion .	500	—	120	40	-	—	379	60
X. Verschiedene Einnahmen:								
1. Anteil der Stadt an den Gebühren für Ausfertigung von Duplikat-Arbeitsbüchern	50	–	19	—	—		31	—
Summe . . .	32 460	—	31 688	55	—	—	771	45
Ausgabe.								
I. Gehalte ꝛc. der Beamten:								
1. Polizeiamt:								
a) Gehalte und Vergütungen	50 200	-	50 047	50	—		152	50
Die erledigte Polizeischreiberstelle 1. Klasse ist von einem Hilfsarbeiter versehen worden. Die Stelle eines Hilfsarbeiters war in der Zeit vom 1. Juli bis 25. September 1906 unbesetzt. An den Vergütungen von Hilfsarbeitern sind 101 M 50 ₰ Krankengeld in Aufrechnung gebracht worden. Die hierdurch entstandenen Ersparnisse wurden um 750 M vermindert infolge Beschäftigung eines früheren Bezirkskommissärs in der Zeit vom 1. April bis 1. Oktober 1906 als Schreibgehilfe bei dem Polizeiamt, wofür durch Beschluß der Stadtverordneten-Versammlung vom 30. März 1906 ein besonderer Kredit von 1500 M zu Lasten des Reservefonds zur Verfügung gestellt worden war.								
zu übertragen . . .	50 200	-	50 047	50	—	—	152	50

	Betrag nach				Mithin gegen den Voranschlag			
	dem Voranschlag		der Rechnung		mehr		weniger	
	M	₰	M	₰	M	₰	M	₰
Übertrag . . .	50 200	—	50 047	50	—	—	152	50
b) Teuerungszulagen	—	—	1 165	66	1 165	66	—	—
Zur Bestreitung der Teuerungszulagen wurden durch Beschluß der Stadtverordneten-Versammlung vom 20. Februar 1907 die erforderlichen Mittel bewilligt.								
2. Polizeibezirke und Schutzmannschaft:								
a) Gehalte und Vergütungen	251 627	50	231 346	33	—	—	20 281	17
Die zu Beginn des Rechnungsjahres unbesetzt gewesene Bezirkskommissärstelle wurde vom 6. August 1906 ab durch einen Polizeiwachtmeister besetzt. Die hierdurch erledigte Wachtmeisterstelle gelangte am 17. August 1906 zur Besetzung mit einem Schutzmann. Unbesetzt zu Beginn des Rechnungsjahres waren zwei Schutzmannsstellen. Der Inhaber der einen Stelle starb am 26. März 1906; dessen Witwe bezog bis einschließlich 26. Juni 1906 das Sterbequartal. Dem Inhaber der anderen Stelle war das Dienstverhältnis auf den 1. April 1906 gekündigt worden. In den Ruhestand traten drei, ausgeschieden sind zwei Schutzleute. Durch die Wiederbesetzung dieser erledigten Schutzmannsstellen mit Beamten, welche geringere Bezüge erhielten, traten Ersparnisse ein. Weitere Ersparnisse entstanden durch die erst im Laufe des Rechnungsjahres erfolgten Besetzungen von 28 neugeschaffenen Schutzmannsstellen, sowie durch Abzug von Krankengeld an den Tagegeldern von 9 Schutzleuten auf Probe. Als Mehrausgaben erscheinen dagegen, infolge Vermehrung der Kriminalschutzleute von 6 auf 8 Mann vom 16. August 1906 ab, die den zwei weiteren Kriminalschutzleuten zugestandenen nicht pensionsfähigen Dienstzulagen von je 120 M jährlich.								
b) Teuerungszulagen	—	—	12 498	09	12 498	09	—	
Gleiche Erläuterung wie zu pos. I. 1 b.								
3. Feldschutz:								
a) Gehalte und Vergütungen	4 600	—	4 050	60	—	—	549	40
Mit Wirkung vom 1. Juli 1906 wurde ein Feldschütz in den Ruhestand versetzt. Die Stelle wurde vom gleichen Tage ab durch einen Hilfsschützen auf Probe besetzt.								
b) Teuerungszulagen	—	—	270	—	270	—	—	—
Gleiche Erläuterung wie zu pos. I. 1 b.								
II. Bekleidung und Ausrüstung des Aufsichtspersonals:								
1. Kleidergeld an einen Polizeikommissär	200	—	200	—	—	—	—	—
zu übertragen . . .	306 627	50	299 578	18	13 933	75	20 983	97

	Betrag nach				Mithin gegen den Voranschlag			
	dem Voranschlag		der Rechnung		mehr		weniger	
	M.	₰	M.	₰	M.	₰	M.	₰
Übertrag . . .	306 627	50	299 578	18	13 933	75	20 983	07
2. Kleidergeld an die 6 Bezirkskommissäre	1 200	—	1 130	56	—	—	69	44
In der Zeit vom 1. April bis 6. August 1906 war eine Bezirkskommissärstelle undesetzt, wodurch 69 M 44 ₰ erspart wurden.								
3. Zuschuß der Stadt zu der Kleiderkasse	14 804	—	14 147	25	—	—	656	75
4. Für Ergänzungen und Ausbesserungen von Ausrüstungsstücken einschl. 300 M für Anschaffung von Hudson'schen Signalpfeifen und 200 M für ungefähr 20 Dutzend Gummiabsätze	1 200	—	1 191	55	—	—	8	45
4a. Für die reste Ausrüstung der 28 neu eingetretenen Schutzleute	840	—	884	—	44	—	—	—
5. Vergütung für im Dienst beschädigte Uniformstücke . .	200	—	139	70	—	—	60	30
6. Für Dienstmäntel der Feldschützen	40	—	75	30	35	30	—	—
IIa. Schutzmannsschule in Darmstadt	2 000	—	2 131	40	131	40	—	—
III. Bureaukosten:								
1. Für Schreibmaterialien	1 300	—	1 440	48	140	48	—	—
2. „ Drucksachen	1 700	—	1 820	08	120	08	—	—
3. „ Zeitschriften, Bücher ꝛc.	650	—	647	92	—	—	2	08
4. „ Buchbinderarbeiten	800	—	711	—	—	—	89	—
5. „ Unterhaltung des Mobiliars	1 400	—	1 925	76	525	76	—	—
5a. „ Neuanschaffung von Mobiliar ꝛc.	1 390	—	1 357	25	—	—	32	75
5b. „ „ von Mobiliar für die neu eingestellten Beamten des Polizeiamtes (2 Nahrungsmittelkontrollbeamte und 2 Fahnder)	—	—	200	19	200	19	—	—
Durch Beschluß der Stadtverordneten-Versammlung vom 19. September 1906 wurde ein Kredit von 200 M zu Lasten des Reservefonds zur Verfügung gestellt.								
6. Für Brennmaterialien für die Ofenheizung	3 200	—	3 718	76	518	76	—	—
Zur Bestreitung der Kasten der Heizung in den neu gemieteten Räumen des Hauses Augustinerstraße Nr. 31 wurde der Kredit durch Beschluß der Stadtverordneten-Versammlung vom 19. September 1906 um 280 M zu Lasten des Reservefonds ergänzt, doch haben sich diese Mittel als nicht zureichend erwiesen.								
7. Füe Beleuchtung	3 500	—	3 846	09	346	09	—	—
Der durch Beschluß der Stadtverordneten-Versammlung vom 19. September 1906 für die Kosten der Beleuchtung in den neu gemieteten Räumen des Hauses Augustinerstraße Nr. 31 zu Lasten des Reservefonds weiter zur Verfügung gestellte Kredit von 100 M war nicht ausreichend gewesen.								
zu übertragen . . .	340 851	50	334 945	47	15 995	81	21 901	84

	Betrag nach				Mithin gegen den Voranschlag			
	dem Voranschlag		der Rechnung		mehr		weniger	
	ℳ	₰	ℳ	₰	ℳ	₰	ℳ	₰
Übertrag . . .	340 851	50	334 945	47	15 995	81	21 901	84
8. Für Reinigung	2 140	—	2 266	34	126	34	—	—
Zur Bestreitung der Kosten für die Reinigung der neu gemieteten Räume im Hause Augustinerstraße Nr. 31 wurde durch Beschluß der Stadtverordneten-Versammlung vom 19. September 1906 der Kredit um 120 ℳ zu Lasten des Reservefonds ergänzt. Erforderlich wurden nur 108 ℳ 67 ₰. Dagegen entstanden weiter für die vom 15. Dezember 1906 ab vorgenommene Reinigung des Polizeilokals am Hauptbahnhof 17 ℳ 67 ₰ Kosten								
9. Für Porto	700	—	225	57	—	—	474	43
10. Mobilienversicherung	12	—	11	60	—	—	—	40
11. Für Wasser	140	—	86	04	—	—	53	96
IV. Gebäude:								
1. Gemeinde-Grundsteuern	470	—	467	45	—	—	2	55
2. Brandversicherungsbeiträge	255	—	178	33	—	—	76	67
3. Baukosten des Polizeiamtes in der Karthäuserstraße:								
a) Unterhaltung in Dach und Fach	1 000	—	835	12	—	—	164	88
b) Miete für den I. Stock des Hauses Augustinerstraße Nr. 31	—	—	350	—	350	—	—	
Mit Zustimmung der Stadtverordneten-Versammlung durch Beschluß vom 19. September 1906 wurden die Räume im I. Stock des Hauses Augustinerstraße Nr. 31 nebst Zubehör zur Benutzung als Geschäftszimmer für eine Nebenstelle des Polizeiamtes vom 1. Oktober 1906 ab gegen eine jährliche Miete von 700 ℳ gemietet. Der erforderliche Kredit ist zu Lasten des Reservefonds zur Verfügung gestellt worden.								
c) Kosten der Herrichtung der im I. Stock des Hauses Augustinerstraße Nr. 31 gemieteten Räume . . .	—	—	477	52	477	52		
Durch Beschluß der Stadtverordneten-Versammlung vom 19. September 1906 wurde ein Kredit von 300 ℳ zu Lasten des Reservefonds bewilligt. Die entstandenen Mehrausgaben wurden durch unvorhergesehene Arbeiten bedingt.								
d) Beseitigung des Hausschwammes in den Weinkellern unter dem Polizeiamtsgebäude	—	—	782	52	782	52	—	
Für die unvorhergesehenen und unaufschiebbar gewordenen Arbeiten zur Beseitigung des Hausschwammes in den Weinkellern und die Wiederinstandsetzung des Kellers sind die nebenstehenden Kosten entstanden.								
4. Baukosten des Bezirksgebäudes in der Breidenbacherstraße:								
a) Unterhaltung in Dach und Fach	400	—	229	22	—	—	170	78
zu übertragen . . .	345 968	50	340 855	18	17 732	19	22 845	51

	Betrag nach				Mithin gegen den Voranschlag			
	dem Voranschlag		der Rechnung		mehr		weniger	
	ℳ	₰	ℳ	₰	ℳ	₰	ℳ	₰
Übertrag . . .	345 968	50	340 855	18	17 732	19	22 845	51
b) Erneuerung des Anstrichs und der Tapezierung in 2 Zimmern der Wohnung im I. Obergeschoß . . .	105	—	89	59	—	—	15	41
c) Neuanstrich des Treppenhauses	350	—	317	47	—	—	32	53
5. Baukosten des Bezirksgebäudes in der Neubrunnenstraße:								
a) Unterhaltung in Dach und Fach	400	—	249	78	—	—	150	22
b) Instandsetzen zweier Geschäftsräume der Polizei . .	130	—	81	58	—	—	48	42
c) Desgleichen der seither von Oberlehrer Kildel benutzten Wohnung einschl. Abtrennung eines Zimmers für die Oktroiverwaltung	400	—	312	49	—	—	87	51
6. Baukosten des Bezirksgebäudes in der Frauenlobstraße:								
a) Unterhaltung in Dach und Fach	400	—	116	84	—	—	283	16
b) Erneuerung des Anstrichs und der Tapezierung im Amtszimmer des Kommissärs	70	—	49	67	—	—	20	33
c) Erneuerung des Anstrichs der Außenseiten der Fenster und der Fassaden, der Tore, Türen, sowie der Gesimse und Abfallrohre	270	—	161	16	—	—	108	84
d) Erneuerung des Anstrichs in der Torfahrt . . .	100	—	89	18	—	—	10	82
7. Geschäftsräume des VI. Polizeibezirks:								
a) Miete	1 200	—	1 200	—	—	—	—	—
b) Für kleinere Ausbesserungen in den Geschäftsräumen	100	—	36	76	—	—	63	24
8. Geschäftszimmer der Polizeistelle in Zahlbach:								
a) Wohnungsentschädigung an den in Zahlbach stationierten Schutzmann für ein von seiner Wohnung als Geschäftszimmer für die dortige Polizeistelle benutztes Zimmer	50	—	50	—	—	—	—	—
9. Abfuhr von wasserhaltiger Latrinenmasse	200	—	69	96	—	—	130	04
10. Reinigung der Hausentwässerungsanlagen	100	—	83	20	—	—	16	80
11. Verzinsung und Tilgung der für Polizeigebäude aufgewendeten Kapitalien	9 786	65	9 786	65	—	—	—	—
12. Anteil an den Kosten der Errichtung einer Station am Hauptbahnhof für die Polizei-, Oktroi- und Straßenbahnverwaltung	—		3 090	—	3 090	—	—	—
Durch Beschluß der Stadtverordneten-Versammlung vom 11. Juli 1906 wurde ein Kredit von 3100 ℳ zu Lasten des Reservefonds bewilligt. Siehe auch die Erläuterung zu Rubrik 86. V. 7 — Ausgabe — der Betriebsrechnung.								
V. Gesundheitspolizei:								
1.—3. Ständige Vergütungen	4 300	—	4 300	—	—	—	—	—
4. Für Zwangsheilung von durch die Sanitätspolizei dem Hospital überwiesenen Personen	5 000	—	4 225	20	—	—	774	80
zu übertragen . . .	368 930	15	365 164	71	20 822	19	24 587	63

	Betrag nach				Mithin gegen den Voranschlag			
	dem Voranschlag		der Rechnung		mehr		weniger	
	ℳ	₰	ℳ	₰	ℳ	₰	ℳ	₰
Übertrag . . .	368 930	15	365 164	71	20 822	19	24 587	63
5. Für Pflegekosten aller in der 3. Klasse im städtischen Krankenhause verpflegten Kinder, welche nach beendigter Heilung im öffentlichen Interesse zur Verhütung der Ansteckungsgefahr noch im Krankenhause verbleiben müssen	400	—	54	—	—	—	346	
6. Für bakteriologische Untersuchungen	100	—	—	—	—	—	100	
7. Kosten der Revision der Bierdruckvorrichtungen . . .	800	—	797	55	—	—	2	45
8. Kosten der Weinkontrolle	500	—	—	—	—	—	500	—
In diesem Jahre sind der Stadt keine Kosten angefordert worden.								
9. Für Nahrungsmittel- ꝛc. Untersuchungen	600	—	375	30	—	—	224	70
10. „ Desinfektion von Wohnungen und zwar für Taglöhne, Desinfektionsmittel, sowie für Unterhaltung der Apparate, Geräte, Kleidung ꝛc.	600	—	227	25	—	—	372	75
11. Für sonstige Leistungen auf sanitätspolizeilichem Gebiet	100	—	183	44	83	44	—	—
VI. Wasenmeisterei:								
1. Gebühren des Wasenmeisters	500	—	285	25	—	—	214	75
VII. Feuerpolizei:								
1. Gebühren der Feuerstättenbesichtiger	50		48	—	—	—	2	
2. Für Reinigung der Schornsteine in sämtlichen städtischen Gebäuden mit Ausnahme der Gebäude im Schlacht- und Viehhof	750	—	807	69	57	69	—	
VIII. Verpflegung von Gefangenen:								
1. Verköstigung der inhaftierten Personen	2 600	—	3 296	66	696	66	—	
2. Für Reinigung der Häftlinge und Desinfizierung der Kleidungsstücke derselben	300	—	300	—	—	—	—	—
3. Für Beschaffung von Materialien zur Reinigung der Häftlinge und Desinfektion ihrer Kleidungsstücke, sowie zur außergewöhnlichen Reinigung der Arrestzellen . .	150	—	129	71	—	—	20	29
IX. Verschiedene Polizeiausgaben:								
1. Kosten der Ländung ꝛc. Verunglückter	250	—	45	65	—	—	204	35
2. Unterhaltung der Rettungsgeräte	50	—	—	—	—	—	50	—
3. Für dienstliche Benutzung der elektrischen Straßenbahn durch das Polizeipersonal	500	—	482	50	—	—	17	50
4. Für Anschaffung von 2 Polizeihunden sowie für Steuer und Futter für dieselben	390	—	294	43	—	—	95	57
5. Für unvorhergesehene Fälle	50	85	116	30	65	45	—	—
Unter den Ausgaben sind u. a. 39 ℳ 80 ₰ Kosten für Vertilgung von Kaninchen in der Gemarkung Mainz enthalten.								
X. Verwendung der Strafen	20	—	18	30	—	—	1	70
Summe . . .	377 641	—	372 626	74	—	—	5 014	26

	Betrag nach				Mithin gegen den Voranschlag			
	dem Voranschlag		der Rechnung		mehr		weniger	
	ℳ	₰	ℳ	₰	ℳ	₰	ℳ	₰
26. Gewerbegericht und Kaufmannsgericht.								
Einnahme.								
I. Gerichtskosten des Gewerbegerichts	150	—	237	20	87	20	—	—
II. Gerichtskosten des Kaufmannsgerichts . . .	150	—	142	65	—	—	7	35
III. Ordnungsstrafen	—		10	—	10	—	—	—
IV. Erlös aus verkauften Drucksachen	—		5	40	5	40	—	—
Aus dem Verkauf der im Druck erschienenen Broschüre „Die wesentlichsten gesetzlichen Bestimmungen über den gewerblichen Arbeitsvertrag" wurde die nebenbemerkte Einnahme erzielt.								
Summe . . .	300		395	25	95	25	—	
Ausgabe.								
I. Gemeinschaftliche Kosten.								
1. Persönliche Ausgaben:								
a) Gehalte	3 925	—	3 925	—		—	—	—
b) Teuerungszulage	—	—	60	—	60	—	—	—
Zur Bestreitung der Teuerungszulage wurden durch Beschluß der Stadtverordneten-Versammlung vom 20. Februar 1907 die erforderlichen Mittel zu Lasten des Reservefonds zur Verfügung gestellt.								
2. Sachliche Ausgaben.								
a) Für Schreibmaterialien	60	—	12	18	—	—	47	82
b) „ Unterhaltung des Mobiliars und für Neuanschaffungen	200	—	127	38	—	—	72	62
c) Für Beleuchtung	150	—	57	76	—		92	24
d) Feuerversicherungsprämie	2	50	2	13	—	—	—	37
II. Besondere Kosten des Gewerbegerichts.								
1. und 2. Vergütung an die Beisitzer für Teilnahme an den Spruchsitzungen und Zeugen- und Sachverständigen-Gebühren sowie Entschädigungen der Vertrauensmänner und Auskunftspersonen	420	—	309	60	—	—	110	40
3. Gebühren für öffentliche Zustellungen	20	—	—	—	—	—	20	—
4. Tagegelder und Reisekosten für Teilnahme an Ausschußsitzungen des Verbandes Deutscher Gewerbegerichte ꝛc. durch Mitglieder des Gewerbegerichts	100	—	105	05	5	05	—	—
5. Für Drucksachen, Bücher, Zeitschriften ꝛc.	480	—	474	22	—	—	5	78
6. „ Porto	100	—	88	84	—	—	11	16
7. Beitrag an den Verband Deutscher Gewerbegerichte für das Jahr 1907	30	—	30	—	—	—	—	—
zu übertragen . . .	5 487	50	5 192	16	65	05	360	39

	Betrag nach				Mithin gegen den Voranschlag			
	dem Voranschlag		der Rechnung		mehr		weniger	
	ℳ	₰	ℳ	₰	ℳ	₰	ℳ	₰
Übertrag . . .	5 487	50	5 192	16	65	05	360	3[illegible]
III. Besondere Kosten des Kaufmannsgerichts:								
1. und 2. Vergütung an die Beisitzer für Teilnahme an den Spruchsitzungen, Zeugen- und Sachverständigen-Gebühren	256	-	92	—		—	164	
3. Gebühren für öffentliche Zustellungen	24	-	—	—	—	—	24	
4. Für Drucksachen, Bücher, Zeitschriften ꝛc.	260	.	184	99	—	—	75	01
5. „ Porto	50	50	53	20	2	70	—	
6. Beitrag an den Verband Deutscher Gewerbegerichte . .	30	—	30	—	—	—	—	-
7. Kosten der Neuwahl der Beisitzer im Herbst 1906 . .	150		72	—	—	—	78	
Summe . . .	6 258		5 624	35	—	—	633	6[illegible]

27. Arbeitsamt.

Einnahme.

	Betrag nach				Mithin gegen den Voranschlag			
	dem Voranschlag		der Rechnung		mehr		weniger	
	ℳ	₰	ℳ	₰	ℳ	₰	ℳ	₰
I. Mieten	150		150	—	—	—	—	—
II. Zuschuß aus Staatsmitteln	700	—	700	—	—	—	—	-
Summe . . .	850	—	850	—	—	—	—	-

Ausgabe.

	Betrag nach				Mithin gegen den Voranschlag			
	dem Voranschlag		der Rechnung		mehr		weniger	
	ℳ	₰	ℳ	₰	ℳ	₰	ℳ	₰
I. 1. bis 3. Gehalte und Vergütungen ꝛc.								
a) Gehalt des Geschäftsführers und Vergütung für die Vorsteherin der Frauenabteilung sowie einen Hilfsarbeiter	5 915	-	5 915	—	—	—	—	-
b) Teuerungszulagen für die Vorsteherin der Frauenabteilung und den Hilfsarbeiter	...	—	180	—	180	—	—	—
Zur Bestreitung der Teuerungszulagen wurden durch Beschluß der Stadtverordneten-Versammlung vom 20. Februar 1907 die erforderlichen Mittel zu Lasten des Reservefonds bewilligt.								
4. Vergütungen an Deputationsmitglieder	50	—	32	-	—	-	18	—
5. Tagegelder ꝛc. für den Besuch auswärtiger Verbandsversammlungen	300		112	-	—	—	188	-
II. Bureaubedürfnisse.								
1. Für Schreibmaterialien und Drucksachen	250	—	164	22	—	—	85	78
2. „ Bücher, Zeitschriften und Buchbinderarbeiten ꝛc. .	90	—	82	70	—	—	7	30
3. „ Unterhaltung des Mobiliars	70	—	9	15	—	...	60	85
4. „ Brennmaterialien	200	—	151	65	—	—	48	35
5. „ Beleuchtung	40	-	25	57	—	—	14	43
6. „ Reinigung der Geschäftsräume	180	—	180	-	—	-	—	—
7. „ Porto und Fernsprechgebühren	70	80	53	01	—	—	17	79
8. „ Verbandsbeiträge für 1906	10	—	10	—	—	—	—	-
9. „ Feuerversicherungsprämie	1	20	1	10	—	—	—	10
zu übertragen . . .	7 177	—	6 916	40	180	—	440	6[illegible]

	Betrag nach				Mithin gegen den Voranschlag			
	dem Voranschlag		der Rechnung		mehr		weniger	
	M	Pf	M	Pf	M	Pf	M	Pf
Übertrag . . .	7 177	-	6 916	40	180	-	440	60
III. Miete und Unterhaltung der Geschäftsräume:								
1. Miete	450		450	–	–	–	–	–
2. Für kleinere Ausbesserungen in den gemieteten Räumen .	150		21	11	–	–	128	89
3. Für Wasserverbrauch und Schornsteinfegergebühren .	14	–	17	79	3	79	–	–
Summe . . .	7 791	–	7 405	30	–	–	385	70

28. Arbeiterversicherung.

Einnahme.

I. Unfallversicherung:								
1. Hebgebühren für Einziehung von Prämien der Versicherungsanstalten der Tiefbau-Berufsgenossenschaft und der Baugewerks-Berufsgenossenschaften	50		30	09	–	–	19	91
2. Hebgebühren für Einziehung der Beiträge zur land- und forstwirtschaftlichen Berufsgenossenschaft	30		17	58	–		12	42
3. Zinsen von dem Reservefonds für die städtische Bauunfallversicherung	666	68	715	16	48	48	–	–
Von den im April 1906 angelegten, aus dem Rechnungsjahr 1905 verfügbar gebliebenen 2 078 M 46 Pf waren an Zinsen bis Ende Dezember 1906 noch 48 M 48 Pf hier in Einnahme zu stellen.								
4. Zurückerstattete Beiträge zur land- und forstwirtschaftlichen Berufsgenossenschaft	–	–	2	03	2	03	–	–
Von 2 Grundstücken, die die Stadt erworben hatte, waren für das Jahr 1905 der Stadt und dem früheren Besitzer Beiträge zur genannten Berufsgenossenschaft angesetzt worden. Der der Stadt angesetzte Betrag ist zurückerstattet worden.								
Summe . . .	746	68	764	86	18	18	–	–

Ausgabe.

I. Gehalte an Angestellte	4 650	–	4 318	06	–	–	331	94
Die zu Beginn des Rechnungsjahres unbesetzt gewesene Hilfsarbeiterstelle mit 1600 M Jahresvergütung wurde in der Zeit vom 18. April bis 1. Oktober 1906 durch einen Hilfsarbeiter mit einer Jahresvergütung von 1400 M und in der Zeit vom 27. Oktober 1906 bis 1. April 1907 durch einen Hilfsarbeiter mit einer Jahresvergütung von 1500 M versehen, wodurch 324 M 44 Pf Ersparnisse entstanden sind. Eine weitere Ersparnis von 7 M 50 Pf brachte die Aufrechnung des von einem Hilfsarbeiter bezogenen Krankengeldes an dessen Vergütung.								
II. Krankenversicherung	10 300	–	10 896	33	596	33	–	–
zu übertragen . . .	14 950	–	15 214	39	596	33	331	94

	Betrag nach				Mithin gegen den Voranschlag			
	dem Voranschlag		der Rechnung		mehr		weniger	
	M.	₰	M.	₰	M.	₰	M.	₰
Übertrag . . .	14 950	—	15 214	39	596	33	331	94
III. Unfallversicherung:								
1. Kosten der Unfalluntersuchungen	100		40	43			59	57
2. Städtische Bauunfallversicherung	4 666	68	4 715	16	48	48		
Für Entschädigungen ꝛc. sind im Rechnungsjahr 1906 im ganzen 1304 M. 36 ₰ beansprucht worden. Von den vorgesehenen 4000 M. verblieben daher 2695 M. 64 ₰, welcher Betrag dem gebildeten Reservefonds zugeschlagen wurde. Ferner gingen dem Fonds noch die Zinsen für das Jahr 1906 mit 715 M. 16 ₰ zu, sodaß der Fonds nunmehr 24 537 M. 50 ₰ beträgt.								
3. Genossenschaftsbeiträge für die versicherten Arbeiter und Betriebsbeamten	3 100		2 661	65			438	35
4. Zuschüsse zum Krankengeld solcher Arbeiter, welche durch Betriebsunfälle verletzt worden sind	200		96	51			103	49
IV. Invalidenversicherung:								
1. Beiträge der Stadt für die Versicherung der Arbeiter .	6 000	-	5 912	46			87	54
Summe . . .	29 016	68	28 640	60	—	—	376	08

29. Ortsgericht.

Einnahme.

	M.	₰	M.	₰	M.	₰	M.	₰
Gebühren für die amtlichen Verrichtungen des Dieners . .	40	—	43	60	3	60	—	

In dem Betrage von 43 M. 60 ₰ sind die im Rechnungsjahr 1905 eingegangenen und in jenem Rechnungsjahr nicht verrechneten Gebühren mit 27 M. 20 ₰ enthalten. Vergl. Erläuterung im vorjährigen Rechenschaftsbericht.

Ausgabe.

	M.	₰	M.	₰	M.	₰	M.	₰
I. Gehalte ꝛc. der Angestellten:								
1. Gehaltshälfte des Dieners	700	-	700	-			—	
2. Teuerungszulage des Dieners	—	-	60	—	60		—	
Zur Bestreitung der Teuerungszulage wurde durch Beschluß der Stadtverordneten-Versammlung vom 20. Februar 1907 der erforderliche Kredit zu Lasten des Reservefonds bewilligt.								
II. Bureaubedürfnisse:								
1. Für Unterhaltung des Mobiliars	120	-	9	30	—	—	110	70
2. „ Beleuchtung	120	—	57	76	—	—	62	24
3. Feuerversicherung	14	—	13	30	—	—	—	70
Summe . . .	954	—	840	36	—	—	113	64

	Betrag nach				Mithin gegen den Voranschlag			
	dem Voranschlag		der Rechnung		mehr		weniger	
	ℳ	₰	ℳ	₰	ℳ	₰	ℳ	₰
30. Städtische Bauämter.								
Einnahme.								
I. Hochbauamt:								
1. Ersatz von Gehalten ꝛc.	43 365	—	40 712	66	—	—	2 652	34
2. Erlös aus Drucksachen	225	—	730	05	505	05	—	—
3. Miete	625	—	625	—	—	—	—	—
II. Tiefbauamt:								
1. Ersatz von Gehalten ꝛc.	58 295	—	68 533	—	10 238	—	—	—
2. Gebühren des Kreisgeometers für den Stadtbezirk	900	—	925	—	25	—	—	—
3. Ersatz der Kosten für Anfertigung von Meßbriefen ꝛc.	600	—	720	87	120	87	—	—
4. Gebühren für baupolizeiliche Verrichtungen bei der Ausführung von Neubauten	900	—	1 682	50	782	50	—	—
5. Erlös für verkaufte Drucksachen	50	—	40	65	—	—	9	35
6. Vergütung für Bauleitungen	—		932	69	932	69	—	—
Es wurden vergütet:								
a) von der Oberpostkasse für die Bauleitung gelegentlich der Ausführung des Aufbruches und der Wiederherstellung der Straßenoberflächen bei der Verlegung von unterirdischen Fernsprechleitungen . . . . 424 ℳ 28 ₰								
b) von dem Artillerie-Depot für die Bauleitung gelegentlich der Ausführung eines Anschlusses an die städtische Hafenbahn in der Rheinallee . . . . 508 „ 41 „								
Summe wie oben . . . 932 ℳ 69 ₰								
III. Amt für Baupolizei:								
1. Gebühren für Abschätzung von Grundstücken auf Antrag der Landeshypothekenbank	40	—	20	—	—	—	20	—
2. Gebühren für baupolizeiliche Verrichtungen bei der Ausführung von Neubauten	8 000	—	4 099	50	—	—	3 900	50
IV. Amt für Maschinenwesen:								
1. Erlös aus Drucksachen	10	—	—	—	—	—	10	—
Summe . . .	113 010	—	119 021	92	6 011	92	—	—
Ausgabe.								
I. Hochbauamt:								
1. Gehalte ꝛc. der Angestellten:								
a) Gehalte ꝛc.	85 555	—	79 482	29	—	—	6 072	71
Die Erhöhung der Vergütung eines Bautechnikers im Laufe des Jahres bedingte eine Mehrausgabe von 250 ℳ. Dagegen entstanden Wenigerausgaben infolge Versetzung des Buchhalters								
zu übertragen . . .	85 555	—	79 482	29	—	—	6 072	71

	Betrag nach				Mithin gegen den Voranschlag			
	dem Voranschlag		der Rechnung		mehr		weniger	
	M	₰	M	₰	M	₰	M	₰
Übertrag . . .	85 555	—	79 482	29	—	—	6 072	71
in den Ruhestand, Versehung der Bauschreiberstelle von einem Hilfsarbeiter und einer Bauaufseherstelle in der Zeit vom 1. April bis 31. Dezember 1906 durch einen Bauaufseher auf Probe mit einer Jahresvergütung von 1800 M, sowie ferner durch den Dienstaustritt eines Bautechnikers und Aufrechnung von Krankengeld an den Vergütungen von Hilfsarbeitern. Des weiteren wurden von dem Kredit für Einstellen weiterer Hilfsarbeiter für voraussichtlich durch das Hochbauamt zu bearbeitende Projekte im Betrage von 5000 M nur 784 M 65 ₰ beansprucht.								
b) Teuerungszulagen			1 157	—	1 157	—		
Zur Bestreitung der Teuerungszulagen wurden durch Beschluß der Stadtverordneten-Versammlung vom 20. Februar 1907 die erforderlichen Mittel bewilligt.								
2. Bureaubedürfnisse:								
a) Schreib- und Zeichenmaterialien	1 200	—	1 309	91	109	91		
b) Drucksachen	1 000	—	1 582	82	582	82	—	
Den Mehrausgaben stehen auch Einnahmen bei pos. I. 2. gegenüber.								
c) Zeitschriften und Bücher	450	—	456	42	6	42	—	—
d) Buchbinderarbeiten	300	—	376	15	76	15	—	
e) Unterhaltung und Ergänzung des Mobiliars . . .	350	—	367	71	17	71	—	—
f) Porti, Fracht rc.	250		237	36	—	—	12	64
g) Brennmaterialien für die Heizung im Hause Klarastraße 15	1 000	—	893	95	—	—	106	05
h) Für die Beleuchtung in demselben Hause	800		598	43	—	—	201	57
i) „ den Wasserverbrauch in demselben Hause . .	60	—	24	60	—	—	35	40
k) „ die Reinigung der sämtlichen Geschäftsräume in diesem Hause	890	—	785	83	—	—	104	17
l) Für Abfuhr wasserhaltiger Latrine	100	—	81	05	—	—	18	95
m) „ dienstliche Benutzung der Straßenbahn durch Beamte des Hochbauamtes	150	—	179	55	29	55	—	—
3. Miete für die Geschäftsräume	4 200	—	4 200	—	—	—	—	—
4. Kosten der baulichen Unterhaltung, soweit dieselben von der Stadt als Mieterin zu tragen sind	200	—	238	58	38	58	—	—
4a. Vergrößerung der Bureauräume 13 und 14 durch Entfernen der Wandschränke	320	—	323	73	3	73	—	—
4b. Instandsetzen des Druckraumes	80	—	79	31	—	—	—	69
5. Feuerversicherungsprämie	20	—	19	24	—	—	—	76
zu übertragen . . .	96 925	—	92 393	93	2 021	87	6 552	94

	Betrag nach				Mithin gegen den Voranschlag			
	dem Voranschlag		der Rechnung		mehr		weniger	
	ℳ	₰	ℳ	₰	ℳ	₰	ℳ	₰
Übertrag . . .	96 925	—	92 393	93	2 021	87	6 552	94
II. Tiefbauamt:								
1. Gehalte 2c. der Angestellten:								
a) Gehalte und Vergütungen	109 623	75	107 827	75	—	—	1 796	—
Im Lonse des Johres traten zwei Ingenieure und ein Zeichner aus dem Dienste aus. Neu eingetreten ist ein Hilfsgeometer und ein Geometerzeichner. Hierdurch sowie infolge Versehung der Bauschreiberstelle durch einen Hilfsarbeiter mit einer Jahresvergütung von 1400 ℳ traten Ersparnisse ein. Ferner wurden durch den Abzug von Krankengeld an der Vergütung eines Bauaufsehers und eines Geometergehilfen 40 ℳ weniger verausgabt.								
b) Teuerungszulagen	—	—	2 055	16	2 055	16	—	—
Gleiche Erläuterung wie zu pos. I 1 b.								
2. Bureaubedürfnisse:								
a) Schreib- und Zeichenmaterialien	1 200	—	1 043	14	—	—	156	86
b) Drucksachen	800	—	789	85	—	—	10	15
c) Zeitschriften und Bücher	250	—	250	30	—	30	—	—
d) Buchbinderarbeiten	250	—	251	90	1	90	—	—
e) Unterhaltung und Ergänzung des Mobiliars . . .	400	—	662	59	262	59	—	—
f) Porti, Fracht 2c.	250	—	218	55	—	—	31	45
g) Brennmaterialien für die Heizung im Hause Stiftstraße Nr. 3	1 600	—	828	84	—	—	771	16
h) Für die Beleuchtung in demselben Hause ausschl. der Beleuchtung der Geschäftsräume des Ortsgerichts und Gewerbegerichts	750	—	647	27	—	—	102	73
i) Für den Wasserverbrauch in demselbeu Hause . . .	100	—	38	64	—	—	61	36
k) „ die Reinigung desselben Hauses	950	—	956	56	6	56	—	—
l) „ dienstliche Benutzung der elektrischen Straßenbahn durch Beamte des Tiefbauamtes	250	—	160	40	—	—	89	60
m) Füe Beschaffung einer Uhr für das Bureou . . .	50	—	50	—	—	—	—	—
3. Gebäude in der Stiftstraße:								
a) Gemeinde-Grundsteuern	—	—	—	—	—	—	—	—
b) Brandversicherungsbeiträge	101	—	70	21	—	—	30	79
c) Unterhaltung in Dach und Fach	380	—	523	94	143	94	—	—
Zwecks Schaffung eines größeren Raumes zur Unterdringung des Personals für die Bearbeitung der Kanalprojekte für Mombach und das Stadterweiterungsgebiet wurde eine Zwischenwand im Parterrestock des Dienstgebäudes beseitigt, wodurch ein kleiner, als Dienstzimmer vorgesehener und zu anderen Zwecken wenig brauch-								
zu übertragen . . .	213 879	75	208 769	03	4 492	32	9 603	04

	Betrag nach				Mithin gegen den Voranschlag			
	dem Voranschlag		der Rechnung		mehr		weniger	
	ℳ	₰	ℳ	₰	ℳ	₰	ℳ	₰
Übertrag . . .	213 879	75	208 769	03	4 492	32	9 603	04
barer Raum mit dem nebenan liegenden Zimmer verbunden und auf diese Weise ein größerer Zeichensaal geschaffen wurde. Durch diese Herstellungen ist die Mehrausgabe bedingt.								
d) Unterhaltung der Zentralheizung	100	—	81	80	—	—	18	20
e) Unterhaltung der Fernsprechanlage innerhald des Hauses	20	—	64	50	44	50	—	—
Durch Beschaffung von 18 Ersatzelementen wurde die Mehrausgabe verursacht.								
f) Reinigung der Hausentwässerungsanlage	30	—	23	40	—	—	6	60
g) Für Abfuhr wasserhaltiger Latrinenmasse	100	—	30	98	—	—	69	02
h) Überwachungsgebühr für die Abortgrube	10	—	10	—	—	—	—	—
4. Verzinsung und Tilgung der Kosten des Verwaltungsgebäudes in der Stiftstraße	5 947	67	5 947	67	—	—	—	
5. Feuerversicherungsprämie	13	58	19	08	5	50	—	—
6. Uneindringliche Gebühren für baupolizeiliche Verrichtungen	—	—	6	—	6	—	—	
Verausgabung genehmigt durch Beschluß der Stadtverordneten-Versammlung vom 16. Oktober 1907.								
III. Amt für Baupolizei:								
1. Gehalte ꝛc. der Angestellten:								
a) Gehalte	13 862	50	14 062	50	200	—	—	—
Infolge Gewährung der Bauzulage an einen Bauaufseher durch Beschluß der Stadtverordneten-Versammlung vom 30. Mai 1906 entstanden 200 ℳ Mehrausgaben.								
b) Teuerungszulagen	—	—	240	—	240	—	—	—
Gleiche Erläuterung wie zu pos. I. 1 b.								
2. Bureaubedürfnisse:								
a) Schreib- und Zeichenmaterialien	180	—	37	—	—	—	143	—
b) Drucksachen	60		17	50	—	—	42	50
c) Zeitschriften und Bücher	130	—	126	85	—	—	3	15
d) Buchbinderarbeiten	40	—	13	60	—	—	26	40
e) Unterhaltung und Ergänzung des Mobiliars . . .	220	—	166	23	—	—	53	77
f) Für Porti	20	50	6	99	—	—	13	51
3. Uneinbringliche Feuerstättenbesichtigungsgebühren . . .	—	—	1	92	1	92	—	—
Verausgabung genehmigt durch Beschluß der Stadtverordneten-Versammlung vom 16. Oktober 1907.								
IV. Amt für Maschinenwesen:								
1. Gehalte ꝛc. der Angestellten:								
a) Gehalte	14 800	—	11 600	—	—	—	3 200	—
Von einer Besetzung der freigewordenen Maschinen-Ingenieur-Stelle wurde abgesehen.								
zu übertragen . . .	249 414	—	241 225	05	4 990	24	13 179	19

	Betrag nach				Mithin gegen den Voranschlag			
	dem Voranschlag		der Rechnung		mehr		weniger	
	ℳ	₰	ℳ	₰	ℳ	₰	ℳ	₰
Übertrag . . .	249 414	—	241 225	05	4 990	24	13 179	19
b) Teuerungszulagen	—	—	120	—	120	—	-	-
Gleiche Erläuterung wie zu pos. I. 1 b.								
2. Bureaubedürfnisse:								
a) Schreib- und Zeichenmaterialien	200	—	46	71	—	—	153	29
b) Drucksachen	100		108	91	8	01	—	—
c) Zeitschriften und Bücher	175	—	120	—	—	—	55	
d) Buchbinderarbeiten	75	—	32	55	—	—	42	45
e) Unterhaltung und Ergänzung des Mobiliars . . .	150	—	260	89	110	89	—	—
f) Für Porti, Fracht, sowie für Benutzung der Straßenbahn	100	—	89	70	—	—	10	30
g) „ Heizung	-	—	147	30	147	30	—	—
h) „ Beleuchtung	—	—	68	11	68	11	—	—
Hier erscheinen die Kosten für die Heizung und Beleuchtung der seit 23. Juli 1906 nach dem Hause Stadthausstraße Nr. 23/25 verlegten Geschäftsräume in Ausgabe.								
3. Miete für die Geschäftsräume im Hause Stadthausstraße Nr. 23/25	—	-	482	22	482	22		
Für die vom 23. Juli 1906 ab zu zahlende Miete von jährlich 700 ℳ hat die Stadtverordneten-Versammlung durch Beschluß vom 20. Juni 1906 die erforderlichen Mittel zu Lasten des Reservefonds bewilligt. — Vergleiche auch die Erläuterung bei Rubrik 24 pos. IX. C. 1.								
Summe . . .	250 214	—	242 701	44	—	—	7 512	56
34. Ruhegehalte, Witwen- und Waisenversorgung.								
Ausgabe.								
I. Ruhegehalte an städtische Angestellte	66 266	14	68 191	97	1 925	83	—	.
Im Rechnungsjahr 1906 sind drei Schutzleute, ein Feldschütz, ein Vollziehungsbeamter, der Stadtkassediener und der Buchhalter beim Hochbauamt in den Ruhestand versetzt worden. Von den Pensionären starben vier.								
II. Zuschuß zur Witwen- und Waisenkasse	62 200	-	60 613	17	—	—	1 586	83
III. Rentenzuschüsse, sowie Witwen- und Waisengelder an städtische Bedienstete und Arbeiter und deren Hinterbliebene	17 400	—	16 938	04	—	—	461	96
Bezahlt wurden Rentenzuschüsse 7 801 ℳ 62 ₰ und Witwen- und Waisengelder 9 136 ℳ 42 ₰.								
Außer den im Voranschlag vorgesehenen Rentenzuschüssen ꝛc. wurden im Rechnungsjahr 1906 Rentenzuschüsse an weitere neun								
zu übertragen . . .	145 866	14	145 743	18	1 925	83	2 048	79

	Betrag nach				Mithin gegen den Voranschlag			
	dem Voranschlag		der Rechnung		mehr		weniger	
	ℳ	₰	ℳ	₰	ℳ	₰	ℳ	₰
Übertrag . . .	145 866	14	145 743	18	1 925	83	2 048	79
Arbeiter sowie Witwen- und Waisengelder an die Hinterbliebenen von zehn verstorbenen Arbeitern bewilligt. Drei Rentenzuschuß-Empfänger und zwei Witwengeld-Bezugsberechtigte sind gestorben.								
IV. Unterstützungen	2 990	–	2 848	68	–	–	141	32
Die Lehrerin i. P. Auguste von Cordier und der Theaterarbeiter Wilhelm Simon, welche jährliche Unterstützungen von 400 ℳ und 120 ℳ bezogen, sind im Laufe des Rechnungsjahres gestorben. Durch Beschluß der Stadtverordneten-Versammlung vom 19. September 1906 wurde einem arbeitsunfähig gewordenen Taglöhner eine jährliche Unterstützung von 240 ℳ mit Wirkung vom 27. Juli 1906 zugebilligt. Ferner wurde durch Stadtverordnetenbeschluß vom 1. Februar 1907 den beiden minderjährigen Kindern der am 15. August 1906 verstorbenen Elise Koru Witwe, welche während der Sommermonate der Jahre 1896 bis 1906 als Saisonarbeiterin bei der Stadtgärtnerei beschäftigt war, in Form einer Unterstützung ein Waisengeld von jährlich je 53 ℳ 35 ₰ vom 15. August 1906 ab bewilligt. Die Zahlung dieser Waisengelder endete für das eine Kind am 16. Dezember 1906. Für das andere Kind soll die Zahlung bis längstens zum 13. August 1910 erfolgen.								
Summe . . .	148 856	14	148 591	86	–	–	264	28

35. Stiftungen und Vermächtnisse.

Einnahme.

	ℳ	₰	ℳ	₰	ℳ	₰	ℳ	₰
I. Stiftungen zur Unterstützung von Armen . .	8 738	45	8 950	57	212	12	–	–
Durch Zugang des Vermächtnisses des Großh. Ober-Appellations- und Kassationsgerichtsrats i. P. Dr. Jos. Röder ist eine Mehreinnahme von 300 ℳ entstanden. Dagegen sind die Zinsen eines Sparkassegutxhabens der Arens-Braunrasch'schen Stiftung nicht mehr, wie im Voranschlag vorgesehen, bis Ende März 1907, sondern nur bis Ende Dezember 1906 verrechnet worden, wodurch sich ein Ausfall von 87 ℳ 88 ₰ ergab.								
II. Stiftungen zur Unterstützung von Witwen . .	796	77	797	13	–	36	–	–
Durch höheren Erlös für die Zinsscheine der Österreichischen Staatsbahnprioritäten der Valentin Pfister-Stiftung ist die Mehreinnahme entstanden.								
III. Stiftungen zum Besten von Waisen	1 090	34	1 090	34	–	–	–	–
zu übertragen . . .	10 625	56	10 838	04	212	48	–	–

	Betrag nach				Mithin gegen den Voranschlag			
	dem Voranschlag		der Rechnung		mehr		* weniger	
	ℳ	₰	ℳ	₰	ℳ	₰	ℳ	₰
Übertrag . . .	10 625	56	10 838	04	212	48	—	—
V. Stiftungen zur Unterstützung von Handwerkern	2 989	24	2 995	24	6	—	—	—
Durch höheren Erlös für die Zinsscheine der Österreichischen Staatsbahnprioritäten der Simon Lorch-Stiftung sind 6 ℳ mehr vereinnahmt worden.								
VI. Stiftungen für Bildungszwecke	5 129	40	5 129	40	—	—	—	—
VIII. Vermächtnisse zur Errichtung einer Blindenanstalt	3 928	50	3 928	50	—	—	—	—
IX. Fonds zur Unterstützung von Wasserbeschädigten	1 645	03	1 627	53	—	—	17	50
Infolge Auszahlung einer Unterstützung von 1500 ℳ aus dem Fonds-Kapital (siehe Rubrik 35 — Ausgabe — der Vermögensrechnung) am 1. November 1906 an einen durch einen wolkenbruchartigen Regen geschädigten Gärtnereibesitzer ist die geringere Zinsen-Einnahme entstanden.								
X. Fonds zur Unterstützung der durch die Pulverexplosion vom 18. November 1857 Beschädigten	756	86	756	86	—	—	—	—
XI. Stiftungen zur Pflege der Musik	1 806	98	1 806	98	—	—	—	—
XII. Jean Baptiste und Wilhelm Hofmann'sche Stiftung:								
1. Zinsen von angelegten Kapitalien	12 374	81	12 362	54	—	—	12	27
Durch höheren Erlös für die Zinsscheine der Österreichischen Staatsbahnprioritäten sind 14 ℳ 92 ₰ und durch anderweite verzinsliche Anlage des Erlöses einer auf den 1. September 1906 ausgelosten Schuldverschreibung sind weitere 4 ℳ 72 ₰ mehr vereinnahmt worden. Diesen Mehreinnahmen steht ein Zinsenausfall von 31 ℳ 91 ₰ gegenüber, da die unter pos. B b. des Voranschlags bemerkte Hypothek erst im Laufe des Jahres zur Auszahlung gelangen konnte und die Mittel dieser 4%igen Hypothek vorher nur zu $3^1/_2$% verzinslich angelegt waren.								
2. Zurückzuempfangende Kapitalien	—	—	3 405	—	3 405	—	—	—
Die 3%ige Schuldverschreibung der k. k. privil. österr. Staatseisenbahn Nr. 866 141 über 500 Frs. wurde auf den 1. September 1906 zur Rückzahlung ausgelost. Der Erlös mit 405 ℳ erscheint hier in Einnahme. Ferner erscheinen noch 3 000 ℳ in Einnahme, welche aus dem Sparkassenguthaben der Stiftung zur teilweisen Beschaffung der Mittel für die vorerwähnte Hypothek abgehoben worden sind.								
zu übertragen . . .	39 256	38	42 850	09	3 623	48	29	77

	Betrag nach				Mithin gegen den Voranschlag			
	dem Voranschlag		der Rechnung		mehr		weniger	
	ℳ	₰	ℳ	₰	ℳ	₰	ℳ	₰
Übertrag . . .	39 256	38	42 850	09	3 623	48	29	77
XIII. Simon Blad'sche Stiftung:								
1. Zinsen von angelegten Kapitalien	9 318	60	9 310	90	—	—	7	70
Wie aus den Erläuterungen auf Seite 345 des vorjährigen Rechenschaftsberichts zu entnehmen ist, waren aus dem Sparkasseguthaben 264 ℳ 34 ₰ abgehoben worden. Die Abhebung erfolgte nach Aufstellung des Voranschlags für 1906 am 1. März 1906, wodurch die Wenigereinnahme an Zinsen bedingt ist.								
2. Zurückzuempfangende Kapitalien	—	—	587	25	587	25	—	—
Hier ist eine Abtragung von 500 ℳ auf die im Voranschlag unter B. pos. e aufgeführte Hypothek vereinnahmt, welche Teilzahlung alsbald bei der Städtischen Sparkasse verzinslich angelegt worden ist.								
Ferner wurden der Stadtkasse von der Städtischen Stiftungsdeputation weitere 2 ℳ 50 ₰ überwiesen und ein Erbschaftssteuerersatz von 80 ℳ noch vereinnahmt. Diese beiden letzten Einnahmen, welche dem Stiftungsvermögen noch zuzuführen waren, reichten aber zur Deckung des auf die Stadt Mainz entfallenden Anteils des Stempels für die endgiltige Erbauseinandersetzungsurkunde im Betrage von 87 ℳ 25 ₰ nicht aus, so daß von dem Sparkasseguthaben noch 4 ℳ 75 ₰ abgehoben werden mußten, die ebenfalls hier zu vereinnahmen waren.								
XIV. Simon Kapp'sches Vermächtnis.								
1. Zinsen von angelegten Kapitalien	18 000	—	17 946	26	—	—	53	74
Für die Zinsscheine der Schuldverschreibungen der k. k. priv. österr. Staatseisenbahngesellschaft wurden zwar 24 ℳ 84 ₰ mehr vereinnahmt als im Voranschlag vorgesehen. Da aber die Zinsen nicht sämtlich alsbald nach Eingang verzinslich angelegt, sondern, wie aus den Erläuterungen zur Ausgabe zu entnehmen ist, zum Teil zu anderen Zwecken verwendet worden sind, wurde der im Voranschlag vorgesehene Betrag nicht erreicht.								
2. Zurückzuempfangende Kapitalien	—	—	399	50	399	50	—	—
Hier erscheint der Erlös einer auf den 1. November 1906 zur Rückzahlung ausgelosten 4%igen Schuldverschreibung der k. k. priv. österr. Staatseisenbahngesellschaft in Einnahme.								
XV. Zinsen von den f. Z. in die Stadtkasse geflossenen Stiftungskapitalien	9 866	53	9 866	53	—	—	—	—
Summe . . .	76 441	51	80 960	53	4 519	02	—	—

	Betrag nach				Mithin gegen den Voranschlag			
	dem Voranschlag		der Rechnung		mehr		weniger	
	ℳ	₰	ℳ	₰	ℳ	₰	ℳ	₰
Ausgabe.								
I. Stiftungen zur Unterstützung von Armen . . .	14 135	46	14 044	08	—	—	91	38
Die unter pos. 7 des Voranschlags aufgeführte Zinsenbezugsberechtigte ist am 27. August 1907 gestorben. Der unter dieser Position vorgesehene Kredit von 3 ℳ 50 ₰ für Aufbewahrung der Wertpapiere ist deshalb nicht in Anspruch genommen worden. Die durch die Aufbewahrung der Wertpapiere entstandenen Kosten sind vielmehr aus dem Erträgnis der betreffenden Stiftung bestritten worden. Ferner sind entsprechend dem Einnahmeergebnis bei der „Arens-Braunrasch'schen Stiftung“ 87 ℳ 88 ₰ weniger verteilt worden.								
II. Stiftungen zur Unterstützung von Witwen . .	1 705	35	1 705	39	—	04		–
Bei der Pfister-Stiftung konnte die Mehreinnahme nicht ganz verteilt werden, da bei der Verteilung der Erlös für die März-Zinsscheine der Österreichischen Staatsbahnprioritäten nicht bekannt war.								
III. Stiftungen zum Besten von Waisen	1 227	48	1 227	48	—	-	—	—
IV. Vermächtnisse zur Gewährung von Heiratsaussteuern	1 028	57	1 028	57	—	—	—	—
V. Stiftungen zur Unterstützung von Handwerkern	7 074	57	7 080	57	6	—	—	—
Die Mehrausgabe entspricht der Mehreinnahme.								
VI. Stiftungen für Bildungszwecke	6 405	71	6 260	81	—	—	144	90
Das Zinsenerträgnis der Schion-Spende gelangt erst zur Auszahlung, nachdem der damit Bedachte in ein Lehrerseminar eingetreten ist. Mit Zustimmung der Stadtverordneten-Versammlung vom 16. Oktober 1907 wurde daher der verfügbare Betrag von 144 ℳ 90 ₰ auf das Rechnungsjahr 1907 übertragen.								
VII. Dotation der Sparkasse.	137	14	137	14	—	—	—	—
VIII. Vermächtnisse zur Errichtung einer Blindenanstalt.	3 928	50	3 928	50	—	—	—	—
IX. Fonds zur Unterstützung von Wasserbeschädigten	1 645	03	1 627	53	—	—	17	50
Infolge geringerer Zinsen-Einnahme waren 17 ℳ 50 ₰ weniger zu kapitalisieren.								
X. Fonds zur Unterstützung der durch die Pulverexplosion am 18. November 1857 Beschädigten:								
1. Renten	1 800	08	1 800	08	—	—	—	—
2. Portoauslagen	18	81	16	30	—	—	2	31
XI. Stiftungen zur Pflege der Musik	1 831	40	1 831	40	—	--	—	—
zu übertragen . . .	40 938	10	40 687	35	6	04	256	29

	Betrag nach				Mithin gegen den Voranschlag			
	dem Voranschlag		der Rechnung		mehr		weniger	
	ℳ	₰	ℳ	₰	ℳ	₰	ℳ	₰
Übertrag . . .	40 938	10	40 687	85	6	04	256	29
XII. Jean Baptiste und Wilhelm Hofmann'sche Stiftung:								
1. Lebenslängliche Renten	2 000	—	2 000	—	—	—	—	
2. Unterhaltung der Grabstätten	200	—	200	—	—	—	—	
3. Verwaltungskosten	115	—	103	50	—	—	11	50
4. Verteilung der Zinsen	10 059	81	9 630	—	—	—	429	81
Ein Teil des Zinsenerträgnisses aus dem Rechnungsjahr 1906 in Höhe von 1257 ℳ 39 ₰ gelangt erst im Rechnungsjahr 1907 zur Auszahlung. Lant Stadiverordnetenbeschluß vom 16. Oktober 1907 ist daher ein Betrag von 1257 ℳ 39 ₰ auf das Rechnungsjahr 1907 übertragen worden. Dagegen erscheint hier ein Teil des Zinsenerträgnisses aus dem Rechnungsjahr 1905 mit 828 ℳ 35 ₰ in Ausgabe, wofür aus dem Vorjahr ein entsprechender Kredit übertragen worden war. Mithin sind 429 ℳ 04 ₰ mehr auf das nächste Jahr übertragen worden, als vom Vorjahr übernommen. Diesen Unterschied an den unter pos. 3 und 4 bemerkten Wenigerausgaben von 11 ℳ 50 ₰ und 429 ℳ 81 ₰ in Abzug gebracht, ergidt den Betrag der Wenigereinnahme von 12 ℳ 27 ₰.								
5. Auszuleihende Kapitalien	—	—	22 405	—	22 405	—	—	—
Der Rest des für den Neubau Boppstraße Nr. 44 begebenen Darlehens gelangte mit 22 000 ℳ am 24. September 1906 zur Auszahlung. Zur Bestreitung dieses restlichen Darlehens wurden von dem Sparkassenguthaben der Stiftung 3000 ℳ abgehoben. Für die weiteren 19 000 ℳ stand ein Kreditübertrag aus dem Rechnungsjahr 1905 zur Verfügung. Verausgabt ist ferner der bei der Städtischen Sparkasse vom 1. September 1906 ab angelegte Erlös einer 3 %igen Schuldverschreibung der k. k. privil. Österr. Staatseisenbahn von 405 ℳ. Vergl. auch die Erläuterung bei der Einnahme.								
XIII. Simon Black'sche Stiftung:								
1. Lebenslängliche Rente	1 200	—	1 200	—	—	—	—	—
2. Verwaltungskosten	25	—	25	—	—	—	—	
3. Verteilung der Zinsen	8 093	60	8 085	90	—	—	7	70
Infolge geringerer Einnahme waren 7 ℳ 70 ₰ weniger zu verteilen.								
4. Auszuleihende Kapitalien ꝛc.	—	—	587	25	587	25	—	—
Wie aus der Erläuterung zur Einnahme zu entnehmen ist, erscheinen hier in Ausgabe der bei der Städtischen Sparkasse verzinslich angelegte Betrag von 500 ℳ und der der Stadt Mainz noch zur Last gesetzte Anteil des Stempels für die endgültige Erbauseinandersetzungsurkunde mit 87 ℳ 25 ₰.								
zu übertragen . . .	62 631	51	84 924	50	22 998	29	705	30

	Betrag nach				Mithin gegen den Voranschlag			
	dem Voranschlag		der Rechnung		mehr		weniger	
	ℳ	₰	ℳ	₰	ℳ	₰	ℳ	₰
Übertrag . . .	62 631	51	84 924	50	22 998	29	705	30
XIV. Simon Kapp'sches Vermächtnis:								
1. Verwaltungskosten	200	—	149	—	—	—	51	—
1a. Aufstellung eines Grabsteins für Simon Kapp . . .	—	—	1 804	54	1 804	54	—	—
Nach den Testamentsbestimmungen war die Stadt verpflichtet, ungefähr 2000 ℳ für Aufstellung eines Grabsteins für Simon Kapp zu verwenden. Der für diesen Zweck entworfene Plan und Kostenanschlag wurde durch Beschluß der Stadtverordneten-Versammlung vom 13. Dezember 1905 genehmigt.								
1b. Nachträgliche Forderung des Dienstmädchens des Simon Kapp	—	—	47	15	47	15	—	—
Für gestellte Kost und Wohnung von dem Tag der Lösung des Dienstverhältnisses (22. Juli 1903) bis zum Eintritt in ein anderes Dienstverhältnis (1. September 1903) wurde dem Dienstmädchen des Simon Kapp nachträglich noch eine Vergütung von 1 ℳ 15 ₰ pro Tag zugewiesen.								
1c. Fonds für die Grabunterhaltung	—	—	2 300	—	2 300	—	—	—
Nach den Testamentsbestimmungen ist die Stadt verpflichtet, die Grabstätte der Brüder Kapp stets ordentlich zu erhalten. Aus den Zinseneinnahmen des Vermächtnisses wurde daher bei der Städtischen Sparkasse ein Betrag von 2300 ℳ angelegt, dessen Zinsen zur Deckung der Unterhaltungskosten der Grabstätte der Brüder Kapp verwendet werden. Die Zinsen werden unter Rubrik 40. V. vereinnahmt.								
1d. Unterhaltung der Grabstätte	—	—	12	—	12	—	—	—
Für gärtnerische Unterhaltung der Grabstätte von David und Simon Kapp in 1905/06 waren noch 12 ℳ zu zahlen.								
2. Verwendung der Zinsen	17 800	—	13 633	57	—	—	4 166	43
In der Sitzung der Stadtverordneten-Versammlung vom 13. Juni 1906 wurde die Errichtung einer Auskunfts- und Fürsorgestelle für Lungenkranke beschlossen und gleichzeitig bestimmt, daß aus dem Zinsenerträgnis des Kapp'schen Vermächtnisses jährlich 6000 ℳ für diesen Zweck zur Verfügung gestellt werden sollen. Die durch die Errichtung dieser Auskunfts- und Fürsorgestelle entstehenden Ausgaben werden in der Rechnung der Armen-Deputation verrechnet. Die dem Rechner der Armen-Deputation für das Rechnungsjahr 1906 überwiesenen 6000 ℳ erscheinen hier in Ausgabe. Die weiter verausgabten 7633 ℳ 57 ₰ bilden das restlich verfügbare Zinsenerträgnis, das dem Kapitalvermögen durch verzinsliche Anlage bei der Städtischen Sparkasse zugeschlagen worden ist.								
zu übertragen . . .	80 631	51	102 870	76	27 161	98	4 922	73

	Betrag nach				Mithin gegen den Voranschlag			
	dem Voranschlag		der Rechnung		mehr		weniger	
	ℳ	₰	ℳ	₰	ℳ	₰	ℳ	₰
Übertrag . . .	80 631	51	102 870	76	27 161	98	4 922	73
3. Auszuleihende Kapitalien	—	—	399	50	399	50	—	—
Der Erlös einer ausgelosten 4 %igen Schuldverschreibung der k. k. privil. Österr. Staatseisenbahn, siehe pos. 2 der Einnahme, ist vom 1. November 1906 ab bei der Städtischen Sparkasse verzinslich angelegt worden.								
Das Stiftungskapital hat sich im Rechnungsjahr 1906 um 7633 ℳ 07 ₰ erhöht.								
Summe . . .	80 631	51	103 270	26	22 638	75	—	—
36. Armen- und Krankenpflege.								
Einnahme	72	—	70	—	—	—	2	—
Entsprechend der Ausgabe waren hier nur 70 ℳ zu vereinnahmen.								
Ausgabe.								
I. Zuschuß zur Armenpflege	204 625	75	169 076	54	—	—	35 549	21
Die Verwaltungs-Rechenschaft der Armen- und der Hospizien-Deputation wird besonders erstattet. Hierzu wird noch bemerkt, daß durch Beschluß der Stadtverordneten-Versammlung vom 4. Juli 1906 zur Bestreitung der Mehraufwendungen infolge Änderung der Bestimmungen über die Bemessung von Armenunterstützungen ein weiterer Kredit von 12 000 ℳ zu Lasten des Reservefonds zur Verfügung gestellt worden war.								
II. Beiträge zu den Unterrichts- und Verpflegungskosten armer taubstummer Kinder	72	—	70	—	—	—	2	—
Der Beitrag der Stadt zu den Unterrichts- und Verpflegungskosten der in der Taubstummen-Anstalt zu Friedberg untergebrachten Wilhelmine Mahr von jährlich 72 ℳ war nur für die Zeit vom 1. April 1906 bis einschließlich 20. März 1907 zu entrichten.								
Summe . . .	204 697	75	169 146	54	—	—	35 551	21
37. Unterstützung gemeinnütziger Vereine und Anstalten.								
Einnahme	1 257	15	1 227	15	—	—	30	—
Ausgabe	1 257	15	1 227	15	—	—	30	—
Der Beitrag an den Zentralverein für Hebung der deutschen Fluß- und Kanalschiffahrt von jährlich 30 ℳ wurde in 1906/07 nicht angefordert.								
40. Friedhof.								
Einnahme.								
I. Grabgebühren:								
1. Grabgebühren	3 500	—	3 632	—	132	—	—	—
2. Für Vertiefung von Grabstätten ꝛc.	700	—	799	20	99	20	—	—
II. Ertrag der Familienbegräbnisse:								
1. Einnahme aus verkauften Grabstätten	11 030	—	12 296	—	1 266	—	—	—
zu übertragen . . .	15 230	—	16 727	20	1 497	20	—	—

	Betrag nach				Mithin gegen den Voranschlag			
	dem Voranschlag		der Rechnung		mehr		weniger	
	ℳ	₰	ℳ	₰	ℳ	₰	ℳ	₰
Übertrag . . .	15 230	—	16 727	20	1 497	20	—	—
2. Grabgrundzinsen	704	—	695	65	—	—	8	35
Gegen das Vorjahr hat sich das Soll infolge Niederschlagung von Posten um 21 ℳ verringert.								
3. Gebührenanteil der Stadt für Ausmessung 2c. von Gräbern	246	40	324	94	78	54	—	—
III. Verbringung der Leichen nach den Friedhöfen .	3 500	—	3 500	—	—	—	—	—
IV. Feuerbestattung:								
1. Anteile der Stadt an den Gebühren für die Feuerbestattung	800	—	1 157	—	357	—	—	—
2. Sonstige Beitragsleistungen des Vereins f. Feuerbestattung:								
a) Zuschuß zum Gehalt des 2. Friedhofaufsehers . .	300	—	300	—	—	—	—	—
b) Beitrag zu den Kosten der gärtnerlichen Unterhaltung der Anlagen am Krematorium und des Urnenhains .	200	—	200	—	—	—	—	—
V. Stiftungen zur Unterhaltung von Grabstätten	2 552	01	2 607	71	55	70	—	—
Die in der Betriebsrechnung unter Rubrik 35. XIV. — Ausgabe — mit 2300 ℳ und in der Vermögensrechnung unter Rubrik 35. I. — Ausgabe — mit 1000 ℳ verrechneten neu zugegangenen Stiftungskapitalien (Kapp- und Meinhardt-Stiftung) tragen vom 1. Juni bezw. 1. Oktober 1906 ab Zinsen.								
VI. Gebäude	100	—	100	—	—	—	—	—
VII. Erlös aus herrenlosen Grabsteinen	20	—	—	—	—	—	20	—
VIII. Erlös für den Graswuchs	20	—	5	—	—	—	15	—
IX. Erlös aus Drucksachen	30	—	29	25	—	—	—	75
X. Sonstige Einnahmen	—	—	12	—	12	—	—	—
Für Beschädigung eines Lindenbaumes sind 12 ℳ eingegangen.								
Summe . . .	23 702	41	25 658	75	1 956	34	—	—
Ausgabe.								
I. 1. und 2. Gehalte 2c. der Angestellten:								
a) Gehalte	4 168	75	4 168	75	—	—	—	—
b) Teuerungszulagen	—	—	240	—	240	—	—	—
Zur Bestreitung der Teuerungszulagen wurden durch Beschluß der Stadtverordneten-Versammlung vom 20. Februar 1907 die erforderlichen Mittel bewilligt.								
3. Für Taglöhne der Totengräber	4 000	—	4 697	—	697	—	—	—
Die durch Beschluß der Stadtverordneten-Versammlung vom 12. Dezember 1906 gewährten Familienzulagen bedingten hier eine Mehrausgabe von 317 ℳ 70 ₰. Die weiteren Mehrausgaben entstanden durch die Einstellung von Hilfspersonal während der Wintermonate.								
zu übertragen . . .	8 168	75	9 105	75	937	—	—	—

	Betrag nach				Mithin gegen den Voranschlag			
	dem Voranschlag		der Rechnung		mehr		weniger	
	M.	₰	M.	₰	M.	₰	M.	₰
Übertrag . . .	8 168	75	9 105	75	937	—	—	—
4. Vergütung an die Totengräber für Stellung der Wäsche und der Betten für die Nachtwache	72	—	72	—	—	—	—	—
5. Für Beschaffung der Dienstkleidung für die Totengräber	183	—	186	—	3	—	—	—
II. Bureaukosten und sonstige Bedürfnisse:								
1. Für Schreibmaterialien 2c.	100	—	112	93	12	93	—	—
2. „ Unterhaltung des Mobiliars	80		86	76	6	76	—	—
3. „ Unterhaltung der Instrumente	50	—	22	10	—	—	27	90
4. „ Brennmaterialien	350	—	288	07	—	—	61	93
5. „ Beleuchtung	80	—	55	50	—	—	24	50
6. „ Reinigung	50	—	5	41	—	—	44	59
7. „ Wasserverbrauch	600	—	528	48	—	—	71	52
8. „ Unterhaltung der Beerdigungsgerätschaften . . .	110	—	57	07	—	—	52	93
8a. „ Beschaffung eines neuen Leichentransportwagens .	300	—	300	—	—	—	—	—
9. „ Eis zum Kühlapparat	10	—	—	—	—	—	10	—
10. „ Steuer für einen Hund	20	—	20	—	—	—	—	—
11. Mobilienversicherung	1	—	3	87	2	87	—	—
Die Versicherung der von der Stadt erworbenen 5 Leichenwagen, der neu zugegangenen Gerätschaften 2c. des Friedhofes und der Zelleneinrichtung im Leichenhause vom 6. Mai 1906 ab bedingte die Mehrausgaben.								
III. Anlage neuer Grabquadrate	—	—	—	—	—	—	—	—
IV. Unterhaltung der Anlagen:								
1. Für Gärtner- und Handarbeiten 2c.	6 705	—	6 973	45	268	45	—	—
Mehrausgabe im wesentlichen bedingt durth die Gewährung der Familienzulagen, zu deren Bestreitung durch Beschluß der Stadtverordneten-Versammlung vom 12. Dezember 1906 die erforderlichen Mittel dewilligt wurden.								
2. Für Aufräumungsarbeiten innerhald der Grabquadrate	2 000	—	1 999	42	—	—	—	58
3. „ Abfuhr von Unrat vom Friedhof	1 300	—	1 248	—	—	—	52	—
4. „ Verbesserung alter Wege	1 000	—	999	95	—	—	—	05
5. „ Unterhaltung der Gartenanlagen am Krematorium und Beschaffung von Felsen, Bäumen 2c. für den Urnenhain	600	—	598	73	—	—	1	27
V. Überwachung der Anlagen	2 076	—	2 488	40	412	40	—	—
Zur Bestreitung der Kosten für Ausübung des Wächterdienstes in den Wintermonaten durch zwei statt einen ständigen Wächter wurde durch Beschluß der Stadtverordneten-Versammlung vom 9. Januar 1907 ein Kredit von 1026 M 80 ₰ zur Verfügung gestellt. Von den hierdurch entstandenen Kosten wurden 511 M 50 ₰ unter Rubrik 64. VI. 1 dieser Rechnung, der übrige Teil der Kosten dagegen zu Lasten der Rubrik 40. V. gebucht.								
zu übertragen . . .	23 855	75	25 151	89	1 643	41	347	27

	Betrag nach				Mithin gegen den Voranschlag			
	dem Voranschlag		der Rechnung		mehr		weniger	
	M.	₰	M.	₰	M.	₰	M.	₰
Übertrag . . .	23 855	75	25 151	89	1 643	41	347	27
VI. Unterhaltung von Grabstätten und Grabdenkmälern:								
1. a. Für Ausschmückung von Grabstätten infolge von Vermächtnissen, sowie von Grabstätten um die Stadt verdienter Personen	1 940	—	1 942	19	2	19	—	—
b. Für bauliche Unterhaltung von Grabeinfassungen und Grabdenkmälern	750	—	534	53	—	—	215	47
2. Unterhaltung der Grabstätten Le Ranx und Gaßner .	101	50	101	50	—	—	—	—
VII. Verbringung der Leichen nach den Friedhöfen:								
1. Kaufpreis für die von der Verwaltungskommission des christlichen Begräbnisplatzes erworbenen 5 Leichenwagen	3 440	—	3 440	—	—	—	—	—
2. Für Unterhaltung der Wagen	200	—	578	57	378	57	—	—
Durch Beschluß der Stadtverordneten-Versammlung vom 13. Juni 1906 wurde für Vornahme unbedingt notwendiger Reparaturen an den Leichenwagen ein Kredit von 550 M. zu Lasten des Reservefonds bewilligt.								
VIII. Gebäude:								
1. Brandversicherungsbeiträge	83	69	58	56	—	—	25	13
2. Baukosten:								
a) Für Unterhaltung des Leichenhauses in Dach und Fach	300	—	251	20	—	—	48	80
b) Für Unterhaltung des Aufseher-Wohngebäudes in Dach und Fach	100	—	68	28	—	—	31	72
c) Für Unterhaltung des Abortgebäudes in Dach und Fach	50	—	49	27	—	—	—	73
d) Ersatz fauler Holzteile am Abortgebäude, sowie Renanstrich des gesamten Holzwerkes	130	—	130	51	—	51	—	—
3. Abfuhr wasserhaltiger Latrinenmasse	150	—	177	12	27	12	—	—
IX. Anteil der Hospizien an dem Ertrage der Familienbegräbnisse	3 584	—	3 956	95	372	95	—	—
Das Mehr entspricht der Mehreinnahme bei pos. II.								
X. Verzinsung und Tilgung der Anlagekosten . .	3 536	47	3 536	47	—	—	—	—
XI. Ausgrabung der Gebeine der auf dem hiesigen Friedhofe beerdigten ehemaligen französischen Soldaten und Beisetzung derselben in zwei ausgemauerten und überwölbten Gruften . .	—	—	4 720	23	4 720	23	—	—
Durch Beschluß der Stadtverordneten-Versammlung vom 11. Juli 1906 wuede für die Herstellung von zwei Gruften, Ein-								
zu übertragen . . .	38 221	41	44 697	27	7 144	98	669	12

	Betrag nach				Mithin gegen den Voranschlag			
	dem Voranschlag		der Rechnung		mehr		weniger	
	M.	₰	M.	₰	M.	₰	M.	₰
Übertrag . . .	38 221	41	44 697	27	7 144	98	669	12
friedigung derselben mit einem Granitsockel nebst eisernem Gitter, Exhumierung und Wiederbestattung der Gebeine sowie für die gärtnerische Ausschmückung der Grabstätten ein Kredit von 5 290 M. bewilligt. Zu den entstandenen Kosten wurde von Großh. Staatsregierung ein Beitrag von 1 273 M. 53 ₰ geleistet. Ferner wurde von derselben für die Übernahme der Unterhaltung der neu hergerichteten Grabstätten seitens der Stadt eine einmalige Abfindungssumme von 2 000 M. entrichtet. Die beiden Beträge erscheinen im Rechnungsjahr 1907 in Einnahme.								
Summe . . .	38 221	41	44 697	27	6 475	86	—	—
41. Kirchliche Bedürfnisse.								
Einnahme.								
I. Umlagen für die evangelische Gemeinde Mainz	74 700	—	82 987	46	8 287	46	—	—
II. Umlagen für die freie christliche Gemeinde Mainz	2 800	—	2 968	70	168	70	—	—
III. Parochial-Umlagen von den katholischen Einwohnern der Stadt Mainz	71 748	—	74 574	69	2 826	69	—	—
Zu Position I, II und III wird bemerkt, daß unter den voraufgeführten Einnahmen die Ausstände aus früheren Jahren, wie in der Erläuterung zu Rubrik 1 bereits angegeben, mit 471 M. 07 ₰ + 2 M. 14 ₰ + 586 M. zusammen 1 059 M. 21 ₰ enthalten sind. Ferner sind bei pos. I, II und III 12 M. 45 ₰ + 4 M. 80 ₰ + 17 M. 16 ₰ wieder zahlbar gewordene, früher als uneinbringlich verrechnete Umlagen in Einnahme gestellt. Die weitere Mehreinnahme ist durch nachträgliche Heranziehung von Steuerpflichtigen veranlaßt.								
Summe . . .	149 248	—	160 530	85	11 282	85	—	—
Ausgabe.								
I. Umlagen für die evangelische Gemeinde Mainz	74 700	—	82 495	80	7 795	80	—	—
II. Umlagen für die freie christliche Gemeinde Mainz	2 800	—	2 966	78	166	78	—	—
III. Parochial-Umlagen von den katholischen Einwohnren der Stadt Mninz	71 748	—	73 860	40	2 112	40	—	—
Zu pos. I, II und III wird bemerkt, daß der Unterschied zwischen Einnahme und Ausgabe von 491 M. 66 ₰ bezw. 1 M. 92 ₰ und 714 M. 29 ₰ zusammen 1 207 M. 87 ₰ durch die als Ausstand nachgeführten Posten entstanden ist. In der Rechnung für das Rechnungsjahr 1907 werden diese Beträge wieder in Einnahme gestellt.								
IV. Besoldungen an Pfarrer	3 000	—	3 000	—	—	—	—	—
Summe . . .	152 248	—	162 322	98	10 074	98	—	—

	Betrag nach				Mithin gegen den Voranschlag			
	dem Voranschlag		der Rechnung		mehr		weniger	
	ℳ	₰	ℳ	₰	ℳ	₰	ℳ	₰
42. Volksschule.								
Einnahme.								
I. Überschüsse der Schulfonds	41 300	—	43 553	79	2 253	79	—	—
Die Rechnungs-Ergebnisse des Altenauer-Schulfonds, sowie des Exjesuiten- und Welschnonnen-Schulfonds sind auf den Seiten 269 bis 271 verzeichnet.								
II. Geldanschlag von Dienstwohnungen	2 850	—	2 668	06	—	—	181	94
Infolge Versetzung des Schulverwalters an der Schule zu Zahlbach war der Geldanschlag für dessen Dienstwohnung von jährlich 250 ℳ nur bis einschließlich 8. Juli 1906 zu erheben. Vom 16. Juli 1906 ab ist diese Wohnung als Mietwohnung weiter vermietet worden; siehe die Erläuterung bei pos. IV.								
III. Ersatz von Gehalten	700	40	990	—	289	60	—	—
IV. Miete von Lokalen	2 149	60	2 331	85	182	25	—	—
Die durch Versetzung des Schulverwalters in Zahlbach frei gewordene Dienstwohnung desselben wurde vom 16. Juli 1906 ab für jährlich 250 ℳ anderweit vermietet. Für die unter pos. 6 des Voranschlags aufgeführte Wohnung wurde vom 1. April 1906 ab die wöchentliche Miete von 2 ℳ 30 ₰ auf 2 ℳ 40 ₰ erhöht.								
V. Schulversäumnisstrafen	1 300	—	1 646	—	346	—	—	—
VI. Zuschuß aus den Überweisungen der Städtischen Sparkasse	6 000	—	6 000	—	—	—	—	—
Hier wird auf die Erläuterungen zu pos. VIII. 3 der Ausgabe verwiesen.								
Summe	54 300	—	57 189	70	2 889	70	—	—
Ausgabe.								
I. 1.—4. Gehalte ꝛc. des Lehrpersonals:								
a) Gehalte ꝛc.	516 212	50	515 252	89	—	—	959	61
Zwei Oberlehrer und ein Turnlehrer sind in den Ruhestand versetzt worden. Auf Nachsuchen wurde eine Schulverwalterin und eine Zeichenlehrerin aus dem Schuldienst entlassen. Ein Schulverwalter trat infolge Beurlaubung aus dem Dienste und ein Schulverwalter wurde nach auswärts versetzt. Die freigewordenen Stellen wurden mit Verwaltern bezw. Verwalterinnen besetzt, wodurch Ersparnisse erzielt wurden. Weitere Ersparnisse entstanden dadurch, daß drei der neuerrichteten Schulstellen erst vom 23. und 24. April 1906 ab besetzt wurden. Ferner war für die Erteilung evangelischen Unterrichts an der Schule in Zahlbach,								
zu übertragen	516 212	50	515 252	89	—	—	959	61

	Betrag nach				Mithin gegen den Voranschlag			
	dem Voranschlag		der Rechnung		mehr		weniger	
	ℳ	₰	ℳ	₰	ℳ	₰	ℳ	₰
Übertrag . . .	516 212	50	515 252	89	—	—	959	61
sowie für Erteilung von Unterricht an unbemittelte Kinder mit körperlichen Gebrechen weniger, als vorgesehen, erforderlich. Diese Ersparnisse wurden herabgemindert durch den Mehraufwand infolge definitiver Anstellung von sieben Schulverwaltern, vier Schulverwalterinnen und einer prov. Handarbeitslehrerin, durch die höheren Gehalte von zwei Schulverwaltern, die die Schlußprüfung inzwischen bestanden haben, durch die Besetzung von drei der neuerrichteten Schulstellen mit zwei auswärtigen Lehrern und einer auswärtigen Lehrerin, sowie durch früheres Aufrücken eines Zeichenlehrers in eine höhere Gehaltsklasse infolge Anrechnung der von demselben im öffentlichen Schuldienst verbrachten Dienstzeit als Dienstzeit nach bestandener Schlußprüfung mit Wirkung vom 1. April 1906 ab. Eine weitere Mehrausgabe von 300 ℳ entstand durch die Teilnahme eines Lehrers an dem in der Zeit vom 20. August bis 15. September 1906 von Dr. med. Gutzmann in Berlin veranstalteten Sprachheilkursus. Zur Bestreitung dieser Aufwendung hat die Stadtverordneten-Versammlung durch Beschluß vom 16. August 1906 den erforderlichen Kredit zur Verfügung gestellt. An den Provinzialschulfonds war ein Vakanzüberschuß von 211 ℳ 67 ₰ abzuliefern.								
b) Teuerungszulagen	—	—	6 865	18	6 865	18	—	—
Zur Bestreitung der Teuerungszulagen wurden durch Beschluß der Stadtverordneten-Versammlung vom 20. Februar 1907 die erforderlichen Mittel bewilligt.								
II. Zuschüsse an andree Kossen	4 563	40	4 543	87	—	—	19	53
Wie bei pos. I. bereits bemerkt, sind die im Voranschlag vorgesehenen sechs neuen Schulklassen erst im Laufe des Jahres besetzt worden, wodurch auch die Beiträge zum Provinzialschulfonds und Schullehrer-Pensionsfonds für diese Stellen von einem späteren Zeitpunkt als 1. April 1906 zu entrichten waren.								
III. Schulbedürfnisse:								
1. und 2. Für Anschaffung und Unterhaltung der Mobilien, Turngeräte 2c.	5 300	—	5 840	36	540	36	—	—
2a. Für Beschaffung von 77 Schulbänken für die Schillerschule	2 350	—	1 777	50	—	—	572	50
2b. Für Ergänzung von Mobiliar in den Zeichensälen der Schillerschule, den Schulhäusern am Feldbergplatz, am Holztor und im Karmeliterkloster	1 412	—	1 430	25	18	25	—	—
3. Für literarische Gegenstände, Lehrmittel	2 450	—	3 181	16	731	16	—	—
4. „ Ergänzung der Schülerbibliotheken in den einzelnen Schulbezirken	1 000	—	842	27	—	—	157	73
zu übertragen . . .	533 287	90	539 733	48	8 154	95	1 709	37

	Betrag nach				Mithin gegen den Voranschlag			
	dem Voranschlag		der Rechnung		mehr		weniger	
	ℳ	₰	ℳ	₰	ℳ	₰	ℳ	₰
Übertrag . . .	533 287	90	539 733	48	8 154	95	1 709	37
4a. Für Einrichtung von Handbibliotheken für das Lehrpersonal	500	–	567	75	67	75	–	–
5. „ Schreibmaterialien, Drucksachen, Buchbinderlohn .	1 270	–	1 274	17	4	17	–	–
6. „ Tinte, Tafelschwämme und Kreide	800	–	839	93	39	93	–	–
7. „ Brennmaterialien für die Ofen- und Zentralheizungen	20 800	–	19 123	26	–	–	1 676	74
8. „ Abfuhr von Kohlenschlacken	400	–	466	32	66	32	–	–
9. „ Beleuchtungsmaterialien	2 900	–	3 663	10	763	10	–	–
10. „ Schulfeierlichkeiten 2c.	300	–	311	63	11	63	–	–
11. „ Unterhaltung der Schulgärten	700	–	699	87	–	–	–	13
12. Physikalische Sammlungen:								
a) Vergütung an den Konservator	450	–	450	–	–	–	–	–
b) Für Unterhaltung 2c. der Sammlungen	500	–	510	17	10	17	–	–
13. Für den Knabenhandfertigkeitsunterricht:								
a) Für Anschaffung der erforderlichen Werkzeuge . .	1 800	–	2 131	06	331	06	–	–
b) „ Ausstattung von zwei Schulsälen mit Tischen und Schränken	1 700	–	1 725	23	25	23	–	–
c) Für die notwendigen baulichen Herstellungen . . .	1 200	–	811	64	–	–	388	36
d) „ Materialien und literarische Werke	320	–	426	59	106	59	–	–
Durch Stadtverordnetenbeschluß vom 4. Juli 1906 wurde die Ermächtigung zur obligatorischen Einführung des Handfertigkeitsunterrichts in verschiedenen Volksschulklassen und zur zweckentsprechenden Verwendung der unter pos. a–e vorgesehenen Mittel erteilt.								
14. Unentgeltliche Benutzung der Straßenbahn durch Kinder der Hilfsschule	750	–	630	–	–	–	120	–
15. Anschaffung von physikalischen Apparaten 2c. aus Mitteln der von dem Fabrikanten O. Henkell gemachten Schenkung.	–	–	4 500	–	4 500	–	–	–
Aus dem Vorjahr stand ein Kredit von 4500 ℳ zur Verfügung.								
IV. Reinhaltung der Schullokale:								
1. a—d Gehalte 2c. der Schuldiener:								
a) Gehalte für 10 Schuldiener	15 100	–	15 134	43	34	43	–	–
Infolge Erkrankung eines Schuldieners mußte Aushilfe für Bedienung einer Heizungsanlage 2c. gestellt werden, wodurch die Mehrausgabe entstanden ist.								
b) Teuerungszulagen der 10 Schuldiener	–	–	1 140	–	1 140	–	–	–
Gleiche Erläuterung wie zu pos. I. 1—4 b.								
c) Vergütung für einen Hilfsschuldiener	1 248	–	1 325	28	77	28	–	–
Mehrausgabe bedingt durch die Gewährung der Familienzulage, zu deren Bestreitung durch Beschluß der Stadtverordneten-Versammlung vom 12. Dezember 1906 die erforderlichen Mittel bewilligt wurden.								
zu übertragen . . .	584 025	90	595 463	91	15 332	61	3 894	60

	Betrag nach				Mithin gegen den Voranschlag			
	dem Voranschlag		der Rechnung		mehr		weniger	
	ℳ	₰	ℳ	₰	ℳ	₰	ℳ	₰
Übertrag . . .	584 025	90	595 463	91	15 332	61	3 894	60
d) Vergütung an die Schuldiener für Waschen von Handtüchern und Vorhängen	300	—	301	15	1	15	—	—
2. Für regelmäßige gründliche Reinigung sämtlicher Schullokale	15 300	—	19 246	25	3 946	25	—	—
Verausgabt wurden für Löhne an Putzfrauen 15 325 ℳ 23 ₰ und für Beschaffung von Reinigungsgerätschaften 3 921 ℳ.								
Der Kredit ist durch Stadtverordnetenbeschluß vom 16. Oktober 1907 zu Lasten der Ersparnisse bei den übrigen Unterpositionen entsprechend ergänzt worden.								
V. Kochunterricht:								
1. Kochschule im Hause Emmeransstraße 25:								
a) Miete für das Unterrichtslokal	1 200	—	1 200	—	—	—	—	—
b) Gehalt und Teuerungszulage der Lehrerin . . .	1 300	—	1 360	—	60	—	—	—
Gleiche Erläuterung wie zu pos. I. 1—4 b.								
c) Für Unterhaltung und Ergänzung des Inventars, Lehrmittel ꝛc.	200	—	288	11	88	11	—	—
d) Für Gas	80	—	65	52	—	—	14	48
e) „ Wasser	40	—	18	36	—	—	21	64
f) „ Brennmaterialien	250	—	141	30	—	—	108	70
g) „ sonstige Wirtschaftsbedürfnisse	1 500	—	1 765	08	265	08	—	—
h) „ die der Stadt zur Last fallenden kleineren Ausbesserungen im Schullokal, an Herden ꝛc.	200	—	170	25	—	—	29	75
i) Prämie für die Versicherung der Mobilien der Kochschule	2	—	1	60	—	—	—	40
k) Für unvorhergesehene Ausgaben	78	—	—	—	—	—	78	—
l) Für Beschaffung von Gaskochherden mit Zuleitung .	260	—	251	40	—	—	8	60
2. Kochschule im Schulhaus am Feldbergplatz:								
a) Gehalt ꝛc. und Teuerungszulage der Lehrerin . . .	1 800	—	1 860	—	60	—	—	—
Gleiche Erläuterung wie zu pos. I. 1—4 b.								
b) Für Unterhaltung und Ergänzung des Inventars, Lehrmittel ꝛc.	100	—	161	40	61	40	—	—
c) Füe elektrische Beleuchtung	100	—	39	80	—	—	60	20
d) „ Wasser	40	—	6	48	—	—	33	52
e) „ Brennmaterialien	200	—	133	34	—	—	66	66
f) „ sonstige Wirtschaftsbedürfnisse	1 200	—	1 046	10	—	—	153	90
g) „ Reparaturen an Herden ꝛc.	100	—	14	—	—	—	86	—
h) „ unvorhergesehene Ausgaben	80	—	—	—	—	—	80	—
i) „ Lieferung und Aufstellung von 4 Gaskochherden .	480	—	385	50	—	—	94	50
zu übertragen . . .	608 835	90	623 919	55	19 814	60	4 730	95

	Betrag nach				Mithin gegen den Voranschlag			
	dem Voranschlag		der Rechnung		mehr		weniger	
	M.	₰	M.	₰	M.	₰	M.	₰
Übertrag . . .	608 835	90	623 919	55	19 814	60	4 730	95
VI. Jugendspiele:								
1. Miete für einen Spielplatz	80	—	80	—	—	—	—	—
2. und 3. Vergütung für den Oberleiter der Spiele und die Spielleiter	3 400	—	3 486	—	86	—	—	—
4. Für Ergänzung des literarischen Materials	20	—	16	90	—	—	3	10
5. „ Unterhaltung der Spielplätze	120	—	—	—	—	—	120	—
6. „ „ „ Spielgeräte	150	—	149	85	—	—	—	15
7. „ „ und Reinigung des Bedürfnishäuschen auf den beiden Kinderspielplätzen	100	—	1	80	—	—	98	20
VII. Schülerbäder:								
1. Für die Schülerbäder im Schulhaus am Holztor:								
a) Für Heizungsmaterialien	500	—	463	56	—	—	36	44
b) „ Wasser ꝛc.	430	—	245	60	—	—	184	40
c) „ Badekleider ꝛc. für arme Kinder	150	—	142	—	—	—	8	—
d) Vergütung für Besorgung der Badewäsche armer Kinder	360	—	360	—	—	—	—	—
2. Für die Schülerbäder im Fürstenbergerhofbad:								
a) Für Wasser und Anteil an den Kosten der Zentralheizung	300	—	300	—	—	—	—	—
b) Für Seife ꝛc.	30	—	43	10	13	10	—	—
c) „ Badekleider ꝛc. für arme Kinder	100	—	102	50	2	50	—	—
d) Vergütung für Besorgung der Badewäsche armer Kinder	100	—	100	—	—	—	—	—
e) Für Abgabe von Einzelbädern an größere Mädchen	70	—	59	60	—	—	10	40
3. Für die Schülerbäder im Schulhause am Feldbergplatz:								
a) Für Heizungsmaterialien	400	—	389	52	—	—	10	48
b) „ Wasser, Seife und Soda	430	—	255	09	—	—	174	91
c) „ Badekleider und Handtücher für arme Kinder .	150	—	126	54	—	—	23	46
d) „ Vergütung an die zwei Schuldiener für Besorgung der Badewäsche armer Schulkinder . . .	360	—	360	—	—	—	—	—
4. Für die Schülerbäder im Schulhaus am Eisgrubeweg:								
a) Für Heizmaterialien	400	—	399	60	—	—	—	40
b) „ Wasser, Seife und Soda	230	—	129	56	—	—	100	44
c) „ Badekleider und Handtücher für arme Kinder .	100	—	—	—	—	—	100	—
d) „ Besorgung der Badewäsche armer Schulkinder .	180	—	180	—	—	—	—	—
5. Für die Schülerbäder im Schulhaus an der Leibnizstraße:								
a) Für Heizungsmaterialien	400	—	398	40	—	—	1	60
b) „ Wasser, Seife und Soda	430	—	315	76	—	—	114	24
zu übertragen . . .	617 825	90	632 024	93	19 916	20	5 717	17

	Betrag nach				Mithin gegen den Voranschlag			
	dem Voranschlag		der Rechnung		mehr		weniger	
	M	₰	M	₰	M	₰	M	₰
Übertrag . . .	617 825	90	632 024	93	19 916	20	5 717	17
c) Für Badekleider und Handtücher für arme Kinder .	300	—	281	95	—	—	18	05
d) „ Vergütung an die zwei Schuldiener für Besorgung der Badewäsche armer Kinder	360	—	360	—	—	—	—	—
6. Rheinbäder	360	—	360	—	—	—	—	—
VIII. Schulgesundheitspflege:								
1. Vergütung der Schulärzte	4 000	—	3 951	12	—	—	48	88
In der Zeit vom 23. April bis 4. Mai 1906 waren zwei Schularztstellen unbesetzt.								
2. Beschaffung von Gegenständen ꝛc. zur Ausübung der schulärztlichen Praxis	200	—	70	40	—	—	129	60
3. Erteilung von orthopädischem Turnunterricht an Kinder, die mit Schiefwuchs behaftet sind	6 000	—	8 000	—	2 000	—	—	—
Aus dem Vorjahr stand noch ein weiterer Kredit von 2000 M zur Verfügung.								
IX. Mobilienversicherung	200	—	174	62	—	—	25	38
X. Schulhäuser:								
1. Gemeinde-Grundsteuern	23	—	22	21	—	—	—	79
2. Brandversicherungsbeiträge	2 260	—	1 588	69	—	—	671	31
3. Baukosten:								
a) Schulhaus in der kleinen Emmeransgasse:								
Unterhaltung in Dach und Fach	300	—	168	34	—	—	131	66
Neueindeckung der Dachseite nach dem Schulhof . .	750	—	673	52	—	—	76	48
Ölen der Fußböden	40	—	25	73	—	—	14	27
b) Schulhaus auf dem Ballplatz:								
Unterhaltung in Dach und Fach	300	—	163	07	—	—	136	93
Ölen der Fußböden	40	—	29	93	—	—	10	07
c) Schulhaus in Zahlbach einschl. Lehrerwohnhaus:								
Unterhaltung in Dach und Fach	200	—	456	79	256	79	—	—
Aus dem Vorjahr stand noch ein weiterer Kredit von 201 M 35 ₰ zur Verfügung.								
Neuanstrich der Drcken und Abwaschen des Ölfarbanstrichs der Wände in zwei Lehrsälen	100	—	91	17	—	—	8	83
Ölen der Fußböden	17	—	14	30	—	—	2	70
d) Provisorisches Schulhaus in der Leibnizstraße:								
Unterhaltung in Dach und Fach	500	—	400	82	—	—	99	18
Zementverputz des gemauerten Sockels	133	—	95	56	—	—	37	44
Ölen der Fußböden	20	—	17	32	—	—	2	68
zu übertragen . . .	633 928	90	648 970	47	22 172	99	7 131	42

	Betrag nach				Mithin gegen den Voranschlag			
	dem Voranschlag		der Rechnung		mehr		weniger	
	ℳ	₰	ℳ	₰	ℳ	₰	ℳ	₰
Übertrag . . .	633 928	90	648 970	47	22 172	99	7 131	42
e) Bezirksschulhaus in der Schulstraße:								
Unterhaltung in Dach und Fach	1 500	—	1 230	09	—	—	269	91
Unterhaltung der Warmwasser- und Luftheizung . .	400	—	420	36	20	36	—	—
Abwaschen der Außenseiten der Rolläden und zweimaliger Ölfarbanstrich derselben	400	—	398	29	—	—	1	71
Neuanstrich der Decken mit Leimfarbe und Abwaschen der mit Ölfarbe gestrichenen Wände der Schulsäle Nr. 1, 5, 6, 8, 9, 14, 16, 17, 21, 23, 24, 26, 27, 29, 31 und 35	800	—	799	55	—	—	—	45
Ölen der Fußböden	180	—	179	99	—	—	—	01
f) Bezirksschulhaus am Fürstenbergerhof:								
Unterhaltung in Dach und Fach einschl. des Erweiterungsbaues	900	—	520	05	—	—	379	95
Neuanstrich der Decken der Klassenzimmer Nr. 2, 3, 6, 7 und 10 mit Leimfarbe, sowie Abwaschen und Ausbessern der mit Ölfarbe gestrichenen Wände in denselben	220	—	219	53	—	—	—	47
Ölen der Fußböden	120	—	99	09	—	—	20	91
Entfernen der Kleiderleisten aus den Klassenzimmern und Anbringen derselben auf den Gängen . . .	275	—	152	42	—	—	122	58
g) Bezirks-Schulhaus am Eisgrubeweg:								
Unterhaltung in Dach und Fach einschl. des Erweiterungsbaues sowie der Oberlehrer- und Schuldiener-Wohngebäude	1 000	—	537	70	—	—	462	30
Unterhaltung der Dampfheizung	400	—	294	67	—	—	105	33
Neuanstrich des Treppenhauses und der Gänge . .	1 125	—	795	03	—	—	329	97
Ölen der Fußböden	120	—	104	53	—	—	15	47
h) Bezirksschulhaus in der Holzstraße einschl. der 2 Schulbaracken:								
Unterhaltung in Dach und Fach	1 350	—	1 268	16	—	—	81	84
Unterhaltung der Niederdruck-Dampfheizungsanlagen .	400	—	315	95	—	—	84	05
Neuanstrich der Decken in den Klassenzimmern Nr. 2, 3, 5, 6, 7, 9, 10, 11 und 13 mit Leimfarbe, sowie der Untersichten der Deckenträger mit Ölfarbe in der Mädchenabteilung	460	—	459	22	—	—	—	78
Neuanstrich der Decke des Turnsaales daselbst . . .	250	—	249	69	—	—	—	31
Ölen der Fußböden	300	—	255	58	—	—	44	42
Einbau eines Ventilators in den Baderäumen . . .	—	—	90	40	90	40	—	—
Aus dem Vorjahr stand ein Kredit von 250 ℳ zur Verfügung.								
zu übertragen . . .	644 128	90	657 360	77	22 283	75	9 051	88

	Betrag nach				Mithin gegen den Voranschlag			
	dem Voranschlag		der Rechnung		mehr		weniger	
	ℳ	₰	ℳ	₰	ℳ	₰	ℳ	₰
Übertrag . . .	644 128	90	657 360	77	22 283	75	9 051	88
i. Bezirksschulhaus am Feldbergplatz:								
Unterhaltung des Schulgebäudes in Dach und Fach .	1 400	—	1 474	56	74	56	—	—
Unterhaltung des Oberlehrerwohngebäudes	200	—	149	24	—	—	50	76
Unterhaltung der Niederdruck-Dampfheizungsanlagen .	400	—	214	85	—	—	185	15
Anbringen von Klappläden an den Fenstern der beiden Schuldienerwohnungen	350	—	349	06	—	—	—	94
Ölen der Fußböden der Schulsäle	330	—	332	26	2	26	—	—
Erhöhung eines Schornsteines des Lehrerwohnhauses .	—	—	229	63	229	63	—	—
Durch Beschluß der Stadtverordneten-Versammlung vom 20. März 1907 wurde ein Kredit von 250 ℳ zu Lasten des Reservefonds zur Verfügung gestellt.								
k) Bezirksschulhaus an der Leibnizstraße:								
Unterhaltung in Dach und Fach	900	—	899	09	—	—	—	91
Unterhaltung der Niederdruck-Dampfheizungsanlagen .	200	—	162	53	—	—	37	47
Instandsetzung des Linoleumbelages	120	—	119	60	—	—	—	40
l) Seitheriges Gebäude der Entbindungsanstalt, Rosengasse 12, mit Ausnahme der früheren Direktorwahnung (vergl. Rubrik 3. XX.), jetzt für Schulzwecke provisorisch verwendet:								
Unterhaltung in Dach und Fach	100	—	213	57	113	57	—	—
Ölen der Fußböden	35	—	28	96	—	—	6	04
Reinigung der Entwässerungsanlage	15	—	28	60	13	60	—	—
Die Räume im Hause Rosengasse Nr. 12, mit Ausnahme derjenigen des ehemaligen Dienstwohngebäudes des Direktors der Entbindungsanstalt, werden seit Beginn des Schuljahres 1906 ausschließlich als Unterrichtsräume für die Volksschule verwendet, weshalb die für diesen Gebäudeteil entstandenen Baukosten, entgegen der Darstellung im Voranschlag, von der Rubrik 42. X. 31 allein zu übernehmen waren. Da nach dem Voranschlag die Hälfte dieser Kosten von Rubrik 45. I. 3 zu tragen waren, stehen den bei Rubrik 42. X. 31 nunmehr entstandenen Mehrausgaben bei Rubrik 45. I. 3 entsprechende Ersparnisse gegenüber.								
Tilgung der Kasten für die Einrichtung von Volksschulklassen im Hause Rosengasse 12	1 950	—	1 950	—	—	—	—	—
m) Versehung der Zeichensäle im Eisgrub-, Halztor- und Feldbergschulhause mit Beleuchtungseinrichtungen . .	—	—	1 065	80	1 065	80	—	—
Durch Beschluß der Stadtverordneten-Versammlung vom 8. September 1906 wurde ein Kredit von 1150 ℳ zu Lasten des Reservefonds zur Verfügung gestellt.								
zu übertragen . . .	650 128	90	664 578	52	23 783	17	9 333	55

	Betrag nach				Mithin gegen den Voranschlag			
	dem Voranschlag		der Rechnung		mehr		weniger	
	M	₰	M	₰	M	₰	M	₰
Übertrag . . .	650 128	90	664 578	52	23 783	17	9 333	55
4. Für Austünchen von Schulsälen im Karmeliterkloster und für Ausbesserungen in solchen, sowie für Ausführung der der Stadt Mainz zufallenden kleineren Ausbesserungen in den gemieteten Schullokalen auf dem Emmeranskirchhof, auf dem Quintinskirchhof und in der Welschnonnengasse	600	–	682	86	82	86	–	–
Für Instandsetzung der beiden Schullokale in dem Schulhause auf dem Emmeranskirchhof wurde durch Beschluß der Stadtverordneten-Versammlung vom 27. Februar 1907 ein weiterer Kredit von 350 M zur Verfügung gestellt.								
4a. Ölen der Fußböden in diesen Räumen	208	–	206	72	–	–	1	28
4b. Neuanstrich von Decken und Wänden in den Klassenzimmern Nr. 3, 4, 9, 23 und 24, sowie im Turnsaale im Karmeliterkloster	650	–	489	66	–	–	160	34
5. Für Bekiesen sämtlicher Schulhöfe mit Bessunger Kies	1 600	–	1 607	13	7	13	–	–
6. Für Reinigung und Unterhaltung der Bedürfnisanstalten:								
a) Abfuhr wasserhaltiger Latrinenmasse	800	–	621	02	–	–	178	98
b) Instandhaltung der Ölpissoirs	1 230	–	1 193	32	–	–	36	68
c) Gebühren für Überwachung der nach System Brix & Gibian eingebauten Abortgruben im Leibnizschulhaus und dem Schulhaus am Feldbergplatz . .	30	–	30	–	–	–	–	–
Vergl. die Erläuterung zu Rubrik 65. III. 10 — Einnahme.								
7. Für Reinigung der Hausentwässerungsanlagen . . .	450	–	423	80	–	–	26	20
XI. Miete für Schulräume	2 084	29	934	29	–	–	1 150	–
Vergleiche die Erläuterung zu Rubrik 43. pos. IV.								
XII. Lieferung von Lernmitteln an arme Schulkinder	18 500	–	19 338	97	838	97	–	–
XIII. Schulversäumnisstrafen (erlassene und durch Haft verbüßte Posten)	442	23	347	80	–	–	94	43
Verausgabung genehmigt durch Stadtverordnetenbeschluß vom 16. Oktober 1907.								
XIV. Verzinsung und Tilgung der für die Schulbauten aufgewendeten Kapitalien	143 130	58	143 105	60	–	–	24	98
Summe . . .	819 854	–	833 559	69	13 705	69	–	–

43. Fortbildungsschule.

Einnahme.

	M	₰	M	₰	M	₰	M	₰
I. Schulversäumnisstrafen	700	–	711	20	11	20	–	–

	Betrag nach				Mithin gegen den Voranschlag			
	dem Voranschlag		der Rechnung		mehr		weniger	
	ℳ	₰	ℳ	₰	ℳ	₰	ℳ	₰
Ausgabe.								
I. Kosten der Unterrichtserteilung	11 540	–	11 197	–	–	–	343	–
Der Zuschuß der Stadt zu den Kosten der kaufmännischen Fortbildungsschule der Handelskammer für das Schuljahr 1906/07 stand bei Abschluß der Rechnung für das Rechnungsjahr 1906 noch nicht fest, weshalb mit Zustimmung der Stadtverordneten-Versammlung vom 16. Oktober 1907 ein Kredit von 1305 ℳ auf das Rechnungsjahr 1907 übertragen wuede.								
II. Schulversäumnisstrafen (erlassene und durch Hait erledigte Posten)	60	–	56	–	–	–	4	–
Verausgabung genehmigt durch Stadtverordnetenbeschluß vom 16. Oktober 1907.								
III. Schulbedürfnisse.	–	–	–	–	–	–	–	–
Für die erstmalige Anschaffung von Lehrmitteln anläßlich einer Reorganisation der Fortbildungsschule	–	–	2 141	–	2 141	–	–	–
Aus dem Vorjahr stand ein Kredit von 3000 ℳ zur Verfügung.								
IV. Mieten für Schulräume	–	–	2 300	–	2 300	–	–	–
Die seither für Zwecke der Volksschule und der Handelsschule denatzten Räume im 1. und 2. Stark des Hanses Welschnonnengasse Nr. 30 wurden mit Beginn des Schuljahres 1906 ausschließlich für Zwecke der kaufmännischen Fortbildungsschule benutzt, so daß hier 2300 ℳ Ausgaben für Miete entstanden. Da im Voranschlag die hierfür erforderlichen Mittel unter den Rubriken 42. XI und 49. 1 mit je 1150 ℳ vorgesehen sind, stehen den hier entstandenen Mehrausgaben bei den vorerwähnten Rubriken entsprechende Ersparnisse gegenüber.								
V. Kosten der Entsendung eines Hauptlehrers zu den in Leipzig stattfindenden Unterrichtskursen des Deutschen Vereins für Fortbildungsschulwesen	–	–	360	–	360	–	–	–
Aus dem Vorjahr staud ein Kredit von 360 ℳ zur Verfügung.								
Summe . . .	11 600	–	16 054	–	4 454	–	–	–
44. Gewerbeschule.								
Einnahme	23 400	–	23 400	–	–	–	–	–
Ausgabe	23 400	–	23 400	–	–	–	–	–

	Betrag nach				Mithin gegen den Voranschlag			
	dem Voranschlag		der Rechnung		mehr		weniger	
	ℳ	₰	ℳ	₰	ℳ	₰	ℳ	₰
45. Realgymnasium und Ober-Realschule.								
Einnahme	600	—	2 636	36	2 036	36	—	—
Die Einnahmen setzen sich zusammen aus: 1. der Mietentschädigung für die Dienstwohnung des Direktors des Realgymnasiums mit . . . . . 600 ℳ — ₰ 2. der Mietentschädigung für die dem Direktor der Oberrealschule mit Wirkung vom 9. April 1906 ab für jährlich 660 ℳ überlassene Dienstwohnung . . . . 645 „ 33 „ 3. dem von dem Mainzer Universitätsfonds geleisteten Ersatz des in den Jahren 1901/02--1905 von der Stadt zuviel bezahlten Zuschusses zu den Kosten des Realgymnasiums und der Oberrealschule mit . . . . 1 391 „ 03 „ Summe wie oben 2 636 ℳ 36 ₰								
Ausgabe.								
I. Unterhaltung der Gebäude:								
1. Schulhaus in der Steingasse:								
a) Unterhaltung in Dach und Fach	1 000	—	1 659	70	659	70	—	—
Zur Beitreitung der Kosten der baulichen Herstellungsarbeiten im Schulgebäude des Realgymnasiums, die aus Anlaß der Abtrennung der Oberrealschule notwendig geworden sind, wurde durch Beschluß der Stadtverordneten-Versammlung vom 8. November 1906 ein Kredit von 800 ℳ zu Lasten des Reservefonds zur Verfügung gestellt.								
b) Unterhaltung der Zentralheizungsanlage	200	—	192	45	—	—	7	55
c) Instandhaltung der Ölpissoirs	400	—	360	57	—	—	39	43
d) Reinigung der Hausentwässerung	40	—	36	40	—	—	3	60
e) Überwachungsgebühr für die zwei Abortgruben . .	20	—	20	-	—	—	—	–
f) Ersatz von Aufwendungen für bauliche Herstellungen	4 400	—	4 400	—	—	—	—	-
g) Erneuerung des Standkändels an dem Hauptgebäude	700		647	06	—	—	52	94
h) Ölen der Fußböden der Lehrsäle	190	—	—	-	—	—	190	—
i) Instandsetzung der Direktorwohnung im Hause Steingasse Nr. 4/8.	—	—	741	50	741	50	—	—
Durch Beschluß der Stadtverordneten-Versammlung vom 19. Juli 1906 war ein Kredit von 930 ℳ zu Lasten des Reservefonds bewilligt worden.								
zu übertragen . .	6 950	—	8 057	68	1 401	20	293	52

	Betrag nach				Mithin gegen den Voranschlag			
	dem Voranschlag		der Rechnung		mehr		weniger	
	ℳ	₰	ℳ	₰	ℳ	₰	ℳ	₰
Übertrag .	6 950	–	8 057	68	1 401	20	293	52
2. Schulhaus in der Schulstraße:								
a) Unterhaltung in Dach und Fach	1 000	–	292	61	–	–	707	39
b) „ der Zentralheizungsanlage . .	300	–	123	03	–	–	176	97
c) Für Reinigung der Hausentwässerungsanlage . . .	100	–	93	60	–		6	40
d) „ Unterhaltung der Ölpissoirs und Schülerklosetts	600	–	523	96	–	–	76	04
e) Abfuhr wasserhaltiger Latrine	–	–	139	99	139	99	–	–
f) Brandversicherungsbeiträge	–	–	310		310	–	–	
g) Überwachungsgebühr der nach dem System Brix und Gibian eingebauten Abortgrube	–	–	10	–	10	–	–	–
Vergleiche die Erläuterung zu Rubrik 65. III. 10 — Einnahme.								
3. Schulräume im Hause Rosengasse Nr. 12.								
a) Anteilige Kosten an der baulichen Unterhaltung des Hauses	150	–	–	–	–	–	150	–
Mit Beginn des Schuljahres 1906 wurden Schulräume im Hause Rosengasse Nr. 12 nicht mehr für Zwecke der Realschule benutzt. Die Kosten der baulichen Unterhaltung erscheinen daher sämtlich unter Rubrik 42. X. 31. — Vergleiche die Erläuterung zu Rubrik 42. X. 31.								
b) Tilgung der Kosten für die Herrichtung von Schulklassen für die Oberrealschule im Hause Rosengasse Nr. 12	1 950	–	1 950	–	–	–	–	–
II. Mieten	2 524	57	2 524	57	–	–	–	–
III. Zuschuß zu den Kosten des Realgymnasiums und der Ober-Realschule	42 143	–	33 523	06	–	–	8 619	94
Hierzu wird noch bemerkt, daß durch Beschluß der Stadtverordneten-Versammlung vom 30. Mai 1906 für Errichtung einer vierten Parallelklasse in der Sexta der Oberrealschule ein weiterer Kredit von 1800 ℳ zur Verfügung gestellt worden war.								
IV. Mobilienversicherung	71	43	86	99	15	56	–	–
V. Verzinsung und Tilgung der für die Ober-Realschule aufgewendeten Kapitalien	40 000	–	20 755	90	–	–	19 244	10
Bei Berechnung der Zinsen sind nur die bis Ende des Rechnungsjahres 1904 aufgewendeten Kapitalien berücksichtigt worden.								
Summe . . .	95 789	–	68 391	39	–	–	27 397	61
46. Gymnasium.								
Ausgabe.								
I. Gymnasialgebäude:								
Brandversicherungsbeiträge	250	–	173	94	–	–	76	06
47. Höhere Mädchenschule.								
Einnahme.								
I. Schulgeld	67 600	–	67 098	49	–	–	501	51
zu übertragen . . .	67 600	–	67 098	49	–		501	51

	Betrag nach				Mithin gegen den Voranschlag			
	dem Voranschlag		der Rechnung		mehr		weniger	
	M	₰	M	₰	M	₰	M	₰
Übertrag . . .	67 600	–	67 098	49	–	–	501	51
II. Geldanschlag der Dienstwohnungen und Miete von Kellern	675	–	675	–	–	–	–	–
III. Ersatz von Gehalten ꝛc.	16 140	–	15 717	86	–	–	422	14
Summe . . .	84 415	–	83 491	35	–	–	923	65
Ausgabe.								
I. Gehalte ꝛc. des Lehrpersonals:								
a) Gehalte ꝛc.	104 817	50	103 347	02	–	–	970	48
Die zu Beginn des Rechnungsjahres unbesetzt gewesene Lehrerinnenstelle ist erst vom 23. Mai 1906 ab besetzt worden. Eine weitere Lehrerinnenstelle war mit einem erhöhten Gehalte vorgesehen, doch kam die Inhaberin dieser Stelle erst vom 23. Mai 1906 ab in den Genuß des erhöhten Gehaltes. Eine Zeichenlehrerin wurde vom 23. April 1906 ab nach Darmstadt versetzt. Die Besetzung dieser Stelle erfolgte durch eine prov. Zeichenlehrerin mit geringeren Bezügen. Für Erteilung von katholischem und israelitischem Religionsunterricht wurde weniger als vorgesehen beansprucht. Desgleichen gelangten die für einen Oberlehrer vorgesehenen Umzugskosten nicht in der vorgesehenen Höhe zur Auszahlung. Zwei bereits zu Beginn des Jahres erkrankt gewesene provisorische Lehrerinnen sind im Laufe des Jahres gestorben. Die Stelle der einen Lehrerin war bis 4. August 1906 provisorisch verwaltet und ist seit 10. September 1906 definitiv mit einem Lehrer von auswärts besetzt worden. Die Stelle der zweiten Lehrerin wurde vom 23. April 1906 ab provisorisch verwaltet. Die im Voranschlag vorgesehenen Mittel für die Aushilfeleistungen dieser zwei bemerkten Lehrerinnen und die durch das Ableben derselben ersparten Gehalte waren hinreichend zur Deckung der erforderlich gewordenen Aufwendungen. An den Schullehrerpensionsfonds waren nur 369 M 50 ₰ statt der vorgesehenen 380 M abzuliefern.								
b) Teuerungszulagen	–		1 472	66	1 472	66	–	–
Durch Beschluß der Stadtverordneten-Versammlung vom 20. Februar 1907 wurden die erforderlichen Mittel bewilligt.								
II. Schulbedürfnisse:								
1. Für Reinigung der Schullokale:								
a) bis c) Gehalte ꝛc. und Teuerungszulagen der Schuldiener Gleiche Erläuterung wie zu pos. I. 1 b.	3 100	–	3 340	–	240	–	–	–
d) Für regelmäßige gründliche Reinigung der Schullokale	2 500	–	2 596	40	96	40	–	–
zu übertragen . . .	109 917	50	110 756	08	1 809	06	970	48

	Betrag nach				Mithin gegen den Voranschlag			
	dem Voranschlag		der Rechnung		mehr		weniger	
	ℳ	₰	ℳ	₰	ℳ	₰	ℳ	₰
Übertrag . .	109 917	50	110 756	08	1 809	06	970	48
2. Für Unterhaltung von Mobilien	600	—	722	29	122	29	—	—
3. „ Anschaffung von Büchern einschließlich Buchbinderkosten und Lehrmitteln	1 600	—	1 564	41	—	—	35	59
4. Für Schreibmaterialien, Kreide, Tinte, Schwämme rc. . .	150	—	87	80	—	—	62	20
5. „ Programme und, Drucksachen	400		1 135	80	735	80	—	—
Unter den Ausgaben sind auch die Kosten für Drucklegung der Programme für das Schuljahr 1906, die im Vorjahr nicht zur Verrechnung gelangten, enthalten. Hierdurch und durch höhere Kosten der Drucklegnng der Programme für 1907 siad die Mehrausgaben bedingt.								
6. Für Heizungsmaterialien	2 400	—	1 989	07	—	—	410	93
7. „ Beleuchtung einschl. der Anschaffung von Glühkörpern rc.	700	—	625	86	—	—	74	14
8. „ Schulfeierlichkeiten	100	—	101	—	1	—	—	—
9. „ Verschiedenes, Porti rc.	90	—	108	28	18	28	—	—
III. Jugendspiele	500	—	456	—	—	—	44	—
IV. Mobilienversicherung	26	50	24	12	—	—	2	38
V. Gebäude:								
1. Brandversicherungsbeiträge	274	—	191	36	—	—	82	64
2. Baukosten:								
a) Unterhaltung des Schulhauses in der Alten Universitätsstraße in Dach und Fach	700	—	710	12	10	12	—	—
b) Unterhaltung der Dampfheizung in demselben Schulhause	200	—	68	10	—	—	131	90
c) Unterhaltung des Schulhauses in der Bauhofstraße in Dach und Fach	400	—	361	36	—	—	38	64
d) Sohlen der ausgetretenen Sandsteintreppentritte daselbst mit Eichenholz	400	—	222	32	—	—	177	68
e) Erweiterung der Gasbeleuchtung im Saal 15 des Schulhauses in der Alten Universitätsstraße und Beleuchtung der Treppe vor diesem Saal	200	—	171	51	—	—	28	49
f) Ölen der Fußböden daselbst	125	—	132	32	7	32	—	—
g) Desgleichen in dem Schulhause in der Bauhofstraße .	37	—	33	80	—	—	3	20
3. Für Wasserverbrauch	100	—	74	16	—	—	25	84
4. Gasverbrauch der Lüftungsanlage im Latrinengebäude des Schulhauses in der Alten Universitätsstraße	130	—	103	44	—	—	26	56
5. Abfuhr wasserhaltiger Latrine	70	—	59	74	—	—	10	26
6. Reinigung der Hausentwässerungsanlagen	70	—	41	60	—	—	28	40
Summe . . .	119 190	—	119 740	54	550	54	—	—

	Betrag nach				Mithin gegen den Voranschlag			
	dem Voranschlag		der Rechnung		mehr		weniger	
	ℳ	₰	ℳ	₰	ℳ	₰	ℳ	₰
48. Landwirtschaftliche Winterschule.								
Ausgabe.								
1. Miete für den I. und II. Stock des Anwesens Schulstraße Nr. 25	2 500	–	2 500	–	–	–	–	–
2. Für dauliche Veränderungen und Neuherstellungen in den vorerwähnten Schulräumen 2c.	700	–	751	65	51	65	–	–
Summe	3 200	–	3 251	65	51	65	–	–
49. Handelsschule.								
Ausgabe.								
1. Miete für das Schullokal	1 150	–	–	–	–	–	1 150	–
Vergleiche die Erläuterung zu Rubrik 43 pos. IV.								
2. Für kleinere Ausbesserungen in den Schulräumen	50	–	378	98	328	98	–	–
Nach den mit der Handelskammer getroffenen Vereinbarungen hatte die Stadt die für die Lehranstalt der Handelskammer erforderlichen Schulräume zu stellen. In den für diese Zwecke bestimmt gewesenen Räumen des Hauses Welschnonnengasse Nr. 30 war noch die Einrichtung der Gasbeleuchtung auszuführen, wodurch 326 ℳ 14 ₰ Kosten entstanden sind.								
3. und 4. Für die sachlichen und persönlichen Ausgaben	3 570	–	3 254	49	–	–	315	51
5. Feuerversicherungsprämie	2	–	1	84	–	–	–	16
Summe	4 772	–	3 635	31	–	–	1 136	69
50. Großherzogliches Lehrerinnen-Seminar.								
Einnahme.								
I. Schulgeld	8 000	–	8 420	–	420	–	–	–
Ausgabe.								
I. Lehrpersonal und Schulbedürfnisse.								
1. Vergütung für die Leitung des Seminars	600	–	600	–	–	–	–	–
2. und 3. Anteile des Seminars an den Gehalten des Lehrpersonals und den Kosten für Schulbedürfnisse	16 140	–	15 717	86	–	–	422	14
Summe	16 740	–	16 317	86	–	–	422	14
51. Stadtbibliothek.								
Einnahme.								
I. Gutenberg-Museum	7 183	11	7 304	82	121	71	–	–
In Einnahme erscheinen:								
1. Beitrag des Staates für das Rechnungsjahr 1906 . . . 2 500,00 ℳ								
zu übertragen . . . 2 500,00 ℳ								

	Übertrag . . 2 500,00 *M*
2. Beitrag der Stadt für das Rechnungsjahr 1906	2 500,00 „
3. Jahresbeitrag der bürgerlichen Kollegien in Stuttgart mit	50,00 „
4. Zinsen von dem angelegten Gründungskapital	2 229,82 „
5. Erlös für ein in 1906 verkauftes Exemplar der wissenschaftlichen Festschrift der Gutenbergfeier	25,— „
zusammen . . .	7 304,82 *M*

Von der Gutenberg-Gesellschaft wurde dem Gutenberg-Museum aus den Überschüssen des Jahres 1905/06 ein Beitrag von 2000 *M* überwiesen. Die Verrechnung dieses Betrags konnte jedoch im Rechnungsjahr 1906 nicht mehr erfolgen, da die Überweisung erst nach Bücherschluß stattfand.

Ausgabe.

	Betrag nach				Mithin gegen den Voranschlag			
	dem Voranschlag		der Rechnung		mehr		weniger	
	M	₰	*M*	₰	*M*	₰	*M*	₰
I. **Gehalte** ꝛc. **der Angestellten:**								
a) Gehalte ꝛc.	21 300	—	21 300	—	—	—	—	—
b) Teuerungszulagen	—	—	280	—	280	—	—	—
Durch Beschluß der Stadtverordneten-Versammlung vom 20. Februar 1907 wurden die erforderlichen Mittel zur Verfügung gestellt.								
II. **Anschaffung von Büchern**	8 750	—	8 830	13	80	13	—	
III. **Beitrag der Stadt zur Errichtung eines Gutenberg-Museums**	2 500	—	2 500	—	—	—	—	—
IV. **Archiv**	350	—	375	83	25	83	—	—
V. **Münzkabinett**	500	—	419	75	—	—	80	25
VI. **Bureaukosten:**								
1. Für Schreibmaterialien	80	—	62	44	—	—	17	56
2. „ Drucksachen	300	—	86	70	—	—	213	30
3. „ außergewöhnliche Buchbinderarbeiten	700	—	718	25	18	25	—	—
4. und 4a. Für Unterhaltung und Neuanschaffung von Mobiliar	1 000	—	709	48	—	—	290	52
5. Für Reinigung der Arbeits- und Ausstellungsräume ꝛc.	240	—	240	—	—	—	—	—
6. „ Heizung	600	—	562	32	—	—	37	68
7. Verschiedene Ausgaben, Porti ꝛc.	250	—	320	23	70	23	—	—
VII. **Feuerversicherung**	940	—	927	83	—	—	12	17
zu übertragen . . .	37 510	—	37 332	96	474	44	651	48

	Betrag nach				Mithin gegen den Voranschlag			
	dem Voranschlag		der Rechnung		mehr		weniger	
	ℳ	₰	ℳ	₰	ℳ	₰	ℳ	₰
Übertrag . . .	37 510	—	37 332	96	474	44	651	48
VIII. Fonds für das Gutenberg-Museum:								
1. Für Drucksachen	500	—	—	—	—	—	500	—
2. „ Ausstellungs-Mobiliar	200	—	9	40	—	—	190	60
3. „ die Gutenberg-Bibliothek	500	—	506	80	6	80	—	—
4. „ Anschaffungen für das Museum	5 000	—	4 531	12	—	—	468	88
5. „ Reinigung	120	—	120	—	—	—	—	—
6. „ zeitweise Schreibhilfe	500	—	500	—	—	.	—	—
7. „ Verschiedenes, Porti ꝛc.	100	—	—	—	—	—	100	—
8. Verzinsliche Anlage des Überschusses der Einnahmen über die Ausgaben	263	11	1 637	50	1 374	39	—	—
Nach Anlage des vorbemerkten Überschusses wird der Fonds des Museums im ganzen 67 216 ℳ 96 ₰ betrogen.								
Summe . . .	44 693	11	44 637	78	—	—	55	33

55. Öffentliche Kunstsammlungen.

Einnahme.

	dem Voranschlag ℳ	₰	der Rechnung ℳ	₰	mehr ℳ	₰	weniger ℳ	₰
I. Eintrittsgelder	1 300	—	1 607	—	307	—	—	—
II. Erlös für Verzeichnisse der Gemäldegalerie	80	—	104	60	24	60	—	—
III. Kupferstichsammlung:								
1. Laske'sche Stiftung.								
a) Zinsen von angelegten Kapitalien	2 865	13	2 865	13	—	—	—	—
IV. Vergütung für Heizmaterial	25	—	25	—	—	—	—	—
Summe . . .	4 270	13	4 601	73	331	60	—	..

Ausgabe.

	dem Voranschlag ℳ	₰	der Rechnung ℳ	₰	mehr ℳ	₰	weniger ℳ	₰
I. Verwaltungskosten:								
1., 2. und 2a. Gehalt und Vergütungen	4 950	—	4 950	—	—	—	—	—
3. Tagegelder für Aufsicht in den Sammlungen	4 400	—	4 513	60	113	60	—	—
4. Für Reinigung der Gänge und Säle ꝛc.	850	—	850	—	—	—	—	—
5. „ Anschaffung und Unterhaltung von Mobilien ꝛc.	1 440	—	1 444	46	4	46	—	—
6. „ Gasverbrauch der Ganglampe	30	—	22	27	—	—	7	73
7. „ Futter und Steuer für einen Hund	140	—	29	—	—	—	111	—
Der zur Bewachung des kurfürstlichen Schlosses verwendete Hofhund ist am 27. April 1906 verendet. Es erscheint daher hier nur die Steuer mit 20 ℳ und die Vergütung für das Futter für die Zeit vom 1. bis 27. April 1906 in Ausgabe.								
8. Für Abfuhr wasserhaltiger Latrinenmasse	50	—	41	63	—	—	8	37
zu übertragen . . .	11 860	—	11 850	96	118	06	127	10

	Betrag nach				Mithin gegen den Voranschlag			
	dem Voranschlag		der Rechnung		mehr		weniger	
	M.	₰	M.	₰	M.	₰	M.	₰
Übertrag . . .	11 860	—	11 850	96	118	06	127	10
9. Kosten der Heizung der Räume des römisch-germanischen Museums im wiederhergestellten Teile des kurfürstlichen Schlosses	—	—	849	24	849	24	—	
Wegen Übernahme dieser Kosten wurden mit dem Vorstande des Römisch-Germanischen Zentralmuseums Verhandlungen eingeleitet, welche bis zum Bücherschlusse nicht beendigt werden konnten. Ein von dem Römisch-Germanischen Museum zu leistender Kostenersatz würde im Rechnungsjahr 1907 vereinnahmt werden.								
II. Gemäldegalerie:								
1. und 2. Für Anschaffung von Gemälden und Rahmen und für Renovation von Gemälden	6 100	–	3 522	40	—	–	2 577	60
Der verbliedene Kreditrest von 2577 M. 60 ₰ wurde mit Zustimmung der Stadtverordneten-Versammlung darch Beschluß vom 16. Oktober 1907 auf das Rechnungsjahr 1907 übertragen.								
3. Für Aufnahme alter Mainzer Bauwerke	300	–	300	–	—	–	—	–
4. „ die Warmwasserheizung ꝛc.	1 100	–	1 090	76	—	—	9	24
5. „ das Aufziehen der astronomischen Uhr	68	57	68	57	—	—	…	–
III. Kupferstichsammlung.								
1. Laske'sche Stiftung:								
a) Lebenslängliche Rente	1 200	—	1 200	—	—	–	—	–
b) Unterhaltung der Grabstätte	85	—	85		—	.	—	—
c) Verwaltungskosten	16	–	14	–	—	—	2	.
d) Stiftungsgemäße Verwendung des restlichen Zinsenerträgnisses	1 564	13	1 824	30	260	17	—	—
Aus dem Vorjahre stand noch ein Kredit von 578 M. 22 ₰ zur Verfügung. Die in 1906 verbliedenen Mittel im Betrage von (578 M. 22 ₰ + 2 M. = 580 M. 22 ₰ — 260 M. 17 ₰) 320 M. 05 ₰ werden zur Verwendung im Jadre 1907 reserviert, weshalb mit Zustimmung der Stadtverordneten-Versammlung durch Beschluß vom 16. Oktober 1907 auf das Rechnungsjahr 1907 ein Kredit in gleicher Höhe übertragen worden ist.								
IV. Altertumsverein:								
1. und 2. Zuschüsse der Stadt	3 200	–	3 200	–	—	—	—	—
3. Geldanschlag für die Lokale	400	–	400	—	—	-	—	–
4. Ausgrabung römischer Baureste vor dem Gautor . . .	1 000	—	915	91	—	—	84	09
Der nach Abzug der Ausgaben verbliedene Kreditrest von 84 M. 09 ₰ wurde mit Zustimmung der Stadtverordneten-Versammlung durch Beschluß vom 16. Oktober 1907 auf das Rechnungsjahr 1907 übertragen.								
zu übertragen . . .	26 893	70	25 321	14	1 227	47	2 800	03

	Betrag nach				Mithin gegen den Voranschlag			
	dem Voranschlag		der Rechnung		mehr		weniger	
	ℳ	₰	ℳ	₰	ℳ	₰	ℳ	₰
Übertrag . . .	26 893	70	25 821	14	1 227	47	2 800	03
V. Römisch-Germanisches Museum:								
1. Geldanschlag der unentgeltlich überlassenen Räume . .	460	–	460	–	–	–	–	–
VI. Naturhistorisches Museum	4 800	–	4 800	–	–	–	–	–
VII. Verein für plastische Kunst	400	–	400	–	–	–	–	–
VIII. Feuerversicherung	2 126	43	2 080	20	–	–	46	23
IX. Germanisches National-Museum zu Nürnberg	100	–	100	–	–	–	–	–
X. Zeichnerische und photographische Aufnahme eines Portals in der Stadtmauer hinter der Rheinstraße an dem an J. Boos abgetretenen Bauplatz, sowie Abbruch und Verbringung der wertvollen Bauteile nach dem Museum . . . . Durch Beschluß der Stadtverordneten-Versammlung vom 13. Juni 1906 war ein Kredit von 200 ℳ zur Verfügung gestellt worden.	–	–	103	80	103	80	–	–
Summe . . .	34 780	13	33 265	14	–	–	1 514	99
56. Stadttheater.								
Einnahme.								
I. Theatergebäude:								
1. Miete von Lokalen	280	–	280	–	–	–	–	–
2. Geldanschlag der Dienstwohnung des Theatermeisters .	100	–	100	–	–	–	–	–
3. Ersatz der Kosten für Reinigung	2 000	–	2 000	–	–	–	–	–
4. Sonstige Einnahmen . . . . Für Überlassung des Theaters am 26., 28. und 29. April 1906 zu Theateraufführungen wurde der bemerkte Betrag als Miete und Ersatz der Reinigungskosten erhoben.	–	–	136	–	136	–	–	–
Summe . . .	2 380	–	2 516	–	136	–	–	–
Ausgabe.								
I. Theatergebäude:								
1. Gemeinde-Grundsteuern	1 700	–	1 699	60	–	–	–	40
2. Brandversicherungsbeiträge	4 420	–	3 093	72	–	–	1 326	28
3. Baukosten:								
a) Für Unterhaltung des Gebäudes in Dach und Fach	3 000	–	1 690	66	–	–	1 309	34
b) Erneuerung und Reparatur der Bühnenutensilien, Bühnenmaschinerien und der Mobilien im Zuschauerraum und den Probesälen	1 500	–	1 328	45	–	–	171	55
c) Unterhaltung des eisernen Bühnenvorhanges . . .	150	–	71	64	–	–	78	36
zu übertragen . . .	10 770	–	7 884	07	–	–	2 885	93

	Betrag nach				Mithin gegen den Voranschlag			
	dem Voranschlag		der Rechnung		mehr		weniger	
	ℳ	₰	ℳ	₰	ℳ	₰	ℳ	₰
Übertrag . . .	10 770	—	7 884	07	—	—	2 885	93
d) Neuanstrich des Balletprobesaales	130	—	128	13	—	—	1	87
e) Beschaffung von weiteren 12 Orchesterpulten mit elektrischer Beleuchtungseinrichtung	—	—	576	50	576	50	—	—
Durch Beschluß der Stadtverordneten-Versammlung vom 16. August 1906 war ein Kredit von 600 ℳ zu Lasten des Reservefonds zur Verfügung gestellt worden.								
4. Für Reinigung der Hausentwässerungsanlage	30	—	26	—	—	—	4	—
II. Gehalte ꝛc. der Theaterangestellten:								
1.—5. Gehalte ꝛc.:								
a) Gehalte	9 125	—	9 125	—	—	—	—	—
b) Teuerungszulagen	—	—	240	—	240	—	—	—
Zur Bestreitung der Teuerungszulagen wurden durch Beschluß der Stadtverordneten-Versammlung vom 20. Februar 1907 die erforderlichen Mittel bewilligt.								
6. Tagelohn für den Malergehilfen	1 000	—	1 048	77	48	77	—	—
Mehrausgaben bedingt durch die Gewährung der Familienzulage, zu deren Bestreitung durch Beschluß der Stadtverordneten-Versammlung vom 12. Dezember 1906 die erforderlichen Mittel zur Verfügung gestellt wurden.								
7. Für Kontrollierung der Einnahmen und Ausgaben des Stadttheaters	500	—	700	—	200	—	—	—
Durch Stadtverordnetenbeschluß vom 8. November 1906 wurde die Vergütung auf 700 ℳ erhöht und der Kredit um 200 ℳ zu Lasten des Reservefonds ergänzt.								
III. Reinigung und Wasserbrauch:								
1. Reinigung und Unterhaltung der Bedürfnisanstalten:								
a) Für die Abfuhr wasserhaltiger Latrinenmasse . . .	1 600	—	1 721	86	121	86	—	—
b) „ Instandhaltung der Pissoirs	400	—	262	09	—	—	137	91
2. Für Reinigung während des Sommers und Winters .	2 600	—	3 316	66	716	66	—	—
Die durch Stadtverordnetenbeschluß vom 12. Dezember 1906 gewährte Familienzulage bedingte hier eine Mehrausgabe von 32 ℳ 03 ₰. Die übrigen Mehrausgaben entstanden durch die Kosten für Entstaubung der Polstermöbel ꝛc. des Stadttheaters mittels des Luftsaug-Apparates der Vacuum-Reiniger-Gesellschaft, sowie infolge Erhöhung der Tagegelder der Putzfrauen von 2 ℳ 20 ₰ auf 2 ℳ 50 ₰, welche Erhöhung bei Festsetzung des Voranschlagskredits nicht berücksichtigt war.								
3. Für den Wasserverbrauch	200	—	205	34	5	34	—	—
IV. Heizung und Beleuchtung:								
1. Unterhaltung der Heizungsanlage	400	—	453	06	53	06	—	—
zu übertragen . . .	26 755	—	25 687	48	1 962	19	3 029	71

	Betrag nach				Mithin gegen den Voranschlag			
	dem Voranschlag		der Rechnung		mehr		weniger	
	M	Pf	M	Pf	M	Pf	M	Pf
Übertrag . . .	26 755	—	25 687	48	1 962	19	3 029	71
2. Für die elektrische Beleuchtung der Wohnung des Theatermeisters und des Ganges vor derselben . . .	200	—	234	19	34	19	—	—
3. Unterhaltung der elektrischen Lichtanlage 2c.	635	—	559	44	—	—	75	56
4. „ 2c. der Akkumulatorenbatterie	220	—	—	—	—	—	220	—
5. Für unvorhergesehene Veränderungen der elektrischen Beleuchtungsanlage	200	—	25	70	—	—	174	30
V. Orchester	50 000	—	50 000	—	—	—	—	—
VI. Unterhaltung des Bühneninventars:								
1. Miete für ein Dekorationsmagazin	2 400	—	2 400	—	—	—	—	—
2. Für Anschaffung 2c. von Dekorationen 2c.	10 000	—	8 990	67	—	—	1 009	33
Aus dem Vorjahr war ein Kreditrest von 588 M 61 Pf hierher übertragen worden. Der Ende 1906 verbliebene Kreditrest von 1 597 M 94 Pf wurde mit Zustimmung der Stadtverordneten-Versammlung vom 16. Oktober 1907 auf das Rechnungsjahr 1907 übertragen.								
VII. Feuerversicherung	4 569	65	4 809	63	239	98	—	—
Im Laufe des Rechnungsjahres wurde eine Nachversicherung abgeschlossen.								
VIII. Verzinsung und Tilgung der Kosten der Umbauarbeiten und der elektrischen Beleuchtungsanlage	17 600	35	17 600	35	—	—	—	—
Summe . . .	112 580	—	110 307	46	—	—	2 272	54
57. Orchesterfonds.								
Ausgabe	39 309	—	47 362	99	8 053	99	—	—
Zur Deckung des Mehrzuschusses wurden durch die Beschlüsse der Stadtverordneten-Versammlung vom 20. Februar und 16. Oktober 1907 die erforderlichen Mittel zu Lasten des Reservefonds zur Verfügung gestellt.								
Die Erläuterungen des Mehr und Weniger der einzelnen Positionen sind auf Seite 460 u. ff. zu ersehen.								
58. Stadthalle.								
Einnahme.								
I. Mieten:								
1. Wirtschaftsräume	12 000	—	12 000	—	—	—	—	—
2. Keller	1 686	25	1 686	25	—	—	—	—
3. Saal und Nebenräume	8 000	—	9 670	—	1 670	—	—	—
zu übertragen . . .	21 686	25	23 356	25	1 670	—	—	—

	Betrag nach				Mithin gegen den Voranschlag			
	dem Voranschlag		der Rechnung		mehr		weniger	
	ℳ	₰	ℳ	₰	ℳ	₰	ℳ	₰
Übertrag . . .	21 686	25	23 356	25	1 670	–	—	—
II. Ersatz der Kosten für Heizung, Beleuchtung und Reinigung:								
1. der Hallenräume	3 350	—	3 839	54	489	54	—	—
2. „ Keller	180	—	80	72	—	—	99	28
III. Gebühren für Benutzung der Kleiderablage .	3 200	—	2 515	40	—	—	684	60
IV. Gebühren für Besichtigung der Stadthalle . .	400	—	288	20	—	—	111	80
Summe . . .	28 816	25	30 080	11	1 263	86	—	–
Ausgabe.								
I. Unterhaltung des Gebäudes:								
1. Gemeinde-Grundsteuern	1 960	—	1 954	51	—	—	5	49
2. Brandversicherungsbeiträge	700	—	496	16	—	–	203	84
3. Baukosten:								
a) Für Unterhaltung in Dach und Fach	2 200	—	2 107	22	—		92	78
b) Desgleichen des Musikzeltes einschl. der Beleuchtungsanlage	100	—	106	07	6	07	—	–
c) Für Unterhaltung der Einfriedigungen ꝛc.	400	—	299	65	—	–	100	35
d) „ „ der Belenchtungseinrichtungen im Garten	200	—	106	50	—	–	93	50
e) Für Unterhaltung der Luft- und Wasserheizung, sowie der Ventilations-Einrichtungen für den Saal .	300	—	179	25	—	–	120	75
f) Für Auswechselung der defekten Kaloriserenrohre der Feuerluftheizung (4. und letzte Rate).	1 700	—	1 603	29	—	—	96	71
g) Neuanstrich des Holzwerks der Außenseiten der Erdgeschoßfenster mit Ölfarbe	120	—	119	25	—	–	—	75
h) Neuanstrich der Zink-Attika über dem Hauptgesims .	240	—	239	66	—	–	—	34
i) Neuanstrich der Abort- und Pissoiranlage der Männerabteilung	100	—	99	84	—	—	—	16
k) Instandsetzung des stadtseitigen Zinkdaches durch Aufbringung eines Ruberoidbelags.	1 500	—	—	—	—	—	1 500	—
Die Ausführung der Arbeiten konnte im Rechnungsjahr 1906 nicht vorgenommen werden, weshalb der Kredit mit Zustimmung der Stadtverordneten-Versammlung durch Beschluß vom 16. Oktober 1907 auf das Rechnungsjahr 1907 übertragen wurde.								
l) Für Herstellung einer besseren Beleuchtung am Eingang zu dem Stadthallegarten	200	–	220	12	20	12	—	—
m) Verlängerung des Luftkanals im Stadthallegarten. .	—	—	2 555	80	2 555	80	—	–
Durch Beschluß der Stadtverordneten-Versammlung vom 11. Juli 1906 war ein Kredit von 3000 ℳ zur Verfügung gestellt worden.								
zu übertragen . . .	9 720	–	10 087	32	2 581	99	2 214	67

	Betrag nach				Mithin gegen den Voranschlag			
	dem Voranschlag		der Rechnung		mehr		weniger	
	ℳ	₰	ℳ	₰	ℳ	₰	ℳ	₰
Übertrag . . .	9 720	—	10 087	32	2 581	99	2 214	67
n) Instandsetzung der Kamine	—	—	1 099	27	1 099	27	—	—
Durch Beschluß der Stadtverordneten-Versammlung vom 9. Junnar 1907 war ein Kredit von 1100 ℳ bewilligt worden.								
4. Reinigung der Hausentwässerung	30	—	28	60	—	—	1	40
5. Für Beaufsichtigung des Stadthallegartens	—	—	92	—	92	—	—	—
Auf Grund eines Beschlusses der Hallekommission war ein pensionierter Schutzmann mit der Beaufsichtigung während der Sommermonate gegen eine tägliche Vergütung von 1 ℳ beauftragt worden.								
II. Verwaltungskosten:								
1. Gehalt und Teuerungszulage des Hausverwalters . .	2 181	25	2 301	25	120	—	—	—
Zur Bestreitung der Teuerungszulage wurde durch Beschluß der Stadtverordneten-Versammlung vom 20. Februar 1907 der erforderliche Kredit bewilligt.								
2. Für Unterhaltung des Mobiliars, sowie für Drucksachen 2c.	600	—	677	77	77	77	—	—
3. Stempelabgabe für den Automaten zur Entnahme von Besichtigungskarten	10	—	10	—	—	—	—	—
4. Reinigung und Unterhaltung der Bedürfnisanstalten:								
a) Für Wasserverbrauch zur Spülung der Klosetts . .	60	—	79	08	19	08	—	—
b) „ die Abfuhr wasserhaltiger Latrinenmasse . . .	400	—	310	03	—	—	89	97
c) „ Instandhaltung der Ölpissoirs	600	—	663	93	63	93	—	—
Mehrausgaben bedingt durch die Gewährung von Familienzulagen, zu deren Bestreitung die erforderlichen Mittel durch Beschluß der Stadtverordneten-Versammlung vom 12. Dezember 1906 zur Verfügung gestellt wurden.								
5. Heizung der Aufenthaltsräume für den Hausverwalter .	240	—	291	40	51	40	—	—
6. Beleuchtung des Eingangs und des Wiegeraumes der Zollkeller unter der Stadthalle	20	—	52	56	32	56	—	—
7. Feuerversicherungsprämie	36	—	33	55	—	—	2	45
8. Uneinbringliche Miete	—	—	109	57	109	57	—	—
Verausgabung genehmigt durch Beschluß der Stadtverordneten-Versammlung vom 16. Oktober 1907.								
III. Kosten der Heizung, Reinigung, Beleuchtung 2c.:								
1. Für Brennmaterialien und für Bedienung der Heizanlage	1 700	—	1 594	34	—	—	105	66
2. „ Reinigung des Saales 2c.	1 300	—	1 331	50	31	50	—	—
3. „ Kerzen zur Notbeleuchtung	100	—	109	74	9	74	—	—
4. „ Bedienung des Gasmotors	50	—	2	50	—	—	47	50
5. „ Wasser zum Kühlen der Ventilationsluft	70	—	—	—	—	—	70	—
6. „ Unterhaltung der elektrischen Batterie zum Zünden der Kronleuchter	70	—	70	—	—	—	—	—
zu übertragen . . .	17 187	25	18 944	41	4 288	81	2 531	65

	Betrag nach				Mithin gegen den Voranschlag			
	dem Voranschlag		der Rechnung		mehr		weniger	
	ℳ	₰	ℳ	₰	ℳ	₰	ℳ	₰
Übertrag . . .	17 187	25	18 944	41	4 288	81	2 531	65
7. Für die Heizung der Weinkeller unter der Halle . .	180	—	80	72	—	—	99	28
Bemerkt wird, daß die Kosten der Kellerheizung sich auf 22,738 ₰ für das qm Fläche, gegen 38,90 ₰ im Vorjahre, stellen.								
8. Für die Abfuhr von Abfällen (Schlacken ꝛc.)	60	—	61	—	1	—	—	—
9. Uneinbringliche Reinigungskosten	—	—	102	37	102	37	—	—
Gleiche Erläuterung wie zu pos. II. 8.								
IV. Bedienung der Kleiderablage:								
1. An den Hausverwalter für die Beaufsichtigung und Bedienung der Kleiderablage	320	—	251	54	—	—	68	46
2. Für das Bedienungspersonal einschließlich der Kassierer sowie für Ersatz der Auslagen der Oberaufsicht bei den einzelnen Veranstaltungen	1 200	—	1 059	—	—	—	141	—
3. Für Druck von Nummern, für Kordel und sonstige Anschaffungen	50	—	18	70	—	—	31	30
4. Feuerversicherungsprämie	24	19	22	30	—	—	1	89
V. Verzinsung und Tilgung der Baukosten . . .	29 246	81	29 246	81	—	—	—	—
Summe . . .	48 268	25	49 786	85	1 518	60	—	—

59. Volkskonzerte und Volksvorträge.

	ℳ	₰	ℳ	₰	ℳ	₰	ℳ	₰
Einnahme	1 600	—	1 010	—	—	—	590	—
Ausgabe.								
I. Volkskonzerte	1 000	—	1 000	—	—	—	—	—
II. Volksvorträge	600	—	10	—	—	—	590	—
Im Rechnungsjahr 1906 sind keine Volksvorträge gehalten worden. Die Ausgabe betrifft den Jahresbeitrag zum Rhein-Mainischen Verband für Volksvorlesungen und verwandte Bestrebungen.								
Summe . . .	1 600	—	1 010	—	—	—	590	—

61. Öffentliche Monumente.

	ℳ	₰	ℳ	₰	ℳ	₰	ℳ	₰
Ausgabe.								
1. Für die laufende Unterhaltung der Monumente . . .	380	—	188	55	—	—	191	45
2. Erwerbung des Pumpbrunnens im Hause Neutorstraße Nr. 18	—	—	400	—	400	—	—	—
Durch Stadtverordnetenbeschluß vom 8. September 1906 wurde der erforderliche Kredit zur Verfügung gestellt.								
Summe . . .	380	—	588	55	208	55	—	—

	Betrag nach				Mithin gegen den Voranschlag			
	dem Voranschlag		der Rechnung		mehr		weniger	
	ℳ	₰	ℳ	₰	ℳ	₰	ℳ	₰
62. Unterhaltung der Straßen.								
Einnahme.								
I. Beiträge zur Straßenunterhaltung:								
1. Beitrag für Wiedereröffnung eines Neuls am Ignaz-Kirchhof	—	—	—		—	—	—	—
2. Zinsen von dem Erneuerungsfonds für Holzpflaster . .	513	48	513	48	—	—	—	—
3. Ersatz der Kosten für Unterhaltung des Pflasters längs der Straßenbahngleise	5 000	—	—	—	—		5 000	—
Der von der Städtischen Straßenbahn zu leistende Ersatz wird erst im Rechnungsjahr 1907 einnähmlich verrechnet werden.								
4. Ersatz der Kosten für Herstellungen für Rechnung von Privaten	2 750	—	2 725	50	—		24	50
II. Ersatz von Vorschüssen:								
1. Für gesetzte Trottoirkanten	20 000	—	30 664	97	10 664	97	—	—
2. „ Straßenbaumaterialien	85 000	—	107 966	02	22 966	02	—	—
Die Mehreinnahme entspricht der Mehrausgabe.								
III. Verschiedene Einnahmen:								
1. Ersatzleistung für Beschädigungen . . 14 ℳ — ₰								
2. Ersatz für abgegebene Baumaterialien an Private ꝛc. . . . . 345 „ 20 „								
3. Vertragsstrafen . . . . 48 „ — „	500	—	407	20	—	—	92	80
Summe . . .	113 763	48	142 277	17	28 513	69	—	—
Ausgabe.								
I. Gehalte der technischen Aufsichtsbeamten . .	13 375	—	13 357	96	—	—	17	04
II. Unterhaltung der Pflasterung, der Trottoirs und der Chaussierungen auf Straßen, Wegen und Plätzen:								
1. Lieferung von Straßenbaumaterialien ꝛc.	32 000	—	31 993	02	—	—	6	98
2. Fuhrlöhne für diese Materialien ꝛc.	25 000	—	16 788	25	—	—	8 211	75
3. Arbeitslöhne für Erd- und Pflasterarbeiten	101 000	—	109 368	54	8 368	54	—	—
Die durch Beschluß der Stadtverordneten-Versammlung vom 12. Dezember 1906 gewährten Familienzulagen bedingten hier eine Mehrausgabe von 7173 ℳ 52 ₰. Die weiteren Mehrausgaben entstanden infolge Zahlung der halben Taglöhne für die auf Wochentage fallenden gesetzlichen Feiertage sowie Nichtberücksichtigung der regelmäßigen Lohnerhöhungen bei Festsetzung des Voranschlagskredits seitens des Tiefbauamts. Diesen Mehrausgaben stehen jedoch bei den übrigen Unterpositionen entsprechende Ersparnisse gegenüber.								
zu übertragen . . .	171 375	—	171 507	77	8 368	34	8 235	77

	Betrag nach				Mithin gegen den Voranschlag			
	dem Voranschlag		der Rechnung		mehr		weniger	
	ℳ	₰	ℳ	₰	ℳ	₰	ℳ	₰
Übertrag . .	171 375	–	171 507	77	8 368	54	8 235	77
4. Arbeitslöhne und Materiallieferungen bei Unterhaltung der Brücken und polizeilichen Anstalten	5 000	—	3 877	41	—	–	1 122	59
5. Trottoir-Ergänzungen	3 600	—	865	54	—	—	2 734	46
Der verbliebene Kreditrest von 2734 ℳ 46 ₰ wurde mit Zustimmung der Stadtverordneten-Versammlung durch Beschluß vom 16. Oktober 1907 auf das Rechnungsjahr 1907 übertragen.								
6. Ausbesserung der Asphalt-Trottoirs	10 000	—	10 106	07	106	07	—	—
7. Unterhaltung des Inventars	6 000	—	4 463	77	—	—	1 536	23
7a. Für Anschaffung von zwei Schlammabfuhrwagen . .	1 200	—	710	—	—	—	490	—
7b. Für Beschaffung von Dienstjoppen und Mützen für die Obleute und Straßenreiniger	1 000	—	1 000	—	—	—	—	—
8. Unterhaltung des Holzpflasters	9 000	—	12 362	75	3 362	75	—	—
Aus dem Vorjahr stand noch ein weiterer Kredit von 3357 ℳ 65 ₰ zur Verfügung.								
8a. Teeren verschiedener Holzpflasterstrecken	1 500	—	1 404	50	—	–	95	50
9. Ausgießen von Pflasterfugen mit Pechmasse . .	2 000	—	1 761	21	—	—	238	79
10. Teeren und Westrumitbehandlung von chaussierten Straßen	1 500	—	1 495	67	—	—	4	33
11. Für Herstellungen auf Kosten von Privaten	2 500	—	2 477	73	—	–	22	27
12. Unterhaltung des Pflasters längs der Straßenbahngleise	5 000	—	4 768	33	—	—	231	67
Von den Ausgaben hat die Städt. Straßenbahn 3453 ℳ 20 ₰ zu ersetzen. Der Ersatz wird erst im Rechnungsjahr 1907 geleistet. Bezüglich des Ersatzes für Unterhaltung des Pflasters längs der Gleise der Dampfstraßenbahn schweben noch Verhandlungen. Die Aufwendungen für letztere Unterhaltung belaufen sich im Rechnungsjahr 1905 auf 1029 ℳ 88 ₰ und im Rechnungsjahr 1906 auf 1315 ℳ 13 ₰.								
13. Für Unterhaltung der seitherigen Kreisstraßen sowie verschiedener im Festungsgelände liegender Straßen .	8 500		8 810	—	310	—	—	—
Mehrausgaben bedingt durch die Gewährung der Familienzulagen, zu deren Bestreitung durch Beschluß der Stadtverordneten-Versammlung vom 12. Dezember 1906 die erforderlichen Mittel bewilligt wurden.								
III. Entschädigungen wegen Veränderungen an Straßenfluchtlinien	500	—	—	—	—	—	500	—
IV. Regulierung und Umbau von Straßen:								
Für die in 1906/07 auszuführenden Straßenregulierungen sind im Voranschlag 40 000 ℳ unter dem Vorbehalt eingestellt worden, daß die in Aussicht genommenen Regulierungen von der								
zu übertragen . . .	228 675	—	225 610	75	12 147	36	15 211	61

	Betrag nach				Mithin gegen den Voranschlag			
	dem Voranschlag		der Rechnung		mehr		weniger	
	ℳ	₰	ℳ	₰	ℳ	₰	ℳ	₰
Übertrag . . .	228 675	—	225 610	75	12 147	36	15 211	61
Stadtverordneten-Versammlung nach Vorlage eines Kostenanschlags und spezieller Pläne im einzeln besonders genehmigt werden. Zu Kosten dieses Gesamtkredits sind die nachfolgenden Regulierungen 2c. gutgeheißen worden. Die für dieselben gemachten Aufwendungen betragen wie nachstehend nachgewiesen 14 352 ℳ 23 ₰ oder 25 647 ℳ 77 ₰ weniger	40 000	—					25 647	77
1. Für Ausbesserung des Pflasters der Gaustraße . . . Kreditbewilligung 9600 ℳ; laut Stadtverordnetenbeschluß vom 16. August 1906.			4 764	78				
2. Für Umpflasterung der Mathildenstraße . . . . . Kreditbewilligung 5500 ℳ; laut Stadtverordnetenbeschluß vom 16. August 1906.			5 448	86				
3. Für Asphaltierung der Fahrbahn in der Heiliggrabgasse Kreditbewilligung 2700 ℳ; laut Stadtverordnetenbeschluß vom 16. August 1906.			2 639	88				
4. Für die Straßenregulierung längs des Hauses Graben Nr. 2 Kreditbewilligung 1500 ℳ; laut Stadtverordnetenbeschluß vom 16. August 1906.			1 498	71				
Der verbliebene Kreditrest von 25 647 ℳ 77 ₰ wurde mit Zustimmung der Stadtverordneten-Versammlung durch Beschluß vom 16. Oktober 1907 auf das Rechnungsjahr 1907 übertragen.								
V. Beiträge zur Straßenunterhaltung	513	48	513	48	—	—	—	—
VI. Vorlagen der Stadtkasse:								
1. Für Trottoirkanten	20 000	—	30 389	78	10 389	78	—	—
2. Für Beschaffung von Straßenbaumaterialien	85 000	—	107 966	02	22 966	02	—	—
Zu pos. 1 und 2: Den Mehrausgaben stehen die Mehreinnahmen bei pos. II. 1 und 2 gegenüber.								
VII. Miete für Straßenterrain	2	—	2	—	—	—	—	—
VIII. Baumagazin am Rheintor:								
1. Gemeinde-Grundsteuern	140	—	139	54	—	—	—	46
2. Brandversicherungsbeiträge	9	—	5	89	—	—	3	11
3. Geldanschlag der von dem Tiefbauamt benutzten Lagerplätze	13 170	—	13 170	—	—	—	—	—
IX. Feuerversicherung	21	—	18	01	—	—	2	99
X. Kosten der Überweisung von Kreisstraßengelände in den Besitz der Stadt Mainz. . . .	—	—	70	25	70	25	—	—
Infolge eines zwischen dem Kreis Mainz und der Stadt Mainz unterm 14. April 1906 abgeschlossenen Vertrages, be-								
zu übertragen . . .	387 530	48	392 237	95	45 573	41	40 865	94

	Betrag nach				Mithin gegen den Voranschlag			
	dem Voranschlag		der Rechnung		mehr		weniger	
	M	₰	M	₰	M	₰	M	₰
Übertrag . . .	387 530	48	392 237	95	45 573	41	40 865	94
urkundet durch Notariatsakt vom 14. September 1906, gingen die Grundstücke Flur I Nr. 286, Flur II Nr. 338, Flur III Nr. 608, Flur IV Nr. 505, Flur V Nr. 368, Flur VI Nr. 540, Flur VII Nr. 8, Flur XXV Nr. 17 und 235⁸/₁₀ mit Wirkung vom 1. April 1905 in den Besitz der Stadt. Die Eigentumsübertragung geschah ohne jede Entschädigung seitens der Stadt an den Kreis Mainz. Dagegen waren die Kosten der Beurkundung von der Stadt zu tragen.								
XI. Notstandsarbeiten	—		2 299	59	2 299	59	—	—
Durch Beschluß der Stadtverordneten-Versammlung vom 31. Dezember 1906 waren hierfür 5000 M bewilligt worden. Eine Notwendigkeit zur Abhaltung von Notstandsarbeiten wie in früheren Jahren war im Winter 1906/1907 nicht vorhanden. Durch das Armenamt wurden nur Arbeitslose vorübergehend beschäftigt. Für einen Teil dieser Aufwendungen wurden dem Armenamt mit Zustimmung der Stadtverordneten-Versammlung durch Beschluß vom 26. Juni 1907 aus dem bewilligten Kredit 2299 M 59 ₰ überwiesen. Vergl. auch die Erläuterungen auf Seite 4 des Rechenschaftsberichts der Armendeputation.								
Summe . . .	387 530	48	394 537	54	7 007	06	—	—
63. Unterhaltung des Rheinufers.								
Ausgabe.								
I. Aufsicht	3 225	—	1 491	41	—	—	1 733	59
Entsprechend der für die Aufsicht über die Uferbauarbeiten verwendeten Zeit waren nur 1491 M 41 ₰ zu verausgaben.								
II. Unterhaltung des Ufers:								
1. Für Unterhaltung des Steinwurfs rc.	2 000	—	2 740	23	749	23	—	—
Durch Beschluß der Stadtverordneten-Versammlung vom 6. Februar 1907 war für die außerordentliche Instandsetzung der Kaimauer ein weiterer Kredit von 800 M bewilligt worden.								
2. Für außerordentliche Instandsetzung des Steinwurfs an verschiedenen Stellen	1 000	—	1 057	13	57	13	—	—
3. Für außerordentliche Instandsetzung der Kaimauer . .	500	—	499	15	—	—	—	85
4. Für Vergrößerung der Ausladerampe am Wachsbleicharm	4 000	—	3 552	28	—	—	447	72
III. Unterhaltung der Straßen:								
1. Für Unterhaltung der Straßen und Rampen	2 500	—	2 498	70	—	—	1	30
2. Umpflasterung der Fahrstraße zwischen Holztor und Nikolauspoterne (6. Rate)	2 000	—	1 994	90	—	—	5	10
zu übertragen . . .	15 225	—	13 842	80	806	36	2 188	56

	Betrag nach				Mithin gegen den Voranschlag			
	dem Voranschlag		der Rechnung		mehr		weniger	
	ℳ	₰	ℳ	₰	ℳ	₰	ℳ	₰
Übertrag . . .	15 225		13 842	80	806	36	2 183	56
3. Umpflasterung der Drehbrücke am Zoll- und Binnenhafen	4 800		—	—	—	—	4 800	—
Die Pflasterungsarbeiten konnten nicht vorgenommen werden, da eine Beschlußfassung über die Verstärkung der Brücke und des Hafenbahngleises noch nicht herbeigeführt worden ist. Mit Zustimmung der Stadtverordneten-Versammlung vom 16. Oktober 1907 wurde daher der Kredit von 4800 ℳ auf das Rechnungsjahr 1907 übertragen.								
Summe . . .	20 025	—	13 842	80	—	—	6 182	20
63a. Baggerungen.								
Einnahme.	—	—	—	—	—	—	—	—
Von dem Großh. Staat war für 1906 ein Ersatz nicht zu leisten.								
Ausgabe.								
1. Für Unterhaltung der Baggermaschine	600	—	577	42	—	—	22	58
2. „ Baggerungen im Hafengebiete	17 700	—	17 335	69	—	—	364	31
3. Dienstkleider für die Baggerarbeiter	100	—	64	15	—	—	35	85
Summe . . .	18 400	—	17 977	26	—	—	422	74
64. Spaziergänge.								
Einnahme.								
I. Gebäude	150	—	150	—	—	—	—	—
II. Nutzungen	120	—	154	50	34	50	—	—
Für die Nutzungen an Laub, Gras und Nüssen wurden 14 ℳ 50 ₰ mehr erzielt. Ferner wurden noch 20 ℳ für beseitigte Bäume vereinnahmt.								
III. Ersatz von Heizungskosten	200	—	200	—	—	—	—	—
IV. Verschiedene Einnahmen:								
1. Ersatz für Beschädigung ꝛc. von Bäumen	30	—	165	10	135	10	—	—
Summe . . .	500	—	669	60	169	60	—	—
Ausgabe.								
I. Gehalte der Angestellten:								
a) Gehalte	7 450	—	7 450	—	—	—	—	—
b) Teuerungszulage	—	—	120	—	120	—	—	—
Zur Bestreitung der Teuerungszulage wurden durch Beschluß der Stadtverordneten-Versammlung vom 20. Februar 1907 die erforderlichen Mittel bewilligt.								
II. Bureaubedürfnisse:								
1. Schreib- und Zeichenutensilien	150	—	149	91	—	—	—	09
zu übertragen . . .	7600	—	7 719	91	120	—	—	09

	Betrag nach				Mithin gegen den Voranschlag			
	dem Voranschlag		der Rechnung		mehr		weniger	
	ℳ	₰	ℳ	₰	ℳ	₰	ℳ	₰
Übertrag . .	7 600	—	7 719	91	120	—	—	09
2. Drucksachen	100	—	249	50	149	50	—	—
Die Mehrausgaben sind in der Hauptsache durch den Druck der Fuhrkarten verursacht worden. Diese Karten wurden seither von dem Tiefbauamt bezogen und die Kosten derselben zu Lasten der diesem Amte zur Verfügung stehenden Kredite verrechnet.								
3. Zeitschriften und Bücher	120		119	95	—	—	—	05
4. Buchbinderarbeiten	40	—	39	65	—	—	—	35
5. Unterhaltung zc. des Mobiliars	70	—	68	80	—		1	20
6. Für Gasbeleuchtung	50		18	24	—		31	76
7. „ Heizmaterialien	120	—	119	89	—	—	—	11
8. Porto und Fracht	200	—	159	21	—	—	40	79
III. Gebäude:								
1. Gemeinde-Grundsteuern	65		70	22	5	22	—	—
Infolge Erhöhung des Steuerkapitals von 230,9 ℳ auf 254,9 ℳ ist die Mehrausgabe entstanden.								
2. Brandversicherungsbeiträge	38	—	25	92	—		12	08
3. Steuer- und Futterkosten für einen Hund	44		44	—	—	—	—	—
4. Baukosten:								
a) Für Unterhaltung der Gärtnerwohnung in der Anlage	130	—	55	64	—	—	74	36
b) „ „ des Palmenhauses	300	—	416	36	116	36	—	—
Die Mehrausgabe ist bedingt durch die jetzt erst erfolgte definitive Verrechnung einer Ausgabe von 116 ℳ 68 ₰ für im Oktober 1903 ausgeführte Tüncherarbeiten.								
c) Für Unterhaltung des Wohnhauses zc. und der Gärtnerei am Gonsenheimertor	500	—	499	03	—		—	97
d) Unterhaltung der Heizungsanlage des Palmenhauses in der Anlage	100	—	90	04	—	—	9	96
e) Unterhaltung des Abortgebäudes	50	—	49	98	—	—	—	02
f) Abfuhr wasserhaltiger Latrinenmasse aus dem im unteren Teile der Anlage errichteten Abortgebäude .	—	—	94	70	94	70	—	—
g) Versetzen eines Schuppens von dem Gebiete der ehemaligen Schloßkaserne nach dem Grundstücke der Stadtgärtnerei an der Fintherstraße	—	—	1 999	93	1 999	93	—	—
Die Stadtverordneten-Versammlung hat durch Beschluß vom 9. Mai 1906 hierfür einen Kredit von 2000 ℳ bewilligt.								
5. Betriebskosten des Palmenhauses in der Anlage . . .	2 000	—	1 999	80	—	—	—	20
IV. Laufende Unterhaltungsarbeiten:								
1. Lieferung von Bäumen, Sträuchern zc.	6 200	—	6 299	89	99	89	—	—
zu übertragen . . .	17 727	—	20 140	66	2 585	60	171	94

	Betrag nach				Mithin gegen den Voranschlag			
	dem Voranschlag		der Rechnung		mehr		weniger	
	ℳ	₰	ℳ	₰	ℳ	₰	ℳ	₰
Übertrag .	17 727	—	20 140	66	2 585	60	171	94
2. Taglöhne für Gärtner und Handarbeiter	38 770	—	41 897	79	2 627	79	—	—
Die Mehrausgaben sind im wesentlichen bedingt durch die Gewährung von Familienzulagen, zu deren Bestreitung die Stadtverordneten-Versammlung durch Beschluß vom 12. Dezember 1906 die erforderlichen Mittel bewilligt hat.								
3. Fuhrlöhne für Materialien und Wasser	2 100	—	2 087	40	—	—	12	60
4. Beschaffung und Beifuhr von Gießwasser	2 800	—	2 448	50	—	—	351	50
5. Anschaffung von Arbeitsgeräten und Unterhaltung des Inventars	3 000	—	2 999	67	—	—	—	33
6. Reparatur und Anstrich von Bänken	850	—	849	54	—	—	—	46
7. Schutzvorrichtungen und deren Unterhaltung	1 000	—	1 012	04	12	04	—	—
8. Unterhaltung der Instrumente von 5 Wetterhäuschen .	100	—	100	—	—	—	—	—
9. Unterhaltung der Baumpflanzungen auf den seitherigen Kreisstraßen	500	—	499	83	—	—	—	17
V. Außerordentliche Arbeiten:								
1. Für Verlegung eines Wasserrohres	200	—	199	17	—	—	—	83
2. Beschaffung einer transportablen Arbeits- und Gerätehütte für das Personal der Stadtgärtnerei	220	—	210	—	—	—	10	—
VI. Überwachung der Anlagen:								
1. Für 4 Anlageschützen	4 130	—	4 641	26	511	26	—	—
Bezüglich der hier entstandenen Mehrausgaben wird auf die Erläuterung zur Rubrik 40. V. -- Ausgabe — dieser Rechnung verwiesen.								
2. Für Anschaffung 2c. der Dienstmäntel 2c. der Schützen .	200	—	198	45	—	—	1	55
VII. Pacht von Grundstücken	25	—	25	—	—	—	—	—
VIII. Mobilienversicherung	19	69	17	62	—	—	2	07
IX. Verzinsung und Tilgung der Kapitalaufwendungen	5 242	31	5 242	31	—	—	—	—
Summe . .	76 884	—	82 069	24	5 185	24	—	—

65. Reinigungswesen.

Einnahme.

	ℳ	₰	ℳ	₰	ℳ	₰	ℳ	₰
I. Straßenreinigung:								
1. Für Kehricht	3 000	—	4 246	—	1 246	—	—	—
2. „ Reinigung der Straßenteile unter den Festungstoren	100	—	—	—	—	—	100	—
Die Reinhaltung 2c. der Straßenteile unter dem Gaufenheimertor und der Poterne Nikolaus ging nach dem Vertrage vom 11. Juli 1905 über die Auflassung der Festungsumwallung mit Wirkung vom 1. April 1906 ab auf die Stadt Mainz über.								
zu übertragen	3 100	—	4 246	—	1 246	—	100	—

	Betrag nach				Mithin gegen den Voranschlag			
	dem Voranschlag		der Rechnung		mehr		weniger	
	M.	Pf.	M.	Pf.	M.	Pf.	M.	Pf.
Übertrag . . .	3 100	—	4 246	—	1 246	—	100	—
3. Für Reinigung der Trottoirs um das Großherzogliche Palais in Mainz	140	—	140	—	—	—	—	—
4. Für abgängige Gegenstände und sonstige nicht vorherzusehende Einnahmen	150	—	325	80	175	80	—	—
II. Abfuhr der Haushaltungsabfälle:								
1. Für Abholung und Abfuhr von Haushaltungsabfällen .	1 300	—	1 063	08	—	—	236	92
2. „ desgleichen aus städtischen und Fonds-Gebäuden .	860	—	974	52	114	52	—	—
3. „ Abholen und Abfuhr von Metzgerei- und sonstigen gewerblichen Abfällen	2 000	—	2 420	50	420	50	—	—
4. und 5. Für Abholen des Kehrichts und der Feuerungsabfälle aus dem Realgymnasium ꝛc. und dem Gymnasium	140	—	140	—	—	—	—	—
6. Für abgängige Gegenstände und sonstige nicht vorherzusehende Einnahmen	100	—	285	69	185	69	—	—
7. Einnahmen von den Abladeplätzen	—	—	141	50	141	50	—	—
Vom 1. März 1907 ab wurde das Recht zum Sammeln der auf dem Abladeplatz vor dem Gautor vorhandenen Glas- und Metallabfälle gegen einen monatlichen Pacht von 51 M. verpachtet. Ferner wurden im März 1907 noch 90 M. 50 Pf. Gebühren erhoben für Abladen von gewerblichen Abfällen auf dem erwähnten Abladeplatz. Durch Beschluß der Stadtverordneten-Versammlung vom 23. Mai 1907 ist der Gebührentarif von 50 Pf. für eine einspännige Fuhre und 1 M. für eine zweispännige Fuhre gutgeheißen worden.								
III. Latrinenreinigung:								
1. Erlös aus Latrinenmasse	68 000	—	52 930	49	—	—	15 069	51
2. Für die Abfuhr wasserhaltiger Latrinenmasse	40 000	—	33 393	98	—	—	6 606	02
3. Vertragsstrafen	10	—	—	—	—	—	10	—
4. Für Entfernung unbrauchbaren Bodensatzes . .	1 000	—	1 652	85	652	85	—	—
5. „ Abfuhr der Abortkübel	100	—	74	—	—	—	26	—
6. „ Prüfung von Latrinengewölben	1 200	—	1 196	23	—	—	3	77
7. „ abgängige Gegenstände ꝛc.	200	—	555	15	355	15	—	—
8. Miete für Latrinenfässer ꝛc.	4 000	—	3 320	—	—	—	680	—
9. Miete von Gelände an den Latrinensammelgruben . .	70	—	70	—	—	—	—	—
10. Überwachungs- und Bedienungsgebühren für die Abortgruben nach System Brix & Gibian	470	—	520	—	50	—	—	—
Durch Zugang der Grube in dem Oberrealschulgebäude — Rubr. 45. I. 2g — und von vier Gruben in sonstigen Gebäuden ist die Mehreinnahme begründet.								
11. Verschiedene Einnahmen	—	—	2	50	2	50	—	—
Entschädigung für eine bestellte und nicht geduldete Latrinenentleerung.								
zu übertragen . . .	122 840	—	103 452	29	3 344	51	22 732	22

	Betrag nach				Mithin gegen den Voranschlag			
	dem Voranschlag		der Rechnung		mehr		weniger	
	ℳ	₰	ℳ	₰	ℳ	₰	ℳ	₰
Übertrag . . .	122 840	—	103 452	29	3 344	51	22 732	22
IV Pferdehaltung:								
1. Ersatz der Kosten für die Pferdehaltung	79 114	50	74 252	63	—	—	4 861	87
Von diesen Kosten sind übernommen worden:								
auf Rubrik 65 I. 5 — Ausgabe — 14 490,88 ℳ								
„ „ 65 I. 7 — „ — 6 974,42 „								
„ „ 65 I. 8 — „ — 1 432,67 „								
„ „ 65 II. 4 — „ — 32 580,71 „								
„ „ 65 III. 2 — „ — 10 019,64 „								
„ „ 65 III. 15 — „ — 8 113,72 „								
„ „ 65 V. 2 — „ — 186,16 „								
„ „ 65 V. 4 — „ — 286,40 „								
„ „ 65 V. 5 — „ — 168,03 „								
2. Für Abfuhe wasserhaltiger Latrinenmasse	15 200	—	16 480	60	1 280	60	—	—
3. „ „ des Abraums ꝛc. im Hafengebiet . . .	500	—	456	—	—	—	44	—
4. „ „ der Schlacken aus dem Schlacht- und Viehhof	250	—	163	—	—	—	87	—
5. „ „ des Abraums vom Friedhof	1 300	—	1 248	—	—	—	52	—
6. „ Fuhrleistungen für sonstige städtische Verwaltungszweige	400	—	465	60	65	60	—	—
7. Für Pferdemist	971	50	1 071	27	99	77	—	—
8. „ den täglichen Transport des Speisewagens vom Rochushospital nach der Anstalt für Genesende . . .	600	—	600	—	—	—	—	—
9. Erlös aus alten Hufeisen	100	—	550	46	450	46	—	—
10. Erlös aus abgängigen Pferden	2 000	—	640	—	—	—	1 360	—
V. Verwaltungskosten:								
1. Geldanschlag der Dienstwohnungen	760	—	751	67	—	—	8	33
Eine Dienstwohnung, die einen jährlichen Mietertrag von 100 ℳ liefert, war im Monat Dezember 1906 unvermietet.								
2. Erlös für verkaufte Latrinebezugsanweisungen ꝛc. . . .	300	—	266	50	—	—	33	50
3. Sonstige Einnahmen	3	—	26	09	23	09	—	—
Die Mehreinnahme ist durch Abgabe von Wasser aus der Wasserversorgungsanlage des Reinigungsamtes zum Einschlämmen von Grund bei den Kanalbauarbeiten im Gebiete der Nordwestfront entstanden.								
Summe . . .	224 339	—	200 424	11	—	—	23 914	89
Ausgabe.								
I. Straßenreinigung:								
1. Taglöhne bei der regelmäßigen Straßenreinigung . .	107 300	—	104 949	39	—	—	2350	61
2. Anschaffung und Unterhaltung von Dienstkleidern . .	1 819	—	1 800	17	—	—	18	83
3. Für Besen und Kehrwalzen	7 700	—	6 860	04	—	—	839	96
zu übertragen . . .	116 819	—	113 609	60	—	—	3 209	40

	Betrag nach				Mithin gegen den Voranschlag			
	dem Voranschlag		der Rechnung		mehr		weniger	
	ℳ	₰	ℳ	₰	ℳ	₰	ℳ	₰
Übertrag . . .	116 819	—	113 609	60	—	—	3 209	40
3a. Beschaffung von drei Fahrzeugen für die Kehrichtabfuhr	—	—	—	—	—	—	—	—
Die Bestellung der Fahrzeuge warde bis zur Entscheidung über die Verlegung des Müllabladeplatzes aufgeschoben. Da diese aber erst im Rechnungsjahr 1907 erfolgte, so konnten die vorgesehenen Mittel in diesem Jahre nicht mehr verwendet werden. Der aus dem Vorjahr zur Verfügung gestandene Kredit mit 3 000 ℳ wurde daher mit Zustimmung der Stadtverordneten-Versammlung vom 16. Oktober 1907 auf das Rechnungsjahr 1907 und zwar auf Rubrik 65. II. 4a. übertragen.								
4. Für Unterhaltung des Inventars, Anschaffung neuer Schippen und Pickel rc.	4 700	—	4 999	89	299	89	—	—
5. Anteil an der Pferdehaltung	18 000	—	14 490	88	—	—	3 509	12
6. Für Wasserverbrauch bei der gewöhnlichen Straßenreinigung	2 000	—	1 750	93	—	—	249	07
7. Für Straßenbegießung im Sommer 1906	16 000		13 687	46	—	—	2 312	54
8. Außerordentliche Straßenreinigung zur Winterszeit . .	12 500	—	12 191	55	—	—	308	45
II. Abfuhr der Haushaltungsabfälle:								
1. Taglöhne deim Laden der Haushaltungsabfälle und Planieren derselben auf den Ablagerungsplätzen . . .	30 500		32 410	80	1 910	80	—	—
Die Mehrausgaben sind im wesentlichen verursacht darch die Gewährung von Familienzulagen, zu deren Bestreitung die Stadtverordneten-Versammlung durch Beschluß vom 12. Dezember 1906 die erforderlichen Mittel dewilligt hat.								
1a. Taglöhne rc. deim Abdecken der auf dem Abladeplatz der Ingelheimer Au adgefahrenen Haushaltungsabfälle mit gutem Mutterboden	6 000	—	—	—	—	—	6 000	—
Die vorgesehenen Mittel wurden nicht beansprucht, da der Abladeplatz auf der Ingelheimer Au infolge anderweitiger Beschaffung eines Müllablageplatzes nicht mehr benutzt wird.								
2. Anschaffung und Unterhaltung von Kitteln, Schürzen und Mützen für die Kehrichtlader	875	62	830	35	—	—	45	27
3. Unterhaltung des Inventars	4 200	—	4 492	15	292	15	—	—
Durch die Gewährung der Familienzulagen, wozu durch Stadtverordnetenbeschluß vom 12. Dezember 1906 die erforderlichen Mittel dewilligt wurden, sind die Mehrausgaben entstanden.								
4. Anteil an der Pferdehaltung	30 000	—	32 580	71	2 580	71	—	—
Die Pferdehaltung ist für Abfuhr der Haushaltungsabfälle mehr in Anspruch genommen worden.								
4a. Für Beschaffung von zwei gedeckten Kehrichtwagen .	—	—	44	65	44	65	—	—
Aus dem Vorjahr stand ein Kreditrest von 706 ℳ 54 ₰ zur Verfügung. Der Ende 1906 verbliedene Kreditrest mit 661 ℳ 89 ₰ wurde lant Stadtverordnetenbeschluß vom 16. Oktoder								
zu übertragen . . .	241 594	62	231 088	97	5 128	20	15 633	85

	Betrag nach				Mithin gegen den Voranschlag			
	dem Voranschlag		der Rechnung		mehr		weniger	
	M	₰	M	₰	M	₰	M	₰
Übertrag . . .	241 594	62	231 088	97	5 128	20	15 633	85
1907 auf das nächste Jahr übertragen, um in diesem mit dem Kredit unter pos. 1. 3a gemeinsam verwendet zu werden.								
5. Verzinsung und Tilgung des für die Kehrichtwagen aufgewendeten Kapitals	850	38	850	38	—		–	– –
6. Pachtentschädigung für den seitherigen Pächter des Hospizienackers Flur VII Nr. 74	.	–	260	—	260	– –	—	– –
7. Einzäunung des Ackers Flur VII Nr. 74 mit Drahtgeflecht	–		423	56	423	56		– –
8. Für Errichtung eines Aborthäuschens auf dem Abladeplatze			39		39	– –		– –
Zu pos. 6, 7 und 8: Durch Stadtverordnetenbeschluß vom 20. Februar 1907 waren Kredite von 260 M, 450 M und 100 M zur Verfügung gestellt worden.								
9. Uneinbringliche Kosten für Abfuhr von gewerblichen Abfällen	---	–	16	· ·	16	·	---	
Ausgäbliche Verrechnung genehmigt durch Stadtverordnetenbeschluß vom 16. Oktober 1907.								
III. Latrinenreinigung:								
1a. Taglöhne beim Reinigen der Latrinen	32 000	—	33 438	90	1 438	90	--	–
Zur Bestreitung der durch die Beschlüsse der Stadtverordneten-Versammlung vom 12. Dezember 1906 und 20. Februar 1907 gewährten Familien- und Teuerungszulagen wurde ein weiterer Kredit von 1759 M 52 ₰ zu Lasten des Reservefonds zur Verfügung gestellt.								
1b. Für Überkleider des Maschinenpersonals	370	—	364	30	---	–	5	70
2. Anteil an der Pferdehaltung	13 729	50	10 019	64	---		3 709	86
2a. Für Fuhrleistungen durch Prionie	—	--	280	--	280		--	—
Da infolge starken Schneefalls der gesamte Pferdebestand des städtischen Reinigungsamts für die Schneeabfuhr notwendig war, mußte in den Monaten Dezember 1906 und Januar 1907 die Beförderung der Dampfluftpumpe zum Teil durch Pferde eines Privatunternehmers erfolgen.								
3. Vergütung für die Abfuhr wasserhaltiger Latrinenmasse	40 000	--	33 387	93	—	–	6 612	07
4. Für Unterhaltung des Inventars	9 300	--	9 291	29	—	–	8	71
4a. „ Beschaffung einer Radfabrikationsmaschine	900	–	—	—	—		900	—
Der Kredit wurde mit Zustimmung der Stadtverordneten-Versammlung vom 16. Oktober 1907 auf das Rechnungsjahr 1907 übertragen.								
5. Für Anschaffung 2c. von Schläuchen 2c.	5 500	—	5 473	95	—	—	26	05
6. „ Brennmaterialien	3 000	–	3 000	87	—	87	—	—
7. „ Desinfektionsmittel	200	·	60	95	—	—	139	05
8. Kosten der Prüfung von Latrinengruben	1 200	—	1 152	31	—	—	47	69
9. Für Schmiermittel und Beleuchtung	1 000	--	996	97	—	--	3	03
10. Miete für Benutzung von Eisenbahngelände zur Errichtung von Latrinesammelgruben	171	75	171	75	—	—	—	—
zu übertragen . . .	349 816	25	330 316	77	7 586	53	27 086	01

	Betrag nach				Mithin gegen den Voranschlag			
	dem Voranschlag		der Rechnung		mehr		weniger	
	M	₰	M	₰	M	₰	M	₰
Übertrag . . .	349 816	25	330 316	77	7 586	53	27 086	01
11. Gemeinde-Grundsteuern von den Latrinesammelgruben in den Gemarkungen Bodenheim, Kastel und Kostheim . .	20	57	17	76	—	—	2	81
12. Für Verzinsung und Tilgung der für die Sammelgruben ꝛc. aufgewendeten Kapitalien	3 817	18	3 817	19	—	01	—	—
13. Miete für Eisenbahnwagenuntergestelle	525	—	525	—	—	—	—	—
14. Für Unterhaltung der Sammelgruben ꝛc.	2 300	—	2 346	48	46	48	—	—
15. Fuhrlöhne zur Beförderung von Latrine an die Gruben ꝛc.	25 000		22 883	40	—	—	2 116	60
16. Fracht ꝛc. für mit der Bahn versandte Latrine . . .	13 000	—	10 669	50	—	—	2 330	50
17. Spesen beim Verkauf von Latrine aus den Sammelgruben	750	—	393	20	—	—	356	80
18. Verlegung der Ausgußstelle für wasserhaltige Latrine (Anlage eines Betriebshofes)	—	—	1 557	29	1 557	29	—	—
Durch Stadtverordnetenbeschluß vom 9. Mai 1906 war ein Kredit in Höhe von 1600 M bewilligt worden.								
19. Uneindringliche Vergütungen für bezogene Latrinenmasse	—	—	20	91	20	91	—	—
Verausgabung durch Stadtverordnetenbeschluß vom 16. Oktober 1907 genehmigt.								
IV. Pferdehaltung:								
1a. Löhne für 30 Fuhrleute	41 300	—	40 678	62	—	—	621	38
1b. Lohn für einen Hof- und Stallarbeiter . . . . . Gleiche Erläuterung wie zu pos. II. 1.	1 200	—	1 262	50	62	50	—	—
1c. Lohn für einen Nachtwächter . . . . Gleiche Erläuterung wie zu pos. II. 3.	1 300	—	1 335	50	35	50	—	—
2a. Für Anschaffung und Unterhaltung von Fuhrmannskitteln	925	—	890	05	—	—	34	95
3. Für Unterhaltung der Pferde und Pferdegeschirre . .	43 175	—	43 145	91	—	—	29	09
4. „ ärztliche Behandlung der Pferde:								
a) Vergütung an den Tierarzt	400	—	400	—	—	—	—	—
b) für Medikamente	256	—	174	21	—	—	81	79
5. Für Anschaffung von Stroh zur Stallstreu	3 380	—	3 070	77	—	—	309	23
6. „ Ersatz von alten Pferden und Anschaffung neuer Pferde	8 500	—	4 970	—	—	—	3 530	—
Der Ersatz von abgängigen Pferden, deren Beschaffung einer Anregung in der Stadtverordneten-Versammlung zufolge tunlichst auf hiesigen Pferdemärkten erfolgen soll, wurde aus diesem Grunde auf das Rechnungsjahr 1907 verschoben. Mit Zustimmung der Stadtverordneten-Versammlung durch Beschluß vom 16. Oktober 1907 wurde daher der Kreditrest von 3530 M auf das Rechnungsjahr 1907 übertragen.								
zu übertragen . . .	495 665	—	468 475	06	9 309	22	36 499	16

	Betrag nach				Mithin gegen den Voranschlag			
	dem Voranschlag		der Rechnung		mehr		weniger	
	ℳ	₰	ℳ	₰	ℳ	₰	ℳ	₰
Übertrag . . .	495 665	--	468 475	06	9 309	22	36 499	16
V. **Verwaltungskosten:**								
1a—i. Gehalte ꝛc. der Angestellten des Reinigungsamtes:								
α) Gehalte und Vergütungen	22 375	—	22 017	22	—	—	357	78
Die neugeschaffene Stelle eines Hilfsaufsehers wurde erst am 3. Juli 1907 provisorisch besedt. Hierdurch entstand eine Wenigerausgabe von 357 ℳ 78 ₰.								
β) Teuerungszulagen	—	--	954	33	954	33	—	-
Zur Bestreitung der Teuerungszulagen wurden durch Beschluß der Stadtverordneten-Versammlung vom 20. Februar 1907 die erforderlichen Mittel bewilligt.								
1k. Für einen Dienstmantel des 3. Aufsehers	50	—	26	40	—	—	23	60
2. Bureaukosten:								
a) Schreibmaterialien	250	--	257	15	7	15	—	—
b) Drucksachen	1 000	—	528	28	—		471	72
c) Buchbinderarbeiten	250	--	236	40	—	-	13	60
d) Unterhaltung der Mobilien	600	—	573	74	—	-	26	26
e) Reinigung der Handtücher	300	--	230	76	—	--	69	24
f) Brennmaterialien für die Ofenheizung	600	—	347	43	—	-	252	57
g) Beleuchtung einschl. der Beschaffung von Glühkörpern ꝛc.	900	-	903	31	3	31	—	--
h) Reinigung der Bureauräume	300	--	308	90	8	90	—	—
i) Verschiedene Ausgaben, Porti ꝛc.	200	—	193	89	—	—	6	11
k) Gestellung eines Wagens für den Kassenbeamten . .	300	—	186	16	—	..	113	84
l) Für Benutzung der Straßenbahn durch Angestellte .	300	-	230	80	—	..	69	20
m) Für Beschaffung einer Schreibmaschine	500	—	500	--	—	—	--	—
3. Feuerversicherung	114	43	110	29	—	-	4	14
4. Gebäude:								
a) Gemeinde-Grundsteuern	300	--	254	01	—	-	45	99
b) Brandversicherungsbeiträge	135	--	92	73	—	—	42	27
c) Unterhaltung der Gebäude	1 200	—	1 400	72	200	72	—	—
Zur Beseitigung sehr starker Rauchbelästigungen in der Schmiede sowie in den Bureau- und Wohnräumen der Reinigungsanstalt mußten an sieben Schornsteinrohren Saughüte aufgesetzt werden. Hierdurch warde die Mehrausgabe verursacht.								
d) Unterhaltung und Betriebskosten der Wasserversorgungsanlage	900	—	744	99	—	—	155	01
e) Unterhaltung der Hofbefestigung	200	—	106	34	—	--	93	66
f) „ „ Entwässerungsanlage	120	—	50	—	—	—	70	--
g) „ „ elektrischen Lichtanlage	150	—	149	82	—	--	—	18
h) Beschaffung und Unterhaltung einer Turmuhr . . .	1 000	—	1 004	82	4	82	—	—
zu übertragen . . .	527 709	43	499 883	55	10 488	45	38 314	33

	Betrag nach				Mithin gegen den Voranschlag			
	dem Voranschlag		der Rechnung		mehr		weniger	
	M.	₰	M.	₰	M.	₰	M.	₰
Übertrag . . .	527 709	43	499 883	55	10 488	45	38 314	33
i) Einrichtung eines Teils der offenen Wagenhalle für eine Lackiererwerkstätte	2 100	—	2 096	79	—	—	3	21
k) Für Unterhaltung der Rasenflächen	50	—	35	10	—	—	14	90
l) Anfuhr von Wasser nach dem Betriebsplatz für die Haushaltungen	300	—	286	40	—	—	13	60
m) Unterhaltung der Wagenhalle ꝛc. an der Fintherstraße	160		44	99	—	—	115	01
n) Steuer und Futter für einen Hund	140		140	—	—	—	—	—
o) Instandsetzung des Weges nach dem Kehrichtabladeplatz gegenüber dem Krematorium	—	—	584	52	584	52	—	—
Laut Stadtverordnetenbeschluß vom 13. Juni 1906 wurde hierfür ein Kredit von 600 M. bewilligt.								
5. Unterhaltung eines Bureaus ꝛc. in der Stadt . . .	1 000		570	09	—	—	429	91
5a. Schaffung eines weiteren Abortraumes auf dem Grundstück Rheinallee Nr. 27	—	—	101	43	101	43	—	—
Die Kosten des auf dem Hofe des vorgenannten Anwesens errichteten Aborts, welcher sowohl von dem Personal des Reinigungsamtes als auch von dem Personal des Elektrizitätswerks benutzt wird, betragen im ganzen 202 M. 85 ₰. Die Hälfte dieser Kosten sind dem Elektrizitätsamt zur Last gesetzt worden, während die andere Hälfte hier zu verrechnen ist.								
6. Miete von 2 Räumen als Futterställe für Pferde und eines Aufenthaltsraumes für Fuhrleute	—	—	450	—	450	—	—	—
Von einem Privaten wurden 3 Räume von seinem in der Nähe des Gautores gelegenen Anwesen für die Zeit von Mitte November 1906 bis Ende März 1907 gegen Zahlung einer Miete von 450 M. gemietet. Durch Beschluß der Stadtverordneten-Versammlung vom 20. Februar 1907 ist der entsprechende Kredit zur Verfügung gestellt worden.								
7. Für die innere Einrichtung der unter 6 genannten Räume	—	—	449	47	449	47		—
Mit Zustimmung der Stadtverordneten-Versammlung vom 20. Februar 1907 wurde hierfür ein Kredit von 450 M. bewilligt.								
VI. Verzinsung und Tilgung der für den Neubau der Reinigungsanstalt aufgewendeten Kapitalien	12 498	57	12 294	72	—	—	203	85
Summe . . .	543 958	—	516 937	06	—	—	27 020	94
66. Straßenbeleuchtung.								
Einnahme	—	—	39	25	39	25	—	—
Hier erscheinen die Kosten für die Wiederherstellung eines an der Ecke Kolmarstraße—Kaiser Wilhelm-Ring umgefahrenen Spiritusglühlichtkandelabers mit 37 M. 25 ₰ und eine Vertragsstrafe von 2 M. für Nichtbelebung einer Erdölstraßenlaterne.								

	Betrag nach				Mithin gegen den Voranschlag			
	dem Voranschlag		der Rechnung		mehr		weniger	
	M	₰	M	₰	M	₰	M	₰
Ausgabe.								
I. **Gasbeleuchtung**	108 000	—	104 886	36	—	—	3 113	64
II. **Elektrische Beleuchtung:**								
1. Beleuchtung des Bahnhofplatzes und des unteren Teiles der Wiesbadenerstraße	3 000	—	2 518	92	—	—	481	08
2. Für Beleuchtung der Verbindungstreppe zwischen Walpoden- und Terrassenstraße	175	—	174	—	—	—	1	—
III. **Sonstige Beleuchtung:**								
1. Erdölstraßenbeleuchtung	2 600	—	2 121	47	—	—	478	53
Am Ende des Rechnungsjahres 1906 waren 44 Erdölstraßenlaternen vorhanden.								
2. Spiritusgasglühlichtbeleuchtung	3 100	—	1 845	32	—	—	1 254	68
IV. **Rohrleitungen und Laternen:**								
1. Aufstellung von Kandelabern und Anbringung von Wandarmen mit Laternen	2 000	—	1 988	74	—	—	11	26
Unter den Ausgaben sind auch die Kosten für Wiederanbringung der bei Niederlegung des Hauses Graben 2 beseitigten Laternen, sowie für Verbesserung der Straßenbeleuchtung in einzelnen Straßen der Altstadt im Betrage von 591 M 73 ₰ enthalten.								
1a. Vermehrung der Straßenlaternen in verschiedenen Straßen der Altstadt	2 000	—	1 993	28	—	—	6	72
2. Unterhaltung des Anstrichs an Gaskandelabern und Wandarmen	1 000	—	734	61	—	—	265	39
3. Reinigung der Kandelaber	1 150	—	1 110	98	—	—	39	02
4. Aufstellung von Kandelabern in den Straßen der Neustadt	12 000	—	16 506	49	4 506	49	—	—
Durch Beschluß der Stadtverordneten-Versammlung vom 1. Februar 1907 war ein weiterer Kredit von 7000 M dewilligt worden. Der Ende des Rechnungsjahres verbliedene Kreditrest von 2493 M 51 ₰ wurde mit Zustimmung der Stadtverordneten-Versammlung durch Beschluß vom 16. Oktober 1907 auf das Rechnungsjahr 1907 übertragen.								
4a. Herstellung der Straßenbeleuchtung für den oberen Zahibacherweg durch Aufstellung von 33 Gaslaternen	—	—	3 641	23	3 641	23	—	—
Laut Stadtverordnetenbeschluß vom 30. Mai 1906 wurde hierfür ein Kredit von 4500 M zur Verfügung gestellt.								
4b. Verbesserung der Beleuchtung an den Haupthalte- und Kreuzungsstellen der Straßenbahn	—	—	144	29	144	29	—	—
Kreditübertrag aus dem Vorjahr 1366 M 30 ₰. Mit Zustimmung der Stadtverordneten-Versammlung vom 16. Oktober 1907 ist der Ende 1906 verbliebene Kreditrest mit 1221 M 01 ₰ auf das Rechnungsjahr 1907 übertragen worden.								
zu übertragen	135 025	—	137 665	69	8 292	01	5 651	32

	Betrag nach				Mithin gegen den Voranschlag			
	dem Voranschlag		der Rechnung		mehr		weniger	
	M	₰	M	₰	M	₰	M	₰
Übertrag . . .	135 025	—	137 665	69	8 292	01	5 651	32
4c. Herstellung der Straßenbeleuchtung für die Straße 4a im Industriegebiet	—	—	1 993	82	1 993	82	—	—
Kreditbewilligung 2000 M laut Stadtverordnetenbeschluß vom 13. Juni 1906.								
4d. Weiterführung der elektrischen Beleuchtung der Gaßner-Allee auf der Ingelheimer Au längs des Hobelwerks der Firma Dülken, Kaufhold & Cie. bis zum Ende des bewohnten Gebietes	—	—	266	87	266	87	—	—
Zur Bestreitung der vorstehenden Ausgaben wurde durch Beschluß der Stadtverordneten-Versammlung vom 19. Dezember 1906 ein Kredit in Höhe von 450 M bewilligt.								
5. Aufstellung und Unterhaltung von Holzpfosten und Laternen der provisorischen Straßenbeleuchtung . . .	500	—	494	51	—	—	5	49
Summe . . .	135 525	—	140 420	89	4 895	89	—	—
67. Brunnen und Wasserleitungen.								
Einnahme	80	—	99	66	19	66	—	—
Die Gesellschaft „Amerikanische Petroleum-Anlagen“ hat aus der Hardenbergleitung nur im II. und III. Quartal 1906 Wasser entnommen und hierfür 12 M 50 ₰ bezahlt, wodurch gegen den Voranschlag ein Ausfall von 7 M 50 ₰ entstand. Dagegen ergaben sich folgende Mehreinnahmen: Außer dem unter pos. 1 des Voranschlags genannten Grundbesitzer wurde auch dem Besitzer des Anwesens Mainzerstraße 91 zu Bretzenheim vom 1. November 1906 die Entnahme von Wasser aus der drrr. Rohrleitung gegen Zahlung einer monatlichen Vergütung von 50 ₰ gestattet. Ferner sind noch 24 M 66 ₰ von der Königlichen Fortifikation für Herstellungsarbeiten an der gemeinschaftlichen Römertalleitung erhoben worden.								
Ausgabe.								
I. Unterhaltung der Wasserleitungen, der Lauf- und Pumpbrunnen:								
1. Für Unterhaltung der Pumpbrunnen	1 500	—	1 316	20	—	—	183	80
2. „ Veränderungen und Ausbesserungen an den Leitungen und Ventilbrunnen	4 000	—	3 874	64	—	—	125	36
3. File Aufstellung eines Ventilbrunnens am Holztor . .	440	—	415	75	—	—	24	25
4. Aufstellung eines Ventilbrunnens am Dammweg . . .	—	—	469	89	469	89	—	—
Kreditbewilligung 500 M laut Stadtverordnetenbeschluß vom 16. August 1906.								
II. Speisung von Brunnen	11 260	—	11 231	96	—	—	28	04
Für die Brunnen am oberen Ende der Anlage und am Gonsenheimertor sowie für den Ventilbrunnen im Zollhafen								
zu übertragen . . .	17 200	—	17 308	44	469	89	361	45

	Betrag nach				Mithin gegen den Voranschlag			
	dem Voranschlag		der Rechnung		mehr		weniger	
	ℳ	₰	ℳ	₰	ℳ	₰	ℳ	₰
Übertrag . . .	17 200	—	17 308	44	469	89	361	45
wurden nur 387 ℳ 96 ₰ beansprucht. Für Wasserverbrauch des nach pos. I. 3 neu aufgestellten und am 10. Juni 1906 dem Betrieb übergebenen Brunnens waren 194 ℳ erforderlich. Unter pos. 2, 2a und 3 des Voranschlags waren im ganzen für die vorbemerkten Brunnen 700 ℳ vorgesehen. Der nach pos. I. 4. neu aufgestellte Ventilbrunnen ist am 16. November 1906 in Betrieb gesetzt worden. Für Speisung dieses Brunnens waren dem Städt. Wasserwerk bis Ende März 1907 = 90 ℳ zu vergüten.								
III. Für Wasseruntersuchungen	1 000	—	910	40	—	—	89	60
Summe . . .	18 200	—	18 218	84	18	84	—	—
68. Unterhaltung und Reinigung der Kanäle.								
Einnahme.								
I. Kanalreinigung:								
1. Für Reinigung der Sinkkasten und Siphons:								
a) für Reinigung in städtischen und Fonds-Gebäuden .	1 740	—	1 895	40	155	40	—	—
b) „ „ „ sonstigen Gebäuden	9 693	40	10 298	18	604	78	—	—
2. Für Reinigung der Siphons &c. im Großh. Palais .	41	60	41	60	—	—	—	—
3. „ „ „ Straßensinkkasten im Hauptbahnhof und Südbahnhof	25	—	25	—	—	—	—	—
4. Geldanschlag der Dienstwohnung des Maschinisten bei der Pumpstation	210	—	210	—	—	—	—	—
II. Ersatz von Vorschüssen:								
1. Für Kanalbaumaterialien	35 000	—	23 319	30	—	—	11 680	70
2. Ersatz der Kosten für die von der Stadt ausgeführte Entwässerungsanlage des Gebietes Gaugasse 57 . . .	100	—	100	—	—	—	—	—
III. Verschiedene Einnahmen	—	—	63	73	63	73	—	—
Vereinnahmt wurden 44 ℳ 62 ₰ Verwaltungskosten für Ausführung von Arbeiten für Rechnung der Staatseisenbahnverwaltung und 19 ℳ 11 ₰ für abgegebene Kanalbaumaterialien.								
Summe . . .	46 810	—	35 953	21	—	—	10 856	79
Ausgabe.								
I. Verwaltungskosten:								
1. Gehalte	8 725	—	4 291	13	—	—	4 433	87
Entsprechend der von den Angestellten verwendeten Zeit waren hier nur 4 291 ℳ 13 ₰ zu verausgaben.								
2. Sonstige Kosten	83	—	76	12	—	—	6	88
zu übertragen . . .	8 808	—	4 367	25	—	—	4 440	75

	Betrag nach				Mithin gegen den Voranschlag			
	dem Voranschlag		der Rechnung		mehr		weniger	
	ℳ	₰	ℳ	₰	ℳ	₰	ℳ	₰
Übertrag . . .	8 808	—	4 367	25	—	—	4 440	75
II. Unterhaltung der Kanäle und Kanaleinläufer:								
1. Für Untersuchung und Unterhaltung der provisorischen und definitiven Kanäle rc.	12 000		11 748	—	—	—	252	—
2. Dienstkleider für Kanalarbeiter	100	—	61	40	—	—	38	60
IIa. Wiederherstellung schadhafter Tonrohrkanäle	5 000	—	4 999	59	—	—	—	41
III. Kanalreinigung:								
1. Reinigung der Kanalstrecken:								
a) Taglöhne	9 500	—	10 039	85	539	85	—	—
Die Mehrausgaben sind verursacht durch die Gewährung von Familienzulagen, zu deren Bestreitung die Stadtverordneten-Versammlung durch Beschluß vom 12. Dezember 1906 die erforderlichen Mittel bewilligt hat.								
b) Kosten der Abfuhr des Kanalschlammes	1 500		450	50	—	—	1 049	50
c) Spülung der Kanäle, Wasserverbrauch rc.	400	—	149	22	—	—	250	78
d) Anschaffung und Unterhaltung des Inventars . . .	2 000		1 653	18	—	—	346	82
e) Dienstkleider für Kanalreiniger	150	—	137	30	—	—	12	70
2. Reinigung der Straßensinkkasten und Kanaleinläufer:								
a) Taglöhne	5 000	—	5 261	16	261	16	—	—
Zur Bestreitung der durch Stadtverordnetenbeschluß vom 12. Dezember 1906 gewährten Familienzulagen wurde ein weiterer Kredit von 374 ℳ 93 ₰ zur Verfügung gestellt.								
b) Mietfuhrwerk für die Kanaleimerwagen zur Entleerung der Straßensinkkasten	9 000		8 258	—	—	—	742	—
c) Unterhaltung des Inventars	1 000	—	803	65	—	—	196	35
d) Dienstkleider für die Arbeiter	100	—	34	80	—	—	65	20
e) Beschaffung eines Eimerwagens	1 000	—	765	—	—	—	235	—
3. Reinigung von Hausentwässerungen:								
a) Gehaltsanteile	975	—	682	50	—	—	292	50
b) Arbeitslöhne	6 500	—	6 323	47	—	—	176	53
c) Fuhrlöhne	700	—	700	—	—	—	—	—
d) Unterhaltung des Inventars	500	—	239	25	—	—	260	75
e) Dienstkleider für die Arbeiter	75	—	29	—	—	—	46	—
f) Uneindringliche Gebühren für Siphonreinigung . .	—	—	26	64	26	64	—	—
Verausgabung genehmigt laut Stadtverordnetenbeschluß vom 16. Oktober 1907.								
4. Betriebskosten der Pumpstationen:								
a) Löhne für Bedienung der Maschinen	5 500	—	4 738	95	—	—	761	05
In den Ausgaben sind 120 ℳ Teuerungszulage des Maschinisten enthalten.								
b) Für Brennmaterial und Stromverbrauch	9 000	—	6 633	44	—	—	2 366	56
c) „ Putz- und Schmiermittel rc.	500	—	560	78	60	78	—	—
zu übertragen . . .	79 308	—	68 662	93	888	43	11 533	50

	Betrag nach				Mithin gegen den Voranschlag			
	dem Voranschlag		der Rechnung		mehr		weniger	
	ℳ	₰	ℳ	₰	ℳ	₰	ℳ	₰
Übertrag . . .	79 308	—	68 662	93	888	43	11 533	50
d) für Unterhaltung der Maschinen und Pumpen, sowie der Gebäulichkeiten	2 000	—	1 972	30	—	—	27	70
e) Unterhaltung des Gebäudes der neuen Pumpstation am Schloßtor in Dach und Fach	200	—	202	74	2	74	—	—
f) Überwachungsgebühr für die Abortgrube im Gebäude der neuen Pumpstation	10	—	10	—	—	—	—	—
g) Anschaffung für die Werkstätte ꝛc.	300	—	374	04	74	04	—	—
h) Brandversicherungsbeiträge von den Gebäuden der Pumpstation am Raimunditor	2	—	2	30	—	30	—	—
i) Brandversicherungsbeiträge von dem Gebäude der neuen Pumpstation am Schloßtor	40	—	27	44	—	—	12	56
IV. Unterhaltung der sonstigen Entwässerungsanstalten:								
1. Für Unterhaltung des Wildgrabens, Zeybachs und Gonsbachs	1 600	—	1 599	01	—	—	—	99
V. Kosten der Bearbeitung der Projekte für eine definitive Pumpstation und die Kläranlagen ꝛc.								
1. Gehaltsanteile	5 800	—	1 883	46	—	—	3 916	54
Entsprechend der von dem Personal des Tiefbauamts für die Bearbeitung der Projekte verwendeten Zeit waren hier nur 1883 ℳ 46 ₰ zu verausgaben.								
2. Für Vorarbeiten und Versuche bei Aufstellung der Projekte	1 200	—	817	93	—	—	382	07
Mit Zustimmung der Stadtverordneten-Versammlung durch Beschluß vom 16. Oktober 1907 ist der Kreditrest auf das Rechnungsjahr 1907 übertragen worden.								
VI. Vorlagen der Stadtkasse:								
1. Beschaffung von Kanalbaumaterialien	35 000	—	23 319	30	—	—	11 680	70
Summe . . .	125 460	—	98 871	45	—	—	26 588	55
70. Feuerlöschwesen.								
Einnahme.	—	—	—	—	—	—	—	—
Ausgabe.								
I. Türmer:								
a) Gehalt	1 300	—	1 407	60	107	60	—	—
Infolge Beurlaubung des Türmers war eine Stellvertretung durch Feuerwehrleute notwendig geworden, wodurch 57 ℳ 60 ₰ Kosten entstanden sind. Ferner wurden dem Türmer durch Beschluß der Stadtverordneten-Versammlung vom 20. Februar 1907 mit Wirkung vom 1. Oktober 1906 ab 1½ Jahre seiner Dienst-								
zu übertragen . . .	1 300	—	1 407	60	107	60	—	—

	Betrag nach				Mithin gegen den Voranschlag			
	dem Voranschlag		der Rechnung		mehr		weniger	
	ℳ	₰	ℳ	₰	ℳ	₰	ℳ	₰
Übertrag . . .	1 300	—	1 407	60	107	60	—	—
zeit als Vordienstzeit in Anrechnung gebracht. Durch diese Anrechnung hat sich vom erwähnten Zeitpunkt der Jahresgehalt infolge zurückgelegter dreijähriger Dienstzeit von 1300 ℳ auf 1400 ℳ erhöht. Hierdurch wurden 50 ℳ mehr beansprucht.								
b) Teuerungszulage	—	—	120	—	120	—	—	—
Kreditbewilligung 120 ℳ laut Stadtverordnetenbeschluß vom 20. Februar 1907.								
II. Feuerwehr:								
1. Vergütungen	18 980	—	18 173	40	—	—	806	60
Dem seitherigen Brandmeister des I. Zuges, welchem durch Beschluß der Stadtverordneten-Versammlung vom 29. November 1905 die Stelle eines Feuerwehrwachtmeisters probeweise gegen den Bezug einer monatlichen Vergütung von 150 ℳ übertragen worden war, wurde, da derselbe seinen dienstlichen Verpflichtungen vorläufig nur teilweise nachkommen konnte, für die Zeit vom 23. April 1906, dem Tage des Diensteintritts, ab bis einschließlich 30. April 1906 eine monatliche Vergütung von 60 ℳ und vom 1. Mai 1906 ab eine monatliche Vergütung von 100 ℳ gewährt. Erst vom 1. Oktober 1906 ab, dem Tage, von welchem sich der Feuerwehrwachtmeister auf Probe nach Maßgabe der Dienstanweisung ganz dem Feuerwehrdienste widmete, gelangte die nach obigem Beschluß festgesetzte jährliche Vergütung von 1800 ℳ zur Auszahlung. Gegen den Voranschlag entstand daher eine Wenigerausgabe von 384 ℳ. Weitere Ersparnisse von zusammen 422 ℳ 60 ₰ sind bei pos. 1 d bis i erzielt worden.								
2. Tagegelder für ständig in Dienst stehende Feuerwehrleute	3 768	—	3 949	91	181	91	—	—
Die Mehrausgaben fiad bedingt durch die Gewährung von Familienzulagen, zu deren Bestreitung durch Beschluß der Stadtverordneten-Versammlung vom 12. Dezember 1906 die erforderlichen Mittel bewilligt worden sind.								
3. Jährliche Vergütung für Anschaffung von Uniformröcken ɾc.	1 836	—	1 836	—	—	—	—	—
4. Für Beleuchtung und Reinigung der Lokale	1 000	—	815	05	—	—	184	95
5. „ Brennmaterialien	260	—	279	46	19	46	—	—
6. „ Bureaubedürfnisse ɾc.	380	—	550	13	170	13	—	—
Durch die Errichtung einer weiteren ständigen Feuerwachestelle im Gebäude des IV. Polizeibezirks waren Mehraufwendungen für Reinigung der Bettwäsche, Handtücher ɾc. erforderlich.								
7. Unterstützung der Witwe des verunglückten Feuerwehrmannes Kach	282	40	282	40	—	—	—	—
zu übertragen . . .	27 806	40	27 413	95	599	10	991	55

	Betrag nach				Mithin gegen den Voranschlag			
	dem Voranschlag		der Rechnung		mehr		weniger	
	ℳ	₰	ℳ	₰	ℳ	₰	ℳ	₰
Übertrag . . .	27 806	40	27 413	95	599	10	991	55
8. Versicherung der Feuerwehrleute gegen Unfälle:								
a) Versicherung sämtlicher Mitglieder der Feuerwehr auf den Foll des Tades oder der Invalidität . .	—	—	10	—	10	—	—	—
Hier erscheint die Prämie für die Versicherung des Feuerwehrwachtmeisters füe die Zrit vom 22. Oktober 1906 bis dahin 1908 aus jährlich 4 ℳ 50 ₰ mit 9 ℳ nebst 1 ℳ Schreibgebühr in Ausgabe.								
b) Versicherung der Feuerwehrleute gegen vorübergehende Erwerbsunfähigkeit	200	—	55	50	—	—	144	50
Bei einem größeren Zimmerbrande zogen sich zwei Feuerwehrleute Handverletzungen zu und waren während 12 Arbeitstagen erwerbsunfähig.								
III. Signal-Einrichtungen:								
1. Unterhaltung der Feuertelegraphen	345	—	345	—	—	—	—	—
2. Für Unterhaltung des Kontrollapparates zwischen dem Stephansturm und dem Stadttheater	15	·	15	—	—	—	—	—
3. Für Ausbesserungen an den Feuertelegraphen bei gewaltsamen Beschädigungen der Leitungen 2c.	50	—	39	40	—	—	10	60
4. Für Ausbesserungen und Veränderungen an den Feuerschellen	300	—	557	23	257	23	—	—
Die Verlegung des Feuermelders von dem Fabrikgebäude der Lederwerke nach der Wachtstube der Alicekaserne bedingte die Mehrausgabe.								
5. Für Instandhaltung 2c. des Läutewerks auf dem Schulhause in der Schulstraße	10	—	10	—	—	—	—	—
6. Stundenschlag- und Alarmwerk auf dem Quintinsturm:								
a) Für Unterhaltung desselben	230	—	254	90	24	90	—	—
b) „ Stromverbrauch	30	—	17	22	—	—	12	78
IV. Ausrüstungsstücke und Löschgeräte:								
1. Für Unterhaltung der Ausrüstungsstücke 2c.	1 800	—	1 843	18	43	18	—	—
Mit Zustimmung der Stadtverordneten-Versammlung durch Beschluß vom 6. März 1907 wurde laut Vertrag vom 5./15. April 1907 der Akkumulatorenfabrik Akt.-Ges. in Berlin die Unterhaltung der Batterie des Automobilfahrzeugs der Feuerwehr auf die Dauer von 5 Jahren und zwar vom 1. Oktober 1906 bis dahin 1911 übertragen. In den Ausgaben ist die im voraus fällige Jahresprämie von 656 ℳ für die Zeil vom 1. Oktober 1906 bis dahin 1907 enthalten.								
1a. Für Ersnß von Schläuchen	2 000	—	1 974	—	—	—	26	—
zu übertragen . . .	32 786	40	32 535	38	934	41	1 185	43

	Betrag nach				Mithin gegen den Voranschlag			
	dem Voranschlag		der Rechnung		mehr		weniger	
	ℳ	₰	ℳ	₰	ℳ	₰	ℳ	₰
Übertrag . . .	32 786	40	32 535	38	934	41	1 185	43
2. Für Reinigen der Geräte:								
a) Taglöhne	3 200	—	3 213	10	13	10	—	—
Gleiche Erläuterung wie zu pos. II. 2.								
b) Putz- und Schmiermittel	300	—	185	84	—	—	114	16
3. Feuerversicherung	249	60	214	66	—	—	34	94
V. Kosten der Übungen und Brände:								
1. Für den Transport der Drehleiter und der mechanischen Schiebeleiter bei Übungen, sowie Kosten der Brände .	1 400	—	825	72	—	—	574	28
Durch die Übungen sind keine Kosten entstanden. Die Kosten der Brände betragen 825 ℳ 72 ₰.								
2. Für Stromverbrauch zum Laden der Batterien des Elektro-Automobilfahrzeugs	1 250	—	252	60	—	—	997	40
VI. Spritzenlokale:								
1. Miete an den Schulfonds für das Spritzenmagazin im Realschulhof	51	43	51	43	—	—	—	—
2. Miete an den Hospizienfonds für Räume zur Unterbringung von Feuerwehrgerätschaften	480	—	480	—	—	—	—	—
3. Brandversicherungsbeiträge	19	57	13	09	—	—	6	48
4. Für Brennmaterial für die Ofenheizungen	150	—	61	74	—	—	88	26
5. „ bauliche Unterhaltung	250	—	171	36	—	—	78	64
VII. Tilgung der Kosten für größere Aufwendungen	9 050	—	9 050	—	—	—	—	—
Summe . . .	49 187	—	47 054	92	—	—	2 132	08

71. Fernsprechanlagen.

Ausgabe.

	dem Voranschlag ℳ	₰	der Rechnung ℳ	₰	mehr ℳ	₰	weniger ℳ	₰
1. Jahresvergütung für Benutzung der städtischen Fernsprechanlage	7 300	—	8 197	98	897	98	—	—
Bei Aufstellung des Voranschlags waren die Gebühren für die acht Anschlüsse zwischen Telegraphenamt und Stadthaus mit 900 ℳ aus Versehen unberücksichtigt geblieben. Es waren nur die Gebühren für die städtischen Anschlüsse an die Vermittlungsstelle im Stadthaus und für die etwa eintretende Vermehrung dieser Anschlüsse vorgesehen.								
2. Für Veränderungen bei einzelnen Fernsprechstellen . .	250	—	155	64	—	—	94	36
3. Vergütung für weitere Fernsprechanschlüsse außerhalb des städtischen Fernsprechnetzes	323	—	441	68	118	68	—	—
Zur Bestreitung der Kosten für den direkten Anschluß von drei bisher an das städtische Fernsprechnetz angeschlossene Sprechstellen der Hafen- und Lagerhausverwaltung an das allgemeine Fernsprechnetz war durch Stadtverordnetenbeschluß vom 8. November 1906 ein Kredit von 200 ℳ bewilligt worden.								
zu übertragen . . .	7 873	—	8 795	30	1 016	66	94	36

	Betrag nach				Mithin gegen den Voranschlag			
	dem Voranschlag		der Rechnung		mehr		weniger	
	M	₰	M	₰	M	₰	M	₰
Übertrag	7 873	—	8 795	30	1 016	66	94	36
4. Vergütung der zur Bedienung der Vermittlungsstelle im Stadthaus angenommenen Fernsprechgehilfinnen:								
a) Vergütungen	3 600	–	3 676	33	76	33	—	—
Einer Fernsprechgehilfin, welche in der Zeit vom 14. Februar bis einschl. 31. März 1907 beurlaubt war, wurde für diese Zeit die Vergütung aus jährlich 840 M nicht ausbezahlt. Nach Aufrechnung der Vertretungskosten mit 94 M wurden 15 M 67 ₰ Ersparnisse erzielt. Dagegen verursachten die übrigen Stellvertretungen einen Mehraufwand von 92 M.								
b) Teuerungszulage für zwei Fernsprechgehilfinnen . .	—	—	120	—	120	—	—	—
Kreditbewilligung 120 M laut Stadtverordnetenbeschluß vom 20. Februar 1907.								
5. Bureaubedürfnisse der Vermittlungsstelle	60	—	48	—	.	—	12	—
6. Feuerversicherungsprämie	16	—	12	98	—	—	3	02
7. Gebühren für den Nachtfernsprechdienst	2 000	—	—	—	—	—	2 000	—
Wie im Voranschlag bemerkt, hat die Stadt eine Garantie für eine von der Telegraphenverwaltung festgesetzte jährliche Mindesteinnahme an Gebühren von 2010 M übernommen. Nach Mitteilung des Telegraphenamts ist diese Mindesteinnahme im Rechnungsjahr 1906 erreicht worden. Von dem vorgesehenen Kredit wurde daher nichts beansprucht.								
Summe . . .	13 549	—	12 652	61	—	—	896	39

73. Vergütungen der Landesbrandversicherungsanstalt.

	M	₰	M	₰	M	₰	M	₰
Einnahme	45 000	—	44 987	—	—	—	13	—
Ausgabe	—	—	—	—	—	—	—	—

74. Überweisungen der Städtischen Sparkasse.

	M	₰	M	₰	M	₰	M	₰
Einnahme.								
1. Zinsen aus den f. Z. verfügbar gebliebenen Überweisungen	2 270	06	2 398	48	128	42	—	—
2. Überweisungen aus der Sparkasse für das Jahr 1906 .	70 500	—	71 521	38	1 021	38		
3. Entnahme aus dem Kapitalbestand der f. Z. verfügbar gebliebenen Überweisungen	8 000	—	8 000	—	—	—	—	—
Summe . . .	80 770	06	81 919	86	1 149	80	—	—
Ausgabe.								
1. Beihilfen an Vereine rc.	20 955	—	21 255	—	300	—	—	—
Außer den im Voranschlag aufgeführten Beihilfen gelangte laut Stadtverordnetenbeschluß vom 16. August 1906 eine weitere Beihilfe von 300 M an die Kommission für Ausschmückung der Vorgärten und Balkone zur Auszahlung.								
zu übertragen . . .	20 955	—	21 255	—	300	—	—	—

	Betrag nach				Mithin gegen den Voranschlag			
	dem Voranschlag		der Rechnung		mehr		weniger	
	M	₰	M	₰	M	₰	M	₰
Übertrag . . .	20 955	—	21 255	—	300	—	—	—
II. Deckung von Ausgaben für gemeinnützige Zwecke.	51 339	15	51 528	86	189	71	—	—
Deckung fanden, entsprechend den Ansätzen des Voranschlags, die Ausgaben folgender Rubriken der Betriebsrechnung und zwar:								
1. der Rubrik 18. IV. mit . . . . . 19 832 M 87 ₰								
2. „ „ 37. „ . . . . . 1 227 „ 15 „								
3. „ „ 42. VI. „ . . . . . 6 000 „ — „								
4. „ „ 44. „ . . . . . 23 400 „ — „								
5. „ „ 59. „ . . . . . 1 010 „ — „								
6. „ „ 75. V. „ . . . . . 58 „ 84 „								
III. Kapitalanlage der nicht verwendeten Beträge.	475	91	1 135	98	660	07	—	—
Hier erscheint der Betrag der kapitalisierten Zinsen für das Jahr 1906 in Ausgabe. An verfügbaren Mitteln der Vorjahre waren Ende des Rechnungsjahres 1905 verblieben 64 196 M 95 ₰. Hierzu die kapitalisierten Zinsen mit 1 135 M 98 ₰, dagegen der unter pos. 3 der Einnahme bemerkte abgehobene Betrag von 8 000 M in Abzug gebracht, ergibt einen Bestand an verfügbaren Mitteln Ende des Rechnungsjahres 1906 von 57 332 M 93 ₰.								
IV. Zuschuß an das Pfandhaus	8 000	–	8 000	—	—	—	—	—
Summe . . .	80 770	06	81 919	84	1 149	78	—	—

75. Verschiedene gemeinnützige Anstalten.

Einnahme.

	M	₰	M	₰	M	₰	M	₰
I. Benutzung der Anschlagsäulen und -Tafeln . .	2 000	—	2 000	—	—	-	—	—
II. Zuschuß aus den Überweisungen der Städtischen Sparkasse.								
Zur Deckung der Ausgaben von pos. V	138	—	58	84	—	—	79	16
III. Sonstige Einnahmen	---	—	1	65	1	65	--	—
Ersatz für Beschädigung einer Scheibe an der Türe des Bedürfnishäuschens auf dem Markt.								
Summe . . .	2 138	—	2 060	49	—	—	77	51

Ausgabe.

	M	₰	M	₰	M	₰	M	₰
I. Öffentliche Waschanstalten:								
1. Für Unterhaltung der Waschschiffe am Rheinufer . .	1 000	--	916	73	—	—	83	27
II. Uhren und Glocken:								
1. Unterhaltung der elektrischen Uhren	1 028	57	1 028	57	—	—	—	—
2. Für Herstellung der Leitungen der elektrischen Uhren bei gewaltsamen Beschädigungen	451	43	205	41	—	—	246	02
3. Für das Aufziehen der Uhr auf der Karmeliterkirche .	120	—	120	—	—	—	—	—
4. „ die elektrische Beleuchtung der Uhr am Stadttheater	140	—	65	40	—	—	74	60
zu übertragen . . .	2 740	—	2 336	11	--	—	403	89

	Betrag nach				Mithin gegen den Voranschlag			
	dem Voranschlag		der Rechnung		mehr		weniger	
	ℳ	₰	ℳ	₰	ℳ	₰	ℳ	₰
Übertrag . . .	2 740	—	2 336	11	—	—	403	89
III. Öffentliche Bedürfnisanstalten:								
1. Brandversicherungsbeiträge	12	—	9	50	—	—	2	50
2. Für Unterhaltung der Bedürfnishäuschen	2 000	—	1 403	58	—	—	596	42
3. „ Reinhaltung der Bedürfnisanstalten:								
a) Für einen Aufseher	975	—	582	50	—	—	392	50
b) Taglöhne ꝛc.	2 200	—	2 357	11	157	11	—	—
Die Mehrausgaben sind verursacht durch die Gewährung von Familienzulagen, zu deren Bestreitung die Stadtverordneten-Versammlung durch Beschluß vom 12. Dezember 1906 die erforderlichen Mittel bewilligt hat.								
c) Kosten der Wasser- und Ölspülung	700	—	1 129	83	429	83	—	—
Der von dem Tiefbauamt beantragte Kredit von 1 800 ℳ wurde gelegentlich der Beratung des Voranschlags auf 700 ℳ herabgesetzt. Dieser Betrag hat sich aber zur Bestreitung der erforderlich gewordenen Aufwendungen als unzureichend erwiesen.								
d) Anschaffung und Unterhaltung des Inventars . .	200	—	75	55	—	—	124	45
e) Dienstkleider für die Reiniger	75	—	38	65	—	—	36	35
4. Kosten der Überwachung der Bedürfnishäuschen auf dem Höfchen, Meßplatz und dem Frauenlobplatz:								
a) Vergütung an die Wartefrauen	730	—	885	15	155	15	—	—
Zur Bestreitung der durch Stadtverordnetenbeschluß vom 12. Dezember 1906 gewährten Familienzulagen wurde ein weiterer Kredit von 155 ℳ 12 ₰ zu Lasten des Reservefonds zur Verfügung gestellt.								
b) Kosten der Heizung und Beleuchtung der drei Anstalten	520	—	481	98	—	—	38	02
5. Errichtung einer neuen Bedürfnisanstalt im Hofe des Karmeliterklosters	1 850	—	1 753	44	—	—	96	56
IV. Musikzelte auf öffentlichen Plätzen:								
1. Musikzelt auf dem Schillerplatz:								
a) Brandversicherungsbeiträge	6	—	3	61	—	—	2	39
b) Unterhaltung in Dach und Fach	50	—	—	—	—	—	50	—
2. Musikzelt auf der Kaiserstraße:								
a) Brandversicherungsbeiträge	6	—	—	—	—	—	6	—
b) Unterhaltung in Dach und Fach	50	—	6	74	—	—	43	26
V. Wärme- und Unterstandshalle an der Münsterstraße:								
1. Gemeinde-Grundsteuern	8	—	7	52	—	—	—	48
2. Brandversicherungsbeiträge	7	—	4	34	—	—	2	66
3. Für Gas- und Wasserverbrauch	20	—	5	76	—	—	14	24
4. Baukosten:								
a) Unterhaltung in Dach und Fach	100	—	38	62	—	—	61	38
5. Reinigung der Entwässerungsanlage	3	—	2	60	—	—	—	40
zu übertragen . . .	12 252	—	11 122	59	742	09	1 871	50

	Betrag nach				Mithin gegen den Voranschlag			
	dem Voranschlag		der Rechnung		mehr		weniger	
	M	₰	M	₰	M	₰	M	₰
Übertrag . . .	12 252	—	11 122	59	742	09	1 871	50
VI. Öffentlicher Wetterdienst	—	—	51	50	51	50	—	—
Für Veröffentlichung der vom landwirtschaftlichen Institut in Girßen aufgegebenen Wetterprognosen sind 51 M 50 ₰ Kosten entstanden.								
Summe . . .	12 252	—	11 174	09	—	—	1 077	91
76. Provinzial- und Kreisanstalten.								
Ausgabe.								
I. Beitrag zur Kreiskasse	220 000	—	224 608	99	4 608	99	—	—
Bei Aufstellung des städtischen Voranschlags stand der Beitrag zur Kreiskasse noch nicht fest. Der gegen den Beitrag des Vorjahres um rund 5000 M höher eingestellte Voranschlagsbetrag war trotzdem nicht ausreichend.								
77. Natural-Leistungen für die bewaffnete Macht.								
Einnahme	4 000	—	3 096	20	—	—	903	80
Ausgabe	9 000	—	6 431	62	—	—	2 568	38
Auf Seite 66 des Rechenschaftsberichtes ist eine übersichtliche Darstellung der von der Stadt in Anspruch genommenen Quartierleistungen gegeben.								
79. Schloßfreiheitsfonds.								
Einnahme	—	—	4 251	88	4 251	88	—	—
Ausgabe	3 465	89	—	—	—	—	3 465	89
Im Rechnungsjahr 1906 hat das Betriebskonto des Schloßfreiheitsfonds statt mit einem Fehlbetrag, wie vorgesehen, mit einem Überschuß, wie oben angegeben, abgeschlossen.								
82. Schuldentilgung.								
Einnahme	74 764	91	72 333	96	—	—	2 430	95

Hier erscheinen in Rechnung folgende Tilgungsbeträge u. zwar:

1.	von dem Hauptsteueramtsgebäude . .	581,26 M
2.	„ dem Wohn- und Dienstgebäude im Hafen	551,14 „
3.	„ der Eichanstalt	524,40 „
4.	„ den Hafenanstalten	12 945,37 „
5.	„ dem Lagerhaus	3 902,99 „
6.	„ dem Getreidespeicher	2 046,16 „
7.	„ der Revisionshalle I	715,58 „
	zu übertragen . . .	21 356,90 M

	Betrag nach				Mithin gegen den Voranschlag			
	dem Voranschlag		der Rechnung		mehr		weniger	
	ℳ	₰	ℳ	₰	ℳ	₰	ℳ	₰
Übertrag . . . 21 356,90 ℳ								
8. von dem Spritlager . . . . 184,29 „								
9. „ den Güterhallen . . . . 1 252,34 „								
10. „ dem Schlacht- und Viehhof . . . 17 020,99 „								
11. „ der Hafenbahn . . . . 159,61 „								
12. „ den Polizeigebäuden . . . . . 1 356,33 „								
13. „ dem Verwaltungsgebäude in der Stiftstraße . . . . 714,07 „								
14. „ dem Friedhof . . . . 437,63 „								
15. „ den Volksschulen . . . . 20 004,85 „								
16. „ der Ob.-Realschule u. Höh. Handelsschule 2 594,48 „								
17. „ dem Stadttheater . . . . 936,34 „								
18. „ der Stadthalle . . . . 4 267,77 „								
19. „ den Gartenanlagen . . . . 726,53 „								
20. „ dem neuen Reinigungsamt . . . 1 154,86 „								
21. „ den Oktroigebäuden . . . . 166,97 „								
Betrag wie jenseitig ausgeworfen 72 333,96 ℳ								
Ausgabe.								
1. Tilgung des Darlehens für den Bau der Rhein-Donnersbergbahn — 30. Tilgungsrate —	5 887	06	5 887	06	—	—	—	—
2. Tilgung des Anlehens lit. G.	22 200	—	19 800	—	—	—	2 400	—
3. „ „ „ „ H.	23 400	—	23 400	—	—	—	—	—
4. „ „ „ „ J.	24 100	—	23 600	—	—	—	500	—
5. „ „ „ „ K.	28 700	—	28 500	—	—	—	200	—
6. „ „ „ „ L.	27 000	—	26 800	—	—	—	200	—
7. „ „ „ „ M.	39 900	—	37 900	—	—	—	2 000	—
8. „ „ „ „ N.	26 800	—	25 800	—	—	—	1 000	—
9. „ „ „ „ O.	16 500	—	15 500	—	—	—	1 000	—
10. „ „ „ „ P.	—	—	—	—	—	—	—	—
11. Einlösung von in früheren Jahren ausgelosten, aber bis Ende des Rechnungsjahres 1905 noch nicht eingelaufenen Schuldverschreibungen	—	—	10 500	—	10 500	—	—	—
Aus dem Rechnungsjahr 1905 war für obigen Zweck ein Kredit von 12 900 ℳ hierher übertragen worden, wovon nur 10 500 ℳ verausgabt wurden. Um die Ende des Rechnungsjahres 1906 noch rückständigen Schuldverschreibungen im Betrage von 2400 ℳ aus vorderen Jahren und im Betrage von 7300 ℳ aus diesem Jahre, siehe pos. 2—9, in folgenden Jahren einlösen zu können, wurde mit Zustimmung der Stadtverordneten-Versammlung vom 16. Oktober 1907 ein Kredit von 9700 ℳ auf das Rechnungsjahr 1907 übertragen.								
Summe . . .	214 487	06	217 687	06	3 200	—	—	—

83. Kapitalzinsen.

Einnahme.

	Betrag nach				Mithin gegen den Voranschlag			
	dem Voranschlag		der Rechnung		mehr		weniger	
	M	₰	M	₰	M	₰	M	₰
I. Ersatz der Zinsen von aufgewendeten Kapitalien für Gemeinde-Gebäude und -Anstalten:								
In Einnahme erscheinen hier die Zinsen von folgenden Kapitolaufwendungen und zwar:								
1. von dem Hauptsteueramtsgebäude	3 612	87	3 612	87	—	—	—	—
2. „ „ Wohn- und Dienstgebäude im Hafen	3 434	98	3 434	98	—	—	—	—
3. „ der Eichanstalt	3 259	45	3 259	45	—	—	—	—
4. „ dem Hafen	81 406	52	81 406	52	—	—	—	—
5. „ „ Lagerhaus	22 956	29	22 956	20	—	—	—	—
6. „ „ Getreidespeicher	14 339	43	14 339	43	—	—	—	—
7. „ der Revisionshalle I	4 104	43	4 104	43	—	—	—	—
8. „ dem Spritlager	1 290	22	1 290	22	—	—	—	—
9. „ den Güterhallen	7 185	44	7 185	44	—	—	—	—
10. „ dem Schlacht- und Viehhof	96 905	77	96 905	77	—	—	—	—
11. „ „ Hilfspumpwerk im Schlacht- und Viehhof	1 589	—	812	04	—	—	776	96
12. „ „ Fürstenbergerhofbad	1 490	81	1 490	81	—	—	—	—
13. „ „ Gartenfeldbad	1 878	48	1 878	48	—	—	—	—
14. „ „ Gutenbergbad	4 253	49	4 253	49	—	—	—	—
15. „ der Hafenbahn	20 288	19	20 288	19	—	—	—	—
16. „ den Polizeigebäuden	8 430	32	8 430	32	—	—	—	—
17. „ dem Verwaltungsgebäude in der Stiftstraße	5 233	60	5 233	60	—	—	—	—
18. „ dem Friedhof	3 098	84	3 098	84	—	—	—	—
19. „ den Volksschulen	123 122	95	123 100	75	—	—	22	20
20. „ der Oberrealschule und Höheren Handelsschule	35 000	—	18 161	42	—	—	16 838	58
21. „ dem Stadttheater	9 992	81	9 992	81	—	—	—	—
22. „ der Stadthalle	24 479	04	24 479	04	—	—	—	—
23. „ den Gartenanlagen	4 515	78	4 515	78	—	—	—	—
24. „ den Aufwendungen für die Kehrichtwagen	145	34	145	34	—	—	—	—
25. „ den Aufwendungen für die Latrinesammelgruben ꝛc.	386	83	386	83	—	—	—	—
26. „ dem neuen Reinigungsamt	9 619	05	9 437	85	—	—	181	20
27. „ den Oktroigebäuden	1 037	79	1 037	79	—	—	—	—
28. „ dem Wasserwerk	49 089	42	48 448	45	—	—	640	97
29. „ „ Gaswerk	95 872	99	93 794	38	—	—	2 078	61
30. „ „ Elektrizitätswerk	115 964	17	110 226	34	—	—	5 737	83
31. „ der Straßenbahn	120 891	19	115 387	57	—	—	5 503	62
32. „ „ Wasenmeisterei	352	67	352	67	—	—	—	—
II. Zinsen von dem Schloßfreiheitsfonds	69 591	36	69 262	45	—	—	328	91
IIa. Zinsen von dem Grundstücksfonds	90 000	—	104 568	82	14 568	82	—	—
zu übertragen	1034819	52	1017279	46	14 568	82	32 108	88

	Betrag nach				Mithin gegen den Voranschlag			
	dem Voranschlag		der Rechnung		mehr		weniger	
	ℳ	₰	ℳ	₰	ℳ	₰	ℳ	₰
Übertrag . . .	1034819	52	1017279	46	14 568	82	32 108	88
III. Zinsen von Restkaufgeldern	16 000	—	21 663	10	5 663	10	—	—
IV. Zinsen von Straßen- und Kanalbaukosten ꝛc. .	283	26	555	30	272	04	—	—
V. Zinsen von sonstigen ausstehenden Kapitalien	386	—	466	—	80	—	—	—
Hier erscheinen die 3½ %igen Dividenden von den 10 Aktien der Hessischen Landeshypothekenbank über je 1000 ℳ für das Geschäftsjahr 1906 mit 350 ℳ, die 2 %igen Dividenden von dem Stammanteil der Stadt an dem Aktienkapital des Instituts für physikalische Heilmethoden mit 80 ℳ und 6 % Gewinnanteil von dem Stammanteil bei der Mainzer Volksbank mit 36 ℳ in Einnahme.								
VI. Zinsen aus Konto-Korrente-Verhältnissen:								
1. Mit der Städtischen Sparkasse Mainz	15 000	—	3 739	71	—	—	11 260	29
2. Mit dem Bankhaus Bamberger & Cie.	500	—	156	28	—	—	343	72
VII Verschiedene Einnahmen:								
1. Zinsen von rückständigen Umlagen, die der Stadt in einem Verteilungsverfahren zugesprochen worden sind .	—	—	35	72	35	72	—	—
2. Beträge, welche s. Zt. bei Einlösung von ausgelosten Schuldverschreibungen für fehlende Zinsscheine zurückbehalten und seither unter Depositen nachgeführt worden, jetzt aber zu vereinnahmen sind, da die Zinsscheine innerhalb der Verfallzeit nicht zur Einlösung gelangten . .	—	—	7	—	7	—	—	—
Summe . . .	1066988	78	1043902	57	—		23 086	21
Ausgabe.								
I. Zinsen von Schuldverschreibungen auf Inhaber:								
1. Zinsen des Anlehens lit. G.	41 443	50	40 584	25	—	—	859	25
2. „ „ „ „ H.	77 955	50	77 313	25	—	—	642	25
3. „ „ „ „ J.	97 111	—	96 937	75	—	—	173	25
4. „ „ „ „ K.	90 662	25	89 960	50	—	—	701	75
5. „ „ „ „ L.	92 613	50	91 679	—	—	—	934	50
6. „ „ „ „ M.	161 854	—	161 465	50	—	—	388	50
7. „ „ „ „ N.	173 222	—	170 796	50	—	—	2 425	50
8. „ „ „ „ O.	118 780	—	118 550	—	—	—	230	—
9. „ „ „ „ P.	160 000	—	159 400	—	—	—	600	—
10. „ „ „ „ Q.	105 000	—	104 501	25	—	—	498	75
11. Einlösung von Zinsscheinen, welche in früheren Jahren fällig geworden, aber bis Ende des Rechnungsjahres 1905 noch nicht eingelöst waren	—	—	11 845	—	11 845	—	—	—
Zwecks Einlösung fraglicher Zinsscheine im Betrage von 13 241 ℳ 50 ₰ war ein Kredit in gleicher Höhe aus dem								
zu übertragen . . .	1118641	75	1123033	—	11 845	—	7 453	75

	Betrag nach				Mithin gegen den Voranschlag			
	dem Voranschlag		der Rechnung		mehr		weniger	
	ℳ	₰	ℳ	₰	ℳ	₰	ℳ	₰
Übertrag . . .	1118641	75	1123033	—	11 845	—	7 453	75
Rechnungsjahre 1905 hierher übertragen worden. Eingelöst wurden jedoch nur Zinsscheine im Betrage von 11 845 ℳ. Für verjährte Zinsscheine aus dem Jahre 1901/02 war ferner ein Betrag von 137 ℳ 25 ₰ an dem Soll in Abzug zu bringen. Um die Ende des Rechnungsjahres 1906 rückständig verbliebenen Zinsscheine im Betrage von 1259 ℳ 25 ₰ aus früheren Jahren und im Betrage von 7453 ℳ 75 ₰ aus diesem Jahre, siehe pos. 1—10, in folgenden Jahren einlösen zu können, ist mit Genehmigung der Stadtverordneten-Versammlung vom 16. Oktober 1907 ein Kredit von 8713 ℳ auf das Rechnungsjahr 1907 übertragen worden.								
II. Zinsen von Schuldverschreibungen auf Namen Von dem Anlehen bei dem Stadterweiterungsfonds waren in dem Rechnungsjahr 1906 weniger Zinsen zu vergüten, da sich das genannte Anlehen durch die Ende 1905 erfolgte Rückzahlung mit 7419 ℳ 03 ₰ vom 1. April 1906 ab auf 1 448 024 ℳ 58 ₰ vermindert hat.	50 940	53	50 680	86	—	—	259	67
IIa. Zinsen an den Grundstücksfonds . . . . . . Nach § 4 der Satzungen für die Bildung und Verwaltung eines Grundstücksfonds ist der verfügbare Kapitalbestand dieses Fonds in der Regel bei der Stadtkasse verzinslich anzulegen, und es sollen dafür möglichst dieselben Zinsen und Bedingungen gewährt werden, wie sie der Stadtkasse im Kontokorrentverkehr für ihre eigenen Gelder zukommen. Für die Zeit vom 1. April 1906 bis dahin 1907 erhielt die Stadtkasse durchweg 4 %, weshalb auch bei dem Grundstücksfonds 4 % Zinsen in Rechnung gestellt wurden. Hiernach waren dem Grundstücksfonds unter Zugrundelegung der am Ende eines jeden Monats vorhandenen Mittel im Rechnungsjahr 1906 = 3315 ℳ 60 ₰ zu vergüten.	—	—	3 315	60	3 315	60	—	—
III. Zinsen von Stiftungskapitalien	10 949	53	10 949	53	—	—	—	—
IV. Zinsen von dem Anlehen bei der Hauptstaatskasse für den Bau der Rhein-Donnersberg-Eisenbahn	3 814	49	3 814	49	—	—	—	—
V. Zinsen von Kautionen	140	—	140	—	—	—	—	—
VI. Zinsen von Hypotheken und Restkaufpreisen . Infolge Abtragung des unter pos. 14 des Voranschlags bezeichneten Restkaufpreises waren anstatt der vorgesehenen Zinsen von 105 ℳ nur die Zinsen bis Ende Juni 1906 mit 26 ℳ 25 ₰ zu zahlen, wodurch eine Wenigerausgabe von 78 ℳ 75 ₰ entstanden ist.	55 804	02	55 725	27	—	—	78	75
zu übertragen . . .	1240290	32	1247658	75	15 160	60	7 792	17

	Betrag nach				Mithin gegen den Voranschlag			
	dem Voranschlag		der Rechnung		mehr		weniger	
	M	Pf	M	Pf	M	Pf	M	Pf
Übertrag . . .	1240290	32	1247658	75	15 160	60	7 792	17
Die seither an die Süddeutsche Immobiliengesellschaft gezahlten Zinsen mit 10 419 M 98 Pf für den Restkaufpreis zu pos. 2a des Voranschlags mit 297 713 M 60 Pf sind vom 24. Dezember 1906 ab an die Karlsruher Lebensversicherung auf Gegenseitigkeit zu zahlen.								
Vergl. auch die Erläuterungen zur Rubrik 3. I — Ausgabe — der Vermögensrechnung.								
VII. Provisionen für Einlösung von Schuldverschreibungen und Zinsscheinen	2 448	46	2 421	86	—	—	26	60
VIII. Herstellung neuer Zinsscheine	400	—	677	—	277	—	—	—
Durch Herstellung der Zinsscheinbogen für den restlich noch zu begebenden Teil des Anlehens lit. Q., wofür Mittel nicht vorgesehen waren, ist die Mehrausgabe verursacht worden.								
IX. Kosten der Bekanntmachungen über die städt. Anlehen	950	—	796	70	—	—	153	30
X. Zinsen der schwebenden Schuld	45 000	—	12 493	61	—	—	32 506	39
Mit Zustimmung der Stadtverordneten-Versammlung laut Beschlüsse vom 4. und 11. Juli 1906 und mit Genehmigung Großh. Kreisamts vom 26. Juli 1906 wurde mit der Städtischen Sparkasse ein Darlehenskredit bis zu 1 000 000 M vereinbart.								
Die von der Stadt zu zahlenden Zinsen wurden auf ½ % unter dem jeweiligen Reichsbank-Diskont, jedoch nicht unter 4 % und nicht über 5 % festgesetzt.								
Hier erscheinen die Zinsen für die der Stadt in der Zeit vom 25. Juli 1906 bis 1. März 1907 von der Städtischen Sparkasse gewährten Vorschüsse mit 12 493 M 61 Pf in Ausgabe. Die Rückzahlung der Vorschüsse erfolgte am 1. März 1907.								
XI. Kosten des neuaufgenommenen Anlehens lit. R.	—	—	14 078	30	14 078	30	—	—
Zur Bestreitung der Kosten für den Druck der Schuldverschreibungen und Zinsscheine, für den Reichsstempel und die Schlußnote waren durch Stadtverordnetenbeschlüsse vom 16. Januar und 27. Februar 1907 Kredite von 10 300 M und 4200 M bewilligt worden.								
XII. Sonstige Ausgaben	—	—	34	73	34	73	—	—
An die vereinigte Maschinenfabrik Augsburg und Maschinenbau-Aktiengesellschaft Nürnberg, A.-G., waren 3½ % Zinsen für die Zeit vom 20. Februar 1905 bis einschließlich 6. Juli 1906 von 718 M 80 Pf Restguthaben zu zahlen, welches anläßlich des Umbaues von Pferdebahnwagen in Anhängewagen für den elektrischen Betrieb als Sicherheit einbehalten wurde.								
Summe . . .	1 289088	78	1 278160	95	—	—	10 927	83

	Betrag nach				Mithin gegen den Voranschlag			
	dem Voranschlag		der Rechnung		mehr		weniger	
	M	₰	M	₰	M	₰	M	₰
84. Reservefonds.								
Ausgabe	73 360	01	—	—	—	—	73 360	01

Nach den bestehenden Bestimmungen sind die im Laufe des Rechnungsjahres zu Lasten des Reservefonds gemachten und nachstehend näher bezeichneten Ausgaben nicht unter dieser Rubrik, sondern unter denjenigen Rubriken zu verrechnen, wohin sie ihrer Natur nach gehören. Dirse Ausgaben erscheinen daher in jruru Rubriken als Mehrausgabe; dagegen ist bei Vergleichung der Rechnungsergebnisse mit den Ansätzen des Voranschlags der gesamte Brtrag des Reservefonds als Wenigerausgabe aufzuführen. Im Rechnungsjahre 1906 haben die unvorhergesehenen Ausgaben den Betrag des Reservefonds überschritten und wurde letzterer deshalb durch Beschluß der Stadtverordneten-Versammlung vom 16. Oktober 1907 um 129 825 M 84 ₰ zu Lasten der bei verschiedenen Rubriken erzielten Mehreinnahmen ergänzt, mithin nachträglich auf 203 185 M 85 ₰ festgestellt.

Mit Genehmigung der Stadtverordneten-Versammlung wurden bei nachstehenden Rubriken, wie bereits dort erläutert, die voranschlagsmäßigen Kredite aus dem Reservefonds um die beigesetzten Beträge ergänzt und zwar:

Rubrik	3. XVII. 3d	durch Beschluß v.	30. V.	1906	1 000 M	— ₰
"	" XX. 2b	" " "	1. II.	1907	850 "	— "
"	12. I. 3b	" " "	16. VIII.	1906	3 300 "	— "
"	" " "	" " "	8. XI.	"	1 000 "	— "
"	14. I. 1/7	" " "	20. II.	1907	1 140 "	— "
"	" III. 1	" " "	12. XII.	1906	1 307 "	04 "
"	" " 2	" " "	" "	"	40 "	67 "
"	" IV. 2a	" " "	20. II.	1907	450 "	— "
"	" V. 2/4	" " "	" "	"	480 "	— "
"	" " 6	" " "	12. XII.	1906	495 "	98 "
"	" " 7	" " "	20. II.	1907	2 000 "	— "
"	" X. 2b	" " "	12. XII.	1906	145 "	94 "
"	15. I. 7 u. 8a/b	" " "	20. II.	1907	360 "	— "
"	" " 8e	" " "	12. XII.	1906	11 "	15 "
"	" " 9	" " "	" "	"	44 "	27 "
"	" II. 6a u. c	" " "	20. II.	1907	240 "	— "
"	" " 6d	" " "	" "	"	3 000 "	— "
"	" " 6e	" " "	12. XII.	1906	236 "	89 "
"	16. I. 1/8	" " "	20. II.	1907	1 260 "	— "
"	" " 9	" " "	12. XII.	1906	103 "	45 "
"	" VI. 1a	" " "	20. II.	1907	120 "	— "
		zu übertragen . . .			17 085 M	39 ₰

		Betrag nach				Mithin gegen den Voranschlag			
		dem Voranschlag		der Rechnung		mehr		weniger	
		ℳ	₰	ℳ	₰	ℳ	₰	ℳ	₰
Übertrag . . .	17085 ℳ 39 ₰								
Rubrik 16. VI. 1b durch Beschluß v. 12. XII. 1906	577 „ 84 „								
„ „ X. 1 „ „ „ „ „ „	20 „ 80 „								
„ „ XIII. 1a „ „ „ „ „ „	55 „ 50 „								
„ 18. I. 1 „ „ „ 20. II. 1907	120 „ — „								
„ „ „ 3 „ „ „ 12. XII. 1906	23 „ 59 „								
„ „ II. 1 „ „ „ 20. II. 1907	120 „ — „								
„ „ III. 1/2 „ „ „ „ „ „	240 „ — „								
„ „ „ 3 „ „ „ 12. XII. 1906	81 „ 33 „								
„ 21. I. 1/6 „ „ „ 20. II. 1907	1440 „ — „								
„ „ „ 4 „ „ „ „ „ „	450 „ — „								
„ „ „ 8 „ „ „ „ „ „	1280 „ — „								
„ „ „ 9 „ „ „ 12. XII. 1906	77 „ 57 „								
„ „ IV. 1 „ „ „ 20. II. 1907	3500 „ — „								
„ 24. I. 2/7 „ „ „ „ „ „	3618 „ 32 „								
„ „ IV. 2b „ „ „ 12. XII. 1906	440 „ — „								
„ „ „ 5b „ „ „ 16. I. 1907	5600 „ — „								
„ „ V. 1c „ „ „ 12. XII. 1906	77 „ 57 „								
„ „ VII. 1 „ „ „ 20. II. 1907	120 „ — „								
„ „ IX. C „ „ „ 20. VI. 1906	551 „ 11 „								
„ „ XXI. „ „ „ 16. X. 1907	1090 „ 37 „								
„ „ XXIII. „ „ „ 9. V. 1906	300 „ — „								
„ „ XXIV. „ „ „ 2. III. „	5000 „ — „								
„ „ XXV. „ „ „ 4. VII. „	400 „ — „								
„ „ XXVI. „ „ „ 11. „ „	300 „ — „								
„ „ XXVII. „ „ „ 30. X. „	447 „ 84 „								
„ „ XXIX. „ „ „ 1. II. 1907	2000 „ — „								
„ „ XXX. „ „ „ 6. „ „	150 „ — „								
„ 25. I. 1 „ „ „ 30. III. 1906	1500 „ — „								
„ „ „ „ „ „ „ 20. II. 1907	1165 „ 66 „								
„ „ „ 2 „ „ „ „ „ „	12498 „ 09 „								
„ „ „ 3 „ „ „ 20. II. 1907	270 „ — „								
„ „ III. 5b „ „ „ 19. IX. 1906	200 „ — „								
„ „ „ 6 „ „ „ „ „ „	280 „ — „								
„ „ „ 7 „ „ „ „ „ „	100 „ — „								
„ „ „ 8 „ „ „ „ „ „	120 „ — „								
„ „ IV. 3b „ „ „ „ „ „	350 „ — „								
„ „ „ 3c „ „ „ „ „ „	300 „ — „								
„ „ „ 12 „ „ „ 11. VII. „	3100 „ — „								
„ 26. I. 1 „ „ „ 20. II. 1907	60 „ — „								
zu übertragen . . .	65110 ℳ 98 ₰								

			Betrag nach				Mithin gegen den Voranschlag			
			dem Voranschlag		der Rechnung		mehr		weniger	
			ℳ	₰	ℳ	₰	ℳ	₰	ℳ	₰
	Übertrag . . .	65 110 ℳ 98 ₰								
Rubrik 27. I. 1	durch Beschluß v. 20. II. 1907	180 „ — „								
„ 29. „ „	„ „ „ „ „ „	60 „ — „								
„ 30. I. 1	„ „ „ „ „ „	1 157 „ — „								
„ „ II. „	„ „ „ „ „ „	2 055 „ 16 „								
„ „ III. 1	„ „ „ 30. V. 1906	200 „ — „								
„ „ „ „	„ „ „ 20. II. 1907	240 „ — „								
„ „ IV. „	„ „ „ „ „ „	120 „ — „								
„ „ „ 3	„ „ „ „ VI. 1906	482 „ 22 „								
„ 34. I.	„ „ „ 21. II. „	1 785 „ 88 „								
„ „ „	„ „ „ 13. VI. „	1 290 „ — „								
„ „ „	„ „ „ 16. VIII. „	1 996 „ 50 „								
„ „ „	„ „ „ 19. IX. „	910 „ — „								
„ „ „	„ „ „ 10. X. „	740 „ 85 „								
„ „ IV.	„ „ „ 19. IX. .	162 „ 67 „								
„ „ „	„ „ „ 1. II. 1907	51 „ 56 „								
„ 36. I.	„ „ „ 4 VII. 1906	12 000 „ — „								
„ 40. I. 1/2	„ „ „ 20. II. 1907	240 „ — „								
„ „ „ 3	„ „ „ 12. XII. 1906	317 „ 70 „								
„ „ IV. 1	„ „ „ „ „ „	257 „ 83 „								
„ „ V.	„ „ „ 9. I. 1907	1 026 „ 80 „								
„ „ VII. 2	„ „ „ 13. VI. 1906	550 „ — „								
„ „ XI.	„ „ „ 11. VII. „	5 290 „ — „								
„ 42. I. 1	„ „ „ 16. VIII. „	300 „ — „								
„ „ „ „	„ „ „ 20. II. 1907	6 865 „ 18 „								
„ „ IV. 1a „	„ „ „ „ „	1 140 „ — „								
„ „ „ 1b „	„ „ 12. XII. 1906	77 „ 28 „								
„ „ V. 1b u. 2a	„ „ 20. II. 1907	120 „ — „								
„ „ X. 3i6 „	„ „ 20. III. „	250 „ — „								
„ „ „ 3m „	„ „ 8. IX. 1906	1 150 „ — „								
„ „ „ 4	„ „ „ 27. II. 1907	350 „ — „								
„ 45. I. 1a	„ „ „ 8. XI. 1906	800 „ — „								
„ „ „ 1i	„ „ „ 19. VII „	930 „ — „								
„ 45. III	„ „ „ 30. V. 1906	1 800 „ — „								
„ 47. I.	„ „ „ 20. II. 1907	1 472 „ 66 „								
„ „ II.	„ „ „ „ „ „	240 „ — „								
„ 54. I.	„ „ „ „ „ „	280 „ — „								
„ 55. X	„ „ „ 13. VI. 1906	200 „ — „								
„ 56. I. 3e	„ „ „ 16. VIII. „	600 „ — „								
„ „ II. 1/5	„ „ „ 20. II. 1907	240 „ — „								
„ „ „ 6	„ „ „ 12. XII. 1906	48 „ 77 „								
	zu übertragen . . .	113 089 ℳ 04 ₰								

			Betrag nach				Mithin gegen den Voranschlag			
			dem Voranschlag		der Rechnung		mehr		weniger	
			M	₰	M	₰	M	₰	M	₰
Übertrag . .		113 089 M 04 ₰								
Rubrik 56. II. 7 durch Beschluß v.	8. XI. 1906	200 „ — „								
„ „ III. 2 „ „	„ 12. XII. „	32 „ 03 „								
„ 57. „ „	„ 20. II. 1907	4 606 „ — „								
„ „ „ „	„ 16. X. „	3 447 „ 99 „								
„ 58. I. 3m „ „	„ 11. VII 1906	3 000 „ — „								
„ „ „ 3n „ „	„ 9. I. 1907	1 100 „ — „								
„ „ II. 1 „ „	„ 20. II. „	120 „ — „								
„ „ „ 4c „ „	„ 12. XII. 1906	63 „ 93 „								
„ 61. 2 „ „	„ 8. IX. „	400 „ — „								
„ 62. II. 3 „ „	„ 12. XII. „	7 173 „ 52 „								
„ „ „ 13 „ „	„ „ „ „	310 „ — „								
„ „ XI „ „	„ 31. „ „	5 000 „ — „								
„ 63. II. 1 „ „	„ 6. II. 1907	800 „ — „								
„ 64. I „ „	„ 20. „ „	120 „ — „								
„ „ III. 4g „ „	„ 9. V. 1906	2 000 „ — „								
„ „ IV. 2 „ „	„ 12. XII. „	2 435 „ 64 „								
„ 65. II. 1 „ „	„ „ „ „	1 904 „ 76 „								
„ „ „ 3 „ „	„ „ „ „	292 „ 15 „								
„ „ „ 6 „ „	„ 20. II. 1907	260 „ — „								
„ „ „ 7 „ „	„ „ „ „	450 „ — „								
„ „ „ 8 „ „	„ „ „ „	100 „ — „								
„ „ III. 1a „ „	„ 12. XII. 1906	1 639 „ 52 „								
„ „ „ „ „ „	„ 20. II. 1907	120 „ — „								
„ „ „ 18 „ „	„ 9. V. 1906	1 600 „ — „								
„ „ IV. 1b „ „	„ 12. XII. „	58 „ — „								
„ „ „ 1c „ „	„ „ „ „	35 „ 50 „								
„ „ V. 1 „ „	„ 20. II. 1907	954 „ 33 „								
„ „ „ 4o „ „	„ 13. VI. 1906	600 „ — „								
„ „ „ 6 „ „	„ 20. II. 1907	450 „ — „								
„ „ „ 7 „ „	„ „ „ „	450 „ — „								
„ 66 IV. 4 „ „	„ 1. „ „	7 000 „ — „								
„ „ „ 4a „ „	„ 30. V. 1906	4 500 „ — „								
„ „ IV. 4c „ „	„ 13. VI. 1906	2 000 „ — „								
„ „ „ 4d „ „	„ 19. XII. „	450 „ — „								
„ 67. I. 4 „ „	„ 16. VIII. „	500 „ „								
„ 68. III. 1a „ „	„ 12. XII. „	539 „ 85 „								
„ „ „ 2a „ „	„ „ „ „	374 „ 93 „								
„ „ „ 4a „ „	„ 20. II. 1907	120 „ — „								
„ 70. I. 1 „ „	„ „ „ „	120 „ — „								
„ „ II. 2 „ „	„ 12. XII. 1906	181 „ 91 „								
zu übertragen . .		168 599 M 10 ₰								

		Betrag nach				Mithin gegen den Voranschlag			
		dem Voranschlag		der Rechnung		mehr		weniger	
		M	₰	M	₰	M	₰	M	₰
Übertrag . . .	168 599 M 10 ₰								
Rubrik 70. IV. 2a durch Beschluß v. 12. XII. 1906	13 „ 10 „								
„ 71. 3. „ „ „ 8. XI. „	200 „ — „								
„ „ 4. „ „ „ 20. II. 1907	120 „ — „								
„ 75. III. 3b „ „ „ 12. XII. 1906	157 „ 11 „								
„ „ „ 4a „ „ „ „ „ „	155 „ 12 „								
„ 83. XI. „ „ „ 16. I. 1907	10 300 „ — „								
„ „ „ „ „ „ 27. II. „	4 200 „ — „								
„ 86. I. 15 „ „ „ 20. „ „	4 800 „ — „								
„ „ V. 3f. „ „ „ 11. IV. 1906	170 „ — „								
„ „ „ 7 „ „ „ 11. VII. „	3 200 „ — „								
	191 914 M 43 ₰								
Außerdem wurde von der Bürgermeisterei von der laut Beschluß der Stadtverordneten-Versammlung vom 14. April 1875 eingeräumten Befugnis, unvorhergesehene Ausgaben bis zum Betrage von 1000 M für jeden einzelnen Fall zu Lasten des Reservefonds anzuweisen, im Rechnungsjahr 1906 in folgenden Fällen Gebrauch gemacht:									
Rubrik 5. 1 u. 4. Zur Bestreitung der Mehrausgaben für Gemeindegrundsteuern	18 M 72 ₰								
„ 13. I. 1. Zur Bestreitung der Mehrausgaben für Unterhaltung und regelmäßige Prüfung der Zentesimalwagen	16 „ 10 „								
„ 18. III. 9a. Zur Bestreitung der Kosten für Instandsetzung der Röhrenleitung des Hauses Franziskanerstraße Nr. 1¹/₁₀	140 „ — „								
„ 21. III. 1c. Für Wiederherstellung des durch 2 Unfälle beschädigten Lokomotivschuppens im Zollhafen .	398 „ 44 „								
„ 24. IV. 2b. Für Mehrkosten bei der Drucklegung des Nachtrags zum Ortsrecht	290 „ 05 „								
„ 24. V. 1b. Zur Bestreitung der Mehrausgaben bei Beschaffung von Brennmaterialien für das Stadthaus	978 „ 80 „								
„ 24. IX. A. 3k. Für Kosten der Herstellungen in verschiedenen Räumen des Stadthauses	400 „ — „								
zu übertragen . . .	194 156 M 54 ₰								

		Betrag nach dem Voranschlag ℳ	₰	Betrag nach der Rechnung ℳ	₰	Mithin gegen den Voranschlag mehr ℳ	₰	Mithin gegen den Voranschlag weniger ℳ	₰
	Übertrag . . . 194 156 ℳ 54 ₰								
Rubrik 25.	IV. 3d. Zur Bestreitung der Kosten für die Beseitigung des Hausschwammes in den Weinkellern unter dem Polizeiamtsgebäude und die Wiederinstandsetzung dieses Kellers 782 „ 52 „								
„ 30.	II. 3c. Für die Beseitigung einer Zwischenwand im Dienstgebäude in der Stiftstraße . . . . 150 „ — „								
„ 30.	II. 3e. Für Beschaffung von Ersatzelementen für die Haustelephonanlage im Dienstgebäude des Tiefbauamtes . . . . 50 „ — „								
„ 30.	IV. 2g. Zur Bestreitung der Kosten für die Heizung der neuen Diensträume des Amtes für Maschinenwesen . . . . 147 „ 30 „								
„ 30.	IV. 2h. Zur Bestreitung der Kosten für die Beleuchtung der neuen Diensträume des Amtes für Maschinenwesen . . . . 68 „ 11 „								
„ 48.	2. Für die Mehrausgaben infolge baulicher Veränderungen und Neuherstellungen in den Unterrichtsräumen im Hause Schulstraße Nr. 25 51 „ 65 „								
„ 49.	2. Für Einrichtung der Gasbeleuchtung in den für Zwecke der Lehranstalt der Handelskammer bestimmten Räumen des Hauses Welschnonnengasse Nr. 30 . . . . . . 326 „ 14 „								
„ 55.	I. 9. Für die Kosten der Heizung der Räume des Römisch-Germanischen Museums im wiederhergestellten Teile des kurfürstlichen Schlosses . 849 „ 24 „								
„ 62.	X. Für die Kosten der notariellen Beurkundung der Überweisung von Kreisstraßengelände in den Besitz der Stadt Mainz . . . . . 70 „ 25 „								
„ 64.	III. 4b. Zur Deckung entstandener Mehrausgaben . . . . 116 „ 68 „								
	zu übertragen . . . 196 768 ℳ 43 ₰								

	Betrag nach dem Voranschlag ℳ	₰	Betrag nach der Rechnung ℳ	₰	Mithin gegen den Voranschlag mehr ℳ	₰	weniger ℳ	₰
Übertrag . . . 196 768 ℳ 43 ₰								
Rubrik 65. V. 4c. Für bauliche Ausführungen zur Beseitigung sehr starker Rauchbelästigungen in der Schmiede, sowie in den Bureau- und Wohnräumen der Reinigungsanstalt . 180 „ „								
„ 65. V. 5a. Für Schaffung eines weiteren Abortraumes im Gebiete des Anwesens Rheinallee Nr. 27 . . . 101 „ 43 „								
„ 65. V. 6. Zur Bestreitung der Miete für 3 Räume eines Anwesens vor dem Gautor, welche als Futterställe für die Pferde und als Aufenthaltsraum für Fuhrleute verwendet werden 450 „ — „								
„ 66. IV. 1. Für Wiederanbringung der bei Niederlegung des Hauses Gruben Nr. 2 beseitigten Laternen, sowie für weitere Verbesserung der Straßen-Beleuchtung in einzelnen Straßen der Altstadt . . . . 500 „ — „								
„ 70. III. 4. Für Verlegung eines Feuermelders von den Gebäulichkeiten der Lederwerke nach der Alicekaserne . 300 „ — „								
„ 76. I. Für den erhöhten Kreiskassebeitrag . . . . 4608 „ 99 „								
„ 83. VIII. Für die Mehrausgabe infolge Herstellung neuer Zinsscheinbogen für das Anlehen lit. Q . 277 „ — „								
Summe . . 203 185 ℳ 85 ₰								
85. Überschüsse der Betriebsrechnungen.								
Einnahme	455 550	14	455 550	14	—	—	—	—
Ausgabe	—	—	362 810	39	362 810	39	—	—

Die Ausgabe stellt den wirklichen Rechnungsüberschuß aus diesem Rechnungsjahr dar, der mit Genehmigung der Stadtverordneten-Versammlung vom 16. Oktober 1907 vorbehaltlich des späteren Ersatzes durch die Vermögens-Rechnung zur Bestreitung außerordentlicher, zu Lasten der Kapitalaufnahme bewilligter Ausgaben verwendet wurde.

86. Oktroi.

	Betrag nach				Mithin gegen den Voranschlag			
	dem Voranschlag		der Rechnung		mehr		weniger	
	ℳ	₰	ℳ	₰	ℳ	₰	ℳ	₰
I. Brutto-Betrag der Abgaben	740 000	—	743 627	48	3 627	48	—	—
II. Rückvergütungsgebühren	150	—	137	—	—	—	13	—
III. Defraudationsstrafen	300	—	415	05	115	05	—	—
IV. Ersatz von Gehalten	1 400	—	1 400	—	—	—	—	—
V. Gebäude	1 750	—	1 750	—	—	—	—	—
Summe	743 600	—	747 329	53	3 729	53	—	—
Ausgabe.								
I. Gehalte der Angestellten:								
1.—5. Gehalte 2c. des definitiv angestellten Personals und der Hilfsaufseher:								
a) Gehalte und Tagegelder	88 925	—	87 108	28	—	—	1 816	72
Durch Stadtverordnetenbeschluß vom 5. Mai 1906 wurde ein Aufseher mit Wirkung vom 15. April 1906 zum Stadtkassediener und durch Stadtverordnetenbeschluß vom 10. Oktober 1906 ein Aufseher mit Wirkung vom 5. November 1906 zum Vollziehungsbeamten ernannt; deren Stellen sind durch Hilfsaufseher versehen worden, wodurch Ersparnisse in Höhe von 1816 ℳ 72 ₰ erzielt worden sind.								
b) Teuerungszulagen	—	—	4 800	—	4 800	—	—	—
Zur Bestreitung der Teuerungszulagen wurden durch Beschluß der Stadtverordneten-Versammlung vom 20. Februar 1907 die erforderlichen Mittel bewilligt.								
6. Vergütungen an Aufseher für Dienstleistungen als Erheber 2c.	1 277	50	1 277	50	—	—	—	—
7. Für Kontrollierung des Oktroi von dem in der Stadt bereiteten Bier 2c.	342	86	342	86	—	—	—	—
8. Für Erhebung von Oktroi durch das Hauptsteueramt	1 209	64	1 178	99	—	—	30	65
9. „ die Oktroiaufsicht im Zoll- und Binnenhafen	400	—	400	—	—	—	—	—
10. „ Dienstmäntel und Dienstmützen	100	—	231	20	131	20	—	—
Für neuangenommene Hilfsaufseher waren Dienstmäntel zu beschaffen.								
II. Bureaukosten:								
1. Für Schreibmaterialien	265	—	239	17	—	—	25	83
2. „ Drucksachen	1 320	—	1 081	41	—	—	238	59
3. „ Buchbinderarbeiten	100	—	38	40	—	—	61	60
4. „ Unterhaltung des Mobiliars	600	—	425	88	—	—	174	12
5. „ Heizung	1 200	—	896	12	—	—	303	88
6. „ Beleuchtung einschl. der Beschaffung von Glühkörpern 2c.	550	—	387	22	—	—	162	78
7. „ Reinigung der Erhebestellen	1 510	—	1 494	05	—	—	15	95
8. Verschiedene Ausgaben, Porti 2c.	78	—	46	60	—	—	31	40
9. Für Benutzung der städt. Straßenbahn durch Oktroibedienstete	240	—	150	50	—	—	89	50
10. Mobilienversicherung	3	—	2	46	—	—	—	54
zu übertragen	98 121	—	100 100	64	4 931	20	2 951	56

	Betrag nach				Mithin gegen den Voranschlag			
	dem Voranschlag		der Rechnung		mehr		weniger	
	ℳ	₰	ℳ	₰	ℳ	₰	ℳ	₰
Übertrag . . .	98 121	—	100 100	64	4 931	20	2 951	56
III. Oktroi-Defraudationsstrafen	300	—	415	05	115	05	—	—
Der Einnahme entsprechend gelangten 115 ℳ 05 ₰ mehr zur Verteilung.								
IV. Oktroi-Rückvergütungen:								
1. An das Militär	—	—	—		—	—	—	—
2. Für ausgeführtes Bier	125 000	—	129 278	21	4 278	21	—	—
3. Für ausgeführte Stein- und Holzkohlen	700	—	788	90	88	90	—	—
V. Gebäude:								
1. Gemeinde-Grundsteuern	193	24	192	69	—	—	—	55
2. Brandversicherungsbeiträge	84	—	58	39	—	—	25	61
3. Baukosten	1 460	—	1 057	18	—	—	402	82
3a. Neuanstrich der Oktroihäuschen am Holztor und Rheintor	195	—	89	92	—	—	105	08
3b. Für Abklopfen des schadhaften Verputzes über dem Hauptsteinsockel am Oktroigebäude am Gautor ꝛc. . .	75	—	74	84	—	—	—	16
3c. Erneuerung des Deckenanstrichs und der Tapezierung in 2 Zimmern der Wohnung im I. Obergeschoß des Oktroihauses am Bingertor	70	—	81	61	11	61	—	—
3d. Ölfarbanstrich der Außenseiten der Fenster daselbst . .	65	—	50	73	—	—	14	27
3e. Erneuerung des Ölfarbanstrichs der Einfriedigungsgeländer daselbst	70	—	38	51	—	—	31	49
3f. Versetzung des Oktroihäuschens auf dem Brückenkopfe um etwa 15 m rheinaufwärts	—		—	—	—	—	—	—
Durch Stadtverordnetenbeschluß vom 11. April 1906 war hierfür ein Kredit von 170 ℳ zu Lasten des Reservefonds bewilligt worden. Der Kredit wurde aber nicht in Anspruch genommen.								
3g. Wasserverbrauch in den beiden Oktroi-Erhebestellen am Aliceplatz und Bahnhofsplatz	—	—	6	60	6	60	—	—
4. Reinigung der Entwässerungsanlagen der Oktroigebäude am Neutor, Gautor und Bingertor	30	—	28	60	—	—	1	40
5. Rekognitionsgebühren	2	—	2	—	—	—	—	—
6. Verzinsung und Tilgung der Baukapitalien	1 204	76	1 204	76	—	—	—	—
7. Anteil an den Kosten der Errichtung einer Station am Hauptbahnhof für die Polizei-, Oktroi- u. Straßenbahnverwaltung	—	—	3 202	62	3 202	62	—	—
Laut Stadtverordneten-Beschluß vom 11. Juli 1906 wurde hierfür ein Gesamtkredit von 9400 ℳ bewilligt, wovon auf diese Rubrik 3200 ℳ entfallen. Von den entstandenen Kosten im Gesamtbetrage von 9382 ℳ 62 ₰ entfallen auf die Oktroiverwaltung 3202 ℳ 62 ₰, auf die Polizeiverwaltung 3090 ℳ und auf die Straßenbahnverwaltung 3090 ℳ; siehe die Rubriken 25. IV. 12 der Betriebsrechnung und 2. III. 4. der Rechnung der Straßenbahn.								
Summe . . .	227 570	—	236 671	25	9 101	25	—	—

87. Kommunalsteuern.

	Betrag nach				Mithin gegen den Voranschlag			
	dem Voranschlag		der Rechnung		mehr		weniger	
	M	₰	M	₰	M	₰	M	₰
Einnahme.								
I. Kommunal-Hundesteuer	17 020	—	17 563	14	543	14	—	—
Unter der Einnahme sind 24 M 90 ₰ Erlös für verkaufte Duplikat-Hundemarken enthalten.								
II. Umlagen	2621202	03	2719167	26	97 965	23	—	—
Die Einnahme setzt sich zusammen wie folgt:								
1. Umlagen laut Hebregister für 1906 2 621 203 M 56 ₰								
2. Nachträge für 1906 . . . . . 88 745 „ 28 „								
3. Nachträge aus früheren Jahren, infolge seitheriger geringerer Veranlagung:								
a) von Kapitalrentensteuerpflichtigen . 2 301 M 57 ₰								
b) von Gewerbesteuerpflichtigen . 176 „ 26 „								
c) von Einkommensteuerpflichtigen . 6 237 „ 76 „ 8 715 „ 59 „								
4. Wiederzahlbar gewordene, früher als uneinbringlich verrechnete Umlagen . 502 „ 83 „								
im ganzen . . . 2 719 167 M 26 ₰								
Summe . . .	2638222	08	2736780	40	98 508	37	—	—
Ausgabe.								
I. Kommunal-Hundesteuer	120	—	126	—	6	—	—	—
II. Umlagen:								
1. Gebühren des Steuerkommissariats	4 500	—	4 326	81	—	—	173	19
2. Erlassene Posten	120 000	—	146 458	78	26 458	78	—	—
Die Niederschlagung von Umlagen erfolgte wegen:								
a) zu hohen Ansatzes mit . . . 42 502 M 91 ₰								
b) Wegzugs, Todesfalls rc. mit . . 103 955 „ 87 „								
Betrag wie neben . . 146 458 M 78 ₰								
3. Uneinbringliche Posten	56 000	—	45 725	26	—	—	10 274	74
Unter der Ausgabe sind auch 4 468 M 61 ₰ uneinbringliche Posten aus früheren Jahren enthalten, die bisher als Ausstandsposten nachgeführt worden sind.								
Bezüglich des Verhältnisses der erlassenen und uneinbringlichen Posten zur Soll-Einnahme wird auf die Angaben Seite 243 u. 244 verwiesen.								
Die ausgäbliche Verrechnung der unter pos. 2 und 3 aufgeführten Beträge wurde von der Stadtverordneten-Versammlung laut Beschluß vom 16. Oktober 1907 gutgeheißen.								
Summe . . .	180 620	—	196 636	85	16 016	85	—	—

b) Vermögensrechnung.

Einnahme.

	Betrag nach				Mithin gegen den Voranschlag			
	dem Voranschlag		der Rechnung		mehr		weniger	
	M.	₰	M.	₰	M.	₰	M.	₰
1. Rechnungsrest aus früheren Jahren . . . Der Rechnungsrest aus dem Rechnungsjahr 1905 steht hier in Einnahme.	—	—	1384081	89	1384081	89	—	—
2. Ersatzposten . . . . Infolge von Revisionsbemerkungen Großh. Oberrechnungskammer zur Rechnung für 1903/04 waren 16 M. 70 ₰ zurückzuerheben.	—	—	16	70	16	70	—	—
3. An- und Verkauf von Grundstücken. I. Baureifmachung des Geländes der Bauquadrate 123 und 124 . . . . Zur Baureifmachung des Geländes der Bauquadrate 123 und 124 — umfassend die Grundstücke Flur X Nr. 441¹/₁₀ und Flur XI Nr. 1, 2, 3, 5, 6, 75¹/₁₀ und 75²/₁₀ — sind unter Rubrik 3. XXI. 1. der Vermögens-Rechnung für 1905 bereits 36 052 M. 57 ₰ verausgabt worden. Da die vorerwähnten Grundstücke vom 1. April 1906 dem Grundstücksfonds überwiesen worden sind und der aus dem Verkauf dieses Geländes erzielt werdende Erlös auch diesem Fonds zufließt, hat der letztere auch die Kosten der Baureifmachung zu tragen bezw. der Vermögens-Rechnung zu ersetzen. Die obengenannten Kosten erscheinen daher hier in Einnahme. Vergl. auch die Erläuterungen zur Rubrik 11 — Ausgabe — der Rechnung des Grundstücksfonds.	—	-	36 052	57	36 052	57	—	-
II. Wert der dem Grundstücksfonds überwiesenen Grundstücke . . . . Die dem Grundstücksfonds überwiesenen Grundstücke sind lt. Beschluß der Deputation für den Geländeverkehr vom 2. Februar 1907 mit 4373551 M. 03 ₰ bewertet worden. Vergl. auch die Erläuterungen zur Rubrik 10. 1. — Ausgabe — der Rechnung des Grundstücksfonds.	—	—	4373551	03	4373551	03	—	—
Summe . . .	—	—	4409603	60	4409603	60	—	—
7. Erbauung von Schulhäusern	8 300	—	8 990	85	690	85	—	—

Die Einnahme setzt sich zusammen:

1. aus der im Voranschlag unter 1 vorgesehenen 5. Rate des von der Betriebs-Rechnung für Herstellungsarbeiten im Realschulgebäude zu leistenden Ersatzes mit 4400 M. — ₰
   Vergl. auch die Erläuterung zu Rubrik 45. I. 1 — Ausgabe — der Betriebs-Rechnung.

zu übertragen . . . 4400 M. — ₰

	Betrag nach				Mithin gegen den Voranschlag			
	dem Voranschlag		der Rechnung		mehr		weniger	
	ℳ	₰	ℳ	₰	ℳ	₰	ℳ	₰
Übertrag . . . 4400 ℳ — ₰								
2. aus der 3. Rate des von der Betriebs-Rechnung für Herstellungsarbeiten im Hause Rosengasse Nr. 12 zu leistenden Ersatzes mit . . . . 3900 „ — „								
Vergleiche auch die Erläuterung zu den Rubriken 42. X. 31 und 45. I. 3 b — Ausgabe — der Betriebsrechnung.								
3. aus Vertragsstrafen für verspätete Fertigstellung von übernommenen Glaserarbeiten für den Neubau der Oberrealschule . . . . 690 „ 85 „								
zusammen wie oben . . . 8990 ℳ 85 ₰								
8. Wiederherstellung des Kurfürstlichen Schlosses . .	25 000	—	25 000	—	—	—	—	—
10. Straßenbahnen.								
I. Erlös aus Materialien ꝛc.	—	—	116	85	116	85	—	—
Für Materialien ꝛc. der früheren Straßenbahn wurden 116 ℳ 85 ₰ vereinnahmt.								
II. Sonstige Einnahmen	—	—	308	69	308	69	—	—
Hier erscheint in Einnahme die in Anspruch genommene Kaution nebst aufgelaufenen Zinsen eines Unternehmers, welcher bei Erbauung der Wagenhalle und des Verwaltungsgebäudes für die elektrische Straßenbahn seinen vertraglichen Verpflichtungen nicht nachgekommen ist.								
Summe . . .	—	—	425	54	425	54	—	—
14. Erbauung sonstiger Gemeinde-Gebäude und -Anstalten.								
I. Errichtung eines Musikzeltes im Stadthallegarten	1 000	—	1 000	—	—	—	—	—
II. Ersatz der Kosten für die Feuerwehr	9 050	—	9 050	—	—	—	—	—
III. Ersatz von Kosten für besondere Aufwendungen im Schlacht- und Viehhof	17 380	—	25 623	59	8 243	59	—	—
Die Einnahme setzt sich zusammen:								
1. aus den im Voranschlag unter 1 und 2 vorgesehenen Tilgungsraten mit zusammen . . . . 17 380 ℳ — ₰								
zu übertragen . . . 17 380 ℳ — ₰	27 430	—	35 673	59	8 243	59	—	—

	Betrag nach				Mithin gegen den Voranschlag			
	dem Voranschlag		der Rechnung		mehr		weniger	
	M	₰	M	₰	M	₰	M	₰
Übertrag . . . 17 380 M — ₰ 2. aus dem Betrag, welcher von der Betriebsrechnung zur teilweisen Tilgung der Kosten des Hilfspumpwerks aus Mitteln des Betriebsüberschusses dieses Werks für das Rechnungsjahr 1906 der Vermögens-Rechnung überwiesen wurde, mit . . . 8243 „ 59 „ Vergl. auch die Erläuterung zur Rubrik 16. XIII. — Ausgabe — der Betriebs-Rechnung. zusammen wie oben . . 25 623 M 59 ₰	27 430	—	35 673	59	8 243	59	—	—
IV. **Verkauf von Gelände aus dem Gebiete der Latrinensammelgrube der Gemarkung Bodenheim**	—	—	137	52	137	52	—	—
Aus dem vorgenannten Gebiete wurden mit Zustimmung der Stadtverordneten-Versammlung vom 11. Juli 1906 zur Erbauung eines Dienstwohngebäudes für den Weichensteller 191 qm Gelände zu 72 ₰ für den qm verkauft.								
Summe	27 430	—	35 811	11	8 381	11	—	—
16. Straßenverbreiterungen in der Altstadt.								
I. **Austausch und Verkauf von Gelände zwecks Herstellung einer neuen Verbindungsstraße zwischen Rheinstraße und Schlossergasse** . . .	—	—	6 450	—	6 450	—	—	—
Zwecks Herstellung einer Straßenverbindung zwischen der Rheinstraße und der Schlossergasse ist mit dem Besitzer des Hauses Rheinstraße Nr. 9 eine Vereinbarung getroffen worden, wonach derselbe die städtische Geländefläche der ehemaligen Gebiete Schlossergasse Nr. 8 und 10 und Rheinstraße Nr. 7 einschließlich des dazwischenliegenden Teils der früheren Stadtmauer erhält, dagegen sein Gebiet Rheinstraße Nr. 9 zur Herstellung der Verbindungsstraße bei Herauszahlung einer Vergütung von 100 M für jeden qm der überschüssigen Fläche an die Stadt Mainz abtritt. Diese Vereinbarung ist von der Stadtverordneten-Versammlung am 20. Dezember 1905 gutgeheißen worden. Der Grundstücksbesitzer tritt das auf seinen Namen stehende Gebiet Flur I Nr. 327 an die Stadt ab. Außerdem stand demselben von der der Stadt früher zugeschriebenen Parzelle Flur I Nr. 328⁵/₁₀ das Eigentum bis auf einen an die Rheinstraße angrenzenden 28 qm großen Geländestreifen noch zu. Nach geometrischer Messung haben die beiden Parzellen Flur I Nr. 327 u. 328⁵/₁₀ einen Flächeninhalt								
zu übertragen . . .	—	—	6 450	—	6 450	—	—	—

	Betrag nach				Mithin gegen den Voranschlag			
	dem Voranschlag		der Rechnung		mehr		weniger	
	ℳ	₰	ℳ	₰	ℳ	₰	ℳ	₰
Übertrag . . .	—	—	6 450	—	6 450	—	—	—
von 139 qm. Hiervon ab den städtischen Anteil aus Nr. 328⁵/₁₀ mit 28 qm, ergibt eine Grundfläche von 111 qm, welche bei Berechnung der Herauszahlung als Grundfläche des Grundstücksbesitzers in Berücksichtigung zu ziehen war. Nach den gefertigten Meßbriefen ist die an den betr. Besitzer übergehende Geländefläche, bezeichnet mit Flur I Nr. 328, mit 175,5 qm Inhalt berechnet worden. Es war von dem Grundstücksbesitzer daher an die Stadt eine Herauszahlung von 175,5—111 = 64,5 × 100 ℳ = 6450 ℳ zu leisten, welche hier in Einnahme erscheint.								
II. Verbreiterung der Augustinerstraße vom Haus Nr. 59 abwärts	—	–	7 800	—	7 800	—	—	—
Mit Zustimmung der Stadtverordneten-Versammlung laut Beschluß vom 21. November 1906 wurde das Anwesen Augustinerstraße Nr. 57 zum Preise von 78000 ℳ verkauft. Hier erscheint die Anzahlung mit 7800 ℳ in Einnahme. Die Käufer übernehmen auf den Kaufpreis die auf dem vorbemerkten Anwesen ruhende Hypothek der Städtischen Sparkasse im Betrage von 48800 ℳ vom 1. April 1907 ab. Der alsdann noch verbleibende Restkaufpreis von 21400 ℳ ist vom 1. April 1907 ab mit 4½% zu verzinsen und wird fällig und zahlbar am 1. April 1909. Den Käufern steht jedoch das Recht zu, diesen Restkaufpreis vor dem genannten Termin jederzeit nach einmonatiger Kündigung abzutragen. Vergl. auch die Erläuterung zur Rubrik 16. I. — Ausgabe — dieser Rechnung.								
Summe . . .	—	—	14 250	—	14 250	—	—	—
17. Kanalisation der Altstadt	—	—	10 000	—	10 000	—	—	—
Hier erscheint in Einnahme der durch Beschluß der Stadtverordneten-Versammlung vom 28. Juli 1904 festgesetzte Beitrag zu den Kosten der Kanalherstellung in der Neutorstraße und dem Glacisweg zur Entwässerung des an der Hechtsheimerstraße gelegenen Grundstücks des Alice-Frauen-Vereins.								
19. Erbauung von Straßen und Kanälen in der Neustadt.								
I. Ersatz von Straßen- und Kanalbaukosten zc. .	2 536	—	111 427	79	108 891	79	—	—
Die Einnahme setzt sich wie folgt zusammen: 1. aus einem Teil der im Voranschlag unter pos. 1 vorgesehenen Abtragung mit 929 ℳ — ₰ (Die Restschuld von 700 ℳ gelangt in den folgenden Rechnungsjahren zur Vereinnahmung.) zu übertragen . . . 929 ℳ — ₰								

	Betrag nach				Mithin gegen den Voranschlag			
	dem Voranschlag		der Rechnung		mehr		weniger	
	M.	₰	M.	₰	M.	₰	M.	₰
Übertrag . . . 929 M. — ₰								
2. aus dem Restkaufpreis des unter pos. 2 bemerkten Baugeländes mit . . . . 12 000 „ — „								
3. aus Ersatzleistungen an Straßen- und Kanalbaukosten, insoweit diese Kosten im Rechnungsjahr 1906 abgerechnet werden konnten . . . . 83 290 „ 14 „								
4. aus Ersatzleistungen an Durchbruchskosten in der Forsterstraße . . . . . . 2 262 „ 88 „								
5. aus der Anzahlung, welche für den am ehemaligen Kellerweg gelegenen Garten Flur X Nr. 194 mit 135 qm Flächeninhalt geleistet wurde, mit . . . . 1 297 „ 84 „								
Der 10 900 M. betragende Restkaufpreis für dieses Gelände, welches zum Preise von 12 197 M. 84 ₰ verkauft wuede, erscheint in den folgenden Rechnungsjahren in Einnahme.								
Vergl. auch den Stadtverordnetenbeschluß vom 27. Februar 1907.								
6. aus dem Ersatz des Wertes für Pflastersteine, welche infolge Umpflasterung von Straßen frei geworden und anderweit verwendet worden sind, mit . . . . 11 551 „ 93 „								
7. aus Vertragsstrafen für nicht gestelltes Fuhrwerk beim Ausbau von Straßen und Kanälen . . . . 96 „ — „								
zusammen . . . 111 427 M. 79 ₰								
20. Erbauung von Straßen und Kanälen im Gelände der Nordwestfront.								
I. Geländeüberweisung zur Herstellung von Lagerplätzen im Hafen.	405 136	—	—	—	—	—	405 136	—
Das ursprünglich für Hafenzwecke vorgesehene Gelände der Baublöcke A, B und C ist in dem dem Grundstücksfonds überwiesenen Gelände enthalten. Hierdurch wird die im Voranschlag beabsichtigt gewesene Umbuchung hinfällig. Vergl. auch die Erläuterungen zu pos. III.								
II. Gelände der Gasfabrik an der Weisenauerstraße.	90 000	—	90 000	—	—	—	—	—
zu übertragen . . .	495 136	—	90 000	—	—	—	405 136	—

	Betrag nach				Mithin gegen den Voranschlag			
	dem Voranschlag		der Rechnung		mehr		weniger	
	M.	₰	M.	₰	M.	₰	M.	₰
Übertrag . . .	495 136	—	90 000	—	—	—	405 136	—
III. **Wert der dem Grundstücksfonds überwiesenen Grundstücke**	—	—	806 337	50	806 337	50	—	—
Das dem Grundstücksfonds aus dem Gebiete der Nordwestfront überwiesene Gelände ist lant Beschluß der Deputation für den Geländeverkehr vom 31. Mai 1907 mit 806 337 M. 50 ₰ bewertet worden. Vergl. auch die Erläuterungen zur Rubrik 10. 1. — Ausgabe — der Rechnung des Grundstücksfonds.								
IV. **Ersatz der Kosten für Befestigung der Fahr- und Gehwege der vier Straßenunterführungen im Bereiche der Umgehungsbahn**	—		9 485	42	9 485	42	—	—
Laut Nachvertrag vom 27. April und 9. Mai 1906 wurden die vorgenannten Arbeiten, welche lant Vertrag vom 14. August 1901 von der Staatseisenbahnverwaltung auszuführen waren, von der Stadt übernommen. Die hierfür von der Eisenbahnhauptkasse zu leistende Vergütung ist hier vereinnahmt.								
V. **Wert des dem Industriegebiet auf der Ingelheimer Au überwiesenen Geländes aus dent der Stadt zugefallenen Gelände der Nordwestfront.**	—	—	16 332	—	16 332		—	—
Von dent der Stadt Mainz nach § 1 des mit dem Deutschen Reich abgeschlossenen Vertrags über die Auflassung und den Verlauf der Umwallung zugefallenen Gelände der Nordwestfront ist ein Teil von 1361 qm dent Industriegebiet auf der Ingelheimer Au überwiesen worden. Der Wert dieses Geländes, welches zum Preise von 12 M. für den qm verkauft tourde und dessen Kaufpreis unter Rubrik 28 dieser Rechnung in Einnahme erscheint, ist hier mit 16 332 M. zu vereinnahmen. Vergl. auch die Erläuterungen zur Rubrik 28 — Ausgabe — dieser Rechnung.								
VI. **Wert der Kaponnièren**	—	—	40 000		40 000		—	—
Nach § 7 des Vertrages zwischen dem Deutschen Reich und der Stadt Mninz über die Auflassung und den Verkauf der Umwallung vom 11. Juli 1905 hat die Stadt Mninz auch die 4 Kaponnièren der Rheinkehlbefestigung erworben. Der Wert dieser Kaponnièren mit 40 000 M. erscheint hier in Einnahme. Vergl. auch die Erläuterungen zur Rubrik 3. XIII. — Ausgabe — dieser Rechnung.								
VII. **Entschädigung für die Verkäuflichkeit des Böschungsgeländes an der Wallstraße**	—	—	37 000	—	37 000	—	—	—
Gemäß § 23 des Stadterweiterungsvertrags vom 21. September 1872 und des Rezesses vom 29. November 1876 ist der								
zu übertragen . . .	495 136	—	909 154	92	909 154	92	405 136	—

	Betrag nach dem Voranschlag		der Rechnung		Mithin gegen den Voranschlag mehr		weniger	
	M.	*ʒ*	*M.*	*ʒ*	*M.*	*ʒ*	*M.*	*ʒ*
Übertrag . . .	495 136	—	999 154	92	909 154	92	405 136	—
Stadt das Gelände zur Anlage der Wallstraße nebst dem Böschungsgelände unentgeltlich in Eigentum überwiesen worden, mit der in diesem Rezeß festgesetzten Belastung, daß das Böschungsgelände nicht verkauft werden darf. Diese Belastung ist nach dem Vertrage zwischen dem Deutschen Reich und der Stadt Mainz vom 11. Juli 1905 über die Auflassung und den Verkauf der Umwallung aufgehoben worden. Als Entschädigung für die Aufhebung der Belastung sollen daher einem Beschluß der Deputation für den Geländeverkehr entsprechend von dem Stadterweiterungsfonds, der den Erlös für das demnächst zu verkaufende Böschungsgelände vereinnahmen wird, der Vermögensrechnung 37 000 *M* vergütet werden.								
VIII. Sonstige Einnahmen	—	—	4 419	20	4 419	20	—	—
Die Einnahme setzt sich zusammen aus dem Erlös von verkauften Back-, Mauer- und Abrollsteinen, aus Vertragsstrafen für nicht gestelltes Fuhrwerk bei Erbauung von Kanälen, sowie aus dem Erlös der verkauften Tore in der krenelierten Mauer längs der Rheinpromenade.								
Summe . . .	495 136	—	1 003 574	12	508 438	12	—	—
23. Stromkorrektion.								
I. Verkauf von Baugelände am Rheinufer zwischen Raimunditor und Binnenhafen . . .	4 212	—	4 212	—	—	—	—	—
II. Wert der dem Grundstücksfonds überwiesenen Grundstücke	—	—	12 500	—	12 500	—	—	—
Laut Beschluß der Deputation für den Geländeverkehr vom 2. Februar 1907 sind die dem Grundstücksfonds überwiesenen Grundstücke mit 12 500 *M* bewertet worden. Vergl. auch die Erläuterungen zur Rubrik 10. 1 — Ausgabe — der Rechnung des Grundstücksfonds.								
Summe . . .	4 212	—	16 712	—	12 500	—	—	—
25. Hafenbau.								
I. Errichtung einer Werkstätte im Zollhafen . .	1 000	—	1 000	—	—	—	—	—
28. Ingelheimer Au.								
I. Verkauf von Gelände	20 562	89	146 592	89	126 030	—	—	—
Der Restkaufpreis des unter pos. 3 des Voranschlags bemerkten Bauplatzes wurde bereits im Rechnungsjahre 1905 abgetragen. Außer den im Voranschlag unter pos. 1, 2 und 4 bis 9 erwähnten Abtragungen erscheinen noch Anzahlungen auf Kaufpreise								
zu übertragen . . .	20 562	89	146 592	89	126 030	—	—	—

	Betrag nach dem Voranschlag ℳ	₰	Betrag nach der Rechnung ℳ	₰	Mithin gegen den Voranschlag mehr ℳ	₰	weniger ℳ	₰
Übertrag . . .	20 562	89	146 592	89	126 030	—	—	—
von den im Rechnungsjahr 1906 verkauften Bauplätzen, sowie Anzahlungen und Abtragungen von Kaufpreisen der unter pos. 10 bis 14 des Voranschlags erwähnten Bauplätze. Ferner ist der Wert des Geländes für Erweiterung des Städtischen Elektrizitätswerkes mit 3048 ℳ vereinnahmt. In Ausgabe siehe die Erläuterungen zur Rubrik 6. V. dieser Rechnung.								
II. **Kostenersatz der für Rechnung von Privaten ausgeführten Arbeiten**	—	—	19 116	09	19 116	09	—	—
Der Kostenersatz der für Rechnung von Privaten gelegentlich der Gleisverlegungen für die Hafenbahnerweiterung ausgeführten Arbeiten beträgt 19116 ℳ 09 ₰. Von diesem Betrage sind . . . . . 17378 ℳ 25 ₰ zu Lasten des Kredits der Rubrik 28. III. verausgabt worden. Der Restbetrag mit . . . . 1737 „ 84 „ stellt 10% Verwaltungskosten dar. Ergibt mithin wie oben . . . . . . 19116 ℳ 09 ₰ Von dem obengenannten Betrag mit . 17378 ℳ 25 ₰ kommen der Rubrik 28. III. — Ausgabe — 4236 „ 43 „ zu gut, weshalb der auf das Rechnungsjahr 1907 zu übertragende Kredit der erwähnten Rubrik um diesen Betrag zu erhöhen ist. Für den verbleibenden Betrag mit . . . . . 13141 ℳ 82 ₰ war durch Beschluß der Stadtverordneten-Versammlung vom 21. Juni 1905 entsprechender Kredit zur Verfügung gestellt worden. Vergleiche auch die Erläuterungen zur Rubrik 28. III. — Ausgabe — dieser Rechnung.								
Summe . . .	20 562	89	165 708	98	145 146	09	—	—
34. Überschüsse der Betriebsrechnungen . . . . Siehe die Erläuterung zur Rubrik 85 der Betriebsrechnung.	—	—	362 810	39	362 810	39	—	—
35. Kapitalmittel.								
I. **Zurückzuempfangende Kapitalien**	—	—	1 500	—	1 500	—	—	—
Mit Zustimmung der Stadtverordneten-Versammlung durch Beschluß vom 16. August 1906 wurde aus dem Fonds zur Unterstützung von Wasserbeschädigten der bemerkte Betrag als Beihilfe für einen durch einen wolkenbruchartigen Regen geschädigten Gärtnereibesitzer in Zahlbach bei der Städtischen Sparkasse abgehoben. In Ausgabe siehe Rubrik 35. IV.								
zu übertragen . . .	—	—	1 500	—	1 500	—	—	

	Betrag nach				Mithin gegen den Voranschlag			
	dem Voranschlag		der Rechnung		mehr		weniger	
	ℳ	₰	ℳ	₰	ℳ	₰	ℳ	₰
Übertrag . . .	—	—	1 500	—	1 500	—	—	—
II. Stiftungen und Vermächtnisse	—	—	21 000	—	21 000	—	—	—
Hier erscheinen in Einnahme:								
1. der Kapitalwert des Vermächtnisses des Großh. Ober-Appellations- u. Kassationsgerichtsrats i. P. Dr. Jos. Röder im Betrage von . . . . 10 000 ℳ — ₰								
2. die Kapitalwerte von zwei Stiftungen für Grabunterhaltungen (Meinhardt und Marcuse) mit 1000 ℳ u. 10 000 ℳ = 11 000 „ — „								
zusammen . . . 21 000 ℳ — ₰								
III. Bar-Kautionen	—	—	—	—	—	—	—	—
IV. Ersatz der für Gemeinde-Gebäude und -Anstalten aufgewendeten Kapitalien:								
1. aus der Betriebs-Rechnung:								
a) von dem Hafen	19 156	86	19 156	86	—	—	—	—
b) „ „ Getreidespeicher	7 284	06	7 284	06	—	—	—	—
c) „ „ Schlacht- und Viehhof	25 690	73	25 690	73	—	—	—	—
d) „ „ Fürstenbergerhofbad	2 749	19	2 749	19	—	—	—	—
e) „ „ Gartenfeldbad	1 031	52	1 031	52	—	—	—	—
f) „ „ Gutenbergbad	1 636	51	1 636	51	—	—	—	—
g) „ der Hafenbahn	42 692	67	42 692	67	—	—	—	—
h) „ dem Stadttheater	6 671	20	6 671	20	—	—	—	—
i) „ den Kehrichtwagen	705	04	705	04	—	—	—	—
k) „ „ Latrinesammelgruben	3 430	35	3 430	36	—	01	—	—
l) „ dem neuen Reinigungsamt	1 702	01	1 702	01	—	—	—	—
2. aus den Betriebs-Überschüssen der Werke:								
a) von dem Wasserwerk	75 305	94	83 715	08	8 409	14	—	—
Anstatt der zur Tilgung der Kosten für die Zubringerpumpe vorgesehenen 2. Rate mit 11 000 ℳ wurde der Rest der für den Einbau dieser Pumpe gemachten Aufwendungen mit 19 928 ℳ 10 ₰ getilgt.								
b) von dem Gaswerk	140 172	21	138 591	96	—	—	1 580	25
c) von dem Elektrizitätswerk:								
Planmäßige gewöhnliche Tilgung 176 746 ℳ 10 ₰								
Außerordentliche Tilgung der nachgenannten für das Elektrizitätswerk aufgewendeten Kapitalien und zwar:								
1. für die Dampfkessel, Rohrleitungen ꝛc. . . 5626 ℳ 28 ₰								
2. für die Elektrizitätsmesser . 4545 „ 08 „ 10 171 „ 36 „	181 082	57	186 917	46	5 834	89	—	—
zu übertragen . . .	509 310	86	544 474	65	36 744	04	1 580	25

	Betrag nach				Mithin gegen den Voranschlag			
	dem Voranschlag		der Rechnung		mehr		weniger	
	ℳ	₰	ℳ	₰	ℳ	₰	ℳ	₰
Übertrag . . .	509 310	86	544 474	65	36 744	04	1 580	25
d) von der Straßenbahn: Planmäßige gewöhnliche Tilgung 24 584 ℳ 26 ₰ Außerordentliche Tilgung: 1. der restlichen Kosten für die Kletterweichen 1415 ℳ 53 ₰ 2. der Abfindungssumme an die Südd. Eisenbahngesellschaft 35 038 „ 72 „ 36 454 „ 25 „	22 897	96	61 038	51	38 140	55	—	—
Die Entschädigungssumme an die Süddeutsche Eisenbahngesellschaft betrug nach der Erläuterung zur Rubrik 10. I der Vermögens-Rechnung — Einnahme — des vorjährigen Rechenschaftsberichts Ende des Rechnungsjahres 1905 restlich 978 393 ℳ 26 ₰. Hiervon gehen ab: 1. die unter Rubrik 10. I dieser Rechnung verrechneten Einnahmen mit . 116 ℳ 85 ₰ 2. der obengenannte außerordentliche Tilgungsbetrag mit 35 038 „ 72 „ 3. der unter Rubrik 5. VI der Straßenbahnrechnung für 1906 verausgabte Tilgungsbetrag mit . 7 500 „ 38 „ 42 655 „ 95 „ so daß die Restentschädigung Ende des Rechnungsjahres 1906 beträgt . . . . 935 737 ℳ 31 ₰								
V. **Kapitalüberweisung durch den Schloßfreiheitsfonds**	358 288	52	629 046	73	270 758	21	—	—
Der Überschuß des Kapitalkontos des Schloßfreiheitsfonds für das Rechnungsjahr 1906 erscheint hier in Einnahme.								
VI. **Aufzunehmende Kapitalien**	819 731	86	6052800	—	5233068	14	—	—
Mit Zustimmung der Stadtverordneten-Versammlung vom 5. Oktober 1906 wurde ein neues mit lit. R bezeichnetes 4%iges Anlehen in Höhe von 6 000 000 ℳ aufgenommen. Hier erscheint der Übernahmepreis dieses im März 1907 begebenen Anlehens mit 6 052 800 ℳ in Einnahme.								
Summe . . .	1710229	20	7287359	89	5577130	69	—	—

Ausgabe

	Betrag				Verfügbarbleibender u. laut Stadtverordnetenbeschluß v. 16. Oktbr. 1907 auf das Rechnungsjahr 1907 zu übertragender Kreditrest	
	der zur Verfügung gestellten Kredite		der wirklichen Ausgabe in 1906			
	ℳ	₰	ℳ	₰	ℳ	₰
1. Rechnungsrest aus früheren Jahren . . .	—	—	—	—	—	—
2. Ersatzposten	—	—	—	—	—	—
Infolge von Revisionsbemerkungen Großh. Ober-Rechnungskammer zur Rechnung für 1903/04 war nichts nachzuzahlen.						
3. An- und Verkauf von Grundstücken.						
I. Erwerbung von Gelände in den Bauquadraten 89 und 94	—		—	—	—	—
Die Forderung der Süddeutschen Immobilien-Gesellschaft an die Stadt Mainz für das vorgenannte Gelände mit restlich 297 713 ℳ 60 ₰ wurde durch Notariatsakt vom 18. Oktober 1906 an die Karlsruher Lebensversicherung auf Gegenseitigkeit vormals Allgemeine Versorgungsanstalt zu Karlsruhe abgetreten. Vergleiche auch die Erläuterungen zur Rubrik 83. VI. 2a — Ausgabe — der Betriebs-Rechnung.						
II. Erwerbung von Gelände in den Bauquadraten 90 und 93	54 442	—	54 442	—	—	—
III. Erwerbung von Gelände in den Bauquadraten 97, 98, 100 und 101	69 210	—	69 210	—	—	—
IV. Erwerbung von Gelände in dem Bauquadrat 76	50 000	—	50 000	—	—	—
V. Erwerbung von Gelände in dem Bauquadrat 86	10 000	—	10 000	—	—	—
VI. Erwerbung von Gelände in den Gemarkungen Mombach und Budenheim	221 550	—	221 535	90	—	—
Hier erscheinen die im Voranschlag bemerkten Kapitalabtragungen mit 150 000 ℳ + 71 500 ℳ sowie die Kosten der notariellen Quittung für die erstgenannte Rückzahlung mit 35 ℳ 90 ₰ in Ausgabe. Für diese Kosten waren im Voranschlag 50 ℳ vorgesehen.						
VII. Erwerbung von Grundstücken in Flur VII der Gemarkung Bretzenheim und Flur XVIII der Gemarkung Mainz	3 000	—	3 000	—	—	—
Der unter Rubrik 83. VI. 14 des Voranschlags der Betriebs-Rechnung — Ausgabe — bemerkte Restkaufspreis für das Grundstück Flur VII Nr. 126¹/₁₀ ist am 30. Juni 1906 zurückgezahlt worden.						
zu übertragen . . .	—	—	408 187	90		

	Betrag: der zur Verfügung gestellten Kredite		Betrag: der wirklichen Ausgabe in 1906		Verfügbar bleibender u. laut Stadtverordnetenbeschluß v. 16. Oktbr. 1907 auf das Rechnungsjahr 1907 zu übertragender Kreditrest	
	ℳ	₰	ℳ	₰	ℳ	₰
Übertrag . . .	—	—	408 187	90		
VIII. **Baureifmachung des Geländes der Bauquadrate 123 und 124.**						
1. Herstellung eines Gleisanschlusses mit Drehscheibe und Weiche anschließend an die Gleise des Freiladebahnhofs der Staatsbahn	—	—	—	—	—	—
Der aus dem Rechnungsjahr 1905 hierher übertragene Kredit mit 23 947 ℳ 43 ₰, sowie die zu Lasten dieses Kredits verausgabten Kosten erscheinen unter Rubrik 11 der Rechnung des Grundstücksfonds.						
IX. **Erwerbung der Grundstücke Flur XII Nr. $51\frac{5}{10}$, $52\frac{2}{10}$, $52\frac{5}{10}$, $52\frac{6}{10}$ und $52\frac{8}{10}$.**						
Kredit laut Stadtverordnetenbeschluß vom 11. Juli 1906	34 928	57	34 928	57	—	—
Außer dem Kaufpreis von 34 430 ℳ 40 ₰ (2391 qm zu 14 ℳ 40 ₰) erscheinen noch die Stempelkosten mit 213 ℳ 70 ₰, die Vermittlungsgebühren mit 124 ℳ 42 ₰ und die Notariatskosten mit 160 ℳ 05 ₰ in Ausgabe.						
X. **Erwerbung des Anwesens Alte Universitätsstraße Nr. 9 und $11\frac{1}{10}$.**						
Kredit laut Stadtverordnetenbeschluß vom 5. Oktober 1906	31 207	50	31 207	50	—	—
Mit Zustimmung der Stadtverordneten-Versammlung vom 5. Oktober 1906 sind die vorgenannten Anwesen zum Preise von 90 000 ℳ und 30 000 ℳ erworben worden. Hier sind verausgabt der Kaufpreis für das Haus Universitätsstraße Nr. $11\frac{1}{10}$ mit 30 000 ℳ, sowie die bei diesem Verkaufe entstandenen Vermittlungsgebühren mit 150 ℳ, Stempelkosten mit 240 ℳ und Notariatsgebühren mit 97 ℳ 50 ₰. Ferner erscheinen die Stempelkosten für den Ankauf des Hauses Alte Universitätsstraße Nr. 9 mit 720 ℳ in Ausgabe. Der Kaufpreis für dieses Anwesen und die sonst noch entstehenden Kosten gelangen im Rechnungsjahre 1908 zur Verausgabung.						
XI. **Ankauf der Häuser Schlossergasse Nr. 44 und 46.**						
Kredit laut Stadtverordnetenbeschluß vom 10. Oktober 1906	19 771	66	19 771	66	—	—
Außer den Kaufpreisen mit 9 500 ℳ und 10 000 ℳ sind noch die Stempelkosten mit 97 ℳ 50 ₰, die Vermittlungsgebühren mit 97 ℳ 50 ₰ und die Notariatskosten mit 76 ℳ 66 ₰ verausgabt.						
XII. **Erwerbung des Hauses Schlossergasse Nr. 36.**						
Kredit laut Stadtverordnetenbeschluß vom 20. Februar 1907	10 674	—	10 674	—	—	—
In Ausgabe erscheinen der Kaufpreis mit 10 500 ℳ, die Vermittlungsgebühren mit 52 ℳ 50 ₰, die Stempelkosten mit 84 ℳ, sowie die Notariatsgebühren mit 37 ℳ 50 ₰.						
zu übertragen . . .	—	—	504 769	63		

	Betrag				Verfügbarbleibender u. laut Stadtverordnetenbeschluß v. 16. Oktbr. 1907 auf das Rechnungsjahr 1907 zu übertragender Kreditrest	
	der zur Verfügung gestellten Kredite		der wirklichen Ausgabe in 1906			
	M	₰	M	₰	M	₰
Übertrag . . .	—	—	504 769	63		
XIII. Wert der Kaponnièren	40 000	—	40 000	—	—	—
Nach § 7 des Vertrags zwischen dem Deutschen Reich und der Stadt Mainz über die Auflassung und den Verkauf der Umwallung vom 11. Juli 1905 hat die Stadt Mainz auch die 4 Kaponnièren der Rheinkehlbefestigung erworben. Der Wert dieser Kaponnièren mit 40 000 M erscheint hier in Ausgabe. Vergl. auch die Erläuterungen zur Rubr. 20. VI. — Einnahme — dieser Rechnung.						
Summe . . .	—	—	544 769	63		
4. Gaswerk.						
I. Erweiterung des Stadtrohrnetzes.						
Kredit laut Voranschlag	55 000	—	41 131	62	—	—
II. Gasmesser.						
Kredit laut Voranschlag	55 000	—	36 519	19	—	—
Für unbrauchbar gewordene Gasmesser wurde in diesem Rechnungsjahre ein Erlös nicht erzielt.						
III. Gelände der Gasfabrik an der Weisenauerstraße.						
Kredit laut Voranschlag	90 000	—	90 000	—	—	—
IV. Errichtung einer Koksgasanlage.						
1. Für Anschüttung des Terrains.						
Kredit laut Stadtverordnetenbeschluß vom 11. April 1906	16 800	—	—	—	16 800	—
2. Für den baulichen Teil.						
Kredit laut Stadtverordnetenbeschluß vom 11. April 1906	126 200	—	108 646	21	17 553	79
Bis zum Bücherschluß sind ferner noch Abschlagszahlungen im Gesamtbetrage von 2600 M geleistet worden, welche auf das Rechnungsjahr 1907 übertragen worden sind.						
3. Für den gastechnischen Teil.						
Kredit laut Stadtverordnetenbeschluß vom 11. April 1906	197 000	—	22 968	52	174 031	48
Es wurden bis zum Bücherschluß noch Abschlagszahlungen im Gesamtbetrage von 113 500 M geleistet, welche auf das Rechnungsjahr 1907 übertragen worden sind.						
Summe . . .	—	—	299 265	54	—	—
5. Wasserwerk.						
I. Vorarbeiten:						
1. Vornahme von Grundwasserstandsbeobachtungen und Ergänzung der Vorarbeiten für ein einheitliches Wasserwerk.						
Kredit laut Voranschlag	—	—	—	—	—	—
Es wird auf die Erläuterung zu pos. IV. verwiesen.						
zu übertragen . . .	—	—	—	—		

	Betrag: der zur Verfügung gestellten Kredite ℳ	₰	Betrag: der wirklichen Ausgabe in 1906 ℳ	₰	Verfügbar bleibender u. laut Stadtverordnetenbeschluß v. 16. Oktbr. 1907 auf das Rechnungsjahr 1907 zu übertragender Kreditrest ℳ	₰
Übertrag . . .	—	—	—	—		
II. Rohrnetz:						
1. Legung von Wasserleitungsröhren im Kaiser Wilhelm-Ring und in der Osteinstraße, auf dem Gartenfeldplatz und in der Leibnizstraße. Kredit laut Voranschlag	2 800	—				
2. Legung von Wasserleitungsröhren in der verlängerten Münsterstraße, in der Zeybachstraße, im Kaiser Wilhelm-Ring (linke Straßenseite) auf dem Sömmerringplatz und in der Sömmerringstraße. Kredit laut Voranschlag	10 230	—				
3. Legung von Wasserleitungsröhren auf dem Aliceplatz und im Kaiser Wilhelm-Ring, rechte Straßenseite. Kredit laut Voranschlag	5 680	—				
4. Legung von Wasserleitungsröhren zwischen der Oberen Austraße und der verlängerten Rheinallee, sowie in der verlängerten Rheinallee von dem Bahndamm der Wiesbadener Linie bis zur Gemarkungsgrenze Mombach. Kredit laut Voranschlag	12 300	—				
5. Legung von Wasserleitungsröhren im Kaiser Wilhelm-Ring zwischen Uhland- und Goethestraße. Kredit laut Voranschlag	4 300	—				
6. Für kleinere Anschlüsse, unvorhergesehene Teilstrecken und Ergänzung der Hydranten. Kredit laut Voranschlag	6 890	—				
7. Legung eines Wasserleitungsstranges in dem Rheingauwall und in der Taunusstraße unterhalb der Drehbrücke. Kreditübertrag aus dem Rechnungsjahre 1905 . . .	10 400	—				
8. Verlegung eines Wasserleitungsrohres in der Ingelheimstraße. Kredit laut Stadtverordnetenbeschluß vom 4. Juli 1906	5 600	—				
9. Verlegung eines Wasserleitungsanschlusses für das Grundstück Dammweg Nr. 1 1/10 und den am Dammweg aufzustellenden Ventilbrunnen durch Herstellung eines Anschlusses an die Wasserleitung der Gemeinde Mombach. Kredit laut Stadtverordnetenbeschluß vom 16. August 1906	1 400	—				
10. Legung von Wasserleitungsröhren in der Barbarossa- und Hohenstaufenstraße. Kreditübertrag aus dem Rechnungsjahre 1905	1 600	—				
zu übertragen . . .	61 200	—	—	—		

	Betrag				Verfügbar bleibender u. laut Stadtverordnetenbeschluß vom 16. Oktbr. 1907 auf das Rechnungsjahr 1907 zu übertragender Kreditrest	
	der zur Verfügung gestellten Kredite		der wirklichen Ausgabe in 1906			
	ℳ	₰	ℳ	₰	ℳ	₰
Übertrag . . .	61 200	—		—		
II. Legung eines Rohrstrangs in der Colmarstraße.						
Kreditübertrag aus dem Rechnungsjahre 1905 . . .	974	72				
	62 174	72	50 778	74	9 723	16
Von dem auf das Rechnungsjahr 1907 zu übertragenden Kreditrest werden 7148 ℳ 44 ₰ für Legung von Wasserleitungsröhren in der verlängerten Rheinallee von dem Bahndamm der Wiesbadener Linie bis zur Gemarkungsgrenze Mombach, 1600 ℳ für Legung von Wasserleitungsröhren in der Barbarossa- u. Hohenstaufenstr. u. 974 ℳ 72 ₰ für Legung eines Rohrstranges in der Colmarstraße benötigt.						
III. Wassermesser.						
Kredit laut Voranschlag	10 000	—	8 567	50	—	—
IV. Vornahme von Pumpversuchen in der Rheinniederung bei Laubenheim.						
Kredit laut Stadtverordnetenbeschluß vom 19. Juli 1906	60 000	—	62 851	61	2 148	39
Hierzu I. Vorarbeiten Kredit laut Voranschlag	5 000	—				
Die Ausgaben betragen: bei pos. IV = 62 028 ℳ 36 ₰ bei pos. I. = 823 „ 25 „						
V. Einbau einer Zubringerpumpe in dem Werk an der Walpodenstraße.						
Kreditübertrag aus dem Rechnungsjahr 1905	4 311	56				
Kreditergänzung lt. Stadtverordnetenbeschluß vom 11. Juli 1907	8 928	10				
	13 239	66	13 239	66	—	—
Summe . . .	—	—	135 437	51		
6. Elektrizitätswerk.						
I. Erweiterung des Kabelnetzes.						
Kredit laut Voranschlag	50 000	—				
Kreditübertrag aus dem Rechnungsjahre 1905	50 787	07				
Kredit laut Stadtverordnetenbeschluß vom 8. September 1906.	28 000	—				
	128 787	07	97 082	13	31 704	94
II. Kabelanschlüsse.						
Kredit laut Voranschlag	8 000	—	4 612	89		
III. Elektrizitätsmesser.						
Kredit laut Voranschlag	32 000	—				
Kredit laut Stadtverordnetenbeschluß vom 3. Oktober 1907	3 845	14				
	35 845	14	35 845	14	—	—
IV. Kesselanlage.						
1. Für Beschaffung zweier Wanderroste einschl. Antrieb und Antriebsmotor, sowie für Einmauern derselben.						
Kredit laut Voranschlag	16 500	—	14 123	67	—	—
zu übertragen . . .			151 663	83		

	Betrag der zur Verfügung gestellten Kredite ℳ	₰	Betrag der wirklichen Ausgabe in 1906 ℳ	₰	Verfügbar bleibender u. laut Stadtverordnetenbeschluß v. 16. Oktbr. 1907 auf das Rechnungsjahr 1907 zu übertragender Kreditrest ℳ	₰
Übertrag . . .	—	—	151 663	83		
2. Für eine Kesselspeisewasseranlage.						
Kredit laut Voranschlag	8 500	—	6 676	73	—	—
3. Für Ausrüstung zweier Kessel mit Überhitzern.						
Kredit laut Voranschlag	15 000	—	2 963	19	12 036	81
Außer den unter 3 genannten Ausgaben sind auch noch Abschlagszahlungen im Gesamtbetrage von 5750 ℳ geleistet worden, welche auf das Rechnungsjahr 1907 übertragen worden sind.						
4. Beschaffung von Reserveteilen, wie Ventile, Kondenstöpfe, Formstücke, Reserveteile für die Kettenrostfeuerungen.						
Kredit laut Stadtverordnetenbeschluß vom 19. Juli 1906	7 500	—	8 053	—	—	—
V. Grunderwerb	3 048	—	3 048	—	—	—
Infolge Erweiterung des Städtischen Elektrizitätswerks hat sich der Flächeninhalt dieses Grundstücks um 254 qm vergrößert, wofür dem genannten Werk 254 × 12 = 3048 ℳ zur Last zu setzen sind, welche hier in Ausgabe erscheinen. In Einnahme vergl. die Erläuterungen zur Rubrik 28. I. dieser Rechnung.						
VI. Erweiterung des Elektrizitätswerkes.						
1. Baukosten.						
Kreditübertrag aus dem Rechnungsjahre 1905 . . .	54 680	75	8 310	83	46 369	92
Bis zum Bücherschluß sind ferner noch Abschlagszahlungen im Gesamtbetrage von 1100 ℳ geleistet worden, welche auf das Rechnungsjahr 1907 übertragen worden sind.						
2. Maschineller Teil — Unvorhergesehenes.						
Kreditübertrag aus dem Rechnungsjahre 1905 . . .	15 000	—	2 650	18	12 349	82
VII. Erweiterung der Umformerstation.						
Kredit laut Stadtverordnetenbeschluß vom 4. März 1906 .	40 000	—	1 522	16	38 477	84
Summe . . .	—	—	184 887	92		

7. Erbauung von Schulhäusern.

	ℳ	₰	ℳ	₰	ℳ	₰
I. Erbauung eines Schulhauses für die Höhere Mädchenschule auf dem Gebiete des ehemaligen Reichklaraklosters.						
1. Geländeerwerb.						
Kredit laut Voranschlag	328 896	—	328 896	—	—	—
zu übertragen . . .	—	—	328 896	—		

	Betrag: der zur Verfügung gestellten Kredite M.	Pf.	Betrag: der wirklichen Ausgabe in 1906 M.	Pf.	Verfügbar bleibender u. laut Stadtverordnetenbeschluß v. 16. Oktbr. 1907 auf das Rechnungsjahr 1907 zu übertragender Kreditrest M.	Pf.
Übertrag . . .	—	—	328 896	—		
2. Baukosten.						
Kreditübertrag aus dem Rechnungsjahre 1905 . . .	647 057	18				
Kredit laut Stadtverordnetenbeschluß vom 1. Februar 1907	15 000	—				
	662 057	18	37 140	20	624 916	98
Ferner sind noch bis zum Bücherschluß Abschlagszahlungen im Gesamtbetrage von 360 140 M. geleistet worden, welche auf das Rechnungsjahr 1907 übertragen worden sind.						
II. Erbauung eines Schulhauses für die Oberrealschule und eine Höhere Handelsschule.						
1. Baukosten.						
Kreditübertrag aus dem Rechnungsjahr 1905	132 000	38	120 869	42	11 130	96
2. Beschaffung von Mobiliar.						
Kreditübertrag aus dem Rechnungsjahr 1905	48 696	11	32 420	13	16 275	98
III. Erbauung eines Schulhauses auf dem Gebiete Bauquadrat 75 an der Colmarstraße.						
1. Baukosten.						
Kredit laut Stadtverordnetenbeschluß vom 1. Februar 1907	672 000	—	7 789	84	664 210	16
Bis zum Bücherschluß sind ferner noch Abschlagszahlungen im Gesamtbetrage von 25 000 M. geleistet worden, welche auf das Rechnungsjahr 1907 übertragen worden sind.						
Summe . . .	—	—	527 115	59		
8. Wiederherstellung des kurfürstlichen Schlosses.						
a) I. Bauperiode.						
I. Räumungsarbeiten und provisorische Aufstellung			—	—		
II. Arbeiten am Äußern			821	36		
III. Arbeiten im Innern			23 924	91		
IV. Herstellung von Bauzäunen, Bauhütten, Schuppen, sowie Reinigung, Heizung und Beleuchtung der Bauhütten						
V. Umgebungsarbeiten, Abbrucharbeiten, Terrain-Regulierung, Pflaster-Arbeiten, Weganlagen, Bepflanzungen, Einfriedigungen und dergleichen	Kreditübertrag aus dem Rechnungsjahr 1905: 25 155	47	—	—	—	—
			—	—		
VI. Bauleitung			3 272	06		
VII. Bureaugebäude			—	—		
VIII. Ausführungen zu Lasten aus den Vorjahren bewilligter Kredite .			—	—		
zu übertragen . . .	—	—	28 018	33		

		Betrag: der zur Verfügung gestellten Kredite ℳ	₰	Betrag: der wirklichen Ausgabe in 1906 ℳ	₰	Verfügbarbleibender u. laut Stadtverordnetenbeschluß v. 16. Oktbr. 1907 auf das Rechnungsjahr 1907 zu übertragender Kreditrest ℳ	₰
Übertrag . . .		—	—	28 018	33		
b) II. Bauperiode.							
I. Räumungsarbeiten und provisorische Aufstellung . . . . . . Ferner sind noch bis zum Bücherschluß Abschlagszahlungen im Gesamtbetrage von 3000 ℳ geleistet worden, welche auf das Rechnungsjahr 1907 übertragen worden sind.				5 508	20		
II. Arbeiten am Äußern . . . . . Bis zum Bücherschluß sind ferner noch Abschlagszahlungen im Gesamtbetrage von 2900 ℳ geleistet worden, welche auf das Rechnungsjahr 1907 übertragen worden sind.				10 706	55		
III. Arbeiten im Innern	Kreditübertrag aus dem Rechnungsjahr 1905 Kredit laut Stadtverordnetenbeschluß vom 1. Februar 1907.	2 700	17	3 123	24	257 086	07
IV. Herstellung von Bauzäunen, Bauhütten, Schuppen, sowie Reinigung, Heizung und Beleuchtung der Bauhütten		284 000	—	144	82		
		286 700	17				
V. Umgebungsarbeiten, Abbrucharbeiten, Terrain-Regulierung, Pflaster-Arbeiten, Weganlagen, Bepflanzungen, Einfriedigungen und dergleichen				718	30		
VI. Bauleitung				5 771	28		
VII. Bureaugebäude				369	65		
c) Sonstige Kosten.							
IX. Instandsetzungsarbeiten im Gebiete hintere Bleiche Nr. 16 (Lappenhaus) anläßlich der Aufstellung der Sammlungen des naturhistorischen Vereins während des Umbaues im kurfürstlichen Schloß. Kredit laut Stadtverordnetenbeschluß vom 16. Mai 1906 .		650	—	591	74	—	—
X. Zuschuß zu den Kosten der Beschaffung von Schränken für das Römisch-Germanische Zentralmuseum . . . . Mit Zustimmung der Stadtverordneten-Versammlung laut Beschluß vom 19. Juli 1906 ist der vorbemerkte Beitrag mit der Maßgabe geleistet worden, daß derselbe der Vermögensrechnung aus der Betriebsrechnung in 5 jährlichen Teilzahlungen von je 2000 ℳ, beginnend mit 1907, ersetzt wird.		10 000	—	10 000	—	—	—
Summe . . .		—	—	64 952	11		

	Betrag				Verfügbar bleibender u. laut Stadtverordnetenbeschluß v. 16. Oktbr. 1907 auf das Rechnungsjahr 1907 zu übertragender Kreditrest	
	der zur Verfügung gestellten Kredite		der wirklichen Ausgabe in 1906			
	M.	₰	M.	₰	M.	₰
9. Stadttheater.						
I. Bauliche Herstellungen zur Erhöhung der Sicherheit im Stadttheater.						
Kredit laut Stadtverordnetenbeschluß vom 20. Juni 1906	8 000	—	4 859	34	3 140	66
10. Straßenbahnen.						
I. Vorarbeiten.						
1. Für Projektbearbeitung und Bauleitung.						
Kredit laut Voranschlag	8 600	—	8 450	36	—	—
2. Für Bureaubedürfnisse.						
Kredit laut Voranschlag	500	—	435	16	—	—
3. Taglöhne für Meßgehilfen bei Tracierung der Gleisstrecken ꝛc.						
Kredit laut Voranschlag	2 000	—	1 375	95	—	—
II. Umformerstation	—	—	—	—	—	—
Die Kosten für die Erweiterung der Umformerstation wurden unter Rubrik 6. VII. verrechnet.						
III. Bahnanlage.						
1. Grunderwerb	—	—	—	—	—	—
2. Baulicher Teil.						
a) Errichtung von Nebengebäuden (Wagen- und Lagerschuppen nebst Abort- und Pissoirgebäude sowie Pferdestall) im Betriebsbahnhof.						
Kreditübertrag aus dem Rechnungsjahr 1905 . .	7 113	98	7 113	03	—	—
b) Versetzen von Oktroihäuschen vom Bahnhofsplatz nach dem Bismarckplatz und nach der Ingelheimer Au.						
Kredit laut Stadtverordnetenbeschluß vom 19. Dezember 1906	1 600	—	1 490	73	—	—
Für Versetzen der Oktroihäuschen am Bahnhofsplatz, welche als Wartehallen benutzt werden, wurden 1490 M 73 ₰ verausgabt.						
c) Anbringung eines Schutzdaches unter der Eisenbahnbrücke an der Anlage.						
Kredit laut Stadtverordnetenbeschluß vom 4. April 1906	650	—	453	95	196	05
3. Oberbau einschließlich Gleisverlegung.						
Kreditübertrag aus dem Rechnungsjahre 1905 . . .	99 003	29	5 386	04	93 617	25
Die Stadtverordneten-Versammlung hat durch Beschluß vom 16. August 1906 für Verlegung der Gleise vor dem Hause						
zu übertragen . . .	—	—	24 705	22		

	Betrog				Verfügbar bleibender u. laut Stadtverordnetenbeschluß v. 16. Oktbr. 1907 auf das Rechnungsjahr 1907 zu übertragender Kreditrest	
	der zur Verfügung gestellten Kredite		der wirklichen Ausgabe in 1906			
	M	₰	M	₰	M	₰
Übertrag . . .	—	—	24 705	22		
Graben Nr. 2 zur Herstellung eines zweigleisigen Betriebs 4000 M zu Lasten des obigen Kredits mit der Maßgabe zur Verfügung gestellt, daß bei späteren Erweiterungsanlagen in der Rheinstraße, Tagobertstraße ꝛc. der Gesamtkredit wieder entsprechend ergänzt wird.						
4. Elektrische Streckenausrüstung (einschl. Rheinbrücke), Telephonschutznetze, Reserveteile für Oberleitung, Werkzeuge für Streckenunterhaltung.						
Kreditübertrag aus dem Rechnungsjahre 1905 . . .	49 766	84	1 742	55	48 024	29
5. Ausrüstung der Reparaturwerkstätte.	—	—	—	—	—	—
6. Wagenpark einschl. 10 Anhängewagen sowie Reserveteile hierfür.						
Kreditübertrag aus dem Rechnungsjahre 1905. . . .	25 741	58	3 474	46	22 267	12
Mit Zustimmung der Stadtverordneten-Versammlung vom 17. August 1906 ist zu Lasten des vorstehenden Kredits die Beschaffung eines Montagewagens zu 1335 M und einer ausziehbaren Anlegeleiter zu 465 M bewilligt worden.						
Außer den vorstehenden Ausgaben sind noch bis zum Bücherschluß Abschlagszahlungen im Gesamtbetrage von 15 000 M geleistet worden, welche auf das Rechnungsjahr 1907 übertragen worden sind.						
7. Uniformierung.						
Kreditübertrag aus dem Rechnungsjahre 1905 . . .	1 482	48	—	—	1 482	48
8. Bauleitung, Unvorhergesehenes.						
Kreditübertrag aus dem Rechnungsjahre 1905 . . .	11 012	57				
Kredit laut Stadtverordnetenbeschluß vom 20. März 1907	10 000	—				
	21 012	57	10 000	—	11 012	57
IIIa. **Ausbau des zweiten Gleises auf dem Kaiser Wilhelm-Ring zwischen Lessing- und Goethestraße.**						
Kredit laut Voranschlag	23 000	—	22 999	82	—	—
IV. **Erbauung einer elektrischen Straßenbahn nach der Ingelheimer Au.**						
Kreditübertrag aus dem Rechnungsjahre 1905	52 318	63	34 574	28	17 744	35
Außer den vorstehenden Ausgaben wurden auch noch Abschlagszahlungen mit 5000 M geleistet, welche in 1906 nicht definitiv verrechnet werden konnten und daher auf das Rechnungsjahr 1907 übertragen worden sind.						
V. **Erbauung einer elektrischen Straßenbahn von Kastel nach Kostheim.**						
Kredit laut Stadtverordnetenbeschluß vom 16. Mai 1906 . .	265 000	—	130 731	91	134 268	09
Ferner sind noch bis zum Bücherschluß Abschlagszahlungen im Gesamtbetrage von 34 850 M geleistet worden, welche auf das Rechnungsjahr 1907 übertragen worden sind.						
zu übertragen . . .	—	—	228 228	24		

	Betrag				Verfügbar bleibender u. laut Stadtverordnetenbeschluß v. 16. Oktbr. 1907 auf das Rechnungsjahr 1907 zu übertragender Kreditrest	
	der zur Verfügung gestellten Kredite		der wirklichen Ausgabe in 1906			
	M	₰	M	₰	M	₰
Übertrag . . .	—	—	228 228	24		
VI. Erbauung einer elektrischen Straßenbahn von Mombach nach Gonsenheim.						
Kredit laut Stadtverordnetenbeschluß vom 24. Oktober 1906	470 000	—				
Kreditergänzung laut Stadtverordnetenbeschluß vom 20. März 1907	4 000	—				
	474 000	—	15 044	74	458 955	26
Bis zum Bücherschluß sind noch Abschlagszahlungen im Gesamtbetrage von 117 000 M geleistet worden, welche auf das Rechnungsjahr 1907 übertragen worden sind.						
VII. Beschaffung eines Prüfstands zum Prüfen der Wagenmotoren und Automaten.						
Kreditübertrag aus dem Rechnungsjahr 1905	850	—	—	—	850	—
Summe . . .	—	—	243 272	98		
11. Krankenhäuser.						
Kreditübertrag aus dem Rechnungsjahre 1905	8 499	70	3 728	15	4 771	55
14. Erbauung sonstiger Gemeinde-Gebäude und -Anstalten.						
I. Einbau einer Entnebelungsanlage in der Schweineschlachthalle des Schlacht- und Viehhofs.						
Kredit laut Voranschlag	5 950	—	5 937	13	—	—
II. Aufstellung eines Pumpwerks im Schlacht- und Viehhof.						
Kreditübertrag aus dem Rechnungsjahr 1905	15 281	37	442	37	14 839	—
Ferner ist noch eine Abschlagszahlung im Betrage von 7500 M geleistet worden, welche auf das Rechnungsjahr 1907 übertragen worden ist.						
III. Verbesserung der Feuerschutzverhältnisse.						
1. Für ein Elektro-Automobilfahrzeug.						
Kreditübertrag aus dem Rechnungsjahr 1905	17 500	—	17 500	—	—	—
2. Für einen Umformer, sowie für die Beleuchtungsanlage für die Wache einschl. Hausanschluß.						
Kreditübertrag aus dem Rechnungsjahr 1905	3 482	30	2 803	57	678	73
3. Ausrüstungsgegenstände für das Fahrzeug.						
Kreditübertrag aus dem Rechnungsjahr 1905	734	80	737	03	—	—
4. Für ein Fahrrad für den Wachtvorsteher.						
Kreditübertrag aus dem Rechnungsjahr 1905	21	—	—	—	—	—
5. Für Herrichten des Wachtlokals.						
Kreditübertrag aus dem Rechnungsjahr 1905	394	34	48	35	—	—
zu übertragen . . .	—	—	27 468	50		

	Betrag: der zur Verfügung gestellten Kredite ℳ	₰	Betrag: der wirklichen Ausgabe in 1906 ℳ	₰	Verfügbarbleibender u. laut Stadtverordnetenbeschluß v. 16 Oktbr. 1907 auf das Rechnungsjahr 1907 zu übertragender Kreditrest ℳ	₰
Übertrag . . .	—	—	27 468	50		
6. Für Herrichten des Bureauraumes. Kreditübertrag aus dem Rechnungsjahr 1905	54	75	—	—	—	—
7. Einrichtungsgegenstände für die Wache. Kreditübertrag aus dem Rechnungsjahr 1905	103	53	99	30	—	—
8. Einrichtungsgegenstände für das Bureau. Kreditübertrag aus dem Rechnungsjahr 1905	530	—	41	95	488	05
9. Herstellung einer Alarmklingel und einer Haustelephonanlage. Kreditübertrag aus dem Rechnungsjahr 1905	35	35	25	—	—	—
10. Anlage einer Weckerlinie und Unvorhergesehenes. Kreditübertrag aus dem Rechnungsjahr 1905	630	—	—	—	630	—
IV. Errichtung eines Pumpwerks für das untere Kanalsystem als Ersatzbau für die provisorische Pumpstation am Raimunditor.						
1. Herstellung des Unterbaues der Pumpstation. Hier wird auf die Erläuterung zu pos. 4 a verwiesen .	—	—	—	—	—	—
2. Erbauung der Kanäle. Kreditübertrag aus dem Rechnungsjahr 1905	585	66	175	99	409	67
3. Maschinenhaus	—	—	—	—	—	—
4. Maschinelle Einrichtungen:						
a) Beschaffung und Aufstellung der Maschinen. Kreditübertrag aus dem Rechnungsjahr 1905	34 998	25				
Hierzu von pos. 1 Kreditübertrag aus dem Rechnungsjahr 1905	2 657	62				
Hierzu von pos. 4 b Kreditübertrag aus dem Rechnungsjahr 1905	2 371	20				
	40 027	07	39 498	72	528	35
Die wirklichen Ausgaben betragen: zu pos. 1 = 701 ℳ 81 ₰; „ „ 4 a = 38 796 ℳ 91 ₰. Mit Zustimmung der Stadtverordneten-Versammlung laut Beschluß vom 6. März 1907 sind die bei pos. 4 a entstandenen Mehrausgaben mit 3798 ℳ 66 ₰ zu Lasten der Ersparnisse zu pos. 1 und 4 b zu verrechnen. Vergleiche auch die Erläuterungen zu diesen beiden Positionen.						
b) Zuleitungen. Hier wird auf die Erläuterung zu pos. 4 a verwiesen .	—	—	—	—	—	—
5. Unvorhergesehenes. Kreditübertrag aus dem Rechnungsjahr 1905	3 575	61	1 358	99	2 216	62
zu übertragen . . .	—	—	68 668	45		

	Betrag				Verfügbarbleibender u. laut Stadtverordnetenbeschluß v. 16. Oktbr. 1907 auf das Rechnungsjahr 1907 zu übertragender Kreditrest	
	der zur Verfügung gestellten Kredite		der wirklichen Ausgabe in 1906			
	ℳ	₰	ℳ	₰	ℳ	₰
Übertrag . . .	—	—	68 668	45		
V. Ausbau der Kirche des ehemaligen Reichklaraklosters zu einem naturhistorischen Museum. Kreditübertrag aus dem Rechnungsjahr 1905	166 219	61	29 925	72	136 293	89
Außer den vorstehenden Ausgaben sind auch noch Abschlagszahlungen mit 12 150 ℳ geleistet worden, welche auf das Rechnungsjahr 1907 übertragen worden sind.						
VI. Instandsetzung des Eisernturmes	6 800	—	702	78	6 097	22
Mit Zustimmung der Stadtverordneten-Versammlung durch Beschluß vom 21. November 1906 wurde der vorgenannte Kredit mit der Maßgabe zur Verfügung gestellt, daß dieser Betrag der Vermögens-Rechnung aus Rubrik 3 XXVII der Betriebsrechnung für 1907 und 1908 in Teilbeträgen von je 3400 ℳ wieder ersetzt wird.						
Summe . . .	—	—	99 296	95		
16. Straßenverbreiterungen in der Altstadt.						
I. Verbreiterung der Augustinerstraße vom Haus Nr. 59 abwärts.	24 440	—	24 403	60	—	—
Die im Voranschlage vorgesehene Hypothekabtragung mit 24 000 ℳ, sowie die Kosten für die Löschungseinwilligung 2c. mit 13 ℳ 60 ₰ sind hier verausgabt. Ferner erscheinen in Ausgabe die Gebühren für Vermittlung beim Verkauf des Anwesens Augustinerstraße Nr. 57 (früher Nr. 63) mit 390 ℳ. Vergleiche auch die Erläuterungen zur Rubrik 16. II — Einnahme — dieser Rechnung.						
II. Feststellung der Eigentumsverhältnisse an der gegen die Karthäuserstraße gerichteten Grenzmauer längs des Gebietes Rochusstraße Nr. 12	3 507	67	3 507	67	—	—
Die Stadtverordneten-Versammlung hat in ihrer Sitzung vom 14. März 1906 die Zustimmung zur vergleichsweisen Erledigung des mit dem Besitzer des Anwesens Rochusstraße Nr. 12 geführten Rechtsstreits erteilt. Auf Grund eines getroffenen Abkommens hat die Stadt an diesen Besitzer für Abtretung von Straßengelände zur Durchführung der Straßenfluchtlinie eine Vergütung von 3 000 ℳ zu zahlen, sowie alle aus dem Rechtsstreit entstandenen Kosten zu tragen. Von dem Grundstücksbesitzer ist dagegen der Kaufpreis für 4,7 qm Gelände aus der Straßenparzelle Flur I Nr. 285 zur Durchführung der Grenzregulierung in der Rochusstraße zwischen dem Gebiet Nr. 12 und dem anliegenden						
zu übertragen . . .	—	—	27 911	27		

	Betrag: der zur Verfügung gestellten Kredite		Betrag: der wirklichen Ausgabe in 1906		Verfügbar bleibender u. laut Stadtverordnetenbeschluß vom 16. Oktbr. 1907 auf das Rechnungsjahr 1907 zu übertragender Kreditrest	
	M	₰	M	₰	M	₰
Übertrag . . .			27 911	27		
städt. Reul zu vergüten. Dieser Kaufpreis ist durch Beschluß der Stadtverordneten-Versammlung vom 9. Mai 1906 auf 56 M für das qm, mithin für 4,7 qm auf 263 M 20 ₰ festgesetzt worden.						
Hier sind daher verausgabt 3000 M — 263 M 20 ₰ = 2736 M 80 ₰, die Gerichtskosten mit 209 M 02 ₰, die Anwaltskosten mit 502 M 65 ₰, sowie die Kosten für die notarielle Beurkundung der getroffenen Vereinbarungen mit 59 M 20 ₰.						
III. Verbreiterung der Neutorstraße entlang des Gebietes Graben Nr. 2.						
Kreditübertrag aus dem Rechnungsjahr 1905	5 000	—	5 000	—	—	—
Im Rechnungsjahr 1905 wurden ungefähr 55 qm Straßengelände von der Stadt zum Preise von 50 000 M erworben. Hier erscheint die Restzahlung mit 5000 M in Ausgabe. Vergleiche auch die Erläuterung auf Seite 437 des vorjährigen Rechenschaftsberichts.						
Summe . . .	—	—	32 911	27		
19. Erbauung von Straßen und Kanälen in der Neustadt.						
I. 1. Ausbau der Hardenbergstraße zwischen Bismarckplatz und Hafenbahn und Hebung der Hardenbergstraße anläßlich der Hebung der Hafenbahn.						
Kreditübertrag aus dem Rechnungsjahr 1905 (siehe pos. 10 im Vorjahre)	402	88				
Kredit nach dem Voranschlag für Ausbau der Hardenbergstraße zwischen Hafenbahn und Rheingauwall nebst Herstellung einer gärtnerischen Anlage daselbst	9 000	—				
	9 402	88	6 442	65	2 960	23
I. 2. Ausbau des Baumsquares auf dem Barbarossa-Ring zwischen Barbarossastraße und Bismarckplatz.						
Kredit nach dem Voranschlag	5 000	—	4 481	73	—	—
I. 3. Ausbau des Kaiser Karl-Ringes zwischen Beethoven- und Mozartstraße.						
Kredit nach dem Voranschlag	13 000	—	10 936	68	2 063	32
I. 4. Anpflanzung der Baumsquares auf dem Kaiser Wilhelm-Ring zwischen Lessing- und Goethestraße.						
Kredit laut Voranschlag	1 500	—				
Kreditergänzung laut Stadtverordneten-Beschluß vom 1. Februar 1907	600	—				
	2 100	—	2 099	42		
zu übertragen . . .			23 960	48		

	Betrag				Verfügbar bleibender u. laut Stadtverordnetenbeschluß v. 16. Oktbr. 1907 auf das Rechnungsjahr 1907 zu übertragender Kreditrest	
	der zur Verfügung gestellten Kredite		der wirklichen Ausgabe in 1906			
	M	₰	M	₰	M	₰
Übertrag . . .	—	—	23 960	48	—	—
I. 5. **Ausbau der Sömmerringstraße** vor dem Gebiete Nr. 14. Kredit laut Stadtverordnetenbeschluß vom 4. April 1906	4 500	—	1 748	55	2 751	45
I. 6. **Ausbau des Kaiser Karl-Ringes** vor dem Hause Nr. 11. Kredit laut Stadtverordnetenbeschluß vom 11. April 1906	1 000	—	698	13	—	—
I. 7. **Ausbau des Barbarossa-Rings** vor den Häusern Nr. 21 und 27 und der anschließenden **Strecke der Barbarossastraße** vor den Häusern Nr. 3 und 5. Kreditübertrag aus dem Rechnungsjahr 1905 (siehe pos. 2 im Vorjahre)	9 548	66				
Kredit laut Stadtverordnetenbeschluß vom 16. August 1906 für den restlichen Ausbau der Werderstraße zwischen Goethe- und Barbarossastraße	3 500	—				
	13 048	66	2 622	18	10 426	48
I. 8. **Ausbau der die Alicekaserne umgebenden Straßen und zwar des Barbarossa-Rings, der Goethestraße, Moltkestraße, Kreyßigstraße, Holsteinstraße und Corneliusstraße, sowie des Barbarossa-Rings zwischen Holsteinstraße nnd Bismarckplatz.** Kreditübertrag aus dem Rechnungsjahr 1905 (siehe pos. 3 im Vorjahre)	2 151	01	715	78	1 435	23
I. 9. **Anbringung von Treppen in den Stützmauern längs der Rampe an der Unterführung im Zuge der Goethestraße.** Kreditübertrag aus dem Rechnungsjahr 1905 (siehe pos. 37 im Vorjahre)	6 000	—	5 873	84	—	—
I. 10. **Ausbau der Goethestraße und des Barbarossarings** vor den Neubauten Goethestraße Nr. 1, 3 und 5 und Barbarossaring Nr. 1 und 3, sowie der Pankratiusstraße. Kreditübertrag aus dem Rechnungsjahr 1905 (siehe pos. 6 und 7 im Vorjahre) . . . . Für die noch auszuführenden restlichen Arbeiten sind nur 1524 M 61 ₰ erforderlich.	10 744	07	3 535	75	1 524	61
zu übertragen . . .	—	—	39 154	71		

	Betrag				Verfügbar bleibender u. laut Stadtverordnetenbeschluß v. 16. Oktbr. 1907 auf das Rechnungsjahr 1907 zu übertragender Kreditrest	
	der zur Verfügung gestellten Kredite		der wirklichen Ausgabe in 1906			
	ℳ	₰	ℳ	₰	ℳ	₰
Übertrag . . .	—	—	39 154	71		
I. 11. **Ausbau der Goethestraße und der Bruchstraße** vor den Häusern Goethestraße Nr. 38 und 40.						
Kreditübertrag aus dem Rechnungsjahr 1905 (siehe pos. 8 im Vorjahre)	5 936	58	1 228	64	4 707	94
I. 12. **Ausbau** des hochgelegenen Teiles der **Goethestraße** zwischen Pankratiusstraße und Kaiser Wilhelm-Ring vor den Häusern Goethestraße Nr. 2 und 4 und einer anschließenden Teilstrecke **der Pankratiusstraße.**						
Kreditübertrag aus dem Rechnungsjahr 1905 (siehe pos. 9 im Vorjahre)	2 092	69				
Kredit laut Stadtverordnetenbeschluß vom 19. Dezember 1906 für den Ausbau der Uhlandstraße zwischen Kaiser Wilhelm-Ring und Pankratiusstraße, sowie des anschließenden Teils der Pankratiusstraße Nr. 44	11 500	—				
	13 592	69	1 254	74	12 337	95
I. 13. Ausbau eines Teiles des **Hohenzollernplatzes**, eines weiteren Teiles der **Nackstraße** daselbst und eines angrenzenden Teiles der **Goethestraße**, Herstellung des **Hohenzollernplatzes** als Spielplatz mit Anpflanzung zweier Baumreihen, Ausbau des **Kaiser Wilhelm-Rings** vor den Gebieten Nr. 76, 78, 80, 82, der **Uhlandstraße** vor den Anwesen Nr. 10 und 12, sowie der **Nackstraße** vor letzterem Gebiet, Ausbau der das Bauquadrat 76 umziehenden Straßen und Ausbau der **Nackstraße** längs der Gebiete Uhlandstraße Nr. 5 und Hohenzollernplatz Nr. 2.						
Kreditübertrag aus dem Rechnungsjahr 1905 (siehe pos. 11, 16 und 22 im Vorjahre)	10 405	41	5 633	95	4 771	46
I. 14. **Ausbau der Josephstraße** zwischen Forster- und Wallaustraße.						
Kreditübertrag aus dem Rechnungsjahr 1905 (siehe pos. 30 im Vorjahre)	1 976	85	313	34	1 297	21
Mit dem Betrage von 1 297 ℳ 21 ₰ können die restlichen Arbeiten ausgeführt werden.						
I. 15a. **Ausbau des Kaiser Karl-Rings** zwischen Beethovenstraße und Rheinallee.						
Kreditübertrag aus dem Rechnungsjahr 1905 (siehe pos. 13b im Vorjahre)	4 874	75	2 292	67	913	90
Die restlichen Arbeiten erfordern nur noch einen Kostenaufwand von 913 ℳ 90 ₰.						
zu übertragen . . .	—	—	49 878	05		

	Betrag: der zur Verfügung gestellten Kredite		Betrag: der wirklichen Ausgabe in 1906		Verfügbar bleibender u. laut Stadtverordnetenbeschluß v. 16. Oktbr. 1906 auf das Rechnungsjahr 1906 zu übertragender Kreditrest	
	M.	₰	M.	₰	M.	₰
Übertrag . . .	--	—	49 878	05		
I. 15b. **Ausbau** der rechten Seite des **Kaiser Karl-Rings** zwischen Kreyßig- und Mozartstraße, sowie des anschließenden Teils der **Mozartstraße** längs des Gebietes Kaiser Karl-Ring Nr. 36.						
Kreditübertrag uns dem Rechnungsjahr 1905 (siehe pos. 13c im Vorjahre)	4 899	98	1 451	38	1 306	94
Für die noch zu betätigenden Ausführungen sind nur 1306 M. 94 ₰ erforderlich.						
I. 16a. **Herstellung einer Rampe** zwischen dett Pfeilern 70 und 71 am **Kaiser Wilhelm-Ring**.						
Kreditübertrag aus dent Rechnungsjahr 1905 (siehe pos. 14a im Vorjahre)	10 845	65	—	—	10 845	65
I. 16b. **Ausbau des Kaiser Wilhelm-Rings** zwischen Lessingstraße und Hohenzollernplatz und am Hohenzollernplatz.						
Kreditübertrag aus dem Rechnungsjahr 1905 (siehe pos. 14b im Vorjahre)	3 036	53	3 034	08	—	—
I. 17. **Ausbau des Kaiser Wilhelm-Rings** zwischen Osteinstraße und Lessingstraße, der **Boppstraße** zwischen Kellerweg und Platz K sowie am Platz K und der **Josephstraße** zwischen Kaiser Wilhelm-Ring und Boppstraße, sowie **derselben Straße** in halber Breite — linke Seite — von der Boppstraße auf ungefähr 45 m Länge abwärts, ferner des angrenzenden Teils der **Lessingstraße** sowie Ausbau und Anschüttung der Dalbergstraße und zwar des oberen Teils und des angrenzenden Teils des Kaiser Wilhelm-Rings.						
Kreditübertrag aus dem Rechnungsjahre 1905 (siehe pos. 15 im Vorjahre)	10 314	96	6 081	60	—	—
Der bei der vorgenannten Rubrik verbliebene Kreditrest, dessen Inanspruchnahme bestehender Verhältnisse halber in absehbarer Zeit nicht möglich ist, wird unter dem Vorbehalte der späteren besonderen Anforderung bei Ermöglichung des restlichen Ausbaues vorerst nicht weiter übertragen.						
I. 18. **Ausbau des Kaiser Wilhelm-Rings** vor den Neubauten Nr. 59, 61, 63, 65 und 72, ferner der						
zu übertragen . . .	—	—	60 445	11		

	Betrag				Verfügbar bleibender u. laut Stadtverordnetenbeschluß v. 16. Oktbr. 1907 auf das Rechnungsjahr 1907 zu übertragender Kreditrest	
	der zur Verfügung gestellten Kredite		der wirklichen Ausgabe in 1906			
	ℳ	₰	ℳ	₰	ℳ	₰
Übertrag . . .		—	60 445	11		
Colmarstraße vor den Gebieten Nr. 4, 6 und Kaiser Wilhelm-Ring Nr. 65 und 72. Kreditübertrag aus dem Rechnungsjahr 1905 (siehe pos. 23 im Vorjahre)	6 118	57	2 828	03	2 093	29
Für die noch auszuführenden Arbeiten sind nur 2 093 ℳ 29 ₰ erforderlich.						
I. 19. Ausbau des Kaiser Wilhelm-Rings längs der Neubauten Nr. 71, 73 und 75 und der Uhlandstraße vor den Neubauten Nr. 4 und Kaiser Wilhelm-Ring Nr. 75. Kreditübertrag aus dem Rechnungsjahr 1905 (siehe pos. 27 im Vorjahre)	4 970	72	3 401	31	1 459	29
Mit dem Betrage von 1 459 ℳ 29 ₰ können die restlichen Arbeiten ausgeführt werden.						
I. 20. Ausbau der Lessingstraße zwischen Kaiser Wilhelm-Ring u. der Grenze des Grundstücks der Mainzer Lederwerke, Ausbau der Pankratiusstraße, der Lessingstraße und des Kaiser Wilhelm-Rings längs der Gebiete Lessingstraße Nr. 1, 3, 5, 7 und Kaiser Wilhelm-Ring Nr. 56. Kreditübertrag aus dem Rechnungsjahre 1905 (siehe pos. 18 und 31 im Vorjahre)	2 622	86	217	56	2 405	30
I. 21. Ausbau der Mainstraße vor dem Hause Nr. 30. Kreditübertrag aus dem Rechnungsjahr 1905 (siehe pos. 19 im Vorjahre)	890	37	—	—	890	37
I. 22 Ausbau von Straßen einschließlich Baumpflanzung an der neuen Kavalleriekaserne am Mombachertor. Kreditübertrag aus dem Rechnungsjahr 1905 (siehe pos. 20 im Vorjahre)	14 978	—	—	—	14 978	—
I. 23. Ausbau der Mozartstraße längs des Gebietes Nr. 19. Kreditübertrag aus dem Rechnungsjahr 1905 (siehe pos. 29 im Vorjahre)	828	88	30	—	104	83
Die restlichen Arbeiten erfordern nur noch einen Kostenaufwand von 104 ℳ 83 ₰.						
I. 24. Ausbau der Neckarstraße zwischen Raupelsweg und Wallaustraße und einer daran anschließenden Teil-						
zu übertragen . . .	—	—	66 922	01		

	Betrag: der zur Verfügung gestellten Kredite		Betrag: der wirklichen Ausgabe in 1906		Verfügbar bleibender u. laut Stadtverordnetenbeschluß v. 16. Oktbr. 1907 auf das Rechnungsjahr 1907 zu übertragender Kreditrest	
	ℳ	₰	ℳ	₰	ℳ	₰
Übertrag . . .		—	66 922	01		
strecke der Sömmerringstraße bis zur Grenze des Gebietes Sömmerringstraße Nr. 3 sowie Ausbau der Sömmerringstraße vor dem Anwesen Nr. 6. Kreditübertrag aus dem Rechnungsjahr 1905 (siehe pos. 23 im Vorjahre)	8 031	82	17	77	8 014	05
I. 25. **Ausbau der Raimundistraße** zwischen Frauenlobstraße und Hauptweg. Kreditübertrag aus dem Rechnungsjahr 1905 (siehe pos. 24 im Vorjahre)	1 901	67	128	51	1 773	16
I. 26. **Ausbau der Richard Wagner-Straße** vor den Gebieten Nr. 9, 11 und 13, ferner der **Kreyßigstraße** vor den Gebieten Nr. 1 und Richard Wagner-Straße Nr. 13. Kreditübertrag aus dem Rechnungsjahr 1905 (siehe pos. 32 im Vorjahre)	5 986	98	3 792	72	1 137	58
Für die noch zu betätigenden Ausführungen sind nur 1137 ℳ 58 ₰ erforderlich.						
I. 27. **Aufschüttung der Uhlandstraße** längs des Bauquadrats 75. Kreditübertrag aus dem Rechnungsjahr 1905 (siehe pos. 35 im Vorjahre)	1 875	49	489	88	1 385	61
I. 28. **Ausbau der Wallaustraße** zwischen Feldberg- und Mainzstraße, der **Feldbergstraße** zwischen Wallaustraße und Sömmerringplatz und der ganzen Platzstraße an der Südostseite des Sömmerringplatzes und des angrenzenden Teils der Forsterstraße längs des an der Ecke der beiden Straßenzüge errichteten Neubaues. Kredit laut Stadtverordnetenbeschluß vom 30. Mai 1906	78 500	—	44 971	79	33 528	21
I. 29. **Ausbau der Forsterstraße** zwischen Frauenlob- und Josephstraße **und der Josephstraße** zwischen Bonifazius- und Forsterstraße. Kreditübertrag aus dem Rechnungsjahr 1905 (siehe pos. 4 im Vorjahre)	7 287	50	7 287	50	—	—
Nach der vorliegenden Abrechnung ist der hier verausgabte Betrag noch für rückständige kleinere Ausführungen erforderlich. Derselbe erscheint unter Rubrik 19 dieser Rechnung in Einnahme und wird gleichzeitig bei der sog. Sammelrubrik, siehe pos. V., als Kredit vorgetragen. Vergleiche die Erläuterungen zu jener Rubrik.						
zu übertragen . . .	—	—	123 610	18		

	Betrag				Verfügbar bleibender u. laut Stadtverordnetenbeschluß v. 16. Oktbr. 1907 auf das Rechnungsjahr 1907 zu übertragender Kreditrest	
	der zur Verfügung gestellten Kredite		der wirklichen Ausgabe in 1906			
	ℳ	₰	ℳ	₰	ℳ	₰
Übertrag . . .	—	—	123 610	18		
I. 30. **Ausbau der rechten Seite des Gartenfeldplatzes** entlang der Häuser Gartenfeldstraße Nr. 26 und 28.						
Kreditübertrag aus dem Rechnungsjahr 1905 (siehe pos. 5 im Vorjahre)	232	21	232	21	—	–
Gleiche Erläuterung wie zu pos. 29.						
I. 31. **Ausbau der Leibnizstraße** zwischen Frauenlob- und Kurfürstenstraße.						
Kreditübertrag aus dem Rechnungsjahr 1905 (siehe pos. 17a im Vorjahre)	49	08	49	08	—	—
Gleiche Erläuterung wie zu pos. 29.						
I. 32. **Ausbau der Rackstraße** vor dem Neubau Nr. 8 sowie **des oberen Teiles der Rackstraße** und zwar bis zu dem projektierten Neubau Nr. 16.						
Kreditübertrag aus dem Rechnungsjahr 1905 (siehe pos. 21 im Vorjahre)	1 294	13	1 294	13	—	—
Gleiche Erläuterung wie zu pos. 29.						
I. 33. **Ausbau der Wallaustraße** vor den Häusern Nr. 16, 18 und 22.						
Kreditübertrag aus dem Rechnungsjahr 1905 (siehe pos. 26 im Vorjahre)	800	—	800	—	—	—
Gleiche Erläuterung wie zu pos. 29.						
I. 34. **Ausbau des Kaiser Wilhelm-Rings** vor dem Hause Nr. 58.						
Kredit laut Stadtverordnetenbeschluß vom 13. Juni 1906	3 000	—	1 682	32	1 317	68
I. 35. **Ausbau der Rackstraße** zwischen Lennigstraße und Colmarstraße.						
Kredit laut Stadtverordnetenbeschluß vom 13. Juni 1906	12 500	—	5 416	69	7 083	31
I. 36. **Ausbau der Lennigstraße.**						
Kredit laut Stadtverordnetenbeschluß vom 13. Juni 1906	12 500	—	5 669	75	6 830	25
I. 37. **Ausbau der Nahestraße** auf der Teilstrecke zwischen Nahestraße Nr. 5 und der Rheinallee.						
Kredit laut Stadtverodnetenbeschluß vom 5. Dezember 1906	9 500	—	131	—	9 369	—
I. 38. **Ausbau der Pankratiusstraße** zwischen Clemens- und Lessingstraße.						
Kredit laut Stadtverordnetenbeschluß vom 9. Januar 1907	4 500	—	293	63	4 206	37
zu übertragen . . .	—	–	139 178	99		

	Betrag				Verfügbar bleibender u. laut Stadtverordnetenbeichluß v. 16. Oktbr. 1907 auf das Rechnungsjahr 1907 zu übertragender Kreditrest	
	der zur Verfügung gestellten Kredite		der wirklichen Ausgabe in 1906			
	ℳ	₰	ℳ	₰	ℳ	₰
Übertrag . . .			139 178	99		
II. 1. Erbauung der Kanäle in der Rackstraße zwischen der Colmarstraße und der Lennigstraße, sowie in der Lennigstraße. Kredit laut Stadtverordnetenbeschluß vom 11. April 1906	6 500	—	5 750	47	·	—
II. 2. Erbauung eines Kanals in der Feldbergstraße zwischen Raupelsweg und Wallaustraße. Kreditübertrag aus dem Rechmingsjahr 1905 (siehe pos. 3 im Vorjahre)	771	31	746	28		—
II. 3. Erbauung von Kanälen in der Forsterstraße, am Frauenlobplatz und in der Wallaustraße. Kreditübertrag aus dem Rechnungsjahr 1905 (siehe pos. 4 im Vorjahre)	1 776	46		—	1 776	46
II. 4. Erbauung von Kanälen in der Forsterstraße zwischen Kurfürsten- und Josephstraße, in der Josephstraße zwischen Foester- und Bonifaziusstraße und in der Bonifaziusstraße zwischen Joseph- und Kurfürstenstraße. Kreditübertrag aus dem Rechnungsjahr 1905 (siehe pos. 5 im Vorjahre)	10 757	98		—	10 757	98
II. 5. Erbauung von Kanälen in der Kurfürstenstraße zwischen Bopp- und Wallaustraße, in der Leibnizstraße zwischen Frauenlob- und Kurfürstenstraße, in der Bonifaziusstraße zwischen Frauenlob- und Kurfürstenstraße. Kreditübertrag aus dem Rechnungsjahr 1905 (siehe pos. 8 im Vorjahre)	7 760	69	—	—	7 760	69
II. 6. Erbauung der Kanäle in den das Bauquadrat 105 umziehenden Straßen (Moselstraße, Lahnstraße und Wallaustraße). Kreditübertrag aus dem Rechnungsjahe 1905 (siehe pos. 9 im Vorjahre)	4 685	66		—	4 685	66
II. 7. Erbauung eines Kanols in der Rackstraße zwischen Kurfürsten- und Josephstraße. Kreditübertrag aus dem Rechnungsjahr 1905 (siehe pos. 15 im Vorjahre).	1 423	08		—	1 423	08
II. 8. Erbauung eines Kanals in der Nahestraße zwischen Rheinallee und Wallaustraße. Kreditübertrag aus dem Rechnungsjahr 1905 (siehe pos. 10 im Vorjahre)	404	19	—	—	404	19
zu übertragen . . .			145 675	74		

	Betrag: der zur Verfügung gestellten Kredite M.	₰	Betrag: der wirklichen Ausgabe in 1906 M.	₰	Verfügbarbleibender u. laut Stadtverordnetenbeschluß v. 16. Oktbr. 1907 auf das Rechnungsjahr 1907 zu übertragender Kreditrest M.	₰
Übertrag . . .		—	145 675	74		
II. 9. Erbauung definitiver Kanäle in der Neckarstraße, der Straße 7, der Feldbergstraße und im Raupelsweg. Kreditübertrag aus dem Rechnungsjahr 1905 (siehe pos. 11 im Vorjahre)	1 181	32	362	07	819	25
II. 10. Erbauung von Kanälen in der Pankratiusstraße zwischen Colmar- und Goethestraße, sowie in der Colmar-, Uhland- und Goethestraße zwischen Kaiser Wilhelm-Ring und Pankratiusstraße, sowie in der Goethestraße zwischen dem Hohenzollernplatz und der Moltkestraße. Kreditübertrag aus dem Rechnungsjahr 1905 (siehe pos. 16 und 17 im Vorjahre)	11 035	09	546	17	10 488	92
II. 11. Erbauung eines Kanals in der Raimundistraße zwischen Frauenlobstraße und Hauptweg. Kreditübertrag aus dem Rechnungsjahr 1905 (siehe pos. 12 im Vorjahre)	300	—	—	—	300	—
II. 12. Erbauung eines Kanals in der Wallaustraße zwischen Joseph- und Illstraße. Kreditübertrag aus dem Rechnungsjahr 1905 (siehe pos. 13 im Vorjahre)	2 188	74	—	—	2 188	74
II. 13. Erbauung von Kanälen in den das Bauquadrat 103 umgebenden Straßen und zwar der Beethovenstraße, der Moselstraße, des Beethovenplatzes, sowie am Platz P zwischen Beethoven- und Wallaustraße. Kredit laut Stadtverordnetenbeschluß vom 21. Nov. 1906	14 300	—	4 642	39	9 657	61
II 14. Erbauung der Kanäle in der Rackstraße zwischen Josephstraße und Lennigstraße und in der Lessingstraße zwischen Kaiser Wilhelm-Ring und Rackstraße. Kredit laut Stadtverordnetenbeschluß vom 19. Dez. 1906	15 100	—	12 379	64	2 720	36
III. 1. Ausgießen der Pflasterfugen in der Boppstraße und in den in früheren Jahren gepflasterten Straßen. Kredit nach dem Voranschlag	3 500	—				
Kreditübertrag aus dem Rechnungsjahre 1905 (siehe pos. 2 im Vorjahre)	4 667	26				
	8 167	26	8 125	54	—	—
III. 2. Pflasterung der Frauenlobstraße zwischen Leibniz- und Forsterstraße. Kredit nach dem Voranschlag	16 000	—	11 563	34	—	—
zu übertragen . . .	—	—	183 294	89		

	Betrag				Verfügbar bleibender u. laut Stadtverordnetenbeschluß v. 16. Oktbr. 1907 auf das Rechnungsjahr 1907 zu übertragender Kreditrest	
	der zur Verfügung gestellten Kredite		der wirklichen Ausgabe in 1906			
	ℳ	₰	ℳ	₰	ℳ	₰
Übertrag . . .	--		183 294	89	--	
III. 3. **Befestigung der Bonifaziusstraße** zwischen Schulstraße und Frauenlobstraße mit Stampfasphalt. Kredit nach dem Voranschlag	16 000	—	13 234	31	—	—
III. 4. **Befestigung der Leibnizstraße** zwischen Schulstraße und Frauenlobstraße mit Stampfasphalt. Kredit nach dem Voranschlag	6 750	—	6 007	32	—	—
III. 5. **Befestigung der Rheinallee** zwischen Kaiser Karl-Ring und Rheingauwall mittels Kleinpflaster. Kredit lant Stadtverordnetenbeschluß vom 16. Mai 1906	9 040	—	7 224	45	—	—
III. 6. **Pflasterung der Boppstraße** zwischen Frauenlob- und Josephstraße sowie zwischen Josephstraße und Kaiser Wilhelm-Ring. Kreditübertrag aus dem Rechnungsjahr 1905 (siehe pos. 4 im Vorjahre)	868	64	866	93	—	—
III. 7. **Pflasterung der Zufuhrstraße zum Güterbahnhof** nordwestlich der Goethestraße. Kredit lant Stadtverordnetenbeschluß vom 20. Juni 1906	2 500	—	2 497	76	—	—
III. 8. **Asphaltierung der Fußsteige in der Bonifaziusstraße** zwischen Frauenlob- und Kurfürstenstraße	—	—	5 132	88	—	—
Mit Zustimmung der Stadtverordneten-Versammlung vom 8. September 1906 sind vorbemerkte Ausgaben zu Lasten der bei pos. 2, 3 und 4 erzielten Ersparnisse verrechnet worden.						
IV. **Erwerbung von Gelände rc. zum Straßenbau.**						
a) Für Erwerbung des aus dem Grundstück Gartenfeldstraße 17 in das Straßenkreuz Gartenfeldstraße — Frauenlobstraße fallenden Geländes. Kreditübertrag aus dem Rechnungsjahre 1905	2 688	—	—	—	2 688	—
Die Errichtung des Aktes konnte auch in 1906 noch nicht stattfinden.						
b) Für Freilegung des Straßengeländes an der Ecke der Wallan- und Feldbergstraße entlang des Kempnich'schen Grundstücks — freiwilliger Zuschuß an Kempnich und Beitrag für die Straßenkreuzstücke —; laut Stadtverordnetenbeschluß vom 30. Mai 1906	3 660	—	—	—	3 660	—
Die Überweisung des Straßengeländes und die Auszahlung des freiwilligen Zuschusses erfolgt erst in den folgenden Rechnungsjahren.						
zu übertragen . . .	—	—	218 278	54		

	Betrag der zur Verfügung gestellten Kredite ℳ	₰	Betrag der wirklichen Ausgabe in 1906 ℳ	₰	Verfügbar bleibender u. laut Stadtverordnetenbeschluß v. 16. Oktbr. 1907 auf das Rechnungsjahr 1907 zu übertragender Kreditrest ℳ	₰
Übertrag . . .	—	—	218 278	54		
c) Für Erwerbung von Platz- und Straßenkreuzgelände in der Beethoven-, Mosel-, Mozart- und der Wallaustraße, sowie im Kaiser Karl-Ring (355 qm zu 19 ℳ und 100,9 qm zu 8 ℳ) und für Straßenmehrbreite daselbst (655 qm zu 4 ℳ); laut Stadtverordnetenbeschluß vom 7. Februar 1906 Kredit für Erwerbung und Notariatskosten	10 414	10	10 414	10	—	—
d) Für Erwerbung von Straßenkreuzgelände Bonifaziusstraße—Josephstraße (17 qm zu 24 ℳ) und für Straßenmehrbreite in der Bonifaziusstraße (20,4 qm zu 16 ℳ und 32,5 qm zu 11 ℳ); laut Stadtverordnetenbeschluß vom 15. November 1905	1 091	90	1 091	90	—	—
e) Für Erwerbung von Straßenmehrbreite in der Bonifaziusstraße (22,9 qm zu 16 ℳ); laut Stadtverordnetenbeschluß vom 21. November 1906	366	40	366	40	—	—
d) Anteilige Kosten für Vermittlung beim Verkauf des am ehemaligen Kellerweg gelegenen Gartens Flur X Nr. 194 (Vergleiche die Erläuterungen zur Rubrik 19. I. 5. — Einnahme — dieser Rechnung.	60	99	60	99	—	—
V. Für Ausführung noch rückständiger Arbeiten an Straßenstrecken, über welche definitive Abrechnungen bereits aufgestellt sind.						
1. Straßenbau	15 324	40	1 242	56	14 081	84
Kreditübertrag aus dem Rechnungsjahr 1905 = 5661 ℳ 48 ₰. Als weitere Kredite sind hier einzusetzen: a) nach der Erläuterung zur Rubrik 19. I. 29 = 7287 ℳ 50 ₰ b) „ „ „ „ „ „ „ 30 = 232 „ 21 „ c) „ „ „ „ „ „ „ 31 = 49 „ 08 „ d) „ „ „ „ „ „ „ 32 = 1294 „ 13 „ e) „ „ „ „ „ „ „ 33 = 800 „ — „ zusammen . . . 15 324 ℳ 40 ₰						
VI. Schließung eines Teils des Kurzen Hunikelweges	15 000	—	15 000	—	—	—
Gelegentlich der Schließung eines Teils des Kurzen Hunikelweges haben zwei Bauunternehmer erworben: das Schorr'sche Anwesen Flur X Nr. 204[7]/10 zum Preise von . . . 18 000 ℳ das Mühlbach'sche Gebiet Flur X Nr. 217[1]/10 zum Preise von . . . 14 000 ℳ						
zu übertragen . . .	—	—	246 454	49		

	Betrag: der zur Verfügung gestellten Kredite		Betrag: der wirklichen Ausgabe in 1906		Verfügbar bleibender u. laut Stadtverordnetenbeschluß v. 16. Oktbr. 1907 auf das Rechnungsjahr 1907 zu übertragender Kreditrest	
	ℳ	₰	ℳ	₰	ℳ	₰
Übertrag . . .	—	—	246 454	49		
Auf diese Kaufpreise erhalten die Erwerber folgende Zuschüsse: für das Grundstück Flur X Nr. $204\,^{2}/_{10}$ = 10 000 ℳ " " " Flur X Nr. $217\,^{1}/_{10}$ = 6 000 " zusammen . . . 16 000 ℳ Diese Beiträge sind aufzubringen: a) von drei Anliegern mit 1000 ℳ + 1600 ℳ + 2500 ℳ = ... 5 100 ℳ b) von der Stadt mit . . . . 10 900 " Summe wie oben . . . 16 000 ℳ Hier erscheinen in Ausgabe der Beitrag der Stadt mit 10900 ℳ, sowie die Vorlagen für 2 Angrenzer (siehe unter a) mit 1600 ℳ + 2 500 ℳ. Die beiden letzteren Beträge sind der Stadt am Tage der Überweisung des Hunikelweges an die Angeenzee zu ersetzen. Stadtverordnetenbeschluß vom 16. Mai 1906.						
Summe . . .	—	—	246 454	49		
20. Erbauung von Straßen und Kanälen im Gelände der Nordwestfront.						
I. Straßen.						
1. Anschüttung der Bogenstraße (Straße 4). Kredit laut Stadtverordnetenbeschluß vom 4. April 1906	16 000	—	13 721	17	2 278	83
2. Befestigung der Fahr- und Gehwege der vier Straßenunterführungen im Bereiche der Umgehungsbahn . . .	9 485	42	2 829	20	6 656	22
Der Kredit wurde zu Lasten der gegenüberstehenden Einnahmen bewilligt. Vergleiche auch die Erläuterungen zur Rubrik 20. III. — Einnahme — dieser Rechnung.						
3. Erbauung einer neuen Straße im Zuge der Hardenbergstraße zwischen Rheingauwall und Mombacherstraße und Bepflanzung der verlängerten Hardenbergstraße mit Bäumen. Kreditübertrag aus dem Rechnungsjahr 1905 (siehe pos. 1 und 2 im Vorjahre)	3 589	—	52	73	3 536	27
4. Verlegung der Rheinallee vor dem Rheintor und Ausbau der verlängerten Rheinallee zwischen Rheintor und Zwerchallee. Kreditübertrag aus dem Rechnungsjahr 1905 (siehe pos. 3 im Vorjahre)	9 038	11	71	40	8 966	71
5. Ausbau der auf ehemals militärfiskalischem Gelände liegenden Straßen. Kreditübertrag aus dem Rechnungsjahr 1905 (siehe pos. 5 im Vorjahre)	184 430	32	53 699	68	130 730	64
zu übertragen . . .	—	—	70 374	18		

	Betrag				Verfügbar bleibender u. laut Stadtverordnetenbeschluß v. 16. Oktbr. 1907 auf das Rechnungsjahr 1907 zu übertragender Kreditrest	
	der zur Verfügung gestellten Kredite		der wirklichen Ausgabe in 1906			
	ℳ	₰	ℳ	₰	ℳ	₰
Übertrag . . .	--		70 374	18		
II. Kanäle.						
1. Kanalisierung des Gebietes der Nordwestfront. Kreditübertrag aus dem Rechnungsjahr 1905	319 156	55	260 889	12	58 267	43
2. Erbauung eines Kanalstranges in der Zwerchallee und eines Kanofs in der Mombacherstraße. Kreditübertrag aus dem Rechnungsjahr 1905	27 144	25	27 140	72	—	—
3. Weiterführung des Hauptkanals in der verlängerten Rheinallee zwischen Straße 6 und Zwerchallee. Kredit laut Stadtverordnetenbeschluß vom 20. Juni 1906	76 000		54 118	84	21 881	16
Der Kredit wurde mit dem Vorbehalte zur Verfügung gestellt, daß der auf die Eisenbahnverwaltung entfallende Beitrag alsbald nach Fertigstellung des Kanals und die auf die übrigen Anlieger entfallenden Beträge nach Maßgabe der noch zu erlassenden ortsstatutarischen Bestimmungen der Stadtkasse ersetzt werden.						
III. Verlängerung des Gonsbachauslasses nach dem Floßhafen.						
Kreditübertrag aus dem Rechnungsjahr 1905	310	51	—	—	—	—
Von einer weiteren Übertragung des erwähnten Kreditrestes wuedr Abstand genommen, da voraussichtlich eine Ausgabe nicht mehr zu erwarten ist.						
IV. Baureifmachung der Baublöcke im Gelände der Nordwestfront.						
Kreditübertrag aus dem Rechnungsjahr 1905	140 451	21	40	—	—	—
Da die Arbeiten vollständig beendigt sind, wurde von einer weiteren Übertragung des Restkredits abgesehen.						
V. Geländeaustausch im Gebiete der Nordwestfront zwischen der Stadt, der Bahn und F. W. Werner Erben	269	20	269	20	—	
In Ausgabe erscheinen die auf die Stadt entfallenden anteiligen Kosten des Stempels für die Beurkundung des Tauschvertrags mit 269 ℳ 20 ₰.						
Summe . . .	—	—	412 832	06		
21. Auflassung der Festungsumwallung.						
I. Kosten der Vorarbeiten.						
Kredit nach dem Voranschlag	10 000	—				
Kreditübertrag aus dem Rechnungsjahr 1905	1 421	90				
Kredit laut Stadtverordnetenbeschluß vom 20. Februar 1907	6 000	—				
Kredit laut Stadtverordnetenbeschluß vom 20. Februar 1907 Für Herstellung von Modellen	1 300					
	18 721	90	18 264	35	—	
zu übertragen . . .			18 264	35		

	Betrag: der zur Verfügung gestellten Kredite		Betrag: der wirklichen Ausgabe in 1906		Verfügbar bleibender u. laut Stadtverordnetenbeschluß v. 16. Oktbr. 1907 auf das Rechnungsjahr 1907 zu übertragender Kreditrest	
	ℳ	₰	ℳ	₰	ℳ	₰
Übertrag . . .	--		18 264	35		
II. Miete.						
Kredit laut Stadtverordnetenbeschluß vom 9. Mai 1906 .	750	—	750	—	--	
Im Hause Stiftstraße Nr. 7 wurde zwecks Erweiterung der Geschäftsräume des Tiefbauamts eine Fünfzimmerwohnung zum Mietpreis von 1 000 ℳ für das Jahr gemietet. Hier erscheint die Miete für dreiviertel Jahre in Ausgabe.						
III. Kosten des Sachverständigen-Gutachtens . . .	750		750		—	
Die Stadtverordneten-Versammlung hat durch Beschluß vom 13. Juni 1906 die Zahlung des Honorars für das Sachverständigen-Gutachten über die Bebauungspläne und die Baubestimmungen gutgeheißen.						
IV. Baureifmachung des Geländes von Fort Karl und Fort Karthaus.						
Mit Genehmigung der Stadtverordneten-Versammlung vom 6. Februar 1907 wurde ein Gesamtkredit von 615 700 ℳ zur Verfügung gestellt, welcher sich, wie nachstehend angegeben, auf die einzelnen Unterrubriken verteilt. Ferner hat die Stadtverordneten-Versammlung in ihrer Sitzung vom 20. März 1907 sich damit einverstanden erklärt, daß nach der zwischen dem Reich und der Stadt getroffenen Vereinbarung das Reich von den entstehenden Kosten der Stadt den Betrag von 385 400 ℳ ersetzt.						
1. Einebnungsarbeiten	35 000		2 790	07	32 209	93
Außerdem sind noch Abschlagszahlungen im Gesamtbetrage von 13 400 ℳ geleistet worden, welche noch nicht definitiv verrechnet werden konnten und daher auf das Rechnungsjahr 1907 übertragen worden sind.						
2. Straßenbau	365 700	--		—	365 700	—
3. Kanalbau	215 000	—	479	15	214 520	85
Summe . . .	—	—	23 033	57		
22. Eingemeindungen.						
I. Vorarbeiten.						
Kredit nach dem Voranschlag	2 000	—	171	15	—	—
23. Stromkorrektion.						
VII. Straßenanlagen.						
1. Asphaltierung der Fußwege vor verschiedenen Neubauten.						
Kredit nach dem Voranschlag	2 000	—				
Kreditübertrag aus dem Rechnungsjahr 1905	810	11				
	2 810	11	2 125	02	685	09
IX. Vermittlungsgebühren	—	—	—	—	—	—
Vermittlungsgebühren waren in diesem Jahre nicht zu bezahlen.						
Summe . . .	—	—	2 125	02		

	Betrag				Verfügbarbleibender u. laut Stadtverordnetenbeschluß v. 16. Oktbr. 1907 auf das Rechnungsjahr 1907 zu übertragender Kreditrest	
	der zur Verfügung gestellten Kredite		der wirklichen Ausgabe in 1906			
	M.	Pf.	M.	Pf.	M.	Pf.
25. Hafenbau.						
V. Verlängerung der zwischen Fischtor und oberem Eiserntor gelegenen Lagerhalle.						
Kreditübertrag aus dem Rechnungsjahr 1905	4 388	22				
Kredit laut Stadtverordnetenbeschluß vom 30. Mai 1906 für Einführung der Wasserleitung	680	—				
Kreditergänzung laut Stadtverordnetenbeschluß vom 21. November 1906	680	—				
	5 748	22	5 639	24	—	
VI. Gleisanlagen.						
1. Beschaffung eines Eisenbahnwagens	3 240	—	3 240		—	
VIII Maschinelle Betriebseinrichtungen.						
1. Für die Beschaffung eines Krans mit Selbstgreifer zur Kohlenentladung.						
Kredit nach dem Voranschlag	32 000	—				
Kreditergänzung laut Stadtverordnetenbeschluß vom 30. Mai 1906	13 000	—				
	45 000	—	1 410	69	43 589	31
Außer diesen Ausgaben sind noch bis zum Bücherschluß Abschlagszahlungen im Gesamtbetrage von 35 000 M geleistet worden, welche auf das Rechnungsjahr 1907 übertragen worden sind.						
IX. Herstellung von Lagerplätzen.						
Kredit nach dem Voranschlag	405 136	—			—	
Das ursprünglich für Hafenzwecke vorgesehene Gelände der Baublöcke A, B und C ist in dem dem Grundstücksfonds überwiesenen Gelände enthalten. Hierdurch wird die im Voranschlag beabsichtigt gewesene Umbuchung hinfällig. Vergl. auch die Erläuterungen zur Rubrik 20. I. — Einnahme — dieser Rechnung.						
X. Herrichtung von Kohlenlagerplätzen.						
Kreditübertrag aus dem Rechnungsjahre 1905	864	56	—	—	864	56
XI. Herstellung einer öffentlichen Ausladestelle im Floßhafen unter gleichzeitiger Schaffung von Lagerplätzen.						
Kreditübertrag aus dem Rechnungsjahr 1905	3 083	12	8	04	—	
Da die Ausladestelle vollständig fertiggestellt ist, war eine Übertragung des Kreditrestes nicht erforderlich.						
Summe . . .			10 297	97		
28. Ingelheimer Au.						
I. Anschüttungen und Befestigung der Ufer und Böschungen.						
Kreditübertrag aus dem Rechnungsjahr 1905	409 491	43				
zu übertragen . . .	409 491	43	—			

	Betrag				Verfügbarbleibender u. laut Stadtverordnetenbeschluß v. 16. Oktbr. 1907 auf das Rechnungsjahr 1907 zu übertragender Kreditrest	
	der zur Verfügung gestellten Kredite		der wirklichen Ausgabe in 1906			
	M.	*ʒ*	*M.*	*ʒ*	*M.*	*ʒ*
Übertrag . . .	409 491	43				
Kredit laut Stadtverordnetenbeschluß vom 19. Juli 1906 .	269 600	—				
Kredit laut Stadtverordnetenbeschluß vom 5. Dezember 1906	400	—				
	679 491	43	258 022	15	421 469	28
Der Betrag mit 400 *M.* wurde für Vertilgung von Ratten zur Verfügung gestellt.						
Die bereits geleisteten Abschlagszahlungen mit 79 000 *M.*, welche noch nicht definitiv verrechnet werden konnten, wurden auf das Rechnungsjahr 1907 übertragen.						
II. **Straßen- und Kanalanlagen.**						
1. Straßenbau.						
Kreditübertrag aus dem Rechnungsjahr 1905	1 883	73	1 476	78	406	95
2. Erbauung von Kanälen in der Wiesbadenerstraße, in der oberen Austraße, in der Mittelstraße und in der Ingelheimstraße.						
Kreditübertrag aus dem Rechnungsjahr 1905	16 400		14 914	88	—	—
III. **Bahnanlagen.**						
Kreditübertrag aus dem Rechnungsjahr 1905	37 736	29				
Kredit laut Stadtverordnetenbeschluß vom 19. Juli 1906 .	56 000	—				
	93 736	29	23 348	54	74 624	18
Der zu übertragende Kredit erhöht sich um 4236 *M.* 43 *ʒ*. Vergl. auch die Erläuterungen zur Rubrik 28 II — Einnahme — dieser Rechnung.						
Nach Fertigstellung der Bahnanlagen sind von einigen Grundbesitzern die in deren Interesse erstellten Abzweiganlagen der Stadt zu ersetzen.						
IIIa. **Wert des dem Industriegebiet auf der Ingelheimer Au überwiesenen Geländes aus dem der Stadt zugefallenen Gelände der Nordwestfront**	16 332		16 332	—	—	
Von dem der Stadt Mainz nach § 1 des mit dem Deutschen Reich abgeschlossenen Vertrags über die Auflassung und den Verkauf der Umwallung zugefallenen Gelände der Nordwestfront ist ein Teil von 1361 qm dem Industriegebiet auf der Ingelheimer Au überwiesen worden. Der Wert dieses Geländes, welches zum Preise von 12 *M.* für das qm verkauft wurde und dessen Kaufpreis unter Rubrik 28 dieser Rechnung in Einnahme erscheint, ist hier mit 16 332 *M.* zu verausgaben. Vergleiche auch die Erläuterung zur Rubrik 20. V — Einnahme — dieser Rechnung.						
IV. **Vermittlungsgebühren**	1 613	64	1 613	64	—	—
Für Vermittlungsgebühren wurden 1613 *M.* 64 *ʒ* verausgabt.						
Summe	—	—	315 707	99		

	Betrag				Verfügbar bleibender u. laut Stadtverordnetenbeschluß v. 16. Oktbr. 1907 auf das Rechnungsjahr 1907 zu übertragender Kreditrest	
	der zur Verfügung gestellten Kredite		der wirklichen Ausgabe in 1906			
	M.	₰	M.	₰	M.	₰
34. Überschüsse der Betriebsrechnungen.						
Nach dem Voranschlage waren in Ausgabe zu stellen . .	435 550	14	435 550	14	—	—
35. Kapitalmittel.						
I. Auszuleihende Kapitalien	133 000	–	133 000	—	—	—
Die in der Einnahme unter Rubrik 35 pos. II erwähnten Stiftungskapitalien der Röder-Stiftung, der Meinhardt-Stiftung und der Marcuse-Stiftung sind bei der Städtischen Sparkasse verzinslich angelegt worden und erscheinen daher hier in Ausgabe. Ferner wurde verausgabt das der Gemeindekasse Mombach gewährte Darlehen mit 112 000 M., verzinslich zu 4 % vom 3. April 1907 ab.						
II. Zurückzuzahlende Kapitalien	—	—	—	—	—	—
III. Kapitalrückzahlung an den Stadterweiterungsfonds.						
Kredit laut Voranschlag	128 331	95	119 488	35	—	—
Zur Deckung des Fehlbetrags beim Kapitalkonto des Stadterweiterungsfonds waren 119 488 M. 35 ₰ zurückzuzahlen.						
IV. Beihilfe aus dem Fonds für Wasserbeschädigte	1 500	—	1 500	—	—	—
Die laut Stadtverordnetenbeschluß vom 16. August 1906 einem Gärtnereibesitzer in Zahlbach zugesprochene Beihilfe erscheint hier in Ausgabe. Vergl. die Erläuterung zur Rubr. 35. I. der Einnahme.						
V. Wert der dem Grundstücksfonds überwiesenen Grundstücke	5 228 441	10	5 228 441	10	—	—
Der Anschlagswert der dem Grundstücksfonds überwiesenen Grundstücke sowie der Ersatz der bereits in der Vermögensrechnung für 1905 verrechneten Kosten für die Baureifmachung der Quadrate 123 und 124 erscheinen hier in Ausgabe.						
Summe . . .	–	—	5 482 429	45		

c) Stadterweiterungsfonds.

Einnahme.	Betrag nach				Mithin gegen den Voranschlag			
	dem Voranschlag		der Rechnung		mehr		weniger	
	ℳ	₰	ℳ	₰	ℳ	₰	ℳ	₰
3. Zurückempfangene Kapitalien	128 331	95	119 488	35	—	—	8 843	60
Die Ausgaben des Kapitalkontos zuzüglich des an den Schloßfreiheitsfonds zur teilweisen Deckung des Fehlbetrags dessen Betriebskontos abzuliefernden Betrags von 59 773 ℳ 27 ₰ betragen . . . . 221 107 ℳ 68 ₰ Die Einnahmen des Kapitalkontos einschließlich des an das Kapitalkonto abzuführenden Überschusses des Betriebskontos mit 62 118 ℳ 34 ₰ betragen . . . . 101 619 „ 33 „ Hiernach ergibt sich eine Mehrausgabe von 119 488 ℳ 35 ₰ welcher Betrag von der Vermögens-Rechnung zurückerhoben wuede.								
4. Erlös aus Gelände.								
1. Abtragungen auf die Restkaufpreise für die in früheren Rechnungsjahren verkauften Bauplätze	6 654	06	21 910	06	15 256	–	—	—
Hier erscheinen in Einnahme: a) die im Voranschlag unter Ord.-Nr. 1 und 4 voegesehenen Abtragungen mit . . . . 1 870 ℳ 06 ₰ b) der unter Oed.-Ne. 5 des Voranschlags angegebene Restkaufpreis mit 20 040 „ — „ 21 910 ℳ 06 ₰ Die im Voranschlag unter Ord.-Nr. 3 vorgesehene Abtragung ist nicht erfolgt. Der ganze Restkaufpreis wird im folgenden Rechnungsjahr bezahlt.								
5. Ersatz von Straßenbaukosten	—	—	17 590	93	17 590	93	—	-
Hire erscheinen in Einnahme: a) Ersntz des Wertes für Pflastersteine, die duech Asphaltierung von Trottoirs in Straßen des Stadterweiterungsgebietes frei geworden und anderweit verwendet worden sind . . . . 14 140 ℳ 68 ₰ b) Beitrag zu den Kosten für Eewerbung des Straßengeländes sowie für Herstellung von Straße und Kanal für 18,65 m Front in der Wallstraße . 3 450 „ 25 „ 17 590 ℳ 93 ₰								
7. Überschuß aus dem Betriebs-Konto. Mit Genehmigung der Stadtverordneten-Versammlung vom 16. Oktober 1907 wurde der Überschuß des Betriebs-Kontos dem Kapital-Konto zugeführt	60 780	—	62 118	34	1 338	34	—	—

	Betrag nach				Mithin gegen den Voranschlag			
	dem Voranschlag		der Rechnung		mehr		weniger	
	ℳ	₰	ℳ	₰	ℳ	₰	ℳ	₰
8. Rechnungsrest aus früheren Jahren.								
Nachgeführte Ausstände des Vorjahres	—	—	415	24	415	24	—	—
9. Steuer vom Gartenfeld.								
1. Am 1. Oktober 1906 fällig gewesene Tilgungsrenten .	39 400	—	39 383	13	—	—	16	87
2. Außerordentliche Kapital-Abtragungen	1 316	89	2 345	07	1 028	18	—	—
Summe . . .	40 716	89	41 728	20	1 011	31	—	—
13. Zinsen von ausgeliehenen Kapitalien . . .	50 940	53	50 680	86	—	—	259	67
In Einnahme erscheinen 3½% Zinsen von dem Darlehen an die Stadt im Betrage von 1 448 024 ℳ 58 ₰ für das Rechnungsjahr 1906. Ende des Rechnungsjahres 1905 wurden von der Vermögensrechnung 7 419 ℳ 03 ₰ zurückerhoben. An Zinsen zu 3½% erscheinen daher 259 ℳ 67 ₰ weniger in Einnahme.								
14. Zinsen von Restkaufschillingen.								
Von Restkaufpreisen für veräußerte Bauplätze	3 000	—	3 042	97	42	97	—	—
Trotz Abtragung des im Voranschlag unter Rubrik 4 Ord.-Nr. 5 bezeichneten Restkaufpreises gingen statt der vorgesehenen 3000 ℳ an Zinsen 3011 ℳ 27 ₰ ein. Ferner wurde infolge Nichtzahlung der unter Ord.-Nr. 3 vorgesehenen Rate eine Mehreinnahme von 28 ℳ 80 ₰ erzielt. An Verzugszinsen wurden 2 ℳ 90 ₰ vereinnahmt.								
16. Miete von Grundstücken	68	—	68	—	—	—	—	—
17. Nebennutzungen von Grundstücken.								
Erlös für Gras	2	—	2	—	—	—	—	—
18. Zufällige Einnahmen.								
1. Ersatz der Umlagen von verkauften Bauplätzen rc. . .	5	—	1	14	—	—	3	86
2. Ersatz der außerordentlichen Kommunalsteuern von verschiedenen an die Hessische Ludwigs-Eisenbahn-Gesellschaft abgetretenen Grundstücken	907	35	907	35	—	—	—	—
3. Ersatz der außerordentlichen Kommunalsteuer von Teilen der Wege „Am blauen Stein“ und „Kurzer Hunikel“, welche den angrenzenden Grundbesitzern auf Grund des § 4 des Ortsbaustatuts vom 1. August 1898 in Eigentum überwiesen worden sind	—	—	597	01	597	01	—	—
4. Zinsen für die in einem Konkursverfahren angemeldeten außerordentlichen Kommunalsteuern	—	—	—	87	—	87	—	—
Summe . . .	912	35	1 506	37	594	02	—	—

Ausgabe.

	Betrag nach				Mithin gegen den Voranschlag			
	dem Voranschlag		der Rechnung		mehr		weniger	
	ℳ	₰	ℳ	₰	ℳ	₰	ℳ	₰
25. Tilgung der Anleihen.								
Rückzahlung auf das 3%ige Anlehen bei Großh. Staatsregierung	68 202	90	68 202	90	—	—	—	—
26. Ankauf von Grundstücken und Vertragsleistungen.								
Nach § 10 des Vertrags vom 11. Juli 1905 zwischen dem Deutschen Reich und der Stadt Mainz über die Auflassung und den Verkauf der Umwallung ist die Belastung, daß das Böschungsgelände an der Wallstraße unverkäuflich sei, aufgehoben worden. Als Entschädigung für die Aufgabe der Belastung waren der Vermögens-Rechnung — siehe dort die Erläuterung zur Rubrik 20. VII. — zu vergüten	—	—	37 000	—	37 000	—	—	—
27. Erbauung von Straßen und Kanälen.								
I. Straßenbauten.								
1. Asphaltierung von Trottoirs	5 000	—	3 848	47	—	—	1 151	53
Aus dem Rechnungsjahr 1905 waren gemäß Stadtverordnetenbeschlusses vom 5. Oktober 1906 bierher übertragen worden . . . 5 500,39 ℳ Nach dem Voranschlag standen weiter zur Verfügung 5 000,00 „ 10 500,39 ℳ Verwendet wurden im Rechnungsjahr 1906 3 848,47 „ Der Kreditrest von 6 651,92 ℳ konn erst nach Fertigstellung der Neubauten verwendet werden und wurde auf das Rechnungsjahr 1907 übertragen. — Vergleiche Stadtverordnetenbeschluß vom 16. Oktober 1907.								
2. Pflasterung der Schulstraße zwischen Raimundistraße und Rheinallee mit Holz	29 500	—	24 618	85	—	—	4 881	15
3. Befestigung der Bonifaziusstraße zwischen Schulstraße und Frauenlobstraße mit Stampfasphalt — Anteil des Stadterweiterungsfonds —	5 500	—	4 684	04	—	—	815	96
Siehe auch Vermögens-Rechnung Rubrik 19. III. 3.								
4. Befestigung der Leibnizstraße zwischen Schulstraße und Frauenlobstraße mit Stampfasphalt — Anteil des Stadterweiterungsfonds —	6 250	—	5 666	05	—	—	583	95
Siehe auch Vermögens-Rechnung Rubrik 19. III. 4.								
zu übertragen	46 250	—	38 817	41	—	—	7 432	59

	Betrag nach				Mithin gegen den Voranschlag			
	dem Voranschlag		der Rechnung		mehr		weniger	
	ℳ	₰	ℳ	₰	ℳ	₰	ℳ	₰
Übertrag . . .	46 250	—	38 817	41	—	—	7 432	59
5. Befestigung der Raimundistraße zwischen Schulstraße und Frauenlobstraße mit Stampfasphalt	9 000	—	5 987	42	—	—	3 012	58
6. Befestigung der Fußsteige um das Rondell in der Kaiserstraße mit Mosaikpflaster . . .	5 000	—	292	62	—	—	4 707	38
Mit Genehmigung der Stadtverordneten-Versammlung vom 16. Oktober 1907 wurde der Kreditrest von 4707 ℳ 38 ₰ auf das Rechnungsjahr 1907 übertragen.								
7. Fertigstellung des Mosaik-Pflasters um die Christuskirche	2 000	—	4 356	08	2 356	08	—	—
Gemäß Stadtverordnetenbeschlusses vom 5. Oktober 1906 war aus dem Rechnungsjahr 1905 ein Kredit von 2360 ℳ 10 ₰ hierher übertragen worden. Ferner standen nach dem Voranschlag noch 2000 ℳ zur Verfügung.								
8. Ausbau der Frauenlobstraße entlang dem Bauquadrat 34	—	—	992	51	992	51	—	—
Der erforderliche Kredit wurde zu Lasten der Kapitalaufnahme bewilligt.								
9. Pflasterung der Längsseiten des Kirchplatzes	—	—	209	48	209	48	—	—
Mit Genehmigung der Stadtverordneten-Versammlung vom 5. Oktober 1906 war aus dem Rechnungsjahr 1905 ein Kredit von 5636 ℳ 36 ₰ hierher übertragen worden. Im Rechnungsjahr 1906 wurden 209 ℳ 48 ₰ verausgabt. Der Kreditrest von 5426 ℳ 88 ₰ wurde mit Genehmigung der Stadtverordneten-Versammlung vom 16. Oktober 1907 auf das Rechnungsjahr 1907 übertragen.								
II. Kanalbauten.								
1. Für Vermehrung von Straßensinkkasten . .	350	—	—	—	—	—	350	—
Der Kreditrest von 350 ℳ wurde mit Genehmigung der Stadtverordneten-Versammlung vom 16. Oktober 1907 auf das Rechnungsjahr 1907 übertragen.								
2. Erbauung eines Kanals in der Alicestraße .	5 500	—	5 475	99	—	—	24	01
Summe . . .	68 100	—	56 131	51	—	—	11 968	49

	Betrag nach				Mithin gegen den Voranschlag			
	dem Voranschlag		der Rechnung		mehr		weniger	
	ℳ	₰	ℳ	₰	ℳ	₰	ℳ	₰
32. Überweisung an den Schloßfreiheitsfonds . .	59 463	11	59 773	27	310	16	—	—
Der Überschuß des Betriebs-Kontos für das Rechnungsjahr 1906, welcher an das Kapital-Konto abgeführt worden ist, beträgt . . . . 62 118 ℳ 34 ₰ Hiervon gehen ab die darin enthaltenen außerordentlichen Abtragungen von Gartenfeldsteuern mit . . . . 2 345 „ 07 „ sodaß an das Betriebs-Konto des Schloßfreiheitsfonds nur . . . . 59 773 ℳ 27 ₰ abzuliefern sind. (Vergl. die Erläuterung zur Rubrik 27 der Rechnung des Schloßfreiheitsfonds.)								
34. Zinsen der Anleihen.								
Von dem Restbetrag des 3%igen Anlehens bei Großh. Staatsregierung	34 654	24	34 654	24	—	—	—	—
37. Steuern und öffentliche Lasten.								
1. Gemeinde-Grundsteuern	20	—	18	09	—	—	1	91
38. Bauleitung, Inventar, Verwaltungskosten.								
1. Für Provisionen bei Geländeverkäufen	180	—	16	40	—	—	163	60
2. Verschiedene Ausgaben	5	53	7	50	1	97	—	—
Summe . . .	185	53	23	90	—	—	161	63
40. Überschuß an das Kapital-Konto	60 780	—	62 118	34	1 338	34	—	—
Der Überschuß des Betriebs-Kontos wurde dem Kapital-Konto überwiesen. (Siehe die Erläuterung zur Rubrik 7.)								

d) Schloßfreiheitsfonds.

	Betrag nach dem Voranschlag ℳ	₰	Betrag nach der Rechnung ℳ	₰	Mithin gegen den Voranschlag mehr ℳ	₰	weniger ℳ	₰
A. Kapital-Konto.								
Einnahme.								
3. Erlös aus verkauften Grundstücken.								
I. Aus den neugebildeten Bauquadraten	28 915	57	299 027	57	270 112	—	—	—
Hier erscheinen Abtragungen bezw. Restkaufpreise von den in den Rechnungsjahren 1903/04, 1904 und 1905 verkauften Bauplätzen, sowie Kaufpreise für das im Rechnungsjahre 1906 verkaufte Baugelände in Einnahme.								
II. Aus dem Gelände der Militärgebäude:								
1. Reichklaraklofter	328 896	—	328 896	—	—	—	—	—
2. Flachsmarktkaserne	—	—	—	—	—	—	—	—
5. Schlachthaus-Grundstück	1 476	95	1 476	95	—	—	—	—
Summe . . .	359 288	52	629 400	52	270 112	—	—	—
4. Erlös von Baumaterialien	—	—	686	78	686	78	—	—
In Einnahme erscheinen hier: 1. der Erlös von im Rechnungsjahr 1906 verwerteten Abbruchmaterialien der niedergelegten Schloßkaserne und zwar für Steine, welche als Stückſteine bei Unterhaltung und Neubau von Straßen verwendet wurden . . 186 ℳ 78 ₰ 2. der Wert des Exerzierschuppens aus dem Hofe der Schloßkaserne, welcher auf das Grundstück der Stadtgärtnerei versetzt wurde, mit . . . . 500 „ — ₰ zusammen . . . 686 ℳ 78 ₰								
8. Kapitalaufnahme	—	—	—	—	—	—	—	—
Ausgabe.								
13. Herstellung verkäuflicher Bauplätze.								
III. Im Gebiete der Bauquadrate I und II, der Schloßkaserne und des Schloßplatzes.								
1. Asphaltierung von Trottoirs in der Rheinallee zwischen Diether von Isenburg- und Kaiserstraße	—	—	—	—	—	—	—	—
Aus dem Rechnungsjahr 1905 war laut Beschluß der Stadtverordneten-Versammlung vom 5. Oktober 1906 ein Kredit von 599 ℳ 34 ₰ hierher übertragen worden. Im Rechnungsjahr 1906 ist nichts verausgabt worden. Der Kredit wurde mit Genehmigung der Stadtverordneten-Versammlung vom 16. Oktober 1907 auf das Rechnungsjahr 1907 übertragen.								
zu übertragen . . .	—	—	—	—	—	—	—	—

	Betrag nach				Mithin gegen den Voranschlag			
	dem Voranschlag		der Rechnung		mehr		weniger	
	ℳ	₰	ℳ	₰	ℳ	₰	ℳ	₰
Übertrag . . .	—	—	—	—	—	—	—	—
2. Versetzen von Sinkkasten in den neuen Straßen . . .	—	—	705	69	705	69	—	—
Aus dem Rechnungsjahr 1905 war laut Beschluß der Stadtverordneten-Versammlung vom 5. Oktober 1906 ein Kredit von . . . . 4 637 ℳ 05 ₰ hierher übertragen worden.								
Verwendet wurden im Rechnungsjahr 1906 705 „ 69 „								
der Kreditrest von 3 931 ℳ 36 ₰ wurde auf das Rechnungsjahr 1907 übertragen.								
Vergl. Stadtverordnetenbeschluß vom 16. Oktober 1907.								
Summe . . .	—	—	705	69	705	69	—	—
14. Notariatskosten und Vermittlungsgebühren . .	1 000	—	334	88	—	—	665	12
20. Kapitalabtragungen	358 288	52	629 046	73	270 758	21	—	—
Bei dem Kapital-Konto belaufen sich:								
die Einnahmen auf . . . . 630 087 ℳ 30 ₰								
die Ausgaben auf . . . . 1 040 „ 57 „								
Mithin ergibt sich eine Mehreinnahme von 629 046 ℳ 73 ₰ welche an die städt. Vermögensrechnung zur teilweisen Deckung des in früheren Jahren aufgenommenen Darlehens abgeführt wurde.								
B. Betriebs-Konto.								
Einnahme.								
21. Rechnungsrest aus früheren Jahren.								
Nachgeführte Ausstände des Vorjahres	—	—	1 214	99	1 214	99	—	—
23. Zinsen von Restkaufpreisen.								
Von Restkaufpreisen für veräußerte Bauplätze	6 000	—	10 727	66	4 727	66	—	—
Von den unter Rubrik 3 des Voranschlags erwähnten Restkaufpreisen gingen statt der vorgesehenen 6000 ℳ im ganzen 10 727 ℳ 66 ₰ Zinsen ein. Die Mehreinnahmen sind darauf zurückzuführen, daß im Laufe des Jahres weniger Restkaufpreise als angenommen zur Abtragung gekündigt wurden. An Verzugszinsen wurden 2 ℳ 28 ₰ vereinnahmt.								
24. Miete von Gebäuden	1 880	—	2 201	67	321	67	—	—
Die Einnahmen setzen sich wie folgt zusammen:								
1. für vermietete Räume im Hause Hintere Bleiche Nr. 6 (Lappenhaus) . . . . . 571 ℳ 67 ₰								
2. für vermietete Räume in der ehemaligen Welschnonnenkaserne . . . . 1 630 „ — „								
zusammen 2 201 ℳ 67 ₰								

	Betrag nach				Mithin gegen den Voranschlag			
	dem Voranschlag		der Rechnung		mehr		weniger	
	M.	₰	M.	₰	M.	₰	M.	₰
25. Miete von Grundstücken	91	—	91	—	—	—	—	—
27. Zuschüsse	62 929	—	59 773	27	—	—	3 155	73
Der hier abzuliefernde Überschuß des Stadterweiterungsfonds betrug 59 773 M. 27 ₰. Von der städtischen Betriebsrechnung war kein Zuschuß zu leisten. Siehe auch die Erläuterung zur Rubrik 32.								
Ausgabe.								
29. Zinsen von aufgenommenen Kapitalien	69 591	36	69 262	45	—	—	328	91
Das Darlehen der städt. Vermögensrechnung betrug am Ende des Rechnungsjahres 1905 nur 2 307 823 M. 06 ₰, von welchem Betrag noch der am 1. April 1906 von der Vermögens-Rechnung ersetzte Wert des Geländes für den Neubau der Höheren Mädchenschule mit 328 896 M. abzusetzen war, sodaß der städtischen Betriebs-Rechnung nur 3½% Zinsen von 1 978 927 M. 06 ₰ vergütet wurden.								
30. Steuern, Umlagen und sonstige öffentliche Lasten.								
1. Gemeindegrundsteuern	143	64	29	42	—	—	114	22
2. Brandversicherungsbeiträge	155	—	124	42	—	—	30	58
Summe	298	64	153	84	—	—	144	80
31. Unterhaltung der Gebäude.								
1. Unterhaltung in Dach und Fach:								
a) Welschnonnenkaserne	400	—	6	95	—	—	393	05
b) Lappenhaus	500	—	277	63	—	—	222	37
2. Für Reinigung der Entwässerungsanlagen	45	—	36	40	—	—	8	60
2. Für Wasserverbrauch in dem Hause Welschnonnengasse Nr. 7	25	—	19	44	—	—	5	56
4. Schornsteinfegergebühren	40	—	—	—	—	—	40	—
Summe	1 010	—	340	42	—	—	669	58
32. Rückerstattung von Zuschüssen	—	—	4 251	88	4251	88	—	—

Es betragen beim Betriebs-Konto:

a) die Einnahmen einschließlich der vom Stadterweiterungsfonds überwiesenen 59 773 M. 27 ₰ = 74 008 M. 59 ₰

b) die Ausgaben . . . . 69 756 „ 71 „

ergibt eine Mehreinnahme von . . . . . 4 251 M. 88 ₰

die an die städtische Betriebs-Rechnung zur teilweisen Deckung der in früheren Jahren erhaltenen Zuschüsse abzuliefern waren.

e) Grundstücksfonds.

	Betrag nach				Mithin gegen den Voranschlag			
	dem Voranschlag		der Rechnung		mehr		weniger	
A. Kapital-Konto.	ℳ	₰	ℳ	₰	ℳ	₰	ℳ	₰
Einnahme.								
3. Veräußerung von Grundbesitz	—	—	198 670	-	198 670	—	—	—
Hier erscheinen Kaufpreise und Anzahlungen für das im Rechnungsjahr 1906 verkaufte Gelände in Einnahme.								
4. Bildung und Verstärkung des Fonds.								
a) Von der städtischen Vermögensrechnung ein Darlehen zur Begleichung des Anschlagswerts der dem Grundstücksfonds zu überweisenden Grundstücke . . . . (Siehe die Erläuterung zu Rubrik 10.)	4500000	—	5192388	53	692 388	53	—	—
b) Von derselben ein weiteres Darlehen, falls durch den Erlös für im Laufe des Jahres zum Verkauf gelangende Grundstücke oder durch Mehreinnahmen oder Ausgabeersparnisse des Betriebskontos die unter Rubrik 14 der Ausgabe vorgesehene Überweisung an das Betriebskonto nicht gedeckt werden könnte	81 000	—	—	—	—	—	81 000	—
Aus dem Erlös für verkauftes Gelände konnte die Überweisung an das Betriebskonto gedeckt werden, weshalb ein weiteres Darlehen nicht erforderlich war.								
c) Von derselben ein weiteres Darlehen zur Bestreitung der am 1. April 1906 übernommenen Aufwendungen aus dem Rechnungsjahr 1905 zur Baureifmachung der Bauquadrate 123 und 124 . . . . (Siehe Erläuterung zu Rubrik 11.)	—	—	36 052	57	36 052	57	—	—
Die unter a und c genannten Darlehen, zusammen 5 228 441 ℳ 10 ₰, bilden das mit 2% zu verzinsende Stammkapital.								
Summe . . .	4581000	—	5228441	10	647 441	10	—	—
6. Ersatzkosten	—	—	860	83	860	83	—	—
Hier erscheint der Ersatz der Kosten für Gleismaterialien zur Herstellung eines Privatanschlußgleises an der Mombacherstraße in Einnahme mit 782 ℳ 57 ₰ sowie 10% Verwaltungskosten mit 78 ℳ 26 ₰.								
Ausgabe.								
10. Erwerbung von Grundbesitz.								
1. Überweisung von städtischen Grundstücken .	4500000	—	5192388	53	692 388	53	—	—
Gemäß § 4, 1 der Satzungen, die Bildung einer Deputation für den Geländeverkehr betreffend, hat diese Deputation den Über-								
zu übertragen . . .	4500000	—	5192388	53	692 388	53	—	—

	Betrag nach				Mithin gegen den Voranschlag			
	dem Voranschlag		der Rechnung		mehr		weniger	
	ℳ	₰	ℳ	₰	ℳ	₰	ℳ	₰
Übertrag . . .	4500000	—	5192388	53	692 388	53	—	—
weisungswert für 905 289$^{5}/_{10}$ qm auf 4386011 ℳ 03 ₰ festgesetzt. Dieser Betrag war der Vermögens-Rechnung zu vergüten und zwar: der Rubrik 3 mit . . . . 4 373 551 ℳ 03 ₰ „ „ 23 „ . . . . 12 500 „ — „ Ferner war der Vermögens-Rechnung, Rubrik 20, der von der genannten Deputation festgestellte Wert des Geländes der Nordwestfront zu vergüten mit . . . . . 806 337 „ 50 „ zusammen . . . 5 192 388 ℳ 53 ₰								
2. Austausch von Gelände zwischen dem Reichsmilitärfiskus und der Stadt Mainz an den Römersteinen und am Fort Elisabeth . . .	—	—	452	—	452	—	—	—
Laut Beschluß der Stadtverordneten-Versammlung vom 10. Oktober 1906 wurde der Austausch des militärfiskalischen Kasernengrundstücks an den Römersteinen gegen städtisches Gelände am Fort Elisabeth gutgeheißen. Hier erscheinen die anteiligen Kosten für den Urkundenstempel zu dem vorläufigen Akt vom 21. Januar 1907 in Ausgabe.								
3. Erwerbung des Grundstücks Flur VII Nr. 139 Gemarkung Bretzenheim	—	—	3 815	75	3 815	75	—	—
Laut Beschluß der Stadtverordneten-Versammlung vom 6. Februar 1907. Hier erscheinen der Kaufpreis von 3 750 ℳ 40 ₰, die Stempelkosten mit 19 ℳ, die Vermittlungsgebühren mit 18 ℳ 75 ₰ und die Notariatskosten mit 27 ℳ 60 ₰ in Ausgabe.								
4. Erwerbung des Grundstücks Flur XIX Nr. 39	—	—	6 040	70	6 040	70	—	—
Laut Beschluß der Stadtverordneten-Versammlung vom 27. Februar 1907. Hier erscheinen der Kaufpreis von 5 980 ℳ 80 ₰, die Stempelkosten mit 30 ℳ und die Vermittlungsgebühren mit 29 ℳ 90 ₰ in Ausgabe. Die Notariatskosten werden im Rechnungsjahr 1907 verausgabt.								
5. Erwerbung der Grundstücke Flur VII Nr. 115, 116, 117, 118 und 195, Gemarkung Bretzenheim	—	—	88	69	88	69	—	—
Laut Beschluß der Stadtverordneten-Versammlung vom 27. Februar 1907. Hier erscheinen die Stempelkosten mit 44 ℳ 50 ₰ und die Vermittlungsgebühren mit 44 ℳ 19 ₰ in Ausgabe. Der Kaufpreis von 8 838 ℳ 40 ₰ ist erst im Rechnungsjahr 1907 fällig, in welchem Jahre auch die Notariatskosten verausgabt werden.								
Summe . . .	4500000	—	5202785	67	702 785	67	—	—

	Betrag nach				Mithin gegen den Voranschlag			
	dem Voranschlag		der Rechnung		mehr		weniger	
	ℳ	₰	ℳ	₰	ℳ	₰	ℳ	₰
11. Kosten für Verbesserung oder Aufschließung von Grundstücken.								
1. Baureifmachung des Geländes der Bauquadrate 123 und 124	—	—	46 655	54	46 655	54	—	—
Für Herstellung eines Gleisanschlusses mit Drehscheibe und Weiche, anschließend an die Gleise des Freiladebahnhofs der Staatsbahn, worde laut Beschluß der Stadtverordneten-Versammlung vom 6. Dezember 1905 ein Kredit von 60 000 ℳ bewilligt. Im Rechnungsjahr 1905 wurden unter Rubrik 3. XXI. der Vermögensrechnung verausgabt und hierher übertragen . 36 052 ℳ 57 ₰ Im Rechnungsjahr 1906 wurden verausgabt . 10 602 „ 97 „ 46 655 ℳ 54 ₰ Unter Berücksichtigung des bei Rubrik 6 vereinnahmten Ersatzes für Gleismaterialien von 782 ℳ 57 ₰ bleibt noch ein Kreditrest von 14 127 ℳ 03 ₰, der mit Genehmigung der Stadtverordneten-Versammlung vom 16. Oktober 1907 auf das Rechnungsjahr 1907 übertragen wurde.								
14. Überweisungen an das Betriebs-Konto . . .	81 000	—	75 891	81	—	—	5 108	19
Nach den Erläuterungen bei Rubrik 24 waren dem Betriebs-Konto zur Deckung seiner Ausgaben nur 75 891 ℳ 81 ₰ zu überweisen.								
15. Vermittlungsgebühren beim Verkauf von Grundstücken	—	—	807	26	807	26	—	—
B. Betriebs-Konto.								
Einnahme.								
20. Ertrag des Grundbesitzes	11 000	—	15 350	71	4 350	71	—	—
Die Mehreinnahme ist teils durch die Verpachtung der im Rechnungsjahr 1906 erworbenen Grundstücke, teils durch die Überweisung von Grundstücken entstanden, die bei Aufstellung des Voranschlags nicht für den Grundstücksfonds vorgesehen waren.								
21. Zinsen von Restkaufpreisen und sonstigen Kapitalausständen	—	—	18 153	79	18 153	79	—	—
Es wurden vereinnahmt: a) Zinsen von Kaufpreisen . . . . 14 838 ℳ 19 ₰ b) von der städtischen Betriebsrechnung 4 % Zinsen von den im Rechnungsjahr 1906 verfügbaren Mitteln des Fonds 3 315 „ 60 „ zusammen . . 18 153 ℳ 79 ₰								

	Betrag nach dem Voranschlag M	₰	Betrag nach der Rechnung M	₰	Mithin gegen den Voranschlag mehr M	₰	Mithin gegen den Voranschlag weniger M	₰
24. Überweisungen aus dem Kapital-Konto . . .	81 000	—	75 891	81	—	—	5 108	19

Es betragen bei dem Betriebs-Konto:

a) die Ausgaben	109 396 M	31 ₰
b) „ Einnahmen	33 504 „	50 „
Ergibt eine Mehrausgabe von	75 891 M	81 ₰

die durch Überweisung aus dem Kapital-Konto — siehe Rubrik 14 — zu decken war.

Ausgabe.

	Betrag nach dem Voranschlag M	₰	Betrag nach der Rechnung M	₰	Mithin gegen den Voranschlag mehr M	₰	Mithin gegen den Voranschlag weniger M	₰
26. Kapitalzinsen	90 000	—	104 568	82	14 568	82	—	—

Nach der Erläuterung zu Rubrik 4 beträgt das dem Grundstücksfonds von der Vermögensrechnung überwiesene Stammkapital 5 228 441 M 10 ₰. Hiervon sind der städtischen Betriebs-Rechnung von 1. April 1906 ab 2 % Zinsen mit 104 568 M 82 ₰ zu vergüten.

	Betrag nach dem Voranschlag M	₰	Betrag nach der Rechnung M	₰	Mithin gegen den Voranschlag mehr M	₰	Mithin gegen den Voranschlag weniger M	₰
27. Gemeindesteuern und sonstige öffentliche Lasten . .	1 650	—	3 832	25	2 182	25	—	—

Es wurden verausgabt:

a) Gemeindegrundsteuern für Grundstücke in der Gemarkung Mainz	901 M	95 ₰
„ „ „ Bretzenheim . .	435 „	14 „
„ „ „ Mombach, „ „ „ Budenheim . .	295 „	16 „
b) Außerordentliche Kommunalsteuern für Grundstücke in der Neustadt	2 200 „	— „
zusammen	3 832 M	25 ₰

	Betrag nach dem Voranschlag M	₰	Betrag nach der Rechnung M	₰	Mithin gegen den Voranschlag mehr M	₰	Mithin gegen den Voranschlag weniger M	₰
28. Unterhaltung der Gebäude	350	—	995	24	645	24	—	—

a) Für Unterhaltung des Anwesens Rhein-allee Nr. 35	58 M	76 ₰
b) Für die notwendigen Instandsetzungsarbeiten an dem früher Marx'schen Anwesen wurde durch Beschluß der Stadtverordneten-Versammlung vom 29. Mai 1907 ein Kredit von 940 M 49 ₰ bewilligt. Es waren erforderlich	936 „	48 „
zusammen . . .	995 M	24 ₰

f) Orchesterfonds.

	Betrag nach				Mithin gegen den Voranschlag			
	dem Voranschlag		der Rechnung		mehr		weniger	
	M	Pf	M	Pf	M	Pf	M	Pf
2. Gebäude.								
Einnahme.								
I. Haus Stephansplatz Nr. 1	8 750	—	8 325	—	—	—	425	—
Der Mietpreis der Wohnung im II. Stock wurde durch Beschluß der Verwaltungskommission der Schott-Braunrasch-Stiftung mit Wirkung vom 1. April 1906 von 700 M auf 650 M jährlich ermäßigt. Ferner war die Wohnung im I. Stock im IV. Quartal 1906 und im I. Quartal 1907 nicht vermietet. Der Mietausfall beträgt im ganzen 425 M								
II. Haus Stephansstraße Nr. 13	3 200	—	2 750	—	—	—	450	—
Die Wohnung im I. Stock war im IV. Quartal 1906 und im I. Quartal 1907 nicht vermietet, wodurch ein Mietausfall von 450 M entstand.								
III. Haus Gaugasse Nr. 18	4 950	—	4 950	—	—	—	—	—
Summe	16 900	—	16 025	—	—	—	875	—
Ausgabe.								
1. Für Gemeinde-Grundsteuern	850	—	849	84	—	—	—	16
2. „ Brandversicherungsbeiträge	433	—	247	54	—	—	185	46
3. „ Abfuhr wasserhaltiger Latrinenmasse	425	—	423	51	—	—	1	49
4. „ Beleuchtung der Torfahrten und Hauseingänge	125	—	96	94	—	—	28	06
5. „ Baukosten:								
a) Für Unterhaltung in Dach und Fach	2 500	—	2 508	86	8	86	—	—
b) „ Herstellungen in verschiedenen Wohnungen	1 000	—	945	27	—	—	54	73
c) „ Umdecken der einen Dachseite des Hauses Stephansstraße 13	365	—	364	05	—	—	—	95
d) Für Reinigung der Entwässerungsanlage	60	—	54	60	—	—	5	40
6. Gebühren für Bekanntmachung der unvermieteten Wohnungen im Wohnungs-Anzeiger	20	—	4	—	—	—	16	—
7. Für Schornsteinfegergebühren	115	—	111	90	—	—	3	10
8. „ Wasserverbrauch	200	—	210	48	10	48	—	—
9. „ den Hausmeister:								
a) bare Vergütung nebst freier Wohnung	200	—	200	—	—	—	—	—
b) Beitrag zur Ortskrankenkasse und zur Invalidenversicherung	10	—	7	36	—	—	2	64
Summe	6 303	—	6 024	35	—	—	278	65
3. Orchester.								
Einnahme.								
1. Von der Stadt für Überlassung des Orchesters zu theatralischen Aufführungen gemäß des Theatervertrags, für 1906/07	50 000	—	50 000	—	—	—	—	—
2. Von dem Verein „Liedertafel“ für Überlassung des Orchesters zu drei Konzert-Aufführungen im Winter 1906/07, nach Abzug von 270 M zu Gunsten des Orchesterpensionsfonds	1 530	—	1 530	—	—	—	—	—
zu übertragen	51 530	—	51 530	—	—	—	—	—

	Betrag nach				Mithin gegen den Voranschlag			
	dem Voranschlag		der Rechnung		mehr		weniger	
	ℳ	₰	ℳ	₰	ℳ	₰	ℳ	₰
Übertrag . . .	51 530	—	51 530	—	—	—	—	—
3. Für Mitwirkung des städtischen Orchesters bei 10 Opernvorstellungen in Worms im Winter 1906/07 1000 ℳ — ₰ abzüglich 15% zu Gunsten des Orchesterpensionsfonds von den vorbemerkten 1000 ℳ und 2891 ℳ Honoear, welches den Mitgliedern der städtischen Kapelle für diese Mitwirkungen vergütet worden ist 583 „ 65 „ (Beschluß der Verwaltungs-Kommission der Schott-Braunrasch-Stiftung vom 15. November 1898.)	—	—	416	35	416	35	—	—
Summe . . .	51 530	—	51 946	35	416	35	—	—
Ausgabe.								
1. Besoldungen der Orchestermitglieder . . .	106 800	—	109 014	31	2 214	31	—	—
Die Orchestermitglieder Trnka, Schäfer und Hiob sind am 15. September 1906 in den Ruhestand getreten. Der Gehalt berechnet sich für die drei Genannten bis zu diesem Zeitpunkt aus jährlich je 2 300 ℳ auf je 958 ℳ 34 ₰. Als Vertreter der freigewordenen Stellen wurden Georg Wilcke, Albert Phillipp und Hans Hollenstein mit Wirkung vom 16. September 1906 mit einem Jahresgehalt von je 1600 ℳ angenommen, sodaß bis Ende des Rechnungsjahres 1906 an ꝛc. Wilcke, Phillipp und Hollenstein je 933 ℳ 33 ₰ bezohlt wurden. Weiter ist der 2. Konzertmeister Ernst Schmidt mit Wirkung vom 16. September 1906 ausgeschieden. Sein Gehalt berechnet sich bis zu dirsem Zeitpunkt auf 833 ℳ 33 ₰. Hierdurch wurden gespart 2391 ℳ 69 ₰. Dieser Ersparnis steht infolge der von der Stadtverordneten-Versammlung durch Beschluß vom 20. Februar 1907 bewilligten Teuerungszulage eine Mehrausgabe von 4606 ℳ gegenüber.								
2. Entschädigung für Kleideraufwand	4 800	—	4 741	67	—	—	58	33
Wenigerausgabe bedingt durch den bei pos. 1 erwähnten Personalwechsel.								
3. Füe Partiturmusiker und Vertretung erkrankter Mitglieder	1 000	—	2 267	—	1 267	—	—	—
4. Verwaltungskosten	250	—	264	80	14	80	—	—
Summe . . .	112 850	—	116 287	78	3 437	78	—	—
4. Musikalien, Instrumente, Mobilien.								
Einnahme.								
Nichts	—	—	—	—	—	—	—	—
Ausgabe.								
1. Anschaffung von Musikalien	1 000	—	261	90	—	—	738	10
2. Reparatur und Anschaffung von Musikinstrumenten . .	400	—	926	70	526	70	—	—
Die Mehrausgabe wurde durch die Anschaffung zweier Instrumente (Celesta und Heckelphon) verursacht, für deren Anschaffung die Stadtverordneten-Versammlung in ihrer Sitzung vom 6. Februor 1907 einen Kredit von 615 ℳ bewilligt hatte.								
zu übertragen . . .	1 400	—	1 188	60	—	—	211	40

	Betrag nach dem Voranschlag ℳ	₰	Betrag nach der Rechnung ℳ	₰	Mithin gegen den Voranschlag mehr ℳ	₰	Mithin gegen den Voranschlag weniger ℳ	₰
Übertrag . . .	1 400	—	1 188	60	—	—	211	40
2a. Vergütung an den Harfenisten Suppantschitsch für Verwendung seines eigenen Instrumentes	150	—	150	—	—	—	—	—
3. Unterhaltung der Notenpulte und sonstige Mobilien . .	40	—	37	50	—	—	2	50
4. Feuerversicherung	240	—	233	96	—	—	6	04
5. Beitrag der Stadt Mainz zur Tonsetzer-Genossenschaft .	500	—	500	—	—	—	—	—
Summe . . .	2 330	—	2 110	06	—	—	219	94
5. Symphonie-Konzerte.								
Einnahme.								
1. Abonnement	16 000	—	16 440	—	440	—	—	—
2. Kasseneinnahme	3 000	—	2 716	90	—	—	283	10
Summe . . .	19 000	—	19 156	90	156	90	—	—
Ausgabe.								
1. Remunerierung der Solisten	5 000	—	5 000	—	—	—	—	—
2. Repräsentationskosten	300	—	300	—	—	—	—	—
3. Verstärkung des Orchesters	2 500	—	2155	—	—	—	345	—
4. Herrichtung der Bühne und Bedienung der Beleuchtungseinrichtungen	500	—	500	—	—	—	—	—
5. Heizung und Beleuchtung	1 000	—	779	33	—	—	220	67
6. Remunerierung des Kassierers und der Billeteure . .	245	—	245	—	—	—	—	—
7. Hilfeleistung beim Sammeln der Abonnements ꝛc. . .	230	—	152	—	—	—	78	—
8. Druck der Abonnements- und Kassekarten, Programme ꝛc.	600	—	556	07	—	—	43	93
9. Stempel zu den Erlaubnisscheinen	20	—	20	—	—	—	—	—
Summe . . .	10 395	—	9 707	40	—	—	687	60
Die Konzerte lieferten einen Überschuß von 9449 ℳ 50 ₰ gegen 9768 ℳ 39 ₰ im Vorjahre.								
6. Sommer-Konzerte.								
Einnahme.								
1. Abonnement	9 000	—	6 401	—	—	—	2 599	—
2. Kasseneinnahme	6 500	—	6 735	50	235	50	—	—
Summe . . .	15 500	—	13 136	50	—	—	2 363	50
Ausgabe.								
1. Remunerierung der Kassierer und Billeteure	875	—	1 054	43	179	43	—	—
2. Hilfeleistung beim Sammeln der Abonnements . . .	135	—	60	—	—	—	75	—
3. Für das Aus- und Einräumen der Instrumente und Noten, für sonstige Transportkosten, sowie für Herrichtung des Podiums in der Stadthalle	550	—	409	60	—	—	140	40
4. Miete der Stadthalle — für 31 Konzerte je 25 ℳ —	750	—	775	—	25	—	—	—
zu übertragen . . .	2 310	—	2 299	03	204	43	215	40

	Betrag nach				Mithin gegen den Voranschlag			
	dem Voranschlag		der Rechnung		mehr		weniger	
	ℳ	₰	ℳ	₰	ℳ	₰	ℳ	₰
Übertrag . . .	2 310	—	2 299	03	204	43	215	40
5. Beleuchtung bei Konzerten in der Stadthalle:								
a) Gasverbrauch, Kerzen und Beleuchtungskörper . .	1 500	—	2 146	40	896	30	—	—
b) für elektrische Beleuchtung			249	90				
Der Mehrverbrauch an Gas ist darauf zurückzuführen, daß infolge der schlechten Witterung mehr Konzerte, wie angenommen wurde, in der Stadthalle abgehalten werden mußten.								
6. Für Reinigung der Stadthalle	250	—	226	99	—	—	23	01
7. „ den Druck der Einladungen, der Abonnements- und Kassekarten, Programme ꝛc.	1 300	—	1 514	42	214	42	—	—
8. Stempel zu den Erlaubnisscheinen	200	—	224	—	24	—	—	—
9. Bedienung des Gasmotors für Ventilation der Stadthalle und elektrische Beleuchtung des Hallegartens . .	50	50	30	59	—	—	19	91
10. Für besondere Veranstaltungen bei den Konzerten, einschließlich Vergütung für den Leiter derselben . . .	1 200	—	1 788	34	588	34	.	—
Die Sommerkonzert-Saison endete in früheren Jahren stets mit den Ferien des Orchesters. In 1906 wurde zum ersten Male die Sommerkonzert-Saison über diese Zeit hinaus verlängert. Während der Ferienzeit fanden vom 21. August bis 1. September 1906 Militärkonzerte statt, wodurch die Mehrausgaben entstanden sind.								
11. Tilgungsanteil der für die Errichtung eines Musikzeltes im Stadthallegarten aufgewendeten Kosten	500	—	500	—	—	—	—	—
Summe . . .	7 310	50	8 979	67	1 669	17	—	—

Die Konzerte lieferten einen Überschuß von 4156 ℳ 83 ₰ gegen 8674 ℳ 31 ₰ im Vorjahre.

7. Orchesterpensionsfonds.

Einnahme.

1. Zinsen aus 1906 von den Einlagen bei der Sparkasse . . . . 817 ℳ 11 ₰								
2. Zinsen von Hypotheken . . . . . . 4137 „ — „								
3. Ertrag eines Sommer-Konzertes . . . 143 „ 72 „								
4. Ertrag eines Symphonie-Konzertes . . 1192 „ 21 „								
5. Ertrag einer Theatervorstellung . . . 400 „ — „								
6. 15% von den Honoraren, welche die Kapelle für Mitwirkung bei Aufführungen erhalten hat, die von anderen Unternehmern oder Gesellschaften veranstaltet worden sind . . . . 1108 „ 65 „								
7. Strafgelder von Orchestermitgliedern . — „ — „								
8. Verzugszinsen von Hypothekkapitalien . — „ 25 „	6 685	—	7 798	94	1 113	94	—	—
9. Zurückempfangene Kapitalien von der Städtischen Sparkasse (Siehe Erläuterung zu pos. 5 der Ausgabe.)	—	—	26 421	60	26 421	60	—	—
Summe . . .	6 685	—	34 220	54	27 535	54	—	—

	Betrag nach				Mithin gegen den Voranschlag			
	dem Voranschlag		der Rechnung		mehr		weniger	
	ℳ	₰	ℳ	₰	ℳ	₰	ℳ	₰
Ausgabe.								
1. Ruhegehalte an Orchestermitglieder und Sterbequartale an deren Hinterbliebenen	5 980	50	6 857	26	876	76	—	—
Das Orchestermitglied Pöpperl ist am 16. März 1906 gestorben. Die Pension wurde bis zu diesem Tage ausbezahlt. Vom 17. März bis einschl. 16. Juni 1906 bezog die Witwe das Sterbequartal. Hier ist nur der Teil des Sterbequartals vom 16. April bis einschl. 16. Juni 1906 verrechnet. Hierdorch trat eine Ersparnis von 1502 ℳ 47 ₰ ein. Dieser Ersparnis steht infolge der Pensionierung der Orchestermitglieder Hiob, Trnka und Schöfer vom 16. September 1906 ab mit je 1610 ℳ jährlich eine Mehrausgabe von 2579 ℳ 23 ₰ gegenüber. Da rc. Hiob am 7. Oktober 1906 starb, so kommt hier nur dessen Ruhegehalt bis zum 7. Oktober 1906 und vom 8. Oktober 1906 bis zum 7. Januar 1907 das Sterbequartal zur Berechnung. Bezüglich der an die Witwen des rc. Pöpperl und des rc. Hiob zu zahlenden Witwenpensionen vergl. Erläuterung bei pos. 2.								
2. Witwengelder	1 260	—	2 120	58	860	58	—	—
Hier erscheinen als Mehrausgoben die Pension der Witwe Pöpperl vom 17. Juni 1906 ab aus jährlich 810 ℳ und die Pension der Witwe Hiob vom 8. Januar 1907 aus jährlich 690 ℳ								
3. Waisengeld für das minderjährige Kind des Orchestermitgliedes Klose	600	—	600	—	—	—	—	—
4. Bei der Städtischen Sparkasse wurden auf Einlagebuch Nr. 41 895 zu 3½% verzinslich angelegt	2 000	—	2 844	58	844	58	—	—
5. Anderweite Kapitalausleihungen	—	—	26 421	60	26 421	60	—	—
Der von der Städtischen Sparkasse zurückerhobene Betrag (siehe pos. 9 der Einnahme) wurde an den Besitzer der Anwesen Frauenlobstraße 77 und Raimundistraße 14 als 4%iges hypothekarisches Darlehen gegen Verpfändung dieser Anwesen im I. Rong ausbezahlt.								
Der Kapitalbestand des Orchester-Pensionsfonds betrug am Schlusse des Rechnungsjahres 1906 = 118 956 ℳ 37 ₰.								
Summe . . .	9 840	50	38 844	02	29 003	52	—	—
8. Kapitalvermögen.								
Einnahme.								
Zinsen des Vermächtnisses Gerock für 1906	105	—	105	—	—	—	—	—
Ausgabe.								
Nichts	—	—	—	—	—	—	—	—
9. Zuschuß aus der Stadtkasse.								
Einnahme.								
Zur Deckung der Ausgaben war für das Rechnungsjahr 1906 ein Zuschuß aus der Stadtkasse erforderlich von	39 309	—	47 362	99	8 053	99	—	—
Im Vorjahre betrug der Zuschuß 35 090 ℳ 50 ₰.								

III. Überſicht des Aufwandes für größere Bau-Unternehmungen.

	Bis Ende 1905 M.	₰	1906 M.	₰	Im ganzen. M.	₰
1. Rubrik 4: Städtiſches Gaswerk — Altes Werk.						
Verausgabt wurden:						
Kaufpreis des Hauſes Petersplatz Nr. 7 als Geſchäftshaus für das Städtiſche Gaswerk einſchl. Proviſion und Notariatsgebühren	86 319	77	—	—	86 319	77
Umänderungen und bauliche Herſtellungen desſelben	16 094	62	—	—	16 094	62
Übernahme der Inventarbeſtände, Gasmeſſer 2c.	71 006	29	—	—	71 006	29
Entſchädigung an Gebr. Puricelli einſchl. Taxationsgebühren	201 400	—	—	—	201 400	—
Schienenverbindung mit der Bahn	22 986	54	—	—	22 986	54
Erbauung eines V. Gaſometers	97 095	45	—	—	97 095	45
Anſchaffung von neuen Apparaten	8 833	92	—	—	8 833	92
Proviſoriſche Straßenbeleuchtung der Neuſtadt	16 648	55	—	—	16 648	55
Reſtliche Erweiterung des Gaswerks	316 490	43	—	—	316 490	43
Erweiterung des Stadtrohrnetzes einſchl. des Rohrnetzes auf der Ingelheimer Au und Aufſtellen von Kandelabern	310 841	57	41 131	62	351 973	19
Anſchaffung von Gasmeſſern	488 496	52	36 519	19	525 015	71
Anſchaffung einer Koks-Brech- und Sortiermaſchine	11 079	16	—	—	11 079	16
Neubau der Retortenöfen	86 490	18	—	—	86 490	18
Teleſkopierung des V. Gasbehälters	36 934	34	—	—	36 934	34
Wert des Geländes der Gasfabrik an der Weiſenauerſtraße	—	—	90 000	—	90 000	—
	1 770 717	34	167 650	81	1 938 368	15
Dieſen Ausgaben ſtehen folgende Einnahmen aus dem Betrieb des Gaswerks gegenüber:						
Erſatz der den früheren Pächtern vergüteten Materialvorräte	7 976	87	—	—	7 976	87
Rückzahlungen auf die aufgenommenen Kapitalien	1 274 344	15	50 147	28	1 324 491	43
	1 282 321	02	50 147	28	1 332 468	30
2. Rubrik 4: Erbauung eines neuen Gaswerkes auf der Ingelheimer Au.						
Verausgabt wurden:						
Koſten der Vorarbeiten	19 196	35	—	—	19 196	35
Gelände-Erwerbungskoſten des neuen Werkes	398 796	—	—	—	398 796	—
Baukoſten des neuen Werkes	2 132 764	34	—	—	2 132 764	34
Errichtung einer Koksgasanlage	—	—	131 614	73	131 614	73
	2 550 756	69	131 614	73	2 682 371	42
Folgende Einnahmen ſtehen dieſen Ausgaben gegenüber:						
Rückzahlungen auf die aufgenommenen Kapitalien	645 212	01	88 444	68	733 656	69
Vertragsſtrafen	6	—	—	—	6	—
	645 218	01	88 444	68	733 662	69

3. Rubrik 5: Wasserwerk.

	Bis Ende 1905 ℳ	₰	1906 ℳ	₰	Im ganzen. ℳ	₰
Verausgabt wurden:						
Kosten der Vorarbeiten	103 170	26	823	25	103 993	51
Ausbau des Rohrnetzes einschl. des Rohrnetzes auf der Ingelheimer Au	879 364	05	50 778	74	930 142	79
Verlegung von Rohrstrecken auf Rechnung von Privaten	7 203	90	—	—	7 203	90
Kosten der Hausanschlüsse	221 652	82	—	—	221 652	82
Anschaffung von Wassermessern	192 434	73	8 567	50	201 002	23
Erweiterung des Rautert'schen Wasserwerks	166 865	65	—	—	166 865	65
Ankauf des Rautert'schen Wasserwerks, einschl. der Expertengebühren, der Notariatskosten ꝛc.	637 668	62	—	—	637 668	62
Legung eines provisorischen Rohrnetzes im Gartenfeld	20 040	82		—	20 040	82
Vergrößerung der Leistungsfähigkeit des Wasserwerks durch die Weisenauer Anlage	263 255	60	—	—	263 255	60
Pumpversuche in der linken Mainebene bei Rüsselsheim	31 580	80	—	—	31 580	80
Tiefbohrungen im Neutorgraben und in der Anlage	15 824	89	—	—	15 824	89
Hydrologische Untersuchung der Rheinebene bei Laubenheim	19 451	39	—	—	19 451	39
Pumpversuche in der Rheinniederung bei Laubenheim	—	—	62 028	36	62 028	36
Erbauung eines Hochbehälters am Hechtsheimerberg und Verlegung einer Fallrohrleitung von da nach der Stadt	291 050	90	—	—	291 050	90
Einbau einer Zubringerpumpe in dem Werk an der Walpodenstraße	17 688	44	13 239	66	30 928	10
	2 867 252	87	135 437	51	3 002 690	38

	Bis Ende 1905 ℳ	₰	1906 ℳ	₰	Im ganzen. ℳ	₰
Vorstehenden Ausgaben stehen folgende Einnahmen gegenüber:						
Beitrag der Hauseigentümer in der Quintinsgasse zu den Kosten der Verlegung des Rohrstranges daselbst	1 350	—	—	—	1 350	—
Kostenersatz der auf Rechnung von Privaten verlegten Rohrstrecken	7 203	90	—	—	7 203	90
Kostenersatz der auf Rechnung von Privaten ausgeführten Hausanschlüsse	236 630	49	—	—	236 630	49
Aus der Betriebsrechnung Ersatz der Kosten für Legung eines provisorischen Rohrnetzes	20 040	82	—	—	20 040	82
Für verkaufte Wassermesser	124	86	—	—	124	86
Verschiedene Einnahmen	756	50	—	—	756	50
Beitrag des Militärfiskus zu den Kosten der Rohrlegung in den Glaciswegen vom Gautor nach den Forts Elisabeth und Joseph	8 396	37	—	—	8 396	37
Aus dem Betrieb des Wasserwerks:						
Rückzahlungen auf die aufgenommenen Kapitalien	1 226 934	35	83 715	08	1 310 649	43
	1 501 437	29	83 715	08	1 585 152	37

	Bis Ende 1905		1906		Im ganzen	
	ℳ	₰	ℳ	₰	ℳ	₰
4. Rubrik 6: Erbauung eines Elektrizitätswerkes auf der Ingelheimer Au sowie einer Umformerstation in der Rheinallee.						
Verausgabt wurden:						
Grund und Boden	90 036	—	3 048	—	93 084	—
Baukosten des Werks	2 176 283	33	31 816	59	2 208 099	92
Sachverständigengebühren	21 000	—	—	—	21 000	—
Erweiterung des Kabelnetzes	221 960	67	97 082	13	319 042	80
Beschaffung von Strommessern	123 687	26	35 845	14	159 532	40
Kabelanschlüsse (Anteile der Stadt vom Jahre 1900/01 ab)	40 651	71	4 612	89	45 264	60
Aufstellung eines vierten Maschinenaggregats	267 246	96	—	—	267 246	96
Einbau von Überhitzern für die Dampfkessel	9 000	—	—	—	9 000	—
Beschaffung von Einrichtungen und Apparaten für die Erweiterung des Werks	15 525	08	—	—	15 525	08
Verlegung der Werkstätten-, der Eich- und Aufbewahrungsräume in die Nebenräume der Umformerstation	4 007	30	—	—	4 007	30
Wert des Geländes der Umformerstation	36 551	70			36 551	70
Baukosten für die Umformerstation	66 458	78		—	66 458	78
Für Fernleitung zur Umformerstation	29 524	50			29 524	50
Für elektrische Einrichtung der Umformerstation	78 060	76	1 522	16	79 582	92
Für Bauleitung, Unvorhergesehenes und dergl. für die Umformerstation	7 773	65	—	—	7 773	65
Erweiterung des Werks	436 022	69	10 961	01	446 983	70
	3 623 790	39	184 887	92	3 808 678	31
Diesen Ausgaben stehen folgende Einnahmen gegenüber:						
Ersatz für drei an die Bahn abgegebene Transformatorhäuschen	1 811	98		—	1 811	98
Vertragsstrafen	1 110	34	—	—	1 110	34
Ersatz für eine f. Z. beschaffte, jedoch anderweit verwendete Weiche	5 093	—		—	5 093	—
Kostenersatz der auf Rechnung von Privaten ausgeführten Hausanschlüsse	76 260	78		—	76 260	78
Rückzahlungen auf die aufgenommenen Kapitalien	748 726	47	186 917	46	935 643	93
	833 002	57	186 917	46	1 019 920	03
5. Rubrik 7: Erbauung eines Schulhauses für die Oberrealschule und eine Höhere Handelsschule.						
Verausgabt wurden:						
Für Baukosten	452 699	62	120 869	42	573 569	04
Für Grund und Boden	310 480	80		—	310 480	80
Für Aufstellung des Portals vom ehemaligen Gautor im Hofe	1 500	72	—	—	1 500	72
Für Mobiliar- und Lehrmittelbeschaffung	56 123	89	32 420	13	88 544	02
	820 805	03	153 289	55	974 094	58
Diesen Ausgaben stehen folgende Einnahmen gegenüber:						
Vertragsstrafen	—	—	690	85	690	85
6. Rubrik 7: Erbauung eines Schulhauses für die Höhere Mädchenschule.						
Verausgabt wurden:						
Für Baukosten	26 942	82	37 140	20	64 083	02
„ Grund und Boden	—	—	328 896	—	328 896	—
	26 942	82	366 036	20	392 979	02

	Bis Ende 1905 M.	Pf.	1906 M.	Pf.	Im ganzen M.	Pf.
7. Rubrik 7: Erbauung eines Schulhauses in der Colmarstraße.						
Verausgabt wurden: Für Baukosten	—	—	7 789	84	7 789	84
8. Rubrik 10: Straßenbahn.						
Verausgabt wurden:						
Für Vorarbeiten zur Erwerbung des Pferdebahnunternehmens und Umwandlung desselben in elektrischen Betrieb sowie für Vorarbeiten zum Bau neuer Straßenbahnlinien	60 852	44	10 261	47	71 113	91
„ Erwerbung des Pferdebahnunternehmens	1 416 989	46	—	—	1 416 989	46
„ das Gelände der Wagenhalle, des Verwaltungsgebäudes 2c.	242 016	—	—	—	242 016	—
„ Baukosten der Wagenhalle	230 669	18	—	—	230 669	18
„ Baukosten des Verwaltungsgebäudes	75 483	64		—	75 483	64
„ Einfriedigung, Kanalisation, Wasserleitung und Beleuchtung	31 853	91	—	—	31 853	91
„ Pflasterung der Zufahrtsgleise zur Schiebebühne 2c. . . .	4 497	94	—	—	4 497	94
„ Oberbau einschließlich Gleisverlegung	767 926	25	5 386	04	773 312	29
„ Errichtung von Nebengebäuden im Betriebsbahnhof . . .	6 186	02	7 113	03	13 299	05
„ elektrische Streckenausrüstung (einschl. Rheinbrücke), Telephonschutznetze, Reserveteile für Oberleitung, Werkzeuge zur Streckenunterhaltung	349 866	82	1 742	55	351 609	37
„ Ausrüstung der Reparaturwerkstätte	27 728	40		—	27 728	40
„ den Wagenpark	434 258	42	3 474	46	437 732	88
„ Uniformierung	10 517	52	—	—	10 517	52
„ Bauleitung, Unvorhergesehenes 2c. bei der Bahnanlage . .	66 688	63	10 000	—	76 688	63
„ Anschaffung von Kletterweichen	1 530	30	—		1 530	30
„ Rückerstattung von Pensionskassebeiträgen	5 357	48		—	5 357	48
„ Errichtung eines provisorischen Wagenschuppens auf dem Bismarckplatze	2 995	41			2 995	41
„ Erbauung einer elektr. Straßenbahn nach der Ingelheimer Au	44 681	37	34 574	28	79 255	65
„ Versetzen von 2 Oktroihäuschen vom Bahnhofsplatz nach dem Bismarckplatz und Ingelheimer Au, sowie Anbringung eines Schutzdachs unter der Eisenbahnbrücke an der Anlage . .	—		1 944	68	1 944	68
„ Erbauung einer elektr. Straßenbahn Kastel—Kostheim . .			130 731	91	130 731	91
„ „ „ „ „ Mombach—Gonsenheim	—	—	15 044	74	15 044	74
„ Ausbau des zweiten Gleises auf dem Kaiser-Wilhelmring zwischen Lessing- und Goethestraße		—	22 999	82	22 999	82
	3 780 099	19	243 272	98	4 023 372	17
Diesen Ausgaben stehen folgende Einnahmen gegenüber:						
Erlös aus verkauften Pferden 2c.	96 385	89	116	85	96 502	74
Wert des früheren Pferdebahn-Depots	277 000	—	—		277 000	—
Kostenersatz der auf Rechnung von Privaten ausgeführten Arbeiten	9 724	01	—		9 724	01
Abschreibung auf die Entschädigungssumme	65 210	31	42 539	10	107 749	41
Tilgung der Baukapitalien	24 473	94	18 499	41	42 973	35
Anteil an dem Vermögen der Pensionskasse für Beamte Deutscher Privateisenbahnen	8 602	86	—	—	8 602	86
Ersatz der Kosten für Anbringung von Telephonschutznetzen . .	11 989	96	—	—	11 989	96
Sonstige Einnahmen	70	—	308	69	378	69
	493 456	97	61 464	05	554 921	02
9. Rubrik 14: Errichtung eines Kanal-Pumpwerks.						
Verausgabt wurden: Für Unterbau	82 342	38	701	81	83 044	19
„ Kanäle	58 414	34	175	99	58 590	33
„ Maschinenhaus	38 665	99	—	—	38 665	99
„ maschinelle Einrichtungen	12 630	55	38 796	91	51 427	46
„ Unvorhergesehenes	1 424	39	1 358	99	2 783	38
	193 477		41 033	70		

Diesen Ausgaben stehen folgende Einnahmen gegenüber:

	Bis Ende 1905 M.	₰	1906 M.	₰	Im ganzen M.	₰
10. Rubrik 19: Erbauung von Straßen und Kanälen in der Neustadt.						
Verausgabt wurden:						
Für Bauleitung, Aufsicht	33 785	50	—	—	33 785	50
Für Erbauung von Straßen	1 704 963	58	139 178	99	1 844 142	57
Für Erbauung von Kanälen einschl. eines Teils des Wildgrabenkanals	719 263	70	24 427	02	743 690	72
Für Erwerbung von Straßengelände	421 048	61	11 933	39	432 982	—
Für bauliche Herstellungen am israelitischen Friedhof an der Mombacherstraße	4 257	16	—	—	4 257	16
Zur Durchführung eines eingeleiteten Enteignungsverfahrens	4 500	—			4 500	—
Rückvergütung zu viel bezahlter Straßenbaukosten	48	82	—		48	82
Beitrag zu den Generalunkosten der Durchbruchsarbeiten an der Kreuzung der Bopp- und Frauenlobstraße	5 200	—	—	—	5 200	—
Zuschuß für den Durchbruch des Kaiser Wilhelm-Ring zwischen Osteinstraße und Josephstraße	3 000	—	—	—	3 000	—
Zuschuß zu den Durchbruchskosten der Boppstraße zwischen Dalbergstraße und Josephstraße	4 000	-		—	4 000	—
Zuschuß zu den Durchbruchskosten der Kurfürstenstraße zwischen Rackstraße und Leibnizstraße	1 500	—		—	1 500	-
Zuschuß zu den Durchbruchskosten der Frauenlobstraße zwischen Leibnizstraße und Bonifaziusstraße	5 000	—		-	5 000	-
Durchbruchskosten der Frauenlobstraße zwischen Gartenfeldstraße und Kreterweg	1 113	73	—	—	1 113	73
Zuschuß zu den Kosten der Schließung des kurzen Hunikelwegs zwischen Kurfürstenstraße und dem Gebiet von Mehl u. Moskopp	—	—	15 000	—	15 000	—
Für Pflasterung von Straßen	164 841	65	54 672	53	219 514	18
	3 072 522	75	245 211	93	3 317 734	68
Diesen Ausgaben stehen folgende Einnahmen gegenüber:						
Von dem Reichsmilitärfiskus die vereinbarte Pauschalsumme für die demselben obgelegenen Leistungen zu den Straßen- und Kanalbaukosten in der Mombacherstraße längs der neuen Goldenen Roßkaserne	41 724	—		—	41 724	
Von demselben desgleichen längs der Kavalleriekaserne vor dem Mombachertor	69 240	—	—	-	69 240	—
Von der Süddeutschen Immobilien-Gesellschaft die vereinbarte Pauschsumme für die von der Stadt betätigte der genannten Gesellschaft obgelegene Fortbewegung von Grund aus der Straße 45	3 000	—	...	—	3 000	—
Revisionsersatzposten	22	—	—	—	22	—
Rückersatz des geleisteten Depositums zur Durchführung eines Enteignungsverfahrens	4 500	—		—	4 500	—
Ersatz von Straßen- und Kanalbaukosten	968 791	90	84 219	14	1 053 011	04
Ersatz von Geländeerwerbungskosten	99 407	19	13 297	84	112 705	03
Ersatz von Durchbruchskosten	5 855	63	2 262	88	8 118	51
Vertragsstrafen	258	—	96	—	354	—
	1 192 798	72	99 875	86	1 292 674	58

	Bis Ende 1905 ℳ	₰	1906 ℳ	₰	Im ganzen ℳ	₰
Diesen Ausgaben stehen folgende Einnahmen gegenüber:						
Der von den Hess. Landständen nachträglich bewilligte Staatsbeitrag	762 000	—	—	—	762 000	—
Beiträge der Hessischen Ludwigsbahn	351 000	—	—	—	351 000	—
Beiträge der Königlich Preußischen Fortifikation	172 928	57	—	—	172 928	57
Revisionsersatzposten	118	—	—	—	118	—
Erlös aus Holz bezw. Ersatz von Abholzungskosten	661	85	—	—	661	85
Rückersatz von Kosten für Bauleitung ꝛc.	1 696	—	—	—	1 696	—
Erlös aus verkauftem und städtischen Fonds überwiesenem Gelände	2 435 101	41	16 712	—	2 451 813	41
Erlös für den verkauften Dampfbagger „Giesendamm" . . .	24 266	65	—	—	24 266	65
	3 747 772	48	16 712	—	3 764 484	48
14. Rubrik 25: Hafenbau.						
Verausgabt wurden:						
Planausarbeitung, Bauleitung und Aufsicht	32 737	37			32 737	37
Anschüttungs- und Planierungsarbeiten	346 518	71		—	346 518	71
Kaibauten	1 047 451	65	—		1 047 451	65
Drehbrücke und Hafeneinfahrt	245 287	40		—	245 287	40
Erbauung der Gebäude im Hafen:						
1. Verwaltungsgebäude	104 853	31		—	104 853	31
2. Lagerhaus	673 731	96	—	—	673 731	96
3. Revisionshalle I und Ölkeller	120 500	30		—	120 500	30
4. Maschinen- und Kesselhaus, sowie Lokomotivschuppen .	95 833	72			95 833	72
5. Erdölhalle	14 080	67	—	—	14 080	67
6. Güterhallen	212 328	89	5 639	24	217 968	13
7. Getreidespeicher	344 886	95			344 886	95
8. Wohn- und Dienstgebäude	101 632	26	—		101 632	26
9. Spritlager	32 766	98			32 766	98
10. Errichtung einer Werkstätte	2 946	90	—	—	2 946	90
Gleisanlagen	360 944	18	3 240	-	364 184	18
Pflasterung und Kanalisierung des Zollhafengebietes	135 499	50	—	—	135 499	50
Maschinelle Betriebseinrichtungen	423 778	63	1 410	69	425 189	32
Schachte und Rohrgräben	10 056	40		—	10 056	40
Dezimalwagen	1 460	—	—	—	1 460	—
Herrichtung von Kohlenlagerplätzen und anderen Lagerplätzen . .	252 878	56	8	04	252 886	60
Einfriedigung des Hafens	17 809	96		—	17 809	96
Elektrische Beleuchtungsanlage	38 273	11		—	38 273	11
	4 616 257	41	10 297	97	4 626 555	38
15. Rubrik 28: Ingelheimer Au.						
Verausgabt wurden:						
Bahnverbindung zwischen Zollhafen und dem neuen Gaswerksgrundstück	95 627	98	—	—	95 627	98
Bahnverbindung zwischen dem Gaswerksgrundstück und dem Werkplatz der Firma Dülken, Kaufhold & Cie.	53 521	90	—	—	53 521	90
Erweiterung der Bahnanlagen	95 570	65	23 348	54	118 919	19
Anschüttungen und Befestigung der Uferböschungen	624 661	92	258 022	15	882 684	07
Straßen- und Kanalanlagen	61 688	16	16 391	66	78 079	82
Vermittlungsgebühren	3 383	67	1 613	64	4 997	31
Erwerbung der Wallgrabenbrücke neben dem Rheintor	1 000	—		—	1 000	—
Herstellung der Normaltiefe im Wachsbleich- u. Mombacher Stromarm	33 076	84	—	—	33 076	84
Erwerbung von Gelände		—	16 332	—	16 332	
	968 531	12	315 707	99	1 284 239	11
Diesen Ausgaben stehen folgende Einnahmen gegenüber:						
Erlös aus verkauftem Gelände	931 615	87	146 592	89	1 078 208	76
Vertragsstrafen	36	—	—	—	36	—
Für Einbau ꝛc. von Privatanschlüssen an das Hafenbahngeleis ꝛc.	—	—	19 116	09	19 116	09
	931 651	87	165 708	98	1 097 360	85

	Bis Ende 1905 ℳ	₰	1906 ℳ	₰	Im ganzen ℳ	₰

11. Rubrik 20: Erbauung von Straßen und Kanälen im Gelände der Nordwestfront.

	Bis Ende 1905 ℳ	₰	1906 ℳ	₰	Im ganzen ℳ	₰
Verausgabt wurden:						
Für Erbauung von Straßen	120 427	21	70 374	18	190 801	39
„ Erbauung von Kanälen	89 549	20	342 148	68	431 697	88
„ Verlängerung des Gonsbachauslasses nach dem Floßhafen	5 734	69	—	—	5 734	69
„ Baureifmachung der Baublöcke	124 548	79	40	—	124 588	79
„ Notariatskosten	1 495	80	269	20	1 765	—
	341 755	69	412 832	06	754 587	75
Diesen Ausgaben stehen folgende Einnahmen gegenüber:						
Ersatz der Kosten für Ausbau einer Kreisstraße nach dem Floßhafen im Zuge der Zwerchallee	19 997	24	—	—	19 997	24
Ersatz der Kosten für Verlegung der Mombacherstraße zwecks Herstellung einer schienenfreien Kreuzung der Alzeyer Linie mit der Mombacher-Landstraße	11 245	50	—	—	11 245	50
Ersatz der Kosten für Befestigung der Fahr- und Gehwege der vier Straßenunterführungen im Bereiche der Umgehungsbahn	—		9 485	42	9 485	42
Erlös für Abbruchmaterialien rc.	8 143	42	4 275	20	12 418	62
Wert des den einzelnen Fonds überwiesenen Geländes rc.	—	—	989 669	50	989 669	50
Vertragsstrafen	6	—	144	—	150	—
	39 392	16	1 003 574	12	1 042 966	28

12. Rubrik 21: Auflassung der Festungsumwallung.

	Bis Ende 1905 ℳ	₰	1906 ℳ	₰	Im ganzen ℳ	₰
Verausgabt wurden:						
Für Vorarbeiten einschl. der Kosten für Bureaubedürfnisse	21 577	80	19 014	35	40 592	15
Für Honorar für Mitwirkung bei Aufstellung des Entwurfs eines Bebauungsplanes	1 200	—	750	—	1 950	—
Für Baureifmachung des Geländes von Fort Korl und Karthaus:						
a) für Einebnungsarbeiten		—	2 790	07	2 790	07
b) Straßenbaukosten	—	—	—	—	—	—
c) Kanalbaukosten	—	—	479	15	479	15
	22 777	80	23 033	57	45 811	37

13. Rubrik 23: Stromkorrektion.

	Bis Ende 1905 ℳ	₰	1906 ℳ	₰	Im ganzen ℳ	₰
Verausgabt wurden:						
Für Vorarbeiten zur Stromkorrektion	2 703	46	—	—	2 703	46
Regulierung des südwestlichen Ufers der Petersau	215 190	44	—	—	215 190	44
Verbreiterung des linken Rheinufers vom Raimunditor abwärts	457 206	18	—	-	457 206	18
Wiedereröffnung des Wachsbleicharmes	147 948	02	—	—	147 948	02
Regulierung des rechtsseitigen Ufers der Ingelheimer Au	176 771	55	—	—	176 771	55
Festungsabschluß am neuen Rheintor	518 575	35	—	-	518 575	35
Anlage des Floßhafens	169 048	50	—	—	169 048	50
Kosten des der Stadt zufallenden fiskalischen Geländes	12 910	04		—	12 910	04
Entschädigung an die Besitzer der Schiffmühlen	25 000	-	—	-	25 000	—
Ankauf eines Dampfbaggers	43 240	28		—	43 240	28
Straßenanlagen	513 841	35	2 125	02	515 966	37
Bauleitung, Aufsicht rc. rc.	37 286	27	—	—	37 286	27
Regulierung der Maarau	4 460	45	—	—	4 460	45
Ankauf und Austausch von Gelände	340 827	49		-	340 827	49
Provisionen für Geländeverkäufe	9 177	85	—	-	9 177	85
Rückerstattung einer Anzahlung auf einen Kaufpreis	1 650	—		-	1 650	--
	2 675 837	23	2 125	02	2 677 962	25

Soll.

IV. Bilanz des Stadterweiterungsfonds

	Ausgaben von 1873 bis 1905 ℳ	₰	für 1906 ℳ	₰	im ganzen ℳ	₰
I. Ankauf von Grundstücken:						
a) an die Festungskasse für das Gelände der Gartenfronte	6 857 142	87	—	—	6 857 142	87
b) für sonstige Grundstücke	856 149	76	—	—	856 149	76
c) für Aufgabe der Belastung über die Unverkäuflichkeit des Böschungsgeländes an der Wallstraße . . .	—	—	37 000	—	37 000	—
II. Erbauung von Straßen und Kanälen	3 690 018	60	56 131	51	3 746 150	11
III. Anlage öffentlicher Plätze	2 369	76		—	2 369	76
IIIa. Ersatzposten	31	80	—	—	31	80
IV. Ausgeliehene Kapitalien	4 948 285	02	—	—	4 948 285	02
V. An die Mainzer Sparkasse Rückzahlung des s. Z. zedierten Ehrhardt'schen Kaufpreises	42 530	—	—	—	42 530	—
VI. Zinsen der Anleihen	5 857 744	26	34 654	24	5 892 398	50
VII. Zinsen von Kaufschillingen	1 181	26	—	—	1 181	26
VIII. Kursverlust und Provision von dem Anlehen bei dem Reichs-Invalidenfonds	19 345	97	—	—	19 345	97
IX. Provision und Kosten bei dem Verkaufe von Wertpapieren	4 639	10	—	—	4 639	10
X. Unterhaltung der Gebäude	33 775	37	—	—	33 775	37
XI. Unterhaltung der Grundstücke	11 404	12	—	—	11 404	12
XII. Steuern und öffentliche Lasten	90 881	86	18	09	90 899	95
XIII. Bauleitung, Aufsicht, Inventar ꝛc.	138 445	90	23	90	138 469	80
XIV. Nachlässe, Herauszahlungen	5 057	57	—	—	5 057	57
XV. Überschuß an das Kapitalkonto	515 510	65	62 118	34	577 628	99
XVI. Rückerstattung der aus der Stadtkasse zur teilweisen Deckung des Defizits des Betriebskontos s. Z. geleisteten Zuschüsse	1 792 267	24	—	—	1 792 267	24
XVII. Überweisungen an den Schloßfreiheitsfonds	317 742	69	59 773	27	377 515	96
XVIII. Rechnungsrest bezw. Ausstände	—	—	629	07	629	07
					25 434 872	22

Activa.	Betrag im einzelnen ℳ	₰	Betrag im ganzen ℳ	₰
I. Kapitalwert nebst zugeschlagenen Zinsen der außerordentlichen Kommunalsteuer von dem Grundbesitze in der Neustadt nach dem Stande am 1. Oktober 1906		—	531 223	45
II. Darlehen an die Stadt Mainz zu 3½%:				
Stand am Schlusse des Rechnungsjahres 1905	1 448 024	58		
Im Rechnungsjahre 1906 wurden zurückerhoben	119 488	35	1 328 536	23
III. Guthaben bei dem Schloßfreiheitsfonds:				
Stand am Schlusse des Rechnungsjahres 1905	317 742	69		
Im Rechnungsjahre 1906 wurden neu überwiesen	59 773	27	377 515	96
IV. Restkaufpreise für verkauftes Gelände	—	—	70 047	12
V. Baugelände:				
624 qm verkäufliche Bauplätze auf der Gartenfronte	35 912	—		
3536 qm Böschungsgelände an der Wallstraße	35 360	—	71 272	—
			2 378 594	76

am Schlusse des Rechnungsjahres 1906.

Haben.

	Einnahmen					
	von 1873 bis 1905		für 1906		im ganzen	
	M.	₰	M.	₰	M.	₰
I. Zurückempfangene Kapitalien	3 500 260	44	119 488	35	3 619 748	79
II. Erlös aus verkauftem Gelände	14 187 449	40	21 910	06	14 209 359	46
III. Ersatz von Straßen- und Kanalbaukosten	302 188	69	17 590	93	319 779	62
IV. Überschuß aus dem Betriebskonto	515 510	65	62 118	34	577 628	99
V. Kursgewinn bei dem Verkaufe von Wertpapieren	12 765	76	—	—	12 765	76
VI. Kursgewinn von dem Anlehen lit. J.	13 860	—	—	—	13 860	—
VII. Außerordentliche Kommunalsteuer vom Grundbesitze in der Neustadt	1 286 219	50	41 728	20	1 327 947	70
VIII. Zuschuß aus der Stadtkasse zur teilweisen Deckung des Defizits des Betriebskontos	1 792 267	24	—	—	1 792 267	24
IX. Zinsen von angelegten Kapitalien	1 132 071	81	50 680	86	1 182 752	67
X. „ „ Kaufschillingen	956 575	53	3 042	97	959 618	50
XI. „ „ Straßen- und Kanalbaukosten	2 641	65	—	—	2 641	65
XII. Miete von Gebäuden	97 375	58	—	—	97 375	58
XIII. Miete von Grundstücken	139 508	17	68	—	139 576	17
XIV. Nebennutzungen von Grundstücken	51 238	72	2	—	51 240	72
XV. Zufällige Einnahmen	39 438	46	1 506	37	40 944	83
XVI. Ersatzposten	426	06	—	—	426	06
Saldo	—	—	—	—	1 086 938	48
					25 434 872	22

Passiva.	Betrag			
	im einzelnen		im ganzen	
	M.	₰	M.	₰
I. Anlehen bei Großh. Staatsschuldentilgungskasse zu 3% 2 571 428,57 M. Abtragung bis Ende 1906 1 484 490,09 „	—	—	1 086 938	48
II. Für Straßen- und Kanalbauten, welche von Ende 1906 ab auf Stadterweiterungsgelände noch auszuführen sind	—	—	127 820	—
Saldo	—	—	1 163 836	28
			2 378 594	76

Soll.

V. Bilanz des Schloßfreiheitsfonds

	Ausgaben					
	bis Ende 1905		für 1906		im ganzen	
	ℳ	₰	ℳ	₰	ℳ	₰
I. Für das Grundstück der Militärbäckerei im Bauquadrat 105:						
a) Geländeerwerb einschl. Gartenfeldsteuer	247 595	67	—	—	247 595	67
b) Straßen- und Kanalbaukosten	—	—	—	—	—	—
II. Für die Kaserne am Barbarossa-Ring:						
a) Geländeerwerb einschl. Gartenfeldsteuer	1 245 718	51	—	—	1 245 718	51
b) Straßen- und Kanalbaukosten	26 870	78		—	26 870	78
c) Beitrag zum Kasernenbau	1 942 000	—		—	1 942 000	—
III. Erwerbung von sonstigem Gelände	1 748 520	—	—	—	1 748 520	—
IV. Herstellung verkäuflicher Bauplätze:						
a) im Gebiete des Reichklaraklosters	6 002	69	—	—	6 002	69
b) " " der Flachsmarktkaserne	3 884	80	—	—	3 884	80
c) " " zwischen Kaiserstraße und Schloßplatz	294 656	48	705	69	295 362	17
V. Notariats- und Vermittlungsgebühren	23 408	60	334	88	23 743	48
VI. Kosten des Bebauungsplanes	11 451	71	—	—	11 451	71
VII. Kapitalabtragungen	1 309 716	80	629 046	73	1 938 763	53
VIII. Zinsen von aufgenommenen Kapitalien	684 391	17	69 262	45	753 653	62
IX. Steuern, Umlagen und sonstige öffentliche Lasten	1 638	28	153	84	1 792	12
X. Unterhaltung der Gebäude	1 222	74	340	42	1 563	16
XI. Rückerstattung von Zuschüssen	—	—	4 251	88	4 251	88
XII. Rechnungsrest bezw. Ausstände	—	—	—	—	—	—
					8 251 174	12

Activa.	Betrag			
	im einzelnen		im ganzen	
	ℳ	₰	ℳ	₰
I. Restkaufpreise	—	—	136 087	94
II. Baugelände:				
1. im Gebiete der Schloßfreiheit:				
a) für städtische Zwecke	792 450	—		
b) für verkäufliches Baugelände	1 144 834	—		
2. im Gebiete der Flachsmarktkaserne:				
a) Baugelände	—	—		
b) Straßengelände	33 360	—		
3. im Gebiete des Reichklaraklosters:				
a) Baugelände	100 192	—		
b) Straßengelände	89 144	—		
4. Welschnonnenkaserne	66 500	—		
5. Lappenhaus	50 000	—		
6. Schlachthausgrundstück (Rest)	42 432	—	2 318 912	—
III. Saldo	—	—	96 302	48
			2 551 302	42

am Schlusse des Rechnungsjahres 1906. Haben.

	Einnahmen					
	bis Ende 1905		für 1906		im ganzen	
	M	₰	M	₰	M	₰
I. Erlös aus verkauften Grundstücken:						
a) aus den neugebildeten Bauquadraten zwischen Kaiserstraße und Schloßplatz	2 460 863	66	299 027	57	2 759 891	23
b) aus dem Gelände des Reichklaraklosters	283 236	32	328 896	—	612 132	32
c) „ „ „ der Flachsmarktkaserne	426 216	—	—	—	426 216	—
d) „ „ „ der Welschnonnenkaserne	—	—	—	—	—	—
e) „ „ „ des Lappenhauses	—	—	—	—	—	—
f) „ „ „ des Schlachthausgrundstücks	18 249	40	1 476	95	19 726	35
II. Erlös von Baumaterialien	53 720	80	686	78	54 407	58
III. Kapitalaufnahme bei der Stadt (Vermögensrechnung)	3 617 539	86	—	—	3 617 539	86
IV. Zinsen von Restkaufpreisen	103 348	14	10 727	66	114 075	80
V. Zuschüsse zur teilweisen Deckung des Fehlbetrages des Betriebskontos:						
a) vom Stadterweiterungsfonds	317 742	69	59 773	27	377 515	96
b) von der Stadt (Betriebsrechnung)	261 602	01	—	—	261 602	01
VI. Miete von Grundstücken	1 310	95	91	—	1 401	95
VII. „ „ Gebäuden	4 463	39	2 201	67	6 665	06
					8 251 174	12

Passiva.	Betrag			
	im einzelnen		im ganzen	
	M	₰	M	₰
I. Schuldigkeit an die Stadtkasse:				
1. Darlehen bei der Vermögensrechnung	1 678 776	33		
2. Zuschüsse zur Deckung des Fehlbetrags des Betriebskontos	257 350	13	1 936 126	46
II. Schuldigkeit bei dem Stadterweiterungsfonds (Zuschüsse zur Deckung des Fehlbetrags des Betriebskontos)			377 515	96
III. Für Straßen- und Kanalbauten im Gebiet der Schloßfreiheit			187 660	—
IV. Wert des Geländes aus dem Schloßplatz, welches in das Unternehmen einbezogen wurde. (Ein Betrag wird vorerst nicht in Ansatz gebracht.)			—	—
V. Anteil des Schloßfreiheitsfonds an der dem hessischen Staat zu zahlenden Abfindungssumme für die Aufgabe des Rechts der Benutzung des Gymnasialgebäudes in der Gymnasiumstraße (Der Betrag wird fällig nach betätigtem Umbau des Justizgebäudes in der Klarastraße zu einem neuen Gymnasium.)			50 000	—
			2 551 302	42

VI. Eröffnungs-Bilanz

Activa.	Betrag im einzelnen ℳ	₰	Betrag im ganzen ℳ	₰
II. Überwiesene Grundstücke:				
a) in der Gemarkung Mainz	3 820 457	67		
b) „ „ „ Mainz — Nordwestfront —	806 337	50		
c) „ „ „ Bretzenheim	285 883	48		
d) „ „ „ Budenheim	7 273	29		
e) „ „ „ Mombach	272 436	59	5 192 388	53
II. In bar zur Bestreitung des Ersatzes der von der städtischen Vermögensrechnung in 1905 bereits verausgabten Beträge zur Baureifmachung der Bauquadrate 123 und 124		—	36 052	57
			5 228 441	10

VIa. Bilanz des Grundstücksfonds am

Activa.	Betrag im einzelnen ℳ	₰	Betrag im ganzen ℳ	₰
I. Grundstücke:				
a) in der Gemarkung Mainz	5 222 842	42		
b) „ „ „ Mainz — Nordwestfront —	806 337	50		
c) „ „ „ Bretzenheim	289 787	92		
d) „ „ „ Budenheim	7 273	29		
e) „ „ „ Mombach	357 736	59	6 683 477	72
II. Restkaufpreise	—	—	146 766	—
III. In bar und Zahlungen für 1907	—	—	101 831	65
			6 932 075	37

des Grundstücksfonds.

Passiva.	Betrag im einzelnen ℳ	₰	Betrag im ganzen ℳ	₰
I. Darlehen von der städtischen Vermögens-Rechnung	—		5 228 441	10
	—	—	5 228 441	10

Schlusse des Rechnungsjahres 1906.

Passiva.	Betrag im einzelnen ℳ	₰	Betrag im ganzen ℳ	₰
I. Schuldigkeit an die Stadtkasse	—	—	5 228 441	10
Saldo	—	—	1 703 634	27
			6 932 075	37

VII. Schulden- und Vermögensstand der Stadt

Schulden.

A. Betriebs- und

		ℳ	₰	ℳ	₰
I. Schuldverschreibungen auf Inhaber.					
1. Anlehen lit. G im Betrage v. 1 500 000 ℳ, verzinslich zu 3½%, Rest Ende 1905	1 195 200 ℳ				
abgetragen in 1906	22 200 „	1 173 000	—		
2. „ „ H im Betrage v. 2 500 000 ℳ, verzinslich zu 3½%, Rest Ende 1905	2 227 300 ℳ				
abgetragen in 1906	23 400 „	2 203 900	—		
3. „ „ J im Betrage v. 3 000 000 ℳ, verzinslich zu 3½%, Rest Ende 1905	2 774 600 ℳ				
abgetragen in 1906	24 100 „	2 750 500	—		
4. „ „ K im Betrage v. 3 000 000 ℳ, verzinslich zu 3½%, Rest Ende 1905	2 604 700 ℳ				
abgetragen in 1906	28 700 „	2 576 000	—		
5. „ „ L im Betrage v. 3 000 000 ℳ, verzinslich zu 3½%, Rest Ende 1905	2 659 600 ℳ				
abgetragen in 1906	27 000 „	2 632 600	—		
6. „ „ M im Betrage v. 5 000 000 ℳ, verzinslich zu 3½%, Rest Ende 1905	4 624 400 ℳ				
abgetragen in 1906	39 900 „	4 584 500	—		
7. „ „ N im Betrage v. 5 000 000 ℳ, verzinslich zu 3½%, Rest Ende 1905	4 949 200 ℳ				
abgetragen in 1906	26 800 „	4 922 400	—		
8. „ „ O im Betrage v. 3 000 000 ℳ, verzinslich zu 4%, Rest Ende 1905	2 969 500 ℳ				
abgetragen in 1906	16 500 „	2 953 000	—		
9. „ „ P, verzinslich zu 4%		4 000 000	—		
10. „ „ Q. „ „ 3½%, im Betrage von 6 000 000 ℳ, wovon erst begeben wurden		3 000 000	—		
11. „ „ R, „ „ 4%		6 000 000	—	36 795 900	—
II. Schuldverschreibungen auf Namen		—	—	—	—
III. Anlehen bei Großh. Hauptstaatskasse zwecks Zahlung des gesetzlichen Zuschusses zu dem Bau der Rhein-Donnersberg-Bahn zu 3%		242 538	63		
abgetragen bis Ende 1906		121 276	03	121 262	60
IV. Anlehen bei dem Stadterweiterungsfonds zu 3½%		1 448 024	58		
in 1906 zurückbezahlt		119 488	35	1 328 536	23
V. Stiftungen und Vermächtnisse.					
1. Stiftungskapitalien, welche z. Zt. nicht verzinslich angelegt, sondern zur Bestreitung von Ausgaben zu Lasten der Kapitalaufnahme verwendet worden sind, siehe E. „Stiftungsvermögen"		291 219	12		
2. Fonds zur Unterstützung der durch die Pulverexplosion am 18. November 1857 Beschädigten:					
Kapitalbestand am 1. April 1906	16 819 ℳ 03 ₰				
Hierzu die Zinsen zu 4½% für 1906	756 „ 86 „				
zusammen	17 575 ℳ 89 ₰				
Ab die für 1906 gezahlten Renten	1 800 „ 08 „	15 775	81	306 994	93
VI. Kautionen (bar gestellte), und zwar:					
1. des Pächters der Ingelheimer Au zu 4%		—	—	3 500	—
VII. Hypotheken und Restkaufpreise.					
1. Hypothek auf dem zur Stadthauserweiterung erworbenen Hause Stadthausstraße 22, verzinslich zu 4%, unkündbar bis 1. Mai 1910		70 000	—		
2. Restkaufpreise für das Gelände in den Bauquadraten 89 und 94		297 713	60		
3. „ „ „ „ „ „ „ 90 und 93	435 536 ℳ — ₰				
abgetragen bis Ende 1906	326 652 „ — „	108 884	—		
zu übertragen		476 597	60	38 556 193	76

Mainz am Ende des Rechnungsjahres 1906.

Vermögen.

Vermögensrechnung.

		ℳ	₰	ℳ	₰
I. Verzinsliche Kapitalien.					
1. Kapitalanlagen bei der Städtischen Sparkasse:					
a) Erneuerungsfonds für das Holzpflaster, Stand Ende 1906 . . .	15 184 ℳ 66 ₰				
b) Fonds für die Selbstversicherung der der Stadt zur Aufbewahrung, zur Bearbeitung oder zum Transport übergebenen Sachen; siehe Rubr. 14. XV; Stand Ende 1906 . . .	14 970 „ 07 „				
c) Reservefonds der Städtischen Bauunfallversicherung; siehe Rubr. 28. III. 2; Stand Ende 1906 . . .	24 537 „ 50 „				
d) Der nicht verwendete Betrag aus den Überweisungen der Städtischen Sparkasse; siehe Rubrik 74; Stand Ende 1906 . . .	57 332 „ 93 „	112 025	16		
2. Restkaufschillinge und sonstige Forderungen:					
a) gestundete Straßenbaukosten nach Rubrik 19 der Vermögensrechnung .	700 ℳ — ₰				
b) Straßen- und Kanalbaukosten, die bis zum Fälligkeitstermin von den anliegenden Grundbesitzern verzinst werden; siehe Rubrik 83. IV. 1—2 der Betriebsrechnung . . .	5 754 „ 98 „				
c) von verkauftem Baugelände nach Rubrik 16 der Vermögensrechnung .	21 400 „ — „				
d) „ „ „ „ „ 19 „ „ .	10 900 „ — „				
e) „ „ „ „ „ 23 „ „ .	12 636 „ — „				
f) „ „ „ „ „ 28 „ „ .	883 707 „ 24 „	935 098	22		
3. Stammanteil der Stadt an dem Aktienkapital des Instituts für physikalische Heilmethoden .		4 000	—		
4. 10 Aktien der Landeshypothekenbank Lit. D. Nr. 23—32 zu 1000 ℳ . . .		10 000	—		
5. Stammanteil der Stadt Mainz bei der Mainzer Volksbank . . .		600	—		
6. Aufwendungen für den Schloßfreiheitsfonds:					
Nach pos. C beträgt die Kapitalschuld dieses Fonds . . .		1 678 776	33		
7. Aufwendungen für das städtische Wasserwerk:					
Nach pos. F beträgt die Kapitalschuld des Wasserwerks . . .		1 200 081	88		
8. Aufwendungen für das städtische Gaswerk:					
Nach pos. G beträgt die Kapitalschuld des Gaswerks . . .		2 670 708	58		
9. Aufwendungen für das städtische Elektrizitätswerk:					
Nach pos. H beträgt die Kapitalschuld des Elektrizitätswerks . . .		2 795 608	28		
10. Aufwendungen für die städtische Straßenbahn:					
Nach pos. I beträgt die Kapitalschuld der Straßenbahn . . .		3 643 546	53		
11. Darlehen an den Grundstücksfonds . . .		5 228 441	10		
12. Darlehen an die Gemeinde Mombach . . .		112 000	—	18 390 886	08
II. Unverzinsliche Forderungen.					
1. Guthaben bei dem Schloßfreiheitsfonds (Zuschuß aus der Betriebsrechnung zur teilweisen Deckung des Fehlbetrags des Betriebskontos des Schloßfreiheitsfonds) . . .	261 602 ℳ 01 ₰				
Abgang in 1906 . . .	4 251 „ 88 „	257 350	13		
2. Gestundete Straßendurchbruchskosten nach Rubrik 19 der Vermögensrechnung . . .		88	—	257 438	13
III. Kassenvorrat.					
Rechnungsrest der Vermögensrechnung Ende 1906 und zwar:					
a) Ausstände . . .		33 934	54		
b) Vorlagen . . .		835 390	—		
c) Vorschüsse an das Gas- und Elektrizitätsamt . . .		203 286	72		
d) „ „ „ Wasserwerk . . .		28 030	45		
e) auf Giro-Konto bei der Reichsbank . . .		72 451	92		
f) Guthaben beim Bankhaus Bamberger & Cie. . . .		104 156	23		
g) Guthaben bei den Bankhäusern Mendelssohn & Cie. und Konf. . . .		3 982 924	25		
h) bar und Zahlungen für das Rechnungsjahr 1907 . . .		487 499	92	5 747 674	03
zu übertragen . .		—	—	24 395 998	24

ferner **A. Betriebs- und**

	ℳ	₰	ℳ	₰
Übertrag . .	476 597	60	38 556 193	76
Ferner VII. **Hypotheken und Restkaufpreise.**				
4. Restkaufpreise für das Gelände in den Bauquadraten 97, 98, 100 und 101 553 680 ℳ — ₰				
abgetragen bis Ende 1906 415 260 „ — „	138 420	—		
5. Kaufpreis für das Haus Bauhofstraße 7, verzinslich zu 4 %, unkündbar vom 1. April 1902 ab auf 5 Jahre	90 000	—		
6. Hypothek auf dem Anwesen Flur X. Nr. $293^{4}/_{10}$ in der Rheinallee, verzinslich zu $4^{1}/_{2}$ %, unkündbar bis 1. Oktober 1910	18 000	—		
7. Hypothek auf dem Anwesen Augustinerstraße 59, verzinslich zu 4 % = 24 000 ℳ, abgetragen in 1906	—	—		
8. Hypothek auf dem Anwesen Augustinerstraße 63, verzinslich zu $4^{1}/_{4}$ % = 48 800 ℳ ist durch Verlauf des Hauses auf den neuen Besitzer übergegangen	—	—		
9. Restkaufpreis für das Gelände Flur X Nr. $397^{1}/_{10}$, verzinslich zu $3^{1}/_{2}$ %, unkündbar bis 1. April 1909	200 000	—		
10. Restkaufpreis für das Gelände Flur XXI Nr. 38, verzinslich zu $3^{1}/_{2}$ %	81 000	—		
11. Restkaufpreis für das Gelände Flur X Nr. $398^{1}/_{10}$, $398^{4}/_{10}$ und 399 = 200 000 ℳ, verzinslich zu $3^{1}/_{2}$ %, fällig in 4 gleichen Jahreszielen am 1. April 1906 und am gleichen Tage der 3 folgenden Jahre; bis Ende 1906 wurden zwei Raten mit je 50 000 ℳ abgetragen; Rest = . . .	100 000	—		
12. Restkaufpreis für das Gelände Flur X Nr. $319^{1}/_{10}$ und $319^{4}/_{10}$ = 30 000 ℳ, verzinslich zu $3^{1}/_{2}$ %, fällig in 3 gleichen Jahreszielen am 1. April 1906 und am gleichen Tage der 2 folgenden Jahre; bis Ende 1906 wurden zwei Raten mit je 10 000 ℳ abgetragen; Rest = ...	10 000	—		
13. Restkaufpreis für das Gelände Flur VII Nr. $149^{5}/_{10}$, Gemarkung Bretzenheim, verzinslich zu $3^{1}/_{2}$ %	3 000	—		
14. Restkaufpreis für das Gelände Flur VII Nr. 102, $102^{5}/_{10}$, 120, 121, 122, 123, 124, $140^{5}/_{10}$, 141, 142, 150 und 151, Gemarkung Bretzenheim, verzinslich zu $3^{1}/_{2}$ %	10 000	—		
15. Restkaufpreis für das Gelände Flur VII Nr. $126^{1}/_{10}$, Gemarkung Bretzenheim, verzinslich zu $3^{1}/_{2}$ % = 3 000 ℳ wurde in 1906 abgetragen	—	—		
16. Restkaufpreis für das Gelände Flur VII Nr. 132, Gemarkung Bretzenheim, verzinslich zu $3^{1}/_{2}$ %	4 000	—		
17. „ „ „ „ „ VII „ 113, „ „ „ „ $3^{1}/_{2}$ %	1 100	—		
18. „ „ „ „ „ VII „ 101, „ „ „ „ $3^{1}/_{2}$ %	4 900	—		
19. „ „ „ „ „ VII „ 188, „ „ „ „ $3^{1}/_{2}$ %	4 700	—		
20. „ „ „ „ „ VII „ $83^{5}/_{10}$ u. 84, „ „ „ „ $3^{1}/_{2}$ %	10 000	—		
21. „ „ „ „ „ XVIII Nr. 176 und Flur XIX Nr. $52^{1}/_{10}$, verzinslich zu $3^{1}/_{2}$ %	10 000	—		
22. „ „ „ „ „ XIX „ $29^{5}/_{10}$, $54^{1}/_{10}$ und $54^{9}/_{10}$, „ „ $3^{1}/_{2}$ %	36 000	—		
23. „ „ „ „ „ XIX „ 43 „ „ $3^{1}/_{2}$ %	9 000	—		
24. „ „ „ „ „ XIX „ $54^{2}/_{10}$ und Flur XX Nr. 7 u. 8, „ „ $3^{1}/_{2}$ %	24 000	—		
25. „ „ „ „ „ XXI „ 15 und 16, „ „ $3^{1}/_{2}$ %	29 000	—		
26. „ „ „ „ in Flur II, III und IV der Gemarkung Mombach und Flur VIII und IX der Gemarkung Budenheim und zwar 2 008 ℳ 64 ₰ unverzinslich und 71 500 ℳ verzinslich zu $3^{1}/_{2}$ %, zusammen 73 588 ℳ 64 ₰, wovon 71 500 ℳ in 1906 abgetragen wurden	2 088	64		
27. Hypothek auf demselben Gelände, verzinslich zu $3^{1}/_{2}$ % = 150 000 ℳ, abgetragen am 1. Juni 1906	—	—		
28. Restkaufpreis für das zur Verbreiterung der Neutorstraße erworbene Gelände, unverzinslich = 5100 ℳ, abgetragen in 1906.	—	—	1 261 806	24
VIII. **Überschüsse der Betriebsrechnungen.**				
Das Guthaben der Betriebsrechnung bei der Vermögensrechnung beträgt:				
Ende des Rechnungsjahres 1897/98 — Rest — . . . . . . 392 961 ℳ 59 ₰				
„ „ „ 1898/99 — Rest — . . . . . . 195 931 „ 06 „				
„ „ „ 1899/1900 — Rest — . . . . . . 364 905 „ 71 „				
„ „ „ 1900/01 — Rest — . . . . . . 64 211 „ 40 „				
„ „ „ 1903/04 — Rest — . . . . . . 90 701 „ 07 „				
zusammen . . 1 048 710 ℳ 83 ₰				
Hiervon wurden im Rechnungsjahre 1904 zurückerhoben . . . . . . 40 371 „ 63 „	1 008 339	20		
Dagegen gehen noch zu:				
1. aus dem Rechnungsjahr 1905 . . . . . . 419 365 ℳ 08 ₰				
2. „ „ „ 1906 . . . . . . 362 810 „ 39 „	782 175	47	1 790 514	67
zu übertragen . .	—	—	41 608 514	67

Vermögensrechnung.

		ℳ	₰	ℳ	₰
IV. **Mobilien** (Wert nach der Feuerversicherung). Übertrag		—	—	24 395 998	24
1. Fünf Zentesimalbrückenwagen		7 500	—		
2. Mobilien und Gerätschaften der Hafenverwaltung, die Dampf- und Portalkranen, Maschinen, Baggermaschine, elektrische Beleuchtungsanlage rc.	367 200 ℳ — ₰				
Zugang in 1906	2 800 „ — „	370 000	—		
3. Maschinelle Einrichtungen und Bureaueinrichtung im Getreidespeicher	128 200 ℳ — ₰				
Zugang in 1906	2 000 —	130 200	—		
4. Mobilien und Gerätschaften rc. des neuen Schlacht- und Viehhofes		420 200	—		
5. Mobilien des Fürstenbergerhofbades		3 000	—		
6. Mobilien des Gartenfeldbades		4 200	—		
7. Einrichtung und Mobilien des Gutenbergbades		21 700	—		
8. Einrichtung der städtischen Apotheke		10 000	—		
9. Mobilien und Gerätschaften rc. der Hafenbahnverwaltung, Lokomotiven	53 000 ℳ — ₰				
Zugang in 1906	6 600 „ — „	59 600	—		
10. Mobiliar im Stadthause		71 600	—		
11. Mobiliar der Wohnungsinspektion und des Bureaus für Statistik und Einquartierungswesen		2 000	—		
12. Mobiliar im Hause Klarastraße 15 (Hochbauamt)		29 000	—		
13. Mobiliar des Amts für Maschinenwesen		4 000	—		
14. Mobiliar im Verwaltungsgebäude in der Stiftstraße (Tiefbauamt)	22 000 ℳ — ₰				
Zugang in 1906	20 000 „ — „	42 000	—		
15. Mobiliar des Tiefbauamts im Hause Stiftstraße Nr. 7		8 500	—		
16. Mobiliar im Stadtkassellokal	7 000 ℳ — ₰				
Zugang in 1906	1 300 „ — „	8 300	—		
17. Mobilien rc. des Polizeiamts und der Polizeistationen		19 500	—		
18. Mobiliar des Gewerbe- und Kaufmannsgerichts		3 600	—		
19. Mobiliar des Arbeitsamtes		1 500	—		
20. Mobilien des Ortsgerichts einschl. des Wertes der Grundbücher und Parzellenkarten		23 000	—		
21. Mobilien und Gerätschaften der Friedhofsverwaltung	1 500 ℳ — ₰				
Zugang in 1906	4 000 „ — „	5 500	—		
22. Mobilien, Lehrmittel und Turngeräte der Volksschulen	333 700 ℳ — ₰				
Zugang in 1906	4 500 „ — „	338 200	—		
23. Mobilien, Lehrmittel und Turngeräte der Oberrealschule, Stand Ende 1906		102 000	—		
24. Mobilien, Lehrmittel und Turngeräte der Höheren Mädchenschule		45 500	—		
25. Mobilien und Lehrmittel der Höheren Handelsschule		3 600	—		
26. Stadtbibliothek, Archiv, Münzkabinett und Gutenberg-Museum	1 014 600 ℳ — ₰				
Zugang in 1906	12 800 „ — „	1 027 400	—		
27. Städtisches Altertums-Museum		489 750	—		
28. Astronomische Uhr		7 000	—		
29. Gemäldegallerie	880 730 ℳ — ₰				
Zugang in 1906	23 190 „ — „	903 920	—		
30. Mobilien des kurfürstlichen Schlosses, einschl. der Kunsttische, Repositorien und Glasschränke		46 000	—		
31. Möbel, Garderobe, Bibliothek, musikalische Instrumente, Dekorationen, Maschinerien rc. des Stadttheaters	437 700 ℳ — ₰				
Zugang in 1906	42 000 „ — „	479 700	—		
32. Mobilien, die Küchen- und Kellereinrichtung, sowie die Vorhänge, Teppiche rc. der Stadthalle		37 600	—		
33. Mobilien, Gerätschaften und Werkzeuge des Straßenbaues		30 800	—		
34. Mobilien, Gerätschaften und Werkzeuge der Stadtgärtnerei		21 800	—		
35. Die Gartenbänke auf den öffentlichen Straßen und Plätzen		7 800	—		
36. Mobilien und Gerätschaften rc. der Reinigungsanstalt	191 100 ℳ — ₰				
Zugang in 1906	17 400 „ — „	208 500	—		
37. Maschinen und Gerätschaften der Pumpstationen	55 800 ℳ — ₰				
Zugang in 1906	46 700 „ — „	102 500	—		
38. Löschgeräte der Feuerwehr	97 400 ℳ — ₰				
Zugang in 1906	22 000 „ — „	119 400	—		
39. Waschanstalten vor dem Fischtor, dem Mühltor und dem Feldbergtor (Abschätzungswert)		11 290	—		
40. Mobilien und Gerätschaften der Oktroiverwaltung, sowie 10 Aufseherhäuschen		7 000	—	5 234 660	—
zu übertragen		—	—	29 630 658	24

ferner A. Betriebs- und

	ℳ	₰		₰
Übertrag . .	—	—	41 608 514	67
zu übertragen . .	—	—	41 608 514	67

Vermögensrechnung.

	ℳ	₰	ℳ	₰	ℳ	₰
Übertrag	—	—	—	—	29 630 658	24
V. **Immobilien.**						
a) **Gebäude:**						
1. Stadthaus	478 400	—				
2. Verwaltungsgebäude in der Stiftstraße mit Grund und Boden	129 600	—				
3. Stadtkassellokal (ohne Grund und Boden)	30 000	-				
4. Karmeliterkloster	495 331	—				
5. Kurfürstliches Schloß	2 249 949	—				
6. Wirtschaftsgebäude ꝛc. in der Anlage	120 732	—				
7. Professorenhäuser in der Betzelgasse	180 348	—				
8. Zollamtsgebäude im Hafen	145 680	—				
9. Wohn- und Dienstgebäude im Hafen	142 012	—				
10. Ehemaliges Stationsgebäude der Nassauischen Staatsbahn (ohne Grund und Boden)	15 000	—				
11. Haus Rheinstraße 57	16 192	—				
12. Anwesen Kellerweg 5 (verkauft in 1906)	—	—				
13. Wert des Straßengeländes in der Forsterstraße zwischen Kurfürstenstraße und Josephstraße, welches von dem Besitzer eines bis jetzt noch unbebauten Bauplatzes bei demnächstiger Bebauung dieses Platzes zu vergüten ist . . .	4 598	84				
14. Türme (ohne Grund und Boden)	82 000	—				
15. Eiserner Turm	1 500	—				
16. Wirtschaftsgebäude auf der Ingelheimer Au (ohne Grund und Boden) . .	75 000	—				
17. Wachthäuschen auf dem Meßplatz (ohne Grund und Boden)	4 850	—				
18. Eichanstalt	92 694	—				
19. Maschinen- und Kesselhaus im Hafen nebst Lokomotivschuppen	140 048	—				
20. 6 Wiegerhäuschen im Hafen (ohne Grund und Boden)	3 800	—				
21. Brückenwärterhäuschen im Zollhafen (ohne Grund und Boden) . . .	1 580	—				
22. Brückenwärterhäuschen im Winterhafen (ohne Grund und Boden) . . .	1 850	—				
23. Lagerhaus im Binnenhafen	861 264	—				
24. Getreidespeicher	421 136	—				
25. Revisionshalle mit Ölkeller	193 024	—				
26. Lager für Petroleum ꝛc.	63 513	-				
27. Spritlager	79 668					
28. Lagerhallen am Rheinufer (ohne Grund und Boden) . 198 620 ℳ — ₰ Zugang in 1906 . . . . 5 600 „ — „	204 220	—				
29. Schlacht- und Viehhof . . . . 2 745 778 ℳ — ₰ Zugang in 1906 . . . . 5 900 „ — „	2 751 678	—				
30. Badeanstalten	190 116	—				
31. Polizeigebäude	362 626	—				
32. Genesungsheim an der Wallstraße nebst Einrichtung	97 294	—				
33. Leichenhaus und Aufseher-Wohnhaus (ohne Grund und Boden)	84 500	-				
34. Volksschullokale	3 772 228	—				
35. Oberrealschule und Höhere Handelsschule (mit Grund und Boden) . .	868 480	—				
36. Schulhäuser für die Höhere Mädchenschule . . . . 635 744 ℳ — ₰ Zugang in 1906 . . . . 400 000 „ — „	1 035 744	—				
37. Stadttheater	1 895 160	—				
38. Stadthalle (mit Musiktempel)	1 036 808	—				
39. Baumaterialien-Magazine (ohne Grund und Boden)	4 200	—				
40. Stadtgärtnerei	93 500	—				
41. Reinigungsanstalt . . . . 259 632 ℳ — ₰ Abgang in 1906 . . . . 3 906 „ — „	255 726	—				
42. Neue Pumpstation	38 665	—				
43. Spritzenmagazine und Steigturm	12 898	—				
zu übertragen . .	18 731 112	84	—	—	29 630 658	24

ferner A. Betriebs- und

	M.	₰	M.	₰
Übertrag . .	—	—	41 608 514	67
Summe A. Betriebs- und Vermögensrechnung . .	—	—	41 608 514	67

Vermögensrechnung.

	M	Pf	M	Pf	M	Pf
Übertrag	18 731 112	84	—	—	29 630 658	24
ferner a) Gebäude:						
44. Bedürfnisanstalten	11 364	—				
45. Musikzelte auf dem Schillerplatz und auf der Kaiserstraße (ohne Grund und Boden)	12 500	—				
46. Wärme- und Unterstandshalle in der Münsterstraße (ohne Grund und Boden)	6 200	—				
47. Oktroihäuser 93 998 M — Pf; Zugang in 1906, Stationsgebäude für Polizei, Oktroi und Straßenbahn 9 000 „ — „	102 998	—				
48. Schuldienerwohnung in der Weißgasse	10 668	—				
49. Oberlehrerwohnung daselbst	14 808	—				
50. Wasenmeisterei in der Gemarkung Bretzenheim — aufgewendete Kosten —	45 576	25				
51. Haus Schlossergasse Nr. 15	10 000	—				
52. „ Schlossergasse Nr. 19	7 000	—				
53. „ Stallgasse Nr. 4	10 000	—				
54. „ Schlossergasse Nr. 25	26 000	—				
55. „ Rosengasse Nr. 12 (ehemalige Entbindungsanstalt)	200 000	—				
56. „ Emmeransstraße Nr. 34/36	24 000	—				
57. „ Stallgasse Nr. 10	10 250	—				
58. „ Schlossergasse Nr. 18	5 500	—				
59. „ Schlossergasse Nr. 20	7 500	—				
60. Anwesen Rheinallee Nr. 35 (Depotgebäude der früheren Pferdebahn) } jetzt Grundstücksfonds	—	—				
61. Hofreite, Gemarkung Bretzenheim, Flur VIII Nr. 205 5/10 } jetzt Grundstücksfonds	—	—				
62. Haus Alte Universitätsstraße Nr. 11 1/10	30 000	—				
63. „ Schlossergasse Nr. 44	9 500	—				
64. „ „ „ 46	10 000	—				
65. „ „ „ 36	10 500	—				
66. Kaponnieren am Rheinufer	40 000	—	19 365 477	69		
b) **Grundstücke**:						
1. Baugelände 1 059 546 M — Pf; Abgang im Jahre 1906 346 935 „ 25 „	712 610	75				
2. Hofreitegründe	3 911	80				
3. Material- und Lagerplätze	329 327	20				
4. Feldgüter 3 840 022 M 46 Pf; Zugang im Jahre 1906 3 750 697 „ 44 „	89 325	02				
5. Gärten innerhalb der Stadt	—	—				
6. Reule und Durchgänge	—	—				
7. Stadtmauer	55 553	40				
8. Begräbnisplätze	63 046	67				
9. Brunnen und Brunnenstuben	249 650	—				
10. Flutgräben und Bäche	—	—				
11. Rheinufer und Rheinpromenade	—	—				
12. Zu Hafenzwecken benutztes Gelände	2 456 170	50				
13. Rheinhäfen: Wasserflächen	397 378	—	4 356 976	34		
c) Bahnanlagen	552 000	—				
Zugang in 1906	23 000	—	575 000	—	24 297 453	43
VI. Nutzbare Rechte						
Der im 25fachen Betrage der Jahreseinnahme bestehende Kapitalwert des Jagdrechtes und der Grundrenten	—	—	—	—	5 832	50
Summe A. Betriebs- und Vermögensrechnung	—	—	—	—	53 933 944	17

B. Stadterweiterungs-

	M.	₰	M.	₰
I. **Anlehen bei Großh. Staatsschuldentilgungskasse zu 3%**	2 571 428	57		
Abtragung bis Ende 1906	1 484 490	09	1 086 938	48
Summe B. Stadterweiterungsfonds	.	.	1 086 938	48

C. Schloßfreiheits-

	M.	₰	M.	₰
I. **Schuldigkeit an die Stadtkasse** (Darlehen von der Vermögensrechnung)	2 307 823	06		
Abgang in 1906	629 046	73	1 678 776	33
II. **Schuldigkeit an dieselbe** (Zuschüsse zur teilweisen Deckung des Fehlbetrags des Betriebskontos)	261 602	01		
Abgang in 1906	4 251	88	257 350	13
III. **Schuldigkeit an den Stadterweiterungsfonds** (desgleichen)	317 742	69		
Zugang in 1906	59 773	27	377 515	96
Summe C. Schloßfreiheitsfonds	—	—	2 313 642	42

D. Grundstücks-

	M.	₰	M.	₰
I. **Schuldigkeit an die Stadtkasse** (Darlehen von der Vermögensrechnung)	—	—	5 228 441	10
Summe D. Grundstücksfonds	—	—	5 228 441	10

E. Orchester-

	M.	₰	M.	₰
Nichts	—	—	—	—
Summe E. Orchesterfonds	-	—	—	—

Fonds.

	ℳ	₰	ℳ	₰
I. **Außerordentliche Kommunalsteuer von dem Grundbesitze in der Neustadt.**				
Kapitalwert nach dem Stande am 1. Oktober 1906	—	.	531 223	42
II. **Restkaufpreise für verkauftes Gelände**	—	—	70 047	12
III. **Verzinsliche Kapitalien.**				
Darlehen an die Stadt Mainz. Stand Ende 1905	1 448 024	58		
Im Jahre 1906 wurden zurückerhoben	119 488	35	1 328 536	23
IV. **Guthaben bei dem Schloßfreiheitsfonds**	317 742	69		
Zugang im Jahre 1906	59 773	27	377 515	96
V. **Baugelände.**				
Nach der Bilanz des Stadterweiterungsfonds, Seite 472, waren Ende 1906 an Baugelände vorhanden 624 qm. Dieses Gelände hat nach der Abschätzung einen Wert von	—	-	35 912	—
VI. **Böschungsgelände an der Wallstraße**	—	—	35 360	—
Summe B. Stadterweiterungsfonds	—	—	2 378 594	76

Fonds.

	ℳ	₰	ℳ	₰
I. **Restkaufpreise für verkauftes Baugelände**	—	—	136 087	94
II. **Baugelände.**				
Nach der Bilanz des Schloßfreiheitsfonds, Seite 474, ist der Wert des Baugeländes und der Gebäulichkeiten angenommen zu	—	—	2 318 912	—
Summe C. Schloßfreiheitsfonds	—	—	2 454 999	94

Fonds.

	ℳ	₰	ℳ	₰
I. **Grundstücke.**				
Nach der Bilanz des Grundstücksfonds, Seite 476, ist der Wert der Grundstücke und der Gebäulichkeiten angenommen zu	—	—	6 683 477	72
II. **Restkaufpreise für verkauftes Gelände**	—	—	146 766	—
III. **Barvorrat**	—	—	101 831	65
Summe D. Grundstücksfonds	—	—	6 932 075	37

Fonds.

	ℳ	₰	ℳ	₰
I. **Verzinsliche Kapitalien.**				
Vermächtnis des Rentners Gerock	—	—	3 000	—
II. **Immobilien.**				
Schott'sche Häuser	—	—	461 640	—
III. **Mobilien.**				
Musikalische Instrumente, Noten, Mobilien nach dem Brandversicherungswerte	—	—	15 500	—
Summe E. Orchesterfonds	—	—	480 140	—

	F. Stiftungs-			
	ℳ	₰	ℳ	₰
Nichts	—	—	—	
	—	—	—	—

ferner **Vermögen.**

Fonds.

	Kapitalanlagen bei der Stadtkasse		bei der Städtischen Sparkasse		in Wertpapieren und Hypotheken 2c.		im ganzen	
	ℳ	₰	ℳ	₰	ℳ	₰	ℳ	₰
I. Stiftungen zur Unterstützung von Armen.								
1. Vermächtnis der Freifrau von Eberstein	20 571	43	—	—	—	—	20 571	43
2. „ des Rentners Lazarus Hamburg	32 571	43	—	—	—	—	32 571	43
3. „ der Frau Elise Schmutz, Witwe von Georg Friedrich Stöhr	17 142	86	—	—	—	—	17 142	86
4. Desgleichen von derselben	17 142	86	—	—	—	—	17 142	86
5. Vermächtnis der Witwe Deninger, geborene Dahm	5 142	86	—	—	—	—	5 142	86
6. „ von Paul Christ	7 619	03	—	—	—	—	7 619	03
7. „ des Großh. Bezirksgerichtsrats Dr. Arens	—	—	10 042	86	7 100	—	17 142	86
8. „ des Samuel Oppenheim	—	—	9 500	—	—	—	9 500	—
9. „ des Rentners Adam Heinrich Knecht	—	—	13 028	57	—	—	13 028	57
10. „ des Rentners Adolf Du Mont	7 600	—	—	—	—	—	7 600	—
11. „ von Peter Schmitt III.	9 771	43	—	—	—	—	9 771	43
12. „ des Rentners Heinrich Scharhag	—	—	—	—	5 700	—	5 700	—
13. „ des Rentners Karl Friedrich Eduard Wachter	—	—	3 500	—	—	—	3 500	—
14. Michael Kleemann'sche Stiftung	—	—	2 400	—	27 600	—	30 000	—
15. Vermächtnis des Rentners Friedrich Karl Küchen	—	—	300	—	—	—	300	—
16. Schenkung der Erben des Weinhändlers Julius Walther	—	—	1 000	—	—	—	1 000	—
17. „ des S. Marx aus dem Nachlaß des Dr. Noiré	—	—	2 000	—	—	—	2 000	—
18. „ des Joh. Bapt. Amelburger	—	—	1 500	—	—	—	1 500	—
19. „ des Geh. Kommerzienrat Karl Franz Deninger	—	—	100 000	—	—	—	100 000	—
20. „ der Victor Salm Witwe	—	—	1 000	—	—	—	1 000	—
21. „ des Rentners Peter Zuckmayer	—	—	5 000	—	—	—	5 000	—
22. Vermächtnis des Johann Weisert	—	—	50 000	—	—	—	50 000	—
23. „ des Simon Kapp — für den Zigarrenspitzenverein	—	—	10 000	—	—	—	10 000	—
24. „ des Dr. Joseph Röder	—	—	10 000	—	—	—	10 000	
II. Stiftungen zur Unterstützung von Witwen.								
1. Vermächtnis der Frau Klara Kiehl, Witwe von Christian Lindner	13 714	28	—	—	—	—	13 714	28
2. „ des Rentners Heinrich Rohaschek in Aschaffenburg	4 457	40	—	—	—		4 457	40
3. „ der Frau Andreas Munsch Witwe	—	—	—	—	7 200	—	7 200	—
4. Valentin Pfister-Stiftung	—	—	6 322	24	8 444	—	14 766	24
III. Stiftungen zum Besten von Waisen.								
1. Ludwig-Mathilde-Stiftung	3 428	57	—	—	—	—	3 428	57
2. Prälat Schmitt-Stiftung	—	—	10 887	50	—	—	10 887	50
3. Vermächtnis der Joseph Belz II. Eheleute von Laubenheim	—	—	—	—	8 000	—	8 000	—
4. Wendel-Weiler-Stiftung	—	—	8 000		2 000	—	10 000	
IV. Vermächtnisse zur Gewährung von Heirats-Aussteuern.								
1. Vermächtnis der Frau Betty von Braunrasch, Witwe von Franz Schott	20 571	43	—	—	—	—	20 571	43
V. Stiftungen zur Unterstützung von Handwerkern.								
1. Vermächtnis des Rentners Großmann	43 626	86	—	—	—	—	43 626	86
2. „ des Rentners Fr. Deninger	428	57	—	—	—	—	428	57
3. „ der Witwe Johann Schmitt V.	13 714	29	—	—	—	—	13 714	29
4. „ der Erben von Karl Deninger	1 714	29	—	—	—	—	1 714	29
5. „ der Frau Klara Kiehl, Witwe von Christian Lindner	13 714	28	—	—	—	—	13 714	28
zu übertragen	232 934	87	244 461	17	66 044	—	543 437	04

ferner F. Stiftungs-

	M	₰	M	₰
	—	-	—	—
	—	—	—	—

Fonds.

	Kapitalanlagen bei der Stadtkasse		bei der Städtischen Sparkasse		in Wertpapieren und Hypotheken rc.		im ganzen	
	M	₰	M	₰	M	₰	M	₰
Übertrag . .	232 931	87	244 461	17	66 044	—	543 437	04
ferner V. **Stiftungen zur Unterstützung von Handwerkern.**								
6. Vermächtnis der Frau Betty von Braunrasch, Witwe von Franz Schott	13 714	28	—	—	—	—	13 714	28
7. Simon Lorch-Stiftung	—	—	—		16 000	—	16 000	—
8. Vermächtnis der Peter Oberle Witwe	—	—	6 000	—	—	—	6 000	—
9. „ der Ehegatten Valentin Lorenz Kajetan Süß und Anna Maria geb. Becker	—	—	6 000	—	—	—	6 000	—
10. Vermächtnis von Johann Anselm Schott . . .	—	—	12 000	—	—	—	12 000	—
11. Wendel Weiser-Stiftung	—		12 764	51	31 500	—	44 264	51
VI. **Seiftungen für Bildungszwecke.**								
1. Vermächtnis der Frau Elise Schmutz, Witwe von Georg Friedrich Stöhr	6 857	14	—	—	—	—	6 857	14
2. Reichhuber'scher Technikerfonds	21 000	—	—	—	—	—	21 000	—
3. Joseph Leo Reinach'sche Stiftung	3 969	—	—		—	—	3 969	—
4. Vermächtnis des Privatmanns Karl Schion . .	—	—	4 140		—	—	4 140	—
5. „ „ Kaufmanns Georg Schwarz .	—	—	9 200		—	—	9 200	—
6. „ „ Weinhändlers Gustav Hirsch	—	—	—	—	100 000	—	100 000	—
7. „ der Eheleute Ignaz Krömer . . .	—	—	15 000	—	—	—	15 000	—
VII. **Dotation dee Sparkasse.**								
Stiftungskapital der Stade	3 428	57	—	—	—	—	3 428	67
VIII. **Vermächtnisse zur Errichtung einer Blindenanstalt.**								
Vermächtnisse des Konrad Moritz, Philipp David Engelbach, Wilhelm Städel und Anna Maria Engelbach zuzüglich der bis Ende 1906 kapitalisierten Zinsen . . .	—	—	116 172	32	—	—	116 172	32
IX. **Fonds zur Unterstützung von Wasserbeschädigten,** zuzüglich der bis Ende 1906 kapitalisierten Zinsen . . . . (Aus diesem Fonds wurde am 1. September 1908 eine Beihilfe von 1 500 M. an einen Gärtnereibesitzer in Zahlbach bewilligt.)	—	—	46 876	69	—	—	46 876	69.
X. **Stiftungen zur Pflege der Musik und Kunst.**								
Vermächtnis des Rentners Adam Heinrich Knecht . .	—	—	1 628	58	—	—	1 628	58
„ „ „ Joseph Seemann . . .	—	—	50 000	—	—	—	50 000	—
XI. **Jean Baptiste und Wilhelm Hofmann'sche Stiftung** . .	—	—	2 671	60	337 500	—	340 171	60
XII. **Simon Blad'sche Stiftung**	—	—	3 465	95	232 600	—	236 065	95
XIII. **Simon Kapp'sches Vermächtnis** (Zuwachs in 1906 = 7638,07 M.) .	—	—	20 284	86	467 962	86	488 247	72
Summe I—XIII . .	281 900	86	550 665	68	1 251 606	86	2 084 173	40

	ferner F. Stiftungs-			
	ℳ	₰	ℳ	₰
	—	—	—	—
Summe F. Stiftungsfonds	—	—	—	—

Fonds.

	Kapitalanlagen bei der Stadtkasse ℳ	₰	bei der Städtischen Sparkasse ℳ	₰	in Wertpapieren und Hypotheken ꝛc. ℳ	₰	im ganzen ℳ	₰
XIV. Stiftungen zur Unterhaltung von Grabstätten.								
1. **Vermächtnis** des Rentners Großmann .	171	43	—	—	—	—	171	43
2. „ der Eheleute Emig .	191	14	—	—	—	—	191	14
3. „ von Adolf Feigel Witwe .	342	85	—	—	—	—	342	85
4. „ der Gräflichen Familie von Eltz .	514	28	—	—	—	—	514	28
5. „ von Adam Müller .	342	85	—	—	—	—	342	85
6. „ der Frau Kathinka Zitz .	342	86	—	—	—	—	342	86
7. „ der Familie Wilhelm Hofmann .	1 028	57	—	—	—	—	1 028	57
8. „ der Theodor Maas Erben .	342	86	—	—	—	—	342	86
9. „ der J. N. Boudin Witwe (s. auch Ord.-Nr. 39) .	400	—	—	—	—	—	400	—
10. „ der Frau Johanna Hastenteufel .	814	28	—	—	—	—	814	28
11. „ der Andreas Munich Witwe .	350	—	—	—	—	—	350	—
12. „ von Georg Ludwig Färber .	400	—	—	—	—	—	400	—
13. „ der Familie Le Roux .	900	—	—	—	—	—	900	—
14. „ von Philipp Heinrich Amvt Eheleute .	1 200	—	—	—	—	—	1 200	—
15. „ von Konrad Janz .	977	14	—	—	—	—	977	14
16. „ der Peter Oberle Witwe .	1 000	—	—	—	—	—	1 000	—
17. „ der Christian Ring Witwe .	—	—	1 500	—	—		1 500	—
18. „ der Georg Möckel Witwe .	—	—	1 500	—	—	—	1 500	—
19. „ von Joh. Bapt. Amelburger Eheleute .	—	—	2 000	—	—	—	2 000	—
20. „ der Georg Mazière Witwe .	—	—	2 000	—	—	—	2 000	—
21. „ des Heinrich Ad. Schneberger .	—	—	1 000	—	—	—	1 000	—
22. „ der Johannes Simon Witwe .	—	—	1 000	—	—	—	1 000	—
23. „ der Wilhelm Hoch Witwe .	—	—	3 800	—	—	—	3 800	—
24. „ der Joh. Bapt. Heimen Witwe .	—	—	1 500	—	—	—	1 500	—
25. „ der Elisabeth Wolf Witwe .	—	—	1 500	—	—	—	1 500	—
26. „ der Thomas Hofmeister Witwe .	—	—	2 000	—	—	—	2 000	—
27. „ des Karl Franz Deninger .	—	—	2 000	—	—	—	2 000	—
28. „ der Luise Steuernagel .	—	—	1 445	—	—	—	1 445	—
29. „ der Dr. Karl Gaßner Erben .	—	—	2 000	—	—	—	2 000	—
30. „ des Veteranenvereins .	—	—	2 100	—	—	—	2 100	—
31. „ der Friedrich Schöller Witwe .	—	—	4 707	—	—	—	4 707	—
32. „ der Barbara Nicolai .	—	—	2 853	—	—	—	2 853	—
33. „ des Franz Joseph Seemann .	—	—	2 000	—	—	—	2 000	—
34. „ des Valentin Pfister .	—	—	2 000	—	—	—	2 000	—
35. „ der Eheleute Ignaz Krämer .	—	—	3 000	—	—	—	3 000	—
36. „ des Joh. Gottfr. Stumpf u. Bernh. Bornemann .	—	—	2 000	—	—	—	2 000	—
37. „ der Eleonore Josephine Held .	—	—	2 000	—	—	—	2 000	—
38. „ der Katharina Josephine Christine Berdellé .	—	—	2 000	—	—	—	2 000	—
39. „ der Vereinigung ehemaliger Boudin-Schüler (siehe auch Ordn.-Nr. 9) .	—	—	120	—	—	—	120	—
40. „ des Simon Kapp .	—	—	2 300	—	—	—	2 300	—
41. „ des Pfarrer Meinhardt .	—	—	1 000	—	—	—	1 000	—
42. „ der Margarete Marcuse Wwe. und deren Erben	—	—	10 000	—	—	—	10 000	—
Summe XIV . .	9 318	26	59 325	—	—	—	68 643	26
XV. Fonds zur Unterstützung der durch die Pulverexplosion am 18. November 1857 Beschädigten. Stand Ende März 1907 .	15 775	81	—	—	—	—	15 775	81
XVI. Fonds für das Gutenberg-Museum. Stand Ende des Rechnungsjahres 1906 .	—	—	67 216	96	—	—	67 216	96
XVII. Baske-Stiftung. Stand Ende des Rechnungsjahres 1906 .	—	—	18 574	30	57 254	—	75 828	30
Summe XVII . . .	—	—	18 574	30	57 254	—	75 828	30
Hierzu: „ I—XIII . . .	281 900	86	550 665	68	1 251 606	86	2 084 173	40
„ XIV . . .	9 318	26	59 325	—	—	—	68 643	26
„ XV . . .	15 775	81	—	—	—	—	15 775	81
„ XVI . . .	—	—	67 216	96	—	—	67 216	96
Summe F. Stiftungsfonds . .	306 994	93	695 781	94	1 308 860	86	2 311 637	73

G. Städtisches

		Ursprungs-Kapital ℳ	₰	Tilgungen bis Ende 1906 ℳ	₰	Restschuld Ende 1906 ℳ	₰
Kapitalschuld bei der Stadt:							
Für die Gebäude Walpodenstraße 19 und 21		370 000	—	159 900	—	210 100	—
Für das Stadtrohrnetz, Ausgaben bis Ende 1905	881 976 ℳ 59 ₰						
Zugang in 1906	50 778 „ 74 „	932 755	33	290 239	48	642 515	85
Für die Wassermesser, Ausgaben bis Ende 1905	192 434 ℳ 73 ₰						
Zugang in 1906	8 567 „ 50 „	201 002	23	140 465	73	60 536	50
Für die in 1899/1900 genehmigten Erweiterungsbauten:							
a) Provisorische Anlagen		179 774	52	118 208	05	61 566	47
b) Definitive Anlagen, abzüglich 126 ℳ 50 ₰ Einnahme		290 924	40	65 561	34	225 363	06
Für eine Zubringerpumpe im Werk Walpodenstraße:							
Ausgaben bis Ende 1905	17 688 ℳ 44 ₰						
Zugang in 1906	13 239 „ 66 „	30 928	10	30 928	10	—	—
Summe G. Städtisches Wasserwerk		2 005 384	58	805 302	70	1 200 081	88

H. Städtisches

		Ursprungs-Kapital ℳ	₰	Tilgungen bis Ende 1906 ℳ	₰	Restschuld Ende 1906 ℳ	₰
Kapitalschuld bei der Stadt:							
Für das Geschäftshaus einschl. Provision rc.		86 319	77	19 319	77	67 000	—
Für Anschaffung von Gasmessern. Ausgaben bis Ende 1905	484 766 ℳ 87 ₰						
Zugang in 1906	36 519 „ 19 „	521 286	06	289 954	45	231 331	61
Für neugelegte Rohrstrecken. Ausgaben bis Ende 1905	310 841 ℳ 57 ₰						
Zugang in 1906	41 131 „ 62 „	351 973	19	160 287	47	191 685	72
Für das Werk an der Weisenauer Straße:							
Restliche Erweiterungsbauten — Hochbauten		172 550	53	146 668	01	25 882	52
Für das neue Werk auf der Ingelheimer Au:							
Aufwendungen bis Ende 1906 nach Abzug der unmittelbaren Einnahmen		2 550 750	69	733 656	69	1 817 094	—
Für das Gelände des Werkes an der Weisenauer-Straße		90 000	—	—	—	90 000	—
Für die Koksgasanlage, Aufwendungen bis Ende 1906		247 714	73	—	—	247 714	73
Summe H. Städtisches Gaswerk		4 020 594	97	1 349 886	39	2 670 708	58

Wasserwerk.

	M	₰	M	₰
I. **Wert der Gebäude** Walpodenstraße 19 und 21 nach der Abschätzung Ende 1902/03	—	—	288 000	—
II. **Wert der Brunnen, Pumpwerke, Maschinen** ꝛc. Stand Ende 1905	317 688	44		
Zugang in 1906	13 239	66	330 928	10
III. **Wert der Weilonauer Anlage und Druckrohrleitung nach dem neuen Hochbehälter,** nach der Abschätzung Ende 1902/03	—	—	258 000	—
IV. **Hochbehälter am Hechtsheimerberg und Fallrohrleitung nach der Stadt** nach der Abschätzung Ende 1902/03	—	—	290 000	—
V. **Wasserleitungsrohrnetz,** Stand Ende 1905	879 980	74		
Zugang in 1906	50 778	74	930 759	48
VI. **Wassermesser,** Stand Ende 1905	153 139	90		
Zugang in 1906	8 567	50	161 707	40
VII. **Mobilien** (Abschätzung)	—	—	1 500	—
Summe G. Städtisches Wasserwerk	—	—	2 260 894	98

Gaswerk.

	M	₰	M	₰
I. **Altes Werk an der Weisenauerstraße.**				
a) Gebäude } Stand Ende 1905	400 000	—		
b) Innere Einrichtungen } Stand Ende 1905	250 000	—		
c) Mobilien, Werkzeuge und Geräte } Stand Ende 1905	10 000	—		
d) Grund und Boden, Zugang in 1906	90 000	—	750 000	—
II. **Neues Werk auf der Ingelheimer Au.**				
a) Gebäulichkeiten mit Grund und Boden, Pflasterung, Kanalisation und Einfriedigung, Stand Ende 1905	1 363 000	—		
b) Maschinen, Apparate, Retortenöfen und Gasbehälter	777 500	—		
c) Dampf-, Gas- und Wasserleitungen	70 811	38		
d) Gleisanlagen	62 000	—		
e) Mobilien und Geräte	21 500	—		
f) Zuleitung zur Stadt	230 000	—		
g) Cyanwäscher	27 443	62		
h) Koksgasanlage, Aufwendungen bis Ende 1906	247 714	73	2 799 969	73
III. **Verwaltungsgebäude, Petersplatz 7**	—	—	100 000	—
IV. **Gasmesser,** Stand Ende 1905	412 109	99		
Zugang in 1906	36 519	19	448 629	18
V. **Stadtrohrnetz,** Stand Ende 1905	716 990	48		
Zugang in 1906	41 131	62	758 122	10
VI. **Kandelaber und Laternen,** Stand Ende 1905	201 130	40		
Zugang in 1906	14 800	—	215 930	40
VII. **Anteil an dem Stammkapital der „Wirtschaftlichen Vereinigung deutscher Gaswerke“** = 1200 M., worauf vorerst nur 25% eingezahlt worden sind	—	—	300	—
Summe H. Städtisches Gaswerk	—	—	5 072 951	41

J. Städtisches

	Ursprungs-Kapital		Tilgungen bis Ende 1906		Restschuld Ende 1906	
	ℳ	₰	ℳ	₰	ℳ	₰
Kapitalschuld bei der Stadt:						
Für den Bau des Werks (Aufwendungen bis Ende 1905 nach Abzug der unmittelbaren Einnahmen) . . . . 2 886 199 ℳ 55 ₰ Zugang in 1906 . . . . 178 154 „ 75 „	3 064 354	30	912 494	31	2 598 866	35
Für die in 1904 genehmigten Erweiterungsbauten: Aufwendungen bis Ende 1905 . . . . . . 436 745 ℳ 35 ₰ Zugang in 1906 . . . . 10 261 „ 01 „	447 006	36				
Für die Umformerstation: Aufwendungen bis Ende 1905 . . . . . . 218 369 ℳ 39 ₰ Zugang in 1906 . . . . 1 522 „ 16 „	219 891	55	23 149	62	196 741	93
Summe J. Städtisches Elektrizitätswerk . .	3 731 252	21	935 643	93	2 795 608	28

K. Städtische

	Ursprungs-Kapital		Tilgungen bis Ende 1906		Restschuld Ende 1906	
Kapitalschuld bei der Stadt:	ℳ	₰	ℳ	₰	ℳ	₰
Entschädigungssumme an die Süddeutsche Eisenbahngesellschaft nebst den entstandenen Kosten nach Abzug der unmittelbaren Einnahmen	1 043 486	72	107 749	41	935 737	31
Kaufpreis für den Grund und Boden der Wagenhalle, des Verwaltungsgebäudes, der Werkstätten rc.	242 016	—	2 462	51	239 553	49
Für Gebäude, Aufwendungen bis Ende 1905 . . . . 335 404 ℳ 58 ₰ Zugang in 1906 nach Abzug der unmittelbaren Einnahmen 8 749 „ 02 „	344 153	60	2 918	66	341 234	94
Für den Wagenpark, Aufwendungen bis Ende 1905 . . 434 258 ℳ 42 ₰ Zugang in 1906 . . . . 18 474 „ 46 „	452 732	88	4 180	82	448 552	06
Für den Oberbau, Kabel, Oberleitungen rc., Aufwendungen bis Ende 1905 nach Abzug der unmittelbaren Einnahmen . . . . . 1 097 308 ℳ 06 ₰ Zugang in 1906 . . . . 30 128 „ 41 ₰	1 127 436	47	10 771	48	1 116 664	99
Für maschinelle Anlagen, Aufwendungen bis Ende 1905	41 014	51	3 923	—	37 091	51
Für Uniformierung, Aufwendungen bis Ende 1905	10 517	52	7 886	16	2 631	36
Für Vorarbeiten, Bauleitung, Unvorhergesehenes, Aufwendungen bis Ende 1905 nach Abzug der unmittelbaren Einnahmen . . . . 126 292 ℳ 11 ₰ Zugang in 1906 . . . . 20 261 „ 47 „	146 553	58	6 054	86	140 498	72
Für den provisorischen Wagenschuppen auf dem Bismarckplatz, Aufwendungen bis Ende 1905	2 995	41	2 995	41	—	—
Für die Erbauung einer elektrischen Straßenbahn nach der Ingelheimer Au, Aufwendungen bis Ende 1905 nach Abzug der unmittelbaren Einnahmen 44 631 ℳ 37 ₰ Zugang in 1906 . . . . 39 574 „ 28 „	84 205	65	250	15	83 955	50
Für Kletterweichen, Aufwendungen bis Ende 1905	1 530	30	1 530	30	—	—
Für die Erbauung einer elektrischen Straßenbahn nach Kostheim, Aufwendungen bis Ende 1906	165 581	91	—	—	165 581	91
Für die Erbauung einer elektrischen Straßenbahn nach Gonsenheim, Aufwendungen bis Ende 1906	132 044	74	—	—	132 044	74
Summe K. Städtische Straßenbahn . .	3 794 269	29	150 722	76	3 643 546	53

Elektrizitätswerk.

	ℳ	₰	ℳ	₰
I. **Grund und Boden nebst Gebäulichkeiten und Baukran**, Stand Ende 1905	856 594	25		
Zugang in 1906	10 658	83	867 253	08
II. **Dampfkessel, Rohrleitungen, Speisepumpen, Akkumulatoren, Werkzeuge, Mobilien** rc., Stand Ende 1905	326 837	29		
Zugang in 1906	37 566	59	364 403	88
III. **Dampfdynamos, Erregeranlage und Schalttafeln**, Stand Ende 1905	659 861	44		
Zugang in 1906	2 650	18	662 511	62
IV. **Gleisanlagen** nach der Abschätzung Ende 1902/03	—	—	19 500	—
V. **Kabelnetz und Transformatoren**, Stand Ende 1905	1 155 533	21		
Zugang in 1906	97 082	13	1 252 615	34
VI. **Kabelanschlüsse**, Stand Ende 1905	84 549	27		
Zugang in 1906	4 612	89	89 162	16
VII. **Elektrizitätsmesser**, Stand Ende 1905	216 560	12		
Zugang in 1906	35 845	14	252 405	26
VIII. **Gebäude der Umformerstation nebst Grund und Boden**, Stand Ende 1905	—	—	103 010	48
IX. **Fernleitungen, elektrische Einrichtung, Bauleitung** rc., Stand Ende 1905	115 358	91		
Zugang in 1906	1 522	16	116 881	07
Summe J. Städtisches Elektrizitätswerk	—	—	3 727 742	89

Straßenbahn.

	ℳ	₰	ℳ	₰
I. **Aufwendungen für den Bau der Bahn bis Ende 1906**	—	—	2 750 782	57
II. **Reservefonds der Straßenbahn**, Stand Ende 1906	—	—	2 026	25
Anmerkung: Dem Erneuerungsfonds sind bis Ende des Rechnungsjahres 1906 = 178 316 ℳ 43 ₰ überwiesen worden.				
Summe K. Städtische Straßenbahn	—	—	2 752 808	82

Hauptzusammenstellung

der

Schulden und des Vermögens der Stadt Mainz.

Um einen vollständigen Überblick über die Schuldenlast und über den Vermögensstand der Gesamtgemeinde zu erhalten, müssen die bei den einzelnen Fonds als durchlaufende Posten aufgeführten Beträge ausgeschieden werden. Ferner ist noch der Schulden- und Vermögensstand der Armen- und Hospiziendeputation, der Schulfonds, der städtischen Witwen- und Waisenanstalt und des Orchesterpensionsfonds zu berücksichtigen.

Hiernach betragen alsdann	die Schulden:	das Vermögen:
a) für die Betriebs- und Vermögensrechnung einschl. eines für Stadterweiterungszwecke aufgenommenen Anlehens	39 576 402 ℳ 25 ₰	36 459 431 ℳ 34 ₰
b) für den Stadterweiterungsfonds	— „ — „	672 542 „ 57 „
c) „ „ Schloßfreiheitsfonds	— „ — „	2 454 999 „ 94 „
d) „ „ Grundstücksfonds	— „ — „	6 932 075 „ 37 „
e) „ „ Orchesterfonds	— „ — „	480 140 „ — „
f) „ die Stiftungen	— „ — „	2 311 637 „ 73 „
g) „ das Wasserwerk	— „ — „	2 260 894 „ 98 „
h) „ „ Gaswerk	— „ — „	5 072 951 „ 41 „
i) „ „ Elektrizitätswerk	— „ — „	3 727 742 „ 89 „
k) „ die Straßenbahn	— „ — „	2 752 808 „ 82 „
l) „ „ Armendeputation	8 142 „ 56 „	403 639 „ 94 „
m) „ „ Hospiziendeputation	11 200 „ 72 „	6 065 134 „ 12 „
n) „ „ städtische Witwenkasse	— „ — „	207 873 „ 28 „
o) „ den Orchesterpensionsfonds	— „ — „	118 956 „ 37 „
p) „ „ Altenauer-Schulfonds	— „ — „	185 975 „ 04 „
q) „ „ Exjesuiten- und Welschnonnen-Schulfonds	— „ — „	1 706 189 „ 92 „
Einer Schuldenlast von	39 595 745 ℳ 53 ₰	
steht mithin ein Vermögen von		71 813 013 ℳ 72 ₰

gegenüber, wobei das Vermögen der Städtischen Sparkasse (4 203 456 ℳ 64 ₰), der Reservefonds des Pfandhauses (43 319 ℳ 25 ₰) und der Erneuerungsfonds der Straßenbahn (178 316 ℳ 43 ₰) nicht mit eingerechnet ist.

Alphabetisches Sachregister.

(Die Ziffern bezeichnen die Seiten.)

H.

J.

K.

L.

M.

N.

O.

P.

Q.

R.

S.

T.

U.

V.

W.

Z.

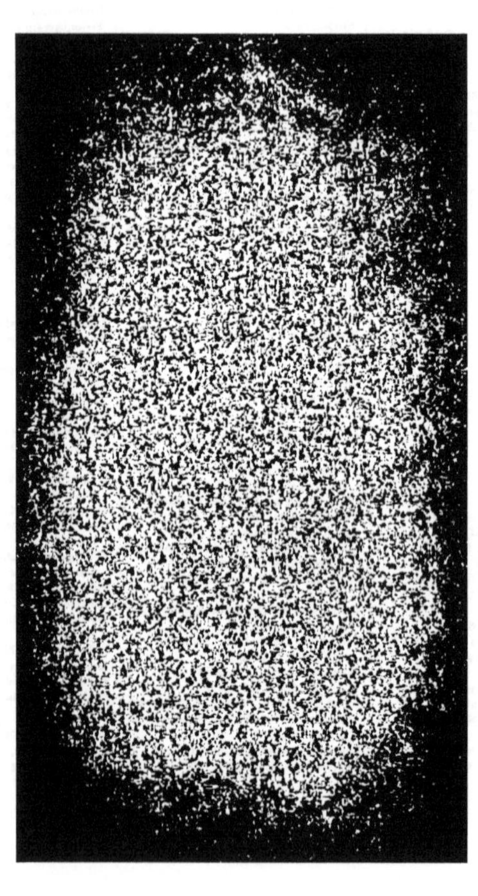

Verwaltungs-Rechenschaft

der

Großherzoglichen Bürgermeisterei

der

rovinzial-  Hauptstadt

Mainz

für

die Zeit vom 1. April 1907 bis Ende März 1908.

MAINZ

Mainzer Verlagsanstalt und Druckerei A.-G. und Druckerei H. Prickarts.

1908.

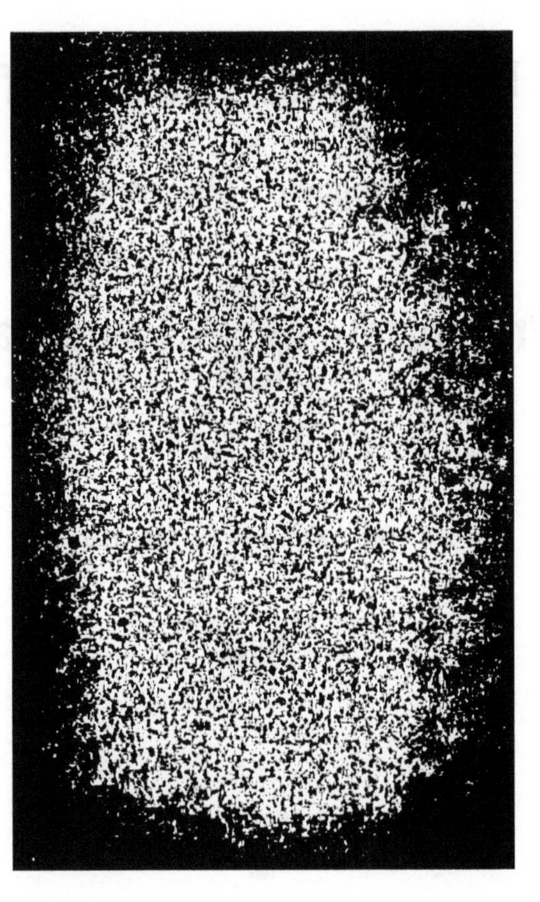

Verwaltungs-Rechenschaft

der

Großherzoglichen Bürgermeisterei

der

Provinzial-  Hauptstadt

Mainz

für

die Zeit vom 1. April 1907 bis Ende März 1908.

MAINZ
Mainzer Verlagsanstalt und Druckerei A.-G. und Druckerei H. Prickarts.
1908.

In nachstehendem beehren wir uns, der Stadtverordneten-Versammlung die vorschriftsmäßige Rechenschaft über die städtische Verwaltung für die Zeit vom 1. April 1907 bis Ende März 1908 vorzulegen.

Mainz, im November 1908.

Großherzogliche Bürgermeisterei.

Dr. Göttelmann,

Oberbürgermeister.

Inhalts-Verzeichnis.

I. Gemeindegebiet.

Der Flächeninhalt des Gemeindegebiets hat sich durch die am 1. April 1907 vollzogene Eingemeindung von Mombach um 607 ha 97 a 57 qm vergrößert und betrug am Schlusse des Berichtsjahres 1 767 ha 58 a 49 qm = 7 070,34 hess. Morgen. Auf die einzelnen Kulturarten verteilt sich die Fläche des Gemeindegebiets wie folgt:

A. Stadtteil Mainz.

a. Grundsteuerpflichtige Flächen:

	Ende des Rechnungsjahres 1907	Ende des Rechnungsjahres 1906	Daher Zunahme	Daher Abnahme
Ackerfeld	219 ha 47 a 27 qm	221 ha 23 a 91 qm	— ha — a — qm	1 ha 76 a 64 qm
Wiesen	18 „ 78 „ 78 „	20 „ 06 „ 48 „	— „ — „ — „	1 „ 27 „ 70 „
Weinberge	11 „ 83 „ 28 „	11 „ 83 „ 28 „	— „ — „ — „	— „ — „ — „
Gärten	36 „ 29 „ 55 „	36 „ 72 „ 10 „	— „ — „ — „	— „ 42 „ 55 „
Bleichgärten	— „ 10 „ 29 „	— „ 12 „ 94 „	— „ — „ — „	— „ 2 „ 65 „
Baumschulen	2 „ 29 „ 50 „	2 „ 29 „ 50 „	— „ — „ — „	— „ — „ — „
Ödes Feld	— „ 96 „ 61 „	— „ 96 „ 61 „	— „ — „ — „	— „ — „ — „
Privat-Bosketts (Ziergärten)	— „ 03 „ 75 „	— „ 03 „ 75 „	— „ — „ — „	— „ — „ — „
Hofreiten	216 „ 60 „ 55 „	210 „ 32 „ — „	6 „ 28 „ 55 „	— „ — „ — „
Eisenbahn	18 „ 23 „ 08 „	23 „ 28 „ 57 „	— „ — „ — „	5 „ 05 „ 49 „
Summe a	524 ha 62 a 66 qm	526 ha 89 a 14 qm	— ha — a — qm	2 ha 26 a 48 qm

b. Grundsteuerfreie Flächen:

	Ende des Rechnungsjahres 1907	Ende des Rechnungsjahres 1906	Daher Zunahme	Daher Abnahme
Straßen und Wege	163 ha 22 a 13 qm	159 ha 09 a 07 qm	4 ha 13 a 06 qm	— ha — a — qm
Bäche	— „ 58 „ 59 „	— „ 58 „ 59 „	— „ — „ — „	— „ — „ — „
Rhein	131 „ 01 „ 61 „	133 „ 83 „ 65 „	— „ — „ — „	2 „ 82 „ 04 „
Friedhof	15 „ 80 „ 25 „	15 „ 80 „ 25 „	— „ — „ — „	— „ — „ — „
Steuerfreie Hofreiten	21 „ 17 „ 32 „	14 „ 74 „ 98 „	6 „ 42 „ 34 „	— „ — „ — „
„ Gärten	1 „ 70 „ 05 „	1 „ 36 „ 47 „	— „ 33 „ 58 „	— „ — „ — „
Festungswerke	257 „ 23 „ 37 „	256 „ 23 „ 97 „	— „ 99 „ 40 „	— „ — „ — „
Sonstige steuerfreie Flächen	44 „ 24 „ 94 „	51 „ 04 „ 80 „	— „ — „ — „	6 „ 79 „ 86 „
Summe b	634 ha 98 a 26 qm	632 ha 71 a 78 qm	2 ha 26 a 48 qm	— ha — a — qm
„ a	524 „ 62 „ 66 „	526 „ 89 „ 14 „	— „ — „ — „	2 „ 26 „ 48 „
Im ganzen	1159 ha 60 a 92 qm	1159 ha 60 a 92 qm	2 ha 26 a 48 qm	2 ha 26 a 48 qm

B. Stadtteil Mainz-Mombach.

a. Grundsteuerpflichtige Flächen:

	Ende des Rechnungsjahres 1907	Ende des Rechnungsjahres 1906	Daher Zunahme	Daher Abnahme
Ackerfeld	260 ha 36 a 32 qm	265 ha 90 a 67 qm	— ha — a — qm	5 ha 54 a 35 qm
Wiesen	43 „ 24 „ 51 „	43 „ 24 „ 71 „	— „ — „ — „	— „ — „ 20 „
Weinberge	— „ 44 „ 97 „	— „ 44 „ 97 „	— „ — „ — „	— „ — „ — „
Ödes Feld	— „ 15 „ 02 „	— „ 15 „ 02 „	— „ — „ — „	— „ — „ — „
Hofreiten	34 „ 27 „ 85 „	29 „ 70 „ 29 „	4 „ 57 „ 56 „	— „ — „ — „
Nadelholz u. Weichholzniederwald	27 „ 38 „ 50 „	27 „ 38 „ 50 „	— „ — „ — „	— „ — „ — „
Weiher	1 „ 46 „ 08 „	1 „ 46 „ 08 „	— „ — „ — „	— „ — „ — „
Eisenbahn	9 „ 16 „ 49 „	8 „ 67 „ 46 „	— „ 49 „ 03 „	— „ — „ — „
Summe a	376 ha 49 a 74 qm	376 ha 97 a 70 qm	— ha — a — qm	— ha 47 a 96 qm

b. Grundsteuerfreie Flächen:

	Ende des Rechnungsjahres 1907	Ende des Rechnungsjahres 1906	Daher Zunahme	Daher Abnahme
Straßen und Wege	22 ha 04 a 04 qm	21 ha 77 a 95 qm	— ha 26 a 09 qm	— ha — a — qm
Bäche und Gräben	1 „ 96 „ 77 „	2 „ 07 „ 17 „	— „ — „ — „	— „ 10 „ 40 „
Rhein	51 „ 54 „ 51 „	51 „ 54 „ 51 „	— „ — „ — „	— „ — „ — „
Festungswerke	153 „ 91 „ 03 „	153 „ 91 „ 03 „	— „ — „ — „	— „ — „ — „
Sonstige steuerfreie Flächen einschl. Friedhof	2 „ 01 „ 48 „	1 „ 69 „ 21 „	— „ 32 „ 27 „	— „ — „ — „
Summe b . .	231 ha 47 a 83 qm	230 ha 99 a 87 qm	— ha 47 a 96 qm	— ha — a — qm
„ a . .	376 „ 49 „ 74 „	376 „ 97 „ 70 „	— „ — „ — „	— „ 47 „ 96 „
Im ganzen . .	607 ha 97 a 57 qm	607 ha 97 a 57 qm	— ha 47 a 96 qm	— ha 47 a 96 qm

II. Bevölkerung, Wohnungsverhältnisse etc.

Nach dem Ergebnis der am 1. Dezember 1905 vorgenommenen Volkszählung bestand die Bevölkerung des Stadtteils Mainz einschließlich der 7 545 Köpfe starken Garnison aus 91 179 Personen. Es waren hierunter 46 409 männliche und 44 770 weibliche Personen enthalten. Dem Religionsbekenntnis nach waren es 52 756 Katholiken, 34 607 Evangelische, 3 058 Israeliten, 62 Alt-Katholiken, 137 Deutsch-Katholiken, 7 Angehörige der Russisch-orthodoxen Kirche, 6 Angehörige anderer orientalischer Kirchen, 140 Apostolische, 27 Mennoniten, 16 Baptisten, 230 Freireligiöse, 23 Freiprotestanten, 28 Dissidenten, 8 Angehörige der Engl. und Schottischen Kirche, 10 Adventisten, 2 Angehörige der Heilsarmee, 1 Mormone, 3 Freidenker, 63 ohne oder mit unbestimmter Bekenntnisangabe. Außerdem waren vorübergehend abwesend 893 Personen.

Die Bevölkerung bewohnte 4 187 Gebäude und verteilte sich auf 18 468 Haushaltungen von zwei und mehr Personen, 1 421 einzeln lebende selbständige Personen und 62 Anstalten, zusammen 19 951 Haushaltungen.

Seit der Volkszählung vom 1. Dezember 1900 hat die Bevölkerung um 3 243 männliche und 3 685 weibliche, zusammen 6 928 Personen = 8,22 % zugenommen.

Die Bevölkerungsziffer des Stadtteils Mainz am 31. Dezember 1907 kann unter Berücksichtigung des Überschusses der Geburten über die Sterbefälle und des Überschusses der Zu- über die Wegzüge auf rund 94 400 Personen angenommen werden.

In der früheren Gemeinde Mombach — seit 1. April 1907 der neue Stadtteil Mainz-Mombach — ergab die am 1. Dezember 1905 vorgenommene Volkszählung 6 406 Personen. Es waren hierunter 3297 männliche und 3 109 weibliche Personen enthalten. Dem Religionsbekenntnis nach waren es 4 479 Katholiken, 1 907 Evangelische und 20 Freireligiöse.

Die Bevölkerung bewohnte 691 Gebäude und verteilte sich auf 1 382 Haushaltungen von 2 und mehr Personen und 42 einzeln lebende selbständige Personen.

Seit der Volkszählung vom 1. Dezember 1900 hat die Bevölkerung um 542 männliche und 586 weibliche, zusammen 1 128 Personen — 21,37 % zugenommen.

Im Jahre 1906 hat die Bevölkerungszahl unter Berücksichtigung des Überschusses der Geburten über die Sterbefälle und des Überschusses der Zu- über die Wegzüge im ganzen eine Zunahme von 348 Personen — 5,43 % erfahren. Die Einwohnerzahl betrug daher am Schlusse des Jahres 1906 — 6 754 Personen.

Im Jahre 1907 war durch den Überschuß der Geburten über die Sterbefälle und den Überschuß der Zu- über die Wegzüge eine weitere Zunahme von 352 Personen — 5,36 % zu verzeichnen. Am Schlusse des Jahres 1907 betrug daher die Einwohnerzahl 7 106 Einwohner, 3704 männliche und 3 402 weibliche.

Die Bevölkerungsziffer von Mainz einschließlich Mainz-Mombach am 31. Dezember 1907 kann sonach auf rund 101 500 Personen angenommen werden.

Durch Geburten, Verehelichungen und Sterbefälle sind im Stadtteil **Mainz** im Laufe des **Kalender**jahres 1907 folgende Veränderungen in der Bevölkerung vorgekommen. Zur Vergleichung sind die entsprechenden Zuhlen des Vorjahres beigesetzt.

1. Lebend geboren wurden:

	1907 Knaben.	1907 Mädchen.	1907 Summe.	1906 Knaben.	1906 Mädchen.	1906 Summe.
a) **ehelich**	1 120	1 106	2 226	1 160	1 029	2 189
b) **unehelich**	211	172	383	207	192	399
zusammen	1 331	1 278	2 609	1 367	1 221	2 588
Verglichen				1 331	1 278	2 609
so ergeben sich für 1907 **mehr**				—	57	21
so ergeben sich für 1907 **weniger**				36	—	—

Unter den 2 609 Gedneten des Jahres 1907 sind 113 Geburten von Kindern enthalten, deren Eltern oder Mütter ihren Wohnsitz außerhalb Mainz hatten.

Unter den ehelich Geborenen sind 36 Poure Zwillinge, wovon 14 Paare männlichen, 8 Paare weiblichen Geschlechts und 14 Poure, von welchen das eine Kind männlichen und das andere Kind weiblichen Geschlechts wur. Bei 8 Paaren wurde das eine Kind lebend, das andere Kind totgeboren. Unter den unehelich Geborenen sind 3 Paare Zwillinge und zwar 1 Paar männlichen Geschlechts, bei welchem das eine Kind lebend, das andere Kind totgeboren, 1 Puur weiblichen Geschlechts und 1 Paar, von welchem das eine Kind männlichen und das andere Kind weiblichen Geschlechts war.

2. Totgeboren wurden:

	1907 Knaben.	1907 Mädchen.	1907 Summe.	1906 Knaben.	1906 Mädchen.	1906 Summe.
a) **ehelich**	36	28	64	35	32	67
b) **unehelich**	7	7	14	12	7	19
c) **eheliche**, deren Geschlecht nicht zu erlemten war	—	—	—	—	—	—
d) **uneheliche**, deren Geschlecht nicht zu erkennen war	—	—	—	—	—	—
zusammen	43	35	78	47	39	86
Verglichen				43	35	78
so ergeben sich für 1907 **mehr**				—	—	—
so ergeben sich für 1907 **weniger**				4	4	8

3. Von den Unehelichen kamen in der Großh. Hebammen-Lehranstalt zur Welt:

	1907	1906
a) Lebendgeborene	232	263
b) Totgeborene	8	9
Summe	240	272

4. Ehen wurden geschlossen:

	1907	1906
a) zwischen ledigen Männern und ledigen Frauen	660	687
b) „ „ „ „ Witwen	15	24
c) „ Witwern und ledigen Frauen	58	30
d) „ „ „ Witwen	25	15
e) „ ledigen Männern und geschiedenen Ehefrauen	13	16
f) „ geschiedenen Männern und ledigen Frauen	15	9
g) „ „ „ „ geschiedenen Ehefrauen	2	2
h) „ Witwern und geschiedenen Ehefrauen	2	8
i) „ geschiedenen Männern und Witwen	3	1
zusammen	793	792
Verglichen		793
ergeben sich für 1907 **mehr**		1

Unter den Ehen befinden sich 3 zwischen Israeliten und Christinnen und 1 zwischen Taubstummen. Bei dem Abschlusse der Ehen wurden 78 Kinder (37 männlichen und 41 weiblichen Geschlechts) gegen 64 im Jahre 1906, mithin 14 mehr anerkannt.

	Männliche Personen	Weibliche Personen.	Summe.
5. **Gestorben** sind im Juhre 1907	825	738	1 563
gegen die im Jahre 1906 gestorbenen	859	829	1 688
ergibt 1907 mehr	—	—	—
ergibt 1907 weniger	34	91	125

Unter den Gestorbenen befanden sich:	1907	1906
ledige Personen	792	940
verheiratete Personen	465	490
verwitwete Personen	298	248
geschiedene Personen	8	10
Summe wie oben	1 563	1 688

Dem Alter und Geschlecht nach verteilen sich die Gestorbenen wie folgt:

	1907			1906
	Männliche Personen.	Weibliche Personen.	Im ganzen.	Im ganzen.
unter 1 Jahr	215	166	381	463
von 1 bis unter 5 Jahren	71	57	128	159
„ 5 „ „ 10 „	20	24	44	34
„ 10 „ „ 15 „	9	6	15	21
„ 15 „ „ 20 „	9	14	23	32
„ 20 „ „ 30 „	62	41	103	105
„ 30 „ „ 40 „	57	46	103	138
„ 40 „ „ 50 „	71	54	125	129
„ 50 „ „ 60 „	83	72	155	183
„ 60 „ „ 70 „	131	118	249	218
„ 70 „ „ 80 „	74	97	171	155
„ 80 „ „ 90 „	21	39	60	49
„ 90 „ „ 100 „	2	4	6	2
Unbekanntes Alter	—	—	—	—
Summe wie oben	825	738	1 563	1 688

Unter den 1 563 Gestorbenen des Jahres 1907 sind 176 hier verstorbene, aber auswärts wohnhaft gewesene Personen inbegriffen.

Im Stadtteil **Mainz-Mombach** sind durch Geburten, Verehelichungen und Sterbefälle im Laufe des **Kalender**jahres 1907 folgende Veränderungen in der Bevölkerung vorgekommen. Zur Vergleichung sind die entsprechenden Zahlen des Vorjahres beigesetzt.

1. **Lebend geboren wurden:**

	1907			1906		
	Knaben.	Mädchen.	Summe.	Knaben.	Mädchen.	Summe.
a) **ehelich**	124	132	256	115	134	249
b) **unehelich**	2	4	6	1	3	4
zusammen	126	136	262	116	137	253
Verglichen				126	136	262
so ergeben sich für 1907 **mehr**				10	—	9
so ergeben sich für 1907 **weniger**				—	1	—

Unter den ehelich Geborenen sind 2 Paare Zwillinge, wovon 1 Paar männlichen und 1 Paar weiblichen Geschlechts war.

2. **Totgeboren wurden:**

	1907			1906		
	Knaben.	Mädchen.	Summe.	Knaben.	Mädchen.	Summe.
a) **ehelich**	1	—	1	4	2	6
b) **unehelich**	—	1	1	—	—	—
c) **eheliche**, deren Geschlecht nicht zu erkennen war	—	—	—	—	—	—
d) **uneheliche**, deren Geschlecht nicht zu erkennen war	—	—	—	—	—	—
zusammen	1	1	2	4	2	6
Verglichen				1	1	2
so ergeben sich für 1907 **mehr**				—	—	—
so ergeben sich für 1907 **weniger**				3	1	4

3. **Ehen** wurden geschlossen:

	1907	1906
a) zwischen ledigen Männern und ledigen Frauen	54	49
b) „ „ „ „ Witwen	3	3
c) „ Witwern und ledigen Frauen	5	3
d) „ „ „ Witwen	—	—
e) „ ledigen Männern und geschiedenen Ehefrauen	1	—
f) „ geschiedenen Männern und ledigen Frauen	—	—
g) „ „ „ „ geschiedenen Ehefrauen	—	—
h) „ Witwern und geschiedenen Ehefrauen	—	—
i) „ geschiedenen Männern und Witwen		—
zusammen	63	55
Verglichen		63
ergeben sich für 1907 **mehr**		8

Bei dem Abschlusse der Ehen wurden 2 Kinder (1 männlichen und 1 weiblichen Geschlechts) gegen 1 im Jahre 1906, mithin 1 **mehr** anerkannt.

	Männliche Personen	Weibliche Personen	Summe.
4. **Gestorben** sind im Jahre 1907	50	83	133
gegen die im Jahre 1906 gestorbenen	50	53	103
ergibt 1907 **mehr**	—	30	30
ergibt 1907 **weniger**	—	—	—

Unter den Gestorbenen befanden sich:

	1907	1906
ledige Personen	94	63
verheiratete Personen	27	32
verwitwete Personen	11	8
geschiedene Personen	1	—
Summe wie oben	133	103

Dem Alter und Geschlecht nach verteilen sich die Gestorbenen wie folgt:

	1907 Männliche Personen.	1907 Weibliche Personen.	1907 Im ganzen.	1906 Im ganzen.
unter 1 Jahr	23	34	57	38
von 1 bis unter 5 Jahren	8	11	19	12
„ 5 „ „ 10 „	1	—	1	4
„ 10 „ „ 15 „	1	2	3	2
„ 15 „ „ 20 „	—	—	—	—
„ 20 „ „ 30 „	5	9	14	6
„ 30 „ „ 40 „	3	3	6	4
„ 40 „ „ 50 „	1	5	6	14
„ 50 „ „ 60 „	4	5	9	6
„ 60 „ „ 70 „	2	9	11	11
„ 70 „ „ 80 „	2	1	3	3
„ 80 „ „ 90 „	1	3	4	3
„ 90 „ „ 100 „	—	—	—	—
Unbekanntes Alter	—	—		—
Summe wie oben	51	82	133	103

Unter den 133 Gestorbenen des Jahres 1907 sind 10 in Mainz-Mombach verstorbene, aber **auswärts** wohnhaft gewesene Personen inbegriffen.

Über den Gesundheitszustand und die Sterblichkeit im Kreise Mainz während des Kalenderjahres 1907 hat das Großh. Kreisgesundheitsamt Mainz folgendes gütigst mitgeteilt:

Wenn man als Maßstab für den Gesundheitszustand eines Jahres die in demselben vorgekommene Sterblichkeit ansieht, so muß das Jahr 1907 für gesundheitlich bevorzugt erklärt werden.

In der Stadt Mainz (ohne Mombach) starben 1563 Personen (im Vorjahr 1688). Da die mittlere Einwohnerzahl auf 93 300 angenommen werden kann, kamen auf je 1000 Einwohner 16,7 Todesfälle. Eine so günstige Verhältniszahl war in Mainz in keinem der vorausgegangenen Jahre zu verzeichnen; im Durchschnitt der letzten 5 Jahre betrug sie 18,7. Wesentlichen Einfluß auf diese günstige Gestaltung der Gesamtsterblichkeit hatte die niedrige Säuglingssterblichkeit, durch die sich das Berichtsjahr vorteilhaft auszeichnete. Vor Vollendung des ersten Lebensjahres starben 381 Kinder — eine so niedrige Zahl ist in der langen Reihe von Jahren seit 1871 überhaupt noch nicht vorgekommen. Im Vorjahr waren 463 Säuglinge gestorben. Auf je 100 Lebendgeborene kamen im Berichtsjahre 14 Todesfälle von Kindern im ersten Lebensjahr, im Durchschnitt der letzten 5 Jahre dagegen 19,5. Der Grund für diesen erfreulichen Rückgang ist in dem kühlen Sammre und dem Wegfall der dem ersten Kindesalter so verderblichen Hochsommerhitze gegeben.*)

Auch unter den älteren Kindern von 2—15 Jahren blied die Sterblichkeit unter dem Durchschnitt zurück (187 Todesfälle gegen 226 im fünfjährigen Durchschnitt).

Es ist das um so bemerkenswerter, als während eines großen Teils des Jahres Scharlach und Diphtherie herrschten, welche gerade diese Altersklasse bedrohen. Günstig verhielt sich ferner die Sterblichkeit im erwerbsfähigen Alter von 16—60 Jahren, in dem 509 Todesfälle zu verzeichnen waren, während der fünfjährige Durchschnitt 555 beträgt.

Dagegen war die Zahl der Todesfälle im Greisenalter hoch, 486 gegen 401 im fünfjährigen Durchschnitt. Hier kam der verderbliche Einfluß des langen Nachwinters und der besonders im Februar herrschenden Influenza zur Geltung.

Durch die eigentümliche Witterungslage des Jahres wurde bedingt, daß — entgegen aller Regel — das dritte Vierteljahr die wenigsten Sterbefälle aufweist (380); von ihm weichen das zweite und vierte nur unbedeutend ab. Auf das erste Vierteljahr fallen dagegen 417 Todesfälle. Im Vorjahr war gerode umgekehrt das erste Quartal das günstigste und das dritte das ungünstigste.

Unter den einzelnen Altersklassen ist die Spannweite zwischen der größten und der geringsten Zahl der in einem Vierteljahr Verstorbenen diesmal im Greisenalter am größten: im ersten Vierteljahr sind 159 Personen über 60 Jahre gestorben, im dritten 79. Für das erste Lebensjahr fällt die Höchstzahl der Todesfälle hier gesetzmäßig auf das dritte Quartal (130), die niedrigste Zahl (71) weist diesmal das zweite Vierteljahr auf. Daß der Unterschied in der Zahl der Sterbefälle nach Vierteljahren im Greisenalter größer ist als im Säuglingsalter, ist ganz ungewöhnlich.

Noch ungewöhnlicher aber ist, daß diesmal die geringste Gesamtsterblichkeit in den Juli fällt (101); am stärksten belastet ist der Februar (151 Todesfälle), der im Vorjahr am günstigsten dastand, diesmal aber das Maximum der Sterblichkeit unter den Erwachsenen und Greisen zeigt. Die höchste Säuglingssterblichkeit kam im August vor (59), die geringste im Juni (19).

Von den Verstorbenen hatten 825 männliches und 738 weibliches Geschlecht. Im ersten Lebensjahr sind 215 Knaben und 166 Mädchen gestorben.

Von epidemischen Krankheiten waren in der Stodt Mainz im Vergleich zum Vorjahr Masern und Keuchhusten wenig verbreitet, demgemäß faul die Zahl der durch sie verursachten Todesfälle von 21 und 49 auf je 8, die sämtlich Kinder in den ersten Lebensjahren betrafen.

Dagegen hat Scharlach seit Mai eine wachsende Ausbreitung gezeigt, die tief bis in das Jahr 1908 sich erstreckt. 213 Erkrankungen wurden gemeldet. Glücklicherweise zeigte die Krankheit gutartigen Charakter, die fünf ihr erlegenen Kinder standen sämtlich im vorschulpflichtigen Alter. Darunter befand sich ein Kind aus Kostheim.

Auch die Erkrankungen an Diphtherie hatten gegen das Vorjahr eine Zunahme erfahren. 135 Diphtheriefälle wurden angezeigt, 15 Kinder wurden durch die Krankheit weggerafft, 10 im vorschulpflichtigen, 5 im schulpflichtigen Alter. Unter ihnen waren 5 Kinder, die von auswärts schwer krank in hiesige Krankenhäuser verbracht wurden. Für Mninz allein betrug daher die Mortalität der Diphtherie 7,4 Prozent.

An Typhus sind 2 Erwachsene gestorben, während 14 Erkrankungen gemeldet wurden, darunter 3 von Auswärtigen. Nachweisbare Übertragung von Typhus von Person zu Person oder gar Gruppenerkrankungen wurden im Berichtsjahr nicht beobachtet.

Die Todesfälle an Lungentuberkulose sind von 228 im Vorjahre auf 205 heruntergegangen, diejenigen an Tuberkulose anderer Degoue von 39 auf 50 gestiegen. Unter den an Lungenschwindsucht Verstorbenen hatten 108 männliches, 97 weibliches Geschlecht. Rund 70 Prozent der Verstorbenen standen im Alter von 20—60 Jahren. Bei den Männern fiel das Maximum der Tuberkulosesterblichkeit auf das Alter von 30—40 Jahren, bei den Frauen auf das 3. Jahrzehnt. 13 Prozent sämtlicher im Berichtsjahr vorgekommenen Todesfälle wurden durch Lungentuberkulose verursacht. Unter den tuberkulösen Erkrankungen anderer Organe tour am häufigsten die tuberkulöse Entzündung der Gehirnhäute als Todesursache vertreten, nämlich in 27 Fällen, darunter 19 mal bei Kindern.

Die entzündlichen Erkrankungen der Atmungsorgane waren infolge des lang sich hinziehenden Winters besonders in den vier ersten Monaten verbreitet. In den Februar fiel die stärkste Ausbreitung der Influenza. An den zu dieser Gruppe

*) Anmerkung: Es mag an dieser Stelle eine irrtümliche Berechnung im Bericht aus dem Jahre 1904 Seite 8 berichtigt werden. Es sind damals nicht 228 uneheliche Kinder gestorben, sondern 108. Es starben daher von 100 ehelich Geborenen 20 und von 100 unehelich Geborenen (unter Berücksichtigung der in der Entbindungsanstalt geborenen und alsbald von Mainz verzogenen Kinder) 40. Die damals betonte Notwendigkeit, sämtliche unehelichen Kinder, nicht nur die in fremder Pflege befindlichen, gesetzlich unter Aufsicht zu stellen, wird durch diese Richtigstellung nicht berührt.

gehörigen Krankheiten storden 212 Personen, von denen 94 bis zu 5 Johren alt waren, 75 im Alter über 60 Jahren standen und nur 43 zwischen dem 20.—60. Lebensjahr standen. Die Beteiligung der Altersklassen ist also grode umgekehrt wie dei der Lungentuberkulose. Auf kruppöse Lungenentzündung fielen 64 Todesfälle, auf katarrhalische 75, auf Influenza 18, auf akute Luftröhrenentzündung 27, chronische Lungenerkrankungen ausschließlich Tuberkulose 24 und auf Brustfellentzündung 4 Todesfälle.

Die Mehrzahl der Todesfälle an Krankheiten des Herzens und der Gefäße lomen im späteren Lebensalter vor. Von den 163 in dieser Gruppe Verstorbenen waren 34 noch nicht 50 Johre alt, 30 standen zwischen 50 und 60 Johren und 89 waren über 60 Jahee alt. Es handelt sich olso vorwiegend um Altersveränderungen des Herzens und der Gefäße.

An Gehirnschlagfluß starben 47 Männer und 35 Frauen. Davou waren 6 unter 50 Jahren alt. Von den 77 Todesfällen aus der Gruppe anderer Krankheiten des Nervensystems kommen 49 auf „Krämpfe der Kinder", 11 auf Gehirnentzündung, 8 auf Erkrankungen des Rückenmarks und 9 auf chronische Gehirnerkrankungen.

An akutem Magen-Darmkatarrh starben 69 Kinder und an Brechdurchfall 31. Das Maximum fällt in Juli und August; auf das 3. Vierteljahr kommen 53 Prozent der hierher zählenden Todesfälle, im Vorjahr toaren es 70 Prozent. Dazu kommen noch 68 Sterbefälle an Atrophie, der sogenannten Abzehrung der Kinder.

Alle übrigen Erkrankungen der Verdauungsorgane verursachten 61 Todesfälle, unter denen 14 an Bauchfellentzündung und 27 an Erkrankungen der Leber gezählt wurden.

An krebsartigen Neubildungen starben 48 Männer und 62 Franen. 22 der Verstorbenen waren unter 50 Johre alt, 88 über 50 Johre. Das Maximum fiel auf das 7. Jahrzehnt. 42mal ging die Erkrankung vom Magen aus, elfmal von der Leber, zehnmal von der Speiseröhre, 14mal von der Gebärmutter, siebenmal vom Mastdarm. An nichtkrebsartigen Neubildungen sintben drei Männer und nenn Frauen.

Bald nach der Geburt gingen 44 Knaben und 24 Mädchen durch angeborene Lebensschwäche zu Grund. An Altersschwäche starben 29 Männer und 60 Frauen, von denen 85 über 70 Jahre alt waren.

Durch Selbstmord endeten 18 Männer und 5 Frauen, durch Verunglückung 38 Männer und 7 Frouen und durch tödliche Körperverletzung 2 Kinder.

In neun Fällen von plötzlichem Tod blied die Todesursache unbekannt.

Die Sterblichkeitsziffer für Mainz-Mombach stellt sich im Berichtsjahr auf 19,7 für je 1000 Einwohner und die Kindersterblichkeit auf 20 Prozent der Lebendgeborenen. Diese für Mombach ungünstigen Zohlen sind wesentlich verursacht durch eine ausgedehnte Masernepidemie, die im letzten Vierteljahr herrschte und den Tod von 14 Kindern herbeiführte. Außerdem tour Keuchhusten fast während des ganzen Jahres verdreitet, dem 6 Kindee zum Opfer fielen. Von 27 angemeldeten Scharlacherkrankungen endete keine tödlich, ebenso hat auch Diphtherie keinen Todesfall verursacht. Dagegen gingen von 7 Erkrankungen an Typhus 3 tödlich aus. Auffälligerweise überwiegt die Zuhl der verstorbenen weiblichen Personen (82), die der männlichen (51).

Kastel hat infolge der großen Garnison regelmäßig eine niedrige Sterblichkeitsziffer, die diesmal nur 11 pro Mille detrug. Im Gegensatz hierzn steht die für das Berichtsjahr hohe Säuglingssterblichkeit von 18 Prozent. Masern herrschten in Kastel in mäßiger Ausdehnung, auch Scharlach und Diphtherie blieden vereinzelt. An Typhus erkrankten 3 Personen.

In Kostheim waren Scharlach, Masern und Diphtherie ziemlich verdreitet, hatten aber im allgemeinen gutartigen Verlauf. Die Sterbeziffer betrug 18,5 pro Mille. Die Kindersterblichkeit war wie immer doch (22 Prozent).

Weisenau hatte die günstige Sterbeziffer von 12,4 pro Mille, und ebenso günstig steht Gonsenheim da. Die Kindersterblichkeit detrug in den beiden Orten 15 Prozent bezw. 17,6 Prozent.

Auch Bretzenheim und Hechtsheim weisen diesmal verhältnismäßig niedrige Sterbeziffern auf, 15 pro Mille und 17,4 pro Mille. Die Kindersterblichkeit detrug 16 Prozent und 14 Prozent.

Für die übrigen Landorte ist die Sterblichkeitsziffer insgesamt auf 17 pro Mille zu berechnen. Unter ihnen steht Finthen mit 21 pro Mille, 24 Prozent Säuglingssterblichkeit, am ungünstigsten da. In Nieder-Olm und Essenheim herrschten Masern in starker Verbreitung, sonst lamen in den Landorten epidemische Krankheiten nur vereinzelt vor.

Die Sterblichkeitsziffer steilt sich für den Kreis Mainz mit rund 155 000 Einwohnern und 2 513 Todesfällen für das Jade 1907 auf 16,2 pro Mille.

Das Jahr 1907 hat in gesundheitlicher Beziehung durch den langanhaltenden Winter und den kühlen Sommer ein eigentümliches Gepräge bekommen. Die Kindersterblichkeit blied niedrig, das Greisenalter wurde stark gefährdet. Von epidemischen Krankheiten herrschte Scharlach vor, zeichnete sich aber durch gutartigen Verlauf aus. Nur in Mainz-Mombach hatten Masern und Keuchhusten bösartigen Charakter.

A. Todesfälle (ausschl. Totgeburten) im Stadtteil Mainz im Kalenderjahre 1907.

Ordnungs-Nummer	Krankheiten und Todesursachen	Altersklassen der Gestorbenen												Zusammen		Gesamtsumme
		0 bis unter 1 Jahr		1 bis unter 15 Jahren		15 bis unter 30 Jahren		30 bis unter 60 Jahren		60 bis unter 70 Jahren		70 Jahre und mehr				
		m.	w.	m.	w.	m.	w.	m.	w.	m.	w.	m.	w.	m.	w.	
1	Angeborene Lebensschwäche und Bildungsfehler	48	29	—	—	—	—	—	—	—	—	—	—	48	29	77
2	Altersschwäche	—	—	—	—	—	—	—	—	1	3	28	57	29	60	89
3	Kindbettfieber	—	—	—	—	—	5	—	5	—	—	—	—	—	10	10
4	Andere Folgen der Geburt oder des Kindbetts	—	—	—	—	—	1	—	3	—	—	—	—	—	4	4
5	Scharlach	2	—	1	2	—	—	—	—	—	—	—	—	3	2	5
6	Masern und Röteln	2	1	1	4	—	—	—	—	—	—	—	—	3	5	8
7	Diphtherie und Krupp	1	1	8	5	—	—	—	—	—	—	—	—	9	6	15
8	Keuchhusten	3	1	3	1	—	—	—	—	—	—	—	—	6	2	8
9	Typhus	—	—	—	—	2	—	—	—	—	—	—	—	2	—	2
10	Rose (Erysipel)	—	1	—	—	—	—	—	1	—	—	—	—	—	2	2
11	Andere Wundinfektionskrankheiten	3	1	4	4	1	—	2	1	—	—	—	—	10	6	16
12	Tuberkulose der Lungen	2	3	11	7	20	33	56	41	17	10	2	3	108	97	205
13	„ anderer Organe	2	2	12	11	4	4	3	4	—	3	1	—	22	24	46
14	Akute allgemeine Miliartuberkulose	—	1	—	—	3	—	—	—	—	—	—	—	3	1	4
15	Lungenentzündung	18	16	18	17	6	2	12	7	11	9	8	14	73	65	138
16	Influenza	2	—	—	—	—	—	4	2	2	2	1	5	9	9	18
17	Andere übertragbare Krankheiten	6	5	2	2	—	—	—	—		—	—	—	8	7	15
18	Krankheiten der Atmungsorgane	8	4	6	5	1	—	7	2	9	6	2	6	33	23	56
19	„ der Kreislauforgane	3	—	2	2	4	2	22	29	27	27	14	21	72	81	153
20	Gehirnschlag	—	—	—	1	1	—	16	9	14	10	16	15	47	35	82
21	Andere Krankheiten des Nervensystems	25	18	12	4	—	—	1	3	4	5	4	1	46	31	77
22	Magen- und Darmkatarrh, Brechdurchfall	79	76	6	7	—	—	—	—	—	—	1	—	86	83	169
23	Andere Krankheiten der Verdauungsorgane	—	—	2	4	4	2	18	16	6	2	2	5	32	29	61
24	Krankheiten der Harn- und Geschlechtsorgane	—	1	—	—	4	1	18	12	10	6	5	1	37	21	58
25	Krebs	—	—	—	—	—	—	23	29	15	24	10	9	48	62	110
26	Andere Neubildungen	—	—	—	2	—	2	2	2	2	2	—	1	4	9	13
27	Selbstmord	—	—	—	—	8	1	7	3	3	1	—	—	18	5	23
28	Mord, Totschlag, tödliche Körperverletzung, Hinrichtung	—	1	1	—	—	—	—	—	—	—	—	—	1	1	2
29	Verunglückung	1	—	5	3	13	1	14	1	5	2	—	—	38	7	45
30	Andere benannte Todesursachen	8	2	6	6	—	1	5	1	5	5	2	2	26	17	43
31	Todesursache nicht angegeben	2	3	—	—	—	—	1	1	—	1	1	—	4	5	9
		215	166	100	87	71	55	211	172	131	118	97	140	825	738	1563

B. Monatsweise Übersicht der Todesfälle im Stadtteil Mainz vom Kalenderjahr 1907.

Bezeichnung	Januar	Februar	März	April	Mai	Juni	Juli	August	September	Oktober	November	Dezember	Summe
	Monate												
I. Alter der Gestorbenen.													
Unter 1 Jahr	29	32	27	28	24	19	27	59	44	35	33	24	381
1 bis unter 15 Jahren	13	10	14	18	13	15	17	12	21	15	22	17	187
15 „ „ 30 „	8	13	15	9	12	13	7	9	16	7	8	9	126
30 „ „ 60 „	34	34	29	34	44	26	26	31	32	33	27	33	383
60 „ „ 70 „	28	31	23	26	29	12	12	12	14	17	25		249
70 und mehr Jahre	20	31	26	23	20	17	12	16	13	16	18	20	237
Summe	132	151	134	138	142	102	101	139	140	123	133	128	1563
II. Krankheiten und Todesursachen.													
Angeborene Lebensschwäche und Bildungsfehler	9	6	5	2	7	4	9	11	5	8	4	7	77
Altersschwäche	5	6	16	6	10	11	2	5	5	9	6	8	89
Kindbettfieber	1	1	2	2	—	1	—	1	2	—	—	—	10
Andere Folgen der Geburt oder des Kindbettes	—	—	2	—	—	—	—	1	—	1	—	—	4
Scharlach	—	—	—	—	—	1	—	2	—	—	—	2	5
Masern und Röteln	2	—	—	2	—	4	—	—	—	—	—	—	8
Diphtherie und Krupp	1	—	1	—	1	3	—	1	1	—	5	2	15
Keuchhusten	1	2	—	—	—	—	1	1	—	-		3	8
Typhus	—	—	—	—	—	1	—	—	—	1	—	—	2
Rose (Erysipel)	—	—	—	—	—	.	—	—	—	—	—	2	2
Andere Wundinfektionskrankheiten	—	—	3	—	2	1	—	—	—	3	4	3	16
Tuberkulose der Lungen	12	19	14	22	21	17	14	16	23	10	20	17	205
„ anderer Organe	3	5	1	4	3	2	3	5	3	8	6	3	46
Akute allgemeine Miliartuberkulose	—	—	2		2	—	—	—	—	—	—	—	4
Lungenentzündung	19	20	13	15	13	7	10	9	4	8	13	7	138
Influenza	2	10	4	1	—	—	—	—	—	—	1	—	18
Andere übertragbare Krankheiten	1	1	1	2	3	—	2	2	—	2	1	—	15
Krankheiten der Atmungsorgane	6	6	11	7	3	—	3	3	4	2	6	5	56
„ „ Kreislauforgane	20	23	13	14	14	6	14	6	8	12	10	13	153
Gehirnschlag	7	11	3	6	5	9	7	6	6	5	8	9	82
Andere Krankheiten des Nervensystems	4	6	7	9	10	4	3	11	4	4	8	7	77
Magen- und Darmkatarrh, Brechdurchfall	10	9	5	17	9	7	15	28	34	15	13	7	169
Andere Krankheiten der Verdauungsorgane	5	5	4	4	8	3	3	7	9	6	—	7	61
Krankheiten der Harn- und Geschlechtsorgane	4	4	5	6	7	6	2	4	3	5	7	5	58
Krebs	8	6	12	15	13	5	4	8	9	7	12	11	110
Andere Neubildungen	—	1	2	—	2	—	—	—	5	1	1	1	13
Selbstmord	2	2	1	1	4	1	3	4	1	2	2	—	23
Mord, Totschlag, tödliche Körperverletzung	—	—	—	—	—	—	—	—	1	1	—	—	2
Verunglückung	4	1	2	2	2	4	5	6	4	8	1	6	45
Andere benannte Todesursachen	4	5	5	1	2	5	1	1	9	3	5	2	43
Todesursache nicht angegeben	2	2	—	—	1	—	—	1	—	2	—	1	9
Summe	132	151	134	138	142	102	101	139	140	123	133	128	1563

Das Bureau für Statistik und Einquartierungswesen hat sich im Berichtsjahre mit nachstehend näher bezeichneten Arbeiten befaßt:

1. Fortführung des Einquartierungs-Katasters für die Stadt Mainz nach Maßgabe der im Berichtsjahre neu errichteten, umgebauten oder niedergelegten Wohn- und Geschäftshäuser;
2. Fortführung der Verzeichnisse über die in der Stadt Mainz, in Mainz-Zahlbach und Mainz-Mombach neuerrichteten Wohngebäude mit Angabe der einzelnen Wohnungen, deren Zimmerzahl, des Flächen- und Kubikinhaltes der einzelnen Wohnräume und des geschätzten Mietwertes der Wohnungen sowie des Flächeninhalts der Geschäftsräume;
3. Statistische Bearbeitung der Marktberichte der städtischen Schlacht- und Viehhof-Verwaltung über den wöchentlichen und monatlichen Auftrieb und die Preisnotierungen des Viehmarktes sowie die im Schlachthaus vorgenommenen Schlachtungen;
4. Statistische Bearbeitung der Wochenmarktberichte bezüglich der Preise der auf dem Wochenmarkt zum Verkauf gestellten Viktualien und Futterartikel, der Brotpreise nach Erklärung der Bäckerinnung und der Fleischpreise nach Erklärung der Metzgermeister;
5. Wöchentliche bezw. monatliche Mitteilungen über die zu Ziffer 3 und 4 angegebenen Preisermittelungen und den Auftrieb auf dem städtischen Viehhof an die hiesige und teilweise auch die auswärtige Presse, an das Königl. Proviantamt Mainz, an die Großh. Hessische Zentralstelle für die Landesstatistik in Darmstadt, an die Königl. Lehranstalt für Wein-, Obst- und Gemüsebau in Geisenheim, an die allgemeine Fleischerzeitung in Berlin, an die Preisberichtstelle des Deutschen Landwirtschaftsrates in Berlin und andere Stellen;
6. Amtliche Marktpreisbestätigungen für Lebensmittel, Futterartikel und verschiedene Gebrauchsgegenstände für das Großh. Kreisamt Mainz, die Garnisonverwaltung, die Verwaltung des Garnisonlazaretts, das Proviantamt und die Verwaltung der Armee-Konservenfabrik;
7. Monatliche Berichterstattung über den Bevölkerungswechsel und -Stand der Stadt Mainz an das Statistische Amt der Stadt Breslau für das Statistische Jahrbuch deutscher Städte;
8. Ausarbeitung von verschiedenen statistischen Tabellen, nämlich:
   a) über Geburten, Sterbefälle, Eheschließungen und Ehescheidungen in der Stadt Mainz sowie in den Kreisen und Provinzen des Großherzogtums Hessen und in einigen Nachbarstädten für das Jahr 1907 bezw. 1906 und von 1900 bis 1907;
   b) über die Preise von Lebensmitteln und anderen Verbrauchsgegenständen in den Städten Mainz, Darmstadt, Worms, Wiesbaden und Mannheim im Kalenderjahre 1907;
   c) über den wöchentlichen Auftrieb auf dem städtischen Viehmarkte und die Preisnotierungen für das verkaufte Vieh;
   d) Zusammenstellung der monatlichen Schlachtungen im städtischen Schlachthaus;
   e) Zusammenstellung der Jahresdurchschnittspreise des auf dem städtischen Viehhofe verkauften Viehes für je 50 kg Schlachtgewicht sowie der Fleischpreise für ½ kg der einzelnen Fleischsorten in den Jahren von 1896 bis einschließlich 1907;
   f) über die Bautätigkeit, die Wohnungsverhältnisse und den Immobilien-Umsatz in der Stadt Mainz im Rechnungsjahr 1907;
   g) über die Rheinwasserstände am Brückenpegel zu Mainz während des Kalenderjahres 1907.

Ferner wurden für das statistische Jahrbuch deutscher Städte verschiedene Fragebogen beantwortet und an die statistischen Ämter verschiedener Städte die erbetenen Auskünfte über statistische Verhältnisse der Stadt Mainz erteilt.

Das Ergebnis der am 12. Juni 1907 vorgenommenen Berufs- und Betriebszählung war folgendes:

	Bei der Zivilbevölkerung	Beim Militär	Im ganzen
a) Zahl der Haushaltungen	21 626	258	21 884
b) „ „ anwesenden Personen: männlich	43 158	7 096	50 254
weiblich	47 276	537	47 813
c) Gesamtzahl der Anwesenden	90 434	7 633	98 067
d) Zahl der vorübergehend abwesenden Personen			2 217
e) Gesamtbevölkerung am 12. Juni 1907			100 284
f) Zahl der Land- und Forstwirtschaftskarten			578
g) „ „ Gewerbeformulare			5 412
h) „ „ Gewerbebogen			1 728

Nach den am 1. Dezember 1900, 1. Dezember 1904 und 2. Dezember 1907 vorgenommenen **Zählungen des Viehstandes** waren vorhanden:

	am 1. Dezember 1900	am 1. Dezember 1904	am 2. Dezember 1907 (einschl. Mombach)
1. Pferde . . .	1877	2247	2224
2. Esel	2	—	—
3. Rindvieh . . .	62	127	246
4. Schafe . . .	4	10	5
5. Schweine . . .	270	842	1315
6. Ziegen . . .	141	107	195
7. Federvieh . .	4 571	—	—
8. Bienenstöcke . .	83	—	—

Erläuternd wird hierzu bemerkt, daß, soweit ein Bestand nicht angegeben ist, eine Zählung nicht stattgefunden hat.

III. Verwaltung im allgemeinen.

Aus Anlaß einer Truppenschau auf dem großen Sande zogen Se. **Majestät der Kniser** und Se. **Königliche Hoheit der Großherzog** am 20. August 1907 an der Spitze der Truppen in unsere Stadt ein. Auch **Ihre Königliche Hoheit die Großherzogin und der Erbgroßherzog** beehrten die Stodt an diesem Tage mit ihrem Besuche.

Nachdem durch Entschließung Seiner Königlichen Hoheit des Großherzogs die **Vereinigung der Gemeinde Mombach mit der Stodt Mainz** genehmigt worden war und nachdem darch Gesetz vom 27. März 1907 die zur Ausführung des Eingemeindungsvertrages erforderlichen Bestimmungen erlassen worden waren, trat die Eingemeindung am 1. April 1907 in Kraft.

Die im Eingemeindungsvertrage vorgesehene Wahl von drei Stadtverordneten für den neuen Stadtteil Mainz-Mombach fand am 19. Juni 1907 statt. Es wurden gewählt: Herr **Hermann Joseph Wolff**, Rechner, auf 9 Jahre, Herr **Michael Stood**, Landwirt, auf 6 Johre und Herr Dr. **Hans Collischonn**, Arzt, auf 3 Jahre. Die Gewählten wurden in öffentlicher Sitzung der Stadtverordneten-Versammlung vom 17. Juli 1907 in ihr Amt eingeführt und verpflichtet.

Bei der am 10. Dezember 1907 vorgenommenen **regelmäßigen Ergänzungswahl der Stadtverordneten-Versammlung** wurden die Herren **Gewerberat Johaan Baptist Fall II.**, **Sanitätsrat** Dr. **Heinrich Ludwig Müller**, Arzt, **Clemens Rühl**, Architekt, **Justizrat** Dr. **Adam Joseph Schmitt**, Rechtsanwalt, Dr. **Joseph Zuckmayer**, Rechtsanwalt, wiedergewählt. Neugewählt wurden die Herren **August Feine**, Kaufmann, **Wilhelm Fuchs**, Reallehrer, **Joseph Heiden-Heimer**, Kaufmann, Dr. **Karl Külb**, Arzt, **Joseph Molthan**, Landtagsabgeordneter, **Eduard Odmann**, Revisions-Inspektor, **Joseph Reinach**, Fabrikant, **Hans Soldan**, Rechtsanwalt, **Philipp Stein**, Hof-Säcklermeister, **Professor August Uedel**, Oberlehrer. Die Wahl des Herrn **Soldan** erfolgte auf die Dauer von 3 Jahren, die der übrigen Herren auf die Daner von 9 Jahren. Gegen die Wahl des Heren **Fuchs** wur Einspruch erhoben worden mit der Begründung, daß er als „Schullehrer" nach Artikel 16 Ziffer 2 der Städteordnung von der Wählbarkeit ausgeschlossen sei. Dieser Einspruch wurde von dem Kreisausschuß und auf eingelegten Rekurs von dem Provinzialausschuß als unbegründet zurückgewiesen. In beiden Urteilen wird ausgeführt, daß unter „Schullehrer" im Sinne der genannten gesetzlichen Bestimmung lediglich die in einem gewissen Abhängigkeitsverhältnis zu der Gemeindeverwaltung stehenden Volksschullehrer, nicht aber die staatlich angestellten Lehrer an

Realschulen und sonstigen Staatsanstalten, gleichgültig ob sie seminaristische oder akademische Bildung haben, zu verstehen sind.

Die Einführung und Verpflichtung der Gewählten fand am 8. Januar und 1. April 1908 in öffentlicher Sitzung der Stadtverordneten-Versammlung statt.

Gestorben sind im Berichtsjahre:

a) am 21. Juni 1907 Herr Stadtverordneter Karl Willms. Er war viele Jahre lang in der städtischen Armenpflege tätig, wurde im Jahre 1898 als Mitglied der Armendeputation und im Jahre 1901 als Stadtverordneter gewählt. In ihm verlor die Stadtverordneten-Versammlung ein eifriges und geschätztes Mitglied;

b) am 21. September 1907 der Apostolische Protonotar, Päpstliche Hausprälat und Domkapitular Herr Dr. Friedrich Schneider. Die Stadt Mainz hat in ihm einen hervorragenden Bürger, die Stadtverwaltung einen verdienstvollen Berater verloren, der stets das lebhafteste Interesse für seine Vaterstadt betätigte;

c) am 20. Februar 1908 Herr Franz Joseph Ufinger. 27 Jahre lang hatte er der Stadtverordneten-Versammlung angehört, und auch nach seinem Ausscheiden im Jahre 1905 war er noch Mitglied mehrerer städtischer Körperschaften. Ausgestattet mit weitausschauendem, klarem Blick und praktischem Sinn, widmete er stets unermüdlich und in uneigennützigster Weise der Vaterstadt seine Dienste. Mit welch' großer Liebe er an seiner Vaterstadt hing, beweist die Tatsache, daß er ihr testamentarisch eine große Anzahl wertvoller Gemälde und eine durch ihren Kunstwert bedeutende Porzellansammlung vermochte.

Die durch Reichsgesetz vom 25. März 1907 angeordnete Berufs- und Betriebszählung für das deutsche Reich fand am 12. Juni 1907 statt (vgl. Seite 14).

An Pfingsten 1907 hielt der Allgemeine deutsche Lehrerinnenverein seine 10. Generalversammlung in Mainz ab. Die Stadtverordneten-Versammlung bewilligte zu den Kosten einen Betrag von 400 ℳ.

In den Tagen vom 30. Mai bis 3. Juni 1907 feierte der Verband deutscher Eisenwarenhändler in Mainz, dem Sitze des Verbandes, sein 10jähriges Stiftungsfest. Mit den Festlichkeiten verband er in den Räumen der Stadthalle eine umfangreiche Fachausstellung, eine Eisenwarenmesse, die sich eines sehr guten Besuches zu erfreuen hatte.

Vom 22. bis 25. September 1907 unternahm der Motor-Jacht-Klub in Berlin die ersten internationalen Wett- und Tourenfahrten für Motorboote auf dem Rhein. Sie nahmen in Mannheim ihren Anfang und endeten in Düsseldorf. Diese Veranstaltungen haben den Zweck, das Interesse der Rheinbewohner für die Motorschiffahrt wachzurufen, und sollen ferner, als Grundlage zu einer Festwoche am Rhein gedacht, zur Hebung des Fremdenverkehrs am Rhein beitragen. Für den ersten Teil der diesjährigen Regatta, die Wettfahrt von Mannheim bis Mainz, an der etwa 30 Motorboote teilnahmen, stiftete die Stadt Mainz zwei wertvolle Ehrenpreise. Sie veranstaltete außerdem zu Ehren der Regattateilnehmer am 22. September einen Festabend in der Stadthalle, in dessen Verlauf die Preise für die erste Wettfahrtstrecke verteilt wurden. Am Vormittag des folgenden Tages war Mainz der Ausgangspunkt für die Schönheitskonkurrenz der Motorboote, des Blumenkorsos. Ein überaus farbenprächtiges Bild boten die mit Blumen, Flaggen und Girlanden reich geschmückten Boote, die in endloser Reihe der Stadt entlang am Rhein hinabfuhren. Die Bevölkerung von Mainz und seiner Umgebung, die in stattlicher Anzahl das Ufer belebte, verfolgte mit großem Interesse das Schauspiel, das ihr dieser neue Wettbewerb auf dem Wasser darbot. Der Mainzer Verkehrsverein unterstützte die Stadtverwaltung bei der Vorbereitung der Veranstaltungen in dankenswerter Weise und förderte das Unternehmen außerdem durch eine finanzielle Beihilfe.

Der Mainzer Gastwirteverein veranstaltete unter Mitwirkung mehrerer Fachvereine vom 5. bis 13. Oktober 1907 eine Ausstellung für Kochkunst, Hotel- und Wirtschaftswesen. Die Ausstellung war außerordentlich reich beschickt, sie wurde — auch von auswärts — lebhaft besucht und war in jeder Hinsicht wohl gelungen. Die Stadt stiftete zur Prämiierung hervorragender Leistungen einen Ehrenpreis.

In den Tagen vom 31. Juli bis 3. August 1907 beging die Ludwigs-Universität Gießen das Jubelfest ihres 300jährigen Bestehens. Die Stadtverordneten-Versammlung überwies der Universität aus Anlaß der Jahrhundertfeier eine Jubiläumsgabe von 10000 ℳ, davon 5000 ℳ für Bibliothekszwecke und 5000 ℳ für den Stipendienfonds. Sie bestimmte hierbei, daß die Zinsenerträgnisse des Stipendienkapitals in erster Linie Mainzern, in zweiter Linie Rheinhessen, in dritter Linie anderen Hessen und in vierter Linie anderen Reichsangehörigen zugute kommen sollen. Oberbürgermeister Dr. Göttelmann übermittelte der Universität die Glückwünsche der Stadt Mainz und nahm als Ehrengast der Universität an den Feierlichkeiten teil.

Am 14. und 15. März 1908 feierte das 1. Nassauische Feldartillerie-Regiment Nr. 27 Oranien, dessen Stamm seit über 40 Jahren in Mainz garnisoniert, das Fest der 75. Wiederkehr seines Stiftungstages. Die Stadt Mainz beglückwünschte das Regiment und widmete ihm eine Festgabe.

Im August 1907 wurde das Städtchen Herbstein in Oberhessen von einem großen Brandunglück heimgesucht. Zur Linderung der Not der betroffenen, meist unbemittelten Leute bewilligte die Stadtverordneten-Versammlung eine Beihilfe von 1000 ℳ.

Zu den Kasten der im Frühjahr 1908 in Frankfurt a. M. stattgehabten Heimarbeit-Ausstellung leistete die Stadt Mainz, in Würdigung der Bedeutung der Ausstellung für die Wissenschaft und ihres hohen sozialpolitischen Wertes, einen Beitrag von 500 ℳ

Zur Förderung ihrer Interessen unterstützte die Stodt Mainz durch Gewährung von Zuschüssen und in anderer Weise folgende Unternehmungen:

1. die von dem Verlag der Wochenschrift „Der Rdtin“ im Herbst 1907 herausgegebene Sondernummer über Mainz. Diese Nummer, mit großer Sorgfalt hergestellt und ausgestattet, enthält aus berufener Feder Aufsätze über die Geschichte der Stadt Mainz, die Entwickelung des Handels und der Industrie, die Hafenanlagen und Hafengebäude und über die Entwickelung der Stadt Mainz seit den 70er Jahren und ihre öffentlichen Einrichtungen;
2. die im Frühjahr 1908 erschienene Rhein-Nummer der „Illustrierten Zeitung“, in der Mninz mit einem größeren Aufsatze bedacht ist;
3. die von Woerls Reisebücher-Verlag herausgegebene Neuauflage des illustrierten Führers durch Mainz.

Der am 10. Oktober 1897 zwischen der Stodt und der Oberpostdirektion abgeschlossene Vertrag über die Anlage und den Betrieb einer besonderen Telephonzentrale im Stadthaus wurde von der Oberpostdirektion zum 21. März 1908 gekündigt. Die Zentrale im Stadthause tourde mit dirsem Zeitpunkte aufgegeben, und sämtliche für die Stadtverwaltung notwendigen Sprechstellen wurden mit Wirkung von da ab an das Kaiserliche Telegraphenamt direkt angeschlossen.

Erlassen wurden folgende Ortsstatute, Polizeiverordnungen und andere Vorschriften von allgemeinem Interesse:

1. am 1. April 1907: Bestimmung betreffend die Ausdehnung des Bezirks der städtischen Krankenkasse für Dienstboten und Lehrlinge auf den Stadtteil Mainz-Mombach;
2. am 1. April 1907: Bestimmung betreffend die Einführung des Oktrois in den Stadtteil Mainz-Mombach;
3. am 13. April 1907: Polizeiverordnung die Verhütung von Tierquälerei betreffend;
4. am 29. Juni 1907: Strompreise für die Abgabe und Berechnung von elektrischer Energie aus dem städtischen Elektrizitätswerk;
5. am 2. Juli 1907: Nachtrag zu den Satzungen der Pensionsanstalt für die städtische Kapelle zu Mainz;
6. am 27. August 1907: Ortsstatut, betreffend die Errichtung von Bauten in der Altstadt zu Mainz, hier Schutz vor belästigenden Anlagen;
7. am 13. September 1907: Bestimmungen betreffend die Einrichtung der Armenpflege in dem Stadtteil Mainz-Mombach (Nachtrag zu den Satzungen für die Verwaltung des Armenwesens und der Hospizien-Anstalten vom 23. Juni 1898);
8. am 22. Oktober 1907: Nachtrag zu dem Statut, betreffend die Organisation des Polizeiwesens in der Provinzial-Hauptstadt Mainz;
9. am 19. November 1907: Bestimmung betreffend Einführung des Schlachthauszwangs für den Stadtteil Mainz-Mombach;
10. am 30. Dezember 1907: Nachtrag zu dem Statut betreffend die Dienstverhältnisse der Angestellten der Stadt Mainz vom 28. Juni 1876 (Ausdehnung des Statuts auf den Stadtteil Mainz-Mombach);
11. am 28. Januar 1908: Bestimmung über Erstreckung des Ortsstatuts, betreffend Ausdehnung der Unfallversicherungspflicht auf in den Baubetrieben der Stadt Mainz beschäftigte Betriebsbeamte, vom 6. Juni 1899 auf den Stadtteil Mainz-Mombach;

12. am 28. Januar 1908: Bestimmung über die Erstreckung des Ortsstatuts vom 31. Oktober 1892, die Ausdehnung des Krankenversicherungszwangs in der Stadt Mainz betreffend, auf den Stadtteil Mainz-Mombach;
13. am 5. Februar 1908: Abänderung des § 36 der Geschäftsordnung für die Stadtverordneten-Versammlung vom 27. November 1895;
14. am 5. Februar 1908: Gebührenordnung der Lohnmänner für eigene Rechnung in der Stadt Mainz;
15. am 11. Februar 1908: Bekanntmachung betreffend die Wegschaffung des Kehrichts und der Haushaltungsabfälle;
16. am 20. Febenar 1908: Bestimmung über die Ausdehnung des Ortsstatuts, betreffend die Fürsorge für städtische Bedienstete und Arbeiter zu Mainz, sowit deren Hinterbliebene vom 10. Februar 1904 auf den Stadtteil Mainz-Mombach;
17. am 28. März 1908: Nachtrag zur Baupolizeiordnung für die Provinzial-Hauptstadt Mainz vom 1. August 1898;
18. am 30. März 1908: Nachtrag zur Polizeiverordnung den öffentlichen Verkehr auf dem Bahnhofsplatze in Mainz betreffend;
19. am 31. März 1908: Marktordnung für die Provinzial-Hauptstadt Mainz.

Die Stadtverordneten-Versammlung beschäftigte sich in 34 Sitzungen (38 im Vorjahre) mit der Beratung von 788 Gegenständen (gegen 826 im Vorjahre). Die bestehenden Ausschüsse, Deputationen und Kommissionen rc. hielten im ganzen 422 (430) Sitzungen ab, wovon entfallen auf

	1907	1906
A. Ordentliche Ausschüsse:		
den Ausschuß für Finanzangelegenheiten	35	41
„ „ „ das Bauwesen	55	50
„ „ „ Rechtsangelegenheiten	20	17
„ „ „ Schul- sowie Bibliothek- und ästhetische Angelegenheiten	12	9
„ „ „ die Besetzung von Stellen sowie für Bürger-Aufnahme und Vergebung von Stiftungszinsen	30	23
B. Deputationen:		
die Deputation für sozialpolitische Angelegenheiten	8	8
„ „ „ die Verwaltung des Arbeitsamts	2	4
„ „ „ den Geländeverkehr	14	18
„ „ „ die Verwaltung der Straßenbahn	20	16
„ „ „ die Verwaltung der Gas- und Elektrizitätswerke	13	18
„ „ „ die Verwaltung des Schlacht- und Viehhofs	6	7
„ Hafen- und Lagerhaus-Deputation	15	10
„ Deputation für die Verwaltung der Sparkasse	12	13
„ „ „ Theaterangelegenheiten	16	16
„ „ „ Wahrung von Museums-Angelegenheiten	10	8
„ „ „ die Wiederherstellung des Kurfürstlichen Schlosses	1	4
„ „ „ die Unterhaltung der öffentlichen Anlagen und Spaziergänge	4	6
„ „ „ das Reinigungswesen	12	18
„ „ „ das Einquartierungswesen	1	—
„ „ „ das Feuerlöschwesen	3	4
„ „ „ die Verwaltung des Friedhofs	11	3
„ „ „ das Feuerbestattungswesen	1	2
den Ortsgesundheitsrat	1	2
das Kuratorium der höheren Mädchenschule	6	8
zu übertragen	308	305

C. Kommissionen:		1907	1906
	Übertrag	308	305
die Kommission für Wasserversorgung		8	8
„ „ „ Eingemeindungen		9	6
„ „ „ Hallenangelegenheiten		26	25
„ „ „ Wohnungspflege		2	4
„ Verwaltungskommission der Schott-Braunrasch-Stiftung		17	11
„ Delegation für Schuldverschreibungen		28	37
„ Kommission für den Krankenhausneubau		2	13
„ „ „ die Verwaltung der städt. Auskunfts- und Fürsorgestelle für Lungenkranke		3	6
sonstige Kommissionen		19	15
	zusammen	422	430

Das Geschäftsregister der Bürgermeisterei weist 37 098 Einläufe auf gegen 30 759 im Vorjahre.

Anträge auf Vornahme des Sühneversuchs liefen ein 334 (1906 = 327). Hiervon wurden erledigt:

a) durch Vergleich	61 Fälle gegen	57 im Vorjahre
b) auf andere Weise (Zurücknahme)	13 „ „	14 „ „
während erfolglos blieben:		
a) wegen Ausbleibens des Beklagten	211 „ „	197 „ „
b) in Ermangelung einer Einigung	49 „ „	59 „ „
	334 Fälle gegen	327 im Vorjahre.

Zur Erwirkung von Konzessionen zum Wirtschaftsbetrieb und zum Kleinhandel mit Branntwein, sowie zur Erlangung von Wandergewerbescheinen wurden 346 (349) Protokolle aufgenommen.

IV. Fürsorge für städtische Beamte und Arbeiter.

1. Ruhegehalte an städtische Angestellte.

Nach den Bestimmungen des Statuts, betreffend die Dienstverhältnisse der Angestellten der Stadt Mainz, vom 28. Juni 1876 und des Nachtrages hierzu vom 20. Januar 1906 können die Beamten der Stadt Mainz nach fünfjähriger Dienstzeit und erfolgter Bestätigung ihrer Anstellung — sofern ihre Entlassung nicht wegen Verurteilung oder Dienstwidrigkeit erfolgt — nur unter Gewährung eines Ruhegehaltes entlassen werden. Wird ein Beamter nach zurückgelegtem fünften Dienstjahre in den Ruhestand versetzt, so erhält er als Ruhegehalt 40 Prozent seiner Besoldung. Für jedes weiter zurückgelegte Dienstjahr werden vom sechsten bis zehnten Dienstjahre zwei Prozent, vom 11. bis 30. Dienstjahre $1\frac{1}{2}$ Prozent und vom 31. bis 40. Dienstjahre ein Prozent zugesetzt. Erfolgt die Versetzung in den Ruhestand nach zurückgelegten 50 Dienstjahren, so wird der volle Betrag der Besoldung als Ruhegehalt in Ansatz gebracht.

Im Genusse von Ruhegehalten befanden sich

am 1. April 1907	49 Personen mit zusammen jährlich	87 712 ℳ 79 ₰
Abgegangen in 1907 sind	8 „ „ „ „	15 121 „ — „
Bleiben	41 Personen mit zusammen jährlich	72 591 ℳ 79 ₰
Zugegangen in 1907 sind	5 „ „ „ „	14 073 „ 50 „
Stand Ende März 1908	46 Personen mit zusammen jährlich	86 665 ℳ 29 ₰

Aufgewendet für Ruhegehalte wurden im Rechnungsjahr 1907 insgesamt 92 144 ℳ 73 ₰. Hiervon entfallen:

auf die Stadtkasse	71 046 ℳ 48 ₰
„ „ Kasse der Armenverwaltung	1 492 „ — „
„ „ „ Hospizienverwaltung	10 684 „ 75 „
„ „ Pfandhauskasse	3 117 „ 50 „
„ „ Gaswerkskasse	5 804 „ — „
Zusammen wie oben	92 144 ℳ 73 ₰

Hierzu wird noch bemerkt, daß gemäß Beschlusses der Stadtverordneten-Versammlung vom 10. März 1897 allen städtischen Angestellten die Zeit, die sie vom 25. Lebensjahre ab dem Dienste der Stadt Mainz gewidmet haben, bei der Versetzung in den Ruhestand für die Festsetzung des Ruhegehalts in Anrechnung gebracht wird.

2. Witwen- und Waisengelder an die Hinterbliebenen städtischer Angestellten.

Die Witwen und Waisen städtischer Angestellten erhalten nach dem Statut der Witwen- und Waisenanstalt der Angestellten der Stadt Mainz vom 6. Dezember 1879 zusammen jährlich dreißig Prozent des Gehaltes, welchen der verstorbene Angestellte zuletzt bezogen hat, mag derselbe im Dienste oder im Ruhestande verstorben sein. Hinterläßt ein Angestellter zwar keine Witwe, aber eheliche Kinder, von denen das eine oder andere beim Ableben des Vaters das 18. Lebensjahr noch nicht überschritten hat, so sind solche Kinder bis zum 19. Lebensjahr zur Pension berechtigt. In diesem Falle ist letztere unter die Kinder, sie mögen aus derselben oder verschiedenen Ehen stammen, nach Köpfen zu teilen.

Zum Bezuge der Witwen- und Waisengelder waren berechtigt:

am 1. April 1907	105 Personen mit zusammen jährlich	70 646 ℳ 68 ₰
Abgegangen in 1907 sind	2 „ „ „ „	1 500 „ — „
Bleiben . . .	103 Personen mit zusammen jährlich	69 146 ℳ 68 ₰
Zugegangen in 1907 sind	5 „ „ „ „	3 292 „ 50 „
Stand Ende März 1908	108 Personen mit zusammen jährlich	72 439 ℳ 18 ₰

Die tatsächlichen Aufwendungen betragen im Rechnungsjahr 1907 — 71 448 ℳ 44 ₰.

Beim Ableben eines im Dienste oder Ruhestand befindlichen Angestellten wird dessen Witwe oder ehelichen Nachkommen, welche mit ihm in häuslicher Gemeinschaft lebten, der Dienst- bezw. Ruhegehalt weitere drei Monate vom Todestage an ausbezahlt. Für diese drei Monate finden keine Bezüge der Witwen oder Kinder aus der Witwen- und Waisenkasse statt.

3. Ruhegehalte, Witwen- und Waisengelder an die Orchestermitglieder und deren Hinterbliebenen.

Nach den Satzungen der Pensions-Anstalt für die städtische Kapelle zu Mainz gelten für die Gewährung von Ruhegehalten, Sterbequartalen und Witwen- und Waisengeldern an die Orchestermitglieder und deren Hinterbliebenen die gleichen Bestimmungen wie für die städtischen Angestellten.

Es befanden sich im Genusse:

A. von Ruhegehalten:

am 16. April 1907	7 Personen mit zusammen jährlich	7 850 ℳ 50 ₰
Zugegangen in 1907 sind . .	2 „ „ „ „	3 888 „ — „
Stand am 16. April 1908 .	9 Personen mit zusammen jährlich	11 738 ℳ 50 ₰

B. von Witwen- und Waisengeldern:

am 16. April 1907	5 Personen mit zusammen jährlich	3 360 ℳ — ₰

Die tatsächlichen Aufwendungen betrugen im Rechnungsjahre 1907:

a) für Ruhegehalte	10 459 ℳ 39 ₰
b) für Witwen- und Waisengelder	3 360 „ — „

4. Rentenzuschüsse, sowie Witwen- und Waisengelder an städtische Bedienstete und Arbeiter und deren Hinterbliebene.

Nach dem Ortsstatut vom 10. Februar 1904, betreffend die Fürsorge für städtische Bedienstete und Arbeiter sowie deren Hinterbliebene, werden diesen Personen Zuschüsse zu den reichsgesetzlichen Unfall- oder Invalidenrenten, sowie Witwen- und Waisengeld gewährt. Die Gewährung dieser Zuschüsse, sowie des Witwen- und Waisengeldes findet statt, wenn der Bedienstete oder Arbeiter nach vollendetem 21. und vor vollendetem 60. Lebensjahre mindestens zehn Jahre ununterbrochen im Dienste der Stadt Mainz beschäftigt war. Der Zuschuß beträgt nach zehnjähriger Dienstzeit 20 Prozent des durchschnittlichen Jahresarbeitsverdienstes und steigt von da an mit jedem weiter zurückgelegten Dienstjahre um 1 Prozent bis zum Höchstbetrage von 40 Prozent des Jahresarbeitsverdienstes. Der Mindestbetrag des Zuschusses ist für vollbeschäftigte männliche Bedienstete oder Arbeiter auf 240 ℳ jährlich festgesetzt. Das Witwengeld beträgt 20 Prozent des durchschnittlichen Jahresarbeitsverdienstes des Mannes, mag derselbe im Dienste der Stadt oder als Zuschußempfänger verstorben sein, mindestens jedoch 180 ℳ. Als Waisengeld werden für jedes eheliche Kind bis zum vollendeten 16. Lebensjahre 10 Prozent des Diensteinkommens des Vaters gewährt. Sind mehrere Kinder vorhanden, so darf das Waisengeld 20 Prozent des Diensteinkommens nicht übersteigen und werden dann die Waisengelder auf die einzelnen Kinder verhältnismäßig verteilt. Auf Grund vorgenannter Vorschriften bezogen:

A. Rentenzuschüsse.

am 1. April 1907 . . .	26 Personen mit zusammen jährlich	8325 ℳ	77 ₰
Abgegangen in 1907 sind .	4 „ „ „ „	1099 „	23 „
Bleiben . . .	22 Personen mit zusammen jährlich	7226 ℳ	54 ₰
Zugegangen in 1907 sind .	9 „ „ „ „	2544 „	67 „
Stand Ende März 1908 .	31 Personen mit zusammen jährlich	9771 ℳ	21 ₰

B. Witwen- und Waisengeld.

am 1. April 1907 . . .	46 Personen mit zusammen jährlich	9993 ℳ	46 ₰
Abgegangen in 1907 sind .	2 „ „ „ „	238 „	17 „
Bleiben . . .	44 Personen mit zusammen jährlich	9755 ℳ	29 ₰
Zugegangen in 1907 sind .	8 „ „ „ „	1379 „	36 „
Stand Ende März 1908 .	52 Personen mit zusammen jährlich	11134 ℳ	65 ₰

Die tatsächlichen Aufwendungen betrugen im Rechnungsjahre 1907:

a) für Rentenzuschüsse . . . . 9038 ℳ 23 ₰
b) „ Witwen- u. Waisengelder . . . . 10492 „ 63 „

5. Sonstige Unterstützungen an städtische Bedienstete und Arbeiter und deren Hinterbliebenen.

Auf Grund von Beschlüssen der Stadtverordneten-Versammlung wurden am 1. April 1907 an 10 weitere Personen, auf welche die unter den Positionen 1—4 aufgeführten Bestimmungen keine Anwendung finden konnten, aus Billigkeitsgründen Unterstützungen im Gesamtbetrage von jährlich 3423 ℳ 35 ₰ bezahlt. Abgegangen im Laufe des Jahres ist hier ein Bezugsberechtigter mit einer Unterstützung von jährlich 520 ℳ, zugegangen in derselben Zeit ein solcher mit einer Unterstützung von jährlich 180 ℳ. Aufgewendet wurden in 1907 insgesamt 3379 ℳ 74 ₰.

6. Familienzulagen an die in den Betrieben der Stadt Mainz beschäftigten ständigen Arbeiter.

Zufolge Beschlusses der Stadtverordneten-Versammlung vom 12. Dezember 1906 wird an ständige Arbeiter, welche mindestens 1 Jahr im Dienste der Stadt beschäftigt sind, eine Familienzulage bezahlt. Dieselbe beträgt:

a) für verheiratete Arbeiter ohne oder mit höchstens 2 Kindern unter 16 Jahren für jede Woche . . 1,50 ℳ
b) für verheiratete Arbeiter mit 3 und 4 Kindern unter 16 Jahren für jede Woche . . . . 1,75 „
c) für verheiratete Arbeiter mit 5 und mehr Kindern unter 16 Jahren für jede Woche . . . . . . 2,00 „
d) für ledige Arbeiter für jede Woche . . . . 0,75 „

Verwitwete oder geschiedene Arbeiter mit Kindern unter 16 Jahren werden wie verheiratete behandelt, verwitwete Arbeiter ohne Kinder werden den ledigen Arbeitern gleichgestellt. Ledige Arbeiter, welche die einzigen Ernährer von Eltern sind, werden den verheirateten unter pos. a gleichgestellt. Für die ledigen Arbeiter unter 30 Jahren, welche nicht die Ernährer ihrer Eltern oder eines Elternteils sind, wird die Zulage bei der Sparkasse angelegt. Das auf deren Namen ausgestellte Quittungsbuch wird denselben bei ihrer Verheiratung oder bei ihrem Austritt aus dem städtischen Dienste ausgeliefert, bei Erreichung des 30. Lebensjahres auf Verlangen.

Über die bei den einzelnen städtischen Dienstzweigen verausgabten Familienzulagen gibt die nachstehende Zusammenstellung Aufschluß.

Ord.-Nr.	Bezeichnung der Dienstzweige	Betrag der Familienzulagen und Anzahl der Arbeiter:																		Zahl der ledigen Arbeiter, welche die einzigen Ernährer der Eltern sind
		Anzahl der Arbeiter	Wöchentliche Zulagen zu 1,50 M		Anzahl der Arbeiter	Wöchentliche Zulagen zu 1,75 M		Anzahl der Arbeiter	Wöchentliche Zulagen zu 2 M		Wöchentliche Zulagen zu 75 ₰						Gesamt-Anzahl der Arbeiter	Zusammen		
											Anzahl der Arbeiter	Barzahlung		Anzahl der Arbeiter	Verzinsliche Anlage					
			M	₰		M	₰		M	₰		M	₰		M	₰		M	₰	
1	Hafen- und Lagerhausverwaltung	32	2 365	96	8	658	—	3	312	—	4	155	19	2	74	74	49	3 565	89	—
2	Schlacht- und Viehhofverwaltung	8	624	—	4	364	—	1	72	—	1	39	—	—	—	—	14	1 099	—	—
3	Hafenbahnverwaltung	10	655	50	1	91	—	—	—	—	—	—	—	2	31	50	18	778	—	—
4	Hochbauamt	5	360	—	3	252	—	1	64	—	—	—	—	—	—	—	9	676	—	—
5	Tiefbauamt	93	6 829	82	28	2 520	—	12	1 134	—	16	598	71	10	316	93	159	11 398	46	2
6	Amt für Maschinenwesen . . .	12	757	50	5	343	—	1	104	—	—	—	—	—	—	—	18	1 204	50	—
7	Friedhofverwaltung	5	324	—	—	—	—	1	98	—	—	—	—	—	—	—	6	422	—	—
8	Schulen	1	78	—	—	—	—	—	—	—	—	—	—	—	—	—	1	78	—	—
9	Stadttheater	1	78	—	—	—	—	—	—	—	1	33	75	—	—	—	2	111	75	—
10	Stadtgärtnerei	26	1 866	—	6	355	—	1	104	—	14	360	75	9	244	50	56	2 930	25	—
11	Reinigungsamt	118	8 940	65	40	3 411	50	13	1 264	—	17	608	89	4	132	—	192	14 357	04	2
12	Feuerwehr	8	178	50	1	91	—	1	104	—	1	39	—	—	—	—	6	412	50	
13	Gaswerke	80	5 793	86	30	2 532	25	12	1 105	14	13	420	75	5	102	75	140	9 954	75	1
14	Elektrizitätswerk	12	781	50	6	546	—	—	—	—	3	63	—	4	81	—	25	1 471	50	2
15	Wasserwerk	14	1 092	—	1	91	—	1	104	—	4	136	—	1	39	—	21	1 482	—	—
16	Straßenbahn	108	8 004	—	25	2 110	50	5	488	—	15	286	50	25	751	50	178	11 640	50	1
17	Bauverwaltung des kurfürstlichen Schlosses	5	52	50	3	24	50	—	—	—	—	—	—	—	—	—	8	77	—	—
		533	38 781	76	161	13 389	75	52	4 958	14	89	2 761	54	62	1 772	92	897	61 659	11	8

Bemerkt wird schließlich noch, daß nach § 53 der Arbeitsordnung für die in den Betrieben der städt. Verwaltung zu Mainz beschäftigten Arbeiter vom 12. Dezember 1906 den im Wochen-, Monats- oder Tagelohn stehenden verheirateten Arbeitern, welche mindestens 12 Monate ununterbrochen im städt. Dienst beschäftigt waren, während einer militärischen Übung der Unterschied zwischen dem bisherigen Lohnsatz und der nach dem Reichsgesetz vom 10. Mai 1892 aus Reichsmitteln bezogenen Familienunterstützung zu gewähren ist.

V. Ortsgerichte.

A. Ortsgericht Mainz.

Von dem Vorsteher Großh. Ortsgerichts Mainz sind der Bürgermeisterei folgende Mitteilungen zugegangen:

Die Geschäfte des Großh. Ortsgerichts hatten im Jahre 1907 gegenüber dem vorhergehenden Jahre in der Inanspruchnahme verschiedentliche Schwankungen sowohl aufwärts, wie auch abwärts zu verzeichnen. Während bei den Unterschriftsbeglaubigungen eine Zunahme von 802 stattgefunden hat, sind die Schätzungen wohl infolge der Krisis im Baugewerbe um 52 (mit einem Weniger-Schätzungswert von 1 806 568 ℳ) zurückgegangen. Die Grundbuchsauszüge haben sich ebenfalls wiederum verringert, was sich durch die fortschreitende Anlegung des Grundbuchs erklärt.

A. Auszug aus dem Gebührenregister 1907.

I. Obliegenheiten des Gesamtortsgerichts.

1. Schätzungen in 50 Sitzungen		243
2. Fragenbeantwortungen bei Geländeverkäufen		19
3. „ bei Anlegung des Grundbuchs		10

II. Obliegenheiten des Vorstehers.

1. Unterschriftsbeglaubigungen:		
a) im Amtszimmer	2575	
b) in der Wohnung der Antragsteller	105	2 680
2. Grundbuchsauszüge		905
3. Identitätsbescheinigungen		5
4. Nachschlagen im Grundbuch		42
5. Bestätigungen		13
6. Bescheinigungen		44
7. Abschriften ortsgerichtlicher Urkunden		11
8. Sterbefallsanzeigen, davon 477 gebührenfrei		1 832
9. Nachlaßsicherungen		54
10. Siegelabnahmen		7
11. Vernehmungen im Immobilienverkauf		3
12. Auskunftserteilungen des Vorstehers		5

B. Verschiedene Geschäfte (gebührenfrei).

I. Gutachten des Gesamtortsgerichts zu vormundschaftsgerichtlichen Genehmigungen 26.

II. Des Vorstehers: Zu Vernehmungen für Einleitungen von Vormundschaften, Fragebeantwortungen bei Anlegung des Grundbuchs, ungefähre Schätzungen für gerichtliche Zwecke usw. wurde der Vorsteher in über 1 200 Fällen in Anspruch genommen.

C. Zusammenstellung der Schätzungen im Jahre 1907.

im	I. Quartal	= 60	Schätzungen	mit	4 441 134	ℳ Wert
„	II. „	= 69	„	„	4 945 922	„ „
„	III. „	= 57	„	„	3 765 027	„ „
„	IV. „	= 57	„	„	4 754 998	„ „
		243	Schätzungen	mit	17 907 081	ℳ Wert.

Hierbei 33 verschiedene Grundstücke
und 210 Hofreiten
zusammen 243 Schätzungen (z. T. über mehrere Positionen).

D. Überwachung der Mündel in 1907.

Auch im Jahre 1907 konnte durch die freundliche Unterstützung einer größeren Anzahl von Aufsichtsdamen und der Schulbehörden die Überwachung von 900 Mündeln in bester Weise durchgeführt werden.

Die Vorbereitung zur Überwachung der Mündel war gegenüber den früheren Jahren mit weniger Schwierigkeiten verknüpft, da die Wohnungsveränderungen der Mündel gewissenhafter zur Anmeldung kamen.

B. Ortsgericht Mainz-Mombach.

Über die Geschäftstätigkeit des Ortsgerichts Mainz-Mombach im Jahre 1907 ist folgendes zu berichten:

A. Auszug aus dem Gebührenregister 1907.

I. Obliegenheiten des Gesamtortsgerichts.

1. Schätzungen in 30 Sitzungen		210
2. Fragebeantwortung bei Geländeverkäufen		2

II. Obliegenheiten des Vorstehers.

1. Unterschriftsbeglaubigungen:		
a) im Amtszimmer	143	
b) in der Wohnung der Antragsteller	6	149
2. Grundbuchsauszüge über 880 Parzellen		258
3. Identitätsbescheinigungen		1
4. Nachschlagen im Grundbuch und Einsicht in die Parzellenkarten		80
5. Bestätigungen		39
6. Bescheinigungen		14
7. Abschriften ortsgerichtlicher Urkunden		7
8. Sterbefallsanzeigen, davon 76 gebührenfrei		135
9. Nachlaßsicherungen		2
10. Siegelabnahmen		2
11. Auskunftserteilungen des Vorstehers		350
12. Verpachtung		1
13. Willenserklärung		1

B. Verschiedene Geschäfte (gebührenfrei).

I. Gutachten des Gesamtortsgerichts zu vormundschaftlichen Genehmigungen	1
II. Des Vorstehers:	
a) Fragenbeantwortung bei Anlegung des Grundbuchs zur Neuvermessung	50
b) Aufnahme von Reklamationen und Einsprüchen bei Offenlage des Grundbuchs (Neuvermessung)	17
c) Schätzung des ungefähren Wertes von Immobilien zu gerichtlichen Zwecken	3
d) Vernehmungen zur Einleitung der Vormundschaft und andere gerichtliche Aufträge	85

C. Zusammenstellung der Schätzungen im Jahre 1907.

im I. Quartal	= 21 Schätzungen	= 15 Hofreiten,	41 Grundstücke	mit 294 030	ℳ Wert
„ II. „	= 11 „	= 8 „	10 „	„ 139 230	„ „
„ III. „	= 20 „	= 18 „	26 „	„ 229 405	„ „
„ IV. „	= 24 „	= 25 „	67 „	„ 525 370	„ „
Zusammen	76 Schätzungen	= 66 Hofreiten,	144 Grundstücke	mit 1 188 035	ℳ Wert.

D. Überwachung der Mündel in 1907.

Im ganzen waren in 1907 206 Mündel zu überwachen. Die Art der Überwachung schließt sich dem Mainzer System an.

VI. Gewerbegericht.

Durch den am 1. April 1907 in Keafe getretenen Vertrag über die Vereinigung der Gemeinde Mombach mit der Stadt Mninz wurde mit dem genannten Tage der Bezirk des Gewerbegerichts Mainz auf die bisherige Gemeinde Mombach ausgedehnt. Das für diese Gemeinde bestandene Gewerbegericht stellte seine Tätigkeit mit dem erwähnten Zeitpunkte ein.

Die Zahl der im abgelaufenen Jahre anhängig gewesenen Klagen hat sich gegen das Vorjahr um 51 vermehrt. Von dieser Zahl entfallen auf den Stadtteil Mainz-Mombach 17 Klagen.

Wie aus den folgenden Aufstellungen ersichtlich ist, haben sich gegen das Vorjahr die von Arbeitgebern erhobenen Klagen um 16 vermindert, während sich die von Arbeitern gegen Arbeitgeber anhängig gewesenen Rechtsstreite um 66 vermehrt haben. Der Rückgang der Klagen der Arbeitgeber dürfte darin seinen Grund haben, daß im Berichtsjahre weniger Kontraktbrüche infolge Streiks vorkamen, als im Vorjahre. Von einem auswärtigen Betriebe allein wurden 17 Klagen anhängig gemacht. Über die Gründe der Zunahme der von Arbeitern erhobenen Klagen lassen sich bestimmte Angaben nicht machen, anzunehmen ist aber, daß die ungünstigen Erwerbsverhältnisse, die im Berichtsjahre einsetzten, nicht ohne Einfluß gewesen sind. Erwähnenswert ist, daß die auf Lohnzahlung und auf Entschädigung wegen kündigungsloser oder vorzeitiger Entlassung gerichteten Ansprüche gegen das Vorjahr eine Zunahme von 41 und 29 erfuhren, während die Ansprüche auf Entschädigung wegen nicht erfolgter Einstellung in die Arbeit sich um 14 vermehrten. Besonders auffällig ist die Totsache, daß bei den von Arbeitern anhängig gemachten Klagen das Gast- und Schankwirtsgewerbe mit dem größten Prozentsatze beteiligt ist, nämlich mit etwa 1/7 aller Klagen, ein Umstand, der auf besonders ungünstige Verhältnisse in diesem Gewerbe schließen läßt.

1. Zahl der Sachen.

Im Lanfe der letzten 5 Geschäftsjahre waren die in folgender Übersicht angegebenen Klagen anhängig gewesen:

Geschäftsjahr	Zahl der erhobenen Klagen	Zahl der aus dem Vorjahre als unerledigt übernommenen Klagen	Gesamtzahl der Klagen
1903/04	399	16	415
1904/05	371	4	375
1905/06	436	5	441
1906/07	437	13	450
1907/08	489	12	501

Durch den Gerichtsschreiber wurden 36 (33) Streitigkeiten erledigt, bevor eine Klage formell erhoben war.

Die weiften Klagen wurden im Monat Oktober 1907, nämlich 50, und die wenigsten im Monat Januar 1908 nämlich 32, anhängig gemacht.

Zu Protokoll des Gerichtsschreibers wurden 459 Klagen erklärt, 29 wurden schriftlich eingereicht, eine wurde durch mündlichen Vortrag in der Sitzung erhoben.

Von den anhängig gewesenen 501 Klagen wurden erhoben:

a) von Arbeitgebern gegen Arbeiter und Lehrlinge . . . . 46 = $9{,}_{18}$ % (62 = $13{,}_{78}$ %)
b) von Arbeitern und Lehrlingen gegen Arbeitgeber . . . . 453 = $90{,}_{42}$ % (387 = 86 %)
c) von Arbeitern gegen Arbeiter derselben Arbeitgeber . . . . 2 = $0{,}_{40}$ % (1 = $0{,}_{22}$ %)

Zusammen 501 = $100{,}_{00}$ % (450 = $100{,}_{00}$ %)

2. Klagegegenstand.

Von den 46 Klagen der Arbeitgeber gegen Arbeiter und Lehrlinge waren gerichtet:

a) auf Aufnahme oder Fortsetzung des Arbeitsverhältnisses . . . . 3 = $0{,}_{49}$ % (1 = $0{,}_{18}$ %)
b) auf Fortsetzung des Lehrverhältnisses . . . . 0 = 0 % (2 = $0{,}_{37}$ %)
c) auf Entschädigung wegen Nichtaufnahme der Arbeit . . . . 1 = $0{,}_{16}$ % (0 = 0 %)
d) auf Entschädigung wegen widerrechtlichen Verlassens der Arbeit . . . . 40 = $6{,}_{53}$ % (57 = $10{,}_{50}$ %)
e) auf Entschädigung wegen widerrechtlicher Lösung des Lehrverhältnisses . . . . . 0 = 0 % (1 = $0{,}_{18}$ %)
f) auf Schadenersatz wegen fahrlässigerweise zugefügten Materialschadens . . . . . 0 = 0 % (1 = $0{,}_{18}$ %)
g) auf Rückzahlung gegebener Lohnvorschüsse . . . . 15 = $2{,}_{45}$ % (4 = $0{,}_{74}$ %)

Zusammen 59 = $9{,}_{62}$ % (66 = $12{,}_{15}$ %)

Da in 13 Fällen je 2 Ansprüche in einer Klage gemeinsam geltend gemacht wurden, erhöht sich die Zahl der Ansprüche gegenüber der der Klagen um 13.

Widerklagen wurden von Arbeitgebern 8 (2) erhoben; sie waren in 6 Fällen auf Entschädigung wegen nicht ordnungsmäßiger Ausführung von Arbeit und in 2 Fällen auf Entschädigung wegen widerrechtlichen Verlassens der Arbeit gerichtet.

Die 453 Klagen von Arbeitern und Lehrlingen gegen Arbeitgeber hatten folgende Streitigkeiten zum Gegenstande:

a)	Aufnahme oder Fortsetzung des Arbeitsverhältnisses	0 Fall = 0 %	(1 Fall = 0,18 %)
b)	Fortsetzung des Lehrverhältnisses	2 Fälle = 0,33 %	(0 „ = 0 %)
c)	Lösung des Lehrverhältnisses	0 Fall = 0 %	(1 „ = 0,18 %)
d)	Erteilung, Änderung und Herausgabe von Zeugnissen, Arbeitsbüchern, Invalidenkarten usw.	23 Fälle = 3,75 %	(30 Fälle = 5,53 %)
e)	Lohnzahlung	284 „ = 46,33 %	(243 „ = 44,75 %)
f)	Entschädigung wegen Entlassung ohne vorausgegangene Kündigung oder wegen vorzeitiger Entlassung	173 „ = 28,21 %	(144 „ = 26,52 %)
g)	Entschädigung wegen verweigerter Einstellung in die Arbeit	26 „ = 4,24 %	(12 „ = 2,21 %)
h)	Entschädigung wegen verweigerter Weiterbeschäftigung in seitheriger Weise	1 Fall = 0,16 %	(1 Fall = 0,18 %)
i)	Entschädigung wegen Entziehung übertragener Akkordarbeit	3 Fälle = 0,49 %	(5 Fälle = 0,92 %)
k)	Entschädigung wegen schuldhaft verzögerter Lohnauszahlung	0 Fall = 0 %	(3 „ = 0,55 %)
l)	Entschädigung wegen verschuldeten Verlassens der Arbeit infolge vertragswidrigen Verhaltens des andern Teils	9 Fälle = 1,47 %	(12 „ = 2,21 %)
m)	Entschädigung wegen verweigerter Erteilung von Arbeitszeugnissen, verweigerter Auslieferung von Arbeitsbüchern, Invalidenkarten rc.	5 „ = 0,81 %	(2 „ = 0,37 %)
n)	Entschädigung wegen abhanden gekommenen Werkzeugs	1 Fall = 0,16 %	(0 „ = 0 %)
o)	Entschädigung wegen unrichtiger Anmeldung zur Ortskrankenkasse	2 Fälle = 0,33 %	(0 „ = 0 %)
p)	Herausgabe einbehaltener Kleider usw.	5 „ = 0,81 %	(8 „ = 1,47 %)
q)	Rückgabe von Kautionen	2 „ = 0,33 %	(7 „ = 1,29 %)
r)	Ersatz gemachter Vorlagen	8 „ = 1,31 %	(6 „ = 1,11 %)
s)	Zahlung zugesicherter Gratifikation	2 „ = 0,33 %	(1 Fall = 0,18 %)
t)	Berechnung u. Anrechnung der von Arbeitern zu leistenden Krankenversicherungsbeiträge	4 „ = 0,65 %	(1 „ = 0,18 %)
u)	Feststellung eines Vertragsverhältnisses	1 Fall = 0,16 %	(0 „ = 0 %)
v)	Feststellung der Unwirksamkeit einer Konkurrenzklausel	1 „ = 0,16 %	(0 „ = 0 %)
	Zusammen	552 Fälle = 90,04 %	(477 Fälle = 87,33 %)

In einer Reihe von Klagen wurden mehrere Ansprüche gemeinsam geltend gemacht, woraus sich der Unterschied zwischen der Zahl der Klagen und der der einzelnen Ansprüche ergibt.

Widerklagen wurden von Arbeitern nicht erhoben.

Die zwischen Arbeitern derselben Arbeitgeber anhängig gewesenen 2 Klagen waren auf Herauszahlung anteiligen Arbeitsverdienstes und auf Rechnungslegung aus gemeinsam ausgeführter Arbeit gerichtet.

3. Wertklassen der Klagen.

Die 501 anhängig gewesenen Klagen verteilen sich dem Streitwerte nach auf die folgenden Wertklassen:

Klasse I (bis 20 ℳ)	200 = 39,92 %	(198 = 44,00 %)
„ II (mehr als 20—50 ℳ)	148 = 29,54 %	(147 = 32,67 %)
„ III („ „ 50—100 „)	93 = 18,56 %	(66 = 14,67 %)
„ IV („ „ 100—200 „)	21 = 4,19 %	(15 = 3,33 %)
„ V („ „ 200—300 „) und höher	25 = 4,99 %	(15 = 3,33 %)
Ohne bestimmten Streitwert waren	14 = 2,80 %	(9 = 2,00 %)
Zusammen	501 = 100,00 %	

Der geringste Streitwert betrug 75 ₰, der höchste 834 ℳ 41 ₰.

4. Art der Erledigung.

Von den 501 Klagen wurden erledigt:

I. durch Klagerücknahme außerhalb der Verhandlungstermine . . . . 79 = 15,77 % (74 = 16,44 %)

II. durch den Vorsitzenden im ersten Verhandlungstermin an 53 (52) ordentlichen und 3 (7) außerordentlichen Sitzungstagen:

a) durch Anerkenntnisurteil . . . . 6 = 1,20 % (7 = 1,56 %)
b) durch Vergleich . . . . 91 = 18,16 % (108 = 24,00 %)
c) „ rechtskräftiges Versäumnisurteil . . . . 57 = 11,38 % (33 = 7,33 %)
d) durch anderes Endurteil . . . . 1 = 0,20 % (3 = 0,67 %)
e) „ Verzicht und Klagerücknahme . . . . 77 = 15,37 % (70 = 15,56 %)

Zusammen . 232 = 46,31 % (221 = 49,12 %)

III. unter Mitwirkung der Beisitzer an 49 (43) ordentl. Sitzungstagen:

a) durch Vergleich . . . . 63 = 12,58 % (32 = 7,11 %)
b) „ rechtskräftiges Versäumnisurteil . . . . 14 = 2,79 % (11 = 2,44 %)
c) durch anderes Endurteil . . . . 78 = 15,57 % (87 = 19,33 %)
d) „ Verzicht und Klagerücknahme . . . . 21 = 4,19 % (13 = 2,89 %)

Zusammen . 176 = 35,13 % (143 = 31,77 %)

Demnach wurden erledigt überhaupt . . . . 487 Sachen = 97,21 % (438 = 97,33 %)
Unerledigt waren am Ende des Geschäftsjahres . . . . 14 „ = 2,79 % (12 = 2,67 %)

Verglichen, ergibt wiederum die Zahl der anhängig gewesenen Klagen mit . . 501 Sachen = 100 %

Nach vorstehender Zusammenstellung haben sich vermehrt: die Versäumnisurteile um 4,40 % und die Klagerücknahmen und Verzichte um 0,44 %. Vermindert haben sich: die Vergleiche um 0,37 %, die Anerkenntnisurteile um 0,36 % und die anderen (kontradiktorischen) Endurteile um 4,23 %. Die überhaupt ergangenen Versäumnisurteile belaufen sich auf 105, Einsprüche wurden hiergegen in 51 Fällen eingelegt. Von den ergangenen Versäumnisurteilen erlangten 71 (= 45,31 % aller Urteile) die Rechtskraft.

Von den 46 durch Arbeitgeber anhängig gemachten Klagen wurden erledigt:

1. durch Anerkenntnisurteil . . . . 1 = 2,17 % (0 = 0 %)
2. durch Vergleich . . . . 5 = 10,87 % (10 = 16,13 %)
3. „ rechtskräftiges Versäumnisurteil, lautend auf Klagezusprechung . . . . . 18 = 39,13 % (8 = 12,90 %)
4. durch anderes Endurteil, lautend auf Klagezusprechung . . . . 9 = 19,57 % (4 = 6,45 %)
5. durch Klagerücknahme und Verzicht . . . . 13 = 28,26 % (32 = 51,62 %)

Unerledigt . . . . 0 = 0 % (8 = 12,90 %)

Zusammen . . 46 = 100 %

Die durch Arbeitgeber erhobenen 8 Widerklagen (Seite 26) erledigten sich durch Vergleich in 4 Fällen, durch Klageabweisung in 1 Falle, durch Klagerücknahme und Ruhenlassen in 3 Fällen.

Von den durch Arbeiter und Lehrlinge erhobenen 453 Klagen kamen zur Erledigung:

1. durch Anerkenntnisurteil . . . . 5 = 1,10 % (7 = 1,81 %)
2. „ Vergleich . . . . 149 = 32,89 % (131 = 33,85 %)
3. „ rechtskräftiges Versäumnisurteil, lautend:
   a) auf Klagezusprechung . . . . 34 = 7,51 % (25 = 6,46 %)
   b) „ Klageabweisung (Ausbleiben des Klägers im Termin) . . . . 19 = 4,20 % (15 = 3,88 %)
4. durch anderes Endurteil, lautend:
   a) auf Klagezusprechung . . . . 13 = 2,87 % (22 = 5,68 %)
   b) „ Klageabweisung . . . . 38 = 8,39 % (38 = 9,82 %)
   c) „ teilweise Zusprechung und teilweise Abweisung der Klage . . . . . 19 = 4,19 % (23 = 5,94 %)
5. durch Klagerücknahme und Verzicht . . . . 162 = 35,76 % (122 = 31,53 %)

Unerledigt . . . . 14 = 3,09 % (4 = 1,03 %)

Zusammen 453 = 100,00 %

In den zwischen Arbeitern derselben Arbeitgeber anhängig gewesenen 2 Klagen wurden nach den ersten Verhandlungsterminen keine weiteren Anträge gestellt, sodaß das Verfahren beruhen konnte.

5. Urteile.

Von den erlassenen 156 (141) Urteilen sind ergangen:

a)	zugunsten der Kläger	71 = 45,51 %	(70 = 49,65 %)
b)	„ „ Beklagten	62 = 39,75 %	(50 = 35,46 %)
c)	„ beider Parteien (teilweises Obsiegen, teilweises Unterliegen)	23 = 14,74 %	(21 = 14,89 %)
	Zusammen	156 = 100,00 %	
d)	zugunsten von Arbeitgebern	88 = 56,41 %	(62 = 43,97 %)
e)	„ „ Arbeitnehmern	45 = 28,85 %	(58 = 41,13 %)
f)	„ beider Parteien (teilweises Obsiegen, teilweises Unterliegen)	23 = 14,74 %	(21 = 14,90 %)
	Zusammen	156 = 100,00 %	

Von den erlassenen 156 (141) Urteilen entfallen auf die Wertklasse:

I.	(bis 20 M)	55 = 35,26 %	(47 = 33,33 %)
II.	(mehr als 20 bis 50 „)	48 = 30,77 %	(60 = 42,55 %)
III.	(mehr als 50 bis 100 „)	32 = 20,51 %	(22 = 15,60 %)
IV.	(mehr als 100 bis 200 „)	14 = 8,97 %	(4 = 2,84 %)
V.	(mehr als 200 bis 300 „) und höher	7 = 4,49 %	(8 = 5,68 %)
	Zusammen	156 = 100,00 %	

6. Zeitdauer der Erledigung.

Vom Tage der Klageerhebung an gerechnet kamen von den 487 beendigten Sachen zur Erledigung:

a)	innerhalb einer Woche	303 = 62,22 %	(310 = 70,78 %)
b)	„ zwei Wochen	114 = 23,41 %	(81 = 18,49 %)
c)	„ drei Wochen und später	70 = 14,37 %	(47 = 10,73 %)
	Zusammen	487 = 100,00 %	

7. Berufungen.

Im Berichtsjahre ergingen 10 (10) berufungsfähige Urteile, wovon 3 mit Berufung angefochten wurden. In einer Sache ist die Berufung erledigt, sie endigte mit Abweisung der erhobenen Kinge durch Versäumnisurteil des Landgerichts (s. unter der Rubrik „Spruchpraxis"), während in den beiden andern Fällen die Entscheidungen noch ausstehen. Die im Geschäftsjahre 1906/07 gegen ein Urteil des Gewerbegerichts eingelegte Berufung war auch am Ende des Berichtsjahres noch unerledigt.

8. Beweisbeschlüsse, bedingte Endurteile und Sonstiges.

Es fanden 491 (431) streitige mündliche Verhandlungen statt. Beweisbeschlüsse ergingen 41 (57). Es wurden 96 (115) Zeugen und 4 (13) Sachverständige vernommen, sowie 3 (3) schriftliche Gutachten eingeholt. Zeugenbeeidigung erfolgte nur in 1 Falle. In 7 (4) Fällen wurden Eide zugeschoben und in 1 (3) Falle ein Eid durch bedingtes Endurteil auferlegt. Zur Leistung von Eiden kam es in 4 (2) Fällen, in 1 (1) Folle wuede der Eid als verweigert angesehen, während in 3 (2) Föllen eine gütliche Erledigung der Rechtsstreite vor der Eidesleistung herbeigeführt werden konnte.

9. Arreste, einstweilige Verfügungen, Zwangsvollstreckungen u. a.

Arreste oder einstweilige Verfügungen wurden nicht beantragt, auch wurden keine Anträge in Zwangsvollstreckungssachen gestellt. Kostenfestsetzungsbeschlüsse wurden 7 (3) erlassen.

10. Ausfertigungen.

Von Urteilen, Vergleichen und Kostenfestsetzungsbeschlüssen wurden auf Antrag 62 (36) vollstreckbare und auf Antrag oder von Amts wegen 123 (88) einfache Ausfertigungen erteilt.

11. Kostenwesen.

An Gerichtskosten — Gebühren und Auslagen — kamen zum Ansatz	336,35 M	(311,40 M)
Am Ende des Jahres 1906 standen noch aus	26,90 „	(42,78 „)
Zusammen	363,25 M	(354,18 M)

Davon gingen im Berichtsjahre ein	180,97 *M*	(237,20 *M*)
Als uneinbringlich wurden niedergeschlagen	97,48 „	(90,08 „)
In Anforderung und Beitreibung befinden sich noch	75,80 „	(26,90 „)
Zusammen	363,25 *M*	(354,18 *M*)

Von den in Einnahme gestellten Gerichtskosten kamen zur Mahnung 94 (80) und zur Beitreibung 61 (65) Posten.

12. Beisitzer-, Zeugen- und Sachverständigen-Gebühren.

Im Berichtsjahre kamen durch das Gewerbegericht zur Auszahlung:

1. Beisitzergebühren	298,40 *M*	(261,40 *M*)
2. Zeugengebühren	29,15 „	(22,70 „)
3. Sachverständigengebühren	43,00 „	(25,50 „)

13. Tätigkeit bei Lohnbewegungen.

Das Gewerbegericht war im Berichtsjahre als Einigungsamt nicht tätig; dagegen hatte der Vorsitzende mehrfach Gelegenheit, bei Lohnbewegungen vermittelnd einzugreifen. Über die Vermittlungstätigkeit des Vorsitzenden mag folgendes erwähnt sein:

1. Die Lohnkommission der Fuhrleute hatte die im Jahre 1906 mit einer Reihe von Mainzer Fuhrunternehmern abgeschlossenen Arbeitsverträge im Frühjahr 1907 gekündigt. Nachdem der Vorsitzende von dieser Tatsache Kenntnis erlangt hatte, setzte er sich mit Vertretern der Fuhrunternehmer und der Fuhrleute in Verbindung und erklärte sich zur Vermittelung in der Angelegenheit bereit. Den am 2., 3., 4. und 7. Mai 1907 unter seiner Mitwirkung gepflogenen Verhandlungen folgte am 8. Mai der Abschluß eines Tarifvertrags, der sich auf alle hiesigen Speditions- und Fuhrbetriebe, soweit sie der Vereinigung der Mainzer Spediteure oder dem Mainzer Fuhrhalterverbande angehören, und auf die in diesen Betrieben beschäftigten Fuhrleute erstreckt und der bis 1. Juli 1910 Gültigkeit hat. Neben der Regelung der täglichen Arbeitszeit, der Löhne, der Sonntagsarbeit, der Vergütung von Überstunden und für das Abtragen von Gütern enthält der Vertrag auch Bestimmungen über das den Fuhrleuten bei auswärtigen Touren zustehende Streckengeld und die Lohnweiterzahlung bei verhältnismäßig unerheblicher Arbeitsverhinderung, sowie über die gegenseitigen Kündigungsfristen.

2. Die in der Beleuchtungsindustrie beschäftigten Arbeiter kündigten im Mai 1907 den mit verschiedenen hiesigen Firmen der genannten Industrie am 28. August 1904 abgeschlossenen Tarifvertrag. Auch hier kam es unter Mitwirkung des Vorsitzenden nach längeren Verhandlungen unterm 6. August 1907 zum Abschluß eines neuen, bis zum 1. August 1910 laufenden Tarifvertrags. Als wesentlich sind aus diesem Vertrage hervorzuheben: die Neuregelung der Löhne, die Verpflichtung der Arbeitgeber, für gute Ventilation der Werkstätten, sowie für deren rechtzeitige und ausreichende Erwärmung in der kalten Jahreszeit Sorge zu tragen. Offen blieb die Frage, ob die vereinbarten Lohnsätze vom Beginn des dritten Jahres der Vertragsdauer ab um je 1 ₰ für die Stunde erhöht werden sollen. Die Regelung dieser Frage soll besonderer Vereinbarung vorbehalten bleiben, wobei auf die Konjunktur entsprechend Rücksicht zu nehmen ist. Der Ausfall der desfallsigen Verhandlungen soll jedoch auf die vereinbarte Vertragsdauer ohne Einfluß sein. Diesem Vertrage schloß sich später eine bei seinem Abschlusse nicht beteiligte Firma an, während ein Mainzer Großbetrieb die Lohn- und Arbeitsbedingungen seiner Arbeiter dem Tarifvertrage anpaßte.

3. Die Arbeiter einer hiesigen Schuhfabrik hatten im August 1907 die Kündigung eingereicht, weil sie Grund zu haben glaubten, die Handhabung der für den Betrieb bestehenden Arbeitsordnung zu beanstanden. Die in der Angelegenheit mit dem Fabrikanten und einem Vertreter der Arbeiterorganisation gepflogene Besprechung hatte das Ergebnis, daß sich die Beteiligten direkt verständigten.

4. Die Vertreter Mainzer Speditionsbetriebe hatten den Vorsitzenden um seine Vermittelung angegangen, nachdem die hiesigen Hafenarbeiter im Juli 1907 mit verschiedenen Lohnforderungen an die erwähnten Betriebe herangetreten waren. Am 6. August fand unter Leitung des Vorsitzenden zwischen Vertretern der beiden Interessentengruppen eine Besprechung statt, die zu einer direkten Verständigung zwischen den beteiligten Betrieben und ihren Arbeitern führte.

5. Ein hiesiger Dachdeckermeister wurde bei dem Vorsitzenden im September 1907 mit dem Wunsche vorstellig, eine Verhandlung mit Vertretern der Dachdeckergehilfen-Organisation behufs Aufhebung der über sein Geschäft verhängten Sperre herbeizuführen. Die Verhandlung fand statt; der Meister machte verschiedene Zugeständnisse, diese wurden jedoch von der Gehilfenschaft nicht als hinreichend anerkannt. Da ein weiteres Nachgeben von seiner Seite zu erwarten war, stellte der Vorsitzende seine Tätigkeit ein.

6. Über die Handhabung einer Bestimmung des im Oktober 1905 zwischen dem Verbande der vereinigten Brauereien von Mainz und Umgegend einerseits und den Zentralverbänden der Brauereiarbeiter sowie der Küfer anderseits abgeschlossenen Tarifvertrags kam es zwischen den Arbeiterverbänden und einer dem Brauereiverbande angehörigen hiesigen

Brauerei zu einer Meinungsverschiedenheit. Verschiedene Verhandlungen führten vorerst zu einer, wenn auch nur teilweisen Verständigung.

14. Gutachten.

Das Gewerbegericht hatte im Berichtsjahre der Bürgermeisterei ein Gutachten zu erstatten über die Frage einer allenfallsigen Änderung der geltenden Sätze der ortsüblichen Tagelöhne gewöhnlicher Tagearbeiter und des Durchschnittswertes der Naturalbezüge dieser Arbeiter (§§ 1, 8 des Krankenversicherungsgesetzes). Nach Abschluß umfassender Erhebungen und nach wiederholten Verhandlungen im Ausschusse des Gewerbegerichts kam dieser zu dem Ergebnisse, daß mit Rücksicht auf die seit der letzten Festsetzung der Sätze tatsächlich eingetretene Lohnerhöhung und die steigende Verteuerung der Lebensmittel die sämtlichen Tagelohnsätze und ebenso die Durchschnittswerte der Naturalbezüge der Arbeiter beiderlei Geschlechts zu erhöhen seien. Nur über die Höhe der einzelnen Sätze gingen die Ansichten der Arbeitgeber- und der Arbeitnehmer-Beisitzer auseinander. Schließlich wurden die Vorschläge des Vorsitzenden, bis auf den Vorschlag bezüglich des Tagelohnes der erwachsenen männlichen Arbeiter, der den Arbeitnehmer-Beisitzern nicht weitgehend genug schien, einstimmig angenommen. Die Stadtverordneten-Versammlung trat dem Gutachten des Gewerbegerichts bei; die von dem Gr. Kreisamte Mainz mit Wirkung vom 29. Juni 1908 an getroffenen Festsetzungen weichen jedoch von den Vorschlägen in einigen Punkten ab. Wie sich die Vorschläge zu den bisherigen und den neuen Festsetzungen verhalten, sei durch folgende Gegenüberstellung ersichtlich gemacht.

	Seither ℳ	Vorschlag ℳ	Festsetzung ℳ
A. Taglohnsätze.			
1. Für erwachsene männliche Arbeiter	3.—	3.10	3.10
2. „ „ weibliche „	1.70	2.—	1.80
3. „ jugendliche männliche „	1.50	1.75	1.70
4. „ „ weibliche „	1.—	1.20	1.10
B. Durchschnittswerte der Naturalbezüge.			
1. Für männliche Arbeiter	1.60	1.80	1.70
2. „ weibliche „	1.35	1.50	1.40

15. Anträge.

Anträge nach § 75 des Gewerbegerichtsgesetzes wurden nicht gestellt.

16. Aus der Spruchpraxis.

Ein Koch klagte gegen einen Restaurateur auf Lohnzahlung für die 14tägige Kündigungsfrist. Der Restaurateur hatte sich bereit erklärt, den Koch noch „einige Tage“ über den Ablauf der Kündigungsfrist hinaus zu beschäftigen. Die Kündigungsfrist war am 28. Mai abgelaufen, und erst am 11. Juni wurde der Koch entlassen, weil er ein Küchenmädchen mißhandelt hatte. Das Gewerbegericht hielt die kündigungslose Entlassung nicht für berechtigt. In dem Umstande, daß der Restaurateur den Koch noch 14 Tage über den Kündigungstermin hinaus beschäftigt hatte und daß er, wie von ihm zugegeben, den Koch noch weiter beschäftigt haben würde, wenn nicht die Mißhandlung des Küchenmädchens vorgekommen wäre, hatte das Gericht eine Verlängerung des Vertragsverhältnisses auf unbestimmte Zeit erblickt. Das Gewerbegericht ging dabei von der Ansicht aus, daß, wollte man auch ziemlich weitgehen und selbst eine Woche als unter den Begriff „einige Tage“ fallend ansehen, es doch nicht angängig sei, dem Restaurateur das Recht zuzugestehen, noch nach 14 Tagen zu einer sofortigen Entlassung des Kochs zu schreiten. Das Arbeitsverhältnis hätte vielmehr, nachdem die „einigen Tage“ verstrichen gewesen seien und dasselbe mit Wissen des Restaurateurs und ohne seinen Widerspruch fortgesetzt worden wäre, nur unter Einhaltung der gesetzlichen Kündigungsfrist gelöst werden können (§ 625 B.G.B.). Auf die von dem Restaurateur eingelegte Berufung wurde die Entscheidung des Gewerbegerichts durch Versäumnisurteil des Landgerichts Mainz (der Koch war durch einen Anwalt nicht vertreten) aufgehoben. Das Landgericht führt in seinem Urteile folgendes aus: Der Berufungskläger habe für seine Behauptung, daß er dem Berufungsbeklagten rechtzeitig gekündigt habe, daß der Dienstvertrag am 28. Mai 1907 abgelaufen gewesen sei und daß der Berufungsbeklagte von diesem Tage an nur duldungsweise unter der Vereinbarung jederzeitiger Auflösung des Arbeitsverhältnisses ohne vorausgegangene Kündigung im Dienste verblieben sei, Beweis erboten durch Vernehmung von Zeugen. Der Schriftsatz, in dem der Beweis erboten worden, sei dem Berufungsbeklagten zugestellt worden. Es trete daher die Vermutung des § 542 Abs. 2 Z.P.O. ein, wonach anzunehmen sei, daß die beantragte Beweisaufnahme das in Aussicht gestellte Ergebnis gehabt habe. Den unter Beweis gestellten Tatsachen stehe das bisher festgestellte Sachverhältnis nicht entgegen. Die von dem Gewerbegerichte vertretene Auffassung, wonach nach Ablauf des Dienstvertrags am 28. Mai 1907 das zwischen den Parteien fortgesetzte Dienstverhältnis nach § 625 B.G.B. zu beurteilen sei, sei irrig, weil dieser Gesetzesbestimmung nur dann Platz greife, wenn unter den Parteien keine Vereinbarungen über den fortgesetzten Dienstvertrag getroffen worden seien. Im vorliegenden Falle bestehe aber eine solche Vereinbarung, nämlich die Ausmachung, daß der Berufungsbeklagte noch ein paar Tage dableiben könne. Diese Vereinbarung bedeute, daß der Berufungsbeklagte noch für einige Tage im Dienste geduldet werde, daß der Berufungskläger kein ständiges Dienstverhältnis mehr mit ihm anknüpfen wolle, und daß die Lösung des Dienstverhältnisses von beiden Teilen zu jeder Zeit erfolgen könne, ohne daß eine Kündigung einzuhalten sei. Da hiernach das tatsächliche mündliche Vorbringen des Berufungsklägers dessen Antrag rechtfertige, „die Berufung für zulässig und begründet zu erklären, das angefochtene Urteil, soweit es eine Verurteilung des Berufungsklägers ausspricht, aufzuheben und die Klage, soweit es im ersten Urteile nicht schon geschehen, durch Versäumnisurteil kostenfällig abzuweisen“, so sei nach diesem Antrage zu erkennen gewesen.

17. Allgemeines.

Die am 23. Mai 1907 erfolgte Neuwahl der Beisitzer des Gewerbegerichts hatte folgendes Ergebnis:

Es wurden Vorschlagslisten eingereicht:

A. In der Abteilung für Arbeitgeber:

1. vom Verein selbständiger Gewerbetreibender (Liste Nr. 1),
2. „ „ Mainzer Kaufleute e. V. (Liste Nr. 2),
3. „ freien Gewerkschaftskartell (Liste Nr. 3);

B. In der Abteilung für Arbeitnehmer:

1. vom christlichen Gewerkschaftskartell (Liste Nr. 1),
2. „ freien „ (Liste Nr. 2).

Giltige Stimmzettel wurden abgegeben:

A. In der Abteilung für Arbeitgeber:

für die Liste Nr. 1	186
„ „ „ „ 2	73
„ „ „ „ 3	29
Zusammen	288

B. In der Abteilung für Arbeitnehmer:

für die Liste Nr. 1	526
„ „ „ „ 2	3 389
Zusammen	3 915

Nach Maßgabe der für sie abgegebenen Stimmzettel entfielen auf die einzelnen Listen:

In der Abteilung für Arbeitgeber:

auf Liste Nr. 1	17 Sitze,
„ „ „ 2	6 „ ,
„ „ „ 3	3 „ ;

In der Abteilung für Arbeitnehmer:

auf Liste Nr. 1	3 Sitze,
„ „ „ 2	23 „ .

Beschwerden gegen die Wahl selbst oder die Gewählten wurden nicht vorgebracht.

Gegen Parteien und sonstige Beteiligten wurden in 6 Fällen Ordnungsstrafen (Geldstrafen) wegen Ungebühr ausgesprochen. In einem Falle wuede die Strafe nach erfolgter gehöriger Entschuldigung erlassen.

18. Personalien.

Der Bürgermeisterei-Beigeordnete Herr Berndt wurde durch Beschluß der Stadtverordneten-Versammlung vom 31. Juli 1907 zum Stellvertreter des Vorsitzenden des Gewerbegerichts auf die Dauer von 3 Jahren gewählt.

Im Laufe des Berichtsjahres schied Herr Bruno Feige infolge Wegzugs nach Gustavsburg und Aufgabe seiner Beschäftigung am hiesigen Platze aus der Reihe der Arbeitnehmerbeisitzer aus. An seine Stelle trat der Schreiner Herr Joseph Fuchs. In der Abteilung der Arbeitgeber-Beisitzer kamen keine Veränderungen vor.

VII. Kaufmannsgericht.

Der Bezirk des Kaufmannsgerichts erfuhr am 1. April 1907 durch den an diesem Tage in Kraft getretenen Vertrag über die Eingemeindung von Mombach eine Erweiterung insofern, als die bisherige Gemeinde Mombach dem Bezirke des Kaufmannsgerichts zugeteilt wurde.

Im abgelaufenen Geschäftsjahre (1. Januar bis 31. Dezember 1907) ist die Inanspruchnahme des Kaufmannsgerichts eine wesentlich höhere gewesen als im Jahre 1906. Abgesehen davon, daß sich die anhängig gemachten Klagen um 38 % vermehrten, wurden im abgelaufenen Jahre 24 kontradiktorische Endurteile erlassen, gegen 10 im Jahre 1906, und fanden 131 streitige mündliche Verhandlungen statt, denen 89 aus dem Jahre 1906 gegenüberstehen.

1. Zahl der Streitigkeiten.

Klagen wurden eingereicht:

1. von Kaufleuten	12 = 11,43 %	(4 = 5,26 %)
2. von Handlungsgehilfen	87 = 82,86 %	(67 = 88,16 %)
3. von Handlungslehrlingen	6 = 5,71 %	(5 = 6,58 %)
	105	
Unerledigt waren am Ende des Jahres 1906	3	
Es waren somit zu erledigen	108 Klagen.	

Widerklagen wurden nicht erhoben.

Von der Gerichtsschreiberei wurden 6 (3) Streitigkeiten durch Verhandlung mit den Beteiligten erledigt, bevor eine Klage formell eingeleitet war.

2. Verteilung der Klagen nach dem Stande der Kläger.

Als Kläger traten bei den anhängig gewesenen 108 Klagen auf:

a) 5 (3) Kaufleute und 7 (2) in das Handelsregister eingetragene Firmen;
b) 73 (54) männliche und 17 (20) weibliche Handlungsgehilfen;
c) 6 (6) Handlungslehrlinge.

3. Klagegegenstand.

Von den anhängig gewesenen 108 Streitfällen betrafen:

	auf Klage von			
	a) Kaufleuten	b) Handlungsgehilfen	c) Handlungslehrlingen	Zusammen
1. Antritt, Fortsetzung oder Auflösung des Dienst- oder Lehrverhältnisses, Aushändigung oder Inhalt des Zeugnisses	2 (1)	16 (12)	1 (2)	19 (15)
2. Leistungen aus dem Dienst- oder Lehrverhältnisse	3 (0)	62 (68)	4 (0)	69 (68)
3. Rückgabe von Sicherheiten, Zeugnissen, Legitimationspapieren oder anderen Gegenständen, die aus Anlaß des Dienst- oder Lehrverhältnisses übergeben wurden	2 (1)	1 (3)	0 (0)	3 (4)
4. Ansprüche auf Schadensersatz oder Zahlung einer Vertragsstrafe wegen Nichterfüllung oder nicht gehöriger Erfüllung der Verpflichtungen, welche die unter Nr. 1 bis 3 bezeichneten Gegenstände betreffen, sowie wegen gesetzwidriger oder unrichtiger Eintragungen in Zeugnisse, Krankenkassenbücher oder Quittungskarten der Invalidenversicherung	5 (1)	42 (3)	2 (0)	49 (4)
5. Ansprüche aus einer Vereinbarung, durch welche der Handlungsgehilfe oder Handlungslehrling für die Zeit nach Beendigung des Dienst- oder Lehrverhältnisses in seiner gewerblichen Tätigkeit beschränkt wird	0 (1)	0 (0)	0 (0)	0 (1)
Zusammen	12 (4)	121 (86)	7 (2)	140 (92)

In verschiedenen Streitfällen wurden mehrere Ansprüche gleichzeitig geltend gemacht, woraus sich der Unterschied zwischen der Zahl der Klagen (108) und der vorstehend aufgezählten Ansprüche ergibt.

4. Wertklassen.

Bei den anhängig gewesenen 108 (84) Klagen betraf der Wert des Streitgegenstandes:

1. bis zu 20 ℳ einschließlich . . . . 6 Fälle = 5,56 % (7 = 8,33 %)
2. mehr als 20 bis 50 ℳ . . . . 10 „ = 9,26 % (8 = 9,52 %)
3. „ „ 50 „ 100 „ . . . . 10 „ = 9,26 % (10 = 11,91 %)
4. „ „ 100 „ 300 „ . . . . 45 „ = 41,66 % (31 = 36,90 %)
5. „ „ 300 ℳ . . . . 25 „ = 23,15 % (16 = 19,05 %)

Nicht festgestellt wurde der Streitwert in . . . . 12 Fällen = 11,11 % (12 = 14,29 %)

Zusammen 108 Fälle = 100,00 %.

Von den festgestellten Streitwerten belief sich der niedrigste auf 9 ℳ, der höchste auf 1500 ℳ

5. Art der Erledigung.

Von den anhängig gewesenen 108 Klagen erledigten sich:

	1. durch Vergleich vor		2. durch Verzicht (§ 306 Z.P.O.) vor		3. durch Anerkenntnis vor		4. durch Klagerücknahme vor			5. durch Versäumnisurteil des		6. durch and. Endurteil des		7. auf andere Weise (Ruhenlassen)	8. Zahl aller erledigten Klagen
	Vorsitzendem	vollbesetztem Gericht	Vorsitzendem	vollbesetztem Gericht	Vorsitzendem	vollbesetztem Gericht	Vorsitzendem	vollbesetztem Gericht	außerhalb der Verhandlung	Vorsitzenden	vollbesetzten Gerichts	Vorsitzenden	vollbesetzten Gerichts		
a) von den 12 Klagen der Kaufleute	3 (1)	0 (1)	0 (0)	0 (0)	0 (0)	0 (0)	1 (0)	1 (0)	5 (1)	0 (0)	0 (0)	0 (0)	2 (0)	0 (1)	12 (4)
b) von den 90 Klagen der Handlungsgehilfen	27 (24)	5 (9)	0 (0)	0 (0)	0 (0)	0 (0)	4 (4)	1 (0)	13 (17)	6 (3)	0 (1)	0 (1)	19 (7)	10 (5)	85 (71)
c) von den 6 Klagen der Handlungslehrlinge	2 (2)	0 (2)	0 (0)	0 (0)	0 (0)	0 (0)	0 (0)	0 (0)	1 (0)	0 (0)	0 (0)	0 (0)	3 (2)	0 (0)	6 (6)
Zusammen . . .	32 = 29,63 % (27 = 32,14 %)	5 = 4,63 % (12 = 14,29 %)	0 = 0 %	0 = 0 %	0 = 0 %	0 = 0 %	5 = 4,63 % (4 = 4,76 %)	2 = 1,85 % (0 = 0 %)	19 = 17,59 % (18 = 21,43 %)	6 = 5,56 % (3 = 3,57 %)	0 = 0 % (1 = 1,19 %)	0 = 0 % (1 = 1,19 %)	24 = 22,22 % (9 = 10,72 %)	10 = 9,26 % (6 = 7,14 %)	103 = 95,37 % (81 = 96,43 %)

Unerledigt blieben am Ende des Jahres 5 Sachen = 4,63 % (3 = 3,57 %).

Von den erlassenen Versäumnisurteilen und anderen Endurteilen ergingen:

	1. auf vollständige Zusprechung der Klage	2. auf nur teilweise Zusprechung der Klage	3. auf vollständige Abweisung der Klage	Zusammen
a) auf Klage von Kaufleuten	0 (0)	1 (0)	1 (0)	2 (0)
b) auf Klage von Handlungsgehilfen .	8 (8)	10 (1)	7 (3)	25 (12)
c) auf Klage von Handlungslehrlingen .	1 (0)	2 (1)	0 (1)	3 (2)

6. Streitwerte der erlassenen Urteile.

Bei den erlassenen Urteilen betrug der Wert des Streitgegenstandes:

	bis 20 ℳ einschl.	mehr als 20 bis 50 ℳ	mehr als 50 bis 100 ℳ	mehr als 100 bis 300 ℳ	mehr als 300 ℳ	Zusammen
a) bei den Versäumnisurteilen . . .	1 (0)	0 (1)	1 (1)	4 (2)	0 (0)	6 (4)
b) bei den anderen Endurteilen . .	0 (0)	1 (1)	0 (2)	11 (6)	12 (1)	24 (10)

Gegen drei Urteile wurde Berufung an das Landgericht Mainz eingelegt. Zwei Berufungen erledigten sich durch Vergleich, während die dritte am Ende des Berichtsjahres noch nicht erledigt war.

7. Zeitdauer der Erledigung.

Von den beendigten 103 (81) Sachen wurden, gerechnet vom Tage der Klageeinreichung an, erledigt:

1. in weniger als einer Woche . . . . 38 = 36,89 % (30 = 37,04 %)
2. in einer Woche bis (ausschl.) 2 Wochen . . . . 27 = 26,21 % (22 = 27,16 %)
3. in zwei Wochen bis (ausschl.) 1 Monat . . . . 24 = 23,30 % (17 = 20,99 %)
4. in einem Monat bis (ausschl.) 3 Monate . . . . 8 = 7,77 % (7 = 8,64 %)
5. in drei Monaten und mehr . . . . 6 = 5,83 % (5 = 6,17 %)

Zusammen 103 = 100,00 %.

8. Sitzungen.

Es wurden 71 (58) Sitzungen, darunter 20 (15) unter Zuziehung von Beisitzern, abgehalten.

9. Arreste, einstweilige Verfügungen, Zwangsvollstreckungen.

Arreste wurden 2 beantragt; in einem Falle wurde der Arrest erlassen, in dem anderen Falle der Antrag wegen Unzuständigkeit des Kaufmannsgerichts zurückgezogen. In einem Falle wurde der Erlaß einer einstweiligen Verfügung beantragt; in dem zur mündlichen Verhandlung über diesen Antrag anberaumten Termin kam ein Vergleich zwischen den Parteien zustande. In Zwangsvollstreckungssachen war das Kaufmannsgericht in 3 Fällen tätig. In einem Falle handelte es sich um die Erzwingung der Erteilung eines Dienstzeugnisses aufgrund eines Vergleichs. Nachdem den Inhabern der zur Ausstellung des Zeugnisses verpflichteten Firma die Auslieferung eines dem Wortlaute des Vergleichs entsprechenden Zeugnisses unter Strafandrohung aufgegeben war, fand der Fall durch Nachgabe der Verpflichteten seine Erledigung. Von 2 Schuldnern war die vorläufige Einstellung der Zwangsvollstreckung aus Urteilen des Kaufmannsgerichts begehrt worden; beide Anträge wurden abgelehnt, weil rechtskräftige Entscheidungen vorlagen.

10. Mündliche Verhandlungen, Beweisbeschlüsse und Sonstiges.

Streitige mündliche Verhandlungen fanden 131 (89) statt. Beweisbeschlüsse wurden 13 (14) erlassen, 32 (17) Zeugen, 6 (1) Sachverständige vernommen und in 1 (2) Falle ein schriftliches Gutachten erhoben. Parteieide wurden 2 zugeschoben und 1 Eid vom Gericht durch bedingtes Endurteil auferlegt; 2 Eide wurden geleistet, einer wurde als verweigert erklärt. Sachverständige wurden nicht beeidigt, dagegen fand die Beeidigung von 4 Zeugen durch die um ihre Vernehmung ersuchten Amtsgerichte statt.

11. Ausfertigungen.

Vollstreckbare Ausfertigungen von Urteilen, Vergleichen und Kostenfestsetzungsbeschlüssen wurden 22 (5) erteilt, auf Antrag und von Amtswegen 49 (15) Urteile in einfacher Form ausgefertigt.

12. Kostenwesen.

Gerichtskosten und Gebühren wurden angesetzt	316 ℳ 30 ₰	(290 ℳ 17 ₰)
Am Ende des Jahres 1906 befanden sich noch in Anforderung und Beitreibung .	27 „ 75 „	
Zusammen	344 ℳ 05 ₰	
Bezahlt wurden	259 ℳ 30 ₰	(252 „ 97 „)
Uneinbringlich sind	47 „ 50 „	(46 „ 20 „)
In Anforderung und Beitreibung befinden sich noch	37 „ 25 „	(27 „ 75 „)
Wie vorstehend:	344 ℳ 05 ₰	(326 ℳ 92 ₰)

13. Beisitzer-, Zeugen- und Sachverständigengebühren.

Es wurden ausbezahlt: Beisitzergebühren 120 ℳ (90 ℳ), Sachverständigengebühren 33 ℳ (9 ℳ 25 ₰), Zeugengebühren 10 ℳ 50 ₰ (2 ℳ).

14. Gutachten.

Das Kaufmannsgericht wurde im Berichtsjahre von Großh. Ministerium der Justiz um Abgabe eines Gutachtens über die Frage der Abänderung der Vorschriften über die Konkurrenzklausel (§§ 74, 75, 76 Abs. 1 des Handelsgesetzbuchs) ersucht. Das am 14. Oktober 1907 erstattete Gutachten hat folgenden Wortlaut:

„Das Kaufmannsgericht hat sich in seiner Plenarsitzung vom 7. ds. Mts. mit der Frage der Abschaffung oder der Einschränkung der Konkurrenzklausel beschäftigt. Erschienen waren in dieser Sitzung von den 26 Beisitzern 24 und zwar 12 aus dem Stande der Kaufleute und die gleiche Zahl aus dem Stande der Handlungsgehilfen. Das Ergebnis der Beratungen ist folgendes:

Die sämtlichen in der Sitzung anwesend gewesenen Mitglieder des Kaufmannsgerichts, einschließlich des unterzeichnrten Vorsitzenden, sind einig gewesen darüber, daß im Hinblick auf die vielfach mit der Konkurrenzklausel getriedenen Mißbräuche die Einschränkung der Klausel wünschenswert und geboten erscheine; nur über den Umfang dieser Einschränkung gingen die Ansichten erheblich auseinander. Während die Handlungsgehilfenbeisitzer unter Aufgabe ihrer ursprünglichen Forderung gänzlicher Abschaffung der Konkurrenzklausel verlangten, daß die Klausel nur bei solchen Handlungsgehilfen dürfe zur Anwendung kommen, die einen Jahresgehalt von mindestens 3000 ℳ bezögen, erklärten sich die Prinzipalsbeisitzer gegen jede Festsetzung einer Gehaltsgrenze. Die Gehilfenbeisitzer führten zu Gunsten ihrer Foederung u. a. aus, daß der Prinzipal bei gering besoldeten Angestellten an der Konkurrenzenthaltung kein oder doch kein nennenswertes Interesse habe und daß es unbedingt nötig sei, dem gering besoldeten Gehilfen, der in der Regel weniger in das Vertrauen des Prinzipals gezogen werde, besonderen gesetzlichen Schutz angedeihen zu lassen. Der Unterzeichnete und mit ihm die Prinzipalsbeisitzer konnten diesem Standpunkt nicht beitreten und zwar aus folgenden Gründen: Die Festsetzung einer Gehaltsgrenze für die Zulässigkeit der Klausel bedeutet ein mehr oder weniger willkürliches Vorgehen. Es ist nicht anzunehmen, daß nicht auch der minder gut bezahlte Angestellte seinem Prinzipal durch unbefugte Eingriffe in dessen Erwerbstätigkeit, insbesondere durch Verrat von Geschäftsgeheimnissen Schaden zufügen köne. Die Festsetzung einer Gehaltsgrenze ist zudem schon wegen der Verschiedenheit der Branchen und der örtlichen Verhältnisse untunlich. Sie würde überdies nicht nur 2 Klassen von Prinzipalen und Gehilfen schaffen — solche, die die Konkurrenzklausel vereinbaren können und solche, denen dies verboten ist —, sondern auch den Kleinkaufmann jeglichen Schutzes gegen unlautere Konkurrenzmanöver berauben. Denn bei ihm werden naturgemäß die niedrigen Gehälter am meisten zu finden sein, weil er an sein Personal im allgemeinen nicht die hohen Anforderungen zu stellen braucht, wie der Großkaufmann. Kann sich aber der Kleinkaufmann nicht gegen die unlautere Konkurrenz seines früheren Gehilfen schützen, so steht unter Umständen seine ganze Existenz auf dem Spiel.

Was die Dauer der sogenannten Sperrfrist anbelangt, so vertraten die sämtlichen Gehilfenbeisitzer und auch — mit einer einzigen Ausnahme — die Prinzipalsbeisitzer den Standpunkt, daß eine Herabsetzung der zeitlichen Grenze des Konkurrenzverbots unbedenklich befürwortet werden könne. Im Gegensatze zu den Gehilfenbeisitzern und zwei Prinzipalsbeisitzern, die die Festsetzung der Frist auf ein Jahr für ausreichend hielten, den Prinzipal gegen eine unberechtigte Konkurrenz seines früheren Gehilfen zu schützen, waren neun Prinzipalsbeisitzer der Ansicht, daß bei der Vielgestaltigkeit der in Betracht kommenden Verhältnisse eine Konkurrenzenthaltung von mindestens zwei Jahren gefordert werden müsse. Ein Prinzipalsbeisitzer war für die Beibehaltung des gegenwärtigen gesetzlichen Zustandes. Der Unterzeichnete tritt der Ansicht der Mehrheit bei und befürwortet demnach mit ihr die Abkürzung der Sperrfrist auf ein Jahr.

Gingen hinsichtlich der Frage, ob die Zulässigkeit der Konkurrenzklausel von einer Gehaltsgrenze abhängig zu machen sei, die Ansichten auseinander, so waren doch sowohl die Prinzipals- wie die Gehilfenbeisitzer und mit ihnen der Vorsitzende übereinstimmend der Ansicht, daß der Höhe der Strafe selbst und damit dem richterlichen Ermessen gewisse Schranken gesetzt werden müßten. Diese Schranke soll nach der Meinung des Kaufmannsgerichts umso enger gezogen werden, je geringer das Diensteinkommen des Gehilfen ist, mit anderen Worten: Die Strafe soll in einem gewissen Verhältnisse zum Einkommen stehen. Nur hinsichtlich der Strafhöhe konnte eine Einigung nicht erzielt werden; die Handlungsgehilfenbeisitzer hielten einen halben Jahresgehalt als Höchstmaß der Strafe für ausreichend, die Prinzipalsbeisitzer dagegen vertraten in ihrer überwiegenden Mehrheit (11 Stimmen) den Standpunkt, daß die Strafe, wenn von ihr überhaupt eine Wirkung erwartet werde, mindestens einen Jahresgehalt betragen müsse. Ein Prinzipalsbeisitzer erklärte sich grundsätzlich gegen jede Begrenzung des Strafmaßes. Nicht mit Unrecht führte die Mehrheit der Prinzipalsbeisitzer zur

Begründung ihrer Ansicht aus, daß ja innerhalb der festzusetzenden Grenze das richterliche Ermessungsrecht bestehen bleibe, somit dem Handlungsgehilfen immerhin noch genügender Schutz gegen eine unbillige Anwendung der Konkurrenzklausel gewährleistet sei, und im weiteren, daß die Herabsetzung des Höchstmaßes der Strafe unter einen Jahresgehalt die Gefahr in sich berge, daß der Konkurrent des Prinzipals den Übertritt des Gehilfen in seine Dienste durch Zahlung der Strafe aus seiner eigenen Tasche erleichtere. Dieser Ansicht der Prinzipalsbeisitzer tritt der Vorsitzende bei.

Auch die Frage des Nachweises des Schadens durch den Prinzipal im Falle der Übertretung des Konkurrenzverbotes wurde in der Plenarsitzung des Kaufmannsgerichts einer Erörterung unterzogen. Das Kaufmannsgericht glaubte indessen der Einfügung einer derartigen Bestimmung in das Gesetz aus dem Grunde das Wort nicht reden zu können, weil es überaus schwierig und sicherlich in den meisten Fällen ganz unmöglich ist, den Nachweis des Schadens zu führen.

Dagegen waren sowohl die Prinzipals- wie die Gehilfenbeisitzer der Ansicht, daß die Vorschrift des § 343 des Bürgerlichen Gesetzbuches einen ausreichenden Schutz des Gehilfen nicht gewähre. Nach dieser Vorschrift kann eine unverhältnismäßig hohe Strafe ermäßigt, aber nicht völlig erlassen werden. Da indessen Fälle vorkommen können, in denen der Prinzipal an der Beschränkung der gewerblichen Tätigkeit des Handlungsgehilfen überhaupt kein rechtliches Interesse hat, ist auf Vorschlag des Vorsitzenden einstimmig beschlossen worden, zu befürworten, daß dem § 75 Absatz 3 des Handelsgesetzbuches folgender Zusatz gegeben werde:

„Die Strafe kann durch Urteil ganz erlassen werden, wenn der Prinzipal an der Beschränkung der gewerblichen Tätigkeit des Handlungsgehilfen kein rechtliches Interesse hat."

Ebenso traten die sämtlichen Beisitzer dem weiteren Vorschlage des Vorsitzenden bei, daß in § 75 Absatz 2, im Anschluß an die Festsetzung des Höchstmaßes der Strafe (auf einen Jahresgehalt oder die Hälfte desselben), nach dem Vorgange anderer Gesetze bestimmt werde:

„Als Gehalt im Sinne des Absatzes 2 gelten auch Tantiemen, Provisionen, Natural- und sonstige Bezüge, auf die der Handlungsgehilfe nach dem Dienstvertrage einen Anspruch hat."

Zu § 76 endlich wurde im Hinblick auf die Tatsache, daß die Lehrlinge in der Regel minderjährig sind, mit Minderjährigen jedoch die Konkurrenzklausel nicht vereinbart werden kann, einstimmig die Erklärung abgegeben, daß an der Einbeziehung der Lehrlinge in die Bestimmungen über die Konkurrenzklausel ein nennenswertes Interesse nicht bestehe.

Die vereinzelt aufgetauchte Forderung, die Wirksamkeit der Konkurrenzklausel von der Fortzahlung des Gehaltes abhängig zu machen, wurde im Laufe der Beratungen von keiner Seite unterstützt.

Wenn wir nach dem Ausgeführten das Ergebnis der Beratungen im Schoße des Kaufmannsgerichts nochmals kurz zusammenfassen dürfen, so möchten wir feststellen:

1. Die Festsetzung einer Gehaltsgrenze für die Zulässigkeit der Konkurrenzklausel wird von den Gehilfenbeisitzern befürwortet, von dem Vorsitzenden und den Prinzipalsbeisitzern abgelehnt.
2. Für die Ermäßigung der Dauer des Konkurrenzverbots erklären sich — außer einem Prinzipalsbeisitzer — die sämtlichen Beisitzer und der Vorsitzende. Die Abkürzung der Sperrfrist auf ein Jahr befürworten der Vorsitzende, die sämtlichen Gehilfenbeisitzer und zwei Prinzipalsbeisitzer; die Abkürzung der Frist auf 2 Jahre wird von 9 Prinzipalsbeisitzern in Vorschlag gebracht. Ein Prinzipalsbeisitzer ist für Beibehaltung des jetzigen Zustandes.
3. Gegen jede Festsetzung des Strafmaßes erklärt sich ein Prinzipalsbeisitzer. Für die Festsetzung der Strafe auf einen Jahresgehalt als Maximum stimmen der Vorsitzende und die übrigen Prinzipalsbeisitzer, während die Gehilfenbeisitzer als Höchstmaß der Strafe einen halben Jahresgehalt bezeichnen.

   Einstimmig befürwortet werden die zu § 75 vorgeschlagenen Zusätze.
4. Die Forderung des Schadensnachweises durch den Prinzipal ist nicht angängig.
5. Der Ausschluß der Lehrlinge von der Konkurrenzklausel findet keine Beanstandung.

Tatsachen über die mißbräuchliche Anwendung der Konkurrenzklausel innerhalb des Gerichtsbezirks sind dem unterzeichneten geschäftsführenden Vorsitzenden des Kaufmannsgerichts bisher nicht bekannt geworden. Seit dem Bestehen des Kaufmannsgerichts lagen nur zwei Fälle (von 223 Klagen im ganzen) zur Entscheidung vor. In dem einen Falle klagte eine Speditionsfirma gegen ihren früheren Gehilfen eine Vertragsstrafe von 1000 ℳ ein; diese Sache wurde durch Vergleich dahin erledigt, daß der Gehilfe sich zur Zahlung von 200 ℳ verpflichtete. In dem andern Falle — es handelte sich um den langjährigen Geschäftsführer eines industriellen Werkes, der ein Konkurrenzgeschäft eröffnete — wurde der Anspruch auf Zahlung einer Vertragsstrafe von 1000 ℳ fallen gelassen, nachdem der verklagte Geschäftsführer anerkannt hatte, daß die klagende Firma mit Recht von der Konkurrenzklausel Gebrauch gemacht habe. Die hier gemachten Erfahrungen würden somit zu einer Gesetzesänderung kaum einen Anlaß bieten. Allerdings kam dem Unterzeichneten auch einmal ein Vertrag zu Gesicht, wonach sich ein Handlungsgehilfe einer im Gerichtsbezirke seßhaften Firma gegenüber verpflichtete, „in der ganzen Welt“ in kein Konkurrenzgeschäft einzutreten. Daß jedoch diese Klausel im Streitfalle vor der Bestimmung des § 138 des Bürgerlichen Gesetzbuchs nicht würde stand gehalten haben, braucht nicht besonders hervorgehoben zu werden.

(gez.) Schaefer.“

15. Einigungsamt.

Auch im abgelaufenen Jahre war das Kaufmannsgericht nicht als Einigungsamt tätig.

16. Personalien.

Durch Beschluß der Stadtverordneten-Versammlung vom 31. Juli 1907 wurde Herr Bürgermeisterei-Beigeordneter Berndt zum Stellvertreter des Vorsitzenden des Kaufmannsgerichts auf die Dauer von 3 Jahren gewählt.

17. Allgemeines.

Wie in der Geschäftsübersicht für das Jahr 1906 mitgeteilt wurde, war über die gegen die Wahl der Handlungsgehilfenbeisitzer erhobenen Beschwerden am Schlusse des Jahres 1906 noch nicht entschieden. Durch Entscheidungen des Kreisausschusses des Kreises Mainz vom 4. Januar 1907 und des Provinzial-Ausschusses der Provinz Rheinhessen vom 25. Jutti 1907 wurde die gegen die Wahl in ihrem ganzen Umfange eingelegte Beschwerde als unbegründet verworfen; auf die andere Beschwerde hin wurden zwei der Gewählten als nicht wählbar erklärt, während dem weiteren Antrage, auch die Vorschlagslisten, auf denen sich die Namen dieser Gewählten befanden, für ungültig zu erklären, nicht stattgegeben wurde. Der gegen die Entscheidung des Provinzialausschusses bei Großherzogl. Ministerium angemeldete Rekurs wuede noch vor dem Erlasse einer Entscheidung durch die angerufene Instanz zurückgenommen. An die Stelle der als nicht wahlfähig erklärten beiden Gewählten traten: a) in der Gruppe „Deutschnationaler Handlungsgehilfenverband“: Herr Emil Schmiedel, b) in der Gruppe „Katholischer Kaufmännischer Verein“: Herr Sigmund Gehrig.

VIII. Arbeitsamt.

Der Arbeitsmarkt zeigte namentlich in der ersten Hälfte des Berichtsjahres einen überwiegend günstigen Stand, während gegen Schluß ein Nachlassen der Konjunktur zu erkennen war. Besonders im Baugewerbe und in den damit zusammenhängenden Berufen mochte sich eine Minderung des Beschäftigungsgrades bemerkbar. Was den Verkehr beim Amte anlangt, so waren bei der männlichen Abteilung von Arbeitgebern einschließlich der unerledigten Gesuche des Vorjahres 8 157 (8 533) offene Stellen, 12 316 (12 271) Arbeitsuchende, somit zusammen 20 473 (20 804) Gesuche zum Eintrag gekommen. Vermittelt wurden 5 936 (6 090) Stellen. Von den Gesuchen der Arbeitgeber wurden demnach 72,77 % (71,31 %), von denjenigen der Arbeitsuchenden 48,19 % (49,55 %) befriedigt. Arbeitsanweisungen wurden im ganzen 9 900 (10 300) erteilt. Hirvon waren erfolgreich d. h. führten zur Einstellung 5 936 = 59,96 % (59,12 %). Die Höchstzahl der offenen Stellen wie der Stellengesuche entfällt auf den Monat April mit 1 037 bezw. 1 204 Neumeldungen, ebenso die der Stellenbesetzungen mit 738.

In welchem Verhältnis die Vermittlung ungelernter Arbeiter zu der von gelernten Arbeitern stand, sei nachstehend angegeben. Für die offenen Stellen wurden gesucht:

gelernte Arbeiter	5 467 = 67,02 %
ungelernte Arbeiter	2 690 = 32,98 %
	8 157 = 100,00 %
Unter den Arbeitsuchenden befanden sich	
gelernte Arbeiter	8 243 = 66,93 %
ungelernte Arbeiter	4 073 = 33,07 %
	12 316 = 100,00 %
Stellen wurden vermittelt	
für gelernte Arbeiter	3 789 = 63,83 %
für ungelernte Arbeiter	2 147 = 36,17 %
	5 936 = 100,00 %

Ausländische Arbeiter kamen im ganzen 452 zum Eintrag, von welchen 216 vermittelt wurden. Nach der Staatsangehörigkeit verteilen sie sich wie folgt:

Österreich-Ungarn	265,	hiervon vermittelt	128
Schweiz	73	„ „	33
Dänemark	59	„ „	34
Frankreich	5	„ „	1
Holland	4	„ „	1
Belgien	1	„ „	1
Rußland	28	„ „	9
Schweden	1	„ „	1
Italien	2	„ „	—
Luxemburg	9	„ „	6
Bulgarien	1	„ „	1
Amerika	4	„ „	1
Summe	452,	hiervon vermittelt	216.

Die **landwirtschaftliche** Stellenvermittlung zeigt wiederum in bezug auf offene, gesuchte wie besetzte Stellen eine erfreuliche Zunahme gegen das Vorjahr, ein Zeichen wachsenden Vertrauens der Beteiligten zur gemeindlichen Arbeitsvermittlung. Landwirtschaftliche Arbeiter scheinen nicht mehr so knapp, auch geneigter zu sein als früher, Arbeit auf dem Lande anzunehmen. Die höhere Rentabilität der landwirtschaftlichen Produkte und die hierdurch erhöhte Konsumkraft der ländlichen Bevölkerung haben im großen ganzen auch Lebenshaltung und Löhne daselbst besser gestaltet und offenbar mit dazu beigetragen, dem Leutemangel entgegenzuwirken. Im Hinblick auf die zunehmenden Vermittlungserfolge dürfte es nur im Interesse der Landwirte selbst liegen, die gemeindlichen Arbeitsämter möglichst ausgiebig in Anspruch zu nehmen, damit Angebot und Nachfrage um so erfolgreicher zueinander in Beziehung treten können. Offene Stellen für landwirtschaftliche Arbeiter waren 619 (509) gemeldet, 59 von hier und 560 von auswärts wohnenden Arbeitgebern. Hierum bewarben sich 756 (636) landwirtschaftliche Arbeiter, 95 hiesige und 661 zugereiste. Vermittelt wurden 525 (424) Stellen, wovon 53 Stellen nach hier und 472 Stellen nach auswärts, 61 an hiesige und 464 an zugereiste Arbeiter.

Von im Herbste zur Entlassung gekommenen **Reservisten** haben sich ohne Zutun des Amts 79 (124) gemeldet, von welchen 27 (62) in Stellung gebracht werden konnten.

Die Zahl der in der **weiblichen** Abteilung von Dienstherrschaften und Arbeitgebern gemeldeten offenen Stellen beträgt einschließlich der Restanten des Vorjahres 4 325 (4 106), die Zahl der Stellesuchenden 4 506 (4 259), die Gesamtzahl der eingetragenen Gesuche somit 8 831 (8 365). Vermittelt wurden 2 670 (2 548) Stellen. Von den Gesuchen der Dienstgeber wurden sonach 61,73 %, (62,05 %), von jenen der Stellesuchenden 59,25 %, (59,83 %) befriedigt. Arbeitsanweisungen wurden im ganzen 4 000 (4 400) erteilt. Hiervon waren erfolgreich d. h. führten zur Einstellung 2 670 = 66,75 % (57,91 %). Die Höchstzahl der offenen Stellen entfällt auf den Monat April mit 462, jene der Stellengesuche auf den Monat März mit 449 Neumeldungen, die der Stellenbesetzungen auf den Monat April mit 284 besetzten Stellen.

Die **Gesamtzahl** aller in beiden Abteilungen eingeschriebenen Gesuche beträgt 29 304 (29 169). Am stärksten war der **Gesamtverkehr** im April, in dem insgesamt 3 597 Gesuche von Arbeitgebern und Arbeitnehmern zur Behandlung standen. Den günstigsten Beschäftigungsgrad ergab gleichfalls der Monat April: auf 100 offene Stellen kamen in diesem Monat nur 100,8 Arbeitsuchende. Die geringste Arbeitsgelegenheit bot der Dezember, in dem sich um 100 offene Stellen 288,1 Arbeitsuchende bewarben.

Der **auswärtige** Geschäftsverkehr nimmt auch im Berichtsjahre wieder hervorragenden Anteil am Gesamtverkehr des Amts. Einerseits empfinden es die Arbeitgeber, besonders Handwerksmeister und Landwirte des platten Landes und der kleinen Landstädte, als schätzenswerte Erleichterung, den Bedarf an Arbeitskräften, sei es mündlich, schriftlich (Postkarte) oder telephonisch, durch die Arbeitsnachweise der größeren Städte zu decken; anderseits benützen die auf der Wanderschaft und Arbeitsuche befindlichen Personen immer mehr die bestehenden Arbeitsämter als die natürlichen Sammel- und Treffpunkte für Arbeitsangebot und -Nachfrage. Aus und neben der ursprünglich lokalen gemeindlichen Einrichtung hat sich auf diese Weise im Laufe der Zeit ein lebhafter auswärtiger Verkehr herausgebildet. So waren im Berichtsjahre von 16 597 Arbeitsuchenden 7 119 auswärtige = 42,91 %, von 12 190 neugemeldeten offenen Stellen 3 685 auswärtige = 30,23 % des Gesamtverkehrs. Von den 8 606 besetzten Stellen wurden an auswärtige Arbeiter 3 839 Stellen = 44,61 % und bei auswärtigen Arbeitgebern 2 626 Stellen = 30,51 % vermittelt.

Das Amt stand mit 206 auswärtigen Orten in Verbindung, welche in Tabelle VI näher aufgeführt sind. Die Entwickelung des auswärtigen Geschäftsverkehrs ist aus der nachstehenden vergleichenden Übersicht zu entnehmen. Erläuternd sei hierzu bemerkt, daß die Minderung der Zahl der offenen Stellen nur eine scheinbare ist, da durch die zu Beginn des

Berichtsjahres — 1. April 1907 — erfolgte Eingemeindung von Mombach etwa 350 offene Stellen in Wegfall kamen, die früher als auswärtige gezählt wurden.

Verwaltungsjahr	Zahl der von auswärts gemeldeten offenen Stellen	Zahl der nach auswärts vermittelten Stellen	Anzahl der auswärtigen Orte, nach welchen Stellen vermittelt wurden	Zahl der auswärtigen Arbeitsuchenden	Zahl der an auswärtige Arbeitsuchende vermittelten Stellen
1897/98	926	444	42		
1898/99	1 755	753	70		
1899/00	2 136	786	53		
1900/01	1 987	797	80		
1901/02	1 665	717	85		
1902/03	1 692	948	95		
1903/04	1 990	1 113	112		
1904	2 956	1 857	128	5 506	2 925
1905	3 985	2 678	131	7 135	3 970
1906	3 895	2 591	146	7 238	3 808
1907	3 685	2 626	154	7 119	3 839

An dieser Stelle sei noch dankend erwähnt, daß Großh. Ministerium des Innern, Abteilung für Landwirtschaft, Handel und Gewerbe, mit Verfügung vom 24. August 1907 der Stadt Mainz einen Zuschuß von 1 200 ℳ für das Rechnungsjahr 1907 zu den Kosten des Arbeitsamts gewährt hat.

Die Deputation für die Verwaltung des Arbeitsamts hielt im Berichtsjahre zwei Sitzungen ab am 23. April und 8. November 1907. Durch die im Gange befindliche Abänderung des § 2 des Ortsstatuts betr. die Einrichtung eines Arbeitsamts für die Stadt Mainz, ferner durch den Erlaß eines allgemeinen Ortsstatuts betr. die Bildung der Verwaltungsdeputationen konnte die inzwischen erforderlich gewordene Neuwahl der Deputationsmitglieder noch nicht erfolgen, wird vielmehr erst nach eingetroffener ministerieller Genehmigung der neuen Bestimmungen von der Stadtverordneten-Versammlung vorgenommen werden.

Gemäß einem Beschlusse der Deputation hat sich das Arbeitsamt zur Hebung der Lehrlingsvermittlung mit der Schule in Verbindung gesetzt. Bereits vor Weihnachten 1907 wurden die an Ostern 1908 zur Entlassung kommenden Schüler durch das Lehrpersonal auf die Wichtigkeit einer geeigneten Berufswahl, wie auf die unentgeltliche Lehrlingsvermittlung des Arbeitsamts und dessen Inanspruchnahme hingewiesen unter kostenfreier Aushändigung entsprechender Formulare zur Ausfüllung, mit denen die Schüler bei dem Arbeitsamte vorzusprechen hatten. Durch amtliche Bekanntmachungen und Lokalnotizen in sämtlichen hiesigen Zeitungen waren auch die Lehrmeister auf diese Vermittlungstätigkeit hingewiesen und um Anmeldung ihrer offenen Lehrstellen gebeten worden. Wenn die erzielten Erfolge trotzdem nur bescheiden zu nennen sind, so ist zu beachten, daß diese Art der Vermittlung besonders schwierig ist, da sie sich ihrem inneren Wesen nach weniger für den öffentlichen Arbeitsnachweis eignet. Die Wahl eines Berufs und Lehrmeisters ist mehr eine Frage der eignen, inneren Erwägung, der Erziehung, des Vertrauens, der persönlichen Beziehungen: Sie wird deshalb von den Eltern und Vormündern schon lange vorher erwogen und geprüft, welche sich meist direkt an den Lehrmeister und das betr. Geschäft wenden. Erschwerend wirkt ferner noch der Umstand, daß Angebot und Nachfrage sehr oft weit auseinandergehen. So wurden beispielsweise 16 Sattler- und Tapezier-, 19 Barbier- und Friseurlehrlinge verlangt, während sich für diese Berufe nicht ein einziger Lehrling meldete. Anderseits sprachen 35 Lehrlinge als Maschinenschlosser, Mechaniker und Elektrotechniker vor, denen nur 10 Stellen dieser Art gegenüberstanden. Offene Lehrstellen wurden im ganzen gemeldet 118, Lehrlinge meldeten sich 90, Lehrstellen bezw. Lehrlinge wurden vermittelt 20.

Die offenen Lehrstellen verteilen sich auf folgende Berufe: 4 Gärtner, 3 Schlosser, 1 Schmied, 4 Spengler, 1 Juwelier, 1 Metalldreher, 2 Drahtflechter, 10 Mechaniker und Instrumentenmacher, 1 Wagner, 1 Uhrmacher, 1 Bandagist, 1 Zahntechniker, 3 Buchbinder, 16 Sattler und Tapezierer, 6 Schreiner, 3 Bäcker, 6 Küfer, 1 Koch, 19 Barbiere und Friseure, 7 Schuhmacher, 3 Tüncher und Lackierer, 1 Glaser, 5 Schriftsetzer, 1 Graveur, 15 Kaufleute, 2 Schreiber.

Lehrlinge meldeten sich für folgende Berufe: 2 Gärtner, 5 Bauschlosser, 2 Schmiede, 3 Spengler, 4 Dreher, 1 Gürtler, 35 Maschinenschlosser, Mechaniker und Elektrotechniker, 2 Buchbinder, 7 Schreiner, 1 Holzbildhauer, 1 Koch, 1 Schneider, 1 Schuhmacher, 1 Lackierer, 1 Dachdecker, 1 Zimmerer, 1 Bauzeichner, 8 Schriftsetzer, 10 Kaufleute, 3 Schreiber

Lehrstellen bezw. Lehrlinge wurden vermittelt in folgenden Berufen: 2 Gärtner, 2 Spengler, 5 Mechaniker und Instrumentenmacher, 2 Schreiner, 1 Schuhmacher, 3 Schriftsetzer, 4 Kaufleute, 1 Schreiber.

In der am 25. April 1907 zu Frankfurt a. M. auf Einladung und unter Vorsitz des Oberpräsidenten von

Hessen-Nassau abgehaltenen Versammlung, der von hier aus Bürgermeister Dr. Schmidt, die Deputationsmitglieder Born und Kaiser und der Geschäftsführer des Amts anwohnten, wurde ein Arbeitsnachweisverband für das Großherzogtum Hessen, die Provinz Hessen-Nassau, den Kreis Wetzlar, das Fürstentum Waldeck und angrenzende Gebietsteile unter dem Namen „Mitteldeutscher Arbeitsnachweisverband“ mit dem Sitz in Frankfurt a. M. begründet. Bürgermeister Dr. Schmidt wurde hierbei in den Vorstand und in des letzteren Sitzung vom 13. Mai 1907 zum 2. stellvertretenden Vorsitzenden gewählt. Ferner wurde das Deputationsmitglied Born als Arbeitnehmer vom Vorstande zugewählt. Durch Stadtverordnetenbeschluß vom 30. Dezember 1907 trat die Stadt Mainz mit einem Jahresbeitrage von 30 ℳ dem Verbande als Mitglied bei. Der bisherige Rhein-Mainverband ist als in dem neuen größeren Verband aufgegangen anzusehen. Der Verband dient u. a. der Förderung des gemeinnützigen Arbeitsnachweises in den bezeichneten Gebieten, namentlich der Durchführung des zwischenörtlichen Arbeitsnachweises mittels telephonischen und Vakanzenlistenverkehrs der einzelnen Arbeitsnachweise mit der als Zentrale tätigen Arbeitsvermittlungsstelle Frankfurt a. M., wie das bereits von dem Rhein-Mainverband in der im letzten Jahresbericht geschilderten Weise begonnen worden war. Er dient ferner der Errichtung neuer, der Belebung der Tätigkeit vorhandener Arbeitsnachweise, der Statistik über die Ergebnisse des Arbeitsnachweises, der Veranstaltung von Besprechungen über einschlägige Fragen ꝛc. Aus den vom hiesigen Amt mit der neuen Organisation gemachten Erfahrungen sei folgendes mitgeteilt. Auf Grund der Vakanzen-Sammellisten wurden etwa 50 telephonische Gespräche, An- und Rückfragen mit und von auswärtigen Arbeitsnachweisen sowie Arbeitgebern geführt, die, soweit hier bekannt geworden, in 7 Fällen zu einer Vermittlung geführt haben. Bei größeren Entfernungen wurden auch die betr. Arbeitgeber-Adressen zur schriftlichen Bewerbung telephonisch mitgeteilt. Manche Vermittlung mag auf diese Art zustande gekommen sein, die dem Amte nicht bekannt wurde. Fehlgespräche waren nicht zu umgehen, da die ausgeschriebenen Stellen im Zeitpunkt der Anfrage nicht selten bereits besetzt waren, oder die beiderseitigen Bedingungen namentlich hinsichtlich des Lohnes und Alters allzusehr voneinander abwichen. Als weitere Folge der aushängenden Vakanzenlisten war eine Vermehrung schriftlicher Anfragen von auswärts wohnenden Arbeitsuchenden wahrnehmbar, denen mit Angabe der in Betracht kommenden Adressen gedient werden konnte. Auch dieser schriftliche Verkehr hat in manchen Fällen zu Vermittlungen geführt. Als besonderes Verdienst des Verbandes ist noch hervorzuheben, daß er die Idee des Arbeitsnachweises in äußerst rühriger Weise in kleinere Orte und das flache Land hinausgetragen hat. Das letzte Verzeichnis der in den einzelnen Kreisen eingerichteten und dem Verbande angeschlossenen Arbeitsnachweise umfaßt bereits 116 Orte, die zum großen Teil auch telephonische Verbindung besitzen.

Die Beschaffung von Arbeitsgelegenheit für Arbeitslose im Winter 1907/08 hatte sich mit Rücksicht auf die sinkende Konjunktur als notwendig erwiesen. Auf Befürwortung der Notstandskommission hatte deshalb die Stadtverordneten-Versammlung in ihrer Sitzung vom 20. November 1907 die Vornahme von **Notstandsarbeiten** unter Bewilligung der nötigen Kredite beschlossen. Als solche wurden wieder gärtnerische Arbeiten und Kleinschlag von Steinen in städtischer Regie vorgenommen. Außerdem hatte die Bürgermeisterei Chaussierungs- und Steinschlagsarbeiten im Gebiete der ehemaligen Forts Karl und Karthaus, Kanalbauten im Gebiete der Lederwerke, Versetzen von Randsteinen in der Ingelheimstraße durch Privatunternehmer als **Winterarbeiten** ausführen lassen, sodaß auch hierbei Arbeitslose Beschäftigung finden konnten. — Die Meldungen zu den ersterwähnten speziellen Notstandsarbeiten erfolgten wie in früheren Jahren bei dem Arbeitsamte, begannen am 23. November 1907 und endeten mit dem 27. Februar 1908. Im ganzen meldeten sich 330 Leute, die sich nach ihren Berufen verteilen, wie folgt: 2 Gärtner, 1 Steinbildhauer, 1 Asphalteur, 13 Schlosser, 3 Schmiede, 4 Spengler, 7 Metalldreher, 1 Mechaniker, 3 Buchbinder, 3 Tapezierer, 1 Stuhlflechter, 1 Vergolder, 2 Bürstenmacher, 1 Holzbildhauer, 8 Schreiner, 6 Bäcker und Müller, 2 Metzger, 10 Küfer, 1 Schneider, 1 Mützenmacher, 2 Schuhmacher, 34 Tüncher, Anstreicher und Lackierer, 18 Maurer und Stukkateure, 15 Zimmerleute, Dachdecker und Pflästerer, 2 Steindrucker, 11 Fuhrleute, 2 Schiffer, 175 Taglöhner.

Auskunft über die Einrichtungen des Amts wurde auch im Berichtsjahre wieder an auswärtige Interessenten erteilt. Gemäß Verfügung Großh. Ministeriums des Innern wurden auf Ersuchen der Kaiserlich Russischen Botschaft in Berlin wie der Kaiserlich Russischen Gesandschaft am Großh. Hofe zu Darmstadt Statuten, Jahresberichte und Drucksachen des Arbeitsamtes zur Vorlage gebracht. — Die Herren Stadträte Böhme und Schmid und Arbeitsamts-Vorsteher Griessen aus Bern besuchten auf einer Informationsreise auch hiesige Stadt und nahmen die Einrichtungen des Arbeitsamts näher in Augenschein.

Rat und Auskunft gemäß § 10 der Geschäftsordnung wurde in 255 Fällen erteilt gegen 261 im Vorjahre. Hiervon betrafen 92 die Gewerbeordnung, 40 Krankenversicherung, 17 Unfallversicherung, 10 Invalidenversicherung, 42 Lohnverhältnisse, 48 Gesindeordnung, 5 bürgerliches Recht, 1 Wohnungsverhältnisse.

Über die beim Arbeitsamte angebrachten Gesuche und deren Erledigung, den örtlichen und auswärtigen Verkehr, sowie die Stellenbewegung in den einzelnen Monaten geben die nachstehenden Übersichten nähere Auskunft.

I. Jahres-Zusammenstellung der Gesuche nach den einzelnen Berufsgruppen.

Berufsgruppen	Gesuche wurden gestellt von													
	Arbeitgebern							Arbeitnehmern						
				erledigt wurden durch							erledigt wurden durch			
	Unerledigt aus dem Vorjahr	Neu gemeldete offene Stellen	zusammen	Vermittlung von Arbeitern	Zurücknahme	Fristablauf	Unerledigt auf das nächste Jahr zu übertragen	Unerledigt aus dem Vorjahr	Neue Arbeitsuchende	zusammen	Vermittlung von Arbeit	Zurücknahme	Fristablauf	Unerledigt auf das nächste Jahr zu übertragen
I. Männliche Abteilung.														
1. Landwirtschaft, Gärtnerei u. Tierzucht: Dienstknechte, Feld- und Gartenarbeiter, Gärtner, Schweizer, Viehschaffner	8	718	726	595	55	65	11	5	911	916	595	6	287	28
2. Forstwirtschaft und Fischerei: Fischer, Forstarbeiter, Holzknechte, Jagdgehilfen	—	—	—	—	—	—	—	—	—	—	—	—	—	—
3. Bergbau, Hütten- und Salinenwesen, Torfgräberei: Berg-, Hütten- und Salinenarbeiter, Torfgräber	—	35	35	15	6	14	—	—	27	27	15	—	12	—
4. Industrie der Steine u. Erden: Asphalteure, Betonarbeiter, Bildhauer in Stein, Glasmaler, Hafner, Kalkbrenner, Marmorarbeiter, Steinbrecher, Steinmetze, Zement- und Ziegeleiarbeiter	—	64	64	33	15	16	—	1	68	69	33	3	30	3
5. Metallverarbeitung: Bohrer, Drahtflechter, Dreher (Eisen, Metall), Gießer, Gold und Silberarbeiter, Gürtler, Schlosser (Bau), Schmiede, Spengler, Zuschläger .	37	1 045	1 082	779	145	145	13	18	1 649	1 667	779	36	798	54
6. Maschinen, Werkzeuge, Instrumente, Apparate: Bandagisten, Büchsen- und Instrumentenmacher, Elektrotechniker, Maschinisten, Mechaniker, Monteure, Mühlenbauer, Optiker, Schiffbauer, Schiffsheizer, Schlosser auf Armaturen, Fahrräder, Maschinen, Kessel- und Maschinenschmiede, Uhrmacher, Wagner, Zahntechniker	6	366	372	284	33	55	—	16	721	737	284	10	424	19
7. Chemische Industrie: Chemische Fabrikarbeiter, Knochensieder, Laboranten, Teerfabrikarbeiter	—	—	—	—	—	—	—	—	—	—	—	—	—	—
zu übertragen	51	2 228	2 279	1 706	254	295	24	40	3 376	3 416	1 706	55	1 551	104

Berufsgruppen	Gesuche wurden gestellt von: Arbeitgebern: Unerledigt aus dem Vorjahr	Arbeitgebern: Neu gemeldete offene Stellen	Arbeitgebern: zusammen	Arbeitgebern: erledigt wurden durch: Vermittlung von Arbeitern	Arbeitgebern: erledigt wurden durch: Zurücknahme	Arbeitgebern: erledigt wurden durch: Fristablauf	Arbeitgebern: Unerledigt auf das nächste Jahr zu übertragen	Arbeitnehmern: Unerledigt aus dem Vorjahr	Arbeitnehmern: Neue Arbeitsuchende	Arbeitnehmern: zusammen	Arbeitnehmern: erledigt wurden durch: Vermittlung von Arbeit	Arbeitnehmern: erledigt wurden durch: Zurücknahme	Arbeitnehmern: erledigt wurden durch: Fristablauf	Arbeitnehmern: Unerledigt auf das nächste Jahr zu übertragen
Übertrag	51	2 228	2 279	1 706	254	295	24	40	3 376	3 416	1 706	55	1 551	104
8. Forstwirtschaftl. Nebenprodukte, Leuchtstoffe, Fette, Öle und Firnisse: Gasanstalt-, Lichtfabrik-, Ölmühlen-, Seifenfabrikarbeiter, Wachszieher	—	—	—	—	—	—	—	—	—	—	—	—	—	—
9. Textilindustrie: Färber, Posamentiere, Seiler, Stricker, Tuchmacher, Weber	—	3	3	—	—	3	—	—	3	3	—	—	3	—
10. Papierindustrie: Buchbinder, Kartonnage- u. Papierarbeiter	—	25	25	16	6	3	—	—	82	82	16	2	61	3
11. Lederindustrie: Dekorateure, Gerber, Lederfärber und Zuschneider, Militäreffektenverfertiger, Polsterer, Portefeuillearbeiter, Säckler, Sattler und Tapezierer	14	293	307	187	39	65	16	7	442	449	187	9	241	12
12. Industrie der Holz- u. Schnitzstoffe: Bildhauer in Holz, Böttcher (Kübler), Bürsten-, Kamm-, Knopf-, Korb-, Kork-, Schirm- und Siebmacher, Drechsler, Fräser (Säger), Holzlackierer, Parkettarbeiter, Polierer, Schreiner, Stuhlmacher, Vergolder	21	809	830	617	120	81	12	21	1 301	1 322	617	20	646	39
13. Industrie der Nahrungs- und Genußmittel: Bäcker, Konditoren, Brauer und Mälzer, Küfer (Wein), Metzger, Müller, Zigarrenarbeiter	13	205	218	142	36	35	5	7	481	488	142	11	314	21
14. Bekleidung und Reinigung: Barbiere, Friseure, Handschuh-, Hutmacher, Kürschner, Schneider, Schuhmacher, Wäscher	20	888	908	484	92	309	23	11	738	749	484	12	243	10
zu übertragen	119	4 451	4 570	3 152	547	791	80	86	6 423	6 509	3 152	109	3 059	189

Berufsgruppen	Gesuche wurden gestellt von													
	Arbeitgebern							Arbeitnehmern						
	Unerledigt aus dem Vorjahr	Neu gemeldete offene Stellen	zusammen	erledigt wurden durch Vermittlung von Arbeitern	Zurücknahme	Fristablauf	Unerledigt auf das nächste Jahr zu übertragen	Unerledigt aus dem Vorjahr	Neue Arbeitsuchende	zusammen	erledigt wurden durch Vermittlung von Arbeit	Zurücknahme	Fristablauf	Unerledigt auf das nächste Jahr zu übertragen
Übertrag	119	4 451	4 570	3 152	547	791	80	86	6 423	6 509	3 152	109	3 059	189
15. Baugewerbe: Anstreicher, Maler, Schildschreiber, Tüncher, Architekten, Bahn-, Bau- und Erdarbeiter, Brunnenmacher, Dachdecker, Gas- und Wasser-Installateure, Gipser, Glaser, Kaminkehrer, Maurer, Pflasterer, Rohrleger, Stuckateure, Zimmerleute	33	536	569	410	106	49	4	20	1 012	1 032	410	9	588	25
16. Polygraphische Gewerbe: Buch-, Kunst-, Licht- und Steindrucker, Photographen, Schriftgießer, Schriftsetzer, Schweizerdegen	3	9	12	4	2	6	—	7	35	42	4	7	29	2
17. Künstlerische Betriebe für gewerbliche Zwecke: Formenstecher, Graveure, Musterzeichner, Ziseleure	—	2	2	—	1	1	—	—	4	4	—	—	4	—
18. Industrielle Arbeiter, Gesellen und Lehrlinge, deren nähere Erwerbstätigkeit zweifelhaft ist: Arbeiter, Arbeitsjungen ohne nähere Angabe, Fabrikarbeiter, Heizer in industriellen Betrieben, Maschinenmeister ohne nähere Angabe	12	581	593	506	41	44	2	5	794	799	506	13	271	9
19. Handelsgewerbe: Abonnenten- und Inseratensammler, Buchhalter, Kaufleute, Hausierer, Kassierer, Kesselreiniger, Kranführer, Reisende, Verkäufer, Getreide-, Kohlen-, Lagerhausarbeiter, Lageristen, Magaziniers, Packer, Kaiarbeiter, Sackträger	3	98	101	49	10	42	—	5	239	244	49	14	170	11
20. Versicherungsgewerbe: Beamte, Schreiber und Diener in Versicherungsbureaus	—	—	—	—	—	—	—	—	—	—	—	—	—	—
21. Verkehrsgewerbe: Flößer, Fuhrleute, Lohnkutscher, Postillone, Möbeltransporteure, Schiffer, Pferde- und Stallknechte	5	208	213	174	25	4	10	18	394	412	174	9	211	18
zu übertragen	175	5 885	6 060	4 295	732	937	96	141	8 901	9 042	4 295	161	4 332	254

Berufsgruppen	Gesuche wurden gestellt von Arbeitgebern							Arbeitnehmern						
	Unerledigt aus dem Vorjahr	Neu gemeldete offene Stellen	zusammen	erledigt wurden durch Vermittlung von Arbeitern	Zurücknahme	Fristablauf	Unerledigt auf das nächste Jahr zu übertragen	Unerledigt aus dem Vorjahr	Neue Arbeitsuchende	zusammen	erledigt wurden durch Vermittlung von Arbeit	Zurücknahme	Fristablauf	Unerledigt auf das nächste Jahr zu übertragen
Übertrag	175	5 885	6 060	4 295	732	937	96	141	8 901	9 042	4 295	161	4 332	254
22. **Beherbergung u. Erquickung:** Kellner, Köche, Portiers, Kegel- und Zapfjungen, Hausburschen und Kutscher für Gastwirtschaften	3	294	297	229	52	14	2	5	417	422	229	4	184	5
23. **Häusliche Dienste (einschließlich persönliche Bedienung), Lohnarbeit wechselnder Art:** Ausläufer, Diener, Hausburschen bei Privaten, Herrschaftskutscher, Städtische Arbeiter, Taglöhner	17	1 778	1 795	1 408	278	99	10	45	2 796	2 841	1 408	49	1 314	70
24. **Freie Berufsarten:** Aufseher, Krankenwärter, Schreiber, Vorleser	—	5	5	4	1	—	—	—	11	11	4	—	7	—
Summe I.	195	7 962	8 157	5 936	1 063	1 050	108	191	12 125	12 316	5 936	214	5 837	329
II. Weibliche Abteilung:														
9. **Textilindustrie:** Posamentennäherinnen, Stickerinnen, Strickerinnen	—	—	—	—	—	—	—	—	—	—	—	—	—	—
10. **Papierindustrie:** Buchbindereiarbeiterinnen, Falzerinnen	—	—	—	—	—	—	—	—	—	—	—	—	—	—
11. **Lederindustrie:** Tapeziernäherinnen, Portefeuillearbeiterinnen	—	—	—	—	—	—	—	—	—	—	—	—	—	—
13. **Industrie der Nahrungs- und Genußmittel:** Bäckerei- und Metzgereiladnerinnen, Kaffeeverleserinnen, Zigarrenarbeiterinnen	—	—	—	—	—	—	—	—	—	—	—	—	—	—
14. **Bekleidung und Reinigung:** Blumenmacherinnen, Büglerinnen, Kleidermacherinnen, Näherinnen, Putzmacherinnen	—	35	35	14	—	21	—	—	47	47	14	—	33	—
16. **Polygraphische Gewerbe:** Buchdruckerei-Arbeiterinnen, Einlegerinnen	3	13	16	6	—	10	—	—	20	20	6	—	14	—
zu übertragen	3	48	51	20	—	31	—	—	67	67	20	—	47	—

Berufsgruppen	Gesuche wurden gestellt von: Arbeitgebern: Unerledigt aus dem Vorjahr	Neu gemeldete offene Stellen	zusammen	erledigt wurden durch: Vermittlung von Arbeitern	Zurücknahme	Fristablauf	Unerledigt auf das nächste Jahr zu übertragen	Arbeitnehmern: Unerledigt aus dem Vorjahr	Neue Arbeitsuchende	zusammen	erledigt wurden durch: Vermittlung von Arbeit	Zurücknahme	Fristablauf	Unerledigt auf das nächste Jahr zu übertragen
Übertrag	3	48	51	20	—	31	—	—	67	67	20	—	47	—
18. Arbeiterinnen, deren nähere Erwerbstätigkeit zweifelhaft ist:														
Fabrikarbeiterinnen, Lehrmädchen ohne nähere Angabe	—	72	72	32	16	24	—	—	51	51	32	1	18	—
19. Handelsgewerbe:														
Buchhalterinnen, Ladnerinnen, Verkäuferinnen	—	1	1	—	—	1	—	—	22	22	—	—	22	—
22. Beherbergung u. Erquickung:														
Büfettmädchen, Kellnerinnen, Köchinnen, Küchen- und Zimmermädchen für Gastwirtschaften	23	390	413	171	15	216	11	3	233	236	171	1	60	4
23. Häusliche Dienste (einschl. pers. Bedienung), Lohnarbeit wechselnder Art:														
a) Ammen, Bonnen, Dienst-, Kinder-, Haus- und Zimmermädchen, Haushälterinnen, Köchinnen für Private	48	1 074	1 122	365	79	640	38	5	585	590	365	18	202	5
b) Laufmädchen, Monat-, Putz- und Waschfrauen, Taglöhnerinnen	23	2 643	2 666	2 082	174	401	9	26	3 513	3 539	2 082	33	1 347	77
24. Freie Berufsarten:														
Erzieherinnen, Krankenpflegerinnen, Vorleserinnen	—	—	—	—	—	—	—	—	1	1	—	—	1	—
Summe II:	97	4 228	4 325	2 670	284	1 313	58	34	4 472	4 506	2 670	53	1 697	86
III. Beide Abteilungen.														
Gesamtsumme:	292	12 190	12 482	8 606	1 347	2 363	166	225	16 597	16 822	8 606	267	7 534	415

II. Jahresübersicht nach Einzelberufen mit Berücksichtigung des auswärtigen Interessentenverkehrs.

Berufsgruppen	Arbeitsuchende		Offene Stellen		Besetzte Stellen		
	überhaupt	darunter von zugereisten Arbeitern	überhaupt	darunter von auswärt. Arbeitgebern	überhaupt	darunter an zugereiste Arbeiter	darunter bei auswärt. Arbeitgebern
A. Männliche Personen.							
1. Landwirtschaft, Gärtnerei und Tierzucht:							
Landwirtschaftliche Arbeiter	• 756	661	619	560	525	464	472
Gärtner, Gartenarbeiter, Weingärtner . .	155	87	99	32	70	47	21
zusammen	911	748	718	592	595	511	493
2. Forstwirtschaft und Fischerei:							
Fischer, Holzhauer, Kultur- u. Waldarbeiter	—	—	—	—	—	—	—
3. Bergbau, Hütten- und Salinenwesen, Torfgräberei:							
Hüttenarb., Torfgräber, Salinenarbeiter .	27	25	35	35	15	13	15
4. Industrie der Steine und Erden:							
Steinhauer, Steinbildhauer	29	20	18	13	7	6	6
Asphalteure, Zementeure und übrige einschlägige Berufe	39	32	46	33	26	23	16
zusammen	68	52	64	46	33	29	22
5. Metallverarbeitung:							
Bauschlosser	616	325	384	130	302	156	94
Schmiede, Huf- u. Beschlag-, Kupferschmiede	299	207	225	112	144	108	62
Spengler (Blechner)	418	263	230	113	196	123	98
Dreher, Former, Gießer u. einschläg. Berufe	316	213	206	150	137	102	104
zusammen	1 649	1 008	1 045	505	779	489	358
6. Maschinen, Werkzeuge, Instrumente, Apparate:							
Maschinenschlosser, Kesselschmiede, Maschinisten, Monteure, Mechaniker	558	316	272	168	211	135	132
Wagner	143	124	78	48	60	52	36
Wagenlackierer und übrige einschl. Berufe	20	11	16	14	13	6	12
zusammen	721	451	366	230	284	193	180
7. Chemische Industrie:							
Arbeiter in chemischen Fabriken	—	—	—	—	—	—	—
8. Forstwirtschaftliche Nebenprodukte, Leuchtstoffe, Fette, Öle, Firnisse:							
Arbeiter in Gasanstalten, Lichter- und Seifenfabriken, Ölmühlen, Wachszieher .	—	—	—	—	—	—	—
zu übertragen	3 376	2 284	2 228	1 408	1 706	1 235	1 068

Berufsgruppen	Arbeitsuchende überhaupt	Arbeitsuchende darunter von zugereisten Arbeitern	Offene Stellen überhaupt	Offene Stellen darunter von auswärt. Arbeitgebern	Besetzte Stellen überhaupt	Besetzte Stellen darunter an zugereiste Arbeiter	Besetzte Stellen darunter bei auswärt. Arbeitgebern
Übertrag	3 376	2 284	2 228	1 408	1 706	1 235	1 068
9. Textilindustrie:							
Färber, Seiler, Weber und übrige einschl. Berufe	3	2	3	2	—	—	—
10. Papierindustrie:							
Buchbinder, Kartonnage- u. Papierarbeiter	82	52	25	9	16	14	7
11. Lederindustrie:							
Sattler und Tapezierer	437	246	291	103	187	116	59
Gerber, Lederfärber, Portefeuiller und übrige einschläg. Berufe	5	3	2	2	—	—	—
zusammen	442	249	293	105	187	116	59
12. Industrie der Holz- und Schnitzstoffe:							
Schreiner und Rahmenmacher, Lackierer	1 204	773	741	405	579	407	306
Holzküfer, Holzbildhauer, Drechsler, Bürstenbinder, Korbmacher und einschläg. Berufe	97	67	68	44	38	29	25
zusammen	1 301	840	809	449	617	436	331
13. Industrie der Nahrungs- und Genußmittel:							
Bäcker, Konditoren und Müller	44	31	6	3	2	2	2
Weinküfer, Brauer und Mälzer	427	204	195	64	140	76	41
Metzger	9	5	2	—	—	—	—
Übrige einschlägige Berufe	1	1	2	—	—	—	—
zusammen	481	241	205	67	142	78	43
14. Bekleidung und Reinigung:							
Schneider	299	155	405	109	197	116	38
Schuhmacher	408	248	438	169	277	175	89
Barbiere und Friseure	28	19	43	13	10	7	6
Übrige einschlägige Berufe	3	2	2	—	—	—	—
zusammen	738	424	888	291	484	298	133
15. Baugewerbe:							
Maler, Weißbinder, Anstreicher, Lackierer	505	211	256	95	198	79	67
Maurer, Stuckateure, Häfner, Kaminfeger	96	50	11	7	10	7	8
Glaser (Blankglaser)	27	11	16	11	14	8	10
Installateure, Gas- u. Wasser-Rohrleger	123	76	72	20	56	36	17
Zimmerleute, Dachdecker und übrige einschlägige Berufe	261	155	181	120	132	92	95
zusammen	1 012	503	536	253	410	222	197
zu übertragen	7 435	4 595	4 987	2 584	3 562	2 399	1 838

Berufsgruppen	Arbeitsuchende		Offene Stellen		Besetzte Stellen		
	überhaupt	darunter von zugereisten Arbeitern	überhaupt	darunter von auswärt. Arbeitgebern	überhaupt	darunter an zugereiste Arbeiter	darunter bei auswärt. Arbeitgebern
Übertrag	7 435	4 595	4 987	2 584	3 562	2 399	1 838
16. Polygraphische Gewerbe: Buchdrucker, Steindrucker, Schriftsetzer, Schriftgießer, Lithographen, Photographen und einschlägige Berufe	35	22	9	2	4	1	1
17. Künstler und künstlerische Betriebe für gewerbliche Zwecke: Formenstecher, Gipsgießer, Graveure und Ziseleure	4	3	2	1	—	—	—
18. Industrielle Arbeiter:							
Fabrikarbeiter	794	483	581	511	506	326	460
Heizer in industriellen Betrieden	—	—	—	—	—	—	—
zusammen	794	483	581	511	506	326	460
19. Handelsgewerbe: Kaufleute, Magaziniers und Packer	239	41	98	29	49	6	5
20. Versicherungsgewerbe:	—	—	—	—	—	—	—
21. Verkehrsgewerbe: Fuhrleute, Fahrburschen, Kutscher, Pferdeknechte	394	175	208	95	174	91	83
22. Beherbergung und Erquickung: Kellner, Oberkellner, Marqueure, Köche, Zapfjungen, Hausburschen, Küchenburschen, Kupferputzer	417	262	294	24	229	152	19
23. Häusliche Dienste (einschl. persönliche Bedienung) auch Lohnarbeit wechselnder Art: Auslaufer, Hausburschen, Hausdiener, Taglöhner	2 796	531	1 778	212	1 408	272	178
24. Freie Berufsarten: Aufseher, Krankenpfleger, Schreiber und sonstige Berufsarten	11	4	5	—	4	—	—
Summe	12 125	6 116	7 962	3 458	5 936	3 247	2 584

Berufsgruppen	Arbeitsuchende		Offene Stellen		Besetzte Stellen		
	überhaupt	darunter von zugereisten Arbeitern	überhaupt	darunter von auswärt. Arbeitgebern	überhaupt	darunter an zugereiste Arbeiter	darunter bei auswärt. Arbeitgebern
B. Weibliche Personen.							
1. Landwirtschaft, Gärtnerei und Tierzucht:							
Dienstboten und Taglöhnerinnen	—	—	—	—	—	—	—
10. Papierindustrie:							
Arbeiterinnen in Buchbindereien und Kartonnagefabriken	—	—	—	—	—	—	—
14. Bekleidung und Reinigung:							
Büglerinnen, Näherinnen, Schneiderinnen	47	13	35	4	14	4	1
16. Polygraphische Gewerbe:							
Arbeiterinnen in Buchdruckereien	20	4	13	1	6	—	1
18. Industrielle Arbeiterinnen:							
Fabrikarbeiterinnen	51	14	72	—	32	9	—
19. Handelsgewerbe:							
Buchhalterinnen, Verkäuferinnen	22	6	1	—	—	—	—
22. Beherbergung und Erquickung:							
Büfettdamen, Kellnerinnen, Köchinnen Küchenmädchen, Zimmermädchen	233	102	390	37	171	75	4
23. Häusliche Dienste und Lohnarbeit wechselnder Art:							
Dienstboten für Private	585	234	1 074	160	365	151	25
Putz-, Wasch- und Monatfrauen	3 513	630	2 643	25	2 082	353	11
zusammen	4 098	864	3 717	185	2 447	504	36
24. Freie Berufsarten:							
Masseusen, Wärterinnen, Erzieherinnen .	1	—	—	—	—	—	—
Weibliche Personen	4 472	1 003	4 228	227	2 670	592	42
Männliche "	12 125	6 116	7 962	3 458	5 936	3 247	2 584
Insgesamt	16 597	7 119	12 190	3 685	8 606	3 839	2 626

III. Zusammenstellung der Gesuche nach den einzelnen Monaten.

Rechnungsjahr 1907.

	April			Mai			Juni			Juli			August			September		
	m.	w.	zus.	m.	w.	zus.	m.	w.	zus.	m.	w.	zus.	m.	w.	zus.	m.	w.	zus.
Bestand am 1. des Monats:																		
an offenen Stellen	195	97	292	128	68	196	113	81	194	99	73	172	128	67	195	102	59	161
an Arbeitsgesuchen	191	34	225	242	31	273	187	56	243	202	70	272	251	82	333	177	56	233
Im Laufe des Monats gemeldete:																		
offene Stellen	1037	462	1499	798	404	1202	762	365	1127	859	389	1248	829	353	1182	778	337	1115
Arbeitsgesuche	1204	377	1581	1011	326	1337	1027	337	1364	1146	379	1525	1069	385	1454	982	305	1287
besetzte Stellen	738	284	1022	611	223	834	591	195	786	618	223	841	670	240	910	543	195	738
Auf 100 offene Stellen kamen:																		
Arbeitsuchende	113,2	78,5	100,8	135,3	75,6	115,2	138,7	88,1	121,6	140,7	97,2	126,5	137,9	111,2	129,8	131,7	91,2	119,1
Im Vorjahre	143,7	85,1	123,2	209,3	102,6	170,1	159,2	111,5	144,9	152,4	105,4	140,1	148,6	99,1	133,8	128,6	97,8	119,3

	Oktober			November			Dezember			Januar			Februar			März		
	m.	w.	zus.	m.	w.	zus.	m.	w.	zus.	m.	w.	zus.	m.	w.	zus.	m.	w.	zus.
Bestand am 1. des Monats:																		
an offenen Stellen	141	56	197	152	59	211	32	27	59	7	25	32	84	60	144	45	51	96
an Arbeitsgesuchen	228	40	268	290	60	350	236	81	317	170	57	227	318	93	411	313	82	395
Im Laufe des Monats gemeldete:																		
offene Stellen	787	418	1155	428	246	674	212	208	420	434	334	768	428	331	759	660	381	1041
Arbeitsgesuche	1152	438	1590	769	355	1124	763	300	1063	980	406	1386	954	415	1369	1068	449	1517
besetzte Stellen	603	253	856	339	194	533	172	152	324	283	218	501	328	223	551	440	270	710
Auf 100 offene Stellen kamen:																		
Arbeitsuchende	157,2	100,8	137,4	220,6	136,1	187,8	409,4	162,1	288,1	260,8	129,0	201,6	248,4	129,9	197,1	195,9	122,9	168,2
Im Vorjahre	163,9	128,2	150,6	215,1	185,9	204,3	232,5	164,5	206,2	173,4	104,1	147,0	135,7	89,4	119,8	115,7	70,3	100,3

IV. Gesamtergebnis.

	1907			1906		
	m.	w.	zus.	m.	w.	zus.
Bestand am Schlusse des Berichtsjahres an offenen Stellen .	108	58	166	195	97	292
Bestand am Schlusse des Berichtsjahres an Arbeitsgesuchen .	329	86	415	191	34	225
Neu gemeldete offene Stellen	7 962	4 228	12 190	8 407	4 032	12 439
Neue Arbeitsgesuche	12 125	4 472	16 597	12 085	4 198	16 283
Besetzte Stellen	5 936	2 670	8 606	6 090	2 548	8 638

V. Vergleichende Jahresübersicht.

Jahr	Männliche Abteilung			Weibliche Abteilung		
	Offene Stellen	Arbeitsuchende	Besetzte Stellen	Offene Stellen	Arbeitsuchende	Besetzte Stellen
1897/98	3 636	5 554	2 026	683	473	98
1898/99	6 212	8 183	3 479	806	625	168
1899/00	7 194	8 523	3 974	2 508	1 892	1 268
1900/01	6 420	8 067	3 955	3 334	2 522	2 025
1901/02	5 330	7 407	3 372	3 459	2 911	2 084
1902/03	5 260	7 336	3 594	3 158	2 713	1 955
1903/04	5 910	6 874	4 120	2 872	2 196	1 654
1904	7 362	11 008	5 341	3 852	2 748	2 220
1905	8 537	12 272	6 194	4 045	3 925	2 671
1906	8 533	12 271	6 090	4 106	4 259	2 548
1907	8 157	12 316	5 936	4 325	4 506	2 670

VI. Arbeitsvermittlung nach auswärts.

Verzeichnis der Orte, mit denen das Amt im Berichtsjahre in Verbindung stand.

A. Männliche Abteilung.

Ord.-Nr.	Namen der Orte	Verlangt	Besetzt	Ord.-Nr.	Namen der Orte	Verlangt	Besetzt
1	Alsheim	7	5		Übertrag	433	351
2	Alzey	42	32	21	Breckenheim	1	1
3	Amberg, Ober-Pfalz	1	—	22	Bretzenheim	87	70
4	Amöneburg	64	59	23	Budenheim	42	38
5	Appenheim	2	1	24	Büttelborn	1	1
6	Bacharach	3	1	25	Butzbach	1	1
7	Bauschheim	3	2	26	Caub	6	5
8	Bechtheim	4	4	27	Crefeld	2	—
9	Bechtolsheim	3	1	28	Dalheim	1	—
10	Berg, Pfalz	6	—	29	Darmstadt	49	31
11	Berkach	3	3	30	Dellenheim	4	4
12	Biblis	4	2	31	Dexheim	2	1
13	Biebrich	186	158	32	Diedenhofen	1	1
14	Bierstadt	1	1	33	Dorndürkheim	1	1
15	Bingen	26	19	34	Dotzheim	2	2
16	Bingerbrück	3	3	35	Drais	6	6
17	Bischofsheim	37	28	36	Düsseldorf	1	—
18	Blödesheim	2	1	37	Eberstadt	2	1
19	Bodenheim	32	28	38	Eddersheim	2	1
20	Boppard	4	3	39	Elsheim	7	7
	zu übertragen	433	351		zu übertragen	651	522

Ord.-Nr.	Namen der Orte	Verlangt	Besetzt
	Übertrag	651	522
40	Eltville	38	24
41	Erbach i. O.	2	1
42	Erbenheim	2	1
43	Erbesbüdesheim	1	—
44	Essenheim	19	17
45	Finthen	40	32
46	Flörsheim	74	58
47	Flonheim	12	3
48	Frankenthal	11	6
49	Frankfurt a. M.	7	—
50	Freimersheim	5	3
51	Frei-Weinheim	6	4
52	Fürfeld	1	1
53	Gabsheim	1	—
54	Gau-Algesheim	8	4
55	Gau-Bischofsheim	8	8
56	Gaulsheim	2	1
57	Gau-Odernheim	2	1
58	Geinsheim	3	3
59	Geisenheim	9	4
60	Gimbsheim	3	1
61	Ginsheim	61	44
62	Gonsenheim	55	36
63	Griesheim b. Darmstadt	1	1
64	Groß-Bockenheim	6	—
65	Groß-Buseck	1	1
66	Groß-Gerau	17	11
67	Groß-Winternheim	7	7
68	Güdingen	1	—
69	Gundersheim	3	1
70	Guntersblum	14	10
71	Gustavsburg	478	406
72	Hadamar	2	—
73	Hahn	2	—
74	Hamburg	39	1
75	Hamm	5	4
76	Hanau	14	1
77	Hangenweisheim	1	1
78	Harxheim	1	1
79	Hattersheim	22	13
80	Hechtsheim	113	90
81	Heidelberg	5	—
82	Heidenfahrt	2	1
	zu übertragen . . .	1 755	1 323

Ord.-Nr.	Namen der Orte	Verlangt	Besetzt
	Übertrag	1 755	1 323
83	Heidesheim	59	47
84	Heppenheim a. d. B.	3	2
85	Herrnsheim	2	—
86	Heßloch	1	1
87	Hochheim a. M.	52	41
88	Höchst a. M.	5	4
89	Hofheim	3	—
90	Idar	5	3
91	Idstein	15	3
92	Igstadt	2	2
93	St. Johann a. d. S.	3	—
94	Kaiserslautern	19	11
95	Kapsweyer	1	1
96	Kastel	222	184
97	Kelsterbach	46	43
98	Kiedrich	9	8
99	Kirn	3	3
100	Klein-Winternheim	1	1
101	Kostheim	158	140
102	Kreuznach	24	17
103	Laasphe	3	—
104	Landau	13	13
105	Langenlonsheim	8	2
106	Langenschwalbach	2	2
107	Laubenheim	17	14
108	Leeheim	1	—
109	Leipzig	5	5
110	Leverkusen	27	—
111	Limburg	9	8
112	Lindenfels	1	—
113	Lörzweiler	5	3
114	Mannheim	26	11
115	Marienborn	16	13
116	Marxheim	2	1
117	Massenheim	10	9
118	Mensfelden	2	1
119	Mettenheim	1	—
120	Mönchbruch	2	2
121	Mommenheim	4	2
122	Monzernheim	2	2
123	Münster a. Stein	1	1
124	Münster b. Bingerbrück	2	1
125	Nackenheim	15	6
	zu übertragen	2 562	1 930

Ord.-Nr	Namen der Orte	Verlangt	Besetzt
	Übertrag	2 562	1 930
126	Nastätten	4	2
127	Nauheim, Bad	1	—
128	Nauheim b. Groß-Gerau	5	5
129	Neudorf	1	—
130	Neustadt a. d. H.	3	—
131	Neuwied	4	—
132	Niederhausen a. d. Appel	1	1
133	Nieder-Heimbach	3	1
134	Nieder-Ingelheim	47	41
135	Nieder-Olm	3	3
136	Nieder-Walluf	3	3
137	Nierstein	25	18
138	Ober-Flörsheim	1	—
139	Ober-Ingelheim	8	8
140	Ober-Olm	6	5
141	Oberstein	1	1
142	Ober-Walluf	5	5
143	Ockenheim	6	6
144	Oestrich	1	1
145	Offenbach	2	1
146	Offstein	2	—
147	Okriftel	16	13
148	Oppenheim	10	5
149	Osthofen	7	5
150	Pfeddersheim	2	—
151	Pfiffligheim	1	1
152	Pforzheim	8	—
153	Rambach	2	1
154	Raunheim	5	4
155	Roigheim	1	—
156	Rüdesheim	5	4
157	Rüsselsheim	93	79
158	Saarlouis	1	—
159	Schierstein	12	5
160	Schwabenheim a. d. Selz	11	5
161	Schwabsburg	1	1
	zu übertragen	2 869	2 154

Ord.-Nr.	Namen der Orte	Verlangt	Besetzt
	Übertrag	2 869	2 154
162	Selzen	1	1
163	Sindlingen	1	1
164	Sobernheim	2	1
165	Soden i. T.	6	2
166	Sonnenberg	10	5
167	Sprendlingen, Rheinh.	5	4
168	Stadecken	5	2
169	Straßburg-Neudorf i. Els.	4	1
170	Stromberg	1	—
171	Trarbach a. d. M.	1	
172	Trebur	2	2
173	Uhlerborn	4	2
174	Undenheim	15	6
175	Wackernheim	7	—
176	Waldalgesheim	37	16
177	Waldülversheim	4	3
178	Wallau	5	5
179	Wallertheim	1	1
180	Weilbach, Bad	3	2
181	Weilburg	8	3
182	Weiler Hof	3	2
183	Weilmünster	1	1
184	Weinheim a. d. B.	13	—
185	Weinolsheim	1	—
186	Weisenau	362	320
187	Wendelsheim	1	—
188	Wertheim	1	—
189	Wesel	1	—
190	Westhofen	1	—
191	Wiesbaden	49	31
192	Wöllstein	9	1
193	Wörrstadt	3	2
194	Wohlgelegen	1	—
195	Worms	19	16
196	Würzburg	2	—
	Summe	3 458	2 584

B. Weibliche Abteilung.

Ord.-Nr	Namen der Orte	Verlangt	Besetzt	Ord.-Nr.	Namen der Orte	Verlangt	Besetzt
1	Amöneburg	1	—		Übertrag	102	22
2	Bechtheim	1	—	27	Heidesheim	2	—
3	Berlin	1	—	28	Hochheim a. M.	9	1
4	Bingen	2	—	29	Kastel	32	7
5	Bischofsheim	2	—	30	Kloppenheim	1	—
6	Blödesheim	2	—	31	Kostheim	13	3
7	Bodenheim	14	1	32	Laubenheim	4	1
8	Breckenheim	4	1	33	Massenheim	2	—
9	Bretzenheim	1	—	34	Nauheim, Bad	2	—
10	Büttelborn	1	—	35	Nieder-Ingelheim	4	—
11	Darmstadt	3	1	36	Niedernhausen	1	—
12	Dienheim	1	—	37	Nieder-Walluf	1	1
13	Drais	1	—	38	Nierstein	6	—
14	Eltville	2	1	39	Ober-Saulheim	1	—
15	Finthen	1	—	40	Ober-Walluf	1	—
16	Flörsheim	1	—	41	Oppenheim	2	—
17	Framersheim	1	—	42	Rüdesheim	7	1
18	Frankfurt a. M.	1	—	43	Rüsselsheim	6	1
19	Freimersheim	1	—	44	Siefersheim	1	—
20	Friedberg	1	—	45	Simmern	2	—
21	Gernsheim	1	—	46	Uhlerborn	2	2
22	Gonsenheim	17	2	47	Undenheim	1	—
23	Grignan (Drôme)	1	—	48	Weisenau	4	1
24	Guntersblum	1	—	49	Wendelsheim	1	—
25	Gustavsburg	39	16	50	Wiesbaden	18	2
26	Hamburg	1	—	51	Worms	2	—
	zu übertragen	102	22		Summe	227	42

IX. Arbeiterversicherung.

A. Im allgemeinen.

Nach einer Verfügung Großh. Kreisamts Mainz war eine Nachprüfung vorzunehmen, ob die auf Grund der §§ 1 und 8 des Krankenversicherungsgesetzes in der Fassung der Novelle vom 25. Mai 1903 sowie die auf Grund der §§ 3 und 6 des Reichsgesetzes, betr. die Unfall- und Krankenversicherung der in land- und forstwirtschaftlichen Betrieben beschäftigten Personen, s. Zt. getroffenen Festsetzungen bezüglich der Durchschnittswerte der Naturalbezüge, des ortsüblichen Tagelohns gewöhnlicher Tagearbeiter und des durchschnittlichen Jahresarbeitsverdienstes land- und forstwirtschaftlicher Arbeiter den derzeitigen Verhältnissen noch entsprechen. Nachdem im Hinblick auf die Vorschriften des § 8 des Krankenversicherungsgesetzes und des § 10 des Unfallversicherungsgesetzes für die Land- und Forstwirtschaft den beteiligten Arbeitgebern und den beteiligten Versicherungspflichtigen Gelegenheit zur Äußerung gegeben worden war, sowie nach Anhörung der Stadtverordneten-Versammlung sind von Großh. Kreisamt Mainz für den Bezirk der Stadt Mainz einschl. des Stadtteils Mainz-Mombach festgesetzt worden:

I. der Durchschnittswert der als Lohn oder Gehalt geltenden Naturalbezüge:

1. für männliche Versicherte pro Tag auf . . . . 1 ℳ 70 ₰
2. für weibliche Versicherte pro Tag auf . . . . 1 „ 40 „

Bei nur teilweise freiem Unterhalt ist der durchschnittliche Wert:

a) der Beköstigung mit 70 Prozent,
b) der freien Wohnung (einschl. Heizung und Beleuchtung) mit 15 Prozent,
c) der Kleidung (Schuhwerk usw.) mit 15 Prozent

in Ansatz zu bringen.

II. der ortsübliche Tagelohn gewöhnlicher Tagearbeiter:

1. Für erwachsene (über 16 Jahre alte) männliche Arbeiter auf 3 ℳ 10 ₰
2. „ „ („ „ „ „) weibliche „ „ 1 „ 80 „
3. „ jugendliche (unter 16 Jahre alte) männliche „ „ 1 „ 70 „
4. „ „ („ „ „ „) weibliche „ „ 1 „ 10 „

III. der durchschnittliche Jahresarbeitsverdienst land- und forstwirtschaftlicher Arbeiter:

1. für erwachsene (über 16 Jahre alte) männliche Arbeiter auf 930 ℳ
2. „ „ („ „ „ „) weibliche „ „ 540 „
3. „ jugendliche (unter „ „ „) männliche „ „ 510 „
4. „ „ („ „ „ „) weibliche „ „ 330 „

Sämtliche Festsetzungen traten am 29. Juni 1908 in Kraft.

B. Krankenversicherung.

Infolge der am 1. April 1907 vollzogenen Eingemeindung von Mombach wurden der Aufsicht der Bürgermeisterei eine Orts-Krankenkasse und 4 Betriebs-(Fabrik-)Krankenkassen neu unterstellt. Im ganzen unterstehen somit jetzt der Aufsicht der Bürgermeisterei 2 Orts-Krankenkassen, 7 Betriebs-(Fabrik-)Krankenkassen und 3 Innungs-Krankenkassen. Die

Betriebsergebnisse dieser Kassen für das Kalenderjahr 1907 sind aus den Übersichten auf Seite 68 bis 74 zu entnehmen. Über die einzelnen Kassenarten ist noch nachstehendes zu berichten, wozu im voraus bemerkt wird, daß die eingeklammerten Zahlen sich auf das Vorjahr beziehen.

1. Orts-Krankenkassen.

a) Orts-Krankenkasse Mainz.

Die Mitgliederzahl betrug bei Beginn des Jahres 14 200 männliche und 5 988 weibliche, zusammen 20 188 Personen, am Schlusse des Jahres 14 165 männliche und 6 323 weibliche, zusammen 20 488 Personen. Der höchste ermittelte Stand entfällt auf den 1. Juni 1907 mit 22 811, der niedrigste auf den 1. Januar 1907 mit 20 188 Mitgliedern, der durchschnittliche Mitgliederstand betrug 21 361 (21 317) oder gegen den des Vorjahres mehr 44 = 0,2 %. Freiwillig waren bei der Kasse versichert 3 830 (3 486) Personen. Kündigungen der Mitgliedschaft gemäß § 19 zweitletzter Absatz des Gesetzes sind in 31 (67) Fällen erfolgt. Die im August 1907 vorgenommene Zählung sämtlicher Mitglieder zum Zwecke des Nachweises, welchen Beitragsklassen sie angehören, hatte folgendes Ergebnis:

Klasse	Täglicher Arbeitsverdienst	Männliche Mitglieder	Weibliche Mitglieder	Im ganzen	In Prozent 1907	In Prozent 1906
1	weniger als 1,25 ℳ	1 419	2 268	3 687	16,84	17,20
2	von 1,25 ℳ bis einschl. 2,24 ℳ	778	2 607	3 385	15,46	14,91
3	„ 2,25 „ „ „ 3,24 „	2 398	832	3 230	14,75	15,59
4	„ 3,25 „ „ „ 4,24 „	5 390	202	5 592	25,53	27,31
5	„ 4,25 „ und mehr	5 927	78	6 005	27,42	24,99
	Summe . . .	15 912	5 987	21 899	100,00	100,00

Die Zahl der Arbeitgeber versicherter Personen belief sich am Schlusse des Jahres auf 3 352 (3 308).

Anmeldungen erfolgten im Jahre 1907, einschließlich derjenigen zur Invalidenversicherung, 37 928 (36 548), denen 39 959 (38 749) Abmeldungen gegenüberstehen. Außerdem gingen 4 522 (4 723) Lohnveränderungsanzeigen ein. Der stärkste Meldetag war der 4. Januar mit 687, der schwächste der 11. Februar mit 71 Meldungen. Wegen versäumter Meldepflicht mußten 88 (221) Anzeigen erstattet werden. Außerdem sind säumige Arbeitgeber in 56 (82) Fällen mit dem Betrage von 2 676 ℳ 76 ₰ (3 279 ℳ 51 ₰) gemäß § 50 des Gesetzes der Kasse ersatzpflichtig geworden.

Krankmeldungen von Mitgliedern erfolgten im Jahre 1907 überhaupt 37 960 (35 139). Hiervon waren erwerbsfähig krank und erhielten nur freie ärztliche Behandlung und Arznei 23 718 (22 144) Personen oder 62,5 (63,0) % aller krank Gemeldeten. Über die Zahl der Erkrankungsfälle mit Erwerbsunfähigkeit, die Zahl der darauf entfallenden Krankheitstage und das Verhältnis dieser Erkrankungsfälle und Krankheitstage zueinander und zur Mitgliederzahl geben die Übersichten A und E Aufschluß. Von 100 männlichen Mitgliedern sind 69,0 (63,8) und von 100 weiblichen Mitgliedern 61,0 (53,6) erkrankt. Von den Krankheitstagen entfallen bei den männlichen Mitgliedern auf ein Mitglied 13,0 (11,8), auf eine Erkrankung 18,8 (18,5) und bei den weiblichen Mitgliedern auf ein Mitglied 13,0 (13,2), auf eine Erkrankung 21,3 (24,7).

Die Zahl der auf 100 Mitglieder entfallenden Erkrankungen, die im Vorjahre eine Verminderung erfahren hatte, hat sich somit im Berichtsjahre wesentlich erhöht. Bei den männlichen Versicherten hat sich auch die durchschnittliche Krankheitsdauer erhöht, dagegen ist hierin bei den weiblichen Versicherten eine kleine Verminderung zu verzeichnen.

An Heilmitteln wurden verabfolgt: 1 439 (1 593) Brillen, 387 (424) Bruchbänder, 103 (112) Gummistrümpfe, 220 (168) Irrigateure, 99 (66) Inhalationsapparate, 77 (110) Suspensorien, 31 (32) Eisbeutel, 39 (22) Gummispritzen, 189 (197) Leibbinden, 140 (153) Leder- und Gummifinger, 37 (28) Pessarien, 5 (3) Luftkissen, 55 (24) Nasenduschen, 167 Flanell-, Trikot-Binden ꝛc.

Ferner wurden 4 962 (5 443) Wannenbäder abgegeben sowie für römische, elektrische und Dampfbäder, Rheinbäder, Güsse, orthopädisches Turnen ꝛc 19 659 ℳ (16 504,50 ℳ) verausgabt.

Im Krankenhause wurden verpflegt: 1339 (1240) männliche und 311 (306) weibliche, zusammen 1650 (1546) Mitglieder mit zusammen 44811 (41447) Verpflegungstagen und einem Kostenaufwand von 80341 ℳ 85 ₰ (71920 ℳ 53 ₰). An der Zahl der Verpflegungstage ist das städtische Krankenhaus (St. Rochushospital) mit rund 62 (59) % beteiligt.

Krankenunterstützung auf die volle statutenmäßige Dauer erhielten 254 (253) Mitglieder und zwar auf die Dauer von 13 Wochen 94 (91) und auf die Dauer von 26 Wochen 160 (162) Mitglieder. Gestorben sind 161 (166) männliche und 37 (42) weibliche, zusammen 198 (208) Mitglieder, für welche ein Sterbegeld von 13982 ℳ 35 ₰ (13624 ℳ 79 ₰) ausbezahlt wurde. Die Sterblichkeitsziffer berechnet sich für 1907 bei den männlichen Mitgliedern auf 1,1 (1,1) und bei den weiblichen Mitgliedern auf 0,6 (0,7), überhaupt auf 0,9 (1,0) vom Hundert. An 345 (309) Wöchnerinnen wurden 10708 ℳ 50 ₰ (10103 ℳ — ₰) Unterstützung gezahlt, an eine Wöchnerin also durchschnittlich 31 ℳ 04 ₰ (32 ℳ 70 ₰) oder 5 ℳ 17 ₰ (5 ℳ 45 ₰) die Woche.

An Familienangehörige sind ohne Erhebung von Zusatzbeiträgen und ohne Karenzzeit folgende Unterstützungen geleistet worden: Ärztlich behandelt wurden 20299 (18643) Ehefrauen und Kinder, was einen Kostenaufwand von 64080 ℳ (61917 ℳ) verursachte. Für außerhalb des Kassenbezirks wohnende Familienangehörige, denen an ihrem Wohnorte ein Kassenarzt nicht gestellt werden konnte, sowie für Verpflegung von Angehörigen im Krankenhause wurden gemäß § 22 Abs. 3 und 4 des Statuts 6120 ℳ 80 ₰ (3219 ℳ 24 ₰) bezahlt, sodaß für die ärztliche Behandlung von Familienangehörigen insgesamt 70200 ℳ 80 ₰ (65136 ℳ 24 ₰) verausgabt wurden. Für 550 (635) Ehefrauen und Kinder wurden 5652 ℳ — ₰ (6078 ℳ 60 ₰) Sterbegeld gezahlt. Im ganzen beträgt daher der Aufwand für Familienunterstützung 75852 ℳ 80 ₰ (71214 ℳ 84 ₰).

Die Übersichten F und G enthalten die Ausgaben in Prozent ausgedrückt und die Verteilung der Beiträge, der Leistungen und des Vermögens auf den Kopf der Mitglieder.

Nach Übersicht G betragen die auf ein Mitglied entfallenden Ausgaben 42 ℳ 47 ₰ gegen 38 ℳ 46 ₰ im Vorjahre. Die Steigerung der Ausgaben ist, abgesehen von Mehraufwendungen für Krankengeld, hauptsächlich in der Wirkung des mit der wirtschaftlichen Vereinigung der Ärzte des Kreises Mainz abgeschlossenen, am 1. Januar 1907 in Kraft getretenen neuen Vertrages zu suchen. Sie verursachte der Kasse gegen das Vorjahr eine Mehrausgabe von rund 18600 ℳ. Der Vermögensanteil eines Mitgliedes beträgt 24 ℳ 70 ₰ gegen 23 ℳ 84 ₰ im Jahre 1906. Das Vermögen der Kasse hat sich um 19230 ℳ 54 ₰ erhöht. In diesem Betrag ist jedoch die Summe von 12593 ℳ enthalten, die der Kasse aus dem Vermögensrest der im Jahre 1906 aufgelösten Fabrik-Krankenkasse der Lederwerke vormals Mayer, Michel und Deninger dahier überwiesen worden ist. Aus eigenen Mitteln hat die Kasse ihr Vermögen nur um 6637 ℳ 54 ₰ erhöht. Die gesetzliche Rücklage zum Reservefonds hätte 87859 ℳ 31 ₰ betragen müssen, es konnten dem Fonds aber nur 27042 ℳ 15 ₰ zugeführt werden.

Von dem durch § 57a des Gesetzes den Krankenkassen eingeräumten Rechte, die Fürsorge für erkrankte Mitglieder einer anderen Krankenkasse zu übertragen, hat die Orts-Krankenkasse in 158 (71) Fällen Gebrauch gemacht, wogegen ihr in 26 (27) Fällen die Fürsorge für fremde Mitglieder übertragen worden ist.

Betriebsunfälle wurden im Berichtsjahre 817 (696) von der Ortspolizeibehörde angemeldet. Von den Verletzten waren gestorben 6 (9), erwerbsunfähig 688 (620) und erwerbsfähig 64 (35); nicht krank gemeldet haben sich 56 (32) Mitglieder, in 3 Fällen hat die Untersuchung ergeben, daß Betriebsunfälle nicht vorlagen. Vom Beginne der fünften Woche nach Eintritt des Unfalls waren noch 218 (163) und vom Beginne der vierzehnten Woche ab noch 52 (46) Mitglieder erwerbsunfähig. Der Aufwand, den die Kasse für durch Unfall verletzte Kassenmitglieder gemacht hat, ist zu rund 51600 ℳ (43200 ℳ) anzunehmen. Gemäß § 12 Absatz 1 des Gewerbe-Unfallversicherungsgesetzes hat die Kasse in 259 (188) Fällen an Unfallverletzte 3787 ℳ 22 ₰ (3170 ℳ 60 ₰) Krankengeld vorschußweise für Rechnung der Betriebsunternehmer bezahlt (41 Fälle sind aus dem Jahre 1906 übernommen worden).

Die schriftlichen Eingänge bezifferten sich auf 6714 (6588) Briefe und 1226 (1418) Postkarten, während 6315 (6520) Briefe, 1834 (2156) Postkarten und 4691 (4803) Drucksachen und 723 (674) Geldsendungen zur Absendung gelangten.

Es wurden 25 (30) Vorstandssitzungen und 1 (1) Generalversammlung abgehalten. Das Beamtenpersonal bestand am 31. Dezember 1907 aus 28 (29) Personen und zwar aus 23 Bureaubeamten, 2 Kassenboten und 3 Krankenbesuchern.

Im Genesungsheim Langen-Brombach i. O. wurden im Jahre 1907 im ganzen 155 (145) Personen verpflegt, wovon 152 (143) Mitglieder der Ortskrankenkasse selbst waren. Auf einen Erkrankten kommen durchschnittlich 45 (42) Verpflegungstage. Im einzelnen schwankt die Zeit des Aufenthalts in der Anstalt zwischen 3 und 81 Tagen. Es waren erkrankt an oder in Rekonvaleszenz von: Tuberkulose der Lungen (im Anfangsstadium) 22, Lungenentzündung 9,

Bleivergiftung 4, Influenza 2, Bleichsucht und Blutarmut 30, allgemeiner Nervosität 36, chron. Bronchialkatarrh 8, Herzkrankheiten 7, Magen- und Darmleiden 9, Nieren- und Leberleiden 4, Brustfellentzündung 15, Gelenkrheumatismus 4, Kehlkopfleiden 1, Rippenfellentzündung 1 und sonstigen Erkrankungen 3 Personen. Von den Pfleglingen konnten 90,5 % die Anstalt als arbeitsfähig verlassen, bei den anderen hatte sich der Zustand wesentlich gebessert. Wegen Verstoßes gegen die Hausdisziplin oder wegen Unverträglichkeit mußten 8 Pfleglinge vor Beendigung der Kur entlassen werden, 13 Pfleglinge sind auf das Jahr 1908 übernommen worden.

Die Ausgaben des Genesungsheims betrugen	30533 ℳ 49 ₰
Die Einnahmen „ „ „	24552 „ 33 „
Es mußten mithin aus der Ortskrankenkasse zugeschossen werden	5981 ℳ 16 ₰

gegen 28742 ℳ 32 ₰ im Vorjahre.

Unter den vorstehend angegebenen Ausgaben für 1907 sind $3\frac{1}{2}$ % Zinsen des für das Genesungsheim aufgewendeten Kapitals mit 2675 ℳ 63 ₰, unter den Einnahmen 20157 ℳ Verpflegungskosten für eigene Mitglieder der Kasse indegriffen.

Streitigkeiten mit der Ortskrankenkasse waren im Jahre 1907 bei der Bürgermeisterei 45 anhängig gegen 51 im Vorjahre und zwar 1 über das Versicherungsverhältnis, 4 über Beitragsforderungen, 26 über Krankenunterstützungsansprüche, 1 über den Krankengeld-Mehrbetrag aus § 12 Absatz 1 G.-U.-G., 1 über Familienunterstützung (Begräbnisgeld), 1 über Ordnungsstrafen, 1 über sonstige Forderungen (Transportkosten), 10 über Ersatzforderungen aus § 50 K.-V.-G. Davon wurden 11 zu Gunsten und 4 zu Ungunsten der Kasse entschieden; in 12 Fällen erfolgte Rücknahme der Klage und in 18 Fällen wurde seitens der Kasse der an sie gestellte Anspruch anerkannt oder der eigene Anspruch fallen gelassen. In 3 Fällen wurde gegen die Entscheidungen der Bürgermeisterei Berufung ans Amtsgericht verfolgt. In 1 Fall wurde die Berufung verworfen, in 1 Falle wurde das beim Amtsgericht anhängig gemachte Verfahren durch den Tod des Klägers unterbrochen und von dessen Erben nicht wieder aufgenommen und in dem dritten Falle schwebt das Verfahren noch.

Den aus dem Jahr 1906 noch anhängigen Berufungen ans Landgericht ist von diesem stattgegeben worden.

Vom 22. April bis 16. Mai 1907 wurde die Kasse von der Bürgermeisterei einer Revision unterzogen.

b) Ortskrankenkasse Mainz-Mombach.

Die Kasse hatte bei Beginn des Jahres 1907 einen Bestand von 286 männlichen und 148 weiblichen, zusammen 434 Mitgliedern, am Schlusse des Jahres betrug die Mitgliederzahl 279 männliche und 107 weibliche, zusammen 386 Personen. Der durchschnittliche Mitgliederstand betrug 383 männliche und 144 weibliche, zusammen 527 Personen.

Die Zahl der mit Erwerbsunfähigkeit verbundenen Erkrankungsfälle, die Zahl der darauf entfallenden Krankheitstage und das Verhältnis der Erkrankungsfälle und Krankheitstage zueinander und zur Mitgliederzahl ist aus den Übersichten A und E ersichtlich. Danach waren bei den männlichen Mitgliedern 350 Erkrankungsfälle mit 6385 Krankheitstagen und bei den weiblichen Mitgliedern 108 Erkrankungsfälle mit 1795 Krankheitstagen zu verzeichnen. Von den Krankheitstagen entfallen auf je ein männliches Mitglied 16,7, auf eine Erkrankung 18,2 und auf je 1 weibliches Mitglied 12,5, auf eine Erkrankung 16,6 Tage. Die Krankheitsziffer beträgt bei den männlichen Versicherten 91,4 und bei den weiblichen Versicherten 75,0 vom Hundert. Gestorben sind im Berichtsjahre 1 männliches Mitglied und 2 weibliche Mitglieder, zusammen 3 Personen.

Die Kasse gewährt vom 1. Juli 1907 ab, ohne daß Zusatzbeiträge erhoben werden und eine Karenzzeit zurückzulegen ist, den Familienangehörigen ihrer Mitglieder (Ehefrauen und Kindern unter 14 Jahren) im Falle der Erkrankung freie ärztliche Behandlung bis zur Dauer von 13 Wochen, im Falle des Todes der Ehefrau ein Begräbnisgeld von 15 ℳ und beim Tod eines Kindes ein Begräbnisgeld von 9 ℳ. Bis zum Schlusse des Jahres 1907 wurden für ärztliche Behandlung von Familienangehörigen 1161,63 ℳ und an Begräbnisgeldern für dieselben 96 ℳ verausgabt.

Vom 1. April 1907 ab sind die Mitgliederbeiträge von $3\frac{1}{2}$ % auf 4 % erhöht worden

In den Übersichten F und G finden sich die Ausgaben in Prozent ausgedrückt und die Beiträge, die Leistungen und das Vermögen auf den Kopf der Mitglieder verteilt. Danach entfallen auf ein Mitglied 40,11 ℳ Beiträge, an den Ausgaben ist jedes Mitglied mit 46,22 ℳ beteiligt, und der Vermögensanteil eines Mitgliedes beträgt 21,05 ℳ

Der Reservefonds der Kasse betrug Ende 1907 — 10391,85 ℳ; er blieb um ungefähr 7300 ℳ hinter dem gesetzlichen Mindestbetrag zurück.

2. Betriebs- (Fabrik-) und Innungs-Krankenkassen.

Durch die Eingemeindung von Mombach ist die Zahl der unter Aufsicht der Bürgermeisterei stehenden Betriebs- (Fabrik-)Krankenkassen um folgende 4 Kassen vermehrt worden:

1. Krankenkasse der Waggonfabrik Gebrüder Gastell, Gesellschaft mit beschränkter Haftung;
2. Krankenkasse des Vereins für chemische Industrie in Mainz für seine Fabrik zu Mombach;
3. Fabrik-Krankenkasse der Maschinenfabrik Johann Schmahl;
4. Fabrik-Krankenkasse der Konservenfabrik Mainz-Mombach Dr. W. Nägeli.

Der durchschnittliche Mitgliederstand der Betriebs- (Fabrik-) und Innungs-Krankenkassen betrug 2588 männliche und 314 weibliche, zusammen 2902 Mitglieder.

Von den in Mainz bestehenden 3 Betriebs- (Fabrik-) Krankenkassen hat sich nur bei einer Kasse der Vermögensstand in günstiger Weise weiter entwickelt; dagegen mußten die beiden anderen Kassen zur Bestreitung ihrer laufenden Ausgaben ihre Reservefonds angreifen. Von den in Mombach vorhandenen Kassen besitzen nur 2 Kassen den gesetzlichen Mindestbetrag des Reservefonds; dagegen waren die 2 anderen Kassen nicht imstande, dem Reservefonds Rücklagen in der gesetzlich vorgeschriebenen Höhe zuzuführen, beide Kassen konnten sogar von den Betriebsunternehmern geleistete Vorschüsse nicht zurückzahlen, und eine der Kassen mußte dem Reservefonds außerdem einen erheblichen Betrag entnehmen. Bei den 3 Innungs-Krankenkassen überstiegen die laufenden Ausgaben die laufenden Einnahmen, sodaß zur Deckung der ersteren die Reservefonds herangezogen werden mußten. Insbesondere ist der Vermögensstand der Barbier-, Friseur- und Perückenmacher-Innungs-Krankenkasse ein sehr ungünstiger. Trotzdem diese Kasse vom 1. Juni 1907 ab ihre Beiträge auf $3^1/_2$% erhöht hat, konnte sie keine Rücklage zum Reservefonds bewirken, sondern sie mußte demselben einen Betrag entnehmen und von der Innung außerdem einen Vorschuß leisten lassen.

Im Jahre 1907 war 1 Streitigkeit mit der Krankenkasse der Barbier-, Friseur- und Perückenmacher-Innung anhängig, die durch Anerkennung des erhobenen Anspruchs ihre Erledigung fand.

Zwei Innungs-Krankenkassen wurden im abgelaufenen Jahre von der Bürgermeisterei revidiert.

C. Unfallversicherung.

1. Im allgemeinen.

Auf Grund des § 56 des Gewerbe-Unfallversicherungsgesetzes sind im Kalenderjahre 1907 bei der Bürgermeisterei angemeldet worden:

1.	zur Fleischerei-Berufsgenossenschaft	6 Betriebe
2.	„ Hessen-Nassauischen Baugewerks-Berufsgenossenschaft	13 „
3.	„ Lagerei-Berufsgenossenschaft	8 „
4.	„ Südwestdeutschen Holz-Berufsgenossenschaft	2 „
5.	„ Berufsgenossenschaft der Feinmechanik	2 „
6.	„ Süddeutschen Eisen- und Stahl-Berufsgenossenschaft	2 „
7.	„ Fuhrwerks-Berufsgenossenschaft	9 „
8.	„ Nahrungsmittel-Industrie-Berufsgenossenschaft	6 „
9.	„ Schmiede-Berufsgenossenschaft	1 „
10.	„ Tiefbau-Berufsgenossenschaft	4 „
11.	„ Bekleidungsindustrie-Berufsgenossenschaft	5 „
12.	„ Berufsgenossenschaft der chemischen Industrie	4 „
13.	„ Westdeutschen Binnenschiffahrts-Berufsgenossenschaft	1 „
14.	„ Lederindustrie-Berufsgenossenschaft	2 „
	zusammen	65 Betriebe

gegen 85 im Vorjahre.

Vorbezeichnete Anmeldungen wurden den zuständigen Berufsgenossenschaften überwiesen.

Nach dem von der Bürgermeisterei auf Grund der Mitteilungen der Berufsgenossenschaften fortgeführten Kataster der in der Stadt Mainz vorhandenen unfallversicherungspflichtigen Betriebe gehörten am Schlusse des Kalenderjahres 1907 an:

1.	der Steinbruchs-Berufsgenossenschaft	1	Betriebe
2.	„ Berufsgenossenschaft der Feinmechanik	17	„
3.	„ Süddeutschen Eisen- und Stahl-Berufsgenossenschaft	71	„
4.	„ Süddeutschen Edel- u. Unedel-Metall-Berufsgenossenschaft	24	„
5.	„ Berufsgenossenschaft der Musikinstrumenten-Industrie	3	„
6.	„ Berufsgenossenschaft der chemischen Industrie	50	„
7.	„ Berufsgenossenschaft der Gas- und Wasserwerke	3	„
8.	„ Leinen-Berufsgenossenschaft	1	„
9.	„ Süddeutschen Textil-Berufsgenossenschaft	6	„
10.	„ Papierverarbeitungs-Berufsgenossenschaft	10	„
11.	„ Lederindustrie-Berufsgenossenschaft	6	„
12.	„ Südwestdeutschen Holz-Berufsgenossenschaft	126	„
13.	„ Müllerei-Berufsgenossenschaft	2	„
14.	„ Nahrungsmittel-Industrie-Berufsgenossenschaft	41	„
15.	„ Berufsgenossenschaft der Molkerei-, Brennerei- und Stärke-Industrie	6	„
16.	„ Brauerei- und Mälzerei-Berufsgenossenschaft	10	„
17.	„ Tabak-Berufsgenossenschaft	4	„
18.	„ Bekleidungsindustrie-Berufsgenossenschaft	46	„
19.	„ Berufsgenossenschaft der Schornsteinfegermeister	6	„
20.	„ Hessen-Nassauischen Baugewerks-Berufsgenossenschaft	238	„
21.	„ Deutschen Buchdrucker-Berufsgenossenschaft	32	„
22.	„ Straßen- und Kleinbahn-Berufsgenossenschaft	2	„
23.	„ Lagerei-Berufsgenossenschaft	590	„
24.	„ Fuhrwerks-Berufsgenossenschaft	98	„
25.	„ Westdeutschen Binnenschiffahrts-Berufsgenossenschaft	30	„
26.	„ Tiefbau-Berufsgenossenschaft	11	„
27.	„ Fleischerei-Berufsgenossenschaft	174	„
28.	„ Schmiede-Berufsgenossenschaft	19	„
29.	„ Ziegelei-Berufsgenossenschaft	1	„
30.	„ Nordwestdeutschen Eisen- und Stahl-Berufsgenossenschaft	1	„
	zusammen	1 629	Betriebe

gegen 1 584 Ende des Kalenderjahres 1906.

Im übrigen erstreckte sich die Tätigkeit der Bürgermeisterei auf die Zustellung der Mitgliedscheine oder ablehnenden Bescheide, die Entgegennahme von Beschwerden gegen die Aufnahme ins Genossenschaftskataster oder gegen die Ablehnung derselben sowie Vorlage dieser Beschwerden an das Reichsversicherungsamt (§§ 58 u. 59 G.-U.-G.), die Protokollierung von Äußerungen Verletzter rc. auf Vorbescheide der Berufsgenossenschaften (§ 70 G.-U.-G.), die Entgegennahme der Mitteilungen der Genossenschaften über die den Berechtigten zustehenden Bezüge (§ 87 G.U.-G.), die Begutachtung von Anträgen auf Kapitalabfindungen (§ 95 G.-U.-G.), die Entgegennahme der Regiebaunachweisungen und Einsendung derselben an die Genossenschaft (§ 24 B.-U.-G.) u. a. m.

Über die im Kalenderjahr 1907 bei dem Polizeiamt Mainz angemeldeten und von demselben untersuchten Unfälle gibt die Übersicht auf Seite 66 und 67 nähere Auskunft. Danach beträgt die Zahl der gemeldeten Unfälle 981, wodurch 943 männliche und 38 weibliche, 883 erwachsene und 98 jugendliche Personen verletzt wurden. Zufolge der erhaltenen Verletzungen waren nach den Unfallanzeigen länger als 13 Wochen erwerbsunfähig 223 und sind gestorben 14, zusammen 237 Personen. Untersucht wurden 280 Unfälle. Auf Ersuchen auswärtiger Polizeibehörden wurden 113 Verletzte und Zeugen vernommen.

Unfallentschädigungen sind im Jahre 1907 bezahlt worden:

a) von dem Postamt I Mainz	193 660 ℳ	38 ₰
b) „ „ „ Mainz-Mombach	12 120 „	21 „
zusammen . . .	205 780 ℳ	59 ₰

2. Städtische Betriebe.

Für ihre unfallversicherungspflichtigen Betriebe mit Ausnahme der Baubetriebe und der Reinigungsanstalt hatte die Stadt für das Kalenderjahr 1907 die in nachfolgender Zusammenstellung aufgeführten Beiträge zu leisten:

Ord.-Nr.	Namen der Betriebe	Namen der Berufsgenossenschaften	Durchschnittszahl der Versicherten	Anrechnungsfähige Löhne und Gehalte ℳ	₰	Beitrag im ganzen ℳ	₰	Beitrag auf einen Versicherten ℳ	Beitrag auf eine Mark Lohn ₰
1	Hafen- und Lagerhausbetrieb einschl. Hafenbahnverwaltung	Lagerei-Berufsgenossenschaft . . .	103	101 950	—	2 369	80	23,01	2,32
2	Pumpstationen und Entwässerungsanlage Mombach	Berufsgenossensch. d. Gas- u. Wasserwerke	2	2 433	89	37	56	18,78	1,54
3	Wasserwerke	dieselbe	24	39 003	91	532	42	22,18	1,36
4	Gaswerke	dieselbe	207	266 173	22	3 162	91	15,28	1,19
5	Elektrizitätswerk	Berufsgenossenschaft der Feinmechanik	26	38 570	—	484	84	18,65	1,26
6	Landwirtschaftlicher Betrieb einschließlich Stadtgärtnerei .	Land- und forstwirtschaftliche Berufsgenossenschaft	60	—	—*)	228	30	3,81	—
7	Schlacht- und Viehhof . .	Fleischerei-Berufsgenossenschaft . .	25	33 587	81	391	75	15,67	1,17
8	Motorenbetriebe in der Stadthalle und im Stadttheater .	Süddeutsche Eisen- und Stahl-Berufsgenossenschaft	1	60	—	—	60	0,60	1,00
9	Straßenbahn	Straßen- u. Kleinbahn-Berufsgenossenschaft	225	261 035	13	2 599	35	11,55	1,00
10	Dampfwasch- und Dampfkoch-Einrichtung im St. Rochushospital, Dampfkoch-Einrichtung und elektr. Aufzug im Invalidenhaus	Bekleidungsindustrie-Berufsgenossenschaft	25	14 770	—	116	20	4,65	0,79
		Summe für 1907 . . .	698	757 583	96	9 923	93	—	—
		„ „ 1906 . . .	635	673 190	58	9 008	01	—	—
		daher 1907 mehr . . .	63	84 393	38	915	92	—	—
		daher 1907 weniger . .	—	—	—	—	—	—	—

*) Bei der land- und forstwirtschaftlichen Berufsgenossenschaft erfolgt der Ausschlag der Beiträge nach Maßgabe des Grundsteuerkapitals der land- und forstwirtschaftlich benutzten Grundstücke.

Unfälle haben sich in den vorgenannten Betrieben während des Jahres 1907 im ganzen 59 (48) ereignet und zwar bei den Gaswerken 19 (20), beim Wasserwerk 1 (0), beim Elektrizitätswerk 0 (2), im Hafen- und Lagerhausbetrieb 15 (10), beim Hafenbahnbetrieb 9 (8), beim Straßenbahnbetrieb 6 (4), bei der Stadtgärtnerei 3 (1), beim Stadttheater 1 (0) und bei dem Schlacht- und Viehhofbetrieb 5 (3). Von diesen Unfällen mußten 15 (10) der vorgeschriebenen ortspolizeilichen Untersuchung unterzogen werden, da die Gewährung einer Entschädigung durch die Genossenschaft in Frage kam.

Bei der städtischen Bau-Unfallversicherung waren im Kalenderjahre 1907 durchschnittlich 421 (411) Personen versichert. Davon standen 173 (181) beim Tiefbauamt, 18 (10) beim Hochbauamt, 24 (14) bei der Wiederherstellung des Kurfürstlichen Schlosses und 206 (206) beim Reinigungsamt in Beschäftigung.

Zur Anmeldung gelangten 23 (35) Unfälle und zwar seitens des Tiefbauamtes 1 (10), des Hochbauamtes 1 (1) der Bauleitung für die Wiederherstellung des Kurfürstlichen Schlosses 2 (0) und des Reinigungsamtes 19 (24).

Bei drei von den gemeldeten Unfällen und bei einem aus dem Jahre 1906 herrührenden Unfall hatte die Bürgermeisterei das Entschädigungsverfahren einzuleiten und die Entschädigungen festzusetzen. Für einen im Jahre 1904 entstandenen, im Jahre 1905 erledigten Unfall wurde im abgelaufenen Jahre ein Entschädigungsanspruch wiederholt geltend gemacht, dieser Anspruch indes zurückgewiesen.

Die von der städt. Bau-Unfallversicherung für das Jahr 1907 gemachten Aufwendungen betragen im ganzen 2533 ℳ 61 ₰ gegen 1304 ℳ 36 ₰ im Vorjahr und setzen sich zusammen aus:

		ℳ	₰
1.	Kosten des Heilverfahrens	68	—
2.	Renten an Verletzte	1028	44
3.	Renten an Witwen	334	20
4.	Abfindung an eine Witwe wegen Wiederverheiratung	596	45
5.	Rente an Angehörige eines im Krankenhause untergebrachten Verletzten	34	85
6.	Kur- und Verpflegungskosten an das Krankenhaus	368	—
7.	Kosten für Unfalluntersuchung und Feststellung der Entschädigung	32	
8.	Schiedsgerichtskosten	67	12
9.	Reisekosten	4	55
	Summe wie oben	2533	61

Dem Reservefonds der städt. Bau-Unfallversicherung, welcher bei der städt. Sparkasse verzinslich angelegt ist und am Schlusse des Rechnungsjahres 1906 = 24 537 ℳ 50 ₰ betrug, sind im Rechnungsjahre 1907 einschließlich 827 ℳ 31 ₰ zum Kapital geschlagene Zinsen 2293 ℳ 70 ₰ zugegangen, sodaß er sich auf 26 831 ℳ 20 ₰ erhöht hat.

D. Invalidenversicherung.

Über die durchschnittliche Zahl der im Kalenderjahre 1907 im hiesigen Gemeindebezirk gegen Invalidität und Alter versicherten, ständig beschäftigten Personen und die für dieselben von den Orts-Krankenkassen Mainz und Mainz-Mombach, den Betriebs- (Fabrik-) und Innungs-Krankenkassen und der städtischen Krankenkasse für Dienstboten und Lehrlinge für das Jahr 1907 eingezogenen Beiträge gibt folgende Zusammenstellung Auskunft.

	Ständig beschäftigte Versicherte:	Beitrag im ganzen:	daher durchschnittlich auf einen Versicherten:
Orts-Krankenkasse Mainz	18 044	378 011,00 ℳ	20,95 ℳ
Orts-Krankenkasse Mainz-Mombach	438	7 517,24 „	17,16 „
Betriebs- (Fabrik-) Krankenkassen	1 989	32 213,50 „	16,20 „
Innungs-Krankenkassen	799	8 945,46 „	11,20 „
Städtische Krankenkasse für Dienstboten ꝛc.	4 650	46 507,78 „	10,00 „
Zusammen	25 920	473 194,98 ℳ	18,26 ℳ
Summe 1906 (ohne Mombach)	24 099	429 487,36 „	17,82 „
Mithin 1907 mehr	1 821	43 707,62 ℳ	0,44 ℳ
Mithin 1907 weniger	—	—	—

Unständige Arbeiter (Näherinnen, Wäscherinnen, Hafenarbeiter ꝛc.), deren Beiträge durch sie oder ihre Arbeitgeber dadurch entrichtet werden, daß dieselben die Marken selbst in die Quittungskarten einkleben, waren im Jahre 1907 ungefähr 1 300 gegen Invalidität und Alter versichert. Die Gesamtzahl der Versicherten beträgt daher 27 220 gegen 25 352 im Jahre 1906 oder mehr 1 868.

An Beitragsmarken wurden von den vorgenannten Stellen im Jahre 1907 verwendet und zwar:

Lohnklasse	I	II	III	IV	V
von den Orts-Krankenkassen	86 229	20 332	122 959	175 927	568 081
„ den Betriebs- (Fabrik-) Krankenkassen	225	2 838	6 205	30 315	58 109
„ „ Innungs-Krankenkassen	8 313	2 172	18 801	9 440	—
„ der städtischen Krankenkasse für Dienstboten ɩc.	—	225 938	1 680	2 801	213
Im ganzen	94 767	251 280	149 645	218 483	626 403
Im Jahre 1906 kamen zur Verwendung (ohne Mombach)	92 309	244 536	140 596	204 196	555 223
Mithin 1907 mehr	2 458	6 744	9 049	14 287	71 180
Mithin 1907 weniger	—	—	—	—	—

Die Versicherungsanstalt hat den Einzugsstellen an Hebgebühren vergütet und zwar:

	1907:	1906:
1. den Ortskrankenkassen	18 157 ℳ 41 ₰	17 580 ℳ 37 ₰
2. den Betriebs- (Fabrik-) Krankenkassen	917 „ 93 „	245 „ 95 „
3. den Innungs-Krankenkassen	539 „ 60 „	444 „ 58 „
4. der städtischen Krankenkasse	2 790 „ 47 „	2 761 „ 58 „
Zusammen	22 405 ℳ 41 ₰	21 032 ℳ 48 ₰

Anträge auf Bewilligung von **Alters**rente wurden im Jaher 1907 gestellt und waren von der Bürgermeisterei zu begutachten 22 gegen 22 im Vorjahre.

Davon fanden Erledigung:

a) durch Festsetzung der Rente	19
b) „ Ablehnung des Anspruchs	1
c) „ Zurücknahme des Antrags	2
zusammen	22

Von den Antragstellern waren:

männlichen Geschlechts	20
weiblichen „	2
zusammen	22

Der Jahresbetrag der bewilligten Altersrenten stellt sich auf 3 628 ℳ 80 ₰, sodaß auf einen der anerkannten Anträge durchschnittlich 190 ℳ 99 ₰ für das Jahr entfallen gegen 190 ℳ 50 ₰ im Vorjahre. Die höchste jährliche Altersrente betrug bei den männlichen Versicherten 210 ℳ 60 ₰, die niedrigste Rente 166 ℳ 20 ₰. Die einer weiblichen Versicherten bewilligte Jahresrente betrug 140 ℳ 40 ₰.

Von den 19 Altersrentenempfängern sind 16 im Jahre 1837, je einer in den Jahren 1836, 1835 und 1834 geboren.

Auf die Berufsarten verteilen sich die Rentenempfänger wie folgt: 1 Faktor, 1 Obmann, 2 Schreiner, 6 Taglöhner, 2 Fabrikarbeiter, 1 Küfer, 1 Dienstbote, 1 Korkschneider, 1 Musiklehrer, 1 Bauarbeiter, 1 Schriftsetzer und 1 Fuhrmann.

Anträge auf Bewilligung von **Invaliden**rente und Krankenrente wurden im Jahre 1907 gestellt und waren von der Bürgermeisterei zu begutachten 223 gegen 219 im Vorjahre.

Davon wurden erledigt:

a) durch Festsetzung der Rente	189
b) „ Ablehnung des Anspruchs	14
c) „ Zurücknahme des Antrags	16
d) auf andere Art	4
zusammen	223

Von den Antragstellern waren:

männlichen Geschlechts	153
weiblichen „	70
zusammen	223

Der Jahresbetrag der bewilligten Invalidenrenten und Krankenrenten beläuft sich auf 35 091 ℳ 70 ₰, auf einen der 189 anerkannten Anträge kommen daher durchschnittlich 185 ℳ 67 ₰ für das Jahr gegen 182 ℳ 08 ₰ in 1906.

Der Jahresbetrag der höchsten bewilligten Invalidenrente beläuft sich bei den männlichen Versicherten auf 237 ℳ — ₰, bei den weiblichen Versicherten auf 191 ℳ 40 ₰; die niedrigste jährliche Invalidenrente beträgt bei den männlichen Versicherten 137 ℳ 40 ₰, bei den weiblichen Versicherten 117 ℳ 60 ₰.

Die im Jahre 1907 bewilligten Invalidenrenten verteilen sich auf die Berufsarten und das Alter der betreffenden Versicherten wie folgt:

Berufsart	Zahl der Rentenempfänger im Alter von												Zusammen
	16–21	22–25	26–30	31–35	36–40	41–45	46–50	51–55	56–60	61–65	66–70	über 70	
	Jahren												
a. Männl. Versicherte:													
Bierbrauer	—	—	—	—	—	—	—	—	—	1	—	—	1
Bureaubeamte	—	1	—	—	—	—	—	1	—	—	1	—	3
Depotarbeiter	—	—	—	—	—	—	—	—	1	—	—	—	1
Fabrikarbeiter	—	—	—	1	—	—	—	2	—	1	—	—	4
Former	—	—	—	—	—	—	—	—	—	1	—	—	1
Friseurgehilfe	—	—	1	—	—	—	—	—	—	—	—	—	1
Gasarbeiter	—	—	—	—	—	—	—	—	—	—	1	—	1
Glaser	—	—	—	—	—	—	—	—	—	—	—	1	1
Handlungsgehilfen	—	—	—	—	—	1	1	—	—	—	—	—	2
Herdsetzer	—	—	—	—	—	—	—	—	1	—	—	—	1
Kesselschmied	—	—	—	—	—	—	—	—	1	—	—	—	1
Korkschneider	—	—	—	—	—	—	1	—	—	—	—	—	1
Küfer	—	—	1	—	—	1	—	—	2	1	—	—	5
Kupferschmied	—	—	—	—	—	—	1	1	—	—	—	—	2
Kutscher	—	—	—	1	—	—	—	—	—	—	3	—	4
Lademeister	—	—	—	—	—	—	—	—	1	—	—	—	1
Laternenanzünder	—	—	—	—	—	—	—	—	—	1	—	—	1
Lederarbeiter	—	—	—	—	—	—	1	—	—	—	—	—	1
Maschinenmeister	—	—	1	—	—	—	—	—	—	—	—	—	1
Maschinenarbeiter	—	—	—	—	—	1	—	—	—	—	—	—	1
Matrose	—	—	—	—	—	—	—	—	—	1	—	—	1
Maurer	—	—	—	—	1	—	2	1	1	3	—	—	8
Notendrucker	—	—	—	—	—	—	—	—	—	—	—	1	1
Schachtmeister	—	—	1	—	—	—	—	—	—	—	—	—	1
Schlossergehilfen	—	—	1	—	—	—	1	—	1	—	—	—	3
Schneider	—	—	—	—	—	—	—	—	1	—	—	—	1
Schreiner	—	—	1	—	—	—	—	2	2	1	2	—	8
Schuhmacher	—	—	1	—	—	—	—	—	—	—	—	—	1
Steindrucker	—	—	—	—	—	—	—	—	1	—	—	—	1
Steinschleifer	—	—	—	—	—	—	—	—	—	—	—	1	1
Steinmetz	—	—	—	—	—	—	—	—	1	—	—	—	1
Straßenreiniger	—	—	—	—	—	—	—	1	2	—	1	—	4
Taglöhner u. Fuhrknechte	—	3	4	3	—	3	4	6	7	12	2	2	46
Tüncher und Lackierer	—	—	1	—	—	—	—	1	4	1	3	—	10
Zigarrenarbeiter	—	—	—	—	—	—	—	1	—	—	—	—	1
Zimmerleute	—	—	—	—	2	—	—	—	2	1	1	—	6
zu übertragen	—	4	12	5	3	6	11	16	28	24	14	5	128

Berufsart	Zahl der Rentenempfänger im Alter von												Zusammen
	16–21	22–25	26–30	31–35	36–40	41–45	46–50	51–55	56–60	61–65	66–70	über 70	
	Jahren												
Übertrag . .	—	4	12	5	3	6	11	16	28	24	14	5	128
b. Weibl. Versicherte:													
Dienstboten	—	—	—	—	2	2	—	3	2	1	—	2	12
Fabrikarbeiterinnen . . .	—	—	—	1	—	—	—	1	—	2	—	1	5
Haushälterinnen	—	—	—	—	—	1	—	—	1	—	—	—	2
Köchinnen	—	—	—	1	—	—	—	1	1	1	1	—	5
Krankenkontrolleurin . .	—	—	—	—	—	—	—	—	1	—	—	—	1
Monatfrauen	—	—	—	—	—	1	1	—	—	4	2	1	9
Näherinnen u. Flickfrauen	1	—	—	—	—	—	—	—	4	—	3	—	8
Taglöhnerinnen	—	—	—	—	1	—	—	—	1	—	—	1	3
Verkäuferinnen	—	—	—	2	—	—	—	—	—	—	—	—	2
Wäscherinnen u. Putzfrauen	—	—	—	—	—	1	—	2	1	4	2	—	10
Weckträgerin	—	—	—	—	—	—	—	—	—	—	1	—	1
Zeitungsträgerinnen . .	—	—	—	—	—	—	—	—	1	1	—	—	2
Zigarrenarbeiterin . . .	—	—	—	—	—	1	—	—	—	—	—	—	1
Summe . .	1	4	12	9	6	12	12	23	40	37	23	10	189

Der Ausschuß für Invalidenversicherung hatte in 4 (8) Sitzungen bei der Begutachtung von 23 (41) Rentenanträgen (darunter 8 aus dem Vorjahr) und 3 (9) Rentenentziehungen mitzuwirken. Bei 6 Rentenanträgen sprach er sich für die Gewährung und bei 14 Anträgen gegen die Gewährung der Rente aus. In 2 Fällen beschloß er, vor Abgabe seines Gutachtens noch weitere Erhebungen anstellen zu lassen und in 1 Falle erübrigte sich die Verhandlung durch den inzwischen eingetretenen Tod der Antragstellerin. Bei den Rentenentziehungssachen sprach sich der Ausschuß in allen Fällen für die Entziehung der Renten aus.

Gestorben sind im Jahre 1907 nach den der Bürgermeisterei vom Standesamt erstatteten Anzeigen: 6 männliche und 6 weibliche, zusammen 12 Altersrentenempfänger, 62 männliche und 23 weibliche, zusammen 85 Invalidenrentenempfänger. Vier Altersrentenempfängern wurde an Stelle der Altersrente die Invalidenrente bewilligt, 1 Invalidenrentnerin wurde die Rente wegen Wiedereintritts der Erwerbsfähigkeit entzogen, 1 Invalidenrentnerin verzichtete aus diesem Grunde freiwillig auf den Weiterbezug der Rente.

Von dem Kaiserlichen Postamt I hier und dem Postamt Mainz-Mombach sind im Jahre 1907 gezahlt worden:

1. Altersrenten	21 709 ℳ	79 ₰
2. Invalidenrenten	148 606 „	99 „
3. Krankenrenten	6 423 „	63 „
4. Beitragserstattungen an verheiratete weibliche Versicherte .	15 207 „	— „
5. Beitragserstattungen an Angehörige verstorbener Versicherter	5 743 „	77 „

Die Anträge zu 4 und 5 wurden bei der Bürgermeisterei gestellt und zwar wurden angebracht zu 4 = 383 (351) zu 5 = 61 (56) Anträge.

Von Personen, welche einer Krankenkasse nicht angehörten, sind im Jahre 1907 bei der Bürgermeisterei 9 (17) Anträge auf Übernahme des Heilverfahrens durch die Versicherungsanstalt gestellt worden. In 6 Fällen wurde diesen Anträgen stattgegeben, 2 Anträge wurden abgewiesen und 1 Antrag der Landesversicherungsanstalt für die Rheinprovinz überwiesen.

Auf ihren Antrag wurden von der Bürgermeisterei von der Versicherungspflicht auf Grund des § 6 Absatz 1 des Invalidenversicherungsgesetzes 11 Personen befreit, welche Pensionen im Mindestbetrage der gesetzlichen Invalidenrente beziehen aber das 70. Lebensjahr vollendet haben.

Von Streitigkeiten der im § 155 des Invalidenversicherungsgesetzes bezeichneten Art war im Jahr 1907 bei der Bürgermeisterei 1 anhängig, die durch Zurücknahme der Klage ihre Erledigung fand.

Übersicht über die im Kalenderjahr 1907 bei dem Polizeiamt Mainz

Laufende Nummer	Berufsgenossenschaft	a. Zahl, Alter und Geschlecht der Verletzten: Erwachsene männlich	Erwachsene weiblich	Jugendliche (unter 16 Jahren) männlich	Jugendliche (unter 16 Jahren) weiblich	Zusammen	b. Gegenstände und Vorgänge, bei: Motoren, Transmissionen und Arbeitsmaschinen ꝛc.	Fahrstühle, Aufzüge, Krane, Hebezeuge	Dampfkessel, Dampfleitungen u. Dampfkochapparate, Explosion u. sonstige	Sprengstoffe, Explosionen, Pulver, Dynamit ꝛc.	Feuergefährliche, heiße und ätzende Stoffe, Gase, Dämpfe ꝛc.	Zusammenbruch, Einsturz, Herab- u. Umfallen von Gegenständen	Fall von Leitern, Treppen ꝛc., aus Luken ꝛc., in Vertiefungen ꝛc.
1	Ziegelei-	7	—	—	—	7	—	1	—	—	—	3	1
2	Feinmechanik-	13	—	1	—	14	3	—	1	—	2	1	3
3	Südd. Eisen- und Stahl-	53	—	3	—	56	17	6	3	—	6	—	13
4	Schmiede-	3	—	—	—	3	1	—	—	—	—	—	—
5	Südd. Edel- und Unedelmetall-	29	—	3	—	32	11	1	5	—	4	1	2
6	Chemische Industrie-	28	—	6	—	34	4	—	5	—	10	2	3
7	Gas- und Wasserwerks-	20	—	—	—	20	2	1	—	—	1	2	4
8	Papierverarbeitungs-	5	3	1	3	12	4	—	—	—	—	—	1
9	Lederindustrie-	9	—	—	—	9	1	1	—	—	—	—	3
10	Südwestdeutsche Holz-	98	—	9	—	107	30	4	—	—	2	11	27
11	Müllerei-	9	—	—	—	9	4	2	—	—	—	1	—
12	Nahrungsmittelindustrie-	26	2	—	3	31	6	1	6	—	2	2	4
13	Fleischerei-	44	—	5	—	49	18	—	—	—	—	3	4
14	Brauerei- und Mälzerei-	88	7	2	1	98	13	15	1	—	—	7	11
15	Bekleidungsindustrie-	33	6	7	4	50	32	—	—	—	—	3	7
16	Hess. Nass. Baugewerks-	178	—	20	—	198	11	6	—	—	5	59	70
17	Südwestl. Baugewerks-	1	—	—	—	1	—	—	—	—	—	—	1
18	Städtische Bau-Unfallversicherung Mainz	24	—	—	—	*)24	2	—	—	—	—	—	5
19	Deutsche Buchdrucker-	14	1	—	1	16	11	—	—	—	—	—	—
20	Privatbahn-	6	—	—	—	6	—	—	—	—	—	—	1
21	Straßen- und Kleinbahn-	7	—	—	—	7	—	—	—	—	—	—	—
22	Lagerei-	93	5	23	2	123	16	27	—	—	—	6	16
23	Fuhrwerks-	11	—	—	—	11	—	—	—	—	—	2	1
24	Westdeutsche Binnenschiff.-	28	—	1	—	29	1	7	5	—	—	—	5
25	Tiefbau-	29	—	3	—	32	3	3	—	—	—	6	8
26	Land- und Forstwirtschaftliche	3	—	—	—	3	—	—	—	—	—	—	2
	Summe für 1907	859	24	84	14	981	190	75	26	—	32	109	192
	„ „ 1906	826	14	88	9	937	197	57	24	—	35	125	164
	1907 weniger	—	—	4	—	—	7	—	—	—	3	16	—
	1907 mehr	33	10	—	5	44	—	18	2	—	—	—	28

*) Hierunter ist ein Unfall enthalten, der im Berichtsjahre 1906 erfolgt, im Jahre 1907 aber erst angemeldet worden ist.

angemeldeten und von demselben untersuchten Unfälle.

welchen sich die Unfälle ereigneten							c. Art der Verletzungen					d. Folgen der Verletzungen			e. Zahl der vorgenommenen Untersuchungen
							Verletzung von:					Weniger als 13 Wochen erwerbsunfähig	Mehr als 13 Wochen erwerbsunfähig		
Auf- und Abladen von Hand, Heben, Tragen zc.	Fuhrwerk (Überfahren von Wagen u. Karren aller Art) zc.	Eisenbahnbetrieb (Überfahren zc.)	Tiere (Stoß, Schlag, Biß, einschl. aller Unfälle beim Reiten)	Schiffahrt u. Verkehr zu Wasser (Fall über Bord zc.)	Handwerkszeug und einfache Geräte, (Hämmer, Äxte, Spaten)	Sonstige	Kopf und Gesicht (Augen)	Armen und Händen (Finger)	Beinen und Füßen	anderen oder mehreren Körperteilen zugleich	Sonstige	Weniger	Mehr	Tod	
2	—	—	—	—	—	—	1	2	2	1	1	4	3	—	3
1	—	—	—	—	3	—	2	4	3	4	1	9	5	1	6
1	1	—	—	—	5	4	11	9	12	20	4	45	11	—	13
—	—	—	—	—	2	—	—	2	1	—	—	2	1	—	1
—	—	—	—	—	5	3	7	3	8	10	4	24	8	—	9
1	—	—	—	—	7	2	4	19	7	4	—	26	8	—	8
2	1	—	—	—	4	3	—	6	6	7	1	16	4	—	4
3	—	—	—	—	1	3	1	5	3	2	1	10	2	—	3
1	1	—	—	—	2	—	2	4	2	1	—	8	1	—	1
5	10	—	—	—	9	9	28	54	12	9	4	86	21	—	27
1	—	—	1	—	—	—	2	4	2	1	—	6	3	—	3
1	2	—	—	—	5	2	7	15	3	4	2	25	6	—	8
6	1	—	2	—	13	2	10	17	11	8	3	39	10	—	13
20	4	—	11	—	12	4	12	36	18	26	6	76	22	2	29
2	—	—	—	—	5	1	18	25	4	3	—	35	15	—	17
16	6	—	2	—	11	12	19	50	41	68	20	149	49	4	64
—	—	—	—	—	—	—	—	—	1	—	—	1	-	—	—
4	4	—	1	—	—	8	1	6	8	9	—	20	4	—	4
3	—	—	—	—	2	—	2	10	3	1	—	13	3	—	4
—	—	1	—	—	3	1	2	2	1	1	—	6	—	—	—
—	1	—	—	—	1	5	—	2	3	2	—	3	4	—	4
31	14	7	—	—	5	1	27	38	25	20	13	93	30	—	36
3	4	—	1	—	—	—	1	5	3	2	—	9	2	1	3
2	—	—	—	8	1	—	6	11	8	3	1	26	3	5	8
5	—	—	—	—	5	2	9	10	7	6	—	24	8	1	12
—	—	—	—	—	—	1	—	1	1	1	—	3	—	—	—
110	49	8	18	8	101	63	172	340	195	213	61	758	223	14	280
113	55	6	32	10	59	60	195	319	151	188	84	739	182	16	238
3	6	—	14	2	—	—	23	—	—	—	23	—	—	2	—
—	—	2	—	—	42	3	—	21	44	25	—	19	41	—	42

Betriebs-Ergebnisse
der in
Mainz vorhandenen, unter Aufsicht der Bürgermeisterei stehenden Krankenkassen für das Kalenderjahr 1907.
A. Übersicht über die Mitglieder sowie die Krankheits- und Sterbefälle etc.

Laufende Nummer	Bezeichnung der Kassen	Prozentverhältnis der Beiträge zum Lohn	Prozentverhältnis des Krankengeldes zum Lohn	Statutenmäßige Dauer der Krankenunterstützung a. mit vollem Krankengelde (Wochen)	b. von da ab mit verringertem Krankengelde (Wochen)	Zahl der Mitglieder am 1. Januar 1907 männlich	weiblich	am 31. Dezember 1907 männlich	weiblich	Mitgliederzahl in 1907 nach dem Durchschnitt der Monatsangaben des Rechnungsabschlusses männlich	weiblich	Zahl der Erkrankungsfälle der männlichen Mitglieder	weiblichen Mitglieder	Zahl der Krankheitstage der männlichen Mitglieder	weiblichen Mitglieder	Sterbefälle der männlichen Mitglieder	weiblichen Mitglieder
1.	2.	3.	4.	5.	6.	7.	8.	9.	10	11.	12.	13.	14.	15.	16.	17.	18.
	A. Orts-Krankenkassen.																
1	Mainz	4	50	26	—	14 200	5 988	14 165	6 320	15 179	6 18	10 468	3 774	196 833	80 334	161	37
2	Mainz-Mombach*)	3½ bzw. 4	50	26	—	286	148	279	107	383	144	350	108	6 385	1 795	1	2
	Summe: A. Orts-Krankenkassen	—	—	—	—	14 486	6 136	14 444	6 430	15 562	6 326	10 818	3 882	203 218	82 129	162	39
	B. Betriebs- (Fabrik-) Krankenkassen.																
1	Julius Römheld	3	50	26	—	111	—	123	—	123	—	110	—	1 329	—	1	—
2	R. Ihm	3	50	26	—	163	10	156	12	156	11	98	11	2 093	177	—	—
3	B. Schott's Söhne	3 bzw. 4½	50	26	—	61	15	57	15	60	15	22	4	519	137	4	—
4	Gebrüder Gabell G. m. b. H.*)	2½	50	26	—	1 071	8	1 233	7	1 176	6	856	3	13 439	127	8	1
5	Verein für chemische Industrie*)	3	50	26	—	218	13	225	11	215	11	165	3	2 530	12	2	—
6	Joh. Schmahl*)	3	50	26	—	106	1	106	1	117	1	131	—	1 833	—	2	—
7	Konservenfabrik Dr. W. Nägeli*)	3	50	26	—	35	50	36	41	37	56	17	25	152	486	—	—
	Summe: B. Betriebs- (Fabrik-) Krankenkassen	—	—	—	—	1 765	92	1 936	87	1 884	100	1 309	46	21 895	930	17	1
	C. Innungs-Krankenkassen.																
1	Krankenkasse der Bäcker-Innung	1¾	50	26	—	318	175	314	169	319	176	217	129	3 334	2 075	—	—
2	Krankenkasse der Metzger-Innung	1½	50	26	—	228	33	256	39	247	37	54	14	1 169	370	1	—
3	Krankenkasse der Barbier-, Friseur- u. Perückenmacher-Innung	2½ bzw. 3½	50	26	—	179	1	108	1	138	1	47	—	1 202	—	1	—
	Summe: C. Innungs-Krankenkassen	—	—	—	—	725	209	678	209	704	214	318	143	5 705	2 445	2	—
	Zusammenstellung.																
	A. Orts-Krankenkassen	—	—	—	—	14 486	6 136	14 444	6 430	15 562	6 326	10 818	3 882	203 218	82 129	162	39
	B. Betriebs- (Fabrik-) Krankenkassen	—	—	—	—	1 765	92	1 936	87	1 884	100	1 309	46	21 895	939	17	1
	C. Innungs-Krankenkassen	—	—	—	—	725	209	678	209	704	214	318	143	5 705	2 445	2	—
	Summe 1907	—	—	—	—	16 976	6 437	17 058	6 726	18 150	6 640	12 [illegible]	4 071	230 818	85 513	181	40
	" 1906	—	—	—	—	16 455	6 250	15 310	6 239	16 650	6 167	10 508	3 272	196 051	79 294	173	44
	1907 mehr	—	—	—	—	521	187	1 748	487	1 500	473	2 027	799	34 767	6 219	8	—
	1907 weniger	—	—	—	—	—	—	—	—	—	—	—	—	—	—	—	4

*) Diese Kassen stehen seit der Eingemeindung von Mombach (1. 4. 1907) unter Aufsicht der Bürgermeisterei.

B. Einnahmen.

Laufende Nummer	Bezeichnung der Kassen	Kassenbestand am 1. Januar 1907 ℳ ₰	Zinsen ℳ ₰	Eintrittsgelder ℳ ₰	Beiträge ℳ ₰	Ersatzleistungen Dritter für gewährte Krankenunterstützung rc. ℳ ₰	Zurückgezogene Kapitalien ℳ ₰	Aufgenommene Darlehen und Vorschüsse ℳ ₰	Vergütung der Landes-Versicherungs-Anstalt Gr. Hessen ℳ ₰	Sonstige Einnahmen ℳ ₰	Summe der Einnahmen ℳ ₰
1.	2.	3	4.	5.	6.	7.	8.	9.	10.	11.	12.
	A. Orts-Krankenkassen.										
1	Mainz	88 877 76	13 917 28	— —	878 593 13	17 023 59	80 000 —	— —	17 695 03	14 826 76	1 110 933 50
2	Mainz-Mombach	1 471 98	354 92	135 —	21 003 18	1 078 66	5 900 —	— —	462 38	230 24	30 636 41
	Summe: A. Orts-Krankenkassen	90 349 74	14 272 20	135 —	899 596 31	18 102 25	85 900 —	— —	18 157 41	15 057 —	1 141 569 91
	B. Betriebs- (Fabrik-) Krankenkassen.										
1	Julius Römheld	249 98	253 42	10 92	4 153 23	9 16	200 —	— —	53 86	7 70	4 938 27
2	R. Ihm	16 45	244 67	— —	5 847 57	28 —	500 —	— —	85 89	206 90	6 929 48
3	B. Schott's Söhne	2 72	155 82	1 08	3 078 10	56 90	— —	— —	34 58	— —	3 329 20
4	Gebr. Gastell G. m. b. H.	285 50	358 48	— —	37 205 13	— —	16 000 —	9 437 47	600 97	627 60	64 515 15
5	Verein für chem. Industrie	182 36	189 03	— —	6 421 17	66 55	— —	— —	99 98	407 35	7 366 45
6	Joh. Schmahl	78 22	334 87	4 80	3 294 60	218 90	— —	1 100 —	42 64	7 10	5 081 13
7	Konservenfabrik Dr. W. Nägeli	468 38	14 —	18 20	2 042 69	— —	— —	— —	— —	1 —	2 544 27
	Summe: B. Betriebs- (Fabrik-) Krankenkassen	1 283 61	1 550 29	35 —	62 042 49	379 51	16 700 —	10 537 47	917 93	1 257 65	94 703 95
	C. Innungs-Krankenkassen.										
1	Krankenkasse der Bäcker-Innung	154 14	340 —	2 40	5 623 26	30 40	2 017 40	— —	277 82	— —	8 445 42
2	Krankenkasse der Metzger-Innung	6 53	195 64	— —	3 852 98	19 —	1 050 —	— —	199 22	— —	5 323 37
3	Krankenkasse der Barbier-, Friseur- und Perückenmacher-Innung	70 59	— —	— —	2 889 15	3 10	200 —	1 000 —	62 56	— —	4 225 40
	Summe: C. Innungs-Krankenkassen	231 26	535 64	2 40	12 365 39	52 50	3 267 40	1 000 —	539 60	— —	17 994 19
	Zusammenstellung.										
	A. Orts-Krankenkassen	90 349 74	14 272 20	135 —	899 596 31	18 102 25	85 900 —	— —	18 157 41	15 057 —	1 141 569 91
	B. Betriebs- (Fabrik-) Krankenkassen	1 283 61	1 550 29	35 —	62 042 49	379 51	16 700 —	10 537 47	917 93	1 257 65	94 703 95
	C. Innungs-Krankenkassen	231 26	535 64	2 40	12 365 39	52 50	3 267 40	1 000 —	539 60	— —	17 994 19
	Summe der Einnahmen für 1907	91 864 61	16 358 13	172 40	974 004 19	18 534 26	105 867 40	11 537 47	19 614 94	16 314 65	1 254 268 05
	Summe der Einnahmen für 1906	91 362 18	14 675 34	20 44	885 079 89	17 179 03	42 676 07	932 —	18 270 90	2 526 32	1 072 722 17
	1907 mehr	502 43	1 682 79	151 96	88 924 30	1 355 23	63 191 33	10 605 47	1 344 04	13 788 33	181 545 88
	1907 weniger	— —	— —	— —	— —	— —	— —	— —	— —	— —	— —

C. Ausgaben.

Laufende Nummer	Bezeichnung der Kassen	Für ärztliche Behandlung ℳ ₰	Für Arznei und sonstige Heilmittel ℳ ₰	Krankengelder a. an Mitglieder ℳ ₰	Krankengelder b. an Angehörige der Mitglieder ℳ ₰	Unterstützungen an Wöchnerinnen ℳ ₰	Sterbegelder ℳ ₰	Kur- und Verpflegungskosten an Krankenanstalten ℳ ₰	Ersatzleistungen an Dritte für gewährte Krankenunterstützung ℳ ₰	Kapitalanlagen ℳ ₰	Verwaltungskosten ℳ ₰	Sonstige Ausgaben ℳ ₰	Summe der Ausgaben ℳ ₰
1.	2.	3.	4.	5.	6.	7.	8.	9.	10.	11.	12.	13.	14
	A. Orts-Krankenkassen.												
1	Mainz	180076 47	95175 08	430853 85	10388 53	10708 50	19634 35	80341 85	14627 68	107042 15	65447 89	15571 —	1 029867 35
2	Mainz-Mombach	3 620 35	2 318 39	11 672 77	292 63	360 —	236 —	2280 70	1625 40	5 434 92	1 966 72	129 27	29 937 15
	Summe A: Orts-Krankenkassen	183696 82	97493 47	442526 62	10681 16	11068 50	19870 35	82622 55	16253 08	112477 07	67414 61	15700 27	1 059804 50
	B. Betriebs- (Fabrik-) Krankenkassen												
1	Julius Römheld	352 80	386 72	2 178 72	— —	— —	70 —	186 90	— —	853 42	— —	3 —	4 631 56
2	R. Ihm	1 828 20	705 54	3 750 82	236 72	22 50	75 —	293 40	— —	214 67	102 32	6 —	6 760 17
3	B. Schott's Söhne	660 30	465 25	1 365 50	52 50	— —	300 —	289 —	— —	155 82	— —	4 40	3 232 87
4	Geb. Gastell G.m.b.H.	10363 45	6 476 79	24 550 55	1 523 30	— —	1365 —	1752 30	— —	358 48	600 97	16931 34	63 922 18
5	Verein für chemische Industrie	1 759 02	767 67	3 760 28	162 20	— —	273 60	196 35	— —	189 03	— —	3 —	7 351 15
6	Joh. Schmahl	1 058 25	418 03	1 963 95	345 01	— —	140 —	788 45	37 80	179 87	58 84	36 05	5 026 25
7	Konservenfabrik Dr. W. Nägeli	439 30	256 27	572 60	— —	90 —	— —	84 50	14 20	717 —	14 01	— —	2 217 88
	Summe: B. Betriebs- (Fabrik-) Krankenkassen	16556 32	9 476 37	38 082 42	2 259 73	112 50	2223 60	3890 90	52 —	2 728 29	776 14	16983 79	93 142 06
	C. Innungs-Krankenkassen.												
1	Krankenkasse der Bäcker-Innung	1 962 50	575 06	1 247 59	289 80	3 024 80	— —	— —	2 70	— —	1 261 —	16 54	8 379 99
2	Krankenkasse der Metzger-Innung	928 —	210 52	1 124 10	— —	35 70	80 —	1807 80	— —	— —	1 120 01	3 72	5 309 85
3	Krankenkasse der Barbier-, Friseur- u. Perückenmacher-Innung	1 187 35	348 50	707 51	— —	— —	75 —	1089 10	— —	— —	482 56	300 —	4 190 02
	Summe: C. Innungs-Krankenkassen	4 077 85	1134 08	3 079 20	289 80	3 060 50	155 —	2896 90	2 70	— —	2 863 57	320 26	17 879 86
	Zusammenstellung.												
	A. Ortskrankenkassen	183696 82	97493 47	442526 62	10681 16	11068 50	19870 35	82622 55	16253 08	112477 07	67414 61	15700 27	1 059804 50
	B. Betriebs- (Fabrik-) Krankenkassen	16556 32	9476 37	38 082 42	2 259 73	112 50	2223 60	3890 90	52 —	2 728 29	776 14	16983 79	93 142 06
	C. Innungs-Krankenkassen	4077 85	1134 08	3 079 20	289 80	3 060 50	155 —	2896 90	2 70	— —	2 863 57	320 26	17 879 86
	Summe der Ausgaben für 1907	204330 99	108103 92	483688 24	13230 69	14241 50	22248 95	89410 35	16307 78	115205 36	71054 32	33004 32	1 170826 42
	Summe der Ausgaben für 1906	169457 65	97730 26	401274 82	10247 58	10424 30	20308 37	76597 43	8778 59	64 894 77	65248 83	37108 48	962 071 08
	1907 mehr	34873 34	10373 66	82 413 42	2 983 11	3 817 20	1940 58	12812 92	7529 19	50 310 59	5 805 49	— —	208 755 34
	1907 weniger	— —	— —	— —	— —	— —	— —	— —	— —	— —	— —	4 104 16	— —

D. Abschluß und Vermögens-Ausweis.

Laufende Nummer	Bezeichnung der Kassen	Summe der Einnahmen ℳ ₰	Summe der Ausgaben ℳ ₰	Mithin Barbestand Ende 1907 ℳ ₰	Ende 1907 betrugen: das Stammvermögen ℳ ₰	Ende 1907 betrugen: der Reservefonds ℳ ₰	Ende 1907 betrugen: der Betriebsfonds ℳ ₰	Ende 1907 betrugen: der Wert der Immobilien ℳ ₰	Daher Gesamt-Aktiv-Vermögen Ende 1907 ℳ ₰	Ende 1906 betrug das Gesamt-Aktiv-Vermögen ℳ ₰	Demnach Ende 1907 mehr ℳ ₰	Demnach Ende 1907 weniger ℳ ₰
1.	2.	3.	4.	5.	6.	7.	8.	9	10.	11.	12.	13.
	A. Orts-Krankenkassen.											
1	Mainz	1110 938 50	1029 867 35	81 066 15	— —	282873 50	81 066 15	163576 51	527516 16	508285 62	19230 54	— —
2	Mainz-Mombach	30 636 41	29 937 15	699 26	— —	10 391 85	702 50	— —	11 094 35	12 332 15	— —	1 237 80
	Summe: A. Orts-Krankenkassen	1141 569 91	1059 804 50	81 765 41	— —	293265 35	81 768 65	163576 51	538610 51	520617 77	19230 54	1 237 80
	B. Betriebs-(Fabrik-) Krankenkassen.											
1	Julius Römheld	4 938 27	4 631 56	306 71	— —	7 832 72	306 71	— —	8 139 43	7 429 28	710 15	— —
2	R. Ihm	6 929 48	6 760 17	169 31	— —	7 172 70	169 31	— —	7 342 01	7 444 48	— —	102 47
3	B. Schott's Söhne	3 329 20	3 232 87	96 33	— —	3 876 75	96 33	— —	3 973 08	4 455 65	— —	482 57
4	Gebr. Gastell G. m. b. H.	64 515 15	63 922 18	592 97	— —	1 268 96	592 97	— —	1 861 93	7 695 98	— —	5 834 05
5	Verein für chem. Industrie	7 366 45	7 351 15	15 30	— —	5 427 92	90 40	— —	5 518 32	4 496 35	1 021 97	— —
6	Joh. Schmahl	5 081 13	5 026 25	54 88	— —	10 557 65	54 88	— —	10 612 53	10 456 —	156 53	— —
7	Konservenfabrik Dr. W. Nägeli	2 544 27	2 217 88	326 39	— —	1 528 70	326 39	— —	1 855 09	1 250 08	605 01	— —
	Summe: B. Betriebs-(Fabrik-) Krankenkassen	94 703 95	93 142 06	1 561 89	— —	37 665 40	1 636 99	— —	39 302 39	43 227 82	2 493 66	6 419 09
	C. Innungs-Krankenkassen.											
1	Krankenkasse der Bäcker-Innung	8 445 42	8 379 99	65 43	— —	7 588 —	65 43	— —	7 653 43	9 971 08	— —	2 317 6[illegible]
2	Krankenkasse der Metzger-Innung	5 323 37	5 309 85	13 52	— —	4 381 —	13 52	— —	4 394 52	5 437 53	— —	1 043 01
3	Krankenkasse der Barbier-, Friseur- u. Perückenmacher-Innung	4 225 40	4 190 02	35 38	— —	4 94	35 38	— —	40 32	275 53	— —	235 21
	Summe: C. Innungs-Krankenkassen	17 994 19	17 879 86	114 33	— —	11 973 94	114 33	— —	12 088 27	15 684 09	— —	3 595 82
	Zusammenstellung.											
	A. Orts-Krankenkassen	1141 569 91	1059 804 50	81 765 41	— —	293265 35	81 768 65	163576 51	538610 51	520617 77	19230 54	1 237 80
	B. Betriebs-(Fabrik-) Krankenkassen	94 703 95	93 142 06	1 561 89	— —	37 665 40	1 636 99	— —	39 302 39	43 227 82	2 493 66	6 419 09
	C. Innungs-Krankenkassen	17 994 19	17 879 86	114 33	— —	11 973 94	114 33	— —	12 088 27	15 684 09	— —	3 595 82
	Summe	1254 268 05	1170 826 42	83 441 63	— —	342904 69	83 519 97	163576 51	*) 590001 17	579529 68	21724 20	11 252 71

*) Passiven haben neben dem angegebenen Aktivvermögen zu verzeichnen: die Krankenkasse für die B. Schott'schen Offizinen 732 ℳ, die Betriebs-Krankenkasse Gebrüder Gastell 1500 ℳ, die Fabrik-Krankenkasse des Vereins für chemische Industrie 1000 ℳ und die Krankenkasse der Barbier-, Friseur- und Perückenmacher-Innung 700 ℳ

E. Verhältnis der Unterstützungsfälle zur Mitgliederzahl etc.

Laufende Nummer	Bezeichnung der Kassen	Von 100 Mitgliedern sind erkrankt männl.	erkrankt weibl.	gestorben männl.	gestorben weibl.	Auf 100 Erkrankungen kommen Sterbefälle männl.	weibl.	Krankheitstage auf ein Mitglied männl.	ein Mitglied weibl.	eine Erkrankung männl.	eine Erkrankung weibl.	Aufwand für einen Erkrankungsfall ℳ	Erkrankungsfall ₰	Krankheitstag ℳ	Krankheitstag ₰	Sterbefall ℳ	Sterbefall ₰
1.	2.	3.	4.	5.	6.	7.	8.	9.	10	11.	12.	13.		14.		15.	
	A. Orts-Krankenkassen.																
1	Mainz	69,0	61,0	1,1	0,8	1,5	1,0	13,6	13,0	18,8	21,2	56	*) 98	2	*) 93	99	*) 16
2	Mainz-Mombach	91,4	75,0	0,3	1,4	0,3	1,9	16,7	12,3	18,2	16,8	47	**) 62	2	**) 67	78	**) 67
	A. Orts-Krankenkassen	69,5	61,4	1,0	0,8	1,3	1,6	13,1	13,0	18,8	21,2	56	†) 69	2	†) 92	98	†) 85
	B. Betriebs- (Fabrik)-Krankenkassen.																
1	Julius Römheld	89,1	—	0,8	—	0,9	—	10,8	—	12,1	—	33	68	2	79	70	—
2	R. Ihm	62,8	100,0	—	—	—	—	13,4	16,1	21,4	16,1	57	89	2	78	—	—
3	B. Schott's Söhne	36,1	26,7	6,7	—	18,2	—	8,7	9,1	23,8	34,3	106	64	4	23	75	—
4	Gebr. Gastell G. m. b. H.	72,8	50,0	0,7	16,7	0,9	33,3	11,4	21,2	15,7	42,3	52	—	3	29	151	67
5	Verein für chem. Industrie	76,1	27,3	0,9	—	1,2	—	11,8	1,1	15,3	4,0	40	98	2	71	136	80
6	Joh. Schmahl	112,0	—	1,7	—	1,5	—	15,7	—	14,0	—	35	20	2	52	70	—
7	Konservenfabrik Dr. W. Nägeli	45,9	44,6	—	—	—	—	4,1	8,7	9,0	19,4	32	54	2	14	—	—
	B. Betriebs- (Fabrik-) Krankenkassen	74,3	46,0	0,9	1,0	1,8	2,2	11,6	9,4	15,7	20,4	48	66	3	11	123	53
	C. Innungs-Krankenkassen.																
1	Krankenkasse der Bäcker-Innung	68,0	73,3	—	—	—	—	10,3	11,8	15,4	16,1	11	79	—	75		—
2	Krankenkasse der Metzger-Innung	21,9	37,8	0,4	—	1,9	—	4,3	10,0	21,8	26,4	59	86	2	64	80	—
3	Krankenkasse der Barbier-, Friseur- u. Perückenmacher-Innung	34,1	—	0,7	—	2,1	—	9,0	—	25,8	—	70	89	2	77	75	—
	C. Innungs-Krankenkassen	45,2	66,8	0,3	—	0,6	—	8,1	11,4	17,0	17,1	24	90	1	41	77	50
	Alle Kassen	69,1	61,3	1,0	0,8	1,1	1,6	12,7	12,9	18,4	21,0	55	11	2	89	100	67

*) Einschl. der Familienunterstützung. Nach Abzug derselben entfallen auf den Erkrankungsfall 51,82 ℳ, auf den Krankheitstag 2,63 ℳ, auf den Sterbefall 70,62 ℳ

**) Einschl. der Familienunterstützung. Nach Abzug derselben entfallen auf den Erkrankungsfall 45,08 ℳ, auf den Krankheitstag 2,52 ℳ, auf den Sterbefall 46,67 ℳ

†) Einschl. der Familienunterstützung. Nach Abzug derselben entfallen auf den Erkrankungsfall 51,12 ℳ, auf den Krankheitstag 2,63 ℳ, auf den Sterbefall 72,26 ℳ.

F. Die Ausgaben in Prozent ausgedrückt.

Laufende Nummer	Bezeichnung der Kassen	Von 100 Mark Ausgaben entfallen auf: Ärztliche Behandlung M. Pf.	Arznei und sonstige Heilmittel M. Pf.	Krankengelder M. Pf.	Unterstützungen an Wöchnerinnen M. Pf.	Sterbegelder M. Pf.	Kur- und Verpflegungskosten an Krankenanstalten M. Pf.	Ersatzleistungen an Dritte für gewährte Krankenunterstützg. M. Pf.	Verwaltungskosten M. Pf.	Sonstige Betriebs-Ausgaben M. Pf.	Reine Kapitalanlage M. Pf.
1.	2.	3.	4.	5.	6.	7.	8.	9.	10.	11.	12.
	A. Orts-Krankenkassen.										
1	Mainz	18 96	10 02	46 45	1 13	2 07	8 46	1 54	6 89	1 64	2 84
2	Mainz-Mombach . .	14 78	9 46	48 83	1 47	— 96	9 31	6 63	8 03	— 53	— —
	A. Ortskrankenkassen .	18 86	10 01	46 54	1 14	2 04	8 48	1 67	6 92	1 61	2 73
	B. Betriebs- (Fabrik-) Krankenkassen.										
1	Julius Römheld . .	21 50	8 73	49 16	— -	1 58	4 22	— —	— —	— 07	14 74
2	R. Jhm	20 31	10 83	61 20	— 35	1 15	4 50	— —	1 57	— 09	— —
3	B. Schott's Söhne .	20 42	14 40	42 —	— —	9 28	8 94	— —	— —	— 14	4 82
4	Gebr. Gastell G. m. b. H.	16 30	10 19	41 02	— —	2 15	2 76	— —	— 94	26 64	— —
5	Verein für chemische Industrie . . .	23 93	10 44	52 54	— —	3 73	6 75	— —	— —	— 04	2 57
6	Joh. Schmahl . .	21 05	8 32	45 93	— —	2 79	15 69	— 75	1 17	— 72	3 58
7	Konservenfabrik Dr. W. Nägeli . . .	19 81	11 55	25 82	4 06	— —	3 81	— 64	— 63	— —	33 68
	B. Betriebs- (Fabrik-) Krankenkassen . .	18 31	10 48	44 62	— 12	2 46	4 30	— 06	— 86	18 79	— —
	C. Innungs-Krankenkassen.										
1	Krankenkasse der Bäcker-Innung . .	23 41	6 86	18 35	36 10	— —	— —	— 03	15 05	— 20	— —
2	Krankenkasse der Metzger-Innung .	17 48	3 96	21 17	— 67	1 51	34 04	— —	21 10	— 07	— —
3	Krankenkasse der Barbier-, Friseur- u. Perückenmacher-Innung	28 34	8 32	16 89	— —	1 79	25 99	— —	11 51	7 16	— —
	C. Innungs-Krankenkassen	22 81	6 34	18 84	17 12	— 87	16 20	— 02	16 01	1 79	— —
	Alle Kassen . . .	19 19	10 15	46 66	1 34	2 09	8 40	1 53	6 67	3 10	— 87

G. Verteilung der Beiträge, Leistungen und des Vermögens auf den Kopf der Mitglieder.

Laufende Nummer	Bezeichnung der Kassen	Auf ein Mitglied entfallen:										
		Eintrittsgelder und Beiträge	Ausgaben									Vermögen
			für ärztliche Behandlung	für Arznei und sonstige Heilmittel	Krankengelder	Wöchnerinnen-Unterstützung	Sterbegelder	Kur- und Verpflegungskosten	Ersatzleistung an Dritte für gewährte Krankenunterstützung	Verwaltungskosten	Summe der Spalten 4—11	
		ℳ ₰	ℳ ₰	ℳ ₰	ℳ ₰	ℳ ₰	ℳ ₰	ℳ ₰	ℳ ₰	ℳ ₰	ℳ ₰	ℳ ₰
1.	2.	3.	4.	5.	6.	7.	8.	9.	10.	11.	12.	13.
	A. Orts-Krankenkassen.											
1	Mainz	41 13	8 43	4 46	20 66	— 50	— 92	3 76	— 68	3 06	42 47	24 70
2	Mainz-Mombach	40 11	6 87	4 39	22 70	— 68	— 43	4 33	3 09	3 73	46 22	21 05
	A. Orts-Krankenkassen	41 10	8 35	4 46	20 71	— 51	— 91	3 77	— 74	3 18	42 63	24 61
	B. Betriebs- (Fabrik-) Krankenkassen.											
1	Julius Römheld	33 85	7 75	3 14	17 71	— —	— 57	1 52	— —	— —	30 69	66 17
2	R. Ihm	35 02	7 92	4 22	23 88	— 13	— 45	1 76	— —	— 61	38 97	43 96
3	B. Schott's Söhne	41 06	8 80	6 20	18 11	— —	4 —	3 85	— —	— —	40 96	52 97
4	Gebr. Gastell G. m. b. H.	31 48	8 77	5 48	22 06	— —	1 16	1 48	— —	— 51	39 46	1 58
5	Verein für chem. Industrie	28 41	7 78	3 40	17 09	— —	1 21	2 20	— —	— —	31 68	24 42
6	Joh. Schmahl	27 96	8 97	3 54	19 57	— —	1 19	6 68	— 32	— 50	40 77	89 94
7	Konservenfabrik Dr. W. Nägeli	22 16	4 72	2 76	6 16	— 97	— —	— 91	— 15	— 15	15 82	19 95
	B. Betriebs- (Fabrik-) Krankenkassen	31 29	8 35	4 78	20 33	— 06	1 12	1 96	— 03	— 39	37 02	19 81
	C. Innungs-Krankenkassen.											
1	Krankenkasse der Bäcker-Innung	11 36	3 96	1 16	3 11	6 11	— —	— —	— 01	2 55	16 90	15 46
2	Krankenkasse der Metzger-Innung	13 57	3 27	— 74	3 96	— 13	— 28	6 37	— —	3 91	18 66	15 47
3	Krankenkasse der Barbier-, Friseur- u. Perückenmacher-Innung	20 79	8 54	2 58	5 09	— —	— 54	7 83	— —	3 47	28 05	— 29
	C. Innungs-Krankenkassen	13 47	4 44	1 24	3 67	3 33	— 17	3 16	— —	3 12	19 13	13 17
	Alle Kassen	39 30	8 25	4 36	20 04	— 57	— 90	3 61	— 66	2 87	41 26	23 80

X. Militär- und Einquartierungswesen.

1. Ersatzwesen.

	Stadtteil Mainz 1907	Stadtteil Mainz 1906	Stadtteil Mainz-Mombach 1907	Stadtteil Mainz-Mombach 1906
In die Stammrolle wurden Militärpflichtige eingetragen:				
a) vor der Musterung	1509	1475	90	86
b) nach der Musterung	326	308	27	55
zusammen	1835	1783	117	141
Von diesen haben als Geburtsort Mainz bezw. Mainz-Mombach	639	630	54	35
Die Ladungen zur Musterung für die in die Stammrolle Eingetragenen wurden von der Bürgermeisterei, diejenigen zur Generalmusterung durch die Ober-Ersatzkommission ausgefertigt. Die Zahl der letzteren belief sich auf	948	918	58	45
Nach Beendigung der Musterung wurden durch die Ersatzkommission zur Aushändigung an die Militärpflichtigen Losungsscheine an die Bürgermeisterei abgegeben	960	930	46	42
Die Losungsscheine wurden, wie die Ladungen zur Musterung und zum Ober-Ersatzgeschäft, durch die Schutzmannschaft zugestellt.				
Gesuche um Zurückstellung oder Befreiung vom Militärdienst wurden vorgebracht	96	89	18	11
Anträge auf vorzeitige Entlassung aus dem Militärdienst wurden entgegengenommen	41	29	—	2
Zur Erteilung von Meldescheinen zum zwei- oder dreijährig-freiwilligen Militärdienst waren Bescheinigungen der Bürgermeisterei erforderlich	300	260	9	4

Für die Militärpflichtigen in der Stadt Mainz wurde die Musterung in der Zeit vom 13. bis 27. März 1907, das Ober-Ersatzgeschäft in der Zeit vom 17. bis 22. Juni 1907 vorgenommen. Für die Militärpflichtigen im Stadtteil Mainz-Mombach fand die Musterung am 6. März 1907, das Ober-Ersatzgeschäft in der Zeit vom 12. bis 15. Juni 1907 statt.

Die Ergebnisse des Heeres-Ergänzungsgeschäfts im Stadtteil Mainz für die Jahre 1904 bis 1907 und im Stadtteil Mainz-Mombach für die Jahre 1906 und 1907 sind aus der nachstehenden Übersicht zu entnehmen:

1	2	3	4	5	6	7	8	9	10	11	12	13	14	15	16	17	18	19	20	21	22	23	24	25	26	27
Jahr	In den alphabetischen und Restantenlisten werden im Aushebungsbezirk oder im Ausland Geborene geführt							Von den in Spalte 6 Geführten sind										Von den unter 18 Genannten sind ausgehoben				Freiwillig (einschl. vor Beginn des militärpfl. Alters) eingetreten, soweit sie im Aushebungsbezirk oder im Auslande geboren sind				
								dem Landsturm überwiesen			der Ersatzreserve überwiesen			der Marine-Ersatzreserve überwiesen				für das Heer zum Dienst		für die Marine		in das Heer			in die Marine	
	20 jährige	21 jährige	22 jährige	ältere	Summe	ausgeschlossen	ausgemustert	wegen bürgerl. Verh.	Überzählige	aus sonst. Gründen	wegen bürgerl. Verh.	Überzählige	aus sonst. Gründen	wegen bürgerl. Verh.	Überzählige	aus sonst. Gründen	ausgehoben (ausschl. der überzählig Gebliebenen)	mit der Waffe	ohne Waffe	aus der Landbevölkerung	aus der seemännischen u. halbseemännischen Bevölkerung	Einj. Freiwillige	Volksschull. und Kandidaten des Volksschulamts, soweit sie nicht in Spalte 23 gezählt sind	Sonstige Freiw.	Einj. Freiwillige	Sonstige Freiw.
a) Stadtteil Mainz.																										
1904	558	607	680	77	1872	4	40	—	—	116	15	2	61	—	—	1	180	158	5	11	6	38 (6)	—	36 (20)	2	1 (1)
1905	608	551	580	90	1829	1	83	—	—	99	4	2	57	—	—	—	155	147	1	5	2	34 (3)	—	31 (14)	—	2 (2)
1906	604	608	551	89	1852	2	38	—	—	100	4	2	45	—	—	1	179	160	8	9	1	26 (10)	1	49 (24)	—	2
1907	600	620	512	58	1820	3	36	—	—	208	5	—	76	—	—	8	277	262	6	4	5	51 (3)	—	76 (26)	—	6 (5)
b) Stadtteil Mainz-Mombach.																										
1906	90	96	79	—	265	—	3	—	—	6	2	—	6	—	—	—	39	35	—	4	—	—	—	4	—	—
1907	97	65	74	—	236	—	7	—	—	5	—	—	4	—	—	—	52	50	—	2	—	—	—	6	—	1

Zum Zwecke der Ermittelung von Militärpflichtigen, welche sich vor den Ersatzbehörden nicht gestellt hatten, waren umfangreiche Erhebungen erforderlich, ebenso waren zahlreiche Anfragen auswärtiger Gemeindebehörden über den Verbleib anderwärts geborener Militärpflichtiger zu beantworten.

Die vielen, infolge der Bewegung der Arbeiterbevölkerung vorkommenden An- und Abmeldungen machten die Ausfertigung und Einreichung von ungefähr 1 600 bis 1 700 Auszügen aus der Rekrutierungs-Stammrolle notwendig (in Mainz-Mombach ungefähr 120), wovon auf die zwischen der Musterung und dem Oberersatzgeschäft liegende Zeit allein etwa 700 bis 800 entfallen.

2. Einquartierungswesen.

Im Rechnungsjahre 1907 wurden folgende Quartierleistungen in Anspruch genommen:

Truppenteil	Es waren einquartiert bezw. untergebracht: Generäle	Stabs-Offiziere	Hauptleute u. Leutnants	Feldwebel	Fahnenjunker	Unteroffiziere	Gemeine	Pferde	Geschäftszimmer wurden gestellt	Zeit der Einquartierung: vom	bis	Tage	Vom Reich wurden vergütet ℳ	₰	Die Stadt hat bezahlt ℳ	₰
										1907						
1. Großer Generalstab (Festungsgeneralstabsreise) .	2	15	16	—	—	2	2	—	—	23./4.	26./4.	3	137	04	366	50
2. Feld-Art.-Regt. Nr. 61 .	—	—	—	1	—	—	—	—	—	17./5.	21./5.	4	2	44	6	80
3. Ulanen-Regt. Nr. 6 . . .	—	—	4	—	—	—	—	55	—	19./8.	20./8.	1	9	71	17	55
4. Leibgarde-Regt. Nr. 115 .	—	—	1	—	—	—	—	—	—	19./8.	20./8.	1	1	04	3	—
5. Infanterie-Regt. Nr. 116 .	—	1	5	—	—	—	—	7	—	19./8.	20./8.	1	7	87	22	—
6. Leibgendarmerie des Kaisers	—	—	—	2	—	—	—	—	—	19./8.	21./8.	2	1	48	6	—
7. Pionier-Bat. Nr. 16 . . .	—	1	15	1	—	2	—	—	—	24./8.	28./8.	4	75	23	209	16
8. Infanterie-Regt. Nr. 118	—	5	48	4	—	—	—	—	—	21./8.	28./8.	7	412	82	1 031	06
Summe . . .	2	22	89	8	—	4	2	62	—	—	—	—	647	72	1 662	07

Außerdem wurden gewährt:

	ℳ	₰	ℳ	₰
a) 505 Portionen Morgenkost an Offiziere	252	50	353	40
b) 175 „ Verpflegung an Mannschaften	210	15	275	45
Im ganzen	1 110	37	2 290	92

Der von der Stadt geleistete Zuschuß beträgt mithin 1 180 ℳ 55 ₰ gegen 3 335 ℳ 42 ₰ im Vorjahre.

Der Stadtteil Mainz-Mombach war im Jahre 1907 mit Einquartierung nicht belegt.

3. Unterstützungswesen.

A. Durch das Reichsgesetz vom 10. Mai 1892 ist bestimmt worden, daß an die Familien der zu Friedensübungen einberufenen Mannschaften auf Verlangen aus Reichs-Mitteln Unterstützungen zu gewähren sind. Die täglichen Unterstützungen sollen für die Ehefrau 30%, für jede der sonst unterstützungsberechtigten Personen 10% des ortsüblichen Taglohns erwachsener männlicher Arbeiter am Aufenthaltsorte des Einberufenen betragen, mit der Maßgabe jedoch, daß der Gesamtbetrag der Unterstützung 60% des ortsüblichen Taglohns nicht übersteigt. Der ortsübliche Taglohn erwachsener männlicher Arbeiter betrug für Mainz und Mainz-Mombach 3,00 ℳ.

Es wurden gezahlt:

	a) im Stadtteil Mainz:		b) im Stadtteil Mainz-Mombach:	
im Rechnungsjahr 1907 . .	an 185 Familien . .	3 864 ℳ 90 ₰	an 23 Familien . .	630 ℳ — ₰
„ „ 1906 . .	„ 166 „ . .	3 523 „ 80 „	„ 25 „ . .	577 „ 50 „
„ „ 1905 . .	„ 183 „ . .	4 001 „ 80 „	„ — „ . .	— „ — „

B. Nach dem Reichsgesetze vom 22. Mai 1895 und den vom Bundesrat hierzu erlassenen Ausführungsbestimmungen vom 24. April 1905 erhalten solche Personen des Unteroffizier- und Mannschaftsstandes des Heeres und der Marine, welche an deat Feldzuge von 1870/71 oder an den von den deutschen Staaten vor 1870 geführten Kriegen ehrenvollen Anteil genommen haben und sich wegen dauernder gänzlicher Erwerbsunfähigkeit in unterstützungsbedürftiger Lage befinden, aus den Mitteln des Reichs-Invalidenfonds Beihilfen von 120 ℳ jährlich.

Es wurden gezahlt:

	a) im Stadtteil Mainz:		b) im Stadtteil Mainz-Mombach:	
im Rechnungsjahr 1907 . .	an 76 Personen . .	7 890 ℳ	an 2 Personen . .	240 ℳ
„ „ 1906 . .	„ 63 „ . .	5 040 „	„ 2 „ . .	240 „
„ „ 1905 . .	„ 37 „ . .	3 840 „	„ — „ . .	— „

Die vorstehend unter A und B aufgeführten Beträge wurden aus der Kreiskasse ersetzt.

XI. Polizeiwesen.

1. Allgemeines.

Das Geschäftsregister des Polizeiamts weist auch für das abgelaufene Geschäftsjahr eine erhebliche Arbeitszunahme bei dem Polizeiamt nach. An eingegangenen und bearbeiteten Dienstsachen wurden 56 839 gegen 51 749 Schriftstücke im Vorjahre, mithin 5 090 Aktenstücke mehr gebucht. Zur Registrierung dieser großen Anzahl von Dienstsachen wurden 3 Register geführt.

2. Meldewesen.

Bei dem Einwohnermeldeamt gelangten 1 089 Familien mit 3 564 Personen und 13 832 Einzelpersonen zur Anmeldung. Hiervon entfallen 72 Familien mit 300 Personen und 406 Einzelpersonen auf den Stadtteil Mainz-Mombach.

Zur Abmeldung kamen 982 Familien mit 3 024 Personen und 13 153 Einzelpersonen, wovon 45 Familien mit 174 Personen und 416 Einzelpersonen auf den Stadtteil Mainz-Mombach zu zählen sind.

Innerhalb der Stadt haben 5 183 Familien und 11 110 Einzelpersonen ihre Wohnungen gewechselt, so daß 16 293 Umzüge zu registrieren waren. Auf den Stadtteil Mainz-Mombach kommen hiervon 202 Umzüge von Familien und 340 von Einzelpersonen.

Niederlassungsverhandlungen wurden im abgelaufenen Jahre 4 680 aufgenommen und bearbeitet. Duplikat-Niederlassungsverhandlungen wurden in Ermangelung militärischer Legitimationspapiere ungefähr 90 aufgenommen und behufs Kontrolle der Militärersatzbehörde übersandt. Neue Meldekarten (einschließlich der auf den Polizeibezirken geführten Duplikate) wurden ungefähr 30 000 angefertigt. Die den Dienst- und Arbeitswechsel betreffenden Veränderungen sind im Rahmen des Vorjahres geblieben. Für Aufgebotsverhandlungen vor den Standesämtern wurden 1 625 Aufenthaltsbescheinigungen ausgestellt und ungefähr 20 000 schriftliche wie mündliche Auskünfte über den Aufenthalt oder die Wohnung von Personen erteilt.

Die Tätigkeit des Einwohnermeldeamts erstreckte sich im Berichtsjahre ferner noch auf das Nachschlagen von ungefähr 20 000 Meldekarten zur Ermittelung der Adressen steuerpflichtiger Personen auf Ersuchen der Großh. Bezirkskassen und der Stadtkasse behufs Zustellung der Mahnzettel usw. sowie auf die Vormerkung der standesamtlichen Mitteilungen über Geburten, Verehelichungen und Sterbfälle auf den einzelnen Meldekarten. Für das Kaiserl. Postamt waren täglich etwa 160 Adressen unbestellbarer oder nicht genügend adressierter Postsendungen nachzusehen. An Gebühren für Auskunftserteilungen im Interesse Privater sind 1 282 ℳ erhoben worden, wovon 9 ℳ auf den Stadtteil Mainz-Mombach entfallen. Zeugnisse über den Leumund und die Führung von hiesigen Personen sind ungefähr 1 700 ausgestellt und etwa 1 800 amtliche Anfragen hierüber beantwortet worden.

3. Sicherheitspolizei.

Von der Schutzmannschaft wurden festgenommen:

	1907	1906	
wegen Bettelei	245	316	Perſ.
„ Obdachloſigkeit	3 997	3 177	„
„ Landſtreicherei	5	2	
„ Ruheſtörung	40	119	„
„ Trunkenheit	75	114	„
„ Gewerbsunzucht	20	17	„
„ Kuppelei	1	—	„
„ Widerſtands	21	28	„
„ Diebſtahls und Hehlerei	74	99	„
„ Betrugs und Unterſchlagung	23	23	„
„ Körperverletzung	15	25	„
„ ſonſtiger Vergehen	125	165	„
auf Erſuchen auswärtiger Behörden	34	34	„
Summe . . .	4 675	4 119	Perſ.

Danach iſt die Zahl der wegen Bettelei feſtgenommenen Perſonen gegen das Vorjahr um 71 heruntergegangen, während die Zahl der Obdachloſen ſich um 820 erhöht hat.

Die Schutzmannſchaft erhob 5 777 Polizeianzeigen wegen Übertretungen, darunter 1 820 wegen Ruheſtörung und Unfugs.

Von den der Landespolizei überwieſenen Perſonen wurden 12 aus dem Großherzogtum ausgewieſen und 22 in das Arbeitshaus Dieburg verbracht.

303 Perſonen wurden verſchubt.

4. Straßenpolizei.

Wegen Übertretung ſtraßenpolizeilicher Vorſchriften wurden 1 129 Perſonen angezeigt.

5. Tierſchutz.

Wegen Tierquälerei und Übertretung des Vogelſchutzgeſetzes wurden 113 Perſonen zur Anzeige gebracht. Die Schutzmannſchaft wurde erneut angewieſen, gegen Tierquälereien energiſch einzuſchreiten.

6. Kriminalpolizei.

A. Allgemeines.

	1907	1906
1. Neu anhängig wurden Strafſachen	3 718	3 608
2. Eingegangen von Staats- und Amtsanwaltſchaften ſowie anderen hieſigen und auswärtigen Behörden ſind Erſuchen	10 940	10 220
3. Vernehmungen erfolgten	10 140	9 845
4. Vorgeführt bei hieſigen Behörden und Gerichten wurden Perſonen	864	684
5. Transportiert nach auswärts wurden Perſonen	64	56
6. Durchſuchungen erfolgten	592	504
7. Beſchlagnahmen erfolgten	386	369
8. Ausſchreiben wurden erlaſſen	229	182
9. Umfragen bei Trödlern, Goldarbeitern, Geldwechſlern, Banken und Antiquaren ꝛc. erfolgten	912	993

B. Angelegenheiten der Landespolizeibehörden.

Polizeiaufſicht wurde ausgeübt über 36 Perſonen gegen 35 Perſonen im Vorjahre.

C. Steckbriefkontrolle.

Durch die Steckbriefkontrolle wurden ermittelt:

		1907	1906
wegen	Diebstahls	68 Pers.	55 Pers.
„	Betrugs	25 „	30 „
„	Unterschlagung	16 „	22 „
„	Körperverletzung	21 „	18 „
„	Kuppelei	3 „	2 „
„	Begünstigung	— „	1 „
„	Brandstiftung	1 „	1 „
„	Gefangenen-Befreiung	— „	1 „
„	Widerstands	5 „	10 „
„	Erpressung	— „	1 „
„	Hausfriedensbruchs	3 „	12 „
„	Bettelei	— „	16 „
„	Mißhandlung	— „	1 „
„	Urkundenfälschung	12 „	8 „
„	Sachbeschädigung	11 „	17 „
„	Sittlichkeitsverbrechen	14 „	7 „
„	Meineids	— „	1 „
„	Bedrohung	3 „	6 „
„	Beleidigung	— „	6 „
zwecks	Strafverbüßung	25 „	30 „
wegen	Fahnenflucht	2 „	— „
zwecks	Zwangserziehung	8 „	— „
„	Aufenthaltsermittlung	45 „	32 „
„	Ausweisung	9 „	9 „
wegen	Wahrsagerei	1 „	— „
„	Lotterievergehen	1 „	— „
	Zusammen	273 Pers.	286 Pers.

D. Strafrechtliche Untersuchungen.

Die zur Anzeige gebrachten und informierten Fälle sind folgende:

	1907	1906
Abtreibung	4	5
Anmaßung eines öffentlichen Amtes	1	4
Anschuldigung (falsche)	—	2
Aussetzen einer hilflosen Person	—	4
Beamtenbeleidigung	55	45
Begünstigung	—	3
Bestechung	1	—
Betrug und Betrugsversuch	275	283
Blutschande	4	3
Brandstiftung	2	7
Desertionsbeförderung	—	4
Diebstahl	1 229	1 073
Drohung	93	194
Erpressung	3	3
Falschmünzerei	6	4
zu übertragen	1 673	1 634

	1907	1906
Übertrag	1 673	1 634
Freiheitsberaubung	2	3
Gefährdung eines Eisenbahntransportes	4	4
Gefangenenbefreiung	1	11
Glücksspiel	11	10
Hausfriedensbruch	60	109
Hehlerei	18	8
Jagdvergehen	—	3
Kindestötung	2	4
Körperverletzung (vorsätzliche)	486	483
Körperverletzung (fahrlässige)	50	68
Kuppelei	32	36
Lotterievergehen	—	7
Majestätsbeleidigung	—	5
Meineid	—	2
Mord, Totschlag und Totschlagsversuch	2	3
Münzverbrechen und -Vergehen	18	5
Pfandverschleppung	—	2
Raub	22	15
Rheinschiffahrtsvergehen	—	2
Sachbeschädigung	202	293
Sittlichkeitsverbrechen und -Vergehen	99	68
Unlauterer Wettbewerb	1	4
Tötung (fahrlässige)	2	2
Unterschlagung	515	314
Urkundenfälschung	18	28
Vergehen gegen das Nahrungsmittelgesetz	156	244
Vergehen gegen das Vogelschutzgesetz	1	7
Vergehen gegen das Warenschutzgesetz	1	13
Verletzung des Briefgeheimnisses	2	8
Widerstand gegen die Staatsgewalt	51	74
Wucher	—	—
Brände überhaupt	99	94
Unfälle	89	45
Zusammen	3 617	3 608

In den Arrestzellen des Polizeiamtes befanden sich 6612 Personen in Verwahrung, für welche 16521 Portionen Essen verabreicht wurden.

E. Tragisches Ableben.

	1907	1906
Durch tragisches Ableben endeten Personen	55	55

a. durch Selbstmord:

	1907	1906
und zwar durch Ertränken	13	20
„ Erhängen	7	7
„ Erschießen	8	8
„ Vergiften	3	4
„ Überfahren	1	—
	32	39

b. durch Unglücksfall:

und zwar durch	Abstürzen	3	5
„	Ertrinken	5	4
„	Ersticken	—	1
„	Überfahren	6	4
„	Hinstürzen	5	—
„	Verbrennen	4	2
		23	16

F. Vermißte Personen.

Als vermißt wurden 46 Personen gemeldet, gegen 40 im Vorjahre.

7. Feuerpolizei.

Zur Beseitigung der Anstände, die bei Visitation der Feuerungsanlagen vorgefunden wurden, waren 228 Aufforderungen erforderlich.

In Gemeinschaft mit dem Baupolizeiamt wurde der Handhabung und Ausführung der feuerpolizeilichen Vorschriften besondere Aufmerksamkeit gewidmet. Wegen Lagerung von Mineralölen war in mehreren Fällen die Herstellung von gesetzmäßigen Lagerräumen anzuordnen.

8. Feldpolizei.

Wegen feldpolizeilicher Übertretungen wurden 159 Anzeigen erstattet.

Wegen Vertilgung der Kaninchen, Beseitigung der Schädlinge an den Bäumen und in Weinbergen sind geeignete Maßnahmen getroffen und von den Feldschützen die erforderlichen Aufforderungen, Feststellungen und Anzeigen betätigt worden. Die Feldschützen haben mit Hilfe ihrer Diensthunde außerhalb des Stadtbezirks einige Diebe und Sittlichkeitsverbrecher sowie etwa 20 Vogelfänger angehalten und an das Polizeiamt Mainz abgeliefert.

Die Grund- und Gartenbesitzer sind zur Mitwirkung bei der Schnakenvertilgung aufgefordert worden.

9. Gesundheitspolizei und Nahrungsmittel-Kontrolle.

Die im abgelaufenen Berichtsjahre erforderlichen chemisch-technischen Untersuchungen von Nahrungs- und Genußmitteln sowie Gebrauchsgegenständen wurden nach dem bestehenden Übereinkommen von dem Chemischen Untersuchungsamt der Provinz Rheinhessen bewirkt. Die Zahl sowie die Art der zu erhebenden Proben setzt das Chemische Untersuchungsamt fest, die Erhebung der Proben erfolgt durch Beamte der Gesundheitspolizei. Die Bestellung von zwei Schutzleuten als Nahrungsmittel-Kontrollbeamte hat sich gut bewährt. Nachstehende Übersicht gibt ein Bild über die Ausführung der Kontrolle und über das Ergebnis der Untersuchungen.

Ord.-Nr.	Gegenstand der Untersuchung	Zahl der Untersuchungen	Beanstandungen: absolute Zahl	Beanstandungen: Prozentzahl	Grund der Beanstandung
1	Alkoholfreie Getränke	13	—	—	
2	Bier	15	—	—	
3	Branntwein	20	—	—	
4	Butter	211	32	15,2	3 Proben waren verdorben. 29 Proben enthielten über 18% des höchst zulässigen Wassergehaltes.
5	Chemikalien	4	2	50,0	1 Probe Schwefelsäure und 1 Probe Salzsäure waren stark arsenhaltig.
6	Eier	60	—	—	
7	Eigelb	2	—	—	
	zu übertragen . . .	325	34	—	

Ord.-Nr.	Gegenstand der Untersuchung	Zahl der Untersuchungen	Beanstandungen		Grund der Beanstandung
			absolute Zahl	Prozentzahl	
	Übertrag . . .	325	34	—	
8	Eiweiß	2	—	—	
9	Essig	60	5	8,3	1 Probe besaß einen zu geringen Essigsäuregehalt. 4 Proben waren stark mit Essigalgen verunreinigt.
10	Fette	18	—	—	
11	Fleisch	73	9	12,3	8 Hackfleischproben war Schwefel enthaltendes Konservensalz zugesetzt worden. 1 Portion gekochter Fisch war als verdorben zu bezeichnen.
12	Fruchtsäfte	8	—	—	
13	Gebrauchsgegenstände	52	—	—	
14	Gewürze	34	—	—	
15	Heilmittel	4	3	75,0	3 Proben Traubenbrusthonig bestanden hauptsächlich aus Zuckersyrup.
16	Honig	21	2	9,5	2 Proben Honig, welche als rein verkauft worden waren, hatten Rohrzuckerzusätze von etwa 40 % erhalten.
17	Käse	10	—	—	
18	Kaffee	60	—	—	
19	Kakao	10	—	—	
20	Korkmehl	1	—	—	
21	Kriminalia	5	—	—	
22	Limonaden	10	—	—	
23	Margarine — Kunstspeisefette .	26	—	—	
24	Mehl und Müllereiprodukte .	134	2	1,5	1 Probe Gries enthielt größere Mengen arseniger Säure. 1 Probe Rollgerste mußte infolge starken Wurmfraßes als verdorben bezeichnet werden.
25	Milch (Markt- und Übergangsproben)	1 039	235	22,6	71 Proben waren gewässert, 162 entrahmt, 1 sauer, 1 verschmutzt.
26	Milch (Stallproben)	137	—	—	
27	Mineralwasser	72	—	—	
28	Obst- und Gemüsekonserven .	55	1	1,9	1 Probe getrocknete Zwetschen war gänzlich verdorben.
29	Öle	20	1	5,0	Ein als Olivenöl verkauftes Speiseöl enthielt 50 % Sesamöl.
30	Petroleum	62	—	—	
31	Präservesalz	1	1	100,0	Das Präservesalz, das zur Konservierung von Hackfleisch Verwendung gefunden hatte, war benzoësäurehaltig.
32	Schmalz	21	—	—	
33	Speiseeis	4	—	—	
34	Speiseeispulver	1	—	—	
35	Tee	15	—	—	
36	Waschextrakt	2	—	—	
37	Wein	41	3	7,3	1 Probe war überstreckt, 2 Weine besaßen einen zu hohen Gehalt von Essigsäure (Essigstich).
38	Wurstwaren	115	13	11,3	Diese Proben wurden wegen zu großen Wassergehaltes beanstandet. Derselbe lag hier zwischen 60 % und 73 %.
39	Zucker	1	—	—	
	Summe	2 439	309	12,7	

Wegen leichterer Verfehlungen sind vielfach Warnungen fawohi mündlich als schriftlich ergangen und ist Abhilfe in den meisten Fällen geschaffen worden. Dagegen mußten wegen schwerer Verfehlungen und wegen Fälschungen 144 Strafanzeigen an die Staatsanwaltschaft abgegeben werden. Das Gericht hat in den Einzelfällen auf Geldstrafen von 3 ℳ bis 300 ℳ erkannt.

Ein Hauptaugenmerk hat die Gesundheitspolizei der Milchkontrolle zugewendet und mit Entschiedenheit die Vorschriften der Milchverkaufsordnung durchgeführt. Während im Vorjahr mittels des Laktodensimeters 10 120 Prüfungen stattfanden, konnten im Berichtsjahre 10 810 solcher Prüfungen vorgenommen werden. An Markt- und Übergangsproben sind in 1906 = 738 und 84, im Berichtsjahre 1 039 und 137 erhoben worden. Lediglich wegen gröberer Verfehlung gegen die Milchverkaufsordnung kamen 177 Personen zur Anzeige. Die mit dem Chemischen Untersuchungsamt im Vorjahre getroffene Vereinbarung, die Ergebnisse der Milchuntersuchungen in amtlicher Bekanntmachung durch die hiesigen Zeitungen zu veröffentlichen, wurde im Berichtsjahre durchgeführt. Regelmäßig alle 14 Tage wurden in sämtlichen hiesigen Tageszeitungen die Namen derjenigen Milchhändler veröffentlicht, deren Milch bei der chemischen Untersuchung aus irgend einem Grunde beanstandet werden mußte. Es ist zu erwarten, daß die Veröffentlichungen, die von den Betroffenen recht unangenehm empfunden werden, mit dazn beitragen werden, daß die Einwohnerschaft von Mainz mit guter und unverfälschter Milch versorgt wird.

Die Geschäftsräume der Mineralwasserhändler und der Geflügelmetzgereien wurden öfters besichtigt und dabei wahrgenommene Mängel beseitigt. Auch die Annahmestellen und Lagerräume der Häute-, Knochen- und Lumpenhändler wurden mehrfach besichtigt und Mißstände beseitigt. Zur Vermeidung von Unfällen wurden die Bestimmungen über den Verkehr mit Giften und Säuren sowie den freigegebenen Apothekerwaren den in Betracht kommenden Verkäufern erneut mündlich und schriftlich zur Kenntnis gebracht. 22 Verkäufer mußten, nachdem wiederholte Warnungen erfolglos geblieben waren, wegen Verkaufs von Sänren in verbotenen Gefäßen zur Anzeige gebracht werden. Zur Ausführung des Gesetzes, betreffend den Verkehr mit Margarine und Pflanzenbutter 2c., wurden 136 Verkaufsstellen öfters revidiert. Die Kontrolle der Bäcker und Brothändler erstreckte sich auf die Feststellung des Brotgewichts. Bei 146 Bäckern und 206 Brotverkäufern wurden Brote gewogen. In 61 Fällen mußte Anzeige erhoben, und zusammen 546 Brote mußten wegen Mindergewichts beschlagnahmt werden. Auf den Wochenmärkten wurde öfters Butter nachgewogen, wobei sich Mindergewichte ergaben; 12 Personen wurden dieserhalb angezeigt. Anch Fische und andere Lebensmittel wurden besichtigt. Wegen Verkaufs verdorbener Ware kamen einige Personen zur Anzeige. Dem Verkauf von Nahrungs- und Genußmitteln wird stets besondere Aufmerksamkeit zugewendet.

10. Veterinärpolizei.

Zur technischen Verarbeitung und Verwertung von Tierkadavern gelangten an die Anstalt zur Ablieferung:

	1907	1906	
Hunde	92	68	
Katzen	22	20	
Pferde	12	18	
Schweine	2	5	
Ziegen	1	4	
Kühe	2	—	
Kaninchen	—	3	
Gänse	—	3	
zusammen	131	121	Kadaver.

Feststellungen von Tollwuterscheinungen bei Hunden erforderten wiederholt die Anordnung von Maßnahmen gegen die Tollwut.

In einem Falle von Rotlaufseuche bei einem Schwein mußte im Stadtteil Mainz-Mombach in einem Gehöfte die Sperec und die Impfung des Tieres vorgenommen werden. Später wurden die verhängten Sperrmaßregeln wieder aufgehoben. Anch wurde die Schweinepest in einem Falle mit Erfolg bekämpft. Verschiedene Male hat das Großh. Kreisveterinäramt Untersuchungen wegen Geflügelcholera betätigt, es konnte jedoch diese Krankheit in keinem Falle festgestellt werden. Weitere Krankheitserscheinungen, wie Rotzkrankheit bei Pferden, Rinderpest, Lungenseuche, Milzbrand und Rauschbrand, Rotlauf unter Pferden, Schafräude usw. sind hier nicht aufgetreten.

11. Sittenpolizei.

Es wurden 448 der Unzucht nachgehende weibliche Personen aufgegriffen und der polizeiärztlichen Untersuchung zugeführt. Dabei wurden 76 für geschlechtskrank befunden und dem Städtischen Krankenhaus zur Heilung überwiesen. Wegen Übertretung sittenpolizeilicher Vorschriften wurden 110, wegen gewerbsmäßiger Unzucht 66 und wegen Konkubinats 4 Anzeigen erstattet.

Durchschnittlich standen in Mainz 70 Frauenspersonen unter sittenpolizeilicher Aufsicht.

12. Gewerbepolizei.

Die zu Anfang des Jahres 1905 bei dem Polizeiamt neugeschaffene Gewerbeabteilung hat auch im abgelaufenen Jahre wieder eine rege Tätigkeit entfaltet. Die zwar anfangs nur versuchsweise geschaffene Einrichtung erweist sich immer mehr als ein dringend notwendiges Bedürfnis, sodaß ihre dauernde Beibehaltung beabsichtigt ist. Der immer weiter sich vollziehende Ausbau der sozialen Gesetzgebung, sowie die Eingemeindung der Vororte läßt es notwendig erscheinen, daß diese schwierige Materie von besonders dazu geschulten Beamten bearbeitet wird.

Zunächst sei über die Handhabung und Ausführung des Kinderschutzgesetzes einiges bemerkt.

Wie im Vorjahre, so wurden auch im Berichtsjahre wieder zwei umfassende Revisionen vorgenommen; die eine fiel in das Sommer- und die andere in das Winterhalbjahr. Im Sommerhalbjahr waren im ganzen 114 Kinder gewerblich tätig, darunter 84 Knaben und 30 Mädchen. Von eigenen Kindern wurden in elterlichen Betrieben 9 Knaben und 7 Mädchen beschäftigt. An eigenen Kindern waren für Dritte 26 Knaben und 14 Mädchen beschäftigt und endlich waren 49 Knaben und 9 Mädchen als fremde Kinder gewerblich tätig. Die Beschäftigung der Kinder, mit Ausnahme der bei dem Theater beschäftigten Kinder, bestand hauptsächlich in dem Austragen von Waren, Besorgung von Botengängen, Austragen von Zeitungen usw.

Im Winterhalbjahre waren im ganzen 113 Kinder gewerblich tätig, darunter 81 Knaben und 32 Mädchen. Die Beschäftigung der Kinder im Vergleich zu dem Sommerhalbjahr ist somit auf gleicher Höhe geblieben. In 16 elterlichen Betrieben wurden 16 eigene Kinder beschäftigt. Eigene Kinder für dritte Personen waren 33 und fremde Kinder 64 tätig. Im Vorjahre betrug die Gesamtzahl der gewerblich tätigen Kinder 239. Im verflossenen Jahre beläuft sich ihre Zahl auf 227. Die Kinderbeschäftigung ist somit etwas zurückgegangen.

Die Direktion des Mainzer Stadttheaters hatte die kreisamtliche Genehmigung zur Beschäftigung von 59 Kindern und zwar 26 Knaben und 33 Mädchen erhalten. Die Kinder traten in 56 Abendvorstellungen und in 13 Nachmittagsvorstellungen auf. Revidiert wurde 69 mal, ohne daß sich bei diesen Revisionen Beanstandungen ergeben haben. Dagegen wurden bei den übrigen Revisionen eine Reihe von Beanstandungen festgestellt. Da die Eltern der Kinder und die Arbeitgeber, die sich Verfehlungen gegen das Kinderschutzgesetz zu Schulden kommen ließen, bereits früher öfters verwarnt worden waren, mußte diesmal Anzeige erfolgen. In 75 Fällen sah man sich zur Erhebung von Strafanzeigen veranlaßt. Die Gerichte lassen es jedoch in der Regel bei geringen Geldstrafen bewenden, da die Angezeigten meistens Leute sind, die der ärmeren Klasse angehören.

In Gast- und Schankwirtschaften wurde eine Kinderbeschäftigung nicht festgestellt. Mehrere auf Kegelbahnen vorgenommene Revisionen gaben keinen Anlaß zu Anzeigen. Das Aufsetzen von Kegeln geschieht fast überall durch aus der Schule entlassene Burschen. Nur ein Knabe über 12 Jahre wird auf einer Kegelbahn mit dem Aufsetzen der Kegel beschäftigt. Er ist im Besitze einer Arbeitskarte und wird nur innerhalb der zulässigen Stunden zur Arbeitsleistung herangezogen. Arbeitskarten wurden im Berichtsjahre im ganzen 165 ausgestellt. Eine Anzahl Kinder besaß bereits Karten, die in den vorhergehenden Jahren ausgestellt worden sind.

Eine erhebliche Arbeitsvermehrung tritt von jetzt ab noch dadurch ein, daß, um den gewerblich tätigen Kindern die Wohltaten der Krankenversicherung zuteil werden zu lassen, eine öftere Kontrolle hinsichtlich der Beschäftigung von solchen Kindern stattfindet, die absichtlich oder aus Vergeßlichkeit nicht zur Krankenkasse angemeldet werden. Solche Revisionen werden alle zwei Monate vorgenommen.

Mehrere Revisionen wurden im Berichtsjahr auf Grund der Kaiserlichen Verordnung vom 17. Februar 1904, betreffend die Ausdehnung der §§ 135—139, 139 b der Gewerbeordnung auf die Werkstätten der Kleider- und Wäschekonfektion, vorgenommen. Eine Hauptrevision fand im Frühjahr, die andere im Herbst statt. Ferner wurden mehrere Revisionen vorgenommen an den Vorabenden von Sonn- und Festtagen und des öfteren an Sonntagen. Bei der ersten Hauptrevision wurden 92 Schneidereibetriebe und 22 Betriebe der Putzmacherinnen kontrolliert. In den

Schneidereien waren 643 und in den Putzmachereien 189 Arbeiterinnen beschäftigt. Bei der zweiten Hauptrevision belief sich die Zahl der Schneidereibetriebe auf 84 mit 547 Arbeiterinnen und diejenige der Putzmachereien auf 23 mit 186 Arbeiterinnen. In den Schneidereibetrieben wurden folgende Verfehlungen festgestellt: In zwei Fällen wurden jugendliche Arbeiterinnen an Samstagen noch nach 5 1/2 Uhr abends beschäftigt. In drei Fällen wurde Überarbeit vorgenommen, ohne daß der Eintrag in die dazu bestimmte Tafel gemacht war, und in einem Falle ist das namentliche Verzeichnis für jugendliche Arbeiterinnen nicht geführt worden. In den Putzmachereibetrieben wurden in einem Falle Arbeiterinnen an einem Sonntag in verbotenen Stunden beschäftigt, in einem Falle wurde Überarbeit vorgenommen, ohne daß der Eintrag in die Tafel gemacht war, und in einem weiteren Falle wurde eine jugendliche Arbeiterin an einem Samstage noch nach 5 1/2 abends beschäftigt. Insoweit es sich um geringfügige Verfehlungen handelte, wurde nochmals eine Verwarnung erteilt, in den übrigen Fällen mußte namentlich schon um deswillen eine Anzeige erfolgen, weil öftere Verwarnungen keinen Erfolg gehabt hatten.

Die Gast- und Schankwirtschaften wurden entsprechend der Verfügung Großh. Kreisamts Mainz im abgelaufenen Jahre zweimal revidiert, einmal im Frühjahr und einmal im Spätjahr. Die Zahl der revisionspflichtigen Betriebe belief sich auf 225. In diesen sind beschäftigt worden: 101 Kellner im Alter von über 16 Jahren, 4 Kellner unter 16 Jahren, 41 Köche und Lehrlinge über 16 Jahren und 2 Köche unter 16 Jahren, 209 Kellnerinnen und Köchinnen über 18 Jahren und zwei Kellnerinnen zwischen 16 und 18 Jahren. Es wurden im ganzen 110 Verfehlungen festgestellt, die zur Anzeige gebracht werden mußten. Sie verteilen sich auf die Nichtgewährung der vorgeschriebenen Ruhezeiten, auf das Nichtführen des Verzeichnisses und auf die Nichtbeachtung der Vorschriften über die Arbeitsbücher.

Auf Grund der Bekanntmachung des Reichskanzlers vom 4. März 1896, betreffend den Betrieb von Bäckereien und Konditoreien, wurden im Berichtsjahre zwei Hauptrevisionen und mehrere außerordentliche Revisionen namentlich an Sonn- und Festtagen vorgenommen. Bei der ersten Hauptrevision wurden 118 Betriebe revidiert, in denen 204 Gehilfen, 14 Lehrlinge im ersten und 15 Lehrlinge im zweiten Lehrjahre stehend beschäftigt worden sind. Bei der zweiten Hauptrevision betrug die Zahl der revidierten Betriebe 127. Die Zunahme der revisionspflichtigen Betriebe erklärt sich durch die Eingemeindung von Mombach. Es wurden im ganzen 203 Gehilfen gezählt, 7 Lehrlinge im ersten und 12 Lehrlinge im zweiten Lehrjahre stehend. Überarbeit fand an 44 Tagen statt. In 6 Fällen mußten Strafanzeigen erhoben werden, weil eine Beschäftigung von Arbeitern in verbotenen Stunden stattfand. In 2 Fällen wurden Anzeigen erhoben, weil eine Beschäftigung von minderjährigen Arbeitern ohne Arbeitsbuch stattfand und weil der erforderliche Eintrag in dem Arbeitsbuche nicht vollzogen war. An Sonntagen wurden sämtliche Bäckereibetriebe zweimal revidiert. Es wurde festgestellt, daß in 16 Fällen die Arbeiter noch nach 8 Uhr vormittags beschäftigt worden sind. Dieserhalb mußten Strafanzeigen erhoben werden.

Die Steinhauereien wurden zweimal revidiert. Die Zahl der revisionspflichtigen Betriebe betrug 10, diejenige der beschäftigten Arbeiter 37. Jugendliche Arbeiter sind nicht beschäftigt worden. In einem Falle wurde festgestellt, daß die Arbeiter länger als gesetzlich zulässig beschäftigt worden sind. Es erfolgte daher Anzeige.

Im Berichtsjahre fanden in den offenen Verkaufsstellen zwei Hauptrevisionen hinsichtlich des Befolges der Vorschriften der Verordnung vom 28. November 1900, betreffend die Einrichtung von Sitzgelegenheit für Angestellte, statt. Das Ergebnis dieser Revisionen war ein befriedigendes. Zu einem strafrechtlichen Vorgehen gegen die Gewerbetreibenden lag keine Veranlassung vor.

Auf Grund der Anordnung Großh. Kreisamts Mainz vom 29. Dezember 1905, betreffend die Einführung des 8-Uhr-Ladenschlusses für das Gewerbe der Uhrmacher, Optiker, Gold- und Silberwarenhändler, wurden im verflossenen Jahre mehrere Revisionen vorgenommen. Im allgemeinen sind die Verkaufsläden pünktlich geschlossen worden, nur in 4 Fällen sah man sich zur Erhebung von Strafanzeigen veranlaßt.

Wegen Verletzung der Vorschriften über die Sonntagsruhe im Handelsgewerbe mußten im abgelaufenen Jahre 32 Anzeigen erhoben werden. Auf Grund der Vorschriften über die Sonntagsruhe in Industrie und Handwerk erfolgten 23 Anzeigen. Der werk- wie der sonntägliche Hausierhandel unterlag ebenfalls fortgesetzter Kontrolle. Wegen Hausierens in verbotenen Stunden und ohne Gewerbepapiere wurden 46 Anzeigen erhoben.

Die Fabriken und die diesen gleichgestellten Anlagen wurden im abgelaufenen Jahre wie im Vorjahre zweimal revidiert und dabei 926 Revisionen vorgenommen. Die Beanstandungen waren unbedeutend, sie sind auf einfache Aufforderung hin sofort abgestellt worden.

Aus der nachstehenden Übersicht ist die Zahl der in den einzelnen Industriezweigen beschäftigten Arbeiter und Arbeiterinnen, in Altersklassen eingeteilt, zu entnehmen.

Gruppe	Bezeichnung der Industriezweige	Zahl der Betriebe	Zahl der erwachsenen männlichen Arbeiter	Zahl der Arbeiterinnen über 16 Jahre			Gesamtzahl der erwachsenen Arbeiter	Zahl der jungen Leute von 14—16 Jahren			Zahl der Kinder unter 14 Jahren			Gesamtzahl der jugendlichen Arbeiter
				a 16—21 Jahre	b über 21 Jahre	c im ganzen		a männlich	b weiblich	c im ganzen	a männlich	b weiblich	c im ganzen	
IV.	Industrie der Steine und Eeden	4	55	2	3	5	60	3	—	3	—	—	—	3
V.	Metallverarbeitung	38	355	20	28	48	403	63	14	77	7	3	10	87
VI.	Maschinen, Werkzeuge, Instrumente, Apparate	32	2 864	39	35	74	2 938	144	22	166	15	—	15	181
VII.	Chemische Industrie	4	220	9	9	18	238	6	2	8	—	—	—	8
VIII.	Forstwirtschaftliche Nebenprodukte, Leuchtstoffe, Fette, Öle und Firnisse	28	283	7	8	15	298	—	6	6	—	1	1	7
IX.	Textilindustrie	5	29	15	12	27	56	10	8	18	1	—	1	19
X.	Papierindustrie	5	60	33	13	46	106	—	38	38	—	—	—	38
XI.	Lederindustrie	4	173	2	7	9	182	1	—	1	—	—	—	1
XII.	Industrie der Holz- und Schnitzstoffe	55	1 329	28	56	84	1 413	71	5	76	2	—	2	78
XIII.	Nahrungs- und Genußmittel .	126	1 120	159	148	307	1 427	68	68	136	8	1	9	145
XIV.	Bekleidung und Reinigung .	134	331	453	302	755	1 086	15	292	307	3	6	9	316
XV.	Baugewerbe (Zimmerplätze und andere Bauhöfe)	10	72	—	—	—	72	6	—	6	—	—	—	6
XVI.	Polygraphische Gewerbe . .	27	494	110	89	199	693	46	15	61	4	1	5	66
	Zusammen . . .	472	7 385	877	710	1 587	8 972	433	470	903	40	12	52	955

Mehrere Revisionen fouden im Berichtsjahre hinsichtlich des Befolges der Vorschrift in § 15a der Gewerbe-Ordnung statt. Im allgemeinen wird dirsr Gesetzesvorschrift beachtet und nur in 8 Föllen mußte man Anzeigen erheben.

Die *Bierabfüllräume* wurden auf Grund der Polizeiverordnung vom 30. Juli 1904 im verflossenen Jahre zweimal revidiert. Der Revision unterlagen im gunzen 113 Betriebe. Neu hinzugekommen sind 4 Betriebe. Die Mängel, die bei den Revisionen vorgefunden worden sind, wurden auf entsprechende Aufforderung hin beseitigt, und nur in 3 Fällen sah man sich zur Erhebung von Strafanzeigen veranlaßt.

Im Berichtsjahre faud eine Revision über den Befolg der Vorschriften über die *Sonntagsruhe im Barbier- und Friseurgewerbe* statt. In zwri Fällen mußten Strafanzeigen erhoben werden und zwar wegen Nichtgewährung eines freien Nachmittags an einen Gehilfen und wegen Ausübung des Gewerbes am zweiten Weihnachtsfeiertag.

Das Verbot des *Ausstellens und Aushängens von Waren an Sonn- und Feiertagen* während der für den Hauptgottesdienst bestimmten Zeit wird von den Handel- und Gewerbetreibenden vielfach nicht beachtet. Es wurden dieserhalb öftere Revisionen vorgenommen, die die Erhebung von 42 Anzeigen zur Folge hatten.

Wegen Zuwiderhandlung gegen die Bekanntmachung Großh. Kreisamts Mainz vom 18. September 1905, betr. die *Bier- und Eiszufuhr an Sonn- und Festtagen*, mußten im abgelaufenen Jahre 21 Anzeigen erhoben werden.

Am 8. Februar 1907 ist durch Bekanntmachung Großh. Kreisamts Mainz der *Elfuhr-Ladenschluß in den offenen Verkaufsstellen der Metzgereien* an Sonn- und Feiertagen eingeführt worden. Auf Grund dieser Anordnung wurden öftere Revisionen vorgenommen, anfangs zahlreiche Verwarnungen erteilt und später, nachdem Verwarnungen keinen Erfolg versprachen, im gunzen 7 Anzeigen erhoben. Für das Metzgergewerbe ist ferner durch Anordnung Großh. Kreisamts Mainz vom 15. Februar 1907 der $8^1/_2$-Uhr-Ladenschluß an Werktagen eingeführt. Hinsichtlich des Befolgs dieser Anordnung wurden ebenfalls öftere Revisionen vorgenommen. Es wurde eine Strafanzeige erhoben; in den übrigen Fällen genügten Verwarnungen.

Eine große Arbeit verursachte die erstmalige Aufnahme der Bäckerei- und Konditoreibetriebe auf Grund der neuen Polizeiverordnung vom 12. August 1907, betreffend die *Einrichtung und den Betrieb von Bäckereien und Konditoreien*. Unter Zuziehung eines Beamten des Baupolizeiamts wurden im ganzen 172 Betriebe revidiert und darüber ausführliche Befundberichte erstattet. Während denjenigen Gewerbetreibenden, deren Arbeitsräume den Vorschriften in § 1 der erwähnten Polizeiverordnung entsprachen, schriftliche Verfügungen des Inhalts zugestellt werden konnten, daß ihre Räume zur weiteren dauernden Benutzung zugelassen feiert, mußte bezüglich der übrigen Arbeitsräume, die hinsichtlich ihrer Lage und Beschaffenheit nicht den Vorschriften entsprachen und demgemäß beanstandet wurden, Vorlage der Akte an das Großh. Kreisamt Muinz erfolgen. Dasselbe hat bis jetzt eine Entschließung darüber, ob und wie lange noch die einzelnen Betriebsstätten benutzt werden dürfen, nicht getroffen.

Im abgelaufenen Jahre wurde erstmals eine Revision bei den *Pfandleihern und Trödlern* vorgenommen. Es handelt sich hier um die Befolgung der Vorschrift über die Führung des vorgeschriebenen Trödlerbuches. Pfandleiher sind nicht vorhanden, dagegen 62 Trödler. Mit Rücksicht darauf, daß zum ersten Male bei ihnen eine Revision stattfand, waren die Beanstandungen teilweise recht erheblicher Notur. Die Trödler wurden eingehend belehrt und die vorgefundenen Mängel alsbald beseitigt. Nur in einem Falle sah man sich zur Erhebung einer Strafanzeige veranlaßt.

Die *Gesindevermieter und Stellenvermittler* wurden im abgelaufenen Johre zweimal revidiert. Die Anstände unbedeutender Art wurden auf einfache Aufforderung hin beseitigt. Nur bei einem Stellenvermittler wird man sich demnächst aus Anlaß verschiedener Verfehlungen, die er sich zu Schulden kommen ließ, mit der Frage beschäftigen müssen, ob ihm nicht die fernere Ausübung des Gewerbes als Stellenvermittler zu untersagen ist.

Über den Geschäftsbetrieb der *Versteigerer* (Auktionatoren) sind durch Verordnung vom 17. Oktober 1906 bindende Vorschriften erlassen worden. Hiernach unterscheidet das Gesetz Versteigerer und öffentlich angestellte und beeidigte Versteigerer. Auf Grund dieser Verordnung haben in Mainz 2 Versteigerer ihr Gewerbe angemeldet. Der eine von ihnen ist von dem Großh. Kreisamt beeidigt worden und gilt als öffentlich angestellter und beeidigter Auktionator. Der Gewerbebetrieb der beiden Versteigerer wird auf Grund jener Vorschriften durch die Gewerbepolizei überwacht; Beanstandungen waren bis jetzt nicht zu erheben.

13. Gesindewesen.

Im Dienstbotenregister erfolgten 4 553 (4 292) neue Einträge, Stellenwechsel wurde bei 4 172 (4 397) Dienstboten registriert und 979 (913) neue Dienstbücher wurden ausgefertigt.

14. Aufsicht über die Pflegekinder.

232 (216) Kinder unter 6 Jahren wurden in Pflege gegeben, über sie ebensoviele Fragebogen beantwortet und die ordentliche Beschaffenheit der Pflegestätten durch zeitweilige Revisionen überwacht.

15. Kranken-, Armen- und Unterstützungswesen.

Zur städtischen Krankenkasse haben sich 8 259 Dienstboten und Lehrlinge angemeldet.

Zum Zwecke der Aufnahme in die Irrenanstalten fanden bei 17 Personen Verhandlungen statt.

Die Berichte in Unterstützungsangelegenheiten (§ 63 des Unterstützungswohnsitzgesetzes), worin auch die entsprechenden lokalen Anfragen des Armenamtes inbegriffen sind, sowie die sonstigen behördlichen Anfragen über Familien-, Einkommens- und Vermögensverhältnisse beliefen sich auf ungefähr 3 600.

Gesuche um Erteilung des Armenrechts wurden etwa 450 eingereicht und begutachtet.

16. Paßwesen.

Reisepässe wurden 308 und Paßkarten 162 ausgestellt.

17. Fundbureau.

Als verloren wurden in dem abgelaufenen Jahre 1 650 Gegenstände bei dem Fundbureau angezeigt. Demgegenüber gelangten 557 Gegenstände als gefunden zur Anmeldung, wovon 222 von den Eigentümern reklamiert und an diese ausgehändigt worden sind.

335 Gegenstände wurden von den Verlierern nicht reklamiert. Diese Gegenstände wurden entweder an die Finder zurückgegeben oder, falls dieselben zugunsten der Stadt auf den Erwerb des Fundstückes verzichteten, öffentlich an den Meistbietenden versteigert. Der Erlös wird an das hiesige Armenamt abgeliefert.

Der Wert der einzelnen Fundstücke bewegte sich zwischen 1 und 500 ℳ.

XII. Wohnungsinspektion.

1. Allgemeines.

Im Berichtsjahr (Kalenderjahr 1907) übernahm an Stelle des Herrn Oberbürgermeisters Dr. Göttelmann Herr Beigeordneter Berndt den Vorsitz in der Kommission für Wohnungspflege.

Die im Jahre 1906 begonnenen Beratungen des Entwurfs einer Polizeiverordnung zu dem Wohnungsaufsichtsgesetze vom 1. Juli 1893 wurden, nachdem der Entwurf dem Ortsgesundheitsrat und der juristischen Kommission zur Begutachtung vorgelegen hatte, im Januar 1907 zu Ende geführt. In der Sitzung der Stadtverordneten-Versammlung vom 17. April 1907 wurde der Entwurf gutgeheißen, die ministerielle Genehmigung steht noch aus.

Mit der allgemeinen straßenweisen Besichtigung wurde bereits anfangs Februar 1907 begonnen; sie erstreckte sich in der Hauptsache auf Wohngebäude in den Altstadtbezirken. Wenn auch die Zahl der hierbei vorgefundenen Mißstände eine sehr bedeutende ist, so kann doch die erfreuliche Tatsache festgestellt werden, daß sich ihrer Beseitigung keine allzugroßen Schwierigkeiten in den Weg stellten. Gleichwie im Vorjahre wurden die wichtigsten Bestimmungen des Wohnungsaufsichtsgesetzes bei jedem Quartalswechsel in allen Mainzer Zeitungen veröffentlicht, eine Einrichtung, die im Interesse der Vermieter getroffen wurde, um dieselben vor den Unannehmlichkeiten und Kosten einer Bestrafung hinsichtlich der Vermietungsanzeigen zu schützen.

Die Kommission für Wohnungspflege hielt im Berichtsjahr drei Sitzungen ab. Zur Verhandlung kamen 16 Sachen, über wohnungspolizeiliche Angelegenheiten wurden 13 Beschlüsse gefaßt.

2. Tätigkeit des Wohnungsamtes.

Das Geschäftsregister des Wohnungsamts weist im Berichtsjahr 1159 (746) Nummern auf, die größtenteils eine eingehendere Bearbeitung durch örtliche Besichtigungen und Erstattung von Berichten gefunden haben.

Schriftliche Aufforderungen wegen Unterlassung der nach Artikel 4—6 des Gesetzes vom 1. Juli 1893 vorgeschriebenen Anzeigen bei der Vermietung von Kleinwohnungen und Schlafstellen wurden insgesamt 532 (440) erlassen. Der Aufforderung wurde in allen Fällen Folge gegeben, Strafanzeigen wurden nicht erhoben.

Das Rechtsmittel der Beschwerde gegen Verfügungen der Bürgermeisterei wurde nur in einem einzigen Falle beim Kreisausschuß eingelegt. Die Beschwerde, die z. Zt. noch unerledigt ist, ist nur gegen einen Punkt der Auflage gerichtet, worin die Beseitigung eines äußerst feuergefährlichen Zustandes, den Zugang zu Familienwohnungen betreffend, gefordert wurde. Der Kreisausschuß erkannte gegen eine Beschwerde aus dem Vorjahre, wobei es sich um Vermehrung von Aborten in einem von sehr vielen und zahlreichen Familien bewohnten Anwesen des Altstadtbezirkes handelte, zu Gunsten des Rekurrenten, verurteilte ihn jedoch zur Zahlung der sämtlichen Kosten des Verfahrens, weil die ursprüngliche Beschwerde sich gegen die ganze Entscheidung der Bürgermeisterei gerichtet hatte, die übrigen Auflagen aber vor der Verhandlung von der Beschwerdeführerin als rechtmäßig anerkannt und die Beschwerde zurückgezogen worden war.

Über die insgesamt beim Wohnungsamt eingegangenen Beschwerden über wohnungspolizeiliche Angelegenheiten gibt die nachstehende Tabelle ein Bild:

Wohnungspolizeiliche Angelegenheiten wurden anhängig					
durch Anzeigen von Privatpersonen			durch den Wohnungsinspektor		durch Mitteilung von anderen städtischen Ämtern
schriftlich	mündlich	anonym	infolge Wohnungswechsel	infolge der allgemeinen Revision	
39	149	17	177	238	25

Die folgenden Tabellen zeigen, welcher Art die gemeldeten oder vorgefundenen Mißstände gewesen sind, die Art der Bearbeitung und Erledigung, sowie die Art der Beseitigung derselben:

Die vorgefundenen Mißstände bestanden hauptsächlich in																	
Luftverderbnis durch Halten von Tieren rc.	Verunreinigung und Unsauberkeit	Ungeziefer	Überfüllung	mangelhaften Abort- und Entwässerungs-Anlagen	Mangel an Licht und Luft	Gefährdung der Sittlichkeit infolge Untervermietung	Mangelhafter Bauart der Mieträume	Schlafstellen u. Schlafräume m. Plattenböden	Feuchtigkeit		baulich schlecht gehaltenen Wohnungen	schadhaften					feuergefährlichen Zugängen zu Dach-Wohnungen
									infolge baulicher Mängel	infolge unzweckmäßiger Benutzung der Räume		Dächern	Treppen	Feuerungs-Anlagen	Fußböden	Fenster und Türen	
												in Gebäuden		in Wohnungen			
24	20	23	80	235	25	32	16	14	56	12	199	8	29	187	38	29	83

Zusammen 1110 Fälle.

Erledigt wurden die Fälle durch								Die Beseitigung der Mißstände cefolgte durch									am Schluß des Berichtsjahres waren noch unerledigt
Leerstellung der								Verbot von									
Wohnungen	Schlafstellen	Schlafräume	Verfügung der Bürgermeisterei	Aufforderung durch das Wohnungsamt	mündl. Verhandlung auf dem Wohnungsamt	sonstige Maßnahmen	als unbegründet erachtet	Wohnungen	Teilen von Wohnungen	Schlafstellen	Schlafräumen der Dienstboten ꝛc.	Vornahme baulicher Reparaturen und Verbesserungen	Vornahme zweckentsprechender Reinigung	Einschränkung der Zahl der Benützer einzelner Räume bezw. Betten	veränderten Belag aus sittlichen Gründen	Anmietung weiterer Räume bezw. Aufhebung der Untervermietung	
118	34	10	24	218	213	17	48	10	1	—	7	558	20	30	1	10	225

Am Ende des Berichtsjahres waren aus dem Vorjahre noch 65 Beanstandungen unerledigt, von deren Beseitigung mangels gesetzlicher Bestimmungen und wegen bevorstehenden Abbruchs einiger älteren Wohngebäude vorerst Abstand genommen wurde. Da die Berichtsperiode am 31. Dezember schließt, für größere bauliche Reparaturen und Änderungen aber diese Jahreszeit besonders ungünstig ist, so ergibt sich hieraus von selbst die verhältnismäßig hohe Zahl der unerledigten und in das neue Jahr übernommenen Beanstandungen. Auch mußte in vielen Fällen auf die bestehenden, oft für die kleinen Wohnungen recht ungünstigen Mietverhältnisse Rücksicht genommen werden. Hervorzuheben ist, daß in solchen Häusern, die im Besitz auswärts wohnender Hauseigentümer sich befinden, die Zahl der Beanstandungen verhältnismäßig am größten war.

Die nach der vorletzten Tabelle gemachten Beanstandungen konnten meistens durch Verbesserungen baulicher Art ihre Erledigung finden; in einigen Fällen mußte die Räumung der Wohnung erfolgen, in anderen Fällen wieder mußten insbesondere wegen Mittellosigkeit des Hauseigentümers teils längere, teils kürzere Fristen zur Beseitigung der Mißstände bewilligt werden. Die zweckmäßige Benutzung der Wohnungen läßt mitunter sehr viel zu wünschen übrig. Die Klagen über die Feuchtigkeit und Schimmelbildung, besonders in den im Dachgeschoß gelegenen und auch erstmalig bezogenen Wohnungen, mehren sich in der kalten Jahreszeit regelmäßig. Der vorbemerkte Zustand tritt vielfach, ohne daß den Mieter eine Schuld trifft, besonders in den vor dem Jahre 1898 errichteten Dachwohnungen in die Erscheinung, wo die schrägen Decken und Wände nicht gegen die Einflüsse der Außentemperatur isoliert sind und wo zwischen der Sparrenlage der schrägen Dachseiten und im Deckengebälk die Lehmwickelung bezw. Ausrollung mit Tuffsteinen oder dergl. fehlt. Die durch mangelhafte Lüftung, oft auch durch Küchenwäsche und Wäschetrocknen in den Wohnungen begünstigte Feuchtigkeit wird im Winter besonders dadurch bemerkbar und lästig, daß die Bewohner mit dem Heizmaterial sparen wollen und die Fenster so selten als möglich öffnen; am häufigsten ist dies in Dachwohnungen der Fall, wenn an den Gaubenfenstern weder kleinere Scheibenflügel noch horizontal eingebaute Oberflügel zum Aufklappen vorhanden sind. In den Fällen, in denen dann noch die Küche in unmittelbarer Verbindung mit den Wohn- und Schlafräumen steht oder gar der Zugang zur Wohnung durch die Küche erfolgen muß, schlagen sich die Dünste bei geschlossenen Fenstern auf den kalten Außenwänden, ganz besonders aber an den schrägen Dachseiten der Dachwohnungen nieder und bilden Schimmel ꝛc. Der Aufenthalt wird infolge der alsdann herrschenden feuchten Zimmerluft und des Modergeruches unerträglich und führt zur Gesundheitsschädigung der Mieter. In solchen Fällen glaubt dann meistens der Mieter Grund zur sofortigen Räumung der Wohnung zu haben, und es bedarf nicht geringer Bemühung des Wohnungsinspektors, die Leute davon zu überzeugen, daß die Ursache der Feuchtigkeit gar zu oft nur in der mangelhaften Lüftung und unzweckmäßigen Benutzung der Mieträume liegt.

Nicht selten lag die Schuld des Feuchtwerdens am Vermieter bezw. Hauseigentümer selbst und zwar infolge der vorhandenen mangelhaften oder gänzlich fehlenden Heizungs- und Ventilationseinrichtungen.

Die Beseitigung der Mißstände stieß bei den Hauseigentümern, wie auch bei den Mietern, nicht auf nennenswerte Schwierigkeiten. Dem Wohnungsinspektor ist es nach Klarlegung der das Verbot oder die sonstigen Auflagen begründenden Verhältnisse durch freundliche Belehrung und durch Angabe der Mittel und Wege, wie die Beseitigung der Mißstände am praktischsten und mit den geringsten Opfern geschehen könne, regelmäßig gelungen, die Hauseigentümer zur Räumung der Wohnung oder zur zweckentsprechenden baulichen Herrichtung derselben rc. zu bewegen. Die Anwendung von Zwangsmaßregeln und gerichtliche Bestrafung war nur in einem Falle notwendig, weil der Vermieter trotz wiederholter Fristverlängerung einer Auflage der Bürgermeisterei, eine baulich stark verwahrloste Dachwohnung entweder wohnlich herzurichten oder räumen zu lassen, nicht nachgekommen ist.

Von den wegen Überfüllung zu beanstandenden Wohnungen und Schlafstellen konnte in 24 Fällen eine Ausnahme gestattet werden, weil der vorgeschriebene Mindestluftraum annähernd vorhanden war und die Licht- und Luftverhältnisse unbedenklich eine Ausnahme gestatteten.

In einem Falle wurde festgestellt, daß fünf Personen mit einem Lungenkranken ein kleines schräges Dachstübchen als Schlafraum teilen mußten. Die Räumung wurde mit Zustimmung des Vermieters sofort angeordnet.

Ein besonders großer Mißstand ist die geringe Zahl und die Mangelhaftigkeit der Abortanlagen, besonders in den älteren und dicht bewohnten Anwesen der Altstadt. Auch in diesem Jahre ist mehrfach festgestellt worden, daß in Häusern, die von 3 und mehr, sogar bis zu 11 Familien bewohnt werden, nur ein einziger Abort zur Verfügung steht. Von einem Zwange auf Herstellung weiterer Abortanlagen mußte leider gar zu oft, teils wegen Platzmangels, teils wegen des Mangels gesetzlicher Bestimmungen, teils aber auch wegen der unverhältnismäßig hohen Kosten Abstand genommen werden.

Bei den Untervermietungen an Schlafgänger wuede mehrfach festgestellt, daß zwei solcher Personen auf die gemeinsame Benutzung eines Bettes angewiesen waren, auch sind sehr oft die nicht in genügender Zahl vorhandenen Waschgeschirre und Handtücher verunreinigt gewesen. In 32 Fällen mußte die Untervermietung aus sittlichen Gründen aufgehoben werden, weil die betreffenden Räume keinen besonderen Zugang hatten und von den Vermietern regelmäßig mitbenutzt werden mußten.

Nicht selten mußte die Benutzung von Schlafräumen mit Steinböden, die ehemals als Küche oder Lagerräume in Benutzung waren, untersagt werden, weil die in gesundheitlicher Hinsicht geforderten baulichen Verbesserungen unterblieben.

Auch bei den Schlafräumen der Dienstboten, Gehilfen und Lehrlinge rc. wurde ebenfalls sehr oft festgestellt, daß mehreren derselben nur ein Waschgeschirr zur Verfügung stand, auch 2 Personen auf die gemeinsame Benutzung eines Bettes angewiesen waren. Diesem Mißstand wurde mit aller Energie entgegengetreten, und es muß an dieser Stelle lobend anerkannt werden, daß dem Verlangen des Wohnungsinspektors in allen Fällen seitens der Arbeitgeber gewissenhaft entsprochen worden ist. Ein weiterer Mißstand bei einer ziemlich großen Zahl dieser unter Dach gelegenen Schlafräume, besonders auch in den vor dem Jahr 1898 errichteten Neubauten, ist die schwache Belichtung und Entlüftung mittels der eingebauten liegenden Dachfenster. Bei Regenwetter können derartige Dachfenster nur wenig oder fast gar nicht geöffnet werden; nach einem größeren Schneefall ist dies überhaupt unmöglich, sodaß während dieser Zeit der betr. Raum weder Licht noch Luft erhält, auch läßt die Reinigung dieser Fenster, weil sie nicht selten sehr hoch über dem Fußboden angebracht sind, vielfach zu wünschen übrig.

Wo sich bei der Wohnungsbesichtigung erhebliche Mängel sonstiger Art gezeigt haben, ist auf ihre Beseitigung hingewirkt worden. So ist in 20 Fällen die Reinigung verschmutzter Keller und Speicherräume, Kellerlichtschächte, Lichthöfe rc. angeordnet worden. Die Ausbesserungen von Hofpflasterungen wuede in mehreren Fällen gefordert, um ein besseres und regelrechtes Abfließen des Tagewassers zu ermöglichen, auch wurde das Abweißen von Mauern und sonstigen Bauteilen in besonders engen Lichthöfen im Interesse einer besseren Belichtung der anstoßenden Wohn- und Schlafräume ausgeführt.

Polizeiliche Verfügungen, durch welche die weitere Benutzung von Wohnungen, Schlafstellen und Schlafräumen für das Dienstpersonal dauernd untersagt wuede, wurden 18 erlassen.

Im Berichtsjahr wurden durch den Wohnungsinspektor im ganzen 6840 (6013) Besichtigungen, die sich fast auf sämtliche Straßenzüge der Alt- und Neustadt verteilen, vorgenommen. In dieser Zahl sind 330 Nachbesichtigungen, außerdem die Besichtigungen von 2826 Wohnungen, 183 Schlafstellen und 372 Schlafräumen in den 531 neu untersuchten Häusern des Altstadtbezirkes inbegriffen. Hierbei verdient hervorgehoben zu werden die rege und freiwillige Mitarbeit der Herren Ärzte, ganz besonders des Kreisarztes, Herrn Medizinalrats Dr. Balser, der in entgegenkommendster Weise an einer großen Zahl von Besichtigungen bei besonderen Fällen teilgenommen hat. Die Besichtigungen wurden nur in den Vormittagsstunden betätigt, da die übrige Zeit zur Bewältigung der Schreibarbeiten und zu mündlichen Verhandlungen mit Mietern und Vermietern verwendet werden mußte.

Die Zahl der der polizeilichen Kontrolle unterstehenden Mietwohnungen, Schlafstellen und Schlafräume für das Dienstpersonal betrug:

1. Wohnungen mit einem Raum	326
2. „ „ zwei Räumen	1 195
3. „ „ drei Räumen	2 604
4. Schlafstellen	479
5. Schlafräume der Dienstboten und Lehrlinge ꝛc.	488
Es waren zu beanstanden: von den untersuchten Kleinwohnungen	581
„ „ „ Schlafstellen	76
„ „ „ Schlafräumen für das Dienstpersonal	76

Die Zahl der hierbei vorgefundenen Mißstände bezw. Verstöße gegen die baupolizeilichen Bestimmungen betrug im ganzen 1 110. Außer den 24 polizeilichen Verfügungen wurden durch die Wohnungsinspektion noch 218 schriftliche Aufforderungen zur Beseitigung der Mißstände den Verpflichteten zugestellt; alle übrigen Beanstandungen fanden durch gütliche Vereinbarung ihre Erledigung. Am Schlusse des Berichtsjahres waren noch 20 % (1906 — 27 %) der Beanstandungen unerledigt.

Die Zahl der Bewohner in den in obiger Tabelle verzeichneten Kleinwohnungen, Schlafstellen und Schlafräumen der Lehrlinge und Dienstboten ꝛc. ergibt nachstehende Übersicht:

von 3 Räumen		von 2 Räumen		von 1 Raum		Schlafstellenräume		Schlafräume der Lehrlinge ꝛc.	
über 10 Jahre alt	unter 10 Jahren	über 10 Jahre alt	unter 10 Jahren	über 10 Jahre alt	unter 10 Jahren	Zahl derselben	Zahl der einlogierten Schläfer	Zahl derselben	Zahl der einlogierten Personen
6 584	3 008	2 305	979	398	56	479	608	488	595

Nach Ausweis der geführten Register wurde bezüglich des Luftraumes bei 2686 Wohnungen das folgende festgestellt:

Es kam auf eine Person über 10 Jahren bezw. zwei Presonen unter 10 Jahren

ein Luftraum	bis 10 cbm in	80 Wohnungen
„ „	über 10 „ 15 „ „	459 „
„ „	„ 15 „ 20 „ „	568 „
„ „	von über 20 „ „	1579 „
	Zahl wie oben	2686 Wohnungen

Bezüglich der Wohndichtigkeit in den untersuchten und in die Register eingetragenen Kleinwohnungen ist nachstehendes anzuführen:

Es wohnten

a) in Wohnungen, die nur aus einem Raum bestanden:

in 171	Wohnungen	2 Personen und weniger
„ 22	„	je 3 „
„ 7	„	„ 4 „
„ 2	„	„ 5 „
„ 2	„	„ 6 „
„ 1	„	„ 7 „

b) in Wohnungen von 2 Räumen einschl. etwaiger Wohnküchen, die mit den übrigen Wohn- und Schlafräumen in unmittelbarer Verbindung stehen:

in 552 Wohnungen 3 Personen und weniger
„ 117 „ je 4 „
„ 81 „ „ 5 „
„ 21 „ „ 6 „
„ 11 „ „ 7 „
„ 3 „ „ 8 „
„ 2 „ „ 9 „

c) in Wohnungen mit 3 Räumen (im übrigen wie vorher):

in 1415 Wohnungen 5 Personen und weniger
„ 143 „ je 6 „
„ 72 „ „ 7 „
„ 40 „ „ 8 „
„ 13 „ „ 9 „
„ 6 „ „ 10 „
„ 3 „ „ 11 „
„ 2 „ „ 12 „

An Anzeigen beim erstmaligen Bezug und Mieterwechsel von Kleinwohnungen und Schlafstellen wurden auf Grund der Art. 4, 5 und 6 des Gesetzes vom 1. Juli 1893 bei der Wohnungsinspektion eingereicht:

a) für Wohnungen 2 594
b) für Schlafstellen 219

Die Zahl der im Berichtsjahr neu hergestellten und bezugsfertigen Wohnungen betrug in 78 (89) neu errichteten und umgebauten Häusern nach den geführten Registern:

Wohnungen mit Räumen einschl. der Küche	1	2	3	4	5	6	7	8	9	10	Summe 1907	Summe 1906
Zugang im Jahre 1907	4	17	205	171	76	8	13	—	1	2	497	721
Abgang im Jahre 1907 durch Abbruch und Vergrößerungen von Wohnungen sowie durch Wohnungsverbote ꝛc.	3	17	17	19	1	2	—	—	—	—	59	112
Mithin Mehr- Zugang	1	—	188	152	75	6	13	—	1	2	438	616
Mithin Mehr- Abgang	—	—	—	—	—	—	—	—	—	—	—	—

Der Zuwachs an fertiggestellten Kleinwohnungen betrug nach Abzug der durch dauernde Verbote leergestellten Wohnungen im Berichtsjahre 189 (307), der Zugang an größeren bezugsfertigen Wohnungen d. h. mit mehr als drei Räumen einschl. der Küche betrug 249 (302). Im Bau begriffen sind noch etwa 23 Wohngebäude mit zusammen 138 Wohnungen, darunter 71 Kleinwohnungen. Nach obiger Darstellung macht sich ein starker Rückgang von Kleinwohnungen bemerkbar.

Im Laufe dieses Jahres sind folgende ältere Gebäude niedergelegt und an deren Stelle zum Teil neue Wohngebäude errichtet worden: Neckarstraße Nr. 4, kurzer Hunikel Nr. 6, Rackstraße Nr. 1, Augustinerstraße Nr. 57, Jasel Nr. 6, Dominikanerstraße Nr. 1, vordere Präsenzgasse Nr. 3, Fabrikweg Nr. 11 und Kästrich Nr. 55.

Zur Durchführung besserer Wohnungsverhältnisse in der Altstadt wurden von der Stadt Mainz im Berichtsjahre auf Abbruch folgende Anwesen erworben: Schlossergasse 36, 40 42, Stallgasse 14. Einige Wohnungen wurden der mangelhaften baulichen Beschaffenheit und der hohen Unterhaltungskosten wegen leergestellt, die übrigen aber zu einem mäßigen Mietpreis an Minderbemittelte weitervermietet.

Wohnungskataster wurden bis jetzt für insgesamt 145 Straßen angelegt. Zu den Sprechstunden, die für die Montags- und Donnerstags-Nachmittage angesetzt sind, haben sich im ganzen etwa 593 Personen eingefunden, um Rat und Auskünfte in wohnungspolizeilichen Angelegenheiten zu erhalten; auch wurden hierbei vielfach Streitigkeiten zwischen Vermieter und Mirter durch die Vermittelung des Wohnungsinspektors behoben.

Es wäre sehr wünschenswert, wenn die Bauvereinigungen zur Förderung des Kleinwohnungswesens in ihrem bisherigen fruchtbringenden Wirken fortführen, da der Bau von gesunden Volkswohnungen für die stark und dicht bevölkerte Stadt Mainz zu einem Bedürfnis geworden ist. Leider wurde im Laufe der letzten Zeit die Wahrnehmung gemacht, daß auch in den von Bauvereinen errichteten und von diesen zu einem verhältnismäßig billigen Mietzins an Arbeiter und Minderbemittelte überlassenen Wohnungen ein allzu häufiger Mieterwechsel stattfindet. Die Folge hiervon sind dann erhöhte Unterhaltungskosten der Gebäude und gesteigerte Mietpreise.

XIII. Baupolizei.

Für bauliche Anlagen und Veränderungen wurden Baubescheide erteilt:

	1907	1906
a) In der Altstadt.		
1. Größere Neubauten	9	13
2. Um- und Aufbauten und kleinere Neubauten	103	122
3. Sonstige bauliche Veränderungen	116	99
b) In der Neustadt und auf dem Gebiet der Ufererweiterung (altes Bahnhofsterrain und Stromkorrektionsgelände).		
1. Größere Neubauten	15	60
2. Provisorische Banten und kleinere Bauausführungen	153	209
c) Im Festungsrayon.		
Bauliche Anlagen in Zahlbach und im übrigen Festungsrayon	9	19
d) Im Industriegebiet.		
Bauliche Anlagen im Industriegebiet (Ingelheimer Au)	19	17
e) Im Stadtteil Mainz-Mombach.		
1. Größere Neubauten	19	—
2. Um- und Aufbauten und kleinere Neubauten	29	—
3. Sonstige bauliche Veränderungen	36	—

Bei den 329 (355) vorgenommenen Besichtigungen wurden 985 (1 145) Feuerungsanlagen geprüft.

Die städtischen Feuervisitatoren haben in 13 (22) Protokollen die verschiedensten Mißstände bei den Feuerungsanlagen von 141 (203) Hofreiten festgestellt. Der für den Stadtteil Mainz-Mombach bestellte Feuervisitator hat 115 Hofreiten besichtigt.

Auf Grund der Gebührenordnung für baupolizeiliche Verrichtungen bei der Ausführung von Neubauten vom 4. Dezember 1905 sind für Verrichtungen des Baupolizeiamts im Stadtteil Mainz 2929 ℳ 50 ₰ erhoben worden; ferner wurden noch auf Grund der Gebührenordnung vom 28. März 1899 für die Landgemeinden des Kreises Mainz in Mainz-Mombach 832 ℳ erhoben.

XIV. Hochbauwesen.

Das Beamtenpersonal des unter Leitung des Hochbauinspektors stehenden Hochbauamts bestand im abgelaufenen Berichtsjahr aus 28 Personen. Es waren tätig:

a) bei der Neubauabteilung:

5 Architekten, 4 Bauzeichner, 1 Bauführer, 3 Bautechniker, 4 Bauaufseher, 1 technischer Bureaugehilfe;

b) bei der Abteilung für Gebäudeunterhaltung:

1 Architekt, 3 Bauaufseher, 1 Bauzeichner;

c) bei der Buchhaltung und dem Sekretariat:

1 Buchhalter und Sekretär, 1 Bauschreiber, 1 Bureaugehilfe, 1 Schreibgehilfe, 1 Bureaudiener.

Hiervon sind 17 angestellte Beamte und 11 Hilfsarbeiter.

Außerdem waren beschäftigt: 1 Polier, 9 Steinhäuer, 3 Maurer, 1 Tüncher, 2 Taglöhner.

Nach Ausweis der Geschäftsregister wurden 6670 Einläufe, gegen 6402 im Vorjahre, bearbeitet, wobei die wiederholt eingelaufenen und bearbeiteten Aktenstücke nur unter einer Nummer erscheinen.

Nach den vorbereitenden Arbeiten zur Einleitung von 61 (73) Submissionsverhandlungen wurden auf Grund von 104 (113) abgeschlossenen Verträgen und 3874 (3961) Bestellzetteln 5803 (5258) Rechnungen erledigt.

Der Voranschlag des Hochbauamts belief sich im abgelaufenen Berichtsjahre einschließlich der aus dem Vorjahre übertragenen Summen auf 1 846 479,39 ℳ (1 828 307,78 ℳ), wovon auf die Unterhaltung der Gebäude 191 061,64 ℳ (176 977,78 ℳ) entfallen.

A. Neubauten.

1. Neubau des Schulhauses für die Höhere Mädchenschule nebst Direktorwohnhaus.

Die zu Anfang des Berichtsjahres bereits in Ausführung begriffenen Arbeiten des inneren Ausbaues wurden derart gefördert, daß am 7. Oktober der Umzug der Schule aus dem alten Schulgebäude erfolgen konnte.

Die feierliche Einweihung des neuen Schulhauses fand am 15. Oktober in Anwesenheit der Spitzen der Behörden und einer großen Anzahl geladener Gäste statt.

Das Direktorwohnhaus war am 15. September fertiggestellt; der Einzug des Direktors erfolgte an diesem Tage.

Ein Rückblick auf die Baugeschichte des Schulhauses läßt erkennen, daß das gesamte umfangreiche Bauwerk in knapp 2 Jahren erstellt worden ist.

Wenn auch bereits in früheren Berichten von dem Umfang der Anlage und der beabsichtigten Art der Ausführung Beschreibungen gegeben sind, so dürfte doch nach der nunmehrigen Fertigstellung des Bauwerks von Interesse sein, auf die markantesten Daten nochmals näher einzugehen.

Bei der Grundrißgestaltung mußte in erster Linie beachtet werden, daß bei einer Schülerinnenzahl von 1100, trotz der großen Beschränkung des zur Verfügung stehenden Bauplatzes, der Schulhof so reichlich bemessen wurde, daß für jede Schülerin etwa 2 qm, zusammen also ungef. 2000 qm Fläche übrig blieben. Diese Notwendigkeit hat dazu geführt, die beiden Turnhallen nicht im Erdgeschoß, sondern in den I. Stock zu verlegen und darunter eine gegen den Hof offene, gewölbte Halle anzuordnen, welche nicht allein zu der freien Hoffläche hinzugezogen werden konnte, sondern außer dem architektonischen Vorteil dieses Motivs noch die Annehmlichkeit des Aufenthalts der Schülerinnen im Freien bei schlechtem Wetter bot. Der Bauteil, der die vorgenannten Räume aufnehmen sollte, konnte nur an der schmäleren Petersstraße liegen, da hier nicht nur die Belichtungsverhältnisse für die Unterbringung von Klassenzimmern ungünstigere gewesen wären, sondern auch die Bauhöhe beschränkt war.

Für die Anordnung der Klassenzimmer stand deshalb nur die Möglichkeit offen, einen Bauteil nach der Mitternacht hin zu projektieren, der der vorhandenen Platzform folgte und hier unter Berücksichtigung der Notwendigkeit, ein besonderes Wohngebäude für den Direktor zu errichten und die noch erforderlichen Museumsräume zu schaffen, den Anschluß an das ehemalige Kirchengebäude suchen mußte. Eine große Anzahl von Räumen außer den 2 Turnhallen stellt die Programmforderung fest. Allein 30 Säle für 54 bis zu 24 Schülerinnen, dann weitere Reservesäle, Säle für den naturwissenschaftlichen Unterricht mit Sammlungsräumen, Säle für den Physik- und Chemieunterricht nebst besonderen Sammlungs- und Vorbereitungsräumen, ein Zeichensaal mit Vorlagen- und Waschraum sowie einem Zimmer für die Zeichenlehrerin und ein Gesangsaal für 300 Schülerinnen waren verlangt; es sollten außerdem ein Zimmer für die Lehrerinnen mit anschließenden

Toiletten, ein Lehere- und Konferenzzimmer, ein Zimmer für den Direktor mit Vorzimmer, Sprechzimmer, Bibliothek, ein Sammlungsraum, ein Zimmer für den Pedellen und Wohnung für denselben und ein Milchzimmer vorhanden sein; auch sollten Räume für bett später etwa zu errichtenden Kochunterricht vorgesehen werden. Die Bedürfnisanstalten sollten, getrennt vom Gebäude, im Hof liegen.

Die Unterbringung dieser Räume forderte eine sehr weitgehende Ausnützung der Höhe, sie war auch der zwingende Grund einer doppelbündigen Anlage der Unterrichtsräume in einem Gebäudeflügel, sodaß ein Teil derselben nach dem vom Verkehr nur wenig berührten Mitternachtsplatz, der audree nach dem Schulhaf zu liegen kam. Die Rücksicht auf die weitere Schaffung von Räumen, etwa 680 qm für das Museum, hat dazu geführt, einen Lichthof anzuordnen, denselben durch Korridore in direkte Verbindung mit dem Kirchenraum zu bringen und diesen Hof als eine glasgedeckte Halle für Museumszwecke zu gestalten und ringsum die notwendigen Sammlungsräume anzugliedern. In den oberen Geschossen konnten dann hier die Räume der Schule untergebracht werden. Dabei war zu berücksichtigen, daß die Eingänge sowohl für die Schule, als auch für das Museum von getrennten Vorhallen aus erfolgen konnten und daß besonders für die Schule mindestens 2 Haupttreppen bequem und zentral angelegt werden mußten.

Trotz dieser großen Erschwernis konnte es ermöglicht werden, eine Übersichtlichkeit der Anlage zu erreichen, die den durch die Umstände gegebenen Zwang in keiner Weise erkennen läßt.

Breite, helle Korridore und geräumige Flure gestatten der großen Zahl von Kindern freieste Bewegung; auch die Unterrichtssäle entsprechen durchaus allen schultechnischen Anforderungen.

Der architektonische Aufbau mußte sich aus dem Jauren entwickeln. Die Baumasse an der Petersstraße, die die Eigenart der hier liegenden Räume, der offenen Halle und der Turnhallen sowie des im Dach liegenden Singsaales zum Ausdruck bringt, läßt ihre Bestimmung sofort erkennen. Die breite Einfahrt neben dem Eingang, die mit einem kunstgeschmiedeten Gittertor verschlossen werden kann, läßt einen Einblick in den Schulhof mit dem ehemaligen Kirchengebäude im Hintergrunde offen. Der Bauteil an der Mitternacht bringt in vier Geschossen die Anordnung der Schulräume an dieser Srite zur Erscheinung; die architektonische Ausschmückung beschränkt sich hier auf einfache Umrahmung der Fenstergewände. An der vorspringenden Ecke des nach der Mitternacht vortretenden 3geschoisigen Flügels wurde zur Vermittelung der Baumassen und als belebendes Moment, gleichzeitig als Träger der Schaluhe, ein hochragender Turm eingegliedert, dem eine Vorhalle für den dort befindlichen Haupteingang vorgelegt ist, mit den Reliefs von Ähren pflückenden und Lorbeer erntenden Mädchen. Die nach dem Mitternachtsplatz vorspringende Baumasse ist von 2 Doppelgiebeln überragt. Durch das besondere Portol an der Ecke ist der Eingang in das Museum, ebenso durch die mit kunstgeschmiedeten Gittern versehenen Fenster des Erdgeschosses der Museumscharakter drutlich erkennbar gemacht. Weiter schließt sich dann noch der Reich-Klarastraße zu das 2stöckige Direktor-Wohngebäude an, in dessen Architektur die Reste eines zierlichen Ekers vom ehemaligen Bickenbau am Flachsmarkt wieder zur Erscheinung gebracht siud, an der Vorderseite mit den Wappen der „Bicken" und „Brendel von Hamburg" mit der Jahreszahl 1574 und der Inschrift: „Wer Gott vertraut, hat wohl gebaut". In der Reich-Klarastraße selbst wird von dem an das Direktorwohnhaus angrenzenden Garten mit geschlossener Einfriedigungsmauer der Blick noch dem Chor der Kirche offen gelassen.

Durch diese noch der ehemaligen Kirche in der Höhe abgestufte Gliederung der Baumassen hat es sich ermöglichen lassen, der Forderung des Denkmalschutzgesetzes zu entsprechen. Die Hofseiten, die in ihrer Fensteranordnung die hier befindlichen Räume zum Ausdruck bringen, haben durch den Treppenturm und die beschieferten Wände des an die Kirche anschließenden Bauteils eine interessante Gliederung erhalten, die sauft in den einfachsten Formen durchgeführt wurde.

Die gewölbte Halle im Hof mit ihren weitgespannten Bogen und den großen mit Steingewänden geteilten Fenstern der darüber liegenden Turnhallen und mit dem hohen Schieferdach bilden den straßenseitigen Abschluß, an dessen einer Ecke ein Treppenturm für eine Nebentreppe zu den Turnhallen angeordnet ist, der die Verbindung mit einem gedeckten Gang und mit dent Abortgebäude herstellt.

In der gesamten Außenarchitektur siud die Formen der deutschen Renaissance beibehalten, wie es bei der vorliegenden Aufgabe nicht anders zu ermöglichen war. Die Hausteine sind dabei nur auf die konstruktiven Glieder ausgedehnt, während die Zwischenflächen mit Kalkputz belassen siud.

Bri dem inneren Ausbau war es die Absicht des Architekten, den Hallen und Sälen die Nüchternheit des reinen Nutzbaues zu nehmen und ihnen mit einfachen Mitteln einen stimmungsvollen Gehalt zu verleihen. Eine besondere architektonische Bedeutung mußten dabei naturgemäß die Eingangs- und Treppenhallen in den verschiedenen Stockwerken erfahren.

Beschreibung der Baukonstruktion.

Die konstruktive Ausführung der Fassaden wurde bereits kurz erläutert, es bleibt hier nur noch auf die Eindeckung der hohen Dächer, einen die Gesamtwirkung des Bauwerks in hohem Grade beeinflussenden Punkt, hinzuweisen, die nach altdeutscher Art mit Moselschiefern aus den Gruben „Bausberg" bewerkstelligt wurde und unter vollständiger Vermeidung der Eindeckung der Kehlen und Maueranschlüsse mit Zink in sachgemäßer Weise erfolgt ist.

Die Gründung wurde nach dem Pfeilersystem durchgeführt, wobei die Fundament- und Kellermauern, mit Ausnahme der unteren Pfeilerabsätze, die auf die Höhe des Grundwasserstandes bis zu 2,00 m hoch (die Fundamentsohlen der Pfeiler liegen zwischen — 1,00 und + 1,20 m Mainzer Pegel) in Beton hergestellt wurden, durchweg aus dem bei dem Abbruch der Schloßkaserne gewonnenen Bruchsteinmaterial ausgeführt sind.

Schwierigkeiten bei der Gründung stellten sich insofern in den Weg, als beim Ausheben der Baugrube und der Pfeiler neben den Fundamenten der niedergelegten Militärbäckereibauten noch unzählige Mauerreste in größeren Ausdehnungen von älteren Bauten, Kanälen sowie eine die Baustelle kreuzende, noch gut erhaltene Römerstraße, deren Niveau ungefähr 3,00 m unter dem heutigen Terrain lag, beseitigt werden mußten, was durch das feste Gefüge der in Traßmörtel hergestellten Bauten wesentlich erschwert war.

Sämtliche Zwischendecken und Unterzüge, mit Ausnahme des Turnhallenflügels an der Petersstraße, sind aus Eisenbeton mit Rundeiseneinlagen, ohne Verwendung von T-Trägern konstruiert; auf denselben ist ein 3 cm starker Bimskiesestrich aufgebracht, welcher in Verbindung mit dem hierauf verlegten Linoleumbelag (Marke Germania, Fabrik Bietigheim) gegen die Schallwirkung gute Resultate ergeben hat.

Während die Decken der kleinen Turnhalle und des hierüber gelegenen Singsaales als sichtbare Holzbalkendecken, unter Verwendung von vorhandenen Balken der ehemaligen Lagerböden aus dem Reich-Klara-Kloster, mit dazwischen liegenden Putzfeldern zur Ausführung gelangten, ist die tonnenförmige Decke der großen Halle ausschließlich aus Holz gefertigt und sind deren tragende Längsbalken, durch welche die Decke in Kasetten und Felder zerteilt wird, an die eisernen Dachbinder aufgehängt.

Die Stern- und Kreuzgewölbe in den beiden Vorhallen und im Haupttreppenhaus wurden in Backstein zwischen massiven Sandsteinrippen eingewölbt, wie auch die Gewölbe unter der offenen Halle massiv, jedoch mit Backsteingewölben zur Ausführung gelangten; alle übrigen Gewölbe in den Treppenhäusern, unter den Podesten und Treppenläufen und der glasgedeckten Halle im I. Stock, sowie das Netzgewölbe der Haupttreppenhausdecke sind Scheingewölbe aus Rabitz.

Für die Stufen der Haupttreppe wurde Granit aus Büchlberg, für die stark belasteten Säulen, sowie die Gurtbögen und Brüstungen derselben roter Kyllburger Sandstein verwendet. Die Nebentreppe an der Petersstraße ist ebenfalls massiv, die Stufen aus rotem Wesersandstein, die Säulen und Hausteinverkleidungen, wie auch die Pfeiler und Bogen in der glasgedeckten Halle in Entenbacher Sandstein zur Ausführung gebracht, wogegen die Balustrade in der genannten Halle in roten Porphyrsteinen hergestellt wurde, welche sich von dem verputzten rot angelegten Hintergrund vorteilhaft abheben.

2. Renovierung der Kirche des ehemaligen Reich-Klara-Klosters und Umbau derselben zu einem Naturhistorischen Museum.

Während im Berichtsjahr 1906 die Arbeiten zur Sicherung des Bestandes des Bauwerks durchgeführt worden waren, gelangte im abgelaufenen Berichtsjahr noch die vollständige Neueindeckung des Daches, sowie die Instandsetzung der Fassaden zur Ausführung.

Diese Arbeiten mußten so beschleunigt werden, daß dieselben bis zum 15. Oktober 1907, dem Tag der Eröffnung der Höheren Mädchenschule, fertiggestellt waren. Der Termin wurde eingehalten.

Zu diesem Zeitpunkt waren das Dach neu gedeckt und die Arbeiten an der Fassade nach dem Schulhof so gefördert, daß die Gerüste beseitigt werden konnten.

Auch die Arbeiten zum inneren Ausbau wurden angemessen gefördert und schreiten mittlerweile rüstig weiter, sodaß, dem heutigen Stand der Arbeiten gemäß, die endgültige Fertigstellung der Renovierung und die Eröffnung des Museums bis zum Frühjahr 1909 erwartet werden kann.

Bei Aufstellung des Planes für den Umbau der Kirche war ursprünglich angenommen, nur die Verwaltungsräume des Museums mit Beleuchtung zu versehen.

Nach verschiedenen mit dem Vorstande des naturhistorischen Vereins gepflogenen Verhandlungen wurde es als zweckmäßig erachtet, eine allgemeine Beleuchtung des Gebäudes anzuordnen. Auf Grund eines vom Hochbauamt in diesem Sinne aufgestellten Kostenanschlags wurde durch die Stadtverordneten-Versammlung laut Beschluß vom 5. Februar 1908 der Betrag von 3500 ℳ für die Beleuchtungsanlage einschließlich der erforderlichen Beleuchtungskörper bewilligt.

Über die weitere, überaus wichtige Frage der Beschaffung der Inneneinrichtung der neuen Museumsräume ist bislang eine Entscheidung noch nicht getroffen worden.

In den durch Stadtverordneten-Beschluß genehmigten Plänen war die Verteilung der Sammlungen wie folgt angenommen:

a) Räume innerhalb der früheren Kirche:

Erdgeschoß: Heimatkunde, Säugetiere;
I. Stock: Vögel und Fische;
II. Stock: Ethnographische Sammlung.

b) Räume im Erdgeschoß des Schulgebäudes nach der Mitternacht:

3 Säle und Oberlichtsaal: mineralogische, geologische und paläontologische Sammlungen.
Arbeitsräume für den Konservator und Dienerzimmer.

Infolge der durch Stadtverordneten-Beschluß vom 9. Januar 1907 im Einverständnis mit dem Denkmalrat vorgenommenen Änderung der Pläne fand diese Einteilung insofern eine Verschiebung, als nunmehr in den über dem sogenannten Refektoriumssaal gelegenen Bauteil statt nur 2 Geschosse deren 3 eingerichtet worden sind und die Räume im ersten derselben für die Verwaltung und als Arbeitszimmer bestimmt werden sollten.

Auf Grund der zwischen der Bürgermeisterei, dem Hochbauamt und dem Vorstand des naturhistorischen Vereins gepflogenen Verhandlungen wurde schließlich die Verteilung der Sammlungen wie folgt endgültig festgesetzt.

a) Im ehemaligen Kirchengebäude sollen untergebracht werden:

1. im Erdgeschoß (sog. Refektoriumszimmer): die schematische Säugetiersammlung;
2. im großen Saal: die Schausammlung der deutschen Tierwelt;
3. in dem neben dem großen Saal gelegenen Raume (frühere Sakristei): Aufstellung von Aquarien;
4. im I. Stock, rechts der Haupttreppe: Räume für die Verwaltung und Arbeitszimmer;
5. dortselbst, im großen Saal links der Haupttreppe: Vogel- und Schmetterlingssammlung;
6. im II. Stock, über den Verwaltungsräumen, vorerst: Pflanzenaufstellung (Herbarien);
7. im III. Stock, in beiden Sälen: ethnologische Sammlung.

b) In den Räumen nach der Mitternacht zu (im Schulgebäude) sollen untergebracht werden:

1. in der glasgedeckten Halle: die paläontologische Sammlung;
2. im großen Saal und Nebensaal, neben dem Schulhof: die mineralogische und geologische Sammlung;
3. im Saal nach dem Petersplatz: die Sammlung von Reptilien, Fischen und Spirituspräparaten;
4. im Saal nach der Mitternacht: die Sammlungen von Süßwassertieren, Amphibien, Korallen, Muscheln usw.

Während diese Sammlungen im kurfürstlichen Schloß in Räumen von zusammen 984 qm mit einem Zimmer von 50 qm für die Verwaltung untergebracht waren, werden in den neuen Räumen in der Reich-Klara-Kirche 2 100 qm für Sammlungszwecke und 183 qm für die Verwaltung und für Arbeitszimmer zur Verfügung stehen.

Bevor jedoch über die Wahl der Ausstellungsschränke Entscheidung getroffen wurde, sollte auf eine Anregung des Hochbauamtes hin eine Besichtigung auswärtiger, mustergültiger Museumseinrichtungen vorgenommen werden. Für diesen Zweck wurden das Senckenbergische Museum in Frankfurt a. M. und das naturhistorische Museum in Altona in Vorschlag gebracht; es fanden daraufhin in Frankfurt a. M. durch den Herrn Oberbürgermeister, den Vorstand des Naturhistorischen Vereins, den Konservator des naturhistorischen Museums Herrn Dr. v. Reichenau und den Vorstand des Hochbauamts, sowie in Altona durch die beiden Letztgenannten Besichtigungen statt.

Auf Grund dieser Besichtigungen wurde Beschluß dahingehend gefaßt, die neuen Sammlungsschränke nach den in den beiden vorgenannten Museen angewendeten Systemen zur Ausführung zu bringen, wobei die vorhandenen alten Schränke nach entsprechender Umarbeitung in weitgehendstem Maße mit verwendet werden sollen.

Während die Arbeiten für Umänderung der alten Schränke durch in Mainz ansässige Meister ausgeführt werden sollen, sollten zur Abgabe von Angeboten für die neuen Schränke die Firmen Kühnscherf-Dresden und Meier-Altona in engerem Wettbewerb eingeladen werden.

Nach Prüfung der von beiden Firmen eingeholten Angebote wurde dem der Firma Kühnscherf der Vorzug gegeben.

Durch Beschluß der Stadtverordneten-Versammlung vom 8. Juli 1908 wurde für die gesamte Inneneinrichtung, einschließlich der Aquarien, der Werkstatteinrichtungen, Veränderung der alten Ausstellungsschränke, Beschaffung einer Drehscheibe sowie eines Lastenaufzugs ein Betrag von 78900 *M* genehmigt und die Vergebung der Museumsschränke an die Firma Kühnscherf gutgeheißen.

3. Verlegung der Ammoniakfabrik im Gaswerk II.

Die bereits im Vorjahre genehmigte Verlegung der Ammoniakfabrik auf das Gebiet zwischen Kesselhaus und Pumpenhaus wurde unter Einhaltung der festgesetzten Bauzeit und im Rahmen der genehmigten Mittel ausgeführt.

4. Erbauung eines Schulhauses an der Colmarstraße.

Die Arbeiten an diesem Neubau wurden deraet gefördert, daß zu Ende des Berichtsjahres das Gebäude im Rohbau vollendet ist. Die Fertigstellung des Neubaues und die Inbetriebnahme des Schulhauses konn bestimmt am 1. Oktober 1908 erfolgen.

Zur Vergebung gelangten im abgelaufenen Jahr nachstehende Arbeiten:

Steinhauer-, Zimmer-, Spengler-, Dachdeckerarbeiten, Blitzableiteranlage, Plattenlieferung, Terrazzoarbeiten, Glaser- und Schreinerarbeiten, Schlosserarbeiten, Installation, Gas-, Wasser- und Pissoiranlage, Tüncher- und Austreicherarbeiten und Linoleumlieferung.

Infolge der tiefen Lage des Baugeländes war eine bedeutende Auffüllung erforderlich. Nachdem es durch das Entgegenkommen der Reichskommission gelungen war, das Auffüllmaterial aus den niedergelegten Festungswerken am Neutor zu bekommen, konnte diese Auffüllung in kurzee Zeit erfolgen.

Längere Verhandlungen erforderte die Beleuchtungsfrage der Klassenzimmer. Nach Versuchen, die im Schillerschulhause mit künstlicher Beleuchtung durch indirektes Gaslicht angestellt wurden, entschieden sich bei einer vorgenommenen Probebeleuchtung der Schulvorstand, der Bauausschuß, die Schularztkonferenz uud die Oberlehrer von der seither üblichen direkten Beleuchtung der Schulsäle mit elektrischem Licht Abstand zu nehmen und in dem neuen Schulhaus an der Colmarstraße indirekte Beleuchtung mit Gaslicht einzuführen.

5. Überbauung der Stadthalleterrasse.

Nachdem am 12. Juli 1907 von der Stadtverordneten-Versammlung die Genehmigung zur Überbauung der Stadthalleterrasse nach dem Projekt des Hochbauamtes erteilt worden war, konnte in die Brarbeitung der Baupläne eingetreten und nach deren Fertigstellung am 24. September 1907 mit den Bauarbeiten begonnen werden.

Die gesamten Bauarbeiten wurden unter Anspannung aller Kräfte derart gefördert, daß bereits am 9. Juli 1908 Räume sowie der gesamte Terrassenbau dem Betrieb übergeben und gelegentlich des Verbandstages der deutschen landwirtschaftlichen Genossenschaften benutzt werden kanuten.

Bei der Ausführung des genehmigten Projekts ergab sich, daß in bezug auf die Bedürfnisanstalten diejenigen an der Herrenseite auch nicht mehr den zu stellenden Anforderungen entsprachen und eine Erweiterung um 18 Pissoirstände erforderlich wurde.

Da es das Bestreben sein mußte, die gesamte Neuanlage in allen ihren Teilen den Forderungen der Neuzeit entsprechend, insbesondere auch die Bedürfnisanstalten hygienisch durchaus einwandfrei und modern zu gestalten, wurde von dem Hochbauamt der Vorschlag gemacht, für die Pissoiranlage eine Anlage in Feuerton auszuführen, um hierdurch den weitgehendsten Anforderungen gerecht zu werden. Bauausschuß und Hallekommission traten diesem Vorschlag bei und auf Befürwortung dieser Körperschaften beschloß die Stadtverordneten-Versammlung in ihrer Sitzung vom 5. März 1908, die Ausführung der Bedürfnisanstalten in der nunmehr beantragten besseren Ausstattung gutzuheißen und zur Bestreitung der erforderlichen Mehrausgaben einen Nachtragskredit von 3000 *M* zu bewilligen.

Seitens des Pächters der Stadthalle-Restauration wurde in einem an die Bürgermeisterei gerichteten Schreiben auf die Unzulänglichkeit der vorhandenen Küchenanlage und der Speisenaufbewahrungsräume hingewiesen und insbesondere um die Einrichtung einer Kaffeeküche und einer Kühlanlage nachgesucht. Gelegentlich einer gemeinschaftlichen Besichtigung durth den Bauausschuß und die Hallekommission einigte man sich dahin, für die Erfüllung der nach dieser

Richtung geäußerten Wünsche des Pächters einzutreten. Die Stadtverordneten-Versammlung beschloß in ihrer Sitzung vom 15. April 1908, die Anträge des Bauausschusses und der Hallekommission zu genehmigen und zur Bestreitung der durch diese beiden Anlagen entstehenden Kosten einen Kredit von 2647 ℳ + 2050 ℳ, zusammen 4697 ℳ zu bewilligen.

Im Einverständnis mit dem Elektrizitätsamt waren für die Beleuchtung der neuen Räume 137 Flammen und außerdem eine entsprechende Beleuchtung der oberen Terrasse vorgesehen. Bei der weiteren Bearbeitung der Beleuchtungspläne ergab es sich, daß die Zahl der Flammen für die neuen Räume etwas reichlicher bemessen werden mußte, als sie ursprünglich seitens des Elektrizitätsamtes angenommen war; es wurde eine Erhöhung der Flammen auf 178 erforderlich, wodurch Mehrkosten von 550 ℳ entstanden. Gleichzeitig wuede ein Vorschlag für die Beleuchtung der Terrasse dahingehend unterbreitet, daß auf der oberen und der unteren Terrasse je 4 Bogenlampen zur Aufstellung kommen, deren Maste nicht über 7 m hoch sein sollen. Dieser Vorschlag wurde seitens des Bauausschusses in der Sitzung vom 27. Februar 1908 zur Ausführung gutgeheißen.

Für die innere Ausstattung der nett erstellten Ränmr war ursprünglich angenommen, daß die hierfür nötigen Mobiliargegenstände vom Pächter der Halle auf Grund der seitherigen Pachtbestimmungen zu stellen seien. Der Pächter ließ jedoch am 28. März 1908 erklären, daß er im Hinblick auf die von ihm gemachten bedeutenden Aufwendungen für Beschaffung von Wirtschaftsinventar nicht in der Lage sei, die Kosten für die Inneneinrichtung der Säle zu übernehmen. In Anerkennung dieser Umstände und mit Rücksicht darauf, daß der Vorbau eine gediegene und würdige Ausstattung erheischt, erklärte sich die Hallekommission im Prinzip damit einverstanden, daß die Kasten für eine solche Ausstattung von der Stadt übernommen werden. Die endgültige Beschlußfassung wuede jedoch ausgesetzt und das Hochbauamt beauftragt, vorerst geeignete Vorschläge und Kostenberechnungen hierfür vorzulegen. Dementsprechend wurden 14 am hiesigen Platz ansässige Möbel- und Dekorationsfirmen eingeladen, auf Grund der von dem Hochbauamt aufgestellten Pläne und Anschläge Offerten einzureichen. Die vorgelegten Angebote ergaben, daß die Kasten für eine der neuen Räume würdige Ausstattung und Dekoration 20000 ℳ betragen würden, welche Sumtue durch Beschluß der Stadtverordneten-Versammlung vom 27. Mai 1908 bereitgestellt wurde.

Um einen Anhalt für die zweckmäßigste Ausmöblierung der Räume zu gewinnen, wurde eine aus 5 Mitgliedern des Bauausschusses und der Hallekommission bestehende Sonderkommission ernannt, die einige vornehmere, in bezug auf Ausstattung als mustergültig anerkannte Restaurants der Nachbarstädte nach dieser Richtung studieren sollte. Auf Grund der von der Kommission gemachten Wahrnehmungen wurde der Möblierungsplan endgültig aufgestellt und gutgeheißen.

Gelegentlich einer Besichtigung der Bauarbeiten durch den Bauausschuß und die Hallekommission am 16. März 1908 wurde die Anregung gegeben, den über dem Foherbach zwischen dem jetzigen großen Saal und der neuen Terrasse liegenden Teil der Stadthalle zu der oberen Terrasse hinzuzuziehen. Dieser Vorschlag, dessen Ausführung einen Kostenaufwand von 2300 ℳ erforderte, fand am 15. April 1908 die Genehmigung der Stadtverordneten-Versammlung; die erforderlichen Mittel wurden bereitgestellt. Durch Ausführung dieses weiteren Überbaues wuede eine weitere Terrassenfläche von etwa 150 qm gewonnen, die für die ganze Anlage von mehrfachem Vorteil ist. Insbesondere bietet dieselbe an sonnigen Tagen einen angenehm schattigen Aufenthalt, außerdem kann dieselbe bei etwaigen Konzerten zur Unterbringung des Orchesters Verwendung finden.

Nachdem so bei dem Überbau der Stadthalleterrasse den gestellten Wünschen möglichst Rechnung getragen ist, sind in der Stadthalle nicht nur angenehme, mit allen Errungenschaften der Neuzeit ausgestattete Aufenthaltsräume, verbunden mit einem erstklassigen Restaurant, geschaffen, sondern die neue Anlage bietet auch mit Rücksicht auf ihre bevorzugte Lage unmittelbar am Rhein, mit der prächtigen Rheinpromenade und mit ihren herrlichen Fernblick nach dem Taunus, einen weiteren Anziehungspunkt der Stadt Mainz.

Nachdem vorstehend der Werdegang der Anlage erläutert ist, sei in nachstehendem noch eine Beschreibung der Ausgestaltung des Gebäudes gegeben.

Baubeschreibung.

Der Erweiterungsbau an der Stadthalle bezweckt in erster Linie die Schaffung großer, bis an die Rheinpromenade vorspringender Terrassen. Dem Mangel an geeigneten Nebenräumen ist duech Erbauung der 3 Säle abgeholfen, die bei schlechter Witterung einen gemütlichen Aufenthaltsort bilden und sich als Gesellschafts- und Festräume für kleine Festlichkeiten eignen. Die an den beiden Flügeln angebauten Herren- und Damentoiletten sind sowohl für den Garten als auch für den Saalbesuch berechnet. Eine weitere Notwendigkeit der Vergrößerung der Küche ist durch Einrichtung einer Kaffeeküche und neuer Spüleinrichtung entsprochen worden.

Untere Terrasse. Die untere, längs der Rheinpromenade gelegene Terrasse ist sowohl vom Stadthallegarten, als auch vom Halleplatz aus zugänglich. Von ersterem führt eine breite Granittreppe zur Terrasse. Durch die Anordnung eines Tores kann man sowohl auf die Terrasse als auch in den Garten unmittelbar von der Rheinpromenade aus gelangen. Der Zugang vom Halleplatz ist beiderseits mit Rasen und Anpflanzungen eingefaßt. Die Terrasse ist gegen die Rheinpromenade mit einer Steinbalustrade versehen, auf deren Postamente im Sommer bepflanzte Blumenkasten gestellt werden, die im Verein mit der Ausschmückung der oberen Terrasse viel zu dem malerischen Bilde der gesamten Anlage beitragen. Die Terrasse steht durch 12 Türen mit den neu geschaffenen Räumen in unmittelbarer Verbindung, sodaß auch bei plötzlich eintretendem Unwetter das Publikum Schutz und angenehmen Aufenthalt findet.

Der Fußboden der Terrasse ist durch Steinschlag befestigt und mit Darmstädter Kies eingewalzt. Die Aufstellung von Lorbeerbäumen auf den Postamenten der zu den Räumen führenden Granittreppe hebt den Gartencharakter der unteren Terrasse hervor.

Obere Terrassen. Die oberen Terrassen sind sowohl von dem alten, rheinseitigen Treppenhaus nach dem Halleplatz, als auch von dem neu erbauten Treppenhaus nach dem Garten zu erreichen. Die Gruppierung der oberen Terrassen ist derart erfolgt, daß die hinteren Terrassen entsprechend höher angelegt sind, um auch dem am weitesten zurücksitzenden Besucher einen Ausblick auf den Rhein zu ermöglichen. Im Hintergrund der beiden unteren Seitenterrassen befinden sich durch Epheuwände verdeckt die beiden Oberlichtdächer für die Beleuchtung des Foyers. Von diesen Terrassen steigt man auf bequem angelegten Sandsteintreppen zu der Terrasse des Rundbaues, deren hinterer Teil durch 2 Treppen mit je 3 Sandsteinstufen zu erreichen ist. Die Überdeckung des Galeriedaches mit einer weiteren und höher liegenden Terrasse wurde erst während des Baues beschlossen. Gerade dieser Teil bietet infolge der Anordnung von Schutzwänden einen zugsicheren Aufenthalt; auch ist derselbe als Musikpodium geeignet.

Die anderen Terrassen sind nach außen mit einer Steinbalustrade abgeschlossen, deren Postamente ebenfalls mit Blumen und Pflanzenkasten bekrönt sind. Die obere Terrasse über der Galerie hat Holzfußboden, während die übrigen mit Asphaltbelag versehen sind.

Die Beleuchtung der oberen Terrasse erfolgt mittels 4 Bogenlampen von je 1200 Kerzenstärke, die an besonders konzentrierten Punkten an schmiedeisernen Masten aufgehängt sind. Die oberste Terrasse hat außerdem noch 3 Wandarme mit 50kerzigen Osramlampen.

Im Verein mit den 11 Kandelabern der untersten Terrasse wird ein Beleuchtungseffekt erzeugt, der schon aus weiter Ferne Aufmerksamkeit erregt.

Runder Saal. Der große Saal des Terrassenbaues, der durch seine ovale Form dem Gebäude nach außen hin ein charakteristisches Aussehen gibt, ist ebenso wie die kleinen Säle an das Foyer angegliedert und mittels 6 Flügeltüren unmittelbar mit demselben verbunden. Ebensoviel Flügeltüren verbinden den Saal mit der unteren Terrasse, während je 2 breite Klapptüren die Verbindung mit den seitlichen Sälen herstellen können. Über den vorderen Türen befinden sich 6 zweiflügelige Fenster zur Beleuchtung und Lüftung des Raumes. Bei 20,80 m Länge und 16,50 m Breite hat derselbe eine Grundfläche von rd. 300 qm.

Der Fußboden ist wie auch in den seitlichen Sälen als eichener Riemenfußboden hergestellt und in Asphalt verlegt. Die Decke hat reiche Stuckornamente und ist hierbei die ovale Form des Saales besonders zum Ausdruck gebracht. Die Decke ist in leichtem Cremeton gestrichen, die Ornamente sind zum Teil vergoldet und sollen, soweit es die noch verfügbaren Mittel gestatten, zu gelegenerer Zeit besser ausgestattet werden.

Wegen der beschleunigten Fertigstellung sind die Wände mit Stoff bespannt und mit Buchs eingefaßt. Das Holzwerk der Türen und Wandvertäfelung ist in gleichmäßig rotem Ton gehalten und soll später in Mahagoni-Imitation ausgeführt werden.

Als besondere Schmuckstücke dieses Raumes präsentieren sich die beiden Marmorkamine mit Spiegelaufsätzen. Die übrigen Heizkörper sind mit gelochten Blechen verkleidet und mit Marmorplatten abgedeckt. Die Verkleidungen sind in Bronzeton gehalten.

Von den Dekorationen sind besonders diejenigen der vorderen Türen hervorzuheben. Die Crellagen der Flügel sind so eingerichtet, daß sie zur Gewinnung einer freieren Aussicht jederzeit aufgeklappt werden können. Die Türen sind mit Spiegelscheiben versehen, um ein klares Bild der Landschaft zu geben. Um eine Beschädigung der Crellagen beim Offenstehen der Türen zu vermeiden, sind diese mit einem verglasten Rahmen verdeckt und liegen zwischen letzterem und den Spiegelscheiben.

An den Türen zu den Seitensälen sind Portièren mit Zugvorrichtung angebracht; die kleinen Vorhänge an den Scheiben der Foyertüren verhindern das Durchsehen durch diese.

Die Beleuchtung ist dem Zweck des Saales als Festraum entsprechend etwas reicher gehalten als in den Nebenräumen; ihre Anordnung bringt ebenfalls die ovale Form zum Ausdruck bezw. ist mit den Stuckornamenten in Verbindung gebracht. Die 60 Tantallampen (50 kerz.) des äußeren Ovals sitzen direkt in den Stuckornamenten. Die Pendel des inneren Ovals sind unter sich durch Schnüre verbunden, die durch Messingschilder gehalten werden und mit dem großen Lüster ein harmonisches Ganze bildtn. Letzterer hat Glasbehang sowie in der Mitte einen großen Korb aus geschliffenen Kristallscheiben, in dem 8 Flammen angeordnet sind. Die Krone hat außerdem 16 Schnurpendel, während das innere Oval deren 24 aufweist. Die Beleuchtung wird durch 10 dreiflammige Wandarme wirksam unterstützt, die an den Pfeilern angebracht sind und teilweise als Notbeleuchtung dienen. Infolge verschiedener Schaltungen konn die Beleuchtung je noch Bedarf gesteigert werden.

Die Ausstattung des Raumes ist ebenfalls gediegen und geschmackvoll ausgeführt. Um einen schablonenhaften Eindruck zu vermeiden sowie jedem Bedürfnis entgegenzukommen, sind Tische verschiedener Größe gewählt. Die Stühle, die eine gefällige Form zeigen, sind mit graublauen Fourniersitzen versehen; das übrige Halzwerk, auch das der Tische, ist imitiert mahagoni.

Für den Restaurationsbetrieb bietet der Saal 190 Sitzplätze. An den beiden größten Pfeilern, nach den kleinen Sälen hin, sind Divans aufgestellt. Die zur Aufstellung kommenden Garderobeständer sind in Schmiedeisen gearbeitet.

Kleine Säle. Die kleinen Säle rechts und links des runden Saales sind sich in ihrer räumlichen Gestaltung gleich, nur in den Farben verschieden. Durch Anordnung der für die Foyerbeleuchtung nötigen Oberlichte war eine mittlere Säulenstellung erforderlich, die den Saal in zwei Teile teilt. Während die massive Decke in Kassetten geteilt ist, zeigen die Oberlichte eine harmonische Buntverglasung, die in beiden Räumen die gleiche ist.

Der linke Saal ist in blau durchgeführt, d. h. die Decken und Wände zeigen bläulichen Grund und blaue Ornamente, während die Wände des rechten (roten) Seitensaales mit rotem Wandmuster versehen sind.

Der Fußboden ist wie im Rundsaal mit eichenen Riemen in Asphalt verlegt ausgeführt. Die Wände im blauen Saal sind mit Stoff bespannt, auf den Ornamente schabloniert sind. Das Holzwerk ist hier im Cremeton gehalten. In gleichem Ton sind auch die Heizkörperverkleidungen gehalten, die in einfacher Weise mit gelochten Blechen ausgeführt sind und Marmorplatte als Abdeckung haben. Die Säulen sind mit Bronzesockel versehen, die Kapitäle derselben sowie diejenigen der Wandpilaster sind reich vergoldet, die nach dem großen Saal führenden Klapptüren sind auch nach den kleinen Sälen zu mit Portièren versehen, die auf den Grundton der betreffenden Räume gestimmt sind.

Die Dekoration der 3 Türen zur unteren Terrasse ist besonders reich ausgeführt. Die äußeren Flügel der 3 Türen sind mit Vitragen und Cremetüll versehen, der mittlere Flügel als Laufttüre bleibt frei; auch sind Leinenvorhänge mit Zugvorrichtung angebracht. Die nach dem Foyer führenden Türen sind ebenfalls mit kleinen Tüllvorhängen versehen.

Im blauen Saal sind zwei, im roten ein Divan an besonders geeigneten Stellen zur Aufstellung gekommen, desgl. die erforderlichen Kleiderständer.

Die Beleuchtung der Räume ist durch Anordnung der Pendel an dem Kreuzpunkt der Kassetten bezw. Oberlichtteilungen gut verteilt. Die Pendel haben Deckenplatte mit Stabeinfassung und Glasbehang. Einen besonderen Effekt bietet die Balkenbeleuchtung an dem den Raum teilenden Unterzug. In jedem der beiden Säle sind an den Pfeilern nächst der Ausgänge 4 einflammige Wandarme als Notbeleuchtung angebracht.

Die Tische dieser Räume sind von gleicher Ausführung wie im großen Saal; dies ist auch bei den Stühlen der Fall, die nur etwas andere Form zeigen. In jedem Saal sind 90 Stühle aufgestellt.

Die Ventilation der Säle erfolgt durch die dem Oberlicht aufgesetzten Lüftungsaufsätze.

Kleiner Nebensaal. Links des blauen Saales, durch eine zweiflügelige Tür nach diesem sowie nach der Terrasse und dem Gang abgeschlossen, befindet sich ein Nebenraum, mit einem Fenster nach dem Halleplatz zu, als Gesellschafts- oder Vereinszimmer geeignet. Die Ausführung ist die ähnliche wie im blauen Saal. Der Fußboden besteht aus eichenen Riemen auf Asphalt, die Wand erhielt Stoffbespannung und hohen weißen Fries, die Decke ist ebenfalls weiß. Holzwerk und Heizkörperverkleidungen, die mit Marmorplatten abgedeckt sind, sind in Cremeton gehalten. Die Tür nach dem blauen Saal ist beiderseits mit Portiären versehen, während diejenige nach dem Gang Ornamentverglasung in Messingrahmen aufweist. Das Fenster ist sowohl mit kleinen Tüllvorhängen, als auch mit Zugvorhang versehen, wie dies auch bei der Türe zur Terrasse der Fall ist.

Die Dekorationen sind im Ton dem Raume angepaßt und ebenfalls reich verziert. Eine 6-flammige Krone sorgt für eine genügende Beleuchtung; außerdem ist ein Wandarm als Notbeleuchtung angebracht. Tische und Stühle sind die gleichen wie in den Sölen.

Der Gang zwischen dem Nebensaal nnd dem Foyer bildet die Verbindung von letzterem mit der Terrasse beim Sommerbetrieb und dient als Vorraum zu dem anstoßenden Abortraum für Männer.

Männertoilette. Eine einflügelige Tür mit oberer Glasfüllung führt von diesem Raum in das Pissait. Hier sind 18 Adamant-Pissoirstände aufgestellt, die von 3 Becken kontinuierlich mit Wasser bespült werden. Der Fußboden dieses Raumes ist in Terrazzo ausgeführt, die Pissoirstände bestehen aus weißem Steinzeug. Die Wände sind 1 m über den Ständen mit glasierten Platten verkleidet, darüber mit Leimfarbe gestrichen. Die Decke ist weiß.

Durch eine Pendeltür gelangt man in den Toilettenraum. Hier ist ein großer Doppelwaschtisch aufgestellt und ein großer Spiegel in Metallrahmen angebracht. Im Hintergrunde dieses Raumes befinden sich 3 Klojetts mit Wasserspülung. Die Wände siad auch hier mit weißen Wandplatten versehen, während das Holzwerk in weißer Lackfarbe gestrichen ist. Eine zweiflügelige Tür verbindet diesen Raum mit dem Vorraum der Stadthalle.

Der Toilette- sowie der Pissoir-Raum werden je durch ein 3-teiliges Fenster erhellt, das mit Ornamentglas verglast ist. Ornamentglas ist auch in den oberen Füllungen der Aborttüren, sowie in der Tür nach der Stadthalle verwandt. Die Beleuchtung erfolgt durch eine 3-flammige Krane und 2 Pendel über den Aborten.

Der rechtsseitige Gang verbindet die Büfetts- und Abstellräume sowie die Küche mit den Terrassen. Eine 2 m hohe, dunkel gehaltene Holzvertäfelung schützt vor Beschädigung. Wände und Decke sind in Leimfarbe gestrichen. 3 Pendel beleuchten dett Gang. Von hier aus gelangt man duech eine einflügelige Tür zur

Damentoilette. Ein besonderer Vorraum, durch eine Portière von dem Hauptraum getrennt, bietet Platz für die Wartefrau. Zu beiden Seiten des Hauptraumes sind 5 Klosetts für Erwachsene sawie 2 Kinderklosetts angeordnet. Ein Fenster mit Ornamentglas beleuchtet die Räume. In der Fensternische ist der Doppelwaschtisch aufgestellt. Ein Spiegel in Metallrahmen ist auf der gegenüberliegenden Seite angebracht. Ein Tisch sowie 2 Stühle vervollständigen die Ausstattung dieses Raumes. Der Fußboden sowie alle Fußböden der Gänge und des Treppenhauses sind in Terrazzo ausgeführt. Das Holzwerk ist weiß gehalten. Die Wände sind auf 2,30 m Höhe mit Wandplatten versehen. Die Beleuchtung erfolgt durch 5 einfache Pendel und 2 Wandarme an Spiegel.

Die Vergrößerung der Küche wurde durch Erbauung des neuen Treppenhauses ermöglicht.

An Stelle des alten Treppenhauses steht die heutige Kaffeeküche. Außer einem großen Kaffeeherd nach Wiener Art hat ein Konditor-Ofen mit 2 Röhren Aufstellung gefunden. Beide Feuerungen sind für Kahlen eingerichtet.

Ein Geschirrschrank sawie ein Geschirr-Wärmeschrank sind mit Gas zu heizen. Ein doppelter Spülapparat mit Anschluß an die Kalt- nnd Warmwasserleitung — das warme Wasser wird durch eine Schlange im Kaffeeherd bezw. in dem auf Konsolen befestigten Warmwasserbehälter von 240 l Inhalt erzeugt — ist am Fenster aufgestellt.

Der Raum zwischen Küche und Büfett ist durch Herausnehmen verschiedener Wände geräumiger geworden. Hier hat direkt mit Ausgang vor der Kächr der Doppelaufzug für das *obere Büfett* seinen Platz.

Dieses ist in erster Linie für die Bedienung der oberen Terrassen bestimmt, doch kann es auch bei Veranstaltungen im großen Saal der Stadthalle für die Bedienung der Galerie verwendet werden. Durch 2 Rolläden ist es jederzeit verschließbar.

Im Kellergeschoß des Neubaues sind untergebracht:

1 *Raum* zur Kleiderablage für das Personal sowie 2 Aborte für dasselbe.

1 *Kühlanlage:* bestehend aus Vorraum, Hauptraum und Eisbehälter. Fußboden und Wände sind sauber mit Platten verkleidet und mit Regalen versehen. Die Decken sind mit Ziegelhohlsteinen hergestellt. Die Eingangs- und Zwischentüren sind als Isoliertüren doppelwandig mit Zwischenfüllung ausgeführt.

An der Decke sind Eisenrahmen befestigt, an denen verschiebbare Haken zum Aufhängen von Fleisch, Wild und Geflügel rc. angebracht sind. Zur Luftzirkulation ist ein Luftschacht angeordnet, der auf der oberen Terrasse ausmündet. Der Eiseinwurf erfolgt von der Gartenseite aus.

Die Hrizung der neuen Räume erfolgt von einer zentralen Heizungsanlage aus, die im Keller der alten Stadthalle in dem Ranm der ehemaligen Damentoilette aufgestellt ist. 2 Niederdruckkessel sind an das vorhandene Kamin der Kaloriferenheizung angeschlossen und mit je einem selbsttätigen Druck- und Verbrennungsregeler versehen. Die Hauptleitungen sind im Kellergang unter dem Foyer untergebracht und zum Schutze gegen Wärmeverluste isoliert. Die Abzweigleitungen für die Heizkörper der einzelnen Räume sind in beschlüpfbaren Kanälen bis zu den Heizkörpern geführt und ebenfalls isoliert. Jeder Heizkörper ist durch ein Regulierventil für sich regulier- und abstellbar.

Der Beleuchtungsanlage ist bereits bei den einzelnen Räumen Erwähnung getan; hier sei nur noch bemerkt, daß die Schaltung des Hauptsaales und der nueren Terrasse im kleinen Saale rechts (roter Saal) und diejenige für die obere Terrasse auf der Galerie untergebracht ist. Bei den kleinen Räumen ist die Schaltung in diesen selbst angebracht. Für Illuminationszwecke sind 4 Hauptkabel bis in die Postamente der Balustrade geführt und mit je einem Endverschluß versehen.

6. Erweiterung der Wagenhalle für die elektrische Straßenbahn.

In ihrer Sitzung vom 13. November 1907 hat die Stadtverordneten-Versammlung beschlossen, der Erweiterung der Wagenhalle für die elektrische Straßenbahn nach dem vom Hochbauamt gefertigten und von dem Bauausschuß und der Straßenbahn-Deputation gutgeheißenen Projekt zuzustimmen und einen Baukredit von 220000 ℳ zu bewilligen.

Gleichzeitig wuede hierbei bezüglich der Vergebung der Arbeiten bestimmt, daß der bauliche Teil in öffentlichem Wettbewerb ausgeschrieben, die Beschaffung der Eisenkonstruktion hingegen in engerem Wettbewerb erfolgen soll.

Die Arbeiten gelangten nach Maßgabe dieses Beschlusses zur Vergebung, und bereits am 18. Februar 1908 konnten die Erd- und Maurerarbeiten in Angriff genommen werden; dieselben wurden soweit gefördert, daß zu Ende des Berichtsjahres bereits mit der Montage der Eisenkonstruktion begonnen werden kannte.

7. Erbaunng eines Schulhauses im Stadtteil Mainz-Mombach.

Mit Bericht vom 7. Mai 1907 wurde vom Ortsvorsteher in Mainz-Mombach darauf hingewiesen, daß der Bau eines Schulhauses in dem nunmehrigen Stadtteil Mainz-Mombach zur unabwendbaren Notwendigkeit geworden sei. Mit gleichem Breicht überreichte der Ortsvorsteher der Stadtverwaltung Mainz die über dett Schulhausneubau in Mainz-Mombach entstandenen Akten mit dem Hinweis, daß die frühere Gemeinde Mombach berrits ein Projekt über diesen Neubau durch einen Privatarchitekten habe anfertigen lassen.

Durch dett Bericht des Oberlehrers vom 17. Juni 1907 wuede der Nachweis erbracht, daß in der Zahl der Schulkinder in Mombach in den letzten 5 Jahren eine durchschnittliche Vermehrung um 65 Kinder im Jahr eingetreten und es erforderlich sei, einen Neubau für 16 Klassen zu erstellen. Durch Beschluß vom 3. Juli 1907 erklärte sich der Schulvorstand damit einverstanden, daß in dem Stadtteil Mainz-Mombach ein 16klassiges Schulhaus errichtet und daß für den Neubau der zwischen Pappel- und Jahnstaße gelegene ungef. 4474 qm umfassende Platz in Aussicht genommen werde. Durch Verfügung vom 8. Juli 1907 wurde das Hochbauamt mit der Bearbeitung eines Neubauprojektes im Sinne vorgenannten Beschlusses beauftragt.

Mit Bericht vom 12. September 1907 legte das Hochbauamt zwei in bezug auf die allgemeinen Dispositionen verschiedene Projekte vor. Bei Projekt I war das Schulhaus ohne Rücksicht auf die Bebauung der Nachbargrundstücke bis an die Baufluchtlinie der Jahnstraße vorgerückt. Bei Projekt II war das Schulhaus nut ungef. 14 m hinter die Bauflucht zurückgesetzt. Da jedoch auf dem südlichen Nachbargrundstück die spätere Erbauung einer Kirche geplant ist, wurde von dem Hochbauamt als unerläßlich gehalten, die Stellung der Schule mit Rücksicht hierauf in Einklang zu bringen. Dieser Forderung wurde aber mit dem Projekt II entsprochen, und es wird hierdurch vor Kirche und Schulhaus eine der Bedeutung dieser Gebäude entsprechende Platzanlage geschaffen, die bei Vornahme einiger Verschiebungen der umliegenden Straßenfluchtlinien ein geschlossenes Städtebild ermöglicht.

Mit Beschluß vom 21. Oktober 1907 hat sich der Bauausschuß für das Projekt II entschieden und wurde das Hochbauamt beauftragt, in die definitive Bearbeitung der Pläne einzutreten und das Projekt nebst Kostenanschlag alsbald vorzulegen.

Da für die günstigere Plangestaltung eine Umarbeitung des bestehenden Ortsbauplanes erforderlich war, wurde seitens des Hochbauamtes mit Bericht vom 12. Juli 1907 darauf hingewiesen, daß in die weitere Bearbeitung der Pläne für den Neubau des Schulhauses erst dann eingetreten werden könne, wenn der umgearbeitete Ortsbauplan genehmigt ist. Mit Bericht vom 14. Februar 1908 wurde, trotzdem die vorgenannten Voraussetzungen noch nicht erfüllt waren, die Errichtung eines Schulhauses in Mainz-Mombach aber als dringende Notwendigkeit bezeichnet wurde und das

Schulgrundstück in der geplanten Größe und Form auch ohne Schwierigkeiten in dem projektierten Ortsbauplan vorgesehen werden konnte, seitens des Hochbauamtes eine weitere Projektskizze mit Kostenberechnung vorgelegt. Das Projekt sah ein 3-geschossiges Gebäude vor, welches enthalten soll:

a) im Kellergeschoß: ein Brausebad, eine Schulküche, das Kesselhaus nebst Kohlenraum sowie die nötigen Kellerräume zu Schulzwecken und für den Pedellen;

b) im Erdgeschoß und den beiden Obergeschossen: 16 Schulklassen, 3 Räume zur Aufbewahrung von Lehrmitteln und zum Aufenthalt für Lehrer, einen Oberlehrer- bezw. Konferenzsaal sowie die Schüler- und Lehreraborte;

c) im III. Obergeschoß bezw. Dachgeschoß des rechten Seitenflügels: einen Zeichensaal mit Modellraum und eine Reserveklasse;

Die Turnhalle sowie die Pedellenwohnung war nach dem Schulhof zu, an den Hauptbau angelehnt, vorgesehen.

Mit Beschluß des Finanzausschusses vom 28. Februar 1908, des Bauausschusses vom 4. März 1908 und der Stadtverordneten-Versammlung vom 5. März 1908 wurden die Projektskizzen gutgeheißen und das Hochbauamt beauftragt, nunmehr in die endgültige Projektbearbeitung einzutreten.

Bereits am 13. April 1908 wurde das Projekt vorgelegt. Bei diesem Projekt konnte die Grundrißanordnung der genehmigten Skizzen, soweit sie die Lage der Klassenzimmer anlangt, festgehalten werden; nur hinsichtlich der Abortanlage schien es zweckmäßig, eine Abänderung insofern vorzuschlagen, als diese früher unmittelbar angebaut war, nunmehr aber in einem besonderen Gebäude untergebracht werden sollte. Hierdurch sind die Belichtungs- und Lüftungsverhältnisse für die Korridore wesentlich günstiger als früher; auch war diese Anordnung vom schultechnischen Standpunkt aus vorzuziehen.

Nach dem Projekt waren vorgesehen:

a) im Kellergeschoß: Räume für eine Kochschulklasse, 4 Brausebäder, Räume für den Handfertigkeitsunterricht und für die Zentralheizungsanlage, sowie eine Waschküche und ein Keller für den Pedellen;

b) im Erdgeschoß: 5 Klassenzimmer für je 60 Schülerinnen, 1 Zimmer für den Oberlehrer und 1 Klosett für die Lehrerinnen und für die Lehrer. Der Hauptzugang erfolgt durch den Eingong an der Jahnstraße über die Haupttreppe; die Wohnung für den Pedellen, bestehend in 3 Zimmern, Kammer und Küche ist zum Teil in einem kleinen Anbau mit besonders getrenntem Zugang von der Straße verlegt, derart, daß ein Zimmer als Dienstzimmer unmittelbar von der Schule aus zugänglich ist. Die Turnhalle in den Maßen von etwa 21 m Länge und 10,70 m Breite hat von der tiefer gelegenen Backmuhlstraße ihren besonderen Zugang; außerdem sorgt eine Nebentreppe der Schule für eine unmittelbare Verbindung vom Erdgeschoß zur Turnhalle, ohne den Weg über den Hof nehmen zu müssen, nach welchem ebenfalls eine Ausgangstür vorgesehen ist;

c) im I. und II. Stock: je 6 Klassenzimmer und ein Lehrmittelzimmer;

d) im III. Stock, der nur teilweise ausgebaut werden soll, 2 Reserveklassen und der Zeichensaal.

Zusammen sind also 19 Klassenzimmer, 1 Oberlehrerzimmer und 2 Lehrmittelzimmer mit Nebenräumen, 1 Zeichensaal, Turnhalle und die bezgl. Nebenräume im Kellergeschoß vorhanden. Für die Aborte ist ein besonderes Fachwerksgebäude im Hof angeordnet für 34 Sitze, die mit Wasserklosetts ausgestattet werden sollen.

Die Konstruktion des Gebäudes ist in allen Teilen massiv angenommen, die Fundamentierung ist in Beton gedacht, wie auch der Sockel hergestellt werden soll. Hausteine sollen nur zu Fensterbänken, kleineren Architekturarbeiten der Abdecksteine des Giebels ꝛc. verwendet werden, das Hauptgesims ist in Holz angenommen. Im übrigen soll die Fassade verputzt werden. Die Zwischendecken sind in Eisenbeton gedacht, die Fußböden sollen mit Linoleum auf Bimsbetonestrich belegt werden. Die Eindeckung der Dächer soll mit Ziegeln erfolgen.

Die Baukosten sind einschl. Niederdruckdampfheizung, Brausebadanlage, Beleuchtung, Wasserleitung, Entwässerung und Mobiliar zu 275 000 ℳ veranschlagt.

Weiterhin wurde der Vorschlag gemacht, einen an der Ecke der Backmuhl- und Jahnstraße sich ergebenden Raum von genügender Größe, der einen von der Schule getrennten Eingang erhalten konnte, für Zwecke eines Volksbades einzurichten.

In seiner Sitzung vom 2. Mai 1908 sprach sich der Bauausschuß für das vorliegende Projekt, mit Ausnahme des angeregten Volksbades, über das noch besondere Erhebungen angestellt werden sollten, aus, ebenso der Schulvorstand in seiner Sitzung vom 15. Mai 1908, wobei ein Antrag auf Schaffung eines besonderen Physiksaales abgelehnt wurde.

Durch Beschluß der Stadtverordneten-Versammlung vom 20. Mai 1908 wurde das Projekt für die Ausführung genehmigt und der erforderliche Kredit im Betrage von 275000 ℳ bewilligt, wobei die Frage bezüglich Errichtung eines Volksbades vorerst offen gelassen werden sollte.

Nachdem die Genehmigung erfolgt war, konnte in die endgültige Bearbeitung der Pläne eingetreten und die Vergebung der erforderlichen Arbeiten in die Wege geleitet werden. Zur Vergebung gelangten die Erd- und Maurerarbeiten, die massiven Zwischendecken und die Heizungsanlage.

Zu Ende des Berichtsjahres ist mit den Arbeiten bereits begonnen.

B. Erweiterungsbauten.

1. Erweiterung des Stallgebäudes im Reinigungsamt.

Die bereits im vorigen Berichtsjahr begonnenen Arbeiten wurden ohne Schwierigkeit weitergeführt, und bereits am Anfang Oktober konnte der Erweiterungsbau in Benutzung genommen werden. Durch diesen Bau ist Raum zur Aufstellung von weiteren achtzehn Pferden geschaffen.

2. Aufstellung des Pumpbrunnens aus dem 18. Jahrhundert.

Nachdem sich der Bauausschuß wegen des künftigen Standorts des von der Stadt erworbenen Brunnens für den Bischofsplatz entschieden hatte, erfolgte eine gründliche Renovierung und Aufstellung des Brunnens auf dem Platz. Der Brunnen bildet in seiner künstlerischen Ausführung eine Zierde des Platzes.

C. Unterhaltungsarbeiten.

Im Rechnungsjahr 1907 wurden von der Abteilung für Unterhaltung der städtischen und Fonds-Gebäude außer den laufenden Unterhaltungsarbeiten nach folgende Arbeiten ausgeführt:

Wirtschaftsgebäude in der Anlage. Erneuerung der Tapeten und des Anstrichs im Rundsaal und Wohnzimmer.

Palmenhaus. Erneuerung des äußeren Anstrichs.

Professorenhäuser Betzelsgasse.

1. Haus Nr. 10. Erneuerung des Verputzes am Waschküchenanbau, Herrichtung des Anstrichs in den Aborten und im Mansardenzimmer, Einbauen von 2 Dachgauben im Dachstock und Erneuerung des Anstrichs in 2 Dachzimmern.
2. Haus Nr. 20. Herrichtung von 2 Zimmern und der Küche im II. Stock, Herrichtung der Waschküche und des Arbeitsraumes.
3. Haus Nr. 24. Herrichtung eines Zimmers im II. Stock.

Hauptsteueramtsgebäude im Hafen.

1. Belegen eines Zimmers im I. Stock mit Linoleum.
2. Erneuerung der Öfen im I. und II. Stock.

Wohn- und Dienstgebäude im Hafen.

1. Erneuerung des Anstrichs und der Tapeten in den Geschäftsräumen der Hafenverwaltung.
2. Anbringen von Zugjalousien an den Fenstern der Geschäftsräume der Hafenverwaltung (Hafenseite).

Ehemal. Stationsgebäude der Nassauischen Bahn. Das Gebäude wurde im Äußeren neu mit Ölfarbe gestrichen und der Dachkandel repariert.

Haus Emmeransstraße 34/36. Gemäß Beschlusses der Stadtverordneten-Versammlung vom 5. März 1908 wurde das Haus niedergelegt.

Anwesen Rheinallee 27 u. 29. Das Gebiet der Umformerstation wurde nach der Rheinallee zu mit einem Bretterzaun abgeschlossen.

Eisern-Turm. In Ausführung des Beschlusses der Stadtverordneten-Versammlung vom 21. November 1906 wurden der Verputz des Turmes erneuert, verschiedene Hausteine ausgewechselt und das Turmdach neu eingedeckt, sowie Dachkandel und Abfallrohr ebenfalls erneuert.

In die Wohnung des I. Stockes wurde die Wasserleitung eingeführt und die Küche neu hergerichtet.

Hafen.

Aufseher- und Wiegehäuschen.

1. Der äußere Anstrich der 4 Wiegehäuschen wurde erneuert.
2. Desgl. der Anstrich der Tore der eisernen Einfriedigung.
3. Vor der Maschinenhalle wurde eine neue Müllgrube aus Zementbeton hergestellt.

Lagerhaus im Hafen.

1. In dem Bureau der Revisionsstellen wurde der Anstrich erneuert.
2. Desgleichen im Bureau der Lagerhausverwaltung.

Getreidespeicher.

1. Zur Befestigung der Abteilungswände wurden eiserne Winkel angebracht.
2. Vor dem Getreidespeicher wurde ein Pissoir mit Ölspülung aufgestellt.

Spritlager. Zum Schutze gegen die Witterung wurde neben der Wage eine Bretterwand aufgestellt.

Schlacht- und Viehhof.

1. Der Decken- und Wandanstrich im Maschinenhaus und Baderaum wurde erneuert.
2. Die hölzernen Bottiche in der Grob-Kuttelei wurden durch neue Bottiche aus Eisenbeton ersetzt.
3. Zur Unterbringung von Leitern wurde im Hofe des Gasthauses ein Schutzdach angebracht.
4. Für die Schweine- und Großviehhändler wurden 3 Telephonhäuschen in Wellblech aufgestellt und in der Schweinemarkthalle eine allgemeine Sprechstelle eingerichtet.

Fürstenbergerhofbad.

1. Neuanstrich der Decke und Wandflächen der Waschküche und Erneuerung des Putzes an der Schulhofwand.
2. Zur Abhaltung des Zuges beim Eingang der Frauenabteilung wurde oberhalb der Zellen eine Glaswand angebaut.

Gartenfeldbad. In ein Zimmer des I. Stockes wurde die Gasleitung eingeführt.

Gutenbergbad.

1. Zur Herbeiführung eines besseren Zuges wurde der Schornstein der Kesselanlage erhöht.
2. Der äußere Anstrich der Fenster und Oberlichter, sowie der Deckenanstrich in der Frauenabteilung wurden erneuert.
3. Im Kolsraum wurde ein Zementboden hergestellt.
4. Eine Brausebadzelle, die nach mit Zement hergestellt war, wurde mit Plättchen verkleidet.
5. In die Wohnung des Badedieners wurde die Gasleitung eingeführt.

Hafenbahn.

Weichenstellerhaus im Schlacht- und Viehhof.

1. Erneuerung des Anstrichs in der Küche, im Treppenhaus und in einer Mansarde.
2. Neuanstrich des äußeren Holzwerkes.
3. Vor dem Lokomotivschuppen im Hafen wurde zur Aufbewahrung von Holz und Kohlen ein Wellblechschuppen errichtet.

Stadthaus.

1. Erneuerung des Anstrichs und der Tapeten im Warteraum des Standesamtes.
2. Erneuerung des Anstrichs im Treppenhaus (Neubau).
3. Erneuerung des Anstrichs und der Tapete in den Zimmern 33 und 77, sowie im Vorplatz der Hausmeisterwohnung.
4. Belegen des Fußbodens im Zimmer 31 mit Linoleum.
5. Einbauen von feuersicheren Schränken im Standesamt zur Aufbewahrung der Dokumente.
6. Herstellung eines Hofübergangs im I. Stock.
7. Aufstellung einer Alarmglocke auf dem Dache (als Ersatz der Quintinsglocke).

Stadtkasse. Zur Sicherheit der Stadtkasse wurden ein feuer- und diebessicherer Geldschrank, 3 Dokumentenschränke beschafft und in das Gewölbe die elektrische Beleuchtung eingeführt sowie eine Alarmvorrichtung angebracht.

Polizeigebäude Karthäuserstraße. Entfernen der Holzbekleidungen in 2 Arrestzellen, Neuputzen der Wände.

III. Polizeibezirk.

1. Zur besseren Lüftung des Schlafraumes wurde ein Fenster eingebaut.
2. Neuanstrich des Aborts und der Küche im II. Stock.

Tiefbauamt. Das Zimmer für Geometer und Gehilfe wurde mit Linoleum belegt.

Friedhof. Die Pfeiler des Eingangstores wurden zum Teil erneuert und das eiserne Tor neu gestrichen und vergoldet.

Volksschule.

Karmeliterkloster. Für eine Klasse wurden neue Bänke beschafft.

Kochschule. Die im Hause Emmeransstraße 25 mietweise untergebrachte Kochschule wuede einem Beschluß der Stadtverordneten-Versammlung gemäß nach dem Untergeschoß der neuen Höheren Mädchenschule verlegt.

Hilfsschule kleine Emmeransgasse. In das Gebäude wurde die Wasser- und Gasleitung eingeführt.

Lehrerwohnhaus Zahlbach. Der Anstrich des äußeren Holzwerkes wurde erneuert.

Schulhaus Zohlbach. Der Anstrich der Fenster und des Dachgesimses wurde erneuert.

Schillerschule.

1. Der Hofraum zwischen Turnhalle und prov. Leibnizschule wurde durch einen Lattenzaun abgeschlossen.
2. Zur Abhaltung des Zuges wurde im Haupteingang der Mädchenschule eine Abschlußtür eingebaut.
3. Erneuerung des Anstriches in den Sälen 12 und 33.
4. Das Wellblechdach vor der Turnhalle und über den Aborten wurde mit Ölfarbe gestrichen.
5. Die Entlüftungskanäle auf dem Speicher wurden gereinigt und gedichtet.
6. Zur besseren Beleuchtung der Hofräume wurden 2 Laternen angebracht.

Fürstenbergerhofschule.

1. In dem früheren Konferenzzimmer wurde ein Physiksaal mit Verdunkelungsvorrichtung eingerichtet.
2. Zwei Zimmer im Erdgeschoß wurden als Konferenzzimmer eingerichtet.
3. In der Wohnung des Schuldieners wurden 2 Zimmer neu hergestellt.

Holztorschule.

1. In den Kellergeschoßfluren wurden der Anstrich erneuert und die Heizräume neu ausgeweißt.
2. Der Anstrich der Sockel und der Dachflächen der Baracken wuede erneuert.

Eisgrubschule. Zur besseren Lüftung des Baderaumes wurde ein elektrischer Ventilator eingebaut.

Feldbergschule.

1. Im Physiksaal wurden Verdunkelungsvorrichtungen angebracht.
2. Der Leimfarbenanstrich der Decken und Wände in den Lehrsälen des I. und II. Obergeschosses wurde erneuert.

Realgymnasium. Das vorhandene Mobiliar wurde im Anstrich erneuert. Gemäß Beschlusses der Stadtverordneten-Versammlung vom 20. Februar 1907 wurden neue Mobilien, wie Tafeln und Bänke, beschafft und die vorhandenen Bänke ausgebessert.

Handelsschule. Der Anstrich im Saal 2 und in den Vorplätzen des I. und II. Stockes wurde erneuert.

Theater.

1. Zur Sicherheit der Theaterbesucher wurde an den Prospektengestellen Holme zum Einhängen der Leitern angebracht und die Leitern mit Haken versehen.
2. In den Bureauraum neben der Werkstätte, der nach Ofenheizung hatte, wurde die Zentralheizung eingeführt.
3. Oberhalb des Vorhanges wurde ein feuersicherer Abschluß zwischen Vorhang und Proszeniumsbogen in Eisenbetan hergestellt.
4. Ein Teil der Stühle und Rücklehnen im Parterre sowie im I. und II. Stock wurde neu aufgepolstert und mit neuem Staff bezogen.

Stadthalle.

1. Der Anstrich des Bühnenraumes wurde erneuert.
2. Die Aufgangstreppen im Erdgeschoß wurden mit Linoleum belegt.
3. Der Bühnenvorhang wurde durch einen neuen ersetzt.
4. Das Zinkdach des stadtseitigen Foyers wurde neu eingedeckt.

Gärtnerwohnhaus am Gonsenheimer-Tor. An das Gebäude wurde ein Abortbau mit 2 Aborten angebaut.

Spritzenmagazin im Realgymnasium. Der Anstrich der Fassaden des Gebäudes wurde erneuert.

Oktroi.

1. Der Anstrich des Aufseherhäuschens am Eisern-Tor wurde erneuert.
2. Das Oktroihäuschen an der Zwerchallee wurde nach Mainz-Mombach verlegt.
3. Ein vorhandenes Oktroihäuschen wurde am Bahnhof Kastel aufgestellt.
4. Die Fenster der Oktroierhebestelle am Mombacher-Tor wurden vergrößert.
5. In allen Oktroihäuschen wurden Gaskocher aufgestellt.

Sparkasse. Die Wohnung im I. Obergeschoß wurde in Anstrich und Tapezierung neu hergerichtet.

Gaswerk.

1. Am Ofenhaus des Gaswerkes I wurden die Giebelabdeckungen erneuert und die Fassaden ausgefugt sowie verschiedene Hausteine ausgewechselt.

   Gasamtsgebäude Petersplatz.

2. Zwei Zimmer des Werkmeisters wurden im Anstrich und in der Tapezierung erneuert.

   Gaswerk II.

1. Ausführung der Maurer- und sonstigen baulichen Arbeiten beim Einbau der Kohlenförderanlage.
2. Herstellung eines säurefesten Asphaltbelags im I. Stock des Reinigerhauses.

Elektrizitäts-Werk.

1. Ausführung der nötigen Bauarbeiten bei der Einrichtung der Kohlenförderanlage.
2. Einbauen einer Küche im Dachstock des Wohngebäudes.

Wasserwerk Walpodenstraße 19.

1. In der Wohnung im II. Stock wurde ein freistehendes Klosett eingebaut. Ein Zimmer, Küche und Speisekammer wurden neu hergerichtet.
2. In der Wohnung im I. Stock wurden ein Zimmer und der Vorplatz sowie Treppenhaus neu gestrichen und tapeziert.
3. Die elektrische Lichtleitung in der Wohnung im I. Stock wurde umgelegt.
4. Im Seitenbau wurden 2 Zimmer neu hergerichtet.

Orchesterfonds.

1. Haus Stephansplatz 1 (Pavillon nach der Weißgasse). In der Wohnung im I. Stock wurden in 2 Zimmern Tapete und Anstrich erneuert.
2. Haus Stephansplatz 1 (Mittelbau). In der Wohnung im I. Stock wurden ein Zimmer, Gang und Abort neu hergerichtet.
3. Haus Stephansplatz 1 (Eckpavillon). In der Wohnung im III. Stock wurde der Fußboden erneuert.
4. Haus Stephansstraße 13. In den Wohnungen im II. und III. Stock wurde je ein Zimmer hergerichtet.
5. Haus Gaugasse 18.
   a) In einer Wohnung ebener Erde wurde ein freistehendes Klosett eingebaut.
   b) In einer anderen Wohnung ebener Erde wurden die Küche und der Gang hergerichtet.
   c) Neuherrichtung der Wohnung im I. Stock.
   d) Die Wohnung im II. Stock wurde neu hergerichtet und 4 Zimmer mit Linoleum belegt.
   e) In der Wohnung im III. Stock wurde ein Zimmer neu hergerichtet.

Exjesuiten- und Welschnonnenschulfonds, Haus Steingasse 4 und 8. In dem Badezimmer des Direktors des Realgymnasiums mußten faule Balken ausgewechselt und der Fußboden zum Teil erneuert werden.

Kleinz'sches Haus. Neuherstellung des heruntergefallenen Deckenputzes im Baderaum des Erdgeschosses.

Welschnonnenkaserne. Einführung der Gas- und Wasserleitung sowie Herstellung der Entwässerungsanlage.

Ehemaliges Straßenbahndepot. Auf dem Gebiet wurde eine provisorische Abortanlage errichtet.

Krankenbaracken. Auf dem Gebiete der Stadtgärtnerei am Gonsenheimer-Tor wurde eine weitere Baracke aufgestellt.

Mainz-Mombach.

Die Hauptlehrerwohnung im Mädchenschulhaus wurde als Lehrsaal eingerichtet.

Im Keller des Gemeindehauses wurde eine Transformatorenstation eingebaut.

D. Projektbearbeitungen.

1. Umbau des Stadttheaters.

In gemeinschaftlicher Sitzung vom 18. April 1907 wurde von dem Bauausschuß und der Theater-Deputation, um in dem Beginn der Arbeiten für den Umbau nicht durch Einwendungen gegen die Fluchtlinienänderung aufgehalten zu werden, unerwartet der noch zu fassenden Entscheidung der Stadtverordneten-Versammlung über die Ausführung des Umbaues selbst, der Beschluß gefaßt, daß alsbald eine neue Fluchtlinie aufgestellt und offen gelegt werde, damit über die Einwendungen vorher entschieden werden könne. Durch Beschluß der Stadtverordneten-Versammlung vom 26. Juni 1907 wurde jedoch die beantragte Aufstellung einer neuen Baufluchtlinie für das Stadttheater abgelehnt und soll eine Entscheidung über eine Änderung der Fluchtlinie erst dann getroffen werden, wenn über den geplanten Umbau des Theaters selbst entschieden ist.

2. Erbauung eines Krankenhauses.

Das am 22. Juni 1907 seitens des Hochbauamtes vorgelegte generelle Projekt fand in der Sitzung der Stadtverordneten-Versammlung vom 11. März 1908 deren Genehmigung in der Weise, daß beschlossen wurde:

1. das St. Rochushospital als Krankenhaus vollständig aufzugeben und ein neues allgemeines Krankenhaus zu erbauen;
2. für den Neubau die in dem generellen Projekt vorgesehene Begrenzung des Geländes in einer Größe desselben von etwa 100000 qm gutzuheißen;
3. zu genehmigen, daß das neue Krankenhaus für 1000 Betten vorgesehen, vorerst aber nur für 650 Betten ausgebaut wird;
4. für den Neubau das sog. Pavillonsystem zu Grunde zu legen;
5. demgemäß die Kommission zu ersuchen, ein spezielles Projekt mit Kostenanschlag vorzulegen;
6. sich einverstanden zu erklären, daß das eine oder andere Gebäude nach erfolgter Genehmigung durch die Sonderkommission bereits begonnen, insbesondere aber die Planierung des Geländes und die Ausführung der Wege- und Gartenanlagen im Einvernehmen mit der Sonderkommission und dem Bauausschuß in Angriff genommen werden kann, bevor noch das vollständig durchgearbeitete Detailprojekt die endgültige Genehmigung der Stadtverordneten-Versammlung gefunden hat.

Auf dieser Grundlage wurde nun in die Bearbeitung des Detailprojekts eingetreten. Zu Ende des Berichtsjahres ist eine Reihe von Gebäuden auf Grund mehrfacher Beratungen in der Sonderkommission in ihren Grundrißformen und Dispositionen so festgelegt, daß die Ausarbeitung der Projektzeichnungen und Kostenanschläge nunmehr erfolgen konn.

Im übrigen dauern die Verhandlungen noch fort, doch steht zu erwarten, daß die endgültige Vorlage des gesamten Projekts nebst den Kostenanschlägen im Frühjahr 1909 erfolgen konn.

Bei der weiteren Bearbeitung des Projekts wurde in bezug auf die allgemeinen Dispositionen der Gebäude gegenüber dem ursprünglichen Lageplan auf Vorschlag des Hochbauamtes noch eine Verbesserung insofern vorgenommen, als die Längsachse der Pavillons, die ursprünglich in einem Winkel von 45° zur Nord- und Südrichtung gestanden hatten, um 10° gedreht wurde, sodaß der Winkel jetzt nur noch 35° beträgt. Diese Änderung wurde seitens der Kommission in der Sitzung vom 21. Juli 1908 gutgeheißen.

3. Dienstgebäude für das Gas- und Elektrizitätsamt.

Das zuletzt im vorigen Berichtsjahr vorgelegte Projekt stand in der Sitzung des Bauausschusses am 13. Januar 1908 zur Beratung und wurden hierbei Bedenken wegen der Grundrißdisposition und der Zahl der in dem Gebäude unterzubringenden Dienstwohnungen lant; man kam daher zu dem Ergebnis, daß es zweckmäßiger sei, für die Dienstwohnungen und die Verwaltungsräume vollständig getrennte Gebäude zu errichten.

In der Sitzung des Bauausschusses vom 20. Januar 1908 und der Deputation für die Verwaltung der Gas- und Elektrizitätswerke am 22. Januar 1908 wurden die seitens des Hochbauamtes unter dem vorgenannten Gesichtspunkte aufgestellten Skizzen gutgeheißen, doch wurde es für zweckmäßig erachtet, bevor in die endgültige Projektbearbeitung eingetreten wird, die Genehmigung der Stadtverordneten-Versammlung herbeizuführen. Am 26. Juni 1908 fand daraufhin in Anwesenheit des Herrn Baurat Kuhn und der Vorstände sämtlicher technischer Ämter der Stadt eine Besprechung statt, in der seitens des Vorstandes des Hochbauamtes hinsichtlich des zuletzt bearbeiteten Projekts auf die Bedenken hingewiesen wurde, die durch die Nähe der Umformerstation und das ständige Geräusch in derselben geschaffen würden; seitens des Vorstandes des Gasamts wurde auf die unhaltbaren Zustände der derzeitigen Bureauräume hingewiesen und der Neubau als äußerst dringlich bezeichnet. Das Hochbauamt sollte auf Grund dieser Besprechung eine neue Skizze vorlegen, über die in einer weiteren Besprechung verhandelt werden soll. Die Skizze gelangte mit Bericht vom 21. Juli 1908 zur Vorlage.

4. Umbau der Karmeliterschule.

Der Denkmalrat-Ausschuß, dem das generelle Projekt für den Umbau der Karmeliterschule zur Begutachtung unterbreitet war, erklärte sich in seiner Sitzung vom 29. September 1907 mit dem vorgelegten Entwurf im allgemeinen einverstanden, wonach das Langhaus und die beiden Seitenschiffe der Kirche in ihrem ursprünglichen Zustand erhalten bleiben, der Chorraum jedoch durch eine Mauer abgeschlossen wird und man durch eine einfache Zwischendecke Raum für 2 Turnhallen erhält. Dagegen verlangt der Ausschuß, daß das Äußere der Kirche einschließlich der kleinen Anbauten an der Südseite in seinem jetzigen Zustand erhalten bleibt und der ganze Bau an sich in seinem Innern und Äußern nur insoweit wiederhergestellt wird, als es die ordnungsgemäße Erhaltung in Dach und Fach erfordert.

Mit Bericht vom 27. Dezember 1907 gelangte alsdann das definitive Projekt nebst Kostenanschlag zur Vorlage, das auf Grund der generellen Skizze vom 15. November 1906 aufgestellt ist. Der für den Neubau der Doppelschule verfügbare Bauplatz enthält nach dem Abbruch des seitherigen, mit 21 Klassen besetzten Gebäudes 4400 qm Grundfläche. Nach dem Bauprogramm für eine Doppelschule werden außer den zugehörigen Nebenräumen 34—35 Klassenzimmer erforderlich sowie außerdem mindestens eine Wohnung für den Schuldiener. Daß bei diesem bedeutenden Raumerfordernis, sowie insbesondere unter Berücksichtigung der Forderungen des Denkmalschutzgesetzes und bei dem beschränkten Bauplatz erhebliche Schwierigkeiten für die Plangestaltung vorhanden waren, liegt auf der Hand. Die Lösung ist in der Weise geschehen, daß an der Stelle des heutigen Vorderhauses, ungefähr in den gleichen Abmessungen und in der bestehenden Architektur, ein niedriger, parallel zur Karmelitenstraße gerichteter Gebäudeteil errichtet wird und hieran sich ein gegen die Bauerngasse gerichteter Bauteil anschließt.

Während in dem an der Karmelitenstraße gelegenen Bauteil die Klassenzimmer einseitig an dem von den Außenmauern belichteten Korridor angeordnet sind, mußte bei dem Hauptbau zu einer zweibündigen Anlage, mit dem Korridor in der Mitte, der seine Belichtung an den Kopfseiten erhält, geschritten werden.

Die Trennung nach Geschlechtern wurde durch Anlage besonderer Zugänge und zwar für Knaben von der Karmelitenstraße, für Mädchen von der Bauerngasse her angeordnet; die bereitzustellenden Schulhöfe haben für die Knaben eine Größe von 1200 qm, für die Mädchen eine solche von 850 qm.

Die Raumeinteilung in den verschiedenen Geschossen ist wie folgt getroffen:

Kellergeschoß. In dem an der Bauerngasse liegenden Bauteil konnte infolge der verschiedenen Höhenlage der Schulhöfe und der Straße die Wohnung für den Schuldiener vorgesehen werden und dieselbe einen besonderen, vom Schulhaus selbst getrennten Eingang erhalten. Dieselbe umfaßt 3 Zimmer und Küche.

Weiterhin sind im Keller noch untergebracht 2 Kochschulsäle, 1 Frühstücksraum, 2 Brausebäder für Mädchen, die Zentralheizungsanlage nebst Kohlenraum, letztere unter der Kirche.

Erdgeschoß. Die schönen Raumverhältnisse der jetzigen Vorhalle, die z. Zt. nur durch spätere Einbauten etwas beeinträchtigt sind, ließen es wünschenswert erscheinen, auch für den Neubau diese Halle wieder in ihren früheren Abmessungen entstehen zu lassen. Eine durch Säulenstellung abgeteilte und durch Kreuzgewölbe überspannte Vorhalle von rund 17×8 m soll deshalb den Zugang zum Haupttreppenhaus bilden. Von dieser Halle aus kann dann gleichzeitig der Eingang in die große Halle und die Turnhalle für Knaben in dem ehem. Kirchengebäude genommen werden.

In dem Knabenflügel befinden sich 2 Klassenzimmer, 1 Sammlungszimmer und das Zimmer füe den Oberlehrer; eine gedeckte Holle vermittelt den Zugong zu dem im Hof gelegenen, mit Verbindungsgang versehenen Abortgebäude für Knaben. Vom Haupttreppenhaus ist alsdann noch ein weiterer Ausgang nach dem Schulhof vorhanden.

In dem Mädchenflügel siud, von einem besonderen Treppenhaus zugänglich, 5 Klassenzimmer angeordnet. Den Zugang zu den im Hof befindlichen Aborten vermittelt ein gedeckter Verbindungsgang.

Im I. Stock befinden sich noch der Karmelitenstraße 4 Knabenklassen, nach der Bauerngasse im Hauptbau 5 Mädchenklassen, 1 Konferenzsaal für die Lehrer und ein Oberlehrerzimmer. Durch ein besonderes Treppenhaus erfolgt vom I. Stock aus der Zugang zur Mädchenturnhalle im Kirchengebäude.

Der II. Stock enthält im Knabenflügel nach der Karmelitenstraße 5 Klassenzimmer. Während hier der Korridor bereits im Mansardendach liegt und durch eine Reihe von größeren stehenden Dachgauben belichtet wird, siud die Umfangsmauern der Klassen noch dem Hof höher geführt, sodaß sie ein gerades Geschoß bilden. Auf dem Mädchenflügel liegen 6 Klassenzimmer.

Im III. Stock kommt nue der Hauptbau nach der Bauerngasse noch in Betracht. Hier sind die noch fehlenden 5 Klassenzimmer für Knaben und 1 Klasse für Mädchen, sowie ein in das Mansardendach eingebauter Physiksaal angeordnet.

In einem weiteren Dachgeschoß des Hauptbaues sollen die Zeichensäle für Knaben und Mädchen, je wieder mit besonderen Zugängen von den betr. Treppen aus, untergebracht werden; die sich bildenden Dachräume werden als Modellkammern oder sonstige Nebenräume ausgestaltet.

Der Eiuban der beiden Turnhallen in der alten Kirche soll derart geschehen, daß der Chor der Kirchenräume durch eine Mauee vom Schiff getrennt wird.

Während alsdann die vordere Halle mit Mittelschiff und 2 Seitenschiffen bis zu den vorhandenen Kreuzgewölben emporreicht, soll der Chorraum durch ein Zwischengebälk horizontal in 2 Hollen abgeteilt werden.

Der Zugong zur unteren Knabenturnhalle konn sowohl von dem Vorhof an der Karmelitenstraße, als auch von der Vorhalle des Knabenflügels aus unmittelbar erfolgen. Die obere Turnhalle ist für Mädchen bestimmt. Der Zugong soll vom I. Stock der Vorhalle des Mädchenflügels, von einem besonders errichteten Treppenhaus, erfolgen, sodaß der Verkehr der Mädchen- und Knabenabteilung vollständig voneinander getrennt ist.

Die Baukosten siud einschl. Instandsetzung der Kirche zu 598 700 ℳ ermittelt.

In der Sitzung der Stadtverordneten-Versammlung vom 11. März 1908 wurde beschlossen, die Errichtung eines Volksschulgebäudes auf dem Gebiet des Karmeliterklosters nach Maßgabe der vorgelegten generellen Pläne und vorläufigen Kostenschätzung grundsätzlich zu genehmigen, vorbehaltlich der Prüfung und Genehmigung der noch aufzustellenden Detailpläne und genauen Kostenanschläge und Bewilligung des erforderlichen Kredits. Vorerst sollen die Pläne der Denkmalbehörde zur Genehmigung unterbreitet werden.

In seiner Sitzung vom 25. Mai 1908 hat sich der Bauausschuß mit Prüfung des Kostenanschlags beschäftigt und soll derselbe durch einige hierbei gewünschte Änderungen ergänzt werden.

Eine Entscheidung über den Zeitpunkt der Ausführung des Projekts ist zu Ende des Berichtsjahres noch nicht getroffen.

5. Erbauung eines Realgymnasiums.

Das mit Bericht vom 4. Oktober 1906 vorgelegte Projekt hat im allgemeinen die Zustimmung des Bauausschusses erhalten, vorbehaltlich einer nochmaligen Prüfung des Programmes.

Seitens des Hochbauamtes war jedoch mittlerweile ein weiteres Projekt bearbeitet worden, mit dem der Nachweis erbracht werden sollte, daß sich unter einem anderen Gesichtspunkte eine Anlage schaffen läßt, die dem früheren Projekt gegenüber entschiedene Vorteile besitzt.

Bei dem neuen Projekt war der Schulhof an die Greiffenklaustraße gelegt und der Mittelbau an die Rückseite der Wohnhäuser an der Rheinallee. Hierdurch konnte sowohl eine kleinere bebaute Grundfläche, als auch ein größerer Schulhof erreicht werden. Die Disposition der Räume war eine ähnliche geblieben wie in dem früheren Projekt, nur war die Klosett- und Pissoiranlage in jedem Stockwerk untergebracht.

Die Gesamtkosten waren zu 530 000 ℳ, somit um 40 000 ℳ billiger als die des früheren Projekts veranschlagt.

Einem Beschluß des Bauausschusses vom 16. September 1907 zufolge wird das letztere Projekt als die zweckmäßigere Lösung bezeichnet, doch sollte eine Umarbeitung desselben im Sinne einiger hierbei gegebener Anregungen vorgenommen werden.

Mit Bericht vom 28. Dezember 1907 wurden zwei im Sinne vorgenannten Bauausschuß-Beschlusses umgearbeitete Projektskizzen der Bürgermeisterei vorgelegt. In Skizze I ist man davon ausgegangen, den Blick in die Albinistraße nach der Christuskirche möglichst offen zu halten, weshalb an der Greiffenklau- und Dieter von Isenburg-Straße das niedrige Direktorwohnhaus projektiert ist. Die Wohnung des Schuldieners ist nicht mehr im Schulgebäude selbst, sondern im Erdgeschoß des Direktorwohnhauses mit besonderem Eingang vorgesehen. Hinsichtlich der Schulräume ist das Programm der Direktion erfüllt: in 3 Geschossen sind 32 Klassenzimmer, 1 Kombinierklasse, Räume für Physik und Chemie mit anschließenden Sammlungs-, Vorbereitungs- und Arbeitsräumen, Zeichensaal mit Nebenräumen, 1 Singsaal, 1 Vorzimmer, Direktorzimmer, Sprechzimmer, Lehrer- und Konferenzzimmer und Bibliothek vorgesehen.

Die Baukosten sind generell zu 540000 ℳ berechnet.

In Skizze II ist davon ausgegangen, den Schulhof dadurch geschlossener zu gestalten, daß von Einbauten vorspringender Gebäudeflügel und von einem Gorten für das Direktorwohnhaus Abstand genommen werden soll. An der Ecke der Greiffenklau- und Dieter von Isenburg-Straße ist die Schule mit einem Flügelbau vorgezogen; das Wohnhaus des Direktors, das auch die Wohnräume für den Schuldiener enthält, wurde an der Grenze des Grundstücks an die Greiffenklaustraße verlegt und die Turnhalle in die Ecke hinter das Direktorwohnhaus projektiert. Die Abortanlage ist zwischen dem Schulgebäude und Turnhalle vorgesehen und durch einen gedeckten Gang mit beiden Gebäuden verbunden. Die verlangten Klassenräume ꝛc. sind in der erforderlichen Anzahl vorhanden.

Die Baukosten betrogen noch der generellen Aufstellung 525000 ℳ, somit 15000 ℳ weniger als bei dem vorgenannten Projekt.

Eine weitere Entscheidung über das Projekt ist zu Ende des Berichtsjahres noch nicht getroffen.

6. Erbauung einer Revisionshalle im Hofen.

In einem Bericht der Lagerhausverwaltung vom März 1907 wurde darauf hingewiesen, daß die stete Steigerung des Verkehrs im Mainzer Hafen und die sich dauernd mehrenden Zufuhren, auch in zollpflichtigen und zollkontrollpflichtigen Gütern, sowie der Mangel an Magazin- und Kellerräumen nunmehr dringend die Erbauung einer zweiten Revisionshalle erforderten, in der gleich den 4 übrigen Revisionshallen Güter eingebracht, gelagert, von dort direkt bezogen bezw. weiter verladen werden können, eventl. sollte an dieser neuen Halle ein Portalkran mit Exkavatoreinrichtung zur Aufstellung kommen. Das Hochbauamt wurde durch Verfügung vom 11. April 1907 beauftragt, ein entsprechendes Projekt auszuarbeiten und vorzulegen. Mit Bericht vom 26. Juni 1907 konnten in Erledigung dieser Verfügung 4 verschiedene Projekte zur Vorlage kommen.

Das Projekt I war auf Grund der im Bericht des Hafen- und Lagerhausdirektors niedergelegten Angaben bearbeitet und sah ein zweistöckiges, massives Gebäude mit Unterkellerung in rechteckiger Grundrißform vor. Die Kosten waren zu 167300 ℳ ermittelt.

Projekt II war unter Angliederung der mittlerweile von der Zollverwaltung als nötig bezeichneten Räumlichkeiten für die Postzollrevision, die zur Zeit im Lagerhaus untergebracht sind, aufgestellt. Die Kosten dieses Projekts waren zu 182000 ℳ berechnet. Für dieses Projekt war noch eine Ausführung in Eisenbeton vorgeschlagen, deren Kosten sich auf etwa 113300 ℳ stellen würden.

Da ein Nachweis über ein Bedürfnis an Lagerräumen bislang überhaupt nicht brstand, wurde in einem weiteren Projekt der Versuch gemacht, geeignete Lagerräume bei Errichtung von nur einstöckigen Gebäuden bereit zu stellen. Bei dem unter diesen Gesichtspunkten aufgestellten Projekt III wurde gleichzeitig die Grundrißform des Gebäudes der Form des für dasselbe in Aussicht genommenen Terrains angepaßt, das von dem Hafenbassin einerseits und von der Einfriedigung des Hafengebiets andrerseits begrenzt ist und eine trapezförmige Gestalt hat. Von der Anordnung von Lagerkellern wurde Abstand genommen und im übrigen die Ausführung des Gebäudes in leichtester Bauart, in ähnlicher Weise wie die Lagerhallen in Frankfurt, in Aussicht genommen. Die Kosten waren zu 51800 ℳ ermittelt.

Im Projekt IV ist das Gebäude vom Projekt III mit Unterkellerung vorgesehen; es wüede einen Kostenaufwand von 98400 ℳ erfordern.

Schließlich ist in einem Projekt IVa die Ausführung eines Lagergebäudes mit Keller-, Erd- und einem Speichergeschoß unter Annahme einer Ausführung in Eisenbeton vorgesehen und würden sich die Kosten dieser Ausführung auf 165550 ℳ stellen.

Die Kosten sämtlicher Projekte sind ohne Berücksichtigung der erforderlich werdenden maschinellen und Gleis-Anlagen festgestellt. Die Rentabilität ist den einzelnen Projekten in besonderen Berechnungen nachgewiesen.

In ihrer Sitzung vom 24. Oktober 1907 hat sich die Hafen- und Lagerhaus-Deputation dahin ausgesprochen, daß die projektierte Revisionshalle II freistehend zwischen Revisionshalle I und dem Getreidespeicher in einer Länge von 50 m mit Kellergeschoß, 2 Obergeschossen und einem Speichergeschoß errichtet werden soll. Der Bau soll rechteckig, die Laderampe trapezförmig hergestellt werden.

Mit Verfügung vom 30. Oktober 1907 wurde das Hochbauamt aufgefordert, ein auf Grund dieses Beschlusses ausgearbeitetes Projekt vorzulegen. Dieser Verfügung wurde mit Bericht vom 16. Dezember 1907 durch Vorlage eines dem vorgenannten Beschluß entsprechenden Projekts, dessen Kosten generell zu 124800 ℳ veranschlagt waren, nachgekommen.

Zu Ende des Berichtsjahres ist eine Entscheidung über die Ausführung des Projekts noch nicht getroffen.

Außer den vorstehend erläuterten Projekten sind noch die nachgenannten von dem Hochbauamt bearbeitet worden:

1. Projekt über Erbauung einer Lagerhalle an der Mombacherstraße,
2. „ „ Verwertung des Gebiets der Gendarmeriekaserne,
3. „ „ Einrichtung eines Lehrerseminars,
4. „ „ Errichtung von Luftschächten über dem Eisenbahntunnel,
5. „ „ Einrichtung eines Waghäuschens am Marktplatz,
6. „ „ eine Vogel-Volière in der Anlage,
7. „ „ Errichtung eines Schuppens für ungesacktes Getreide im Hafen,
8. „ „ Änderung der Einfriedigungsmauer am Eiserturm.

E. Wiederherstellung des Kurfürstlichen Schlosses.

Hierüber hat der Bauleiter, Herr Baurat R. Opfermann, folgendes berichtet:

Zu Beginn des Rechnungsjahres 1907 waren die Umräumungsarbeiten der in Betracht kommenden Sammlungen als beendet zu betrachten und es konnten die Bauarbeiten für die zweite Bauperiode in Angriff genommen werden.

Im Innern ist der Kelleraushub, die Herstellung der neuen Kellerräume, sowie überhaupt der ganze Rohbau fertig gestellt worden. Ein wichtiger Bestandteil war die eiserne Gitterträgerkonstruktion in der Mitte des Gebäudeteils in seiner Längsrichtung, um die ganz außergewöhnlichen Einschlagungen der vielfach auch an den Köpfen angefaulten Gebälke zu beseitigen und den Dachstuhl, an den Gebälke und Wände aufgehängt waren, zu entlasten. Das Dachgebälk konnte wegen der notwendigen Schonung der Erthalschen Stuckdecken vom Jahre 1775 nicht gehoben werden und war den Umständen entsprechend wiederherzustellen. Die Fassade nach dem Rhein ist bis auf den Wandputz und die Balkongitter fertig, und die Arbeiten an der Fassade noch dem Hof sind in vollem Betrieb und werden am Schluß des Kalenderjahres 1908 ebenfalls vollendet sein, sodaß für das Kalenderjahr 1909 der Innenbau und das Osteinsche Treppenhaus übrig bleiben werden.

Am 20. Juni 1907 waren in Regie beschäftigt: drei Maurer, sieben Taglöhner, zehn Steinmetzen und ein Werkzeugschmied; am 1. Jannar 1908: drei Maurer, vier Taglöhner, sechzehn Steinmetzen, drei Bildhauer und ein Werkzeugschmied; am 20. Juni 1908: sieben Maurer, sechs Taglöhner, sechzehn Steinmetzen, drei Bildhauer und ein Werkzeugschmied. Die Zahl der Maurer und Taglöhner wird bald eine Reduktion erfahren können.

Der Kreditrest für die zweite Bauperiode hat betragen am 20. Juni 1907	257 086 ℳ 07 ₰
Die Ausgaben in 1907	90 003 „ 28 „
Mithin der Kreditrest am 20. Juni 1908	167 082 ℳ 79 ₰

Die Schloßbaukommission hat Sitzungen abgehalten am 6. November 1907 und 3. Dezember 1907, die Schloßbaudeputation am 25. Mai 1908. Verschiedene Beschlüsse betreffend Arbeitsvergebungen sind durch Zirkulation bei den Deputationsmitgliedern gefaßt worden.

XV. Maschinenwesen.

Der Voranschlag des Amtes für Maschinenwesen belief sich im Berichtsjahre 1907 auf rund 273 000 ℳ (Vorjahr 276 000 ℳ), einschl. der für Neubeschaffungen bewilligten Summen. Die auf Grund von 1 648 (1 590) Belegen angewiesene Gesamtausgabe beziffert sich auf rund 246 000 ℳ (258 000 ℳ). Bestellungen wurden im Laufe des Jahres 1 006 (965) aufgegeben.

Die beim Amt für Maschinenwesen im Berichtsjahre eingelaufenen und ausgefertigten Schriftstücke sind im Einlaufregister unter 235 (864) Nummern eingetragen, wobei wiederholt eingegangene und bearbeitete Aktenstücke nur unter einer Nummer gezählt wurden. Die Anzahl der tatsächlich eingelaufenen und abgefertigten Schriftstücke beträgt dagegen 808.

Die erfolgten Neubeschaffungen und die dafür verausgabten Summen sind nachstehend zusammengestellt:

Ord.-Nr.	Gegenstand	Betriebsstelle	Verausgabt ℳ	₰
1	Elektrischer Kohlenkran	Kohlenlager im Hafen	36 875	24*)
2	Berieselungsvorrichtung und Asbestverkleidung	Eiserner Bühnenvorhang im Stadttheater	3 672	67
		Zusammen . . .	40 547	91

*) Ausgaben in 1906 und 1907.

Die Betriebsergebnisse der maschinellen Betriebe im Hafen und Schlachthof sind, um die Übersichtlichkeit der Jahresberichte dieser Verwaltungszweige nicht zu stören, bei letzteren aufgeführt und hier nur die dem Amt für Maschinenwesen unmittelbar unterstellten Betriebe aufgenommen.

A. Pumpstationen.

Die maximale Leistungsfähigkeit der Kanalpumpstationen ist folgende:

1. Pumpstation I am Schloßtor, zum Auspumpen des oberen und unteren Kanalsystems der Altstadt.

a) Brauchwasserpumpen.

Pumpen I und II je 252 = . 504
Pumpe III = ... 504 1 008 cbm pro Stunde.

b) Regenwasserpumpen.

Pumpe IV = ... 900
„ V = ... 1 050 1 950 „ „ „

Station I zusammen 2 958 cbm pro Stunde.

Sämtliche Pumpen sind direkt mit Elektromotoren gekuppelt.

2. Pumpstation II am Rheintor, zum Auspumpen des Kanalsystems der Neustadt, besitzt eine Lokomobile zum Antrieb von 2 kleinen Zentrifugalpumpen, von denen bei einer mittleren Umdrehungszahl der Lokomobile von 80 in der Minute die Pumpen folgende Leistung haben:

a) Pumpe I = ... 180
b) „ II = ... 200 380 cbm pro Stunde.

Ferner besitzt die Station eine direkt mit einer Dampfmaschine gekuppelte Zentrifugalpumpe mit einer Leistungsfähigkeit von 660 cbm bei 350 Umdrehungen in der Minute. . . . 660 „ „ „

Station II zusammen 1040 cbm pro Stnnde.

Die gesamte Leistungsfähigkeit der beiden Stationen zusammen beträgt 2 958 + 1 040 = 3 998 cbm pro Stunde.

Nachstehende Tabellen geben ein Bild über den Betrieb und dessen Ergebnisse in beiden Stationen.

Station I (Schloßtor)

Monat	Brauchwasserpumpen												Regenwasserpumpen								Zusammen		Stromverbrauch für 100 cbm geförderten Wassers
	Pumpe I				Pumpe II				Pumpe III				Pumpe IV				Pumpe V						
	Betrieb in Stunden			Gefördertes Wasser	Betrieb in Stunden			Gefördertes Wasser	Betrieb in Stunden			Gefördertes Wasser	Betrieb in Stunden			Gefördertes Wasser	Betrieb in Stunden			Gefördertes Wasser	Gefördertes Wasser	Stromverbrauch	
	Tag	Nacht	zusammen	cbm	Tag	Nacht	zusammen	cbm	Tag	Nacht	zusammen	cbm	Tag	Nacht	zusammen	cbm	Tag	Nacht	zusammen	cbm	cbm	Kw	Kw
April 1907	99	—	99	17820	125	—	125	22500	15	—	15	4800	3	—	3	2700	9	—	9	9975	57795	2127	3,7
Mai „	149	11	160	28800	113	13	126	22680	46	1	47	15040	—	—	—	—	6	—	6	6300	72820	3269	4,5
Juni „	139	16	155	27900	161	—	161	28980	125	—	125	40000	2	—	2	1800	3	—	3	8150	101830	4508	4,4
Juli „	165	—	165	29700	143	—	143	25740	52	—	52	16640	—	—	—	—	—	—	—	—	72080	3124	4,3
August „	170	—	170	30600	145	—	145	36100	22	—	22	3520	—	—	—	—	—	—	—	—	70220	2520	3,6
September „	91	—	91	16380	139	—	139	25020	31	—	31	9920	—	—	—	—	—	—	—	—	51820	2076	4,0
Oktober „	95	—	95	17100	178	—	178	32040	23	—	23	7360	—	—	—	—	1	—	1	1050	57550	2210	3,9
November „	51	—	51	9180	175	—	175	31500	45	—	45	14400	—	—	—	—	—	—	—	—	55080	2490	4,5
Dezember „	60	—	60	10800	91	—	91	16380	41	—	41	13120	—	—	—	—	—	—	—	—	40300	1910	4,7
Januar 1908	56	—	56	10080	104	—	104	18720	27	—	27	8640	½	—	½	450	½	—	½	525	38415	1741	4,5
Februar „	127	22	149	25820	48	3	51	9180	21	—	21	6720	1	—	1	900	3	—	3	8150	45770	2093	4,5
März „	117	—	117	21060	155	—	155	27900	34	—	34	10880	—	—	—	—	1	—	1	1050	60890	2896	4,7
Zusammen	1319	49	1368	245240	1577	16	1593	296740	482	1	483	151040	6½	—	6½	5850	23½	—	23½	25200	724070	30964	4,3
Vorjahr	1630	200	1830	329400	1400	191	1591	286920	440	1	441	141280	7	—	7	6300	6½	—	6½	9350	773250	33073	4,3

Station II (Rheintor)

Monat	Große Zentrifugalpumpe				Lokomobile			Pumpe I	Pumpe II			Zusammen		Kohlenverbrauch pro 100 cbm geförderten Wassers
	Betriebszeit in Stunden			Gefördertes Wasser	Betriebszeit in Stunden			Betriebszeit in Stunden			Gefördertes Wasser	Gefördertes Wasser	Kohlenverbrauch	
	Tag	Nacht	zusammen	cbm	Tag	Nacht	zusammen	Tag u. Nacht	Tag u. Nacht	zusammen	cbm	cbm	kg	kg
April 1907	—	—	—	—	—	—	—	—	—	—	—	—	—	—
Mai „	—	—	—	—	—	—	—	—	—	—	—	—	—	—
Juni „	—	—	—	—	—	—	—	—	—	—	—	—	—	—
Juli „	—	—	—	—	—	—	—	—	—	—	—	—	—	—
August „	—	—	—	—	—	—	—	—	—	—	—	—	—	—
September „	—	—	—	—	—	—	—	—	—	—	—	—	—	—
Oktober „	—	—	—	—	—	—	—	—	—	—	—	—	—	—
November „	—	—	—	—	—	—	—	—	—	—	—	—	—	—
Dezember „	—	—	—	—	—	—	—	—	—	—	—	—	—	—
Januar 1908	—	—	—	—	—	—	—	—	—	—	—	—	—	—
Februar „	—	—	—	—	—	—	—	—	—	—	—	—	—	—
März „	—	—	—	—	—	—	—	—	—	—	—	—	—	—
Zusammen	—	—	—	—	—	—	—	—	—	—	—	—	—	—
Vorjahr	35	18	53	36630	137	90	227	227	14	241	43660	80290	8811	11,0

Beide Stationen zusammen

Monat	Gefördertes Wasser in cbm		
	Station I	Station II	Zusammen
April 1907	57 795	—	57 795
Mai „	72 820	—	72 820
Juni „	101 830	—	101 830
Juli „	72 080	—	72 080
August „	70 220	—	70 220
September „	51 820	—	51 820
Oktober „	57 550	—	57 550
November „	55 080	—	55 080
Dezember „	40 300	—	40 300
Januar 1908	38 415	—	38 415
Februar „	45 770	—	45 770
März „	60 890	—	60 890
Zusammen	724 070	—	724 070
Im Vorjahr	773 250	80 290	853 540

Der Betrieb der beiden Pumpstationen verursachte folgende Kosten:

1. Löhne für Bedienung der Maschinen	3 345,44 ℳ
2. Brennmaterialien und Stromverbrauch	5 683,53 „
3. Putz- und Schmiermittel	393,00 „
4. Unterhaltung der Maschinen und Pumpen	1 198,21 „
5. Anschaffungen für die Werkstätte ꝛc.	396,59 „
Summe	11 016,77 ℳ
Im Vorjahre	14 521,99 „

Die Förderkosten für das cbm belaufen sich demnach auf $\frac{11\,016,77}{724\,070}$ = 1,52 ₰ (Vorjahr 1,70 ₰).

In der in vorstehender Zusammenstellung angegebenen Summe von 5 683,53 ℳ für Brennmaterialien und Stromverbrauch sind auch die Kosten zum Anfeuern, sowie diejenigen zur Ergänzung des eisernen Bestandes an Kohlen enthalten.

Die ständige Bedienungsmannschaft besteht aus einem Maschinisten und einem Heizer. Bei wachsendem Betrieb wird die Bedienungsmannschaft von den mit der Bedienung der Station vertrauten Maschinisten des Zollhafens und des Baggers nach Bedarf unterstützt oder abgelöst. Die Maschinisten erhalten Taglöhner zur Beihilfe, welche der Kolonne für Kanalreinigung entnommen werden. Die Verrechnung der Löhne der gesamten Bedienungsmannschaft erfolgt auf den Kredit der Pumpstation.

In der Zeit niederen Wasserstandes, wenn nur Pumpstation I wenig beansprucht wurde oder beide Stationen ganz außer Betrieb waren, wurden Maschinist und Heizer der Pumpstation bei Unterhaltung der Spüleinrichtungen der Kanäle, der städtischen Zentralheizungsanlagen und Prüfung der Fuhrwerkswagen verwendet. Die hierbei entstandenen Kosten wurden zu Lasten der betr. Kredite verrechnet.

Entwässerungsmaschine Mainz-Mombach.

Die aus 2 Dampfkesseln, 2 stationären, liegenden Dampfmaschinen und 2 Zentrifugalpumpen mit einer Gesamtleistung von rd. 400 cbm pro Stunde bestehende Anlage dient zur Wasserfreihaltung des Gebietes zwischen Bahn- und Rheindamm bei Hochwasser. Die Anlage wird bei einem Rheinwasserstande von + 2,40 m M.B.P. in Betrieb genommen.

Bei dem niederen Wasserstande während des Berichtsjahres kam die Anlage, außer dem jährlich einmal vorzunehmenden Probebetrieb, nur einmal und zwar im Mai 1907 bei einem Höchststand des Rheins von + 1,68 m M.B.P. in Betrieb.

Die Ausgaben für Betrieb und Unterhaltung der Anlage, sowie für Unterhaltung der Dammutensilien betrugen 320 ℳ 89 ₰.

B. Heizungs- und Lüftungsanlagen.

Die auf Seite 120 und 121 befindliche Tabelle enthält eine Zusammenstellung der größeren städtischen Heizungs- und Lüftungsanlagen. Dieselbe gibt Aufschluß über den Verbrauch an Brennmaterial bei den einzelnen Betriebsstellen und die hierdurch entstandenen Kosten für die Heizperioden 1906/07 und 1907/08. Neu aufgenommen wurde die Zentralheizung in der neuen Höheren Mädchenschule auf der Mitternacht. In Fortfall gekommen ist die Zentralheizung der ehemaligen Höheren Mädchenschule in der Alten Universitätsstraße und die Heizung der Schule im Karmeliterkloster, weil diese Gebäude nur zum Teil und nicht während der ganzen Heizperiode geheizt worden sind.

In den Zahlen, welche den Inhalt der geheizten Räume in cbm angeben, sind diejenigen Räume, die auf 20° C. geheizt werden, voll in Rechnung gestellt, während der Inhalt der Turnsäle, Korridore ꝛc., welche nur auf 12° C. zu heizen sind, unter Annahme einer mittleren Außentemperatur von 0° C. reduziert ist.

Um Vergleichszahlen für die unter verschiedenen Betriebsverhältnissen arbeitenden Heizungsanlagen zu erhalten, sind die für einen Heiztag und 100 cbm beheizten Raum entstandenen Kosten in besonderer Spalte aufgeführt.

In direkten Vergleich zueinander können nur die unter Nr. 1—10 aufgeführten Heizungen der Schulen und die unter 11 und 12 aufgeführten Heizungen der Bureauräume gebracht werden, da nur bei diesen annähernd die gleichen Betriebsverhältnisse vorliegen.

Bei den mit Zentralheizung versehenen Schulen Nr. 1—9 einschließlich berechnen sich die Kosten an Brennmaterialien für 100 cbm zu beheizenden Raum pro Heizperiode durchschnittlich auf 24,16 ℳ (Vorjahr 20,62 ℳ).

Ein Vergleich der Kosten der verschiedenen Heizungssysteme im Stadthaus ergibt, daß die Heizungskosten, bezogen auf 100 cbm Raum, für die Zentral-, Ofen- und Gasheizung im Verhältnis stehen wie 1 : 1,37 : 2,23 (Vorjahr 1 : 1,04 : 2,09).

C. Beschaffung der Brennmaterialien.

Nachstehende Tabelle gibt Aufschluß über die Mengen der für den städtischen Haushalt (mit Ausnahme des Gas-, Elektrizitäts-, Wasserwerkes und der Badeanstalten) beschafften Brennmaterialien und die dafür verausgabten Summen sowie die in den letzten Jahren für Brennmaterialien gezahlten Preise.

Ordn.-Nr.	Art des Brennmaterials	1907 Im ganzen beschafft	1907 verausgabt einschl. Oktroi ℳ	₰	1906 Im ganzen beschafft	1906 verausgabt einschl. Oktroi ℳ	₰	Einheitspreise einschl. Oktroi frei Lagerpl. für	1907 ℳ	1906 ℳ	1905 ℳ
	I. Für Heizungen.										
1	Anthracit	722 dz	2 960	20	738 dz	2 878	20	1 dz	4,10	3,90	3,90
2	Nußkohlen	1 667 „	4 867	64	1 590 „	4 324	80	„	2,92	2,72	2,65
3	Stückkohlen	2 320 „	6 913	60	2 292 „	6 371	76	„	2,98	2,78	2,70
4	Fettschrot	783 „	2 004	48	737 „	1 709	84	„	2,56	2,32	2,25
5	Gabelkoks	9 904 „	25 750	40	7 926 „	19 026	24	„	2,60	2,40	2,30
6	Nußkoks	818 „	2 290	40	928 „	2 408	80	„	2,80	2,60	2,50
7	Buchenholz	984 „	3 512	88	1 066 „	3 752	32	„	3,57	3,52	3,46
8	Tannenholz	42 rm	499	80	152 rm	1 793	60	1 rm	11,90	11,80	11,48
9	do. klein gehackt . .	384 dz	1 512	96	96 dz	374	40	1 dz	3,94	3,90	3,60
10	Tannene Wellen	2 100 St.	201	60	2 000 St.	190	—	100 Stck.	9,60	9,50	9,20
	II. Für Hochdruckdampfkessel.										
1	Nußkohlen										
	a) für d. St. Rochus-Hosp.	1 650 dz	4 620	—	1 686 dz	4 383	60	1 dz	2,80	2,60	2,50
	b) „ die Pumpstationen		—	—	150 „	408	—	„	2,92	2,72	2,65
2	Steinkohlenbrikett s										
	a) für den Hafen . . .	14 700 dz	34 398	—	9 700 „	20 758	—	„	2,34	2,14	2,04
	b) „ „ Schlachthof .	20 800 „	49 504	—	13 650 „	29 757	—	„	2,38	2,18	2,08
3	Tonnenholz f. d. Hafenbahn	70 rm	533	—	70 rm	826	—	1 rm	11,90	11,80	—
4	Tannene Wellen										
	a) für den Hafen . . .	900 St.	86	40	300 St	28	50	100 Stck.	9,60	9,50	--
	b) „ d. St. Rochus-Hosp.	400 „	38	40	425 „	40	38	„	9,60	9,50	—

Ordn.-Nr.	Heizungsstelle	Art der Heizung	Art der Lüftung	Zu beheizender Raum cbm	Art des Brennmaterials
1	Schillerschule	Warmwasser- und Luftheizung	Zentrale selbsttätige Lüftung. Die Luft wird durch Kaloriferenheizung erwärmt.	8 397	Koks Stückkohlen Wellen Tannenholz
2	Leibnizschule	Niederdruckdampfheizung	Zentrale selbsttätige Lüftung. Die Luft wird in Heizkammern durch Niederdruckdampf erwärmt.	6 882	Koks Tannenholz
3	Bezirksschule am Feldbergplatz	do.	do.	16 925	Koks Tannenholz
4	Bezirksschule in der Holzstraße	do.	do.	14 387	Koks Tannenholz
5	Bezirksschule am Eisgrubeweg, alter Bau	do.	do.	5 231	Koks Tannenholz
6	Bezirksschule am Eisgrubeweg, neuer Bau	do.	Örtliche selbsttätige Lüftung.	3 379	Koks Tannenholz
7	Höhere Mädchenschule	do.	do.	14 661	Koks Wellen Tannenholz
8	Realgymnasium	do.	Lüftung durch Öffnen der Fenster.	7 623	Koks Wellen
9	Oberrealschule	do.	Zentrale selbsttätige Lüftung. Die Luft wird in Heizkammern durch Niederdruckdampf erwärmt.	17 800	Koks Tannenholz
10	Fürstenbergerhofschule	Schachtofenheizung	Lüftung durch Öffnen der Fenster.	3 875	Stückkohlen Tannenholz
11	Stadthaus	a) Zentralheizung	Zentrale Pulsionslüftung bezw. Lüftung durch Öffnen der Fenster.	1 290	Koks Wellen
		b) Ofenheizung	Lüftung durch Öffnen der Fenster.	4 128	Kohlen und Koks Buchenholz Tannenholz
		c) Gasheizung	do.	435	Gas
12	Dienstgebäude in der Stiftstraße	Niederdruckdampfheizung	—	2 557	Koks Tannenholz
13	Stadttheater	do.	Für den Zuschauerraum zentrale, selbsttätige u. Pulsionslüftung mit Niederdruckdampferwärmung.	24 973	Koks Wellen
14	Stadthalle	Luftheizung	Zentrale selbsttätige u. Pulsionslüftung mit Erwärmung durch Kaloriferen.	27 224	Kohlen Wellen Tannenholz
15	Stadtbibliothek	Niederdruckdampfheizung	—	2 652	Koks Tannenholz

Heizperiode 1907/08					Heizperiode 1906/07				
Brennmaterialien-Verbrauch im ganzen	Geldwert des Verbrauchs ℳ	Kosten für 100 cbm beheizten Raum ℳ	Anzahl der Heiztage im Durchschnitt	Kosten pro Heiztag und 100 cbm beheizten Raum ₰	Brennmaterialien-Verbrauch im ganzen	Geldwert des Verbrauchs ℳ	Kosten für 100 cbm beheizten Raum ℳ	Anzahl der Heiztage im Durchschnitt	Kosten pro Heiztag und 100 cbm beheizten Raum ₰
854 dz 151 " 200 Stck. 3 rm	2 737	32,6	173	18,8	771 dz 150 " 200 Stck. 3 rm	2 332	27,8	181	15,3
787 dz 2 rm	2 078	30,2	173	17,5	759 dz 2 rm	1 851	26,9	181	14,9
1 085 dz 2 rm	2 853	16,9	173	9,8	1 039 dz 2 rm	2 524	14,9	181	8,2
1 188 dz 2 rm	3 120	21,7	173	12,5	1 019 dz 2 rm	2 475	17,2	181	9,5
565 dz 2 rm	1 500	28,7	173	16,6	435 dz 2 rm	1 074	20,5	181	11,3
283 dz 2 rm	767	22,7	173	13,1	245 dz 2 rm	618	18,3	181	10,1
1 492 dz 100 Stck. 2 rm	3 520	24,0	173	13,9	— —	—	—	—	—
572 dz 2 rm	1 508	19,8	173	11,5	564 dz 100 Stck.	1 363	17,9	181	9,9
1 218 dz 3 rm	3 700	20,8	173	12,0	1 177 dz 3 rm	3 314	18,6	181	10,3
304 dz 36 rm	1 045	27,0	173	15,6	429 dz 18 rm	1 463	37,8	181	20,9
240 dz 100 Stck.	634	49,1	204	24,1	280 dz 100 Stck.	682	52,9	212	24,9
225 dz 526 " —	2 760	66,9	204	32,8	206 dz 628 " 5 rm	3 050	73,9	212	34,8
3 942 cbm	473	108,7	204	53,3	5 503 cbm	660	151,7	212	71,6
281 dz 2 rm	762	29,8	204	14,6	266 dz 2 rm	673	26,3	212	12,4
1 306 dz 200 Stck.	3 414	13,7	180	7,6	1 259 dz 200 Stck.	3 040	12,2	208	5,9
586 dz 200 Stck. 15 dz	1 825	6,7	53	12,6	468 dz 400 Stck. 7 dz	1 366	5,0	55	9,1
204 dz 4 rm	530	20,0	204	9,8	209 dz 4 rm	562	21,2	212	10

XVI. Tiefbauwesen.

Das Beamtenpersonal des Tiefbauamtes bestand im Berichtsjahre aus 42 (42) Personen.

Die beim Tiefbauamte im Berichtsjahre eingelaufenen und ausgefertigten Schriftstücke sind im Einlaufregister unter 6278 (6246) Nummern eingetragen, wobei jedoch die wiederholt eingegangenen und bearbeiteten Aktenstücke unter einer Nummer gezählt werden, sodaß die Anzahl der tatsächlich eingelaufenen und ausgefertigten Schriftstücke 10107 (8318) beträgt.

Die ausgearbeiteten Berichte, Voranschläge, Gutachten, Aussprachen und Anzeigen beliefen sich auf 4428 (4223).

Zur Erteilung von Baubescheiden und Festsetzung der zu hinterlegenden Sicherheiten für Straßen- und Kanalbaukosten rc. waren in 27 (52) Fällen die Anliegerbeiträge zu ermitteln.

Ferner waren bei Errichtung von 19 (64) Neubauten die Trottoirhöhen anzutragen und die Sockel bezüglich Bauflucht und Höhe zu revidieren; außerdem waren 64 (68) Bauzaunreverse für Benutzung von Straßenterrain zur Lagerung von Baumaterialien rc. auszustellen, sowie 16 (16) Abrechnungen über fällige Straßen- und Kanalbaukosten in der Neustadt zu fertigen; letztere erstreckten sich auf 1322,29 Frontmeter Straßenbau mit einem Kostenbetrage von 167409 ℳ 76 ₰ und auf 2926,16 Frontmeter Kanalbau mit einem Kostenbetrage von 54061 ℳ 41 ₰.

Für baupolizeiliche Verrichtungen des Tiefbauamtes sind auf Grund der Gebührenordnung vom 4. Dezember 1905 im ganzen 777 ℳ 50 ₰ (1682 ℳ 50 ₰) erhoben worden.

Für Ausführung von Arbeiten und Lieferungen wurden im Berichtsjahre 40 (51) Verträge abgeschlossen.

Stadterweiterung.

Zur Aufstellung des Bebauungsplanes war die Beschaffung und Aufstellung der endgültigen und genauen Pläne über das Auflassungs- und Bebauungsgebiet notwendig. Es wurden deshalb umfangreiche Geländeaufnahmen ausgeführt und über die im folgenden bezeichneten Gebiete Pläne als Grundlagen für den Bebauungsplan fertiggestellt:

1. zwischen dem Gautor, der Oberen und Unteren Zahlbacherstraße, dem Bingertor, der Alexander-Kaserne und dem Käſtrich;
2. zwischen Pariserstraße, Gemarkungsgrenze und Oberer Zahlbacherstraße;
3. zwischen Pariserstraße, Weg um die Stadt, Hechtsheimerstraße, Ebersheimer Weg und Gemarkungsgrenze.

Außerdem wurden Pläne bearbeitet über das Gebiet zwischen Eisgrubeweg, Gautor, Weg um die Stadt und Neutor, sowie über dasjenige zwischen Bingertor, Mombachertor und Gemarkungsgrenze.

Zum Zwecke der Offenlegung wurden gefertigt die Bebauungspläne über das Käſtrichgebiet, über das Kasernengebiet bei Fort Elisabeth und über die Erweiterung des Bebauungsprojektes bei den Römersteinen.

Nachdem die einzelnen Teilbebauungspläne fertiggestellt waren, wurden sie zu einer generellen Bebauungsskizze, die das Gebiet zwischen Neutor und Fort Hartenberg umfaßt, zusammengestellt. Zur Begutachtung dieser Skizze wurde auf Wunsch der beteiligten Behörden ein Bebauungsplan-Sachverständiger zugezogen, dessen Vorschläge Veranlassung dazu gaben, die generelle Skizze teilweise abzuändern.

Vom Bebauungsplan für den Stadtteil Mainz-Mombach wurde der südwestliche und westliche Teil einer Umarbeitung unterzogen im Hinblick auf die projektierte Kanalisation dieses Gebietes sowie auf eine bessere wirtschaftliche Aufteilung des Geländes.

Nachdem im Oktober 1906 der Bebauungsplan für das Gebiet der Forts Karl und Karthaus genehmigt war und die Verteilung des Kostenaufwandes zwischen Stadt und Reich für die Baureifmachung dieses Gebietes die Zustimmung des Reichsschatzamtes und der Stadtverordneten-Versammlung erhalten hatte, wurden in der Zeit von Mitte Januar bis Ende Juli 1907 die Planierungsarbeiten zur Herstellung der projektierten Straßen betätigt. Es sind dabei an Erdbodenbewegung rd. 21000 cbm und an Mauerwerksabbruch rd. 3600 cbm geleistet worden. Nach Fertigstellung der Planierungsarbeiten wurde das neu erschlossene Gebiet kanalisiert und die Chaussierung der Straßen hergestellt. Die Gesamtlänge dieser Straßen beträgt rd. 1100 m.

Industriegebiet.

Die Baureifmachung des Industriegeländes wurde weiter gefördert; es sind unterhalb des Dammes der Staatsbahn zwischen diesem und dem Alleeweg abzüglich des Straßen- und Hafenbahngeländes rd. 28000 qm Industrie- und 45000 qm Lagerplatzgelände auf planmäßige Höhe angeschüttet worden, wozu rd. 204900 cbm Auffüllmaterial notwendig waren. Von den neuangeschütteten 28000 qm Industriegelände sind bereits rd. 18000 qm verkauft, sodaß nur noch rd. 10000 qm zum Verkauf bereitstehen.

Von den Straßen im Industriegebiet ist die Ingelheimstraße auf die ganze Länge, das ist bis zum Alleeweg ausgebaut und auf einer Strecke von 680 m mit Kiesfußwegen versehen worden.

Anschüttungsarbeiten.

Zur Anschüttung des rd. 10600 qm großen Bauquadrates A der Nord-West-Front auf planmäßige Höhe sind rd. 4600 cbm Baggergut notwendig gewesen. Von dem Gelände dieses Baublockes sind an eine hiesige Firma 2300 qm zur Verpachtung gelangt.

Wegen Vergrößerung der Wagenhalle der Straßenbahn ist das Bauquadrat 113 zwischen der alten Halle und der Mozartstraße auf planmäßige Höhe aufgefüllt worden. Zur Anschüttung dieser Fläche sind rd. 19000 cbm Material verwendet worden.

Wasserbau.

Begünstigt durch den andauernden, außerordentlich niedrigen Wasserstand im Herbst des Berichtsjahres konnten die umfangreichen Ausbesserungsarbeiten an den unteren Schichten der Kaimauern, die gewöhnlich von Wasser bedeckt sind, zu Ende geführt werden. Der Steinvorwurf am Winterhafendamm und am Rheinufer unterhalb der Kaiserbrücke wurde ausgebessert und ergänzt. Vor dem Gas- und Elektrizitätswerk ist das Ufer auf eine Länge von 156 m neu gestückt und der Steinvorwurf verlesen worden.

Kläranlage.

Wie im vorigen Jahre berichtet worden ist, sind die Angebote auf die Recheneinrichtung der zu erbauenden Kläranlage für das Kanalwasser der Stadt am 25. April 1907 von den im Einvernehmen mit dem Bauausschuß hierzu aufgeforderten Spezialfirmen eingereicht worden. Nachdem die eingelaufenen Projekte und Kostenanschläge geprüft worden waren und eine Besichtigung der Dresdener Versuchskläranlage, in der eine Riensch'sche Separatorscheibe eingebaut ist, stattgefunden hatte, wurde von der Stadtverordneten-Versammlung beschlossen, für die hiesige Kläranlage Riensch'sche Separatorscheiben vorzusehen und durch das Tiefbauamt ein Projekt unter Annahme derartiger Scheiben ausarbeiten zu lassen, das der Großh. Regierung zur Genehmigung vorgelegt werden soll. Mit der Aufstellung des Projektes ist begonnen worden und wird dasselbe demnächst zur Vorlage gelangen können.

Müllverbrennung.

Im Juli 1907 fand in Anwesenheit einiger Mitglieder der Stadtverordneten-Versammlung wieder ein größerer Verbrennungsversuch mit hiesigem Müll in der Versuchsanlage der Müllverbrennungs-Gesellschaft System Herbertz in Cöln statt, um, da bisher nur Probeverbrennungen mit hiesigem Wintermüll vorgenommen worden sind, auch den Heizwert von Sommermüll feststellen zu können. Bei dem Versuch wurden rd. 53 t Müll verbrannt; die erzielten Resultate sind als gut zu bezeichnen. Im Anschluß an den Verbrennungsversuch wurden 2 von den 4 Firmen, mit denen bisher Verhandlungen wegen Erbauung einer Müllverbrennungsanlage gepflogen worden waren, und zwar die Horsfall-Destructor-Company in Leeds und die Müllverbrennungs-Gesellschaft System Herbertz in Cöln aufgefordert, verbindliche Voranschläge und Projekte für die hiesige Müllverbrennungsanlage einzureichen. Diese Angebote sind Ende Januar 1908 eingelaufen; eine Entscheidung, welcher der beiden Firmen die Erbauung der Müllverbrennungsanlage übertragen werden soll, ist noch nicht getroffen worden.

Straßenbau.

Größere Straßenbauten wurden betätigt: in der Werderstraße, am Bismarckplatz, in der Colmarstraße, Lessingstraße, Nackstraße, Nahestraße, Pankratiusstraße, Wallaustraße, im Gebiete der Lederwerke und im Gebiete der Nord-West-Front. Die Frontlänge der Straßenneubauten beträgt rd. 4710 m.

Straßen-Umpflasterungen haben stattgefunden: in der Mitternacht, der Petersstraße, Klarastraße, Kappelhofgasse, Holzhofstraße, Stiftstraße, Albinistraße, im Kaiser Wilhelm-Ring, Kaiser Karl-Ring, in der Bonifaziusstraße.

Es wurden an neuer Straßenbefestigung hergestellt 12776 qm und zwar:

Stampfasphaltpflaster	4 734 qm
Gußasphaltpflaster	596 „
Steinpflaster	7 446 „

Straßenbahn.

Der am 8. Oktober 1906 begonnene Bau der Vorortbahn Kastel-Kostheim wurde am 17. Juli 1907 vollendet, sodaß die landespolizeiliche Abnahme am 18. Juli stattfinden und der Betrieb am 26. Juli aufgenommen werden konnte. Die Länge der Linie beträgt 3,06 km; in dieselbe sind 9 Weichen eingebaut. Zur Verwendung gelangten durchweg Rillenschienen Profil 18 F.

Von der Vorortbahn Mombach-Gonsenheim, deren Bau Ende Dezember 1906 begonnen wurde, ist bis zum 10. Juni 1907 die 3,4 km lange Teilstrecke bis zur Schule in Gonsenheim fertiggestellt worden. Die landespolizeiliche Abnahme fand am 11. Juni statt, der Betrieb wurde am 15. Juni eröffnet. Die 1,05 km lange Endstrecke dieser Vorortbahn vom Schulhaus in Gonsenheim bis zur Heidesheimerstraße wurde Mitte Oktober vollendet und am 25. desselben Monats landespolizeilich abgenommen. Die ganze Länge der Vorortbahn beträgt 4,45 km; in dieselbe sind 17 Weichen, einschließlich der für die Südd. Eisenbahn-Gesellschaft bestimmten, und zwei Kreuzungen eingebaut. Entlang der Kreisstraße Mombach—Gonsenheim ist die Vorortbahn fast durchweg auf eigenem Bahnkörper verlegt. Zur Verlegung kam auf der Strecke, die eigenen Bahnkörper hat, Vignolgleis, auf der übrigen Strecke Rillenschienengleis.

Der zweigleisige Ausbau der Straßenbahn im Kaiser Wilhelm-Ring zwischen Bahnhofsplatz und Lessingstraße und im Kaiser Karl-Ring zwischen Bismarckplatz und Rheinallee wurde gleichfalls vollendet und in Betrieb genommen.

Hafenbahn.

Bei der Erweiterung der Hafenbahn im Industriegebiet auf der Ingelheimer Au und im Baublock A der Nord-West-Front kamen zur Verlegung 768,59 m neues Vignolgleis und 455,87 m altes Gleis, sowie 14 lfd. m Rillenschienengleis. In das neu verlegte Hafenbahngleis sind 4 Normalweichen, 1 Bogenweiche, 1 dreiteilige Weiche und eine Kreuzung, sowie für Rechnung von Privaten 2 Drehscheiben eingebaut worden.

An ständigen Arbeitern waren beim Tiefbauamte 151 (156) Mann beschäftigt und zwar

a) beim Straßenbau und der Straßenunterhaltung:

21 (19) Obleute,
1 (1) Magazinier,
13 (13) Vorarbeiter,
9 (10) Meßgehilfen,
14 (19) Bauarbeiter,
6 (6) Halbinvaliden,
43 (45) Straßenreiniger,
1 (1) Steinschläger,
1 (1) jugendlicher Arbeiter,
6 (5) Handwerker;

b) beim Kanalbau:

1 (1) Obmann,
3 (3) Handwerker,
1 (1) Vorarbeiter,
3 (3) Arbeiter;

c) bei der Kanal- und Sinkkastenreinigung:

2 (2) Obleute,
2 (2) Vorarbeiter,
17 (16) Arbeiter;

d) bei der Reinigung der Bedürfnisanstalten:

1 (1) Obmann,
3 (4) Arbeiter;

e) beim Wasserbau:

1 (1) Obmann,
2 (2) Schiffer.

Der Durchschnittslohn für die beim Tiefbauamte beschäftigten Arbeiter betrug im Berichtsjahre:

Obleute und Schiffer		3,70	ℳ Taglohn,
Handwerker		0,43—0,60	„ Stundenlohn,
Vorarbeiter		0,34	„ „
Meßgehilfen	1. Klasse	0,36	„ „
	2. Klasse	0,32	„ „
Bauarbeiter		0,32	„ „
Hilfsarbeiter und Straßenreiniger		0,52	„ „
Kanalarbeiter und Reiniger der Bedürfnis-Anstalten		0,34	„ „

Der höchste Lohn betrug durchschnittlich 3,70 (3,70) ℳ, der niedrigste 3,20 (3,20) ℳ für den Tag.

Außerdem wurde den mindestens ein Jahr im Dienste der Stadt beschäftigten Arbeitern in Anbetracht der hohen Lebensmittelpreise zufolge Beschlusses der Stadtverordneten-Versammlung vom 12. Dezember 1906 eine Familienzulage gewährt. Dieselbe beträgt, wie bereits an anderer Stelle angegeben:

a) für verheiratete Arbeiter ohne oder mit höchstens 2 Kindern unter 16 Jahren für jede Woche .	1,50 ℳ
b) für verheiratete Arbeiter mit 3 und 4 Kindern unter 16 Jahren für jede Woche	1,75 „
c) für verheiratete Arbeiter mit 5 und mehr Kindern unter 16 Jahren für jede Woche	2,00 „
d) für ledige Arbeiter für jede Woche	0,75 „

Verwitwete oder geschiedene Arbeiter mit Kindern unter 16 Jahren werden wie verheiratete behandelt, verwitwete Arbeiter ohne Kinder werden den ledigen Arbeitern gleichgestellt. Ledige Arbeiter, welche die einzigen Ernährer von Eltern sind, werden den verheirateten unter pos. a gleichgestellt.

Die an die Arbeiter des Tiefbauamtes im Berichtsjahr ausbezahlte Familienzulage beträgt im ganzen 11 398 ℳ 46 ₰ (10 606 ℳ 50 ₰) und verteilt sich wie folgt:

a) 89 verheiratete und verwitwete Arbeiter ohne bezw. mit höchstens 2 Kindern . . . . 4 ledige Arbeiter, welche die einzigen Ernährer der Eltern sind	6 829 ℳ 82 ₰
b) 28 verheiratete Arbeiter mit 3 und 4 Kindern	2 520 „ — „
c) 12 „ „ „ 5 und mehr Kindern	1 134 „ — „
d) 16 ledige Arbeiter über 30 Jahre alt	598 „ 71 „
e) 10 „ „ unter 30 „ „	315 „ 93 „
159 Arbeiter mit zusammen	11 398 ℳ 46 ₰

Für die letztaufgeführten ledigen Arbeiter unter 30 Jahren wurde die Familienzulage bei der Städt. Sparkasse verzinslich angelegt.

An Taglöhnen wurden im Berichtsjahre im ganzen 203 752 ℳ 75 ₰ (188 414 ℳ 75 ₰) verausgabt; zu dem Zwecke sind 2 137 (2 061) Stück wöchentliche Lohnlisten aufgestellt worden.

Die Fuhrleistungen waren im Berichtsjahre vertragsmäßig dem Mainzer Fuhrverein und W. Hofmann übertragen.

Bei verschiedenen Neubauten und der Straßenunterhaltung wurden außer 261 (469) Taglohnfuhren 61 012 (52 506) Fuhren geleistet; auf einen Arbeitstag entfallen mithin im Durchschnitt 200 (171) Fuhren.

Für die Kanalreinigung und -Unterhaltung waren 2 730 (2 045) Fuhren erforderlich, für den Arbeitstag also im Durchschnitt 8,1 (6,8) Fuhren.

An Fuhrlöhnen wurden vergütet:

für Neubauten und Straßenunterhaltung	55 158 ℳ 53 ₰	(47 997 ℳ 80 ₰)
für Kanalreinigung und -Unterhaltung	11 357 „ 96 „	(9 612 „ — „)
Im ganzen . . .	66 516 ℳ 49 ₰	(57 609 ℳ 80 ₰)

Die Dampfwalze fand bei folgenden Ausführungen Verwendung:

Art der Ausführung.	Straßenzahl bezw. Baustellen.	Gewalzte Fläche.	Stunden.	Walzlohn.
Straßenunterhaltung	49 (33)	26 229 qm (20 018 qm)	1 461 (1 119)	5 568 ℳ 82 ₰ (4 202 ℳ 46 ₰)
Neubauten	42 (37)	42 210 „ (22 899 „)	3 554 (1 755)	12 933 „ 23 „ (6 672 „ 52 „)
zusammen	91 (70)	68 439 qm (42 917 qm)	5 015 (2 874)	18 502 ℳ 05 ₰ (10 874 ℳ 98 ₰)

An Materialien für Neubauten und Unterhaltung wurden im Berichtsjahre angeschafft:

vierhäuptige Pflastersteine = 130 (137) Waggons (Melaphyr)	189 130 Stück	(199 818 Stück)
einhäuptige „ = 122 (115) „ „	625,10 cbm	(571,29 cbm)
„ „ (Basalt) = 14 (1) „	74,17 „	(4,50 „)
geschliffene Pflastersteine (Steinheimer Basalt)	—	(15,64 qm)
Holzpflasterklötze = ...	18.641 „	(10,50 cbm)
Decksteine a) von Dossenheim (Porphyrsteine)	1 735,30 „	(995,93 „)
Decksteine b) „ E. Fehr Söhne, Wiesbaden (Melaphyrsteine)	3 065.76 „	(2 582.18 „)
Decksteine c) „ Basaltaktiengesellschaft Linz a. Rh. (Basalt)	1 356,53 „	(439,80 „)
Decksteine d) „ Odenw. Hartsteinindustrie, Darmstadt (Basalt)	593,70 „	(497,04 „)

Steingrus von C. Fehr Söhne, Wiesbaden		—	cbm	(20,26 cbm)
Stücksteine	a) von C. Fehr Söhne, Wiesbaden	5 408,76	„	(4 803,51 „)
	b) altbrauchbare Stücksteine	2 037,23	„	(3 092,10 „)
Randsteine aus Granit = 53 (55) Waggons		3 768,69	lfd. m	(3 690,49 lfd. m)
„ „ Basalt = 8 Waggons		557,54	„	(—)
Uferbausteine		730,95	cbm	(5 414,67 cbm)
Kanalbausteine	a) Parallelsteine	349 643	Stück	(541 142 Stück)
	b) Keilsteine	84 780	„	(86 970 „)
	c) Spülschachtsteine	76 100	„	(38 295 „)
	d) Hintermauerungssteine	269 850	„	(544 750 „)
Zement		684 984	kg	(983 642 kg)
Zementwaren	a) Zementrohre	3 341	lfd. m	(277,00 lfd. m)
	b) Sohlsteine	—	„	(6,00 „)
	c) Einlaßstücke	172	Stück	(308 Stück)
	d) Verschlußteller	651	„	(325 „)
Zementsohlsteine mit Steinzeugsohlschalen		3 339	lfd. m	(903,20 lfd. m)
Basaltlava-Sohlsteine		87,85	„	(2 134,00 „)
„ -Verbindungs- und Spültürsteine		38,357	cbm	(—)
Tonröhren bezw. Steinzeugröhren		890,00	lfd. m	(100,75 „)
Eisenwerk		116 394	kg	(31 239 kg)
Tonsinkkasten	Modell A	204	Stück	(181 Stück)
	„ B	—	„	(22 „)
Klinker		27 290	„	(26 700 „)
Zementplatten von B. Löhr, Frankfurt a. M.		100,08	qm	(—)
Pflasterkitt		5 177	kg	(123 620 kg)
Pflasterkies und Sand = 15 240 (13 719) Fuhren		9 235	cbm	(8 398,00 cbm)
Betonsteine = 721 (3 387) Fuhren		433	„	(2 032,20 „)
Bessunger Kies = 79 (81) Waggons		742,18	„	(685,18 „)
Perlkies		44 400	kg	(—)
Parzellen-, Flur- und Gewanngrenzsteine		399	Stück	(—)
Teer		37 141	kg	(39 189 kg)
Sägemehl		220	Sack	(--)
Lohe		15 000	kg	(—)
Formsteine		37 890	Stück	(15 244 Stück)

Kleinschlag wuede hergestellt:

a) aus Hartgestein	160,15	cbm	(268,65 cbm)
b) aus Kalksteinen, Backsteinen 2c.	272,72	„	(97,80 „)
Altbrauchbare Pflastersteine wurden nachgerichtet	139,30	„	(157,25 „)
Mosaiksteine wurden hergestellt	66,00	„	(42,00 „)

Von den beim Abbruch der Schloßkaserne gewonnenen Materialien wurden verwendet:

Stücksteine	24,00	„	(63,65 „)
Mauersteine	1 986,50	„	(—)

Auch im Berichtsjahre wurden für Beschaffung der Straßen- und Kanalbaumaterialien besondere Kredite eingestellt, auf welche die Anschaffungskosten vorlagsweise zur Anweisung kamen und nach Verwendung der Materialien bei den verschiedenen Bauausführungen zu Lasten der einzelnen Baukredite umgebucht wurden.

Angeschafft wurden einschließlich der im Vorjahre unverwendet gebliebenen Materialien:

Straßenbaumaterialien im Werte von ..... 129542 ℳ 86 ₰ (120531 ℳ 46 ₰)
Kanalbaumaterialien „ „ „ ..... 31983 „ 25 „ (35193 „ 69 „)

Verwendet und auf die Baukredite umgebucht wurden:

Straßenbaumaterialien im Werte von ..... 123130 ℳ 32 ₰ (107966 ℳ 02 ₰)
Kanalbaumaterialien „ „ „ ..... 14915 „ 89 „ (23319 „ 30 „)

Die noch vorhandenen Materialien kommen im Rechnungsjahre 1908 zur Verwendung; der Wert derselben wird als Ausgabe auf dieses Rechnungsjahr umgebucht.

Der Voranschlag des Tiefbauamtes belief sich im Berichtsjahre 1907 auf rund 3957400 ℳ (4340500 ℳ), worunter die aus dem Vorjahre übertragenen Kredite in Höhe von 2529381 ℳ 33 ₰ (1652619 ℳ 61 ₰) mit inbegriffen sind.

Die auf Grund von 5793 (5465) Belegen und Rechnungen angewiesene Gesamtausgabe beziffert sich auf 2253974 ℳ 48 ₰ (2089496 ℳ 73 ₰).

Für die in Angriff genommenen und bis zum Schlusse des Rechnungsjahres noch nicht vollendeten Ausführungen sind Kreditübertragungen in Höhe von 1735613 ℳ 97 ₰ (2419389 ℳ 82 ₰) beantragt worden.

In der folgenden Tabelle sind die Flächen der regulierten Straßen in der Altstadt und der planmäßig ausgebauten Straßen der Neustadt zusammengestellt.

Am Schlusse des Rechnungsjahres waren vorhanden:

Gegenstand.	Annäherndes Flächenmaß.
1. Gepflasterte Fahrbahnen:	
a) mit vierhäuptigen Steinen	224993 qm
b) „ einhäuptigen „	70336 „
c) „ belgischen Granitsteinen	6518 „
d) „ geschliffenen Steinen	376 „
e) „ Holz auf Betonunterlage	
1. Weichholz	48021 „
2. Hartholz	2576 „
f) „ Asphaltplatten auf Betonunterlage	989 „
g) „ Asphaltzementplatten auf Betonunterlage	1835 „
h) „ Gußasphalt	4451 „
i) „ Stampfasphalt	16748 „
k) „ Temperschlackensteinen	9174 „
l) „ Basaltzementstein	2170 „
m) „ Kleinpflaster	4140 „
Hierzu kommen noch die mit einhäuptigen Steinen gepflasterten Fahrstraßen längs dem Rheinufer und die Straßen im Zollhafengebiet mit	88784 „
Summe gepflasterte Fahrbahnen	481111 qm (468580)
2. Chaussierte Fahrbahnen	152273 „ (145627)
Summe Fahrbahnen	633384 qm (614207)

3. **Befestigte Fußwege:**

a) mit einhäuptigen Steinen	60 566	qm
b) „ gerichteten „	2 665	„
c) „ Gußasphalt	125 605	„
d) „ Asphaltplatten	2 982	„
e) „ Zementplatten	5 720	„
f) „ Granitplatten	230	„
g) „ Mosaik	24 856	„
Summe befestigte Fußwege	222 624	qm (215 403)

4. **Kiesbankette und Kiesplätze** . . . . . . 149 534 „ (139 324)

5. **Reitwege** . . . . . . 29 046 „ (29 046)

An Randsteinen waren in den vorstehend genannten Straßen vorhanden:

Basaltlava	Profil I	10 782	lfd. m
	„ II	15 505	„
Granit	„ I	1 270	„
	„ II	78 033	„
Kalkstein		967	„
	Summe Randsteine	106 557	lfd. m (102 522)

Bei Schluß des Berichtsjahres betrug die Fläche der noch zu regulierenden Straßen in der Altstadt 28 020 qm.
Außer den bezeichneten Straßenflächen waren noch zu unterhalten:

a) **Kreisstraßen:**

chaussierte Fläche	21 319	qm
gepflasterte „	2 140	„
Summe Kreisstraßen	23 459	qm

b) **Gartenfelder Wege:**

chaussierte Fläche	22 228	qm
gepflasterte „	3 700	„
Summe Gartenfelder Wege	25 928	qm

c) **Wege vor den Toren:**

chaussierte Fläche	51 182	qm
gepflasterte „	2 700	„
Summe Wege vor den Toren	53 882	qm

Bau- und Unterhaltungsarbeiten wurden im Berichtsjahre ausgeführt:

A. Straßenbau.

Die nachstehende Zusammenstellung bietet eine Übersicht über die Regulierung und Neupflasterung der Straßen in der Alt- und Neustadt und den planmäßigen Ausbau der Straßen in der Neustadt.

Ord.-Nummer	Namen der Straßen	Fahrbahnen mit: Stein-pflaster	Stampf-asphalt	Guß-asphalt	Weich-holz-pflaster	Klein-pflaster	Chaus-sierung	Trottoirs mit: Stein-pflaster	Guß-asphalt	Mosaik-pflaster	Kies	Randsteine: in Granit Profil II	in Basalt Profil I	Aus-gebaute Straßen-fläche
		qm	qm	qm	qm	qm	qm	qm	qm	qm	qm	lfd. m	lfd. m	qm
	I. Altstadt.													
	a. Straßen-Umpflasterungen.													
1	Mitternacht und Petersstraße, zwischen Flachsmarktstraße u. Petersplatz	—	1 597,56	—	—	—	—	—	132,90	600,57	—	279,90	—	2 401,01
	b. Straßen-Neupflasterungen													
2	Klarastraße, zwischen Emmeransstraße u. Große Bleiche	—	1 063,95	—	—	—	—	—	—	—	—	—	—	1 063,95
	c. Straßen-Durchbrüche.													
3	Kappelhofgasse, zwischen Schlossergasse u. Rheinstraße	121,34	—	—	—	—	—	85,40	—	—	—	32,68	—	214,91
	d. Trottoir-Ergänzungen.													
4	Reiche Klarastraße, vor Haus Hintere Flachsmarktstraße Nr. 4 . .	—	—	—	—	—	—	—	25,90	—	—	—	—	25,90
5	Templerstraße, vor Haus Nr. 1	—	—	—	—	—	—	—	12,76	—	—	—	—	12,76
6	Holzstraße, vor Haus Nr. 4	—	—	—	—	—	—	—	25,04	—	—	—	—	25,04
7	Stephansstraße, vor den Häusern Nr. 2 u. 4 .	—	—	—	—	—	—	—	7,00	—	—	—	—	7,00
8	Augustinerstraße, vor den Häusern Nr. 55/57 .	—	—	—	—	—	—	—	36,18	—	—	—	—	36,18
9	Juststraße, vor Haus Betzelgasse Nr. 2 . .	—	—	—	—	—	—	—	9,78	—	—	—	—	9,78
10	Korbgasse, vor Haus Nr. 20	—	—	—	—	—	—	—	2,39	—	—	—	—	2,39
11	Schusterstraße und Stadionerhofstraße, vor dem Neubau Tietz	—	—	—	—	—	—	—	116,77	—	—	—	—	116,77
12	Gärtnergasse, vor dem Post-Neubau	—	—	—	—	—	—	—	—	116,25	—	66,87	—	132,97
	Summe I. . .	121,34	2 661,51	—	—	—	—	85,40	368,67	716,82	—	379,45	—	4 048,61
	II. Neustadt. (Ausbau)													
1	Bismarckplatz	526,82	—	—	—	—	1 042,08	—	—	—	1 226,17	130,85	—	2 827,78
2	Colmarstraße, Ecke Kaiser Wilhelm-Ring . . .	45,61	—	—	—	—	130,58	111,15	—	—	—	42,21	—	297,89
3	Gonsenheimerstraße, vor Nr. 1	25,60	—	—	—	—	—	72,51	—	—	—	20,53	—	108,24
4	Kurfürstenstraße, vor Nr. 5 1/10	6,00	—	—	—	—	—	17,77	—	—	—	5,57	—	25,16
5	Lennigstraße	—	—	—	—	—	16,38	—	—	—	—	—	—	16,38
6	Lessingstraße, vor Nr. 9, 10 und 11	36,74	—	—	—	—	119,40	97,09	—	—	—	36,74	—	262,41
7	Mombacherstraße, längs dem Eishaus der Mainzer Aktien-Bierbrauerei	—	—	—	—	—	—	131,68	—	—	—	50,20	—	144,18
8	Nackstraße, zwischen Lennig- u. Colmarstraße .	84,13	—	—	—	—	16,29	58,95	—	—	—	15,86	—	113,34
	zu übertragen . .	674,90	—	—	—	—	1 324,73	489,10	—	—	1 226,17	301,96	—	3 790,38

Ord.-Nummer	Namen der Straßen	Fahrbahnen mit: Steinpflaster	Stampfasphalt	Gußasphalt	Weichholzpflaster	Kleinpflaster	Chaussierung	Trottoirs mit: Steinpflaster	Gußasphalt	Mosaikpflaster	Kies	Randsteine: in Granit Profil II	in Basalt Profil I	Ausgebaute Straßenfläche
		qm	qm	qm	qm	qm	qm	qm	qm	qm	qm	lfd. m	lfd. m	qm
	Übertrag . .	674,90	—	—	—	—	1 324,73	489,10	—	—	1 226,17	301,96	—	3 790,8
9	Nahestraße, von Haus Nr. 5 bis Rheinallee .	176,22	—	—	—	—	289,10	212,09	—	—	—	118,82	—	707,12
10	Pankratiusstraße, zwischen Clemens- und Lessingstraße	64,00	—	—	—	—	305,60	82,45	—	—	—	59,53	—	466,38
11	Pankratiusstraße, zwischen Colmar- und Uhlandstraße	50,47	—	—	—	—	219,47	135,89	—	—	—	46,07	—	417,35
12	Pankratiusstraße, zwischen Uhland- und Goethestraße	104,35	—	—	—	—	298,65	316,47	—	—	—	103,04	—	715,23
13	Wallstraße, vor Nr. 58 bis 59	—	—	—	—	—	—	21,29	—	124,07	—	—	—	145,36
14	Wallaustraße, zwischen Feldberg- u. Mainzstraße und der Feldbergstraße, zwischen Wallaustraße und Naupelsweg . .	269,30	—	—	—	—	444,46	431,27	—	—	—	115,78	—	1 173,8
15	Werderstraße, vor Nr. 8 und 10	21,07	—	—	—	—	76,83	46,98	—	—	—	21,94	—	150,37
16	Straßen im Gebiete der Lederwerke	983,89	—	—	—	—	5 914,46	989,82	—	—	1 425,76	575,45	—	9 457,79
	Summe II. . .	2 344,20	—	—	—	—	8 873,30	2 725,36	—	124,07	2 651,93	1 342,59	—	17 054,51
	III. Neustadt. (Neupflasterung)													
1	Bonifaziusstraße zwischen Frauenlob- und Kurfürstenstraße	—	1 083,94	—	—	—	—	—	—	—	—	—	—	1 083,94
2	Josephstraße, zwischen Kaiser Wilhelm-Ring und Boppstraße . . .	383,78	—	—	—	—	—	—	290,28	—	—	—	—	674,01
3	Kaiser Karl-Ring, Auspflasterung des rechtsseitigen Gleises . . .	1 104,68	—	—	—	—	—	—	—	—	—	38,94	—	1 113,17
4	Kaiser Wilhelm-Ring, zwischen Ostein- und Lessingstraße	5 826,71	—	—	—	—	—	—	1 588,88	—	—	166,66	—	7 457,28
	Summe III. . .	7 315,12	1 083,94	—	—	—	—	—	1 879,16	—	—	200,60	—	10 328,38
	IV. Stadterweiterung.													
	a. Neupflasterung.													
1	Stiftstraße, zwischen Bauhof- und Kaiser Friedrichstraße	—	—	595,68	—	—	—	—	107,35	—	—	39,95	—	713,02
2	Kaiserstraße, vor Nr. 84	—	—	—	—	—	—	—	68,76	—	—	—	—	68,76
3	Schulstraße, vor Nr. 66	—	—	—	—	—	—	—	30,99	—	—	—	—	30,99
	Summe IV. . .	—	—	595,68	—	—	—	—	207,10	—	—	89,95	—	812,77
	V. Schloßfreiheit.													
	a. Neupflasterung.													
1	Albinistraße	—	988,22	—	—	—	—	—	796,08	—	—	—	—	1 784,30
	b. Fußsteigpflasterung.													
2	Rheinallee, vor Nr. 8 .	—	—	—	—	—	—	—	77,76	—	—	—	—	77,76
	Summe V. . .	—	988,22	—	—	—	—	—	873,84	—	—	—	—	1 862,06

Ord.-Nummer	Namen der Straßen	Fahrbahnen mit						Trottoirs mit				Randsteine		Ausgebaute Straßenfläche
		Steinpflaster	Stampfasphalt	Gußasphalt	Weichholzpflaster	Kleinpflaster	Chaussierung	Steinpflaster	Gußasphalt	Mosaikpflaster	Kies	in Granit Profil II	in Basalt Profil I	
		qm	qm	qm	qm	qm	qm	qm	qm	qm	qm	lfd. m	lfd. m	qm
	VI. Stromkorrektion. (Fußsteigbefestigungen)													
1	Rheinallee, vor Nr. 28 bis 34	—	—	—	—	—	—	—	324,90	—	—	—	—	324,90
	Summe VI. . .	—	—	—	—	—	—	—	324,90	—	—	—	—	324,90
	VII. Nordwestfront. (Ausbau)													
1	Straße 4	—	—	—	—	—	2 480,00	—	—	—	—	—	—	2 480,00
2	Rheinallee zwischen Straße 6 u. Zwerchallee	595,61	—	—	—	—	2 653,24	89,21	—	—	1 448,91	166,12	355,65	4 862,41
3	Straßen im ehemaligen Festungsgelände . . .	633,87	—	—	—	—	—	850,20	—	1441,49	6 521,42	1 662,49	—	9 362,60
	Summe VII. . .	1 229,48	—	—	—	—	5 133,24	889,41	—	1441,49	7 965,33	1 828,61	355,65	16 705,01
	Zusammenstellung.													
	Summe I. . .	121,34	2 661,51	—	—	—	—	85,40	368,67	716,82	—	379,45	—	4 048,61
	„ II. . .	2 844,20	—	—	—	—	8 873,30	2 725,36	—	124,07	2 651,93	1 312,59	—	17 054,51
	„ III. . .	7 315,12	1 083,94	—	—	—	—	—	1 879,16	—	—	200,60	—	10 328,38
	„ IV. . .	—	—	595,68	—	—	—	—	207,10	—	—	39,95	—	812,77
	„ V. . .	—	988,22	—	—	—	—	—	873,84	—	—	—	—	1 862,06
	„ VI. . .	—	—	—	—	—	—	—	324,90	—	—	—	—	324,90
	„ VII. . .	1 229,48	—	—	—	—	5 133,24	889,41	—	1441,49	7 965,33	1828,61	855,65	16 705,01
	Gesamtsumme	11010,14	4 733,67	595,68	—	—	14006,54	3 200,17	3 653,67	2282,38	10617,26	3 791,20	855,65	51 136,24
	Auf Kosten der Königl. Preuß. und Gr. Hess. Eisenbahndirektion Mainz wurden ausgeführt:													
	Fertigstellung der im vor. Jahre begonnenen Pflasterung d. Straßen-Unterführungen der Umgehungsbahn . . .	633,87	—	—	—	—	—	429,02	—	—	—	—	220,54	1118,03
	Im Industriegebiet auf der Ingelheimer Au wurden folgende Straßenbauten ausgeführt:											Bandreihen		
1	Ingelheimstraße . . .	447,00	—	—	—	—	3 617,77	—	—	—	—	610,00	—	—
2	Herstellung einer Umleitungsstraße an der Kaiserbrücke	—	—	—	—	—	892,09	—	—	—	—	—	—	—

Weiter wurden noch nachstehende erwähnenswerte Ausführungen betätigt:

1. Verbesserung alter Wege auf dem Friedhof und Herstellung von 357,17 lfd. m Backsteingossen; die Kosten belaufen sich auf 1 016 ℳ 94 ₰.

2. Herstellung einer 48 m langen Entwässerungsanlage aus 20 cm weiten Tonröhren und Einbauen eines gemauerten Schlammfanges auf dem Friedhofe mit einem Kostenaufwande von 356 ℳ 37 ₰.

3. Erneuerung der beschädigten Pfahlgruppe in der Einfahrt des Zollhafens. Statt der früheren 3 wurden 5 Pfähle eingerammt. Verausgabt wurden hierfür 5 119 ℳ 24 ₰.

4. Herstellung eines Verbindungskanals zwischen dem alten Winterhafen und dem Rhein zur Spülung des Hafenbeckens. Der Kostenaufwand betrug 4 570 ℳ 47 ₰.

5. Einbau von 3 Treppen am Winterhafendamm; die Kasten hierfür betrugen 449 ℳ 95 ₰.

6. Instandsetzung des öffentlichen Durchganges am Mauritzenbogen mit einem Kostenaufwand von 774 ℳ 78 ₰.

7. Neueinteilung und Kenntlichmachung der Wochenmarktplätze. Die Kosten hierfür belaufen sich auf 3 037 ℳ 57 ₰.

8. Anstrich des Geländers an der Rheinpromenade. Die Ausgaben belaufen sich auf 778 ℳ 23 ₰.

B. Unterhaltung der Straßen.

1. Chaussierte Straßen.

Größere Unterhaltungsarbeiten unter Aufbringung einer neuen Decklage wurden in folgenden Straßen ausgeführt: Alexanderstraße, Barbarossa-Ring, Biebricherstraße, Kurfürstenstraße, Colmarstraße, Fabrikweg, Feldbergstraße, Forsterstraße, Frauenlobstraße, Gabelsbergerstraße, Gartenfeldplatz, Goethestraße, Hafendamm, Hafenstraße, Illstraße, Untere Ingelheimstraße, Josephstraße, Kaiser Karl-Ring, Kaiser Wilhelm-Ring, Mombacherstraße, Nackstraße, Nahestraße, Neckarstraße, Raupelsweg, Rheinallee, Straße längs der Rheinpromenade, Sömmerringplatz, Taunusstraße, Wallaustraße, Wallstraße, Obere Zahlbacherstraße, Weg in Zahlbach vor der Lindenmühle; im ganzen wurden 22 336 qm neu eingedeckt.

Weiter wurde die nach dem Fort Hechtsheim führende Militärstraße, die zugleich als Zufuhrstraße zum städtischen Müllabladeplatz bentzt wied, in einer Fläche von 768 qm neu eingedeckt.

Die Teerung chaussierter Straßen zur Beseitigung der Staub- und Schlammbildung wurde fortgesetzt und in folgenden Straßen vorgenommen:

a) Fahrbahnen: Barbarossa-Ring rechtsseitig zwischen Goethestraße und Bismarckplatz, Barbarossa-Ring linksseitig zwischen Goethestraße und Haus Nr. 27, Gaßner-Allee zwischen Oberer Austraße und Kaiserbrücke, Hattenbergstraße zwischen Bismarckplatz und Mombacher Gemarkungsgrenze, Obere Austraße, Rheinallee zwischen Main- und Lahnstraße.

b) Fußsteige: Bismarckplatz, Hattenbergstraße zwischen Bismarckplatz und Hafenbahn, Rheinallee Ecke Mainstraße.

Im ganzen wurde eine Fläche von 14 110 qm geteert, wofür 1 956 ℳ 48 ₰ (einschließlich eines unter Rubrik 62. II. 1 verrechneten Betrags von 157 ℳ 16 ₰) verausgabt wurden, somit für das qm 13,8 ₰.

Im Stadtteil Mainz-Mombach wurde mit gründlicher Ausbesserung der bestehenden chaussierten Straßen begonnen. Es wurde eine 60 cm breite Rinne aus Pflastersteinen neu angelegt, die mit Schichtenpflaster befestigten Fußsteige größtenteils umgelegt und die Fahrbahnen neu eingedeckt. Fertiggestellt wurden die Turner- und Emrichruhstraße und hierbei rd. 3 220 qm Fahrbahndecke neu eingeschottert.

2. Gepflasterte Straßen.

Größere Pflasterumlegungen unter Wiederverwendung der alten Steine wurden in nachstehenden Straßen vorgenommen:

Alexanderstraße, Aliceplatz, Bahnhofsplatz, Reich-Clarastraße, Colmarstraße, Feldbergplatz, Forsterstraße, Gartenfelder Wege, Goethestraße, Gonsenheimerstraße, Hänleinsgäßchen, Hechtsheimerstraße, Josephstraße, Lessingstraße, Straße am Mehplatz, Mombacherstraße, Nackstraße, Petersplatz, Raimundistraße, Rheinallee, Fahrstraße längs des Rheinufers, Sömmeringstraße, Taunusstraße, Uferstraße, Uhlandstraße, Wallaustraße, Straße in Zahlbach; im ganzen wurden umgelegt rd. 5 800 qm.

Desgleichen unter teilweiser Verwendung von neuen Steinen: Mombacherstraße und Rheinallee mit zusammen 3 375 qm.

Eine vollständige Pflasterumlegung unter Verwendung von neuen einhäuptigen Steinen fand statt: Straße längs des Rheinufers zwischen Holztor und Weintor mit zusammen 608 qm.

In den nachverzeichneten, mit Asphaltplatten befestigten Straßen wurden die schadhaften Platten beseitigt und durch Gußasphalt ersetzt: Altenauergasse, Fledergäßchen, Korbgasse, Kötherhofstraße, Mailandsgasse, Rechengasse, Rentengasse, Rindsfußgasse, Vordere und Hintere Schafsgasse, Seilergasse; im ganzen wurden ausgewechselt rd. 225 qm.

Ferner wurde das Mosaikpflaster in der Goethestraße und Mombacherstraße in einer Fläche von rd. 150 qm umgelegt.

3. Unterhaltung der Asphalttrottoirs.

Größere Erneuerungen des Asphaltbelages wurden in folgenden Straßen vorgenommen:

Bahnhofstraße zwischen Parkusstraße und Bahnhofsplatz, Große Bleiche zwischen Gärtnergasse und Heidelbergerfaßgasse einerseits und Umbach und Lotharstraße andererseits, Braudgäßchen rechte Seite, Bischofsplatz vor Nr. 4 und 6, Carmelitenplatz vor Nr. 2, Citadelleweg vor Nr. 18 und 20, Forsterstraße Ecke Schulstraße, Graben vor Nr. 1, Korbgasse zwischen Hintere Schafsgasse und Brand, Kaiser Wilhelm-Ring vor Nr. 4, Leichhofstraße vor Nr. 9 und 11, Liebfrauenplatz vor Nr. 1—5, Markt vor Nr. 21—25, Osteinstraße-Unterführung, Postgäßchen vor dem Hauptpostamt, Rheinallee, Rheinstraße vor Nr. 5 und 31, Schusterstraße vor Nr. 10—14, 27—33 und Nr. 56—58, Stadthausstraße vorm Stadthaus, Taunusstraße Ecke Frauenlobstraße; im ganzen wurden erneuert rd. 3 280 qm.

Der Zementplatten-Trottoirbelag in der Schießgartenstraße und Mittleren Bleiche wurde an verschiedenen schadhaften Stellen ausgebessert, im ganzen 28 qm.

4. Unterhaltung des Holzpflasters.

Auch im abgelaufenen Rechnungsjahr wurde die der Stadt obliegende Unterhaltung des Holzpflasters in eigener Regie ausgeführt. Es waren die nachstehend angegebenen Ausbesserungen erforderlich:

	Mit neuem Holz	Mit altem Holz
	qm	qm
Breidenbacherstraße	0,75	0,58
Bonifaziusplatz	2,90	1,40
Clarastraße	5,06	0,59
Emmeransstraße	47,14	1,87
Flachsmarktstraße	3,00	—
Forsterplatz	3,68	1,77
Johannisstraße	4,36	1,39
Ignazkirchhof	0,92	0,11
Kaiserstraße	39,69	0,72
Markt	5,05	—
Pfaffengasse	0,31	—
Rosengasse	5,78	—
Schillerstraße	9,53	0,48
Schulstraße	5,53	0,51
Stadthausstraße	4,02	0,84
Stadionerhofstraße	5,90	0,94
Sonnengäßchen	1,16	0,21
Uferstraße	6,09	—
Welschnonnengasse	1,50	—
Im ganzen	152,37	11,41

Die Kasten der Unterhaltung des Holzpflasters betrugen 4 067 ℳ 50 ₰, ausschließlich der an die Firma Lönholdt & Co. in Frankfurt a. M. entrichteten Summe für das von dieser Firma vertraglich zu unterhaltende Holzpflaster auf der Kaiserstraße.

Ausgeschlagen auf die ganze, von der Stadt zu unterhaltende Holzpflasterfläche von 33 685 qm berechnet sich die Unterhaltungsquote für das Jahr und das qm zu 12,1 ₰.

In folgenden Straßen wurden Holzpflasterstrecken mit Teer übergossen: Augustinerstraße, Breidenbacherstraße, Bonifaziusplatz, Emmeransstraße, Forsterplatz, Johannisstraße, Ignazkirchhof, Leichhofstraße, Markt, Rechengasse, Schusterstraße und Templerstraße; im ganzen wurden übergossen 12 000 qm.

5. Ausgießen von Pflasterfugen mit Pflasterkitt.

Mit Pflasterkitt wurden ausgegossen: Boppstraße zwischen Kurfürstenstraße und Kaiser Wilhelm-Ring, Greberstraße, Liebfrauenstraße, Rheinstraße vor Nr. 79—87, Straßen im Schlacht- und Viehhof, im ganzen 3 268 qm.

C. Straßenbeleuchtung.

Zur Vervollständigung der Straßenbeleuchtung wurden in der Altstadt 32 Wandarme angebracht und 11 Kandelaber neu gesetzt. In der Neustadt wurden 90 Kandelaber aufgestellt.

D. Baggerungen.

Die städtische Baggermaschine war im Berichtsjahre beim Freihalten der Einfahrten zum Zoll- und Binnenhafen, zum Winterhafen und zum Floßhafen sowie zur Freihaltung der Fahrrinne in diesen Häfen und an verschiedenen Stellen des Rheinufers 185 Tage im Betriebe. An 55 Tagen mußte noch die Baggermaschine des Unternehmers L. Kraemer zu Hilfe genommen werden. Es sind 35 500 cbm (19 900 cbm) Baggergut gefördert worden. Von dem Baggergut waren rd. 14 300 cbm sandiges Material, das zur Anschüttung des militärfiskalischen Geländes an der Spitze der Ingelheimer Au und des linken Floßhafenufers verwendet wurde. Die 21 200 cbm Schlamm sind an geeigneten Plätzen der Petersau und bei Kreuzerort abgelagert worden. Die Kasten der Baggerarbeiten betrugen 31 127 ℳ 59 ₰ (17 335 ℳ 69 ₰).

Mit der Freihaltung der Fahrrinne im Wachsbleicharm und Mombacherarm waren die Firma Gebr. Meyer in Cöln vom 16. August bis 27. September 1907 und Unternehmer F. Minthe vom 9. Dezember bis 20. Januar 1908 beschäftigt. Es sind hierbei rd. 31 000 cbm Material gefördert worden. Diese Arbeit wurde gegen Überlassung des Baggergutes kostenlos betätigt.

E. Kanalbau.

1. Kanalisation Mainz.

Außer den in einigen Straßen der Neustadt und auf der Ingelheimer Au zur Ausführung gekommenen Kanälen wurden die im vorigen Jahre in Angriff genommenen Kanäle im Gebiete der Lederwerke fertiggestellt. Ferner kamen die für die neu angelegten Straßen in den bisherigen Forts Karl und Karthaus vorgesehenen Kanäle zur Ausführung, mit Ausnahme eines Teiles des Vorflutkanales sowie der an der Hechtsheimerstraße in Privatgelände fallenden Kanalstrecke und derjenigen in den z. Zt. noch nicht angelegten Straßen 14 und 15.

Die neuerbauten Kanäle sind in nachstehender Tabelle zusammengestellt:

Ord.-Nr.	Namen der Straßen	Gemauerte Kanäle		Zementrohrkanäle				Tonrohrkanäle 40 cm	Im ganzen	
		Prof. IV 115/70 cm	Prof. V 100/60 cm	Prof. VI 60/40 cm	Prof. VII 45/30 cm	Prof. VIII 35/25 cm	Prof. IX 30/20 cm		Planmäß. Kanäle	Provisor. Kanäle
		lfd. m	lfd. m	lfd. m	lfd. m	lfd. m	lfd. m	lfd. m	lfd. m	lfd. m
1.	Beethovenstraße, zwischen Moselstraße und Beethovenplatz	—	132,1		—	—	—	—	132,1	—
2.	Moselstraße, zwischen Wallau- und Mozartstraße	—	8,5	—	—	32,3	108,3	—	149,1	—
3.	Beethovenplatz, zwischen Beethoven- u. Mozartstr.	—	18,0	—	—	—	30,8	—	48,8	—
4.	Pankratiusstraße, zwischen Goethe- und Colmarstr.	—	—	—	—	—	69,5	—	69,5	—
5.	Sömmerringplatz, Südostseite	—	28,5	—	—	—	—	—	23,5	—
6.	Bonifaziusstraße, zwischen Gabelsberger- und Kurfürstenstraße	—	74,7	—	—	—	—	—	74,7	—
7.	Josephstraße, zwischen Fuester- und Bonifaziusstraße	—	25,3	—	—	—	—	—	25,3	—
8.	Alleeweg	—	—	—	—	—	—	198,8	—	198,8
9.	Ingelheimstraße	—	574,1	—	—	—	—	86,2	574,1	86,2
	Kanäle im Gebiete der Lederwerke:									
1.	Leibnizstraße, zwischen Colmar- und Josephstraße	—	354,5	—	—	—	—	—	354,5	—
2.	Bonifaziusstraße	—	152,0	—	—	—	—	—	152,0	—
3.	Sömmerringplatz, Südwestseite	—	50,5	—	—	—	—	—	50,5	—
4.	Lessingstraße, zwischen Nack- und Bonifaziusstraße	—	10,2	—	—	91,4	153,7	—	255,3	—
5.	Lessingplatz	—	4,7	—	—	—	88,9	—	93,6	—
6.	Gabelsbergerstraße, zwischen Forster- u. Bonifaziusstraße	—	—	—	11,6	26,9	—	—	38,5	—
7.	Jakob Dietrich-Straße	—	10,3	—	—	96,2	230,8	—	337,3	—
	Kanäle im Gebiete der bisherigen Forts Karl und Karthaus:									
1.	Straße Nr. 1	—	—	—	—	86,4	172,2	—	258,6	—
2.	„ „ 3	—	—	—	—	90,7	—	—	90,7	—
3.	„ „ 4	—	—	—	—	—	150,2	—	150,2	—
4.	„ „ 5	—	—	—	—	—	194,5	—	194,5	—
5.	„ „ 6	—	5,3	—	—	62,5	94,8	—	162,6	—
6.	„ „ 7	247,9	195,3	—	—	—	—	—	443,2	—
7.	„ „ 8	—	3,4	124,0	83,7	44,5	—	—	255,6	—
8.	„ „ 9	—	342,4	—	—	—	—	—	342,4	—
9.	„ „ 10	—	—	—	—	—	112,9	—	112,9	—
10.	„ „ 11	194,3	—	—	—	—	149,6	—	343,9	—
11.	„ „ 13	—	—	—	—	110,7	98,2	—	208,9	—
12.	Abtsgasse	—	—	—	—	271,9	219,2	—	491,1	—
13.	Aulageweg	—	—	—	265,6	—	—	—	265,6	—
	Summe:									
	Planmäßige Kanäle	442,2	1984,8	124,0	360,9	913,5	1873,6	—	5699,0	—
	Provisorische Kanäle	—	—	—	—	—	—	285,0	—	285,0
	Zusammen	—	—	—	—	—	—	—	5984,0 lfd. m	

An vorhandenen planmäßigen Rohrkanälen wurden umgelegt: in der Zanggasse, Heidelbergerfaßgasse, am Fischtorplatz und Schillerplatz zusammen 251 lfd. m. Die Kanäle waren mit Letten gedichtet und sind nunmehr, da die alten Rohre durchweg schlecht und schadhaft waren, vollständig erneuert worden.

Am Schlusse des Rechnungsjahres 1906 betrug die Länge der ausgeführten Kanäle	77 648 lfd. m
Hierzu die im Jahre 1907 ausgeführten Strecken	5 984 „ „
ergibt eine Gesamtlänge Ende des Rechnungsjahres 1907 von	83 632 lfd. m

Unterhaltung der Kanäle und Straßeneinläufer.

Die Kosten für Unterhaltung der Kanäle und Straßeneinläufer beziffern sich auf 13 588 ℳ 37 ₰. Dieselben sind entstanden durch Einsetzen von Einlaßstücken in gemauerten Kanälen, Herstellung von Einlässen in Rohrkanälen zwecks Ermöglichung des Anschlusses von Entwässerungsanlagen, Beseitigung alter Schlammfänge und Setzen von Straßensinkkasten an deren Stelle, Wiederherstellen von schadhaftem Kanalmauerwerk, Ersatz beschädigter Kanalausrüstungsgegenstände, als gußeiserne Deckel, Schlammeimer und Blechtrichter zu Sinkkasten ꝛc., Einbauen von Schächten an bestehenden Rohrleitungen und gemauerten Kanälen zwecks besserer Spülung und Reinigung derselben, Vermehrung der Straßensinkkasten um 202 Stück ꝛc.

Hausentwässerungen.

Zur Ausführung neuer Hausentwässerungsanlagen und zur Vervollständigung bestehender Anlagen wurden im ganzen 78 (124) Baubescheide erteilt. Hiervon entfallen:

a) auf Neuanlagen	46 Baubescheide
b) „ Ergänzung bestehender Anlagen	32 „
Summe	78 Baubescheide.

Die Prüfung und Revision von Hausentwässerungsanlagen wird von einem besonderen Bauaufseher wahrgenommen. Es kamen im Berichtsjahre 52 Neuanlagen und 34 Ergänzungen zur Prüfung sowie 185 Hausentwässerungen zur Revision, von welchen 173 Stück den Vorschriften entsprechend fertiggestellt wurden. Ferner sind an 71 Hausentwässerungsanlagen Reparaturen und Ergänzungen vorgenommen worden.

2. Kanalisation des Stadtteils Mainz-Mombach.

Im April 1907 konnte mit den Vorarbeiten zur Projektbearbeitung der Kanalisation von Mainz-Mombach begonnen werden. Dieselben umfaßten die Ausführung eines genauen Fixpunktnivellements, Herstellung der nötigen Fixpunkte, Geländeaufnahme des ganzen in Frage kommenden Gebietes sowie Grundwasserstandsbeobachtungen an vorhandenen Brunnen. Nach Beendigung dieser Arbeiten und Herstellung des nötigen Planmaterials wurde mit Aufstellung des Kanalisationsprojektes begonnen und dasselbe mit den erforderlichen Plänen, Berechnungen, Kostenanschlägen sowie dem zugehörigen Erläuterungsbericht bis anfangs Juni ds. Js. fertiggestellt, sodaß die Vorlage des Projekts demnächst erfolgen kann.

F. Kanalreinigung.

1. Reinigung der Straßenkanäle.

Die Stadt ist in zwei Reinigungsbezirke eingeteilt; die Reinigung und Spülung der Kanäle wird von zwei Arbeitskolonnen mit je einem Obmann und drei Arbeitern ausgeführt. Bei gemauerten Hauptkanälen Profil I bis V geschieht die Reinigung durch Einlassen des mittels Spültüren und Schiebern bis auf Widerlagerhöhe aufgestauten Wassers, das durch plötzliches Öffnen der Türen die unterhalbliegende Kanalstrecke mit großer Gewalt durchströmt und alle leichten Schlammteile fortspült. Nur Sand und schwere Teile setzen sich auf der Sohle ab und werden dann mittels eines besonderen beweglichen Spülapparates nach den Einsteigschächten gefördert und daselbst von Hand zutage geschafft und abgefahren.

Die Reinigung der Zementrohrkanäle Profil VI bis IX und der Tonrohrkanäle geschieht mittels Durchziehens der den betreffenden Profilformen angepaßten Bürsten und mittels Durchlassens des in den Spülschächten aufgestauten Wassers, das dann alle durch die Profilbürsten gelösten Fett- und Schlammansätze fortspült.

Nachstehende Tabelle gibt eine Übersicht der bei Reinigung der Kanäle betätigten Leistungen und der dabei entstandenen Kosten:

Ord.-Nr.	Bezeichnung	1907 ℳ	1906 ℳ
1.	Arbeitslöhne:		
	a) Unterhaltung der Spüleinrichtungen	422,80	408,98
	b) Spülung mit Stauwasser durch Schließung der Spültüren	988,70	1 041,04
	c) Spülung mit dem Spülapparat	2 988,28	2 788,50
	d) Reinigen mit der Profilbürste	909,60	613,47
	e) Ausräumen &c. des Schlammes	4 399,80	5 187,86
	Summe Arbeitslöhne	9 709,18	10 039,85
2.	Fuhrlöhne für Schlammtransport	437,50	450,50
3.	Wasserverbrauch &c.	363,60	149,22
4.	Anschaffung und Unterhaltung des Inventars . .	1 720,70	1 653,18
5.	Dienstkleider	54,30	137,30
6.	Gehalt des Kanalwärters einschl. Teuerungszulage	2 000,00	2 120,00
	Gesamtausgabe	14 285,28	14 550,05
7.	Länge der Kanäle	83 632 m	77 648 m
8.	Demnach Reinigungskosten für 1 lfd. m Kanal .	17,1 ₰	18,7 ₰
9.	Anzahl der Arbeitsschichten	2 714	2 698
10.	Menge des geförderten Schlammes	176,40 cbm	196 cbm
11.	Wasserverbrauch	512,00 „	46,50 „

Die Reinigung und Unterhaltung des Wildgrabens, des Gonsbaches und des Zaybaches erforderte einen Kostenaufwand von 1 499 ℳ 80 ₰ (1 599 ℳ 01 ₰).

2. Reinigung der Entwässerungsanlagen.

Zu reinigen sind:

1. normale Straßensinkkasten,
2. gemauerte Straßensinkkasten in provisorischen und chaussierten Straßen sowie kleinere Einläufer in engen Straßen, Reulen und an öffentlichen Brunnen,
3. Apparate der Entwässerungsanlagen städtischer und Fonds-Gebäude,
4. Apparate der Entwässerungsanlagen von Privatgebieten.

Die unter 1. erwähnten Straßensinkkasten sind ausnahmslos mit Schlammeimern versehen, die in geschlossene Schlammwagen mittels eines an letzteren angebrachten Handkrans entleert werden.

Die Reinigung der unter 2. genannten Einläufer erfolgt mittels Kitschen. Der Schlamm wird in einen bereitstehenden Eimer gebracht und letzterer in den geschlossenen Handschlammwagen entleert. Für die Reinigung der Straßensinkkasten ist die Stadt in 5 Reinigungsbezirke eingeteilt, in welchen je ein Schlammwagen im Betriebe ist. Jedem Wagen ist außer dem Fuhrmann noch ein Arbeiter beigegeben.

Die Reinigung der Entwässerungsanlagen von Privatgrundstücken wird von sieben Arbeitern vorgenommen, denen jedem ein Handwagen mit großem Schlammeimer und entsprechenden Gerätschaften beigegeben ist. Die Stadt ist in sieben Reinigungsbezirke eingeteilt; die mittlere Tagesleistung eines Arbeiters umfaßt ungefähr 120 Apparate.

Die Beaufsichtigung der genannten Arbeiten für Kanalreinigung und Reinigung der Entwässerungsanlagen wurde von einem Aufseher und einem Kanalwärter ausgeübt.

Die nachstehende Tabelle gibt eine Übersicht über die Leistungen und die entstandenen Kosten:

Ord.-Nr.	Bezeichnung der Apparate	Zahl der am 1. April 1907 vorhandenen Apparate	Anzahl der vorgenommenen Reinigungen	Anzahl der abgefahrenen Schlammwagen	Geförderter Schlamm in cbm	Anzahl der Tagschichten	Verausgabte Taglöhne ℳ	Anschaffung und Unterhaltung des Inventars ℳ	Kosten der Abfuhr des Kanalschlammes ℳ	Dienstkleider ℳ	Zusammen ℳ
1	Normale Straßensinkkasten mit Eimern	2 739	27 417	1719 Einsp.	1 547,10	1 459	5 477,94	652,20	9 471,00	35,50	15 636,64
2	a) Gemauerte Sinkkasten	134	6 918								
	b) Kleinere Einläufer	291									
3	Apparate der Entwässerungsanlagen städtischer und Fonds-Gebäude .	613	31 853	39 Einsp.	35,10	240	944,40	34,28	109,50	—	1 088,18
4	Apparate der Privat-Entwässerungsanlagen einschließlich derjenigen in den Hospizien-Gebäuden und dem Großh. Palais .	4 385	226 923	282 Einsp.	253,80	1 717	6 728,05	246,43	789,44	16,10	7 780,02
	Summe	—	—	—	—	—	13 150,39	932,91	10 369,94	51,60	24 504,84

Nach dieser Zusammenstellung berechnen sich die Kosten der einzelnen Apparate im Durchschnitt für das Jahr:

	1907	1906
1. für einen normalen Straßensinkkasten mit Eimer, sowie einen gemauerten Sinkkasten bezw. einen kleinen Sinkkasten, die von Hand entleert werden, auf	4,94 ℳ	4,84 ℳ
2. für einen Apparat der Entwässerungsanlagen der städtischen und Fonds-Gebäude auf	1,77 „	1,09 „
3. für einen Apparat der Privatentwässerungsanlagen auf	1,77 „	1,05 „

Der Vollständigkeit halber sei noch erwähnt, daß außer den in vorstehender Tabelle aufgeführten Straßeneinläufern noch etwa 132 Stück in chaussierten, größtenteils außerhalb der eigentlichen Stadt befindlichen Straßen vorhanden sind, die von den bei Unterhaltung der Straßen beschäftigten Arbeitern gereinigt werden. Die hierbei entstandenen, auf etwa 600 ℳ zu veranschlagenden Kosten wurden auf Rubrik 62. II. 3 verrechnet.

Eine übersichtliche Darstellung der Zahl der zur Reinigung der Entwässerungsanlagen angemeldeten Hofreiten und der vorgenommenen Reinigungen gibt nachstehende Tabelle:

Bezeichnung	Zahl der Hofreiten	Anzahl der Revisionen oder Reinigungen
1. Privatanwesen:		
1. Quartal	745	53 547
2. „	755	54 270
3. „	776	55 372
4. „	788	56 739
2. Häuser des Hospizienfonds	12	6 292
3. Städtische und Fonds-Gebäude	60	31 853
4. Großh. Palais	1	832
Im ganzen	861	258 905
Im Rechnungsjahr 1906	805	244 466

Nach der Tabelle auf voriger Seite betrugen die Ausgaben:

a) für Reinigung der Privatentwässerungsanlagen einschließlich der Hospiziengebäude und des Großh. Palais . . . . 7 780 ℳ 02 ₰ (7 317 ℳ 79 ₰)

b) für Reinigung der städtischen und Fonds-Gebäude . . . . 1 088 „ 18 „ (656 „ 43 „)

Zusammen . . . . . 8 868 ℳ 20 ₰ (7 974 ℳ 22 ₰)

Die Einnahme für Ausführung der vorbemerkten Revisionen (5 ₰ für eine Revision) betrug . . . . 12 945 „ 25 „ (12 235 „ 18 „)

Demnach Überschuß . . . . . 4 077 ℳ 05 ₰ (4 260 ℳ 96 ₰)

Die eingeklammerten Zahlen beziehen sich auf das Vorjahr.

G. Öffentliche Bedürfnisanstalten.

Die Zahl der öffentlichen Bedürfnisanstalten betrug am Schlusse des Rechnungsjahres 1907 = 24 Stück. Die Anstalt auf dem Platze K im Kaiser Wilhelm-Ring wurde nach dem Hohenzollernplatz versetzt.

Außer den öffentlichen Bedürfnisanstalten wurden durch Arbeiter des Tiefbauamtes auch die Bedürfnisanstalten der Volksschulhäuser für Knaben am Eisgrubeweg, Emmeranskirchhof, Holztor, Feldbergplatz und in der Schulstraße sowie diejenigen im Stadttheater, in der Stadthalle, dem Realgymnasium und der Oberrealschule gereinigt.

Im ganzen sind vorhanden:

a) öffentliche Bedürfnisanstalten

2 Stück mit je 2 Ständen = 4 Stände
14 „ „ „ 3 „ = 42 „
3 „ „ „ 4 „ = 12 „
2 „ „ „ 5 „ = 10 „
2 „ „ „ 6 „ = 12 „
1 „ „ „ 9 „ = 9 „

Zusammen 24 Stück mit . . . . 89 Ständen.

b) Bedürfnisanstalten in den Volksschulhäusern für Knaben . . . . 9 Stück mit 143 Ständen

c) Bedürfnisanstalten im Stadttheater . . . . 7 „ „ 43 „

d) Bedürfnisanstalten in der Stadthalle . . . . 2 „ „ 18 „

e) Bedürfnisanstalten in dem Realgymnasium, Steingasse . . . . 2 „ „ 33 „

f) Bedürfnisanstalten in der Ober-Realschule, Schulstraße . . . . 2 „ „ 60 „

Die Kosten der Reinigung und Spülung oder Ölung sind in nachfolgenden Tabellen zusammengestellt:

a) Anstalt mit Wasserspülung (Anstalt für Frauen auf dem Höfchen)

Anzahl der Stände	Anschaffungen ℳ	Kosten des Wassers ℳ	Gesamtkosten ℳ	Kosten für den Stand u. das Jahr ℳ
9	— (—)	656,64 (848,76)	656,64 (848,76)	72,96 (94,31)

Die Kosten für Unterhaltung des Inventars der Aborte in den Bedürfnisanstalten am Frauenlobplatz und am Höfchen betrugen 10 ℳ 60 ₰.

b) Anstalten mit Ölspülung.

I. bei täglich zweimaliger Ölung.

Bezeichnung der Anstalten	Zahl der Anstalten	Zahl der Stände	Taglöhne sowie Anschaffungen und Unterhaltung des Inventars ℳ	Kosten von Öl und Wasser ℳ	Gesamtkosten ℳ	Kosten für den Stand u. das Jahr ℳ
Öffentliche . . .	23	80	3 055,49 (3 043,01)	263,72 (281,07)	3 319,21 (3 324,08)	41,49 (41,55)
Stadthalle . . .	2	18	— (—)	— (—)	712,84 (663,93)	39,60 (36,88)

II. bei täglich einmaliger Ölung.

Bezeichnung der Anstalten	Zahl der Anstalten	Zahl der Stände	Taglöhne, Öl u. Wasser sowie Anschaffungen u. Unterhaltung des Inventars ℳ	Kosten für den Stand u. das Jahr ℳ
Knabenschulen	8	141	1 301,97 (1 193,32)	9,23 (8.46)
Stadttheater	7	43	290,15 (262,09)	6,75 (6,10) (für 7 Monate)
Realgymnasium . . .	2	33	367,55 (360,57)	11,14 (10,93)
Ober-Realschule . .	2	60	530,77 (523,96)	8,85 (8,73)

Die Kosten der Reinigung und Spülung einschließlich Anschaffung und Unterhaltung des Inventars sowie des Bedarfes an Öl und Wasser betrugen demnach bei den öffentlichen Straßenpissoirs:

für den Stand und das Jahr 41 ℳ 49 ₰ (46 ℳ 46 ₰)
" " " " den Monat 3 " 46 " (3 " 87 ")

Desgleichen bei der Bedürfnisanstalt für Frauen auf dem Höfchen:

für den Stand und das Jahr 72 ℳ 96 ₰ (94 ℳ 31 ₰)
" " " " den Monat 6 " 08 " (7 " 86 ")

Die Instandhaltung der öffentlichen Bedürfnisanstalten selbst erforderte einen Kostenaufwand von 1 250 ℳ 18 ₰ (1 403 ℳ 58 ₰), welche durch Erneuerung des Anstrichs und Ersatz von beschädigten Schieferplatten ɪc. entstanden sind.

Die eingeklammerten Zahlen beziehen sich auf das Rechnungsjahr 1906.

H. Reichstelegraphenkabel.

Für Rechnung des Kaiserlichen Telegraphenamtes sind in nachstehenden Straßen Zementkabelkanäle und Erdkabelleitungen verlegt worden: Bauerngasse, Hintere Bleiche vor dem Postneubau, Brand, Brandgäßchen, Diether von Isenburgstraße, Gaßner-Allee, Gaustraße, Greiffenklaustraße, Ilstraße, Kaiserstraße, Karmelitenstraße, Karmelitenplatz, Korbgasse, Löhrstraße, Ludwigstraße, Münsterstraße, Rentengasse, Rheinallee, Schillerplatz, Schulstraße, Straße am Zollhafen.

J. Vermessungswesen.

Von dem städtischen Geometerpersonal wurden folgende Arbeiten geleistet: — Arbeitstage

1. Anfertigung von 40 Meßbriefen 517
   Die Kosten für diese Arbeiten werden zum größeren Teil von den Beteiligten zurückerhoben.
2. Abstecken der Straßen- und Baufluchtlinien und Revision der Sockel auf Anrufen der Beteiligten bei Neubauten in 95 Fällen 32
3. Arbeiten für das Ortsgericht, Anfertigung von Grundbuchsauszügen, Unterlagen für Taxationen sowie Überwachung und Dienstleistungen bei der Beibringung der Bauveränderungs-Meßbriefe, Aufstellung der Verzeichnisse 97
4. Arbeiten für das Kreisvermessungsamt, bestehend in Prüfung der von den Privatgeometern eingebrachten Meßbriefe (259 Stück mit 1 765 Parzellen), außerordentliche Wohrung von Besitzwechseln sowie der alljährlichen ordentlichen Ab- und Zuschreibung im Grundbuch, alphabetischen Namensverzeichnis und dem Steuerkataster (1 356 Item), Einzeichnen von 168 Meßbriefen mit 1 464 Parzellen in die Grundbuchssupplementkarten, Aufstellung der Bau- und Kulturveränderungsverzeichnisse, sowie als besondere Arbeit die Erneuerung des topographischen Güterverzeichnisses von Mainz, ferner die Anfertigung des Sachregisters zum neuen Grundbuch der Fluren XII bis XXVII nebst den zugehörigen Ergänzungs- und Berichtigungsarbeiten. Es wurden hierzu verwendet . . 354

   Hirein sind nicht einbegriffen die in Verwaltung der Kreisgeometergeschäfte erwachsenen Zeitverluste für Berichte, Korrespondenzen, Führung des Geschäftsprotokolls, Auskunftserteilung, Nachschlagen von Akten und Beglaubigung von etwa 60 Unterschriften auf Meßbriefen. Für einen Teil dieser Arbeiten wurden der Staatskasse zur Erhebung überwiesen und fließen in die Stadtkasse zurück 1 356 ℳ 75 ₰.
5. Für die Beschaffung endgültiger Pläne mit Geländeaufnahme für die Bearbeitung des Stadterweiterungsplanes, die Ausfertigung von Bebauungsplänen, die zur Offenlegung bestimmt waren, wurden verwendet 519
6. Straßenabsteckungen größeren Umfanges im Gebiete der Nordwestfront, der Forts Karl und Karthaus, bei Fort Elisabeth und im Kästrichgebiet 57
7. Die Eingemeindung von Mombach machte die Vervollständigung der dortigen Bebauungs- und Übersichtspläne und die Ausarbeitung von Fluchtlinienplänen notwendig 183
8. Die übrige Zeit wurde verwendet für:
   a) Herstellung und Unterhaltung der trigonometrisch bestimmten Punkte einschließlich der Gemarkungsgrenzen,
   b) Neuaufnahme für Flurgrenzverlegungen und größere Veränderungen der Katastereinteilung,
   c) Aufstellung von Konsolidationsplänen,
   d) Aufstellung von Alignementsplänen und Einzeichnung veränderter Alignements in den Ortsbauplan,
   e) Aufstellung von Originalplänen für das Industriegebiet, Ergänzung der Arbeitspläne für die Neustadt,
   f) Verteilung der Gartenfeldsteuer nach den Eigentumsübergängen der Mutations-Periode 1906/07 und Nachtrag der Veränderungen in den Katasterplänen dieser Steuer,
   g) Aufstellung von Verzeichnissen und Plänen für die Verrechnung des zu den einzelnen Straßenstrecken zu stellenden Geländes,
   h) Prüfung von Lageplänen zu den Baugesuchen,
   i) sonstige Hilfeleistung für das Tiefbauamt, Absteckung von Straßen, besonders im Gebiet der Lederwerke, Spezialberichte und sonstige schriftliche Arbeiten,
   k) Geländeumlegungen für die Baublöcke 81, 85, 86, 87, 95 und 96 der Neustadt und den Baublock V bei den Römersteinen.
9. Außerdem wurden durch den städtischen Geometer im Nebenamt auf dem Feidhof 241 Erbbegräbnisse abgesteckt und die nötigen schriftlichen Arbeiten duzu geliefert.

K. Alignierungen.

Gemeinschaftlich mit dem Baupolizeiamt wurden im Berichtsjahre die Unterlagen und Pläne für die nachstehenden Alignierungen ausgearbeitet:

1. Stadtteil Mainz:

Dominikanerstraße Inselstraße Insel Vordere Präsenzgasse	längs den Gebieten Dominikanerstraße Nr. 1, Insel Nr. 6 und Vordere Präsenzgasse Nr. 3.

2. Stadtteil Mainz-Mombach:
   Garten- und Trommlerstraße,
   Wilhelmstraße,
   Quellwiesstraße und Straße 38,
   Obere und Untere Bogenstraße und Blücherstraße,
   Mainzerstraße und Kreisstraße nach Gonsenheim, längs dem Gastell'schen Gebiet.

L. Notstandsarbeiten.

Im Herbst 1907 und Winter 1907/08 ließ die Bautätigkeit nach, außerdem mußten wegen ungünstiger Witterungsverhältnisse begonnene Bauten eingestellt werden. Es war daher vorauszusehen, daß in den Wintermonaten viele Leute beschäftigungslos sein würden, und daher die Abhaltung von Notstandsarbeiten in Aussicht zu nehmen. Nach Beschluß der Stadtverordneten-Versammlung vom 20. November 1907 sollten die Arbeitslosen mit Kleinschlagen von Bruchsteinen, sowie mit gärtnerischen Arbeiten beschäftigt werden. Zu diesem Zwecke wurde ein Kredit von 12 000 *M.* zur Verfügung gestellt, wovon 8 400 *M.* für Beschaffung von Bruchsteinen und Fertigung von Kleinschlag und 3 600 *M* für gärtnerische Arbeiten bestimmt waren. Dieser Kredit ist durch die Beschlüsse der Stadtverordneten-Versammlung vom 24. Januar 1908 um 6 500 *M* — für Arbeiten beim Tiefbauamt 5 000 *M.*, für solche bei der Stadtgärtnerei 1 500 *M* — und vom 19. Febr. 1908 um weitere 6 000 *M.* — 4 000 für Fertigung von Kleinschlag, 2 000 *M.* für gärtnerische Arbeiten — erhöht worden. Es standen daher für Notstandsarbeiten im ganzen 24 500 *M* zur Verfügung und zwar für Beschaffung von Bruchsteinen und Kleinschlagarbeiten 17 400 *M.* und für Beschäftigung der Arbeitslosen durch die Stadtgärtnerei 7 100 *M.*

Die Anmeldung zur Arbeitslosenbeschäftigung erfolgte im Berichtsjahre wie auch in früheren Jahren entsprechend dem Beschlusse der Kommission für Notstandsarbeiten beim städtischen Arbeitsamte. Die Überweisung der Arbeitslosen an das Tiefbauamt, deren Einberufung und Beschäftigung fand unter denselben Voraussetzungen und Bedingungen statt, wie sie im Winter 1905/06 galten mit der Änderung, daß bei Beschäftigung im Tagelohn für Ernährer von Familien nicht allgemein der Lohn von 25 ₰ für die Stunde festgesetzt war, sondern 25 bis 30 ₰ betragen hat. Die Bemessung des Stundenlohnes für Ernährer von Familien ist jeweils nach bestimmten von der Bürgermeisterei und der Armendeputation gemeinsam festgesetzten Normen erfolgt. Alleinstehende erhielten, wie in früheren Jahren, einen Stundenlohn von 20 ₰.

Zur Einübung für die Steinschlagarbeiten wurde eine sechstägige Frist gewährt. Innerhalb dieser Frist erhielten die Arbeiter Stundenlohn, gleichgültig wie groß die Leistung war.

Der Akkordlohn für Steinschlagarbeiten war festgesetzt auf:

6 *M* für das cbm Porphyrkleinschlag,
4 " " " " Melaphyrkleinschlag,
4 " " " " Kalksteinkleinschlag,
4 " " " " Kleinschlag aus Betonbrocken;

außerdem wurde Kleinschlag aus Backsteinmauerwerksbrocken gefertigt, der für das cbm mit 2,20 *M* vergütet wurde. Zu diesen Preisen wurden jedoch nur verrechnet wöchentliche Leistungen von 2 cbm Porphyrkleinschlag, von 3 cbm Kleinschlag aus Melaphyr, Kalkstein und Betonbrocken und 6 cbm Kleinschlag aus Backsteinmauerwerksbrocken. Für etwaige Mehrleistungen war eine Prämie von 1,50 *M* für das cbm gewährt.

Die Beschäftigung der Arbeitslosen begann am 5. Dezember 1907 und dauerte bis zum 14. März 1908. Die Zahl der Arbeitstage betrug demnach 87.

Zur Beschäftigung bei den Notstandsarbeiten haben sich 330 Mann gemeldet. (1905/06 = 142 Mann; 1903/04 = 265 Mann; 1902/03 = 424 Mann; 1901/2 = 395 Mann; 1899/1900 = 312 Mann).

Dem Tiefbauamt wurden zur Einberufung überwiesen 299 Mann, von welchen 46 alleinstehende Arbeiter einen Stundenlohn von 20 ₰ und von den Ernährern von Familienangehörigen 126 Mann einen Stundenlohn von 25 ₰ und 127 Mann einen solchen von 30 ₰ erhalten sollten.

Die dem Tiefbauamt überwiesenen 299 Mann wurden sämtlich zur Arbeit einberufen und zwar 14 Mann zu gärtnerischen Arbeiten und 285 Mann zum Kleinschlagen von Bruchsteinen. Zur Arbeit haben sich eingestellt jedoch nur 7 Mann bei der Stadtgärtnerei und 175 Mann beim Tiefbauamt, zusammen 182 Mann, sodaß die Zahl derjenigen, welche die Arbeit aufgenommen haben, nur 60,9 % der Einberufenen beträgt.

Von den zur Arbeit einberufenen, aber nicht erschienenen 117 Mann waren 5 Mann inzwischen in anderweitige Beschäftigung getreten, 3 Mann durch Krankheit verhindert, 106 Mann sind unentschuldigt weggeblieben und 3 Mann waren nicht auffindbar. Leute, die beim Steinschlagen im Akkord den angesetzten Stundenlohn nicht erreichten, wurden soweit als möglich der Stadtgärtnerei zur Beschäftigung im Stundenlohn überwiesen; es waren dies 58 Mann, sodaß die Stadtgärtnerei im ganzen 65 Mann beschäftigt hat.

Von den 182 beschäftigten Personen waren: 135 verheiratete Männer (davon 97 mit Kindern unter 14 Jahren), 13 Witwer, 34 ledige Personen (davon 14, welche für Familienangehörige zu sorgen hatten).

Dem Lebensalter nach waren

7	Männer	zwischen	15	bis	20	Jahren,
32	„	„	20	„	30	„
49	„	„	30	„	40	„
42	„	„	40	„	50	„
35	„	„	50	„	60	„
17	„	„	60	„	69	„

Das Lebensalter schwankte mithin zwischen 15 und 69 Jahren.

Aus Mainz gebürtig waren 69 Mann; von den nach Mainz Verzogenen waren:

mehr als 25	Jahre	in Mainz	= 37	Mann,
20—25	„	„ „	= 20	„
15—20	„	„ „	= 18	„
10—15	„	„ „	= 20	„
weniger als 10	„	„ „	= 18	„

Auf Grund der Aufzeichnungen über die Notstandsarbeiten in früheren Jahren wurde festgestellt, daß erstmalig beschäftigt waren . . . . 150 Mann

zum 2. Male	12	„
„ 3. „	7	„
„ 4. „	4	„
„ 5. „	2	„
„ 6. „	4	„
„ 7. „	3	„

Der Beschäftigung nach waren die Arbeitslosen:

Taglöhner	96,	Metallarbeiter	2,	Zimmerleute	2,
Tüncher	20,	Pflästerer	3,	Schreiner	4,
Maurer	11,	Küfer	4,	Metzger	1,
Schlosser	9,	Buchbinder	3,	Bierbrauer	1,
Bäcker	3,	Müller	1,	Tapezierer	1,
Landwirt	1,	Spengler	2,	Bürstenmacher	2,
Stuhlflechter	1,	Schuhmacher	2,	Holzbildhauer	1,
Schmied	1,	Hausburschen	2,	Steinbildhauer	1,
Lackierer	3,	Dachdecker	4,	Schneider	1.

Obwohl während der Dauer der Arbeitslosenbeschäftigung Entlassungen nicht angeordnet wurden, hat auch diesmal ein verhältnismäßig großer Teil der Leute (52 Mann) schon nach wenigen Tagen die Arbeit freiwillig niedergelegt und erfolgte dies hauptsächlich, nachdem die bei Steinschlägerarbeiten gewährte Probezeit abgelaufen war und die Akkordarbeit begann. Es legten dabei während der 6tägigen Probezeit 34 und gleich nach Beginn der Akkordzeit 18 Mann die Arbeit nieder.

Mit Beginn der Notstandsarbeiten wurden zu diesen Arbeiten auch die 14 Arbeitslosen einbezogen, die schon seit dem 29. Oktober 1907 auf Rechnung des Armenamtes mit Kleinschlagen von Bruchsteinen beschäftigt waren.

In Tätigkeit waren:

1— 6	Tage	34 Mann,
7—12	„	18 „
13—18	„	20 „
19—24	„	17 „
25—30	„	7 „
31—40	„	42 „
41—50	„	7 „
51—60	„	15 „
61—70	„	5 „
71—80	„	15 „
81—87	„	19 „

Die Zahl der gleichzeitig beschäftigten Personen stieg von 18 Mann in der Lohnperiode am 5. Dezember 1907 auf 117 Mann in der Woche vom 31. Januar bis 6. Februar und fiel auf 55 Mann in der letzten Lohnperiode vom 13. bis 19. März 1908.

Von dem für die Beschäftigung von Arbeitslosen bewilligten Kredit von 17 400 ℳ für Steinschlagarbeiten und 7 100 ℳ für gärtnerische Arbeiten, zusammen 24 500 ℳ wurden im ganzen verausgabt 19 733 ℳ 51 ₰ (abzüglich der Anschaffungskosten für 48,47 cbm Steine mit 172 ℳ 07 ₰, die unter Rubrik 62. VI. 2a in Ausgabe erscheinen: die Steine fanden bei den Notstandsarbeiten keine Verwendung.)

Diese Ausgaben verteilen sich auf

a) Steinschlagarbeiten.

	ℳ	₰
1. Anschaffung von Bruchsteinen einschließlich Beifuhrkosten	5 463 ℳ	89 ₰
2. Löhne der Arbeitslosen für Herstellung von Kleinschlag	7 369 „	62 „
3. Unterhaltung des Arbeitsgeschirres, Reinigen und Heizen der Unterkunftsräume	363 „	33 „
4. Beschaffung von Verbrauchsgegenständen	339 „	05 „
zusammen	13 535 ℳ	89 ₰

b) Gärtnerische Arbeiten.

	ℳ	₰
1. Arbeitslöhne der Arbeitslosen	5 261 ℳ	72 ₰
2. Löhne für Beaufsichtigung der Arbeiten	703 „	— „
3. Beschaffung von Gerätschaften	232 „	90 „
zusammen	6 197 ℳ	62 ₰

Von den 1 279,20 cbm Melaphyrbruchsteinen, die für die Beschäftigung von Arbeitslosen beschafft wurden, sind von letzteren nur 1 230,73 cbm verarbeitet worden. Auf den für Arbeitslosen-Beschäftigung bewilligten Kredit ist daher nur der Wert dieser 1 230,73 cbm Bruchsteine im Betrage von 5 463 ℳ 89 ₰ verbucht worden, während der Rest der Bruchsteine für andere Bauarbeiten Verwendung fand und auf die betreffenden Kredite verrechnet wurde.

Über das finanzielle Ergebnis ist nachstehendes zu berichten:

A. Steinschlägerarbeiten.

Beschäftigt wurden in einer Woche durchschnittlich 52 Mann.

Zum Kleinschlagen standen zur Verfügung:

Melaphyrbruchsteine
Kalksteinbruchsteine
Betonbrocken
Backsteinbrocken
} von dem Abbruch der ehem. Forts Karl und Karthaus stammend.

An Kleinschlag wurde hergestellt:

aus Melaphyrbruchsteinen	1 249,73 cbm
aus Kalksteinbruchsteinen	496,00 „
aus Betonbrocken	41,20 „
aus Backsteinbrocken	46,55 „
zusammen .	1 833,48 cbm

Die Herstellungskosten des Kleinschlages berechnen sich wie folgt:

I. Kleinschlag aus Melaphyrsteinen.

1. Anschaffungskosten der Bruchsteine einschl. Beifuhr und Ausladen derselben	5 463 ℳ 89 ₰
2. Tag- und Akkordlöhne für das Schlagen der Bruchsteine . . .	5 253 „ 85 „
3. Anteilige Kosten für Unterhaltung des Geschirrs, Reinigen und Heizen der Aufenthaltsräume	218 „ 11 „
4. Anteilige Kosten für Beschaffung von Verbrauchsgegenständen . . .	211 „ 19 „
Summe .	11 147 ℳ 04 ₰

Es berechnen sich daher die Kosten für 1 cbm Melaphyrkleinschlag auf . . . . $\frac{11\,147{,}04}{1\,249{,}73}$ = 8,92 ℳ (im Jahre 1903/04 = 10 ℳ 22 ₰)
(„ „ 1905/06 = 8 „ 47 „

II. Kleinschlag aus Kalksteinen.

1. Tag- und Akkordlöhne für das Schlagen der Bruchsteine . .	1 870 ℳ 12 ₰
2. Anteilige Kosten für Unterhaltung von Geschirr, Reinigen und Heizen der Aufenthaltsräume	123 „ 27 „
3. Anteilige Kosten für Beschaffung von Verbrauchsgegenständen .	107 „ 89 „
Summe	2 101 ℳ 28 ₰

Es kostete daher ein cbm Kalksteine kleinzuschlagen $\frac{2\,101{,}28}{496{,}00}$ = 4,24 ℳ (1905/06 = 4,08 ℳ)

III. Kleinschlag aus Betonbrocken.

1. Tag- und Akkordlohn für das Schlagen der Betonbrocken . .	147 ℳ 11 ₰
2. Anteilige Kosten für Unterhaltung von Geschirr, Reinigen und Heizen der Aufenthaltsräume	10 „ 23 „
3. Anteilige Kosten für Beschaffung von Verbrauchsgegenständen .	9 „ 84 „
Summe	167 ℳ 18 ₰

Es kostete daher ein cbm Betonbrocken zu zerkleinern $\frac{167{,}18}{41{,}20}$ = 4,06 ℳ (1905/06 = 3,60 ℳ).

IV. Kleinschlagen von Backsteinbrocken.

1. Akkordlöhne für das Kleinschlagen von Backsteinbrocken	98 ℳ 54 ₰
2. Anteilige Kosten für Unterhaltung des Geschirrs, Reinigen und Heizen der Aufenthaltsräume	11 „ 72 „
3. Anschaffung von Verbrauchsgegenständen	10 „ 13 „
Summe	120 ℳ 39 ₰

Es kostete daher ein cbm Kleinschlag aus Backsteinbrocken $\frac{120,39}{46,55} = 2,60$ ℳ

Unter Zugrundelegung des Vertragspreises für Lieferung von Melaphyrkleinschlag einschließlich der Kosten für Beifuhr und Magazinieren desselben von 5,90 ℳ für das cbm, des Vertragspreises mit W. Maier in Bretzenheim, für Kleinschlagen von Kalksteinen von 1,80 ℳ für das cbm und desselben Preises für das Zerkleinern von Betonbrocken sowie des Preises von 1,50 ℳ für das cbm für das Schlagen von Backsteinbrocken, wie solcher im Preisverzeichnis für 1907 festgesetzt ist, berechnet sich der Wert des gewonnenen Kleinschlages wie folgt:

Melaphyrkleinschlag:	
Anschaffungskosten einschl. Beifuhr und Magazinieren, 1 249,73 cbm zu 5,90 ℳ	= 7 373 ℳ 41 ₰
Kleinschlag aus Kalksteinen:	
Akkordpreis, 496,00 cbm zu 1,80 ℳ	= 892 „ 80 „
Kleinschlag aus Betonbrocken:	
Akkordpreis, 41,2 cbm zu 1,80 ℳ	= 74 „ 16 „
Kleinschlag aus Backsteinbrocken:	
Akkordpreis, 46,55 cbm zu 1,50 ℳ	= 69 „ 83 „
Zusammen	8 410 ℳ 20 ₰

Die Herstellungskosten des Kleinschlages durch Notstandsarbeiter betrogen wie vorstehend berechnet:

Melaphyrkleinschlag	11 147 ℳ 04 ₰
Kleinschlag aus Kalksteinen	2 101 „ 28 „
„ „ Betonbrocken	167 „ 18 „
„ „ Backsteinbrocken	120 „ 39 „
Summe	13 535 ℳ 89 ₰

Die Mehrkosten der Anfertigung von 1 833,48 cbm Kleinschlag durch die Arbeitslosen berechnen sich mithin zusammen auf 13 535 ℳ 89 ₰ — 8 410 ℳ 20 ₰ = 5 125 ℳ 69 ₰ und zwar:

für das Herstellen von Melaphyrkleinschlag	pro cbm zu	3 ℳ 02 ₰
„ „ Kleinschlagen von Kalksteinen	„ „ „	2 „ 44 „
„ „ „ von Betonbrocken	„ „ „	2 „ 26 „
„ „ „ von Backsteinbrocken	„ „ „	1 „ 10 „

Der hergestellte Kleinschlag findet Verwendung bei der Erweiterung der Hafenbahn und bei Straßenneubauten; sein Wert wurde mit 8 410 ℳ 20 ₰ zu Gunsten des Kredits für Abhaltung von Notstandsarbeiten bei den einzelnen Baukrediten in Ausgabe gebucht.

Über die Leistungen der mit Steinschlagarbeiten beschäftigten Arbeitslosen und deren Verdienst geben die nachstehenden Tabellen Auskunft.

I. Kleinschlag aus Melaphyrsteinen.

Lohnperiode	Stundenlohn				Akkordlohn			
	Anzahl der Stunden	Betrag ℳ	Betrag ₰	Anzahl der cbm	Anzahl der Stunden	Anzahl der cbm	Betrag ℳ	Betrag ₰
6. XII. 07 bis 12. XII. 07	206	59	80	10,95	607	38,20	148	80
13. XII. 07 „ 19. XII. 07	546	131	40		645	39,60	156	03
20. XII. 07 „ 2. I. 08	367	117	35	27,00	1 516	95,72	382	88
3. I. 08 „ 9. I. 08	138	38	—	6,05	737	53,35	207	78
10. I. 08 „ 16. I. 08	274	72	60	5,50	988	62,55	241	59
17. I. 08 „ 23. I. 08	301	80	90	7,70	1 147	83,45	305	21
24. I. 08 „ 30. I. 08	507	131	15	18,25	1 245	88,55	345	96
31. I. 08 „ 6. II. 08	627	177	70	28,60	1 527	122,06	441	37
7. II. 08 „ 13. II. 08	398	110	40	7,80	1 975	139,70	523	86
14. II. 08 „ 20. II. 08	124	36	—	5,30	1 393	109,25	394	16
21. II. 08 „ 27. II. 08	115	32	90	3,45	1 229	94,35	344	46
28. II. 08 „ 5. III. 08	48	13	60	2,25	1 136	82,60	319	55
6. III. 08 „ 12. III. 08	—	—	—	—	1 330	96,85	357	80
13. III. 08 „ 14. III. 08	—	—	—	—	276	20,65	82	60
	3 651	1 001	80	122,85	15 751	1126,88	4 252	05

II. Kleinschlagen von Kalksteinen.

Lohnperiode	Stundenlohn				Akkordlohn			
	Anzahl der Stunden	Betrag ℳ	Betrag ₰	Anzahl der cbm	Anzahl der Stunden	Anzahl der cbm	Betrag ℳ	Betrag ₰
— bis 5. XII. 07	80	21	60	35,00	—	—	—	—
6. XII. 07 „ 12. XII. 07	812	205	50		—	—	—	—
13. XII. 07 „ 19. XII. 07	192	52	80	10,50	577	46,65	166	60
20. XII. 07 „ 2. I. 08	278	76	80	15,70	755	78,40	303	60
3. I. 08 „ 9. I. 08	—	—	—	—	615 1/2	62,00	216	02
10. I. 08 „ 16. I. 08	111	30	13	5,00	683	69,15	238	24
17. I. 08 „ 23. I. 08	—	—	—	—	621	60,93	193	17
24. I. 08 „ 30. I. 08	—	—	—	—	592 1/2	57,72	189	72
31. I. 08 „ 6. II. 08	—	—	—	—	549 1/2	54,95	175	94
	1 473	386	83	66,20	4 393 1/2	429,80	1 483	29

III. Kleinschlagen von Betonbrocken.

Lohnperiode	Stundenlohn: Anzahl der Stunden	Stundenlohn: Betrag M	Stundenlohn: Betrag Pf	Stundenlohn: Anzahl der cbm	Akkordlohn: Anzahl der Stunden	Akkordlohn: Anzahl der cbm	Akkordlohn: Betrag M	Akkordlohn: Betrag Pf
31. I. bis 6. II. 1908	60	18	—	4,50	—	—	—	—
7. II. „ 13. „ „	—	—	—	—	166	15,15	52	73
14. „ „ 20. „ „	—	—	—	—	136	15,30	51	38
21. „ „ 27. „ „	—	—	—	—	58	6,25	25	—
	60	18		4,50	360	36,70	129	11

IV. Kleinschlagen von Backsteinbrocken.

Lohnperiode	Stundenlohn: Anzahl der Stunden	Stundenlohn: Betrag M	Stundenlohn: Betrag Pf	Stundenlohn: Anzahl der cbm	Akkordlohn: Anzahl der Stunden	Akkordlohn: Anzahl der cbm	Akkordlohn: Betrag M	Akkordlohn: Betrag Pf
7. II. bis 13. II. 08 .	—	—	—	—	144	20,75	43	73
14. „ „ 20. „ „ .	—	—	—	—	95	18,60	39	81
21. „ „ 27. „ „ .	—		—	—	46	7,20	15	—
	—	—	—	—	285	46,55	98	54

Gesamt-Übersicht

über die Leistungen der Arbeitslosen, die Kosten der Herstellung des Kleinschlages, sowie den Durchschnittsverdienst.

Art des geschlagenen Materials	Mengen Kleinschlag cbm	Verwendete Zeit Stunden	Verwendete Zeit pro cbm Stunden	Gesamtkosten M	Gesamtkosten Pf	Kosten pro cbm M	Kosten pro cbm Pf	Durchschnittsverdienst pro Stunde M	Durchschnittsverdienst pro Stunde Pf	Durchschnittsverdienst pro Tag M	Durchschnittsverdienst pro Tag Pf	Durchschnittsverdienst pro Woche M	Durchschnittsverdienst pro Woche Pf
Melaphyrsteine im Stundenlohn	122,85	3 651	$29^3/_4$	1 001	80	8	15	—	$27^1/_2$	2	20	13	17
„ „ Akkordlohn .	1 126,88	15 751	14	4 252	05	3	77	—	27	2	16	12	95
Kalksteine im Stundenlohn .	66,20	1 473	$22^1/_4$	386	83	5	84	—	$26^1/_2$	2	10	12	61
„ „ Akkordlohn . .	429,80	$4\,393^1/_2$	$10^1/_4$	1 483	29	3	45	—	$33^3/_4$	2	69	16	15
Betonbrocken im Stundenlohn .	4,50	60	$13^1/_4$	18	—	4	50	—	30	2	40	14	40
„ „ Akkordlohn .	36,70	360	10	129	11	3	52	—	36	2	87	17	17
Backsteinbrocken im Stundenlohn	—	—	—	—	—	—	—	—	—	—	—	—	—
„ „ Akkordlohn .	46,55	285	$6^1/_{10}$	98	54	2	12	—	$34^1/_2$	2	76	16	57

Übersicht
über die Leistungen und den Verdienst in einer Woche.

Art des geschlagenen Materials	Geringste Leistung cbm	Durchschnitts- Leistung cbm	Größte Leistung cbm	Geringster Verdienst ℳ	₰	Durchschnitts- Verdienst ℳ	₰	Größter Verdienst ℳ	₰
Melaphyrsteine im Stundenlohn . .	0,65	1,62	2,85	9	60	13	17	14	40
„ „ Akkordlohn . . .	1,65	3,40	6,30	6	60	12	95	16	95
Kalksteine im Stundenlohn	0,70	2,16	4,00	9	60	12	61	14	40
„ „ Akkordlohn	2,25	4,69	7,33	9	—	16	15	18	50
Betonbrocken im Stundenlohn . . .	2,10	2,25	2,40	14	40	14	40	14	40
„ „ Akkordlohn	3,25	6,45	6,80	12	38	17	17	17	70
Backsteinbrocken im Stundenlohn . .	—	—	—	—	—	—	—	—	—
„ „ Akkordlohn . . .	7,00	8,25	8,50	14	70	16	57	16	95

Die im Stundenlohn geleistete Arbeit bezieht sich auf die Probewoche, in der alleinstehenden Personen 20 ₰ und solchen, die für Familienangehörige zu sorgen hatten, 25 und 30 ₰ für die Stunde, bezw. 1,60 ℳ, 2,00 ℳ und 2,40 ℳ für den Tag gezahlt wurden, somit in der Lohnperiode 9,60 ℳ, 12,00 ℳ und 14,40 ℳ.

B. Arbeiten bei der Stadtgärtnerei.

Die Gesamtzahl der bei der Stadtgärtnerei beschäftigten Arbeitslosen betrug 65 Mann; von diesen erhielten 34 Mann einen Stundenlohn von 30 ₰, 27 Mann einen solchen von 25 ₰ und 4 Mann 20 ₰ die Stunde.

In der Woche wurden durchschnittlich beschäftigt 33 Mann. Die an die Arbeitslosen bezahlten Löhne betrugen 5 261 ℳ 72 ₰.

Beschäftigt wurden die Arbeitslosen mit nachstehenden Arbeiten:

1. Anstreichen von Gartenbänken,
2. Laubrechen,
3. Holzsammeln und Einbündeln,
4. Düngen der Rasenflächen mit Kompost,
5. „ „ Baumpflanzungen,
6. Rigolen von Rasenflächen,
7. Umarbeiten von Dung- und Komposthaufen,
8. Anfertigen von Baumlöchern,
9. Aufräumen der Grabquadrate auf dem Friedhof,
10. Umgraben non Gehölzgruppen.

Beschäftigung von Wandergesellen.

Auch im Berichtsjahre wurden wieder auf Antrag der Verpflegungsstation Mainz vom Tiefbauamt die um Unterstützung nachsuchenden Wandergesellen in geeigneter Weise beschäftigt. Die Arbeiten bestanden hauptsächlich in der Reinigung chaussierter Straßen und Wege, Umarbeiten und Aufstapeln von Chaussee-Abraum ꝛc. Die Zahl der in der Zeit vom 1. April 1907 bis 31. März 1908 an 215 Tagen beschäftigten Wandergesellen belief sich im ganzen auf 1 483 Mann oder im Durchschnitt auf 7 Moun für den Tag. Die Arbeitszeit betrug täglich 3½ Stunden; dieselbe wurde nur am Vormittag abgeleistet. Die Arbeitsleistung der meisten Gesellen war zufriedenstellend.

XVII. Städtische Gartenanlagen.

Das Personal der Stadtgärtnerei setzte sich im Rechnungsjahr 1907 wie folgt zusammen:

a) während der Sommermonate:

1	Gartendirektor
1	Obergärtner
1	Bureaubeamter (Gartentechniker)
4	Obergehilfen
14	Gärtnergehilfen
4	Anlageschützen
30	Arbeiter
6	Arbeitsfrauen
zusammen 61	Personen;

b) während der Wintermonate:

1	Gartendirektor
1	Obergärtner
1	Bureaubeamter (Gartentechniker)
4	Obergehilfen
11	Gärtnergehilfen
4	Anlageschützen
20	Arbeiter
3	Arbeitsfrauen
zusammen 45	Personen.

Mit diesem Personal wurde wie in früheren Jahren die Anzucht und Kultur der Pflanzen in der Gärtnerei, dem Kulturgarten an der Fintherstraße, der Pflanzschule am Hochbehälter des Hechtsheimer Berges sowie im Palmenhaus in der Anlage bewirkt, weiter die Unterhaltung der Anlage (Stadtpark), der Kaiserstraße, 55 kleinerer und größerer Schmuckplätze und Zieranlagen im ganzen Stadtbezirk, die Pflege von rund 15 500 Alleebäumen auf 80 verschiedenen Straßen und Plätzen, die Unterhaltung der Baumpflanzungen auf den Kreisstraßen in der Gemarkung Mainz, der Schulgärten und der Vorgärten bei allen Schulen, der Gartenanlagen im St. Rochushospital, im Invalidenhaus, im Schlacht- und Viehhof sowie am Straßenbahnamt, am Reinigungsamt und schließlich auch die Unterhaltung des Promenadenweges zwischen Anlage (Stadtpark) und Bingertor.

An den Geburtstagen des Deutschen Kaisers und des Großherzogs von Hessen wurden sämtliche Schulsäle mit Blattpflanzen geschmückt.

Zu Lasten der bewilligten Kredite kamen im Rechnungsjahr 1907 durch die Stadtgärtnerei noch folgende Arbeiten zur Ausführung:

1. Bepflanzung am Musiktempel im Stadthallegarten;
2. Anpflanzung von Bäumen bei Verlegung der Straßenbahngleise auf dem Kaiser Wilhelm-Ring;
3. Anpflanzung von Bäumen in der Nahestraße;
4. Festdekorationen am Deutschhausplatz und Aliceplatz gelegentlich des Besuches des Deutschen Kaisers in Mainz im August 1907;
5. Anpflanzung von Bäumen und Herstellung eines Gartens im Gebiete der neuen Höheren Mädchenschule;
6. Anpflanzung von Bäumen am Mitternachtsplatz;
7. Anpflanzung von Bäumen am Bismarckplatz;
8. Räumung von Terrain in der Gärtnerei am Gonsenheimer-Tor zur Errichtung einer neuen Krankenbaracke;
9. Herstellung einer gärtnerischen Anlage am Hohenzollernplatz;
10. Anpflanzung von Bäumen auf dem Lessingplatz;
11. Anpflanzung von Bäumen in der Bonifaziusstraße.

Neue Gartenbänke kamen im Rechnungsjahr 1907 nicht zur Anschaffung; von den vorhandenen 570 Stück wurden während der Wintermonate 470 durch die Stadtgärtnerei repariert und neu gestrichen.

Für Unterrichtszwecke wurden wiederum an die Kinderhorte 325 Topfpflanzen im Werte von 150 ℳ und an die Volksschulen 120 Topfgewächse im Werte von 40 ℳ abgegeben. Die Kosten der Gesamtlieferung wurden aus Mitteln der Stadtgärtnerei bestritten.

Die Zahl der Pflanzen, die in der Anzuchtsgärtnerei am Gonsenheimer-Tor und im Kulturgarten an der Fintherstraße herangezogen wurden, betrug ungefähr 270000 Stück.

Im Berichtsjahre 1907 betrug die Zahl der ausgefertigten und eingelaufenen Schriftstücke 1172, wobei alle zu einem Sachverhalt gehörige Akten unter einer Nummer im Einlaufregister geführt wurden. Bestellzettel für Lieferungen und Reparaturen wurden im ganzen 322 ausgefertigt. Rechnungen, einschließlich der Lohnlisten, kamen 864 Stück zur Erledigung.

Die im Rechnungsjahr 1907 gemachten Aufwendungen für Unterhaltung der gärtnerischen Anlagen am Schlacht- und Viehhof, für Unterhaltung der Friedhofsanlagen und Grabstätten, der Schulgärten sowie der öffentlichen Promenaden- und Gartenanlagen sind aus den Erläuterungen auf Seite 336, 372, 376 und 404 (Rubrik 16. VII. 3, Rubrik 40. IV, Rubrik 40 VI., Rubrik 42. III. 11 und Rubrik 64. IV der Betriebs-Rechnung) ersichtlich.

Die unter Rubrik 64. IV. 2 verrechneten Arbeitslöhne verteilen sich auf die einzelnen Arbeitsstellen wie folgt:

Lfd. Nr.	Bezeichnung der Arbeitsstellen	1907		1906	
		ℳ	₰	ℳ	₰
1.	Anlage	13 300	62	10 540	37
2.	Gärtnerei	9 553	41	10 117	23
3.	Plätze	9 560	83	9 668	69
4.	Alleen	6 972	74	6 983	62
5.	Kaiserstraße	3 914	85	4 087	88
		43 302	45	41 397	79

Die Pflege und Unterhaltung des Promenadenweges zwischen Anlage (Stadtpark) und Bingertor erforderte im Rechnungsjahr 1907 nachstehende Ausgaben, die auf Rubrik 62. II. 1—3 zur Verrechnung kamen:

a) für Lieferungen . . . . 385,79 ℳ
b) „ Fuhrlöhne . . . . 439,00 „
c) „ Arbeitslöhne . . . . 2 302,31 „

Zusammen . . . . 3127,10 ℳ

Während des Winters 1907/08 und zwar in den Tagen vom 29. November 1907 bis 19. März 1908 wurden bei der Stadtgärtnerei zusammen 65 oder durchschnittlich 30 Notstandsarbeiter beschäftigt. Die hierfür verausgabten Beträge, die unter Rubrik 64. XI. verbucht wurden, sind:

a) für Arbeitslöhne . . . . 5 261,72 ℳ
b) „ Aufsicht . . . . 703,00 „
c) „ Gerätschaften . . . . 232,90 „

Zusammen . . . . 6 197,62 ℳ

Näheres hierüber siehe Kapitel XVI, Seite 142 ff.

XVIII. Eichanstalt.

Die Eichanstalt ist eine staatliche Einrichtung. Die Stadt hat ihr die Geschäftsräume in dem Hause Stiftstraße Nr. 1 gestellt und bezieht dafür 10 % der jährlichen Brutto-Einnahme.

Nach den von der Großh. Eichungs-Inspektion aufgestellten Übersichten wurden

	geeicht: im Kalenderjahr 1907	1906	geprüft: im Kalenderjahr 1907	1906
1. Längenmaße	3	1	5	10
2. Flüssigkeitsmaße	16	53	8	646
3. Meßwerkzeuge für Flüssigkeiten und Meßflaschen	—	5	—	13
4. Fässer	26 724	33 454	39	50
5. Hohlmaße für trockene Gegenstände	—	2	—	45
6. Kasten- und Rahmenmaße		—	—	—
7. Handelsgewichte	742	7 341	1 225	5 682
8. Präzisionsgewichte	10	7	8	50
9. Postgewichte	—	—	24	43
10. Gleicharmige Balkenwagen	33	140	70	1 252
11. Oberschalige oder Tafelwagen	56	413		
12. Dezimal- und Zentesimal-Brückenwagen	152	234	73	162
13. Einfache Balkenwagen mit Laufgewicht	7	6	1	4
14. Zusammengesetzte Balkenwagen	—	—	—	—
15. Brückenwagen mit Laufgewicht und Skale	74	40	17	10
16. Präzisionswagen	—	2	—	10
17. Selbsttätige Registrierwagen	30	27	1	2
18. Wagen für Eisenbahn-Passagiergepäck und Wagen für Postpäckereien	2	3	—	2
19. Gasmesser	38 971	37 150	23	19
20. Herbstgefäße	22	7	2	1
Summe	66 842	78 885	1 496	8 001

Eichgebühren wurden im Kalenderjahr 1907 im ganzen erhoben 133 500 ℳ 01 ₰ gegen 131 225 ℳ 61 ₰ im Vorjahr. Der Stadt wurden für das Rechnungsjahr 1907 10 % von 137 333 ℳ 60 ₰ mit 13 733 ℳ 36 ₰ vergütet. Für 1906 betrug die Vergütung 12 855 ℳ 41 ₰. Wenngleich die Zahl der im Kalenderjahr 1907 geeichten und geprüften Gegenstände gegen das Vorjahr im ganzen abgenommen hat, war die Gebühreneinnahme dennoch höher. Dieser Umstand findet in der Mehreichung von Gasmessern seine Erklärung.

XIX. Wäganstalten.

Die auf den Zentesimalbrückenwagen im Rechnungsjahr 1907 gegen Wäggebühr verwogenen Gegenstände sind aus der nachstehenden Übersicht zu entnehmen.

Die Brückenwagen lieferten einen Ertrag von 4 582 ℳ 25 ₰ (einschl. 638 ℳ 52 ₰ aus dem Stadtteil Mainz-Mombach) gegen 4009 ℳ 06 ₰ im Jahre 1906, mithin 573 ℳ 19 ₰ mehr.

Benennung der Gegenstände	Verwogene Mengen im Jahre 1907 dz	Verwogene Mengen im Jahre 1906 dz	1907 mehr dz	1907 weniger dz
Abfälle:				
Borsten, Haare, Hörner	4	34	—	30
Knochen	990	1 684	—	694
Lumpen	5 535	5 738	—	203
Papierschnitzel, Makulatur	5 563	4 574	989	—
Altes Leder, Lederabfälle	294	257	37	—
Altes Tau- und Seilwerk	71	101	—	30
Glasscherben	2 257	1 422	835	—
Altes Eisen	24 775	23 164	1 611	—
Bruchmetall, Metallabfälle	1 102	1 957	—	855
Treber	1 842	1 339	503	-
Andere	1 820	1 893	—	73
Baumaterialien:				
Kalk	1 372	819	553	—
Steine	68	299		231
Erde, Sand, Kies, Zement	4 379	11 912	—	7 533
Andere	799	791	8	—
Brennmaterialien:				
Brennholz	4 605	3 110	1 495	—
Steinkohlen	71 393	47 811	23 582	—
Koks	5 226	2 145	3 081	—
Holzkohlen	259	157	102	—
Tannäpfel	25	18	7	—
Andere	6 882	2 956	3 926	—
zu übertragen	139 261	112 181	27 080	—
Übertrag	139 261	112 181	27 080	—
Dungstoffe	2 341	1 219	1 122	—
Eis	14 711	16 753	—	2 042
Feldfrüchte:				
Getreide	180	1 813	—	1 633
Heu	1 965	3 380	—	1 415
Stroh	6 121	3 787	2 334	—
Kartoffeln	27 149	25 445	1 704	—
Obst	1 323	1 407	—	84
Rüben	5 331	5 209	122	—
Kraut	2 367	1 881	486	—
Andere	1 480	1 494	—	14
Metalle:				
Eisenbleche, Stab- und Winkeleisen	397	299	98	—
Eisen	10 211	11 807		1 596
Blei	182	518	—	336
Kupfer	118	77	41	·
Andere	321	297	24	
Schlachtvieh:				
Ochsen	1 814	2 068	-	254
Kühe, Rinder	999	991	8	—
Schweine	38	19	19	—
Anderes	193	126	67	—
Alle nicht genannten Gegenstände	4 141	4 476	—	335
Summe	220 643	195 247	25 396	—

XX. Hafen und Hafenanstalten.

Der Güterverkehr in den **Mainzer Häfen** hat sich wie folgt gestaltet:

	1907	1906	1907 mehr	1907 weniger
I. Wasserverkehr:				
a) Inlandshafen	6 531 680 dz	5 256 731 dz	1 274 949 dz	—
b) Zollhafen	1 644 870 „	1 445 694 „	199 176 „	—
c) Floßhafen	4 038 180 „	4 349 520 „	—	311 340 dz
d) Güterüberladungen von Bord zu Bord in diesen Häfen	279 689 „	444 540 „	—	164 851 „
im ganzen	12 494 419 dz	11 496 485 dz	997 934 dz	—
II. Bahnverkehr in den Häfen (ohne Schiffsgüter)	1 384 024 „	1 319 994 „	64 030 „	—
Summe des Wasser- und Bahnverkehrs in den Mainzer Häfen	13 878 443 dz	12 816 479 dz	1 061 964 dz	—
Außerdem:				
III. Kasteler Hafen einschl. Amöneburg	6 435 120 „	6 218 160 „	216 960 „	—
IV. Gustavsburger Hafen	10 658 850 „	7 986 690 „	2 672 160 „	—
Gesamtverkehr	30 972 413 dz	27 021 329 dz	3 951 084 dz	—

Erläuternd wird hierzu bewerkt, daß die vorstehenden Zohlen nur einfach, nicht doppelt, in Anknuft und Abgang gerechnet sind.

Die Wasserstandsverhältnisse des Rheins waren im Berichtsjahre ungefähr dieselben wie im Vorjahre. Bis zum Spätjahr konnte die Rheinschiffahrt bei günstigem Wasserstande flott betrieben werden. Im September jedoch ging das Wasser langsam zurück und es stellten sich alsdann die gleichen langandauernden Kleinwasserverhältnisse mit ihren bekannten Schwierigkeiten und Hemmnissen ein wie in 1906. Zu dieser Kalamität gesellten sich um dieselbe Zeit die Arbeitseinstellungen der Hafenarbeiter in Antwerpen und Rotterdam, wodurch auch noch der regelmäßige Schiffsdienst der mit der Flußschiffahrt in Verbindung stehenden Firmen erheblich benachteiligt wuede. Infolge der Niederwasserperiode und der durch die Arbeiterausstände hervorgerufenen unsicheren Lage gingen der Schiffahrt größere Transportmengen verloren, die seitens der Verlader auf dem weit sicheren Landweg zur Verfrachtung gekommen sind. Wenn nun, wie die Verkehrsübersichten ergeben, der Gesamtverkehr in den Mainzer Häfen trotzdem eine weitere Steigerung aufweist, so ist das in 1907 erzielte Mehr zunächst auf dett besseren Geschäftsgang in den Frühjahrsmonaten und auf die größeren Sand- und Kieszufuhren für Anschüttungszwecke im Industriegebiet, iowie ferner hauptsächlich auch auf die sonstigen belangreichen Gütertransporte zurückzuführen, die anläßlich der Sperre des Mainkanals gegen Ende des Berichtsjahres zur Entladung nach den Mainzer Höfen geleitet wurden. Die Mitbewältigung dieses ursprünglich für die Mainstationen bestimmten Umschlagsverkehrs steilte an die Hafenverwaltung besonders große Anforderungen, denen sie jedoch einesteils durch Ausdehnung der Arbeitszeit, anderenteils durch periodische Vermehrung des Personals in einer die Interessenten befriedigenden Weise nachzukommen vermochte.

Der Mehrverkehr in Kastel und Gustavsburg steht ebenfalls im Zusammenhang mit der Störung der Mainschiffahrt durch die Kanalsperre, anläßlich deren in genannten Höfen größere Gütermengen aus Schiffen auf Eisenbahnwagen umgeschlagen worden sind.

Zugenommen hat der Verkehr in 1907 **nach Art der Güter** hauptsächlich bei Sand und Kies, Steinkohlen und sonstigen nicht genannten Gegenständen. Eine **Abnahme** weist derselbe vorwiegend bei Mauersteinen, geflößten weichen Stämmen und bei den von Bord zu Bord überladenen Mengen noch.

Die Mehrzufuhr in **Sand** und **Kies** wurde durch die umfangreichen Anschüttungsarbeiten auf der Ingelheimer Au und die teilweise Uferregulierung daselbst herbeigeführt, während Steinkohlen infolge der Mainkanalsperre zur Verladung aus Schiffen auf Eisenbahnwagen in größeren Mengen hier ankamen.

Die **Ausfälle** bei Mauersteinen und weichem Stammholz sind der verminderten Bautätigkeit im Berichtsjahre zuzuschreiben. Überladungen von Bord zu Bord haben eine Abnahme deshalb erfahren, weil mehrere Schiffahrtsgesellschaften direkte Fahrten nach dem Main eingerichtet haben, während sie voedem die für die Mainstationen bestimmten Güter hier in audree Fahrzeuge umladen ließen.

Die in den Häfen zwecks Lagerung oder direkten Bezugs eingelaufenen Bahntransporte, einschließlich der angekommenen und abgegangenen Wagenladungssendungen nach und von der Ladestelle Rheinallee und der Ingelheimer Au, beziffern sich, wie eingangs erwähnt, auf 1 384 024 dz gegen 1 319 994 dz im Vorjahre.

Die Versorgung der Häfen mit Wagenmaterial durch die Staatsbahn war befriedigend.

Der Wagenverkehr auf den städtischen Bahnanlagen im Hafen 2c., sowie die erhobenen Gebühren sind unter der Abteilung „Hafenbahn" enthalten. (Vergl. Seite 208 bis 213.)

Die Wasserstände des Rheins, sowie der Schiffs- und Güterverkehr in den Mainzer Häfen und dessen Vergleichung mit den Ergebnissen des Vorjahres sind aus den Übersichten auf Seite 163 bis 171 dieses Berichts zu ersehen.

Die Benutzung der Hafenanstalten zum Aus- und Einladen von Gütern 2c., sowie die erhobenen Gebühren ergeben sich aus folgender Zusammenstellung:

Bezeichnung der Güterbehandlung	Gesamt-Verkehr im Rechnungsjahre		Im Rechnungsjahre 1907		An Gebühren wurden erhoben im Rechnungsjahre				Im Rechnungsjahre 1907			
	1907	1906	mehr	weniger	1907		1906		mehr		weniger	
	dz	dz	dz	dz	M.	₰	M.	₰	M.	₰	M.	₰
A. Schiffsverkehr.												
I. Ausladungen:												
1. Werftgebührenpflichtig:												
a) auf's Land und zwar Sand, Kies und gemeine Erde für jedes cbm 2 ₰ = 261 500 cbm gegen 160 495 cbm in 1906 oder	4 415 110	2 725 748	1 689 362	—	5 230	70	3 209	90	2 020	80	—	—
b) andere Güter auf's Land, in die Hallen, in die Lagerhäuser, auf die Eisenbahn im Platzverkehr und auf Fuhren für jeden dz 2 ₰:												
1) bei der Hafenverwaltung . .	1 573 273	1 536 330	36 943	—	31 521	06	30 786	70	734	36	—	—
2) „ „ Lagerhaus-Verwaltung	163 471	144 157	19 314	—	3 269	70	2 883	60	386	10	—	—
2. Werftgebührenfrei:												
a) auf die Eisenbahn im Fernverkehr:												
1) bei der Hafenverwaltung . .	1 199 498	1 111 718	87 780	—	—	—	—	—	—	—	—	—
2) „ „ Lagerhausverwaltung.	81 499	94 307	—	12 808	—	—	—	—	—	—	—	—
b) auf's Land, Fuhren 2c.												
1) Militärgut einschl. des für die Militärverwaltung am Elevator ausgeladenen Getreides . .	39 283	75 830	—	36 547	—	—	—	—	—	—	—	—
2) Marktgut	5 386	5 880	—	494	—	—	—	—	—	—	—	—
3) Steine, Sand und Kies 2c. zu Anschüttungszwecken im Floßhafengebiet	136 095	466 560	—	330 465	—	—	—	—	—	—	—	—
Gesamtsumme aller Ausladungen	7 613 615	6 160 530	1453085	—								
zu übertragen . . .	--	—	—	—	40 021	46	36 880	20	3 141	26	—	—

Bezeichnung der Güterbehandlung	Gesamt-Verkehr im Rechnungsjahre 1907 dz	Gesamt-Verkehr im Rechnungsjahre 1906 dz	Im Rechnungsjahre 1907 mehr dz	Im Rechnungsjahre 1907 weniger dz	An Gebühren wurden erhoben im Rechnungsjahre 1907 ℳ	₰	1906 ℳ	₰	Im Rechnungsjahre 1907 mehr ℳ	₰	weniger ℳ	₰
Übertrag . .	—	—	—	—	40 021	46	36 880	20	3 141	26	—	—
II. Einladungen:												
1. Vom Land	526 274	522 204	4 070	—	—	—	—	—	—	—	—	—
2. Durch die Lagerhaus-Verwaltung	4 090	2 177	1 913	—	—	—	—	—	—	—	—	—
3. Von den Mietlagern in den Lagerhäusern . . . (Werftgebührenfrei)	86	100	—	14	—	—	—	—	—	—	—	—
4. Von der Eisenbahn . .	21 330	6 979	14 351	—	—	—	—	—	—	—	—	—
5. Marktgut	11 155	10 435	720	—	—	—	—	—	—	—	—	—
Gesamtsumme aller Einladungen	562 935	541 895	21 040	—								
III. Kranungen:												
1. Vom Schiff auf die Eisenbahn oder das Land (Kohlen, Sand, Kies) für jeden dz 2 ₰ . .	208 791	344 305	—	135 514	4 177	05	6 886	75	—	—	2 709	70
1a. Desgleichen für jeden dz 2,6 „*)	270 353	—	270 353	—	7 030	20	—	—	7 030	20	—	—
2. Umgekehrt „ „ „ 2 „	14 873	7 731	7 142	—	297	70	154	95	142	75	—	—
2a. Desgleichen „ „ „ 2,6 „*)	1 863	—	1 863	—	48	75	—	—	48	75	—	—
3. Vom Schiff direkt nach den Mietlagern in den Lagerhäusern (Stückgüter), für jeden dz 4 ₰	38 022	35 618	2 404	—								
4. Umgekehrt, „ „ „ „ „	50	100	—	50								
5. Vom Schiff auf das Land (Stückgüter), für jeden dz 4 ₰	350 474	373 560	—	23 086	16 070	65	16 868	05	—	—	797	40
6. Umgekehrt, „ „ „ „ „	12 261	11 518	743	—								
7. Von Schiff zu Schiff überschlagene verpackte Güter für jeden dz 3,2 ₰	10 711	5 610	5 101	—	343	30	182	25	161	05	—	—
Gesamtsumme aller Kranungen .	907 398	778 442	128 956	—								
8. Überlassung von Kranen für jede Stunde 2 ℳ. Zahl der Stunden . .	741	531	210	—	1 482	—	1 062	—	420	—	—	—
IV. Verwiegungen:												
1. Stückgüter für jeden dz 3 ₰	126 232	124 943	1 289	—	3 807	20	3 769	10	38	10	—	—
2. Eisenbahn-Waggons Stückzahl zu 1 ℳ	1 960	1 701	259	—	1 960	—	1 701	—	259	—	—	—
„ 40 ₰	1 551	407	1 144	—	620	40	162	80	457	60	—	—
V. Verladungen:												
1. Vom Schiff auf die Eisenbahn im Fernverkehr für jeden dz 4 ₰	322 793	311 880	10 913	—								
2. Umgekehrt „ „ „ 4 „	8 943	3 890	5 053	—	14 041	50	13 439	05	602	45	—	—
3. Vom Schiff auf die Eisenbahn im Platzverkehr für jeden dz 4 ₰	18 576	19 686	—	1 110								
4. Umgekehrt „ „ „ 4 „	169	—	169	—								
Summe der verladenen Güter	350 481	335 456	15 025	—								
zu übertragen . .	—	—	—	—	89 900	21	81 106	15	12 301	16	3 507	10

*) Dieser Gebührensatz wurde für die Ausladung von Kohlen mit dem neuen elektrischen Selbstgreiferkran festgesetzt.

Bezeichnung der Güterbehandlung	Gesamt-Verkehr im Rechnungsjahre 1907 dz	Gesamt-Verkehr im Rechnungsjahre 1906 dz	Im Rechnungsjahre 1907 mehr dz	Im Rechnungsjahre 1907 weniger dz	An Gebühren wurden erhoben im Rechnungsjahre 1907 ℳ	₰	1906 ℳ	₰	Im Rechnungsjahre 1907 mehr ℳ	₰	weniger ℳ	₰
Übertrag . .	—	—	—	—	89 900	21	81 106	15	12 301	16	3 507	10
B. Übriger Verkehr in den Häfen.												
I. Verladungen vom Land auf Fuhrwerke oder umgekehrt und sonstige Kranungen für jeden dz 4 ₰	12 891	2 758	10 133	—	516	95	112	—	404	95	—	—
II. Verwiegungen:												
1. Stückgüter für jeden dz 3 ₰	47 961	57 808	—	9 847	1 653	50	1 943	40	—	—	289	90
2. „ „ „ „ 6 „	3 557	3 449	108	—								
3. Eisenbahn-Waggons Stückzahl zu 1 ℳ	1 864	1 647	217	—	1 864	—	1 647	—	217	—	—	—
„ 40 ₰	157	68	89	—	62	80	27	20	35	60	—	—
III. Verladungen:												
1. Von der Eisenbahn im Fernverkehr auf das Land, Fuhren rc. bezw. umgekehrt für jeden dz 4 ₰	75 674	84 381	—	8 707	3 144	05	3 592	65	—	—	448	60
2. Desgl. im Platzverkehr für jeden dz 4 ₰	984	940	44	—								
IV. Be- und Abdecken von Eisenbahnwagen. Stückzahl zu 1 ℳ	135	153	—	18	135	—	153	—	—	—	18	—
V. Reinigung von solchen. Stückzahl zu 1 ℳ	56	64	—	8	56	—	64	—	—	—	8	—
C. Lagerungen im Freien.												
1. Von Brennholz, Nutzholz und Baumaterialien für jeden qm Bodenfläche und Monat 10 ₰	23 678	46 918	—	23 240	2 367	80	4 691	80	—	—	2 324	—
2. Von Stückgütern für jeden dz und Monat 3 ₰	20 051	21 532	—	1 481	604	60	648	50	—	—	43	90
3. Von Holz auf Wasser im Binnenhafen für jeden qm Wasserfläche und Monat 3 ₰	625	4 370	—	3 745	18	75	131	20	—	—	112	45
4. Für Trocknung von Sand am Rheinufer für jeden qm Bodenfläche und Monat 5 ₰ . .	12 656	12 256	400	—	632	80	612	80	20	—	—	—
Summe . .	—	—	—	—	100 956	46	94 729	70	6 226	76	—	—

Die Sicherheitshäfen wurden benutzt:

	Im Rechnungsjahre: 1907	1906
1) von Dampfschiffen	30	24
2) „ Segelschiffen über 50 dz Tragfähigkeit	91	134
3) „ Nachen unter 50 dz Tragfähigkeit	135	156
4) „ Badeanstalten	15	13
5) „ Fischkasten	2	2
6) „ Flößen	7	16
7) „ Baggermaschinen	6	7
8) „ sonstigen Fahrzeugen	22	11
9) „ Kennen und Elevatoren	5	5

An Schutzgebühren für diese Fahrzeuge rc. wurden erhoben 5 896 ℳ 40 ₰ gegen 7 588 ℳ 75 ₰ im Vorjahre.

In der Fahrrinne des Floßhafens wurde während der Schutzperiode 1907/08 eine Fläche von 14 010 qm mit Floßholz gegen Entrichtung der tarifmäßigen Schutzgebühr von 3 ₰ für jeden qm Wasserfläche = 420 ℳ 30 ₰ belegt gegen 3 378 qm Fläche und 101 ℳ 35 ₰ Gebühren im Vorjahre. Von den dem allgemeinen Verkehr nicht dienenden und zur Lagerung von Holz verfügbaren Flächen dieses Hafens waren, wie im Vorjahre, an 6 Firmen 248 878 qm gegen eine Jahresmiete von 10 ₰ und an eine Firma 6 050 qm gegen eine Jahresmiete von 6 ₰ für jedes qm Wasserfläche vermietet.

Nach den Rechnungsergebnissen (siehe Seite 320 ff.) betrugen:

	1907	1906	1905
die Gesamtausgaben der Hafenverwaltung	252 702 ℳ 47 ₰	238 052 ℳ 80 ₰	232 231 ℳ 67 ₰
die Gesamteinnahmen derselben	203 185 „ 44 „	194 805 „ 51 „	180 548 „ 41 „

Der Hafen erforderte hiernach im Rechnungsjahre 1907 einen Zuschuß von 49 517 ℳ 03 ₰ gegen den im Voranschlag vorgesehenen Betrag von 62 950 ℳ und gegen 43 247 ℳ 29 ₰ im Vorjahre.

Die für das Rechnungsjahr 1907 verausgabten Beträge für Verzinsung und Tilgung der für die Hafenanlage und die maschinellen Betriebseinrichtungen rc. aufgewendeten Kapitalien und der Kapitalbestand sind aus der folgenden Übersicht zu ersehen:

Aufwendungen für:	Ursprungskapital bis Ende des Rechnungsjahres 1905		Tilgungen bis Ende des Rechnungsjahres 1906		Restkapital am Ende des Rechnungsjahres 1906		$3\frac{1}{2}$% Zinsen vom Restkapital für das Rechnungsjahr 1907		Tilgungen für das Rechnungsjahr 1907				Restkapital am Ende des Rechnungsjahres 1907	
									$\frac{1}{2}$% des Ursprungskapitals zuzügl. der erspart. Zinsen		5% des Ursprungskapitals			
	M.	Pf.	M.	Pf.	M.	Pf.	M.	Pf.	M.	Pf.	M.	Pf.	M.	Pf.
I. Gebäude u. Hafenanlage:														
a) Maschinen- und Kesselhaus . . .	75 806	62												
b) Anschüttung . . .	346 518	71												
c) Kaibauten . . .	1 047 399	65												
d) Drehbrücke . . .	245 287	40												
e) Pflasterung und Kanalisation . .	135 499	50												
f) Hafeneinfriedigung .	17 809	96												
g) Herrichtung von Kohlenlagerplätzen .	51 366	39												
h) Erwerbung von Lagerplätzen an der Rheinallee . . .	251 881	38												
i) Herstellung von Lagerplätzen und einer Ausladestelle am Floßhafen einschließl. 12448 M. 64 Pf. Ausgaben im Rechnungsjahre 1905	23 916	88												
Zusammen . .	2195 486	49	70 950	76	2 124 535	73	74 358	75	13 460	71	—	—	2 111 075	02
II. Maschinelle Betriebseinrichtungen . .	342 884	72	180 169	29	162 715	43	5 695	04	—	—	17 144	24	145 571	19
III. Elektrische Beleuchtungsanlage . .	40 252	43	21 256	69	18 995	74	664	85	—	—	2 012	62	16 983	12
IV. Elektrischer Kran, vorgesehene Ausgabe im Rechnungsjahre 1906	45 000	—	—	—	45 000	—	1 575	—	—	—	2 250	—	42 750	—
Summe . .	2 623 623	64	272 376	74	2 351 246	90	82 293	64	13 460	71	21 406	86	2 316 379	33

Außer den obigen Beträgen sind die Kosten für Errichtung einer Werkstätte im Zollhafen mit 2 946,90 M. in den Rechnungsjahren 1906 bis 1908 zu tilgen. Es wurden weitere 1000 M., zusammen bis Ende 1907 — 2000 M. abgetragen, so daß Ende 1907 noch ein Rest von 946,90 M. verblieb.

Die Hafenkasse vereinnahmte an Hafen-, Hafenbahn- und Lagerhaus-Gebühren sowie an Vorlagen ꝛc. und lieferte in bar und in Belegen an die Stadtkasse und an andere Empfänger ab 332 408 M. 23 Pf. gegen 373 383 M. 90 Pf. im Vorjahre.

Die Hafenkasse-Kontrolle prüfte und verbuchte 10 733 Belege gegen 10 551 Belege im Vorjahre.

Über den Kesselhausbetrieb im Hafen im Berichtsjahre gibt nachstehende Übersicht Aufschluß. Der hier erzeugte Dampf dient sowohl zum Betrieb der hydraulischen Anlage als auch der elektrischen Beleuchtungsanlage sowie zum Betrieb einer Dampfpumpe zur Wasserversorgung der Lokomotiven. Mit dem Abdampf der Maschinen wird das Kesselspeisewasser vorgewärmt und außerdem im Winter sowohl das Maschinenhaus, als auch die Geschäftsräume der Hafenverwaltung geheizt.

Monate	Speisewasserverbrauch cbm	Kohlenverbrauch dz	Verdampfung
April 1907	364,60	514,24	7,1
Mai "	336,60	405,55	8,3
Juni "	366,20	423,65	8,6
Juli "	365,20	435,45	8,4
August "	286,80	398,60	7,9
September "	329,10	426,95	7,7
Oktober "	388,50	498,55	7,8
November "	380,90	531,79	7,4
Dezember "	411,60	573,56	7,2
Januar 1908	431,10	672,51	6,4
Februar "	443,00	809,99	5,5
März "	384,90	583,35	6,6
Summe	4 488,50	6 274,19	—
im Mittel	—	—	7,4
im Vorjahr . . .	4 453,85	5 924,99	7,5

Die Kosten für den Betrieb des Kesselhauses betragen:

1. Brennmaterialien . . . . 15 298,68 ℳ
2. Löhne für Heizer und Hilfsheizer . . . . 2 190,45 "
3. Unterhaltung einschl. Löhne für Schlosser in der Werkstätte rund . . . . 800,— "

zusammen . . . 18 289,13 ℳ

gegen 15 642 ℳ 44 ₰ im Vorjahre.

Die Bruttobetriebskosten zur Verdampfung von 1 cbm Wasser betrugen demnach $\frac{18\,289,13}{4\,488,50}$ = 4,07 ℳ (Vorjahr 3,51 ℳ).

Über den Verbrauch an Kraftwasser und Kohlen beim hydraulischen Betrieb im Hafen wurde die nachfolgende Übersicht aufgestellt:

Monate	Zahl der Arbeitstage	Monatsverbrauch		Tagesverbrauch				Mit 1 dz Kohlen wurde Wasser erzeugt cbm	1 cbm = 1000 Liter Wasser kosten an Kohlen kg
				an Kraftwasser			an Kohlen mittlerer dz		
		Kraftwasser cbm	Kohlen dz	größter cbm	kleinster cbm	mittlerer cbm			
April 1907	25	4 780	417	268	144	191,2	16,7	11,5	8,7
Mai "	24	4 069	332	247	118	169,5	13,8	12,2	8,2
Juni "	25	3 953	358	246	124	158,1	14,3	11,0	9,1
Juli "	27	5 531	366	264	126	204,9	13,5	15,1	6,6
August "	26	4 250	329	202	119	163,5	12,7	12,9	7,7
September "	25	3 644	319	231	98	145,8	12,8	11,4	9,0
Oktober "	27	4 131	325	220	123	153,0	12,0	12,7	7,9
November "	25	3 323	299	193	43	132,9	12,0	11,1	8,9
Dezember "	24	3 707	346	214	110	154,5	14,4	10,7	9,3
Januar 1908	26	4 259	425	256	55	163,8	16,3	10,0	9,9
Februar "	25	6 481	521	291	116	259,2	20,8	12,4	8,0
März "	26	5 670	405	257	29	218,1	15,6	14,0	7,2
Summe . . .	305	53 798	4 442	—	—	—	—	—	—
Mittelwerte . .	—	—	—	241	100	176,4	14,6	12,1	8,3
Entsprechende Zahlen des Vorjahres	302	53 470	4 316	230	126	177,1	14,3	12,4	8,1

Der Verbrauch an Kraftwasser hat gegen das Vorjahr um 0,6 % und derjenige an Kohlen um 2,9 % zugenommen. Im vorigen Jahre hatte der Kraftwasserverbrauch um 0,5 % ab- und der Kohlenverbrauch um 2,1 % zugenommen.

Die Lastenhebung, welche mittels der an die hydraulische Zentralanlage angeschlossenen Hebevorrichtungen und zwar mit 5 Portal- und 3 Fairbairnkranen von je 15 dz Tragkraft, 1 Fairbairnkran von 20 dz Tragkraft, 1 Fairbairnkran von 10 dz Tragkraft, 5 Aufzügen von je 12 dz Tragkraft, dem Weinkran von 15 dz Tragkraft, 2 Ölkellerkranen von je 10 dz Tragkraft, der fahrbaren Winde von 7,5 dz Tragkraft und den Vorrichtungen im Getreidespeicher bewirkt wurde, betrug 1 349 633 dz (im Vorjahre 1 220 559 dz). Demnach ergibt sich eine Mehrleistung der hydraulischen Hebevorrichtungen gegenüber dem Vorjahre von 10,6 %. Im Vorjahre hatte die Leistung um 7,67 % abgenommen.

Außer den vorstehenden Kranen ꝛc. sind die vorhandenen Kapständer an die hydraulische Zentralanlage angeschlossen. Mit deren Hilfe wurden von den unter der Abteilung „Hafenbahn" genannten Wagen ungefähr 9 800 Stück rangiert. Bei der Rangierung eines Wagens über eine Drehscheibe werden etwa 0,6 cbm Druckwasser verbraucht. Da jeder Wagen über 4 Drehscheiben zu rangieren ist, sind 4 . 0,6 = rund 2,5 cbm für einen Wagen erforderlich. Für Rangierzwecke wurden hiernach 9 800 . 2,5 = 24 500 cbm Druckwasser verbraucht, so daß für die Hebezeuge ein Verbrauch von 53 798 — 24 500 = 29 298 cbm verbleibt (Vorjahr 27 720 cbm).

Die Ausgaben für den hydraulischen Betrieb waren folgende:

1.	Bauliche Unterhaltung des Kessel- und Maschinenhauses	89,95 ℳ
2.	Gehalte für den Maschinenmeister und den Maschinisten sowie Löhne der Kranenführer ꝛc.	16 569,21 „
	(Ein Teil des Gehaltes eines Kranenführers mit 1 650 ℳ ist unter den Kosten des Dampfkranbetriebs und ein Teil des Lohnes eines Kranführers mit 750 ℳ unter den Betriebskosten des elektrischen Kranes berücksichtigt.)	
3.	Brennmaterialien	10 316,74 „
4.	Putz- und Schmiermittel, Verdichtungsmaterial ꝛc.	1 983,49 „
5.	Instandsetzung der Maschinen, Kessel, Hebe- und Fortbewegungsapparate, Anschaffungen für die Werkstätte und Revision der Dampfkessel	4 002,80 „
6.	Wasserverbrauch	213,00 „
7.	Für Taglöhne in der Werkstätte	5 125,69 „
	(Die Taglöhne betrogen zusammen 5 775 ℳ 69 ₰. Schätzungsweise entfallen hiervon auf den hydraulischen Betrieb 5 125 ℳ 69 ₰, auf den Dampfkran 150 ℳ und auf den elektrischen Kran 500 ℳ).	
	zusammen . . .	38 300,88 ℳ

gegen 37 833 ℳ 66 ₰ im Vorjahre.

Es betragen somit:

1. die Tageskosten für den gesamten hydraulischen Betrieb 125,58 ℳ gegen 125,28 ℳ im Vorjahre,
2. die Kosten für Erzeugung und Abgabe des Kraftwassers an den einzelnen Verbrauchsstellen 71 ₰ für 1 cbm, wie im Vorjahre,
3. die Kosten für die Hebung von 1 dz Last (mit Ausschluß des Wasserverbrauchs an den Kapständern) 1,55 ₰ gegen 1,61 ₰ im Vorjahre.

Außer den hydraulischen Hebezeugen war ein Dampfkran von 50 dz Tragkraft vor dem Kaisertor an 234 Tagen im Betrieb (231 Tage im Vorjahre). Der im vorigen Jahre noch 3 Tage in Tätigkeit gewesene Dampfkran von 50 dz Tragkraft im Zollhafen war nicht mehr betriebsfähig und ist entfernt worden. Mit dem Kran vor dem Kaisertor wurden 125 294 dz Güter gehoben gegen 104 825 dz im Vorjahre.

Die Ausgaben für den Betrieb dieses Krans waren folgende:

1.	Lohn für einen Dampfkrahnenführer	1 650,00 ℳ
2.	Brennmaterialien	786,20 „
3.	Putz- und Schmiermittel, Verdichtungsmaterialien	122,15 „
4.	Unterhaltung des Krans einschl. Revision des Dampfkranenkessels	331,98 „
5.	Anteil an den Kosten für Taglöhne in der Werkstätte	150 00 „
	zusammen	3 040,33 ℳ

gegen 2 902 ℳ 97 ₰ im Vorjahre.

Da der Gehalt der beiden Kranenführer mit je 2 150 ℳ ganz unter dem hydraulischen Betrieb verrechnet wird, so wurde derselbe in den vorstehenden Aufstellungen unter den hydraulischen und Dampfbetrieb nach den tatsächlichen Arbeitsleistungen der Führer bei jedem der beiden Betriebe verteilt. Bei dem Dampfkranbetrieb waren für einen Kranenführer (der Kran wur nach oben 234 Tage in Betrieb) einzusetzen: $\frac{2150 . 234}{305}$ = ruud 1 650 ℳ.

Die Kosten füe die Hebung von 1 dz Last belaufen sich demnach auf 2,43 ₰, gegen 2,77 ₰ im Vorjahre.

Der neubeschaffte und am 21. Mai 1907 in Betrieb genommene elektrische Kran von 42 dz Tragkraft an den Kohlenlagern im Zoll- und Binnenhafen war an 170 Tagen in Betrieb. Mit diesem Kean wurden 287 442 dz und zwar hauptsächlich Kohlen bearbeitet.

Die Ausgaben für den Betrieb des elektrischen Krans waren folgende:

1. Lohn für den Kranführer bei 26 ℳ Wochenlohn $\frac{26 . 52 . 170}{305}$ = rd.	750 ℳ	— ₰
2. Stromverbrauch	1 962 „	40 „
3. Putz- und Schmiermaterialien	161 „	60 „
4. Unterhaltung des Kranes	319 „	91 „
5. Anteil an den Kosten für Taglöhne in der Werkstätte	500 „	— „
Zusammen	3 693 ℳ	91 ₰

Die Kostrn für die Hebung von 1 dz Last belaufen sich demnach auf $\frac{369391}{287442}$ — 1,29 ₰.

Die Lastketten der Hebezeuge im Hafengebiete wurden zur Vermeidung von Unglücksfällen sämtlich innerhalb des Berichtsjahres ausgewechselt, wo nötig repariert und vor ihrer Wiederinbetriebnahme auf der vorhandenen Kettenprüfungsmaschine mit der für dieselben festgesetzten Probebelastung, welche der doppelten Beanspruchung der Ketten entspricht, geprüft.

In dem Berichtsjahre wurden an die elektrische Beleuchtungsanlage im Hafen 2 Bogenlampen neu angeschlossen, so daß nunmehr 614 Glühlampen und 4 Bogenlampen in den Gebäuden und 25 Bogenlampen im Freien installiert sind. Außer diesen Lampen sind noch 1 Korkstopfenbrennapparat und 2 Elektromotore von 1 P. S. angeschlossen.

Die im Maschinenhaus aufgestellten beiden Dynamomaschinen dienen abwechselnd zur Erzeugung des elektrischen Stromes und werden von der Reservepumpmaschine aus angetrieben. Letztere war in Betrieb:

im Monat	April	1907	an	22	Tagen mit einer Leistung von	3 900	Pferd und Stunden
„ „	Mai	„	„	17	„ „ „ „ „	2 940	„ „ „
„ „	Juni	„	„	17	„ „ „ „ „	2 630	„ „ „
„ „	Juli	„	„	18	„ „ „ „ „	2 770	„ „ „
„ „	August	„	„	18	„ „ „ „ „	2 770	„ „ „
„ „	September	„	„	21	„ „ „ „ „	4 320	„ „ „
„ „	Oktober	„	„	27	„ „ „ „ „	6 940	„ „ „
„ „	November	„	„	25	„ „ „ „ „	9 320	„ „ „
„ „	Dezember	„	„	24	„ „ „ „ „	9 090	„ „ „
„ „	Junuae	1908	„	26	„ „ „ „ „	9 510	„ „ „
„ „	Febenne	„	„	25	„ „ „ „ „	11 550	„ „ „
„ „	März	„	„	26	„ „ „ „ „	7 220	„ „ „

zusammen an 266 Tagen mit einer Leistung von 72 960 Pferd und Stunden, gegen 259 Tage und 63 250 Pferd und Stunden im Vorjahre.

An Kohlen wurden verbraucht 1 832 dz (Vorjahr 1 452 dz).

An den Tagen, an welchen die Dynamomaschinen nicht im Gonge waren, genügte der in der Akkumulatorenbatterie aufgespeicherte elektrische Strom zur Speisung der elektrischen Lampen.

Bei der Annahme, daß 65 % der gesamten Kraftleistung in elektrischen Steom umgewandelt werden, entspricht die obige Leistung von 72 960 Pferd und Stunden $\frac{72960 . 0,65 . 736}{55}$ = 634 619 Glühlampenbrennstunden (550 160 Brennstunden im Vorjahre).

Für die elektrische Beleuchtungsanlage wurden verausgabt:

1. Lohn für einen Maschinisten	1 935,06 ℳ
2. für Brennmaterialien	4 981,94 „
3. „ Putz- und Schmiermittel, Verdichtungsmaterialien	1 027,29 „
4. „ Unterhaltung der Anlage und für Anschaffungen in die Werkstätte	2 052,74 „
5. „ Überwachung und Instandhaltung der Akkumulatorenbatterie	704,00 „
zusammen	10 701,03 ℳ

gegen 8 771 ℳ 53 ₰ im Vorjahre.

Eine Glühlampenbrennstunde verursachte demnach an direkten Betriebskosten den Betrag von $\frac{1\,070\,103}{634\,619} = 1{,}68$ ₰ gegen 1,59 ₰ im Vorjahre.

A. Übersicht

der Wasserstände des Rheines am Mainzre Pegel in der Zeit vom 1. April 1907 bis 31. März 1908.

Monat	Durchschnittlicher Stand am Staatspegel m	Höchster Stand am Staatspegel m	Niedrigster Stand am Staatspegel m
April 1907	1,56	1,97	1,38
Mai „	2,04	2,66	1,77
Juni „	2,02	2,29	1,88
Juli „	1,80	2,20	1,35
August „	1,20	1,44	0,93
September „	0,59	0,93	0,15
Oktober „	0,04	0,15	— 0,07
November „	— 0,17	0,04	— 0,30
Dezember „	0,51	1,30	— 0,26
Januar 1908	0,03	1,05	— 0,23
Februar „	0,82	2,26	0,02
März „	1,28	2,06	0,68
Für das Rechnungsjahr 1907	0,98	2,66	— 0,30
„ „ „ 1906	1,13	3,39	— 0,27

Anmerkung: Die Wasserstandsverhältnisse waren bis Ende August gut. Von Mitte September 1907 ab bis gegen Ende des Berichtsjahres traten mehrfach längere Niederwasserperioden ein, die die Schiffahrt ungünstig beeinflußten.

B. Übersicht

der in den Häfen von Mainz in der Zeit vom 1. April 1907 bis 31. März 1908 angekommenen Schiffe nach Gattung und Tragfähigkeit.

Monate	Dampfschiffe					Segelschiffe		Flöße	
	Personenschiffe	Schlepper	Tau- und Kettenschiffe	Güterschiffe			Tragfähigkeit		Bestand
					Tragfähigkeit				
	Zahl	Zahl	Zahl	Zahl	dz	Zahl	dz	Zahl	dz
I. zu Berg:									
April . . 1907	118	75	—	61	333 001	93	664 973	—	—
Mai . . „	347	76	—	52	286 070	100	679 174	—	—
Juni . . „	561	54	—	58	319 520	79	563 308	—	—
Juli . . „	623	58	—	64	346 614	98	664 003	—	—
August . „	668	50	—	58	322 635	106	689 678	—	—
September „	593	47	—	54	293 719	92	626 108	—	—
Oktober . „	379	84	—	59	321 990	99	593 748	—	—
November . „	125	58	—	42	231 156	95	549 788	—	—
Dezember . „	51	29	—	55	294 266	107	865 656	—	—
Januar . 1908	24	27	—	21	117 954	31	203 461	—	—
Februar . „	56	69	—	48	254 870	121	847 363	—	—
März . . „	62	60	—	56	317 596	103	735 092	—	—
Summe I. zu Berg .	3 607	687	—	628	3 439 391	1 124	7 682 352	—	—
II. zu Tal:									
April . . 1907	482	16	—	40	219 996	517	1 059 886	1	17
Mai . . „	375	15	—	40	206 023	611	865 115	2	17 364
Juni . . „	521	23	—	46	243 987	485	294 357	2	191
Juli . . „	531	18	—	58	298 997	698	1 908 283	5	13 894
August . „	519	7	—	34	197 613	242	251 045	—	—
September „	549	19	—	35	186 448	494	1 313 266	4	691
Oktober . „	497	17	—	38	205 344	343	873 943	3	15 946
November . „	477	16	—	43	212 880	158	212 015	1	17
Dezember . „	496	11	—	21	105 123	141	269 649	2	19 232
Januar . 1908	378	2	—	9	46 418	41	38 935	1	282
Februar . „	466	9	—	34	184 973	113	140 386	1	82
März . . „	510	47	—	35	188 958	135	200 210	2	30 360
Summe II. zu Tal .	5 801	200	—	433	2 296 760	3 978	7 427 090	24	98 076
„ I. „ Berg .	3 607	687	—	628	3 439 391	1 124	7 682 352	—	—
Gesamtsumme im Rechnungsjahre 1907 .	9 408	887	—	1 061	5 736 151	5 102	15 109 442	24	98 076
„ „ „ 1906 .	10 097	1 024	—	1 227	6 532 741	5 621	12 868 738	21	55 371
1907 { mehr .	—	—	—	—	—	—	2 240 704	3	42 705
1907 { weniger .	689	137	—	166	796 590	519	—	—	—

C. Übersicht

der in den Häfen von Mainz in der Zeit vom 1. April 1907 bis 31. März 1908 abgegangenen Schiffe nach Gattung und Tragfähigkeit.

Monate	Dampfschiffe					Segelschiffe		Flöße	
	Personenschiffe	Schlepper	Tau- und Kettenschiffe	Güterschiffe			Tragfähigkeit		Bestand
					Tragfähigkeit				
	Zahl	Zahl	Zahl	Zahl	dz	Zahl	dz	Zahl	dz
I. zu Berg:									
April . . 1907	482	72	—	53	289 316	556	1 427 452	—	—
Mai . . „	375	84	—	42	222 863	641	1 163 316	—	—
Juni . . „	521	67	—	51	280 674	512	561 576	—	—
Juli . . „	531	70	—	59	308 202	729	2 213 468	—	—
August . . „	519	57	—	34	190 278	274	409 442	—	—
September . „	549	49	—	46	248 583	517	1 559 582	—	—
Oktober . „	497	94	—	44	237 468	367	1 095 860	—	—
November . „	477	67	—	32	162 580	193	515 885	—	—
Dezember . „	496	34	—	37	186 262	179	745 691	—	—
Januar . 1908	378	29	—	9	51 117	48	90 251	—	—
Februar . „	466	70	—	35	182 476	156	530 746	—	—
März . . „	510	74	—	24	140 052	157	387 801	—	—
Summe I. zu Berg	5 801	767	—	466	2 499 871	4 329	10 701 070	—	—
II. zu Tal:									
April . . 1907	118	19	—	48	263 681	54	287 407	—	—
Mai . . „	347	7	—	50	269 230	70	380 973	—	—
Juni . . „	561	10	—	53	282 833	52	296 089	—	—
Juli . . „	623	6	—	63	337 409	67	358 818	—	—
August . . „	668	—	—	58	329 970	74	531 281	—	—
September „	593	17	—	43	231 584	69	379 792	—	—
Oktober . „	379	7	—	53	289 866	75	371 831	1	75
November . „	125	7	—	53	281 456	60	245 918	—	—
Dezember . „	51	6	—	39	213 127	69	389 614	—	—
Januar . 1908	24	—	—	21	113 255	24	152 145	—	—
Februar . „	56	8	—	47	257 367	78	457 003	—	—
März . „	62	33	—	67	366 502	81	557 501	—	—
Summe II. zu Tal	3 607	120	—	595	3 236 280	773	4 408 372	1	75
„ I. „ Berg	5 801	767	—	466	2 499 871	4 329	10 701 070	—	—
Gesamtsumme im Rechnungsjahre 1907	9 408	887	—	1 061	5 736 151	5 102	15 109 442	1	75
„ „ „ 1906	10 097	1 024	—	1 227	6 532 741	5 621	12 868 738	—	—
1907 mehr	—	—	—	—	—	—	2 240 704	1	75
1907 weniger	689	137	—	166	796 590	519	—	—	—

D. Übersicht

der in den Häfen von Mainz in der Zeit vom 1. April 1907 bis 31. März 1908 angekommenen Schiffe nach Heimatsstaat und Beladung.

Heimatsstaat	Dampfschiffe: Personenschiffe: Allgemeiner Verkehr	Personenschiffe: Lokal-Verkehr	Schlepper: mit Anhang	Schlepper: Anhang	Schlepper: ohne Anhang	Tau- und Kettenschiffe: mit Anhang	Tau- und Kettenschiffe: Anhang	Tau- und Kettenschiffe: ohne Anhang	Güterschiffe: beladen	Güterschiffe: unbeladen	Segelschiffe: beladen	Segelschiffe: unbeladen	Flöße
	Zahl		Zahl			Zahl			Zahl		Zahl		Zahl
I. zu Berg:													
Baden	—	—	70	73	2	—	—	—	132	—	153	—	—
Bayern	—	—	—	—	—	—	—	—	—	—	31	—	—
Elsaß	—	—	—	—	—	—	—	—	—	—	—	—	—
Hessen	—	—	63	71	—	—	—	—	2	1	74	—	—
Niederlande	397	—	—	—	—	—	—	—	202	1	148	4	—
Preußen	1 726	1 484	549	646	3	—	—	—	143	—	679	7	—
Württemberg	—	—	—	—	—	—	—	—	—	—	1	—	—
Belgien	—	—	—	—	—	—	—	—	136	11	26	1	—
Summe I. zu Berg	2 123	1 484	682	790	5	—	—	—	615	13	1 112	12	—
II. zu Tal:													
Baden	—	—	—	—	8	—	—	—	126	—	74	—	—
Bayern	—	—	—	—	—	—	—	—	—	—	181	2	—
Elsaß	—	—	—	—	—	—	—	—	—	—	—	—	—
Hessen	—	5 063	20	22	48	—	—	—	8	3	3 671	1	24
Niederlande	307	—	—	—	—	—	—	—	80	17	6	3	—
Preußen	431	—	11	12	113	—	—	—	92	12	23	16	—
Württemberg	—	—	—	—	—	—	—	—	—	—	—	—	—
Belgien	—	—	—	—	—	—	—	—	50	45	—	1	—
Summe II. zu Tal	738	5 063	31	34	169	—	—	—	356	77	3 955	23	24
„ I. „ Berg	2 123	1 484	682	790	5	—	—	—	615	13	1 112	12	—
Gesamtsumme im Rechnungsjahr 1907	2 861	6 547	713	824	174	—	—	—	971	90	5 067	35	24
Gesamtsumme im Rechnungsjahr 1906	2 684	7 413	862	969	162	—	—	—	1 160	67	5 579	42	21
1907 mehr	177	—	—	—	12	—	—	—	—	23	—	—	3
1907 weniger	—	866	149	145	—	—	—	—	189	—	512	7	—

E. Übersicht

der in den Häfen von Mainz in der Zeit vom 1. April 1907 bis 31. März 1908 abgegangenen Schiffe nach Heimatsstaat und Beladung.

Heimatsstaat	Dampfschiffe										Segelschiffe		Flöße
	Personenschiffe		Schlepper			Tau- und Kettenschiffe			Güterschiffe		beladen	unbeladen	
	Allgemeiner Verkehr	Lokal-Verkehr	mit Anhang	Anhang	ohne Anhang	mit Anhang	Anhang	ohne Anhang	beladen	unbeladen			
	Zahl		Zahl			Zahl			Zahl		Zahl		Zahl
I. zu Berg:													
Baden	—	—	17	17	55	—	—	—	93	23	17	143	—
Bayern	—	—	—	—	—	—	—	—	—	—	36	132	—
Elsaß	—	—	—	—	—	—	—	—	—	—	—	—	—
Hessen	—	5 063	58	94	64	—	—	—	4	5	219	3 472	—
Niederlande	307	—	—	—	—	—	—	—	24	93	3	50	—
Preußen	431	—	36	51	537	—	—	—	94	28	27	214	—
Württemberg	—	—	—	—	—	—	—	—	—	—	—	—	—
Belgien	—	—	—	—	—	—	—	—	61	41	3	13	—
Summe I. zu Berg	738	5 063	111	162	656	—	—	—	276	190	305	4 024	—
II. zu Tal:													
Baden	—	—	1	1	7	—	—	—	139	3	29	38	—
Bayern	—	—	—	—	—	—	—	—	—	—	22	24	—
Elsaß	—	—	—	—	—	—	—	—	—	—	—	—	—
Hessen	—	—	—	—	9	—	—	—	5	—	23	32	1
Niederlande	397	—	—	—	—	—	—	—	175	8	54	54	—
Preußen	1 726	1 484	66	111	37	—	—	—	122	3	318	166	—
Württemberg	—	—	—	—	—	—	—	—	—	—	—	1	—
Belgien	—	—	—	—	—	—	—	—	136	4	8	4	—
Summe II. zu Tal	2 123	1 484	67	112	53	—	—	—	577	18	454	319	1
„ I. „ Berg	738	5 063	111	162	656	—	—	—	276	190	305	4 024	—
Gesamtsumme im Rechnungsjahre 1907	2 861	6 547	178	274	709	—	—	—	853	208	759	4 343	1
Gesamtsumme im Rechnungsjahre 1906	2 684	7 413	226	356	798	—	—	—	1 000	227	831	4 790	—
1907 mehr	177	—	—	—	—	—	—	—	—	—	—	—	1
1907 weniger	—	866	48	82	89	—	—	—	147	19	72	447	—

F. Übersicht

der in den Häfen von Mainz in der Zeit vom 1. April 1907 bis 31. März 1908 angekommenen Schiffe nach Herkunft und Gewicht der ausgeladenen Güter.

Herkunftsorte	Von Personen-Dampfschiffen ausgeladene Güter	Güter-Dampfschiffe			Segelschiffe			Flöße	
		beladen	ausgeladene Güter	unbeladen	beladen	ausgeladene Güter	unbeladen	Zahl	Bestand
	dz	Zahl	dz	Zahl	Zahl	dz	Zahl	Zahl	dz
I. zu Berg:									
Antwerpen	—	40	11 977	4	165	270 964	—	—	—
Amsterdam	—	102	51 270	2	—	—	—	—	—
Rotterdam	155 793	193	80 627	5	495	797 556	3	—	—
Andere niederländische Häfen	1 578	—	—	—	—	—	—	—	—
Emmerich	2 554	—	—	—	—	—	—	—	—
Häfen zwischen Emmerich u. Düsseldorf	13 770	—	—	—	—	—	—	—	—
Ruhrhäfen	—	—	—	—	153	679 997	—	—	—
Düsseldorf	9 254	—	—	—	—	—	—	—	—
Häfen zwischen Düsseldorf und Köln	2 781	—	—	—	—	—	—	—	—
Köln	18 414	280	125 212	2	111	129 223	2	—	—
Häfen zwischen Köln und Koblenz	6 682	—	—	—	—	—	—	—	—
Koblenz	4 582	—	—	—	—	—	—	—	—
Häfen zwischen Koblenz und Bingen	—	—	—	—	188	12 117	7	—	—
Bingen	2 117	—	—	—	—	—	—	—	—
Häfen zwischen Bingen und Mainz	—	—	—	—	—	—	—	—	—
Summe I. zu Berg	217 525	615	269 086	13	1 112	1 889 857	12	—	—
II. zu Tal:									
Häfen zwischen Mainz und Mannheim	1 546	—	—	—	3 487	4 955 593	6	—	—
Mannheim	8 408	317	20 495	33	134	55 410	8	15	65 3[illegible]8
Häfen oberhalb Mannheim	—	—	—	—	5	5 367	—	—	—
Mainhäfen	—	39	5 570	44	329	86 682	9	9	32 688
Neckarhäfen	—	—	—	—	—	—	—	—	—
Summe II. zu Tal	9 954	356	26 065	77	3 955	5 103 052	23	24	98 076
„ I. zu Berg	217 525	615	269 086	13	1 112	1 889 857	12	—	—
Gesamtsumme im Rechnungsjahre 1907	227 479	971	295 151	90	5 067	6 992 909	35	24	98 076
„ „ „ „ 1906	201 806	1 160	287 769	67	5 579	5 615 584	42	21	55 371
1907 mehr	25 673	—	7 382	23	—	1 377 325	—	3	42 705
1907 weniger	—	189	—	—	512	—	7	—	—

G. Übersicht

der in den Häfen von Mainz in der Zeit vom 1. April 1907 bis 31. März 1908 abgegangenen Schiffe nach Bestimmung und Gewicht der eingeladenen Güter.

Bestimmungsorte	Von Personen-Dampfschiffen eingeladene Güter	Güter-Dampfschiffe			Segelschiffe			Flöße	
		beladen	eingeladene Güter	unbeladen	beladen	eingeladene Güter	unbeladen	Zahl	Bestand
	dz	Zahl	dz	Zahl	Zahl	dz	Zahl		dz
I. zu Berg:									
Häfen zwischen Mainz und Mannheim	1 714	—	—	—	85	8 713	3 636	—	—
Mannheim	5 729	224	15 945	151	—	—	—	—	—
Häfen oberhalb Mannheim	—	—	—	—	—	—	—	—	—
Mainhäfen	—	52	7 616	39	219	23 308	385	—	—
Neckarhäfen	—	—	—	—	1	600	3	—	—
Summe I. zu Berg	7 443	276	23 561	190	305	32 621	4 024	—	—
II. zu Tal:									
Antwerpen	—	54	13 577	1	—	—	—	—	—
Amsterdam	—	63	6 996	5	—	—	—	—	—
Rotterdam	107 919	211	67 578	5	203	66 414	148	—	—
Andere niederländische Häfen	5 531	—	—	—	—	—	—	—	—
Emmerich	4 119	—	—	—	—	—	—	—	—
Häfen zwischen Emmerich u. Düsseldorf	9 192	—	—	—	—	—	—	—	—
Düsseldorf	12 260	—	—	—	—	—	—	—	—
Häfen zwischen Düsseldorf und Köln	1 810	—	—	—	—	—	—	—	—
Köln	19 145	249	82 187	7	20	15 609	142	—	—
Häfen zwischen Köln und Koblenz	9 207	—	—	—	—	—	—	—	—
Koblenz	14 925	—	—	—	—	—	—	—	—
Häfen zwischen Koblenz und Bingen	31	—	—	—	231	55 801	29	—	—
Bingen	6 934	—	—	—	—	—	—	—	—
Häfen zwischen Bingen und Mainz	—	—	—	—	—	—	—	1	75
Summe II. zu Tal	191 073	577	170 338	18	454	137 824	319	1	75
Summe I. zu Berg	7 443	276	23 561	190	305	32 621	4 024	—	—
Gesamtsumme im Rechnungsjahre 1907	198 516	853	193 899	208	759	170 445	4 343	1	75
" " " 1906	208 714	1 000	185 296	227	831	147 885	4 790	—	—
1907 mehr	—	—	8 603	—	—	22 560	—	1	75
1907 weniger	10 198	147	—	19	72	—	447	—	—

H. Übersicht

der in den Häfen von Mainz in der Zeit vom 1. April 1907 bis 31. März 1908 aus- und eingeladenen Güter.

Ordnungs-Nummer	Benennung der Güter	Zufuhr		Abfuhr		Zusammen	Verkehr in 1906	Im Rechnungsjahre 1907	
		zu Berg	zu Tal	zu Berg	zu Tal			mehr	weniger
		dz	dz	dz	dz	dz	dz	dz	dz
1	Düngemittel aller Art . . .	21 626	—	1 307	313	23 246	45 998	—	22 752
2	Lumpen aller Art	—	17	—	11	28	129	—	101
3	Knochen	1 733	—	—	—	1 733	332	1 401	—
4	Rohe Baumwolle	263	32	—	—	295	—	295	—
5	Soda	1 614	98	209	422	2 343	4 931	—	2 588
6	Farbholz	166	—	—	—	166	27	139	—
7	Knochenkohle, Knochenmehl . .	1 999	3	—	1 000	3 002	599	2 403	—
8	Salpeter, Salz- u. Schwefelsäure	4	—	12	22	38	637	—	599
9	Roh- und Brucheisen . . .	579	396	25	197	1 197	1 013	184	—
10	Andere unedle Metalle, roh und als Bruch	63 711	7 547	936	11 371	83 565	78 654	4 911	
11	Verarbeitetes Eisen aller Art .	40 993	1 323	4 941	6 265	53 522	57 324	—	3 802
12	Zement, Traß, Kalk . . .	2 300	110	—	18	2 428	13 007	—	10 579
13	Erde, Lehm, Sand, Kies, Kreide	—	4 826 167	—	—	4 826 167	3 602 356	1223811	—
14	Eisenerz	—	—	—	—	—	306	—	306
15	Andere Erze	—	—	—	—	—	—	—	—
16	Flachs, Hanf, Heede, Werg .	3 246	149	84	2 881	6 360	1 723	4 637	—
17	Weizen und Spelz	163 012	7 350	—	10	170 372	135 430	34 942	—
18	Roggen	15 118	5 154	2 540	3	22 815	67 496	—	44 681
19	Hafer	55 636	4 490	—	5	60 131	96 515	—	36 384
20	Gerste	42 250	937	2 186	4 401	49 774	84 180	—	34 406
21	Anderes Getreide u. Hülsenfrüchte	59 862	1 973	1 175	15 372	78 382	75 598	2 784	—
22	Ölsaaten	97 392	177	18	921	98 508	47 874	50 634	—
23	Stroh und Heu	—	—	—	—	—	—	—	—
24	Kartoffeln	9	—	—	704	713	506	207	—
25	Obst, frisches und getrocknetes .	4 748	78	122	790	5 738	10 083	—	4 345
26	Gemüse und Pflanzen . . .	—	—	—	—	—	43	—	43
27	Glas und Glaswaren . . .	61	54	42	907	1 064	1 003	61	—
28	Häute, Felle, Leder, Pelzwerk .	1 297	297	119	2 385	4 098	6 286	—	2 188
29	Harte Stämme, (Nutz-, Bau- und Schiffsholz)	5 639	2 946	303	9	8 897	13 788	—	4 891
30	Harte Schnittware	25 538	3 099	158	—	28 795	35 613	—	6 818
31	Harte Brennholzscheite . . .	—	3 700	—	—	3700	6 150	—	2 450
32	Weiche Stämme	8 244	103 332	—	—	111 576	54 515	57 061	—
33	Weiche Schnittware	70 158	4 534	—	4 569	79 261	128 733	—	49 472
34	Weiche Brennholzscheite . . .	415	13 075		—	13 490	13 657	—	167
35	Reisig und Faschinen . . .	—	—	—	—	—	—	—	—
36	Borke, Lohe	—	—	—	—	—	—	—	—
37	Fastage, Fässer, Kisten, Säcke .	34 590	664	230	1 606	37 090	36 762	328	—
38	Holzwaren und Möbel . . .	84	—	—	110	194	197	—	3
	zu übertragen . . .	722 287	4 987 702	14 407	54 292	5 778 688	4 621 465	1157 223	—

Ordnungs-Nummer	Benennung der Güter	Zufuhr		Abfuhr		Zusammen	Verkehr in 1906	Im Rechnungsjahre 1907	
		zu Berg	zu Tal	zu Berg	zu Tal			mehr	weniger
		dz	dz	dz	dz	dz	dz	dz	dz
	Übertrag . . .	722 287	4 987 702	14 407	54 292	5 778 688	4 621 465	1157 223	—
39	Instrumente, Maschinen und Maschinenteile	598	383	196	1 629	2 806	2 558	248	—
40	Bier	313	853	213	64 288	65 667	64 559	1 108	—
41	Branntwein	11 759	437	437	2 394	15 027	10 492	4 535	—
42	Wein	17 923	4 290	6 807	83 149	112 169	114 937	—	2 768
43	Fische, auch Heringe . . .	28 171	128	19	52	28 370	24 225	4 145	—
44	Mehl und Mühlenfabrikate .	47 481	52 424	4 139	2 898	106 942	82 818	24 124	—
45	Reis	20 678	42	310	98	21 128	23 554	—	2 426
46	Salz	272	24	61	39	396	96	300	—
47	Kaffee, Kaffeesurrogate, Kakao .	34 613	130	474	1 320	36 537	31 684	4 853	—
48	Zucker, Melosse und Syrup .	95 825	1 417	897	2 494	100 633	85 312	15 321	—
49	Rohtabak	4 375	—	317	54	4 746	2 757	1 989	—
50	Fette Öle und Fette . . .	84 426	5 469	2 415	15 457	107 767	81 808	25 959	—
51	Petroleum und andere Mineralöle	193 318	6 565	162	42 575	242 620	189 074	53 546	—
52	Steine und Steinwaren . .	2 503	21 260	6	8 123	31 892	21 703	10 189	—
53	Steinkohlen	679 997	254	12 696	4 145	697 092	621 013	76 079	—
54	Koks	1 022	—	—	—	1 022	—	1 022	—
55	Braunkohlen	—	—	—	—	—	—	—	—
56	Torf	—	—	—	—	—	—	—	—
57	Teer, Pech, Harze aller Art, Asphalt	38 712	851	2 694	11 440	53 697	47 079	6 618	—
58	Lebendes Vieh	—	—	—	—	—	—	—	—
59	Mauersteine u. Fliesen aus Ton, Dachziegel und Tonröhren .	4 654	—	950	55	5 659	80 473	—	74 814
59a	Backsteine	—	50 610	—	—	50 610	39 266	11 344	—
60	Tonwaren, Steingut, Porzellon	6	100	27	1 539	1 672	1 938	—	266
61	Wolle, roh	271	166	59	3	499	162	337	—
62	Alle sonstigen Gegenstände . .	387 264	104 042	16 339	203 266	710 911	555 452	155 459	—
	Summe der aus- u. eingelad. Güter	2 376 468	5 237 147	63 625	499 310	8 176 550	6 702 425	1474 125	—
	Geflößt im Floßhafen:								
1	Harte Brennholzscheite . . .	—	—	—	—	—	—	—	—
2	Horte Stämme	—	8 400	—	8 400	16 800	18 920	—	2 120
3	Horte Schnittwaren	—	3 250	—	3 250	6 500	—	6 500	—
4	Weiche Brennholzscheite . . .	—	—	—	—	—	—	—	—
5	Weiche Stämme	—	2 218 980	—	1 793 600	4 012 580	4 324 600	—	312 020
6	Weiche Schnittwaren . . .	—	1 150	—	1 150	2 300	6 000	—	3 700
	Summe des geflößten Holzes .	—	2 231 780	—	1 806 400	4 038 180	4 349 520	—	311 340
	„ der geladenen Güter .	2 376 468	5 237 147	63 625	499 310	8 176 550	6 702 425	1474 125	—
	zusammen . . .	2 376 468	7 468 927	63 625	2 305 710	12 214 730	11 051 945	1162 785	—
	Hierzu die Summe der von Schiff zu Schiff überschlagenen Güter mit	—	—	—	—	279 689	444 540	—	164 851
	Ergibt Gesamtsumme des Wasserverkehrs	—	—	—	—	12 494 419	11 496 485	997 934	—

XXI. Lagerhäuser.

1. Lagerhaus im Binnenhafen.

Zur Lagerung von Gütern sind nachstehende Räume vorhanden:

a) im Keller . . . . 2 512,0 qm
b) „ Erdgeschoß . . . . 501,0 „
(Die übrigen Räume im Erdgeschoß mit zus. 1 516 qm werden zu den Bureaus des Hauptsteueramtes und der Städtischen Lagerhaus-Verwaltung, sowie als Revisionsräume benutzt.)
c) im I. Obergeschoß . . . . 1 962,0 „
d) „ II. „ . . . . 1 991,8 „
e) „ III. „ . . . . 2 024,3 „
f) „ IV. „ . . . . 1 655,2 „
g) „ V. „ (Kehlgebälk) . . . . 1 368,1 „

Zusammen . 12 014,4 qm

Von diesen Räumen waren der öffentlichen Niederlage für zollpflichtige Güter 1 191 qm überwiesen. Der Städtischen Lagerhaus-Verwaltung stand ein Lagerraum von 3 357,8 qm zur Verfügung. Alle übrigen Lagerräume mit 7 465,6 qm waren vermietet.

Die Räume der Städtischen Lagerhausverwaltung wurden in der Zeit vom 1. April 1907 bis 31. März 1908 zur Lagerung folgender Güter benutzt:

Ord.-Nr.	Benennung der Waren	Lagerbestand am 1. April 1907 dz	Zugang vom 1. April 1907 bis 31. März 1908 dz	Summe dz	Abgang vom 1. April 1907 bis 31. März 1908 dz	Lagerbestand am 1. April 1908 dz
1	Benzin	—	36	36	24	12
2	Biertreber	8	305	313	313	—
3	Canariensaat	50	—	50	50	—
4	Erdnüsse	—	631	631	—	631
5	Haare	—	307	307	129	178
6	Hafer	—	703	703	703	—
7	Hafermehl	—	47	47	47	—
8	Hanf	—	19	19	—	19
9	Hirsen	285	219	504	479	25
10	Hopfen	3	641	644	644	—
11	Hopfenblechtrommeln	2	6	8	8	—
12	Hülsenfrüchte	35	110	145	135	10
13	Ingber	5	1	6	5	1
14	Kaffee, roher	623	2 130	2 753	2 131	622
15	Kartoffelmehl	—	221	221	110	111
16	Kleesaat	—	25	25	—	25
17	Kleie	623	1 267	1 890	1 028	862
18	Kokosgarn	—	27	27	—	27
19	Kupfer	—	177	177	177	—
20	Leim	—	11	11	11	—
21	Leinöl	—	174	174	174	—
22	Mais	—	45	45	45	—
	zu übertragen . . .	1 634	7 102	8 736	6 213	2 523

Ord.-Nr.	Benennung der Waren	Lagerbestand am 1. April 1907 dz	Zugang vom 1. April 1907 bis 31. März 1908 dz	Summe dz	Abgang vom 1. April 1907 bis 31. März 1908 dz	Lagerbestand am 1. April 1908 dz
	Übertrag . . .	1 634	7 102	8 736	6 213	2 523
23	Malzkeime	88	318	406	406	—
24	Maschinenteile	49	—	49	49	—
25	Mehl	370	4 849	5 219	3 509	1 710
26	Melasse	—	50	50	50	—
27	Messing	—	390	390	390	—
28	Metalle	—	834	834	654	180
29	Muskatnüsse	12	32	44	34	10
30	Nelken	10	47	57	51	6
31	Ölkuchen	200	26	226	200	26
32	Papier, ordin.	—	19	19	19	—
33	Petroleum	—	105	105	66	39
34	Pfeffer	17	298	315	302	13
35	Piment	4	24	28	28	—
36	Raps	157	2 920	3 077	3 077	—
37	Reis	—	79	79	79	—
38	Roggen	—	6 450	6 450	338	6 112
39	Roggenabfall	59	—	59	59	—
40	Rübenschnitzel, getr.	104	—	104	104	—
41	Sardellen	—	3	3	3	—
42	Schellack	—	14	14	6	8
43	Schlempe	300	—	300	300	—
44	Schwefel	—	196	196	96	100
45	Schweinefett	33	360	393	363	30
46	Spirituosen	8	131	139	112	27
47	Spiritus	—	129	129	129	—
48	Tabak, roher	2 833	3 332	6 165	2 661	3 504
49	Tee	10	—	10	10	—
50	Terpentinöl	36	1 393	1 429	1 429	—
51	Wein	—	2	2	2	—
52	Weinhefe, getr. in Säcken	—	36	36	36	—
53	Weizen	—	4 362	4 362	985	3 377
54	Wicken	40	—	40	18	22
55	Zimmt	19	109	128	104	24
56	Zucker	3 498	9 108	12 606	10 987	1 619
	Summe im Rechnungsjahr 1907	9 481	42 718	52 199	32 869	19 330
	„ „ „ 1906	21 301	25 347	46 648	37 167	9 481
	1907 { mehr	—	17 371	5 551	—	9 849
	1907 { weniger	11 820	—	—	4 298	—

Über die Mietlager im Lagerhaus wurden durch die Städtische Lagerhaus-Verwaltung 5526 dz Waren bearbeitet (Vorjahr 9004 dz), außerdem wurden noch 97511 dz mit den Fahrstühlen befördert (Vorjahr 86190 dz).

2. Getreidespeicher.

Folgende Lagerräume sind vorhanden:

a) Kellerraum . . . . 722,0 qm

b) Schüttböden für Getreide im Erdgeschoß, in den 4 Obergeschossen und im Speicherboden je 779,2 qm, zusammen . . . . 4675,2 „

c) im Erdgeschoß des Mittelbaues ist das Bureau der Städt. Lagerhaus-Verwaltung untergebracht, der weitere Raum dient als Maschinenraum. In den übrigen Stockwerken des Mittelbaues ist ein Flächenraum von 776,6 „ vorhanden, der zur Lagerung von gesacktem Getreide benutzt werden kann.

d) die Silos haben einen Inhalt von . . . . 718,0 cbm

Die Schüttböden haben eine Tragfähigkeit von 15 dz auf 1 qm Fläche.

Von den Kellerräumen waren 328,45 qm vermietet. Ungefähr 317,55 qm woeen der öffentlichen Niederlage des Großh. Hauptsteueramtes zugeteilt. Die übrigen Kellerräume mit 76 qm wurden von der Städtischen Lagerhausverwaltung zur Lagerung nachgenannter Waren benutzt und zwar:

Ord.-Nr.	Benennung der Waren	Lagerbestand am 1. April 1907 dz	Zugang vom 1. April 1907 bis 31. März 1908 dz	Summe dz	Abgang vom 1. April 1907 bis 31. März 1908 dz	Lagerbestand am 1. April 1908 dz
1	Cottonöl	—	22	22	22	—
2	Mineralschmieröl	141	812	953	640	313
3	Mineralwasser	19	—	19	19	—
4	Sirup	—	136	136	62	74
5	Wein	—	8	8	—	8
	Summe im Rechnungsjahr 1907	160	978	1138	743	395
	„ „ „ 1906	224	399	623	463	160
	1907 mehr	—	579	515	280	235
	1907 weniger	64	—	—	—	—

Im Getreidespeicher waren 1336 qm Lagerraum in den Magazinen und die Silo-Abteilung Nr. 4 vermietet. Die übrigen Räume wurden von der Städtischen Lagerhausverwaltung benutzt.

Der Warenverkehr im Getreidespeicher vom 1. April 1907 bis 31. März 1908 war folgender:

Ord.-Nr.	Benennung der Waren	Lagerbestand am 1. April 1907	Zugang vom 1. April 1907 bis 31. März 1908	Summe	Abgang vom 1. April 1907 bis 31. März 1908	Lagerbestand am 1. April 1908
		dz	dz	dz	dz	dz
	A. Verkehr in den der städtischen Lagerhausverwaltung überwiesenen Räumen:					
1	Gerste	3 012	12 063	15 075	12 582	2 493
2	Hafer	3 426	36 134	39 560	31 354	8 206
3	Hülsenfrüchte	—	6	6	—	6
4	Leinsaat	33	1 909	1 942	493	1 449
5	Mais	451	8 755	9 206	6 156	3 050
6	Raps	792	1 189	1 981	1 238	743
7	Roggen	—	643	643	643	—
8	Weizen	510	7 834	8 344	5 346	2 998
	Zusammen	8 224	68 533	76 757	57 812	18 945
	B. Verkehr in den Mietlagern	8 229	40 270	48 499	38 219	10 280
	Gesamtverkehr im Rechnungsjahr 1907	16 453	108 803	125 256	96 031	29 225
	" " " 1906	34 960	89 277	124 237	107 784	16 453
	1907 mehr	—	19 526	1 019	—	12 772
	1907 weniger	18 507	—	—	11 753	—

Mit dem Elevator am Getreidespeicher wurden vom 1. April 1907 bis 31. März 1908 überschlagen:

Ord.-Nr.	Benennung der Waren	Vom Schiff auf Waggons	Vom Schiff auf Fuhren	Von Schiff zu Schiff	Zusammen im Rechnungsjahre 1907	Zusammen im Rechnungsjahre 1906
		dz	dz	dz	dz	dz
1	Gerste	21 783	4 708	1 731	28 222	29 832
2	Hafer	20 961	9 099	—	30 060	55 336
3	Hülsenfrüchte	—	—	261	261	—
4	Mais	17 848	4 066	2 601	24 515	14 043
5	Raps	1 976	25	—	2 001	15 374
6	Roggen	2 947	1 635	—	4 582	34 596
7	Weizen	25 441	24 297	2 813	52 551	34 696
	Summe im Rechnungsjahre 1907	90 956	43 830	7 406	142 192	183 877
	" " " 1906	103 556	74 263	6 058	183 877	—
	1907 mehr	—	—	1 348	—	—
	1907 weniger	12 600	30 433	—	41 685	—

Am Getreidespeicher sind im Berichtsjahre

196 Waggons beladen angekommen (52 im Vorjahre.)
1 249 " " abgegangen (1 607 " ")
3 182 Fuhren " abgefahren (4 171 " ")

Im Warenlagerhause hat sich der Warenzugang zum Lager vermehrt hauptsächlich bei Kaffee, Mehl, Raps, Roggen, Weizen, Zucker und Tabak. Besonders vermindert hat sich derselbe bei Biertrebern, Hopfen und Mineralwasser. Der Mehrzugang von Kaffee ist durch die Unterhaltung eines etwas größeren Lagers hierin seitens einer auswärtigen Firma, derjenige in Mehl infolge Neuerrichtung eines Lagers am hiesigen Platz durch eine rhein. Mühle entstanden. In

Raps (gesackt) war der Zugang für eine benachbarte Ölmühle etwas reichlicher als im Vorjahre. Roggen und Weizen (gesackt) gingen durch die Aufhebung des gemischten Getreideprivattransitlagers der Stadt Mainz im Warenlagerhause unter Zollverschluß in größeren Mengen als früher auf Lager. Der Mehrzugang in Zucker erfolgte durch eine Raffinerie zwecks Ergänzung ihres Lagerbestandes. Ein gleiches fand auch durch eine auswärtige Tabakfabrik in Rohtabak statt.

Der Minderzugang in Hopfen ist auf die ungünstigen Ernteverhältnisse zurückzuführen, während derjenige in Biertrebern durch den schlanken Absatz dieses Artikels bei Ankunft verursacht worden ist. Für Lagerung von Mineralwasser lag seitens der betr. Speditionsfirma im abgelaufenen Jahre ein Bedürfnis nicht vor.

Im Ölkeller unter dem Getreidespeicher weist der Warenzugang eine etwas erhöhte Frequenz gegenüber dem Vorjahre auf.

Im Getreidespeicher gestalteten sich die Lagerzugänge im allgemeinen etwas günstiger, der Getreideumschlag dagegen war weniger lebhaft als im Vorjahre. Die Ursache des verminderten Umschlags ist hauptsächlich der günstigen einheimischen Ernte zuzuschreiben, wodurch Bezüge ausländischen Getreides seitens des Proviantamtes unterblieben sind.

Die Betriebskosten der maschinellen Einrichtungen im Getreidespeicher setzen sich zusammen wie folgt:

1.	Taglöhne für die Arbeiter zur Bedienung der maschinellen Einrichtungen	4 671,19 ℳ
2.	Unterhaltung der maschinellen Einrichtungen	2 295,19 „
3.	Gasverbrauch der Motoren	3 633,24 „
4.	Verdichtungsmaterialien, Putz- und Schmiermittel	658,92 „
5.	Wasserverbrauch der Motoren	261,72 „
	Summe . . .	11 520,26 ℳ

gegen 11 321 ℳ 13 ₰ im Vorjahre.

Die maschinellen Einrichtungen waren an 249 Tagen mit insgesamt 1 503 Stunden (254 Tage und 1 593 Stunden im Vorjahr) in Betrieb. Die Betriebskosten pro Stunde Arbeitszeit betrugen sonach 7,67 ℳ (Vorjahr 7,11 ℳ). Mit dem Schiffselevator wurden eingenommen 285 719 dz Getreide (Vorjahr 290 443 dz). Die Betriebskosten, auf den dz gefördertes Getreide ausgeschlagen, betrugen sonach 4,0 ₰ (Vorjahr 3,9 ₰).

Das Fassungsvermögen der Schüttspeicher beträgt 55 000 dz, für die 4 Silos 6 000 dz, für den ganzen Getreidespeicher sonach 61 000 dz. Der Getreidespeicher hätte also mit dem vom Elevator eingenommenen Getreide 4,7 mal (Vorjahr 4,8 mal) voll belegt werden können.

Über die Reinigungsanlagen gingen an 54 Tagen mit 137 Stunden 9 622 dz Getreide, d. i. im Durchschnitt stündlich 70 dz (Vorjahr 65 Tage, 167 Stunden, 11 926 dz, durchschnittlich stündlich 71 dz).

Die durch das Großh. Hauptsteueramt Mainz aufgestellte Maschine zur Unbrauchbarmachung von Gerste zu Malzzwecken war an 22 Tagen mit insgesamt 117 Stunden in Betrieb und wurden mit derselben 3 386 dz Gerste bearbeitet.

3. Revisionshalle I im Binnenhafen.

Die Kellerräume mit 741 qm waren zur Lagerung von Wein vermietet. Weiter war das Magazin im Obergeschoß mit 834 qm vermietet. Die Räumlichkeiten im Erdgeschoß dienen als Revisions- und Abfertigungsraum des Gr. Hauptsteueramts und der Hafenverwaltung, werden aber auch ab und zu und soweit der Raum es gestattet, von der Städtischen Lagerhausverwaltung zur Lagerung von Gütern benutzt. Der Keller neben der Revisionshalle (früherer Ölkeller) 260 qm enthaltend, war der öffentlichen Niederlage für zollpflichtige Güter zugeteilt.

4. Lager für Petroleum, Terpentinöl, Benzin ꝛc.

Dasselbe enthält 12 Abteilungen mit einer Lagerfläche von 678 qm. Hiervon waren 622 qm vermietet. Die übrigen 56 qm wurden von der Städtischen Lagerhausverwaltung benutzt. Infolge baulicher Veränderungen wurde eine Abteilung um 7 qm vergrößert.

5. Spritlager.

Dieses Lager enthält 12 Abteilungen mit je 68,40 qm Flächeninhalt, mithin im ganzen 820,80 qm. Hiervon waren 752,40 qm vermietet. Die übrigen 68,40 qm wurden von der Städtischen Lagerhausverwaltung und der öffentlichen Zollniederlage des Großh. Hauptsteueramts zur Lagerung von Wein und Spirituosen benutzt.

6. Lagerhallen am Rheinufer.

Die Lagerhallen zwischen Fischtor und oberem Eiserntor (diese in drei Abteilungen), zwischen der Straßenbrücke und dem Agenturgebäude der Niederländischen Reederei, vor dem Raimunditor, zwischen Raimundi- und Kaisertor (diese in 4 Abteilungen), zwischen Kaiser- und Frauenlobtor, zwischen Frauenlob- und Feldbergtor und die beiden Hallen vor dem Hafentore sind auf längere Zeit in Miete gegeben. Außer den vermieteten Räumen befindet sich in der großen Halle zwischen Kaiser- und Raimunditor eine 411 qm große Abteilung, welche als Bureau- und Abfertigungsstelle der Hafen- und Lagerhausverwaltung sowie der Oktroiverwaltung dient, auch bisweilen zur Lagerung von Gütern Verwendung findet.

7. Verzeichnis der in den städtischen Lagerhäusern gelagerten und bearbeiteten Mengen, sowie der hierfür vereinnahmten Gebühren für die Zeit vom 1. April 1907 bis 31. März 1908.

Tarif-Nummer	Bezeichnung der Güterbehandlung	Maßstab	Tarifsatz ₰	Im Rechnungsjahre 1907 bearbeitete Menge	Im Rechnungsjahre 1907 erhobene Gebühren ℳ	₰	Im Rechnungsjahre 1906 erhobene Gebühren ℳ	₰	Mithin im Rechnungsjahre 1907 an Gebühren mehr ℳ	₰	weniger ℳ	₰
	1) Gebühren von der Städt. Lagerhausverwaltung erhoben:											
	A. Lagergebühren.											
	a) Verschiedene Artikel	1 dz und Monat	4	16 114	1 677	30	2 696	45	—	—	1 019	15
	b) " "	"	5	62 121	6 194	60	5 706	25	488	35	—	—
	c) " "	"	6	61 353	9 996	65	12 995	35	—	—	2 998	70
	d) " "	"	8	—	—	—	—	—	—	—	—	—
	e) " "	"	9	36	13	30	10	25	3	05	—	—
	f) " "	"	10	2 335	166	—	157	15	8	85	—	—
	g) " "	"	12	1 941	626	75	453	45	173	30	—	—
	h) " "	"	18	150	83	10	182	85	—	—	99	75
	B. Betrifft die Vermietung ganzer Räume.											
	C. Sonstige Gebühren. (Arbeitsgebühren.)											
	I. Allgemeiner Tarif.											
1	Auflagerbringen zu Wasser ankommender Güter ꝛc.	1 dz	9	14 588	1 316	55	1 147	30	169	25	—	—
2	Auflagerbringen zu Lande ankommender Güter	"	6	17 058	1 044	05	1 038	10	5	95	—	—
3	Vomlagerbringen zu Wasser oder zu Land abgehender Güter ꝛc.	"	6	27 291	1 694	90	1 523	85	171	05	—	—
4	Aufwinden oder Ablassen mittelst der hydraulischen Hebewerkzeuge ꝛc.	"	3	97 511	3 062	30	2 723	10	339	20	—	—
5	Verladen von Gütern aus dem Schiff auf Eisenbahnwagen, Fuhren ꝛc.	"	4	313	12	65	—	—	12	65	—	—
6	Zuschlag für Werftgebühr, wenn die Verladung nach pos. 5 auf die Eisenbahn im Platzverkehr, auf Fuhren oder in die öffentlichen Werfträume stattfindet	"	2	184	3	70	—	—	3	70	—	—
7	Verladen von Gütern von Eisenbahnwagen oder von Fuhren auf Eisenbahnwagen ꝛc.	"	4	1 326	54	50	56	20	—	—	1	70
8	Umschichten von in Säcken verpackten Waren	"	6	535	32	55	22	35	10	20	—	—
9	Stürzen, Wiedereinfassen und Aufschichten von in Säcken verpackten Waren	"	12	57	7	05	1	60	5	45	—	—
				zu übertragen	25 985	95	28 714	25	1 391	—	4 119	30

Tarif-Nummer	Bezeichnung der Güterbehandlung	Maßstab	Tarifsatz ₰	Im Rechnungsjahre 1907 bearbeitete Menge	Im Rechnungsjahre 1907 erhobene Gebühren ℳ	₰	Im Rechnungsjahre 1906 erhobene Gebühren ℳ	₰	Mithin im Rechnungsjahre 1907 an Gebühren mehr ℳ	₰	weniger ℳ	₰
				Übertrag	25 985	95	28 714	25	1 391	—	4 119	30
10a	Verwiegen von Stückgütern	1 dz	3	23 980	761	40	925	80	—	—	164	40
10b	Verwiegen mit Egalisieren von in Säcken verpackten Waren	„	6	50	3	—	20	60	—	—	17	60
11	Verwiegung von Eisenbahnwagen	1 Wag.	100	64	64	—	57	—	7	—	—	—
12	Musterziehen, sowie Besichtigung von Waren, nach Maßgabe der verwendeten Zeit, mindestens jedesmal	—	20	59	30	30	11	20	19	10	—	—
13	Reparaturen nach Auslage 2c. mindestens jedesmal	—	20	1	1	50	—	—	1	50	—	—
14	Für Sackband	100 St.	40	246 707	1 007	40	1 315	—	—	—	307	60
15	Säckezählen	„ „	20	—	—	—	—	40	—	—	—	40
16	Zunähen gefüllter Säcke	1 St.	5	—	—	—	1	—	—	—	1	—
17	Werftgleisegebühren für Verbringung von beladen ankommenden oder beladen abgehenden Eisenbahnwagen von der Übergabestelle nach den Verladeplätzen 2c.	1 Wag.	100	1 660	1 660	—	1 708	—	—	—	48	—
18	Für einmalige Rangierung von Eisenbahnwagen von einer Verladestelle zur anderen	„	100	3	3	—	11	—	—	—	8	—
19	Für das Belegen von Eisenbahnwagen mit Decken oder für das Abnehmen der letzteren	„	100	5	5	—	6	—	—	—	1	—
20	Für einmalige Reinigung von Eisenbahnwagen	„	100	—	—	—	—	—	—	—	—	—
21	Fuhrlohn für Stückgüter an den Hauptbahnhof oder das Schiff in Mainz, oder umgekehrt	1 dz	30	168	77	60	76	90	—	70	—	—
22	Sonstige Arbeiten, nach der Zeit zu berechnen:											
	a) für den Mann und eine Stunde oder eine kürzere Zeit	1 Std.	50	68	34	—	14	50	19	50	—	—
	b) für den Mann und einen halben Tag	½ Tag	250	2	5	—	5	—	—	—	—	—
	c) „ „ „ „ „ ganzen „	1 Tag	450	4	18	—	9	—	9	—	—	—
23	Überweisungsgebühr 2c.	1 dz	3	206	9	—	—	—	9	—	—	—
24	Besorgungsgebühr:											
	a) für Getreide	„	2	5 874	122	35	147	30	—	—	24	95
	b) für andere Güter	„	3	290	18	—	12	30	5	70	—	—
25	Ausfertigung von Schriftstücken:											
	a) Frachtbriefe in doppelter Ausfertigung	—	20	81	16	20	42	80	—	—	26	60
	b) Warrant	1 Stück	100	—	—	—	1	—	—	—	1	—
	c) Zollpapiere	„	50	53	26	50	17	—	9	50	—	—
26	Porto nach Auslage	—	—	—	128	30	103	45	24	85	—	—
				zu übertragen	29 976	50	33 199	50	1 496	85	4 719	85

Tarif-Nummer	Bezeichnung der Güterbehandlung	Maßstab	Tarifsatz ₰	Im Rechnungsjahre 1907 bearbeitete Menge	Im Rechnungsjahre 1907 erhobene Gebühren M	₰	Im Rechnungsjahre 1906 erhobene Gebühren M	₰	Mithin im Rechnungsjahre 1907 an Gebühren mehr M	₰	weniger M	₰
				Übertrag	29 976	50	33 199	50	1 496	85	4 719	85
	C. II. Spezialtarif für Zucker in losen Broden ꝛc.											
1	Bei der Behandlung derartiger Güter nach den Positionen 1—3 und 5 und 7 zu C. I. „Allgemeiner Tarif" kommen außer den dort vermerkten Gebühren hier als Zuschlagsgebühr in Anrechnung . . .	1 dz	2	1 810	36	90	20	35	16	55	—	—
	C. III. Spezialtarif für Getreide aller Art, ferner für Dari, Mais, Malz, Ölsaaten und Hülsenfrüchte.											
	a) Mit Schiffen ankommendes loses Getreide ꝛc.											
1	Ausladen, verwiegen und lose einlagern:											
	a) Getreide ꝛc., ausgenommen Hafer .	„	8	41 527	3 326	50	3 404	15	—	—	77	65
	b) Hafer	„	9	23 393	2 107	40	1 607	60	499	80	—	—
2	Ausladen, verwiegen, sacken und einlagern:											
	a) Getreide ꝛc., ausgenommen Hafer .	„	10	6 574	658	90	1 173	—	—	—	514	10
	b) Hafer	„	11	1 180	130	25	55	30	74	95	—	—
3	Ausladen, verwiegen, sacken und unmittelbar auf Eisenbahnwagen verladen:											
	a) Getreide ꝛc., ausgenommen Hafer .	„	11	72 385	7 972	20	7 323	40	648	80	—	—
	b) Hafer	„	12	23 607	2 836	20	4 329	50	—	—	1 493	30
4	Ausladen, verwiegen, sacken und unmittelbar auf die Fuhre verladen:											
	a) Getreide ꝛc., ausgenommen Hafer .	„	11	36 700	4 043	10	6 214	65	—	—	2 171	55
	b) Hafer	„	12	5 820	699	80	2 383	65	—	—	1 683	85
5	Ausladen, verwiegen und lose unmittelbar ins Schiff überschlagen:											
	a) Getreide ꝛc., ausgenommen Hafer .	„	10	7 664	767	—	836	30	—	—	69	30
	b) Hafer	„	11	—	—	—	—	—	—	—	—	—
6	Ausladen, verwiegen, sacken und unmittelbar ins Schiff überschlagen:											
	a) Getreide ꝛc., ausgenommen Hafer .	„	11	772	85	10	—	—	85	10	—	—
	b) Hafer	„	12	—	—	—	—	—	—	—	—	—
	b) Mit Schiffen ankommendes gesacktes Getreide ꝛc.											
7	Ausladen, auf Lager ohne verwiegen:											
	a) Getreide ꝛc., ausgenommen Hafer .	„	7	13 582	951	25	211	15	740	10	—	—
	b) Hafer	„	8	683	54	75	—	—	54	75	—	—
				zu übertragen	53 645	85	60 758	55	3 616	90	10 729	60

Tarif-Nummer	Bezeichnung der Güterbehandlung	Maßstab	Tarifsatz ₰	Im Rechnungsjahre 1907 bearbeitete Menge	Im Rechnungsjahre 1907 erhobene Gebühren ℳ	₰	Im Rechnungsjahre 1906 erhobene Gebühren ℳ	₰	Mithin im Rechnungsjahre 1907 an Gebühren mehr ℳ	₰	weniger ℳ	₰
				Übertrag	53 645	85	60 758	55	3 616	90	10 729	60
8	Ausladen und unmittelbar auf Eisenbahnwagen verladen ohne verwiegen . . .	1 dz	4	101	4	05	49	45	—	—	45	40
9	Ausladen und unmittelbar auf Fuhren verladen ohne verwiegen . . .	„	4	17	—	75	40	35	—	—	39	60
10	Gesackt unmittelbar ins Schiff überschlagen ohne verwiegen:											
	a) Getreide ꝛc., ausgenommen Hafer .	„	7	—	—	—	—	—	—	—	—	—
	b) Hafer	„	8	—	—	—	—	—	—	—	—	—
11	Ausladen, entleeren und lose einlagern ohne verwiegen:											
	a) Getreide ꝛc., ausgenommen Hafer .	„	10	738	74	—	14	90	59	10	—	—
	b) Hafer	„	11	—	—	—	31	05	—	—	31	05
12	Ausladen, entleeren, wieder sacken und einlagern mit einmal verwiegen:											
	a) Getreide ꝛc., ausgenommen Hafer .	„	15	3	—	45	8	10	—	—	7	65
	b) Hafer	„	16	—	—	—	—	—	—	—	—	—
13	Ausladen, entleeren und lose unmittelbar ins Schiff überschlagen ohne verwiegen:											
	a) Getreide ꝛc., ausgenommen Hafer .	„	10	—	—	—	—	—	—	—	—	—
	b) Hafer	„	11	—	—	—	—	—	—	—	—	—
14	Ausladen, entleeren, wieder sacken und auf Eisenbahnwagen, Fuhren oder ins Schiff überladen mit einmal verwiegen:											
	a) Getreide ꝛc., ausgenommen Hafer .	„	15	101	15	15	—	—	15	15	—	—
	b) Hafer	„	16	—	—	—	3	70	—	—	3	70
15	Zuschlag für Werftgebühr für die vom Schiff auf die Eisenbahn im Platzverkehr und auf Fuhren verladenen Mengen (pos. a 3, 4 und b 8, 9 und 14)	„	2	58 726	1 178	30	1 104	45	73	85	—	—
	c) Mit der Bahn oder Fuhrwerk ankommendes gesacktes Getreide ꝛc.											
16	Gesackt einlagern ohne verwiegen:											
	a) Getreide ꝛc., ausgenommen Hafer .	„	5	4 230	212	45	90	70	121	75	—	—
	b) Hafer	„	6	3 420	206	70	61	25	145	45	—	—
17	Entleeren und lose einlagern ohne verwiegen:											
	a) Getreide ꝛc., ausgenommen Hafer .	„	8	1 823	146	50	17	60	128	90	—	—
	b) Hafer	„	9	9 084	821	75	228	75	593	—	—	—
18	Entleeren, wieder sacken und einlagern mit einmal verwiegen:											
	a) Getreide ꝛc., ausgenommen Hafer .	„	13	320	41	80	9	25	32	55	—	—
	b) Hafer	„	14	103	14	60	4	90	9	70	—	—
				zu übertragen	56 362	35	62 423	—	4 796	35	10 857	—

Tarif-Nummer	Bezeichnung der Güterbehandlung	Maßstab	Tarifsatz ₰	Im Rechnungsjahre 1907 bearbeitete Menge	Im Rechnungsjahre 1907 erhobene Gebühren ℳ	₰	Im Rechnungsjahre 1906 erhobene Gebühren ℳ	₰	Mithin im Rechnungsjahre 1907 an Gebühren mehr ℳ	₰	weniger ℳ	₰
				Übertrag	56 362	35	62 423	—	4 796	35	10 857	—
19	Gesackt unmittelbar auf Eisenbahnwagen, Fuhrwerk oder ins Schiff einladen ohne verwiegen	1 dz	4	103	4	25	—	—	4	25	—	—
20	Entleeren und lose unmittelbar einladen ins Schiff ohne verwiegen:											
	a) Getreide ꝛc., ausgenommen Hafer	„	7	—	—	—	—	—	—	—	—	—
	b) Hafer	„	8	—	—	—	—	—	—	—	—	—
21	Entleeren, wieder sacken und unmittelbar ins Schiff, auf Eisenbahnwagen oder Fuhren verladen mit einmal verwiegen:											
	a) Getreide ꝛc., ausgenommen Hafer	„	15	104	15	60	21	15	—	—	5	55
	b) Hafer	„	16	1 429	230	50	27	55	202	95	—	—
	d) Vom Lager loses Getreide ꝛc.											
22	Verwiegen, sacken und unmittelbar auf Eisenbahnwagen, auf Fuhren oder ins Schiff verladen:											
	a) Getreide ꝛc., ausgenommen Hafer	„	9	36 971	3 343	75	5 101	05	—	—	1 757	30
	b) Hafer	„	10	25 989	2 611	25	2 498	30	112	95	—	—
23	Lose einladen ins Schiff ohne verwiegen:											
	a) Getreide ꝛc., ausgenommen Hafer	„	6	3 227	193	75	—	—	193	75	—	—
	b) Hafer	„	7	—	—	—	—	—	—	—	—	—
	e) Vom Lager gesacktes Getreide ꝛc.											
24	Gesackt unmittelbar auf Eisenbahnwagen, auf Fuhren oder ins Schiff verladen ohne verwiegen:											
	a) Getreide ꝛc., ausgenommen Hafer	„	5	16 536	832	20	1 297	20	—	—	465	—
	b) Hafer	„	6	3 106	189	85	339	40	—	—	149	55
25	Entleeren und lose ins Schiff einladen ohne verwiegen:											
	a) Getreide ꝛc., ausgenommen Hafer	„	8	—	—	—	—	—	—	—	—	—
	b) Hafer	„	9	—	—	—	—	—	—	—	—	—
26	Entleeren, lose umlaufen lassen, wieder sacken und einlagern, unmittelbar auf Eisenbahnwagen, auf Fuhren oder ins Schiff verladen, mit verwiegen:											
	a) Getreide ꝛc., ausgenommen Hafer	„	13	36	4	85	119	—	—	—	114	15
	b) Hafer	„	14	101	14	15	26	80	—	—	12	65
				zu übertragen	63 802	50	71 853	45	5 310	25	13 361	20

Tarif-Nummer	Bezeichnung der Güterbehandlung	Maß-stab	Tarifsatz ₰	Im Rechnungsjahre 1907 bearbeitete Menge	Im Rechnungsjahre 1907 erhobene Gebühren ℳ	₰	Im Rechnungsjahre 1906 erhobene Gebühren ℳ	₰	Mithin im Rechnungsjahre 1907 an Gebühren mehr ℳ	₰	weniger ℳ	₰
				Übertrag	63 802	50	71 853	45	5 310	25	13 361	20
	f) Bearbeitung von Getreide ꝛc. auf Lager, in den Werfträumen oder im Schiff.											
27	Loses Getreide ꝛc. sacken und wieder einlagern ohne verwiegen:											
	a) Getreide ꝛc., ausgenommen Hafer .	1 dz	7	1 561	109	90	180	65	—	—	70	75
	b) Hafer	„	8	559	45	10	62	35	—	—	17	25
28	Loses Getreide ꝛc. mittelst Transportbandes umlaufen lassen (lüften) ohne verwiegen:											
	a) Getreide ꝛc., ausgenommen Hafer .	„	3	5 188	155	90	195	05	—	—	39	15
	b) Hafer	„	4	11 174	448	30	202	40	245	90	—	—
29	Loses Getreide umschaufeln:											
	a) Getreide ꝛc., ausgenommen Hafer .	„	1 ½	15 400	231	35	251	50	—	—	20	15
	b) Hafer	„	2	20 731	414	90	49	10	365	80	—	—
30	Gesacktes Getreide ꝛc. entleeren, lose umlaufen lassen und lose wieder einlagern ohne verwiegen:											
	a) Getreide ꝛc., ausgenommen Hafer .	„	6	2 180	131	35	53	05	78	30	—	—
	b) Hafer	„	7	1 176	83	—	7	15	75	85	—	—
31	Gesacktes Getreide ꝛc. umschichten ohne verwiegen:											
	a) Getreide ꝛc., ausgenommen Hafer .	„	5	1 541	77	15	19	80	57	35	—	—
	b) Hafer	„	6	417	25	35	27	95	—	—	2	60
32	Umstürzen von gesacktem Getreide ꝛc. in andere Säcke ohne verwiegen:											
	a) Getreide ꝛc., ausgenommen Hafer .	„	3	101	3	05	1	35	1	70	—	
	b) Hafer	„	4	1 213	49	10	20	85	28	25	—	
33	Verwiegen	„	2	21 314	431	10	127	15	303	95	—	—
34	Verwiegen mit egalisieren	„	4	4 419	181	05	223	75	—	—	42	70
35	Mischen	„	4	14 369	577	25	443	25	134	—	—	—
36	Gebühr für Getreide ꝛc., welches nach den Positionen a 5, 6, b 8, 9, 10, 13, 14 und c 19, 20 und 21 bearbeitet, aber nicht unmittelbar überladen, sondern erst abgestellt oder niedergelegt und dann weiter verladen wird (Abstellgebühr) . .	„	2	3 384	68	30	26	05	42	25	—	—
37	Entleeren von gesacktem Getreide ꝛc. im Schiff beim Ausladen	„	2	—	—	—	4	10	—	—	4	10
				zu übertragen	66 834	65	73 748	95	6 643	60	13 557	90

Tarif-Nummer	Bezeichnung der Güterbehandlung	Maß-stab	Tarifsatz ₰	Im Rechnungsjahre 1907 bearbeitete Menge	Im Rechnungsjahre 1907 erhobene Gebühren ℳ	₰	Im Rechnungsjahre 1906 erhobene Gebühren ℳ	₰	Mithin im Rechnungsjahre 1907 an Gebühren mehr ℳ	₰	weniger ℳ	₰
				Übertrag	66 834	65	73 748	95	6 643	60	13 557	00
38	Für einfache Reinigung (Vorreinigung):											
	a) Getreide ꝛc., ausgenommen Hafer	1 dz	5	3 413	170	85	386	15	—	—	215	30
	b) Hafer	„	7	723	50	95	177	75	—	—	126	80
39	Für einfache Reinigung (Vorreinigung) mit Umlaufen:											
	a) Getreide ꝛc., ausgenommen Hafer	„	8	2 488	199	30	28	05	171	25	—	—
	b) Hafer	„	11	1 383	152	35	19	50	132	85	—	—
40	Für vollständige Reinigung, Entfernen von Unkrautsamen ꝛc. durch Separateure und Trieure:											
	a) Getreide ꝛc., ausgenommen Hafer	„	10	—	—	—	86	30	—	—	86	30
	b) Hafer	„	12	784	94	55	20	60	73	95	—	—
41	Für vollständige Reinigung, Entfernen von Unkrautsamen ꝛc. durch Separateure und Trieure mit Umlaufen:											
	a) Getreide ꝛc., ausgenommen Hafer	„	13	815	106	30	157	70	—	—	51	40
	b) Hafer	„	16	17	2	90	24	65	—	—	21	75
	g) Für feuchtes oder warm gewordenes Getreide ꝛc. und andere besonders vereinbarte Gebühren	—	—	—	164	65	151	65	13	—	—	—
	h) Für Unbrauchbarmachung von ausländischer Gerste zu Malzzwecken mit der Maschine des Gr. Hauptsteueramtes*)	1 dz	25	3 386	847	—	—	—	847	—	—	—
	D. Feuerversicherungsgebühren. (Prämie.)	100 ℳ und 1 Monat	4	Für 278 043 ℳ Wert	330	05	147	10	182	95	—	—
	E. Provisionen:											
1	Für Vorlagen	½ %	—	v. 5 553,42 ℳ	32	10	26	60	5	50	—	
	2) Gebühren von Gr. Hauptsteueramt Mainz für Benutzung der öffentlichen Zollniederlage erhoben:											
	A. Lagergebühren.											
	a) Verschiedene Artikel	1 dz u. Monat	3	729	113	95	78	20	35	75	—	—
	b) „ „	„	5	618	433	70	76	85	356	85	—	—
	c) „ „	„	6	3 947	1 732	50	2 039	50	—	—	307	—
	d) „ „	„	12	4 474	2 851	05	3 442	05		—	591	—
	e) „ „	„	18	341	317	45	65	45	252	—	—	—
				zu übertragen	74 434	30	80 677	05	8 714	70	14 957	45

*) Diese Position wurde mit Gr. Hauptsteueramt Mainz lt. Vertrag vom 9. August 1906 für den Betrieb der im Getreidespeicher aufgestellten Maschine vereinbart.

Tarif-Nummer	Bezeichnung der Güterbehandlung	Maßstab	Tarifsatz ₰	Im Rechnungsjahre 1907 bearbeitete Menge	Im Rechnungsjahre 1907 erhobene Gebühren ℳ	₰	Im Rechnungsjahre 1906 erhobene Gebühren ℳ	₰	Mithin im Rechnungsjahre 1907 an Gebühren mehr ℳ	₰	weniger ℳ	₰
	C. Sonstige Gebühren. (Arbeitsgebühren.)			Übertrag	74 434	30	80 677	05	8 714	70	14 957	45
	I. Allgemeiner Tarif.											
2 u. 3	Auf- und Vomlagerbringen von Gütern	1 dz	6	11 617	771	65	898	15	—	—	126	50
4	Aufwinden oder Ablassen mittelst der hydraulischen Hebewerkzeuge	„	3	3 367	102	40	174	70	—	—	72	30
10a	Verwiegen von Stückgütern	„	3	1 917	68	90	65	05	3	85	—	—
				Summe aller Gebühren	75 377	25	81 814	95	—	—	6 437	70
	Hiervon gehen ab die unter verschiedenen Positionen des vorstehenden Verzeichnisses enthaltenen:											
	1) Werftgebühren mit . . . für 163 471 dz Waren, welche von der städtischen Lagerhausverwaltung direkt aus Schiffen eingelagert oder auf Fuhren und auf die Eisenbahn im Platzverkehr verladen wurden.			3 269,70 ℳ								
	2) Werftgleisegebühren für die von der Lagerhausverwaltung be- und entladenen Eisenbahnwagen mit. Diese Gebühren werden mit den Lagerhausgebühren erhoben und am Ende eines jeden Monats unter Hafen- und Hafenbahngebühren übergebucht.			1 663,00 „	4 932	70	4 602	60	330	10	—	—
	Verbleiben Lagerhausgebühren				70 444	55	77 212	35	—	—	6 767	80

8. Rechnungs-Ergebnisse.

Die Einnahmen aus dem gesamten Lagerhausbetrieb während des Berichtsjahres betragen:

Bezeichnung der Einnahmen	Lagerhaus ℳ	₰	Getreidespeicher ℳ	₰	Ölkeller ℳ	₰	Revisionshalle I ℳ	₰	Lager für Petroleum, Terpentinöl ꝛc. ℳ	₰	Spritlager ℳ	₰	Lagerhallen am Rheinufer ℳ	₰	Im ganzen ℳ	₰
Mieten	27 447	10	4 360	—	1 269	25	6 132	90	2 483	33	2 787	30	21 537	—	66 016	88
Lagergebühren	12 011	55	8 777	60	466	—	1 095	90	121	50	1 569	60	164	20	24 206	35
Gebühren für Bearbeitung der Güter ꝛc.	7 945	45	36 060	80	269	65	587	35	441	20	420	85	150	75	45 876	05
Feuerversicherungsgebühren	313	45	2	20	14	40	—	—	—	—	—	—	—	—	330	05
Ersatz von Brandversicherungsbeiträgen und Umlagen, Erlös aus Kehrgut ꝛc.	10		980	52	—	—	—	—	—	—	—	—	540	66	1 531	18
Provisionen für Vorlagen	—	—	32	10	—	—	—	—	—	—	—	—	—	—	32	10
Kellerheizungskosten	3 903	72	—	—	—	—	—	—	—	—	—	—	—	—	3 903	72
Summe	51 631	27	50 213	22	2 019	30	7 816	15	3 046	03	4 777	75	22 392	61	141 896	33
Einnahmen im Vorjahre	49 926	85	56 461	11	1 870	65	8 882	18	3 163	25	3 619	15	22 270	64	146 193	83
1907 mehr	1 704	42	—	—	148	65	—	—	—	—	1 158	60	121	97	—	—
1907 weniger	—	—	6 247	89	—	—	1 066	03	117	22	—	—	—	—	4 297	50

Die Ausgaben während des Berichtsjahres betrogen:

Bezeichnung der Ausgaben	Lagerhaus		Getreidespeicher		Ölkeller		Revisionshalle I		Lager für Petroleum, Terpentinöl rc.		Spritlager		Lagerhallen am Rheinufer		Im ganzen	
	M	₰	M	₰	M	₰	M	₰	M	₰	M	₰	M	₰	M	₰
Gehalte und Gebühren für Erhebung des Lagergeldes . .	5 289	16	5 150	—	—	—	—	—	—	—	—	—	—	—	10 439	16
Taglöhne der Maschinisten und Arbeiter	8 673	16	20 264	66	—	—	—	—	—	—	—	—	—	—	28 937	82
Reinigung, Heizung, Beleuchtung und Wasserverbrauch	212	01	248	64	—	—	5	20	—	—	—	—	54	69	520	54
Umlagen für die Gebäude und Feuerversicherung derselben	1 900	22	1 153	45	—	—	427	57	160	60	27	24	605	58	4 274	66
Bauliche Unterhaltung der Gebäude	1 828	43	890	03	—	—	390	14	149	18	92	25	766	02	4 116	05
Für Bureaueinrichtung und Bureaubedürfnisse	325	37	419	17	—	—	—	—	—	—	—	—	—	—	744	54
Unterhaltung der Gerätschaften	146	88	157	26	—	—	—	—	—	—	—	—	—	—	304	14
Sackband, Fuhrlöhne	—	—	686	82	—	—	—	—	—	—	—	—	—	—	686	82
Unterhaltung und Ergänzung der maschinell. Einrichtungen	—	—	2 295	19	—	—	—	—	—	—	—	—	—	—	2 295	19
Gas- und Wasserverbrauch der Motoren	—	—	3 894	96	—	—	—	—	—	—	—	—	—	—	3 894	96
Putz- und Schmiermittel . . .	—	—	658	92	—	—	—	—	—	—	—	—	—		658	92
Feuerversicherung der Waren rc.	172	24	912	80	—	—	—	—	—	—	—	—	—	—	1 085	04
Verzinsung und Tilgung der Kosten für die Gebäude und die maschinellen Einrichtungen	26 949	28	23 414	71	—	—	4 820	01	—	—	1 474	51	11 676	85	68 335	36
Kellerheizungskosten und Verschiedenes	4 083	72	40	—	—	—	40	—	—	—	—	—	40	—	4 203	72
Summe	49 580	47	60 186	61	—	—	5 682	92	309	78	1 594	—	13 143	14	130 496	92
Ausgaben im Vorjahre . . .	52 469	33	63 440	31	—	—	6 262	70	525	30	1 579	84	9 629	17	133 906	65
1907 { mehr	—	—	—	—	—	—	—	—	—	—	14	16	3 513	97	—	—
1907 { weniger	2 888	86	3 253	70	—	—	579	78	215	52	—	—	—	—	3 409	73
Eine Vergleichung der Einnahme mit der Ausgabe ergibt für 1907:																
Einnahme	51 631	27	50 213	22	2 019	30	7 816	15	3 046	03	4 777	75	22 392	61	141 896	33
Ausgabe	49 580	47	60 186	61	—	—	5 682	92	309	78	1 594	—	13 143	14	130 496	92
Mehreinnahme	2 050	80	—	—	2 019	30	2 133	23	2 736	25	3 183	75	9 249	47	11 399	41
Mehrausgabe	—	—	9 973	39	—	—	—	—	—	—	—	—	—	—	—	—
Im Vorjahre betrug:																
die Mehreinnahme	—	—	—	—	1 870	65	2 619	48	2 637	95	2 039	31	12 641	47	12 287	18
„ Mehrausgabe	2 542	48	6 979	20	—	—	—	—	—	—	—	—	—	—	—	—

Die für das Rechnungsjahr 1907 verausgabten Beträge für Verzinsung und Tilgung der für die einzelnen Gebäude ꝛc. aufgewendeten Baukapitalien und der Kapitalbestand sind aus der folgenden Übersicht zu ersehen:

Aufwendungen für:	Ursprungskapital bis Ende des Rechnungsjahres 1905		Tilgungen bis Ende des Rechnungsjahres 1906		Restkapital am Ende des Rechnungsjahres 1906		3½ % Zinsen vom Restkapital f. das Rechnungsjahr 1907		Tilgungen für das Rechnungsjahr 1907				Restkapital am Ende des Rechnungsjahres 1907	
									½ % des Ursprungskapitals zuzügl. der erspart. Zinsen		5 % des Ursprungskapitals			
	ℳ	₰	ℳ	₰	ℳ	₰	ℳ	₰	ℳ	₰	ℳ	₰	ℳ	₰
I. Lagerhaus	673 731	96	21 830	87	651 901	09	22 816	54	4 132	74	—	—	647 768	35
II. Getreidespeicher und zwar:														
a. Gebäude mit Ölkeller	344 886	95	11 238	35	333 648	60	11 677	70	2 117	78	—	—	331 530	82
b. Maschinelle Einrichtungen	145 681	20	78 962	06	66 719	14	2 335	17	—	—	7 284	06	59 435	08
III. Revisionshalle I	120 500	30	3 946	46	116 553	84	4 079	38	740	63	—	—	115 813	21
IV. Lager für Petroleum, Terpentinöl, Benzin ꝛc.*)	—	—	—	—	—	—	—	—	—	—	—	—	—	—
V. Spritlager	32 766	98	695	70	32 071	28	(4 % Zinsen) 1 282	85	191	66	—	—	31 879	62
VI. Lagerhallen am Rheinufer einschließlich 1361,78 ℳ Ausgaben im Rechnungsjahr 1905	212 306	29	6 898	47	205 407	82	7 189	27	(2 % **) 4 487	58	—	—	200 920	24
Summe	†1 529 873	68	123 571	91	1 406 301	77	49 380	91	11 670	39	7 284	06	1 387 347	32

*) Die Baukapitalien mit 14 080 ℳ 67 ₰ wurden bereits getilgt. †) Ohne den Wert des Grund und Bodens.
**) Die Tilgung wurde vom Rechnungsjahre 1907 an um 1½ % erhöht.

9. Der Verkehr in zollpflichtigen Gütern, welche zur Niederlage in den städtischen Lagerhäusern angemeldet worden sind, gestaltete sich während des Kalenderjahres 1907, wie in nachstehender von dem Großh. Hauptsteueramt Mainz aufgestellten Übersicht angegeben:

Position des Zolltarifs	Benennung der Waren	Lagerbestand am 1. Januar 1907	Warenzugang vom 1. Jan. 1907 bis 31. Dezember 1907	Summe	Warenabgang v. 1 Januar 1907 bis 31. Dez. 1907		Summe des Warenabgangs	Lagerbestand am 1. Januar 1908
					zur Verzollung	unter Begleitschein-Kontrolle		
		dz	dz	dz	dz	dz	dz	dz
1	Roggen	2 340	6 375	8 715	1 726	1 514	3 240	5 475
2 a	Weizen	8 038	15 434	23 472	11 002	1 987	12 989	10 483
3 b	Gerste	227	303	530	303	227	530	—
4	Hafer	6 654	1 962	8 616	2 464	4 654	7 118	1 498
6	Rohe Hirse	20	115	135	68	9	77	58
7	Mais	2 445	3 221	5 666	800	2 545	3 345	2 321
11 a	Trockene reife Speisebohnen	80	332	412	238	117	355	57
13 a	Raps	23 225	8 089	31 314	8 043	18 681	26 724	4 590
13 c	Senfsaat	4	13	17	17	—	17	—
14 a	Mohn- und Sonnenblumensamen	—	2	2	—	—	—	2
22 a	Getr. Kümmel	14	25	39	29	5	34	5
22 b	„ Koriander und Anis	—	19	19	1	1	2	17
29	Unbearb. Tabaksblätter	4 322	3 205	7 527	131	4 549	4 680	2 847
30	Hopfen	121	557	678	202	317	519	159
34	Getr. Lorbeerblätter, Majoran und Thymian	8	29	37	24	—	24	13
46a	Trock. reife ausgeschälte Haselnüsse	7	8	15	15	—	15	—
	zu übertragen	47 505	39 689	87 194	25 063	34 606	59 669	27 525

Position des Zolltarifs	Benennung der Waren	Lagerbestand am 1. Januar 1907 dz	Warenzugang vom 1. Jan. 1907 bis 31. Dezember 1907 dz	Summe dz	Warenabgang v. 1. Januar 1907 bis 31. Dez. 1907: zur Verzollung dz	Warenabgang v. 1. Januar 1907 bis 31. Dez. 1907: unter Begleitschein-Kontrolle dz	Summe des Warenabgangs dz	Lagerbestand am 1. Januar 1908 dz
	Übertrag . . .	47 505	39 689	87 194	25 063	34 606	59 669	27 525
48 a	Getr. Apfelscheiben	133	185	318	176	142	318	—
48 d	„ Pflaumen	10	—	10	10	—	10	—
48 e	„ Kirschen	—	7	7	—	—	—	7
49	Pflaumenmus	560	—	560	249	311	560	—
52 a	Getrocknete Feigen	31	12	43	29	7	36	7
52 b	Korinthen	77	62	139	103	—	103	36
52 c	Rosinen (Sultaninen)	311	104	415	218	118	336	79
53	Getrocknete Datteln	7	—	7	7	—	7	—
54 a	„ Mandeln	5	44	49	40	4	44	5
55 b	Johannisbrot	5	—	5	5	—	5	—
61 a	Roher Kaffee	7 882	7 124	15 006	5 085	7 563	12 648	2 358
63	Rohe Kakaobohnen	87	203	290	200	90	290	—
65	Tee	442	150	592	29	216	245	347
67 a	Gewürznelken	238	124	362	188	131	319	43
67 b	Ingwer	—	6	6	4	—	4	2
67 d	Muskatblüten und Nüsse	17	160	177	129	2	131	46
67 e	Nelkenpfeffer (Piment)	10	21	31	20	5	25	6
67 f	Nelkenstengel	—	1	1	1	—	1	—
67 g	Pfeffer, schwarzer	54	201	255	175	15	190	65
67 h	„ weißer	100	338	438	290	18	308	130
67 l	Zimt, echter	3	51	54	35	—	35	19
67 m	Zimtkassia	44	98	142	90	—	90	52
76 g	Nur gesägte Fichtenholzbretter	300	2 118	2 418	2 118		2 118	300
126 a	Schweineschmalz	218	44	262	144	118	262	—
131 a	Tran	9	10	19	14	—	14	5
140	Honig	117	157	274	114	85	199	75
163	Polierter Reis	1 508	2 895	4 403	2 858	798	3 656	747
166 i	Holzöl	14	8	22	13		13	9
172	Olein	—	15	15	6	3	9	6
175	Tapioka	13	12	25	8	7	15	10
176 a	Verbrauchszucker aus Rohr	4 982	3 015	7 997	6 304	546	6 850	1 147
176 i	Kandiszucker	1	399	400	195	74	269	131
178 b	Spirituosen in Fässern	3 120	1 923	5 043	487	843	1 330	3 713
179 c	„ in Flaschen	24	17	41	30	—	30	11
180 c	Wein in Fässern	10 009	16 215	26 224	12 653	3 833	16 486	9 738
181 a	Schaumwein in Flaschen	360	314	674	258	267	525	149
181 b	Stiller Traubenwein in Flaschen	9	650	659	312	291	603	56
220 l	Tabakstengel	253	—	253	132	—	132	121
239 a	Mineralschmieröl	1 303	1 178	2 481	1 489	610	2 099	382
247 b	Wachs	5	—	5	—	—	—	5
249	Ceresin in Blöcken	4	2	6	3	1	4	2
250 b	Geriebenes Hartparaffin	26	46	72	25	17	42	30
255	Feste Seife	1	32	33	—	23	23	10
390 d	Sacharin	1	—	1	1	—	1	—
402	Ganz seidenes Möbelzeug	13	1	14	5	7	12	2
403	Möbelzeug, teilweise aus Seide	50	6	56	6	18	24	32
428a/b	Wollene Fußdecken	397	385	782	452	107	559	223
	zu übertragen . . .	80 258	78 022	158 280	59 773	50 876	110 649	47 631

Position des Zolltarifs	Benennung der Waren	Lagerbestand am 1. Januar 1907 dz	Warenzugang vom 1. Jan. 1907 bis 31. Dezember 1907 dz	Summe dz	Warenabgang v. 1. Januar 1907 bis 31. Dez. 1907: zur Verzollung dz	Warenabgang v. 1. Januar 1907 bis 31. Dez. 1907: unter Begleitschein-Kontrolle dz	Summe des Warenabgangs dz	Lagerbestand am 1. Januar 1908 dz
	Übertrag . . .	80 258	78 022	158 280	59 773	50 876	110 649	47 631
429	Wollene Möbelzeugstoffe	97	2	99	33	54	87	12
430	„ Vorhänge und Decken . . .	—	57	57	26	10	36	21
431	Wollener Samt und Plüsch	—	4	4	2	1	3	1
445	Baumwollenes Möbelzeug	94	17	111	35	43	78	33
448 b	Baumwollener Samt und Plüsch . .	—	4	4	1	—	1	3
465 a	Stickereien auf Wolle		3	3	2	—	2	1
487 a	Fußdecken aus Kokosfasern	64	3	67	18	—	18	49
497	Zeugwaren aus Jute	2	—	2	1	—	1	1
552 b	Lackiertes Schafleder	5	—	5	5	—	5	—
607 b	Echte Korallen	6	—	6	3	2	5	1
638 b	Korkstopfen	3 168	2 184	5 352	1 874	2 426	4 300	1 052
639 a	Rohe gezogene Stäbe aus Zellhorn .	2	—	2	2	—	2	—
783 g	Leere eiserne Hopfenzylinder		1	1	—	—	—	1
828 a	Gebr. eiseene Hopfenbüchsen	—	6	6	—	—	—	6
—	Ohne Revision	12	—	12	12	—	12	—
—	Inländischer Branntwein	7 339	13 078	20 417	7 321	5 943	13 264	7 153
—	„ Zucker	271	534	805	805	—	805	—
	Summe 1907 . . .	91 318	93 915	185 233	69 913	59 355	129 268	55 965
	„ 1906 . . .	75 103	133 284	208 387	90 921	26 148	117 069	91 318
	1907 mehr	16 215	—	—	—	33 207	12 199	—
	1907 weniger . . .	—	39 369	23 154	21 008	—	—	35 353

XXII. Schlacht- und Viehhof.

1. Allgemeines.

In dem abgelaufenen Jahre ist eine erfreuliche Besserung der Verhältnisse gegen die beiden Vorjahre und eine wesentliche Zunahme des Marktauftriebes sowie der Schlachtungen zu verzeichnen. Wenn auch die Vieh- und Fleischpreise durchweg hohe blieben und nur bei den Schweinen — infolge stärkerer Produktion — ein merklicher. Rückgang im Preise zu konstatieren war, so haben doch die Marktzufuhren und Schlachtungen zugenommen. Die Höhe früherer Jahre (1903 und 1904) wurde indessen nicht erreicht. Zum Teil ist das Mehr an Schlachtungen auch auf die Ende Novbr. 1907 erfolgte Ausdehnung des Schlachthofzwanges auf den Stadtteil Mainz-Mombach zurückzuführen.

Gegen 1906 sind im verflossenen Jahre an Viehhofgebühren 4 575 ℳ 35 ₰ und an Schlachthofgebühren 15 291 ℳ 98 ₰, ferner an Kühlhausmieten utid -Gebühren 2 026 ℳ 84 ₰ und für Eis 788 ℳ 20 ₰ mehr eingegangen. Der Reinertrag des Hilfspumpwerks (28 210 ℳ 20 ₰) steht, nachdem die Kosten des Werkes in den beiden Vorjahren ganz getilgt und abgeschrieben worden sind, erstmalig voll zur Verfügung. Die Rechnung schließt ab mit

einer Einnahme von	369 936	ℳ	62 ₰
und einer Ausgabe von	360 026	„	90 „
mithin mit	9 909	ℳ	72 ₰

Überschuß gegen 28 867 ℳ Zuschuß des Voranschlags und einem Mehr von 42 635 ℳ 06 ₰ gegen die Rechnung 1906 (Zuschuß von 32 725 ℳ 34 ₰).

Die Einnahmen sind in 1907 um 54 687 ℳ 88 ₰, die Ausgaben um 12 052 ℳ 82 ₰ gegen das Vorjahr gestiegen. Gegen den Voranschlag wurden an Einnahmen 19 731 ℳ 62 ₰ mehr erzielt und an Ausgaben 19 045 ℳ 16 ₰ erspart.

An größeren Bauausführungen und Unterhaltungsarbeiten sind zu erwähnen:
1. die Herstellung von drei Bureau- und Telephonräumen für Händler im Schlachthofe;
2. die Einrichtung eines allgemeinen Telephon- und Geschäftsraumes in der Schweinemarkthalle;
3. die Anbringung eines Schutzdaches im Hofe beim Gasthause für die im Betriebe dienenden Leitern;
4. die Aufstellung eines Zementsarges in der Kuttelei;
5. die Erneuerung des Anstrichs des Maschinenhauses, des Eisgeneratorraumes, der Bade- und Garderoberäume, der sämtlichen Gauben, Fenster und Türen des Wirtschaftsgebäudes, sowie die Neuherrichtung des Weinzimmers im Wirtschaftsgebäude;
6. die Renovierung verschiedener Dienstwohnungen.

Es fanden im Berichtsjahre 6 Sitzungen der Deputation für die Verwaltung des Schlacht- und Viehhofes und für die Pferdemarktveranstaltungen 5 Sitzungen der Marktkommissionen statt, in denen insgesamt 38 Beschlüsse gefaßt worden sind.

Die tierärztliche Überwachung des Schlacht- und Viehhofs erfolgte, wie in den früheren Jahren, auf Grund des Übereinkommens zwischen der Großh. Staatsregierung und der Stadt Mainz durch den Großh. Kreis-Veterinärarzt Dr. Beiling und den zu dessen Vertretung und zur Wahrnehmung der Funktionen des Schlachthoftierarztes bestellten Großh. zweiten Veterinärarzt Dr. Peters. Vier Tierärzte waren im Berichtsjahre als Volontäre im Schlachthof zugelassen.

Die Ausbildung von nichttierärztlichen Fleischbeschauern ist von Großh. Ministerium des Innern, Abteilung für öffentliche Gesundheitspflege, am Schlachthof Mainz gestattet; dem Schlachthoftierarzt ist die Leitung der Unterrichtskurse in der theoretischen und praktischen Fleischbeschau übertragen. In 1907 wurden 5 Kurse von je vierwöchiger Dauer abgehalten und zusammen 15 Fleischbeschauer ausgebildet, die sämtlich die Prüfung bestanden und den Befähigungsnachweis als Fleischbeschauer erhalten haben.

Nach dem Einlauf-Journal des Direktors fanden 585 Angelegenheiten, außer den nicht verbuchten, täglich aus- und eingehenden Meldungen und Berichten, schriftliche Erledigung. Die Veranstaltung der Pferde- und Fohlenmärkte sowie die Durchführung der damit verbundenen Prämiierungen und Verlosungen brachten eine erhebliche Erweiterung der Geschäftstätigkeit der Schlachthofverwaltung.

Legitimationskarten zum Ausweise auf dem Schlacht- und Viehhof beschäftigter Personen und Interessenten wurden im ganzen ungefähr 1000 Stück ausgestellt.

Strafanzeigen wegen Zuwiderhandlungen gegen die Betriebsvorschriften wurden durch die Bediensteten in 22 Fällen erhoben.

Die Schlacht- und Viehhof-Anlagen wurden gegen Zahlung von Eintrittsgeld von 446 (403) Personen besichtigt. Außerdem erfolgten Besuche seitens einer Reihe von Vertretern und Deputationen von Staaten, Städten, Innungen und sonstigen Interessenten, u. a. im Auftrag der Städte Paris und Edinburg.

Die Pferdemärkte besuchten gegen Zahlung von Eintrittsgeld 3621 Personen.

Die Kasse verbrauchte an Wertkarten:

Einbringgebühren	15 434	Stück
Marktkarten	*)95 859	„
desgl. für Pferde	337	„
Wagscheine	4 964	„
Stall- und Futtergebührquittungen . . .	5 970	„
Schienengleisegebührquittungen	2 162	„
Schlachtkarten	**)80 404	„
Wagkarten	47 493	„
Quittungen für Kühlzellhaken	3 348	„
Eisabgabescheine	81 200	„
Eintrittskarten (inkl. Pferdemärkte) . . .	4 067	„
Badekarten	633	„
Badekarten (2. Handtücher)		„
Fanggebühren	1	„
Zusammen	341 872	Stück
im Vorjahre	311 730	„
somit im Jahre 1907 mehr	30 142	Stück.

Die Oktroiabfertigung erforderte die Ausstellung von 188 Durchgangsscheinen und von 114 Oktroiquittungen. Die Kontrolle des Zu- und Abtriebs erfolgte mittels 10 828 Eintrieb- und 5 828 Austriebscheinen.

*) 12 Marktkarten sind mehr gelöst (8 waren doppelt zu lösen).

**) 52 Schlachtkarten sind mehr gelöst, bei denen die Schlachtung im neuen Rechnungsjahr erfolgte.

2. Verkehr.

A. Viehhof.

Der Auftrieb zu dett Viehmärkten betrug:

1907	Bullen	Ochsen	Kühe	Rinder	Schweine	Kälber	Schafe	Ziegen	Span-ferkel	Lämmer	Zusammen Tiere
April	24	321	1 070	426	4 941	1 040	5	35	—	3	
Mai	23	237	895	351	5 156	1 098	—	22	1	4	
Juni	16	266	874	369	4 929	914	—	11	1	2	
Juli	42	327	1 212	486	5 654	1 113	1	11	1	—	
August	30	301	817	398	4 632	1 174	1	16	—	—	
September . . .	42	330	802	464	5 125	1 001	3	15	8	—	
Oktober	25	334	960	472	5 681	1 280	—	26	9	—	
November	14	289	791	433	4 970	1 122	57	17	2	—	
Dezember	17	326	1 001	377	5 352	1 239	1	20	2	—	
Januar	17	286	822	348	5 514	1 331	—	25	—	—	
Februar	20	284	932	333	4 280	1 258	—	31	2	—	
März	18	313	1 063	408	5 588	1 081	1	32	1	2	
Gesamtzutrieb . .	288	3 614	11 239	4 865	61 822	13 651	69	261	27	11	95 847
	20 006										
gegen 1906 . . .	617	4 292	10 560	4 106	54 586	12 853	148	222	34	5	87 423
	19 575										
mithin gegen das Vorjahr mehr	—	—	679	759	7 236	798	—	39	—	6	8 424
weniger	329	678	—	—	—	—	79	—	7	—	—
mehr	431										

Der im Vorjahre zeitweise bemerkte Mangel und Rückgang des Auftriebes an Kühen und Rindern hat sich behoben, und es ist eine geringe Zunahme des Auftriebes zu verzeichnen, dagegen ist bei Bullen und Ochsen ein Rückgang eingetreten, der zum Teil in dem Ausfall der Einfuhr aus Österreich-Ungarn seine Ursache hat. Der Gesamtauftrieb von Rindvieh hat sich ziemlich auf der Höhe der Vorjahre gehalten. Schweine wurden in 1907 = 7 236 mehr aufgetrieben, als in 1906. Der Jahresauftrieb von 61 822 ist der höchste seit Bestand der Schlacht- und Viehhofanlage. Kälber waren gegen das Vorjahr 798 Stück mehr aufgetrieben.

Die Zufuhr erfolgte:

	Bullen	Ochsen	Kühe	Rinder	Schweine	Kälber	Schafe	Ziegen	Spanferkel	Lämmer	Zusammen Tiere 1907	1906
auf dem Landweg .	180	1 358	7 538	2 842	3 915	12 311	67	226	25	8	28 470	27 217
mit der Eisenbahn .	108	2 256	3 701	2 023	57 907	1 340	2	35	2	3	67 877	60 206
aus der Stadt . .	—	—	—	—	—	—	—	—	—	—	—	—
	288	3 614	11 239	4 865	61 822	13 651	69	261	27	11	95 847	87 423
Bestand aus Vorjahr	—	6	4	12	80	--	—	—	—	—	102	126
Nicht marktgebührpflichtig sind eingegangen:												
auf dem Landweg .	—	47	39	163	1	2	10	—	—	—	262	486
mit der Eisenbahn .	10	256	104	714	75	1	—	—	50	—	1 210	677
zusammen . . .	298	3 923	11 386	5 754	61 978	13 654	79	261	77	11	97 421	88 712

Die nicht marktgebührpflichtigen Tiere kommen nicht zum Marktauftrieb, zahlen deshalb nur Stallgeld und werden demnächst mit anderen Transporten wieder ausgeführt.

Die auf dem Landweg zugetriebenen Tiere kamen vorzugsweise aus Orten der näheren Umgebung (Provinz Rheinhessen und Nassau). Die mit der Bahn beigebrachten Tiere sind eingegangen und zwar:

Großvieh von den Viehmärkten zu Berlin, Breslau, Frankfurt a. M., Mannheim, München, weiter aus Bayern, Württemberg, der Rheinpfalz, der Provinz Hessen-Nassau, den Provinzen Rheinhessen und Oberhessen.

Kleinvieh von München, aus Rheinhessen und der Pfalz;

Schweine aus Hannover, Pommern, Holstein, Mecklenburg, Baden, Württemberg, den Provinzen Rheinhessen und Starkenburg, sowie vom Berliner und Hamburger Viehmarkt.

Von den zugeführten Tieren kamen zum Abtriebe:

	Bullen	Ochsen	Kühe	Rinder	Schweine	Kälber	Schafe	Ziegen	Spanferkel	Lämmer	Zusammen Tiere
auf dem Landwege und in die Stadt	37	1 179	5 954	3 855	17 041	965	15	53	—	8	29 107
zum Schlachthofe behufs Abschlachtung	245	2 552	4 298	1 229	43 264	12 687	64	207	27	3	64 576
mit der Eisenbahn .	14	187	1 115	664	1 144	2	—	—	50	—	3 176
Bestand am 1. IV. 08	2	5	19	6	529	—	—	1	—	—	562
zusammen . .	298	3 923	11 386	5 754	61 978	13 654	79	261	77	11	97 421

Die Ausfuhr erfolgte auf dem Landwege vorzugsweise nach den benachbarten Landorten der Provinzen Rheinhessen und Starkenburg, zum Wiesbadener Markt und in die Rheingauorte.

Mit der Eisenbahn kamen zur Ausfuhr:

Großvieh nach Bingen, Dieburg, Frankfurt a. M., Köln, Koblenz.

Schweine nach Mannheim, Speyer, Landau, Kreuznach, Metz, Frankenthal.

Näheres über den Wagenverkehr auf den städtischen Bahnanlagen im Schlacht- und Viehhofe ist unter der Abteilung „Hafenbahn" enthalten.

Der wöchentliche Marktauftrieb betrug:

Bezeichnung	Höchster wöchentlicher Auftrieb			Niedrigster wöchentlicher Auftrieb			Durchschnittlicher wöchentlicher Auftrieb	
	Woche	Stückzahl		Woche	Stückzahl		Stückzahl	
		1907	1906		1907	1906	1907	1906
Großvieh	2.–7. Septbr. 1907	490	483	20.—25. Mai 1907	280	274	384	376
Kleinvieh	16.—21. Dez. 1907	406	429	20.—25. Mai 1907	170	135	269	255
Schweine	6.—11. Januar 1908	1413	1276	23.—28. Dezbr. 1907	833	609	1188	1049

Die Marktpreise betrugen im Durchschnitt für erste Qualität:

1907	Bullen	Ochsen	Kühe, Rinder	Kälber	Schweine
	Zentner Schlachtgewicht ohne Oktroi	Zentner Schlachtgewicht ohne Oktroi	Zentner Schlachtgewicht ohne Oktroi	Pfund Schlachtgewicht ohne Oktroi	Pfund Schlachtgewicht ohne Oktroi
	ℳ	ℳ	ℳ	ℳ	ℳ
April	72.—	81.—	75.—	0,92	0,58
Mai	71.—	81.—	78.—	0,91	0,55
Juni	69.—	82.—	77.—	0,91	0,58
Juli	70.—	83.—	79.—	0,86	0,65
August	71.—	83.—	80.—	0,85	0,72
September . . .	71.—	82.—	81.—	0,84	0,69
Oktober	71.—	81.—	80.—	0,86	0,65
November	69.—	80.—	79.—	0,85	0,64
Dezember	68.—	79.—	76.—	0,82	0,63
Januar	69.—	79.—	76.—	0,73	0,63
Februar	67.—	77.—	76.—	0,76	0,59
März	65.—	77.—	76.—	0,82	0,58
zusammen . . .	833.—	965.—	933.—	10,13	7,49
Jahresdurchschnitt	69.42	80.42	77.75	0.84	0,62
„ 1906	73.—	82.91	78.50	0.92	0,71

In welcher Weise die Marktpreise in den letzten Jahren und in dem abgelaufenen Betriebsjahre sich verändert haben, ist aus nachstehender Übersicht zu entnehmen.

Die Durchschnittsmarktpreise betrugen für:

Jahr	Bullen	Ochsen	Kühe und Rinder	Kälber	Schweine
	Zentner Schlachtgewicht ohne Oktroi	Zentner Schlachtgewicht ohne Oktroi	Zentner Schlachtgewicht ohne Oktroi	Pfund Schlachtgewicht ohne Oktroi	Pfund Schlachtgewicht ohne Oktroi
	ℳ	ℳ	ℳ	ℳ	ℳ
1899/00	55.80	65.00	55.30	0,71	0,51
1900/01	51.60	67.30	56.59	0,73	0,54
1901/02	53.50	67.75	59.75	0,73	0,63
1902/03	57.08	69.33	64.17	0,76	0,65
1903/04	61.75	71.08	63.58	0,79	0,55
1904	63.25	73.00	68.16	0,78	0,58
1905	65.08	77.17	70.67	0,83	0,74
1906	73.00	82.91	78.50	0,92	0,71
1907	69.42	80.42	77.75	0,84	0,62

Gegen 1906 wur der Rückgang in den Marktpreisen bei Rindern nur ein geringer und konnte auf die Fleischpreise keitten merklichen Einfluß gewinnen. Schweine und Kälber fiud dagegen wesentlich im Preise gefallen und es hatte dieser Rückgang auch in den Fleischpreisen Ausdruck gefunden.

In den Viehhofstallungen wuren gegen Zahlung der festgesetzten Stallgebühren eingestellt:

	1907	1906
Großvieh	14 282 Stück	14 610 Stück
Kleinvieh	459 „	166 „
Pferde	583 „	425 „

Für Kleinvieh ist für die ersten 24 Stunden und für Schweine Stallgeld überhaupt nicht zu zahlen, da solches in der Marktgebühr einbegriffen ist.

Verwiegungen.

Verwogen wurden im Viehhofe:	1907	1906
Ochsen, Stiere, Bullen, Kühe, Rinder	1 604 Stück	2 094 Stück
Schweine, Kälber, Schafe (einzeln verwogen)	20 431 „	19 021 „
Schweine und Kleinvieh (in Partien nicht unter 6 Stück verwogen)	56 387 „	45 716 „
zusammen . . .	78 422 Stück	66 831 Stück.

Pferde- und Fohlenmärkte.

Im Berichtsjahre wurden zwei Pferde- und Fohlenmärkte, am 11. April und 24. Oktober 1907 abgehalten, deren Veranstaltungen hinter denjenigen der beiden ersten Märkte nicht zurückstanden. Es waren aufgetrieben 486 und 417, zusammen 903 Pferde und Fohlen gegen 918 bei den beiden Märkten in 1906. In den reservierten Stallungen waren 298 und 268, zusammen 566 (1906 = 544) Pferde und Fohlen untergebracht. Unmittelbar zum Markte aufgetrieben waren 188 und 149 = 337 (1906 = 374) Pferde und Fohlen. An den mit den Märkten verbundenen Prämiierungen nahmen teil:

	1907	1906
Händlerpferde	32 + 57 = 89	106
Züchterpferde und Fohlen aus Hessen und den an Rheinhessen angrenzenden Gebietsteilen	57 + 34 = 91	49

An dem erstmalig bei den Märkten veranstalteten Preis-Reiten und -Fahren beteiligten sich 33 + 31 = 64 Interessenten. Für Geldprämien, Diplome und Halsbänder wurden 3040 ℳ (1906 = 1929 ℳ 45 ₰) aufgewendet. Die Mittel hierfür erbrachten die bei beiden Märkten veranstalteten Verlosungen von Wagen, Pferden, Geschirren, landwirtschaftlichen Maschinen und Silbergegenständen. Es kamen 20000 und 25000 Loie zu 1 ℳ zum Vertrieb. Die mit den Märkten verbundenen Ausstellungen von Wagen nud Geschirren, landwirtschaftlichen Maschinen, Geräten ꝛc. waren von 18 und 19, zusammen 37 (1906 = 31) Ausstellern beschickt, beanspruchten eine Ausstellungsfläche von 250 und 290 (1906 = 160 und 200) qm und befriedigten allgemein.

An Marktbesuchern wurden gezählt 700 und 480 = 1 180 (1906 = 1 450) Händler, Käufer und Interessenten sowie 1 970 und 1 651 = 3 621 (1906 = 4414) Eintrittsgeld zahlende Personen. Die Markt- und Stallräume sowie Vorführungsplätze waren unter Berücksichtigung der bei den früheren Märkten gemachten Erfahrungen hergerichtet und erweitert worden.

	Frühjahrs-Pferdemarkt				Herbst-Pferdemarkt				Zusammen			
	1907		1906		1907		1906		1907		1906	
	M.	Pf.	M.	Pf.	M.	Pf.	M.	Pf.	M.	Pf.	M.	Pf.
Die Einnahmen betrugen	14 488	50	17 608	14	27 698	40	14 619	63	42 186	90	32 227	77
Die Ausgaben „	12 322	91	14 237	39	25 690	94	12 506	67	38 013	85	26 744	[illegible]
Die Pferdemärkte ergaben somit an Überschüssen für die Stadt	2 165	59	3 370	75	2 007	46	2 112	96	4 173	05	5 483	71
und zuzüglich der Schienengleise-Gebühreneinnahmen (Rubrik 21)	58	50	61	50	46	50	53	50	115	—	115	—
Zusammen . . .	2 224	09	3 432	25	2 053	96	2 166	46	4 288	05	5 598	71

Der geringere Überschuß in 1907 gegen die Märkte in 1906 ist in dem Zurückbleiben des Ertrags aus der Lotterien zu suchen, da die Übernahme des Losevertriebs bei der Ungunst der Verhältnisse im Lotteriemarkte nur unter für das Marktunternehmen ungünstigeren Bedingungen zu ermöglichen war.

Geschlachtet wurden:

B. Schlachthof.

1907	Bullen	Ochsen	Kühe	Rinder	Schweine	Kälber	Schafe	Ziegen	Lämmer	Ziegenlämmer	Spanferkel	Pferde	Zus. Tiere
April	20	306	341	162	3 505	1 383	191	44	—	80	—	33	
Mai	22	266	304	148	4 081	1 723	301	31	—	17	4	30	
Juni	22	253	298	131	3 631	1 360	156	17	—	1	1	21	
Juli	42	326	384	164	4 021	1 467	332	17	—	2	1	28	
August	32	255	348	139	3 880	1 577	344	15	—	—	—	24	
September . .	48	261	298	173	3 780	1 309	348	16	—	—	28	27	
Oktober . . .	30	332	425	184	4 257	1 527	421	37	—	—	30	33	
November . .	27	248	399	170	3 773	1 363	528	25	—	—	5	70	
Dezember . . .	16	280	477	191	3 991	1 611	421	25	—	—	3	69	
Januar . . .	21	250	469	153	4 029	1 532	535	25	—	—	1	58	
Februar . . .	23	260	447	162	3 691	1 787	289	24	—	2	2	51	
März	21	269	492	170	3 990	1 631	272	28	—	83	2	39	
	324	3 306	4 682	1 947	46 629	18 270	4 138	304	—	185	77	483	
im Seuchenhof geschlachtet .	—	—	4	—	—	—	—	3	—	—	—	—	
zusammen . .	324	3 306	4 686	1 947	46 629	18 270	4 138	307	—	185	77	483	80 352
	3 630		6 633					22 977					
		10 263											
gegen 1906 .		9 592			40 413			21 723				530	72 2[illegible]
mithin mehr .		671			6 216			1 254				—	8 0[illegible]4
weniger . . .		—			—			—				47	—

Sowohl bei den Rindern, wie bei den Schweinen und dem Kleinvieh ist eine Zunahme der Schlachtungen, zum Teil mitveranlaßt durch den ab Ende November 1907 eingeführten Schlachthofzwang für das am 1. April 1907 eingemeindete Mombach, zu verzeichnen. Die Schweineschlachtungen sind hinter denjenigen früherer Jahre (1900 = 47 678 und 1904 = 49 147 Stück) noch wesentlich zurückgeblieben. Die um 47 Stück geringeren Pferdeschlachtungen entsprechen immer noch den Durchschnittszahlen der früheren Jahre.

Stärkste Schlachttage:

Großvieh:	Kleinvieh:	Schweine:	Pferde:
14. Mai 1907	20. Dezember 1907	20. Dezember 1907	3. Dezember 1907
138 Stück	207 Stück	334 Stück	14 Stück

Durchschnittszahlen pro Schlachttag:

	Großvieh:	Kleinvieh:	Schweine:	Pferde:
1907	34 Stück	76 Stück	155 Stück	1—2 Stück
1906	32 „	72 „	134 „	1—2 „

Dem Schlachthof unmittelbar zugeführt und nicht auf dem Viehhofe gekauft wurden:

	1907	1906
Großvieh	2 060 Stück	1 652 Stück
Schweine	3 367 „	2 323 „
Kälber	5 601 „	4 501 „
Schafe, Ziegen	4 406 „	4 882 „
zusammen . . .	15 434 Stück	13 358 Stück

Die Königl. Armee-Konservenfabrik schlachtete im Winterhalbjahre 1683 (1473) Ochsen und 2105 (1686) Schweine. Hiervon sind 8 Ochsen, die bei der Fleischbeschau beanstandet wurden, der Freibank im städt. Schlachthofe überwiesen und daselbst verwertet worden.

Die Zahl der Einstallungen in dett Stallungen des Schlachthofes betrug:

	1907	1906
Großvieh	4 438 Stück	2 848 Stück
Kleinvieh	1,647 „	1 546 „
Pferde	36 „	7 „

Verwiegungen fanden statt:

	1907	1906
Großvieh, Pferde oder Teile	8 013	7 694
Kälber, Schafe, Ziegen, dz Fett und Häute	2 144	2 100
Schweine oder Teile	46 370	40 381
zusammen	56 527	50 175

Das gleichzeitig mit der Schlachtgebühr durch die Kasse erhobene Oktroi betrug einschließlich des Oktroi für Kohlen, Futterartikel zc. sowie der Gebühr für ausgefertigte Durchgangsscheine 190 193 ℳ 20 ₰ gegen 170 658 ℳ 18 ₰ im Vorjahre.

An frischem Fleisch und Eingeweiden kamen von auswärts zur Einfuhr und Beschau 119 204 kg gegen 92 400 kg im Vorjahre.

Die Einfuhr und die für die eingeführten Mengen entrichtete Besichtigungsgebühr verteilen sich auf die einzelnen Monate wie folgt:

1907	Eingeführtes Fleisch, Eingeweide zc.	Besichtigungsgebühr	
	kg	ℳ	₰
April	12 678	253	56
Mai.	12 030	240	60
Juni	9 585	191	71
Juli	8 873	177	46
August	8 924	178	48
September	8 758	175	17
Oktober	7 694	153	87
November	6 293	125	86
Dezember	5 785	115	69
Januar.	9 692	193	83
Februar	12 836	256	73
März	16 056	321	13
zusammen . .	119 204	2 384	09
gegen 1906	92 400	1 856	45
mehr	26 804	527	64
weniger	—	—	—

Fleischverbrauch.

Das Durchschnittsgewicht der geschlachteten Tiere beträgt unter Zugrundelegung der durch die Verwiegungen und durch Schätzung ermittelten Gewichte:

für Bullen	390	kg
„ Ochsen	331	„
„ Kühe	260	„
„ Rinder	260	„
„ Schweine	73	„
„ Kälber	40	„
„ Schafe	23	„
„ Ziegen	20	„
„ Ziegenlämmer	3	„
„ Spanferkel	4	„
„ Pferde	200	„

Die im städt. Schlachthofe geschlachteten Tiere ergaben hiernach folgende Fleischmengen:

324	Bullen	zu 390 kg =	126 360,00	kg
3 306	Ochsen	„ 331 „ =	1 094 286,00	„
4 686	Kühe	„ 260 „ =	1 218 360,00	„
1 947	Rinder	„ 260 „ =	506 220,00	„
46 629	Schweine	„ 73 „ =	3 403 917,00	„
18 270	Kälber	„ 40 „ =	730 800,00	„
4 138	Schafe	„ 23 „ =	95 174,00	„
307	Ziegen	„ 20 „ =	6 140,00	„
185	Ziegenlämmer	„ 3 „ =	555,00	„
77	Spanferkel	„ 4 „ =	308,00	„
483	Pferde	„ 200 „ =	96 600,00	„
Zuzüglich der bei den Schlachtungen der Konservenfabrik beanstandeten und auf der Freibank verkauften 8 Ochsen mit einem Fleischgewichte von			2 648,00	„
und des von auswärts eingeführten auf dem Schlachthofe untersuchten frischen Fleisches mit			119 204,00	„
beträgt die Gesamtfleischmenge			7 400 572,00	kg
Hiervon ab das Gewicht der vernichteten Tiere mit			14 745,00	„
ergibt sich eine Fleischmenge von			7 385 827,00	kg

Bei dieser Berechnung sind die Eingeweide der sämtlichen geschlachteten Tiere sowie Köpfe und Füße von Großvieh, Kälbern, Schafen, Ziegen und Pferden unberücksichtigt geblieben. Ferner sind außer Betracht gelassen die in die Stadt eingeführten Quantitäten konservierten Fleisches, von Wurstwaren ꝛc., von Geflügel, Wildbret, sowie die nicht unbedeutende Ausfuhr von Fleisch und Fleischwaren. Es ergibt sich hiernach auf den Kopf der Bevölkerung (im Mittel 96 900, einschl. Militär) ein Fleischverbrauch von jährlich 76 kg oder für den Tag 0,21 kg gegen 73 kg bezw. 0,20 kg im Vorjahre.

3. Fleischbeschau.

Aus der Zahl der Beanstandungen sind besonders zu erwähnen:

	Ochsen	Bullen	Kühe	Rinder	Kälber	Schweine	Schafe	Ziegen	Pferde
Eitrige oder jauchige Blutvergiftung	1	—	22	2	6	3	2	—	1
Schweinepest-Seuche		—		—	—	272	—	—	—
Rotlauf	—	—	—	—	—	29	—	—	—
Maul- und Klauenseuche	—	—	—	—	—	—	—	—	—
Tuberkulose	411	50	1 090	76	26	477	2	5	—
Strahlenpilz	11	1	7	1	—	2	—	—	—
Gesundheitsschädliche Finnen	38	4	27	18	—	—	—	—	—
Hülsenwürmer	29	1	104	2	—	227	—	—	—
Leberegel	2	—	1	—	—	—	149	—	
Gelbsucht	—	—	2	—	4	3	—	—	—
Entzündungen	34	2	80	4	56	50	7	1	13
Wassersucht	—	-	2	1	—	—	—	—	—
Leucämie	—	—	—	—	1	—	—	—	—
Lungenwürmer	—	—	—	1	—	—	887	—	

Bezüglich der Tuberkulose ist zu bemerken, daß im Jahresmittel von Ochsen 10,45 %, von Bullen 9,59 %, von Kühen 25,20 %, von Rindern 7,53 %, von Schweinen 1,05 % mit dieser Krankheit behaftet waren.

Finnig wurden befunden von Ochsen 1,00 %, von Bullen 0,83 %, von Kühen 0,62 %, von Rindern 1,58 %, von Großvieh insgesamt 1,0 %.

Es waren zu erklären:

	Pferde	Ochsen	Bullen	Kühe	Rinder	Kälber	Schweine	Schafe	Ziegen
Untauglich	2	2	—	48	4	11	12	4	4
Bedingt tauglich	—	$16^{19}/_{4}$	3	$42^{19}/_{4}$	$7^{1}/_{4}$	$^{5}/_{4}$	$52^{96}/_{4}$	—	—
Minderwertig	—	$11^{8}/_{4}$	—	$118^{41}/_{4}$	$6^{3}/_{4}$	$6^{15}/_{4}$	$33^{76}/_{4}$	3	—

Als Ursachen der Minderwertigkeitserklärung sind hervorzuheben:

	Ochsen	Bullen	Kühe	Rinder	Kälber	Schweine	Schafe	Ziegen
Tuberkulose	$11\ ^{8}/_{4}$	—	$112^{41}/_{4}$	$6^{3}/_{4}$	$^{15}/_{4}$	$10^{76}/_{4}$	—	—
Gelbsucht	—	—	1	—	3	2	—	—
Blutige Durchtränkung des Fleisches . . .	—	—	5	—	2	2	3	—
Unreife der Kälber	—	—	—	—	1	—	—	—
Geruch — Geschmacksabweichungen	—	—	—	—	—	19	1	

Als bedingt tauglich waren zu erklären:

wegen	Ochsen	Bullen	Kühe	Rinder	Kälber	Schweine	Schafe	Ziegen
Tuberkulose . . .	$4\,^{12}/_{4}$	2	$36\,^{29}/_{4}$	$1\,^{1}/_{4}$	$^{6}/_{4}$	$50\,^{66}/_{4}$	—	—
Finnen	12	1	6	6	—	1	—	—
Schweineseuche-Pest	—	—	—	—	—		—	—
Rotlauf	—	—	—	—	—	·	—	—

Die Gründe zur Ausschließung des Fleisches vom Konsum waren in der Hauptsache:

	Ochsen	Bullen	Kühe	Rinder	Kälber	Schweine	Schafe	Ziegen	Pferde
Eitrige od. jauchige Blutvergiftung	1	—	22	2	6	3	2	·	1
Schweineseuche bezw. Pest . . .	—	—	—	—	—	4	—	—	—
Tuberkulose	—	—	15	1	2	3		3	—
Geschwülste	—	—	2	—	1	—	—	—	1
Gelbsucht		—	1	—	—	1		—	—
Allgemeine Wassersucht	—	—	2	1		—	—	—	—
Uraemie	—	—	4	—		—	—	—	—
Geruchs- u. Geschmacksabweichungen	—		—		—	1		1	—
Leucämie	—	—	—	—	1	—	—	—	—
Blutige od. wässerige Durchtränkung	—	—	1		1	—	2	—	—
Allgemeine Fäulnis bezw. starke Verunreinigung des Fleisches .	1	—	1	—	—	—	—	—	—

Von auswärts eingeführtes Fleisch.

Die von auswärts eingeführten Fleischsendungen wurden in 2 Fällen, teil untauglich zatt Genusse für Menschen, beschlagnahmt und zur Wasenmeisterei verwiesen, in 5 Fällen nach Entfernung der kranken oder verdorbenen Teile freigegeben.

Freibankverkehr.

Das Gesamtgewicht des auf der Freibank im Schlachthofe verkauften Fleisches betrug 53 479½ kg (hiervon waren gekocht 8 586 kg). Verkauft wurden 797 kg Bullenfleisch, 9 825½ kg Ochsenfleisch, 31 403½ kg Kuhfleisch, 3 353 kg Rindfleisch, zusammen 45 379 kg Fleisch von Großvieh, 7 783½ kg Schweinefleisch, 236½ kg Kalbfleisch, 69½ kg Hammelfleisch und 11¼ kg Ziegenfleisch. Die Preise betrugen per kg Ochsenfleisch 80 ₰—1,08 ℳ, für Kuh- und Rindfleisch 56—96 ₰, für Schweinefleisch 0,90—1,12 ℳ, Kalbfleisch 80 ₰, Hammelfleisch 50 ₰, Ziegenfleisch 30 ₰. Die Gesamteinnahme beim Verkauf dieses Fleisches einschließlich des verwerteten Fettes und der Häute betrugen 42 098 ℳ 48 ₰ gegen 59 621 ℳ 57 ₰ im Vorjahre. An Unkosten kamen in Abzug 3 326 ℳ 29 ₰ (3 957 ℳ 55 ₰; sodaß den Interessenten 38 772 ℳ 19 ₰ (55 664 ℳ 02 ₰) als Reinerlös ausbezahlt werden konnten.

Die für Benutzung der Freibank erhobenen Gebühren und sonstigen Auslagen betrugen 3 326 ℳ 29 ₰ (1906: 3 957 ℳ 55 ₰.)

Diese Gebühren ꝛc. zergliedern sich wie folgt:

a) Verkaufsgebühr 4 % bezw. 6 % des Erlöses	1 728 ℳ	26	₰
b) Kühlhausgebühr	1 451 „	—	„
c) Barauslagen (Einsalzen)	147 „	03	„
Summe wie oben . . .	3 326 ℳ	29	₰

Der Verkehr auf der Freibank war stets ein lebhafter und wickelte sich glatt ab.

4. Veterinärpolizei.

Seuchenerkrankungen wurden im abgelaufenen Berichtsjahre im Schlacht- und Viehhof nur einmal und zwar Rotlauf bei einem Schweinetransport festgestellt.

5. Futter und Streu.

Einschließlich des Bestandes am 1. April 1907 und der gutgemachten Futtermengen stellt sich der Bezug und Verbrauch an Futter und Streumaterialien wie folgt:

	Heu kg	Stroh kg	Gerstenschrot kg	Kleie kg	Hafer kg	Mehltrank bezw. Milch Liter	Sägemehl kg	Weizenschalen kg	Häcksel kg
*)Bezug einschl. Bestand am 1. April 1907	124 779	98 166	42 515	14 145	2 725	12 595	25 800	2 458	785
Verbrauch:									
a) Schlacht- und Viehhof	100 427½	81 136½	42 500	14 013	509½	12 595	26 375	475	75
b) Pferdemarkt	4 487½	590	—	—	2209½	—	425	1 510	685
c) Vom Reinigungsamt	5 915	—	—	—	—	—		—	—
Bestand am 1. April 1908 einschl. der gutgemachten Mengen	20 470	16 636	—	**) 650	—	Mehl 70 kg	915	—	30
Gegen Zahlung wurden verabfolgt in den:							Säcke zu ungef. 25 kg		
a) Viehhofstallungen 1907	82 339	32 006½	42 425	13 861	509½	11 229	1 049	475	75
1906	84 759	28 562	38 050	11 864	294	10 623	644	511	—
b) Schlachthofstallungen 1907 . . .	18 088½	780	75	152	—	1 366	6	—	—
1906 . . .	12 625	405	—	17	5	1 328	—	—	—

16 Säcke Sägemehl fanden als Streumaterial gelegentlich des Pferdemarktes Verwendung.

Das verbrauchte, unentgeltlich zu stellende Streustroh betrug 967 Zentner und ist mit 1 909 ℳ 83 ₰ zu bewerten gegen 725¼ Zentner im Werte von 1 334 ℳ 92 ₰ in 1906. Der Verbrauch entfällt annähernd je zur Hälfte auf die Stallungen des Viehhofes und Schlachthofes.

Die verkauften Futter- und Streumengen erbrachten:	1907	1906
a) Viehhof	21 791,70 ℳ	19 418,41 ℳ
b) Schlachthof	1 842,90 „	1 361,27 „
zusammen	23 634,60 ℳ	20 779,68 ℳ

Die Bezugskosten für Futter und Streu betrugen einschl. des Wertes des aus 1906 übernommenen Vorrats insgesamt 23 007 ℳ 75 ₰ (19 849 ℳ 01 ₰ in 1906), wovon 19 711 ℳ 27 ₰ auf den Verbrauch im Berichtsjahr entfallen. Der Wert des am 1. April 1908 vorhandenen Futter- x. Bestandes ist mit 2 337 ℳ 39 ₰ zu veranschlagen und auf das Rechnungsjahr 1908 übernommen worden. Ferner wurden 959 ℳ 09 ₰ zu Lasten des Pferdemarktes umgebucht.

*) Durch die Nichterfüllung eingegangener Vertragsverpflichtungen mußten vom Reinigungsamt 5915 kg. Heu bezogen werden welche unter Verbrauch c) wieder zurückgegeben wurden

**) Auf Wunsch der Interessenten wurden Kleien und Weizenschalen zusammen verabreicht. Den Verbrauch beider Mengen vom Bezug in Abzug gebracht, ergibt den vorhandenen Bestand.

6. Miete von Gebäuden.

A. Wirtschaftsgebäude.

Im Pachtverhältnis ist eine Änderung nicht eingetreten. Es sind 2 900 ℳ Miete eingegangen.

An elektrischem Strom wurden verbraucht:

210 Kilowattstunden und hierfür erhoben	126 ℳ — ₰
Hierzu Messermiete	24 „ — „
zusammen	150 ℳ — ₰ (203 ℳ 40 ₰)

B. Dienstwohnungen.

Ein Wechsel der Mieter ist nicht eingetreten und die im Voranschlag vorgesehenen Mieten — 2425 ℳ 50 ₰ — sind eingegangen. Für Verbrauch von elektrischem Strom in einzelnen dieser Dienstwohnungen wurden 114 ℳ — ₰ (84 ℳ 60 ₰) vereinnahmt.

C. Räume zur Lagerung von Fett, Fellen und Häuten sowie Pferdeschlachthaus.

Die vermieteten Räume erbrachten die im Voranschlage unter II. 4—6 vorgesehenen Mieten mit zusammen	3 819 ℳ	78 ₰
An weiteren Einnahmen erscheinen:		
1. zu II. 4 die von der Häute- und Fettverwertung der Mainzer Fleischer-Innung (e. G. m. b. H.) dahier zu leistende Vergütung für den zum Betrieb der Fettschmelze und des Autoklavs abgegebenen Dampf und zwar für Dampfabgabe während 1 422 Stunden zu 1 ℳ	1 422 „	— „
Dampfverbrauch des Autoklavs während 482 Stunden zu 30 ₰	144 „	60 „
2. zu II. 6 die Vergütung der Bluthandlung Ewald Keath zu Frankfurt a. M.-Sachsenhausen:		
a) für Dampfverbrauch	348 „	40 „
b) „ elektr. Beleuchtung	99 „	60 „
zusammen	5 834 ℳ	38 ₰
Einnahme in 1906	5 700 „	23 „
demnach in 1907 mehr	134 ℳ	15 ₰

D. Kühlhausanlagen.

a) Kühlzellen.

Von den außer der amtlichen Zelle vorhandenen 136 Kühlzellen mit einem Gesamtflächeninhalte von 457 qm waren 103 (75 im Vorjahre) mit 337,66 (248,15) qm Flächeninhalt für das ganze Jahr oder auf kürzere Zeit an 76 (63) Mieter vermietet und erbrachten 11 563 ℳ 79 ₰ gegen 9 464 ℳ 69 ₰ in 1906.

b) Der Pökelkeller hat 46 Pökelräume mit zusammen 140 qm Flächeninhalt. Hiervon waren 22 (20) mit 66,81 (61,56) qm Flächeninhalt vermietet, für welche 1 793 ℳ 74 ₰ (1 704 ℳ 40 ₰ in 1906) eingingen.

Im ganzen waren von den verfügbaren 597 qm Kühlraum 404,47 qm, also etwa zwei Drittel, vermietet und wurden für Kühlzellenmiete und Pökelkellermiete erlöst 13357 ℳ 53 ₰, mithin gegen das Vorjahr 2 188 ℳ 44 ₰ mehr. Die wünschenswerte Nutzbarmachung der gesamten Räume läßt sich, solange die in der Stadt bestehenden und neuerdings von einzelnen der Metzger im Hause angelegten, den Interessenten bequemer und vorteilhafter gelegenen privaten Kühlräume zur Verfügung sind, nur nach und nach erreichen. Ein Zuwachs an Vermietungen ist auch aus Mainz-Mombach erfolgt. Die Kühlanlage hat im Betriebe keine Anstände ergeben und allgemein befriedigt. Im Laufe des Winters wurden sämtliche Kühlräume gründlich gereinigt und instandgesetzt.

c) Kühlzellhaken.

In der Berichtsperiode waren gegen Zahlung einer Tagesgebühr von 20 ₰ für den Haken 3348 (3281) Haken benutzt, wofür 669 ℳ 60 ₰ eingingen.

Für Verwahrung des Freibankfleisches in den Kühlräumen kamen zur Erhebung 1 451 ℳ — ₰.

Die Gesamteinnahme aus der Benutzung des Kühlhauses, dessen untere Räume zum Teil auch in dem abgelaufenen Jahre während einzelner Monate gegen eine Miete von 250 ℳ von mehreren hiesigen Obstkonservenfabriken zur vorübergehenden Einlagerung ihrer Rohprodukte benutzt waren, sowie ab Oktober 1907 auf längere Zeit an eine Darm- und Fetthandlung vermietet sind, stellt sich auf 16 228 ℳ 13 ₰ gegen 13 451 ℳ 29 ₰ im Vorjahre. Gegen die Voranschlagssumme wurden 2878 ℳ 13 ₰ mehr erzielt.

E. Eisabgabe.

Verkäuflich wurden ab Schlachthof im ganzen 1624000 kg Eis (1445180 kg im Vorjahre), das kg zu 1 ₰ abgegeben. Erlöst wurden 16240 ℳ — ₰ somit 1440 ℳ — ₰ gegen den Voranschlag und 788 ℳ 20 ₰ gegen das Vorjahr mehr. In einzelnen Fällen wurde auf Grund ärztlicher Bescheinigung Eis unentgeltlich an Unbemittelte verabfolgt. Das St. Rochus-Hospital bezog für 257 ℳ 40 ₰ Eis.

7. Maschinenbetrieb.

In nachstehender Tabelle sind zunächst die nicht getrennt gebuchten Ausgaben für Kohlen, Löhne, Unterhaltung ꝛc. nach Maßgabe der nach den Aufzeichnungen ermittelten Maschinenleistungen auseinander gezogen und für die verschiedenen hier in Betracht kommenden Betriebszwecke gesondert angegeben:

Ordn.-Nummer	Betriebszweck	Kohlenverbrauch dz	Kohlen, Betrieb d. Wasserreinigers und Schlackenabfuhr ℳ	Löhne des Maschinenpersonals ℳ	Unterhaltung der Dampfkesselanlage ℳ	Anschaffungen für die Werkstätte und Unterhaltung des Inventars ℳ	Unterhaltung der maschinellen Einrichtungen ℳ	Betriebsmittel wie Ammoniak, Salz, Putz- u. Schmiermittel ℳ
1	Eiserzeugung	1 976	4 550,00	2 360,00	165,00	237,00	212,00	425,00
2	Kühlbetrieb	7 303	16 800,00	8 650,00	610,00	870,00	780,66	1 565,86
3	Elektrische Beleuchtung . .	2 240	5 150,00	2 660,00	187,00	268,00	—	—
4	Wasserversorgung d. Schlachthofes	759	1 750,00	921,58	68,03	98,14	—	—
5	Städt. Wasserversorgung .	4 133	9 442,00	—	—	—	—	—
6	Schlacht-, Brüh- u. Heizzwecke	919	2 063,55	—	—	—	—	
	Summe . . .	17 330	39 755,55	14 591,58	1 030,03	1 473,14	992,66	1 990,86

A. Kesselhaus.

In nachstehender Übersicht sind die in den einzelnen Monaten verbrauchten Kohlen und verdampften Wassermengen, sowie die erzielten Verdampfungen zusammengestellt.

Monat	Speisewasserverbrauch cbm	Kohlenverbrauch dz	Verdampfung
April 1907	969,8	1 268	7,64
Mai „	1 170,1	1 526	7,66
Juni „	1 245,5	1 603	7,77
Juli „	1 269,4	1 599	7,98
August „	1 277,8	1 629	7,84
September „	1 307,6	1 674	7,81
Oktober „	1 308,8	1 671	7,83
November „	1 003,6	1 304	7,70
Dezember „	999,6	1 297	7,70
Januar 1908	997,1	1 298	7,70
Februar „	952,4	1 257	7,61
März „	929,7	1 204	7,74
Summen und Mittelwerte . . .	13 431,4	17 330	7,76
Entsprechende Zahlen des Vorjahres	12 612,3	17 360	7,30

Die Kesselanlage war täglich 24 Stunden lang in Betrieb.

Die Kosten für den Betrieb des Kesselhauses betragen:

1.	für Brennmaterialien, Betrieb des Wasserreinigers und Schlackenabfuhr	39 755 ℳ	55 ₰
2.	„ Unterhaltung der Kesselanlage	1 030 „	03 „
3.	„ Löhne von zwei Heizern	2 797 „	29 „
4.	„ sonstige Ausgaben (Kesselreinigung, Unterhaltungsarbeiten durch das Schlosserpersonal ꝛc.)	1 000 „	— „
	Summe . . .	44 582 ℳ	87 ₰

Die Bruttobetriebskosten zur Verdampfung von 1 cbm Wasser betragen demnach $\frac{44\,582{,}87}{13\,431{,}40} = 3{,}32$ ℳ.

B. Kühl- und Eismaschinenanlage.

a) Eiserzeugung.

Über die Erzeugung von Eis in den einzelnen Monaten gibt die nachstehende Übersicht Aufschluß:

Monat	Es wurden gezogen an Tagen	in Stunden	an dz	durchschnittlich pro Tag an dz
April 1907	30	222,0	1 154,4	38,5
Mai "	31	373,0	1 939,6	62,6
Juni "	30	439,0	2 282,8	76,1
Juli "	31	503,5	2 618,2	84,5
August "	31	496,5	2 581,8	83,3
September "	30	424,5	2 207,4	73,6
Oktober "	31	320,0	1 664,0	53,7
November "	30	140,0	728,0	24,3
Dezember "	29	131,0	681,2	23,5
Januar 1908	17	21,0	109,2	6,4
Februar "	12	28,0	145,6	12,1
März "	27	68,0	353,6	13,1
Summen und Mittelwerte	329	3 166,5	16 465,8	45,9
Entsprechende Zahlen des Vorjahres	312	3 026,0	15 763,2	45,9

Die Brutto-Betriebskosten zur Erzeugung der 16 465,8 dz Eis setzen sich zusammen aus:

1. Anteil an den Kosten der Brennmaterialien ꝛc. . . . . 4 550 ℳ — ₰
2. " " " Löhnen des Maschinenpersonals . . . . . 2 360 " — "
3. " " " Kosten der Unterhaltung der Dampfkesselanlage . . . . . 165 " — "
4. " " " " " Anschaffungen für die Werkstätte ꝛc. . . . . . 237 " — "
5. " " " " " Unterhaltung der masch. Einrichtungen . . . . . 212 " — "
6. " " " " " Betriebsmittel, wie Ammoniak ꝛc. . . . . . 425 " — "

Summe . . . . . 7 949 ℳ — ₰

Die Brutto-Betriebskosten zur Erzeugung von 1 dz Eis betrugen sonach $\frac{7\,949,00}{16\,465,8} = 0,48$ ℳ (Vorjahr 0,47 ℳ)

b) Kühlbetrieb.

Über den Betrieb der Kühlanlage, die im Freien und in der Kühlhalle jeweilig herrschenden mittleren Temperaturen und die relative Feuchtigkeit der Kühlhausluft wurde die nachstehende Übersicht aufgestellt.

Monat	Betriebszeiten der Dampfmaschinen				Betriebszeiten der Kompressoren				Mittlere Temperaturen in °C		Mittlere relative Feuchtigkeit der Kühlhausluft in %
	Hauptmaschine		Reservemaschine		Kompressor I		Kompressor II				
	Tage	Stunden	Tage	Stunden	Tage	Stunden	Tage	Stunden	in der Kühlhalle	im Freien	
April 1907	—	—	30	518	30	518	—	—	+ 1,10	+ 9,60	80,40
Mai „	24	472	8	133	27	513	29	562	+ 1,00	+ 16,20	80,32
Juni „	30	388	—	—	30	688	30	688	+ 1,15	+ 18,90	80,70
Juli „	31	714	—	—	31	714	31	714	+ 1,34	+ 18,70	81,07
August „	31	731	—	—	31	731	31	731	+ 1,68	+ 20,30	81,04
September „	30	679	—	—	30	679	30	679	+ 1,10	+ 16,90	81,00
Oktober „	31	638	—	—	31	638	31	638	+ 0,92	+ 13,00	80,70
November „	30	506	—	—	6	95	30	506	+ 0,66	+ 5,70	80,40
Dezember „	31	523	—	—	—	—	31	523	+ 0,70	+ 4,00	80,90
Januar 1908	3	34	29	468	—	—	29	331	+ 0,80	— 2,00	81,10
Februar „	—	—	29	459		—	29	395	+ 1,00	+ 4,00	81,64
März „	—	—	31	495	—	—	31	495	+ 1,16	+ 5,00	81,70
Summen und Mittelwerte . .	241	4 985	127	2 073	216	4 576	332	6 262	+ 1,05	+ 10.85	80,91
Entsprechende Zahlen des Vorjahres	238	5 249	129	2 085	357	7 203	137	3 117	+ 1,49	+ 11,52	80,8

Die Brutto-Betriebskosten für den Kühlbetrieb setzen sich zusammen aus:

1. Anteil an den Kasten der Brennmaterialien zc.	16 800	ℳ	—	₰
2. „ „ „ Löhnen des Maschinenpersonals	8 650	„	—	„
3. „ „ „ Kosten der Unterhaltung der Dampfkesselanlage . . .	610	„	—	„
4. „ „ „ „ „ Anschaffungen für die Werkstätte	870	„	—	„
5. „ „ „ „ „ Unterhaltung der masch. Einrichtungen . .	780	„	66	„
6. „ „ „ „ „ Betriebsmittel, wie Ammoniak zc.	1 565	„	86	„
Summe . . .	29 276	ℳ	52	₰

Die beiden Kompressoren waren einzeln oder zusammen an 366 Tagen in Betrieb. Die direkten Betriebskosten für einen Kühlbetriebstag betragen sonach $\frac{29\,276,52}{366} = 79,99$ ℳ (Vorjahr 74,29 ℳ).

Der Rauminhalt des Kühlhauses beträgt 2 346 cbm, die mittlere Temperatur + 1,05°, Vorkühlraum 1 127 cbm und + 4°, Pökelkeller 631 cbm und + 5° C.

Bringt man die einzelnen Rauminhalte auf gleiche Basis, etwa in bezug auf die mittlere Kühlhaustemperatur von + 1,05° und die mittlere Außentemperatur von + 10,85° C., so betragen dieselben:

1. Kühlhaus, bleibt . . . . 2 346 cbm
2. Vorkühlraum $\frac{1\,127 \cdot (10,85-4)}{(10,85-1,05)}$ = ... 788 „
3. Pökelkeller $\frac{631 \cdot (10,85-5)}{(10,85-1,05)}$ = ... 377 „

Verhältnis: 2 346 : 788 : 377 = 6,2 : 2,1 : 1.

Die direkten Betriebskosten verteilen sich dementsprechend auf:

1. Kühlhaus $\frac{29\,276{,}52 \,.\, 6{,}2}{9{,}3}$ = ... 19 517,68 ℳ

2. Vorkühlraum $\frac{29\,276{,}52 \,.\, 2{,}1}{9{,}3}$ = ... 6 610,83 „

3. Pökelkeller $\frac{29\,276{,}52 \,.\, 1}{9{,}3}$ = ... 3 148,01 „

Summe . . . . 29 276,52 ℳ

Dementsprechend betrugen die direkten Betriebskosten pro Jahr:

1. für ein qm vermietbare Fläche im Kühlhaus $\frac{19\,517{,}68}{457}$ = 42,71 ℳ (Vorjahr 38,61 ℳ).

2. „ „ „ Grundfläche im Vorkühlraum $\frac{6\,610{,}83}{225}$ = 29,38 ℳ (Vorjahr 28,34 ℳ).

3. „ „ „ vermietbare Fläche im Pökelkeller $\frac{3\,148{,}01}{140}$ = 22,49 ℳ (Vorjahr 22,11 ℳ).

C. Elektrische Beleuchtungsanlage.

Die Anlage enthält insgesamt 37 Bogen- und 433 Glühlampen.

Die beiden im Maschinenhaus aufgestellten Dynamomaschinen dienen abwechselnd zur Erzeugung des elektrischen Stromes; ihr Antrieb erfolgt durch die die Kühl- und Eismaschine jeweils treibende Dampfmaschine.

An den Tagen, an welchen die Dynamomaschinen nicht im Gange waren, genügte der in der Akkumulatorenbatterie aufgespeicherte Strom zur Speisung der elektrischen Lampen.

Nachstehende Tabelle gibt Aufschluß über die erforderlich gewesenen Betriebszeiten der Dynamomaschinen und die mit denselben geleisteten Kilowattstunden.

Monat	Betriebszeiten								Leistung insgesamt in Kilowattstunden
	Dynamomaschine Nr. I				Dynamomaschine Nr. II				
	Laden der Batterie		Direkt für Beleuchtung		Laden der Batterie		Direkt für Beleuchtung		
	Tage	Stunden	Tage	Stunden	Tage	Stunden	Tage	Stunden	
April 1907	14	56	14	46	16			44	
Mai „	14	56	14	36	17			39	
Juni „	15	60	15	39	15			31	
Juli „	17	68	17	46	14	56	14	37	
August „	17	69	17	50	14	57	14	52	
September „	14	56	14	73	16	64	16	77	
Oktober „	14	56	14	98	17	68	14	17	6 912
November „	14	58	14	119	16	69		141	
Dezember „	16	74	16	160	14	70			
Januar 1908	14	67	14	142	17	77			
Februar „	20	87	22	108	9	40	20	143	
März „	15	60	16	89	16	64	16	95	
Summe	184	767	187	1 006	181	758	188	1 098	
Entsprechende Zahlen des Vorjahres	152	625,5	159	769,5	212	854			

Die Brutto-Betriebskosten setzen sich wie folgt zusammen:

1. Anteil an den Kosten der Brennmaterialien ꝛc. . . . . 5 150,00 ℳ
2. „ „ „ Löhnen des Maschinenpersonals . . . . 2 660,00 „
3. „ „ „ Kosten der Unterhaltung der Dampfkesselanlage . . . . 187,00 „
4. „ „ „ „ „ Anschaffungen für die Werkstätte . . . . 268,00 „
5. für Zustandhaltung der Maschinen, Lampen, Leitungen ꝛc. . . . . 1 515,89 „
6. für Putz- und Schmiermittel und Verdichtungsmaterialien . . . . 983,84 „

Summe 10 764,73 ℳ

Die Brutto-Betriebskosten betrugen demnach:

1. zur Erzeugung von 1 Kilowattstunde $\frac{10\,764{,}73}{71\,670} = 15{,}0$ ₰ (Vorjahr 15,3 ₰).

2. zur Erzeugung von 1 Glühlampenbrennstunde $\frac{15{,}0 \cdot 55}{1000} = 0{,}825$ ₰ (Vorjahr 0,84 ₰).

D. Wasserversorgung des Schlachthofes.

Über die Leistungen der beiden Pumpen gibt nachstehende Tabelle Aufschluß:

Monat	Transmissionspumpe			Dampfpumpe			Gefördertes Wasser im ganzen cbm
	Betriebszeiten		Gefördertes Wasser cbm	Betriebszeiten		Gefördertes Wasser cbm	
	Tage	Stunden		Tage	Stunden		
April 1907	30	425	13 763,2	1	2	67,5	13 830,7
Mai „	31	508	16 490,9	—	—	—	16 490,9
Juni „	30	594	19 286,0	1	1	43,0	19 329,0
Juli „	31	630	20 771,8	—	—	—	20 771,8
August „	31	644	21 408,3	—	—		21 408,3
September „	30	599	19 445,3	—	—	—	19 445,3
Oktober „	31	550	17 950,8	—	—	—	17 950,8
November „	30	447	14 402,8	—	—	—	14 402,8
Dezember „	30	412	10 876,0	1	2	80,0	10 956,0
Januar 1908	31	399	12 856,0	—	—	—	12 856,0
Februar „	29	293	9 846,0	1	2	54,0	9 900,0
März „	31	379	12 370,0	—	—	—	12 370,0
Summe	365	5 880	189 467,1	4	7	244,5	189 711,6
Vorjahr	365	6 570	213 724,0	4	6	188,9	213 912,9

Die durch den Betrieb der beiden Pumpen entstandenen Betriebskosten betrugen:

1 Anteil an den Kosten der Brennmaterialien ꝛc. . . . . 1 750,00 ℳ
2. „ „ „ Löhnen des Maschinenpersonals . . . . 921,58 „
3. „ „ „ Kosten der Unterhaltung der Dampfkesselanlage . . . . 68,03 „
4. „ „ „ „ „ Anschaffungen für die Werkstätte ꝛc. . . . . 98,14 „
5. für Unterhaltung der Maschinen, Leitungen ꝛc. . . . . 340,74 „
6. für Putz- und Schmiermittel ꝛc. . . . . 82,14 „

Summe . . . . . . 3 269,63 ℳ

Die Brutto-Betriebskosten für ein Kubikmeter geförderten Wassers stellen sich auf $\frac{3\,269{,}63}{189\,711{,}6} = 1{,}72$ ₰ (Vorjahr 1,64 ₰).

E. Hilfspumpwerk für die städt. Wasserversorgung.

Das Hilfspumpwerk für die städt. Wasserversorgung im Schlachthof, eine Dampfpumpe mit einer maximalen stündlichen Leistungsfähigkeit von 100 Kubikmeter, dient dazu, einen Teil des Wasserbedarfs der Stadt Mainz zu decken. Die

Pumpe erhält ihren Dampf von der Dampfkesselanlage des Schlachthofes, sie saugt aus der daselbst vorhandenen Brunnenanlage und drückt unmittelbar in das städt. Rohrnetz.

Über den Betrieb der Pumpe gibt nachstehende Tabelle Aufschluß.

Monat	Betriebszeit in Tagen	Betriebszeit in Stunden	Gefördertes Wasser in cbm
April 1907	30	679	51 700
Mai „	31	735	56 668
Juni „	30	702	57 592
Juli „	31	681	59 493
August „	31	696	63 530
September „	30	671	62 860
Oktober „	31	716	67 120
November „	30	641	54 370
Dezember „	30	576	47 190
Januar 1908	20	460	43 820
Februar „	29	681	63 110
März „	31	642	61 390
Summe	354	7 880	688 843
Vorjahr	334	7 464	670 487

Die Brutto-Betriebskosten betragen:

1. Anteil an den Kosten der Brennmaterialien rc. . . . . . 9 442,00 ℳ
2. Lohn für einen Hilfsheizer . . . . . . 1 343,89 „
3. Anteil an den Kosten der Unterhaltung der Dampfkesselanlage . . . . . . 218,60 „
4. „ „ „ „ „ Anschaffungen für die Werkstätte . . . . . . 318,67 „
5. Putz- und Schmiermittel rc. . . . . . . 604,01 „
6. Unterhaltung des Pumpwerkes . . . . . . 298,96 „

Summe 12 226,13 ℳ

Die Bruttokosten für Hebung von 1 cbm Wasser betragen demnach $\frac{12\,226,13}{688\,843}$ = 1,77 ₰ (Vorjahr 1,68 ₰).

8. Erlös für Dünger, Blut, Milch und sonstige Abfallstoffe.

Dünger:

Die im Berichtsjahre angefallenen Dungmengen wurden in Ermangelung eines die geregelte Abfuhr sichernden Abnehmers durch das städtische Reinigungsamt gegen eine jährliche Pauschalvergütung von 1 800 ℳ nach dem von der Stadt beim Rheinacker im Floßhafengebiete überlassenen Lagerplatz abgefahren, dort kompostiert und im Spät- und Frühjahr im Wege der Versteigerung zur Veräußerung gebracht. Einen Teil des Dunges hat die Stadt zum Schätzungspreise behufs Verwendung im Schickschen Weingute in Harxheim selbst übernommen.

Es wurden erzielt und zur Veräußerung gebracht

am 19. November 1907:

240 cbm	übernommen von der Stadt zum Anschlagspreise von	700 ℳ
341 „	an G. Reichardt III. in Nierstein und Konsorten	550 „
	am 27. März 1908:	
250 „	an G. Reichardt III. in Nierstein	500 „
	1 Grube Mist an Müth, Mainz-Mombach	18 „
831 cbm		1 768 ℳ

Im Durchschnitt stellte sich der Erlös für das cbm auf 2 ℳ 10 ₰, während bei der Veräußerung im Spätjahr 1907 bei stärkerer Nachfrage im Durchschnitt 2 ℳ 72 ₰ erzielt worden sind.

Blut, Milch und Borsten:

Hier ist eine Änderung gegen das Vorjahr nicht eingetreten. Die abgeschlossenen Verträge sind weitergelaufen. Es gingen ein:

für Blut	300 ℳ
„ Milch	600 „
„ Borsten	500 „
	1 400 ℳ

Für **Klauen und sonstige Abfallstoffe** wurden vereinnahmt 30 ℳ 87 ₰.

Im ganzen beträgt die Einnahme aus Dünger, Blut, Milch und Abfallstoffen 3 198 ℳ 87 ₰ (3 593 ℳ 83 ₰).

Die bei der Fleischbeschau als ungenießbar erkannten Tiere und Teile sowie die sich ergebenden Schlachtabfälle fanden in Ermangelung einer eigenen Fleischvernichtungsanlage Beseitigung und Verwertung in der für die Provinz Rheinhessen errichteten Anstalt zur technischen Verarbeitung und Verwertung von Tierkadavern. Es wurden hierfür an die Anstalt im ganzen 5 122 ℳ Gebühren bezahlt gegen 4 220 ℳ des Vorjahres.

9. Badeanstalt.

Die Benutzung der Anstalt hat sich etwas gebessert. Es wurden abgegeben 437 Wannebäder 196 und Brausebäder. Vereinnahmt wurden 128 ℳ 85 ₰ gegen 113 ℳ 95 ₰ im Vorjahre.

10. Arbeitspersonal.

An Löhnen wurden folgende Beträge verausgabt, die unter verschiedenen Unterpositionen verrechnet worden sind:

	1907	1906
a) für das Maschinenpersonal, bestehend aus 2 Maschinisten, 2 Heizern, 1 Hilfsheizer, 3 Schlossern und 1 Maschinenarbeiter	15 354 ℳ 74 ₰	14 342 ℳ 84 ₰
b) für einen Nachtwächter	1 405 „ 10 „	1 370 „ 15 „
c) „ „ amtlichen Metzger und Taglöhner	1 517 „ — „	1 806 „ 72 „
d) „ zwei Stallknechte, 10 Taglöhner und Aushilfsleute einschl. des Personals zur Reinigung der Straßensinkkasten	13 426 „ 90 „	13 033 „ 80 „
e) für die Aufseherin der Garderobe und Badeanstalt	675 „ — „	645 „ 80 „
Summe	32 378 ℳ 74 ₰	31 199 ℳ 31 ₰

Die diesem gesamten Arbeitspersonal gewährten Familienzulagen erforderten 1 894 ℳ, die in obigen Summen enthalten sind.

11. Wasserverbrauch.

Die Wasserversorgung des Schlacht- und Viehhofes erfolgte im Berichtsjahre ohne besondere Anstände aus dem eigenen Wasserwerk. Näheres hierüber ergibt das unter Maschinenbetrieb, D, Gesagte. Der Bezug von Leitungswasser war nur vorübergehend während notwendiger Reparaturen oder Reinigungen des Reservoirs nötig. Für Leitungswasser wurden 726 ℳ 36 ₰ (203 ℳ 28 ₰) verausgabt.

Der Wasserverbrauch in den einzelnen Betriebsräumen des Schlacht- und Viehhofs läßt sich getrennt für dieselben mangels besonderer Wassermesser nicht ermitteln.

Das an die Dienstwohnungen und sonstigen vermieteten Betriebsräume abgegebene Wasser erbrachte eine Einnahme von 233 ℳ 20 ₰ (Voranschlag 250 ℳ 72 ₰).

Die durch das Hilfspumpwerk im Schlacht- und Viehhofe für die allgemeine Wasserversorgung geförderten Wassermengen (s. näheres unter Maschinenbetrieb, E) erbrachten:

für 693 296 cbm zu 6 ₰ an das Stadtrohrnetz und an die Wagenhalle des Straßenbahnamts abgegebenes Wasser	41 597 ℳ 76 ₰
Dieser Betrag fand in folgender Weise Verwendung:	
a) zur Deckung der Betriebsausgaben (s. Maschinenbetrieb)	12 226 ℳ 13 ₰
b) für Pacht des städt. Brunnengeländes	700 „ — „
c) für Pacht des an das Brunnengelände anstoßenden Eisenbahnterrains (2800 qm) nebst Entschädigungsforderung	444 „ — „
d) für Gemeinde-Grundsteuer und Brandversicherungsbeitrag	17 „ 43 „
e) zugunsten des Schlacht- und Viehhofs verbleiben	28 210 „ 20 „
Summe wie oben	41 597 ℳ 76 ₰

Die Kosten des Hilfspumpwerks sind in 1905 und 1906 getilgt.

12. Kassenverkehr und Rechnungsergebnisse.

Die Kasse durchliefen an Einnahmen und es wurden in bar und an Belegen an die Stadtkasse abgeliefert bezw. an die Interessenten ausbezahlt:

	1907				1906			
Viehhof	87 125	M	35	Pf	79 474	M	16	Pf
Schlachthof	375 835	„	58	„	337 996	„	36	„
Frühjahrs- u. Herbst-Pferde- und -Fohlenmarkt	5 610	„	30	„	2 673	„	13	„
Freibankerlös abzügl. 3 326 M 29 Pf Gebühren, welche bereits unter Schlachthof vereinnahmt sind	38 772	„	19	„	59 621	„	57	„
Miete und sonstige vereinnahmte Posten	12 205	„	72	„	11 846	„	68	„
Summe	519 549	M	14	Pf	491 611	M	90	Pf

Die Verzinsung und Tilgung der für die Schlacht- und Viehhofanlage aufgewendeten Kapitalien hat sich für das Rechnungsjahr 1907 wie folgt gestaltet:

Bezeichnung	Ursprungskapital		Tilgungen bis 31. März 1907		Restkapital 31. März 1907		3 ½ % Zinsen vom Restkapital für 1907		Tilgungen für 1907: ½ % des Ursprungskapitals zuzüglich der ersparten Zinsen		Tilgungen für 1907: 5 % des Ursprungskapitals		Restkapital 31. März 1908	
	M	Pf	M	Pf	M	Pf	M	Pf	M	Pf	M	Pf	M	Pf
1. Grund und Boden	760 050	67	24 892	26	735 158	41	25 730	54	4 671	49	—	—	730 486	92
2. Gebäude und Straßen	1 821 798	96	112 799	88	1 708 999	08	59 814	97	13 056	99	—	—	1 695 942	09
3. Maschinen, Einrichtungen	504 747	89	206 238	60	298 509	29	10 447	83	—	—	25 237	39	273 271	90
4. Vorarbeiten 2c. 2c.	9 066	75	3 358	50	5 708	25	199	79	—	—	453	34	5 254	91
Summe	3 095 664	27	347 289	24	2 748 375	03	96 193	13	17 728	48	25 690	73	2 704 955	82

Ferner wurden als 2. Tilgungsrate der Kosten für den Einbau einer Entnebelungsanlage in der Schweineschlachthalle 1 980 M. an die Vermögensrechnung abgeführt.

XXIII. Hafenbahn.

1. Im allgemeinen.

Im Schlacht- und Viehhof haben die Materialientransporte um 123 und die Viehtransporte um 244 Wagen gegen das Vorjahr zugenommen. Es ist somit im ganzen eine Zunahme von 367 Wagenladungen zu verzeichnen. Unter den Transporten sind 60 Wagenladungen Pferde und Ausstellungsgegenstände enthalten, welche gelegentlich der Pferdemärkte im April und Oktober 1907 im Viehhof ein- oder abgingen.

In den Häfen, einschließlich der Ladestelle Rheinallee und dem Industriegebiet auf der Ingelheimer Au, hat der Verkehr, wie in den letzten Jahren, weiter zugenommen. Er weist eine Steigerung von 1 107 Wagenladungen und 122 Extrarangierungen auf. Es wurden sowit 1 229 beladene Eisenbahnwagen mehr rangiert als in 1906. Außerdem wurden mit den stadteigenen Wagen „Hafenbahn Mainz Nr. 1 und 2" in dem Berichtsjahr 136 und mit nicht stadteigenen Wagen 326, zusammen 462 Transporte von Gütern mehr auf den Bahnanlagen innerhalb des Hafen- und Industriegebietes ausgeführt als im Vorjahre.

Die Verkehrszunahme hat sich hauptsächlich beim Empfang und Versand von Roh- und bearbeiteten Materialien im Industriegebiet und bei Kohlen ergeben. Sie ist weiterhin auf den regen Umschlagsverkehr von Schiffsgütern gelegentlich der im letzten Vierteljahr des Berichtsjahres stattgefundenen Sperrung des Mainkanals zurückzuführen.

Bezüglich des Verkehrs wird hier noch auf die Erläuterungen unter den Abteilungen Hafen und Lagerhäuser, sowie Schlacht- und Viehhof, Seiten 154, 172 und 188 dieses Berichtes, verwiesen.

Der Bahnbetrieb fand im Schlacht- und Viehhof an 366 und in den Häfen an 305 Tagen statt. In der Übernahme der Wagen von der Staatseisenbahnverwaltung und der Übergabe der Wagen an dieselbe sind im Berichtsjahre beim Viehhofverkehr keine Änderungen eingetreten, auch beim Verkehr mit den Häfen ist die Übernahme und Übergabe der Wugen im wesentlichen unverändert geblieben; es mußten nur während der Zeit der Sperrung des Mainkanals zwecks Versorgung der städtischen Höfen mit Wagenmaterial und zur Räumung der mit beladenen Wagen überfüllten Bahnanlagen verschiedentlich Sonderfahrten durch die Staatsbahnverwaltung ausgeführt werden, auch wurde die zeitweise Einführung eines ununterbrochenen Tag- und Nachtdienstes behufs Bewältigung des starken Bahnverkehrs erforderlich. Die fahrplanmäßig eingelegten Bedarfszüge verkehrten 16 mal. Die bereits erwähnten und die weiter zur Beförderung von Eilsendungen ausgeführten Sonderfahrten beliefen sich auf 92.

Um eine Sperrung der von den verkehrenden Staatsbahnzügen zu überkreuzenden Straßen und die damit verbundene Störung des elektrischen Straßenbahnbetriebs nach Möglichkeit zu vermeiden, wurde im Laufe des Berichtsjahres mit der Staatsbahn-Verwaltung vereinbart, daß die abgehenden Abendzüge, welche voraussichtlich eine Stärke von mehr als 80 Wagenachsen erreichen, auf jeweiligen Antrag der städtischen Verwaltung in 2 Teilen verkehren. Von dieser Vereinbarung mußte 170 mal Gebrauch gemacht werden.

Das Personal der Hafenbahn-Verwaltung sehte sich am Schlusse des Jahres, abgesehen von dem Bahnverwalter, zusammen aus:

1. zwei Bahnverwaltungsgehilfen (dieselben sind zugleich mit Dienstobliegenheiten bei der Hafenverwaltung betraut);
2. zwei Lokomotivführern;
3. drei Lokomotivheizern (diese sind zum Lokomotivführer geprüft und einer davon ist mit Führung der dritten Lokomotive betraut);
4. drei Rangiermeistern (davon ist einer mit der Wagenkontrolle betraut);
5. sieben Weichenstellern (davon ist einer mit Wahrnehmung des Rangiermeisterdienstes bei der dritten Lokomotive betraut);
6. neun Rangierarbeitern (davon ist einer zum Aushilfslokomotivheizer geprüft);
7. vier Bahnunterhaltungsarbeitern;
8. einem Weichenschlosser;
9. einem Bureauhilfsarbeiter (derselbe ist auch zum Rangiermeister geprüft und mit der Abfertigung der Züge betraut).

Zwecks Anschüttung des Geländes zwischen der Wagenhalle der elektrischen Straßenbahn und der Mozartstraße legte die Baufirma Gebrüder Meyer in Köln eine schmalspurige Förderbahn mit Lokomotivbetrieb vom Rheinufer nach der Baustelle, die die Hafenbahn an drei Stellen kreuzte. Die Bahn war ungefähr 4 Wochen in Betrieb. Während dieser Zeit wurde an der Hauptkreuzungsstelle mit der Verbindungsbahn Mainz Hptbhf.-Viehhof-Zollhafen zur Sicherung des Verkehrs ein Wärter städtischerseits auf Kosten der genannten Firma gestellt.

2. Bahnerweiterung und Bahnunterhaltung.

Infolge der fortschreitenden Erschließung des Industriegebiets auf der Ingelheimer Au und an der verlängerten Rheinallee wurden auch im Berichtsjahre wieder umfangreiche Um- und Erweiterungsbauten am städtischen Hafenbahnnetz vorgenommen und dem Betrieb übergeben. Die Zugänge an Gleisen, Weichen ꝛc. betragen 1 238,46 lfd. m Gleis, 4 einfache Weichen, eine Bogen- und eine Doppelweiche, eine Gleiskreuzung und 2 Drehscheiben.

Außer den laufenden Unterhaltungsarbeiten ꝛc. wurden noch folgende besonders hervorzuhebende Arbeiten ausgeführt:

a) Auf Antrag des städtischen Gasamtes und dessen Kosten wurde im Gaswerk II ein vorhandenes Anschlußgleis um 26,14 m aus vorhandenem altbrauchbarem Material verlängert.

b) Auf Antrag und Kosten des Elektrizitätsamtes wurde anschließend an dessen Anschlußdrehscheibe ein nach dem Kohlenschuppen des Werkes führendes 30 m langes Anschlußgleis verlegt und hierbei ebenfalls altbrauchbares Material verwendet. Die Verlegung machte die Anfertigung eines neuen Herzstückes 1:4,3 erforderlich.

c) Zwecks Verhütung der Weiterverbreitung von Ansteckungsstoffen wurde
   1. in den Gleisanlagen vor der Großviehrampe im Viehhof eine Fläche von 85,00 qm und
   2. in denjenigen des Schlachthofes eine solche von 73,15 qm neu betoniert, mit Zementabstrich versehen und alsdann asphaltiert.

d) Die viel befahrene Drehscheibe von 6,00 m Durchmesser des Gleisanschlusses nach den Anlagen der Mannheim-Bremer Petroleum-Aktien-Gesellschaft wurde einer gründlichen Reparatur unterzogen, die Eisenkonstruktion gereinigt, von Rost befreit und mit Ölfarbe gestrichen; die Drehscheibenumfassung wurde gehoben, auf die richtige Lage gebracht und mit einem neuen Winkeleisenkranz versehen, außerdem wurden die angrenzenden Gleisstücke in ihrer Höhenlage reguliert.

e) Eine eingepflasterte Weiche im Inlandshafen wurde mit Entwässerungsanlage versehen.

f) Infolge der weiter vorgenommenen Gleis- Um- und -Neubauten auf der Ingelheimer Au und der damit verbundenen Verschiebungen von vorhandenen Gleisen wurden wieder größere Steecken mit noch brauchbarem Bettungsmaterial freigelegt, das durch Aufnahme und Einbringung in dautben herziehenden Gleisen Verwendung fand.

g) Die schadhafte Prellvorrichtung einer der beiden am Warenlagerhause liegenden Drehscheiben wurde durch gründliche Reparatur wieder in betriebstüchtigen Zustand versetzt.

h) Der schlechte Untergrund einer viel befahrenen Weiche des Rangierbahnhofes wurde entfernt und durch gutes Bettungsmaterial (Betonkies und Kleinschlag) ersetzt, wobei die Weiche auch einer gründlichen Regulierung unterzogen wurde.

i) Sämtliche Gleise wurden auf Spurweiten und Höhenlagen zweimal nachgemessen, die gefundenen Anstände beseitigt und gleichzeitig die Temperaturöffnungen reguliert, auch wuede eine einmalige Messung der Abstände fester Gegenstände von den Gleisen vorgenommen.

k) Die Drehscheibengruben wurden von Schutt und Unrat einmal gründlich gereinigt, die Spurrillen der eingepflasterten Haarmanngleise viermal und sämtliche Gleise zweimal von Geas und Unrat gründlich befreit.

l) 3156 lfd. m Giris wurden gehoben und nachgestopft, der dazu erforderliche Stopfkies oder Kleinschlag in die Gleise eingebracht und die losen Laschenschrauben und Schienennägel angezogen.

m) Gelegentlich der Gleisregulierungen wurden 907,14 qm Pflaster aufgebrochen und wieder neu hergestellt.

n) Die vorhandenen Böschungsgräben wurden von Laub und Unrat gereinigt und, soweit erforderlich, neu ausgehoben.

o) Eine Anzahl unbrauchbar gewordener Schienen, Schwellen und Kreuzungspfähle gelangte zur Auswechslung.

p) Während der Winterperiode waren zusammen an acht Tagen größere Arbeitsleistungen beim Entfernen von Schneemassen aus den Bahnanlagen erforderlich und mußten hierbei verschiedentlich Aushilfsarbeitskräfte in Anspruch genommen werden.

Noch Vornahme der genannten Veränderungen bestanden am Schlusse des Berichtsjahres die städtischen Hafenbahnanlagen aus:

a) im Hafen- und Industriegebiet:

20581,28 lfd. m Gleis,
29 Drehscheiben,
6 Gleiskreuzungen,
1 bappelten Kreuzungsweiche,
1 einfachen Kreuzungsweiche,
1 einfachen Bogenweiche

1 Doppelweiche (doppelte Abzweigung vom Hauptgleis darstellend),
85 einfachen Weichen,
2 Gleiswaggonwagen mit einer Tragfähigkeit von 25000 kg bezw. 35000 kg,
3 Lokomotiven,
2 Güterwagen (Hafenbahn Mainz Nr. 1 und 2).

b) an der Mombacher Straße:

361,75 lfd. m Gleis,
1 Drehscheibe,

1 einfache Weiche.

3. Bahnbetrieb und Bahnverkehr.

Angekommen sind in den Häfen einschließlich der Ladestelle Rheinallee und Ingelheimer Au 22454, abgegangen von da 22346 beladene und leere Wagen. Im ganzen wurden also 44800 Wagen (ohne die Extrarangierungen und ohne die Gütertransporte innerhalb des Hafenbahngebietes) befördert gegen 42988 Wngen im Vorjahre, oder 4,2 % mehr. Im Vorjahre hatte der Verkehr um 4,4 % zugenommen.

Noch und von dem Schlacht- und Viehhof sind zusammen 4376 beladene und leere Wagen befördert worden gegen 3826 Wagen im Vorjahre.

Der Verkehr an beladenen Wagen auf der Verbindungsbahn Hauptbahnhof — Schlacht- und Viehhof — Häfen in der Zeit vom 1. April 1907 bis 31. März 1908 und die Anteile der Stadt Mainz an den Überfuhrgebühren für Frachtgut- und Wagenladungssendungen auf Grund der mit der Eisenbahnverwaltung am 3. März 1894 abgeschlossenen Verträge sind in der nachstehenden Übersicht enthalten:

Beschreibung	Ankunft			Abgang			Im ganzen		
	Zahl der Wagen	Anteile an den Gebühren ℳ	₰	Zahl der Wagen	Anteile an den Gebühren ℳ	₰	Zahl der Wagen	Anteile an den Gebühren ℳ	₰
A. Vertragsmäßige Anteile.									
1. Für Wagen (Güter) vom Zentralbahnhof nach dem Schlacht- und Viehhofe oder umgekehrt, für jeden Wagen 3 ℳ (zur Hälfte)	211	316	50	85	127	50	296	444	—
2. Für Wngen (Vieh) nach dem Schlacht- und Viehhofe oder umgekehrt, für jeden Wagen 3 ℳ (zur Hälfte) . . .	1 555	2 332	50	305	457	50	1 860	2 790	—
3. Für Wagen nach der Ladestelle Rheinallee oder umgekehrt für jeden Wagen 3 ℳ (hiervon 1 ℳ)	6 647	6 647	—	3 952	3 952	—	10 599	10 599	—
4. Für Wagen nach den Häfen aber umgekehrt und zwar: für jeden Wagen 3 ℳ, hiervon die Hälfte	1 728			3 148			4 876		
" " " 2 " " " "	279	3 115	—	4 069	11 908	—	4 348	15 023	—
" " " 1 " " " "	488			6 234			6 722		
B. Vorbehaltene und nachträglich vereinbarte Anteile für Wagenladungssendungen ꝛc., welche weder unter den Rheinallee- noch unter den Hafenverkehr fallen.									
(1/3 der eingehenden Gebühren.)									
für jeden Wogen 1,00 ℳ	—			—			—		
" " " 2,00 "	84			913			997		
" " " 2,50 "	267			—			267		
" " " 3,00 "	3			—			3		
" " " 4,00 "	924			—			924		
" Übergewichte der Wogen zu 2,50 ℳ (Kahlen) für je 1 000 kg = 25 ₰ von 848 550 kg in Ankunft	—	1 588	80	—	607	69	—	2 196	49
" Stückgüter für je 100 kg = 12 ₰ von 11 590 kg in Ankunft	5			—			5		
C. Anteile nach der Militärtransportordnung für Brotsendungen ꝛc. des Proviantamtes.*)									
(1/3 der eingehenden Gebühren.)									
für Stückgüter für je 1000 kg = 27 ₰ von 217 580 kg in Abgang	—	—	—	126	19	79	126	19	79
" jede Wagenladung unter 6000 kg = 0,60 ℳ	1	5	90	101	47	20	102	53	10
" " " über 6000 kg = 0,90 "	19			90			109		
Gesamtsumme im Rechnungsjahre 1907 . . .	12 211	14 005	70	19 023	17 119	68	31 234	31 125	38
" " " 1906 . . .	11 632	13 363	07	18 534	16 408	68	30 166	29 771	75
Im Rechnungsjahre 1907 mehr . . .	579	642	63	489	711	—	1 068	1 353	63
Im Rechnungsjahre 1907 weniger . .	—	—	—	—	—	—	—	—	—

*) Diese Wagen mit dem vertragsmäßigen Anteil von 1 ℳ pro Wagen waren bisher unter dem Rheinalleeverkehr enthalten. Auf Verfügung des Königl. Preuß. Ministers der öffentlichen Arbeiten vom 17. Februar 1907 kommen für die Sendungen des Proviantamts nunmehr die Sätze der Militärtransportordnung in Betracht. Wegen der Anwendung dieser Sätze schweben Verhandlungen, welche noch nicht abgeschlossen sind.

Von den Wagen des Schlacht- und Viehhofverkehrs wurden folgende beladene Wagen auf den Gleisen innerhalb des Schlacht- und Viehhofgebietes rangiert und hierfür die beigesetzten Schienengleisgebühren erhoben:

Beschreibung	Gesamtverkehr im Rechnungsjahre		Im Rechnungsjahre 1907		An Gebühren wurden erhoben im Rechnungsjahre				Im Rechnungsjahre 1907			
	1907	1906	mehr	weniger	1907		1906		mehr		weniger	
	Wagen		Wagen		ℳ	₰	ℳ	₰	ℳ	₰	ℳ	₰
Wagen zu 50 ₰	66	79	—	13	33	—	39	50	—	—	6	50
„ „ 1 ℳ	32	24	8	—	32	—	24	—	8	—	—	—
„ „ 2 „	2 064	1 692	372	—	4 128	—	3 384	—	744	—	—	—
Summe	2 162	1 795	367	—	4 193	—	3 447	50	745	50	—	—

Von den Wagen des Rheinallee- und Hafenverkehrs sowie des sonstigen Verkehrs wurden folgende beladene Wagen auf den Gleisen von der Übergabestelle der Staatsbahn in der Rheinallee nach den Verladeplätzen im Hafen- und Industriegebiet oder umgekehrt rangiert und hierfür die beigesetzten Werftgleisgebühren erhoben:

Beschreibung	Gesamtverkehr im Rechnungsjahre		Im Rechnungsjahre 1907		An Gebühren wurden erhoben im Rechnungsjahre				Im Rechnungsjahre 1907			
	1907	1906	mehr	weniger	1907		1906		mehr		weniger	
	Wagen		Wagen		ℳ	₰	ℳ	₰	ℳ	₰	ℳ	₰
1. nach oder von dem Zoll- und Binnenhafen, dem Inlandhafen von der Drehbrücke am Zollhafen bis oberhalb der Straßenbrücke und der Latrinestation am Floßhafen Wagen zu 1 ℳ	22 885	22 166	719	—	22 885	—	22 166	—	719	—	—	—
2. nach oder von dem linken Ufer des Floßhafens Wagen zu 2 ℳ	683	380	303	—	1 366	—	760	—	606	—	—	—
3. nach oder von der Ingelheimer Au Wagen zu 1,50 ℳ	5 992	5 907	85	—	8 988	—	8 860	50	127	50	—	—
4. Extra-Rangierungen von Wagen von einer Verladestelle zur andern Wagen zu 1 ℳ	1 239	1 117	122	—	1 239	—	1 117	—	122	—	—	—
Summe	30 799	29 570	1 229	—	34 478	—	32 903	50	1 574	50	—	—

Mit den stadteigenen Wagen Hafenbahn Nr. 1 und 2 wurden 326 Transporte innerhalb des Hafen- und Industriegebietes ausgeführt und hierfür je 6 ℳ = 1956 ℳ Gebühren vereinnahmt gegen 190 Transporte und 1140 ℳ Gebühren im Vorjahre.

Mit nichtstädteigenen Wagen wurden daselbst noch 346 Ladungen befördert, wofür sich die eingegangenen Gebühren auf 959 ℳ 50 ₰ belaufen. Im Vorjahre 20 Ladungen und 90 ℳ Gebühren.

4. Rechnungsergebnisse.

Nach den Erläuterungen auf den Seiten 341 bis 344 betrugen:

	1907	1906	1905
a) die Gesamteinnahmen der Hafenbahnverwaltung	76 037 ℳ 40 ₰	68 254 ℳ 72 ₰	62 586 ℳ 94 ₰
b) „ Gesamtausgaben „ „ „	125 431 „ 53 „	127 328 „ 52 „	124 882 „ 35 „

Der Hafenbahnbetrieb erforderte sowit im Rechnungsjahre 1907 einen Zuschuß von 49 394 ℳ 13 ₰ gegen den im Voranschlag vorgesehenen Betrag von 87 817 ℳ und gegen 59 073 ℳ 80 ₰ im Vorjahre.

Die für das Rechnungsjahr 1907 verausgabten Beträge für Verzinsung und Tilgung der für die Gebäude, Lokomotiven und Gleisanlagen aufgewendeten Baukapitalien und der Kapitalbestand sind aus der folgenden Übersicht zu ersehen:

Aufwendungen für	Ursprungskapital bis Ende des Rechnungsjahres 1905		Tilgungen bis Ende des Rechnungsjahres 1906		Restkapital am Ende des Rechnungsjahres 1906		3½% Zinsen vom Restkapital für das Rechnungsjahr 1907		Tilgungen für das Rechnungsjahr 1907: ½% des Ursprungskapitals zuzüglich der ersparten Zinsen		Tilgungen für das Rechnungsjahr 1907: 5% des Ursprungskapitals		Restkapital am Ende des Rechnungsjahres 1907	
	ℳ	₰	ℳ	₰	ℳ	₰	ℳ	₰	ℳ	₰	ℳ	₰	ℳ	₰
1. Lokomotivschuppen .	20 027	10	542	11	19 484	99	681	97	119	11	—	—	19 365	88
2. Weichenstellerhaus im Viehhof	6 381	44	405	11	5 976	33	209	17	46	09	—	—	5 930	24
3. Lokomotive I . . .	10 800	—	7 020	—	3 780	—	132	30	—	—	540	—	3 240	—
4. Lokomotive II . . .	17 411	90	7 835	40	9 576	50	335	18	—	—	870	60	8 705	90
5. Lokomotive III . .	18 502	94	3 700	60	14 802	34	518	08	—	—	925	15	13 877	19
6. Gleisanlagen im Hafen	565 200	68	275 084	43	290 116	25	10 154	07	—	—	28 260	03	261 856	22
7. Gleisanlagen im Schlacht- und Viehhof	60 701	09	25 775	16	34 925	93	1 222	41	—	—	3 035	05	31 890	88
Summe . . .	699 025	15	320 362	81	378 662	34	13 253	18	165	20	33 630	83	344 866	31

Außer den obigen Beträgen sind die Kosten für die Beschaffung des Güterwagens Hafenbahn Nr. 2 im Betrage von 3 240 ℳ in den Rechnungsjahren 1907 bis 1909 zu tilgen. Es wurden in 1907 = 1 080 ℳ abgetragen, sodaß am Ende des Berichtsjahres noch ein Rest von 2 160 ℳ verblieb.

Anmerkungen: 1. Der Wert des Grund und Bodens ist unter den aufgewendeten Kapitalbeträgen zu Ord.-Nr. 1, 2, 6 und 7 nicht enthalten.
2. Die seither unter Ord.-Nr. 8 aufgeführten und für die Bahnanlagen längs der Ingelheimer Au aufgewendeten Kapitalien werden vom Berichtsjahre an nicht mehr bei der Rubrik Hafenbahn verzinst und getilgt, da die Kosten in den Verkaufspreis für die Plätze im Industriegebiet mit einberechnet worden sind.

XXIV. Straßenbahn.

Es wird auf den zur Ausgabe gelangenden Sonderbericht verwiesen.

XXV. Gaswerke.

Über die Betriebsergebnisse der Gaswerke wird ein besonderer Bericht erstattet.

XXVI. Elektrizitätswerk.

Über die Betriebsergebnisse des Elektrizitätswerks wird ebenfalls ein besonderer Bericht erstattet.

XXVII. Wasserwerke.

Auch über die Betriebsergebnisse der Wasserwerke wird ein besonderer Bericht erstattet.

XXVIII. Badeanstalten.

Die Zahl der im Rechnungsjahre 1907 abgegebenen Bäder einschl. der Schülerbäder im Fürstenbergerhofbade betrug 217 570 gegen 218 210 im Vorjahre; sie entspricht einer Abnahme von 640 Bädern = 0,3 %. Der Betrieb in dem Fürstenbergerhofbade mußte wegen Neu-Anstriches der Innenwände, Vergrößerung des Warteraumes und Reinigung der Warmwasserleitungen an 23 Tagen, der Betrieb im Gartenfeldbade wegen Reinigung der Warmwasserleitung und Vorwärmer an 7 Tagen und derjenige im Gutenbergbade wegen teilweiser Erneuerung des Deckenanstrichs, Reinigung der Feuerungsanlagen sowie Reparaturarbeiten an den Brausevorrichtungen an 13 Tagen eingestellt werden. Ferner wurde im Gutenbergbade der Schornstein um etwa 2 m erhöht, wodurch die Zugverhältnisse der Feuerung wesentlich gebessert wurden.

Der Gattung nach wurden abgegeben:

Wannenbäder I. Klasse	13 108	Stück, in Prozenten der Gesamtziffer	6,02 (5,76)
„ II. „	63 954	„ „ „ „ „	29,40 (28,75)
Brausebäder	140 508	„ „ „ „ „	64,58 (65,49)

An der Abgabe der Bäder sind beteiligt:

das Fürstenbergerhofbad	mit	50 493	Stück = 23,21 %	(25,17 %)
„ Gartenfeldbad	„	48 087	„ = 22,10 %	(21,34 %)
„ Gutenbergbad	„	118 990	„ = 54,69 %	(53,49 %)

Auf je 100 in den einzelnen Badeanstalten abgegebene Bäder entfallen der Gattung nach:

in der Badeanstalt	auf Wannenbäder		auf Brausebäder zu 10 ₰
	I. Klasse zu 50 ₰	II. Klasse zu 25 ₰	
Fürstenbergerhofbad	1,73	28,90	69,37
„ im Vorjahre	1,45	27,86	70,69
Gartenfeldbad	3,94	24,60	71,46
„ im Vorjahre	3,64	23,22	73,14
Gutenbergbad	8,69	31,54	59,77
„ im Vorjahre	8,64	31,38	59,98

Der städtische Zuschuß für ein abgegebenes Bad beträgt im

	Rechnungsjahre 1907	1906	Unterschied
Fürstenbergerhofbad	18,76 ₰	11,63 ₰	+ 7,13 ₰
Gartenfeldbad	11,91 „	12,82 „	— 0,91 „
Gutenbergbad	6,42 „	4,35 „	+ 2,07 „

Wegen der Erhöhung des Zuschusses beim Fürstenbergerhofbad und beim Gutenbergbad wird auf die Berechnung der Selbstkosten eines abgegebenen Bades am Schlusse dieses Kapitels, Seite 216 verwiesen.

Über den Besuch der Anstalten, die Benutzung der Badezellen sowie die Rechnungsergebnisse geben die nachstehenden Tabellen 1 und 2 Aufschluß.

1. Besuch der Anstalten.

Rechnungsjahr	Betriebstage	Zahl der Wannenbäder I. Klasse	Zahl der Wannenbäder II. Klasse	Zahl der Brausebäder	Zahl der zweiten Handtücher	Durchschnittliche tägliche Besucherzahl	Stärkster Besuch am Tag	Stärkster Besuch am Monat	Stärkster Besuch am Jahr	Stärkster Besuch Zahl der abgegebenen Bäder	Schwächster Besuch am Tag	Schwächster Besuch am Monat	Schwächster Besuch am Jahr	Schwächster Besuch Zahl der abgegebenen Bäder
A. Fürstenbergerhof-Bad.														
1907	337	874	14 593	35 026	2 689	150	18.	Mai	1907	460	3.	März	1908	27
1906	359	794	15 304	38 834	2 724	153	14.	April	1906	472	12.	Febr.	1907	33
1907 mehr	—	80	—	—	—	—	—	—	—	—	—	—	—	—
1907 weniger	22	—	711	3 808	35	3	—	—	—	12	—	—	—	6
B. Gartenfeld-Bad.														
1907	354	1 897	11 827	34 363	2 881	136	25.	Mai	1907	453	2.	März	1908	25
1906	342	1 694	10 814	34 052	2 956	136	2.	Juni	1906	463	25.	Dezbr.	1906	20
1907 mehr	12	203	1 013	311	—	—	—	—	—	—	—	—	—	5
1907 weniger	—	—	—	—	75	—	—	—	—	10	—	—	—	—
C. Gutenberg-Bad.														
1907	346	10 337	37 534	71 119	8 065	344	25.	Mai	1907	782	2.	März	1908	117
1906	339	10 087	36 625	70 006	8 195	344	2.	Juni	1906	848	14.	Juni	1906	95
1907 mehr	7	250	909	1 113	—	—	—	—	—	—	—	—	—	22
1907 weniger	—	—	—	—	130	—	—	—	—	66	—	—	—	—

2. Rechnungs-Ergebnisse.

Rechnungsjahr	Im Tagesdurchschnitt kommen auf eine Zelle an Bädern: Wannenzellen I. Klasse	Wannenzellen II. Klasse	Brausezellen	Durchschnittl. Wasserverbrauch für ein abgegebenes Bad einschl. Selbstverbrauch Liter	Brennmaterialien (Koks) für ein Bad im Durchschnitt kg	Gesamt-Betriebs-Kosten M	Pf	Gesamt-Einnahme einschl. des Geldanschlags der Wohnung M	Pf	Mithin Zuschuß (aus den Überweisungen der Sparkasse) M	Pf	Durchschnittliche Selbstkosten eines Bades Pf	Durchschnittseinnahme für ein Bad Pf	Mithin mußten für ein Bad zugelegt werden Pf
A. Fürstenbergerhof-Bad.														
1907	2,60	8,66	8,00	302	2,4	17 769	43	8 292	50	9 476	93	35,18	16,42	18,76
1906	2,21	7,10	8,32	311	2,3	15 071	86	8 684	80	6 387	06	27,44	15,81	11,63
1907 mehr	0,39	1,56	—	—	0,1	2 697	57	—	—	3 089	87	7,74	0,61	7,13
1907 weniger	—	—	0,32	9	—	—	—	392	30	—	—	—	—	—

Rechnungsjahr	Im Tagesdurchschnitt kommen auf eine Zelle an Bädern: Wannenzellen I. Klasse	II. Klasse	Brausezellen	Durchschnittl. Wasserverbrauch für ein abgegebenes Bad einschl. Selbstverbrauch Liter	Brennmaterialien (Koks) für ein Bad im Durchschnitt kg	Gesamt-Betriebs-Kosten ℳ	₰	Gesamt-Einnahme einschl. des Geldanschlags der Wohnung ℳ	₰	Mithin Zuschuß (aus den Überweisungen der Sparkasse) ℳ	₰	Durchschnittliche Selbstkosten eines Bades ₰	Durchschnittseinnahme für ein Bad ₰	Mithin mußten für ein Bad zugelegt werden ₰
B. Gartenfeld-Bad.														
1907	2,68	5,57	6,93	301	2,4	13 313	36	7 585	60	5 727	76	27,69	15,78	11,91
1906	2,48	5,27	7,11	303	2,4	13 171	77	7 203	50	5 968	27	28,29	15,47	12,82
1907 mehr	0,20	0,30	—	—	—	141	59	382	10	—	—	—	0,31	—
1907 weniger	—	—	0,18	2	—	—	—	—	—	240	51	0,60	—	0,91
C. Gutenberg-Bad.														
1907	7,47	13,56	11,42	309	2,4	20 810	18	22 167	15	7 643	03	25,05	18,63	6,42
1906	7,44	13,50	11,47	311	2,2	26 787	64	21 710	10	5 077	54	22,95	18,60	4,35
1907 mehr	0,03	0,06	—	—	0,2	3 022	54	457	05	2 565	49	2,10	0,03	2,07
1907 weniger	—	—	0,05	2	—	—	—	—	—	—	—	—	—	—

D. Gesamtergebnis des Jahres 1907.

	Ausgabe ℳ	₰	Einnahme ℳ	₰	Zuschuß ℳ	₰
1. Fürstenbergerhofbad	17 769	43	8 292	50	9 476	93
2. Gartenfeldbad	13 313	36	7 585	60	5 727	76
3. Gutenbergbad	29 810	18	22 167	15	7 643	03
Im ganzen . . .	60 892	97	38 045	25	22 847	72

Die Selbstkosten eines abgegebenen Bades setzen sich wie folgt zusammen:

Ord.-Nr.	Bezeichnung der Ausgaben	Fürstenbergerhofbad 1907 ₰	1906 ₰	Gartenfeldbad 1907 ₰	1906 ₰	Gutenbergbad 1907 ₰	1906 ₰
1	Gehalte und Wäscherinnen-Löhne	7,30	5,31	6,18	6,40	4,68	4,83
2	Unterhaltung des Inventars, Seife, Drucksachen	2,43	1,21	2,26	2,05	1,78	1,29
3	Wasser, Heizung und Beleuchtung	13,08	12,07	11,63	11,18	11,10	10,08
4	Steuern und Brandversicherungsbeiträge	0,25	0,22	0,18	0,19	0,11	0,11
5	Unterhaltung der Kessel, Röhrenleitungen und der Gebäude	3,88	0,91	1,39	2,22	2,43	1,64
6	Verzinsung und Tilgung der Baukosten	8,24	7,72	6,05	6,25	4,95	5,05
	zusammen	35,18	27,44	27,69	28,29	25,05	22,95

XXIX. Feuerlöschwesen.

A. Stadtteil Mainz.

Das Personal der Feuerwehr setzte sich wie folgt zusammen:

1. Ständige Wache: 1 Wachtmeister und 8 Feuerwehrleute.
2. Freiwillige Feuerwehr:

Personalbestand am 1. April 1907 (außer den Chargen und Signalisten)		139 Mann
Eingetreten sind im Berichtsjahre		19 „
zusammen		158 Mann
Ausgetreten sind:		
auf ihren Antrag	5 Mann	
auf Anraten	5 „	
zurückgetreten als Ehrenmitglieder nach mehr als 25 Dienstjahren	2 „	
gestorben	1 „	13 Mann
Bestand am 31. März 1908		145 Mann

Übungen wurden gehalten an 41 Abenden und an 18 Sonntagen.

Bei den Übungen und Bränden kamen nennenswerte Verletzungen nicht vor. Einer der ständigen Feuerwehrleute erlitt beim Ordonnanzdienst durch einen Fall mit dem Fahrrad einen Fußknöchelbruch und war an 46 Tagen arbeitsunfähig.

Außer den regelmäßigen Nachtwachen, Theaterwachen, Sonn- und Feiertagswachen und Meßwachen wurde noch Sicherheitsdienst geleistet in der Stadthalle 36mal, bei Zirkusvorstellungen 25mal, bei der Kochkunstausstellung von 3 Mann an 6 Tagen und 10 Nächten; ferner war die Wehr bei dem Nachtfest des Verkehrsvereins und bei der Motorbootregatta auf dem Rhein bei der Absperrung tätig.

Von den am 1. April 1907 vorhandenen 5 301 m gummierten Schläuchen wurden im Laufe des Jahres 282 m als unbrauchbar ausrangiert, mithin war der Schlauchbestand am 31. März 1908: 5 019 m.

Die seither zur Schlauchverbindung dienende Metz'sche Verschraubung wurde durch die Storz'sche Schnellkupplung, verbessertes Modell 1901, ersetzt.

Die Zahl der öffentlichen Hydranten war bei Beginn des Jahres 1 187; hinzu kamen 47 Stück, sodaß jetzt vorhanden sind 1 234 Stück. Außerdem liegen noch 42 plombierte Hydranten in Privatgrundstücken. Von den öffentlichen Hydranten sind 75 Über- und 1 159 Unterflurhydranten.

Die Wachtbesetzung war folgende: Feuerwache I (Neubrunnenstraße) am Tage 1 Wachtmeister und 4 ständige Feuerwehrleute, bei Nacht 1 Wachtmeister, 1 ständiger und 6 freiwillige Feuerwehrleute; Feuerwache II (Stadttheater) nur bei Nacht besetzt mit 4 freiwilligen Feuerwehrleuten. Feuerwache I rückt bei jeder eingehenden Feuermeldung sofort aus. Feuerwache II rückt nur bei Bränden in der Altstadt aus zur sofortigen Unterstützung von Wache I, besorgt sonst die nächtliche Bewachung des Theaters durch stündliche Rundgänge und dient als Reserve, falls Wache I in der Neustadt oder den Vororten beschäftigt sein sollte und eine zweite Feuermeldung eingeht.

Mit dem der Feuerwache I als Angriffsfahrzeug dienenden elektro-automobilen Mannschafts- und Gerätewagen wurden sowohl bei 92 Alarmfahrten, als zu Übungszwecken im ganzen 983 km zurückgelegt.

Die Betriebskosten des Automobilfahrzeuges waren folgende:

1. für Strom zum Laden der Batterie	391	ℳ 49	₰
2. für Säure und Wasser, sowie Putz- und Schmiermittel	150	„ —	„
3. für Unterhaltung (einschl. 650 ℳ für Beschaffung eines Ersatzreifens)	1100	„ 62	„
4. für Versicherung der Batterie	656	„ —	„
Zusammen	2298	ℳ 11	₰

Die Betriebskosten für das zurückgelegte km berechnen sich zu $\frac{2298,11}{983} = 2,34$ ℳ.

Die Betriebskosten für den Tag berechnen sich zu $\frac{2298,11}{365} = 6,29$ ℳ. Zum Vergleich sei angeführt, daß bei dem Pferdebetrieb des Reinigungsamtes sich die Kosten eines Doppelspänners für den Arbeitstag im Rechnungsjahr 1907 auf 11 ℳ 21 ₰ beliefen.

Feuermeldungen gingen im ganzen 104 ein, hierunter 3 am 14. Dezember 1907 und je 2 am 3. und 31. Januar 1908. Bei den 104 Meldungen handelte es sich aber nur in 84 (91) Fällen tatsächlich um Brände. Die übrigen Meldungen waren durch Kaminen entströmende Funken, starke Rauchbildung und dergl. hervorgerufen.

Es rückten aus: Feuerwache I 99 (84)mal, Feuerwache II 6 (16)mal und die Gesamtwehr 1 (6)mal.

Außerdem wurde die Feuerwehr und zwar Feuerwache I 43 (33)mal zum Transport von Kranken und Verwundeten, 1mal zum Auspumpen eines durch Wasserrohrbruch mit Wasser gefüllten Kellers und ferner 1mal zur Verfolgung eines Einbrechers auf Dächern in Anspruch genommen.

Von den 84 Bränden entfallen auf

den I. Polizeibezirk	17 Brände	(25)
„ II. „	6 „	(14)
„ III. „	16 „	(16)
„ IV. „	23 „	(28)
„ V. „	10 „	(5)
„ VI. „	12 „	(3)
zusammen	84 Brände	(91).

Ihrer Ausdehnung und dem angerichteten Schaden nach waren es 1 (6) Großfeuer, 6 (4) Mittelfeuer, 41 (40) Kleinfeuer und 36 (41) Schornsteinbrände.

Bemerkenswerte Brände waren:

am 14. April 1907: Zollhafen 12, Lagerschuppen im Kohlenlager;

am 22. Juni 1907: Vor dem Gonsenheimertor, Gartenhaus;

am 7. August 1907: Löhrstraße 2, Brand im Materialwaren-Magazin;

am 3 Oktober 1907: Kaiser Wilhelm-Ring 19, Holz und Lacke im Keller;

am 24. Dezember 1907: Frauenlobstraße 36, Brand im Laboratorium mit Lager;

am 4. März 1908: Zwerchallee 8, Bahnwärter-Wohnhaus.

Ihrer Art nach waren es 17 Zimmerbrände, 6 Kellerbrände, 6 Wechsel- und Zwischenwandbrände, 5 Dachbrände, 11 Magazin- und Ladenbrände, in zwei Fällen Übersteigen von Lack und Pech, in je einem Falle Lohbrand, Brand eines Lagerschuppens, eines Gartenhauses, eines Waggons mit Teer, eines Bahnwärterhauses und 36 Schornsteinbrände.

Die Entstehungsursache war in 15 Fällen unvorsichtiges Umgehen mit Feuer und Licht, in 6 Fällen mit Feuer spielende Kinder, in 5 Fällen fehlerhafte Heiz- und Beleuchtungsanlage, in 5 Fällen Entzündung von Lack, Pech und Fett, in 2 Fällen Umfallen einer Petroleumlampe, in je 1 Falle Aufgießen von Petroleum auf Feuer, Lötofen auf dem Dache, Koksforb in der Nähe von Holz, vermutlich Brandstiftung, in 37 Fällen Entzünden von Ruß und in 10 Fällen blieb die Ursache unbekannt.

Die Brände verteilen sich auf die einzelnen Monate des Berichtsjahres wie folgt:

1907			1907			1908		
April	10 Brände	(5)	September	5 Brände	(10)	Januar	17 Brände	(15)
Mai	6 „	(1)	Oktober	4 „	(5)	Februar	6 „	(7)
Juni	4 „	(11)	November	11 „	(6)	März	7 „	(12)
Juli	1 „	(5)	Dezember	9 „	(9)			
August	2 „	(5)						

Der Zeit nach verteilen sich die Brände:

auf den Tag (von 6 Uhr morgens bis 10 Uhr abends) 71 Brände (76)
„ die Nacht („ 10 „ abends „ 6 „ morgens) 13 „ (15)

Die Kosten des Feuerlöschwesens im Berichtsjahre waren folgende:

A. Vergütungen.

1.	Ständige Wehr und Türmer	12553,36 ℳ
2.	Freiwillige Wehr	6624,43 „
3.	Nacht-, sowie Sonn- und Feiertagswachen	10950,50 „

B. Sachliche Ausgaben.

4.	Uniformierung	1836,00 „
5.	Wachtlokale und Wachegerätschaften	1799,59 „
6.	Signaleinrichtungen	1199,34 „
7.	Ausrüstungsstücke und Löschgeräte	8934,43 „
8.	Übungen und Brände	1123,08 „
9.	Löschgerät-Magazine	1256,61 „
10.	Tilgung größerer Aufwendungen	9050,00 „
	Gesamtkosten des Feuerlöschwesens	55327,34 ℳ
	Im Vorjahre	47054,92 „

Die Ausgabe auf den Kopf der Bevölkerung (ohne Mainz-Mombach) berechnet sich auf 58 ₰ (51 ₰).

B. Stadtteil Mainz-Mombach.

Der Personalbestand der Feuerwehr betrug außer den Chargen und Signalisten am 1. April 1907		47 Mann
Eingetreten sind im Berichtsjahr		2 „
zusammen		49 Mann
Ausgetreten sind auf ihren Antrag	2 Mann	
Gestorben	1 „	3 „
Bestand am 31. März 1908		46 Mann

Übungen wurden gehalten an 6 Abenden und an 14 Sonntagen. Bei den Übungen kamen nennenswerte Verletzungen von Personen nicht vor.

Die Zahl der öffentlichen Hydranten betrug am 1. April 1907 100, hinzu kamen 2 Stück, sodaß jetzt 102 Hydranten vorhanden sind. Außerdem liegen noch 20 Hydranten in Privatgrundstücken. Die öffentlichen (städtischen) Hydranten sind alle Unterflur-Hydranten.

Die Feuerwehr kam während des Berichtsjahres nicht in Tätigkeit.

Am 6. Juli 1907 fand der XIX. rheinhessische Feuerwehrtag statt, dessen Veranstaltung in Händen der freiwilligen Feuerwehr Mombach in Verbindung mit der freiwilligen Fabrik-Feuerwehr der Firma Gebr. Gastell lag.

Die für das Feuerlöschwesen in Mainz-Mombach gemachten Aufwendungen betragen 937 ℳ oder 13 ₰ auf den Kopf der Bevölkerung.

XXX. Öffentliches Reinigungswesen.

1. Allgemeines.

Die Aufgaben des Reinigungsamtes haben sich im Berichtsjahre nicht geändert. Sie erstrecken sich auf:

a) die Straßenreinigung (ausschließlich der chaussierten Straßen),
b) „ Straßenbegießung,
c) „ Schnee- und Eisbeseitigung,
d) „ Abfuhr der Haushaltungsabfälle,
e) „ Entleerung der Abortgruben,
f) „ Prüfung neu errichteter sowie schadhafter Abortgruben,
g) „ Revision der nach den Systemen Brix und Gibian erbauten Abortgruben,
h) „ Bedienung der öffentlichen Bedürfnisanstalten,
i) „ Reinigung der Markt- und Meßplätze,
k) „ Wohnungsdesinfektion,
l) „ Reinigung der Straßenschilder, Gaskandelaber und Wandarme.

Das Bureau- und Aufsichtspersonal bestand außer dem Vorsteher aus:

1 Verwalter,	1 Sekretariatsgehilfen II. Kl.
1 Sekretariatsgehilfen I. Kl.,	5 Aufsehern und
1 Verwalter des Fuhrwesens,	1 Hilfsarbeiter.

Das Arbeiterpersonal setzte sich am Jahresschluß zusammen aus:

11 Handwerkern,	12 Vorarbeitern,	40 Fuhrleuten,
5 Maschinisten,	1 Boten,	92 Arbeitern und
2 Hilfsmaschinisten,	5 Hilfsheizern,	3 Wärterinnen.
15 Obleuten,	1 Wächter,	

Außer diesem ständigen Arbeiterpersonal wurden bei Schneefällen noch unständige Arbeiter in größerer Zahl beschäftigt.

Dem ständigen Arbeiterpersonal wurde Dienstkleidung geliefert, die für die Handwerker aus Hose und Kittel, für das Latrinenreinigungspersonal aus Hose, Kittel, Mütze und Handschuhen, für Straßenkehrer, Müllader, Planierer und Fuhrleute aus Joppe bezw. Kittel, Mütze und Handschuhen bestand; die Fuhrleute erhielten außerdem Regenkragen und und Filzstiefel. Im Durchschnitt wurden 22 ℳ 52 ₰ (20 ℳ 13 ₰) für den Mann und das Jahr für Dienstkleidung aufgewendet.

Von dem Arbeiterpersonal standen

3	Leute im Alter von unter 20 Jahren
24	„ „ „ „ 20 bis 30 Jahren
37	„ „ „ „ 30 „ 40 „
55	„ „ „ „ 40 „ 50 „
46	„ „ „ „ 50 „ 60 „
16	„ „ „ „ 60 „ 70 „ und
3	„ „ „ „ über 70 „

12 Arbeiter haben das Arbeitsverhältnis freiwillig gelöst und 5 sind entlassen worden, darunter 3 wegen andauernder Arbeitsunfähigkeit; 7 weitere Arbeiter sind infolge eingetretener Invalidität ausgeschieden und 4 andere gestorben. Von diesen Arbeitern sind 16, die bei der Straßenreinigung beschäftigt waren, nicht wieder ersetzt worden.

An Lohn bezog das ständige Arbeiterpersonal durchschnittlich 1235 ℳ 26 ₰ (1188 ℳ 83 ₰) für den Mann und das Jahr — einschließlich der den Arbeitern seit dem 1. April 1906 gewährten Familienzulagen —, während die unständigen Arbeiter 30 ₰ für die Stunde erhielten.

Die zu reinigende Fahrbahnfläche hat sich um 8 840 qm und die der Fußsteige um 7 050 qm, mithin die ganze Reinigungsfläche um 15 890 qm vergrößert und zwar infolge Neupflasterung in der Albinistraße, Bonifaziusstraße, Stiftstraße, im Kaiser Wilhelm-Ring und in der Josephstraße. Am Schlusse des Berichtsjahres umfaßte die Reinigungsfläche insgesamt rund 640 424 qm, wovon 414 290 qm auf Fahrbahnen und 226 134 qm auf Fußsteige entfielen.

Von den zu reinigenden Fußsteigflächen waren 58075 qm auch von Schnee und Eis zu befreien und bei Bedarf zu entglätten.

Die zu begießende Straßenfläche betrug wie im Vorjahre 589 000 qm.

Die Zahl der bewohnten Häuser betrug am Jahresschlusse 4 122 (4 063).

Die zu entleerenden Abortgruben haben sich gegen das Vorjahr um 73 (106) vermehrt; deren Zahl betrug am Schlusse des Berichtsjahres 5 089.

Die Latrinensammelgruben in Dornberg, Kastel, Kostheim, Mörfelden, Nauheim und Weiterstadt waren im Berichtsjahre verpachtet, wogegen die Grube in Heidesheim für Rechnung der Stadt Mainz verwaltet wurde und die Grube in Bodenheim unbenutzt blieb.

Der Wagenpark bestand am Schlusse des Rechnungsjahres aus: 7 Dampfluftpumpen, 14 Eisenbahnwagen zum Latrinetransport (außerdem waren 2 von der Eisenbahnverwaltung gemietet), 22 gedeckten Müll- und Straßenkehricht-Abfuhrwagen, 20 Gießwagen, 50 Latrinefaßwagen, 6 Schlauchwagen, 6 Bollerwagen, 5 Rollen, 5 Kehrmaschinen, 5 Kastenkarren, 2 Bodensatzkarren, 2 Kübellatrinewagen, 1 Kübeltransportwagen, 1 Leiterwagen, 1 Straßenwaschmaschine, 1 Sang- und Druckapparat, 1 Choise, 14 Handgießwagen, 3 Straßenbespritzungskarren (Schlauchhaspel), 36 Schneekarren und 39 andere Hand- und Schubkarren.

2. Straßenreinigung.

Von der gereinigten Fahrbahnfläche waren am Ende des Rechnungsjahres etwa 340 945 qm mit Steinpflaster und 73 345 qm mit Asphalt-Zement- oder Holzpflaster befestigt. Die 226 134 qm umfassende Fußsteigfläche war zum weitaus größten Teil asphaltiert.

Beschäftigt waren bei der Straßenreinigung

12 Obleute, 8 Vorarbeiter und durchschnittlich 64 Arbeiter

mit insgesamt 246 600 (296 018) Arbeitsstunden und einem Aufwand an Löhnen von 99 426 ℳ 48 ₰ (104 949 ℳ 39 ₰).

Kehrmaschinen waren an 85 (181) Tagen = 1 068 (1 760) Arbeitsstunden in Tätigkeit, während sich die Straßenwaschmaschine an 55 Tagen = 520 Stunden in Gebrauch befand. Der Verbrauch an Kehrwalzen betrug 9 (13) Stück.

3 052 (3 716) Piassavabesen, 5 (10) Haarbesen und 322 (299) Reiserbesen wurden verbraucht. Das zum Vorgießen benötigte Wasser betrug 11 236 (14 590 cbm).

Der zusammengebrachte und abzufahrende Straßenkehricht belief sich auf 7 450 (7 639) cbm.

Die Ausgaben für die gewöhnliche Reinigung der Straßen und der Markt- und Meßplätze betrugen 131 574 ℳ 05 ₰, (134 851 ℳ 30 ₰), welche durch folgende Einnahmen vermindert wurden:

1. Erlös aus verkauftem Straßenkehricht	4 132 ℳ — ₰	(4 246 ℳ — ₰)
2. für Reinigung der Fußsteige um das Großherzogliche Palais	140 „ — „	(140 „ — „)
3. für abgängige Gegenstände und sonstige nicht vorherzusehende Einnahmen .	313 „ 80 „	(325 „ 80 „)
Summe der Einnahmen . . .	4 585 ℳ 80 ₰	(4 711 ℳ 80 ₰)

nach deren Abzug noch aufzubringen waren 126 988 ℳ 25 ₰ (130 139 ℳ 50 ₰)

Der nachstehenden Übersicht A, Seite 228, sind die durch die gewöhnliche Reinigung der Straßen sowie der Markt- und Meßplätze und des Zollhafengebietes in den letzten 5 Jahren verursachten Kosten und deren Verteilung auf den Kopf der Bevölkerung und das qm Reinigungsfläche zu entnehmen.

3. Straßenbegießung.

Die Begießung der Straßen und öffentlichen Plätze begann am 1. April und endete am 30. September; vom 18. bis 31. März war außerdem eine teilweise Begießung der Straßen vorzunehmen. Insgesamt fand sie an 143 (135) Tagen statt.

Der Wasserverbrauch zu diesem Zweck betrug 29 991 (37 629) cbm. Davon wurden entnommen:

	der Stadtleitung cbm		der Leitung des Reinigungsamtes cbm	
April	3 909	(3 015)	269	(168)
Mai	4 359	(2 703)	280,5	(249)
Juni	5 664	(7 549,5)	267	(486,5)
Juli	5 082	(8 530,5)	237	(426,5)
August . . .	6 325,5	(7 764)	205	(366,5)
September .	3 891	(5 386,5)	223,5	(277,5)
Oktober . .	—	(615)	—	(40,5)
März . . .	760,5	(—)	63	(51)
Summe .	29 991	(35 563,5)	1 545	(2 065,5)

Die Kosten der Begießung einschließlich des Kostenanteils an der eigenen Pferdehaltung beliefen sich auf 12 019 ℳ 18 ₰ (13 687 ℳ 46 ₰) = 2,04 ₰ für das qm Gießfläche. Die Bespannung der Gießwagen erfolgte ausschließlich mit eigenen Pferden.

4. Schnee- und Eisbeseitigung.

Bei den Schneefällen am 24. November, 28. und 29. Dezember 1907, 29. Januar, 1., 2. und 24. Februar, 1. und 14. März 1908 betrug die Schneehöhe 2, 7, 12, 3, 5, 2, 3 und 2 cm, sonach insgesamt 36 (65) cm.

An den vorstehenden und den darauffolgenden Tagen war die Verwendung von Hilfsarbeitern erforderlich. Es wurden insgesamt 128 (190) Mann 13 813 (7 612) Arbeitsstunden beschäftigt. Der hierdurch bedingte Lohnaufwand betrug 4 470 ℳ 01 ₰ (2 410 ℳ 90 ₰).

2 257 (2 577) cbm Schnee und Eis wurden durch eigenes Fuhrwerk und 5 130 (2 598) cbm mittels Handkarren und 328 (3 828) cbm durch Mietfuhrwerk, demnach insgesamt 7 715 (9 003) cbm aus der Stadt geschafft.

Zur Bestreuung der öffentlichen Treppen, der Bürgersteige vor städtischen Gebäuden und Plätzen, sowie der Straßenübergänge und des Holz- und Asphaltpflasters wurden 205 (283) cbm Rheinsand an- und wieder abgefahren.

Die für die Schnee- und Eisbeseitigung aufgewendeten Kosten beliefen sich auf insgesamt 10 261 ℳ 92 ₰ (12 191 ℳ 55 ₰).

5. Abfuhr der Haushaltungsabfälle.

Abgefahren wurden an Haushaltungs- und gewerblichen Abfällen, letztere gegen Bezahlung, 31 052 (28 698) cbm. Diese Abfuhr erforderte 642 (533) Doppelspänner- und 4 565 (3 768) Einspänner-Tagewerke. Auf dem Müllabladeplatz wurden außerdem 869 einspännige und 370 doppelspännige Fuhren mit insgesamt rund 1600 cbm Unrat von Privaten gegen Zahlung einer Gebühr von 50 ₰ bezw. 1 ℳ für die Fuhre abgeladen, sodaß die hierdurch erzielte Gesamteinnahme 804 ℳ 50 ₰ betrug.

Beschäftigt wurden mit Aufladen der Abfälle und Planieren derselben auf den Abladeplätzen durchschnittlich 42 (40) Arbeiter mit insgesamt 96 900 (90 207) Arbeitsstunden und einem Aufwand an Löhnen von 33 058 ℳ 79 ₰ (32 410 ℳ 80 ₰).

Die Gesamtkosten für Abfuhr der Haushaltungsabfälle bestehend in Löhnen und Kleiderkosten für Auflader und Planierer, Unterhaltung des Inventars, Anteil an der Pferdehaltung, Verzinsung und Tilgung des für Kehrichtwagen aufgewendeten Kapitals betrugen einschl. 16 ℳ 38 ₰ uneinbringlicher Kosten 86 150 ℳ 33 ₰ (71 947 ℳ 60 ₰), welchen folgende Einnahmen gegenüberstehen:

1. für Abfuhr von Haushaltungsabfällen in außergewöhnlichen Fällen nach Vereinbarung mit den Hauseigentümern gemäß des Regulativs vom 22. Oktober 1896	1 650 ℳ 97 ₰	(1 063 ℳ 08 ₰) (140 „ — „)
2. für desgleichen aus städtischen und Fonds-Gebäuden	1 667 „ 18 „	(974 „ 52 „)
3. für Abfuhr und Ablagerung von gewerblichen Abfällen gemäß den Beschlüssen der Deputation für das Reinigungswesen vom 18. Mai 1899, 5. Januar 1900 und 7. Februar 1907	3 213 „ 75 „	(2 420 „ 50 „) (90 „ 50 „)
4. Erlös für abgängige Gegenstände	520 „ 69 „	(285 „ 69 „)
5. Anteil des Tiefbauamtes an den Kosten für Unterhaltung und Einebnung des Abladeplatzes	200 „ — „	(— „ — „)
6. Erlös aus Verpachtung der Berechtigung zum Aussuchen brauchbarer Gegenstände auf dem Abladeplatz	612 „ — „	(51 „ — „)
7. Erlös aus der Kreszenz der zur Müllablagerung bestimmten Äcker . .	625 „ — „	(— „ — „)
Summe der Einnahmen . . .	8 489 ℳ 59 ₰	(5 025 ℳ 29 ₰)
Sonach blieben noch aufzubringen	77 660 ℳ 74 ₰	(66 922 ℳ 31 ₰)

Die trotz der höheren Einnahmen entstandene Erhöhung des Zuschusses war dadurch bedingt, daß sämtliches Müll des Berichtsjahres auf Äcker am Fort Hechtsheim vor dem Gautor verbracht wurde, während im Vorjahre die wesentlich günstiger gelegene Ingelheimer Au noch für 7 Monate zur Ablagerung diente.

Außer den vorstehenden laufenden Betriebskosten sind durch die am 1. November 1906 erfolgte Verlegung des Müllabladeplatzes vor das Gautor die nachstehend aufgeführten einmaligen Aufwendungen verursacht worden, die gemäß

Beschluß der Stadtverordneten-Versammlung vom 20. Februar 1907 der Rubrik 14. I der Vermögensrechnung für 1907 zur Last fielen:

1. für Beschaffung von 10 Pferden	16 000 ℳ	— ₰
2. für Beschaffung von Zug- und Stallgeschirr	2 003 „	48 „
3. für Erweiterung der Stallungen um 10 Stände	18 999 „	41 „
4. für Errichtung einer provisorischen Stallung in der Wagenhalle	398 „	66 „
5. für Pachtentschädigungen für die seitherigen Pächter der Hospizienäcker	1 250 „	— „
6. für Beschaffung von Laternen zur Beleuchtung des Abladeplatzes	115 „	— „
7. für den Ankauf der in Privatbesitz befindlichen, an die Hospizienäcker angrenzenden Grundstücke	9 848 „	47 „
8. für Herstellung eines kleinen Aufenthaltsraumes für den Aufsichtsbeamten in der Nähe der Futterstallung am Gautor	396 „	64 „
9. für Unterhaltung eines militärfiskalischen Weges, Planierungsarbeiten im und am Fort Hechtsheim, Errichtung einer Trockenmauer am Wildbachbett	1 366 „	73 „
10. für Vermessungsarbeiten	298 „	90 „
Zusammen	50 677 ℳ	29 ₰

Der Übersicht B, Seite 228, sind die durch die Abfuhr der Haushaltungs- rc. Abfälle in den letzten 5 Jahren verursachten Kosten und deren Verteilung auf den Kopf der Bevölkerung und das Kubikmeter der abgefahrenen Unratmenge zu entnehmen.

6. Latrinenreinigung.

Abortentleerungen fanden 9 378 (9 424) statt. Ferner waren 2 486 (2 592) Entleerungen von Abortkübeln aus 38 (38) kleineren Häusern erforderlich. Der Inhalt der Kübel ergab 616,50 (527) hl Latrine, wovon 339,60 hl zu 16 ₰ und 276,90 hl zu 17 ₰ für das hl verkauft wurden; es betrug demnach der Erlös 101 ℳ 40 ₰ (84 ℳ 32 ₰). Für 109 (148) Kübelentleerungen hatten die Hauseigentümer die festgesetzte Gebühr von 50 ₰, sonach zusammen 54 ℳ 50 ₰ (74 ℳ) Kosten zu tragen.

Die insgesamt geförderte Latrinenmasse betrug 580 401,92 (585 778,62) hl, wovon 139 725,51 (146 136,75) hl wasserhaltig waren d. h. weniger als 20 Grad nach der Beck'schen Senkwage wogen und 3 536,16 hl gegen Erhebung einer Gebühr von 25 ₰ für das hl aus dem Stadtteile Mainz-Mombach zur Abfuhr gelangten.

Die Abfuhr und Verwendung der geförderten Latrinenmasse ist aus den Tabellen C und D, Seite 229 ersichtlich.

Die Förderung der Masse in den einzelnen Monaten stellte sich wie folgt:

	1907	1906
April	51 711,37 hl	(44 770,07 hl)
Mai	54 693,10 „	(54 509,10 „)
Juni	40 128,56 „	(34 917,33 „)
Juli	42 925,20 „	(41 044,04 „)
August	38 128,39 „	(44 676,57 „)
September	49 685,65 „	(49 445,66 „)
Oktober	45 698,18 „	(51 284,24 „)
November	41 395,83 „	(44 659,35 „)
Dezember	38 523,06 „	(41 516,17 „)
Januar	54 283,81 „	(56 179,61 „)
Februar	65 259,20 „	(58 509,30 „)
März	57 969,57 „	(64 267,18 „)
Summe	580 401,92 hl	(585 778,62 hl)

Aus 41 (56) Abortgruben wurde durch nächtliche Handarbeit der Bodensatz entfernt und durch eigene Gespanne in 117 (91) Fuhren aus der Stadt geschafft. Die hierdurch entstandenen Kosten in Höhe von 1 784 ℳ 38 ₰ (1 652 ℳ 85 ₰) wurden durch die Ersatzpflichtigen der Stadt zurückerstattet.

Neuerbaute sowie bei einer Revision schadhaft befundene und wiederhergestellte Abortgruben wurden 150 (141) auf ihre Dichtigkeit mittels Wasserfüllung geprüft. Bei 10 (7) Gruben mußte die Herstellung und Prüfung infolge festgestellter Undichtigkeit wiederholt werden. Die Kosten dieser Prüfungen betrugen 1 272 ℳ 29 ₰ (1 196 ℳ 23 ₰) und waren von den betreffenden Hauseigentümern zu tragen.

Die Gesamtausgaben für Latrinenreinigung betrugen einschließlich des Anteils an den Selbstkosten der Pferdehaltung und der uneinbringlichen Kasten 133 457 ℳ 13 ₰ (139 869 ℳ 59 ₰), welche durch folgende Einnahmeposten entlastet wurden:

1. Erlös aus der Latrinenmasse	54 503 ℳ 43 ₰	(52 930 ℳ 49 ₰)
2. Ersatz der Abfuhrkosten wasserhaltiger Latrine	32 420 „ 50 „	(33 393 „ 98 „)
3. Ersatz der Kosten für Abfuhr von unbrauchbarem Bodensatz	1 784 „ 38 „	(1 652 „ 85 „)
4. Ersatz der Kosten für Abfuhr von Abortkübeln	54 „ 50 „	(74 „ — „)
5. Ersatz der Kosten für Prüfung der Latrinengruben	1 272 „ 29 „	(1 196 „ 23 „)
6. Erlös aus abgängigem Material	460 „ 82 „	(555 „ 15 „)
7. Erlös für vermietete Latrinenfaßwagen, sowie Ersatzkosten für Reparaturen an denselben	3 053 „ 14 „	(3 320 „ — „)
8. Miete von Gelände an Latrinensammelgruben	70 „ — „	(70 „ — „)
9. Unvorhergesehenes	— „ — „	(2 „ 50 „)
10. Ersatz der Kasten für Prüfung von Abortgruben nach den Systemen Brix und Gibian	550 „ — „	(520 „ — „)
11. für Abfuhr von Latrinenmasse aus Mainz-Mombach	834 „ 13 „	(— „ — „)
Summe der Einnahmen	95 053 ℳ 19 ₰	(93 715 ℳ 20 ₰)
Der Nettoaufwand betrug sonach	38 403 „ 94 „	(46 154 „ 39 „)

Um das Überlaufen von Abortgruben zu verhüten, mußten in den Monaten Juli bis Dezember 79 967,12 (100 894,13) hl Latrine ausgeschüttet werden.

7. Pferdehaltung.

Der Pferdebestand wurde infolge des durch die Verlegung des Müllabladeplatzes vor das Gautor eingetretenen Mehrbedarfs von 44 auf 54 erhöht.

4 (3) Pferde, deren Leistungen den Anforderungen nicht mehr entsprachen, wurden ausrangiert und durch jüngere ersetzt.

Von jeder Krankheit verschont blieben 3 Pferde. Die Erkrankungen der übrigen Tiere erstreckte sich auf 164 (41) Fälle mit 861 (405) Krankheitstagen. Sie bestanden in der Hauptsache aus Kartarrhen der oberen Luftwege, Kolik, Druse und Lahmheiten. 9 Fälle an Lahmheiten waren die Folge von Hufverletzungen, die sich die Pferde an Glasscherben, Nägeln ꝛc. auf den Unratabladeplätzen zugezogen hatten.

3 Pferde sind im Berichtsjahre eingegangen und zwar 1 an Kolik, 1 an Lungenentzündung und 1 an Herzschwäche infolge Erkrankung der oberen Luftwege. Das an Lungenentzündung verendete Pferd war 12 Tage vorher angekauft und wurde dessen Verlust nach einem mit dem Verkäufer getroffenen Vergleich zur Hälfte von diesem getragen.

Für Löhne und Dienstkleidung der Fuhrleute wurden nach Abzug der anteiligen Einnahmen insgesamt aufgewendet 43 041 ℳ 64 ₰ (34 196 ℳ 20 ₰) oder 3 ℳ 91 ₰ für den Mann und den Arbeitstag.

Die Kosten für Futter, Stren, Unterhaltung des Geschirrs und des Hufbeschlags, sowie für tierärztliche Behandlung beliefen sich nach Abzug der Einnahmen auf 52 656 ℳ 68 ₰ (40 056 ℳ 43 ₰) oder 3 ℳ 65 ₰ für das Pferd und den Arbeitstag.

Für einen Arbeitstag stellen sich demnach die Kosten eines Einspänners auf 3 ℳ 91 ₰ + 3 ℳ 65 ₰ = 7 ℳ 56 ₰ (7 ℳ 16 ₰) und die eines Doppelspänners auf 3 ℳ 91 ₰ + 3 ℳ 65 ₰ + 3 ℳ 65 ₰ = 11 ℳ 21 ₰ (10 ℳ 51 ₰.) Die Gesamtaufwendungen für die Pferdehaltung betrugen 124 356 ℳ 83 ₰ (95 927 ℳ 56 ₰.)

An Einnahmen waren zu verzeichnen:

1.	für Abfuhr wasserhaltiger Latrinenmasse	20 276 ℳ	15 ₰	(16 480 ℳ	60 ₰)
2.	für Abfuhr von 252 cbm Abraum aus dem Zollhafengebiet	512 „	— „	(456 „	— „)
3.	für Abfuhr von 150 cbm Abraum vom Schlacht- und Viehhof	305 „	— „	(163 „	— „)
4.	für Abfuhr von Abraum vom Friedhof 573 cbm zu 1,50 ℳ =	859 „	50 „	(1 248 „	— „)
5.	für Leistungen für verschiedene andere städtische Verwaltungen	569 „	95 „	(465 „	60 „)
6.	Erlös aus Pferdedung	1 257 „	38 „	(1 071 „	27 „)
7.	für Transport des Speisewagens der Hospizienverwaltung	600 „	— „	(600 „	— „)
8.	Erlös aus alten Hufeisen ꝛc.	877 „	53 „	(550 „	46 „)
9.	Erlös aus abgängigen Pferden	776 „	— „	(640 „	— „)
10.	für Abfuhr des Dunges aus dem Schlacht- und Viehhof	1 305 „	— „	(— „	— „)
11.	für Abfuhr des Straßenkehrichts aus dem Stadtteil Mainz-Mombach	560 „	— „	(— „	— „)
12.	für Abfuhr des Hausmülls aus dem Stadtteil Mainz-Mombach	760 „	— „	(— „	— „)
	Summe der Einnahmen	28 658 ℳ	51 ₰	(21 674 ℳ	93 ₰)
	sodaß ein Nettoaufwand verbleibt von	95 698 „	32 „	(74 252 „	63 „)

mit welchem die einzelnen Unterabteilungen des Reinigungsamts nach dem Verhältnis ihres Anteils belastet wurden.

Die Abfuhr von Straßenkehricht aus dem Stadtteil Mainz-Mombach, die Abfuhr von Abortkübeln, die An- und Abfuhr der zur Beseitigung von Bodensatz aus Abortgruben dienenden Trommelkarren, die Entleerung von Abortgruben der an sehr engen und verkehrsreichen, mit Straßenbahnen durchzogenen Straßen gelegenen Häuser, die Pflege erkrankter Pferde, die Ergänzung des Hufbeschlags in besonderen Fällen und verschiedene andere Anläße bedingten Fuhrleistungen und von den Fuhrleuten zu verrichtende Arbeiten vor Beginn bezw. nach Beendigung der regelmäßigen Arbeitszeit, wodurch 1 047 Überstunden entstanden sind.

Der nachstehenden Übersicht E, Seite 230, sind die sämtlichen Leistungen der Pferde im Berichtsjahre und die dadurch entstandenen Kosten im einzelnen zu entnehmen. Der Berechnung der Kosten wurden die oben ermittelten Einheitspreise zugrunde gelegt und die für solche Leistungen durch Mietfuhrwerk an Unternehmer vertraglich zu zahlenden Preise zum Vergleich beigefügt.

8. Bedürfnisanstalten.

Seit Beginn des Berichtsjahres ist in jeder Bedürfnisanstalt ein Sitz zur unentgeltlichen Benutzung freigegeben, während für die Benutzung eines der übrigen Sitze allgemein eine Gebühr von 10 Pfg. zu zahlen ist.

Die gebührenfreien Sitze wurden von rund 20 000 Personen benutzt, wovon entfallen:

auf die Anstalt am Meßplatz	etwa	8 800
„ „ „ „ Frauenlobplatz	„	6 000
„ „ „ „ Marktplatz	„	5 200

Außerdem benutzten 8 502 zahlende Personen die Anstalten und kamen hiervon:

auf die Anstalt am Marktplatz	4 997
„ „ „ „ Meßplatz	3 156
„ „ „ „ Frauenlobplatz	349

Die Einnahmen hieraus flossen den Wärterinnen der Anstalten zu, die außerdem, mit Ausnahme der Wärterin der Anstalt am Markt, eine tägliche Vergütung von je 1 ℳ aus der Stadtkasse erhielten.

Für hinreichende Desinfektion in den Anstalten mittels Lysols usw. wurde durch das Reinigungsamt Sorge getragen und hierfür der Betrag von 58 ℳ 80 ₰ (60 ℳ 95 ₰) aufgewendet.

9. Wohnungsdesinfektion.

64 (18) Wohnungen mit zusammen 133 (27) Räumen wurden mittels Formalin desinfiziert. In 53 Fällen waren Tuberkulose-, in 8 Fällen Diphterie- und in 3 Fällen Typhus-Erkrankungen die Ursache.

Außerdem wurden auf Antrag noch 8 Wohnungen mit zusammen 22 Räumen desinfiziert; die Kosten dieser Desinfektionen mit insgesamt 239 ℳ 30 ₰ trugen die Wohnungsinhaber bezw. Antragsteller.

10. Reinigung der Straßenschilder, Gaskandelaber und Wandarme.

Straßenschilder, Gaskandelaber und Wandarme wurden nach Bedarf gereinigt, und zwar die Straßenschilder durchweg zweimal, die Kandelaber und Wandarme zwei- bis dreimal im Jahr.

Außerdem lag dem Reinigungsamte die Belebung, Unterhaltung und Bedienung der in der verlängerten Rheinallee und der Zwerchallee aufgestellten Spiritusglühlichtlaternen ob. Die hierdurch entstandenen Ausgaben fielen aber nicht dem Reinigungswesen, sondern der Rubrik 66 der Betriebsrechnung zur Last.

11. Sonstige Leistungen.

1. Umwechseln von Abortkübeln in dem Bedürfnishäuschen am Markt	96 (76)	Arbeitsstunden.
2. „ „ „ „ „ „ „ Meßplatz	52 (38)	„
3. „ „ „ „ „ „ am Frauenlobplatz	40 (30)	„
4. desgl. in der Fürstenbergerhofschule	44 (40)	„
5. „ „ der Eisgrubschule	10 (6)	„
6. „ „ dem Hafengebiet	30 (24)	„
7. „ „ den Oktroierhebestellen und den Baumagazinen	12 (10)	„
8. Reinigen der Aborte in der Höheren Mädchenschule	110 (210)	„
9. Aufladen und Transportieren von Mobilien, Drucksachen und dergl., sowie Ankleben von Plakaten für die Oktroiverwaltung, die Allgemeine Verwaltung, die Polizeiverwaltung und die Volksschulen	30 (13)	„
zusammen	424 (447)	Arbeitsstunden.

12. Verwaltung.

Die Verwaltungskosten, bestehend in Beamtengehalten, Bureaukosten, Steuern, Feuerversicherung, Unterhaltung und Beleuchtung der Gebäude der Reinigungsanstalt nebst Wasserversorgungsanlage, der Wagenhalle und des Wärterhäuschens rc. auf der Fintherhöhe, sowie des Meldebureaus an der Rheinallee

betrugen	34 618 ℳ 77 ₰	(36 167 ℳ 28 ₰)
Hiervon sind an Einnahmen in Abzug zu bringen:		
1. für Miete von Dienstwohnungen	760 „ — „	(751 „ 67 „)
2. Erlös für verkaufte Bezugsanweisungen und sonstige Drucksachen sowie für Unvorhergesehenes	270 „ 70 „	(289 „ 59 „)
3. Pacht für eine zwischen der Reinigungsanstalt und dem Bahndamme gelegene kleine Ackerfläche	3 „ — „	(3 „ — „)
zusammen	1 033 ℳ 70 ₰	(1 044 ℳ 26 ₰)
sodaß der Nettoaufwand betrug.	33 585 ℳ 07 ₰	(35 123 ℳ 02 ₰)

13. Verzinsung und Tilgung der für den Neubau der Reinigungsanstalt sowie der infolge Verlegung des Müllabladeplatzes vor das Gautor aufgewendeten Kapitalien.

Die an Verzinsung und Tilgungen entstandenen Ausgaben berechnen sich wie folgt:

a) für den Neubau der Reinigungsanstalt:

1.	2.		3.		4.		5.		6.		7.	
Bezeichnung	Aufwendungen bis Ende des Rechnungsjahres 1907		Tilgungen bis 31. März 1907		Restkapital 31. März 1907		Zinsen 4% vom Restkapital		Tilgung 4½% des Ursprungskapitals abzüglich der Zinsen in Spalte 5		Restkapital 31. März 1908	
	ℳ	₰	ℳ	₰	ℳ	₰	ℳ	₰	ℳ	₰	ℳ	₰
1. Grund u. Boden 6074 qm zu 10 ℳ	60 740	—	991	87	59 748	13	2 389	93	343	37	59 404	76
2. Gebäude, Straßen, Einfriedigung, Entwässerungsanlage ꝛc.	152 734	48	2 383	88	150 350	60	6 014	02	859	03	149 491	57
									Tilgung 6% des Ursprungskapitals			
3. Wasserversorgungs-, elektrische Licht- und sonstige maschinelle Anlagen ꝛc. .	25 931	84	4 667	73	21 264	11	850	56	1 555	91	19 708	20
4. Vorarbeiten ꝛc. für die Bebauung	2 434	95	438	30	1 996	65	79	87	146	10	1 850	55
Summe ...	241 841	27	8 481	78	233 359	49	9 334	38	2 904	41	230 455	08

b) für die infolge Verlegung des Müllabladeplatzes vor das Gantor aufgewendeten Kapitalien:

1.	2.		3.		4.		5.		6.		7.	
Bezeichnung	Aufwendungen bis Ende des Rechnungsjahres 1907		Tilgungen bis 31. März 1907		Restkapital 31. März 1907		Zinsen 4% vom Restkapital		Tilgung 4½% des Ursprungskapitals abzüglich der Zinsen in Spalte 5		Restkapital 31. März 1908	
	ℳ	₰	ℳ	₰	ℳ	₰	ℳ	₰	ℳ	₰	ℳ	₰
1. Gebäude, Gelände ꝛc. .	28 847	88	—	—	28 847	88	1 153	92	144	24	28 703	64
									Tilgung 10% des Ursprungskapitals			
2. Pferdegeschirre	2 003	48	—	—	2 003	48	80	14	200	35	1 803	13
									Tilgung 16% des Ursprungskapitals			
3. Für 10 Pferde zu 1600 ℳ	16 000	—	—	—	16 000	—	640	—	2 560	—	13 440	—
									Tilgung 33⅓% des Ursprungskapitals			
4. Errichtung einer prov. Stallung, Pachtentschädigung, Beschaffung von Laternen, Herstellung eines Aufenthaltsraumes, Unterhaltungs- u. Planierungsarbeiten	3 825	93	—	—	3 825	93	153	05	1 275	31	2 550	62
Summe ...	50 677	29	—	—	50 677	29	2 027	11	4 179	90	46 497	39

14. Gesamtergebnis.

Aus der beigefügten Übersicht F, Seite 231, sind die gesamten Einnahmen und Ausgaben des Reinigungsamtes zu ersehen.

A. Übersicht

über die in den Rechnungsjahren 1903/04 bis 1907 durch die ordentliche Straßenreinigung verursachten Kosten und deren Verteilung auf den Kopf der Bevölkerung und das qm Reinigungsfläche.

Laufende Nr.	Bezeichnung der Ausgaben	1903/04 Mittlere Einw.-Zahl: 88 500 R.-Fläche: 538 000 qm Betrag ℳ	₰	1904 Mittlere Einw.-Zahl: 90 000 R.-Fläche: [illegible] qm Betrag ℳ	₰	1905 Mittlere Einw.-Zahl: 91 000 R.-Fläche: 615 550 qm Betrag ℳ	₰	1906 Mittlere Einw.-Zahl: 91 800 R.-Fläche: [illegible] qm Betrag ℳ	₰	1907 Mittlere Einw.-Zahl: 93 000 R.-Fläche: [illegible] qm Betrag ℳ	₰
1.	Taglöhne und Dienstkleidung	84 839	16	96 469	53	104 037	52	106 749	56	101 211	29
2.	Besen und Kehrwalzen	7 000	—	7 267	76	7 696	95	6 860	04	5 235	20
3.	Unterhaltung des Inventars	3 999	57	4 395	18	4 699	80	4 999	89	5 289	16
4.	Kostenanteil an der Pferdehaltung	15 217	60	14 766	88	15 670	98	14 490	68	18 490	07
5.	Wasserverbrauch	1 999	89	1 999	95	1 791	60	1 750	93	1 348	31
	Summe	113 056	22	124 899	30	133 896	85	134 851	30	131 574	05
	Abzüglich der entstandenen Einnahmen	3 493	87	3 570	97	2 652	07	4 711	80	4 585	80
	verbleiben	109 562	35	121 328	33	131 244	78	130 139	50	126 988	25
	oder										
	auf den Kopf der Bevölkerung	1	24	1	35	1	44	1	42	1	37
	auf das qm Reinigungsfläche		20,4	—	22,2	—	21,3	—	21	—	19,8

B. Übersicht

über die in den Rechnungsjahren 1903/04 bis 1907 durch die Abfuhr der Haushaltungs- ꝛc. Abfälle verursachten Kosten und deren Verteilung auf den Kopf der Bevölkerung und das cbm der abgefahrenen Menge.

Laufende Nr.	Bezeichnung der Ausgaben	1903/04 Mittlere Einw.-Zahl: 88 500 Abgefahrene Menge: [illegible] cbm Betrag ℳ	₰	1904 Mittlere Einw.-Zahl: 90 000 Abgefahrene Menge: 24 340 cbm Betrag ℳ	₰	1905 Mittlere Einw.-Zahl: 91 000 Abgefahrene Menge: 25 716 cbm Betrag ℳ	₰	1906 Mittlere Einw.-Zahl: 91 800 Abgefahrene Menge: 28 690 cbm Betrag ℳ	₰	1907 Mittlere Einw.-Zahl: 93 000 Abgefahrene Menge: [illegible] cbm Betrag ℳ	₰
1	Taglöhne und Dienstkleider	26 319	02	28 461	78	30 399	44	33 241	15	33 781	10
1a	Abdeckung der Müllmassen auf dem erweiterten Abladeplatz auf der Ingelheimer Au mit Mutterboden	—	—	—	—	1 464	45	—	—	1 914	22
2	Unterhaltung des Inventars (einschl. 407 ℳ 49 ₰ für eine in 1906 beschaffte Säulenbohrmaschine)	2 501	—	3 050	65	4 053	61	4 492	15	4 524	54
3	Kostenanteil an der Pferdehaltung	25 265	96	29 792	47	29 482	89	32 580	71	41 065	62
4	Für Beschaffung von 2 gedeckten Kehrichtwagen	—	—	174	40	1 719	06	44	65	3 483	85
5	Verzinsung und Tilgung des für Beschaffung von Kehrichtwagen aufgewendeten Kapitals	850	38	850	38	850	38	850	38	850	38
6	Kosten der Verlegung des Müllabladeplatzes; hier Pachtentschädigung, Einzäunung des Platzes und Errichtung eines Aborthäuschens auf demselben, Pacht ꝛc.	—	—	—	—	—	—	722	56	514	24
	Summe	54 936	36	62 329	68	67 969	83	71 931	60	86 133	95
	Abzüglich der entstandenen Einnahmen	3 944	80	4 030	87	4 507	37	5 025	29	8 489	59
	verbleiben	50 991	56	58 298	81	63 462	46	66 916	31	77 644	36
	oder										
	auf den Kopf der Bevölkerung	—	57,6	—	64,7	—	70	—	72,9	—	83,5
	auf das cbm abgefahrene Menge	2	11	2	39	2	47	2	33	2	50

C. Übersicht

über die in der Zeit vom 1. April 1907 bis Ende März 1908 abgefahrene vollhaltige Latrine.

Gemeinden	Vertragsmäßig zu beziehende Mengen	Durch Landwirte bezogen		In die Sammelgruben		Lade-Verluste	Ausgeschüttet	Im ganzen
		an der Maschine	aus Kübeln	per Achse	per Bahn			
	hl	hl	hl	hl	hl	hl	hl	hl
Bodenheim	2 000,00	1 608,02	—	—	—	—	—	1 608,02
Bretzenheim	69 200,00	77 798,05	—	—	—	—	—	77 798,05
Budenheim	8 500,00	10 723,20	—	—	—	—	—	10 723,20
Dornberg	20 000,00	—	—	—	24 200,00	—	—	24 200,00
Drais	7 700,00	10 044,50	—	—	—	—	—	10 044,50
Ebersheim	700,00	332,37			—		—	332,37
Finthen	10 500,00	9 643,43	—	—	—	—	—	9 643,43
Gonsenheim	51 600,00	79 504,28	—	—	—	—	—	79 504,28
Hechtsheim	16 250,00	23 195,66	—	—	—	—	—	23 195,66
Heidesheim	650,00	657,90	—	—	400,00	—	—	1 057,90
Kastel	9 200,00	11 170,50	—	4 139,13	—	—	—	15 309,63
Kostheim	11 250,00	8 582,99	—	4 116,88	—	—	—	12 699,91
Mainz	3 450,00	5 569,18	—	—	—		—	5 569,18
Marienborn	11 200,00	8 515,13	—	—	—	—	—	8 515,13
Mörfelden	12 000,00	—	—	—	15 700,00		—	15 700,00
Mombach	—	—	616,50	—	—	—	—	616,50
Nauheim	6 000,00	—	—	—	5 900,00	—	—	5 900,00
Weiterstadt	25 000,00	—	—	—	36 800,00	—	—	36 800,00
An Private	4 500,00	—	—	—	6 500,00	—	—	6 500,00
Städt. Reinigungsamt	—	—	—	—	—	14 991,57	79 967,42	94 958,99
Summe 1907	269 700,00	247 345,41	616,50	8 255,51	89 500,00	14 991,57	79 967,42	440 676,41
" 1906	287 750,00	237 106,78	527,00	8 344,23	81 300,00	11 553,58	100 973,14	439 804,73
Mithin 1907 mehr	—	10 238,63	89,50	—	8 200,00	3 437,99	—	871,68
weniger	18 050,00	—	—	88,72		—	21 005,72	—

D. Übersicht

über die in der Zeit vom 1. April 1907 bis Ende März 1908 abgefahrene wasserhaltige Latrinenmasse und die an die Abfuhrunternehmer bezahlten Vergütungen.

Abfuhrunternehmer	Wasserhaltige Latrinenmasse bei einem Gehalte von							Geldbetrag im ganzen	
	unter 15 Grad	per hl 25 ₰		von 15—20 Grad	per hl 15 ₰		Zusammen		
	hl	ℳ	₰	hl	ℳ	₰	hl	ℳ	
Zöll, Karl*)	42 261,03	10 565	27	10 518,28	1 577	74	52 779,31	12 143	01
Städtisches Reinigungsamt	72 343,82	18 085	95	14 602,38	2 190	20	86 946,20	20 276	15
Summe 1907	114 604,85	28 651	22	25 120,66	3 767	94	139 725,51	32 419	16
" 1906	114 871,50	28 717	92	31 165,25	4 674	76	146 036,75	33 392	71
Mithin 1907 mehr	—	—	—	—	—	—	—	—	—
Mithin 1907 weniger	266,65	66	70	6 044,59	906	82	6 311,24	973	55

*) Anmerkung: Der mit dem Unternehmer Karl Zöll über Abfuhr wasserhaltiger Latrinenmasse abgeschlossene Vertrag wurde am 1. Dezember 1907 gelöst. Von diesem Tage ab findet die Abfuhr der gesamten wasserhaltigen Latrinenmasse durch eigene Gespanne statt.

E. Übersicht
über die Gesamtleistungen der Pferde im Rechnungsjahre 1907 und die hierdurch entstandenen Kosten 2c.

Laufende Nr.	Bezeichnung der Leistungen	Selbstkostenpreis im einzelnen ℳ	₰	Selbstkostenpreis im ganzen ℳ	₰	Unternehmerpreis im einzelnen ℳ	₰	Unternehmerpreis im ganzen ℳ	₰
		pro Gespann und Tag				pro Gespann und Tag			
1	Für Bespannung der Wasch- und Kehrmaschinen und Abfuhr des Straßenkehrichts:								
	745 Einspänner	7	56	5 632	20	9	—	6 705	
	1 147 Doppelspänner	11	21	12 857	87	16	—	18 352	—
2	Straßenbegießung:								
	646 Einspänner } insgesamt 31 626 cbm Wasserverbrauch	7	56	4 883	76	9	—	5 814	—
	100 Doppelspänner }	11	21	1 121	—	16	—	1 600	—
3	Abfuhr von Schnee und Eis, An- und Abfuhr von Streusand 2c.:								
	62 Einspänner	7	56	468	72	9	—	558	—
	67 Doppelspänner	11	21	751	07	16	—	1 072	—
4	Abfuhr der Haushaltungsabfälle sowie Anfuhr von Mutterboden 2c.:								
	4 565 Einspänner	7	56	34 511	40	9	—	41 085	—
	642 Doppelspänner	11	21	7 196	82	16	—	10 272	—
5	Bespannung der Dampfluftpumpen, Kübel-, Tonnen- und Trommelwagen:								
	1 437 Einspänner	7	56	10 863	72	9	—	12 933	—
	47 Doppelspänner	11	21	526	87	16	—	752	—
6	Abfuhr von Latrinenmasse:								
	a) wasserhaltige:								
	— Einspänner } 72 343,83 hl zu 18 ₰ u. 14 602,38 hl zu 8 ₰	7	56	—	—	} —	—	14 190	08
	702 Doppelspänner }	11	21	7 869	42				
	b) vollhaltige:								
	1 447 Doppelspänner = 159 441,10 hl zu 12 ₰ u. 8 255,51 hl zu 25 ₰	11	21	16 220	87	—	—	21 196	81
7	Anfuhr von Wasser auf dem Betriebsplatz:								
	39,4 Einspänner	7	56	297	86	9	—	354	60
8	Transport von Geräten zum Meldebureau:								
	26 Einspänner	7	56	196	56	9	—	234	—
	— Doppelspänner	—	—	—	—	—	—	—	—
9	Abfuhr von Unrat 2c. vom Hafen, Friedhof und Viehhof:								
	92 Einspänner } 573 cbm zu 1 ℳ 50 ₰, 367,25 cbm zu 2 ℳ	7	56	695	52	} —	—	1 676	50
	49,6 Doppelspänner } u. 33 cbm zu 2 ℳ 50 ₰	11	21	556	02				
10	Verschiedene Fuhrleistungen für andere städtische Verwaltungen 2c.:								
	303,6 Einspänner	7	56	2 295	22	9	—	2 732	40
	160,4 Doppelspänner	11	21	1 798	08	16	—	2 566	40
	7 916 Einspänner-Tagewerke } zusammen 16 640 Pferdeleistungstage 4 362 Doppelspänner-Tagewerke }	—	—	108742	98	—	—	142093	79

Da im Durchschnitt 52 Pferde vorhanden waren, entfallen auf jedes Pferd 320 (319) Arbeitstage.

F. Übersicht
über die durch Rubrik 65 „Reinigungswesen" im Rechnungsjahr 1907 verursachten Kosten.

Laufende Nr.	Bezeichnung der Positionen	Einnahme				Ausgabe				Zuschuß			
		Nach dem Voranschlag		Nach der Rechnung		Nach dem Voranschlag		Nach der Rechnung		Nach dem Voranschlag		Nach der Rechnung	
		ℳ	₰	ℳ	₰	ℳ	₰	ℳ	₰	ℳ	₰	ℳ	₰
1	Straßenreinigung	3 290	—	4 585	80	182 289	—	153 855	15	178 999	—	149 269	35
2	Abfuhr der Haushaltungsabfälle . .	5 060	—	8 489	59	83 236	—	86 150	33	78 176	—	77 660	74
	Kreditübertrag aus 1906	—	—	—	—	3 661	89			3 661	89		
3	Latrinenreinigung	107 110	—	95 053	19	155 465	—	133 457	13	48 355	—	38 403	94
	Kreditübertrag aus 1906	—	—	—	—	900	—			900	—		
4	Pferdehaltung	127 998	—	124 356	83	127 998	—	124 356	83	—	—	—	—
	Kreditübertrag aus 1906	—	—	—	—	3 530	—			3 530	—	—	
5	Verwaltungskosten	1 063	—	1 033	70	36 413	14	34 618	77	35 350	14	33 585	07
	Kredit zu Lasten des Reservefonds	—	—	—	—	250	—			250	—		
6	Verzinsung und Tilgung der für den Neubau sowit infolge Verlegung des Müllabladeplatzes aufgewendeten Kapitalien	—	—	—	—	19 666	86	18 445	80	19 666	86	18 445	80
	Summe . . .	244 521	—	233 519	11	613 409	89	550 884	01	368 888	89	317 364	90

XXXI. Armen- und Krankenpflege, Wohltätigkeitsanstalten.

Hier wird auf den von der Armen-Deputation und der Hospizien-Deputation erstatteten Sonderbericht verwiesen. Über die Benutzung der städtischen Wärme- und Unterstandshalle in der Münsterstraße, deren Bewirtschaftung dem Verein für Volkswohlfahrt übertragen ist, hat der letztere nachstehende Angaben gemacht:

Monat	Rechnungsjahr 1907		Rechnungsjahr 1906	
	Die Anstalt war geöffnet Tage	Die Anstalt haben benutzt Personen	Die Anstalt war geöffnet Tage	Die Anstalt haben benutzt Personen
April	25	1 603	23	1 230
Mai	25	1 601	26	1 214
Juni	25	1 624	25	1 223
Juli	27	1 632	26	1 210
August	26	1 612	26	1 218
September . . .	25	1 904	26	1 220
Oktober	27	1 895	26	1 233
November	25	1 924	25	1 325
Dezember	24	1 945	24	1 337
Januar	26	1 974	26	1 337
Februar	25	1 968	23	1 345
März	26	1 945	25	1 335
Summe . . .	306	21 627	301	15 227

Im Rechnungsjahr 1907 wurde hiernach die Anstalt im Durchschnitt täglich von rund 71 Personen besucht gegen 51 im Vorjahre.

Ferner hat der Verein für Volkswohlfahrt über die Benutzung der von ihm in der Liebfrauenstraße eingerichteten Wärme- und Unterstandshalle folgendes mitgeteilt:

Monat	Rechnungsjahr 1907		Rechnungsjahr 1906	
	Die Anstalt war geöffnet Tage	Die Anstalt haben benutzt Personen	Die Anstalt war geöffnet Tage	Die Anstalt haben benutzt Personen
April	25	1 450	23	903
Mai	25	1 429	26	931
Juni	25	1 412	25	1 047
Juli	27	1 285	26	1 085
August	26	1 295	26	945
September	25	1 740	26	993
Oktober	27	1 740	26	1 011
November	25	1 743	25	1 000
Dezember	24	1 804	24	1 000
Januar	26	1 809	26	1 098
Februar	25	1 865	23	1 065
März	26	1 756	25	1 041
Summe	306	19 328	301	12 119

Im Rechnungsjahre 1907 wurde hiernach diese Anstalt im Durchschnitt täglich von rund 63 Personen besucht gegen 40 im Vorjahre.

XXXII. Städtische Sparkasse.

Über die Betriebsergebnisse der Städtischen Sparkasse wurde ein besonderer Bericht erstattet.

XXXIII. Friedhöfe.

a) Auräusfriedhof.

Durch das am 1. April 1906 in Kraft getretene Gesetz vom 22. Juli 1905, das Beerdigungswesen betreffend, sind die Bestimmungen der französischen Gesetzgebung, wonach in Rheinhessen den Kirchenfabriken und Konsistorien das alleinige Recht zur Führung der Leichenwagen zustand, aufgehoben und ist dieses Recht auf die bürgerlichen Gemeinden übertragen worden. Da eine endgültige Regelung des nunmehr von der Stadt zu betätigenden Leichenfuhrwesens noch nicht stattgefunden hat, wurde der lt. Beschluß der Stadtverordneten-Versammlung vom 29. März 1906 mit dem Verein Mainzer Droschkenbesitzer abgeschlossene Vertrag auf unbestimmte Zeit mit der Maßgabe verlängert, daß die Stadt berechtigt ist, den Vertrag mit vierteljähriger Frist auf das Ende eines Kalendervierteljahres zu kündigen.

In der Zeit vom 1. April 1907 bis zum 31. März 1908 wurden mit Ausschluß des Militärs vom Feldwebel abwärts 1 506 Leichen gegen 1 665 im Vorjahr nach dem Friedhof verbracht und zwar:

	1907	1906
a) mit dem Prunkwagen	268	272
b) „ „ goldenen Wagen	417	424
c) „ „ silbernen Wagen	159	170
d) „ „ goldenen Kinderwagen	92	123
e) „ „ silbernen Kinderwagen	486	582
f) ohne Wagen	84	94
zusammen	1 506	1 665

Zur Beerdigung im Turnus wurden verwendet:

a) für Katholiken:
4 Reihen vom Quadrat 14, die ganzen Quadrate 15, 16 und 17 und einige Gräber vom Quadrat 18, zusammen etwa 250 Gräber;

b) für Evangelische:
12 Reihen vom Quadrat 27, sowie einige Gräber vom Quadrat 53, zusammen etwa 190 Gräber;

c) für Kinder:
1. auf dem katholischen Teil:
4 Reihen vom Quadrat 57 mit ungefähr 220 Gräbern:
2. auf dem evangelischen Teil:
4 Reihen vom Quadrat 26a, sowie 11 Reihen vom Quadrat 59 mit ungefähr 200 Gräbern;

d) für Freireligiöse 9 Gräber auf dem reservierten Quadrat 25.

Die übrigen Leichen sind in Familiengräber beigesetzt worden.

Von auswärts wurden 60 Leichen nach dem Friedhof verbracht. Zur Beerdigung in anderen Gemeinden wurden 12 Leichen aus dem Leichenhause übergeführt. Leichen von Militärpersonen vom Feldwebel abwärts wurden 10 beerdigt.

In dem Sektionssaal wurden 19 Sektionen vorgenommen.

Familiengräber wurden 241 gegen 211 im Vorjahre in Eigentum verkauft und zwar 214 in Erbbestand und 27 auf Zeitbestand von 30 Jahren. Der Erlös für die verkauften Gräber beträgt 16162 ℳ 67 ₰, wovon der Teil, welcher auf die gegen Terminzahlung erworbenen Grabstätten entfällt, erst in den nächsten Jahren bezahlt wird. Im Vorjahre betrug die Einnahme 18432 ℳ 67 ₰. Grabdenkmäler wurden 65 errichtet, im Vorjahre 57.

Gemäß der Begräbnisordnung vom 20. September 1881 beträgt das Ruherecht der in Reihengräbern beerdigten erwachsenen Personen 10 Jahre und der Kinder bis zum 6. Lebensjahre 5 Jahre. Nach Ablauf dieser Zeiträume können die Gräber zu weiteren Beerdigungen wieder benutzt werden.

Seit dem Bestehen des christlichen Begräbnisplatzes, 31. Mai 1803, bis Ende März 1908 wurden auf demselben 131661 Zivil- und 18448 Militärpersonen, im ganzen 150109 Personen beerdigt.

Die Unterhaltung der Friedhofsanlagen erfolgte wie bisher durch die Stadtgärtnerei und umfaßte die bereits in früheren Rechenschaftsberichten angeführten Arbeiten.

Für die Unterhaltung der gärtnerischen Anlagen und Wege waren während der Sommermonate 10 und während der Wintermonate 5 Mann beschäftigt. Zur Bepflanzung der Grabstätten im Frühjahr und zur Ausschmückung derselben am Allerheiligenfeste wurde noch eine Anzahl Gärtner und Handarbeiter aus der Stadtgärtnerei herangezogen.

Die Zahl der Gräber und Grüften, deren Unterhaltung und Pflege der Stadtgärtnerei übertragen ist, steigerte sich in diesem Jahre auf 98; im Vorjahr betrug sie 88.

Zur Ausschmückung der Grabstätten, des Urnenhains am Krematorium sowie der Friedhofsanlagen selbst kamen etwa 16500 Pflanzen zur Verwendung, die in der Gärtnerei am Gonsenheimertor und im Kulturgarten an der Fintherstraße gezüchtet wurden.

Die Abfuhr des Unrats vom Friedhofe geschah wie in früheren Jahren durch das städtische Reinigungsamt. Eine bedeutende Menge dürrer Kränze und Zweige, Papier usw. wurde auf dem Friedhofe selbst verbrannt. Die Hoffnung, durch letztere Maßnahme 800 ℳ zu sparen, hat sich nicht erfüllt, weshalb auch der hierfür von 1300 ℳ auf 500 ℳ herabgesetzte Kredit in der Stadtverordnetensitzung vom 13. November 1907 auf 1000 ℳ erhöht werden mußte.

Die Instandhaltung und Verbesserung alter Wege wurde durch das Tiefbauamt bewirkt.

Bezüglich der Aufwendungen, die für die Unterhaltung der Friedhofsanlagen und der Grabquadrate, sowie für die Pflege und Unterhaltung der Grabstätten gemacht wurden, wird auf die Angaben Seite 372 verwiesen.

Im Krematorium wurden in der Zeit vom 1. April 1907 bis 31. März 1908 258 Leichen eingeäschert gegen 228 im Vorjahre. Von den eingeäscherten Leichen kamen 220 von auswärts.

Die Aschenreste von 25 Leichen wurden in Reihengräbern beigesetzt. 25 Grabstätten wurden in Erbbestand von den Angehörigen erworben. Ferner wurden 2 Nischen für 1 und 2 Urnen verkauft.

Von den Gebühren für die Einäscherungen fallen der Stadt die nachstehend aufgeführten Anteile zu und zwar:

1. Schutz- ꝛc. Gebühr für eine Einäscherung . . . . 4 ℳ
2. Gebühr für Beisetzung in ein Reihengrab des Urnenhains . . . . . 1 „
3. Schutzgebühr für eine verkaufte Erd-Erbbegräbnisstätte im Urnenhain . . 10 „
4. Desgl. für Erb-Urnennischen und zwar:
   a) für eine Nische für 1 oder 2 Urnen . . . . 5 „
   b) „ „ „ „ 4 „ . . . . 10 „

Die der Stadt im Rechnungsjahr 1907 zugefallenen Gebührenanteile betragen daher:

für 258 Einäscherungen zu 4 ℳ	1032 ℳ
„ 25 Reihengräber (Beisetzungen) zu 1 ℳ	25 „
„ 25 Erbbegräbnisstätten zu 10 ℳ	250 „
„ 2 Nischen zu 5 ℳ	10 „
zusammen	1317 ℳ gegen 1157 ℳ im Vorj.

Die Unterhaltung der gärtnerischen Anlagen des Urnenhaines am Krematorium wurde ebenfalls seitens der Stadtgärtnerei betätigt. Die Zahl der im Urnenhain zu unterhaltenden Grabstätten beträgt jetzt 162.

b) Friedhof des Stadtteils Mainz-Mombach.

In der Zeit vom 1. April 1907 bis 31. März 1908 wurden 129 Leichen nach dem Friedhof verbracht und zwar:

mit dem Leichenwagen	44
ohne Wagen (Kinder)	82
„ „ (Erwachsene)	3
zusammen . . .	129

Zur Beerdigung wurden verwendet 25 Reihengräber für Erwachsene und 70 für Kinder. (Eine Trennung nach Konfessionen ist nicht eingeführt.) Die übrigen Leichen sind in Familiengräber beigesetzt worden. Von auswärts wurden 2 Leichen nach dem Friedhof verbracht. Nach auswärts wurden 11 Leichen übergeführt.

Im Sektionssaal wurden 2 Sektionen vorgenommen.

Familiengräber wurden verkauft:

11 zu 20 ℳ —	220 ℳ
12 „ 40 „ —	480 „
zusammen 23 Gräber für	700 ℳ

Die Unterhaltung des Friedhofs erfolgte erstmals durch die Stadtgärtnerei unter Mitwirkung der Ortsverwaltung.

3 Grabstätten wurden auf Kosten der Stadt und im Auftrag der Stadtgärtnerei durch den Friedhofsaufseher unterhalten. Die Bewachung des Friedhofs erfolgt durch den Friedhofsaufseher.

22 Alleebäume wurden durch die Stadtgärtnerei angepflanzt.

XXXIV. Schulwesen.

1. Großh. Ostergymnasium mit Vorschule.

Am Schlusse des Schuljahres 1907/08 wirkten an der Anstalt außer dem Direktor 27 Lehrer, davon 2 außerordentliche (Religions-)Lehrer. Hiervon waren an der Vorschule tätig 5, darunter 1 außerordentlicher (Religions-)Lehrer. Unterricht erteilt wurde am Gymnasium in 15 Klassen, an der Vorschule in 3 Klassen. Die Anstalten besuchten im Schuljahr 1907/08 und zwar:

	das Gymnasium	die Vorschule
	Schüler	Schüler
Im ganzen	420	155
Davon waren:		
aus Mainz und Kastel	284	147
„ anderen hessischen Orten	107	8
„ „ deutschen Staaten	28	—
„ nichtdeutschen Staaten	1	—
Es gehörten an:		
der katholischen Konfession	228	55
„ evangelischen „	166	75
„ israelitischen „	24	25
anderen Konfessionen	2	—
Ende des Schuljahres 1907/08 besuchten die Anstalten . . .	391	135

Das Zeugnis der Reife erhielten im Frühjahr 1908 = 33 Schüler.

Das Schulgeld beträgt in den Klassen I bis III = 108 ℳ und in den Klassen IV bis VI = 96 ℳ, in der Vorschule ebenfalls 96 ℳ für das Jahr. Für Schüler, deren Eltern oder sonstige Unterhaltspflichtige nicht im Großherzogtum wohnen, wird ein Schulgeldzuschlag von 20 ℳ jährlich erhoben. Von diesem Zuschlag sollen indessen befreit sein:

a) Schüler, die selbständig im Großherzogtum zur staatlichen Einkommensteuer zugezogen sind,

b) Schüler, deren Eltern oder sonstige Unterhaltspflichtige hessische Staatsbeamte sind und ihren dienstlichen Wohnsitz außerhalb des Großherzogtums haben.

Für Brüder, welche gleichzeitig verschiedene staatliche höhere Lehranstalten des Großherzogtums (Gymnasium, Realgymnasium, Ober-Realschule, Realschule und Progymnasium) besuchen, tritt eine Ermäßigung des Schulgeldes in der Weise ein, daß für den zweiten Bruder zwei Drittel und jeden folgenden die Hälfte des vollen Schulgeldes zu zahlen ist.

2. Großh. Herbstgymnasium mit Vorschule.

Das Lehrerkollegium bestand am Schlusse des Schuljahres 1907/08 (umfassend die Zeit von Herbst 1907 bis dahin 1908) außer dem Direktor aus 20 ordentlichen und 4 außerordentlichen (Religions-), zusammen 24 Lehrern. An der Vorschule waren davon tätig 7, darunter 1 außerordentlicher (Religions-) Lehrer. Unterrichtet wurde am Gymnasium in 10 Klassen, an der Vorschule in 4 Klassen. Die Anstalten besuchten im Schuljahr 1907/08 und zwar:

	das Gymnasium Schüler	die Vorschule Schüler
Im ganzen	286	111
Davon waren:		
aus Mainz	181	96
„ anderen hessischen Orten	83	14
„ „ deutschen Staaten	21	1
„ nichtdeutschen Staaten	1	—
Es gehörten an:		
der katholischen Konfession	175	45
„ evangelischen „	90	54
„ israelitischen „	19	12
anderen Konfessionen	2	—
Ende des Schuljahres 1907/08 besuchten die Anstalten	252	105

Die Reifeprüfung am Schlusse des Schuljahres 1907/08 bestanden 18 Schüler.

Das Schulgeld ist in derselben Weise festgesetzt wie für das Ostergymnasium.

3. Großh. Realgymnasium.

Das Lehrerkollegium des Realgymnasiums bestand am Schlusse des Schuljahres 1907/08 außer dem Direktor aus 22 ordentlichen Lehrern und 1 außerordentlichen (Religions-) Lehrer. Unterrichtet wurde in 15 Klassen. Die Anstalt besuchten im Schuljahre 1907/08 im ganzen . . . 414 Schüler.*)

Davon waren	
aus Mainz und Kastel	313 Schüler
„ anderen hessischen Orten	90 „
„ „ deutschen Staaten	10 „
„ nichtdeutschen Staaten	1 „
Es gehörten an	
der katholischen Konfession	180 „
„ evangelischen „	191 „
„ israelitischen „	37 „
anderen Konfessionen	6 „
Ende des Schuljahres 1907/08 besuchten die Anstalt	402 Schüler

Das Reifezeugnis erhielten im Frühjahr 1908 = 18 Schüler.

Das Schulgeld ist in derselben Weise festgesetzt wie für die Gymnasien.

*) Darunter 7 Schülerinnen.

4. Großh. Ober-Realschule.

Das Lehrerkollegium vorgenannter Anstalten bestand am Schlusse des Schuljahres 1907/08 außer dem Direktor aus 38 ordentlichen Lehrern. Unterrichtet wurde in 26 Klassen. Die Anstalt besuchten im Schuljahre 1907/08 und zwar:

Im ganzen	891
Davon waren	
aus Mainz und Kastel	631
„ anderen hessischen Orten	230
„ „ deutschen Staaten	23
„ nichtdeutschen Staaten	7
Es gehörten an	
der katholischen Konfession	412
„ evangelischen „	394
„ israelitischen „	78
anderen Konfessionen	7
Ende des Schuljahres 1907/08 besuchten die Anstalt	805

Das Reifezeugnis erhielten im Frühjahr 1908 — 13 Schüler.

Das Schulgeld ist in derselben Weise festgesetzt wie bei den Gymnasien.

5. Öffentliche Handelslehranstalt der Großh. Handelskammer.

I. Im allgemeinen.

Die öffentliche Handelslehranstalt der Großh. Handelskammer zu Mainz ist aus der Vereinigung von 3 bis dahin gesondert bestehenden Schuleinrichtungen hervorgegangen, nämlich aus der mit der Großherzoglichen Oberrealschule verbundenen Höheren Handelsschule, der Handelsabteilung der Frauenarbeitsschule und der kaufmännischen Fortbildungsschule der Handelskammer.

Die Anstalt wurde am 6. April 1907 eröffnet. Sie vereinigt die verschiedenen Zweige des kaufmännischen Fach- und Fortbildungsunterrichts und umfaßt drei Abteilungen mit schulmäßigem Unterricht:

1. eine Höhere Handelsschule für junge Leute männlichen Geschlechts mit einjährigem Handelsfachkurs zu 34 Wochenstunden,
2. eine Handelsschule für Mädchen mit einjährigem Lehrgang zu 30 Wochenstunden,
3. eine dreiklassige Kaufmännische Fortbildungsschule für männliche Lehrlinge.

Außerdem veranstaltet die Handelslehranstalt handelswissenschaftliche Kurse und Einzelvorträge zur Behandlung wirtschaftlicher und kaufmännischer Fragen (in akademischer Form).

Die Mittel zur Unterhaltung der Anstalt werden aufgebracht durch Beiträge des Staates, der Provinz Rheinhessen, des Kreises Mainz, der Stadt Mainz, der Handelskammer Mainz und sonstiger Körperschaften und Privatpersonen sowie durch die eingehenden Schulgelder.

Nach den Grundbestimmungen der Anstalt, die durch Beschluß der Stadtverordneten-Versammlung von 20. Februar 1907 gutgeheißen worden sind, übernimmt die Stadt Mainz die Bereitstellung der erforderlichen Schul- und Sammlungsräume nebst deren Heizung und Beleuchtung. Ferner leistet die Stadt Mainz einen baren Zuschuß von 4200 ℳ (s. Seite 388 der Verwaltungs-Rechenschaft).

In dem Verwaltungsausschuß der Anstalt ist die Stadt Mainz durch den Oberbürgermeister oder dessen Stellvertreter sowie durch 3 von der Stadtverordneten-Versammlung zu entsendende Mitglieder vertreten.

Das Lehrerkollegium der Anstalt bestand am Schlusse des Schuljahres 1907/08 außer dem Direktor aus 5 Handelslehrern und 4 außerordentlichen Lehrern.

II. Höhere Handelsschule.

Die Höhere Handelsschule hat die Aufgabe, jungen Leuten, die sich dem Kaufmannsstand widmen wollen, vor ihrem Eintritt in die Lehre eine umfassende fachliche Ausbildung zu gewähren, wie sie für den modernen Kaufmann unumgänglich notwendig ist.

Das Schulgeld beträgt für Schüler, deren Eltern hessische Staatsangehörige sind oder im Großherzogtum Hessen ihren ständigen Wohnsitz haben, 120 ℳ für das Jahr. Für Schüler, deren Eltern anderen Bundesstaaten angehören und in anderen Bundesstaaten wohnen, erhöht es sich auf 180 ℳ, für Ausländer auf 240 ℳ.

Die Schule zählte im Schuljahr 1907/08 12 Schüler. Davon waren aus Mainz 8, der Umgebung von Mainz 2 und aus dem Auslande 2. Am Schlusse des Schuljahres waren es noch 9 Schüler.

III. Handelsschule für Mädchen.

Die Handelsschule für Mädchen hat die Aufgabe, Mädchen, die sich auf den kaufmännischen Beruf vorbereiten wollen, eine tüchtige kaufmännische Ausbildung zu geben. Der Besuch ist jedoch auch solchen Mädchen gestattet, die, ohne die Absicht zu haben, in ein Geschäft einzutreten, ihre auf der Höheren Mädchenschule erworbene Bildung nach der praktischen Seite hin ergänzen wollen.

Das Schulgeld ist das gleiche wie bei der Höheren Handelsschule.

Die Schule zählte im Schuljahre 1907/08 51 Schülerinnen, am Schlusse desselben 50 Schülerinnen; hiervon waren aus Mainz 31, aus dem übrigen Hessen 15 und aus Preußen 4.

IV. Kaufmännische Fortbildungsschule.

Die Kaufmännische Fortbildungsschule ist eine auf Grund der Gewerbeordnung § 120 Abs. 1 in Verbindung mit § 76 Abs. 4 des Handelsgesetzbuches errichtete Fortbildungs- und Fachlehranstalt. Sie verfolgt den Zweck, die praktische Ausbildung der Handlungslehrlinge durch einen den besonderen kaufmännischen Bedürfnissen entsprechenden, über das Maß der obligatorischen Fortbildungsschule hinausgehenden Fachunterricht zu ergänzen.

Das Schulgeld beträgt für die verbindlichen Fächer (einschl. Schönschreiben) 24 ℳ, für jede Wochenstunde des wahlfreien Unterrichts 5 ℳ jährlich.

Die Schule zählte im Schuljahre 1907/08 257 Schüler, am Schlusse waren es noch 226 Schüler, hiervon aus Mainz 152, aus dem Kreise Mainz 43, aus dem übrigen Großherzogtum 24 und aus anderen deutschen Staaten 7.

V. Handelswissenschaftliche Kurse.

In den handelswissenschaftlichen Kursen sollen einzelne Abschnitte des kaufmännischen Wissensgebietes in einer dem gereiften Verständnis erwachsener Personen angepaßten Form behandelt werden. Sie bestehen in Vorträgen, an die sich nach Bedarf Übungen zur Vertiefung des behandelten Stoffes anschließen, und wenden sich nicht nur an Kaufleute beiderlei Geschlechts, sondern auch an Angehörige aller anderen Kreise, die im wirtschaftlichen Leben stehen, insbesondere an Techniker, Ingenieure, Bau-, Versicherungs-, Verkehrsbeamte ꝛc.

6. Kunstgewerbeschule und Handwerkerschule.

I. Im allgemeinen.

Die Kunstgewerbeschule und die Handwerkerschule Mainz unterstehen dem Großh. Ministerium des Innern, Abteilung für Landwirtschaft, Handel und Gewerbe und zunächst der oberen Leitung der Großh. Zentralstelle für die Gewerbe.

Die unmittelbare Aufsicht und Verwaltung führt ein Aufsichtsrat und der Direktor der Schule.

Der Aufsichtsrat hat insbesondere die Beziehungen zwischen der Schule und den örtlichen Behörden und Körperschaften, sowie zu der Großherzoglichen Zentralstelle für die Gewerbe wahrzunehmen und zu vermitteln.

Dem Direktor der Schule kommt die innere, insbesondere die technische Leitung, nach Maßgabe der ihm hierfür zuteil werdenden Anweisung, die Handhabung der Schulordnung, sowie die allgemeine Dienstaufsicht zu. Der Direktor und die Hauptlehrer haben Staatsdienerqualität.

Die Mittel zur Unterhaltung der Schulen werden aufgebracht durch Beiträge des Staates, der Stadt Mainz (für 1907 = 23400 ℳ, s. S. 383 der Verwaltungs-Rechenschaft), des Gewerbe-Vereins Mainz, des Kreises Mainz, sonstiger Körperschaften und gemeinnütziger Kassen sowie durch die eingehenden Schulgelder.

II. Kunstgewerbeschule.

Die Gründung des offenen Zeichensaals erfolgte im Jahre 1879, die Gründung der Kunstgewerbeschule im Oktober 1883.

Dieselbe besteht aus 4 Abteilungen und zwar:

I. Abteilung: Vorschule (2 Stufen).

II. „ : Fachschulen zu je 6 Halbjahrskursen für Architektur, Bauschmuck, Baukonstruktion; Innendekorationen, Kleinkunst, Schmuck, Kunstschlosserei; Kunst- und Bautischler, Möbelzeichner; Dekorationsmaler; Modelleure; Graphische Künste, Zeichenlehrer und Zeichenlehrerinnen.

III. Abteilung: Frauen und Mädchen wie bei II.

IV. „ : Mit den Fachschulen verbundene Arbeitsstuben und Werkstätten für: Möbelschreinerei, Holzbildhauerei, und Intarsienschnitt; Gipsformen und Modellieren; Dekorationsmalerei; Ätzen, Radieren, Linoleumschnitt, Algraphie, Kupferdruck; Keramik; Lederschnitt; Lithographie; Dreherei.

Die Kunstgewerbeschule hat im allgemeinen die Aufgabe, für die verschiedenen Zweige des Kunstgewerbes, zunächst für Mainz und Umgebung, dann aber auch für weitere Kreise die erforderliche künstlerische Ausbildung zu vermitteln, besonders das zu lehren, was in der Praxis in der Werkstättenlehre nicht erreicht werden kann. Eine weitere Aufgabe der Schule ist die Ausbildung von Lehrern und Lehrerinnen für den Freihandzeichenunterricht und den kunstgewerblichen Zeichenunterricht. Hierfür gelten dieselben Aufnahmebedingungen, wie in den übrigen deutschen Staaten. Außerdem soll sie jedem befähigten strebsamen jungen Manne oder Mädchen Gelegenheit geben, sich in seinem kunstgewerblichen Berufe weiter auszubilden.

Das Schulgeld für die Kunstgewerbeschule und deren Vorschule beträgt:

für ordentliche Schüler und Schülerinnen der Vorschule und Fachschulen	im halben Jahr	50 ℳ
„ außerordentliche „ „ „ „ „ „	„ „ „	55 „
„ Modellierschule	„ „ „	6 „
„ Aktzeichnen für Frauen und Mädchen	„ „ „	30 „
„ „ „ Männer (abends)	„ „ „	10 „

An den Schulen wirkten im Schuljahre 1907/08 20 ständige Lehrer.

Die Schülerzahl betrug 751.

III. Handwerkerschule.

Die Schule wurde im Jahre 1841 gegründet und zerfällt in 2 Abteilungen: Sonntags-Zeichenschule und Abend-Fortbildungsschule (nur für Sonntags-Zeichenschüler).

Der Zweck der Handwerkerschule ist, die praktische Meisterlehre möglichst vieler Zweige des Handwerks durch regelmäßigen Schulunterricht, vorläufig außerhalb der Geschäftsstunden (Abends und Sonntags), zu ergänzen.

Die Fächer der Sonntagszeichenschule sind: Freihandzeichnen, geometrisches Zeichnen, darstellende Geometrie, Schattenlehre und Perspektive, ferner Fachunterricht für Bauzeichner, Maurer, Zimmerleute, Schreiner, Spengler, Schlosser, Maschinenbauer, Wagner und Schmiede, Modelleure und Bildhauer, Dekorationsmaler, Tapezierer, Setzer und Drucker. Der Unterricht an der Abendfortbildungsschule ist ebenfalls den einzelnen Gewerben angepaßt. Abends findet außerdem Modellieren statt. Für Setzer, Drucker und Tapezierer ist Sonntags, für Dreher und Kunstschmiede abends Werkstattunterricht eingerichtet.

Das Schulgeld beträgt:

für die Sonntags-Zeichenschule	halbjährlich	6 ℳ
„ „ Abend-Fortbildungsschule	„	3 „
„ Dreher und Kunstschmiede	„	6 „
„ Abendmodellieren	„	6 „

An der Sonntagszeichenschule wirkten im Schuljahre 1907/08 25 Lehrkräfte und 1 Assistent, an der Abendfortbildungsschule 9 Lehrkräfte.

Die Schülerzahl betrug 1 150.

7. Landwirtschaftliche Winterschule.

An der Schule waren im Schuljahr (Winterhalbjahr) 1907/08 zwei Landwirtschaftslehrer (darunter der Vorsteher) und acht Hilfslehrer tätig. Die Schule wurde in der oberen Abteilung von 20, in der unteren Abteilung von 16, zusammen von 36 Schülern besucht; davon waren aus dem Kreise Mainz 19, Bingen 10, Oppenheim 5, Friedberg 1 und aus Preußen 1.

Das Schulgeld beträgt 20 ℳ für jeden Kursus.

8. Städtische Höhere Mädchenschule und Großh. Lehrerinnen-Seminar.

In der Zusammensetzung des Kuratoriums ist keine Veränderung eingetreten. Am 15. Oktober 1907 wurde das neue Schulhaus an der Mitternacht bezogen. (Vgl. Seite 96.)

Die Lehrkräfte beider Anstalten bestanden außer dem Direktor aus 6 akademisch gebildeten, 9 seminaristisch gebildeten Lehrern, 12 Lehrerinnen des höheren Lehrfachs, 1 seminaristisch gebildeten Lehrerin, 6 prov. Lehrerinnen, 1 Zeichenlehrerin, 4 Handarbeitslehrerinnen und 10 außerordentlichen (Religions-) Lehrern. Unterrichtet wurde im Seminar in 3, in der Höheren Mädchenschule in 25 Klassen. Die Anstalten besuchten im Schuljahr 1907/08 insgesamt 984 Schülerinnen und zwar:

in der Seminarklasse I	14	Schülerinnen
„ „ „ II	17	„
„ „ „ III	27	„
„ den Klassen I a (Selekta) und 1 bis 3	199	„
„ „ „ 4 bis 6	357	„
„ „ „ 7 „ 10	370	„

Von den Schülerinnen waren:

aus Mainz und Kastel	884	Schülerinnen
„ anderen hessischen Orten	86	„
„ „ deutschen Staaten	14	„
„ nichtdeutschen Staaten	—	„

Es gehörten an:

der katholischen Konfession	280	Schülerinnen
„ evangelischen „	548	„
„ israelitischen „	152	„
anderen Konfessionen	4	„

Am Schlusse des Schuljahres 1907/08 zählten die Anstalten 909 Schülerinnen.

Das Schulgeld für das Seminar ist durch Beschluß der Stadtverordneten-Versammlung vom 29. März 1906 vom Schuljahr 1906/07 ab wie folgt festgesetzt worden:

a) für Seminaristinnen, deren Eltern oder an ihre Stelle getretene Unterhaltspflichtige oder sie selbst, insofern sie volljährig sind, zur Zeit des Eintritts in das Seminar mindestens seit 2 Jahren die hessische Staatsangehörigkeit besitzen oder seit mindestens 2 Jahren im Großherzogtum Hessen ihren Hauptwohnsitz haben, auf jährlich 160 ℳ Bezüglich der Töchtee von öffentlichen Beamten und Militärpersonen, die aus dem Ausland nach Hessen dienstlich versetzt werden, soll von dent Erfordernis des zweijährigen Zeitablaufs abgesehen werden;

b) für alle nicht unter a) fallenden Seminaristinnen auf jährlich 180 ℳ

Für die Klassen der Höheren Mädchenschule betrug das Schulgeld im Schuljahr 1907/08 und zwor für die Selekta und die Klassen 1 bis 3 = 120 ℳ, für die Klassen 4 bis 6 = 84 ℳ und für die Klassen 7 bis 10 = 66 ℳ pro Jahr. Bezüglich der Ermäßigung des Schulgeldes gelten die gleichen Bestimmungen wie für die Staatslehranstalten (Gymnasien ꝛc.) mit der Maßgabe, daß in dieser Hinsicht das Seminar und die Höhere Mädchenschule als eine Anstalt betrachtet werden.

Die tägliche Reinigung der Schullokale im Hauptgebäude an der alten Universitätsstraße und in der Bauhofstraße bezw. seit 15. Oktober 1907 des neuen Schulhauses an der Mitternacht wurde unter Mithilfe des Schuldieners und eines Hilfsschuldieners von 9 Putzfrauen vorgenommen. Die an dieselben ausbezahlten Löhne beliefen sich auf 2 421 ℳ 73 ₰. Die Kosten für Putzmaterialien betrugen 226 ℳ 18 ₰. Im ganzen betrugen demnach die Kasten der Reinigung 2 647 ℳ 91 ₰.

Die Rechnungsergebnisse der Höheren Mädchenschule und des Großh. Lehrerinnen-Seminars finden sich im übrigen auf den Seiten 385 bis 387 der Verwaltungs-Rechenschaft.

9. Volksschule.

Im Schuljahr 1907/08 wirkten an der achtklassigen Volksschule außer den Ober-(Haupt-)Lehrern:

	Lehrer	Schul-verwalter	Lehrer-rinnen	Schul-verwal-terinnen
im I. Schulbezirk	13	3	—	—
„ II. „	5	1	9	2
„ III. „	11	3	1	—
„ IV. „	3	—	10	2
„ V. „	11	5	—	1
„ VI. „	2	—	9	7
„ VII. „	15	7	1	—
„ VIII. „	2	1	13	4
„ IX. „	15	—	1	—
„ X. „	4	—	9	3
an der Hilfsschule für schwachbegabte Kinder	4	—	1	1
„ „ Schule zu Mainz-Mombach	8	4	2	6
zusammen	93	24	56	26

Außerdem wirkten an der Schule 1 definitive und 1 provisorische Turnlehrerin, 5 definitive Zeichenlehrer und 1 provisorische Zeichenlehrerin, 2 definitive Gesanglehrer, 8 definitive und 2 provisorische Handarbeitslehrerinnen, 2 ständige Hilfs- (zur Vertretung erkrankter ꝛc. Lehrer), 2 definitive Lehrerinnen für den Kochunterricht und die verschiedenen Religionslehrer.

Unterrichtet wurde während des Schuljahres 1907/08:

	Knabenklassen	Mädchenklassen
im I. Schulbezirk in	17	—
„ II. „ „	—	16
„ III. „ „	16	—
„ IV. „ „	—	16
„ V. „ „	18	—
„ VI. „ „	—	19
„ VII. „ „	24	—
„ VIII. „ „	—	21
„ IX. „ „	17	—
„ X. „ „	—	16
in der Schule zu Mainz-Mombach	8	8
zusammen	100	96
	196 Klassen	

ferner:

in der Schule zu Zahlbach in . . . 2 „
„ „ „ „ Mainz-Mombach in . . . 4 „ (gemischte Klassen)
„ „ Hilfsschule in . . . 6 „

Im ganzen in 208 Klassen.

Mit Beginn des Schuljahres 1907/08 sind im Stadtteil Mainz 6 Schulklassen neu errichtet worden.

Über die Zahl der Schüler am Anfang und Ende des Schuljahres sowie die Art ihres Bekenntnisses gibt die nachstehende Übersicht Auskunft.

a) Knaben.

Bezeichnung	Bestand am Anfang des Schuljahres	Bestand am Ende des Schuljahres	Unter dem Bestand am Ende des Schuljahres sind: Katholische	Evangelische	Israelitische	von anderen Bekenntnissen
I. Bez.	857	820	520	292	2	6
III. „	823	818	583	231	—	4
V. „	866	856	529	310	9	8
VII. „	1276	1300	744	530	9	17
IX. „	904	921	508	399	9	5
Hilfsschule	77	79	55	23	1	—
Zahlbach	36	33	28	4	—	1
Mombach	643	651	443	206	—	2
Zusammen	5482	5478	3410	1995	30	43
Zusammenstellung:						
Knaben	5482	5478	3410	1995	30	43
Mädchen	5414	5358	3466	1832	28	32
Im ganzen	10 896	10 836	6876	3827	58	75

b) Mädchen.

Bezeichnung	Bestand am Anfang des Schuljahres	Bestand am Ende des Schuljahres	Unter dem Bestand am Ende des Schuljahres sind: Katholische	Evangelische	Israelitische	von anderen Bekenntnissen
II. Bez.	830	793	542	242	2	7
IV. „	814	803	576	225	2	—
VI. „	958	936	619	295	16	6
VIII. „	1187	1183	686	476	5	16
X. „	852	869	493	370	3	3
Hilfsschule	48	49	32	17	—	—
Zahlbach	66	60	42	18	—	—
Mombach	659	665	476	189	—	—
Zusammen	5414	5358	3466	1832	28	32
Hiervon in der Stadt:						
Knaben	4803	4794	2939	1785	30	40
Mädchen	4689	4633	2948	1625	28	32
Im ganzen	9492	9427	5887	3410	58	72

Am Anfange des Schuljahres betrug hiernach die Gesamtzahl der Schulkinder 10896 (5482 Knaben und 5414 Mädchen) am Ende desselben 10836 (5478 Knaben und 5358 Mädchen), sodaß die Gesamtzahl der Schulkinder während des Schuljahres um 60 abgenommen hat. Die Zunahme gegen die gleiche Zeit im Vorjahre beträgt 1542.

Von den aufgeführten 10836 Kindern besuchten 9427 (4794 Knaben und 4633 Mädchen) die Klassen der Stadt, 1316 (651 Knaben und 665 Mädchen) die Klassen von Mainz-Mombach, während die übrigen 93 Kinder (33 Knaben und 60 Mädchen) die zweiklassige Schule zu Zahlbach besuchten. 128 Kinder (79 Knaben und 49 Mädchen) waren der Hilfsschule zugeteilt. Die anderen 9299 (4715 Knaben und 4584 Mädchen) wurden in den 180 normalen Schulklassen (92 Knaben- und 88 Mädchenklassen) der achtklassigen städtischen Volksschule unterrichtet. Die durchschnittliche Schülerzahl einer dieser Klassen betrug hiernach am Schlusse des Schuljahres bei den Knaben rund 51 und bei den Mädchen rund 52, einer Klasse in Zahlbach 46—47, einer Hilfsschulklasse 22—23, einer Schulklasse zu Mainz-Mombach 66.

In religiöser Beziehung gehörten 6876 Kinder der katholischen, 3827 der evangelischen, 58 der israelitischen Konfession an; 75 Kinder waren anderen (davon 65 freireligiösen) Bekenntnisses.

Die Zahl der katholischen Schulkinder verhielt sich zu der der evangelischen wie 1,80 : 1.

Im Laufe des Schuljahres traten in die hiesige Volksschule ein:

a) aus anderen hiesigen Lehranstalten	44 Kinder
b) von auswärts	423 „
zusammen	467 Kinder.

In andere hiesige Lehranstalten traten über	30 Kinder
nach auswärts verzogen	357 „
in Besserungsanstalten bezw. auswärtige Familien kamen	26 „
von den Schulärzten wurden Kinder, die bei der Aufnahme noch nicht das 6. Lebensjahr zurückgelegt hatten und nicht schulfähig waren, zurückgewiesen	42 „
auf ein Jahr zurückgestellt wurden	44 „
es starben	28 „
zusammen	527 Kinder.

Es sind somit 60 Kinder mehr aus- als eingetreten.

Außerdem erhielten am Ende des Schuljahres 179 Kinder (139 Knaben und 40 Mädchen) Zeugnisse zum Eintritt in höhere Lehranstalten.

Am Ende des Schuljahres wurden nach achtjährigem Schulbesuche 1115 Kinder (521 Knaben und 594 Mädchen) entlassen, davon aus den normalen Klassen der Stadt 953 Kinder und zwar aus den I. Klassen 685 = 71,9 %, aus den II. Klassen 176 = 18,5 %, aus den III. Klassen 74 = 7,8 %, aus den IV. Klassen 17 = 1,7 %, aus den V. Klassen 1 = 0,1 %, aus der Schule zu Zahlbach 10, aus der Hilfsschule 21, aus der Schule zu Mombach 131 Kinder und zwar aus den I. Klassen 98 — 74,8 %, aus den II. Klassen 25 — 19,1 %, aus den III. Klassen 8 — 6,1 %.

7 Kinder (1 Knabe und 6 Mädchen) wurden vor erfüllter Schulpflicht durch Verfügung Großherzoglichen Ministeriums aus der Schule entlassen.

Die Hilfsschule zählte am Anfange des Schuljahres 125, am Ende desselben 128 Kinder (79 Knaben und 49 Mädchen), die in 6 Klassen, ohne Trennung der Geschlechter, unterrichtet wurden. 21 Kinder (14 Knaben und 7 Mädchen) wurden, wie bereits erwähnt, nach erfüllter Schulpflicht aus der Schule entlassen. 2 Kinder wurden in die normalen Klassen zurückversetzt.

Die im Schuljahr 1907/08 vorgekommenen Schulversäumnisse sind aus nachstehender Übersicht zu entnehmen:

a) Knaben.

Klasse	Versäumnisse in Halbtagen			
	mit Entschuldigung	ohne Entschuldigung	wegen Krankheit	zusammen
I. Bez.	1 547	785	12 600	14 932
III. "	1 048	1 846	12 748	15 642
V. "	1 217	842	15 696	17 755
VII. "	1 656	1 378	25 122	28 156
IX. "	1 494	1 287	14 671	17 452
Im ganzen	6 962	6 138	80 837	93 937
Im Durchschnitt in 1 Klasse	76	67	878	1 021
In % p. Kl. Durchschnittlich 51 Kinder	0,35	0,30	4,00	4,65
Hilfsschule	340	351	3 272	3 963
In %	0,62	0,63	5,94	7,19
Mombach	1 280	1 164	19 145	21 589
Im Durchschnitt in 1 Klasse	64	58	957	1 079
In % p. Kl. Durchschnittlich 86 Kinder	0,22	0,20	3,36	3,78

b) Mädchen.

Klasse	Versäumnisse in Halbtagen			
	mit Entschuldigung	ohne Entschuldigung	wegen Krankheit	zusammen
II. Bez.	1 879	965	14 237	17 081
IV. "	2 135	1 419	15 955	19 509
VI. "	2 632	1 723	19 191	23 546
VIII. "	2 383	1 925	26 719	31 027
X. "	2 898	1 718	19 799	24 415
Im ganzen	11 927.	7 750	95 901	115 578
Im Durchschnitt in 1 Klasse	135	88	1 090	1 313
In % p. Kl. Durchschnittlich 52 Kinder	0,61	0,39	4,87	5,87
Zahlbach	142	67	1 723	1 932
In %	0,36	0,17	4,30	4,83

Aus früheren Jahren befinden sich noch Schulstrafen im Rückstand		687,40 ℳ
Im Rechnungsjahr 1907 sind vom Schulvorstand angesetzt worden		2 166,10 "
zusammen		2 853,50 ℳ
Davon sind eingegangen	1 485,80 ℳ	
erlassen worden	347 80 "	
durch Haft verbüßt worden	38,00 "	1 871,60 "
Mithin befinden sich noch im Rückstand		981,90 ℳ

Im Stadtteil Mainz-Mombach sind außerdem an Schulstrafen 188.20 *M* zum Ansatz gekommen.

Die *Kochschule* in der Emmeransstraße wurde von 228 Mädchen, darunter 4 aus der Hilfsschule, die Kochschule im Feldbergschulhause von 174 Schülerinnen, darunter 18 aus den II. und 4 aus den III. Klassen besucht.

Bei der *täglichen Reinigung der Schullokale* waren außer den Schuldienern tätig:

im I. und II. Schulbezirk einschl. Hilfsschule und Schule in Zahlbach	11	Putzfrauen
„ III. u. IV. „	8	„
„ V. n. VI. „	9	„
„ VII. u. VIII „	13	„
„ IX. u. X. „	9	„
zusammen	50	Putzfrauen.

Die an die Putzfrauen bezahlten Löhne beliefen sich auf 15 610 *M* 11 *ℌ*. Die Kosten der Putzmaterialien bezifferten sich auf 2 581 *M* 13 *ℌ*. Im ganzen betragen hiernach die Kosten der Reinigung 18 191 *M* 24 *ℌ*.

Der *Gesundheitszustand* der Lehrkräfte ließ auch in diesem Berichtsjahre zu wünschen übrig; dagegen konnte der Gesundheitszustand der Schulkinder im allgemeinen als gut bezeichnet werden.

Im jedem Schulbezirke wuede vorschriftsmäßig alle 14 Tage von dem betreffenden Schularzte eine Sprechstunde abgehalten. Alle Kinder wurden im Berichtsjahr einmal ärztlich untersucht, die unter Kontrolle stehenden öfter. Im übrigen wird auf den Jahresbericht der Schulärzte verwiesen, der besonders zur Ausgabe gelangen wird.

Die *Schulbäder* wurden im allgemeinen fleißiger benutzt als im Vorjahre. Es wurden im Schulbad im Eisgrubschulhause 11 325, in der Anstalt am Fürstenbergerhof 6 143 (darunter 845 Einzelbäder) — die Anstalt war wegen vorgenommener Reparatur 1 Monat geschlossen —, in den beiden Schulbädern im Holztorschulhause 16 393 (11 130 für Knaben und 5 263 für Mädchen), in den beiden Bädern am Feldbergschulhause 19 600 (12 883 für Knaben und 6 717 für Mädchen) und in den beiden Bädern im Leibnizschulhause 31 028 (17 562 für Knaben und 13 466 für Mädchen), im gunzen 84 489 Bäder (52 900 für Knaben und 31 589 für Mädchen) verabreicht.

In der heißen Jahreszeit durften die Kiudee der Klassen I bis V des V. und VI. Schulbezirks, sowie die oberen Knabenklassen des I., III., VII. und IX. Schulbezirks wöchentlich zweimal das Volksbad auf städtische Kosten und unter Aufsicht einer Lehrperson besuchen; auch erhielten die älteren Knaben Schwimmunterricht; an letzterem nahmen 197 Knaben teil, von denen sich 89 freigeschwommen haben.

Die *Jugendspiele* konnten im Berichtsjahre auf *das erste Jahrzehnt ihres Bestehens* an der hiesigen Volksschule zurückblicken. Durch Beschluß des Schulvorstandes und der Stadtverordneten-Versammlung zu Beginn des Schuljahres 1898/99 eingeführt, haben sie sich seit der Zeit ihres Bestehens in äußerst günstiger Weise weiter entwickelt. Von Jahr zu Jahr ist bisher die Zahl der an den Spielen teilnehmenden Schüler und Schülerinnen gestiegen, und der Nutzen der Jugendspiele für die physische, intellektuelle und moralische Entwickelung der Kinder wird gegenwärtig von der Schule sowohl als auch von dem Elternhaus allgemein anerkannt. Auch im Berichtsjahre war wieder eine Vermehrung der an den Spielen teilnehmenden Kiudee eingetreten, indem im ganzen 226 Kinder mehr an den Spielen teilnahmen, als im Vorjahre. Im ganzen betrug die Zuhl der spielenden Kinder 2 605 (1 585 Knaben und 1 020 Mädchen), im Jahre zuvor 2 379 (1 420 Knaben und 959 Mädchen). Die Zahl der Spielgruppen betrug 52 (30 im Johre 1898). Die Beschaffung eines dritten Spielplatzes ist unter diesen Umständen zu einer unabweisbaren Notwendigkeit geworden. Mögen sich die Jugendspiele in dem zweiten Jahrzehnt ihres Bestehens in gleich günstiger Weise fortentwickeln, zum Heile unserer Jugend!

Auth in diesem Jaher veranstaltete der Verein für Volkshygiene, der nun auf eine vierjährige erfolgreiche Wirksamkeit in dieser Beziehung zurückblicken konn, *Ferienwanderungen*. Es war ihm möglich, 18 Gruppen unter Führung von Lehrerinnen und Lehrern auszuschicken. Die einzelnen Gruppen machten teils halbtägige, teils ganztägige Touren. Zum erstenmal unternahmen zwei Gruppen der Leibnizschule eine zweitägige Tour. Dieser Versuch gelang über alles Erwarten gut. Möge es dem Verein vergönnt sein, auch in ferneren Jahren durch die Veranstaltung dieser Wanderungen segensreich zu wirken!

Von der Loge „Die Freunde zur Eintracht“ in Muinz wurden vor Weihnachten 41 Kinder mit je einem Paar Schuhe bedache. Auch an dieser Stelle sei für die Gobe bestens gedankt.

Der Verein für Ferienkolonien sandte im Berichtsjahre 332 hiesige Kinder (135 Knaben und 197 Mädchen) zur Erholung und Kräftigung ihrer Gesundheit ins Gebirge. Außerdem gab der Verein 111 Kinder (44 Knaben und 67 Mädchen) in Solbadpflege. Dem Verein sei für seine segensreiche Wirksamkeit auch diesmal der beste Dank ausgesprochen.

Im vergangenen Winter wurde an 68 Schultagen 1718 armen Schulkindern wieder warmes Frühstück verabreicht, das nach dem Urteile der Lehrer und Lehrerinnen einen wohltätigen Einfluß auf die betreffenden Schulkinder ausübte.

Ferner wurden im abgelaufenen Schuljahre wieder 2 Heilkurse für Kinder, die an Sprachgebrechen leiden, abgehalten. Der Sommerkursus fand in der Zeit vom 18. April bis 1. August 1907 statt. An demselben haben 13 Kinder teilgenommen, von denen am Schlusse des Kursus 11 als geheilt und 2 als gebessert bezeichnet werden konnten. Der Winterkursus fand in der Zeit vom 14. November bis 14. März statt. An demselben haben 12 Kinder teilgenommen, von denen am Schlusse des Kursus 8 als geheilt, 2 als gebessert und 2 als nicht gebessert bezeichnet wurden.

An dem besonderen Unterrichte für gebrechliche Kinder nahmen am Anfange des Schuljahres 3 Kinder teil, zuletzt besuchte nur noch ein Kind den Unterricht.

Über die Schulkinder, welche die Lernmittel im Schuljahre 1907/08 unentgeltlich von der Stadt erhielten, gibt die nachstehende Übersicht Auskunft.

Schulbezirke	Zahl der Schulkinder	Davon erhielten unentgeltlich Lernmittel	
		Anzahl	in % (in ganzen Zahlen)
I. Schulbezirk	820	769	94
II. "	793	699	88
III. "	818	736	90
IV. "	803	699	87
V. "	856	759	89
VI. "	936	887	95
VII. "	1 300	1 277	98
VIII. "	1 183	1 125	95
IX. "	921	806	88
X. "	869	774	89
Hilfsschule	128	113	88
Zahlbach	93	58	62
Mombach	1 316	1 316	100
Im ganzen	10 836	10 018	92

Der Unterricht in der Volksschule ist unentgeltlich. Die Rechnungsergebnisse der Volksschule finden sich auf Seite 374 u. ff.

10. Fortbildungsschule.

Der Unterricht in der Fortbildungsschule im Stadtteil Mainz nebst Zahlbach fand auch in diesem Berichtsjahre während des ganzen Jahres statt und zwar derart, daß jede Klasse während des Sommerhalbjahres jede Woche einmal und im Winterhalbjahre wöchentlich zweimal, die gewerblichen und kaufmännischen Klassen jedesmal von 4—7 Uhr, die übrigen Klassen im allgemeinen von 5—7 Uhr, die Berufsklasse der Kellner jedoch von 4—6 Uhr und die Berufsklasse der Bäcker von 2—4 Uhr nachmittags Unterricht erhielten.

In der Fortbildungsschule zu Mainz-Mombach fand dagegen der Unterricht, wie auch früher, nur im Winterhalbjahre wöchentlich an 3 Tagen von 5—7 Uhr des Nachmittags statt.

Das Schuljahr begann für Mainz nebst Zahlbach am 15. April 1907 und endete mit dem 10. April 1908; in Mainz-Mombach dauerte der Kursus vom 4. November 1907 bis 25. Februar 1908.

Am Anfange des Schuljahres besuchten die Fortbildungsschule in der Stadt nebst Zahlbach 767 Schüler, die in 35 Klassen, 33 Berufsklassen und 2 gemischten Klassen (davon 1 in Zahlbach) unterrichtet wurden.

Von diesen 767 Schülern waren 481 katholisch, 273 evangelisch, 7 israelitisch und 6 anderen Bekenntnisses; 622 waren aus der Gemeinde Mainz, 78 aus anderen hessischen Gemeinden und 67 aus anderen deutschen Staaten.

Am Schlusse des Schuljahres war die Gesamtzahl auf 851 gestiegen, sodaß im Durchschnitt auf eine Klasse am Ende des Schuljahres 24—25 Schüler kamen.

Die Fortbildungsschule zu Mainz-Mombach zählte bei Beginn des Kursus 92 Schüler; davon waren 66 katholisch und 26 evangelisch; 71 waren aus der Gemeinde, 15 aus anderen hessischen Gemeinden und 6 aus anderen deutschen Staaten. Es wurden in 4 Klassen, 3 gewerblichen Klassen und 1 landwirtschaftlichen Klasse, unterrichtet.

Am Ende des Kursus war die Schülerzahl auf 99 gestiegen.

Der Prozentsatz der ungerechtfertigten Schulversäumnisse betrug in Mainz nebst Zahlbach 5,74 %, gegen 5,44 % im Vorjahre, in Mainz-Mombach 2,41 %.

Sechs Klassen in der Stadt wurden gegen Schluß des Schuljahres einer Prüfung durch den Schulvorstand unterzogen. Entlassen wurden nach erfüllter Schulpflicht am Ende des Schuljahres in der Stadt nebst Zahlbach 309, am Ende des Kursus zu Mainz-Mombach 31 Schüler.

11. Privatlehranstalten.

Die der Großh. Kreis-Schulkommission unterstellten 5 Privatlehranstalten zerfallen

a) nach dem Bekenntnis der Schüler:
in 2 gemeinsame,
„ 2 katholische,
„ 1 israelitische;

b) nach dem Geschlecht der Schüler:
in 1 gemeinsame,
„ 2 für Knaben
„ 2 „ Mädchen.

Das Lehrpersonal bestand aus 32 Lehrern und 22 Lehrerinnen. Besucht wurden die Anstalten im ganzen von 426 Knaben, 802 Mädchen, zusammen 1 228 Schülern. Davon waren

katholisch	1 007
evangelisch	157
israelitisch	64
anderer Konfession	—

Die Gesamtzahl der Schüler betrug in den staatlichen, städtischen und Privatlehranstalten mit Ausnahme der Gewerbeschulen, der Handelsschulen, der landwirtschaftlichen Winterschule und der Fortbildungsschule

im Schuljahr 1907/08:		im Schuljahr 1906/07:	
männliche	8 178	männliche	7 377
weibliche	7 207	weibliche	6 402
zusammen	15 385	zusammen	13 779

XXXV. Städtische Sammlungen.

1. Stadtbibliothek

(einschließlich Archiv, Münzkabinett, Gutenbergmuseum).

Die Verhältnisse der Stadtbibliothek waren im Verwaltungsjahr 1907 ganz ungewöhnliche. Schon vou Ende November 1906 ab hatte der Oberbibliothekar, Herr Prof. Dr. Wilhelm Velke, infolge von Erkrankung dem Dienste fern bleiben müssen. Er konnte ihn auch weiterhin nicht wieder aufnehmen und wuede durch Beschluß der Stadtverordneten-Versammlung vom 30. Oktober 1907 unter Anerkennung seiner der Stodt während mehr als 27 Jahren geleisteten wertvollen und ersprießlichen Dienste in den Ruhestand versetzt. Zu seinem Nachfolger wählte die Stadtverordneten-Versammlung am 11. März 1908 den Bibliothekar an der Universitätsbibliothek und außerordentlichen Professor der englischen Philologie an der Universität in Basel, Dr. phil. Gustav Binz, mit Amtsantritt auf den 15. Mai 1908.

Die Abwesenheit des Vorstandes verursachte im Verein mit der im Interesse der Veröffentlichungen der Gutenberg-Gesellschaft gewährten ganzen oder teilweisen Beurlaubung des wissenschaftlichen Hilfsarbeiters Dr. Tronnier eine derartige Vermehrung der Arbeiten für die übrigen Beamten, daß, trotzdem diese zur leichteren Bewältigung der laufenden Aufgaben auf den ihnen zustehenden Urlaub für 1907 verzichteten, manche Geschäfte im Rechnungsjahr nicht mehr erledigt werden konnten, sondern bis zum Eintritt des neuen Vorstandes verschoben werden mußten. Neue wünschenswerte Ordnungsarbeiten vorzunehmen, war unter diesen Umständen ganz ausgeschlossen.

Der Erleichterung des Ausleiheverkehrs wurde fortgesetzt Aufmerksamkeit geschenkt. Der sehr beschränkte Raum des Ausleihezimmers, das auch als Durchgang zum Lesesaal und als Aufbewahrungs- und Benützungsraum für die Kataloge dienen muß, wuede durch zweckmäßigere Möblierung besser ausgenützt, so daß mehr Plätze für die Ausfüllung der Empfangsscheine verfügbar wurden.

Der schon in früheren Jahresberichten beklagte **Raummangel** in den Büchersälen ist naturgemäß im Laufe der Zeit immer fühlbarer geworden. Als letzte Reserve stehen jetzt nur noch einige Fensternischen im zweiten Stockwerk zur Verfügung. In fast allen Abteilungen ist die Einfügung selbst eines ganz kleinen Zuwachses völlig unmöglich. Schon jetzt ist Zusammengehörendes wegen Platzmangel zerstückelt und auseinandergerissen, was die Übersicht und den Dienst außerordentlich erschwert. Auch die Arbeitsplätze der Beamten, die, soweit sie nicht im Ausleihedienst tätig sind, möglichst ungestört und fern vom Verkehr sollten arbeiten können, sind ganz unzulänglich. Wenn ein geordneter Betrieb der Bibliothek soll aufrecht erhalten werden können, ist es jetzt höchste Zeit, auf Abhilfe für diese Raumnot bedacht zu sein.

Die **Benützung** der Bibliothek zeigt im Rechnungsjahr einen unbedeutenden Rückgang gegenüber dem Vorjahre, ist aber immer noch größer als in den früheren Jahren. Während im Jahre 1906 14 535 Bände aus hiesigem Bestand und 792 Bände durch Vermittlung der Stadtbibliothek aus auswärtigen Bibliotheken nach Hause ausgeliehen wurden, waren es im Jahre 1907 (noch bisheriger Übung vom 1. Januar bis 31. Dezembre gerechnet) 13 263, bezw. 666, im ganzen also 13 929 (1905: 13 225) Bände. Über die Zahl der im Lesezimmer gebrauchten Bände lassen sich wegen des Mangels einer Kontrolle keine bestimmten Angaben machen, wenn man sich nicht mit sehr unsicheren Schätzungen begnügen will. Erst im Verlaufe des Berichtsjahres wurde zur Herbeiführung einer besseren Ordnung auch für die im Lesesaal benützten Bücher — abgesehen von der ohne weiteres zur Verfügung stehenden Handbibliothek — die Ausstellung von Empfangsbescheinigungen verlangt. Auf Grund dieser wird sich in Zukunft eine genauere Benützungsstatistik aufstellen lassen.

Zur Ausfüllung der Lücken in den hiesigen Beständen oder zu ganz besonderen wissenschaftlichen Studien haben wieder viele auswärtige Bibliotheken durch Übersendung oft höchst kostbarer Bücher und Handschriften sehr erwünschte Hilfe gewährt, für die auch an dieser Stelle der verbindlichste Dank ausgesprochen wird; allen voran die Großh. Hofbibliothek in Darmstadt und die Großh. Universitätsbibliothek in Gießen, außerdem die Bibliothek des Domstifts St. Petri in Bautzen; die Königliche Bibliothek und das Kunstgewerbemuseum in Berlin; die Dombibliothek, die Stadtbibliothek und die Königliche und Universitätsbibliothek in Breslau; das Ungarische Nationalmuseum in Budapest; die University Library in Cambridge; die Stadtbibliothek in Cöln; die Bibliothek der Zentralstelle für die Gewerbe in Darmstadt; die Stadtbibliothek und die Senckenbergische Bibliothek in Frankfurt a. M.; die Bibliothek des Domkapitels in Frauenburg; die Milich'sche Bibliothek in Görlitz; die Universitätsbibliotheken in Göttingen, Halle, Heidelberg und Jena; die Großh. Hof- und Landesbibliothek in Karlsruhe; die Bibliothek des Börsenvereins der deutschen Buchhändler in Leipzig; die India Office Library in London; das Stiftsarchiv in Meißen; die Königl. Hof- und Staatsbibliothek in München; die Pfarrbibliothek in Neisse; die k. k. Universitätsbibliothek in Prag; die Kais. Öffentliche Bibliothek in St. Petersburg; die

Gymnasialbibliothek in Schweidnitz; die kais. Universitäts- und Landesbibliothek in Straßburg; die Kirchenbibliothek von St. Johann in Thorn; die Großh. Hofbibliothek in Weimar; die k. k. Hofbibliothek in Wien; die Nassauische Landesbibliothek in Wiesbaden; die k. Universitätsbibliothek in Würzburg. Umgekehrt war auch die hiesige Stadtbibliothek mehrfach wenn auch naturgemäß weniger häufig, in der Lage, auswärtigen Bibliotheken und einzelnen Entleihern Stücke aus ihrem Besitz zur Verfügung zu stellen.

Die Patentschriften des kaiserlichen Patentamtes wurden im Jahre 1907 von 132 Personen ins Lesezimmer verlangt und von 23 Benützern in 111 Nummern nach Hause entliehen.

Vermehrt hat sich die Bibliothek im Jahre 1907 um rund 1400 Bände, von denen etwa 900 durch Kauf, rund 20 durch Pflichtlieferung und etwa 480 durch Geschenk eingegangen sind. An der für Anschaffungen aufgewendeten Summe sind Neuheiten mit 17 %, Fortsetzungen mit 38 %, Zeitschriften mit 37 %, Antiquaria mit 8 % beteiligt. Auf die verschiedenen Wissensgebiete entfallen dabei folgende, kaum als ganz normale anzusehende, Anteile:

Allgemeines, Enzyklopädie, Bibliographie	8,7 %
Theologie	6,6 %
Rechtswissenschaft	5,5 %
Staatswissenschaften	6,9 %
Medizin	3,1 %
Naturwissenschaften und Mathematik	8,5 %
Ökonomie, Technik (Buchdruck)	6,2 %
Geschichte mit Hilfswissenschaften, Geographie	22,9 %
Sprachwissenschaft und Literatur	12,6 %
Philosophie und Pädagogik	3,3 %
Kunst	15,7 %

Pflichtexemplare wurden leider nur von vereinzelten Firmen noch regelmäßig geliefert. Es wäre sehr zu wünschen, daß die gesetzlich dazu verpflichteten Drucker und Verleger, besonders in Rheinhessen und vor allem in Mainz selbst, der Stadtbibliothek, der berufenen Sammelstelle für rheinhessische und mainzische Druck- und Literaturerzeugnisse wieder wie früher ihr vor Opfern nicht zurückscheuendes Interesse zuwenden möchten, da nur in diesem Falle die Stadtbibliothek die ihr obliegende Pflicht möglichster Vollständigkeit auf diesen Gebieten zu erfüllen imstande ist.

Mit besonderem Danke darf auch dies Jahr wieder auf den verhältnismäßig großen Anteil der Geschenke an dem Zuwachs der Bibliothek hingewiesen werden. Die Geschenkgeber waren:

Der Zentral-Verein deutscher Staatsbürger jüdischen Glaubens, die öffentliche Lesehalle der deutschen Gesellschaft für ethische Kultur, die Kgl. Universitätsbibliothek, der Ausschuß des Verbandes der deutschen Juden — sämtlich in Berlin, die Stadtbibliothek in Breslau, The John Crerar Library in Chicago, die Stadtbibliothek in Coblenz, die k. k. Franz-Josef-Universität in Czernowitz, die Stadtbibliothek in Danzig, der Vorstand der land- und forstwirtschaftlichen Berufsgenossenschaft für das Großherzogtum Hessen, die Großh. Handelskammer, die Handwerkskammer, die Großh. Hofbibliothek, die Kammern der hessischen Landstände, das Großh. Katasteramt, der Zentral-Ausschuß des Evangelischen Kirchengesangvereins für Deutschland, die Großh. Geologische Landesanstalt, das Großh. Hess. Ministerium des Innern, der Hessische Oberlehrer-Verein, die Buchhandlung Großh. Staatsverlags, der Richard-Wagner-Verein, die Großh. Hess. Zentralstelle für die Gewerbe, die Großh. Hess. Zentralstelle für die Landesstatistik — sämtlich in Darmstadt, die Leitung der höheren Bürgerschule in Dieburg, das Rektorat des K. Humanistischen Gymnasiums in Dillingen, die Landes- und Stadtbibliothek und der Oberbürgermeister der Stadt Düsseldorf, die Krupp'sche Bücherhalle in Essen, die Freibibliothek und Lesehalle, die Senckenbergische Bibliothek, das Städtische historische Museum — sämtlich in Frankfurt a. M., die Landesuniversität, die Großh. Universitätsbibliothek in Gießen, die Kgl. Universitätsbibliothek in Göttingen, die Kgl. Universitätsbibliothek in Greifswald, die Stadtbibliothek in Hamburg, die Stadtbibliothek in Hannover, die Großh. Badische Hof- und Landesbibliothek in Karlsruhe, die Stadtbibliothek in Lübeck, der Vorstand des Mainzer Altertums-Vereins, die Großh. Bürgermeisterei, der Verband deutscher Eisenwarenhändler, das Gewerbegericht, die Großh. Handelskammer, die bischöfliche Kanzlei, das katholische Lehrlingshaus, das Kaufmannsgericht, der Kriegerverein, die Direktion der Kunstgewerbeschule, die Großh. landwirtschaftliche Winterschule, die Direktionen der höheren Schulen, der Männergesangverein, die Kgl. Preußische und Großh. Hess. Eisenbahndirektion, die Direktion des Römisch-Germanischen Zentral-Museums, der Schutzverband Mainzer Hauseigentümer, der Sängerbund, der Turnverein von 1817, die Süddeutsche Immobilien-Gesellschaft, der Verein für Volkswohlfahrt — sämtlich in Mainz, das Government of the Philippine Islands in

Manila, das Musée Guimet in Paris, die Kaiser Wilhelm-Bibliothek in Pasen, das Zentralbureau der internationalen Erdmessung in Potsdam, die Public Library in New-York, die Stadtbibliothek in Stettin, die Kais. Universitäts- und Landesbibliothek in Straßburg, die Stadtbibliothek in Trier, die Library of Congress in Washington, die Stadtbibliothek in Zürich.

Weitere Geschenkgeber waren noch: Postsekretär Otto Beck, Baurat Bruno v. Boehmer, Bibliothekar Hofrat A. Börckel, Fritz Broo, Verlagsbuchhandlung C. A. Diemer, A. Dries, Karl Faik, Buchbindermeister Leonh. Färber, stud. jur. Rudolf Frank, Aug. Fürst, Bibliothekar Dr. H. Heidenheimer, Buchdruckerei E. Herzog, Emil Humann, Kaplan Dr. J. B. Kißling, Musikalienhandlung Kittlitz-Schott & Bieger, Karl Kneib, Ludwig Anton Moyat, Prof. Ernst Neeb, Buchdruckereibesitzer H. Prickarts, Reg.-Assessor Dr. Fritz Peiden, Buchhandlung Hermann Quaithoff, Privatgelehrter Hugh Raynbird, Buchbindermeister Friedr. Karl Ritz, Karl Alois Sator, Reallehrer Ph. See, Bürgermeister Dr. G. Schmidt, Prälat Dr. F. Schneider †, Staatsanwalt Dr. Schneider, Prof. Dr. H. Schrohe, Dr. Gottlieb F. Storck, Paul Stumpf, Georg Suder Erben, Buchdruckerei Karl Theyer, Oberlehrer Dr. Christian Waas, Buchdruckerei Georg Aug. Walter, Pfarrer Leonh. Wassermann †, Ph. von Zabern'sche Hofdruckerei, die Verleger der Mainzer Zeitungen, sämtlich in Mainz; A. Arndt in Chemnitz, Prof. Dr. Gustav Bauch in Breslau, Paul Bordeaux in Neuilly, Bruno Cassirer in Berlin, Pfarrer D. Dr. W. Diehl in Hirschhorn, Oberstleutnant a. D. H. K. Eggers in Lübeck, Hilfsbibliothekar Dr. K. Esselborn in Darmstadt, Prälat Prof. Dr. Falk in Klein-Winternheim, Dr. K. Fahmonville in Aachen, Verlagsbuchhandlung Gustav Fischer in Jena, Justizrat Dr. Gensel in Leipzig, Dr. J. Heckscher in Hamburg, Geschworener G. Henriksen in Nystrand i. Eidanger, Dr. Erwin Hensler in Wiesbaden, Oberlehrer Lic. F. Herrmann in Darmstadt, Dr. W. Herse in Groß-Lichterfelde, Dr. Karl Heß in Bad-Nauheim, Ulrico Hoepli in Mailand, Archivdirektor Dr. Th. Ilgen in Düsseldorf, Bibliothekar Axel G. S. Josephson in Chicago, Provinzarchivar P. Kilian in Königshofen i. Elsaß, August Korf in Oberursel, Max Levy in Worms, Verlagsbuchhandlung Macmillan & Sons in London, Pfarrer Joh. May in Ober-Olm, Dr. C. Mordziol in Gießen, Frl. Clementine Odendahl in Grevenbroich (Rheinpr.), Prof. Dr. Wilh. Paulcke in Karlsruhe, Prof. Dr. Walther Rauschenbusch in Rochester (Nordamerika), Geh. Regierungsrat Dr. Val. Rose in Berlin, Dr. Oskar Salomon in Berlin, aus dem Nachlaß Joseph Schick in Nackenheim, Prof. Dr. Christian Schmitt in Coblenz, Dr. E. Sthamer in Marburg, Rechtsanwalt Dr. Max Strauß in Worms, Alfred Töpelmann in Gießen, H. W. Trommüller in Oppenheim, Prof. Dr. Karl Wenck in Marburg, Pfarrer Florian Wengenmayr in Berg b. Donauwörth, Karl Wernher in Oppenheim, Dr. Julius Zitter in Leipzig.

Von den Erwerbungen verdienen eine besondere Erwähnung die Moguntina, deren Vervollständigung die Stadtbibliothek nach Maßgabe der zu Gebote stehenden Mittel fortwährend erstrebt. So wurden eine Anzahl von Bänden älterer Mainzer Zeitungen aus den Jahren 1797 bis 1812, ferner 38 bisher nicht vorhandene Mainzer Drucke meist des 19. Jahrhunderts, sowie als willkommenes Geschenk des Herrn Fritz Broo in Mainz 53 Flugblätter aus dem Jahre 1848 den Beständen einverleibt. Durch einen sehr günstigen Gelegenheitskauf konnten den Stücken aus der Mainzer Druckerei Christoph Küchlers, deren hohen Wert der vorjährige Bericht betont hat, noch zwei verwandte Werke beigesellt werden: Hebdomadarium et commune sanctorum cantui Gregoriano-Moguntino et Breviario Romano accommodatum vom Jahre 1665 und das gleichfalls dem kurmainzischen Ritus angepaßte Officium sancti angeli custodis duplex aus dem Jahre 1670. Auch die Sammlung der Mainzer Ansichten und Pläne konnte um manche schöne und interessante Stücke, von denen die 27 aus den Schloß-Miltenbergischen Sammlungen stammenden hervorzuheben sind, vermehrt werden.

Über die Arbeiten an der Handschriftenabteilung und am Archiv ist das folgende zu berichten. Anzahl der nach auswärts verliehenen Handschriften: 27 Nummern an 16 Personen; Archivalien: 32 Nummern an 6 Personen; Ansichten: 4 Nummern an 1 Person; Siegel: 9 Nummern an 1 Person. Größere, mitunter recht umfängliche und zeitraubende Nachforschungen seitens der Verwaltung erforderten die verschiedenen von auswärts eingelaufenen oder in der Bibliothek selbst vorgebrachten Anfragen. Erledigt wurden 18 einzelne geschichtliche Punkte betreffende Fragen von außerhalb, 12 auswärtige und drei hiesige Fragen familiengeschichtlicher Natur; zu praktisch-rechtlichen Zwecken wurde 6 mal Auskunft erteilt. Im Lesesaal benützt wurden außerdem Handschriften und Archivalien, zum Teil in größerem Umfang, von 10 verschiedenen Besuchern, wobei unsere ständigen Benützer, hiesige Gelehrte, die sich die Erforschung heimischer Geschichte besonders angelegen sein lassen, nicht mitgerechnet sind.

Durch Ankauf wurden dem Stadtarchiv einige Urkunden zugeführt, die sich auf altmainzische Häuser und auf eine Entlassung aus kurmainzischer Leibeigenschaft beziehen. Zu Dank verpflichtet ist das Archiv Herrn Karl Alois Sator für eine Schuldurkunde des kurfürstlich mainzischen Pfandamts aus dem Jahre 1793 und Herrn Neumann für ein gedrucktes französisches Pachtausschreiben über das Mainzer Rhein-Schiffbrückengeld vom Jahre 1806.

Die Ordnung und Fortführung der Katalogisierung des Münzkabinetts wie dessen Vermehrung mußten dirses Jahr wegen dringender Inanspruchnahme des eigentlich für diese Aufgaben angestellten wissenschaftlichen Hilfsarbeiters durch die laufenden Bibliotheksgeschäfte fast gänzlich ruhen.

Die in der gewohnten Weise vermehrten Sammlungen des Gutenberg-Museums verdanken ihren wertvollsten Zuwachs in diesem Jahre der Reichsdruckerei zu Berlin, von der ihm die umfangreichen Schriftproben, zahlreiche Kunstblätter und andere Arbeiten der Anstalt überwiesen worden sind, darantee auch die resten bedeutenden deutschen Blätter mit künstlerischen Wasserzeichen, die seiner Zrit auf der Weltausstellung in St. Louis verdiente Anerkennung gefunden haben. Eine wertvolle Ergänzung zur Veranschaulichung des modernen Schriftenmaterials liegt in den Geschenken der Bauerschen Schriftgießerei, der Schriftgießereien Flinsch in Frankfurt a. M., Genzsch & Heyse in Hamburg, Gebr. Klingspor in Offenbach vor, sowie in der von Herrn Gustav Mori in Frankfurt a. M. gestifteten, besonders stattlichen Sammlung von Akzidenzen, kleineren Schriften und Schriftproben. Auch Wald. Zachrisson in Göteborg wäre hier zu nennen, rbensa der eifrige Freund des Museums Theo L. de Vinne in New-York mit der Ausgabe seiner Specimens. Anschauungsmaterial zur älteren Druckgeschichte gewähren die dankenswerten Gaben von Fran Karl Heiden-Heimer dahier, sodann die an dieser Stelle zu erwähnenden Erwerbungen des Museums: K. Burgers Ausgabe der Buchhändleranzeigen des 15. Jahrhunderts, die Veröffentlichungen der internationalen Gesellschaft für Typenkunde und der Type Facsimile Society, der das Museum jetzt als Mitglied beigetreten ist. Erzeugnisse älterer graphischer Kunst bieten die Publikationen der Berliner Graphischen Gesellschaft, ferner eine größere Reihe von Holzschnitten des 16.—18. Jahrhunderts. Anch eine Aazahi interessanter Einblattdrucke: Kalender, Ablaßbriefe usw. aus dem 15. und dem Anfang des 16. Jahrhunderts gelangten durch Kauf in unseren Besitz. Die graphische Betätigung vor der Erfindung der Druckkunst illustrieren die weiteren Mappen der prächtigen Reproduktion des Breviarium Grimani, das von Lutz und Perdrizet herausgegebene Speculum humanae salvationis und Otto Fickers Beschreibung des „Heidelberger Wahrsagebuchs", ein Geschenk des Verfassers. Besonderes Interesse dürfen die von Otto Hupp in Schleißheim geschenkten Photogramme einer in der Kirche des Benediktinerklosters zu Prüfenig bei Regensburg befindlichen Weihinschrift vom Jahre 1119 beanspruchen, deren Text mittels sorgfältig gearbeiteter Buchstabenstempel vor dem Brennen in die weiche Tontafel eingedruckt worden ist. Als eine vor allem dem Bücherfreunde willkommene Gabe sei zum Schlusse noch W. Poidebard's, J. Baudrier's und L. Galle's Armorial des Bibliophiles de Lyonnais, Forez, Beaujolais et Dombes genannt, ein prächtig ausgestattetes Werk, durch dessen freundliche Überweisung Herr Julien Baudrier in Lyon uns sich aufs neue zu wärmstem Danke verpflichtet hat.

Weitere Geschenke sind dem Museum von folgenden Firmen und Personen zngegangen, denen auch an dieser Stelle unser Dank wiederholt sei: Paul Bendschneider, Buchdruckerei und Verlagsanstalt in Hamburg; Ed. Beyer, Chemische Fabriken in Chemnitz; Verlagsanstalt Benziger & Co. in Einsiedeln; dem Buchgewerbe-Museum zu Leipzig; der Brühl'schen Universitäts-Buch- und Steindruckerei R. Lange in Gießen; Thomas E. Donnelley, Lakeside Preß in Chicago; Gebr. Feyl, Graph. Kunstdruckerei in Berlin; der Graphischen Gesellschaft zu Offenbach; Theador Gorbel in Stuttgart; Gustav Paul Große zu Freiburg i. B.; der Gutenberg-Stube im Historischen Museum in Bern; Dr. Heinrich Heidenheimer in Mainz; Dr. Erwin Hensler in Darmstadt; Direktor Karl Herrmann in Wien; E. Herzog, Kunstanstalt in Mainz; K. W. Hiersemann, Buchhändler und Antiquar in Leipzig; J. G. Holtzwarts Nachfolger, Kunstdruckerei in Frankfurt a. M.; Michael Haber, Buch- und Steindruckfarbenfabriken in München; Friedrich Jasper, Buchdruckerei in Wien; dem Insel-Verlag zu Leipzig; Linus Irmisch in Braunschweig; Prof. Dr. Jos. Junguitz, Fürstbischöfl. Diözesanarchivar in Breslau; Handelsdenckerei Katz in Mannheim; P. T. Keßler in Mainz; Frank McLees & Bros., Engravers and Printers of Cerotypes in New-York; Gottfried Müller in Wiesbaden; Directeur Arnold Müller in Paris; dem Deutschen Museum von Meisterwerken der Naturwissenschaft und Technik in München; Buchhändler Ludwig Säng in Darmstadt; Emil Schirmer in Frankfurt a. M.; der Algraphischen Kunstdruckanstalt Jos. Scholz in Mainz; der School of Printing in Boston (Mass.); M. R. Schulz, Handelsdruckerei in Bamberg; Geh. Reg.-Rat Dr. Paul Schwenke, erstem Direktor der Königl. Bibliothek in Berlin; G. F. Smith & Son in Berlin; der Spitzertypie-Gesellschaft in München; der Universitätsdruckerei H. Stürtz zu Würzburg; Karl Theyer, Buchdruckerei in Mainz; der Typographischen Gesellschaft zu Breslau und Frankfurt a. M.; der Universal Automatic Type Casting Machine Company in Chicago; dem Ortsverein des Verbandes Deutscher Buchdrucker zu Rendsburg; C. A. Wagners Hof- und Universitätsdruckerei in Freiburg i. B.; der Hofdruckerei Philipp von Zabern hier; sowie den Herausgebern des British and Colonial Printer and Stationer in London, der Nordisk Boktryckare Konst und der Allmänna Svenska Boktryckare Föreningens Meddelanden in Stockholm.

2. Gemäldegalerie.

Die städtische Gemälde-Galerie hat durch Ankäufe, Vermächtnisse und Geschenke eine Vermehrung um 13 in Tempera, Öl und Aquarell ausgeführte Bilder erhalten.

A. Ankäufe.

1. „Die drei Gelehrten", Temperabild von Prof. Claus Meyer, geb. 1856, Düsseldorf.
2. „Wintertag", Ölbild von Karl Küstner, geb. 1861, Guntersblum.
3. „Ansicht von Mainz bei zugefrorenem Rhein, Januar 1830", von Gg. Kneip † 1862.

4.—7. Vier „Ansichten des Mainzer Domes", Aquarelle von Bernh. Helfrich Hundeshagen (1784—1858), aus dem Nachlaß des Domkapitulars Dr. Friedr. Schneider.

B. Vermächtnisse.

8. „Bildnis des Großh. Rechnungsrates und Bürgermeisterei-Beigeordneten Joh. David Ruland † 1871", Ölbild von E. v. Heuß 1808—1881; Vermächtnis des Frl. Mathilde Amend.

9.—12. „Pferdeherde beim Gewitter", „Jagd im Gebirge", Ölbilder von K. Perstel, Mainz; „Porträt der Frau F. J. Usinger" von B. Orth, „Porträt des Sohnes des Herrn F. J. Usinger" von B. Orth; Vermächtnis des Herrn Franz Jos. Usinger, Architekt, Mainz † 1908.

C. Geschenke.

13. „Das Innere der Abteikirche von Amorbach", Ölbild von Prof. Rudolf Huthsteiner. Geschenk des Kunstvereins für die Rheinlande und Westfalen.

Die Bilder konnten trotz des Raummangels noch zur Ausstellung in der Galerie gelangen.

Restauriert oder regeneriert und gefirnißt wurden die Gemälde Nr. 392 von Honthorst, Nr. 320 von B. Orth, Nr. 446 b Niederrheinischer Meister, Nr. 446 c Niederrheinischer Meister des 16. Jahrh., Nr. 350 d von Seckatz, Nr. 48 und Nr. 176.

Im Laufe des Jahres haben 15 Personen in der Galerie kopiert und 40 Kopieen hergestellt.

Der Bestand der Sammlung von Kupferstichen, Radierungen und Handzeichnungen wurde um ca. 230 Blätter vermehrt.

A. Ankäufe.

Elf Originalradierungen von Prof. Peter Halm, Mainz-München, 36 Kohlenzeichnungen von Dr. J. Manefeld-Mainz.

Aus dem Nachlaß des Prälaten Dr. Friedr. Schneider: 4 Aquarelle von Karl Behr, 28 Aquarelle und Tuschzeichnungen von Fritz Geiges, eine Radierung von Wilh. Hecht, 2 Federzeichnungen und eine Radierung von Prof. Peter Halm, eine Radierung von C. N. Huber, eine Federzeichnung von B. H. Hundeshagen, eine Bleistiftzeichnung von Ed. v. Steinle, 9 Feder- und Tuschzeichnungen und eine Lithographie von Otto Hupp, München, 8 Aquarelle und Zeichnungen von Gg. Schneider, 1789—1862, und 27 Radierungen, Zeichnungen und Lithographieen von P. Jasper, Holmsperger, R. Pfnorr, Gg. Schneider, G. A. Trabert, Wilh. Volz, von Joeden.

Hierzu treten die Publikationen der Gesellschaft für vervielfältigende Kunst in Wien und des Radier-Vereins in Weimar.

B. Geschenke.

4 Federzeichnungen, Architekturstücke von Jod. Jak. Hoch, Geschenk des Herrn Franz Broo, Mainz; 45 Stift- und Federzeichnungen, Aquarelle und Photographieen, Illustrationen zur Festschrift des Mainzer Schützenfestes 1894, Geschenk der Mainzer Schützen-Gesellschaft; 2 Steindrucke, nach Zeichnungen von Dr. J. Manefeld, Geschenk des Künstlers; eine Radierung von H. v. Swaneselt, Geschenk von L. Lindenschmit.

Die Abteilung für illustrierte Werke wurde vermehrt durch: die Rheinnummer der Leipziger Illustrierten Zeitung, überwiesen von der Großh. Bürgermeisterei Mainz; G. Frauenkofer: „Edmund Harburger" (in „die Kunst unserer Zeit"), und das Werk „Ausstellung deutscher Kunst aus der Zeit von 1775—1875", Berlin 1906.

Die Bibliothek wurde bereichert durch: D. C. Hofstede de Groot, „Beschreibendes und kritisches Verzeichnis der Werke der hervorragendsten holländischen Maler des 17. Jahrh.", sowie durch die Fortsetzungen von Wurzbachs Niederländ. Künstlerlexikon (neue Auflage), die Knackfuß'schen Monographieen und den „Kunstmarkt".

Der Zuwachs zu der Sammlung photographischer Aufnahmen alter Mainzer Bauwerke und Kunstdenkmäler beläuft sich auf 29 Tafeln mit 60 Aufnahmen.

Die Vermächtnisse von Max Oppenheim und Jos. Schick wurden inventarisiert, ebenso die oben erwähnten Erwerbungen und Geschenke. Die Inventarisierung der umfangreichen Laske'schen Sammlung konnte fortgesetzt werden.

Die neue (10.) Auflage des Verzeichnisses der Gemälde-Galerie wurde zum Druck fertiggestellt. Es sind 664 Exemplare des Verzeichnisses verkauft worden, also 141 mehr als im Vorjahre.

3. Naturhistorisches Museum.

Der Anstalt wurden reiche Schenkungen zuteil, unter welchen obenan steht eine Stiftung des Herrn Baron von Erlanger und seiner Gemahlin zu Nieder-Ingelheim aus der Hinterlassenschaft ihres Sohnes Carlo, der auf seiner Expedition (1899—1901) in Abessinien, den Gallaländern, sowie in dem Nord- und Süd-Somalilande viele ostafrikanische Säugetiere gesammelt hatte.

Die Kollektion umfaßt die Felle und Schädel von:

1. Equus Grevyi, eine großköpfige Art der Tigerpferde.
2. Hyaena (Crocotta) jubensis, eine gefleckte Hyäne.
3. Oryx beisa gallarum, die Beisa-Antilope der Gallaländer.
4. u. 5. Gazella Soemmeringi, ein Paar Sömmering-Gazellen.
6. u. 7. Lithocranius Sclateri, ein Paar Giraffenhalsgazellen.
8. Kolus unctuosus defassa, ein weibliches Exemplar des Wasserbocks.
9. Redunca cohor, Riedbock.
10. u. 11. Sylvicapra abessynica, ein Paar Waldantilopen.
12. Cervicapra fulvorufula schoana, rotbraune Hirschziegenantilope von Schoa.
13. u. 14. Madoqua Swaynei,
15. u. 16. Rhynchotragus nov. spec., } je ein Paar kleiner Steppenantilopen.
17.—19. Guereza gallarum, Guereza-Affe der Gallaländer, Eltern mit dem Jungen
20. Chlorocebus Hilgerti
21. Chlorocebus Ellenbecki
22. Chlorocebus djamdjamensis } Meerkatzen-Arten.
23. Mona Erlangeri, eine Affenart.
24. u. 25. Sciurus jubensis
26. Sciurus abassensis } Eichhörnchen-Arten.
27. Xerus jubensis
28. u. 29. Xerus djabagalla
30. Xerus rutilus } Borsten- oder Erdhörnchen-Arten.
31. u. 32. Procavia brucei somalica
33. u. 34. Procavia Erlangeri } Klippschliefer-Arten.
35. Gallago gallarum, eine Halb- oder Nachtaffen-Art.

Hieran reiht sich eine weitere Zuweisung von Bälgen mit Schädeln und zwar chilenischer Säugetiere und Vögel von seiten des früheren Ministerresidenten in Santiago de Chile, jetzt deutschen Gesandten in Rio de Janeiro, Herrn Franz von Reichenau, welche enthält:

a) an Säugetieren:

1. Canis magellanicus, der „Zorro", eine Wildhundart.
2. Galictis vittata, der „Grison", auch „Quique" benannt, ein marderartiges Tier.
3. Cervus humilis, der „Rudir", ein Zwerghirsch.
4. Lagotis criniger, die „Viscacha", ein Nagetier.
5. Aphaegmis ater, der „Kukuro", desgl.
6. Octodon degus, der „Degus", desgl.
7. Myopotamus coypus, der „Kolpu" oder Sumpfbiber.
8. Felis guinna, eine Wildkatze.
9. Didelphys australis, die „Komadrega", eine Beutelratte.

b) an Vögeln:

1. Columba denisea, die „Torcasa", eine Taubenart.
2. Rhynchops nigra, der „Rayador", die pflugscharschnäbelige Flußschwalbe.
3. Speotyto cunicularia, die Prärieeule.
4. Otus brachyotus, die Sumpfohreule, eine kosmopolitische Art.
5. Ipocrantor (Campephilus) magellanicus, ein Specht.

6. Conurus patagonus, ein Papagei.
7. Dasycephala livida, der „Moro", eine Würgerart.
8. Phoptochos megapodius } Ameisendrosseln.
9. Phoptochos rubecula
10. Agelaius militaris. } Stärlinge.
11. Agelaius caraeus, der „Tordo"
12. Agelaius thilius
13. Dinca dinca, die „Dinca" } Sperlingsvögel.
14. Mimus thenca
15. Turnarius antarcticus, ein Töpfervogel.
16. Anthus rufus — correndera, ein Pieper.
17. Synallaxis aegithaloides, die Dornschwanzmeise.
18. Zonotrichia matutina } Finkenarten.
19. Chrysomitris barbata
20. Phytotoma ra-ra, die „Ra-ra", der Pflanzenmähder.
21. Serpophaga parulus, der „Torito".
22. Cyanotis Azarae, der „Sietecolor".
23. Eustephanus galeritas, eine Kolibriart.
24. Buteo polyosoma, der bunte Bussard.
25. Tinnunculus sparverius, eine Turmfalkenart.
26. Milvago chimango } Raubvogelarten.
27. Polyborus brasiliensis
28. Cathartes a-ura — Jota, der Rotgeier.
29. Sarcorhamphus gryphus, der Kondor.
30. Nothura perdicaria — Tinamus perdix, ein Steißhuhn.
31. Thinochorus Orbignyanus, ein Stelzvogel.
32. Ibis melanopsis, eine Ibis-Art.

Weitere Geschenke liefen ein von den Herren

Privatdozent Dr. Karl Deninger in Freiburg im Breisgau:

Schädel eines weiblichen Elephanten (Elephas sumatranus), eines Krokodils (Crocodilus biporcatus), Felle vom Siamang-Gibbonaffen (Hylobates syndactylus) von Sumatra, sowie zwei Felle mit Schädeln vom Molukkenhirsch (Cervus Peroni) von der Insel Buru, gesammelt auf einer Reise dahin.

Grubenbeamter Valentin Emmert, Zwickau in Sachsen, eine Kollektion von Pflanzenresten aus dem unteren Carbon (über 1000 Meter örtliche Tiefe) daselbst.

J. B. Felmer in München: Das Winterfell mit Schädel vom wilden Alpensteinbock, Exemplar aus der Girtannerschen Hinterlassenschaft.

Christian Fetzer in Winkel, Rheingau: Vogelbälge und Nester von dort:

a) Bälge:

1. Acanthis linaria, Leinfink.
2. Pyrrhula rubricilla, Gimpel.
3. Emberiza citrinella, Goldammer.
4. u. 5. Turdus merula, Amsel.
6. Certhia familiaris, Baumläufer.
7. Parus caudatus, Schwanzmeise.
8. Lanius collurio, Dorndreher.
9. u. 10. Corvus monedula, Dohle.
11. Corvus frugilegus, Saatkrähe.
12. Picus viridis, Grünspecht.
13. u. 14. Picus major, Buntspecht.
15. u. 16. Athene noctua, Steinkauz.

17. Falco tinnunculus, Turmfalk.
18. Perdix perdix, Feldhuhn.
19. u. 20. Phasianus colchicus, Edelfasan, Hahn u. Henne.
21. Gallinula chloropus, Teichhuhn.
22. Podiceps minor, Zwergsteißfuß.
23. u. 24. Anas boschas, Stockente.
25.—27. Anas clangula, Schellente.
28.—30. Mergus merganser, Gänsesäger.
31.—33. Larus ridibundus, Lachmöve.

b) Nester:
1. Oriolus galbula, Pirol.
2. Acrocephalus arundinaceus, Rohrsänger.
3. Lanius collurio, Dorndreher.
4. u. 5. Fringilla caelebs, Buchfink.
6. Anthus trivialis, Baumpieper.
7. Sylvia atricapilla, Schwarzplättchen.
8. Motacilla flava, gelbe Wiesenstelze.
9. Turdus musicus, Singdrossel.

Paul Kocks, Apotheker in Gelsenkirchen: Fossilien aus dem mitteloligozänen Meeressande von Waldböckelheim und aus niederrheinischer Steinkohle.

Dr. med. Fritz Ohaus, Hamburg an der Elbe: Eine auserwählte Sammlung von Eiern der Meeresvögel, gesammelt auf List, der Nordspitze der Insel Sylt, darunter prächtige Varianten von Silbermöven-Eiern.

Eduard Schmahl, Mainz: eine Kollektion von Großschmetterlingen in Tüten von der Insel Ceylon, von seiner Reise dorthin.

Oberleutnant a. D. Arnold Schultze in Essen an der Ruhr: Eine Kollektion afrikanischer Tagfalter, Dubletten seiner in Kamerun gesammelten Lepidopteren.

Ferner verdankt das Museum einer Spende der Herren Justizrat Börckel und Direktor Dr. Otto Jung die Ermöglichung der Anschaffung des Felles mit Schädel vom Moschusochs (Ovibos moschatus) und zweier vorzüglich ausgestopfter hochalpiner Säugetiere, der Alpenspitzmaus (Sorex alpinus) und der Schneewühlmaus (Arvicola arvalis).

Den gütigen Gebern sei allen aufs wärmste gedankt!

Käuflich erworben wurden:

1. Ein Exemplar eines ausgestopften indischen Elefanten (Elephas indicus).
2. Aus den Mosbacher Sanden stammend: ein Oberarmbein von Bison spec., Eckzähne von Hippopotamus, eine Unterkieferhälfte von Felis leo fossilis und ein fragmentarisches Schulterblatt von Elephas trogontherii.
3. Aus rheinhessischem Septarienton: Platten mit Fischen, meist dem Genus Meletta angehörig und unseren Sprotten und Sardellen verwandt.

Gesammelt wurden Raupen des deutschen Bärenspinners (Arctia caja) behufs Gewinnung einer klaren Übersicht über dessen natürliche Varianten.

4. Altertümer-Sammlung.

Der Rahmen dieses Berichtes gestattet es nicht, die Bereicherungen der Sammlungen eingehend zu würdigen. Es sollen hier nur die wichtigsten Altertümer und Fundgruppen hervorgehoben und die Fundumstände kurz erwähnt werden. Gelegentlich des Durchbruchs der alten Stadtmauer auf dem Gebiet Kästrich 53 wurde von dem Altertumsverein eine genaue Untersuchung der Mauer und ihres Fundaments vorgenommen. Es konnte auch die Technik der Herstellung durch photographische Aufnahmen fixiert werden. Bis zur Höhe von 4 m über Tag reichte das römische Mauerwerk; aus einer zweiten, spätrömischen oder merowingischen Periode stammt wohl der 2 m höher reichende, mit Zinnen versehene Teil, und darauf setzt sich unter Ausfüllung der Zinnen die aus dem eigentlichen Mittelalter herrührende Partie, die in der Höhe von etwa 7 m abschließt.

Auch im Fundament dieses Teiles der Stadtmauer fanden sich zahlreiche noch von älteren römischen Bauten herrührende Werkstücke und auch einzelne Denkmäler und Bildwerke. Diese Funde wurden sämtlich gehoben und in das Museum verbracht. Es sind zu nennen: der obere Teil eines Minerva-Altars, Bruchstücke von 2 weiteren Altären, eine große Brüstungsplatte mit Reliefdarstellung der Viktoria, eine kleinere Platte mit den Reliefbildern des Merkur, der Minerva, des Sucellus und 22 profitierte Werkstücke.

Der Bau eines Beamtenhauses am Gautorplatz gab Gelegenheit, die Ablagerung römischer Kulturschichten von 7 Perioden zu beobachten. Deutlich ließ sich die Schicht erkennen, die mit der Erbauung der römischen Stadtmauer unter der Regierung des Diokletian entstand. Die Fundstücke aus den einzelnen Ablagerungen, Keramik und Münzen, sind als wichtiges, datierendes Material, gruppenweise getrennt, im Museum aufbewahrt.

Durch Herrn Architekt Löffelholz wurde auf einige römische Inschriftsteine, die sich in der Umfassungsmauer der kath. Kirche zu Kastel unter dem Verputz vorfanden, aufmerksam gemacht; durch das Entgegenkommen seitens des kathol. Pfarramtes und des Kirchenvorstandes gelang es, für die Sammlung das Bruchstück einer römischen Weiheinschrift und zwei Fragmente von römischen Grabsteinen zu gewinnen.

Vom städt. Tiefbauamt wurden 2 Legions-Baurkunden (1. und 22. Legion), gefunden in der Umfassungsmauer des ehem. Reichklaraklosters, in das Museum verbracht.

Zu den wichtigsten Unternehmungen, die der Altertumsverein seit Jahren durchführte, gehört die Untersuchung der Fundamente der ehem. St. Albanskirche oberhalb der „Anlage". Es handelt sich um die Feststellung der Lage und des Grundrisses der am Ausgang des 8. Jahrh. auf Veranlassung Karls des Großen erbauten gewaltigen Basilika. Über die bisherigen Ergebnisse hat Herr Prof. Neeb dem Verein im verflossenen Winter schon einige interessante Vorträge gehalten. Eine ausführliche Beschreibung bringt Heft III (1908) der „Mainzer Zeitschrift".

Aus den Fundamentresten konnten zirka 30 Steinplatten mit Inschriften aus frühchristlicher oder merowingischer Zeit, der Grabstein eines Soldaten der 16. Legion und 20 Fragmente von Skulpturen verschiedener Perioden erhoben werden. Besonders wichtig sind die Grabinschriften mit deutschen Namen. Die in großer Zahl aufgedeckten Steinsärge brachten nur geringe Ausbeute, da sie meistens schon im Laufe der Zeiten beraubt worden sind. Nur einige Gräber aus späterer, merowingischer Zeit bargen noch einen Teil der den Toten beigegebenen Geräte und Schmucksachen, wie Glasperlen, Gürtelschnallen aus Eisen und Erz, Knochenkämme. Diese Grabfunde sind besonders interessant, weil sie mit einem vorkarolingischen Heiligtum, dessen Reste unter und zwischen den karolingischen Fundamenten zutage treten, zusammenhängen.

Bei Untersuchung rines neuen fränkischen Grabfeldes, am Osteingang von Ober-Saulheim aufgedeckt, konnten 6 Gräber geöffnet werden, deren Inhalt (einige fränkische Waffen, Pferdetrensen usf.) von dem Besitzer des Bauterrains, Herrn Wilh. Lehrbach-Darmstadt und dessen Bruder Herrn Jak. Lehrbach III.-Ober-Saulheim, dem Museum als Geschenk überwiesen wuede.

Eiaen außerordentlich reichen und wertvollen Zuwachs erhielt das Museum durch das Vermächtnis des verstorbenen langjährigen Vorstandsmitgliedes des Vereins, Franz Joseph Usinger. Aus der Reihe der den verschiedensten Perioden angehörigen Gegenstände ist vor allem die schöne Sammlung von Porzellangruppen hervorzuheben, die um so willkommener sein mußte, als sie eine größere Anzahl von Werken der Altmainzer Manufaktur in Höchst umfaßt, die bis jetzt nur in ganz ungenügender Weise durch 3 Figürchen und 2 Gruppen in dem Museum vertreten war. Die Sammlung setzt sich aus 90 Figuren und Gruppen zusammen, von denen 35 aus der Höchster Fabrik, 16 von Damm, 13 von Frankenthal, je 2 von Faida und Ludwigsburg, je 4 von Meißen und Wien, 5 von Berlin stammen, 9 Stück sind ohne Marke und noch nicht bestimmt. In richtiger Würdigung der Bedentung ditics reichen Vermächtnisses hat auch die Stadtverordneten-Versammlung die Mittel zur Herstellung rines zierlichen Glasschrankes bewilligt, der, nach den Angaben des Herrn Baurat Opfermann ausgeführt, die kleinen Kunstwerke zur günstigen Wirkung gelangen läßt. Diesen figürlichen Werken schließen sich an: 18 Kaunen, Tassen und Scholen von Höchst und 2 Gefäße der Wiener Fabrik, 9 Gefäße sind ohne Bezeichnung, gehören aber gleichfalls dem 18. Jahrhundert bezw. dem Anfange des 19. Jahrhunderts an. Zu erwähnen sind ferner als wertvolle Teile des Vermächtnisses: 28 Kräge und Kaunen ans Majolika und Fayence, 26 Krüge (18. Jahrh.) aus Steingut, 5 Kannen, 1 Becher, 1 Zunfthumpen der Mainzer Steinmetzen vom Johre 1842, 1 Zunfthumpen der Mainzer Fischer (18. Jahrh.), gefertigt aus Zinn.

Aus Silber gearbeitet sind: 2 Pokale und 3 reichverzierte Becher ans dem 16. und 17. Jahrh., 2 Salzgefäße aus dem 18. Jahrh. und ein reich dekorierter mit Gold plattierter römischer Löffel. Aus Glas sind: 5 römische, 2 fränkische Gefäße und 26 große Pokale, meist aus dem Anfang des 18. Johrh. stammend, mit eingeätzten Wappen, Sprüchen und Ornamenten; auch diese Gefäße repräsentieren einen bedeutenden Wert.

Aus Elfenbein geschnitten sind: ein Kruzifixus und 2 kleine Figürchen, aus Buchsbaumholz 2 Apostelfiguren; alles aus der 2. Hälfte des 18. Jahrh. 2 Mainzer Zunftladen (Steinmetzen 1779 und Bierbrauer 1730) bilden mit den obengenannten Humpen eine schöne Bereicherung der kleinen Gruppe von Zunftsachen in unserem Museum. Von den zum Vermächtnis gehörigen Waffen verdienen Erwähnung: ein Ritterschwert aus dem 12. Jahrh., 9 meistens gravierte Partisanen, 1 Richtschwert, 2 Armbrüste aus dem 16. Jahrh, 2 Pulverhörner und 2 Gewehre, graviert und mit Perlmuttereinlagen verziert.

Von den verschiedenen Abteilungen der Sammlung durch Ankauf oder durch Geschenk zugegangenen Altertümern seien noch genannt: in der römischen Abteilung: 1 Zeusbüste aus Bronze von guter Arbeit, gefunden in Mainz; ein ungemein naturalistisch ausgeführter Affenkopf (Gefäßverzierung aus terra sigillata), gefunden auf dem Schloßplatz in Mainz; ein Brandgrab aus Bischofsheim a. M., bestehend aus einem Dolium, das die Asche und einen eigenartig verzierten Bronze-Armreif barg. Ferner ein Brandgrab aus der Nahegegend (1 Gesichtsurne aus Ton, ein glasiertes Krüglein mit Reliefverzierung und eine Tonlampe umfassend). Als Geschenk des Herrn Jos. Stimbert-Mainz sind zu verzeichnen: ein glockenförmiger, gerippter Glasbecher, 1 Kugelglas, 1 gr. dekorierte terra sig.-Schüssel, 1 Becher und 2 Lampen aus Ton, Fundstücke vom röm. Friedhof an der Forsterstraße.

Eine der wichtigsten Erwerbungen bildet der für die fränk. Abteilung gewonnene Inhalt eines in der Nähe von Mainz aufgedeckten Frankengrabes aus dem 6. Jahrh. Das Grab, das einen mit seinem Roß bestatteten Krieger barg, enthielt einen eisernen Helm (sog. Spangenhelm), Ango, Schwert, Lanze, Wurfaxt und 2 Pfeilspitzen, Fragmente einer Ringbrünne, silberne Schnalle, eiserne Trense, Bronzekanne und -Schüssel. Die Bedeutung des Fundes beruht in dem Auftreten des Helmes, der als das seltenste Rüstungsstück in den Gräbern der sog. Völkerwanderungszeit bezeichnet werden darf. Es wurden bis jetzt nur 5 Exemplare aus dieser Periode in Deutschland gefunden, von denen 2 aus dem Rheinland stammen: der Helm von Straßburg und der von Mainz.

Die Abteilung der Gegenstände aus dem Mittelalter und der neueren Zeit erhielt, abgesehen von dem Usinger'schen Vermächtnis, reichen Zuwachs an keramischen Produkten. Unter den Tongebilden älterer Zeit ist eine Form zur Herstellung von Verzierungen für Krüge aus dem Ende des 15. Jahrh. hervorzuheben. Sie zeigt die hl. Magdalena, von schwebenden Engeln umgeben, in künstlerischer Ausführung. Das interessante, im Hahnerhof gefundene Bildwerk ist ein Geschenk des Herrn Dubois de Luchet.

Am zahlreichsten sind die Gefäße aus der 2. Hälfte des 18. Jahrh. und vom Anfang des 19. Jahrh. vertreten; auch die sog. Bauernkeramik, der man jetzt in allen größeren Museen besondere Aufmerksamkeit widmet. Dazu sind namentlich zu zählen: 12 bemalte irdene Teller, 1 farbige Schüssel mit Deckel und 1 Blumenvase. Flörsheimer und Darmstädter Ursprungs sind 5 schön verzierte Schreibzeuge, 4 Krüge, 17 Schalen und Teller aus Fayence. 2 Fayencen (Kanne und Teller) stammen aus der Mainzer Fabrik. Das Steinzeug aus Nassau erhielt Vermehrung durch 14 mehr oder weniger reich dekorierte Krüge und 2 Schreibzeuge, deren eines durch seine geschmackvolle blaue und maulbeerbraune Reliefverzierung, wie durch seine Größe besonders bemerkenswert erscheint. Es stammt aus dem 18. Jahrh. Der Sammlung verzierter eiserner Ofenplatten konnten 5 Platten zugeführt werden, deren Bilderschmuck noch nicht vertreten war; 2 Platten sind ein Geschenk des Herrn Apothekers Raphaelsohn, Mainz.

Für die Sammlung mittelalterlicher und späterer Skulpturen in Stein und Holz wurden gewonnen: 1 gotisches Gewölbeschlußstück (Maske mit Blattwerk) aus dem Neubau an der Stephansstraße—Eisgrube; 6 kleine Rokoko-Reliefs aus Stein, darstellend einen Papst, einen Bischof, einen Engel, St Georg, St. Michael und St. Sebastian. Eine große Figur aus grauem Sandstein, Maria immaculata, das Werk eines tüchtigen Barockkünstlers; diese von Herrn Zimmermeister Becker als Geschenk übergebene Figur war ehedem am Scharfensteiner Hof aufgestellt. Ein Standbild des hl. Rochus aus Holz, erworben in Zahlbach; eine „Maria-Selbdritt" aus Lindenholz, ein gutes Werk vom Ausgang des 15. Jahrh., mit Resten alter Bemalung, aus Nieder-Saulheim. Eine Pietà aus Holz, aus dem 15. Jahrh.; das Bildwerk stammt aus der Kirche der armen Klarissen in Mainz.

5. Römisch-Germanisches Zentralmuseum.

Die Sammlungen des Römisch-Germanischen Zentralmuseums wurden in dem Berichtsjahre um 765 Nachbildungen vermehrt, von denen 694 Nummern in den eigenen Werkstätten des Museums hergestellt werden konnten. Auch der Zuwachs an Originalen war in diesem Jahre recht beträchtlich, er beläuft sich auf 607 Nummern und wurde namentlich durch Geschenke, die dem Museum von auswärtigen Sammlungen zugewiesen wurden, erzielt.

Die reichste Ausgestaltung erfuhr die Abteilung der Altertümer der römischen Zeit, welche im Laufe des Jahres in 7 Räumen des I. Obergeschosses Unterkunft fand und zwar in einer Art Parallelaufstellung, indem die rein römischen Funde den germanischen aus römischer Zeit gegenübergestellt wurden. Die Aufstellung im II. Obergeschoß, das die Altertümer der Völkerwanderungszeit bis zur Zeit Karls des Großen aufnehmen soll, hat begonnen.

Auch in diesem Jahre wurden die Werkstätten des Römisch-Germanischen Zentralmuseums von nicht weniger als 29 auswärtigen Museen in Anspruch genommen zwecks Reinigung und Wiederherstellung von Funden, die oft größere Gruppen darstellten.

Modelle römischer und fränkischer Waffen und kolorierte Abgüsse erhielten 8 Museen und verschiedene Private: das städtische Museum in Baden-Baden, die Augenklinik der Charité in Berlin, die Generalverwaltung der Kgl. Museen in Berlin, das Prov.-Museum in Bonn, das archäolog. Institut der Universität in Leipzig, das Musée Guimet in Paris, das Saalburg-Museum, die Staatssammlung in Stuttgart.

Führungen durch die Sammlungen haben mehrfach stattgefunden.

Von dem durch das Museum herausgegebenen Werke, „Die Altertümer unserer heidnischen Vorzeit" ist Heft 9 des 5. Bandes erschienen.

6. Sammlungen für plastische Kunst.

Diese Sammlungen fanden im verflossenen Jahre keine Vermehrung.

7. Im allgemeinen.

In der Zeit vom 1. April 1907 bis 31. März 1908 wurden 3 342 Eintrittskarten verkauft, also 128 mehr als im vorausgegangenen Jahre.

XXXVI. Stadttheater.

Mit Zustimmung der Stadtverordneten-Versammlung laut Beschlüssen vom 31. Januar und 25. Oktober 1905 wurde die Leitung des Stadttheaters dem seitherigen Leiter des Deutschen Theaters in London, Herrn **Max Behrend**, auf die Dauer von vier Jahren vom 1. Juni 1905 ab auf eigene Rechnung übertragen.

Das Theater bietet Raum für 1 377 Personen und zwar: 1. Rang-Logen für 125, Balkon für 80, Sperrsitz für 187, Sperrsitz-Stehplatz für 52, 2. Rang für 203, Parterre für 104, Parterre-Stehplatz für 81, Rondell für 217 und Galerie für 328 Personen.

Die Spielzeit 1907/08 begann Sonntag den 8. September 1907 und endigte Mittwoch den 15. April 1908. In dieser Zeit fanden 252 Vorstellungen statt und zwar 164 im Abonnement, 28 außer Abonnement, 16 im Zyklus und 44 Nachmittagsvorstellungen.

Zur Aufführung gelangten nachverzeichnete Werke (die beigesetzten Zahlen geben an, wie vielmal die einzelnen Stücke aufgeführt wurden):

I. Oper und Operette.

Aida (2), Bajazzo (1), Carmen (3), Cavalleria rusticana (3), Ein Walzertraum (6), Der Evangelimann (3), Die Fledermaus (2), Figaro's Hochzeit (3), Der fliegende Holländer (3), Fra Diavolo (3), Das Glöckchen des Eremiten (3), Die Götterdämmerung (2), Hugdietrichs Brautfahrt (1), Die Hugenotten (2), Die Jüdin (2), Lohengrin (6), Die lustigen Weiber von Windsor (2), Die lustige Witwe (30), Madame Butterfly (8), Der Maskenball (2), Margarethe (4), Martha (2), Die Meistersinger von Nürnberg (3), Mignon (1), Postillon von Lonjumeau (3), Der Prophet (1), Das Rheingold (1), Rigoletto (2), Rosalba (2), Siegfried (2), Tannhäuser (3), Tausend und eine Nacht (3), Tragaldabas (5), La Traviata (1), Tristan und Isolde (1), Troubadour (3), Undine (1), Der Vogelhändler (1), Walküre (3), Wilhelm Tell (3), Zar und Zimmermann (4), Der Zigeunerbaron (6).

Im ganzen 42 Werke mit 142 Aufführungen.

II. Schauspiel.

1. Klassische Stücke.

a) Trauer- und Schauspiele.

Don Carlos (1), Emilia Galotti (1), Iphigenie in Aulis (1), Kabale und Liebe (1), Die Karlsschüler (2), Maria Stuart (2), Medea (2), Nathan der Weise (3), Die Räuber (2), Wallensteins Tod (2), Wilhelm Tell (2), Faust I. und II. Teil (Musik von Lassen) (2).

Im ganzen 12 Werke mit 21 Aufführungen.

b) Lustspiele.

Minna von Barnhelm (1), Der Widerspenstigen Zähmung (1).

Im gunzen 2 Werke mit 2 Aufführungen.

2. Nenere Stücke.

a) Trauer- und Schauspiele.

Die Ahnfrau (2), Der Dieb (5), Ein Fallissement (1), Fedora (1), Die Haubenlerche (1), Die Heimat (2), Der Hüttenbesitzer (2), Johannisfeuer (2), Judith (1), Liebelei (2), Die List (1), Monna Vanna (2), Nora (1), Die Rabensteinerin (7), Der Richter von Zalaaiea (1), Rosen (3), Salome (2), Saulus (1).

Im ganzen 18 Wrrke mit 37 Aufführungen.

b) Lustspiele.

L'Aventurière (1), Auf Schillers Flucht (2), Das Glashaus (1), Die große Gemeinde (1), Herthas Hochzeit (4), Husarenfieber (3), Im bunten Rock (3), In Zivil (1), Le Misanthrope (1), Panne (4), Der Raub der Sabbinerinnen (2), Wohltätige Frauen (2).

Im ganzen 12 Werke mit 25 Aufführungen.

c) Komödien, Schwänke und Volksstücke.

Eine lustige Doppelehe (3), Die gelbe Gefahr (3), Die Grille (2), Hasemann's Töchter (2), Der Herrgottschnitzer (1), Der heimliche König (1), Die Logenbrüder (3), Dir Schmetterlingsschlacht (1), Vom undern Ufer (2).

Im ganzen 9 Werke mit 18 Aufführungen.

3. Stücke mit Musik, Ausstattungsstücke 2c.

Besondere Ballettaufführungen (1), Dornröschen (Weihnachtsmärchen) (12), Kurmärker und Piccarde (1), Lumpazi Vagabundus (2), Registrator auf Reisen (2), Wiener Walzer (2), Der Zechpreller (2).

Im ganzen 7 Werke mit 22 Aufführungen.

Novitäten sind zu verzeichnen:

a) In der Oper und Operette.

Ein Walzertraum, Hugdietrichs Brautfahrt, Die lustige Witwe, Madame Butterfly, Rosalba, Tragaldabas.

b) Im Schauspiel.

Auf Schillers Flucht, Der Dieb, Die gelbe Gefahr, Das Glashaus, Herthas Hochzeit, Der heimliche König, Panne, Die Rabensteinerin, Rosen, Vom undern Ufer.

c) Stücke mit Musik.

Der Zechpreller.

Als Gäste traten auf:

a) In der Oper.

Die Damen: Frau Sigrid Arnoldson, Frl. Marg. Brandes, Frl. Charlotte Brunner, Frl. Gertrude Cureni, Frl. Math. Dennery, Frl. Louise Fladnitzer, Frau Geise-Winkel, Frl. Marg. Grahn, Frl. Franzi Großkopf, Frl. Henny Linkenbach, Frau Bertha Pester-Prosky, Frl Charlotta Röder, Frl. T. Rudolph, Frl. Seebold, Frl. Anna Sutter, Frl. van der Vijver, Frau Erika Wedekind.

Die Herren: M. Alvarez, Louis Bauer, Georg Becker, Ejnar Forchhammer, Rud. Gerhart, Otta Goritz, Wilh. Grüning, Rich. Hoettges, Hans Keller, Joachim Kromer, Fritz Rupp, Emil Wehrhahn. Herr Eugen d'Albert dirigierte seine Oper „Tragaldabas".

b) Im Schauspiel.

Die Damen: Frau Frieda Eichelsheim, Frau Käthe Frank-Witt, Frl. Ella Kobold, Frl. Grethel Lothar, Frau Maria Pospischil, Frl. Betty Ullerich.

Die Herren: William Büller, Konrad Dreher, Rich. Kiech, Willi Porth.

Außerdem gastierten eine Französische Gesellschaft unter Mitwirkung von Mr. Paul Mounet, Mrs. Garay und Volny und Mademoiselle Schmitt, das Schlierseer Bauerntheater und die Tanzkünstlerin Frl. Rita Sachetto.

Auf dett von der Stadtverordneten-Versammlung zur Unterhaltung des Bühneninventars bewilligten Kredit von 10000 ℳ und den aus dem Vorjahre übertragenen Kreditrest von 1 597 ℳ 94 ₰ wurden verausgabt:

	ℳ	₰
1. Für neue Dekorationen (2 neue Straßen) sowie für Unterhaltung der Dekorationen (darunter Ummalen eints Zimmers) und für Regale und Leitern für das Magazin Gutenbergplatz 4 $^{2}/_{10}$	4 222	52
2. Für Unterhaltung der Gewandstücke und zwae hauptsächlich für Ausbesserung und Reinigung von Ballettkostümen	740	07
3. Für Anschaffung von Gewandstücken und zwae hauptsächlich von weiblichen Kostümen	3 040	56
4. Für Requisiten, Möbel- und Waffenreparaturen, sowie für eine Soutachiermaschine	570	40
5. Für die Bibliothek	11	75
Zusammen	8 585	30

Von dem bewilligten Kredit sind noch 3012 ℳ 64 ₰ verfügbar, welche mit Genehmigung der Stadtverordneten-Versammlung vom 21. Oktober 1908 auf das Rechnungsjahr 1908 übertragen worden sind.

Die Rechnungsergebnisse des Stadttheaters, insoweit sie die Stadt Mainz betreffen, sind auf Seite 393 und 394 verzeichnet.

Die Betriebsergebnisse des Theaterunternehmens waren ausweislich der Angaben der städtischen Kontrolleure in den letzten fünf Jahren folgende:

Bezeichnung	Spielzeit									
	1903/04		1904/05		1905/06		1906/07		1907/08	
	ℳ	₰	ℳ	₰	ℳ	₰	ℳ	₰	ℳ	
Einnahme	222 188	30	219 709	04	245 655	66	261 729	03	255 359	94
Ausgabe	199 354	67	213 366	12	213 684	13	231 296	63	231 767	25
Mithin Mehreinnahme	22 833	63	6 342	92	31 971	53	30 432	40	23 592	69

In obigen Beträgen sind die Einnahmen aus den Aufführungen an auswärtigen Bühnen nicht mitenthalten, da diese der städtischen Kontrolle nicht unterliegen. Der Reingewinn des Jahres 1904/05 erhöht sich um 2734 ℳ 44 ₰ für von der Stadt Mainz von dem früheren Theaterdirektor Steinert erworbene Dekorationsstücke 2c.

XXXVII. Städtische Konzerte.

Die städtische Kapelle hat einschließlich des Kapellmeisters 49 Mitglieder. Die Besetzung der Instrumente ist folgende: 1 Harfe, 8 erstt Violinen, 6 zweite Violinen, 4 Bratschen, 4 Celli, 4 Contrabässe, 2 Flöten, 2 Oboen, 2 Klarinetten, 2 Fagotte, 4 Hörner, 2 Trompeten, 3 Posaunen, je 1 Tuba, Pauke, kleine Trommel und Schlagwerk.

Die Symphonie-Konzerte wurden im Theater-Gebäude in der Zeit vom 2. Oktober 1907 bis 11. März 1908 abgehalten, davon 10 Konzerte im Abonnement und 1 Konzert außer Abonnement, dieses zum Besten des Orchester-Pensionsfonds. Die Leitung hatte der städtische Kapellmeister Herr Hofrat Emil Steinbach.

Als Solisten traten in den Konzerten auf:

Klavier: Herr Wilhelm Backhaus, Herr Ernst v. Dohnányi, Frau Frieda Kwast-Hodapp. Violine: Herr Prof. Karl Halir, Here Fritz Hirt, Herr Hans Kolkmeyer, Herr Henri Marteau, Herr Emile Sauret, Herr Konzertmeister Alfr. Stouffer, Herr Konzertmeister Max v. Lorenzo. Gesang: Frau Kammersängerin Hermine Bosetti, Frl. Amy Castles, Frl. Julia Culp, Herr Hermann Jadlowker, Frau Kammersängerin Marg. Preuse-Matzenauer, Herr Kammersänger Felix Sennius und Mitglieder des Stadttheaters.

Zum erstenmal wurden in den Symphonie-Konzerten folgende Orchesterstücke gespielt: Bossi, Intermezzo Goldoniani für Streichorchester; Gernsheim, Mirjam Symphonie; Mozart, Deutsche Tänze; Reger, Variationen über ein Thema von J. A. Hiller; Weiner, Serenade für Kleines Orchester.

Der Besuch der Konzerte war wie in den letzten Jahren ein guter. Abonniert waren auf die 10 Konzerte 881 Personen gegen 690 Personen im Jahre 1906/07; Kassekarten wurden an 2031 Personen gegen 3494 Personen im Jahre 1906/07 ausgegeben, so daß durchschnittlich jedes Kanzert von 1084 Personen besucht war gegen 1039 Personen im Jahre 1906/07, 1077 Personen im Jahre 1905/06, 1010 Personen im Jahre 1904/05, 944 Personen im Jahre 1903/04,

907 Personen im Jahre 1902/03 und 908 Personen im Jahre 1901/02. Zu den Generalproben wurden 9 Abonnements- und 119 Kassekarten ausgegeben. Die gegen das vorhergehende Jahr besonders auffällige Zunahme der Abonnements und die starke Abnahme der an der Kasse verkauften Karten ist auf die Einführung von Abonnements für die Galerie zurückzuführen, die gelegentlich der Neufestsetzung der Preise für eine Reihe von Plätzen für die Symphoniekonzerte erfolgte.

Die Einnahmen für die 10 Symphoniekonzerte betragen 19 882,00 ℳ (im Vorjahre 19 156,90 ℳ), die Ausgaben 9 985,10 ℳ (im Vorjahre 9 707,40 ℳ), der Überschuß 9 896,90 ℳ (im Vorjahre 9 449,50 ℳ).

Die **Sommer-Konzerte** begannen Sonntag, den 19. Mai und endigten Mittwoch, den 8. September 1907. Sie wurden statt wie bisher nur an Sonn- und Feiertagen, Dienstags und Donnerstags abends in diesem Jahre täglich abends im Saal oder im Garten der Stadthalle, an Sonn- und Feiertagen, Mittwochs und Samstags nachmittags in der Anlage abgehalten. Die Konzerte wurden abwechselnd durch das städtische Orchester unter Direktion des Herren Konzertmeisters **Alfred Stauffer** und durch die hiesigen Regimentskapellen ausgeführt. Die Konzerte an den Sonntagnachmittagen in der Anlage (Volkskonzerte zum Eintrittspreis von 15 Pfg.), sowie Mittwochs und Samstags abends in der Stadthalle, ferner die Konzerte in der Zeit vom 1.—8. September gingen auf Rechnung des Restaurateurs der Stadthalle.

In der erwähnten Zeit wurden 143 Konzerte abgehalten, davon 63 in der Stadthalle, 45 im Stadthallegarten und 35 in der Anlage. Von den in der Stadthalle und dem Stadthallegarten veranstalteten Konzerten wurden 82 durch das städtische Orchester, 26 durch Militärkapellen ausgeführt, von den in der Anlage veranstalteten Konzerten 27 durch das städtische Orchester, 8 durch Militärkapellen. Unter den in der Stadthalle abgehaltenen Konzerten waren 3 Symphonie-Konzerte, die der städt. Kapellmeister Herr Hofrat **Steinbach** dirigierte. Zwei Benefiz-Konzerte wurden außer Abonnement abgehalten. Außerdem wurden 5 Réunions dansantes und ein Kinderfest veranstaltet. Ein Konzert wurde am 31. Mai 1907 als Festkonzert zu Ehren der Anwesenheit der Mitglieder des Verbandes deutscher Eisenwarenhändler in dem Konzerthaus der Mainzer Liedertafel unter Mitwirkung des Herrn **Hans Vaterhaus** veranstaltet.

Als Gäste traten in den Konzerten auf:

1. Gesangs-Solisten:

Herr **E. Buchwald**, Frl. **Gert. Careni**, Frl. **Magdalene Engst**, Frl. **L. Maerker**, Herr **Jak. Müller**, Herr **Ernst Heinz Raven**, Herr **Konr. Roesner**, Herr **Hans Vaterhaus**, Herr **Gust. Warbeck**.

2. Gesangs-Quartette und Gesang-Vereine:

Deutsches Männer-Doppel-Quartett (M. Luitpold-Mandy), Liedertafel-Kostheim, Mainzer Männer-Quartett „Rheingold", Gemütlichkeit-Sonnenberg, Gesangverein-Weisenau, Sängerrunde-Mainz, Schuh'sches Künstlerquartett, Süddeutsches Männer-Quintett (A. Kolb), Süddeutsches Opern-Ensemble (B. Jansen), Vokal-Doppel-Quartett „Singer".

3. Instrumental-Solisten:

Violine: Frl. **Gretel Gerstenberg**, Frl. **Anna Hegner**, Herr **Max von Lorenzo**; Piston: Frl. **Sophie Branden**, Herr **Berthold Richter**, Herr **Paul Wiggert**, Herr **Fritz Werner**. Posaune: Herr **Serafine Alschausky**.

4. Deklamation:

Herr **Hans Rodius**.

Abonnementskarten wurden ausgegeben: 42 für eine Person, 62 für zwei Personen, 62 für drei Personen, 36 für vier Personen, 30 für fünf Personen, 3 für 6 Personen, 1 für sieben Personen, 1 für neun Personen und 229 für 1 Person, die nur zum Besuch der in der Stadthalle oder dem Stadthallegarten veranstalteten Konzerte berechtigten. Kassekarten wurden gelöst: zu den Konzerten in der Stadthalle 12 297 für Erwachsene und 119 für Kinder, zu den Konzerten in der Anlage 1 250 für Erwachsene, 246 für Kinder und 2 176 für die Volkskonzerte. Ferner wurden noch 34 Büchelchen Dutzendkarten zu dem ermäßigten Preis von 30 Pfg. für die Karte verkauft. Die Gesamteinnahmen der Sommer-Konzerte betrugen 11 513,10 ℳ gegen 13 136,50 ℳ im Vorjahre, die Ausgaben 14 409,80 ℳ gegen 8 979,67 ℳ im Vorjahre, sodaß ein Zuschuß von 2 896,70 ℳ nötig wurde, während im Vorjahre sich ein Überschuß von 4 156,83 ℳ ergab. Trotz der im Berichtsjahr gegen das Vorjahr noch erweiterten Ausgestaltung der Sommerkonzerte (Veranstaltung von Konzerten an allen Tagen, Symphoniekonzerte, Réunions dansantes, stärkeres Heranziehen von Solisten, Gesangvereinen ꝛc. zu den Konzerten) ist es nicht gelungen, den Besuch der Konzerte zu heben, es ist vielmehr der Besuch der Konzerte noch weiter zurückgegangen.

Die Rechnungsergebnisse des Orchesterfonds sind auf Seite 481 u. ff. zusammengestellt.

XXXVIII. Stadthalle.

Die Restauration der Stadthalle — das rheinseitige Foyer nebst Sälchen und Küche — war vom 1. April 1906 ab auf 3 Jahre, alsdann auf unbestimmte Zeit immer auf 1 Jahr an den Restaurateur Heinrich Reith für jährlich 12 000 ℳ verpachtet. Mit Zustimmung der Stadtverordneten-Versammlung laut Beschluß vom 6. März 1907 ist der Restaurateur August Bökemeier aus Wiesbaden mit Wirkung vom 9. März 1907 in den Pachtvertrag des Restaurateurs Reith eingetreten.

	Der große Saal und die übrigen Räumlichkeiten waren überlassen:	Mietpreis
1.	an den Vorstand der Mainzer Börse das stadtseitige Foyer und ein Teil des großen Saales zur Abhaltung der Fruchtmärkte in der Zeit vom 1. April 1907 bis dahin 1908	300 ℳ — ₰
2.	an den Mainzer Kriegerverein zur Feier des 10jährigen Stiftungsfestes am 14. April 1907	20 „ — „
3.	an Restaurateur Bökemeier zur Abhaltung von Konzerten am 21. April und 26. Oktober 1907 . . .	20 „ — „
4.	an die sozialdemokratische Partei zur Veranstaltung einer Maifeier am 1. Mai 1907	25 „ — „
5.	an den Orchesterfonds zur Abhaltung der Sommerkonzerte, einschließlich der Benefizkonzerte für den Kapellmeister und den Orchesterpensionsfonds, zusammen 63 Konzerte	1 575 „ — „
6.	an den Verband Deutscher Eisenwarenhändler zu einer Ausstellung in der Zeit vom 27. Mai bis 6. Juni 1907	420 „ — „
7.	an den Mainzer Verkehrsverein zur Veranstaltung eines Sommernachtfestes und eines Konzerts am 14. August und 8. Dezember 1907	140 „ — „
8.	an den Mittelrheinischen Sängerbund zur Abhaltung eines Bundeskonzerts am 8. September 1907 .	100 „ — „
9.	an W. Thamsen aus Köln zur Veranstaltung eines Konzertes des erblindeten Pianisten Th. Braun am 20. September 1907	25 „ — „
10.	an den Mainzer Gastwirteverein zu einer Kochkunstausstellung in der Zeit vom 5. bis 13. Oktober 1907	770 „ — „
11.	an den Gesangverein „Mainzer Sängerbund“ zur Abhaltung eines Volkskonzerts am 27. Oktober 1907	40 „ — „
12.	an den Kreisobstbauverein das stadtseitige Foyer zur Abhaltung von Obstmärkten am 29. Oktober, 19. November und 17. Dezember 1907	60 „ — „
13.	an den Verein für Geflügel- und Vogelzucht das stadtseitige Foyer zur Veranstaltung einer Jung-Geflügelschau am 10. November 1907	20 „ — „
14.	an die Mainzer Prinzengarde zur Veranstaltung eines Volksfestes und zweier karnevalistischer Konzerte am 10. November 1907, 12. Januar und 2. Februar 1908	500 „ — „
15.	an das Albert Schumann-Theater in Frankfurt a. M. zur Abhaltung einer Variété-Vorstellung am 20. November 1907	500 „ — „
16.	an den Eisenbahnverein Mainz zur Feier des Geburtstags Sr. Königl. Hoheit des Großherzogs am 24. November 1907	200 „ — „
17.	an die Mainzer Spar-, Konsum- und Produktionsgenossenschaft zur Abhaltung einer Generalversammlung am 1. Dezember 1907	25 „ — „
18.	an den Verein „Mainzer Liederkranz“ zur Veranstaltung eines Wohltätigkeits-Konzerts am 1. Dezember 1907	40 „ — „
19.	an das Gewerkschaftskartell Mainz zur Abhaltung einer Weihnachtsfeier am 26. Dezember 1907 . . .	200 „ — „
20.	an den Mainzer Karnevalverein zu seinen Veranstaltungen im Januar, Februar und März 1908 . .	4 000 „ — „
21.	an das Apollotheater in Mannheim zu Spezialitäten-Vorstellungen am 4. Januar 1908	200 „ — „
22.	an den Eisenbahnverein Mainz zur Feier des Geburtstages Sr. Majestät des Kaisers am 26. Januar 1908	200 „ — „
23.	an den Mainzer Karnevalklub zur Abhaltung einer karnevalistischen Abendunterhaltung mit Ball am 1. Februar 1908	100 „ — „
	zusammen . .	9 480 ℳ — ₰
	Ferner wurden vereinnahmt an Miete für Überlassung der Stadthalle an den früheren Restaurateur Reith zu Konzerten im 4. Vierteljahr 1906 und 1. Vierteljahr 1907 restlich	109 „ 57 „
	im ganzen . .	9 589 ℳ 57 ₰

Unentgeltlich war der große Saal überlassen:

1. dem Allgemeinen deutschen Lehrerinnenverein zu einem Festessen am 22. Mai 1907;
2. dem Mainzer Verkehrsverein gelegentlich der Festlichkeiten anläßlich der von dem Motor-Jacht-Klub in Berlin veranstalteten Wett- und Tourenfahrten am 22. September 1907;
3. dem Mainzer Karnevalverein zu seiner Generalversammlung am 11. November 1907;
4. der sozialdemokratischen Partei Mainz zur Abhaltung einer Wählerversammlung am 8. Dezember 1907;
5. den bürgerlichen Parteien in Mainz zu dem gleichen Zwecke am 9. Dezember 1907;
6. dem Festausschuß zur Veranstaltung einer allgemeinen Feier des Geburtstages Sr. Majestät des Kaisers am 25. Januar 1908;
7. der sozialdemokratischen Partei Mainz zur Abhaltung einer Volksversammlung am 26. Januar 1908.

Benutzt wurden der große Saal und die Nebenräume der Stadthalle:

im April	1907	. . . .	an	6 Tagen
„ Mai	„	. . . .	„	17 „
„ Juni	„	. . . .	„	24 „
„ Juli	„	. . . .	„	25 „
„ August	„	. . . .	„	22 „
„ September	„	. . . .	„	13 „
„ Oktober	„	. . . .	„	16 „
„ November	„	. . . .	„	10 „
„ Dezember	„	. . . .	„	11 „
„ Januar	1908	. . . .	„	15 „
„ Februar	„	. . . .	„	10 „
„ März	„	. . . .	„	7 „

Im Garten und auf der Terrasse der Stadthalle wurden an 45 Abenden Konzerte abgehalten, wovon 12 durch den Restaurateur Bökemeier veranstaltet wurden.

Für Benutzung der **Kleiderablage** sind laut Beschluß der Stadtverordneten-Versammlung vom 17. November 1897 zu erheben, und zwar für Aufbewahrung der Kleidungsstücke:

a) von einer Person unter einer Nummer 20 ₰,

b) von mehreren, aber nicht mehr als vier Personen unter einer Nummer:

für die erste Person . . . . 20 ₰

für jede weitere Person . . . . 10 „

In dem Berichtsjahre wurden ausgegeben 12031 Scheine zu 20 ₰ und 3987 Scheine zu 10 ₰. Die Hallekommission hat in ihren Sitzungen vom 2. Mai und 15. Oktober 1906 beschlossen, an die Besucher der Fruchtbörse für Benutzung der Kleiderablage Jahresabonnementskarten zu 5 ℳ und halbe Jahresabonnementskarten zu 2 ℳ 50 ₰ auszugeben. Im Berichtsjahre wurden 8 halbe Jahresabonnementskarten gelöst und hierfür 20 ℳ vereinnahmt. Die Gesamt-Einnahme beträgt 2 824 ℳ 90 ₰ gegen 2 515 ℳ 40 ₰ im Vorjahre. Die Ausgaben betragen für Bedienung, Druck der Nummerzettel, Feuerversicherungsprämie, Vergütung an den Halleverwalter für die Beaufsichtigung und etwaige Verluste sowie für die Oberaufsicht zusammen 1 488 ℳ 69 ₰. Der Einnahme-Überschuß beträgt somit 1 336 ℳ 21 ₰; im vorigen Jahre betrug derselbe 1 163 ℳ 86 ₰.

Für die **Reinigung**, deren Kosten die Mieter zu ersetzen haben, sind zu zahlen bei Benutzung

a) des Foyers und der kleinen Säle, für jeden Raum . . . . . 3 ℳ

b) des großen Saales nebst Vestibül . . . . 15 „

c) sämtlicher vermietbarer Räume . . . . 20 „

Im Berichtsjahre wurden für Reinigung ausschließlich der Kosten des Wasserverbrauchs verausgabt 1 456 ℳ 40 ₰; ersetzt wurden 2 064 ℳ 67 ₰.

An dem zur Entnahme der **Besichtigungskarten** für die Stadthalle am Haupteingange aufgestellten Automaten wurden 1 420 Karten gelöst. Die eingegangenen Gebühren für die Besichtigung betragen 284 ℳ gegen 288 ℳ 20 ₰ im Vorjahr.

Die Aufsicht über die Bedienung der **Heizung und Ventilation** wurde von dem Amt für Maschinenwesen ausgeübt. Geheizt wurde der große Saal nebst Nebenräumen an 51 Tagen, wobei 1 322,4 Zentner Steinkohlen verbraucht worden sind. Die Kosten der Heizung belaufen sich auf 2 050 ℳ 47 ₰. Von den Mietern der Stadthalleräume, für deren Rechnung die Heizungen vorgenommen wurden, gelangten 2 269 ℳ 87 ₰ zur Rückerhebung. Der Unterschied zwischen der Ausgabe und dem Ersatz erklärt sich durch die bei der schätzungsweisen Feststellung der verbrauchten Menge unvermeidlich vorkommenden Gewichtsdifferenzen. Die Heizung der beiden Garderoberäume, welche dem Hausverwalter gleichzeitig als Aufenthaltsräume dienen, erforderte einen Kostenaufwand von 239 ℳ 60 ₰.

Zur Ventilation des großen Saales war der Gasmotor an 19 Tagen in Betrieb und verbrauchte 270 cbm Gas.

Zur **Beleuchtung** des Saales und der Nebenräume sowie des Gartens, mit Ausschluß der dem Restaurateur vermieteten Räumlichkeiten, wurden 46 757 cbm Gas verbraucht, außerdem wurde bei verschiedenen Veranstaltungen im großen Saale mittels provisorisch hergerichteter Beleuchtungsanlagen sowie zur Belebung der im Garten aufgestellten Bogenlampen elektrischer Strom beansprucht. Der durch Zähler festgestellte Stromverbrauch betrug 13 723 Hektowatt.

Die Keller unter der Stadthalle, welche zur Lagerung von Rotwein vermietet sind, haben im Berichtsjahre 1623 ℳ 67 ₰ Miete eingetragen. Die Kosten der Kellerheizung im Betrage von 165 ℳ 14 ₰ wurden von den Mietern ersetzt.

Die Rechnungsergebnisse der Stadthalle sind auf Seite 395 und ff. zusammengestellt.

XXXIX. Brandversicherung der Gebäude.

Im Kalenderjahre 1907 wurden 305 Brandversicherungsanträge ausgefertigt gegen 350 im Vorjahre und zwar im Stadteil:

	Mainz	Mainz-Mombach
Versicherungsanträge für Neubauten	87 (101)	42 (77)
„ „ Gebäude, die im Rohbau versichert waren	68 (85)	8 (6)
„ „ Bauveränderungen und unversicherte Bauten	70 (52)	10 (13)
„ „ Gebäude, die unter dem Werte versichert waren	18 (16)	2 (—)

Besitzveränderungen haben in Alt-Mainz 782 stattgefunden gegen 1060 im Jahre 1906. Von Mainz-Mombach sind die Zahlen nicht bekannt.

Aus der nachfolgenden Tabelle sind die in der Großh. Brandversicherungsanstalt versicherten Gebäude (Hofreiten) in der Stadt Mainz nebst deren Brandversicherungskapitalien und den Brandversicherungsbeiträgen aus den letzten fünf Kalenderjahren sowie die in diesen Jahren gezahlten Brandentschädigungen ersichtlich:

Jahr	Zahl der versicherten Gebäude (Hofreiten)	Brandversicherungs- (Umlage-) Kapitalien ℳ	Zunahme gegen das Vorjahr in %	Beitrag von je 100 ℳ Brandversicherungs-Kapital ₰	Brandversicherungs-Beiträge im ganzen ℳ	₰	Gezahlte Brandentschädigungen ℳ	₰
a) Stadtteil Mainz.								
1907	4 398	240 535 050	1,77	7	168 374	53	5 764	—
1906	4 351	236 344 400	2,12	6	141 806	64	34 241	—
1905	4 273	231 427 190	3,84	7	161 999	03	43 461	—
1904	4 178	222 856 920	2,75	10	222 856	92	8 329	—
1903	4 111	216 883 660	2,38	10	216 883	66	11 924	—
b) Stadtteil Mninz-Mombach.								
1907	735	10 981 980	6,51	7	7 537	25	593	—
1906	717	10 310 570	8,61	6	6 052	42	303	—
1905	686	9 402 830	7,01	7	6 473	20	5 997	—
1904	664	8 871 840	6,62	10	8 613	03	275	—
1903	638	8 321 210	4,84	10	8 154	54	222	—

XL. Steuerwesen.

1. Oktroi.

Nach der Übersicht auf Seite 266 und 267 hat das Oktroi ertragen:

	1907		1906		Mithin 1907			
					mehr		weniger	
	ℳ	₰	ℳ	₰	ℳ	₰	ℳ	₰
a) für Getränke	276 296	13	290 179	09	—	—	13 882	96
b) „ Schlachtvieh, Fleisch und Fleischwaren	217 651	25	197 563	58	20 087	67	—	—
c) „ Dürrgemüse, Mehl, Brot	60 756	51	53 751	46	7 005	05	—	—
d) „ Brennmaterialien	131 207	67	123 880	77	7 326	90	—	—
e) „ Fütterungsartikel	26 025	71	25 605	66	420	05	—	—
f) „ Verschiedenes	5 831	08	5 855	52	—	—	24	44
g) Verwaltungsgebühr für Wein	14 550	89	18 393	65	—	—	3 842	76
h) von der Armee-Konservenfabrik	28 030	10	28 397	75	—	—	367	65
Summe	760 349	34	743 627	48	16 721	86	—	—

In den Einnahmen für 1907 ist der Oktroiertrag aus dem seit 1. April 1907 eingemeindeten Stadtteil Mombach enthalten mit 19 820 ℳ 90 ₰. Nach Abzug dieses Betrages entsteht für den Stadtteil Mainz ein Einnahmeausfall von 3 099 ℳ. 04 ₰ Von den Einnahmen für den Stadtteil Mainz-Mombach entfallen rund auf:

a) Getränke (Bier, Wein und Branntwein) . . . . . 6 905 ℳ
b) Schlachtvieh und Fleischwaren . . . . 8 170 „
c) Dürrgemüse, Mehl und Brot . . . . 2 737 „
d) Fütterungsartikel . . . . 1 978 „
e) Verschiedenes . . . . 31 „

Bei Wein ist ein Einnahmeausfall von 7 916 ℳ zu verzeichnen. Im ganzen wurden 25 868 hl Wein weniger eingeführt als im Vorjahre. Der Weinhandel ist durch die geringen Ernten der letzten Jahre, die Preiserhöhung der gewöhnlichen Verbrauchsweine und eine allgemein beobachtete Zurückhaltung und Kaufunlust ungünstig beeinflußt worden. Für Branntwein gingen 1 266 ℳ mehr ein. Das in der Stadt gebraute Bier hat einen Mindertrag von 12 896 ℳ ergeben. Ungünstige Witterungsverhältnisse im Sommer 1907, sowie die Erhöhung des Bierpreises mögen den Minderverbrauch veranlaßt haben. Die Einfuhr von auswärtigem Bier hat zugenommen und es konnten 1 792 ℳ mehr vereinnahmt werden.

Durch das Zurückgehen der Viehpreise, besonders für Schweine, haben die Schlachtungen eine Zunahme erfahren. Es wurden mehr vereinnahmt für Kühe und Rinder 10 969 ℳ, für Schweine 13 256 ℳ 25 ₰, für Kälber 1 355 ℳ 20 ₰. Dagegen ist der Verbrauch von Ochsenfleisch zurückgegangen; der Einnahmeausfall für Ochsen beträgt 7 425 ℳ. Die Einfuhr von frischem Fleisch hat um 28 935,6 kg (= 1736 ℳ Oktroi) zugenommen. Ein Teil der Mehreinnahmen bei Schlachtvieh und Fleisch ist durch die Eingemeindung von Mombach veranlaßt. Für Hasen sind 375 ℳ und für Gänse 96 ℳ 20 ₰ mehr eingegangen.

Die Einfuhr von Mehl hat den Ausfall im Vorjahre nicht allein gedeckt, sondern noch bedeutend überholt. In der Mehreinnahme von 5 907 ℳ sind 2 582 ℳ enthalten, welche auf die Eingemeindung von Mombach entfallen. Durch Abänderung des Vertrags mit einem Dampfmühlenbesitzer konnten für Mehl in der Stadt bereitet 533 ℳ mehr erhoben werden. Für Dürrgemüse gingen 609 ℳ mehr ein.

Von den Mehreinnahmen bei Brennmaterialien entfallen 6 129 ℳ auf Steinkohlen und Briketts und 1 160 ℳ auf Koks. Im wesentlichen wurde der Mehrbedarf durch die lang andauernde kalte Witterung veranlaßt.

Bei Fütterungsartikeln ist infolge hoher Haferpreise ein Ausfall entstanden, der aber durch die Einfuhr von Fütterungsartikeln für den Stadtteil Mainz-Mombach wieder gedeckt worden ist.

An Oktroirückvergütungen wurden bezahlt:

	1907	1906
a) für ausgeführtes Bier	129 259 ℳ 31 ₰	129 278 ℳ 21 ₰
b) „ ausgeführte Steinkohlen	471 „ 39 „	457 „ 03 „
c) „ „ Holzkohlen	397 „ 67 „	331 „ 87 „
d) an das Militär	861 „ 61 „	— „ — „
Zusammen	130 989 ℳ 98 ₰	130 067 ℳ 11 ₰

Die Gesamt-Oktroieinnahme beträgt einschließlich 93 ℳ Rückvergütungsgebühr gemäß § 69 des Oktroireglements	760 442 ℳ 34 ₰
hiervon ab die Rückvergütungen	130 989 „ 98 „
bleibt Reineinnahme	629 452 ℳ 36 ₰
Im Vorjahre betrug dieselbe	613 697 „ 37 „
mithin in 1907 mehr	15 754 ℳ 99 ₰

Die Kosten der Oktroierhebung betragen:

a) Gehalte und Tagegelder	91 400 ℳ — ₰	
abzüglich des aus Rubrik 6. II. 2 für Kontrollierung des Marktstandgeldes geleisteten Gehaltsersatzes von	1 400 „ — „	90 000 ℳ — ₰
b) Vergütungen an Aufseher für Dienstleistungen als Erheber		1 281 „ — „
c) Vergütung an Gr. Hauptsteueramt für Mitwirkung bei der Oktroierhebung		2 051 „ 85 „
d) für Dienstmützen und -Mäntel		328 „ 40 „
e) für Bureaukosten ꝛc.		3 829 „ 41 „
f) für Reinigung der Geschäftszimmer		1 512 „ 90 „
Zusammen		99 003 ℳ 56 ₰
Im Vorjahre betrugen die Kosten		99 700 „ 64 „
mithin im Berichtsjahre mehr		302 ℳ 92 ₰

Von den Verwaltungskosten entfallen 3 755 ℳ 42 ₰ auf die Oktroierhebung und die Bedienung der Wage im Stadtteil Mainz-Mombach.

Von der oben berechneten Oktroi-Reineinnahme im Betrag von	629 452 ℳ 36 ₰
die Verwaltungskosten in Abzug gebracht mit	99 003 „ 56 „
verbleibt ein Überschuß zugunsten der Stadtkasse von	530 448 ℳ 80 ₰
im Vorjahre betrug derselbe	514 996 ℳ 73 ₰

Die Kosten der Oktroierhebung belaufen sich auf 13,02 % der Gesamteinnahme und 15,73 % der Reineinnahme, gegen 16,08 % der Reineinnahme in 1906 und 14,35 % derselben in 1905.

Strafanzeigen wegen Zuwiderhandlung gegen das Oktroireglement wurden 50 erstattet (im Vorjahre 54), und zwar 30 gegen hiesige Einwohner und 20 gegen Auswärtige. Von den Anzeigen entfallen 18 auf die Einfuhr von Fleisch und Fleischwaren, 9 auf andere Eßwaren, 9 auf Postsendungen, 6 auf Getränke und der Rest auf andere Gegenstände. An Strafen sind 259 ℳ 05 ₰ eingegangen, gegen 415 ℳ 05 ₰ im Vorjahre. Die Strafen sind zur Hälfte an das Aufsichtspersonal verteilt und zur Hälfte an die Städt. Witwen- und Waisenkasse abgeliefert worden.

An 16 Erhebstellen wurden 382 196 ℳ Oktroi vereinnahmt (13 850 ℳ mehr als im Vorjahre), wozu 289 649 Registereinträge erforderlich waren. Der restliche Oktroibetrag ist zum Teil von der Stadtkasse, zum Teil von der Schlacht- und Viehhofkasse erhoben worden. Zur Oktroierhebung auf den Strecken der Vorortbahnen Mainz-Hechtsheim und Mainz-Finthen wurden zwei Aufseher verwendet. Erhoben wurden 320 ℳ 34 ₰ gegen 335 ℳ 53 ₰ im Vorjahre.

Auf den im Berichtsjahre eröffneten Strecken der Städtischen Straßenbahn nach Gonsenheim und Kostheim wurde das Oktroi durch die Schaffner erhoben. Eingegangen sind 36 ℳ 74 ₰ Oktroi und 26 ℳ 62 ₰ Beschaugebühren für frisches Fleisch.

Von oktroipflichtigen Postsendungen wurden 4 573 ℳ 88 ₰ Oktroi erhoben (270 ℳ 26 ₰ mehr als im Vorjahre). Die Mehreinfuhr erstreckt sich auf Branntwein, Wurst und Fleischwaren. Frisches Fleisch wurde weniger eingeführt.

Von Paketen und Expreßsendungen die mit der Bahn angekommen waren, sind durch den amtlichen Paketbesteller 675 ℳ 22 ₰ Oktroi erhoben worden, 97 ℳ 46 ₰ weniger als im Vorjahre.

Bei den Erhebstellen wurden im Berichtsjahre 66 Kassenrevisionen vorgenommen und dabei die Kassenführung im allgemeinen in Ordnung befunden. Die Dienstversäumnisse der fünf Erheber erstrecken sich auf 78 Urlaubs- und 47 Krankheitstage.

Der Aufsichtsdienst einschließlich Kontrollierung des Marktstandgeldes wuede von 43 Aufsehern wahrgenommen. Infolge der Eingemeindung von Mombach mußten 2 Aufseher eingestellt werden. Abgeleistet wurden 117 067 Dienststunden bei Tag und 8 535 Stunden bei Nacht, zusammen 125 602 Stunden (gegen das Vorjahr 4 622 Stunden mehr). Die Krankheitstage der Aufseher betragen 386, Urlaub wurde für 290 Tage bewilligt, zusammen Dienstversäumnisse 676 Tage gegen 440 im Vorjahre. Aaf den Mann und Tag entfallen durchschnittlich rund 8,2 Stunden Dienst und bei Anrechnung der freien Tnge täglich 10,1 Stunden (im Vorjahre täglich 8,4 bezw. 10,2 Stunden).

Dem Personal konnten freigegeben werden:

a) ganze Sonntage	1 107
b) halbe Sonntage	675
c) ganze Werktage	238
d) halbe Werktage	1 851

Es kommen somit durchschnittlich auf einen Mann 26 ganze und 16 halbe Sonntage, 6 ganze und 44 halbe Werktage, zusammen 62 Tage.

Privatlager bestanden zu Anfang des Berichtsjahres	57
neu bewilligt wurde	1
zusammen	58 Lager;

aufgegeben wuede im Lanfe des Jahres kein Lager. Von den Lagern sind 32 für Branntwein, 24 für Landesprodukte und 2 für Wildbret und Geflügel bestimmt. Drei Lager wurden nicht benutzt. Nach den Vierteljahresabschlüssen waren zu erheben:

	Oktroi	Kontrollgebühren
a) füe Branntwein	6 954 ℳ 48 ₰	643 ℳ 67 ₰
b) „ Landesprodukte	8 717 „ 40 „	1 621 „ 86 „
c) „ Wildbret und Geflügel	584 „ 10 „	345 „ 66 „
zusammen	16 255 ℳ 98 ₰	2 611 ℳ 19 ₰
gegen das Vorjahr	15 549 „ 33 „	2 667 „ 85 „
mehr	706 ℳ 65 ₰	— ℳ — ₰
weniger	— „ — „	56 „ 66 „

Der Privatlagerverkehr ist in der Übersicht Seite 268 zusammengestellt. Bei Branntwein war die Ein- und Ausfuhr sowie der Stadtverkauf stärker als im Vorjahre. Dürrgemüse und Wicken haben geringeren Verkehr aufzuweisen. Bei Mehl waren Ein- und Ausfuhr stärker als im Vorjahre, während der Stadtverkauf geringer war. Bei Hafer waren die Einfuhr und der Stadtverkauf stärker, die Ausfuhr war dagegen geringer als im Vorjahre. Der Privatlagerverkehr mit Wildbret und Geflügel hat nur geringe Änderungen erlitten. Bei Haien war das Handelsgeschäft etwas stärker, bei Welschhühnern, Gänsen und Riehen dagegen geringer.

Von den im Oktroibezirk erzeugten Gegenständen wuede Oktrai erhoben: für geerntetes Heu 263 ℳ 41 ₰, für gekelterten und gallisierten Wein und Obstwein 312 ℳ 70 ₰ Oktroi und 306 ℳ 27 ₰ Verwaltungsgebühr.

Für Gegenstände, die im äußeren Oktroibezirk — dem Gebiet vor der Festungsumwallung, einschließlich Zahlbach und Ingelheimer Au — verbraucht worden sind, gingen 4 361 ℳ 33 ₰ Oktroi ein (1 283 ℳ 57 ₰ mehr als im Vorjahre). Die Mehreinnahme gründet sich auf den Verbrauch von Bier im Floßhafen und an verschiedenen Baustellen vor der Umwallung, den Verbrauch von Fütterungsmaterialien und von Steinkohlen bei Anschüttungsarbeiten.

I. Übersicht

der in der Zeit vom 1. April 1907 bis Ende März 1908 in den Oktroibezirk der Stadt Mainz eingeführten und der darin erzeugten oktroipflichtigen Gegenstände, des von denselben erhobenen Oktroi und der geleisteten Oktroi-Rückvergütungen.

Nr. des Tarifs	Bezeichnung der Gegenstände	Maßstab	Eingeführte Mengen im Rechnungsjahr 1907	1906	Im Rechnungsjahr 1907 mehr	weniger	Tarifsatz ℳ	₰	Oktroi-Ertrag im Rechnungsjahr 1907 ℳ	₰	1906 ℳ	₰	Im Rechnungsjahr 1907 mehr ℳ	₰	weniger ℳ	₰
	I. Getränke.															
1	Wein, in Fässern	hl	20 754,[illegible]	26 589,[illegible]	—	5 834,[illegible]	—	55	11 415	07	14 624	07	—	—	3 209	—
	Wein, in Fässern	„	7 664,[illegible]	8 029,[illegible]	—	365,[illegible]	—	35	2 682	52	2 810	28	—	—	127	76
	Obstwein, in Fässern	„	1 034,[illegible]	1 331,[illegible]	—	296,[illegible]	—	55	569	22	732	07	—	—	162	85
2	Wein, ungekelterter	„	464,[illegible]	161,[illegible]	303,[illegible]	—	—	45	208	93	72	58	136	35	—	—
3	Wein in Flaschen oder Krügen:															
	a) in Mengen bis zu 200 Ltr.	l	115 958,[illegible]	441 195,[illegible]	—	25 237,[illegible]	—	02	8 319	17	8 823	91	—	—	504	74
	b) darüber	„	199 395,[illegible]	220 642,[illegible]	—	21 247,[illegible]	—	01	1 993	95	2 206	42	—	—	212	47
	Obstwein in Flaschen oder Krügen:															
	a) in Mengen bis zu 200 Ltr.	„	3 783,[illegible]	3 469,[illegible]	314,[illegible]	—	—	02	75	66	68	78	6	88	—	—
	b) darüber	„	4,[illegible]	—	4,[illegible]	—	—	01	—	05	—	—	—	05	—	—
4	Branntwein, eingeführt	hl	7 750,[illegible]	7 701,[illegible]	48,[illegible]	—	2	15	16 663	06	16 558	72	104	34	—	—
	Branntwein, denaturiert	„	14 271,[illegible]	12 116,[illegible]	2 154,[illegible]	—	—	—	—	—	—	—	—	—	—	—
5	Branntwein in der Stadt bereitet (hergestellte Alkoholmenge)	„	—	1,[illegible]	—	1,[illegible]	4	30	—	—	5	89	—	—	5	89
6	Branntwein u. Likör in Flaschen oder Krügen	l	24 874,[illegible]	19 034,[illegible]	5 840,[illegible]	—	—	20	4 974	97	3 806	93	1 168	04	—	—
7	Bier, eingeführt	hl	67 369,[illegible]	64 611,[illegible]	2 757,[illegible]	—	—	65	43 790	23	41 997	76	1 792	47	—	—
	Bier, in der Stadt bereitet:															
	1. aus Getreide (Malz, Schrot &c.)	dz	80 134,[illegible]	85 741,[illegible]	—	5 607,[illegible]	2	30	184 308	78	197 204	89	—	—	12 896	11
	2. aus Reis	„	—	—	—	—	2	90	—	—	—	—	—	—	—	—
	3. aus grüner Stärke	„	—	—	—	—	2	30	—	—	—	—	—	—	—	—
	4. aus Stärke, Stärkemehl &c.	„	—	—	—	—	3	40	—	—	—	—	—	—	—	—
	5. aus Zucker aller Art	„	—	—	—	—	5	70	—	—	—	—	—	—	—	—
	6. aus Syrup aller Art	„	—	—	—	—	4	60	—	—	—	—	—	—	—	—
	7. aus anderen Malzsurrogaten	„	—	—	—	—	3	40	—	—	—	—	—	—	—	—
8	Essig und Essigsprit	hl	1 078,[illegible]	1 055,[illegible]	23,[illegible]	—	1	20	1 294	52	1 266	79	27	73	—	—
	Summe I. Getränke								276 296	13	290 179	09	—	—	13 882	96
	II. Eßwaren.															
9	Ochsen, Stiere, Farren	Stück	3 657	4 332	—	675	11	—	40 227	—	47 652	—	—	—	7 425	—
10	Kühe, Rinder	„	6 824	5 257	1 567	—	7	—	47 768	—	36 799	—	10 969	—	—	—
11	Schweine	„	47 908	40 333	7 575	—	1	75	83 839	—	70 582	75	13 256	25	—	—
12	Kälber	„	18 410	16 474	1 936	—	—	70	12 887	—	11 531	80	1 355	20	—	—
13	Hämmel, Lämmer, Geißen	„	4 453	4 887	—	434	—	50	2 226	50	2 443	50	—	—	217	—
13a	Junge Schafe und junge Ziegen (Säuglinge)	„	1 007	895	112	—	—	10	100	70	89	50	11	20	—	—
14	Spanferkel, kleine Zuchtschweine, Hasen und Gänse	„	42 525	40 142	2 383	—	—	20	8 505	—	8 028	40	476	60	—	—
15	Rehe	„	1 354	1 417	—	63	1	—	1 354	—	1 417	—	—	—	63	—
	Hirsche:															
	a) bis zu 25 kg	„	20	7	13	—	1	—	20	—	7	—	13	—	—	—
	b) über 25 kg	„	73	53	20	—	2	—	146	—	106	—	40	—	—	—
	Wildschweine	„	18	21	—	3	2	—	36	—	42	—	—	—	6	—
16	Welschhühner	„	609	687	—	78	—	50	304	50	343	50	—	—	39	—
17	Frisches Fleisch von Schlachtvieh und Wildbret	kg	105 546,[illegible]	76 610,[illegible]	28 935,[illegible]	—	—	06	6 332	76	4 596	62	1 736	14	—	—
18	Gesalzenes, geräuchertes, getrocknetes oder in Büchsen konserviertes Fleisch	„	43 475,[illegible]	44 342,[illegible]	—	866,[illegible]	—	12	5 217	11	5 321	09	—	—	103	98
	Würste aller Art	„	72 397,[illegible]	71 695,[illegible]	702,[illegible]	—	—	12	8 687	68	8 603	42	84	26	—	—
19	Dörrgemüse	dz	9 901,[illegible]	8 885,[illegible]	1 016,[illegible]	—	—	60	5 941	04	5 331	28	609	76	—	—
20	Mehl, eingeführt	„	71 514,[illegible]	59 699,[illegible]	11 814,[illegible]	—	—	50	35 757	02	29 849	90	5 907	03	—	—
	Mehl, in der Stadt bereitet	„	35 432,[illegible]	34 366,[illegible]	1 066,[illegible]	—	—	50	17 716	39	17 183	34	533	05	—	—
21	Brot u. Wecke (10 kg = 6 Pfg.)	kg	223 677,[illegible]	231 142,[illegible]	—	7 465,[illegible]	—	06	1 342	06	1 386	85	—	—	44	79
	Summe II. Eßwaren								278 407	76	251 315	04	27 092	72	—	—

Nr. des Tarifs	Bezeichnung der Gegenstände	Maßstab	Eingeführte Mengen im Rechnungsjahr 1907	1906	Im Rechnungsjahr 1907 mehr	weniger	Tarifsatz M. Pf.	Oktroi-Ertrag im Rechnungsjahr 1907 M. Pf.	1906 M. Pf.	Im Rechnungsjahr 1907 mehr M. Pf.	weniger M. Pf.
	III. Brennmaterialien.										
22	Brennholz aller Art, Reisig und Tannäpfel	dz	13 534,39	44 194,84	—	660,45	— 14	6 094 81	6 187 25	— —	92 44
23	Holzkohlen	„	3 346,14	3 206,13	140,11	—	— 72	2 438 25	2 308 41	129 84	— —
24	Steinkohlen	„	788 489,91	746 243,28	42 246,63	—	— 12	94 618 79	89 549 19	5 069 60	— —
25	Koks	„	57 536,28	57 013,03	523,25	—	— 18	10 356 53	10 262 85	94 18	— —
26	Koks aus den städt. Gaswerken	„	56 509,12	50 587,08	5 922,04	—	— 18	10 171 64	9 105 68	1 065 96	— —
27	Torf	„	—	—	—	—	— 30	— —	— —	— —	— —
28	Braunkohlen, Briketts rc.	„	62 730,46	53 899,03	8 831,43	—	— 12	7 527 65	6 467 89	1 059 76	— —
	Summe III. Brennmaterialien	.	.	.	.	.	. .	131 207 67	123 880 77	7 326 90	— —
	IV. Fütterungsartikel.										
29	Heu, Grummet, trockener Klee	dz	43 371,77	41 867,97	1 503,80	—	— 24	10 409 22	10 048 31	360 91	— —
30	Stroh	„	13 788,47	10 606,04	3 183,43	—	— 10	1 378 85	1 060 50	318 35	— —
31a	Hundekuchen, Futterbrot u. ähnliche Zubereitungen	„	202,96	144,18	58,78	—	— 50	101 48	72 09	29 34	— —
31b	Futtermehle aller Art	„	1 490,11	534,14	955,97	—	— 30	447 03	160 24	286 79	— —
32	Hafer	„	27 280,01	28 647,03	—	1 367,02	— 48	13 094 40	13 750 89	— —	656 49
32	Wicken	„	208,79	224,53	—	15,74	— 48	100 22	107 77	— —	7 55
33	Schrot	„	364,55	180,05	184,50	—	— 18	65 62	32 41	33 21	— —
33	Kleien	„	2 383,01	2 074,74	308,27	—	— 18	428 94	373 45	55 49	— —
	Summe IV. Fütterungsartikel	.	.	.	.	.	. .	26 025 71	25 605 66	420 05	— —
	V. Verschiedenes.										
	Oktroi für diverse Gegenstände, erhoben mittels Wertscheinen:										
	a) zu je 6 Pfennig	Stück	24 192	21 929	2 263	—	— 06	1 451 52	1 315 74	135 78	— —
	b) zu je 3 Pfennig	„	12 801	13 802	—	1001	— 03	384 03	414 06	— —	30 03
	Oktroizahlungen der Kgl. Armee-Konservenfabrik	—	—	—	—	—	— —	28 030 10	28 397 75	— —	367 65
	Gebühren für Ausstellung von Durchgangsscheinen	—	—	—	—	—	— —	1 312 90	1 441 45	— —	128 55
	Verwaltungsgebühr für Wein	hl	72 754,41	91 968,33	—	19 213,92	— 20	14 550 89	18 393 65	— —	3 842 76
	Kontrollgebühren v. Privatlagern:										
	a) für Branntwein	hl	4 500,13	3 940,80	559,33	—	— 15	675 02	591 12	83 90	— —
	b) für Dürrgemüse	dz	19 815,17	20 250,33	—	435,16	— 06	1 188 91	1 215 02	— —	26 11
	c) für Mehl	„	4 397,00	4 388,89	8,11	—	— 06	263 82	263 33	— 49	— —
	d) für Hafer	„	3 135,11	4 376,67	—	1 241,56	— 06	188 11	262 60	— —	74 49
	e) für Wicken	„	178,83	234,17	—	55,34	— 06	10 73	14 05	— —	3 32
	f) für Gänse	Stück	9 450	8 409	1 041	—	— 02	189 —	168 18	20 82	— —
	g) für Welschhühner	„	567	1 006	—	459	— 05	28 35	50 30	— —	21 95
	h) für Hasen	„	6 377	5 636	741	—	— 02	127 54	112 72	14 82	— —
	i) für Hirsche	„	10	10	—	—	— 05	— 50	— 50	— —	— —
	k) für Rehe	„	115	111	4	—	— 05	5 75	5 55	— 20	— —
	l) für Wildschweine	„	58	18	40	—	— 05	2 90	— 90	2 —	— —
	Sonstige Kontrollgebühren*)	.	.	.	.	.	— —	2 —	— —	2 —	— —
	Summe V. Verschiedenes	.	.	.	.	.	. .	48 412 07	52 646 92	— —	4 234 85
	Summe I. Getränke	.	.	.	.	.	. .	276 296 13	290 179 09	— —	13 882 96
	Summe II. Eßwaren	.	.	.	.	.	. .	278 407 76	251 315 04	27 092 72	— —
	Summe III. Brennmaterialien	.	.	.	.	.	. .	131 207 67	123 880 77	7 326 90	— —
	Summe IV. Fütterungsartikel	.	.	.	.	.	. .	26 025 71	25 605 66	420 05	— —
								760 349 34	743 627 48	16 721 86	— —
	Oktroi-Rückvergütungen										
	a) an das Militär**)	.	—	—	—	—	— —	861 61	— —	861 61	— —
	b) für ausgeführtes Bier	hl	307 760,81	307 805,14	—	44,33	— 42	129 259 31	129 278 21	— —	18 90
	c) für ausgeführte Steinkohlen	dz	4 713,00	4 570,34	143,66	—	— 10	471 39	457 03	14 36	— —
	d) für ausgeführte Holzkohlen	„	662,78	553,11	109,66	—	— 60	397 67	331 87	65 80	— —
	Zusammen	.	.	.	.	.	. .	130 989 98	130 067 11	922 87	— —
	Verglichen mit obigen	.	.	.	.	.	. .	760 349 34	743 627 48	16 721 86	— —
	Bleibt wirkliche Einnahme	.	.	.	.	.	. .	629 359 36	613 560 37	15 798 99	— —

*) Vertragsmäßig vereinbarte Kontrollgebühren, im Rechnungsjahr 1907 erstmalig erhoben.

**) Im Rechnungsjahr 1907 vertragsmäßig vereinbarte Oktroi-Rückvergütungen für Konserven, die in der Armee-Konservenfabrik Mainz hergestellt und von den Truppen der Garnison Mainz innerhalb des Oktroibezirks verzehrt worden sind.

II. Übersicht

des Privatlager-Verkehrs mit oktroipflichtigen Gegenständen in der Zeit vom 1. April 1907 bis Ende März 1908.

Ordnungs-Nummer	Der Waren Benennung	Maßstab	Lagerbestand am 1. April 1907	Zugang vom 1. April 1907 bis Ende März 1908	Zusammen	Abgang vom 1. April 1907 bis Ende März 1908 In die Stadt	Ausgeführt	Zusammen	Lagerbestand am 1. April 1908
1	Branntwein	hl	1 901	7 337	9 238	3 235	4 291	7 526	1 712
2	Dürrgemüse	dz	4 090	25 122	29 212	6 042	19 454	25 496	3 716
3	Mehl	„	664	6 654	7 318	2 294	4 477	6 771	547
4	Hafer	„	1 250	11 296	12 546	8 134	2 888	11 022	1 524
5	Wicken	„	129	308	437	86	211	297	140
6	Gänse	Stück	282	10 356	10 638	1 475	9 128	10 603	35
7	Welschhühner	„	11	455	466	81	385	466	—
8	Hasen	„	—	7 673	7 673	883	6 790	7 673	—
9	Hirsche über 25 kg	„	—	14	14	2	12	14	—
10	Hirsche unter 25 kg	„	—	—	—	—	—	—	—
11	Rehe	„	—	167	167	68	99	167	—
12	Wildschweine	„	—	50	50	—	50	50	—

2. Hundesteuer.

Nach dem Deklarationsregister betrug die Zahl der Hunde in Mainz ohne Mombach Ende 1906 . 1 845

Im Laufe des Jahres 1907 wurden

abgemeldet 617
angemeldet 611
folglich mehr abgemeldet 6

Daher Bestand Ende 1907 . . . . 1 839

Nach den von den Großh. Bezirks-Kassen gefertigten Jahresabrechnungen hat sich die Erhebung und Ablieferung der städtischen Steuer für 1907 wie folgt gestaltet:

Ausstände aus dem Jahr 1906 . . . . 50 ℳ — ₰
Schuldigkeit für das Jahr 1907 . . . . 19 665 „ — „
zusammen . . 19 715 ℳ — ₰

Hiervon sind:
1. uneinbringlich . . . . 1 800 ℳ — ₰
2. erlassen . . . . 130 „ — „
3. noch in Beitreibung . . . . . . 50 „ — „ 1 980 „ — „

Verglichen, bleibt wirkliche Einnahme . . . . 17 735 ℳ — ₰
Von diesem Betrage waren dem Staate 3 ⅓ % Hebgebühren zu vergüten mit . . . . 591 „ 16 „
Demnach Ablieferung an die Stadtkasse . . . . 17 143 ℳ 84 ₰
Gegen die für 1906 abgelieferten . . . . 17 538 „ 24 „
weniger 394 ℳ 40 ₰

Im Stadtteil Mainz-Mombach wurden im Jahre 1907 an Gemeindehundesteuer 1 005,33 ℳ erhoben.

3. Direkte Staats- und Gemeindesteuern.

a) Stadtteil Mainz.

In nachstehender Übersicht sind die einzelnen Klassen der staatlichen Einkommensteuer, der Steuerbetrag für jede Klasse und die Zahl der in den einzelnen Klassen besteuerten Personen angegeben.

Klasse	Einkommen	Steuerbetrag ℳ	Zahl der Besteuerten 1907	Zahl der Besteuerten 1906	Zahl der Besteuerten 1905	Zahl der Besteuerten 1904	Zahl der Besteuerten 1903/04
	II. Abteilung.						
1	500 ℳ bis weniger als 600 ℳ	3.—	2 894	2 587	2 558	2 470	2 312
2	600 „ „ „ „ 750 „	6.—	1 937	1 913	1 957	2 291	2 050
3	750 „ „ „ „ 900 „	9.—	3 638	4 346	4 439	4 671	4 294
4	900 „ „ „ „ 1 100 „	11.—	5 471	6 011	5 835	5 747	5 235
5	1 100 „ „ „ „ 1 300 „	14.50	4 096	3 771	3 638	3 399	3 241
6	1 300 „ „ „ „ 1 500 „	18.50	2 157	1 969	1 859	1 719	1 629
7	1 500 „ „ „ „ 1 700 „	23.—	1 519	1 442	1 460	1 364	1 285
8	1 700 „ „ „ „ 2 000 „	28.—	1 324	1 245	1 210	1 187	1 151
9	2 000 „ „ „ „ 2 300 „	33.50	1 040	1 063	1 052	1 051	969
10	2 300 „ „ „ „ 2 600 „	39.—	1 185	1 076	1 087	1 060	927
	zu übertragen	. . .	25 261	25 423	25 095	24 959	23 093

Klasse	Einkommen	Steuerbetrag ℳ	Zahl der Besteuerten 1907	Zahl der Besteuerten 1906	Zahl der Besteuerten 1905	Zahl der Besteuerten 1904	Zahl der Besteuerten 1903/04
	Übertrag .	—	25 261	25 423	25 095	24 959	23 093
	I. Abteilung.						
1	2 600 ℳ bis weniger als 2 900 ℳ . .	50	655	626	627	617	632
2	2 900 „ „ „ „ 3 200 „ . .	57	481	483	472	450	462
3	3 200 „ „ „ „ 3 600 „ . .	66	462	479	468	447	469
4	3 600 „ „ „ „ 4 000 „ . .	78	423	430	396	389	384
5	4 000 „ „ „ „ 4 500 „ . .	90	395	402	394	378	382
6	4 500 „ „ „ „ 5 000 „ . .	106	269	258	280	264	244
7	5 000 „ „ „ „ 5 500 „ . .	126	229	242	240	222	228
8	5 500 „ „ „ „ 6 000 „ . .	144	205	182	184	194	179
9	6 000 „ „ „ „ 6 500 „ . .	160	152	153	152	165	157
10	6 500 „ „ „ „ 7 000 „ . .	176	129	139	150	144	151
11	7 000 „ „ „ „ 7 500 „ . .	192	117	118	106	96	104
12	7 500 „ „ „ „ 8 000 „ . .	210	103	98	113	115	108
13	8 000 „ „ „ „ 8 500 „ . .	230	100	89	88	84	96
14	8 500 „ „ „ „ 9 000 „ . .	250	74	93	77	63	67
15	9 000 „ „ „ „ 9 500 „ . .	270	64	60	66	68	59
16	9 500 „ „ „ „ 10 000 „ . .	290	63	68	52	54	53
17	10 000 „ „ „ „ 11 000 „ . .	315	87	95	88	106	115
18	11 000 „ „ „ „ 12 000 „ . .	350	71	66	82	72	73
19	12 000 „ „ „ „ 13 000 „ . .	385	76	79	76	80	69
20	13 000 „ „ „ „ 14 000 „ . .	420	71	61	55	58	63
21	14 000 „ „ „ „ 15 000 „ . .	455	47	43	45	55	41
22	15 000 „ „ „ „ 16 000 „ . .	490	43	38	35	38	36
23	16 000 „ „ „ „ 17 000 „ . .	525	44	40	40	42	37
24	17 000 „ „ „ „ 18 000 „ . .	560	27	28	38	34	35
25	18 000 „ „ „ „ 19 000 „ . .	595	23	29	36	29	30
26	19 000 „ „ „ „ 20 000 „ . .	630	18	24	24	27	25
27	20 000 „ „ „ „ 21 000 „ . .	665	27	27	22	20	18
28	21 000 „ „ „ „ 22 000 „ . .	700	22	15	16	22	21
29	22 000 „ „ „ „ 23 000 „ . .	735	16	17	16	12	9
30	23 000 „ „ „ „ 24 000 „ . .	770	21	16	12	19	20
31	24 000 „ „ „ „ 25 000 „ . .	805	21	19	17	6	12
32	25 000 „ „ „ „ 26 000 „ . .	840	14	20	15	12	12
33	26 000 „ „ „ „ 27 000 „ . .	875	15	18	15	14	9
34	27 000 „ „ „ „ 28 000 „ . .	910	13	12	13	4	6
35	28 000 „ „ „ „ 29 000 „ . .	945	6	12	7	13	7
36	29 000 „ „ „ „ 30 000 „ . .	980	9	9	6	8	7
37	30 000 „ „ „ „ 31 000 „ . .	1 015	11	8	6	7	9
38	31 000 „ „ „ „ 32 000 „ . .	1 050	6	7	10	7	10
39	32 000 „ „ „ „ 33 000 „ . .	1 085	1	5	5	5	4
40	33 000 „ „ „ „ 34 000 „ . .	1 120	8	6	6	11	9
41	34 000 „ „ „ „ 35 000 „ . .	1 160	7	10	11	8	8
42	35 000 „ „ „ „ 36 000 „ . .	1 200	8	1	5	5	7
43	36 000 „ „ „ „ 37 000 „ . .	1 240	5	5	6	4	6
44	37 000 „ „ „ „ 38 000 „ . .	1 280	8	10	8	6	7
45	38 000 „ „ „ „ 39 000 „ . .	1 320	5	5	3	3	10
46	39 000 „ „ „ „ 40 000 „ . .	1 360	7	5	2	6	7
47	40 000 „ „ „ „ 41 000 „ . .	1 400	2	5	5	5	4
48	41 000 „ „ „ „ 42 000 „ . .	1 445	6	5	9	9	4
49	42 000 „ „ „ „ 43 000 „ . .	1 490	4	7	4	8	5
50	43 000 „ „ „ „ 44 000 „ . .	1 535	9	6	6	6	2
51	44 000 „ „ „ „ 45 000 „ . .	1 580	—	3	1	2	5
52	45 000 „ „ „ „ 46 000 „ . .	1 625	5	1	2	2	2
	zu übertragen .	. . .	29 945	30 100	29 707	29 474	27 612

Klasse	Einkommen	Steuerbetrag ℳ	Zahl der Besteuerten 1907	Zahl der Besteuerten 1906	Zahl der Besteuerten 1905	Zahl der Besteuerten 1904	Zahl der Besteuerten 1903/04
	Übertrag .	—	29 945	30 100	29 707	29 474	27 612
53	46 000 ℳ bis weniger als 47 000 ℳ . .	1 670	3	3	5	3	4
54	47 000 „ „ „ „ 48 000 „ . .	1 715	4	3	2	1	4
55	48 000 „ „ „ „ 49 000 „ . .	1 760	3	1	3	2	2
56	49 000 „ „ „ „ 50 000 „ . .	1 805	3	3	1	—	—
57	50 000 „ „ „ „ 51 000 „ . .	1 850	1	2	1	—	—
58	51 000 „ „ „ „ 52 000 „ . .	1 895	4	1	3	4	4
59	52 000 „ „ „ „ 53 000 „ . .	1 940	2	—	1	3	1
60	53 000 „ „ „ „ 54 000 „ . .	1 985	1	1	2	2	2
61	54 000 „ „ „ „ 55 000 „ . .	2 030	1	1	2	2	3
62	55 000 „ „ „ „ 56 000 „ . .	2 075	3	1	2	1	3
63	56 000 „ „ „ „ 57 000 „ . .	2 120	2	3	2	1	4
64	57 000 „ „ „ „ 58 000 „ . .	2 165	2	2	3	4	1
65	58 000 „ „ „ „ 59 000 „ . .	2 205	—	2	3	2	1
66	59 000 „ „ „ „ 60 000 „ . .	2 255	1	2	3	—	—
67	60 000 „ „ „ „ 61 000 „ . .	2 300	1	1	3	2	1
68	61 000 „ „ „ „ 62 000 „ . .	2 345	1	4	1	3	2
69	62 000 „ „ „ „ 63 000 „ . .	2 390	—	2	—	1	2
70	63 000 „ „ „ „ 64 000 „ . .	2 435	2	2	—	—	2
71	64 000 „ „ „ „ 65 000 „ . .	2 480	—	1	—	1	—
72	65 000 „ „ „ „ 66 000 „ . .	2 525	1	—	—	—	1
73	66 000 „ „ „ „ 67 000 „ . .	2 570	1	1	—	—	—
74	67 000 „ „ „ „ 68 000 „ . .	2 615	1	1	2	1	—
75	68 000 „ „ „ „ 69 000 „ . .	2 660	2	—	—	1	—
76	69 000 „ „ „ „ 70 000 „ . .	2 705	1	—	—	2	—
77	70 000 „ „ „ „ 71 000 „ . .	2 750	—	—	—	—	—
78	71 000 „ „ „ „ 72 000 „ . .	2 795	3	—	—	1	3
79	72 000 „ „ „ „ 73 000 „ . .	2 840	2	—	3	—	2
80	73 000 „ „ „ „ 74 000 „ . .	2 885	1	—	—	—	—
81	74 000 „ „ „ „ 75 000 „ . .	2 930	1	2	1	2	2
82	75 000 „ „ „ „ 76 000 „ . .	2 975	2	1	1	2	3
83	76 000 „ „ „ „ 77 000 „ . .	3 020	1	1	—	—	—
84	77 000 „ „ „ „ 78 000 „ . .	3 065	2	2	2	—	—
85	78 000 „ „ „ „ 79 000 „ . .	3 110	—	—	—	—	1
86	79 000 „ „ „ „ 80 000 „ . .	3 155	2	3	2	—	—
87	80 000 „ „ „ „ 81 000 „ . .	3 205	—	1	—	1	2
88	81 000 „ „ „ „ 82 000 „ . .	3 255	—	—	—	—	1
89	82 000 „ „ „ „ 83 000 „ . .	3 305	—	1	—	—	1
90	83 000 „ „ „ „ 84 000 „ . .	3 355	—	—	—	—	1
91	84 000 „ „ „ „ 85 000 „ . .	3 405	—	1	—	2	—
92	85 000 „ „ „ „ 86 000 „ . .	3 455	—	—	—	1	1
93	86 000 „ „ „ „ 87 000 „ . .	3 505	—	—	2	—	1
94	87 000 „ „ „ „ 88 000 „ . .	3 555	2	—	—	1	—
95	88 000 „ „ „ „ 89 000 „ . .	3 605	3	1	1	—	—
96	89 000 „ „ „ „ 90 000 „ . .	3 655	1	—	—	2	—
97	90 000 „ „ „ „ 91 000 „ . .	3 705	—	1	—	1	1
98	91 000 „ „ „ „ 92 000 „ . .	3 755	—	—	1	1	—
99	92 000 „ „ „ „ 93 000 „ . .	3 805	1	—	1	1	1
100	93 000 „ „ „ „ 94 000 „ . .	3 855	1	1	3	—	1
101	94 000 „ „ „ „ 95 000 „ . .	3 905	1	—	—	1	—
102	95 000 „ „ „ „ 96 000 „ . .	3 955	—	1	1	—	2
103	96 000 „ „ „ „ 97 000 „ . .	4 005	—	—	—	1	3
104	97 000 „ „ „ „ 98 000 „ . .	4 055	1	—	1	1	—
	zu übertragen .	.	30 009	30 153	29 765	29 528	27 675

Klasse	Einkommen	Steuerbetrag ℳ	Zahl der Besteuerten 1907	Zahl der Besteuerten 1906	Zahl der Besteuerten 1905	Zahl der Besteuerten 1904	Zahl der Besteuerten 1903/04
	Übertrag .	—	30 009	30 153	29 765	29 528	27 675
106	99 000 ℳ bis weniger als 100 000 ℳ . .	4 155	—	—	1	1	—
107	100 000 „ „ „ „ 101 000 „ . .	4 205	—	1	—	2	—
108	101 000 „ „ „ „ 102 000 „ . .	4 255	1	1	1	1	1
109	102 000 „ „ „ „ 103 000 „ . .	4 305	—	—	—	1	—
110	103 000 „ „ „ „ 104 000 „ . .	4 355	—	1	1	1	—
111	104 000 „ „ „ „ 105 000 „ . .	4 405	—	—	—	1	1
112	105 000 „ „ „ „ 106 000 „ . .	4 455	—	—	1	—	1
114	107 000 „ „ „ „ 108 000 „ . .	4 555	—	1	—	—	—
115	108 000 „ „ „ „ 109 000 „ . .	4 605	—	—	—	1	2
116	109 000 „ „ „ „ 110 000 „ . .	4 655	1	—	—	1	—
117	110 000 „ „ „ „ 111 000 „ . .	4 705	—	—	2	1	—
120	113 000 „ „ „ „ 114 000 „ . .	4 755	1	1	—	—	1
123	116 000 „ „ „ „ 117 000 „ . .	4 955	1	—	—	—	—
125	118 000 „ „ „ „ 119 000 „ . .	5 105	—	—	1	1	—
127	120 000 „ „ „ „ 121 000 „ . .	5 155	1	1	1	—	2
128	121 000 „ „ „ „ 122 000 „ . .	5 255	1	1	—	—	1
129	122 000 „ „ „ „ 123 000 „ . .	5 305	—	1	1	1	—
130	123 000 „ „ „ „ 124 000 „ . .	5 355	—	—	1	—	—
131	124 000 „ „ „ „ 125 000 „ . .	5 405	—	1	1	1	—
134	127 000 „ „ „ „ 128 000 „ . .	5 455	2	1	—	—	—
137	130 000 „ „ „ „ 131 000 „ . .	5 605	—	—	1	—	—
138	131 000 „ „ „ „ 132 000 „ . .	5 755	—	1	—	—	—
139	132 000 „ „ „ „ 133 000 „ . .	5 805	—	1	—	2	—
142	135 000 „ „ „ „ 136 000 „ . .	5 955	1	1	—	—	1
143	136 000 „ „ „ „ 137 000 „ . .	6 005	1	—	—	1	—
144	137 000 „ „ „ „ 138 000 „ . .	6 055	—	1	—	—	—
147	140 000 „ „ „ „ 141 000 „ . .	6 105	1	—	1	—	1
149	142 000 „ „ „ „ 143 000 „ . .	6 305	—	—	1	1	—
151	144 000 „ „ „ „ 145 000 „ . .	6 405	—	1	—	—	—
156	149 000 „ „ „ „ 150 000 „ . .	6 605	1	—	—	—	—
157	150 000 „ „ „ „ 151 000 „ . .	6 705	—	2	—	—	—
159	152 000 „ „ „ „ 153 000 „ . .	6 805	—	—	1	—	—
160	153 000 „ „ „ „ 154 000 „ . .	6 855	—	1	1	—	—
162	155 000 „ „ „ „ 156 000 „ . .	6 955	1	—	—	—	2
167	160 000 „ „ „ „ 161 000 „ . .	7 205	—	—	1	1	—
168	161 000 „ „ „ „ 162 000 „ . .	7 255	—	—	—	1	—
175	163 000 „ „ „ „ 164 000 „ . .	7 355	1	—	1	—	1
178	171 000 „ „ „ „ 172 000 „ . .	7 755	—	1	—	—	—
179	172 000 „ „ „ „ 173 000 „ . .	7 805	—	—	—	—	1
187	180 000 „ „ „ „ 181 000 „ . .	7 955	1	—	—	—	—
189	182 000 „ „ „ „ 183 000 „ . .	8 305	1	—	—	1	—
191	184 000 „ „ „ „ 185 000 „ . .	8 405	—	—	—	—	1
201	194 000 „ „ „ „ 195 000 „ . .	8 905	—	—	—	—	—
211	204 000 „ „ „ „ 205 000 „ . .	9 255	1	—	—	—	1
213	206 000 „ „ „ „ 207 000 „ . .	9 455	—	1	—	—	—
219	212 000 „ „ „ „ 213 000 „ . .	9 805	—	—	—	1	—
232	225 000 „ „ „ „ 226 000 „ . .	10 055	1	—	—	1	—
233	226 000 „ „ „ „ 227 000 „ . .	10 455	—	—	1	1	—
267	260 000 „ „ „ „ 261 000 „ . .	12 205	—	—	1	—	1
281	274 000 „ „ „ „ 275 000 „ . .	12 905	—	—	—	—	—
318	311 000 „ „ „ „ 312 000 „ . .	14 755	—	1	—	—	—
324	317 000 „ „ „ „ 318 000 „ . .	15 055	—	1	—	—	—
	zu übertragen .		30 027	30 175	29 785	29 551	27 693

Klasse	Einkommen	Steuerbetrag ℳ	Zahl der Besteuerten 1907	Zahl der Besteuerten 1906	Zahl der Besteuerten 1905	Zahl der Besteuerten 1904	Zahl der Besteuerten 1903/04
	Übertrag .	—	30027	30175	29785	29551	27693
326	319 000 ℳ bis weniger als 320 000 ℳ . .	15 155	—	1	—	—	—
336	329 000 „ „ „ „ 330 000 „ . .	15 655	—	—	1	—	—
372	365 000 „ „ „ „ 366 000 „ . .	16 705	1	—	—	—	—
376	369 000 „ „ „ „ 370 000 „ . .	18 455	1	1	—	—	—
393	386 000 „ „ „ „ 387 000 „ . .	18 505	—	—	—	—	1
401	394 000 „ „ „ „ 395 000 „ . .	18 705	1	—	—	1	—
436	429 000 „ „ „ „ 430 000 „ . .	21 405	1	1	—	—	—
473	466 000 „ „ „ „ 467 000 „ . .	22 505	—	—	1	—	—
509	502 000 „ „ „ „ 503 000 „ . .	24 305	—	—	—	1	—
574	567 000 „ „ „ „ 568 000 „ . .	27 555	—	—	—	—	1
586	579 000 „ „ „ „ 580 000 „ . .	28 155	—	—	—	—	—
	Zusammen .		30 031	30 178	29 787	29 553	27 695

Vom Staate wurden erhoben:

	1907	1906	Zunahme	Abnahme
a) Einkommensteuer von 30 031 (30 178) Pers.	1 594 976 ℳ 50 ₰	1 569 543 ℳ 50 ₰	1,62 %	—
b) Vermögensteuer von 6 849 (6 849) „	343 734 „ — „	340 692 „ 75 „	0,89 %	—
zusammen	1 938 710 ℳ 50 ₰	1 910 236 ℳ 25 ₰	1,49 %	—

Die Vermögensteuer betrug auch im Rechnungsjahre 1907 = 75 ₰ von 1000 ℳ Reinvermögen. Das dem Steuerbetrag von 343 734 ℳ — ₰ zugrunde gelegte Reinvermögen beläuft sich daher auf 458 312 000 ℳ (im Vorjahre auf 454 257 000 ℳ).

Die Steuerkapitalien für den Ausschlag der Gemeindesteuer betrugen:

	1907	1906	Zunahme	Abnahme
a) für die Gewerbsteuer	1 641 217,10 ℳ	1 631 526,40 ℳ	0,59 %	—
b) „ „ Grundsteuer	2 106 377,13 „	2 030 288,3 „	3,75 %	—
c) „ „ Kapitalrentensteuer . . .	685 485,49 „	678 921,78 „	0,97 %	—
zusammen .	4 433 080,72 ℳ	4 340 736,40 ℳ	2,13 %	—

Zur Gemeindesteuer waren zugezogen und zwar:

	1907	1906	1905	1904	1903/04
a) zur Gewerbesteuer . . .	5 338 Pers.	5 336 Pers.	5 315 Pers.	5 259 Pers.	5 285 Pers.
b) „ Grundsteuer	3 336 „	3 341 „	3 438 „	3 441 „	3 406 „
c) „ Kapitalrentensteuer .	3 088 „	3 087 „	3 182 „	3 126 „	3 046 „
d) „ Einkommensteuer .	31 367 „	31 381 „	31 014 „	30 573 „	28 763 „

Mit einem Einkommen unter 500 ℳ waren nur zur Gemeindesteuer zugezogen:

1907	1 403 Personen
1906	1 611 „
1905	1 227 „
1904	1 089 „
1903/04	1 110 „

Die Gewerbesteuerpflichtigen verteilten sich in den letzten fünf Jahren auf die verschiedenen Klassen der Gewerbe wie folgt:

				1907	1906	1905	1904	1903/04
Klasse	I A	Normalsteuerkapital	500 ℳ =	95 Pers.	96 Pers.	96 Pers.	96 Pers.	94 Pers.
„	I B	„	340 „ =	364 „	367 „	368 „	371 „	387 „
„	II	„	160 „ =	180 „	181 „	187 „	198 „	210 „
„	III	„	120 „ =	347 „	344 „	336 „	334 „	327 „
„	IV	„	80 „ =	1 143 „	1 178 „	1 196 „	1 153 „	1 149 „
„	V	„	60 „ =	1 329 „	1 333 „	1 325 „	1 279 „	1 251 „
„	VI	„	40 „ =	1 329 „	1 286 „	1 242 „	1 222 „	1 256 „
„	VII	„	10 „ =	551 „	551 „	565 „	570 „	611 „
			zusammen	5 338 Pers.	5336 Pers.	5 315 Pers.	5 223 Pers.	5 285 Pers.

Bei den in Zahlbach betriebenen Gewerben betrogen die Steuerkapitalien:

in Klasse	II = ...	80 ℳ
„	III = ...	60 „
„	IV = ...	40 „
„	V = ...	20 „
„	VI = ...	10 „
„	VII = ...	5 „

Für das Rechnungsjahr 1907 wurden als Gemeindesteuer 100,2 % Zuschlag zur staatlichen Einkommensteuer und zum doppelten Betrage der Grundzahlen für den Ausschlag der Grundsteuer, der Gewerbesteuer und der Kapitalrentensteuer erhoben gegen 91,8 % im Vorjahre. Es betrugen, abgesehen von den Nachträgen:

	1907	1906	Zunahme	Abnahme
a) die Gewerbesteuer . .	493 349 ℳ 83 ₰	449 322 ℳ 26 ₰	9,80 %	—
b) „ Grundsteuer . . .	633 177 „ 03 „	559 141 „ 41 „	13,24 %	—
c) „ Kapitalrentensteuer	206 057 „ 09 „	186 975 „ 03 „	10,21 %	—
d) „ Einkommensteuer	1 587 180 „ 62 „	1 425 782 „ 15 „	11,32 %	—
zusammen	2 919 764 ℳ 57 ₰	2 621 220 ℳ 85 ₰	11,39 %	—

Im Rechnungsjahre 1907 wurden 5 325 (5 314) Jahres-Gewerbs-Patente ausgestellt, 994 (1 017) Gewerbe angemeldet, 905 (1 057) Gewerbe abgemeldet und 957 (974) Gewerbs-Patente im Laufe des Jahres erteilt.

Nachträglich wurden 6 172 (5 609) Personen zur Einkommensteuer veranlagt und etwa 28 000 (28 000) Wohnungswechsel und Wegzüge in der Ortssteuerliste gewahrt.

Zwecks Zustellung von 1121 Staatssteuerzetteln und 1602 Gemeindesteuerzetteln an die im Laufe des Steuerjahres von hier verzogenen Steuerpflichtigen wurden 1016 Requisitionen ausgefertigt.

b) Stadtteil Mainz-Mombach.

Vom Staate wurden erhoben:

a) Einkommensteuer von 1 818 Personen	. . .	81 899 ℳ — ₰
b) Vermögenssteuer „ 540 „	. . .	12 003 „ — „
zusammen	. . .	93 902 ℳ — ₰

Die Vermögenssteuer betrug 75 ₰ von 1000 ℳ Reinvermögen. Das dem Steuerbetrag von 12 003 ℳ — ₰ zugrunde gelegte Reinvermögen beträgt daher 16 004 000 ℳ.

Die Steuerkapitalien für den Ausschlag der Gemeindesteuer betrugen:

a) für die Gewerbesteuer . . .	45 554,0	ℳ
b) „ „ Grundsteuer . . .	61 025,8	„
c) „ „ Kapitalrentensteuer .	7 569,0	„
zusammen . . .	114 148,8	ℳ

Zur Gemeindesteuer waren zugezogen und zwar:

a) zur Gewerbesteuer . . .	300	Personen
b) „ Grundsteuer	551	„
c) „ Kapitalrentensteuer . .	121	„
d) „ Einkommensteuer . . .	1 840	„

Mit einem Einkommen unter 500 ℳ waren nur zur Gemeindesteuer zugezogen: 20 Personen.

Die Gewerbesteuerpflichtigen verteilen sich auf die verschiedenen Klassen der Gewerbe wie folgt:

Klasse						
Klasse	I A	Normalsteuerkapital	500 ℳ	—	3	Personen
„	I B	„	340 „	—	2	„
„	II	„	80 „	—	5	„
„	III	„	60 „	—	6	„
„	IV	„	40 „	—	45	„
„	V	„	20 „	—	110	„
„	VI	„	10 „	—	126	„
„	VII	„	5 „	—	3	„
			zusammen		300	Personen.

Für das Rechnungsjahr 1907 wurden als Gemeindesteuer 100,2 % Zuschlag zur staatlichen Einkommensteuer und zum doppelten Betrage der Grundzahlen für den Ausschlag der Grundsteuer, der Gewerbesteuer und der Kapitalrentensteuer erhoben. Es betrugen, abgesehen von den Nachträgen:

a) die Gewerbesteuer . .	13 693 ℳ	53 ₰
b) „ Grundsteuer . . .	18 344 „	23 „
c) „ Kapitalrentensteuer .	2 275 „	23 „
d) „ Einkommensteuer .	80 967 „	50 „
zusammen .	115 280 ℳ	49 ₰.

Im Rechnungsjahre 1907 wurden 301 Jahres-Gewerbs-Patente ausgestellt, 115 Gewerbe angemeldet, 101 Gewerbe abgemeldet und 82 Gewerbs-Patente im Laufe des Jahres erteilt.

XLI. Zwangsvollstreckung im Verwaltungswege.

Infolge der Eingemeindung von Mombach sind die Obliegenheiten der Vollstreckungsbehörde für diesen Stadtteil, die bisher dem Großh. Kreisamt zustanden, auf die Bürgermeisterei übergegangen. Die Betreibungsgeschäfte sind vorläufig einem der vorhandenen städtischen Vollziehungsbeamten übertragen worden. Die Funktionen des Mahnboten und Zeugen werden vorerst durch das Polizeipersonal in Mainz-Mombach wahrgenommen.

Nach dem von dem Finanzsekretariat geführten Tagebuch sind im Rechnungsjahr 1907 im ganzen 2 211 Pfändungsbefehle erlassen worden gegen 1 924 im Vorjahre. Die Pfändungsbefehle enthielten insgesamt 42 045 Posten gegen 37 935 Posten im Rechnungsjahre 1906. Inhaltlich der von den Vollziehungsbeamten eingereichten Nachweisungen wurden die Pfändungsbefehle in nachstehender Weise erledigt:

Bezeichnung	1907		1906	
	Posten	%	Posten	%
1. Vor Beginn der Pfändung eingegangen	2 014	4,8	1 473	3,9
2. Infolge der Beitreibung bezahlt oder Pfändung vorgenommen	28 429	67,6	26 618	70,1
3. Vorläufig uneinbringlich (infolge Wegzugs der Zahlungspflichtigen nach bekannten Orten etc.)	4 058	9,6	3 482	9,2
4. Definitiv uneinbringlich (infolge Wegzugs nach unbekannten Orten, Todesfalls etc.)	3 399	8,1	2 842	7,5
5. Zahlungsunfähig (aus Mangel an Pfandobjekten)	4 145	9,9	3 520	9,3
Summe	42 045	100,0	37 935	100,0

Die den vorstehenden Posten entsprechenden, zur Beitreibung überwiesenen Geldbeträge sind aus der folgenden Übersicht zu entnehmen:

Bezeichnung	1907			1906		
	ℳ	₰	%	ℳ	₰	%
1. Vor Beginn der Pfändung eingegangen	56 257	37	5,8	64 043	85	7,5
2. Infolge der Beitreibung bezahlt oder Pfändung vorgenommen	816 138	74	83,8	712 459	67	83,4
3. Vorläufig uneinbringlich	49 117	59	5,0	34 775	08	4,1
4. Definitiv uneinbringlich	16 454	50	1,7	12 615	76	1,5
5. Zahlungsunfähig	35 848	34	3,7	30 292	85	3,5
Summe	973 816	54	100,0	854 187	21	100,0

Unter den in der zweiten Tabelle aufgeführten Summen sind die Forderungen inbegriffen, welche von dem städtischen Personal für Rechnung anderer Behörden und Kassen beizutreiben waren. Der für 1907 zur Beitreibung überwiesene Betrag verteilt sich auf Einkünfte der Stadt und andere Einkünfte wie folgt:

Bezeichnung	Einkünfte der Stadt			Einkünfte fremder Kassen		
	ℳ	₰	%	ℳ	₰	%
1. Vor Beginn der Pfändung eingegangen	44 584	04	6,5	11 673	33	4,1
2. Infolge der Beitreibung bezahlt oder Pfändung vorgenommen	560 336	68	82,1	255 802	06	87,9
3. Vorläufig uneinbringlich	38 286	45	5,6	10 831	14	3,7
4. Definitiv uneinbringlich	15 723	88	2,3	730	62	0,2
5. Zahlungsunfähig	23 970	02	3,5	11 878	32	4,1
Summe	682 901	07	100,0	290 915	47	100,0

In 3 030 Fällen (gegen 3 012 im Vorjahre) wurden durch Zahlungsverbote für eine Gesamtschuldigkeit von 48 865 ℳ 68 ₰ (gegen 50 121 ℳ 39 ₰ im Vorjahre) Geldforderungen der Schuldner gepfändet (beschlagnahmt).

Versteigerung von Pfändern hat für im Berichtsjahre zur Beitreibung überwiesene Schuldigkeiten in 3 Fällen stattgefunden.

Nachdem im vorigen Jahre die Zahlungsfähigkeit der Schuldner einer eingehenden Nachprüfung unterzogen und in einer Anzahl von Fällen gemäß § 46 der Verordnung vom 7. März 1894, das Verfahren der Zwangsvollstreckung im Verwaltungswege betr., Antrag auf Ableistung des Offenbarungseides gestellt worden war, ist diese Beitreibungsmaßregel im Berichtsjahre fortgesetzt und in verschiedenen Fällen mit Erfolg angewendet worden.

An Gebühren wurden auf Grund der von den Vollziehungsbeamten eingereichten Kostenverzeichnisse festgesetzt:

	1907	1906
für die vier Vollziehungsbeamten	12 126 ℳ 55 ₰	11 037 ℳ 75 ₰
„ „ „ Zeugen (Mahnboten)	4 980 „ 90 „	4 471 „ 30 „
zusammen . . .	17 107 ℳ 45 ₰	15 509 ℳ 05 ₰

Fristgesuche waren im Berichtsjahre zu bearbeiten 104 gegen 90 im Vorjahre. An Gemeinde-Vollstreckungsbehörden in Hessen wurden Ersuchen um Zwangsvollstreckung gerichtet 640 gegen 587 im Jahre 1906. Von auswärtigen Stellen gingen außer den von hessischen Gemeinden gestellten, in obiger Aufstellung enthaltenen Pfändungsanträgen 1 107 Ersuchen um Mahnung und bezw. Zwangsvollstreckung ein (im Vorjahr 927).

Über das Ergebnis der Erhebung und Beitreibung der **Gemeindesteuern** für das Rechnungsjahr 1907 hat die Stadtkasse nachstehende Übersicht aufgestellt (die Gemeindesteuern aus dem Stadtteil Mainz-Mombach sind hierunter nicht enthalten, da die Erhebung derselben noch durch den bisherigen Gemeinde-Einnehmer von Mombach zu bewirken war):

Ordnungs-Nummer	Bezeichnung	Anzahl der Steuerpflichtigen	Umlagen für die evangelische Kirchengemeinde		freie christliche Gemeinde		katholischen Kirchengemeinden		Stadt Mainz		Steuerbetrag im ganzen	
			ℳ	₰	ℳ	₰	ℳ	₰	ℳ	₰	ℳ	₰
	Es waren zu erheben:											
1	Nach dem Hauptheberegister	32 564	82 314	—	2 805	84	67 066	02	2 919 763	32	3 071 949	18
2	„ den Nachtragsregistern	6 394	5 456	71	128	15	2 736	88	122 239	93	130 561	67
	Summe der Soll-Einnahme	38 958	87 770	71	2 933	99	69 802	90	3 042 003	25	3 202 510	85
	Von vorsteh. Summen sind:											
3	bar eingegangen	—	79 653	45	2 879	04	64 035	02	2 825 043	87	2 971 611	38
4	erlassen infolge Reklamation	—	5 102	86	19	78	3 881	81	151 751	49	160 755	94
5	uneinbringlich	—	2 531	62	32	23	1 455	70	50 804	36	54 823	91
6	noch in Beitreibung	—	482	78	2	94	430	37	14 403	53	15 319	62
	Summe wie oben	—	87 770	71	2 933	99	69 802	90	3 042 003	25	3 202 510	85

Wie aus vorstehender Übersicht hervorgeht, sind von der Summe der Gemeindesteuern für 1907

1. bar eingegangen	92,79 %	(im Vorjahr 92,51 %)
2. erlassen	5,02 „	(„ „ 5,30 „)
3. uneinbringlich .	1,71 „	(„ „ 1,56 „)
4. noch in Beitreibung	0,48 „	(„ „ 0,63 „)
zusammen	100,00 %	100,00 %.

Von der unter Ord.-Nr. 5 der Übersicht aufgeführten Summe von 54 823 ℳ 91 ₰, welche sich aus 5 457 Posten zusammensetzt, sind nach den Beitreibungsakten als uneinbringlich bezeichnet:

a) aus Mangel an Pfändern (1 034 Posten)	12 781 ℳ 51 ₰
b) infolge Wegzugs, wodurch das Beitreibungsverfahren ohne Erfolg blieb (1 264 Posten)	8 894 „ 87 „
c) „ „ und Todesfalls ꝛc., wodurch die Steuerpflicht aufhörte (3 159 „)	33 147 „ 53 „
zusammen	54 823 ℳ 91 ₰

Bei den unter c aufgeführten 3 159 Posten war eine Steuerpflicht infolge Wegzugs oder Todesfalls nicht mehr vorhanden. In Wirklichkeit können daher nur die vorstehend unter a und b verzeichneten 2 298 Posten mit 21 676 ℳ 38 ₰ = 0,68 % (im Vorjahr 0,75 %) der Soll-Einnahme als uneinbringlich angesehen werden.

Die Gemeindesteuerzettel für 1907 kamen in der Zeit vom 22. April bis 3. Mai 1907 zur Austeilung, mit der Erhebung wurde am 6. Mai 1907 begonnen. Das Hebregister wurde am 26. Juli 1907 von Großh. Kreisamt für vollziehbar erklärt und nach achttägiger Offenlegung am 9. August 1907 der Stadtkasse zur Vereinnahmung überwiesen.

Die Beitreibung der Gemeindesteuern erfolgte den bestehenden Bestimmungen gemäß für je 2 Ziele zusammen. Gemahnt wurden hierbei

bezüglich des 1. und 2. Ziels vom 26. Juli 1907 ab	15 602 Schuldner
„ „ 3. „ 4. „ „ 26. November 1907 ab	16 392 „
„ „ 5. „ 6. „ „ 26. März 1908 ab	14 176 „
zusammen	46 170 Schuldner

gegen 42 076 Schuldner im Jahre 1906.

Zur Pfändung wurden überwiesen:

für das 1. und 2. Ziel am 17. August 1907	11 065 Posten mit	190 022 ℳ 14 ₰
„ „ 3. „ 4. „ „ 21. Dezember „	8 873 „ „	164 305 „ 56 „
„ „ 5. „ 6. „ „ 18. April 1908	8 475 „ „	159 583 „ 64 „
zusammen	28 413 Posten mit	513 911 ℳ 34 ₰
Da die uneinbringlichen Posten sich belaufen auf	54 823 ℳ 91 ₰	
und die noch in Beitreibung befindlichen Ausstände auf	15 319 „ 62 „	70 143 „ 53 „
so sind demnach von der zur Pfändung überwiesenen Summe eingegangen		443 767 ℳ 81 ₰

= 14,93 % der Bar-Einnahme. Im Vorjahre kamen 27 123 Posten mit 426 151 ℳ 08 ₰ in Pfändung, wovon 363 290 ℳ 18 ₰ oder 13,65 % der Bar-Einnahme eingingen.

Für die Beitreibung rückständiger Gemeindesteuern von verzogenen Steuerpflichtigen wurden in 3 573 Fällen (gegen 3 206 im Vorjahre) auswärtige Behörden für eine Steuerschuld von 34 249 ℳ 17 ₰ in Anspruch genommen, wodurch 2 230 Posten mit 24 291 ℳ 76 ₰ = 70,93 % gegen 59,43 % im Vorjahre bezahlt worden sind. Wie bereits oben bei pos. b angegeben, hatte die Beitreibung bei 1 264 Posten mit einem Steuerbetrag von 8 894 ℳ 87 ₰ keinen Erfolg. Bei 79 Posten mit 1 062 ℳ 54 ₰ ist das Beitreibungsverfahren noch nicht erledigt. Die Zahl der an auswärtige Behörden abgegebenen Requisitionen betrug 4495 (gegen 3206 im Vorjahre).

Der Gebührenbezug des Beitreibungspersonals stellt sich für das Berichtsjahr ungefähr wie folgt:

a) der Mahnboten:

1. Zeugengebühren laut Seite 276	4 980 ℳ 90 ₰
2. Mahngebühren aus der Stadtkasse	4 162 „ 70 „
3. „ von der Städtischen Krankenkasse	1 431 „ 10 „
zusammen	10 574 ℳ 70 ₰

Auf einen der vier Mahnboten entfallen hiernach durchschnittlich 2 643 ℳ 07 ₰ gegen 2 466 ℳ 10 ₰ im Jahre 1906. Hierzu kommen noch die bei den Schuldnern unmittelbar erhobenen Gebühren für Zustellung der Mahnungen hessischer Gemeindekassen ꝛc., deren Höhe nicht festzustellen ist.

b) der Vollziehungsbeamten laut Seite 276 . . . . 12 126 ℳ 55 ₰

oder durchschnittlich 3 031 ℳ 64 ₰ auf einen der vier Vollziehungsbeamten gegen 2 759 ℳ 44 ₰ im Vorjahre.

Außer den eingehenden Gebühren erhalten die Mahnboten aus der Stadtkasse eine feste jährliche Vergütung von je 300 ℳ, drei Vollziehungsbeamte eine solche von je 900 ℳ, ein Vollziehungsbeamter 500 ℳ

XLII. Finanz- und Rechnungswesen.

A. Im allgemeinen.

Die Ergebnisse der Betriebs- und Vermögens-Rechnung der Stadt Mainz für 1907, deren Vergleichung mit dem Voranschlag, sowie die Erläuterung der Unterschiede sind in den Übersichten und Nachweisen auf den Seiten 288 bis 293 und 307 bis 468 dieses Berichtes enthalten.

Die gesamten Einnahmen der Betriebs-Rechnung betrugen		8 758 792 ℳ 30 ₰
die gesamten Ausgaben beliefen sich auf		7 970 703 „ 13 „
mithin verblieb ein Rechnungsrest von		788 089 ℳ 17 ₰
welcher sich bei einer Vergleichung mit den Beträgen des Voranschlages zusammensetzt, wie folgt:		
a) Mehreinnahmen	590 299 ℳ 43 ₰	
b) Weniger-Ausgaben	410 195 „ 02 „	1 000 494 ℳ 45 ₰
Hiervon gehen ab:		
c) Weniger-Einnahmen	49 859 ℳ 59 ₰	
d) Mehr-Ausgaben	162 545 „ 69 „	212 405 „ 28 „
demnach gleicher Betrag wie oben		788 089 ℳ 17 ₰

An dent vorstehend berechneten Überschusse im Betrage von ..... 788 089 ℳ 17 ₰

sind in Abzug zu bringen:

I. Nach dem Beschlusse der Stadtverordneten-Versammlung vom 21. Oktober 1908 die auf das Rechnungsjahr 1908 übertragenen Kredite für Arbeiten, welche im Voranschlag für 1907 vorgesehen waren oder im Lanfe des Jahres genehmigt wurden, aber nicht zur Ausführung gelangten und zwar:

Rubrik	3.	V. 3c.	Einbauen einer Entwässerungsanlage für den Baderaum einer Wohnung im Hauptsteueramtsgebäude	100 ℳ — ₰	
„	6.	II. 3.	Aussteinungen zur Kenntlichmachung der Marktplätze sowie Anfertigungen von Pläuen für die Neueinteilung der Marktplätze	562 „ 43 „	
„	14.	V. 9c.	Beschaffung eines Wasserreinigungsapparates	800 „ — „	
„	15.	II. 3c.	Aufstellung eines Pissoirhäuschens	423 „ 16 „	
„	„	II. 5c.	Teilweise Erneuerung der alten Dachbedeckung des Holzzementdaches	1 400 „ — „	
„	16.	V.	Einbauen einer Pendeltüre in den Haupteingang der Schweineschlachthalle und die Umänderung der übrigen 3 Türen in Pendeltüren	470 „ — „	
„	„	„ $3i_2$	Herstellung des Verputzes und der Anstriche in der Schlachthalle für Schweine	2 150 „ — „	
„	18.	III. 9c.	Ölfarbanstrich der äußeren Fenster und Oberlichter sowie Anstrich der Decken im Baderaum der Frauenabteilung des Gutenbergbades	250 „ — „	
„	24.	IX. A 3e.	Erneuerung des Anstrichs im Treppenhaus (Neubau) des Stadthauses	420 „ — „	
„	„	„ „ 3m.	Aufstellung eines Heizkörpers in dem Gewölbe für Aufbewahrung der Dokumente	350 „ — „	
			zu übertragen	6 925 ℳ 59 ₰	788 089 ℳ 17 ₰

			Übertrag . . .	6 925 ℳ 59 ₰	788 089 ℳ 17 ₰
Rubrik	24.	XVI.	Für Vervollständigung und Vervielfältigung der bei dem Tiefbauamt in Ausarbeitung befindlichen Parzellenpläne	2 000 „ — „	
„	„	XXIII.	Beitrag zu den Kosten der von den Arbeitsausschüssen der Rhein- und der Elb-Schiffahrtsinteressenten herausgegebenen „Korrespondenz“	100 „ — „	
„	„	XXIX.	Herstellung einer Skizze zu einem Stadtbilde	300 „ — „	
„	„	XXX.	Anteilige Kosten für Hochzeitsgeschenk der rheinhessischen Städte für Se. Königl. Hoheit den Großherzog	8 930 „ — „	
„	25.	IV. 3c.	Herstellen der Wohnung des Hausmeisters, Erneuerung des Waschküchenbodens und Neutapezierung eines Zimmers	260 „ — „	
„	35.	XIII.	Zinsenanteile aus 1906 und 1907 der Jean Baptiste und Wilhelm Hofmann-Stiftung	1 254 „ 87 „	
„	40.	VIII. 2e.	Instandsetzung der Friedhofskapelle im Innern, vorbehaltlich besonderer Vorlage an die Stadtverordnetenversammlung	4 000 „ — „	
„	40.	VIII. 2f.	Erneuerung des Plattenbodens in der Friedhofskapelle .	700 „ — „	
„	42.	X.	Bauliche Veränderungen an Schulgebäuden zum Schutze gegen Panik und Feuersgefahr	2 277 „ 01 „	
„	„	X. 3i.	Erneuerung des Leimfarbanstrichs an Decken und Wänden im 1. und 2. Obergeschoß des Bezirksschulhauses am Feldbergplatz	418 „ 60 „	
„	45.	IIIa. 1.	Anstrich des alten Mobiliars des Schulhauses in der Steingasse	350 „ — „	
„	„	„ „	Beschaffung von neuen Schiefertafeln	251 „ — „	
„	„	„ „	Ergänzung von Mobiliar im Chemiesaal und in dem Ober- und Unterprimasaal, sowie Erneuerung des Podiums im Chemiesaal	1 200 „ — „	
„	„	„ „	Beschaffung von Schulbänken und Ausbesserung von alten Bänken	1 607 „ 76 „	
„	55.	II. 1/2.	Anschaffung neuer Gemälde und Rahmen und Renovation von Gemälden	3 694 „ 15 „	
„	„	III.	Unverwendet gebliebene Mittel aus dem Zinsenerträgnis der Laske'schen Stiftung	31 „ 78 „	
„	„	IV. 4.	Für Ausgrabungen und Untersuchungen im Gebiete des Römischen Kastells	53 „ 43 „	
„	56.	I. 3e.	Erneuerung des Dachkandels	1 140 „ — „	
„	„	VI.	Unterhaltung des Bühneninventars	3 012 „ 64 „	
„	58.	I. 3k.	Neuanstrich der Spaliereinfriedigung	760 „ — „	
„	59.		Abhaltung öffentlicher Vorträge	174 „ 78 „	
„	62.	II. 2.	Fuhrlöhne für Straßenbaumaterialien ꝛc.	2 350 „ — „	
„	„	5.	Trottoirergänzungen	1 885 „ 36 „	
„	„	8.	Unterhaltung des Holzpflasters	1 956 „ 33 „	
„	„	9.	Ausgießen der Pflasterfugen mit Pechmasse	1 243 „ 83 „	
			zu übertragen	46 877 ℳ 13 ₰	788 089 ℳ 17 ₰

		Übertrag . . .	46 877 ℳ 13 ₰	788 089 ℳ 17 ₰
Rubrik 62.	IV.	Regulierung und Umbau von Straßen	24 679 „ 09 „	
„ 63.	III. 4.	Umpflasterung der Drehbrücke am Zoll- und Binnenhafen	4 800 „ — „	
„ 64.	III. 4b.	Errichtung eines Geräteschuppens aus Fachwerk mit Baumrindeverkleidung	1 200 „ — „	
„ 65.	IV. 6.	Ersatz von alten Pferden	2 356 „ 25 „	
„ 66.	IV. 4.	Aufstellung von Kandelabern in Straßen der Neustadt .	4 147 „ 10 „	
„ „	IV. 4c.	Verbesserung der Beleuchtung an den Haupthalte- und Kreuzungsstellen der Straßenbahn	1 222 „ 01 „	
„ „	„ 4d.	Versetzen einer Gaslaterne im Gonsenheimertor und Aufstellung zweier Gaslaternen auf der Gonsenheimer Chaussee	220 „ — „	
„ 68.	V. 2.	Vorarbeiten und Versuche bei Aufstellung der Projekte für eine definitive Pumpstation, die Kläranlagen, sowie eine Müllverbrennungsanstalt	380 „ 31 „	
„ 70.	III. 5d.	Abänderung der Einstellvorrichtung des Alarmwerkes auf dem Quintinsturm	300 „ — „	
„ 82.		Für die ausgelosten, bis Ende des Rechnungsjahres 1907 noch nicht eingelösten Schuldverschreibungen	13 400 „ — „	
„ 83.		Zur Deckung der bis Ende des Rechnungsjahres 1907 fälligen, aber noch nicht erhobenen Zinsen von ausgegebenen Schuldverschreibungen	10 817 „ 50 „	
			110 399 ℳ 39 ₰	
Verschiedene Rubriken.		Außer den vorstehenden Beträgen sind zur Bestreitung der durch die Neuregelung der Gehalte der Beamten, Lehrer und Orchestermitglieder veranlaßten Nachzahlungen für 1907, welche erst im Rechnungsjahr 1908 verrechnet werden konnten, auf das Rechnungsjahr 1908 zu übertragen	152 319 „ 52 „	
			262 718 ℳ 91 ₰	
	II.	Die Ausstände aus dem Rechnungsjahre 1907, welche laut Beschluß der Stadtverordneten-Versammlung vom 21. Oktober 1908 zur Nachführung in der Rechnung für 1907 und zum Vortrag in der Rechnung für 1908 genehmigt worden sind, mit	25 888 „ 97 „	288 607 „ 88 „

sodaß ein wirklicher Rechnungs-Überschuß verbleibt von . . . . 499 481 ℳ 29 ₰

Wie in den vorhergehenden Rechnungsjahren wurde auch in 1907 mit Genehmigung der Stadtverordneten-Versammlung vom 21. Oktober 1908 der vorstehende Betrog einstweilen und vorbehaltlich des späteren Ersatzes durch die Vermögensrechnung zur Bestreitung außerordentlicher Ausgaben, welche zu Lasten der Kapitalaufnahme für 1907 bewilligt waren, verwendet; es erscheint derselbe demzufolge unter Rubrik 85 der Betriebsrechnung in Ausgabe und unter Rubrik 34 der Vermögensrechnung in Einnahme.

Die Überschüsse und Zuschüsse der einzelnen Rubriken der Betriebsrechnung für 1907, nach dett Gruppen der Rubriken-Ordnung zusammengestellt, ergeben nachstehendes Bild:

	Bezeichnung der Gruppen	Überschuß		Zuschuß		In Prozent			
						1907		1906	
		ℳ	₰	ℳ	₰	Überschuß	Zuschuß	Überschuß	Zuschuß
I	Rechnungsrest aus früheren Jahren 111 903 ℳ 11 ₰ „ des laufenden Jahres 288 607 „ 88 „	—	—	176 704	77	—	4,12	—	0,35
II	Grundbesitz (Gebäude, Grundstücke, Plätze, Straßen, Messen und Märkte, Jagd und Fischerei, Grundrenten und Rekognitionsgebühren, Eichanstalt, Stadthalle)	48 933	99	—	—	1,14	—	1,23	
III	Wirtschaftliche Betriebe:								
	a) Gas-, Wasser- und Elektrizitätswerk	868 659	74	—	—	20,26	—	18,79	—
	b) Hofen, Lagerhäuser und Eisenbahnen	—	—	87 511	75	—	2,04	—	2,28
	c) Schlacht- und Viehhof	9 909	72	—	—	0,23	—	—	0,83
	d) Wäganstalten, Badeanstalten u. Stadtapotheke	7 957	41	—	—	0,19	—	0,20	—
	e) Rheinüberfahrten	102	23	—	—	0,00	—	—	—
IV	Allgemeine Verwaltung einschl. Polizei, Gewerbegericht, Arbeitsamt, Ortsgericht, Bauämter, Fernsprechanlagen	—	—	791 827	36	—	18,47	—	19,45
V	Arbeiterversicherung	—	—	29 867	90	—	0,70	—	0,71
VI	Ruhegehalte, Witwen- und Waisenversorgung	—	—	157 145	32	—	3,66	—	3,77
VII	Stiftungen und Vermächtnisse	—	—	4 448	43	—	0,10	—	0,57
VIII	Armen- und Krankenpflege und Wohltätigkeitsanstalten	—	—	176 030	83	—	4,11	—	4,29
IX	Friedhof	—	—	7 481	89	—	0,17	—	0,48
X	Kirchliche Bedürfnisse	—	—	1 938	84	—	0,04	—	0,05
XI	Volksschule einschließlich Fortbildungsschule	—	—	797 062	16	—	18,59	—	20,07
XII	Höhere Lehranstalten (Gewerbeschule, Realgymnasium und Ober-Realschule, Gymnasium, Höhere Mädchenschule, Landwirtschaftliche Winterschule, Handelsschule, Großh. Lehrerinnen-Seminar)	—	—	159 228	33	—	3,71	—	2,96
XIII	Städtische Sammlungen	—	—	69 682	30	—	1,63	—	1,67
XIV	Theater und Musik	—	—	165 621	67	—	3,86	—	3,93
XV	Unterhaltung der Straßen, Plätze und Anlagen	—	—	579 665	05	—	13,52	—	13,30
XVI	Reinigungswesen einschl. Kanalisation	—	—	382 538	62	—	8,92	—	9,62
XVII	Feuerlöschwesen und Vergütungen der Landes-Brandversicherungsanstalt	—	—	9 009	44	—	0,21	—	0,05
XVIII	Überweisungen der Städtischen Sparkasse	—	—	—	—	—	—	—	—
XIX	Verschiedene gemeinnützige Anstalten	—	—	6 605	06	—	0,16	—	0,23
XX	Provinzial- und Kreisanstalten	—	—	231 630	23	—	5,40	—	5,69
XXI	Naturalleistungen für die bewaffnete Macht	—	—	1 180	55	—	0,03	—	0,08
XXII	Schloßfreiheitsfonds	5 411	68	—	—	0,13	—	0,11	—
XXIII	Verzinsung und Tilgung der Gemeindeschulden	—	—	372 624	67	—	8,69	—	9,62
XXIV	Überschüsse der Betriebsrechnungen	—	—	80 116	21	—	1,87	2,35	—
XXV	Oktroi	513 802	12	—	—	11,98	—	12,94	—
XXVI	Direkte Gemeindesteuern	2 833 234	49	—	—	66,07	—	64,38	—
	Summe	4 288 011	38	4 288 011	38	100,00	100,00	100,00	100,00

Bei der **Vermögensrechnung** betragen die Ausgaben nach der Übersicht auf Seite 293 = 4 791 727 ℳ 81 ₰
Dirsen Ausgaben stehen an wirklichen Einnahmen gegenüber . . . . 1 775 271 „ 82 „
Mithin waren durch Kapitalaufnahme zu decken . . . . 3 016 455 ℳ 99 ₰

An Kapitalien standen zur Verfügung:

a) der Rechnungsrest aus 1906 mit . . . . 5 747 674 ℳ 03 ₰
b) der Überschuß des Kapitalkontos des Schloßfreiheitsfonds für 1907 mit . . . . 152 966 „ 97 „
c) der vorbemerkte Überschuß der Betriebsrechnung für 1907 mit . . . . 499 481 „ 29 „ — 6 400 122 „ 29 „

Verglichen mit dem durch Kapitalaufnahme zu deckenden Betrag ergibt sich ein Unterschied von . . . . 3 383 666 ℳ 30 ₰

Dieser Unterschied wird nachgewiesen:

1. in Ausständen . . . . 28 460 ℳ 05 ₰
2. in Vorlagen . . . . 554 110 „ — „
3. in Vorschüssen für das Wasserwerk . . . . 6 192 „ 42 „
4. „ „ „ „ Gas- und Elektrizitätsamt . . . . 240 274 „ 75 „
5. auf Giro-Konto bei der Reichsbank . . . . 118 431 „ 80 „
6. in Guthaben beim Bankhaus Bamberger u. Cie. . . . . 255 717 „ 85 „
7. „ „ bei den Bankhäusern Mendelssohn & Cie. u. Kons. . . . . 1 674 828 „ 20 „
8. in bar und Zahlungen für das Rechnungsjahr 1908 . . . . 505 651 „ 23 „

Summe 3 383 666 ℳ 30 ₰

Eine übersichtliche Darstellung der gesamten Kosten der ausgeführten und der gegenwärtig in Ausführung begriffenen größeren Bau-Unternehmungen findet sich auf Seite 488 und folgenden.

In den Übersichten auf Seite 502 bis 524 und 550 bis 553 sind die **Schulden** und das **Vermögen** der Stadt und der einzelne Fonds nach dem Stande am Ende des Rechnungsjahres 1907 aufgeführt.

Über die in den Rechnungsjahren 1878 bis einschließlich 1907 **aufgenommenen Anlehen und deren Verwendung** sei folgendes mitgeteilt:

Zur Bestreitung von außerordentlichen Aufwendungen hat die Stadt Mainz bis Ende 1907 folgende Anlehen aufgenommen:

Anlehen lit.	G	von 1878	im Nennwert von	1 500 000,00 ℳ
„ „	H	„ 1883	„ „ „	2 500 000,00 „
„ „	J	„ 1884	„ „ „	3 000 000,00 „
„ „	K	„ 1886	„ „ „	3 000 000,00 „
„ „	L	„ 1888	„ „ „	3 000 000,00 „
„ „	M	„ 1891	„ „ „	5 000 000,00 „
„ „	N	„ 1894	„ „ „	5 000 000,00 „
„ „	O	„ 1899	„ „ „	3 000 000,00 „
„ „	P	„ 1900	„ „ „	4 000 000,00 „
„ „	Q	„ 1905	„ „ „	3 000 000,00 „
„ „	R	„ 1907	„ „ „	6 000 000,00 „
			zusammen	39 000 000,00 ℳ

Von diesem Betrage sind bis Ende 1907 durch planmäßige Tilgungen abgetragen worden . . 2 420 200,00 „
verbleiben . . . . . . 36 579 800,00 ℳ

Vorstehender Restsumme sind jedoch weiter zuzurechnen:

1. der Betrag des Anlehens beim Stadterweiterungsfonds Ende 1907 mit . . . . 1 282 803,81 „
2. der Betrag des Guthabens der Betriebsrechnung aus den ordentlichen Rechnungs-Überschüssen und zwar:

a) Rest Ende des Rechnungsjahres	1897/98	332 961,59 ℳ	
b) „ „ „ „	1898/99	195 931,06 „	
c) „ „ „ „	1899/00	364 905,71 „	
d) „ „ „ „	1900/01	64 211,40 „	
e) „ „ „ „	1903/04	90 701,07 „	
	zu übertragen	1 048 710,83 ℳ	37 862 603,81 ℳ

Übertrag . . .	1 048 710,83 ℳ	37 862 603,81 ℳ
Hiervon wurden im Rechnungsjahre 1904 zurückerhoben	40 371,63 „	
Rest . . .	1 008 339,20 ℳ	
Dagegen gehen noch zu:		
aus dem Rechnungsjahr 1906	362 810,39 „	
„ „ „ 1907	499 481,29 „	1 870 630,88 „
3. der vom Stadterweiterungsfonds geleistete Ersatz der s. Zt. von der Stadt zur teilweisen Deckung des Fehlbetrages des Betriebskontos gewährten Zuschüsse mit		1 792 267,24 „
Summe . . .		41 525 501,93 ℳ
Dagegen sind in Abzug zu bringen:		
a) der Ende 1907 verbliebene Kassenvorrat der Vermögensrechnung mit	3 383 666,30 ℳ	
b) die Beträge der in den Jahren 1899/1900 und 1904 zurückbezahlten Kautionen von 6 000 ℳ und 3 000 ℳ, abzüglich der als Stiftungsvermögen in den Jahren 1899/1900, 1900/01 und 1904 vereinnahmten 540,43 ℳ, welche Beträge bei der nachfolgenden Nachweisung außer Betracht zu lassen sind (vergleiche die am Schluß gegebene Erläuterung pos. 2) mit	8 459,57 „	
im ganzen mithin		3 392 125,87 „
Die Verwendung des alsdann verbleibenden Betrags an Kapitalmitteln mit		38 133 376,06 ℳ

wird durch umstehende Tabelle nachgewiesen.

Ord.-Nr.	Bezeichnung der Zwecke, für welche die Aufwendungen gemacht worden sind	Betrag der Aufwendungen ℳ	₰	Betrag der unmittelbaren Ersatzleistungen ℳ	₰	Restbetrag Ende 1907 ℳ	₰
1	Verwaltungszwecke, Beschaffung von Verwaltungsräumen u. dgl.:						
	a. Für die allgemeine Verwaltung	415 163	05	100	—	415 063	05
	b. „ „ Polizeiverwaltung	245 306	67	640	43	244 666	24
	c. „ „ Stadtkasse	39 926	23	—	—	39 926	23
	d. „ „ Oktroiverwaltung	30 118	93	—	—	30 118	93
	e. „ „ Verwaltungsgebäude im Hafen	204 506	25	—	—	204 506	25
2	Wasserwerk	3 090 387	42	1 649 759	72	1 440 627	70
3	Gaswerk	4 883 050	77	2 199 888	55	2 683 162	22
4	Elektrizitätswerk	4 029 411	99	1 211 961	66	2 817 450	33
5	Neuer Schlacht- und Viehhof	3 147 900	01	322 923	17	2 824 976	84
6	Alte Viehhofanlage	89 504	08	610	—	88 894	08
7	Hafenanlagen	2 634 955	28	233 248	90	2 401 706	38
8	Lagerhäuser	1 594 358	67	100 025	31	1 494 333	36
9	Bahnanlagen nach dem Schlacht- und Viehhof, den Häfen und der Ingelheimer Au	1 033 941	84	400 709	78	633 232	06
10	Straßenbahnen	4 560 951	35	647 474	94	3 913 476	41
11	Badeanstalten	228 613	91	47 670	47	180 943	44
12	Eichanstalt	94 596	20	—	—	94 596	20
13	Krankenanstalten	111 453	65	—	—	111 453	65
14	Volksschulen	3 814 427	85	233 892	73	3 580 535	12
15	Höhere Schulen	2 498 412	25	33 510	18	2 464 902	07
16	Theater	304 613	67	52 175	87	252 437	80
17	Baugelände für Kirchen	360 360	—	—	—	360 360	—
18	Stadthalle	746 288	55	—	—	746 288	55
19	Gartenanlagen	220 477	90	89 420	07	131 057	83
20	Straßenverbreiterungen in der Altstadt	1 524 395	75	480 571	76	1 043 823	99
21	Pflasterung in der Altstadt	29 614	03	29 614	03	—	—
22	Kanalisation in der Altstadt	1 406 216	18	14 518	14	1 391 698	04
23	Straßenbau in der Neustadt	3 037 977	32	} 1 543 433	96	2 294 453	21
24	Kanalisation in der Neustadt	799 909	85				
25	Brückenbauten	57 811	75	—	—	57 811	75
26	Abfuhrwesen	440 566	97	163 368	31	277 198	66
27	Friedhöfe	198 549	40	—	—	198 549	40
28	Ufererweiterung, Uferbau vom Raimunditor abwärts, Stromkorrektion und Dammbauten	4 454 373	44	3 913 897	25		
29	Erschließung der Ingelheimer Au ausschließlich der Kosten der Bahnanlagen	1 397 023	92	1 353 585	51	} 581 892	18
30	Straßen- und Kanalbau im Gelände der Nordwestfront	863 412	92	1 052 216	28		
31	Auflassung der Festungsumwallung	208 280	94	21 500	—		
32	Grunderwerbung zur Rückveräußerung oder für zukünftige Verwendung	4 875 908	71	6 622 351	75		
33	Schloßfreiheitsfonds	3 617 539	86	2 091 730	50	} 5 007 807	42
34	Grundstücksfonds	5 228 441	10	—	—		
35	Darlehen an die Gemeinde Mombach	112 000	—	—	—	112 000	—
36	Tilgung älterer Schulden, Kursverluste ꝛc.	1 886 493	—	100 308	45	1 786 184	55
37	Kurfürstliches Schloß	556 041	04	596 209	21	} 647 442	12
38	Verschiedene Zwecke	877 214	54	189 604	25		
	Summe	65 950 497	24	25 396 921	18	40 553 576	06
	An dem Restbetrag ist die Summe der planmäßigen Tilgungen der Anlehen abzusetzen mit	—	—	—	—	2 420 200	—
	Verbleiben, wie auf voriger Seite angegeben	—	—	—	—	38 133 376	06

Erläuternd wird zu vorstehender Nachweisung noch bemerkt:

1. Eine Verteilung der planmäßigen Tilgungen der Anlehen auf die einzelnen Unternehmungen ist nicht möglich.
2. Die im Schuldenstandsverzeichnis dieses Rechenschaftsberichts unter pos. III, V und VI aufgeführten Schulden blieben außer Betracht, weil solche auch in vorstehender Nachweisung unberücksichtigt geblieben sind.
3. Die im Schuldenstandsverzeichnis unter pos. VII aufgeführten Beträge sind ebenfalls nicht zu berücksichtigen, da die Beträge noch nicht verausgabt sind.

Die Nachweisungen über die Rechnungsergebnisse des Stadterweiterungsfonds, des Schloßfreiheitsfonds, des Grundstücksfonds, des Orchesterfonds, der Witwen- und Waisenkasse für städtische Angestellte, des Altenauer-Schulfonds, des Exjesuiten- und Welschnonnen-Schulfonds sowie des Stadtteils Mainz-Mombach für 1907 sind auf den Seiten 294 bis 305, 469 bis 487 und 525 bis 549 enthalten.

Die Bilanzen des Stadterweiterungsfonds, des Schloßfreiheitsfonds und des Grundstücksfonds befinden sich auf den Seiten 496 bis 501.

B. Rechnungs-Ergebnisse.

I. Summarische Übersicht

der

Einnahmen und Ausgaben

der

Stadt Mainz

für die Zeit

vom 1. April 1907 bis 31. März 1908.

Ia. Betriebs-

Ord.-Nr.	Bezeichnung der Rubriken	Betrag nach dem Voranschlag							
		Einnahme		Ausgabe		Überschuß		Zuschuß	
		ℳ	₰	ℳ	₰	ℳ	₰	ℳ	₰
1	Rechnungsrest aus früheren Jahren	—	—	—	—	—	—	—	—
2	Revisionsersatzposten	—	—	—	—	—	—	—	—
3	Gebäude	32 960	—	52 799	—	—	—	19 839	—
4	Grundstücke	14 112	19	932	19	13 180	—	—	—
5	Plätze und Straßen	10 385	06	57	06	10 328	—	—	—
6	Messen und Märkte	53 750	—	4 009	—	49 741	—	—	—
7	Jagd und Fischerei	68	57	—	—	68	57	—	—
8	Grundrenten und Rekognitionsgebühren	2 475	95	—	—	2 475	95	—	—
11	Gaswerke	293 420	—	—	—	293 420	—	—	—
12	Eichanstalten	13 000	—	4 397	—	8 603	—	—	—
13	Wäganstalten	3 800	—	905	—	2 895	—	—	—
14	Hafen	188 790	—	251 740	—	—	—	62 950	—
15	Lagerhäuser	141 965	60	135 734	60	6 231	—	—	—
16	Schlacht- und Viehhof	350 205	—	379 072	—	—	—	28 867	—
17	Wasserwerk	174 000	—	—	—	174 000	—	—	—
18	Badeanstalten	59 954	—	59 954	—	—	—	—	—
19	Stadtapotheke	8 000	—	3 006	—	4 994	—	—	—
20	Elektrizitätswerk	222 000	—	—	—	222 000	—	—	—
21	Hafenbahn	60 350	—	148 167	—	—	—	87 817	—
22	Rheinüberfahrten	50	—	—	—	50	—	—	—
23	Straßenbahn	—	—	—	—	—	—	—	—
24	Allgemeine Verwaltung	11 360	—	296 003	—	—	—	284 643	—
25	Polizei	36 425	—	380 394	—	—	—	343 969	—
26	Gewerbegericht und Kaufmannsgericht	300	—	6 910	—	—	—	6 610	—
27	Arbeitsamt	1350	—	8 031	—	—	—	6 681	—
28	Arbeiterversicherung	844	43	30 264	43	—	—	29 420	—
29	Ortsgericht	40	—	954	—	—	—	914	—
30	Städtische Bauämter	116 365	—	249 783	—	—	—	133 418	—
34	Ruhegehalte, Witwen- und Waisenversorgung	—	—	155 103	21	—	—	155 103	21
35	Stiftungen und Vermächtnisse	76 821	05	81 054	05	—	—	4 233	—
36	Armen- und Krankenpflege	—	—	221 917	01	—	—	221 917	01
37	Unterstützung gemeinnütziger Vereine und Anstalten	1 307	15	1 307	15	—	—	—	—
40	Friedhof	35 254	72	43 301	72	—	—	8 047	—
41	Kirchliche Bedürfnisse	148 806	—	151 806	—	—	—	3 000	—
42	Volksschule	60 105	—	838 530	—	—	—	778 425	—
43	Fortbildungsschule	700	—	12 500	—	—	—	11 800	—
44	Gewerbeschule	23 400	—	23 400	—	—	—	—	—
45	Realgymnasium und Ober-Realschule	600	—	99 825	—	—	—	99 225	—
46	Gymnasium	—	—	250	—	—	—	250	—
47	Höhere Mädchenschule	83 875	—	125 465	—	—	—	41 590	—
	zu übertragen	2 226 839	72	3 767 571	42	787 986	52	2 328 718	22

Rechnung.

Betrag nach der Rechnung								Mithin gegen den Voranschlag								Rubrik-Nr.
Einnahme		Ausgabe		Überschuß		Zuschuß		Einnahme				Ausgabe				
								mehr		weniger		mehr		weniger		
ℳ	₰	ℳ	₰	ℳ	₰	ℳ	₰	ℳ	₰	ℳ	₰	ℳ	₰	ℳ	₰	
111 903	11	—	—	111 903	11	—	—	111 903	11	—	—	—	—	—	—	1
—	—	—	—	—	—	—	—	—	—	—	—	—	—	—	—	2
34 109	51	51 271	16	—	—	17 161	65	1 149	51	—	—	—	—	1 527	84	3
14 636	14	833	49	13 802	65	—	—	523	95	—	—	—	—	98	70	4
10 601	49	62	65	10 538	84	—	—	216	43	—	—	5	59	—	—	5
54 279	14	6 590	24	47 688	90	—	—	529	14	—	—	2 581	24	—	—	6
68	57	—	—	68	57	—	—	—	—	—	—	—	—	—	—	7
2 459	07	—	—	2 459	07	—	—	—	—	16	88	—	—	—	—	8
353 613	31	—	—	353 613	31	—	—	60 193	31	—	—	—	—	—	—	11
14 733	36	4 467	74	10 265	62	—	—	1 733	36	—	—	70	74	—	—	12
3 943	73	970	52	2 973	21	—	—	143	73	—	—	65	52	—	—	13
203 185	44	252 702	47	—	—	49 517	03	14 395	44	—	—	962	47	—	—	14
141 896	33	130 496	92	11 399	41	—	—	—	—	69	27	—	—	5 237	68	15
369 936	62	360 026	90	9 909	72	—	—	19 731	62	—	—	—	—	19 045	10	16
198 660	86	—	—	198 660	86	—	—	24 660	86	—	—	—	—	—	—	17
63 292	97	63 292	97	—	—	—	—	3 338	97	—	—	8 338	97	—	—	18
8 000	—	3 015	80	4 984	20	—	—	—	—	—	—	9	80	—	—	19
316 385	57	—	—	316 385	57	—	—	94 385	57	—	—	—	—	—	—	20
76 037	40	125 431	53	—	—	49 394	13	15 687	40	—	—	—	—	22 735	47	21
102	23	—	—	102	23	—	—	52	23	—	—	—	—	—	—	22
—	—	—	—	—	—	—	—	—	—	—	—	—	—	—	—	23
11 266	67	303 607	83	—	—	292 341	16	—	—	93	33	7 604	83	—	—	24
36 720	68	377 030	45	—	—	340 309	77	295	68	—	—	—	—	8 363	55	25
659	64	6 446	59	—	—	5 786	95	359	64	—	—	—	—	463	41	26
1 350	—	7 516	97	—	—	6 166	97	—	—	—	—		—	514	03	27
901	79	30 769	69	—	—	29 867	90	57	36	—	—	505	26	—	—	28
29	—	815	37	—	—	786	37	—	—	11	—	—	—	138	68	29
108 111	89	240 213	77	—	—	132 101	88	—	—	8 253	11		—	9 569	23	30
—	—	157 145	32	—	—	157 145	32	—	—	—	—	2 042	11	—	—	34
97 721	77	102 170	20	—	—	4 448	43	20 900	72	—	—	21 116	15	—	—	35
—	—	176 030	83	—	—	176 030	83	—	—	—	—	—	—	45 886	18	36
1 407	15	1 407	15	—	—	—	—	100	—	—	—	100	—	—	—	37
32 356	16	39 838	05	—	—	7 481	89	—	—	2 898	56	—	—	3 463	67	40
161 736	59	163 675	43	—	—	1 938	84	12 930	59	—	—	11 869	43		—	41
62 106	56	845 458	82	—	—	783 352	26	2 001	56	—	—	6 928	82	—	—	42
756	40	14 466	30	—	—	13 709	90	56	40	—	—	1 966	30	—	—	43
23 400	—	23 400	—	—	—	—	—	—	—	—	—	—	—	—	—	44
1 260	—	102 434	28	—	—	101 174	28	660	—	—	—	2 609	28		—	45
—	—	149	10	—	—	149	10	—	—	—	—		—	100	90	46
87 992	61	125 187	07	—	—	37 191	46	4 117	61	—	—		—	277	93	47
2 605 621	76	3 716 925	61	1 094 755	27	2 206 059	12	390 124	19	11 842	15	61 776	51	112 422	32	

Ord.-Nr.	Bezeichnung der Rubriken	Betrag nach dem Voranschlag							
		Einnahme		Ausgabe		Überschuß		Zuschuß	
		ℳ	₰	ℳ	₰	ℳ	₰	ℳ	₰
	Übertrag	2 226 839	72	3 767 571	42	787 986	52	2 328 718	22
48	Landwirtschaftliche Winterschule	—	—	2 600	—	—	—	2 600	—
49	Öffentliche Lehranstalt der Großh. Handelskammer	—	—	7 542	—	—	—	7 542	—
50	Großherzogliches Lehrerinnen-Seminar	8 260	—	16 980	—	—	—	8 720	—
54	Stadtbibliothek	7 345	26	45 045	26	—	—	37 700	—
55	Öffentliche Kunstsammlungen	4 270	13	37 924	13	—	—	33 654	—
56	Stadttheater	380	—	115 744	—	—	—	115 364	—
57	Orchesterfonds	—	—	48 186	—	—	—	48 186	—
58	Stadthalle	28 407	—	48 743	—	—	—	20 336	—
59	Volkskonzerte und Volksvorträge	1 600	—	1 600	—	—	—	—	—
61	Öffentliche Monumente	—	—	380	—	—	—	380	—
62	Unterhaltung der Straßen	121 781	44	422 108	44	—	—	300 327	—
63	Unterhaltung des Rheinufers	—	—	12 450	—	—	—	12 450	—
63a	Baggerungen	—	—	19 050	—	—	—	19 050	—
64	Spaziergänge	500	—	85 044	—	—	—	84 544	—
65	Reinigungswesen	244 521	—	605 068	—	—	—	360 547	—
66	Straßenbeleuchtung	—	—	143 365	—	—	—	143 365	—
67	Brunnen und Wasserleitungen	66	—	19 040	—	—	—	18 974	—
68	Unterhaltung und Reinigung der Kanäle	47 386	64	127 715	64	—	—	80 329	—
70	Feuerlöschwesen	—	—	58 784	—	—	—	58 784	—
71	Fernsprechanlagen	—	—	15 369	—	—	—	15 369	—
73	Vergütungen der Landes-Brandversicherungs-Anstalt	45 700	—	—	—	45 700	—	—	—
74	Überweisungen der Städtischen Sparkasse	81 339	15	81 339	15	—	—	—	—
75	Verschiedene gemeinnützige Anstalten	2 138	—	11 180	—	—	—	9 042	—
76	Provinzial- und Kreis-Anstalten	—	—	235 000	—	—	—	235 000	—
77	Naturalleistungen für die bewaffnete Macht	4 000	—	9 000	—	—	—	5 000	—
78	Stadterweiterung	—	—	—	—	—	—	—	—
79	Schloßfreiheitsfonds	—	—	584	—	—	—	584	—
82	Schuldentilgung	76 816	64	222 163	67	—	—	145 347	03
83	Kapitalzinsen	1 209 387	01	1 458 987	01	—	—	249 600	—
84	Reservefonds	—	—	175 201	74	—	—	175 201	74
85	Überschüsse der Betriebsrechnungen	419 365	08	—	—	419 365	08	—	—
86	Oktroi	748 600	—	233 767	—	514 833	—	—	—
87	Kommunalsteuern	2 939 649	39	190 820	—	2 748 829	39	—	—
	Summe: a) Betriebsrechnung	8 218 352	46	8 218 352	46	4 516 713	99	4 516 713	99

Nach Vergleich der Einnahmen mit den Ausgaben verbleibt ein Rest von . . . . 288 607,88 ℳ

und dieser besteht:

a) in Ausständen . . . . . 25 888,97 ℳ

b) in Vorlagen . . . . . 35 081,09 „

c) in barem Vorrat . . . . 227 637,82 „

Gleiche Summe wie oben 288 607,88 ℳ

Betrag nach der Rechnung								Mithin gegen den Voranschlag								Rubrik-Nr.
Einnahme		Ausgabe		Überschuß		Zuschuß		Einnahme				Ausgabe				
								mehr		weniger		mehr		weniger		
M	Pf	M	Pf	M	Pf	M	Pf	M	Pf	M	Pf	M	Pf	M	Pf	
2 605 621	76	3 716 925	61	1 094 755	27	2 206 059	12	390 124	19	11 342	15	61 776	51	112 422	32	
—	—	2 637	60	—	—	2 637	60	—	—	—	—	37	60	—	—	48
—	—	8 523	79	—	—	8 523	79	—	—	—	—	981	79	—	—	49
8 850	01	18 399	11	—	—	9 549	10	590	01	—	—	1 419	11	—	—	50
9 392	46	45 259	55	—	—	35 867	09	2 047	20	—	—	214	29	—	—	54
6 548	31	40 363	52	—	—	33 815	21	2 278	18	—	—	2 439	39	—	—	55
2 617	—	112 609	28	—	—	109 992	28	2 237	—	—	—	—	—	3 134	72	56
—	—	55 629	39	—	—	55 629	39	—	—	—	—	7 443	39	—	—	57
31 063	50	49 793	51	—	—	18 728	01	2 658	50	—	—	1 050	51	—	—	58
1 425	22	1 425	22	—	—	—	—	—	—	174	78	—	—	174	78	59
—	—	651	25	—	—	651	25	—	—	—	—	271	25	—	—	61
164 682	55	451 196	93	—	—	286 514	38	42 901	11	—	—	29 088	49	—	—	62
—	—	12 391	74	—	—	12 391	74	—	—	—	—	—	—	58	26	63
—	—	31 917	75	—	—	31 917	75	—	—	—	—	12 867	75	—	—	63a
834	85	90 963	36	—	—	90 128	51	334	85	—	—	5 919	36	—	—	64
238 519	11	550 884	01	—	—	317 364	90	—	—	11 001	89	—	—	54 183	99	65
—	—	139 366	60	—	—	139 366	60	—	—	—	—	—	—	3 998	40	66
12	—	18 706	82	—	—	18 694	82	—	—	54	—	—	—	333	18	67
28 182	78	93 856	50	—	—	65 173	72	—	—	19 203	86	—	—	34 359	14	68
93	90	55 327	34	—	—	55 233	44	93	90	—	—	—	—	3 456	66	70
—	—	14 334	26	—	—	14 334	26	—	—	—	—	—	—	1 034	74	71
46 224	—	—	—	46 224	—	—	—	524	—	—	—	—	—	—	—	73
85 000	35	85 000	35	—	—	—	—	3 661	20	—	—	3 661	20	—	—	74
2 080	26	8 775	32	—	—	6 695	06	—	—	57	74	—	—	2 404	68	75
—	—	231 630	23	—	—	231 630	23	—	—	—	—	—	—	3 369	77	76
1 110	37	2 290	92	—	—	1 180	55	—	—	2 889	63	—	—	6 709	08	77
—	—	—	—	—	—	—	—	—	—	—	—	—	—	—	—	78
5 411	68	—	—	5 411	68	—	—	5 411	68	—	—	—	—	584	—	79
76 245	01	218 463	67	—	—	142 218	66	—	—	571	63	—	—	3 700	—	82
1 227 044	47	1 457 450	48	—	—	230 406	01	17 657	46	—	—	—	—	1 536	53	83
—	—	—	—	—	—	—	—	—	—	—	—	—	—	175 201	74	84
419 365	08	499 481	29	—	—	80 116	21	—	—	—	—	499 481	29	—	—	85
744 036	09	230 233	97	513 802	12	—	—	—	—	4 563	91	—	—	3 533	03	86
3 059 429	54	226 195	05	2 833 234	49	—	—	119 780	15	—	—	35 875	05	—	—	87
8 758 792	30	8 470 184	42	4 493 427	56	4 204 819	68	590 299	43	49 859	59	662 026	98	410 195	02	

Ib. Vermögens-

Ord.-Nr.	Bezeichnung der Rubriken	Betrag nach dem Voranschlag							
		Einnahme		Ausgabe		Überschuß		Zuschuß	
		ℳ	₰	ℳ	₰	ℳ	₰	ℳ	₰
1	Rechnungsrest aus früheren Jahren	—	—	—	—	—	—	—	—
2	Revisionsersatzposten	—	—	—	—	—	—	—	—
3	An- und Verkauf von Grundstücken	—	—	183 652	—	—	—	183 652	—
4	Gaswerke	—	—	120 000	—	—	—	120 000	—
5	Wasserwerk	—	—	92 000	—	—	—	92 000	—
6	Elektrizitätswerk	—	—	233 000	—	—	—	233 000	—
7	Erbauung von Schulhäusern	4 400	—	—	—	4 400	—	—	—
8	Wiederherstellung des kurfürstlichen Schlosses	27 000	—	—	—	27 000	—	—	—
9	Stadttheater	—	—	4 060	—	—	—	4 060	—
10	Straßenbahnen	—	—	111 200	—	—	—	111 200	—
11	Krankenhäuser	—	—	—	—	—	—	—	—
14	Erbauung sonstiger Gemeinde-Gebäude und -Anstalten	30 430	—	54 150	—	—	—	23 720	—
16	Straßenverbreiterungen in der Altstadt	—	—	43 360	—	—	—	43 360	—
17	Kanalisation der Altstadt	—	—	—	—	—	—	—	—
18	Pflasterung der Altstadt	—	—	—	—	—	—	—	—
19	Erbauung von Straßen und Kanälen in der Neustadt	300	—	172 150	—	—	—	171 850	—
20	Desgl. im Gelände der Nordwestfront	—	—	67 000	—	—	—	67 000	—
21	Auflassung der Festungsumwallung	—	—	11 200	—	—	—	11 200	—
22	Eingemeindungen	—	—	2 000	—	—	—	2 000	—
23	Stromkorrektion	4 212	—	1 000	—	3 212	—	—	—
25	Hafenbau	2 080	—	4 600	—	—	—	2 520	—
28	Ingelheimer Au	33 536	91	68 600	—	—	—	35 063	09
32	Jubiläum der Landesuniversität Gießen	—	—	10 000	—	—	—	10 000	—
34	Überschüsse der Betriebsrechnungen	—	—	419 365	08	—	—	419 365	08
35	Kapitalmittel	1 569 272	30	73 894	13	1 495 378	17	—	—
	Summe: b) Vermögensrechnung	1 671 231	21	1 671 231	21	1 529 990	17	1 529 990	17

Nach Vergleichung der Einnahmen mit den Ausgaben verbleibt ein Rest von . . . . 3 383 666,30 ℳ
welcher besteht:

1. in Ausständen . . . . . . 28 460,05 ℳ
2. in Vorlagen . . . . 554 110,00 „
3. in Vorschüssen an das Gas- und Elektrizitätswerk . . . 240 274,75 „
4. in Vorschüssen an d. Wasserwerk 6 192,42 „
5. in Guthaben bei der Reichsbank 118 431,80 „
6. in Guthaben beim Bankhaus Bamberger & Cie. . . . . 255 717,85 „
7. desgl. bei den Bankhäusern Mendelssohn & Cie. u. Konf. 1 674 828,20 „
8. in bar und in Zahlungen für 1908 . . . . 505 651,23 „

Gleiche Summe wie oben 3 383 666,30 ℳ

Wiederholung:

	Einnahme ℳ	₰	Ausgabe ℳ	₰	Überschuß ℳ	₰	Zuschuß ℳ	₰
a) Betriebsrechnung	8 218 352	46	8 218 352	46	4 516 713	99	4 516 713	99
b) Vermögensrechnung	1 671 231	21	1 671 231	21	1 529 990	17	1 529 990	17
Gesamt-Summe	9 889 583	67	9 889 583	67	6 046 704	16	6 046 704	16

Rechnung.

Betrag nach der Rechnung								Mithin gegen den Voranschlag								Rubrik-Nr.
Einnahme		Ausgabe		Überschuß		Zuschuß		Einnahme				Ausgabe				
								mehr		weniger		mehr		weniger		
ℳ	₰	ℳ	₰	ℳ	₰	ℳ	₰	ℳ	₰	ℳ	₰	ℳ	₰	ℳ	₰	
5 747 674	03	—	—	5 747 674	03	—	—	5 747 674	03	—	—	—	—	—	—	1
—	—	—	—	—	—	—	—	—	—	—	—	—	—	—	—	2
4 530	40	245 552	15	—	—	241 021	75	4 530	40	—	—	61 900	15	—	—	3
—	—	261 868	92	—	—	261 868	92	—	—	—	—	141 868	92	—	—	4
—	—	90 335	93	—	—	90 335	93	—	—	—	—	—	—	1 664	07	5
—	—	220 733	68	—	—	220 733	68	—	—	—	—	—	—	12 266	32	6
4 400	—	802 516	48	—	—	798 116	48	—	—	—	—	802 516	48	—	—	7
154 090	—	95 003	28	59 086	72	—	—	127 090	—	—	—	95 003	28	—	—	8
—	—	6 932	12	—	—	6 932	12	—	—	—	—	2 872	12	—	—	9
35 008	45	537 579	18	—	—	502 570	73	35 008	45	—	—	426 379	18	—	—	10
—	—	7 131	79	—	—	7 131	79	—	—	—	—	7 131	79	—	—	11
15 300	38	292 258	43	—	—	276 958	05	—	—	15 129	62	238 108	43	—	—	14
—	—	56 396	10	—	—	56 396	10	—	—	—	—	13 036	10	—	—	16
—	—	8 513	24	—	—	8 513	24	—	—	—	—	8 513	24	—	—	17
—	—	—	—	—	—	—	—	—	—	—	—	—	—	—	—	18
130 152	92	465 344	69	—	—	335 191	77	129 852	92	—	—	293 194	69	—	—	19
9 250	—	108 825	17	—	—	99 575	17	9 250	—	—	—	41 825	17	—	—	20
21 500	—	162 469	57	—	—	140 969	57	21 500	—	—	—	151 269	57	—	—	21
—	—	5 389	37	—	—	5 389	37	—	—	—	—	3 389	37	—	—	22
4 212	—	1 685	04	2 526	96	—	—	—	—	—	—	685	04	—	—	23
2 080	—	5 035	02	—	—	2 955	02	—	—	—	—	435	02	—	—	25
256 224	66	369 360	15	—	—	113 135	49	222 687	75	—	—	300 760	15	—	—	28
—	—	10 000	—	—	—	10 000	—	—	—	—	—	—	—	—	—	32
499 481	29	419 365	08	80 116	21	—	—	499 481	29	—	—	—	—	—	—	34
1 291 489	98	619 932	42	671 557	56	—	—	—	—	277 782	32	546 038	29	—	—	35
8 175 394	11	4 791 727	81	6 560 961	48	3 177 295	18	6 797 074	84	292 911	94	3 134 426	99	13 930	39	
8 758 792	30	8 470 184	42	4 493 427	56	4 204 819	68	590 299	43	49 859	59	662 026	98	410 195	02	
8 175 394	11	4 791 727	81	6 560 961	48	3 177 295	18	6 797 074	84	292 911	94	3 134 426	99	13 930	39	
16934 186	41	13261 912	23	11054 389	04	7 382 114	86	7 387 374	27	342 771	53	3 796 453	97	424 125	41	

Ic. Summarische Übersicht der Einnahmen und Ausgaben des

Ordnungs-Nummer	Einnahme	Betrag nach dem Voranschlag ℳ	₰	Betrag nach der Rechnung ℳ	₰	Mithin gegen den Voranschlag mehr ℳ	₰	weniger ℳ	₰
	I. Kapital-Konto.								
1	Neu aufgenommene Kapitalien	—	—	—	—	—	—	—	—
2	Aus Wertpapieren	—	—	—	—	—	—	—	—
3	Zurückempfangene Kapitalien	73 894	13	45 732	42	—	—	28 161	71
4	Erlös aus Gelände	4 504	86	20 459	86	15 955	—	—	—
5	Ersatz von Straßenbaukosten	—	—	12 239	68	12 239	68	—	—
6	„ „ Kanalbaukosten	—	—	—	—	—	—	—	—
7	Überschuß aus dem Betriebs-Konto	57 250	—	58 375	81	1 125	81	—	—
	Summe I	135 648	99	136 807	77	1 158	78	—	—
	II. Betriebs-Konto.								
8	Rechnungsrest aus früheren Jahren	—	—	629	07	629	07	—	—
8a	Ersatzposten	—	—	—	—	—	—	—	—
9	Steuer vom Gartenfeld	39 300	—	39 997	08	697	08	—	—
10	Zuschuß aus der Stadtkasse	—	—	—	—	—	—	—	—
11	Zuschuß aus dem Kapital-Konto	—	—	—	—	—	—	—	—
12	Zinsen von Wertpapieren	—	—	—	—	—	—	—	—
13	Zinsen von ausgeliehenen Kapitalien	47 180	86	46 498	77	—	—	682	09
14	Zinsen von Restkaufschillingen	2 600	—	3 534	47	934	47	—	—
14a	Zinsen von Straßenbaukosten	—	—	—	—	—	—	—	—
14b	Zinsen von Kanalbaukosten	—	—	—	—	—	—	—	—
15	Miete von Gebäuden	—	—	—	—	—	—	—	—
16	Miete von Grundstücken	68	—	68	—	—	—	—	—
17	Nebennutzungen von Grundstücken	2	—	—	—	—	—	2	—
18	Zufällige Einnahmen	908	35	1 298	42	390	07	—	—
	Summe II	90 059	21	92 025	81	1 966	60	—	—
	Summe I	135 648	99	136 807	77	1 158	78	—	—
	Hauptsumme	225 708	20	228 833	58	3 125	38	—	—

Stadterweiterungsfonds für die Zeit vom 1. April 1907 bis Ende März 1908.

Ordnungs-Nummer	Ausgabe	Betrag nach dem Voranschlag		Betrag nach der Rechnung		Mithin gegen den Voranschlag mehr		Mithin gegen den Voranschlag weniger	
		ℳ	₰	ℳ	₰	ℳ	₰	ℳ	₰
	I. Kapital-Konto.								
25	Tilgung der Anleihen	70 248	99	70 248	99	—	—	—	—
26	Ankauf von Grundstücken und Vertragsleistungen	—	—	—	—	—	—	—	—
27	Erbauung von Straßen und Kanälen	8 150	—	8 801	83	651	83	—	—
28	Anlage öffentlicher Plätze	—	—	—	—	—	—	—	—
28a	Ersatzposten	—	—	—	—	—	—	—	—
29	Zuschuß zum Betriebs-Konto	—	—	—	—	—	—	—	—
30	Ausgeliehene Kapitalien	—	—	—	—	—	—	—	—
31	Rückerstattung von Zuschüssen	—	—	—	—	—	—	—	—
32	Überweisung an den Schloßfreiheitsfonds	57 250	—	57 756	95	506	95	—	—
	Summe I	135 648	99	136 807	77	1 158	78	—	—
	II. Betriebs-Konto.								
33	Revisions-Ersatzposten	—	—	—	—	—	—	—	—
34	Zinsen der Anleihen	32 608	15	32 608	15	—	—	—	—
35	Unterhaltung der Gebäude	—	—	—	—	—	—	—	—
36	Unterhaltung der Grundstücke	—	—	—	—	—	—	—	—
37	Steuern und öffentliche Lasten	15	—	18	53	3	53	—	—
38	Bauleitung, Inventar, Verwaltungskosten	186	06	93	69	—	—	92	37
39	Nachläſſe, Herauszahlungen	—	—	—	—	—	—	—	—
40	Überschuß an das Kapital-Konto	57 250	—	58 375	81	1 125	81	—	—
	Summe II	90 059	21	91 096	18	1 036	97	—	—
	Summe I	135 648	99	136 807	77	1 158	78	—	—
	Hauptsumme	225 708	20	227 903	95	2 195	75	—	—
	Abschluß.								
	Hauptsumme aller Einnahmen	225 708	20	228 833	58	3 125	38	—	—
	Hauptsumme aller Ausgaben	225 708	20	227 908	95	2 195	75	—	—
	Verglichen, bleibt Rest welcher in Ausständen besteht.	—	—	929	63	929	63	—	—

Ia. Summarische Übersicht der Einnahmen und Ausgaben des Schloß-

Ordnungs-Nummer	Einnahme	Betrag nach dem Voranschlag		Betrag nach der Rechnung		Mithin gegen den Voranschlag mehr		Mithin gegen den Voranschlag weniger	
		ℳ	₰	ℳ	₰	ℳ	₰	ℳ	₰
	A. Kapital-Konto.								
1	Rechnungsrest aus früheren Jahren	—	—	—	—	—	—	—	—
2	Revisionsersatzposten	—	—	—	—	—	—	—	—
3	Erlös aus verkauften Grundstücken	51 046	85	162 027	85	110 981	—	—	—
4	Erlös für Baumaterialien	—	—	11 340	20	11 340	20	—	—
8	Kapitalaufnahme	—	—	—	—	—	—	—	—
	Summe A	51 046	85	173 368	05	122 321	20	—	—
	B. Betriebs-Konto.								
21	Rechnungsrest aus früheren Jahren	—	—	—	—	—	—	—	—
22	Revisionsersatzposten	—	—	—	—	—	—	—	—
23	Zinsen von Restkaufpreisen	4 000	—	5 956	52	1 956	52	—	—
24	Miete von Gebäuden	1 420	—	2 091	67	671	67	—	—
25	Miete von Grundstücken	91	—	91	—	—	—	—	—
27	Zuschüsse	57 834	—	57 756	95	—	—	77	05
	Summe B	63 345	—	65 896	14	2 551	14	—	—
	Summe A	51 046	85	173 368	05	122 321	20	—	—
	Hauptsumme	114 391	85	239 264	19	124 872	34	—	—

…freiheitsfonds für die Zeit vom 1. April 1907 bis Ende März 1908.

Ordnungs-Nummer	Ausgabe	Betrag nach				Mithin gegen den Voranschlag			
		dem Voranschlag		der Rechnung		mehr		weniger	
		ℳ	₰	ℳ	₰	ℳ	₰	ℳ	₰
	A. Kapital-Konto.								
9	Revisionsersatzposten	—	—	—	—	—	—	—	—
10	Grundstück der Militärbäckerei im Bauquadrat 105	—	—	—	—	—	—	—	—
11	Kaserne am Barbarossa-Ring	—	—	—	—	—	—	—	—
12	Erwerbung von Gelände	—	—	—	—	—	—	—	—
13	Herstellung verkäuflicher Bauplätze	20 500	—	20 401	08	—	—	98	92
14	Notariatskosten und Vermittelungsgebühren	1 000	—	—	—	—	—	1 000	—
15	Kosten des Bebauungsplanes	—	—	—	—	—	—	—	—
20	Kapitalabtragungen	29 546	85	152 966	97	123 420	12	—	—
	Summe A	51 046	85	173 368	05	122 321	20	—	—
	B. Betriebs-Konto.								
28	Revisionsersatzposten	—	—	—	—	—	—	—	—
29	Zinsen von aufgenommenen Kapitalien	62 106	21	57 589	57	—	—	4 516	64
30	Steuern, Umlagen und sonstige öffentliche Lasten	228	79	483	42	254	63	—	—
	Unterhaltung der Gebäude	1 010	—	2 402	97	1 392	97	—	—
	Rückerstattung von Zuschüssen	—	—	5 411	68	5 411	68	—	—
31/33	Sonstige Ausgaben	—	—	8	50	8	50	—	—
	Summe B	63 345	—	65 896	14	2 551	14	—	—
	Summe A	51 046	85	173 368	05	122 321	20	—	—
	Hauptsumme	114 391	85	239 264	19	124 872	34	—	—
	Abschluß.								
	Hauptsumme aller Einnahmen	114 391	85	239 264	19	124 872	34	—	—
	Hauptsumme aller Ausgaben	114 391	85	239 264	19	124 872	34	—	—
	Vergleicht sich	—	—	—	—	—	—	—	—

Ie. Summarische Übersicht der Einnahmen und Ausgaben des Grund-

Ordnungs-Nummer	Einnahme	Betrag nach dem Voranschlag		Betrag nach der Rechnung		Mithin gegen den Voranschlag mehr		Mithin gegen den Voranschlag weniger	
		M	Pf	M	Pf	M	Pf	M	Pf
	A. Kapital-Konto.								
1	Rechnungsrest aus früheren Jahren	—	—	101 831	65	101 831	65	—	—
2	Revisionsersatzposten	—	—	—	—	—	—	—	—
3	Veräußerung von Grundbesitz	14 574	—	361 782	25	347 208	25	—	—
4	Bildung und Verstärkung des Fonds	71 426	—	—	—	—	—	71 426	—
5	Überweisungen aus dem Betriebs-Konto	—	—	—	—	—	—	—	—
	Summe A . . .	86 000	—	463 613	90	377 613	90	—	—
	B. Betriebs-Konto.								
18	Rechnungsrest aus früheren Jahren	—	—	—	—	—	—	—	—
19	Revisionsersatzposten	—	—	—	—	—	—	—	—
20	Ertrag des Grundbesitzes	13 684	—	16 505	80	2 821	80	—	—
21	Zinsen von Restkaufpreisen und sonstigen Kapitalausständen	6 246	—	9 763	13	3 517	13	—	—
24	Überweisungen aus dem Kapital-Konto	86 000	—	83 623	45	—	—	2 376	55
	Summe B	105 930	—	109 892	38	3 962	38	—	—
	Summe A	86 000	—	463 613	90	377 613	90	—	—
	Hauptsumme . . .	191 930	—	573 506	28	381 576	28	—	—

stücksfonds für die Zeit vom 1. April 1907 bis Ende März 1908

Ord-nungs-Nummer	Ausgabe	Betrag nach dem Voranschlag		Betrag nach der Rechnung		Mithin gegen den Voranschlag mehr		Mithin gegen den Voranschlag weniger	
		M	₰	M	₰	M	₰	M	₰
	A. Kapital-Konto.								
9	Revisionsersatzposten	—	—	—	—	—	—	—	—
10	Erwerbung von Grundbesitz	—	—	215 939	35	215 939	35	—	—
11	Kosten für Verbesserung oder Aufschließung von Grundstücken	—	—	—	—	—	—	—	—
12	Auszuleihende Kapitalien	—	—	—	—	—	—	—	—
13	Kapitalabtragungen	—	—	—	—	—	—	—	—
14	Überweisungen an das Betriebs-Konto	86 000	—	83 623	45	—	—	2 376	55
	Summe A . .	86 000	—	299 562	80	213 562	80	—	—
	B. Betriebs-Konto.								
25	Revisionsersatzposten	—	—	—	—	—	—	—	—
26	Kapitalzinsen	102 000	—	105 286	57	3 286	57	—	—
27	Gemeindesteuern und sonstige öffentliche Lasten .	8 630	—	4 216	01	586	01	—	—
28	Unterhaltung der Gebäude	300	—	247	30	—	—	52	70
29	Sonstige Ausgaben	—	—	142	50	142	50	—	—
30	Überweisungen an das Kapital-Konto . . .	—	—	—	—	—	—	—	—
	Summe B	105 930	—	109 892	38	3 962	38	—	—
	Summe A .	86 000	—	299 562	80	213 562	80	—	—
	Hauptsumme .	191 930	—	409 455	18	217 525	18	—	—
	Abschluß.								
	Hauptsumme aller Einnahmen	191 930	—	573 506	28	381 576	28	—	—
	Hauptsumme aller Ausgaben	191 930	—	409 455	18	217 525	18	—	—
	Verglichen, bleibt Rest . . .	—	—	164 051	10	164 051	10	—	—
	welcher in barem Vorrat besteht und als Rechnungsrest nachzuführen ist.								

If. Summarische Überſicht der Einnahmen und Ausgaben des Orcheſterfonds

Ord.-Nr.	Bezeichnung der Rubriken	Betrag nach dem Voranſchlag							
		Einnahme		Ausgabe		Überſchuß		Zuſchuß	
		ℳ	₰	ℳ	₰	ℳ	₰	ℳ	₰
1	Rechnungsreſt aus früheren Jahren	—	—	—	—	—	—	—	—
1a	Reviſions-Erſatzpoſten	—	—	—	—	—	—	—	—
2	Gebäude	14 470	—	7 839	—	6 631	—	—	—
3	Orcheſter	51 530	—	111 725	—	—	—	60 195	—
4	Muſikalien, Inſtrumente und Mobilien	—	—	2 330	—	—	—	2 330	—
5	Symphonie-Konzerte	19 200	—	10 895	—	8 805	—	—	—
6	Sommer-Konzerte	13 700	—	9 010	50	4 689	50	—	—
7	Orcheſterpenſionsfonds	6 660	—	12 551	50	—	—	5 891	50
8	Kapitalvermögen	105	—	—	—	105	—	—	—
9	Zuſchuß aus der Stadtkaſſe	48 186	—	—	—	48 186	—	—	—
	Summe . . .	153 851	—	153 851	—	68 416	50	68 416	50

Nach Vergleichung der Einnahmen mit den Ausgaben verbleibt ein Reſt von 475 ℳ, der in Ausſtänden beſteht.

für die Zeit vom 16. April 1907 bis 16. April 1908.

Betrag nach der Rechnung								Mithin gegen den Voranschlag								Rubrik-Nr.
Einnahme		Ausgabe		Überschuß		Zuschuß		Einnahme				Ausgabe				
								mehr		weniger		mehr		weniger		
M	Pf	M	Pf	M	Pf	M	Pf	M	Pf	M	Pf	M	Pf	M	Pf	
—	—	—	—	—	—	—	—	—	—	—	—	—	—	—	—	1
	—	—	—	—	—	—	—	—	—	—	—	—	—	—	—	1a
14 970	—	7 823	07	7 146	93	—	—	500	—	—	—	—	—	15	93	2
51 859	20	110 244	26	—	—	58 385	06	329	20	—	—	—	—	1 480	74	3
—	—	2 280	44	—	—	2 280	44	—	—	—	—	—	—	49	56	4
19 882	—	9 985	10	9 896	90	—	—	682	—	—	—	—	—	409	90	5
11 513	10	14 409	80	—	—	2 896	70	—	—	2 186	90	5 399	30	—	—	6
54 852	43	63 593	45	—	—	8 741	02	48 192	43	—	—	51 041	95	—	—	7
105	—	—	—	105	—	—	—	—	—	—	—	—	—	—	—	8
55 629	39	—	—	55 629	39	—	—	7 443	39	—	—	—	—	—	—	9
208 811	12	208 336	12	72 778	22	72 303	22	54 960	12	—	—	54 485	12	—	—	

Ig. Summarische Übersicht

der Einnahmen und Ausgaben der Witwen- und Waisenkasse für städtische Angestellte zu Mainz für die Zeit vom 1. April 1907 bis Ende März 1908.

Ord.-Nr.	Bezeichnung der Einnahmen und Ausgaben	Betrag ℳ	Betrag ₰	Bemerkungen
	I. Einnahme.			
	a) Ordentliche.			
1	Jährliche Beiträge der Angestellten	298	50	
2	Kapitalzinsen	8 413	69	
3	Anteil an Konfiskationen ꝛc.	129	53	
4	Gehaltshälften suspendierter Beamten	—	—	
5	Strafen wegen Dienstversäumnissen	63	—	
6	Reinertrag vakanter Stellen	2 301	55	
7	Beitrag der Stadt	63 188	24	
	Summe: a) Ordentliche Einnahme	74 394	51	
	b) Außerordentliche.			
8	Kassevorrat	—	—	
10	Eintrittsgelder	—	—	
11	Zurückempfangene Kapitalien	—	—	
	Summe: b) Außerordentliche Einnahme	—	—	
	Wiederholung.			
	a) Ordentliche Einnahme	74 394	51	
	b) Außerordentliche Einnahme	—	—	
	Gesamtsumme aller Einnahmen	74 394	51	
	II. Ausgabe.			
	a) Ordentliche.			
13	Kasseverwaltung	8	50	
14	Pensionen an Witwen und Waisen	71 448	44	
	Summe: a) Ordentliche Ausgabe	71 456	94	
	b) Außerordentliche.			
16	Zurückgezahlte Eintrittsgelder	443	49	
17	Ausgeliehene Kapitalien	2 494	08	
18	Uneinbringliche Posten und Nachlässe	—	—	
	Summe: b) Außerordentliche Ausgabe	2 937	57	
	Wiederholung.			
	a) Ordentliche Ausgabe	71 456	94	
	b) Außerordentliche Ausgabe	2 937	57	
	Gesamtsumme aller Ausgaben	74 394	51	
	Abschluß.			
	Die Einnahme beträgt	74 394	51	
	Die Ausgabe beträgt	74 394	51	
	Vergleicht sich	—	—	

Stand des Kapitalvermögens am Schlusse des Rechnungsjahres 1907:

a) Hypotheken zu $4^{1}/_{4}$ %	80 000 ℳ	— ₰
b) „ „ 4 %	112 000 „	— „
c) Kapitalanlage bei der Städtischen Sparkasse zu $3^{1}/_{2}$ %	18 367 „	36 „
Zusammen	210 367 ℳ	36 ₰
Am Ende des Vorjahres betrug das Kapitalvermögen	207 873 „	28 „
Mithin Zugang in 1907	2 494 ℳ	08 ₰

Ih. Summarische Übersicht

der Einnahmen und Ausgaben des Altenauer-Schulfonds zu Mainz

für die Zeit vom 1. April 1907 bis Ende März 1908.

Ord.-Nr.	Bezeichnung der Einnahmen und Ausgaben	Betrag nach dem Voranschlag		Betrag nach der Rechnung		Mithin nach der Rechnung mehr		Mithin nach der Rechnung weniger	
		ℳ	₰	ℳ	₰	ℳ	₰	ℳ	₰
	I. Einnahme.								
	a) Ordentliche.								
1	Miete von Gebäuden	2 702	—	2 702	—	—	—	—	—
5	Grundrenten und Rekognitionsgebühren	1	—	1	—	—	—	—	—
6	Kapitalzinsen	4 089	12	4 089	12	—	—	—	—
11	Verschiedene Einnahmen	—	—	—	—	—	—	—	—
	Summe: a) Ordentliche Einnahme	6 792	12	6 792	12	—	—	—	—
	b) Außerordentliche.								
21	Kassenvorrat	—	—	—	—	—	—	—	—
22	Zurückempfangene Kapitalien	—	—	—	—	—	—	—	—
	Summe: b) Außerordentliche Einnahme	—	—	—	—	—	—	—	—
	Wiederholung.								
	a) Ordentliche Einnahme	6 792	12	6 792	12	—	—	—	—
	b) Außerordentliche Einnahme	—	—	—	—	—	—	—	—
	Gesamtsumme aller Einnahmen	6 792	12	6 792	12	—	—	—	—
	II. Ausgabe.								
	a) Ordentliche.								
30	Landessteuern	—	—	—	—	—	—	—	—
32	Provinzial- und Gemeindelasten	115	—	122	34	7	34	—	—
33	Brandversicherungsbeiträge	44	—	25	86	—	—	18	14
35	Gerichtskosten	—	—	—	—	—	—	—	—
36	Gehalte und Gebühren	—	—	—	—	—	—	—	—
37	Schreibmaterialien, Drucksachen ꝛc.	12	—	4	50	—	—	7	50
39	Botenlohn, Postgeld, Verkündigungskosten	15	—	—	—	—	—	15	—
41	Pensionen	—	—	—	—	—	—	—	—
47	Unterhaltung der Gebäude	520	—	428	35	—	—	91	65
49	Reservefonds	386	12	—	—	—	—	386	12
50	Uneinbringliche Posten und Nachlässe	—	—	—	—	—	—	—	—
52	Überschuß an die Stadtkasse	5 700	—	6 211	07	511	07	—	—
	Summe: a) Ordentliche Ausgabe	6 792	12	6 792	12	—	—	—	—
	b) Außerordentliche.								
66	Neu ausgeliehene Kapitalien	—	—	—	—	—	—	—	—
67	Erbauung von Gebäuden	—	—	—	—	—	—	—	—
	Summe: b) Außerordentliche Ausgabe	—	—	—	—	—	—	—	—
	Wiederholung.								
	a) Ordentliche Ausgabe	6 792	12	6 792	12	—	—	—	—
	b) Außerordentliche Ausgabe	—	—	—	—	—	—	—	—
	Summe aller Ausgaben	6 792	12	6 792	12	—	—	—	—
	Abschluß.								
	Die Einnahme beträgt	6 792	12	6 792	12	—	—	—	—
	Die Ausgabe beträgt	6 792	12	6 792	12	—	—	—	—
	Vergleicht sich	—	—	—	—	—	—	—	—

Stand des Kapitalvermögens am Schlusse des Rechnungsjahres 1907:

a) Hypotheken zu 4¼% . . . . . 80 000 ℳ — ₰
b) Hessische Staatsschuldverschreibungen zu 3% . . . . . 7 000 „ — „
c) Schuldverschreibungen der Stadt Mainz zu 4% . . . . . 5 000 „ — „
d) Schuldverschreibungen der Stadt Mainz zu 3½% . . . . . 7 400 „ — „
e) Kapitalanlage bei der Städtischen Sparkasse zu 3½% . . . . 575 „ 04 „
Zusammen . . . . 99 975 ℳ 04 ₰

Der Stand des Kapitalvermögens ist gegen das Vorjahr unverändert geblieben.

Ii. Summarische Übersicht

der Einnahmen und Ausgaben des Exjesuiten- und Welschnonnen-Schulfonds

für die Zeit vom 1. April 1907 bis Ende März 1908.

Ord.-Nr.	Bezeichnung der Einnahmen und Ausgaben	Betrag				Mithin nach der Rechnung			
		nach dem Voranschlag		nach der Rechnung		mehr		weniger	
		ℳ	₰	ℳ	₰	ℳ	₰	ℳ	₰
	I. Einnahme.								
	a) Ordentliche.								
1	Miete von Gebäuden	12 166	29	12 166	29	—	—	—	—
3	Pacht von Grundstücken	3 317	—	3 317	—	—	—	—	—
4	Von abzugebenden Naturalien	1 060	88	—	—	—	—	1 060	88
6	Kapitalzinsen	26 949	30	27 669	07	719	77	—	—
11	Verschiedene Einnahmen	—	—	—	—	—	—	—	—
	Summe: a) Ordentliche Einnahme	43 493	47	43 152	36	—	—	341	11
	b) Außerordentliche.								
21	Kassenvorrat	—	—	—	—	—	—	—	—
21a	Ausstände aus vorderen Jahren	—	—	23	85	23	85	—	—
22	Zurückempfangene Kapitalien	—	—	51 400	—	51 400	—	—	—
24	Verkauf von Häusern und Gütern	5 200	—	14 031	67	8 831	67	—	—
	Summe: b) Außerordentliche Einnahme	5 200	—	65 455	52	60 255	52	—	—
	Wiederholung.								
	a) Ordentliche Einnahme	43 493	47	43 152	36	—	—	341	11
	b) Außerordentliche Einnahme	5 200	—	65 455	52	60 255	52	—	—
	Gesamtsumme aller Einnahmen	48 693	47	108 607	88	59 914	41	—	—
	II. Ausgabe.								
	a) Ordentliche.								
30	Landessteuern	—	—	—	—	—	—	—	—
32	Provinzial- und Gemeindesteuern	1 150	—	1 142	94	—	—	7	06
33	Brandversicherungsgelder	315	—	188	32	—	—	126	68
34	Kapitalzinsen	—	—	—	—	—	—	—	—
35	Gerichtskosten	—	—	33	20	33	20	—	—
36	Gehalte und Gebühren	200	—	200	—	—	—	—	—
37	Schreibmaterialien, Drucksachen ꝛc.	30	—	7	50	—	—	22	50
38	Belohnungen, Taggelder ꝛc.	50	—	12	88	—	—	37	12
39	Botenlohn, Postgeld, Verkündigungskosten	40	—	—	—	—	—	40	—
41	Pensionen	—	—	—	—	—	—	—	—
47	Unterhaltung der Gebäude	1 055	—	680	68	—	—	374	32
48	Unterhaltung der Grundstücke	—	—	—	—	—	—	—	—
49	Reservefonds	392	59	—	—	—	—	392	59
50	Uneinbringliche Posten und Nachlässe	1 060	88	—	—	—	—	1060	88
52	Überschuß an die Stadtkasse	39 200	—	40 023	86	823	86	—	—
	Summe: a) Ordentliche Ausgabe	43 493	47	42 289	38	—	—	1 204	09

Ord.-Nr.	Bezeichnung der Einnahmen und Ausgaben	Betrag nach dem Voranschlag ℳ	₰	Betrag nach der Rechnung ℳ	₰	Mithin nach der Rechnung mehr ℳ	₰	weniger ℳ	₰
	ferner II. **Ausgabe.**								
	b) Außerordentliche.								
66	Ausgeliehene Kapitalien	5200	—	66 318	50	61 118	50	—	—
	Summe: b) Außerordentliche Ausgabe	5200	—	66 318	50	61 118	50	—	—
	Wiederholung.								
	a) Ordentliche Ausgabe	43 493	47	42 289	38	—	—	1 204	09
	b) Außerordentliche Ausgabe	5200	—	66 318	50	61 118	50	—	—
	Gesamtsumme aller Ausgaben	48 693	47	108 607	88	59 914	41	—	—
	Abschluß.								
	Die Einnahme beträgt	48 693	47	108 607	88	59 914	41	—	—
	Die Ausgabe beträgt	48 693	47	108 607	88	59 914	41	—	—
	Vergleicht sich	—	—	—	—	—	—	—	—

Stand des Kapitalvermögens am Schlusse des Rechnungsjahres 1907:

		ℳ	₰
a)	Hypotheken zu 4½%	102 000	—
b)	" " 4¼%	158 571	43
c)	" " 4%	256 000	—
d)	Schuldverschreibungen der Stadt Mainz zu 4%	2 000	—
e)	" " " " 3½%	112 300	—
f)	" " Berliner Stadt-Anleihe aus 1898 zu 3½%	9 200	—
g)	Kapitalanlage bei der Städtischen Sparkasse zu 3½%	655	33
	Summe	640 726	76
	Am Ende des Vorjahres betrug das Kapitalvermögen	625 808	26
	Mithin Zugang in 1907	14 918	50

II. Erläuterung der in den Übersichten Ia, Ib, Ic, Id, Ie und If (Seite 288 bis 301) dargestellten Unterschiede zwischen den Ansätzen des Voranschlags und den Ergebnissen der Rechnung.

Stadt Mainz.

a) Betriebsrechnung.

	Betrag nach dem Voranschlag ℳ	₰	der Rechnung ℳ	₰	Mithin gegen den Voranschlag mehr ℳ	₰	weniger ℳ	₰
1. Rechnungsrest aus früheren Jahren.								
Einnahme	—	—	111 903	11	111 903	11	—	—
Der aus dem Rechnungsjahr 1906 verbliebene Rest, welcher in vorgetragenen Ausständen, Vorlagen und in barem Vorrat bestand, betrug nach Seite 257 des vorjährigen Rechenschaftsberichts 113110 ℳ 98 ₰. Hiervon erscheinen 111903 ℳ 11 ₰ unter dieser Rubrik und 1207 ℳ 87 ₰ unter Rubrik 41 in Einnahme.								
2. Revisions-Ersatzposten.								
Einnahme	—	—	—	—	—	—	—	—
Ausgabe	—	—	—	—	—	—	—	—
3. Gebäude.								
Einnahme.								
I. Karmeliterkloster:								
1. Miete von Lokalen	1 640	—	1 640	—	—	—	—	—
2. Geldanschlag von Dienstwohnungen	270	—	270	—	—	—	—	—
II. Kurfürstliches Schloß:								
1. Geldanschlag von Dienstwohnungen	300	—	300	—	—	—	—	—
2. Geldanschlag unentgeltlich abgegebener Räume	860	—	860	—	—	—	—	—
III. Wirtschaftsgebäude in der Anlage:								
1. Miete	3 000	—	3 000	—	—	—	—	—
2. Sonstige Einnahmen	—	—	53	55	53	55	—	—
Von dem früheren Pächter waren für Glasglocken der Gasbeleuchtung, die bei der Übergabe der Wirtschaft an den neuen Pächter fehlten, 53 ℳ 55 ₰ zu ersetzen.								
zu übertragen	6 070	—	6 123	55	53	55	—	—

Ferner: 3. Gebäude.

	Betrag nach				Mithin gegen den Voranschlag			
	dem Voranschlag		der Rechnung		mehr		weniger	
	M	₰	M	₰	M	₰	M	₰
Übertrag . . .	6 070	—	6 123	55	53	55	—	—
IV. Professorenhäuser in der Betzelsgasse . . .	6 830	—	6 500	—	—	—	330	—
Von dem Direktor der Höheren Mädchenschule ist für die im Hause Betzelsgasse Nr. 18 seither innegehabte Dienstwohnung der Geldanschlag nur bis Ende September 1907 zu erheben gewesen. In der Zeit vom 1. Oktober 1907 bis Ende März 1908 wurde diese Wohnung nicht benutzt.								
V. Hauptsteueramtsgebäude im Hafen	6 809	50	6 764	96	—	—	44	54
Anstatt der im Voranschlag vorgesehenen Brandversicherungsbeiträge von 110 M wurden nur 65 M 46 ₰ vereinnahmt.								
VI. Wohn- und Dienstgebäude im Zollhafen . .	4 582	50	4 582	50	—	—	—	—
VII. Ehemaliges Stationsgebäude der Nassauischen Staatsbahn	2 000	—	2 000	—	—	—	—	—
VIII. Haus Rheinstraße Nr. 57	1 000	—	1 000	—	—	—	—	—
IX. Haus Schlossergasse Nr. 15	150	—	150	—	—	—	—	—
X. Haus Schlossergasse Nr. 18	—	—	—	—	—	—	—	—
XI. Haus Schlossergasse Nr. 19	252	—	117	—	—	—	135	—
Die Wohnung im 2. Stock war gegen eine jährliche Miete von 180 M vermietet. Der Mieter hat diese Wohnung für den 1. Juli 1907 gekündigt. Vom 1. Juli 1907 bis 31. März 1908 war die Wohnung unvermietet. Die Wohnungen im 1. und 3. Stock waren im Rechnungsjahr 1907 unvermietet.								
XII. Haus Schlossergasse Nr. 20	300	—	300	—	—	—	—	—
Die Wohnungen im 1., 2. und 4. Stock waren im Rechnungsjahr 1907 nicht vermietet.								
XIII. Haus Schlossergasse Nr. 25	78	—	158	—	80	—	—	—
Es erscheinen hier, außer dem Erträgnis des zur Vermietung noch freigegebenen Kellers mit 78 M, die Abtragungen der früheren Mieterin der Wohnräume auf die ihr gestundeten Beträge für rückständige Miete, Gemeindesteuern und Brandversicherungsbeiträge mit 80 M in Einnahme.								
XIV. Haus Schlossergasse Nr. 36	—	—	420	—	420	—	—	—
Dieses Haus ging mit Wirkung vom 1. April 1907 ab in den Besitz der Stadt Mainz über und wurde vom gleichen Tage ab an den seitherigen Besitzer gegen eine jährliche Miete von 420 M vermietet.								
XV. Haus Schlossergasse Nr. 42	—	—	290	50	290	50	—	—
Das Haus ist erst am 1. Juli 1907 in das Eigentum der Stadt übergegangen. Siehe Vermögensrechnung Rubrik 3. VIII (Ausgabe).								
zu übertragen . . .	28 072	—	28 406	51	844	05	509	54

Ferner: 3. Gebäude.	Betrag nach dem Voranschlag ℳ	₰	Betrag nach der Rechnung ℳ	₰	Mithin gegen den Voranschlag mehr ℳ	₰	Mithin gegen den Voranschlag weniger ℳ	₰
Übertrag . . .	28 072	—	28 406	51	844	05	509	54
An Miete sind eingegangen für das Erdgeschoß 106 ℳ, für den 1. Stock 157 ℳ 50 ₰ und für den 2. und 3. Stock 27 ℳ. Die Wohnungen im 2. und 3 Stock waren nur im Juli 1907 vermietet und vom 1. August 1907 bis Ende März 1908 unvermietet.								
XVI. Haus Schlossergasse Nr. 44	—	—	—	—	—	—	—	—
Laut St.-V.-Beschl. vom 11. Juli 1907 soll das Haus nicht mehr weiter vermietet werden.								
XVII. Haus Schlossergasse Nr. 46	420	—	420	—	—	—	—	—
XVIII. Haus Stallgasse Nr. 4.	28	—	28	—	—	—	—	—
XIX. Haus Stallgasse Nr. 10	—	—	—	—	—	—	—	—
XX. Ehemaliges Schulhaus in Zahlbach	800	—	800	—	—	—	—	—
XXI. Haus Augustinerstraße Nr. 57	—	—	—	—	—	—	—	—
XXII. Haus Emmeransstraße Nr. 34/36	—	—	—	—	—	—	—	—
Das Haus ist nach dem Brande vom 6. August 1906 nicht wiederhergestellt worden. Die St.-V.-V. hat vielmehr in ihrer Sitzung vom 5. März 1908 die vollständige Niederlegung des Hauses beschlossen. Die Kosten der Niederlegung sind unter den Ausgaben enthalten.								
XXIII. Anwesen Rheinallee Nr. 27 u. 29	720	—	720	—	—	—	—	—
XXIV. Haus Rosengasse Nr. 12.	650	—	660	—	10	—	—	—
Für vorübergehende Unterbringung von Gegenständen wurden 10 ℳ erlöst.								
XXV. Anwesen Rheinallee Nr. 35	—	—	—	—	—	—	—	—
XXVI. Anwesen Rheinallee Nr. 45	—	—	—	—	—	—	—	—
XXII. Kaponnièren in der Rheinkehlbefestigung .	650	—	650	—	—	—	—	—
XXVIII. Haus Alte Universitätsstraße Nr. $11^{1}/_{10}$ . . .	1 620	—	1 620	—	—	—	—	—
XXIX. Holzturm	—	—	—	—	—	—	—	—
XXX. Stephansturm	—	—	—	—	—	—	—	—
XXXI. Quintinsturm	—	—	—	—	—	—	—	—
XXXII. Eiserturm	—	—	—	—	—	—	—	—
XXXIII. Stadtmauer und Neule	—	—	—	—	—	—	—	—
XXXIV. Haus Schlossergasse Nr. 40	—	—	244	—	244	—	—	—
Das Haus ist am 1. Oktober 1907 in das Eigentum der Stadt übergegangen. Vergleiche die Erläuterung zu Rubrik 3. X								
zu übertragen . . .	32 960	—	33 548	51	1 098	05	509	54

Ferner: 3. Gebäude.	Betrag nach: dem Voranschlag ℳ	₰	Betrag nach: der Rechnung ℳ	₰	Mithin gegen den Voranschlag: mehr ℳ	₰	Mithin gegen den Voranschlag: weniger ℳ	₰
Übertrag	32 960	—	33 548	51	1 098	05	509	54
— Ausgabe — der Vermögensrechnung. In Einnahme erscheint die Miete für ½ Jahr.								
XXXV. Haus Stallgasse Nr. 14	—	—	561	—	561	—	—	—
Die Besitzüberweisung des Hauses erfolgte am 1. Oktober 1907. Vergleiche die Erläuterung zur Rubrik 3. XI — Ausgabe — der Vermögensrechnung. An Mieten sind 561 ℳ eingegangen. Im 1. Stock war eine Wohnung vom 1. Oktober 1907 ab, im Erdgeschoß ein Zimmer vom 1. Januar 1908 ab und zwei Mansardenräume in der Zeit vom 1. Oktober bis 16. Dezember 1907 unvermietet.								
Summe	32 960	—	34 109	51	1 149	51	—	—
Ausgabe.								
I. Karmeliterkloster:								
1. Gemeinde-Grundsteuern	120	—	129	86	9	86	—	—
Die Kredite zur Bestreitung der Gemeinde-Grundsteuern wurden unter Zugrundelegung der seitherigen Ausschlagsziffer von 91,8% in den Voranschlag eingestellt. Da diese Ausschlagsziffer jedoch auf 100,2% erhöht wurde, entstanden bei den hier in Betracht kommenden Rubriken entsprechende Mehrausgaben.								
2. Brandversicherungsbeiträge	336	—	201	48	—	—	134	52
Bei Aufstellung des Voranschlags war von Großh. Brandversicherungskammer der Ausschlag für 100 ℳ Versicherungskapital noch nicht bekannt gegeben. Es wurden daher 10 ₰ für 100 ℳ Versicherungskapital in den Voranschlag eingestellt. Erhoben wurden aber nur 6 ₰. Hierdurch sind die Ersparnisse bei den einschlägigen Rubriken bedingt.								
3. Baukosten:								
a) Unterhaltung in Dach und Fach	1 600	—	273	90	—	—	1 326	10
4. Reinigung der Hausentwässerungsanlage	100	—	80	60	—	—	19	40
II. Kurfürstliches Schloß:								
1. Gemeinde-Grundsteuern	1 110	—	1 205	81	95	81	—	—
2. Brandversicherungsbeiträge	1 102	—	660	61	—	—	441	39
3. Baukosten:								
a) Unterhaltung in Dach und Fach	1 000	—	877	15	—	—	122	85
b) Unterhaltung der Zentralheizungen	350	—	348	30	—	—	1	70
4. Reinigung der Hausentwässerungsanlage	70	—	70	20	—	20	—	—
5. Wiederherstellung des kurfürstlichen Schlosses	25 000	—	25 000	—	—	—	—	—
zu übertragen	30 788	—	28 847	91	105	87	2 045	96

Ferner: 3. Gebäude.	Betrag nach				Mithin gegen den Voranschlag			
	dem Voranschlag		der Rechnung		mehr		weniger	
	ℳ	₰	ℳ	₰	ℳ	₰	ℳ	₰
Übertrag . .	30 788	—	28 847	91	105	87	2 045	96
III. Wirtschaftsgebäude in der Anlage:								
1. Gemeinde-Grundsteuern	130	—	139	18	9	18	—	—
2. Brandversicherungsbeiträge	80	—	47	64	—	—	32	36
3. Baukosten:								
a) Unterhaltung in Dach und Fach	1 000	—	1 011	67	11	67	—	—
b) Erneuerung der Tapeten und des Anstrichs im Rundsaal und Wohnzimmer	350	—	347	92	—	—	2	08
c) Teilweise Erneuerung des Ölfarbanstrichs im Palmenhaus	400	—	397	65	—	—	2	35
4. Reinigung der Hausentwässerungsanlage	60	—	—	—	—	—	60	—
IV. Professorenhäuser in der Betzelsgasse:								
1. Gemeinde-Grundsteuern	350	—	380	27	30	27	—	—
2. Brandversicherungsbeiträge	117	—	69	82	—	—	47	18
3. Baukosten:								
a) Unterhaltung der Häuser Nr. 10, 18, 20, 22 und 24 in Dach und Fach . . . . b) Herstellungen im Hause Nr. 10: Erneuerung des Verputzes am Waschküchenanbau, Herrichtung des Anstrichs in den Aborten und in einem Mansardenzimmer c) Herstellungen im Hanse Nr. 20: Herrichtung von zwei Zimmern und der Käche im zweiten Stock, der Waschküche und des Arbeitsraumes . . . . . . d) Herstellungen im Hause Nr. 24: Herrichtung eines Zimmers im zweiten Stock	1 200	—	1 091	44	—	—	108	56
e) Vergrößerung einer Dachgaube im Hause Nr. 10 .	230	—	217	89	—	—	12	11
f) Banliche Veränderungen im Hause Betzelsgasse Nr. 18 aus Anlaß der Verlegung der Diensträume des Armenamtes in dieses Haus	—	—	908	38	908	38	—	—
Kredit lt. St.-V.-Beschl. v. 19. 2. 1908 = 950 ℳ								
4. Reinigung der Hausentwässerungsanlage	60	—	59	80	—	—	—	20
V. Hauptsteueramtsgebäude im Hafen:								
1. Gemeinde-Grundsteuern	240	—	260	32	20	32	—	—
2. Brandversicherungsbeiträge	124	—	73	86	—	—	50	14
3. Baukosten:								
a) Unterhaltung in Dach und Fach einschließlich Instandsetzung eines Zimmers (Herstellung von Linoleumbelag) in der Wohnung im I. Obergeschoß	400	—	535	29	135	29	—	—
Die Vornahme größerer nicht zu verschiebender Reparaturen bedingte die Mehrausgabe. Kreditergänzung durch Bürgermeisterei mit Zustimmung des Bauausschusses.								
zu übertragen . .	35 529	—	34 389	04	1 220	98	2 360	94

Ferner 3. **Gebäude.**	Betrag nach dem Voranschlag ℳ	₰	Betrag nach der Rechnung ℳ	₰	Mithin gegen den Voranschlag mehr ℳ	₰	Mithin gegen den Voranschlag weniger ℳ	₰
Übertrag . . .	35 520	—	34 889	04	1 220	98	2 360	94
b) Wiederherstellung der ausgebrannten Öfen in den Wohnungen im I. und II. Obergeschoß	295	—	287	45	—	—	7	55
c) Einbauen einer Entwässerungsanlage für den Baderaum der Wohnung des Hauptsteueramtsrendanten .	100	—	—	—	—	—	100	—
Die Ausführung der Arbeiten soll erst im Rechnungsjahr 1908 im Anschluß an verschiedene vom Staat auszuführende Arbeiten vorgenommen werden, weshalb der Kredit mit Zustimmung der St.-V.-V. durch Beschluß vom 21. Oktober 1908 auf das Rj. 1908 übertragen wurde.								
4. Für Reinigung der Hausentwässerungsanlage	20	—	15	60	—	—	4	40
5. Für Unterhaltung der Zentralheizung und für Wasserverbrauch bei der Heizung	100	—	91	10	—	—	8	90
6. Verzinsung und Tilgung der Baukosten	4 194	13	4 194	13	—	—	—	—
VI. **Wohn- und Dienstgebäude im Zollhafen:**								
1. Gemeinde-Grundsteuern	285	—	306	11	21	11	—	—
2. Brandversicherungsbeiträge	117	—	70	02	—	—	46	98
3. Baukosten:								
a) Unterhaltung in Dach und Fach	300	—	392	14	92	14	—	—
b) Unterhaltung der Abdampfheizung	50	—	45	—	—	—	5	—
c) Instandsetzen der Geschäftsräume und des Vorplatzes der Hafenbahnverwaltung	90	—	74	92	—	—	15	08
d) Instandsetzen von Wohnungen	150	—	148	57	—	—	1	43
e) Anbringen von Zugjalousien an den Fenstern der Geschäftsräume der Hafenverwaltung gegen die Hafenseite	130	—	79	94	—	—	50	06
f) Anschluß der Wohnung des Maschinenmeisters an die Abdampfheizung	140	—	113	94	—	—	26	06
4. Für Reinigung der Hausentwässerungsanlage	60	—	52	—	—	—	8	—
5. Für Wasserverbrauch in den dem Staate vermieteten Wohnungen	80	—	69	36	—	—	10	64
6. Verzinsung und Tilgung der Baukosten	3 986	12	3 986	12	—	—	—	—
VII. **Ehemaliges Stationsgebäude der Nassauischen Staatsbahn:**								
1. Gemeinde-Grundsteuern	115	—	120	54	5	54	—	—
2. Brandversicherungsbeiträge	17	—	10	20	—	—	6	80
VIII. **Haus Rheinstraße Nr. 57:**								
1. Gemeinde-Grundsteuern	40	—	39	18	—	—	—	82
2. Brandversicherungsbeiträge	6	—	3	08	—	—	2	92
3. Baukosten	50	—	46	80	—	—	3	20
4 Reinigung der Hausentwässerungsanlage	6	—	5	20	—	—	—	80
zu übertragen . . .	45 860	25	44 540	44	1 339	77	2 659	58

Ferner: **3. Gebäude.**	Betrag nach				Mithin gegen den Voranschlag			
	dem Voranschlag		der Rechnung		mehr		weniger	
	ℳ	₰	ℳ	₰	ℳ	₰	ℳ	₰
Übertrag . .	45 860	25	44 540	44	1 339	77	2 659	58
IX. Haus Schlossergasse Nr. 15:								
1. Gemeinde-Grundsteuern	25	—	25	75	—	75	—	—
2. Brandversicherungsbeiträge	8	—	4	37	—	—	3	63
3. Unterhaltung in Dach und Fach	50	—	—	—	—	—	50	—
X. Haus Schlossergasse Nr. 18:								
1. Gemeinde-Grundsteuern	8	—	8	22	—	22	—	—
2. Brandversicherungsbeiträge	2	—	1	15	—	—	—	85
3. Baukosten:								
Unterhaltung in Dach und Fach	50	—	13	94	—	—	36	06
4. Reinigung der Hausentwässerungsanlage	8	—	—	—	—	—	8	—
XI. Haus Schlossergasse Nr. 19:								
1. Gemeinde-Grundsteuern	12	—	12	93	—	93	—	—
2. Brandversicherungsbeiträge	7	—	4	12	—	—	2	88
3. Baukosten	70	—	—	—	—	—	70	—
4. Reinigung der Hausentwässerung	8	—	7	80	—	—	—	20
XII. Haus Schlossergasse Nr. 20:								
1. Gemeinde-Grundsteuern	13	—	12	93	—	—	—	07
2. Brandversicherungsbeiträge	7	—	3	90	—	—	3	10
3. Baukosten	65	—	—	—	—	—	65	—
4. Reinigung der Hausentwässerungsanlage	8	—	—	—	—	—	8	—
XIII. Haus Schlossergasse Nr. 25:								
1. Gemeinde-Grundsteuern	40	—	39	18	—	—	—	82
2. Brandversicherungsbeiträge	18	—	10	28	—	—	7	72
3. Unterhaltung in Dach und Fach	50	—	—	—	—	—	50	—
XIV. Haus Schlossergasse Nr. 36:								
1. Gemeindesteuern	15	—	16	86	1	86	—	—
XV. Haus Schlossergasse Nr. 42:								
1. Gemeinde-Grundsteuern	17	—	13	39	—	—	3	61
2. Brandversicherungsbeiträge	—	—	—	—	—	—	—	—
3. Unterhaltung in Dach und Fach	—	—	—	—	—	—	—	—
4. Reinigung der Hausentwässerungsanlage	—	—	7	80	7	80	—	—
5. Uneinbringliche Miete	—	—	9	—	9	—	—	—
Genehmigt durch St.-V.-Beschl. v. 21. Oktober 1908.								
XVI. Haus Schlossergasse Nr. 44:								
1. Gemeinde-Grundsteuern	15	—	16	57	1	57	—	—
2. Brandversicherungsbeiträge	—	—	—	—	—	—	—	—
3. Unterhaltung in Dach und Fach	—	—	—	—	—	—	—	—
4. Reinigung der Hausentwässerungsanlage	8	—	—	—	—	—	8	—
zu übertragen . . .	46 364	25	44 748	63	1 361	90	2 977	32

Ferner: 3. Gebäude.

	Betrag nach				Mithin gegen den Voranschlag			
	dem Voranschlag		der Rechnung		mehr		weniger	
	ℳ	₰	ℳ	₰	ℳ	₰	ℳ	₰
Übertrag . . .	46 364	25	44 748	63	1 361	90	2 977	52
XVII. **Haus Schlossergasse Nr. 46:**								
1. Gemeinde-Grundsteuern	14	—	14	73	—	73	—	—
2. Brandversicherungsbeiträge	—	—	—	—	—	—	—	—
3. Unterhaltung des Daches, der Außenwände und der Abortgrube	50	—	3	30	—	—	46	70
4. Reinigung der Hausentwässerungsanlage	8	—	—	—	—	—	8	—
XVIII. **Haus Stallgasse Nr. 4:**								
1. Gemeinde-Grundsteuern	20	—	18	54	—	—	1	46
2. Brandversicherungsbeiträge	9	—	5	14	—	—	3	86
3. Unterhaltung in Dach und Fach	50	—	1	90	—	—	48	10
XIX. **Haus Stallgasse Nr. 10:**								
1. Gemeinde-Grundsteuern	12	—	11	83	—	—	—	17
2. Brandversicherungsbeiträge	4	—	1	85	—	—	2	15
3. Baukosten	50	—	25	72	—	—	24	28
4. Reinigung der Hausentwässerungsanlage	8	—	—	—	—	—	8	—
5. Jährliche Rente an Frz. Jos. Pabst Wwe.	800	—	511	11	—	—	288	89
Die Witwe Pabst ist am 20. November 1907 gestorben. Infolgedessen war die Rente nur noch bis einschl. 20. November 1907 zu zahlen.								
XX. **Ehemaliges Schulhaus in Zahlbach:**								
1. Gemeinde-Grundsteuern	35	—	34	67	—	—	—	33
2. Brandversicherungsbeiträge	13	—	7	36	—	—	5	64
3. Baukosten:								
a) Unterhaltung in Dach und Fach	125	—	6	71	—	—	118	29
XXI. **Haus Augustinerstraße Nr. 57:**								
1. Brandversicherungsbeiträge	77	—	45	76	—	—	31	24
2. Uneinbringliche Miete	—	—	76	—	76	—	—	—
Genehmigt durch St.-V.-Beschluß vom 21. Oktober 1908.								
XXII. **Haus Emmeransstraße Nr. 34/36:**								
1. Gemeinde-Grundsteuern	50	—	51	—	1	—	—	—
2. Brandversicherungsbeiträge	17	—	9	77	—	—	7	23
3. Unterhaltung in Dach und Fach	200	—	275	52	75	52	—	—
Durch die Niederlegung des Hauses Emmeransstraße Nr. 34/36 entstanden 175 ℳ Kosten, welche hier verrechnet wurden.								
XXIII. **Anwesen Rheinallee Nr. 27 und 29:**								
1. Gemeinde-Grundsteuern	115	—	120	54	5	54	—	—
2. Brandversicherungsbeiträge	20	—	11	82	—	—	8	18
zu übertragen . . .	48 041	25	45 981	00	1 520	69	3 580	04

Ferner: 3. Gebäude.	Betrag nach				Mithin gegen den Voranschlag			
	dem Voranschlag		der Rechnung		mehr		weniger	
	M	Pf	M	Pf	M	Pf	M	Pf
Übertrag . . .	48 041	25	45 981	90	1 520	69	3 580	04
3. Außerordentliche Kommunalsteuern	239	27	239	27	—	—	—	—
4. Herstellung einer Brettereinfriedigung	—	—	324	12	324	12	—	—
Lt. St.-V.-Beschl. v. 3. Oktober 1907 = 320 M Kredit.								
XXIV. Haus Rosengasse Nr. 12:								
1. Brandversicherungsbeiträge	29	—	17	28	—	—	11	72
2. Baukosten:								
a) Unterhaltung in Dach und Fach	100	—	92	07	—	—	7	93
b) Einführung der Gasleitung	—	—	364	67	364	67	—	—
Aus dem Vorjahr stand ein Kredit von 350 M zur Verfügung.								
XXV. Anwesen Rheinallee Nr. 35	—	—	—	—	—	—	—	—
XXVI. Anwesen Rheinallee Nr. 45	—	—	—	—	—	—	—	—
XXVII. Kaponnièren in der Rheinkehlbefestigung:								
1. Gemeinde-Grundsteuern	—	—	—	—	—	—	—	—
2. Brandversicherungsbeiträge	20	—	—	—	—	—	20	—
3. Baukosten:								
a) Instandsetzung der Kaponnière am Templertor . Lt. St.-V.-Beschl. v. 24. Jan. 1908 = 450 M Kredit.	—	—	407	48	407	48	—	—
XXVIII. Haus Alte Universitätsstraße Nr. 11$^{1}/_{10}$:								
1. Gemeinde-Grundsteuern	50	—	57	42	7	42	—	—
2. Brandversicherungs-Beiträge	8	—	2	30	—	—	5	70
XXIX. Holzturm:								
1. Brandversicherungsbeiträge	22	—	13	20	—	—	8	80
2. Baukosten:								
a) Unterhaltung in Dach und Fach	150	—	123	02	—	—	26	98
3. Reinigung der Entwäserungsanlage	3	—	2	60	—	—	—	40
XXX. Stephansturm:								
1. Brandversicherungsbeiträge	52	—	30	86	—	—	21	14
2. Baukosten:								
a) Unterhaltung in Dach und Fach	250	—	184	31	—	—	65	69
3. Reinigung der Entwässerungsanlage	3	—	2	60	—	—	—	40
XXXI. Quintinsturm:								
1. Brandversicherungsbeiträge	26	—	15	43	—	—	10	57
XXXII. Eisernturm:								
1. Brandversicherungsbeiträge	5	—	—	—	—	—	5	—
2. Baukosten:								
a) Unterhaltung in Dach und Fach	300	—	61	88	-	—	238	12
b) Ersatz der Kosten für Instandsetzung des Eisernturms	3 400	—	3 270	38	—	—	129	62
zu übertragen . . .	52 698	52	51 190	79	2 624	38	4 132	11

Ferner: 3. Gebäude.

	Betrag nach dem Voranschlag ℳ	₰	Betrag nach der Rechnung ℳ	₰	Mithin gegen den Voranschlag mehr ℳ	₰	Mithin gegen den Voranschlag weniger ℳ	₰
Übertrag . . .	52 698	52	51 190	79	2 624	38	4 132	11
XXXIII. Stadtmauer und Reule:								
1. Baukosten	100	48	—	—	—	—	100	48
XXXIV. Haus Schlossergasse Nr. 40: (Seit 1. Oktober 1907 im Besitz der Stadt)								
1. Gemeinde-Grundsteuern	—	—	8	44	8	44	—	—
2. Unterhaltung in Dach und Fach	—	—	35	—	35	—	—	—
XXXV. Haus Stallgasse Nr. 14: (Seit 1. Oktober 1907 im Besitz der Stadt)								
1. Gemeinde-Grundsteuern	—	—	18	53	18	53	—	—
2. Unterhaltung in Dach und Fach	—	—	18	40	18	40	—	—
Summe . . .	52 799	—	51 271	16	—	—	1 527	84

4. Grundstücke.

Einnahme.

	Betrag nach dem Voranschlag ℳ	₰	Betrag nach der Rechnung ℳ	₰	Mithin gegen den Voranschlag mehr ℳ	₰	Mithin gegen den Voranschlag weniger ℳ	₰
I. Zeitpächte	2 995	—	3 182	57	187	57	—	—

Entgegen der Annahme bei Aufstellung des Voranschlags wurden die Grundstücke Flur X Nr. 351¹/₁₀ und Flur XII Nr. 14¹/₁₀ mit einem Pachtertrag von 68 ℳ nicht dem Grundstücksfonds überwiesen, sondern der Betriebsrechnung belassen. Ferner wurde das mit Wirkung vom 1. Januar 1908 ab neu erworbene Grundstück Flur X Nr. 364⁸/₁₀ — siehe Erläuterung zu Rubrik 19 IV (Ausgabe) der Vermögensrechnung — gegen einen jährlichen Mietpreis von 480 Mark vermietet. Hier erscheint die Miete für ¹/₄ Jahr in Einnahme.

Für die mit Wirkung vom 1. Dezember 1907 aus dem Pachtverhältnis mit K. Zöll ausgeschiedenen 3600 qm Vorland berechnet sich der Pachtnachlaß auf 41 ℳ 43 ₰ oder 43 ₰ höher als im Voranschlag angenommen.

	Betrag nach dem Voranschlag ℳ	₰	Betrag nach der Rechnung ℳ	₰	Mithin gegen den Voranschlag mehr ℳ	₰	Mithin gegen den Voranschlag weniger ℳ	₰
II. Miete von Geschäftsplätzen	10 913	—	11 254	23	341	23	—	—

Die Vermietung von Plätzen im Industriegebiet der Ingelheimer Au zur Lagerung von Baumaterialien ꝛc. brachte eine im Voranschlag nicht vorgesehene Einnahme von 3 341 ℳ 23 ₰.

	Betrag nach dem Voranschlag ℳ	₰	Betrag nach der Rechnung ℳ	₰	Mithin gegen den Voranschlag mehr ℳ	₰	Mithin gegen den Voranschlag weniger ℳ	₰
III. Nutzungen	50	19	62	50	12	31	—	—
IV. Ersatz von Steuern	154	—	136	84	—	—	17	16
Summe . . .	14 112	19	14 636	14	523	95	—	—

	Betrag nach				Mithin gegen den Voranschlag			
	dem Voranschlag		der Rechnung		mehr		weniger	
Ferner: 4. Grundstücke.	M	₰	M	₰	M	₰	M	₰
Ausgabe.								
1. Gemeinde-Grundsteuern	420	—	634	33	214	33	—	—
Eine seither als Acker besteuerte Parzelle auf der Ingelheimer Au wird vom Rj. 1907 ab als Lagerplatz versteuert. Hierdurch sowie durch den in der Erläuterung zur Rubrik 3 pos. I. 1 bezeichneten Umstand wurden die Mehrausgaben verursacht.								
2. Brandversicherungsbeiträge von den Gebäuden auf der Ingelheimer Au	94	—	56	03	—	—	37	97
3. Unterhaltung der Gebäude auf der Ingelheimer Au:								
a) Unterhaltung in Dach und Fach	400	—	123	07	—	—	276	93
4. Entschädigung für entgangene Nutznießung	18	19	18	19	—	—	—	—
5. Außerordentliche Kommunalsteuern	—	—	1	87	1	87	—	—
Hier erscheinen die außerordentlichen Kommunalsteuern der Grundstücke Flur XI Nr. $13^{15}/_{100}$ und 53, von deren Überweisung an den Grundstücksfonds mit Rücksicht auf ihre spätere Verwendungsart Abstand genommen wurde.								
Summe	932	19	833	49	—	—	98	70
5. Plätze und Straßen.								
Einnahme.								
I. Miete von Straßenterrain:								
1. Platzgeld von Verkaufsständen für Backwaren ꝛc.	40	—	46	—	6	—	—	—
2. Platzgeld von Droschken	288	—	284	—	—	—	4	—
3. Platzgeld für Aufstellung eines Zeitungsverkaufshäuschens	100	—	100	—	—	—	—	—
4. Plotzgeld von Trinkhallen	3 850	—	4 000	—	150	—	—	—
5. Platzgeld für Aufstellung von Karren	145	—	135	—	—	—	10	—
6. Sonstige Platzgelder	766	—	1 121	—	355	—	—	—
II. Miete von Plätzen innerhalb der Stadt	1 593	80	1 599	40	5	60	—	—
III. Trottoirmiete für den Sammer 1907	3 602	26	3 308	88	—	—	293	38
IV. Sonstige Einnahmen	—	—	7	21	7	21	—	—
Hier erscheinen die von dem Käufer eines städt. Bauplatzes ersetzten Gemeindegrundsteuern.								
Summe	10 385	06	10 601	49	216	43	—	—
Ausgabe.								
1. Gemeinde-Grundsteuern	45	32	46	28	—	96	—	—
2. Rekognitionsgebühren	5	—	5	—	—	—	—	—
3. Außerordentliche Kommunalsteuern von dem Baugelände Flur X Nr. 194	6	74	3	37	—	—	3	37
Das Grundstück Flur X Nr. 194 ist mit Wirkung vom 1. April 1907 verkauft worden. Es erscheinen daher hier nur die außerordentlichen Kommunalsteuern für die Zeit vom 1. Oktober 1906 bis 1. April 1907.								
4. Uneinbringliche Platzgelder	—	—	8	—	8	—	—	—
Verausgabung genehmigt durch St.-V.-Beschluß vom 21. Oktober 1908.								
Summe	57	06	62	65	5	59	—	—

6. Messen und Märkte.

	Betrag nach				Mithin gegen den Voranschlag			
	dem Voranschlag		der Rechnung		mehr		weniger	
	ℳ	₰	ℳ	₰	ℳ	₰	ℳ	₰
Einnahme.								
I. Messen:								
Platzgeld von der Herbstmesse 1907	30 000	—	12 401	—	—	—	2 161	50
Platzgeld von der Ostermesse 1908			15 437	50				
Bewachungsgebühren für die Meßbuden	1 700	—	1 542	40	—	—	157	60
Platzgeld von Schaubuden außer der Meßzeit	—	—	1 640	—	1 640	—	—	—
II. Märkte:								
1. Standgeld vom Viktualienmarkt	15 100	—	15 100	—	—	—	—	—
2. Strafstandgelder	50	—	43	92	—	—	6	08
3. Platzgeld von Verkaufsständen auf dem Schöfferplatze, dem Höfchen und Gutenbergsplatz	3 300	—	3 922	—	622	—	—	—
4. Platzgeld für Aufstellung von Buden während der Gartenfelder Kirchweihe 1907	450	—	567	50	117	50	—	—
5. Platzgeld für Aufstellung von Buden während der Zahlbacher Kirchweihe 1907	150	—	174	10	24	10	—	—
6. Desgleichen von Verkaufsständen am Friedhofe während der Tage Allerheiligen und Allerseelen 1907	500	—	585	50	85	50	—	—
7. Desgleichen von Verkaufsständen während des Nikolaus- und Christmarktes 1907	1 000	—	1 011	50	11	50	—	—
8. Desgleichen von Karussells, Schaubuden und Verkaufsständen ꝛc. während der Fastnachtstage 1908	1 500	—	1 853	72	353	72	—	—
Summe	53 750	—	54 279	14	529	14	—	—
Ausgabe.								
I. Messen:								
1. Unterhaltung und Bekiesung des Meßplatzes ꝛc.	360	—	97	85	—	—	262	15
2. Beleuchtung des Meßplatzes	300	—	275	50	—	—	24	50
3. Bewachungsgebühren	1 700	—	1 539	20	—	—	160	80
In Einnahme erscheinen 1542 ℳ 40 ₰ Gebühren. Hiervon gehen ab 3 ℳ 20 ₰, welche als Ausstand nachgeführt werden, sodaß zur Verteilung verbleiben 1539 ℳ 20 ₰.								
4. Wacht- und Spritzenhaus:								
a) Gemeinde-Grundsteuern	9	—	9	32	—	32	—	—
b) Brandversicherungsbeiträge	5	—	3	—	—	—	2	—
c) Unterhaltung in Dach und Fach	50	—	23	04	—	—	26	96
d) Reinigung und Beleuchtung	55	—	42	48	—	—	12	52
e) Brennmaterialien für die Ofenheizung	20	—	18	54	—	—	1	46
5. Uneinbringliche Meßplatzgelder Verausgabung genehmigt durch St.-V.-Beschl. v. 21. Okt. 1908	—	—	59	20	59	20	—	—
zu übertragen	2 499	—	2 068	13	59	52	490	39

	Betrag nach				Mithin gegen den Voranschlag			
	dem Voranschlag		der Rechnung		mehr		weniger	
Ferner: 6. Messen und Märkte.	ℳ	₰	ℳ	₰	ℳ	₰	ℳ	₰
Übertrag . . .	2 499	—	2 068	13	59	52	490	39
II. Märkte:								
1. Für Speisung des Überflurhydranten auf dem Fischmarkt	60	—	60	—	—	—	—	—
2. Kontrollierung des Marktstandgeldes:								
a) Gehalt eines Oktroiaufsehers	1 400	—	1 400	—	—	—	—	—
b) Für Schreibmaterialien und Drucksachen	50	—	9	—	—	—	41	—
3. Kenntlichmachung der Marktplätze sowie Anfertigung von Plänen über die Neueinteilung der Marktplätze	—	—	3 037	57	3 037	57	—	—
Lt. St.-V.-Beschl. v. 24. Januar 1908 = 1400 ℳ Kredit								
„ „ „ „ 27. Mai „ = 2200 „ „								
Für die noch vorzunehmende meterweise Kenntlichmachung der Marktplätze wurde der Kreditrest von 562 ℳ 43 ₰ mit Zustimmung der St.-V.-V. durch Beschl. v. 21. Oktober 1908 auf das Rj. 1908 übertragen.								
4. Uneinbringliche Posten	—	—	15	54	15	54	—	—
Zur Verrechnung dieses Betrags ist durch St.-V.-Beschl. v. 21. Oktober 1908 die Genehmigung erteilt worden.								
Summe . . .	4 009	—	6 590	24	2 581	24	—	—
8. Grundrenten und Rekognitionsgebühren.								
Einnahme.								
I. Grundzinsen	164	73	164	73	—	—	—	—
II. Für Benutzung der Stadtmauer	418	84	400	05	—	—	18	79
III. Zur Sicherung der Eigentumsverhältnisse in der Wallstraße	272	87	272	87	—	—	—	—
IV. Sonstige Rekognitionsgebühren	1 619	51	1 621	42	1	91	—	—
Summe . . .	2 475	95	2 459	07	—	—	16	88
11. Gaswerk.								
Einnahme	293 420	—	353 613	31	60 193	31	—	—
Über die Rechnungsergebnisse des Gaswerks wird ein besonderer Bericht erstattet.								
12. Eichanstalten.								
Einnahme.								
I. 1. Anteil der Stadt an den Eichgebühren	12 000	—	13 733	36	1 733	36	—	—
Vergleiche die Ausführungen auf Seite 152 dieses Rechenschaftsberichts.								
2. und 3. Miete für die Räume im I. und II. Stock des Hauses Stiftstraße Nr. 1	1 000	—	1 000	—	—	—	—	—
Summe . . .	13 000	—	14 733	36	1 733	36	—	—

	Betrag nach				Mithin gegen den Voranschlag			
	dem Voranschlag		der Rechnung		mehr		weniger	
	ℳ	₰	ℳ	₰	ℳ	₰	ℳ	₰
Ferner: 12. Eichanstalten.								
Ausgabe.								
I. Gebäude:								
1. Gemeinde-Grundsteuern	190	15	204	11	13	96	—	—
2. Brandversicherungsbeiträge	43	—	25	80	—	—	17	20
3. Baukosten:								
a) Unterhaltung in Dach und Fach	350	—	433	18	83	18	—	—
b) Instandsetzung des Hauseingangs, des Treppenhauses, der sämtlichen Räume im 1. und 2. Stock, sowie Herrichtung der letzteren Räume und der Räume im Dachstock zu Wohnungen für Eichmeister	—	—	—	—	—	—	—	—
Der aus dem Vorjahr zur Verfügung stehende Kreditrest von 749 ℳ 53 ₰ wird vom Hochbauamt nicht mehr in Anspruch genommen.								
4. Reinigung der Entwässerungsanlage	30	—	20	80	—	—	9	20
5. Verzinsung und Tilgung der Kosten für die Eichanstalt	3 783	85	3 783	85	—	—	—	—
Summe	4 397	—	4 467	74	70	74	—	—
13. Wäganstalten.								
Einnahme.								
I. Zentesimalwagen	3 800	—	3 943	73	143	73	—	—
Ausgabe.								
I. Zentesimalwagen:								
1. Für Unterhaltung 2c. der Wagen	900	—	965	47	65	47	—	—
2. Feuerversicherung	5	—	5	05	—	05	—	—
Die für pos. 1 und 2 vorgesehenen Mittel haben sich als unzureichend erwiesen, die Krediterergänzung erfolgte durch die Bürgermeisterei.								
Summe	905	—	970	52	65	52	—	—
14. Hafen.								
Einnahme.								
I. Gebühren:								
1. Werftgebühr			40 021	46				
2. Krangebühr			29 966	60				
3. Waggebühr:								
a) Für Güter			5 460	70				
b) „ Waggons			4 507	20				
4. Verladungsgebühren			17 185	55				
5. Abdeckungsgebühren	94 000	—	135	—	13 376	—	—	—
6. Lagergebühr für Güter im Freien			3 623	95				
7. Schutzgebühr:								
a) Für Fahrzeuge			5 896	40				
b) „ Flöße			420	30				
8. Wagenreinigungsgebühren			56	—				
9. Erlös aus Drucksachen			102	84				
zu übertragen	94 000	—	107 376	—	13 376	—	—	—

Ferner: 14. Hafen.

	Betrag nach				Mithin gegen den Voranschlag			
	dem Voranschlag		der Rechnung		mehr		weniger	
	ℳ	₰	ℳ	₰	ℳ	₰	ℳ	₰
Übertrag . . .	94 000	—	107 376	—	13 376	—	—	—
Über die Gestaltung des Hafenverkehrs sind auf Seite 154 u. ff. dieses Rechenschaftsberichts, nähere Angaben gemacht.								
II. Miete von Plätzen	67 853	16	65 967	56	—	—	1 885	60
Die Mieten von sechs Plätzen am Winterhafendamm sind im Laufe des Jahres gekündigt worden. Ebenso waren infolge Kündigung verschiedene Plätze im Zollhafengebiet im Rechnungsjahr längere Zeit unvermietet.								
III. Miete von Wasserflächen im Floßhafen	25 250	80	25 250	80	—	—	—	—
IV. Vergütung für elektrischen Strom	1 135	70	1 474	10	338	40	—	—
V. Versicherung der der Stadt zur Aufbewahrung, zur Bearbeitung oder zum Transport übergebenen Sachen	455	21	501	01	45	80	—	—
Außer den im Voranschlag bemerkten Zinsen waren auch noch die Zinsen von den verfügbar gebliebenen Mitteln aus dem Rechnungsjahre 1906 im Betrage von 1963 ℳ 42 ₰, welche vom 1. Mai 1907 ab verzinslich angelegt worden sind, in Einnahme zu stellen. Im übrigen vergleiche auch die Erläuterung zu pos. XVI der Ausgabe.								
VI. Verschiedene Einnahmen:								
Erlös aus altem Eisen, leeren Fässern rc.	95	13	2 615	97	2 520	84	—	—
Die Einnahmen setzen sich wie folgt zusammen: 1. Erlös aus altem Eisen . . . . 554 ℳ 97 ₰ 2. Erlös für Abfallöl . . . . 7 „ — „ 3 Für Beschädigung von Abweisepfählen in der Zollhafenmündung . . . . 1506 „ — „ 4. Für Benutzung von Eisflächen als Schlittschuhbahn . . . . 13 „ — „ 5. Für Arbeitsleistungen . . . . 535 „ — „ zusammen . . . 2615 ℳ 97 ₰								
Zu pos. 3 wird noch bemerkt: Außer den im Vorjahre eingegangenen 863 ℳ Erneuerungskosten für beschädigte Pfähle sind in diesem Jahre weitere 1116 ℳ eingegangen. Die Kosten der Erneuerung der Pfahlgruppe sind unter pos. XI. 8. der Ausgabe enthalten. Die restlichen 390 ℳ sind ebenfalls für Beschädigung eines Pfahles eingegangen, für dessen Instandsetzung vorerst nur geringe Kosten entstanden sind, die auf Unterhaltungskredit gebucht wurden.								
Summe . . .	188 790	—	203 185	44	14 395	44	—	—

Ferner: 14. Hafen.	Betrag nach				Mithin gegen den Voranschlag			
	dem Voranschlag		der Rechnung		mehr		weniger	
	ℳ	₰	ℳ	₰	ℳ	₰	ℳ	₰
Ausgabe.								
I. Gehalte rc. der Angestellten:								
1. bis 7. Gehalte	32 100		31 566	94	—	—	533	06
Die Stelle des Bureaugehilfen war in der Zeit vom 1. April bis 11. November 1907 unbesetzt und wurde von diesem Tage ab von einem Hilfsarbeiter mit einer Jahresvergütung von 1400 ℳ versehen. Hierdurch trat, obgleich an die Witwen- und Waisenkasse ein Vakanzüberschuß von 375 ℳ abzuliefern war, eine Ersparnis an Gehalt ein. Eine Mehrausgabe von 47 ℳ 50 ₰ entstand dagegen durch die Aushilfeleistungen eines Hilfsaufsehers der Oktroiverwaltung für einen erkrankten Werkmeister.								
8. Für Dienstmäntel, Dienstjoppen und Dienstmützen	45	—	37	90	—	—	7	10
II. Bureaukosten:								
1. Schreibmaterialien rc.	600	—	699	81	99	81	—	—
2. Unterhaltung des Mobiliars	200	—	42	30	—	—	157	70
3. Reinigung der Diensträume	350	—	303	—	—	—	47	—
4. Heizung:								
a) Für den Gasverbrauch in den Geschäftsräumen im Wohn- und Dienstgebäude	50	—	2	88	—	—	47	12
b) Für Heizung der Wagstellen rc.	150	—	126	32	—	—	23	68
III. Hafenarbeiter:								
1. Für Taglöhne der Hafenarbeiter	27 200	—	27 223	32	23	32	—	—
2. Für Nachtwachedienst	1 460	—	1 450	70	—	—	9	30
3. Für Dienstmäntel und Dienstmützen für die Nachtwache und Dienstjoppen für das Ladepersonal	90	—	80	40	—	—	9	60
IV. Dampfkrane und Wippen:								
1. Unterhaltung der Dampf- und Handkranen rc.	400	—	331	98	—	—	68	02
2. Betriebskosten der Dampfkranen:								
a) Brennmaterialien	420	—	786	20	366	20	—	—
Der Festsetzung des Kredites des Rj. 1907 lagen die Ergebnisse des Rj. 1905 zu Grunde. Ein erhöhter Betrieb im Rj. 1907 verursachte jedoch die entstandenen Mehrausgaben. Kreditergänzung durch Bürgermeisterei.								
b) Verdichtungsmaterialien, Putz- und Schmiermittel	150	—	122	15	—	—	27	85
zu übertragen	63 215	—	62 773	90	489	33	930	43

Ferner: 14. Hafen.	Betrag nach				Mithin gegen den Voranschlag			
	dem Voranschlag		der Rechnung		mehr		weniger	
	ℳ	₰	ℳ	₰	ℳ	₰	ℳ	₰
Übertrag . . .	63 215	·	62 773	90	489	33	930	43
V. Hydraulische Betriebseinrichtungen:								
1. Maschinen- und Kesselhaus:								
a) Gemeinde-Grundsteuern	180	—	197	40	17	40	—	—
b) Brandversicherungsbeiträge	85	—	50	43	—	-	34	57
c) Unterhaltung in Dach und Fach	200	—	89	95	—	—	110	05
2. bis 4. Gehalt für den Maschinenmeister, zwei Kranenführer und den Heizer	8 525	—	8 525	—	—	-	—	—
5. Taglohn für einen Hilfsheizer	200	—	255	39	55	39	—	—
6. Für Taglöhne der Arbeiter	10 100	—	10 188	82	88	82	—	—
Laut St.-V.-Beschl. v. 13. November 1907 = 480 ℳ Kredit zur Bestreitung der Kosten für Annahme eines weiteren Kranführes.								
7. Brennmaterialien	9 500	—	10 316	74	816	74	—	—
Durch die hauptsächlich während der Schließung des Mainkanals im hiesigen Hafen hervorgerufene außerordentliche Verkehrssteigerung hat der für Brennmaterialien für den hydraulischen Betrieb vorgesehene Kredit nicht ausgereicht. Durch St.-V.-Beschl. v. 29. Juli 1908 wurde daher der Kredit um 816 ℳ 74 ₰ ergänzt.								
8. Putz- und Schmiermittel rc.	2 000	—	1 983	49	—	—	16	51
9. Unterhaltung der maschinellen Einrichtungen rc.:								
a) Für Anschaffungen in die Werkstätte	4 000	—	4 002	80	2	80	—	—
b) Taglöhne für Schlosser und Arbeiter	6 300	—	5 775	69	—	—	524	31
Außer dem Voranschlagskredit stand zufolge St.-V.-Beschl. v. 13. Nov. 1907 für Annahme eines weiteren Schlossers noch ein Kredit von 480 ℳ zur Verfügung.								
c) Für Beschaffung eines Wasserreinigungsapparates	800	—	—	—	—	—	800	—
Die Bezahlung des Apparates soll erst erfolgen, nachdem sich derselbe in vierteljährigem Betriebe bewährt hat. Da der Apparat am Schlusse des Rechnungsjahres die vierteljährige Probe noch nicht bestanden hatte, konnte Zahlung noch nicht erfolgen. Der Kredit wuede daher mit Zustimmung der St.-V.-V. durch Beschluß vom 21. Oktober 1908 auf das Rj. 1908 übertragen.								
10. Für Wasserverbrauch	150	—	213	·	63	—	—	—
Durch den zeitweise starken Betrieb der hydraulischen Krane konnte die Wasserförderungsanlage den Preßpumpen nicht genügend Hafenwasser zuführen, weshalb städtisches Leitungswasser in größerem Umfange verwendet werden mußte. Die Kreditergänzung erfolgte durch die Bürgermeisterei.								
11. Für Dienstmäntel an die Kranenführer und den Heizer der Zentralheizung im Lagerhaus	—	—	—	—	—	—	—	—
zu übertragen . . .	105 255	—	104 372	61	1 533	48	2 415	87

Ferner: 14. Hafen.	Betrag nach				Mithin, gegen den Voranschlag			
	dem Voranschlag		der Rechnung		mehr		weniger	
	ℳ	₰	ℳ	₰	ℳ	₰	ℳ	₰
Übertrag . . .	105 255	—	104 872	61	1 533	48	2 415	87
VI. Elektrischer Kran:								
1. Unterhaltung des elektrischen Krans und Anschaffungen für die Werkstätte	300	—	319	91	19	91	—	—
2. Betriebskosten:								
a) Stromverbrauch	4 000	—	1 962	40	—	—	2 037	60
b) Verdichtungsmaterialien, Putz- und Schmiermittel	250	—	161	60	—	—	88	40
VII. Elektrische Beleuchtungsanlage:								
1. Für einen Maschinisten	2 200	—	1 935	06	—	—	264	94
2. „ Brennmaterialien	5 000	—	4 981	94	—	—	18	06
3. „ Putz- und Schmiermittel ꝛc.	1 050	—	1 027	29	—	—	22	71
4. „ Unterhaltung der Maschinen ꝛc.	2 050	—	2 052	74	2	74	—	—
5. Versicherung der Akkumulatorenbatterie:								
a) Versicherungsprämie	704	—	704	—	—	—	—	—
VIII. Aufseher- und Wiegerhäuschen ꝛc.:								
1. Gemeinde-Grundsteuern	1	58	1	10	—	—	—	48
2. Brandversicherungsbeiträge	4	—	2	28	—	—	1	72
3. Für bauliche Unterhaltung	200	—	90	28	—	—	109	72
4. Erneuerung des äußeren Anstrichs von 4 Wiegerhäuschen	200	—	193	75	—	—	6	25
IX. Hafengerätschaften:								
1. Für Unterhaltung der Wugen, Karren, Pritschen, des Ketten- und Seilwerks ꝛc.	2 000	—	1 900	16	—	—	99	84
X. Feuerversicherung	300	—	297	33	—	—	2	67
XI. Zoll- und Binnenhafen:								
1. Unterhaltung des Pflasters	750	—	742	30	—	—	7	70
2. Drehbrücke:								
a) Brandversicherungsbeiträge von dem Wärterhäuschen	2	—	—	95	—	—	1	05
b) Bedienung der Drehbrücke	2 800	—	2 790	40	—	—	9	60
c) Unterhaltung der Drehbrücke	300	—	289	90	—	—	10	10
d) Für Dienstmäntel ꝛc. an die beiden Brückenwärter	5	—	4	40	—	—	—	60
3. Für Unterhaltung der Ufer	400	—	397	66	—	—	2	34
4. „ „ „ schmiedeeisernen Einfriedigung ꝛc.	100	—	101	39	1	39	—	—
5. Für Erneuerung des Anstriches der Tore in der Einfriedigung	200	—	96	68	—	—	103	32
6. Für Herstellung einer Müllgrube	350	—	245	48	—	—	104	52
7. „ Arbeiter zum Freihalten des Hafens von Eis	200	—	123	70	—	—	76	30
8. Erneuerung einer Pfahlgruppe in der Zollhafeneinfahrt Lt. St.-V.-Beschl. v. 11. Juli 1907 = 6500 ℳ Kredit.	—	—	5 119	24	5 119	24	—	—
zu übertragen . . .	128 621	58	129 914	55	6 676	76	5 383	79

	Betrag nach				Mithin gegen den Voranschlag			
	dem Voranschlag		der Rechnung		mehr		weniger	
Ferner: 14. Hafen.	M	₰	M	₰	M	₰	M	₰
Übertrag . . .	128 621	58	129 914	55	6 676	76	5 383	79
XII. Winterhafen:								
1. Brandversicherungsbeiträge von dem Wärterhäuschen .	2	—	1	11	—	—	—	89
2. Bauliche Unterhaltung der Ufer 2c.	400	—	397	77	—	—	2	23
3. Unterhaltung der Drehbrücke und des Wärterhäuschens	500	—	496	62	—	—	3	38
4. Für Arbeiter zum Freihalten des Hafens von Eis . .	200	—	—	—	—	—	200	—
XIII. Floßhafen:								
1. Bauliche Unterhaltung der Ufer	500	—	497	07	—	—	2	93
2. Für Arbeiter zum Freihalten der Einfahrt von Eis .	200	—	—	—	—	—	200	—
XIV. Lagerplätze:								
1. Gemeinde-Grundsteuern	200	—	215	13	15	13	—	—
XV. Abfuhr des Abraumes 2c. aus dem Hafengebiet	500	—	518	—	18	—	—	—
XVI. Versicherung der der Stadt zur Aufbewahrung, zur Bearbeitung oder zum Transport übergebenen Sachen	2 455	21	2 501	01	45	80	—	—
Bis Ende des Rechnungsjahres 1906 betrug der angesammelte Fonds 14 970 M 07 ₰. Die Zinsen für 1907 sind mit 501 M 01 ₰ dem Kapital zugeschlagen worden. Von dem im Rechnungsjahre 1907 vorgesehenen Betrag von 2 000 M wurden zur Begleichung einer Entschädigung 50 M beansprucht. Der Rest von 1 950 M wurde dem Fonds zugeschlagen, sodaß dieser Ende des Rechnungsjahres 1907 beträgt 17 421 M 08 ₰.								
XVII. Verzinsung und Tilgung der für die Hafenanlage, die maschinellen Betriebseinrichtungen und die elektrische Beleuchtungsanlage aufgewendeten Kapitalien	118 161	21	118 161	21	—	—	—	—
Summe . . .	251 740	—	252 702	47	962	47	—	—
15. Lagerhäuser.								
Einnahme.								
I. Lagerhaus im Binnenhafen:								
1. u. 2. Miete von Kellern und von überwölbten Räumen	13 090	30	13 090	30	—	—	—	—
3.—5. Miete von Magazinen	14 356	80	14 356	80	—	—	—	—
6. Lagergebühren für die öffentliche Zollniederlage . . .	5 500	—	3 215	80	—	—	2 284	20
7a. Lagergebühren von unverzollten Gütern	11 000	—	8 795	75	—	—	2 204	25
7b. Gebühren für Auf- und Ab-Lagerbringen 2c. von Gütern	8 000	—	7 945	45	—	—	54	55
7c. Feuerversicherungsgebühr	100	—	313	45	213	45	—	—
8. Sonstige Einnahmen	10	—	10	—	—	—	—	—
zu übertragen . . .	52 057	10	47 727	55	213	45	4 543	—

Ferner: 15. Lagerhäuser.

	Betrag nach				Mithin gegen den Voranschlag			
	dem Voranschlag		der Rechnung		mehr		weniger	
	ℳ	₰	ℳ	₰	ℳ	₰	ℳ	₰
Übertrag . . .	52 057	10	47 727	55	213	45	4 543	—
II. Getreidespeicher:								
1. Miete von Kellern	1 113	80	1 269	25	155	45	—	—
Die Abteilung Nr. 1 mit 162,45 qm, die seither gegen eine Jahresmiete von 649 ℳ 80 ₰ (einjährige Mietzeit) vermietet war, wurde mit Wirkung vom 1. Oktober 1907 gegen eine jährliche Miete von 487 ℳ 35 ₰ (dreijährige Mietzeit) anderweit vermietet, wodurch ein Mietausfall von 81,22 ℳ entstand. Ferner wurde die 50 qm große Abteilung Nr. 5 mit Wirkung vom 17 Juni 1907 gegen eine jährliche Miete von 300 ℳ vermietet, wodurch eine Mehreinnahme von 236 ℳ 67 ₰ erzielt wurde.								
2a. Lagergebühr für Kellerräume	1 000	—	466	—	—	—	534	—
2b. Gebühren für Auf- und Ab-Lagerbringen und Bearbeitung von Gütern im Keller	400	—	269	65	—	—	130	35
2c. Feuerversicherungsgebühren	25	—	14	40	—	—	10	60
3. Miete von Magazinen	4 008	—	4 008	—	—	—	—	—
4. Miete von Silo-Abteilungen	352	—	352	—	—	—	—	—
5a. Lagergebühren für Getreide	12 500	—	8 777	60	—	—	3 722	40
5b. Gebühren für Auf- und Ab-Lagerbringen von Getreide ꝛc.	30 500	—	36 060	80	5 560	80	—	—
5c. Feuerversicherungsgebühren	20	—	2	20	—	—	17	80
6. Verschiedene Einnahmen:								
a) Erlös für Kehrgut aus dem Getreidespeicher . . .	200	—	980	52	780	52	—	—
III. Revisionshalle I im Binnenhafen:								
1. Miete von Kellern	3 630	90	3 630	90	—	—	—	—
2. Miete von Magazinen	2 502	—	2 502	—	—	—	—	—
3a. Lagergebühren	900	—	1 095	90	195	90	—	—
3b. Für Bearbeitung von Gütern	300	—	587	35	287	35	—	—
IV. Lager für Petroleum, Terpentinöl, Benzin ꝛc.:								
1. Mieten	2 460	—	2 483	33	23	33	—	—
Die Abteilung Nr. 11 mit einer Bodenfläche von 56 qm war bis 1. Mai 1907 für jährlich 224 ℳ vermietet gewesen. Durch eine kleine bauliche Veränderung wurde die Abteilung auf 63 qm vergrößert und vom 1. Juni 1907 ab für jährlich 252 ℳ vermietet.								
2a. Lagergebühren	100	—	121	50	21	50	—	—
2b. Für Bearbeitung von Gütern	300	—	441	20	141	20	—	—
V. Spritlager:								
1. Mieten	2 154	60	2 787	30	632	70	—	—
Die Abteilungen Nr. 1, 2, 8 und 9, für welche Mieterträge im Voranschlag nicht vorgesehen waren, wurden im Laufe des Rechnungsjahres wie folgt vermietet: die Abteilungen Nr. 1, 2 und 8 mit Wirkung vom 1. September, bezw. 1. Oktober und 1. November 1907 je für jährlich 307,80 ℳ und die Abteilung Nr. 9 mit Wirkung vom 1. Oktober 1907 ab für jährlich 342 ℳ.								
zu übertragen . . .	114 523	40	113 577	45	8 012	20	8 958	15

Ferner: 15. Lagerhäuser.	Betrag nach				Mithin gegen den Voranschlag			
	dem Voranschlag		der Rechnung		mehr		weniger	
	ℳ	₰	ℳ	₰	ℳ	₰	ℳ	₰
Übertrag . . .	114 523	40	113 577	45	8 012	20	8 958	15
2a. Lagergebühren	1 000	—	1 569	60	569	60	—	—
2b. Für Bearbeitung von Gütern	200	—	420	85	220	85	—	—
VI. Lagerhallen am Rheinufer:								
1. Mieten	21 537	—	21 537	—	—	—	—	—
2. Ersatz von Gemeinde-Grundsteuern und Brandversicherungsbeiträgen	560	20	540	66	—	—	19	54
3a. Lagergebühren	30	—	164	20	134	20	—	—
3b. Für Bearbeitung von Gütern	10	—	150	75	140	75	—	—
VII. Provisionen:								
1. Für Vorlagen	5	—	32	10	27	10	—	—
VIII. Ersatz der Kellerheizungskosten Vergleiche die Erläuterungen bei der Ausgabe.	4 100	—	3 903	72	—	—	196	28
Summe . . .	141 965	60	141 896	33	—	—	69	27

Ausgabe.

	ℳ	₰	ℳ	₰	ℳ	₰	ℳ	₰
I. Lagerhaus im Binnenhafen:								
1. Gemeinde-Grundsteuern	1 360	—	1 484	06	124	06	—	—
2. Brandversicherungsbeiträge	694	—	416	16	—	—	277	84
3. Baukosten:								
a) Unterhaltung in Dach und Fach	2 200	—	1 292	74	—	—	907	26
b) Unterhaltung der Zentralheizung	300	—	296	62	—		3	38
c) Erneuerung des Anstrichs der Bureaus der drei Revisionsstellen	190	—	123	81	—	—	66	19
d) Erneuerung der Anstriche im Bureau und Vorplatz der Lagerhausverwaltung	135	—	115	26	—	—	19	74
4. Für Reinigung des Erdgeschosses ꝛc., sowie für Wasserverbrauch	200	—	—	—	—	—	200	—
5. Reinigung der Entwässerungsanlage	20	—	15	60	—	—	4	40
6. Für Aufziehen ꝛc. der Uhren	140	—	140	—	—	—	—	—
7. Öffentliche Zollniederlage:								
a) Für Erhebung der Lagergebühren ꝛc.	1 100	—	639	16	—	—	460	84
b) Gehalt des Lagerhauswärters	1 650	—	1 650	—	—	—	—	—
c) Taglöhne	2 500	—	2 036	85	—	—	463	15
d) Für Heizung	160	—	168	89	8	89	—	—
e) „ Fütterung der Kotzen	40	—	40	—	—	—	—	—
8. Betrieb der städtischen Lagerhausverwaltung:								
a u. b) Gehalte des Buchhalters und des Bureaugehilfen	3 000	—	3 000	—	—	—	—	—
zu übertragen . . .	13 689	—	11 419	15	132	95	2 402	80

Ferner: 15. Lagerhäuser.	Betrag nach				Mithin gegen den Voranschlag			
	dem Voranschlag		der Rechnung		mehr		weniger	
	ℳ	₰	ℳ	₰	ℳ	₰	ℳ	₰
Übertrag . . .	13 689	—	11 419	15	132	95	2 402	80
c) Bureaubedürfnisse	300	—	325	37	25	37	—	—
d) Unterhaltung der Lagerhausgerätschaften	250	—	146	88	—	—	103	12
e) Taglöhne für Arbeiter	4 450	—	3 865	24	—	—	584	76
f) Für Brennmaterialien für die Ofenheizung	30	—	27	52	—	—	2	48
g) Feuerversicherung	255	—	172	24	—	—	82	76
9. Taglöhne für Arbeiter zur Bedienung der hydraulischen Aufzüge	2 800	—	2 771	07	—	—	28	93
10. Verzinsung und Tilgung der Kosten für das Lagerhaus	26 949	28	26 949	28	—	—	—	—
II. Getreidespeicher:								
1. Gemeinde-Grundsteuern	785	—	853	40	68	40	—	—
2. Brandversicherungsbeiträge	505	—	300	05	—	—	204	95
3. Baukosten:								
a) Unterhaltung in Dach und Fach	600	—	428	39	—	—	171	61
b) Anbringung von eisernen Winkeln zur Befestigung der Pfosten in den Abteilungswänden der Fruchtböden	225	—	184	80	—	—	40	20
c) Aufstellung eines Pissoirhäuschens	1 200	—	276	84	—	—	923	16
Die Arbeiten sind noch nicht fertiggestellt, weshalb mit Zustimmung der St.-V.-V. durch Beschluß vom 21. Oktober 1908 ein Kreditrest von 423 ℳ 16 ₰ auf das Rj. 1908 übertragen wurde.								
4. Abfuhr wasserhaltiger Latrinenmasse	20	—	—	—	—	—	20	—
5. Reinigung der Entwässerungsanlage	20	—	15	60	—	—	4	40
6. Gehalte und Löhne:								
a—c) Gehalte des Lagerhausverwalters, des Bureaugehilfen und des Speichermeisters	5 150	—	5 150	—	—	—	—	—
d) Taglöhne der Getreidespeicherarbeiter	14 200	—	15 593	47	1 393	47	—	—
Die Mehrausgaben wurden durch den stärkeren Betrieb infolge der Sperre des Mainkanals verursacht. Durch Beschluß der St.-V.-V. vom 21. Oktober 1908 wurde zur Bestreitung der Mehrausgaben der Kredit um 1393 ℳ 47 ₰ zu Lasten der gegenüberstehenden Mehreinnahmen ergänzt.								
e) Taglöhne für Arbeiter zur Bedienung der Gasmotoren ꝛc.	4 950	—	4 671	19	—	—	278	81
7. Bureaubedürfnisse:								
a) Schreibmaterialien, Drucksachen ꝛc.	400	—	419	17	19	17	—	—
b) Für Gasverbrauch der Ofenheizung	320	—	233	04	—	—	86	96
8. Unterhaltung der Gerätschaften	300	—	157	26	—	—	142	74
9. Für Fütterung von Katzen	40	—	40	—	—	—	—	—
10. „ Sackband, Fuhrlöhne und sonstige Arbeitsleistungen	600	—	686	82	86	82	—	—
zu übertragen . . .	78 038	28	74 686	78	1 726	18	5 077	68

Ferner: 15. Lagerhäuser.	Betrag nach				Mithin gegen den Voranschlag			
	dem Voranschlag		der Rechnung		mehr		weniger	
	M	₰	M	₰	M	₰	M	₰
Übertrag . . .	78 038	28	74 686	78	1 726	18	5 077	68
11. Für Unterhaltung der maschinellen Einrichtungen . .	2 000	—	2 295	19	295	19	—	—
Für Verlängerung des Elevators um ein Meter wurde durch St.-V.-Beschluß vom 24. Junuar 1908 ein weiterer Kredit von 300 M bewilligt.								
12. Für Putz- und Schmiermittel	700	—	658	92	—	—	41	08
13. „ Gasverbrauch der zwei Motoren	3 500	—	3 633	24	133	24	—	—
14. „ Wasserverbrauch der zwei Motoren	330	—	261	72	—	—	68	28
15. Feuerversicherung	1 230	—	912	80	—	—	317	20
16. Verzinsung und Tilgung der Kosten für den Getreidespeicher	23 414	71	23 414	71	—	—	—	—
III. Revisionshalle I im Binnenhafen:								
1. Gemeinde-Grundsteuern	310	—	333	97	23	97	—	—
2. Brandversicherungsbeiträge	160	—	93	60	—	—	66	40
3. Für Fütterung von Katzen	40	—	40	—	—	—	—	—
4. „ Reinigung und Wasserverbrauch	50	—	—	—	—	—	50	—
5. Baukosten:								
a) Unterhaltung in Dach und Fach	300	—	201	—	—	—	99	—
b) Unterhaltung der Kellerheizung	200	—	189	14	—	—	10	86
c) Teilweise Erneuerung der alten Dachbedeckung des Holzzementdaches	1 400	—	—	—	—	—	1 400	—
Die Arbeiten werden erst im Rj. 1908 ausgeführt, weshalb der Kredit mit Zustimmung der St.-V.-V. durch Beschluß vom 21. Oktober 1908 auf das Rj. 1908 übertragen wurde.								
6. Reinigung der Entwässerungsanlage	6	—	5	20	—	—	—	80
7. Verzinsung und Tilgung der Kosten für die Revisionshalle	4 820	01	4 820	01	—	—	—	—
IV. Lager für Petroleum, Terpentinöl, Benzin rc.:								
1. Gemeinde-Grundsteuern	105	—	111	32	6	32	—	—
2. Brandversicherungsbeiträge	85	—	49	28	—	—	35	72
3. Baukosten:								
a) Unterhaltung in Dach und Fach	150	—	149	18	—	—	—	82
V. Spritlager:								
1. Gemeinde-Grundsteuern	120	—	—	—	—	—	120	—
2. Brandversicherungsbeiträge	50	—	27	24	—	—	22	76
3. Baukosten:								
a) Unterhaltung in Dach und Fach	100	—	92	25	—	—	7	75
4. Verzinsung und Tilgung der Kosten für das Spritlager	1 474	51	1 474	51	—	—	—	—
VI. Lagerhallen am Rheinufer:								
1. Gemeinde-Grundsteuern	450	—	484	97	34	97	—	—
zu übertragen . . .	119 033	51	113 935	03	2 219	87	7 318	35

	Betrag nach				Mithin gegen den Voranschlag			
	dem Voranschlag		der Rechnung		mehr		weniger	
	M.	₰	M.	₰	M.	₰	M.	₰
Ferner: 15. Lagerhäuser.								
Übertrag . . .	119 033	51	113 935	03	2 219	87	7 318	35
2. Brandversicherungsbeiträge	204	24	120	61	—	—	83	63
3. Baukosten:								
a) Unterhaltung in Dach und Fach	500	—	766	02	266	02	—	—
Die Kandel verschiedener Hallen wurden mehrere Male gestohlen und mußten demzufolge erneuert werden. Auch mußte ein großer Teil einer Rampe, die baufällig war, erneuert werden. Hierfür wurde durch die Bürgermeisterei ein weiterer Kredit von 250 M bewilligt.								
4. Für Reinigung und Beleuchtung der für den allgemeinen Verkehr bestimmten Räume und der Abfertigungsstelle in der Halle am Kaisertor . . .	180	—	54	69	—	—	125	31
5. Für Unterhaltung von 2 Krahnen	40	—	40	—	—	—	—	—
6. Verzinsung und Tilgung der Kosten für die Lagerhallen	11 676	85	11 676	85	—	—	—	—
VII. Heizung der Keller	4 100		3 903	72	—	—	196	28
Die Kosten der Heizung belaufen sich auf 94,882 ₰ für 1 qm Fläche, gegen 97,308 ₰ im Vorjahre.								
Summe . .	135 734	60	130 496	92	—	—	5 237	68
16. Schlacht- und Viehhof.								
Einnahme.								
I. 1. Viehhofgebühren:								
a) Marktgebühren	46 231	—	47 506	60	1 275	60	—	—
b) Wiegegebühren	6 540	—	9 184	55	2 644	55	—	—
c) Stallgebühren	4 510	—	4 488	40	—	—	21	60
Unter den Einnahmen sind hier 5 M 55 ₰ enthalten für Einstellung von 55 Offizierspferden des Thüringischen Ulanen-Regiments Nr. 6.								
d) Desinfektionsgebühren	—	—	—	—	—	—	—	—
e) Einstreugebühren	10	—	—	—	—	—	10	—
I. 2. Schlachthofgebühren:								
a) Einbringgebühren	4 500	—	4 967	60	467	60	—	—
b) Schlachtgebühren	108 540	—	110 709	35	2 169	35	—	—
α) Gebühren für Schlachtungen im Krankenschlachthaus	50	—	—	—	—	—	50	—
β) Beschaugebühr gemäß Art. 7—11 des Hessischen Ausführungsgesetzes zum Reichsfleischbeschaugesetz	22 500	—	22 796	75	296	75	—	—
c) Beschaugebühren für frisches Fleisch ꝛc.	1 800	—	2 384	09	584	09	—	—
d) Stallgebühren	1 103	—	1 424	55	321	55	—	—
e) Wiegegebühren	8 900	—	9 173	15	273	15	—	—
f) Freibankgebühren	3 000	—	1 875	29	—	—	1 124	71
zu übertragen . . .	207 684	—	214 510	33	8 032	64	1 206	31

Ferner: **16. Schlacht- und Viehhof.**	Betrag nach dem Voranschlag		Betrag nach der Rechnung		Mithin gegen den Voranschlag mehr		Mithin gegen den Voranschlag weniger	
	ℳ	₰	ℳ	₰	ℳ	₰	ℳ	₰
Übertrag . . .	207 684	—	214 510	33	8 032	64	1 206	31
I. 3. Sonstige Gebühren:								
a) Gebühren für Ausbildung von Fleischbeschauern . .	100	—	300	—	200	—	—	—
b) Gebühren für tierärztliche Zeugnisse und Bescheinigungen	50	—	34	40	—	—	15	60
II. Miete von Gebäuden:								
1. Wirtschaftsgebäude	3 020	—	3 050	—	30	—	—	—
Für die elektrische Beleuchtung wurden 30 ℳ mehr als vorgesehen vereinnahmt.								
2. Geldanschlag von Dienstwohnungen	2 425	50	2 425	50	—	—	—	—
3. Vergütung für Abgabe von elektrischem Strom in Dienstwohnungen	80	—	114	—	34	—	—	—
4. Räume zur Lagerung von Fett und Häuten:								
a) Miete	3 369	78	3 369	78	—	—	—	—
b) Für Dampfverbrauch	1 800	—	1 566	60	—	—	233	40
5. Pferdeschlachthaus	150	—	150	—	—	—	—	—
6. Krankenschlachthaus:								
a) Miete	300	—	300	—	—	—	—	—
b) Für Dampfverbrauch c) Für elektrische Beleuchtung	250	—	448	—	198	—	—	—
7. Kühlhaus	13 350	—	16 228	13	2 878	13	—	—
8. Wassergeld	250	72	233	20	—	—	17	52
III. Erlös für Futter und Streu	23 000	—	23 634	60	634	60	—	—
IV. Erlös für Eis	14 800	—	16 240	—	1 440	—	—	—
V. Erlös für Dünger, Blut, Milch und Abfallstoffe:								
1. Für Dünger	2 400	—	1 768	—	—	—	632	—
Wie im vorjährigen Rechenschaftsbericht bereits erwähnt, ist durch St.-V.-Beschl. v. 27. Mai 1907 der im Voranschlag bemerkte Vertrag mit Wirkung vom 1. Januar 1907 aufgehoben worden. Im weiteren wird auf die Erläuterungen zu pos. III. 6 der Ausgabe verwiesen. Für die im Rechnungsjahr 1907 angesammelte Dungmenge wurden 1 768 ℳ gelöst.								
2. Für Blut	300	—	300	—	—	—	—	—
3. „ Milch	600	—	600	—	—	—	—	—
4. „ Borsten	500	—	500	—	—	—	—	—
5. „ Klauen und sonstige Abfallstoffe	100	—	30	87	—	—	69	13
VI. Eintrittsgelder	150	—	133	80	—	—	16	20
VII. Gebühren für Benutzung der Badeanstalt . .	100	—	128	85	28	85	—	—
VIII. Gebühren für Benutzung der Brückenwage . .	50	—	71	65	21	65	—	—
IX. Erlös für durch das Hilfspumpwerk gefördertes Wasser	42 000	—	41 597	76	—	—	402	24
zu übertragen . . .	316 830	—	327 735	47	13 497	87	2 592	40

Ferner: **16. Schlacht- und Viehhof.**

	Betrag nach				Mithin gegen den Voranschlag			
	dem Voranschlag		der Rechnung		mehr		weniger	
	M	₰	M	₰	M	₰	M	₰
Übertrag . . .	316 830	—	327 735	47	13 497	87	2 592	40
X. Pferde- und Fohlenmärkte	33 375	—	42 186	90	8 811	90	—	—
Die Einnahmen verteilen sich auf den Markt im: Frühjahr: / Herbst:								
1. Marktgebühren . . . . 1 265,60 M / 1 126,80 M								
2. Stallgebühren . . . . . 17,50 „ / 12,50 „								
3. Erlös für Futter rc. . . . 598,40 „ / 629,20								
4. Eintrittsgelder . . . . . 591,00 „ / 495,30 „								
5. Platzgelder . . . . . . 291,00 „ / 228,00								
6. Einnahmen aus der Verlosung 11 600,00 „ / 25 081,60 „								
7. Zuschuß des Landespferdezuchtvereins . . 125,00 „ / 125,00 „								
14 488,50 M / 27 698,40 M								
42 186,90 M								
XI. Sonstige Einnahmen: Erlös für verkaufte Ölfässer, Fanggeld rc.	—	—	14	25	14	25	—	—
Summe . . .	350 205	—	369 936	62	19 731	62	—	—
Ausgabe.								
I. Gehalte und Vergütungen:								
1.—8. Gehalte und Vergütungen	40 825	—	40 975	—	150	—	—	—
Als Vergütung für die Leitung des Unterrichts zur Ausbildung nicht tierärztlicher Fleischbeschauer hatte der 2. Großh. Veterinärarzt nicht wie im Voranschlag angenommen 75 M, sondern 225 M zu erhalten.								
9. Für einen Nachtwächter	1 402	—	1 405	10	3	10	—	—
10. Für Arbeitsleistungen in der Freibank und im Krankenschlachthaus	2 091	—	1 517	—	—	—	574	—
11. Für Dienstkleidung	420	—	336	10	—	—	83	90
II. Bureaukosten:								
1. Für Schreibmaterialien, Drucksachen rc.	2 000	—	1 919	73	—	—	80	27
2. „ Unterhaltung und Ergänzung des Inventars . . .	500	—	179	02	—	—	320	98
3. „ Reinigung der Diensträume	250	—	250	—	—	—	—	—
4. „ Heizung	410	—	410	15	—	15	—	—
5. „ Notbeleuchtung	25	—	—	—	—	—	25	—
6. „ Unterhaltung der Betriebs-Fernsprecheinrichtung . .	100	—	32	80	—	—	67	20
7. Sonstige Ausgaben	100	—	41	20	—	—	58	80
8. Für die Vervielfältigung der Pläne des Schlacht- und Viehhofs	400	—	525	—	125	—	—	—
Der Kredit hat sich als unzureichend erwiesen, da in der								
zu übertragen . . .	48 523	—	47 591	10	278	25	1 210	15

Ferner: 16. Schlacht- und Viehhof.

	Betrag nach				Mithin gegen den Voranschlag			
	dem Voranschlag		der Rechnung		mehr		weniger	
	ℳ	₰	ℳ	₰	ℳ	₰	ℳ	₰
Übertrag . . .	48 523	—	47 591	10	278	25	1 210	15
zur Vergebung der Arbeiten veranstalteten engeren Submission von der mindestfordernden Firma, welcher auch die Herstellung der Pläne durch Beschluß der Deputation für die Verwaltung des Schlacht- und Viehhofs vom 25. Mai 1908 übertragen wurde, 525 ℳ gefordert wurden. Demzufolge wurde der Kredit durch die Bürgermeisterei um 125 ℳ ergänzt.								
III. Taglöhne und Reinigungskosten ꝛc.:								
1. Für Stallknechte, Taglöhner ꝛc.	14 770	—	13 082	48	—	—	1 687	32
2. „ Reinigungsmaterial	600	—	520	89	—	—	79	11
3. „ Desinfektionsmittel	100	—	77	92	—	—	22	08
4. „ Verbandmaterialien ꝛc.	100	—	52	90	—	—	47	10
5. „ Wasser aus der städtischen Wasserleitung	500	—	726	36	226	36	—	—
Die Vornahme der Reinigung und Instandsetzung des Hochwasserreservoirs bedingte die Mehrausgabe.								
6. Für Abfuhr von Dung	—	—	1 305	—	1 305	—	—	—
Zufolge St.-V.-Beschlusses vom 29. Mai 1907 sind die gesamten Dungstoffe aus dem Gebiet des Schlacht- und Viehhofs durch das städt. Reinigungsamt gegen eine feste jährliche Vergütung von 1800 ℳ noch dem städt. Lagerplatz am Rheinacker abzufahren, daselbst zu kompostieren und im Frühjahr und Herbst jeden Jahres noch näherer Bestimmung der Deputation für die Verwaltung des Schlacht- und Viehhofs zu veräußern. Die Abfuhr der Dungstoffe wird seit 10. Juli 1907 von dem Reinigungsamt betätigt. Den hier entstandenen Ausgaben stehen unter Rubrik 65. IV. 4 a die entsprechenden Einnahmen gegenüber. Dir Krediteröffnung erfolgte durch die Bürgermeisterei.								
IV. Fleischbeschaukosten:								
1. Kosten der Obergutachten	50	—	—	—	—	—	50	—
2. Für Stempel, Furbe ꝛc.	100	—	62	15	—	—	37	85
3. „ Salz zum Tauglichmachen des Freibankfleisches	200	—	57	55	—	—	142	45
4. „ Vernichtung des untauglichen Fleisches ꝛc.	4 500	—	5 122	—	622	—	—	—
Die Mehrausgaben wurden durch die allgemeine Zunahme der Schlachtungen veranlaßt, die zum Teil auf die Eingemeindung von Mombach zurückzuführen sind. Kreditergänzung durch die Bürgermeisterei mit Zustimmung der Deputation für die Verwaltung des Schlacht- und Viehhofs								
V. Gebäude:								
1. Für Gemeinde-Grundsteuern	2 470	—	2 736	57	266	57	—	—
2. Für Brandversicherungsbeiträge	1 232	—	751	97	—	—	480	03
zu übertragen . . .	73 145	—	72 086	89	2 698	18	3 756	29

Ferner: **16. Schlacht- und Viehhof.**	Betrag nach dem Voranschlag ℳ	₰	Betrag nach der Rechnung ℳ	₰	Mithin gegen den Voranschlag mehr ℳ	₰	weniger ℳ	₰
Übertrag . .	73 145	--	72 086	89	2 698	18	3 756	29
3. Baukosten:								
a) Markthalle für Großvieh			303	77				
b) Marktställe „ „			229	06				
c) Markthalle und Marktställe für Kleinvieh . . .			225	51				
d) Verwaltungsgebäude			155	25				
e) Wirtschaftsgebäude nebst Remise ꝛc.			630	81				
f) Seuchenhof			15	11				
g) Ausladerampe im Viehhof			35	70				
h) Schlachthalle für Groß- und Kleinvieh			636	58				
i) „ „ Schweine	9 000	—	515	62	—	—	2 721	39
k) Markthalle „ „			580	59				
l) Pferdeschlachthaus			45	68				
m) Lager- und Wohngebäude nebst Freibank			848	98				
n) Kühlhaus nebst Maschinenhaus und Betriebsnebengebäude			1 101	28				
o) Kesselhaus, Wasserturm, Kuttelei, Düngerhaus und Schlachtstallungen			868	87				
p) Ausladerampe im Schlachthof			80	55				
q) Einfriedigung			5	25				
Laut Beschluß der Deputation für die Verwaltung des Schlacht- und Viehhofs vom 15. Mai 1908 und des Bauausschusses vom 1. Juni 1908 wurde das Einbauen einer Pendeltüre in den Haupteingang der Schweineschlachthalle und die Umänderung der übrigen 3 Türen in Pendeltüren mit einem Kostenaufwand von 470 ℳ zu Lasten des Unterhaltungskredites für das Rj. 1907 genehmigt. Die Arbeiten können erst im Zusammenhang mit den Neuherstellungen in der Schweineschlachthalle ausgeführt werden. Mit Zustimmung der St.-V.-V. durch Beschluß vom 21. Oktobre 1908 wurde daher von den unter pos. a—q gemachten Ersparnissen ein Betrag von 470 ℳ auf das Rj. 1908 übertragen wurde.								
i² Herstellung des Verputzes und der Anstriche der Schlachthalle für Schweine	2 150	—	—	—	—	—	2 150	—
Die Arbeiten konnten mit Rücksicht auf den Betrieb nicht ausgeführt werden, weshalb der Kredit mit Zustimmung der St.-V.-V. durch Beschluß vom 21. Oktober 1908 auf das Rj. 1908 übertragen wurde.								
n² Instandsetzung des Baderaumes	650	—	543	77	—	—	106	23
n³) „ der Decken und Wandanstriche des Maschinenhauses	700	—	334	40	—	—	365	60
zu übertragen . . .	85 645	—	79 243	67	2 698	18	9 099	51

Ferner: **16. Schlacht- und Viehhof.**

	Betrag nach				Mithin gegen den Voranschlag			
	dem Voranschlag		der Rechnung		mehr		weniger	
	ℳ	₰	ℳ	₰	ℳ	₰	ℳ	₰
Übertrag . . .	85 645	—	79 243	67	2 698	18	9 099	51
o[2]) Anbringung eines Schutzdaches für die Leitern . .	200	—	115	60	—	—	84	40
o[3]) Ersatz der hölzernen Bottiche in der Grob-Kuttelei durch solche von Eisenbeton	180	—	165	—	—	—	15	—
r) Aufstellung von drei Wellblechhäuschen zwecks Einrichtung vermietbarer Bureau- und Telephonräume sowie Herstellung eines allgemeinen Geschäfts- und Telephonraumes in der Schweinemarkthalle nebst Aufstellung ein Telephonautomaten	—	—	2 008	80	2 008	80	—	—
Laut St.-V.-Beschl. vom 23. August 1907 = 2300 ℳ Kredit.								
4. Für Unterhaltung der Zentralheizung im Wirtschaftsgebäude	50	—	14	30		—	35	70
5. „ Unterhaltung der Pump- und Ventilbrunnen . .	200	—	136	25			63	75
6. „ Abfuhr wasserhaltiger Latrinenmasse	100	—	206	89	106	89	—	—
7. „ Schornsteinfegergebühren	100	—	78	45	—	—	21	55
8. „ Reinigung der Oberlichter	—	—	96	—	96	—	—	—
Die notwendig gewordene Reinigung der Oberlichter der Gebäude des Schlacht- und Viehhofes mußte mangels geeigneten städt. Personals durch das Haus- und Glasreinigungsinstitut dahier vorgenommen werden, wodurch 96 ℳ Kosten entstanden sind. Die Krediteröffnung erfolgte durch die Bürgermeisterei.								
VI. Maschinelle Betriebseinrichtungen:								
1. Gehalte und Löhne des Maschinenpersonals:								
a) Gehalt des Obermaschinisten	2 175	—	2 175	—	—	—	—	—
b) Löhne des Maschinenpersonals	12 500	—	12 416	58	—	—	83	42
2. Dampfkesselanlage:								
a) Unterhaltung der Dampfkessel 2c.	1 000	—	1 030	03	30	03	—	—
b) Brennmaterialien für die Dampfkessel	33 500	—	29 751	35	—	—	3 748	65
c) Betriebsmaterialien für die Reinigungsapparate . .	250	—	257	20	7	20	—	—
d) Abfuhr des Unrats	250	—	305	—	55	—	—	—
Für die Schlacken der Kesselanlage konnten nicht immer Abnehmer gefunden werden, weshalb das Reinigungsamt in erhöhtem Maße mit der Abfuhr beauftragt werden mußte. Die Kreditergänzung erfolgte durch die Bürgermeisterei.								
3. Anschaffungen für die Werkstätte 2c.	1 500	—	1 473	14	—	—	26	86
4. Kühl- und Eismaschinenanlage:								
a) Unterhaltung der maschinellen Einrichtungen . . .	1 000	—	992	66		—	7	34
b) Betriebsmittel	2 000	—	1 990	86	—	—	9	14
c) Beschaffung von Reserveteilen	900	—	870	—	—	—	30	—
5. Elektrische Beleuchtungsanlage:								
a) Unterhaltung der Maschinen 2c.	1 500	—	1 515	89	15	89	—	—
b) Putz- und Schmiermittel 2c.	1 000	—	983	84	—	—	16	16
zu übertragen . . .	144 050	—	135 826	51	5 017	99	13 241	48

Ferner: 16. Schlacht- und Viehhof.

	Betrag nach dem Voranschlag ℳ	₰	Betrag nach der Rechnung ℳ	₰	Mithin gegen den Voranschlag mehr ℳ	₰	Mithin gegen den Voranschlag weniger ℳ	₰
Übertrag . . .	144 050	—	135 826	51	5 017	99	13 241	48
6. Kalt- und Warmwasserförderungsanlage rc.:								
a) Unterhaltung der Maschinen	400	—	349	74	—	—	50	26
b) Putz- und Schmiermittel rc.	100	—	82	14	—	—	17	86
7. Schlacht- und Transportvorrichtungen rc.:								
a) Unterhaltung der Vorrichtungen	3 500	—	3 459	94	—	—	40	06
b) Putz- und Schmiermittel rc.	200	—	189	22	—	—	10	78
8. Fleischsterilisator:								
a) Unterhaltung desselben einschl. Putz- und Schmiermittel und Verdichtungsmaterialien	400	—	388	—	—	—	12	—
b) Abänderung desselben	180	—	174	50	—	—	5	50
VII. Straßen und Entwässerungsanlagen:								
1. Für Unterhaltung der Fußwege rc.	500	—	497	86	—	—	2	14
2. „ Reinigung der Sinkkasten	500	—	542	62	42	62	—	—
3. „ Unterhaltung der gärtnerischen Anlagen	400	—	386	75	—	—	13	25
VIII. Wagen und Gerätschaften:								
1. Für Unterhaltung rc. der Wagen	300	—	273	20	—	—	26	80
2. „ „ „ Gerätschaften	4 000	—	2 979	42	—	—	1 020	58
3. „ Apparate und Munition zum Betäuben des Großviehs	700	—	495	90	—	—	204	10
IX. Futter und Streu:								
1. Für Futter und Streu	20 000	—	19 711	27	—	—	288	73
2. „ Anschaffung rc. von Säcken rc.	50	—	43	40	—	—	6	60
3. „ Brennmaterial für die Futter- und Tränkeküche .	230	—	228	68	—	—	1	32
IXa. Erhöhung des Schutzdammes des städt. Lagerplatzes am Rheinacker zur Herstellung eines Platzes zur Lagerung von Dung, sowie Instandsetzung der Wege dorthin	—	—	398	95	398	95	—	—
Lt. St.-V.-Beschl. v. 29. Mai 1907 = 400 ℳ Kredit.								
X. Garderobe und Badeanstalt:								
1. Lohn der Aufseherin	674	—	665	—	—	—	9	—
2. Für Unterhaltung des Inventars, Seife rc	50	—	42	40	—	—	7	60
XI. Feuerversicherung	320	66	297	65	—	—	23	01
XII. Verzinsung und Tilgung der Baukapitalien .	141 592	34	141 592	34	—	—	—	—
XIII. Hilfspumpwerk für die allgemeine Wasserversorgung:								
1. Betriebsausgaben:								
a) Lohn für einen Hilfsheizer	1 350	—	1 343	89	—	—	6	11
b) Anteil an den Kosten der Brennmaterialien	10 600	—	9 442	—	—	—	1 158	—
c) Anteil an den Kosten der Unterhaltung der Dampfkesselanlage	250	—	218	60	—	—	31	40
d) Anteil an den Kosten der Anschaffungen für die Werkstätte und der Unterhaltung des Inventars . .	400	—	318	67	—	—	81	33
e) Für Unterhaltung des Pumpwerks	300	—	298	96	—	—	1	04
f) Für Putz- und Schmiermittel	600	—	604	01	4	01	—	—
zu übertragen . . .	331 647	—	320 851	62	5 463	57	16 258	95

Ferner: 16. Schlacht- und Viehhof.	Betrag nach				Mithin gegen den Voranschlag			
	dem Voranschlag		der Rechnung		mehr		weniger	
	M	₰	M	₰	M	₰	M	₰
Übertrag . . .	331 647	—	320 851	62	5 463	57	16 258	95
g) Pacht für das ungefähr 4000 qm große Gelände an der Hattenbergstraße, auf welchem sich die Brunnen befinden	50	—	700	—	650	—	—	—
Mit Zustimmung der Deputation für die Verwaltung des Schlacht- und Viehhofs und der Deputation für den Geländeverkehr ist der Pacht für das zum Grundstücksfonds gehörige Gelände vom Rj. 1907 ab auf jährlich 700 M erhöht worden.								
h) Pacht für ungefähr 2800 qm Gelände, welches an das städtische Gebiet angrenzt, auf dem sich die Brunnenanlage für das Hilfspumpwerk befindet	150	—	444	—	294	—	—	—
Für die durch Beschluß der St.-V.-V. vom 27. Mai 1908 genehmigten Entschädigungen für Herrichtung des an die Brunnenanlage des Hilfspumpwerks angrenzenden, zur Zeit der Pachtung noch zu landwirtschaftlichen Zwecken benutzten Geländes waren 274 M und für Erstattung eines Gutachtens zur Feststellung dieser Entschädigungen 20 M erforderlich.								
i) Brandversicherungsbeiträge	-	—	4	50	4	50	—	—
k) Gemeindegrundsteuern	—	—	12	93	12	93	—	—
2. Verzinsung und Tilgung des Baukapitals	15 525	—	—	—	—	—	15 525	—
Die restlichen Baukapitalien für die reste Anlage sind bereits im Rj. 1906 getilgt worden.								
XIV. Pferde- und Fohlenmärkte	31 700	—	38 013	85	6 313	85	—	
Die Ausgaben verteilen sich auf den Markt im Frühjahr: / Herbst:								
1. Herrichtung der Stallungen rc. 349,81 M / 38,50 M								
2. Inserate, Plakate rc. . . . 422,29 " / 647,76 "								
3. Futter u. Streuartikel . . 469,22 " / 489,87 "								
4. Kosten der Prämiierung . . 2 055,25 " / 1 901,92 "								
5. Kosten der Verlosung . . . 8 733,56 " / 22 329,75								
6. Feuerversicherungsprämie . —,— " / —,— "								
7. Unvorhergesehene Kosten . . 292,78 " / 283,14 "								
12 322,91 M / 25 690,94 M								
38 013,85 M								
Genehmigung der St.-V.-V. durch Beschlüsse vom 22. März 1907 u. 16. Oktober 1907.								
Kreditergänzung erfolgte durch die Bürgermeisterei zu Lasten der gegenüberstehenden Mehreinnahmen.								
Der Frühjahrsmarkt erzielte einen Überschuß von 14 488 M 50 ₰ — 12 322 M 91 ₰ = 2 165 M 59 ₰ und der Herbstmarkt einen solchen von 27 698 M 40 ₰ — 25 690 M 94 ₰ = 2 007 M 46 ₰.								
Summe . . .	379 072	—	360 026	90	—	—	19 045	10

	Betrag nach				Mithin gegen den Voranschlag			
	dem Voranschlag		der Rechnung		mehr		weniger	
	ℳ	₰	ℳ	₰	ℳ	₰	ℳ	₰
17. Wasserwerk.								
Einnahme	174 000	—	198 660	86	24 660	86	—	—
Über die Einnahmen und Ausgaben des Werkes wird ein besonderer Bericht erstattet.								
18. Badeanstalten.								
Einnahme.								
I. Fürstenbergerhofbad:								
1. Einnahme aus Bädern ꝛc.	7 500	—	7 492	50	—	—	7	50
2. Geldanschlag der Dienstwohnung	100	—	100	—	—	—	—	—
3. Vergütung für Heizung von Schulräumen	700	—	700	—	—	—	—	—
II. Gartenfeldbad:								
1. Einnahme aus Bädern ꝛc.	7 000	—	7 485	60	485	60	—	—
2. Geldanschlag der Dienstwohnung	100	—	100	—	—	—	—	—
III. Gutenbergbad:								
1. Einnahme aus Bädern ꝛc.	22 000	—	22 067	15	67	15	—	—
2. Geldanschlag der Dienstwohnung	100	—	100	—	—	—	—	—
IV. Zuschuß aus den Überweisungen der Städtischen Sparkasse	22 454	—	25 247	72	2 793	72	—	—
Summe . . .	59 954	—	63 292	97	3 338	97	—	—
Ausgabe.								
I. Fürstenbergerhofbad:								
1. a., b. und 2.) Gehalte ꝛc. der Badediener	2 075	—	2 863	70	788	70	—	—
Während der Erkrankungen und Beurlaubungen des Personals der Badeanstalten wurden deren Dienstverrichtungen von dem Personal des Wasserwerks wahrgenommen, wofür demselben insgesamt 1060 ℳ 95 ₰ zu vergüten waren. Hiervon fallen zur Last: dem Fürstenbergerhofbad 788 ℳ 70 ₰, dem Gartenfeldbad 71 ℳ 50 ₰ und dem Gutenbergbad 200 ℳ 75 ₰.								
3. Lohn für Wäscherinnen und sonstige Aushilfe	900	—	825	—	—	—	75	—
4. Für Unterhaltung des Inventars, Seife ꝛc.	1 000	—	1 228	53	228	53	—	—
5. „ Wasser, Beleuchtung, Abfuhr wasserhaltiger Latrinenmasse	2 700	—	2 697	62	—	—	2	38
6. „ Brennmaterialien	3 800	—	3 905	94	105	94	—	—
zu übertragen . . .	10 475	—	11 520	79	1 123	17	77	38

Ferner: 18. Badeanstalten.	Betrag nach dem Voranschlag ℳ	₰	Betrag nach der Rechnung ℳ	₰	Mithin gegen den Voranschlag mehr ℳ	₰	Mithin gegen den Voranschlag weniger ℳ	₰
Übertrag . . .	10 475	—	11 520	79	1 123	17	77	38
7. Für Gemeinde-Grundsteuern	95	80	102	30	6	50	—	—
8. „ Brandversicherungsbeiträge	39	—	23	04	—	—	15	96
9. „ bauliche Unterhaltung:								
a) Unterhaltung in Dach und Fach	350	—	388	66	38	66	—	—
b) Neuanstrich der Waschküche und Erneuerung des Verputzes und Anstrichs an der Wand nach dem Schulhof	190	—	189	84	—	—	—	16
c) Anbringen einer Glaswand mit eiserner Sprossenteilung über den vorderen Zellenwänden zur Abhaltung des Zuges nach den Bädern	750	—	631	22	—	—	118	78
10. Für Unterhaltung der Dampfkessel ꝛc.	700	—	751	43	51	43	—	—
11. „ Feuerversicherung	2	20	2	15	—	—	—	05
12. „ Verzinsung und Tilgung des Baukapitals	4 160	—	4 160	—	—	—	—	—
II. Gartenfeldbad:								
1. a., b. und 2.) Gehalte ꝛc. der Badediener Vergleiche die Erläuterung bei pos. I. 1.	2 075	—	2 146	50	71	50	—	—
3. Lohn für Wäscherinnen und sonstige Aushilfe	900	—	826	80	—	—	73	20
4. Für Unterhaltung des Inventars, Seife ꝛc.	1 200	—	1 086	39	—	—	113	61
5. „ Wasser, Beleuchtung, Abfuhr wasserhaltiger Latrinenmasse	2 250	—	2 456	32	206	32	—	—
6. „ Brennmaterialien	2 700	—	3 134	44	434	44	—	—
7. „ Gemeinde-Grundsteuern	56	50	60	32	3	82	—	—
8. „ Brandversicherungsbeiträge	46	—	27	24	—	—	18	76
9. „ bauliche Unterhaltung:								
a) Unterhaltung in Dach und Fach	350	—	325	44	—	—	24	56
10. Für Unterhaltung der Dampfkessel ꝛc.	700	—	336	46	—	—	363	54
11. „ Feuerversicherung	3	50	3	45	—	—	—	05
12. „ Verzinsung und Tilgung des Baukapitals	2 910	—	2 910	—	—	—	—	—
III. Gütenbergbad:								
1. a., b. und 2.) Gehalte ꝛc. der Badediener	3 050	—	3 236	75	186	75	—	—
Auf die Vergütung des Hilfsbadedieners waren 14 ℳ Krankengeld anzurechnen. Für Aushilfeleistungen durch das Personal des Wasserwerks waren nach der Erläuterung bei pos. I. 1. 200 ℳ 75 ₰ zu vergüten.								
3. Lohn für Wäscherinnen und sonstige Aushilfe	2 400	—	2 325	60	—	—	74	40
4. Für Unterhaltung des Inventars, Seife, Drucksachen ꝛc.	2 200	—	2 130	68	—	—	69	32
5. „ Wasser, Beleuchtung, Abfuhr wasserhaltiger Latrinenmasse	5 300	—	5 633	19	333	19	—	—
zu übertragen . . .	42 903	—	44 409	01	2 455	78	949	77

Ferner: **18. Badeanstalten.**	Betrag nach dem Voranschlag		Betrag nach der Rechnung		Mithin gegen den Voranschlag mehr		Mithin gegen den Voranschlag weniger	
	ℳ	₰	ℳ	₰	ℳ	₰	ℳ	₰
Übertrag . . .	42 903	—	44 409	01	2 455	78	949	77
6. Für Brennmaterialien	6 300	—	7 580	24	1 280	24	—	—
Die Mehraufwendungen sind durch die Erhöhung der Kokspreise und den Mehrverbrauch an Brennmaterialien bedingt. Durch St.-V.-Beschl. v. 21. Oktober 1908 wurde der Kredit entsprechend ergänzt.								
7. Für Gemeinde-Grundsteuern	85	50	92	79	7	29	—	—
8. „ Brandversicherungsbeiträge	62	—	36	86	—	—	25	14
9. „ bauliche Unterhaltung des Gebäudes:								
a) Unterhaltung in Dach und Fach	350	—	503	44	153	44	—	
Gelegentlich der Reinigung der Heizungsanlage zeigte sich beim Abnehmen der eisernen Heizkörperverkleidungen, daß die letzteren zum größten Teil durchgerostet waren. Die durchgerosteten Verkleidungen mußten daher erneuert werden, wodurch die Mehrausgabe entstanden ist. Die Kreditergänzung erfolgte durch die Bürgermeisterei.								
b) Reinigung der Entwässerungsanlage	110	—	104	—	—	—	6	—
c) Ölfarbanstrich der äußeren Fenster und Oberlichter sowie Anstrich der Decken im Baderaum der Frauen-Abteilung	250	—	—	—	—	—	250	
Die Rechnung für die Ausführung dieser Arbeiten kam erst nach Bücherschluß zur Vorlage und wurde im Rj. 1908 gebucht. Der Kredit wurde daher mit Zustimmung der St.-V.-V. durch Beschluß vom 21. Oktobre 1908 auf das Rj. 1908 übertragen.								
d) Erneuerung des Zementfußbodens im Koksraum . .	120	—	119	96	—	—	—	04
e) Verkleidung einer Badezelle mit Plättchen	120	—	120	02	—	02	—	—
f) Herstellungen in der Wohnung des Bademeisters und Einführung der Gasbeleuchtung in dieselbe	160	—	84	74	—	—	75	26
10. Für Unterhaltung der Dampfkessel, Röhrenleitungen ꝛc.	1 200	—	1 948	64	748	64	—	—
Der notwendig gewordene Einbau einer neuen Heizschlange bedingte die Mehrausgabe.								
11. Für Feuerversicherung	3	50	3	27	—	—	—	23
12. „ Verzinsung und Tilgung des Baukapitals . . .	5 890	—	5 890	—	—	—	—	—
IV. Volksbad im Rhein	2 400	—	2 400	—	—	—	—	—
Summe . . .	59 954	—	63 292	97	3 338	97	—	—

	Betrag nach				Mithin gegen den Voranschlag			
	dem Voranschlag		der Rechnung		mehr		weniger	
	ℳ	₰	ℳ	₰	ℳ	₰	ℳ	₰
19. Stadtapotheke.								
Einnahme.								
I. Pacht für die Apotheke	8 000	—	8 000	—	—	—	—	—
Das Pachtverhältnis mit dem seitherigen Pächter wurde unter Zustimmung der St.-V.-V. durch Beschl. v. 18. Dezember 1907 und mit Genehmigung Großh. Ministeriums des Innern mit Wirkung vom 1. Januar 1908 ab gelöst. In der Zeit vom 1. Januar bis Ende März 1908 war der Betrieb der Apotheke einem Apothekenverwalter gegen denselben Pacht wie seither übertragen. Vom 1. April 1908 ist die Apotheke an einen anderen Pächter verpachtet worden.								
Ausgabe.								
I. Miete für die Geschäftsräume rc.	3 000	—	3 000	—	—	—	—	—
II. Mobilienversicherung	6	—	5	80	—	—	—	20
III. Stempelkosten	—	—	10	—	10	—	—	—
Für die vom Großh. Ministerium des Innern erteilte Genehmigung der Bestellung eines Apotheken-Verwalters waren an Stempel 10 ℳ zu entrichten.								
Summe	3 006	—	3 015	80	9	80	—	—
20. Elektrizitätswerk.								
Einnahme	222 000	—	316 385	57	94 385	57	—	—
Über die Einnahmen und Ausgaben des Werks wird ein besonderer Bericht erstattet.								
21. Hafenbahn.								
Einnahme.								
I. Gebühren:								
1. Werftgleisegebühren	28 000	—	34 478	—	6 478	—	—	—
2. Überfuhrgebühren	27 000	—	31 125	38	4 125	38	—	—
3. Gebühren für Benutzung des Schienengleises und der Ladestellen im Schlacht- und Viehhof	4 100	—	4 193	—	93	—	—	—
4. Standgeld für Privatkesselwagen und stadteigene Wagen	10	—	800	50	790	50	—	—
5. Wagenfrachten für stadteigene Wagen rc.	1 000	—	2 915	50	1 915	50	—	—
II. Geldanschlag von Dienstwohnungen	100	—	100	—	—	—	—	—
III. Entschädigung für Unterhaltung von Anschlußgleisanlagen Privater	105	53	154	11	48	58	—	—
Von dem Reichsmilitärfiskus ist für die laufende Unterhaltung der Gleisanlagen für das Artillerie-Depot vom 1. Mai 1907 ab der Betrag von 53 ℳ jährlich zu entrichten.								
zu übertragen	60 315	53	73 766	49	13 450	96	—	—

Ferner: **21. Hafenbahn.**	Betrag nach dem Voranschlag ℳ	₰	Betrag nach der Rechnung ℳ	₰	Mithin gegen den Voranschlag mehr ℳ	₰	Mithin gegen den Voranschlag weniger ℳ	₰
Übertrag . .	60 315	53	73 766	49	13 450	96	—	—
IV. Verschiedene Einnahmen	34	47	2 270	91	2 236	44	—	—
Dieser Betrag setzt sich zusammen:								
a) aus Erlös für abgegebene Materialien . . 957 ℳ 82 ₰								
b) „ dem Ersatz von Kosten für Arbeitsleistung . . . . 1313 „ 09 „								
2270 ℳ 91 ₰								
Summe . . .	60 350	—	76 037	40	15 687	40	—	—
Ausgabe.								
I. Gehalte und Löhne:								
1. bis 6. Gehalte	26 800	—	24 181	25	—	—	2 618	75
Infolge Ernennung eines Lokomotivheizers zum Aufseher beim Reinigungsamt und eines Weichenstellers zum Bahnverwaltungsgehilfen II entstand eine Wenigerausgabe von 2650 ℳ, welche Ersparnis sich auf den Betrag von 2618 ℳ 75 ₰ vermindert infolge der definitiven Besetzung der Stelle des Bahnverwaltungsgehilfen I.								
7. Lohn für einen Weichensteller	1 300	—	2 495	06	1 195	06	—	—
8. Lohn für einen Lokomotivheizer	1 350	—	2 674	43	1 324	43	—	—
Die in der Erläuterung zu pos. 1—6 genannten Ersparnisse von 2650 ℳ bedingten bei pos. 7 und 8 entsprechende Mehrausgaben, da anläßlich der in der Erläuterung zu pos. 1—6 erwähnten anderweiten Verwendung eines Lokomotivheizers und eines Weichenstellers Ersatzmänner einzustellen waren, deren Löhne unter den Positionen 7 und 8 zur Verrechnung gelangten.								
9. Taglöhne für Rangierer und Bahnunterhaltungsarbeiter ꝛc.	20 800	—	18 709	89	—	—	2 090	11
10. Taglohn für einen Weichenschlosser	1 630		1 507	62	—	—	122	38
11. Für Beschaffung von Dienstkleidern	650	—	554	95	—	—	95	05
II. Bureaukosten:								
1. Für Schreibmaterialien ꝛc.	150	—	254	86	104	86	—	—
Das Wagenbestellverfahren bei der Güterabfertigung wurde auf Ansinnen der Eisenbahn-Direktion anderweitig geregelt. Hierzu war die Anschaffung neuer Formularien erforderlich, wodurch die Mehrausgaben entstanden sind.								
2. Für Unterhaltung des Mobiliars	50	—	—	—	—	—	50	—
3. „ Reinigung der Diensträume	65	—	63	55	—	—	1	45
4. „ Heizung derselben	30	—	1	32		—	28	68
III. Gebäude:								
1. Lokomotivschuppen:								
a) Gemeinde-Grundsteuern	10	—	9	22	—	—	—	78
zu übertragen . . .	52 835	—	50 452	15	2 624	35	5 007	20

Ferner: 21. **Hafenbahn.**	Betrag nach dem Voranschlag		Betrag nach der Rechnung		Mithin gegen den Voranschlag mehr		Mithin gegen den Voranschlag weniger	
	M	₰	M	₰	M	₰	M	₰
Übertrag . . .	52 835	—	50 452	15	2 624	35	5 007	20
b) Brandversicherungsbeiträge	25	—	13	54	—	—	11	46
c) Unterhaltung in Dach und Fach	100	—	57	80	—	—	42	20
2. Weichenstellerhaus im Schlacht- und Viehhof:								
a) Gemeinde-Grundsteuern	5	—	—	—	—	—	5	—
b) Brandversicherungsbeiträge	6	—	3	54	—	—	2	46
c) Unterhaltung in Dach und Fach	50	—	3	20	—	—	46	80
d) Instandsetzung der Küche, des Treppenhauses und einer Mansarde sowie Anstrich des Holzwerkes an den Giebeln im Äußeren	150	—	112	84	—	—	37	16
3. Oberbaumaterialienmagazin und Weichenstellerhäuschen:								
a) Gemeinde-Grundsteuern	3	—	—	—	—	—	3	—
b) Brandversicherungsbeiträge	3	—	2	51	—	—	—	49
c) Unterhaltung in Dach und Fach	—	—	—	—	—	—	—	—
4. Herstellung eines Schuppens zur Lagerung von Holz und Kohlen für die Lokomotiven	750	—	1 285	18	535	18	—	—
Aus dem Vorjahr stand ein Kreditübertrag von 650 M zur Verfügung.								
5. Gemeindegrundsteuer von Bahngelände	—	—	18	04	18	04	—	—
Die seither unter Rubrik 4 verrechneten Gemeindegrundsteuerbeträge des Bahngeländes auf der Ingelheimer Au und am Kaiser Karl-Ring werden nunmehr unter obiger Rubrik verrechnet, wodurch hier 18 M 04 ₰ Ausgaben entstanden sind.								
IV. Betriebskosten:								
1. Für Brennmaterialien für die Lokomotiven	11 000	—	12 094	68	1 094	68	—	—
Durch Stadtverordnetenbeschluß vom 29. Juli 1908 wurde der Kredit um 1094 M 68 ₰ zu Lasten des Reservefonds ergänzt.								
2. Für Wasserverbrauch	100	—	20	76	—		79	24
3. „ Putz- und Schmiermittel rc.	2 000	—	1 950	46			49	54
4. „ Belebung der Laternen in den Rangiergleisen an den Petroleumtanks	80	—	80	—	—		—	—
5. Für Belebung der Weichenlaternen	300	—	267	24	—	—	32	76
6. „ Unterhaltung der Gleise rc.	6 000	—	5 530	25			469	75
7. „ „ „ Lokomotiven	2 500	—	2 472	07	—	—	27	93
7a. „ Reparatur eines Radsatzes	500	—	853	50	353	50	—	—
Durch St.-V.-Beschluß vom 18. Dezember 1907 wurde der Kredit um 354 M ergänzt.								
8. Für Heizung der Weichenstellerhäuschen	150	—	72	54	—	—	77	46
zu übertragen . . .	76 557	—	75 290	30	4 625	75	5 892	45

	Betrag nach				Mithin gegen den Voranschlag			
	dem Voranschlag		der Rechnung		mehr		weniger	
Ferner: 21. Hafenbahn.	ℳ	₰	ℳ	₰	ℳ	₰	ℳ	₰
Übertrag . . .	76 557	—	75 290	30	4 625	75	5 892	45
9. Fernsprechanlagen	208	—	208	—	—	—	—	—
10. Sonstige Ausgaben	50	—	—	—	—	—	50	—
11. Für elektrische Beleuchtung der Rangiergleise im Zoll- und Binnenhafen	700	—	700	—	—	—	—	—
V. **Ergänzung und Unterhaltung der Bahnunterhaltungs- und Betriebsgerätschaften:**								
1. Für Unterhaltung 2c. von Gerätschaften	700	—	695	06	—	—	4	94
2. „ Vervollständigung der Einrichtung der Werkstätte des Weichenschlossers	200	—	75	04	—	—	124	96
Va. **Gleisanschluß an der Mombacherstraße**	—	—	281	64	281	64	—	—
Infolge Herstellung eines Anschlußgleises vom Hauptbahnhof nach dem städt. Gelände in den Bauquadraten 123 und 124 an der Mombacherstraße waren an die Eisenbahnhauptkasse zu bezahlen:								
a) für die Mitbenutzung des neben der Militärrampe liegenden Bahnhofsgleises 2c. vom 29. April 1907 ab jährlich 150 ℳ;								
b) für 275 qm Bahnhofsgelände, welches von einem Teil der Anlage in Anspruch genommen worden ist, vom 1. Juli 1906 ab jährlich 55 ℳ;								
c) für die laufende bauliche Unterhaltung des Anschluß- und Abzweiggleises 2c. vom 29. April 1907 ab jährlich 51 ℳ 02 ₰.								
VI. **Feuerversicherung**	54	33	52	28	—	—	2	05
VII. **Tilgung der für die Lokomotiven und die Gleisanlagen aufgewendeten Kapitalien**	69 697	67	48 129	21	—	—	21 568	46
Die im Voranschlag unter pos. VIII aufgeführten und für die Bahnanlagen längs der Ingelheimer Au aufgewendeten Kapitalien sollen vom 1. April 1907 ab nicht mehr bei Rubrik 21 verzinst und getilgt werden, da die Kosten in den Verkaufspreis für die Plätze im Industriegebiet mit einberechnet worden sind. Es entstanden hierdurch die nebenbemerkten Wenigerausgaben.								
Summe . . .	148 167	—	125 431	53	—	—	22 735	47
22. Rheinüberfahrten.								
Einnahme	50	—	102	23	52	23	—	—
Aus dem Betriebsjahr vom 1. Oktober 1906 bis dahin 1907 ist von dem Reingewinn, den die Unterpächterin, die Mainzer Rhederei-Gesellschaft, aus dem Betrieb der Rheinüberfahrten erzielt hat, der Stodt der nebenstehende Anteil zugefallen.								

24. Allgemeine Verwaltung.

	Betrag nach				Mithin gegen den Voranschlag			
	dem Voranschlag		der Rechnung		mehr		weniger	
	ℳ	₰	ℳ	₰	ℳ	₰	ℳ	₰
Einnahme.								
I. Gebühren für administrative Verrichtungen im Interesse von Privaten	2 900	–	3 030	05	130	05	—	—
II. Erlös aus Drucksachen	150	—	148	29	—	–	1	71
III. Provision von Stempelmarken	50	–	39	27	—	—	10	73
IV. Gebühren für Abgabe und Fortführung von Familien-Stammbüchern	120	—	80	50	—	—	39	50
V. Erlös aus alten Mobilien und Baumaterialien	200	–	—	—	—	—	200	—
VI. Geldanschlag und Mieten von Wohnungen	7 880	–	7 880	—	—	–	—	—
VII. Verschiedene Einnahmen:								
1. Geldstrafen wegen Zuwiderhandlung gegen das Reichsgesetz vom 6. Februar 1875, betreffend die Beurkundung des Personenstandes	30	—	32	19	2	19	—	—
2. Ersatz von Reinigungs- und Beleuchtungskosten	30	—	30	—	—	–	—	—
3. Hebgebühren für Einziehung von Beiträgen zur Landwirtschaftskammer ꝛc.	—	–	10	68	10	68	—	—
4. Für Setzen von Grenzsteinen	—	—	15	69	15	69	—	—
Summe	11 360	—	11 266	67	—	—	93	33
Ausgabe.								
I. Besoldung der Angestellten:								
1. Bürgermeisterei	38 200	—	38 200	—	—	—	—	–
2. Sekretariat	54 195	—	49 409	57	—	—	4 785	43
Die Stelle des Sekretärs des Oberbürgermeisters ist in diesem Jahr nicht definitiv besetzt, sondern von einem Hilfsarbeiter versehen worden. Ein Sekretariatsgehilfe II. Kl. wurde vom 1. Juni 1907 ab in den Ruhestand versetzt. Für die freien Stellen wurden jüngere Hilfsarbeiter mit geringeren Bezügen angenommen. Die neugeschaffenen Stellen eines Hilfsarbeiters und eines Ratsdieners sind erst im Laufe des Jahres besetzt worden. Die vorgesehenen Mittel für Dienstkleider und Schreibaushilfe wurden nur zum Teil beansprucht. An der Vergütung von drei Hilfsarbeitern wurde der Krankengeldbezug in Aufrechnung gebracht.								
3. Finanz- und Steuerbureau	58 805	—	59 512	46	707	46	–	—
Die Besetzung der neugeschaffenen Hilfsarbeiterstelle durch einen Hilfsarbeiter mit einer geringeren als der vorgesehenen Vergütung verursachte eine Ersparnis von 419 ℳ 83 ₰, die Aufrechnung								
zu übertragen	151 200	—	147 122	03	707	46	4 785	43

Ferner: **24. Allgemeine Verwaltung.**	Betrag nach				Mithin gegen den Voranschlag			
	dem Voranschlag		der Rechnung		mehr		weniger	
	M	₰	M	₰	M	₰	M	₰
Übertrag . . .	151 200	—	147 122	03	707	46	4 785	43
der von Hilfsarbeitern bezogenen Krankengelder auf deren Vergütungen eine solche von 116 M 60 ₰. Die Mehrausgaben entstanden durch die Anstellung eines Hilfsarbeiters als Sekretariatsassistent sowie durch die Annahme eines weiteren Hilfsarbeiters infolge Zunahme der Arbeiten durch die Eingemeindung Mombachs.								
4. Standesamt	17 367	50	17 353	50	—	—	14	—
Durch die Aufrechnung von 14 M Krankengeld auf die Vergütung eines Hilfsarbeiters entstand die Weniger-Ausgabe.								
5. Stadtkasse	43 025	—	43 560	66	535	66	—	
Infolge Versehung einer erledigten Untererheberstelle durch einen Hilfsarbeiter mit einer Jahresvergütung von 1700 M, sowie anläßlich der definitiven Besetzung der Kassendienerstelle und der anderweiten Besetzung einer Hilfsarbeiterstelle wurden Ersparnisse erzielt. Des weiteren wurden erspart die für Beschaffung von Dienstmützen für das Pfandpersonal vorgesehenen 20 M sowie durch die Aufrechnung von Krankengeld auf die Vergütungen von Hilfsarbeitern 199 M 90 ₰. Die nach Aufrechnung dieser Ersparnisse insgesamt für Gehalte gemachten Mehraufwendungen von 535 M 66 ₰ wurden veranlaßt durch die Versetzung des Buchhalters 2. Kl. beim Wasserwerk nach der Stadtkasse.								
6. Bureau für Statistik und Einquartierungswesen	5 800	—	5 742	—	—	—	58	—
Durch die Aufrechnung von 58 M Krankengeld auf die Vergütung des Hilfsarbeiters entstand die Weniger-Ausgabe. Die Vergütung des Hilfsarbeiters wurde durch St.-V.-Beschl. v. 17. April 1907 von jährlich 600 M auf 1200 M erhöht.								
7. Wohnungsamt	3 965	—	4 425	—	460	—	—	—
Infolge der definitiven Besetzung der Stelle des Wohnungsinspektors waren 3225 M aufzuwenden. Vorgesehen waren nur 2765 M								
II. Repräsentationsgehalt	3 000	—	3 000	—	—	—	—	—
III. Diäten und Gebühren:								
1. und 2. Ständige Posten	2 100	—	2 100	—	—	—	—	—
3. Reiseauslagen	2 000	—	2 013	10	13	10	—	—
IV. Bureaukosten:								
1. Für Schreibmaterialien rc.	1 600	—	2 208	20	608	20	—	—
Infolge eines vermehrten Geschäftsverkehrs war der Kredit unzureichend. Die Kreditergänzung erfolgte durch die Bürgermeisterei.								
2. Für Drucksachen	16 000	—	16 269	12	269	12	—	—
zu übertragen . . .	246 057	50	243 793	61	2 593	54	4 857	43

Ferner: **24. Allgemeine Verwaltung.**	Betrag nach dem Voranschlag M.	Pf.	Betrag nach der Rechnung M.	Pf.	Mithin gegen den Voranschlag mehr M.	Pf.	Mithin gegen den Voranschlag weniger M.	Pf.
Übertrag . . .	246 057	50	243 793	61	2 593	54	4 857	43
3. Für Zeitschriften, Bücher rc.	1 000	–	1 160	52	160	52	—	—
4. „ Buchbinderarbeiten	1 500	—	1 659	90	159	90	—	—
5. „ Unterhaltung des Mobiliars	2 500	-	3 402	87	902	87	—	—
Die entstandenen Mehrausgaben sind in der Hauptsache verursacht durch die lt. St.-V.-Beschl. v. 12. Juni 1907 genehmigte Beschaffung von 3 Ledersesseln für den Stadtverordnetensaal und eines Wappenstempels für Lederpressung sowie durch die damit zusammenhängende Anfertigung von 4 Zwischenklappen im Stadtverordnetensaal. Die Kreditergänzung erfolgte durch die Bürgermeisterei.								
5a. Für Neuanschaffungen von Mobiliar	750	–	691	60	—	–	58	40
5b. Für Beschaffung von Aschenbechern für die Tische der Stadtverordneten und der Bürgermeisterei im großen Sitzungssaal	150	–	138	83	—	–	11	17
5c. Für Beschaffung eines Panzerschrankes, Einbau von 3 Dokumentenschränken mit Panzerung und von 4 Tresors, sowie Aufstellen von elektrischen Sicherheitsapparaten rc. und Einrichtung der elektrischen Beleuchtung für das Kassengewölbe der Stadtkasse . . .	—	–	3 162	98	3 162	98	—	—
Aus dem Vorjahr stand ein Kreditübertrag von 3500 M. zur Verfügung.								
6. Für Verschiedenes	900	—	1 304	80	404	80	—	—
Infolge Beschaffung eines Ehrenbürgerbriefes für Herrn Landgerichtsdirektor Dr. Bockenheimer, eines goldenen Bürgermeister-Dienstzeichens, sowie infolge Übernahme der Kosten für Teilnahme von 12 städt. Beamten an Vorträgen der Handelskammer hat sich der Kredit als unzureichend erwiesen. Die Kreditergänzung erfolgte durch die Bürgermeisterei.								
V. Heizung der Geschäftsräume:								
1. Für die Heizung im Stadthaus:								
a) Für Gas	600		473	04	—	—	126	96
b) „ sonstige Brennmaterialien	3 850		3 501	65	—	—	348	35
2. Brennmaterialien für die Geschäftsräume der Stadtkasse:								
a) für Gas	200	—	118	44	—	—	81	56
b) „ sonstige Brennmaterialien	700	—	663	35	—	—	36	65
3. Brennmaterialien für die Geschäftsräume im Hause Stadthausstraße 23/25 und zwar für das Wohnungsamt und das Bureau für Statistik und Einquartierungswesen . .	200		124	70	—	—	75	30
zu übertragen . . .	258 407	50	260 196	29	7 384	61	5 595	82

Ferner: 24. Allgemeine Verwaltung.	Betrag nach				Mithin gegen den Voranschlag			
	dem Voranschlag		der Rechnung		mehr		weniger	
	ℳ	₰	ℳ	₰	ℳ	₰	ℳ	₰
Übertrag . . .	25 840	50	260 196	29	7 384	61	5 595	92
VI. Beleuchtung der Geschäftsräume:								
Für die Beleuchtung einschl. der Beschaffung von Glühkörpern ꝛc.:								
1. im Stadthause	2 600	—	2 770	89	170	89	—	—
2 „ Stadtkassengebäude	400	—	579	77	179	77	—	—
3. „ Hause Stadthausstraße Nr. 23/25	45	—	94	25	49	25	—	—
Der unzureichend gewesene Kredit wurde durch die Bürgermeisterei entsprechend ergänzt.								
VII. Reinigung der Geschäftsräume:								
1. Im Stadthause:								
a) und b) Gehalt ꝛc. an den Hausmeister	1 900	—	1 900	—	—	—	—	—
c) Löhne für Putzfrauen	1 900	—	1 946	61	46	61	—	—
d) Putzmaterialien	120	—	164	80	44	80	—	—
2. Im Stadtkassengebäude	720	—	720	—	—	—	—	—
3. „ Hause Stadthausstraße Nr. 23/25	300	—	232	87	—	—	67	13
VIII. Wasserverbrauch:								
1. Im Stadthause	110	—	85	44	—	—	24	56
2. „ Stadtkassengebäude	40	—	20	52	—	—	19	48
IX. Gebäude:								
A. Stadthaus.								
1. Gemeindegrundsteuern von den vermieteten Räumen	34	—	55	61	1	61	—	—
2. Brandversicherungsbeiträge	276	—	165	30	—	—	110	70
3. Baukosten:								
a) Unterhaltung in Dach und Fach	2 700	—	2 315	88	—	—	384	12
b) Unterhaltung der Fernsprechanlagen ꝛc. innerhalb des Hauses	150	—	—	—	—	—	150	—
c) Unterhaltung der Zentralheizung	100	—	76	30	—	—	23	70
d) Instandsetzen des Warteraumes, des Vorzimmers und des Ganges im Standesamt	160	—	147	85	—	—	12	15
e) Erneuerung des Anstrichs im Treppenhause (Neubau)	440	—	20	—	—	—	420	—
Der Kreditrest von 420 ℳ wurde mit Zustimmung der St.-V.-V. v. 21. Oktober 1908 auf das Rj. 1908 übertragen.								
f) Instandsetzen des Zimmers Nr. 33 im I. Obergeschoß	90	—	33	98	—	—	56	02
g) Linoleumbelag für das Zimmer Nr. 31 im I. Obergeschoß	130	—	109	61	—	—	20	39
h) Instandsetzen des Zimmers Nr. 77, Steuerbureau	95	—	76	54	—	—	18	46
i) Instandsetzen des Vorplatzes und der Küche der Hausmeisterwohnung	95	—	9	63	—	—	85	37
zu übertragen . . .	270 832	50	271 722	14	7 877	54	6 987	90

Ferner: **24. Allgemeine Verwaltung.**	Betrag nach				Mithin gegen den Voranschlag			
	dem Voranschlag		der Rechnung		mehr		weniger	
	ℳ	₰	ℳ	₰	ℳ	₰	ℳ	₰
Übertrag . . .	270 832	50	271 722	14	7 877	54	6 987	90
k) Für Einbauen von zwei feuersicheren Eisenschränken für die Register des Standesamts	1 500	–	2 427	50	927	50	—	—
Lt. St.-V.-Beschl. v. 11. Sept. 1907 Ergänzung des Kredits um 840 ℳ								
l) Für Herstellung eines Hofübergangs im I. Stock . .	1 200	-	1 237	79	37	79	-	—
m) Aufstellung eines Heizkörpers in dem Gewölbe für Aufbewahrung der Dokumente im Stadthaus	350	—	—	—	—	—	350	—
Mit Zustimmung der St.-V.-V. v. 21. Oktober 1908 wurde der Kredit von 350 ℳ auf das Rj. 1908 übertragen.								
4. Reinigung der Hausentwässerungsanlage	50	–	39	–	–	–	11	—
5. Reinigung und Unterhaltung der Bedürfnisanstalten:								
a) Abfuhr wasserhaltiger Latrinenmasse	350	-	597	88	247	88	—	—
Die Vermehrung der Klosetts mit Wasserspülung bedingte die Mehrausgabe.								
b) Unterhaltung der Ölpissoirs	120	–	120	—	—	—	—	—
6. Spiegelglasversicherung	—	—	—	—	—	—	—	—
B. Stadtkassengebäude.								
1. Mieten	3 000	–	3000	—	—	—	—	—
2. Baukosten:								
a) Unterhaltung in Dach und Fach	400	–	300	82	–	–	99	18
3. Für Reinigung der Hausentwässerungsanlage	20	–	15	60	—	—	4	40
4. „ Abfuhr wasserhaltiger Latrinenmasse	60	–	78	44	18	44	—	—
C. Geschäftsräume im Hause Stadthausstraße 23/25.								
1. Miete	800	—	800	—	—	—	—	—
2. Für kleinere Ausbesserungen in den gemieteten Räumen	100	–	7	69	—	—	92	31
X. Kosten für Anschaffung von Familien-Stammbüchern	60		100	—	40	—	—	—
XI. Mobilienversicherung	50	50	50	16	—	—	—	34
XII. Gerichtskosten	1 000	—	340	50	—	—	659	50
XIII. Porto	2 300		2 918	31	618	31	—	—
Infolge eines erhöhten Geschäftsverkehrs sowie infolge Änderung des Portotarifs für Ortssendungen war der Kredit unzureichend. Die Kreditergänzung erfolgte durch die Bürgermeisterei.								
XIV. Einrückungsgebühren	3 800	—	3 852	25	52	25	—	—
XV. Unterhaltung der Gemarkungsgrenzen .	250	—	67	75		—	182	25
XVI. Grundkataster	140	—	98	75	—	—	41	25
Der aus dem Vorjahr für Vervollständigung und Verviel-								
zu übertragen . . .	286 383	—	287 774	58	9 819	71	8 428	13

Ferner: **24. Allgemeine Verwaltung.**	Betrag nach				Mithin gegen den Voranschlag			
	dem Voranschlag		der Rechnung		mehr		weniger	
	ℳ	₰	ℳ	₰	ℳ	₰	ℳ	₰
Übertrag . . .	286 383	—	287 774	58	9 819	71	8 428	13
fältigung der beim Tiefbauamt in Ausarbeitung befindlichen Parzellenpläne übertragene Kredit von 2000 ℳ fand auch im Rechnungsjahre 1907 wegen anderweiter starker Inanspruchnahme des Tiefbauamts keine Verwendung, weshalb derselbe mit Zustimmung der St.-V.-V. v. 21. Oktober 1908 auf das Rechnungsjahr 1908 übertragen worden ist.								
XVII. Kosten der Musterung	80		60	60		—	19	40
XVIII. Für öffentliche Feierlichkeiten	3 000	—	2 813	26		—	186	74
XIX. Haftpflichtversicherung	3 800		3 492	42	—	—	307	58
XX. Versicherung gegen Einbruchdiebstahl . . .	—	—	—	—		—	—	—
XXI. Kosten der Wahlen ꝛc.	600	—	1 232	72	632	72	—	—
Anläßlich der Stadtverordnetenwahl am 10. Dezember 1907 wurden zufolge St.-V.-Beschlusses v. 30. Oktober 1907 die Wahlberechtigten von der erfolgten Eintragung in die Wählerlisten durch eine gedruckte Postkarte benachrichtigt. Hierdurch entstanden 641 ℳ 27 ₰ Kosten, zu deren Bestreitung der erforderliche Kredit gleichzeitig zur Verfügung gestellt wuede.								
XXII. Städtetage	140	—	156	80	16	80	—	—
Die Beitragsleistung für den Stadtteil Mainz-Mombach bedingte in der Hauptsache die Mehr-Ausgabe.								
XXIII. Beitrag zu den Kasten der von den Arbeitsausschüssen der Rhein- und der Elbschiffahrtsinteressenten herausgegebenen „Korrespondenz"	—	—	100	—	100	—	—	—
Für einen Beitrag von 200 ℳ zu den Kosten der Herausgabe einer „Korrespondenz" wurde durch St.-V.-Beschl. v. 29. Mai 1907 ein Kerdit bewilligt. Von diesem Beitrag wurde vorerst die Hälfte beansprucht. Es wurde daher zur Bestreitung des restlichen Beitrags mit Zustimmung der St.-V.-V. durch Beschluß v. 21. Okt. 1908 ein Kredit von 100 ℳ auf das Rj. 1908 übertragen.								
XXIV. Beihilfe für die durch Brandunglück schwer heimgesuchten Bewohner von Herbstein in Oberhessen	—	—	1 000	—	1 000	—	—	—
Lt. St.-V.-Beschl. v. 23. August 1907 = 1000 ℳ Kredit.								
XXV. Stiftung eines Ehrenpreises für die in der Zeit vom 5.—13. Oktober 1907 stattgefundene Ausstellung für Kochkunst-, Hotel- und Wirtschaftswesen	—	—	100	—	100	—	—	—
Lt. St.-V.-Beschl. v. 11. Sept. 1907 = 100 ℳ Kredit.								
zu übertragen . . .	296 003	—	298 730	38	11 669	23	8 941	85

Ferner: 24. Allgemeine Verwaltung.

	Betrag nach				Mithin gegen den Voranschlag			
	dem Voranschlag		der Rechnung		mehr		weniger	
	ℳ	₰	ℳ	₰	ℳ	₰	ℳ	₰
Übertrag . . .	296 003	—	298 730	38	11 669	23	8 941	85
XXVI. Stiftung eines oder mehrerer Ehrenpreise für die von dem Motor-Jacht-Klub in Berlin in der Zeit vom 22. bis 25. September 1907 veranstalteten Wett- und Tourenfahrten auf dem Rhein zwischen Mannheim und Düsseldorf	—	—	999	—	999	—	—	—
Lt. St.-V.-Beschl. v. 23. Aug. 1907 = 1000 ℳ Kredit.								
XXVII. Anteil an den Kosten der Herausgabe einer Spezialnummer der Wochenschrift „Der Rhein" und einer Sondernummer der „Leipziger Illustrierten Zeitung" über den Rhein	—	—	1 472	40	1 472	40	—	—
Lt. St.-V.-Beschl. v. 26. Juni 1907 = 1500 ℳ Kredit.								
XXVIII. Veranstaltung eines Wettbewerbes zur Erlaugung geeigneter Entwürfe zu einem Bebauungsplane für das Gebiet der Süddeutschen Immobiliengesellschaft zwischen Mombacherstraße und Wallstraße und das anstoßende Gelände	—	—	650	—	650	—	—	—
Lt. St.-V.-Beschl. v. 20. November 1907 = 500 ℳ Kredit. " " " 1. Juli 1908 = 150 " "								
XXIX. Herstellung einer Skizze zu einem Stadtbilde	—	—	—	—	—	—	—	—
Für Herstellung einer farbigen Skizze zu einem Bilde der Stadt Mainz aus der Vogelschau wurde durch Beschl. der St.-V.-V. vom 11. Juli 1906 ein Kredit von 300 ℳ bewilligt. Da die Skizze bis zum Bücherschlusse noch nicht fertiggestellt war, wurde der Kredit mit Zustimmung der St.-V.-V. vom 21. Oktober 1908 auf das Rechnungsjahr 1908 übertragen.								
XXX. Hochzeitsgeschenk für Seine Königliche Hoheit den Großherzog	—	—	—	—	—	—	—	—
Füe ein von den rheinhessischen Städten gemeinsam zu stiftendes Hochzeitsgeschenk war durch Stadtverordnetenbeschluß vom 31. Januar 1905 ein Kredit von 8930 ℳ bewilligt worden, der aus dem Rechnungsjahre 1906 hierher übertragen worden war. Da dieses Geschenk — Porträt Ihrer Königl. Hoheit der Großherzogin — noch nicht fertiggestellt ist, wurde der Kredit mit Zustimmung der St.-V.-V. vom 21. Oktober 1908 auf das Rechnungsjahr 1908 weiter übertragen.								
XXXI. Beitrag zur Errichtung einer Bödiker-Stiftung	—	—	50	—	50	—	—	—
Lt. St.-V.-Beschl. v. 30. Dezember 1907 = 50 ℳ Kredit.								
XXXII. Zuschuß zu den Kosten der Heimarbeit-Ausstellung in Frankfurt a. M.	—	—	500	—	500	—	—	—
Lt. St.-V.-Beschl. v. 25. März 1908 = 500 ℳ Kredit.								
zu übertragen . . .	296 003	—	302 401	78	15 340	63	8 941	85

Ferner: **24. Allgemeine Verwaltung.**

	Betrag nach				Mithin gegen den Voranschlag			
	dem Voranschlag		der Rechnung		mehr		weniger	
	ℳ	₰	ℳ	₰	ℳ	₰	ℳ	₰
Übertrag . . .	296 003	—	302 401	78	15 340	63	8 941	85
XXXIII. Stiftung einer Jubiläumsgabe zum Fest des 75jährigen Bestehens des Nassauischen Feld-Artillerie-Regiments Nr. 27 Oennien am 15. März 1908	—	.	572	—	572	—	..	—
Lt. St.-V.-Beschl. v. 24. Februar 1908 = 600 ℳ Kredit.								
XXXIV. Beitrag zu den Kosten der Herstellung einer Neuauflage von Woerls Reisebuch von Mainz	—	—	100	—	100	—	—	—
Lt. St.-V.-Beschl. v. 11. Sept. 1907 = 100 ℳ Kredit.								
XXXV. Kosten der Berufs- und Betriebszählung am 12. Juni 1907	—	—	534	05	534	05	—	—
Die Krediteröffnung erfolgte durch die Bürgermeisterei.								
Summe . . .	296 003	—	303 607	83	7 604	88	—	—

25. Polizei.

Einnahme.

	Betrag nach				Mithin gegen den Voranschlag			
	dem Voranschlag		der Rechnung		mehr		weniger	
	ℳ	₰	ℳ	₰	ℳ	₰	ℳ	₰
I. Zuschuß des Staates	31 000		31 054	12	54	12	—	—
Hier erscheint 1/10 der Ausgaben der Rubrik 25. I. 1 und 2, II. 1, 2, 3 und 5 abzüglich der Einnahme von pos. II. für das Rechnungsjahr 1906 in Einnahme.								
II. Rückerstattung von Ausrüstungskosten	50		306	70	256	70	—	—
III. Miete von Wohnungen ꝛc. in Polizeigebäuden	3 345		3 345	—		—	.	—
IV. Wasenmeisterei	100		100	—	—		-	—
V. Ersatz von Verpflegungskosten Gefangener . .	450		246	—	- -	—	204	—
VI. Ersatz von Transport- und Beerdigungskosten Verunglückter	150		28	29	—	—	121	71
VII. Strafen	30		94	27	64	27	—	—
Die Anteile der Stadt an Feldstrafen betrugen 4 ℳ 70 ₰. Außerdem wurden 89 ℳ 57 ₰ Anteile der Privaten an Feldstrafen erhoben. (Siehe die Ausgabe pos. X.)								
VIII. Gebühren für Auskunfterteilungen	1 150		1 273	—	123	—	—	—
IX. Ersatz der Kosten für Wohnungsdesinfektion .	100		÷239	30	139	30	—	—
X. Verschiedene Einnahmen	50	—	34	—	—	—	16	—
Der Anteil der Stadt an den Gebühren für Ausfertigung von Duplikat-Arbeitsbüchern beträgt 29 ℳ Außerdem wurden für ein unbrauchbar gewordenes Fahrrad 5 ℳ erlöst.								
Summe . . .	36 425	—	36 720	68	295	68	—	—

Ferner: 25. Polizei.

	Betrag nach				Mithin gegen den Voranschlag			
	dem Voranschlag		der Rechnung		mehr		weniger	
	M	₰	M	₰	M	₰	M	₰
Ausgabe.								
I. Gehalte &c. der Beamten:								
1. Polizeiamt	51 575	—	50 978	75	—	—	596	25
Im Laufe des Jahres sind 2 Hilfsarbeiter und ein Polizeischreiber 2. Kl. aus dem Dienste ausgeschieden. Die anderweite Besetzung dieser Stellen und die Aufrechnung von 72 M Krankengeld auf die Vergütungen für Hilfsarbeiter bedingten die Weniger-Ausgabe.								
2. Polizeibezirke und Schutzmannschaft	253 430		251 139	04			2 290	96
In den Ruhestand versetzt wurde ein Schutzmann; gestorben sind zwei, ausgeschieden vier Schutzleute. Durch die Wiederbesetzung dieser erledigten Schutzmannsstellen mit Beamten, welche geringere Bezüge erhielten, traten Ersparnisse ein. Weitere Ersparnisse entstanden durch die erst im Laufe des Rechnungsjahres erfolgten Anstellungen von Schutzleuten auf Probe, sowie durch Abzug von Krankengeld an den Tagegeldern von 2 Schutzleuten auf Probe. Vier Schutzleuten auf Probe wurden 400 M Umzugskosten vergütet. Hierfür wurde durch St.-V.-Beschl. v. 11. Juli 1907 der erforderliche Kredit zur Verfügung gestellt. Ein weiterer Kredit von 76 M 80 ₰ wurde durch St.-V.-Beschl. v. 5. Febr. 1908 bewilligt für Übernahme der Hospitalverpflegungskosten eines Schutzmanns, der bei Ausübung seines Dienstes mißhandelt worden war und zwecks Heilung der ihm zugefügten Verletzungen Aufnahme im St. Rochus-Hospital finden mußte.								
3. Feldschutz	3 900		3 895	02			4	98
Der seither gegen Tagelohn beschäftigte Hilfsschütze auf Probe wurde vom 17. April 1907 ab als Feldschütze angestellt.								
II. Bekleidung und Ausrüstung des Aufsichtspersonals:								
1. Kleidergeld an einen Polizeikommissär	200	—	200	—	—	—	—	—
2. Kleidergeld an die 6 Bezirkskommissäre	1 200	—	1 200	—	—	—	—	—
3. Zuschuß der Stadt zu der Kleiderkasse	11 660	—	11 316	75	—	—	343	25
4. Für Ergänzungen und Ausbesserungen von Ausrüstungsstücken einschl. 200 M für 20 Dutzend Gummiabsätze	1 200	—	1 103	15	—	—	96	85
4a. Für die erste Ausrüstung neu eintretender Schutzleute	300	—	206	50	—	—	93	50
5. Vergütung für im Dienst beschädigte Uniformstücke	200	—	82	20	—	—	117	80
6. Für Dienstmäntel der Feldschützen	—	—	—	—	—	—	—	—
IIa. Schutzmannsschule in Darmstadt	2 000	—	1 635	80	—	—	364	20
zu übertragen	325 665	—	321 757	21	—	—	3 907	79

Ferner: 25. Polizei.	Betrag nach dem Voranschlag M.	₰	Betrag nach der Rechnung M.	₰	Mithin gegen den Voranschlag mehr M.	₰	Mithin gegen den Voranschlag weniger M.	₰
Übertrag . . .	325 665		321 757	21	—	—	3 907	79
III. Bureaukosten:								
1. Für Schreibmaterialien	1 400	—	1 630	09	230	09	—	-
Der Kredit hat sich als unzureichend erwiesen, da u. a. die für den 7. Polizei-Bezirk (Mainz-Mombach) notwendigen Anschaffungen aus diesem Kredit zu bestreiten waren. Die Kreditergänzung erfolgte durch die Bürgermeisterei.								
2. Für Drucksachen	1 900	-	2 473	62	573	62	—	-
Anläßlich der Eingemeindung von Mombach war die Anlegung neuer Meldekarten für den eingemeindeten Bezirk erforderlich. Durch die Beschaffung dieser Meldekarten sowie durch die Beschaffung der für die frühere Gemeinde Mombach weiter erforderlichen Drucksachen für polizeiliche Einrichtungen sind in der Hauptsache die Mehrausgaben entstanden. Die Kreditergänzung erfolgte durch die Bürgermeisterei.								
3. Für Zeitschriften, Bücher ꝛc.	650		678	08	28	08	—	
4. „ Buchbinderarbeiten	800		874	22	74	22	—	
5. u. 5a. Für Unterhaltung und Neuanschaffung des Mobiliars	3 805		3 996	47	191	47	—	-
6. Für Brennmaterialien für die Ofenheizung	4 000		3 930	88	—	—	69	12
7. Für Beleuchtung	3 600		4 473	99	873	99	—	—
Infolge Vermehrung der Beleuchtungskörper in verschiedenen Polizeibezirken hat sich der Kredit als unzureichend erwiesen. Die Kreditergänzung erfolgte durch die Bürgermeisterei.								
8. Für Reinigung	2 440		2 470	--	30	—	—	—
Die Vergütung für Reinigung der Räume des VI. Polizeibezirks wurde vom 1. Oktober 1907 ab von jährlich 240 M auf 300 M erhöht.								
9. Für Porto	700	-	218	05	—	—	481	95
10. Mobilienversicherung	12	—	11	60	—	—	—	40
11. Für Wasser.	140	—	90	12	—	—	49	88
IV. Gebäude:								
1. Gemeinde-Grundsteuern	470	—	510	22	40	22	—	—
2. Brandversicherungsbeiträge	255	—	153	88	—	—	101	12
3. Baukosten des Polizeiamtes in der Karthäuserstraße:								
a) Unterhaltung in Dach und Fach	1 000	—	733	46	—	—	266	54
b) Entfernen der Holzbekleidung in den beiden Arrestzellen im Hof, Neuverputz der Wände und Herstellen des Anstrichs	370	—	314	44	—	—	55	56
c) Herstellen der Wohnung des Hausmeisters, Erneuerung des Waschküchenbodens und Neutapezieren eines Zimmers	260	—	—	—	—	—	260	—
Wegen der Neubesetzung der Hausmeisterstelle wurden die Arbeiten bis zum Auszug des seitherigen Hausmeisters (1. Juli 1908)								
zu übertragen . . .	347 467	—	344 316	33	2 041	69	5 192	36

Ferner: 25 Polizei.

	Betrag nach				Mithin gegen den Voranschlag			
	dem Voranschlag		der Rechnung		mehr		weniger	
	ℳ	₰	ℳ	₰	ℳ	₰	ℳ	₰
Übertrag . . .	347 467	—	344 316	33	2 041	69	5 192	36
zurückgestellt. Mit Zustimmung der St.-V.-V. vom 21. Oktober 1908 wurde daher der Kredit von 260 ℳ auf das Rj. 1908 übertragen.								
4. Geschäftsräume im Hause Augustinerstraße Nr. 31:								
a) Miete	700	—	700	—	—	—	—	—
b) Für kleinere Ausbesserungen in diesen Räumen . .	100	—	5	40	—	—	94	60
5. Baukosten des Bezirksgebäudes in der Breidenbacherstraße:								
a) Unterhaltung in Dach und Fach	400	—	401	17	1	17	—	—
b) Einbauen eines Fensters in der Wand zwischen Eingang und Schlafraum	100	—	102	10	2	10	—	—
c) Neuanstrich des Aborts und der Küche in der Wohnung im II. Obergeschoß	170	—	160	11	—	—	9	89
6. Baukosten des Bezirksgebäudes in der Neubrunnenstraße:								
a) Unterhaltung in Dach und Fach	400	—	404	32	4	32	—	—
7. Baukosten des Bezirksgebäudes in der Frauenlobstraße:								
a) Unterhaltung in Dach und Fach	400	—	291	98	—	—	108	02
8. Geschäftsräume des VI. Polizeibezirks:								
a) Miete	1 200	—	1 200	—	—	—	—	—
b) Für kleinere Ausbesserungen in den Geschäftsräumen	100	—	28	03	—	—	71	97
9. Geschäftszimmer der Polizeistelle in Zahlbach:								
a) Wohnungsentschädigung an den in Zahlbach stationierten Schutzmann für ein von seiner Wohnung als Geschäftszimmer für die dortige Polizeistelle benutztes Zimmer	50	—	50	—	—	—	—	—
10. Abfuhr von wasserhaltiger Latrinenmasse	200	—	43	42	—	—	156	58
11. Reinigung der Hausentwässerungsanlagen	100	—	83	20	—	—	16	80
12. Verzinsung und Tilgung der für Polizeigebäude aufgewendeten Kapitalien	9 786	65	9 786	65	—	—	—	—
V. Gesundheitspolizei:								
1.—3. Ständige Vergütungen	4 300	—	4 300	—	—	—	—	—
4. Für Zwangsheilung von durch die Sanitätspolizei dem Hospital überwiesenen Personen	5 350	—	4 542	50	—	—	807	50
5. Für Pflegekosten aller in der 3. Klasse im städtischen Krankenhause verpflegten Kinder, welche nach beendigter Heilung im öffentlichen Interesse zur Verhütung der Ansteckungsgefahr noch im Krankenhause verbleiben müssen	400	—	—	—	—	—	400	—
6. Für bakteriologische Untersuchungen	100	—	—	—	—	—	100	—
7. Kosten der Revision der Bierdruckvorrichtungen . . .	800	—	781	10	—	—	18	90
8. Kosten der Weinkontrolle . . . . Verausgabt sind die Kostenanteile der Rj. 1906 und 1907.	500	—	748	05	248	05	—	—
zu übertragen . . .	372 623	65	367 944	36	2 297	33	6 976	62

Ferner: 25. Polizei.

	Betrag nach dem Voranschlag M.	₰	Betrag nach der Rechnung M.	₰	Mithin gegen den Voranschlag mehr M.	₰	weniger M.	₰
Übertrag . . .	372 623	65	367 944	36	2 297	33	6 976	62
9. Für Nahrungsmittel- rc. Untersuchungen	600	—	253	74	—	—	346	26
10. „ Desinfektion von Wohnungen und zwar für Taglöhne, Desinfektionsmittel, sowie für Unterhaltung der Apparate, Geräte, Kleidung rc.	600	—	1 002	57	402	57	—	—
Die Wohnungsdesinfektionen im Rj. 1907 erstreckten sich auf 72 Wohnungen mit 155 Zimmern. Dieselben wurden zum größten Teile bei Unbemittelten auf Anweisung der Fürsorgestelle für Lungenkranke vorgenommen, weshalb nur 139 M. 30 ₰ Mehreinnahmen gegenüberstehen. Die Kreditergänzung erfolgte durch die Bürgermeisterei.								
11. Für sonstige Leistungen auf sanitätspolizeilichem Gebiet	100	—	207	38	107	38	—	—
12. Für Ausbildung von Desinfektoren	—	—	240	—	240	—	—	—
Dem Personal des Reinigungsamtes, das vom 20. bis 25. Januar 1908 in Gießen an dem Kursus für Ausbildung von Desinfektoren teilnahm, wurden die hierdurch entstandenen Auslagen ersetzt.								
VI. Wasenmeisterei:								
1. Gebühren des Wasenmeisters	500	—	292	09	—	—	207	91
VII. Feuerpolizei:								
1. Gebühren der Feuerstättenbesichtiger	80	—	34	50	—	—	45	50
2. Für Reinigung der Schornsteine in sämtlichen städtischen Gebäuden, deren Unterhaltungskosten in der Betriebsrechnung verrechnet werden, mit Ausnahme der Gebäude im Schlacht- und Viehhof	1 000	—	764	25	—	—	235	75
VIII. Verpflegung von Gefangenen:								
1. Verköstigung der inhaftierten Personen	3 400	—	4 648	01	1 248	01	—	—
Es waren mehr Schüblinge als angenommen zu verpflegen. Die Kreditergänzung erfolgte durch St.-V.-Beschluß vom 21. Oktober 1908.								
2. Für Reinigung der Häftlinge und Desinfizierung der Kleidungsstücke derselben	300	—	300	—	—	—	—	—
3. Für Beschaffung von Materialien zur Reinigung der Häftlinge und Desinfektion ihrer Kleidungsstücke, sowie zur außergewöhnlichen Reinigung der Arrestzellen . .	150	—	206	33	56	33	—	—
IX. Verschiedene Polizeiausgaben:								
1. Kosten der Ländung rc. Verunglückter	250	—	28	29	—	—	221	71
2. Unterhaltung der Rettungsgeräte	50	—	5	50	—	—	44	50
3. Für dienstliche Benutzung der elektrischen Straßenbahn durch das Polizeipersonal	500	—	550	—	50	—	—	—
zu übertragen . . .	380 153	65	376 477	92	4 401	62	8 077	35

	Betrag nach				Mithin gegen den Voranschlag			
	dem Voranschlag		der Rechnung		mehr		weniger	
	ℳ	₰	ℳ	₰	ℳ	₰	ℳ	₰
Ferner: 25. Polizei.								
Übertrag . . .	380 153	65	376 477	92	4 401	62	8 077	35
4. Für Unterhaltung der Polizeihunde:								
a) Vergütungen an 2 Feldschützen für Unterhaltung von zwei Hunden	150	—	288	33	138	33	·	—
Für Unterhaltung des Polizeihundes des dritten Feldschützen waren weitere 75 ℳ und für Aufzucht von 4 jungen Polizeihunden 63 ℳ 33 ₰ zu vergüten.								
b) Steuer für 2 Polizeihunde	20	–	100	—	80	--	–	--
Für 2 Polizeihunde waren irriger Weise nur 20 ℳ Steuer statt 40 ℳ vorgesehen. Außerdem wurden für 3 weitere Polizeihunde die Steuern mit je 20 ℳ übernommen.								
5. Für unvorhergesehene Fälle	50	35	74	63	24	28	·	--
Unter den. Ausgaben sind u. a. 48 ℳ 40 ₰ Kasten für Vertilgung von Kaninchen in der Gemarkung Mainz enthalten.								
X. Verwendung der Strafen	20	--	89	57	69	57	- -	--
Summe . . .	380 394	—	377 030	45	--	-	3 363	55
26. Gewerbegericht und Kaufmannsgericht.								
Einnahme.								
I. Gerichtskosten des Gewerbegerichts	150	—	189	97	39	97	..	..
II. Gerichtskosten des Kaufmannsgerichts . . .	150	—	433	67	283	67	--	.
III. Ordnungsstrafen	--	—	30	—	30	—	–	--
IV. Erlös aus verkauften Drucksachen	--	- -	6	—	6	—	--	
Aus dem Verkauf der im Druck erschienenen Broschüre „Die wesentlichsten gesetzlichen Bestimmungen über den gewerblichen Arbeitsvertrag" wurde die nebenbemerkte Einnahme erzielt.								
Summe . . .	300	--	659	64	359	64	--	--
Ausgabe.								
I. Gemeinschaftliche Kosten.								
1. Persönliche Ausgaben:								
a) bis c) Gehalte	3 925	—	3 925	--	–	–	--	–
2. Sachliche Ausgaben.								
a) Für Schreibmaterialien	60	—	38	98	--	—	21	02
b) „ Unterhaltung des Mobiliars und für Neuanschaffungen	200	—	87	66	—	-	112	34
c) Für Beleuchtung	150	—	131	35	—	—	18	65
d) Feuerversicherungsprämie	2	50	2	13	--	-	—	37
zu übertragen . . .	4 337	50	4 185	12	—	–	152	38

	Betrag nach				Mithin gegen den Voranschlag			
	dem Voranschlag		der Rechnung		mehr		weniger	
Ferner: 26. Gewerbegericht und Kaufmannsgericht.	ℳ	₰	ℳ	₰	ℳ	₰	ℳ	₰
Übertrag . . .	4 337	50	4 185	12	—	—	152	38
e) Dienstliche Benutzung der Straßenbahn durch den Gerichtsdiener	12		5	50	—	—	6	50
f) Für Anschaffung einer Schreibmaschine mit Zubehör sowie für Anschaffung eines Vervielfältigungsapparates	550	—	500	—	—	—	50	—
II. Besondere Kosten des Gewerbegerichts.								
1. und 2. Vergütung an die Beisitzer für Teilnahme an den Spruchsitzungen und Zeugen- und Sachverständigen-Gebühren sowie Entschädigungen der Vertrauensmänner und Auskunftspersonen	420	—	370	55	—	—	49	45
3. Gebühren für öffentliche Zustellungen	20	—	—	—	—	—	20	—
4. Tagegelder und Reisekosten für Teilnahme an Ausschußsitzungen des Verbandes Deutscher Gewerbegerichte ꝛc. durch Mitglieder des Gewerbegerichts	200	—	109	70	—	—	90	30
5. Für Drucksachen, Bücher, Zeitschriften ꝛc.	480	—	493	48	13	48	—	—
6. „ Porto	100	—	120	58	20	58	—	—
7. Beitrag an den Verband Deutscher Gewerbegerichte für das Jahr 1908	30	—	30	—	—	—	—	—
8. Kosten der Neuwahl der Beisitzer im Mai 1907	150	—	78	—	—	—	72	—
III. Besondere Kosten des Kaufmannsgerichts.								
1. und 2. Vergütung an die Beisitzer für Teilnahme an den Spruchsitzungen, Zeugen- und Sachverständigen-Gebühren	250	—	181	50	—	—	68	50
3. Gebühren für öffentliche Zustellungen	20	—	5	26	—	—	14	74
4. Für Drucksachen, Bücher, Zeitschriften ꝛc.	260	—	271	94	11	94	—	—
5. „ Porto	50	50	64	96	14	46	—	—
6. Beitrag an den Verband Deutscher Gewerbegerichte	30	—	30	—	—	—	—	—
Summe . . .	6 910	—	6 446	59	—	—	463	41
27. Arbeitsamt.								
Einnahme.								
I. Mieten	150	—	150	—	—	—	—	—
II. Zuschuß aus Staatsmitteln	1 200	—	1 200	—	—	—	—	—
Summe . . .	1 350	—	1 350	—	—	—	—	—
Ausgabe.								
I. Gehalte und Vergütungen.								
1. bis 3. Gehalt des Geschäftsführers und Vergütung für einen Sekretariatsgehilfen sowie für die Vorsteherin der Frauenabteilung	6 075	—	6 075	—	—	—	—	—
4. Vergütungen an Deputationsmitglieder	50	—	16	—	—	—	34	—
zu übertragen . . .	6 125	—	6 091	—	—	—	34	—

Ferner: 27. Arbeitsamt.	Betrag nach				Mithin gegen den Voranschlag			
	dem Voranschlag		der Rechnung		mehr		weniger	
	ℳ	₰	ℳ	₰	ℳ	₰	ℳ	₰
Übertrag . . .	6 125	—	6 091	—	—	—	34	—
5. Tagegelder ꝛc. für den Besuch auswärtiger Verbandsversammlungen . . .	300	—	79	15	—	—	220	85
II. Bureaubedürfnisse.								
1. Für Schreibmaterialien und Drucksachen . . .	250	—	156	75	—	—	93	25
2. „ Bücher, Zeitschriften und Buchbinderarbeiten ꝛc. .	90	—	59	05	—	—	30	95
3. „ Unterhaltung des Mobiliars . . .	70	—	11	80	—	—	58	20
4. „ Brennmaterialien . . .	200	—	192	70	—	—	7	30
5. „ Beleuchtung . . .	40	—	26	33	—	—	13	67
6. „ Reinigung der Geschäftsräume . . .	180	—	180	—	—	—	—	—
7. „ Porto und Fernsprechgebühren . . .	70	80	70	52	—	—	—	28
8. „ Verbandsbeiträge für 1907 . . .	10	—	35	—	25	—	—	—
An Stelle des früher an den Verband der Rhein-Mainischen Arbeitsvermittlungsstellen geleisteten Jahresbeitrags von 5 ℳ wird vom Rj. 1907 ab zufolge St.-V.-Beschlusses v. 30. Dez. 1907 an den Mitteldeutschen Arbeitsnachweis-Verband ein Jahresbeitrag von 30 ℳ entrichtet.								
9. Feuerversicherungsprämie . . .	1	20	1	10	—	—	—	10
III. Miete und Unterhaltung der Geschäftsräume:								
1. Miete . . .	450	—	450	—	—	—	—	—
2. Für kleinere Ausbesserungen in den gemieteten Räumen .	150	—	82	34	—	—	67	66
2a Erneuerung des Austrichs und der Tapezierung eines Zimmers . . .	80	—	59	33	—	—	20	67
3. Für Wasserverbrauch und Schornsteinfegergebühren . .	14	—	21	90	7	90	—	—
Summe . . .	8 031	—	7 516	97	—	—	514	03

28. Arbeiterversicherung.

Einnahme.

	ℳ	₰	ℳ	₰	ℳ	₰	ℳ	₰
I. Unfallversicherung:								
1. Hebgebühren für Einziehung von Prämien der Versicherungsanstalten der Tiefbau-Berufsgenossenschaft und der Baugewerks-Berufsgenossenschaften . . .	50	—	18	72	—	—	31	28
2. Hebgebühren für Einziehung der Beiträge zur land- und forstwirtschaftlichen Berufsgenossenschaft . . .	30	—	18	81	—	—	11	19
3. Zinsen von dem Reservefonds für die städtische Bauunfallversicherung . . .	764	43	827	31	62	88	—	—
Von den im April 1907 angelegten, aus dem Rechnungsjahr 1906 verfügbar gebliebenen 2 695 ℳ 64 ₰ waren an Zinsen bis Ende Dezember 1907 noch 62 ℳ 88 ₰ hier in Einnahme zu stellen.								
II. Sonstige Einnahmen:								
Ersatz von Krankenkassen- und Invalidenversicherungsbeiträgen für städt. Arbeiter durch Private . . .	—	—	36	95	36	95	—	—
Summe . . .	844	43	901	79	57	36	—	—

	Betrag nach				Mithin gegen den Voranschlag			
	dem Voranschlag		der Rechnung		mehr		weniger	
	M.	₰	M.	₰	M.	₰	M.	₰
Ferner: 28. Arbeiterversicherung.								
Ausgabe.								
I. Gehalte an Angestellte	4 600	—	4 602	50	2	50	—	—
Die Vergütung des Hilfsarbeiters betrug zufolge St.-V.-Beschlusses v. 26. Juni 1907 = 1600 M. Auf diesen Betrag sind 47 M. 50 ₰ Krankengeld aufgerechnet worden.								
II. Krankenversicherung	11 300	—	11 780	95	480	95	—	—
Die für pos. II und IV vorgesehenen Mittel waren unzureichend. Die Kreditergänzungen erfolgten durch die Bürgermeisterei.								
III. Unfallversicherung:								
1. Kosten der Unfalluntersuchungen	100	—	37	81	—	—	62	19
2. Städtische Bauunfallversicherung	4 764	43	4 827	31	62	88	—	—
Für Entschädigungen ꝛc. sind im Rechnungsjahr 1907 im ganzen 2533 M. 61 ₰ beansprucht worden. Von den vorgesehenen 4000 M. verblieben daher 1466 M. 39 ₰, welcher Betrag dem gebildeten Reservefonds zugeschlagen wurde. Ferner gingen dem Fonds noch die Zinsen für das Jahr 1907 mit 827 M. 31 ₰ zu, sodaß der Fonds nunmehr 26831 M. 20 ₰ beträgt.								
3. Genossenschaftsbeiträge für die versicherten Arbeiter und Betriebsbeamten	3 100	—	3 026	56	—	—	73	44
4. Zuschüsse zum Krankengeld solcher Arbeiter, welche durch Betriebsunfälle verletzt worden sind	200	—	234	40	34	40	—	—
IV. Invalidenversicherung:								
1. Beiträge der Stadt für die Versicherung der Arbeiter .	6 200	—	6 260	16	60	16	—	—
Vergleiche die Erläuterung zu pos. II.								
Summe . . .	30 264	43	30 769	69	505	26	—	—
29. Ortsgericht.								
Einnahme.								
Gebühren für die amtlichen Verrichtungen des Dieners . .	40	—	29	—	—	—	11	—
Ausgabe.								
I. Gehalte der Angestellten:								
1. Gehalt des Dieners	700	—	700	—	—	—	—	—
II. Bureaubedürfnisse:								
1. Für Unterhaltung des Mobiliars	120	—	18	33	—	—	101	67
2. „ Beleuchtung	120	—	83	74	—	—	36	26
3. Feuerversicherung	14	—	13	30	—	—	—	70
Summe . .	954	—	815	37	—	—	138	63

30. Städtische Bauämter.

Einnahme.

	Betrag nach dem Voranschlag ℳ	₰	der Rechnung ℳ	₰	Mithin gegen den Voranschlag mehr ℳ	₰	weniger ℳ	₰
I. Hochbauamt:								
1. Ersatz von Gehalten 2c.	38 000	—	33 605	01	—	—	4 394	99
2. Erlös aus Drucksachen	300	—	429	65	129	65	—	—
3. Miete	625	—	625	—	—	—	—	—
II. Tiefbauamt:								
1. Ersatz von Gehalten 2c.	69 750	—	65 329	04	—	—	4 420	96
2. Gebühren des Kreisgeometers für den Stadtbezirk	800	—	1 356	75	556	75	—	—
3. Ersatz der Kosten für Anfertigung von Meßbriefen 2c.	300	—	1 187	37	887	37	—	—
4. Gebühren für baupolizeiliche Verrichtungen bei der Ausführung von Neubauten	1 500	—	777	50	—	—	722	50
5. Erlös für verkaufte Drucksachen	50	—	140	75	90	75	—	—
6. Vergütung für Bauleitungen Es wurden vergütet: a) von der Telegraphenverwaltung für die Bauleitung gelegentlich der Ausführung des Aufbruches und der Wiederherstellung der Straßenoberflächen bei der Verlegung von unterirdischen Fernsprechleitungen 732 ℳ 59 ₰ b) von der Staatsbahnverwaltung für Bauleitung anläßlich der Herstellung einer Entwässerungsanlage unter den Unterführungen der Umgehungsbahn 58 „ 73 „ Summe wie oben . . . 791 ℳ 32 ₰	—	—	791	32	791	32	—	—
III. Amt für Baupolizei:								
1. Gebühren für Abschätzung von Grundstücken auf Antrag der Landeshypothekenbank	40	—	20	—	—	—	20	—
2. Gebühren für baupolizeiliche Verrichtungen bei der Ausführung von Neubauten im Stadtteil Mainz	} 5 000	—	2 929	50	} —	—	1 238	50
3. desgleichen im Stadtteil Mainz-Mombach			832	—				
4. Gebühren für Mitwirkung städtischer Beamten bei der Gebäudeabschätzung für die Gemeindesteuerveranlagung	—	—	88	—	88	—	—	—
IV. Amt für Maschinenwesen:								
1. Erlös aus Drucksachen	—	—	—	—	—	—	—	—
Summe . . .	116 365	—	108 111	89	—	—	8 253	11

	Betrag nach				Mithin gegen den Voranschlag			
	dem Voranschlag		der Rechnung		mehr		weniger	
	ℳ	₰	ℳ	₰	ℳ	₰	ℳ	₰
Ferner: 30. Städtische Bauämter.								
Ausgabe.								
I. Hochbauamt:								
1. Gehalte ꝛc. der Angestellten: Im Laufe des Jahres sind zwei Zeichner, zwei Techniker, ein Bauaufseher und ein Architekt aus dem Dienste ausgetreten. Neu eingetreten ist ein Zeichner. Hierdurch wurden größere Ersparnisse erzielt. Des weiteren wurde der Kredit für Einstellung weiterer Hilfsarbeiter für voraussichtlich durch das Hochbauamt zu bearbeitende Projekte im Betrage von 5000 ℳ nicht beansprucht. Auch wurden durch den Abzug von Krankengeld an der Vergütung eines Bauaufsehers und von zwei Hilfsarbeitern 35 ℳ weniger verausgabt. Mehr aufzuwenden waren dagegen für den Gehalt eines Architekten zufolge St.-V.-Beschlusses vom 26. Juni 1907 = 600 ℳ.	82 785		74 008	34		—	8 776	66
2. Bureaubedürfnisse:								
a) Schreib- und Zeichenmaterialien	1 200	—	1 287	19	87	19	—	—
b) Drucksachen	1 500	—	1 576	30	76	30	—	—
c) Zeitschriften und Bücher	450	—	464	73	14	73	—	—
d) Buchbinderarbeiten	400	—	317	25	—	—	82	75
e) Unterhaltung und Ergänzung des Mobiliars	430	—	456	14	26	14	—	—
f) Porti, Fracht ꝛc.	250	—	260	22	10	22	—	—
g) Brennmaterialien für die Heizung im Hause Klarastraße 15	1 050	—	830	22	—	—	219	78
h) Für die Beleuchtung in demselben Hause	800	—	486	23	—	—	313	77
i) „ den Wasserverbrauch in demselben Hause	60	—	19	80	—	—	40	20
k) „ die Reinigung der sämtlichen Geschäftsräume in diesem Hause	890	—	783	44	—	—	106	56
l) Für Abfuhr wasserhaltiger Latrine	100	—	—	—	—	—	100	—
m) „ dienstliche Benutzung der Straßenbahn durch Beamte des Hochbauamtes	150	—	319	66	169	66	—	—
3. Miete für die Geschäftsräume	4 200	—	4 200	—	—	—	—	—
4. Kosten der baulichen Unterhaltung, soweit dieselben von der Stadt als Mieterin zu tragen sind	200	—	127	20	—	—	72	80
5. Feuerversicherungsprämie	17	—	16	88	—	—	—	12
zu übertragen	94 482	—	85 153	60	384	24	9 712	64

Ferner: 30. Städtische Bauämter.

	Betrag nach				Mithin gegen den Voranschlag			
	dem Voranschlag		der Rechnung		mehr		weniger	
	M	Pf	M	Pf	M	Pf	M	Pf
Übertrag . . .	94 482	—	85 153	60	384	24	9 712	64
II. Tiefbauamt:								
1. Gehalte ꝛc. der Angestellten:	110 740	—	114 007	77	3 267	77	—	—
Die Vergütungen eines Ingenieurs, eines Bauaufsehers und eines Zeichners sind lt. St.-V.-Beschl. v. 26. Juni 1907 erhöht worden. Durch St.-V.-Beschl. v. 31. Juli 1907 ist die Besoldungsdienstzeit des Tiefbauinspektors anderweit festgesetzt worden, wodurch eine Erhöhung des Gehaltes eingetreten ist. Weitere Mehrausgaben entstanden durch die Annahme von 4 technischen Hilfsarbeitern im Laufe des Jahres zufolge St.-V.-Beschlusses v. 17. April 1907 für die Bearbeitung der Kanalisationspläne für Mainz-Mombach und für die neue Stadterweiterung ꝛc. Weniger-Ausgaben bedingten der Austritt eines Ingenieurs und eines Geometerzeichners sowie die Aufrechnung von 200 M Krankengeld auf die Vergütungen von vier Bauaufsehern und einem Geometerzeichner. Ein Ingenieur wurde mit einem geringeren Gehalt, als im Voranschlag vorgesehen, angestellt.								
2. Bureaubedürfnisse:								
a) Schreib- und Zeichenmaterialien	1 200	—	1 229	04	29	04		—
b) Drucksachen	800		893	51	93	51	—	—
c) Zeitschriften und Bücher	250	—	250	30	—	30	—	—
d) Buchbinderarbeiten	250	—	202	37	—	—	47	43
e) Unterhaltung und Ergänzung des Mobiliars . . .	400	—	813	68	413	68	—	—
Für Beschaffung von Mobiliar anläßlich der Vermehrung des Personals des Tiefbauamtes wurden durch St.-V.-Beschl. v. 17. April 1907 = 420 M Kredit bewilligt.								
f) Porti, Fracht ꝛc.	250		257	93	7	93	—	—
g) Brennmaterialien für die Heizung im Hause Stiftstraße Nr. 3	1 000	—	923	03	—	—	76	97
h) Für die Beleuchtung in demselben Hause ausschl. der Beleuchtung der Geschäftsräume des Ortsgerichts und Gewerbegerichts	750	—	777	77	27	77	—	—
i) Für den Wasserverbrauch in demselben Hause . . .	100	—	36	72	—	—	63	28
k) „ die Reinigung desselben Hauses	950	—	940	50	—	—	9	50
l) „ dienstliche Benutzung der elektrischen Straßenbahn durch Beamte des Tiefbauamtes	250	—	232	95	—	—	17	05
3. Gebäude in der Stiftstraße:								
a) Gemeinde-Grundsteuern	—	—	—	—	—	—	—	—
b) Brandversicherungsbeiträge	101		60	18	—	—	40	82
c) Unterhaltung in Dach und Fach	380	—	242	21	—	—	137	79
zu übertragen . . .	211 903	—	206 021	76	4 224	24	10 105	48

Ferner: 30. Städtische Bauämter.	Betrag nach dem Voranschlag ℳ	₰	Betrag nach der Rechnung ℳ	₰	Mithin gegen den Voranschlag mehr ℳ	₰	Mithin gegen den Voranschlag weniger ℳ	₰
Übertrag . . .	211 903	—	206 021	76	4 224	24	10 105	48
d) Unterhaltung der Zentralheizung	100	—	75	47	—	—	24	53
e) Unterhaltung der Fernsprechanlage innerhalb des Hauses	20	—	9	10	—	—	10	90
f) Reinigung der Hausentwässerungsanlage	30	—	23	40	—	—	6	60
g) Für Abfuhr wasserhaltiger Latrinenmasse	100	—	34	96	—	—	65	04
h) Überwachungsgebühr für die Abortgrube	10	—	10	—	—	—	—	—
i) Ölen der Fußböden	80	—	37	76	—	—	42	24
k) Legen von Linoleum im Zimmer für Geometer und Gehilfen	200	—	155	30	—	—	44	70
4. Verzinsung und Tilgung der Kosten des Verwaltungsgebäudes in der Stiftstraße	5 947	67	5 947	67	—	—	—	
5. Feuerversicherungsprämie	34	—	33	89	—	—	—	11
6. Uneinbringliche Gebühren für baupolizeiliche Verrichtungen	—	—	6	—	6	—	—	—
Verausgabung genehmigt durch St.-V.-Beschl. vom 21. Oktober 1908.								
III. Amt für Baupolizei:								
1. Geholie 2c. der Angestellten	14 215	—	14 215	—	—	—	—	—
2. Bureaubedürfnisse:								
a) Schreib- und Zeichenmaterialien	150	—	40	70	—	—	109	30
b) Drucksachen	50	—	13	70	—	—	36	30
c) Zeitschriften und Bücher	140	—	115	95		—	24	05
d) Buchbinderarbeiten	40	—	19	20	—	—	20	80
e) Unterhaltung und Ergänzung des Mobiliars . . .	100	—	46	43	—	—	53	57
f) Für Porti	20	—	44	73	24	73	—	—
3. Uneinbringliche Gebühren für baupolizeiliche Verrichtungen und für Feuerstättenbesichtigung	—	—	4	33	4	33	—	—
Verausgabung genehmigt durch St.-V.-Beschl. vom 21. Oktober 1908.								
IV. Amt für Maschinenwesen:								
1. Gehalte 2c. der Angestellten	14 650	—	11 650	—	—	—	3 000	—
Von einer Besetzung der freigewordenen Maschinen-Ingenieur-Stelle wurde abgesehen.								
2. Bureaubedürfnisse:								
a) Schreib- und Zeichenmaterialien	200	—	47	20	—	—	152	80
b) Drucksachen	100	—	49	84	—	—	30	16
c) Zeitschriften und Bücher	175	—	162	60	—	—	12	40
d) Buchbinderarbeiten	75	—	46	30	—	—	28	70
e) Unterhaltung und Ergänzung des Mobiliars . . .	150	—	150	30	—	30	—	
zu übertragen . . .	248 489	67	238 961	59	4 259	60	13 787	68

	Betrag nach				Mithin gegen den Voranschlag			
	dem Voranschlag		der Rechnung		mehr		weniger	
Ferner: 30. Städtische Bauämter.	ℳ	₰	ℳ	₰	ℳ	₰	ℳ	₰
Übertrag . . .	248 489	67	238 961	59	4 259	60	13 787	68
f) Für Heizung	200	—	124	70	—	—	75	30
g) „ Beleuchtung	60	—	94	24	34	24	—	—
Der fehlende Kredit wurde durch die Bürgermeisterei ergänzt.								
h) Für Reinigung	230	—	232	88	2	88	—	—
i) „ Porti, Fracht, sowie für Benutzung der Straßenbahn	100	—	98	—	—	—	2	—
3. Miete für die Geschäftsräume im Hause Stadthausstraße Nr. 23/25	700	—	700	—	—	—	—	—
4. Feuerversicherungsprämie	3	33	2	36	—	—	—	97
Summe . . .	249 783	—	240 213	77	—	—	9 569	23
34. Ruhegehalte, Witwen- und Waisenversorgung.								
Ausgabe.								
I. Ruhegehalte an städtische Angestellte	69 206	04	71 046	48	1 840	44	—	—
Im Rechnungsjahr 1907 sind ein Sekretariatsgehilfe 2. Kl., ein Schutzmann, ein Schuldiener und der Oberbibliothekar in den Ruhestand versetzt worden. Von den Pensionären starben sieben.								
II. Zuschuß zur Witwen- und Waisenkasse	62 175	—	63 188	24	1 013	24	—	—
III. Rentenzuschüsse, sowie Witwen- und Waisengelder an städtische Bedienstete und Arbeiter und deren Hinterbliebene	20 298	82	19 530	86	—	—	767	96
Bezahlt wurden Rentenzuschüsse 9 038 ℳ 23 ₰ und Witwen- und Waisengelder 10 492 ℳ 63 ₰.								
Außer den im Voranschlag vorgesehenen Rentenzuschüssen rc. wurden im Rechnungsjahr 1907 Rentenzuschüsse an weitere zwölf Arbeiter sowie Witwen- und Waisengelder an die Hinterbliebenen von fünf verstorbenen Arbeitern bewilligt. Vier Rentenzuschuß-Empfänger und eine Witwengeld-Bezugsberechtigte sind gestorben.								
IV. Unterstützungen	3 423	35	3 379	74	—	—	43	61
Der Maschinist J. Lauinger, welcher eine jährliche Unterstützung von 520 ℳ bezog, ist am 23. September 1907 gestorben. Neubewilligt wurde durch St.-V.-Beschl. vom 5. Februar 1908 an die Witwe des am 15. Juli 1907 gestorbenen Gasarbeiters J. Schaubruch V. vom 15. Juli 1907 ab eine jährliche Unterstützung von 180 ℳ								
Summe . . .	155 103	21	157 145	32	2 042	11	—	—

35. Stiftungen und Vermächtnisse.

Einnahme.

	Betrag nach				Mithin gegen den Voranschlag			
	dem Voranschlag		der Rechnung		mehr		weniger	
	M	₰	M	₰	M	₰	M	₰
I. Stiftungen zur Unterstützung von Armen . .	8 738	45	15 349	31	6 610	86	—	—
Das im Vorjahr zugegangene Vermächtnis Röder konnte bei Aufstellung des Voranschlags nicht mehr berücksichtigt werden. Durch die Zinsen dieser Stiftung als auch durch Zugang der Vermächtnisse des Joseph David Heidelberger und der Frau Emily von Zachert, ferner durch anderweitige Anlage der Kapitalien anderer Stiftungen ist die Mehreinnahme bedingt.								
II. Stiftungen zur Unterstützung von Witwen . .	796	77	797	05	—	28	—	—
Durch höheren Erlös für die Zinsscheine der Österreichischen Staatsbahnprioritäten der Valentin Pfister-Stiftung ist die Mehreinnahme entstanden.								
III. Stiftungen zum Besten von Waisen	1 090	34	1 103	13	12	79	—	—
Durch anderweitige Anlage der Kapitalien von 2 Stiftungen ist die Mehreinnahme bedingt.								
V. Stiftungen zur Unterstützung von Handwerkern	2 989	24	3 012	74	23	50	—	—
Durch höheren Erlös für die Zinsscheine der Österreichischen Staatsbahnprioritäten der Simon Lorch-Stiftung und durch anderweitige Anlage der Kapitalien von 2 anderen Stiftungen ist mehr vereinnahmt worden.								
VI. Stiftungen für Bildungszwecke	5 129	40	5 129	40	—	—	—	—
VIII. Vermächtnisse zur Errichtung einer Blindenanstalt	4 066	02	4 066	02	—	—	—	—
IX. Fonds zur Unterstützung von Wasserbeschädigten	1 640	66	1 640	66	—	—	—	—
X. Fonds zur Unterstützung der durch die Pulverexplosion vom 18. November 1857 Beschädigten	709	91	709	91	—	—	—	—
XI. Stiftungen zur Pflege der Musik	1 806	98	1 831	98	25	—	—	—
Durch anderweitige Kapital-Anlage der Seemannstiftung ist die Mehreinnahme entstanden.								
XIII. Jean Baptiste und Wilhelm Hofmann'sche Stiftung:								
1. Zinsen von angelegten Kapitalien	12 376	98	12 473	16	96	18	—	—
Durch höheren Erlös für die Zinsscheine der Österreichischen Staatsbahnprioritäten und durch die unter pos. XIII. 5. der Ausgabe erwähnte anderweite Anlage von Kapitalmitteln ist die Mehreinnahme entstanden.								
zu übertragen . . .	39 344	75	46 113	36	6 768	61	—	—

Ferner: 35. **Stiftungen und Vermächtnisse.**	Betrag nach dem Voranschlag ℳ	₰	Betrag nach der Rechnung ℳ	₰	Mithin gegen den Voranschlag mehr ℳ	₰	weniger ℳ	₰
Übertrag . . .	39 344	75	46 113	36	6 768	61	—	—
2. Zurückzuempfangende Kapitalien	—	—	14 000	—	14 000	—	—	—
Die 3½%ige Schuldverschreibung der Stadt Mainz lit. G Nr. 2932 über 1000 ℳ wurde auf den 1. Oktober 1907 zur Rückzahlung berufen. Ferner erscheint hier noch das unter pos. B c. des Voranschlags aufgeführte, auf den 1. Juli 1907 gekündigte Hypothekar-Darlehen mit 13 000 ℳ in Einnahme.								
XIV. Simon Blad'sche Stiftung:								
1. Zinsen von angelegten Kapitalien	9 309	77	9 309	77	—	—	—	—
2. Zurückzuempfangende Kapitalien	—	—	—	—	—	—	—	—
XV. Siman Kapp'sches Vermächtnis.								
1. Zinsen von angelegten Kapitalien	18 300	—	18 432	11	132	11	—	—
Für die Zinsscheine der Schuldverschreibungen der k. k. priv. österr. Staatseisenbahngesellschaft und an Zinsen der Sparkasseneinlage wurden mehr vereinnahmt als im Voranschlag vorgesehen. Desgleichen durch Erhöhung des Zinsfußes der unter pos. B. a u. d. des Voranschlags aufgeführten Hypotheken.								
2. Zurückzuempfangende Kapitalien	—	—	—	—	—	—	—	—
XVI. Zinsen von den f. Z. in die Stadtkasse geflossenen Stiftungskapitalien	9 866	53	9 866	53	—	—	—	—
Summe . . .	76 821	05	97 721	77	20 900	72	—	—
Ausgabe.								
I. Stiftungen zur Unterstützung von Armen . . .	14 131	96	20 993	22	6 861	26	—	—
Der Unterschied zwischen der Mehreinnahme und der Mehrausgabe im Betrage von 250 ℳ 40 ₰ beruht darauf, daß der im Vorjahre vereinnahmte Zinsenbetrag der Röderstiftung mit 300 ℳ erst dieses Jahr zur Verteilung gelangte, dagegen von dem diesjährigen Zinsenertrag dieser Stiftung, weil stiftungsgemäß nur 3% verteilt werden sollen, 44 ℳ 59 ₰ weniger verausgabt als vereinnahmt wurden und bei der Knechtstiftung infolge der anderweiten Kapitalanlage der Zuschuß der Stadt um 5 ℳ 01 ₰ geringer geworden ist.								
II. Stiftungen zur Unterstützung von Witwen . .	1 705	35	1 705	57	—	22	—	—
Bei der Pfister-Stiftung konnte die Mehreinnahme nicht ganz verteilt werden, da bei der Verteilung der Erlös für die März-Zinsscheine der Österreichischen Staatsbahnprioritäten nicht bekannt war.								
zu übertragen . . .	15 837	31	22 698	79	6 861	48	—	—

Ferner: 35. Stiftungen und Vermächtnisse.	Betrag nach				Mithin gegen den Voranschlag			
	dem Voranschlag		der Rechnung		mehr		weniger	
	M	₰	M	₰	M	₰	M	₰
Übertrag . . .	15 837	31	22 698	79	6 861	48	—	—
III. Stiftungen zum Besten von Waisen . . . . . Die Mehrausgabe entspricht der Mehreinnahme.	1 227	48	1 240	27	12	79	—	—
IV. Vermächtnisse zur Gewährung von Heiratsaussteuern	1 028	57	1 028	57	—	—	—	—
V. Stiftungen zur Unterstützung von Handwerkern Die Mehrausgabe entspricht der Mehreinnahme.	7 074	57	7 098	07	23	50	—	—
VI. Stiftungen für Bildungszwecke . . . . . Aus dem Vorjahr stand für die Schion-Spende ein weiterer Betrag von 144 M 90 ₰ zur Verfügung.	6 405	71	6 550	61	144	90	—	—
VII. Dotation der Sparkasse.	137	14	137	14	—	—	—	—
VIII. Vermächtnisse zur Errichtung einer Blindenanstalt.	4 066	02	4 066	02	—	—	—	—
IX. Fonds zur Unterstützung von Wasserbeschädigten	1 640	66	1 640	66	—	—	—	—
X. Fonds zur Unterstützung der durch die Pulverexplosion am 18. November 1857 Beschädigten:								
1. Rrnten . . . . Ein Rentenbezugsberechtigter mit einer Jahresrente von 171 M 44 ₰ ist am 8. April 1907 gestorben, ein anderer mit einer Jahresrente von 85 M 72 ₰ am 12. Oktober 1907.	1 800	08	1 622	91	—	—	177	17
2. Portoauslagen	18	36	13	20	—	—	5	16
XI. Stiftungen zur Pflege der Musik . . . . . Die Mehrausgabe entspricht der Mehreinnahme.	1 831	40	1 856	40	25	—	—	—
XII. Stiftungen für Unterhaltung gemeinnütziger Anstalten	—	—	—	—	—	—	—	—
XIII. Jean Baptiste und Wilhelm Hofmann'sche Stiftung:								
1. Lebenslängliche Remen	2 000	—	2 000	—	—	—	—	—
2. Unterhaltung der Grabstätten	200	—	200	—	—	—	—	—
3. Verwaltungskosten . . . . Außer 106 M Verwaltungskosten für Aufbewahrung von Wertpapieren erscheinen hier anläßlich der Erwerbung der unter pos. 5 genannten Pfandbriefe noch 134 M 35 ₰ Stückzinsen und 3 M 90 ₰ Kosten des Schlußscheines in Ausgabe.	115	—	244	25	129	25	—	—
4. Verteilung der Zinseu . . . . Aus dem Vorjahre standen hier weitere Mittel in Höhe von 1257 M 39 ₰ zur Verfügung, wovon indessen nur 838 M 26 ₰ verausgabt werden konnten. Es blieben daher noch unverwrudet 419 M 13 ₰. Von dem Zinsenerträgnis des Rj. 1907	10 061	98	10 031	43	—	—	30	55
zu übertragen . . .	53 444	23	60 428	32	7 196	92	212	88

Ferner: 35. Stiftungen und Vermächtnisse.	Betrag nach				Mithin gegen den Voranschlag			
	dem Voranschlag		der Rechnung		mehr		weniger	
	ℳ	₰	ℳ	₰	ℳ	₰	ℳ	₰
Übertrag . . .	53 444	28	60 428	32	7 196	92	212	88
konnten ebenfalls 835 ℳ 74 ₰ nicht verrechnet werden. Laut St.-V.-Beschl. v. 21. Okt. 1908 wurden daher im ganzen 1254 ℳ 87 ₰ auf das Rj. 1908 übertragen. Die Gesamtmehrausgabe beträgt 129 ℳ 25 ₰ — 30 ℳ 55 ₰ = 98 ℳ 70 ₰. Hiervon ab der Unterschied zwischen dem Kreditübertrag des Vorjahres und demjenigen auf das nächste Jahr mit 2 ℳ 52 ₰, ergibt den Betrag der Mehreinnahme von 96 ℳ 18 ₰.								
5. Auszuleihende Kapitalien	—	—	14 000	—	14 000	—	—	—
Aus Mitteln des am 1. Juli 1907 zurückgezahlten Hypotheken-Darlehns von 13 000 ℳ wurden 4 %ige Frankfurter Hypotheken-Pfandbriefe zum Kurswert von 12 805 ℳ erworben. Der verbleibende Restbetrag von 195 ℳ wurde bei der Städt. Sparkasse verzinslich angelegt. Außer dieirn beiden Beträgen erscheint hier in Ausgabe der bei der Städt. Sparkasse angelegte Erlös der ausgelosten Schuldverschreibung.								
XIV. Simon Blad'sche Stiftung:								
1. Lebenslängliche Rente	1 200	—	1 200	—	—	—	—	—
2. Verwaltungskosten	25	—	25	—	—	—	—	—
3. Verteilung der Zinsen	8 084	77	8 084	77	—	—	—	—
XV. Simon Kapp'sches Vermächtnis:								
1. Verwaltungskosten	200	—	143	—	—	—	57	—
2. Verwendung der Zinsen	18 100	—	18 289	11	189	11	—	—
Der Auskunfts- und Fürsorgestelle sind 8000 ℳ überwiesen worden. Der Rest von 10 289 ℳ 11 ₰ wurde dem Stiftungskapital zugeschlagen und bei der Städt. Sparkasse verzinslich angelegt.								
Die Gesamtmehrausgabe der pos. XV beträgt 189 ℳ 11 ₰ — 57 ℳ = 132 ℳ 11 ₰ und entspricht der Mehreinnahme.								
Summe . . .	81 054	05	102 170	20	21 116	15	—	—

36. Armen- und Krankenpflege.

	ℳ	₰	ℳ	₰	ℳ	₰	ℳ	₰
Einnahme	—	—	—	—	—	—	—	—
Ausgabe.								
I. Zuschuß zur Armenpflege	221 917	01	176 030	83	—	—	45 886	18
Die Verwaltungs-Rechenschaft der Armen- und der Hospizien-Deputation wird besonders erstattet.								

	Betrag nach				Mithin gegen den Voranschlag			
	dem Voranschlag		der Rechnung		mehr		weniger	
	M	Pf	M	Pf	M	Pf	M	Pf
37. Unterstützung gemeinnütziger Vereine und Anstalten.								
Einnahme	1 307	15	1 407	15	100	—	—	—
Ausgabe	1 307	15	1 407	15	100	—	—	—
Durch St.-V.-Beschl. vom 15. April 1908 wurde dem Verband der Kunstfreunde in den Ländern am Rhein ein jährlicher Beitrag von 100 M gewährt.								
40. Friedhof.								
Einnahme.								
I. Grabgebühren:								
1. Grabgebühren	3 500	—	3 396	75	—	—	103	25
2. Für Vertiefung von Grabstätten rc.	800	—	1 003	60	203	60	—	—
II. Ertrag der Familienbegräbnisse:								
1. Einnahme aus verkauften Grabstätten	11 880	—	14 998	03	3 118	03	—	—
2. Grabgrundzinsen	700	—	631	51	—	—	68	49
Gegen das Vorjahr hat sich das Soll infolge Niederschlagung von Posten um 64 M 14 Pf verringert.								
3. Gebührenanteil der Stadt für Ausmessung rc. von Gräbern	261	80	371	14	109	34	—	—
III. Verbringung der Leichen nach den Friedhöfen .	3 500	—	3 500	—	—	—	—	—
IV. Feuerbestattung:								
1. Anteile der Stadt an den Gebühren für die Feuerbestattung	900	—	1 317	—	417	—	—	—
2. Sonstige Beitragsleistungen des Vereins f. Feuerbestattung:								
a) Zuschuß zum Gehalt des 2. Friedhofaufsehers . .	300	—	300	—	—	—	—	—
b) Beitrag zu den Kosten der gärtnerischen Unterhaltung der Anlagen am Krematorium und des Urnenhains .	200	—	200	—	—	—	—	—
V. Stiftungen zur Unterhaltung von Grabstätten	3 042	92	3 141	46	98	54	—	—
Durch Zugang der unter Rubrik 35 II. — Einnahme — der Vermögensrechnung erwähnten Stiftungen und anderweite Anlage eines Teils der übrigen Stiftungskapitalien ist die Mehreinnahme bedingt.								
VI. Gebäude	100	—	100	—	—	—	—	—
VII. Erlös aus herrenlosen Grabsteinen	20	—	14	—	—	—	6	—
VIII. Erlös für den Graswuchs	20	—	5	—	—	—	15	—
IX. Erlös aus Drucksachen	30	—	30	35	—	35	—	—
X. Neuregelung der Gebühren	10 000	—	—	—	—	—	10 000	—
Der neue Gebührentarif ist im Rechnungsjahr 1907 nicht zur Anwendung gekommen, da die St.-V.-V. erst in ihrer Sitzung vom 3. Juni 1908 die neue Friedhofs- und Begräbnisordnung genehmigt hat.								
zu übertragen . . .	35 254	72	29 008	84	3 946	86	10 192	74

Ferner: **40. Friedhof.**	Betrag nach				Mithin gegen den Voranschlag			
	dem Voranschlag		der Rechnung		mehr		weniger	
	ℳ	₰	ℳ	₰	ℳ	₰	ℳ	₰
Übertrag . . .	35 254	72	29 008	84	3 946	86	10 192	74
XI. Erlös für Transport eines Grabsteines . .	—	—	1	—	1	—	—	—
XII. Ausgrabung und Wiederbeisetzung der Gebeine ehemaliger französischer Soldaten	—	—	1 273	53	1 273	53	—	—
Zuschuß der Großh. Staatsregierung. Vergl. die Erläuterung im vorjährigen Rechenschaftsbericht Seite 341 und 342.								
XIII. Pacht von dem neuerworbenen Friedhofsgelände	—	—	2 072	79	2 072	79	—	—
Für Erweiterung des Friedhofes wurde Gelände mit einem Flächeninhalt von 47 228 qm erworben (siehe Rubrik 14 II. — Ausgabe — der Vermögensrechnung). Dasselbe ist am 8. Juli 1907 in den Besitz der Stadt Mainz übergegangen. Das Gelände ist noch verpachtet. Hier erscheint der Pachtpreis vom 8. Juli 1907 bis Ende März 1908 aus jährlich 2 837 ℳ 28 ₰ in Einnahme.								
Summe . . .	35 254	72	32 356	16	—	—	2 898	56
Ausgabe.								
I. Gehalte der Angestellten:								
1. und 2. Gehalte ꝛc.	4 200	—	4 200	—	—	—	—	—
3. Für Taglöhne der Totengräber	4 300	—	4 583	10	283	10	—	—
Die Mehrausgaben entstanden durch die Einstellung von Hilfspersonal während der Wintermonate.								
4. Vergütung an die Totengräber für Stellung der Wäsche und der Betten für die Nachtwache	72	—	72	—	—	—	—	—
5. Für Beschaffung der Dienstkleidung für die Totengräber	183	—	186	—	3	—	—	—
II. Bureaukosten und sonstige Bedürfnisse:								
1. Für Schreibmaterialien ꝛc.	100	—	65	80	—	—	34	20
2. „ Unterhaltung des Mobiliars	80	—	37	47	—	—	42	53
3. „ Unterhaltung der Instrumente	50	—	44	50	—	—	5	50
4. „ Brennmaterialien	350	—	378	21	28	21	—	—
5. „ Beleuchtung	80	—	47	68	—	—	32	32
6. „ Reinigung	50	—	50	21	—	21	—	—
7. „ Wasserverbrauch	600	—	504	96	—	—	95	04
8. „ Unterhaltung der Beerdigungsgerätschaften . . .	135	—	90	83	—	—	44	17
9. „ Eis zum Kühlapparat	10	—	—	—	—	—	10	—
10. „ Steuer für einen Hund	20	—	20	—	—	—	—	—
11. Mobilienversicherung	5	—	3	45	—	—	1	55
III. Anlage neuer Grabquadrate	—	—	—	—	—	—	—	—
zu übertragen . . .	10 235	—	10 284	21	314	52	265	31

Ferner: 40. Friedhof.

	Betrag nach				Mithin gegen den Voranschlag			
	dem Voranschlag		der Rechnung		mehr		weniger	
	ℳ	₰	ℳ	₰	ℳ	₰	ℳ	₰
Übertrag . . .	10 235	—	10 284	21	314	52	265	31
IV. Unterhaltung der Anlagen:								
1. Für Gärtner- und Handarbeiten ꝛc.	7 370	—	7 369	91	—	—	—	09
2. „ Ausräumungsarbeiten innerhalb der Grabquadrate	2 000	—	1 999	96	—	—	—	04
3. „ Abfuhr von Unrat vom Friedhof	500	—	859	50	359	50	—	—
Der Kredit wurde durch St.-V.-Beschl. vom 13. November 1907 um 500 ℳ ergänzt.								
4. Für Verbesserung alter Wege	1 000	—	1 016	94	16	94	—	—
5. „ Unterhaltung der Gartenanlagen am Krematorium und Beschaffung von Felsen, Bäumen ꝛc. für den Urnenhain	600	—	597	45	—	—	2	55
6. Herstellung einer Entwässerungsanlage auf dem Friedhof	375	—	356	37	—	—	.18	63
7. Anbringung von Stacheldraht auf dem bestehenden Lattenzaun sowie Herstellung einer Einfriedigung aus Drahtgeflecht mit Stacheldraht auf der Strecke zwischen dem neu angelegten Teile des Friedhofs und dem israelitischen Begräbnisplatz	1 000	—	1 004	03	4	03	—	—
V. Überwachung der Anlagen:								
1. Taglöhne	3 500	—	3 402	60	—	—	97	40
2 Kleidergeld für die beiden Friedhofswächter	—	—	100	—	100	—	—	—
Der erforderliche Kredit wurde durch St.-V.-Beschl. vom 17. Juli 1907 bewilligt.								
VI. Unterhaltung von Grabstätten und Grabdenkmälern:								
1. a. Für Ausschmückung von Grabstätten infolge von Vermächtnissen, sowie von Grabstätten um die Stadt verdienter Personen	2 190	—	2 188	59	—	—	1	41
b. Für bauliche Unterhaltung von Grabeinfassungen und Grabdenkmälern	850	—	734	94	—	—	115	06
2. Unterhaltung der Grabstätten Le Roux und Gaßner .	101	50	101	50	—	—	—	—
VII. Verbringung der Leichen nach den Feichhöfen:								
1. Für Unterhaltung der Wagen	200	—	207	70	7	70	—	—
VIII. Gebäude:								
1. Brandversicherungsbeiträge	83	75	50	19	—	—	33	56
2. Baukosten:								
a) Für Unterhaltung des Leichenhauses in Dach und Fach	300	—	296	71	—	—	3	29
b) Für Unterhaltung des Aufseher-Wohngebäudes in Dach und Fach	100	—	99	40	—	—	—	60
c) Für Unterhaltung des Abortgebäudes in Dach und Fach	50	—	49	88	—	—	—	12
zu übertragen . . .	30 455	25	30 719	88	802	69	538	06

	Betrag nach				Mithin gegen den Voranschlag			
	dem Voranschlag		der Rechnung		mehr		weniger	
Ferner: 40. Friedhof.	ℳ	₰	ℳ	₰	ℳ	₰	ℳ	₰
Übertrag . . .	30 455	25	30 719	88	802	60	538	06
d) Teilweise Abtragung der Torpfeiler und Ersetzung derselben durch neue sowie Anstrich des Tores mit Ölfarbe	520	—	553	01	33	01	—	—
e) Instandsetzung der Friedhofskapelle im Jauern . .	4 000	—	—	—	—	—	4 000	—
Über die Ausführung der Arbeiten ist der St.-V.-V. eine besondere Vorlage zu unterbreiten. Da dieselbe bis zum Schlusse des Rj. 1907 noch nicht erfolgt ist, wurde der Kredit mit Zustimmung der St.V.-V. vom 21. Oktober 1908 auf das Rj. 1908 übertragen.								
f) Erneuerung des Plattenbodens daselbst	700	—	—	—	—	—	700	—
Die Arbeiten wurden bis zur Renovierung der Kapelle zurückgestellt, weshalb der Kredit mit Zustimmung der St.-V.-V. vom 21. Oktober 1908 auf das Rj. 1908 übertragen wurde.								
3. Abfuhr wasserhaltiger Latrinenmasse	250	—	234	18	—	—	15	82
IX. Anteil der Hospizien an dem Ertrage der Familienbegräbnisse	3 840	—	4 770	68	930	68	—	—
Das Mehr entspricht der Mehreinnahme bei pos. II. Die Kreditergänzung erfolgte durch die Bürgermeisterei zu Lasten der Mehreinnahme.								
X. Verzinsung und Tilgung der Anlagekosten . .	3 536	47	3 536	47	—	—	—	—
XI. Verschiedene Ausgaben	—	—	23	83	23	83	—	—
Hier erscheinen die mit Genehmigung der St.-V.-V. vom 21. Oktober 1908 für 1907 ausgäblich verrechneten uneinbringlichen Grabgrundzinsen &c.								
Summe . . .	43 301	72	39 838	05		—	3 463	67
41. Kirchliche Bedürfnisse. **Einnahme.**								
I. Umlagen für die evangelische Gemeinde Mainz	79 000	—	88 273	31	9 273	31	—	—
II. Umlagen für die freie christliche Gemeinde Mainz	2 800	—	2 935	91	135	91	—	—
III. Parochial-Umlagen von den katholischen Einwohnern der Stadt Mainz	67 006	—	70 527	37	3 521	37	—	—
Zu Position I, II und III wird bemerkt, daß unter den voraufgeführten Einnahmen die Ausstände aus früheren Jahren, wie in der Erläuterung zu Rubrik 1 bereits angegeben, mit 491 ℳ 66 ₰ + 1 ℳ 92 ₰ + 714 ℳ 29 ₰ zusammen 1207 ℳ 87 ₰ enthalten sind. Ferner sind bei pos. I und III 10 ℳ 94 ₰ + 10 ℳ 18 ₰ wieder zahlbar gewordene, früher als uneinbringlich verrechnete Umlagen in Einnahme gestellt. Die weitere Mehreinnahme ist durch nachträgliche Heranziehung von Steuerpflichtigen veranlaßt.								
Summe . . .	148 806	—	161 736	59	12 930	59	—	—

	Betrag nach				Mithin gegen den Voranschlag			
	dem Voranschlag		der Rechnung		mehr		weniger	
	ℳ	₰	ℳ	₰	ℳ	₰	ℳ	₰
Ferner: 41. Kirchliche Bedürfnisse.								
Ausgabe.								
I. Umlagen für die evangelische Gemeinde Mainz	79 000	—	87 764	53	8 764	53	—	—
II. Umlagen für die freie christliche Gemeinde Mainz	2 800	—	2 932	97	132	97	—	—
III. Parochial-Umlagen von den katholischen Einwohnern der Stadt Mainz	67 006	—	69 977	93	2 971	93	—	—
Zu pos. I, II und III wird bemerkt, daß der Unterschied zwischen Einnahme und Ausgabe von 508 ℳ 78 ₰ bezw. 2 ℳ 94 ₰ und 549 ℳ 44 ₰ zusammen 1 061 ℳ 16 ₰ durch die als Ausstand nachgeführten Posten entstanden ist. In der Rechnung für das Rechnungsjahr 1908 werden diese Beträge wieder in Einnahme gestellt.								
IV. Besoldungen an Pfarrer	3 000	—	3 000	—	—	—	—	—
Summe . . .	151 806	—	163 675	43	11 869	43	—	—
42. Volksschule.								
Einnahme.								
I. Überschüsse der Schulfonds	44 900	—	46 234	93	1 334	93	—	—
Die Rechnungs-Ergebnisse des Altenauer-Schulfonds, sowie des Exjesuiten- und Welschnonnen-Schulfonds sind auf den Seiten 303 bis 305 verzeichnet.								
II. Geldanschlag von Dienstwohnungen	2 600	—	2 623	33	23	33	—	—
Die Schuldienerwohnung im Fürstenbergerhofschulhaus erbrachte durch die Ruhestandsversetzung des seitherigen Schuldieners im III. Vierteljahr 1907 kein Erträgnis. Dagegen erscheint der Geldanschlag der Schuldienerwohnung des nunmehr für Volksschulzwecke benutzten Schulhauses Alte Universitätsstr. Nr. 17 vom 1. Dezember 1907 ab hier als Mehreinnahme.								
III. Ersatz von Gehalten	800	20	675	—	—	—	125	20
IV. Miete von Lokalen	2 404	80	2 407	20	2	40	—	—
Für die unter pos. 7 des Voranschlags aufgeführte Wohnung wurde die wöchentliche Miete mit 2 ℳ 40 ₰ für die Zeit vom 27. März 1907 bis 2. April 1908 = 53 Wochen hier verrechnet.								
V. Schulversäumnisstrafen	1 400	—	2 166	10	766	10	—	—
VI. Zuschuß aus den Überweisungen der Städtischen Sparkasse	8 000	—	8 000	—	—	—	—	—
Summe . . .	60 105	—	62 106	56	2 001	56	—	—

Ferner: 42. Volksschule.

	Betrag nach				Mithin gegen den Voranschlag			
	dem Voranschlag		der Rechnung		mehr		weniger	
	ℳ	₰	ℳ	₰	ℳ	₰	ℳ	₰
Ausgabe.								
I. 1.—4. Gehalte ꝛc. des Lehrpersonals	535 062	50	537 641	07	2 578	57	—	—
Die Mehrausgaben sind im wesentlichen durch die Besetzung von Schulstellen mit Lehrern und Lehrerinnen von auswärts und einem seither zu akademischen Studien beurlaubten Lehrer bedingt. Weitere Mehrausgaben entstanden durch den Mehraufwand infolge definitiver Anstellung von Schulverwaltern und Schulverwalterinnen, durch die einem Zeichenlehrer vom 1. Juli 1906 ab zugesprochene besondere Vergütung von jährlich 200 ℳ und die einem Lehrer für Versehung der Dienstgeschäfte eines Hauptlehrers für die Zeit vom 10. Mai 1906 bis 8. Mai 1907 zugestandene Vergütung von 600 ℳ Für die beiden letzteren Aufwendungen waren die erforderlichen Kredite durch die St.-V.-Beschlüsse v. 20. Februar und 23. August 1907 zur Verfügung gestellt. In den Ruhestand getreten sind ein Oberlehrer und zwei Lehrerinnen; gestorben ist ein Lehrer. Durch die anderweiten Besetzungen der durch die Pensionierungen freigewordenen Stellen wurden Ersparnisse erzielt, des weiteren durch die erst vom 8. April 1907 ab erfolgten Besetzungen der neuerrichteten Schulstellen. An den Provinzialschulfonds war ein Vakanzüberschuß von 155 ℳ abzuliefern. Der fehlende Kredit von 1828 ℳ 57 ₰ wurde durch St.-V.-Beschl. v. 21. Oktober 1908 zur Verfügung gestellt.								
II. Zuschüsse an andere Kassen	4 703	98	4 703	98	—	—	—	—
III. Schulbedürfnisse:								
1. und 2. Für Anschaffung und Unterhaltung der Mobilien, Turngeräte ꝛc.	5 110	—	5 802	39	102	39	—	—
2a. Für Beschaffung von 20 Schulbänken für die Schule im Karmeliterkloster	640	—	305	—	—	—	335	—
3. Für literarische Gegenstände, Lehrmittel	2 500	—	2 672	03	172	03	—	—
4. „ Ergänzung der Schülerbibliotheken in den einzelnen Schulbezirken	1 000	—	1 025	50	25	50	—	—
4a. „ Einrichtung von Handbibliotheken für das Lehrpersonal	550	—	577	—	27	—	—	—
5. „ Schreibmaterialien, Drucksachen, Buchbinderlohn	1 270	—	1 185	31	—	—	84	69
6. „ Tinte, Tafelschwämme und Kreide	920	—	754	41	—	—	165	59
7. „ Brennmaterialien für die Ofen- und Zentralheizungen	21 900	—	22 186	80	286	80	—	—
8. „ Abfuhr von Kohlenschlacken	400	—	753	66	353	66	—	—
Den Mehrausgaben stehen bei Rubrik 65. II. 2 Mehreinnahmen gegenüber. Die Kreditergänzung erfolgte durch die Bürgermeisterei.								
9. Für Beleuchtungsmaterialien	3 400	—	4 256	35	856	35	—	—
Die Mehrausgaben sind im wesentlichen durch die Ver-								
zu übertragen	577 456	48	581 363	50	4 492	30	585	28

Ferner: 42. Volksschule.

	Betrag nach				Mithin gegen den Voranschlag			
	dem Voranschlag		der Rechnung		mehr		weniger	
	M.	₰	M.	₰	M.	₰	M.	₰
Übertrag . . .	577 456	48	581 363	50	4 492	30	585	28
mehrung der Klassen der Fortbildungsschule bedingt. Die Kreditergänzung erfolgte durch die Bürgermeisterei.								
10. Für Schulfeierlichkeiten ꝛc.	300	—	326	92	26	92	—	—
11. „ Unterhaltung der Schulgärten	700	—	699	08	—	—	—	92
12. Physikalische Sammlungen:								
a) Vergütung an den Konservator	450	—	450	—	—	—	—	—
b) Für Unterhaltung ꝛc. der Sammlungen	500	—	496	47	—	—	3	53
13. Für Materialien und literarische Werke für den Knabenhandfertigkeitsunterricht	320	—	350	70	30	70	—	—
14. Unentgeltliche Benutzung der Straßenbahn durch Kiudee der Hilfsschule	750	—	970	—	220	—	—	—
15. Zuschuß zu den Kusten der X. Generalversammlung des Allgemeinen Deutschen Lehrerinnenvereins	400	—	400	—	—	—	—	—
16. Entsendung des Leiters der Hilfsschule zu dem vom 3. bis 5. April 1907 in Charlottenburg stattgefundenen 6. Verbandstage der Hilfsschulen Deutschlands	—	—	120	—	120	—	—	—
Krediteröffnung durch St.-V.-Beschl. vom 27. März 1907.								
17. Abhaltung eines Kursus für Sprechtechnik am 20., 27. November und 4. Dezember 1906 für das Lehrpersonal der Volksschule	—	—	100	—	100	—	—	—
Die Krediteröffnung erfolgte durch die Bürgermeisterei.								
IV. Reinhaltung der Schullokale:								
1. Gehalte der Schuldiener:								
a) Gehalte für 10 Schuldiener	15 350	—	16 670	10	1 320	10	—	—
Infolge längerer Erkrankung von drei Schuldienern mußten deren Dienstverrichtungen von dem Personal des Amts für Maschinenwesen wahrgenommen werden, wodurch im ganzen 1011 M. 77 ₰ Kosten entstanden sind. Weitere Mehrausgaben entstanden durch die dem Schuldiener des 7. Schulbezirks anläßlich der Ausdehnung dieses Schulbezirks vom 1. April 1906 ab durch St.-V.-Beschluß vom 11. Juli 1907 gewährte besondere Vergütung von jährlich 100 M. sowie infolge Verwendung des Schuldieners der Höheren Mädchenschule vom 1. Dezember 1907 ab als Schuldiener für die in das seitherige Gebäude der Höheren Mädchenschule verlegten Volksschulklassen. Ersparnisse wurden erzielt durch die Versetzung eines Schuldieners vom 1. Juli 1907 ab in den Ruhestand und Versehung dieser Stelle durch einen Schuldiener auf Probe. Die Kreditergänzungen erfolgten durch die Bürgermeisterei und durch St.-V.-Beschluß vom 11. Juli 1907.								
zu übertragen . . .	596 226	48	601 946	77	6 310	02	589	73

Ferner: **42. Volksschule.**	Betrag nach				Mithin gegen den Voranschlag			
	dem Voranschlag		der Rechnung		mehr		weniger	
	ℳ	₰	ℳ	₰	ℳ	₰	ℳ	₰
Übertrag . . .	596 226	48	601 946	77	6 310	02	589	73
b) Vergütung und Familienzulage für einen Hilfsschuldiener	1 326	—	1 350	—	24	—	—	—
In Ausgabe erscheinen die Löhne für 53 Wochen.								
c) Vergütung an die Schuldiener für Waschen von Handtüchern und Vorhängen	320	—	310	69	—	—	9	31
d) Kosten der Verpflegung eines an Scharlach erkrankten Kindes eines Schuldieners in dem Rochushospital .	—	—	52	80	52	80	—	—
Auf Anordnung des Schularztes wurde ein an Scharlach erkranktes Kind eines Schuldieners zur Vermeidung einer Ansteckungsgefahr für die Schulkinder des 3. Schulbezirks in das Rochushospital verbracht und daselbst vom 9. Oktober bis 25. November 1907 verpflegt. Die entstandenen Kosten wurden auf die Stadtkasse übernommen.								
2. Für regelmäßige gründliche Reinigung sämtlicher Schullokale	16 600	—	18 191	24	1 591	24	—	—
Verausgabt wurden für Löhne an Putzfrauen 15 610 ℳ 11 ₰ und für Beschaffung von Reinigungsgerätschaften 2 581 ℳ 13 ₰.								
Der Kredit ist durch St.-V.-Beschluß vom 21. Oktobee 1908 ergänzt worden.								
V. **Kochunterricht:**								
1. Kochschule im Hause Emmeransstraße 25:								
a) Mirte für das Unterrichtslokal	1 200	—	1 200	—	—	—	—	—
b) Gehalt der Lehrerin	1 400	—	1 400	—	—	—	—	—
c) Für Unterhaltung und Ergänzung des Inventars, Lehrmittel ꝛc.	200	—	274	91	74	91	—	—
d) Für Gas	140	—	28	44	—	—	111	56
e) „ Wnsser	40	—	19	44	—	—	20	56
f) „ Brennmaterialien	250	—	193	40	—	—	56	60
g) „ sonstige Wirtschaftsbedürfnisse	1 500	—	1 720	86	220	86	—	—
h) „ die der Stadt zur Last fallenden kleineren Ausbesserungen im Schullokal, an Herden ꝛc.	200	—	374	32	174	32	—	—
Infolge Aufgabe des seitherigen Unterrichtslokals waren größere Ausbesserungen vorzunehmen, wodurch die Mehrausgaben entstanden sind. Die Kreditergänzung erfolgte durch die Bürgermeisterei.								
i) Prämie für die Versicherung der Mobilien der Kochschule	2	—	1	60	—	—	—	40
k) Für unvorhergesehene Ausgaben	78	—	—	—	—	—	78	—
2. Kochschule im Schulhaus am Feldbergplatz:								
a) Gehalt ꝛc. der Lehrerin	1 800	—	1 800	—	—	—	—	—
b) Für Unterhaltung und Ergänzung des Inventars, Lehrmittel ꝛc.	100	—	79	09	—	—	20	91
c) Für elektrische Beleuchtung	80	—	46	16	—	—	33	84
d) „ Kochgas	60	—	—	—	—	—	60	—
e) „ Wasser	40	—	7	23	—	—	32	77
f) „ Brennmaterialien	200	—	116	84	—	—	83	16
g) „ sonstige Wirtschaftsbedürfnisse	1 200	—	1 117	90	—	—	82	10
h) „ Reparaturen an Herden ꝛc.	100	—	18	74	—	—	81	26
i) „ unvorhergesehene Ausgaben	80	—	—	—	—	—	80	—
zu übertragen . . .	623 142	48	630 250	43	8 448	15	1 340	20

Ferner: 42. Volksschule.	Betrag nach dem Voranschlag ℳ	₰	Betrag nach der Rechnung ℳ	₰	Mithin gegen den Voranschlag mehr ℳ	₰	weniger ℳ	₰
Übertrag . . .	623 142	48	630 250	43	8 448	15	1 340	20
VI. Jugendspiele:								
1. Miete für einen Spielplatz	80	—	80	—	—	—	—	—
2. und 3. Vergütung für den Oberleiter der Spiele und die Spielleiter	3 530	—	3 526	—	—	—	4	—
4. Füe Ergänzung des literarischen Materials	20	—	8	60	—	—	11	40
5. „ Unterhaltung der Spielplätze	120	—	125	94	5	94	—	—
6. „ „ „ Spielgeräte	150	—	157	30	7	30	—	—
7. „ „ und Reinigung der Bedürfnishäuschen auf den beiden Kinderspielplätzen	100	—	98	12	—	—	1	88
VII. Schülerbäder:								
1. Für die Schülerbäder im Schulhaus am Holztor:								
a) Für Heizungsmaterialien	500	—	435	70	—	—	64	30
b) „ Wusser ꝛc.	430	—	255	40	—	—	174	60
c) „ Badekleider ꝛc. für arme Kinder	150	—	62	50	—	—	87	50
d) Vergütung für Besorgung der Badewäsche armer Kinder	360	—	360	—	—	—	—	—
2. Für die Schülerbäder im Fürstenbergerhofbad:								
a) Für Wasser und Anteil an den Kasten der Zentralheizung	300	—	300	—	—	—	—	—
b) Für Seife ꝛc.	30	—	53	20	23	20	—	—
c) „ Badekleider ꝛc. für arme Kinder	150	—	137	—	—	—	13	—
d) Vergütung für Besorgung der Badewäsche armer Kinder	100	—	100	—	—	—	—	—
e) Für Abgabe von Einzelbädern an größere Mädchen	70	—	84	50	14	50	—	—
3. Für die Schülerbäder im Schulhause am Feldbergplatz:								
a) Für Heizungsmaterialien	400	—	399	36	—	—	—	64
b) „ Wasser, Seife und Soda	430	—	283	52	—	—	146	48
c) „ Badekleider und Handtücher für arme Kinder .	150	—	82	02	—	—	67	98
d) „ Vergütung an die zwei Schuldiener für Besorgung der Badewäsche armer Schulkinder . . .	360	—	360	—	—	—	—	—
4. Für die Schülerbäder im Schulhaus am Eisgrubeweg:								
a) Für Heizungsmaterialien	400	—	398	58	—	—	1	42
b) „ Waffer, Srife und Soda	230	—	156	40	—	—	73	60
c) „ Badekleider und Handtücher für arme Kinder .	100	—	39	75	—	—	60	25
d) „ Besorgung der Badewäsche armer Schulkinder .	180	—	180	—	—	—	—	—
5. Für die Schülerbäder im Schulhaus an der Leibnizstraße:								
a) Für Heizungsmaterialien	400	—	399	10	—	—	—	90
b) „ Wasser, Seife und Soda	430	—	372	56	—	—	57	44
zu übertragen . . .	632 312	48	638 705	98	8 499	09	2 105	59

Ferner: 42. Volksschule.	Betrag nach dem Voranschlag ℳ	₰	der Rechnung ℳ	₰	Mithin gegen den Voranschlag mehr ℳ	₰	weniger ℳ	₰
Übertrag . . .	632 312	48	638 705	98	8 499	09	2 105	59
c) Für Badekleider und Handtücher für arme Kinder. Die Kreditergänzung erfolgte durch die Bürgermeisterei.	150	—	341	85	191	85	—	—
d) Für Vergütung an die zwei Schuldiener für Besorgung der Badewäsche armer Kinder	360	—	360	—	—	—	—	—
6. Für Badekleider und Handtücher für arme Kinder in der Schule im Karmeliterkloster	50	—	48	75	—	—	1	25
7. Rheinbäder	360	—	360	—	—	—	—	—
VIII. Schulgesundheitspflege:								
1. Vergütung der Schulärzte . . . . In der Zeit vom 1. Januar bis 31. März 1908 war eine Schularztstelle unbesetzt.	4 000	—	3 800	—	—	—	200	—
2. Beschaffung von Gegenständen &c. zur Ausübung der schulärztlichen Praxis	200	—	55	—	—	—	145	—
3. Erteilung von orthopädischem Turnunterricht an Kinder, die mit Schiefwuchs behaftet sind	8 000	—	8 000	—	—	—	—	—
IX. Mobilienversicherung	200	—	177	03	—	—	22	97
X. Schulhäuser:								
1. Gemeinde-Grundsteuern	23	—	24	25	1	25	—	—
2. Brandversicherungsbeiträge	2 287	—	1 369	13	—	—	917	87
3. Baukosten:								
a) Schulhaus in der kleinen Emmeransgasse:								
Unterhaltung in Dach und Fach	300	—	126	45	—	—	173	55
Einführung der Wasserleitung und Anbringen von zwei Waschbecken mit der nötigen Abwasserleitung .	430	—	245	12	—	—	184	88
Einführung der Gasbeleuchtung im I. und II. Obergeschoß	400	—	556	33	156	33	—	—
b) Schulhaus auf dem Ballplatz:								
Unterhaltung in Dach und Fach	300	—	184	69	—	—	115	31
c) Schulhaus in Zahlbach einschl. Lehrerwohnhaus:								
Unterhaltung in Dach und Fach	200	—	197	68	—	—	2	32
Anstrich des Holzwerks der Fassaden am Lehrerwohnhaus	290	—	284	39	—	—	5	61
Anstrich der Fenster und Dachgesimse des Schulhauses	120	—	115	77	—	—	4	23
d) Provisorisches Schulhaus in der Leibnizstraße:								
Unterhaltung in Dach und Fach	500	—	471	26	—	—	28	74
Herrichten von zwei Lehrsälen	630	—	168	52	—	—	461	48
zu übertragen . . .	651 112	48	655 592	20	8 848	52	4 368	80

Ferner: 42. Volksschule.

	Betrag nach				Mithin gegen den Voranschlag			
	dem Voranschlag		der Rechnung		mehr		weniger	
	ℳ	₰	ℳ	₰	ℳ	₰	ℳ	₰
Übertrag . . .	651 112	48	655 592	20	8 848	52	4 368	80
e) Bezirksschulhaus in der Schulstraße (Schillerschule):								
Unterhaltung in Dach und Fach	1 500	—	1 674	60	174	60	—	—
Unterhaltung der Warmwasser- und Luftheizung . .	400	—	390	83	—	—	9	17
Anbringen einer zweiflügligen Abschlußtüre im Erdgeschoß der Mädchenabteilung	200	—	165	55	—	—	34	45
Erneuerung des Anstrichs an Decken und Wänden in den Sälen 12 und 33	270	—	222	76	—	—	47	24
Reinigen des Wellblechdaches an der Turnhalle und über dem Abortgebäude sowie Streichen desselben mit Ölfarbe	240	—	242	75	2	75	—	—
Ausbessern der Entlüftungskanäle auf dem Speicher .	550	—	446	25	—	—	103	75
f) Bezirksschulhaus am Fürstenbergerhof:								
Unterhaltung in Dach und Fach einschl. des Erweiterungsbaues	900	—	804	96	—	—	95	04
Umänderung des Konferenzzimmers in einen Physiksaal	710	—	669	51	—	—	40	49
Umänderung von zwei Zimmern im Erdgeschoß in ein Konferenzzimmer	530	—	381	22	—	—	148	78
Herstellungen in der Schuldienerwohnung	130	—	129	68	—	—	—	32
g) Bezirksschulhaus am Eisgrubeweg:								
Unterhaltung in Dach und Fach einschl. des Erweiterungsbaues sowie der Oberlehrer- und Schuldiener-Wohngebäude	1 000	—	761	43	—	—	238	57
Unterhaltung der Dampfheizung	400	—	394	57	—	—	5	43
h) Bezirksschulhaus in der Holzstraße einschl. der 2 Schulbaracken:								
Unterhaltung in Dach und Fach	1 350	—	1 337	96	—	—	12	04
Unterhaltung der Niederdruck-Dampfheizungsanlagen .	400	—	400	02	—	02	—	—
Erneuerung des Anstrichs und des Verputzes der beiden Kellergeschoßflure	130	—	128	99	—	—	1	01
Ausweißen der beiden Heizräume einschl. Ausbesserung des Bestichs	110	—	81	73	—	—	28	27
Anstrich der Dachflächen und des Sockels an den beiden Baracken	280	—	278	68	—	—	1	32
i. Bezirksschulhaus am Feldbergplatz:								
Unterhaltung des Schulgebäudes in Dach und Fach .	1 400	—	1 127	77	—	—	272	23
Unterhaltung des Oberlehrerwohngebäudes	200	—	142	47	—	—	57	53
Unterhaltung der Niederdruck-Dampfheizungsanlagen .	400	—	385	64	—	—	14	36
Anbringen von Rollläden zur Verdunkelung des Physiksaales	560	—	350	39	—	—	209	61
zu übertragen . . .	662 772	48	666 109	96	9 025	89	5 688	41

Ferner: 42. Volksschule.	Betrag nach dem Voranschlag ℳ	₰	Betrag nach der Rechnung ℳ	₰	Mithin gegen den Voranschlag mehr ℳ	₰	Mithin gegen den Voranschlag weniger ℳ	₰
Übertrag . . .	662 772	48	666 109	96	9 025	89	5 688	41
Erneuerung des Leimfarbanstrichs an Decken und Wänden im I. und II. Obergeschoß	630	—	211	40	—	—	418	60
Die Arbeiten wurden nur zum Teil ausgeführt, der verbleibende Teil soll im Rj. 1908 zur Ausführung kommen. Der Kreditrest von 418 ℳ 60 ₰ wurde daher mit Zustimmung der St.-V.-V. v. 21. Okt. 1908 auf das Rj. 1908 übertragen.								
k) Bezirksschulhaus an der Leibnizstraße (Leibnizschule):								
Unterhaltung in Dach und Fach	500	—	505	28	5	28	—	—
Unterhaltung der Niederdruck-Dampfheizungsanlagen .	200	—	202	47	2	47	—	—
Aufstellung zweier Heizkörper in den Baderäumen der Leibnizschule	—	—	451	62	451	62	—	—
Lt. St.-V.-Beschl. v. 18. Dezember 1907 = 500 ℳ Kredit.								
l) Seitheriges Gebäude der Entbindungsanstalt, Rosengasse 12, mit Ausnahme der früheren Direktorwohnung (vergl. Rubrik 3. XXIV.), jetzt für Schulzwecke provisorisch verwendet:								
Unterhaltung in Dach und Fach	150	—	295	34	145	34	—	—
Reinigung der Entwässerungsanlage	15	—	28	60	13	60	—	—
Die Räume im Hause Rosengasse Nr. 12, mit Ausnahme derjenigen des ehemaligen Dienstwohngebäudes des Direktors der Entbindungsanstalt, wurden ausschließlich als Unterrichtsräume für die Volksschule verwendet, weshalb die für diesen Gebäudeteil entstandenen Baukosten, entgegen der Darstellung im Voranschlag, von der Rubrik 42. X. 3 l allein zu übernehmen waren. Da nach dem Voranschlag die Hälfte dieser Kosten von Rubrik 45. I. 3 zu tragen waren, stehen den bei Rubrik 42. X. 3l nunmehr entstandenen Mehrausgaben bei Rubrik 45. I. 3 entsprechende Ersparnisse gegenüber.								
4. Für Austünchen von Schulsälen im Karmeliterkloster und für Ausbesserungen in solchen, sowie für Ausführung der der Stadt Mainz zufallenden kleineren Ausbesserungen in den gemieteten Schullokalen auf dem Emmeranskirchhof und auf dem Quintinskirchhof	600	—	420	47	—	—	179	53
5. Ölen der Fußböden und Bohnen der Linoleumbeläge in den Volksschulen	1 750	—	1 447	86	—	—	302	14
Die bei der Unterhaltung der Schulhäuser (pos. X. 3a—l, 4 und 5) im Rechnungsjahr 1907 erzielten Ersparnisse sollen lt. St.-V.-Beschl. v. 27. Mai 1908 auf das Rechnungsjahr 1908 übertragen werden behufs Vornahme baulicher Veränderungen zum Schutze gegen Panik und Feuersgefahr. Die erwähnten Ersparnisse betragen 2 277 ℳ 01 ₰. Mit Zustimmung der St.-V.-V. vom 21. Oktober 1908 wurde daher dieser Kreditrest auf das Rechnungsjahr 1908 übertragen.								
zu übertragen . . .	666 617	48	669 673	—	9 644	20	6 588	68

Ferner: 42. Volksschule.	Betrag nach				Mithin gegen den Voranschlag			
	dem Voranschlag		der Rechnung		mehr		weniger	
	ℳ	₰	ℳ	₰	ℳ	₰	ℳ	₰
Übertrag . . .	666 617	48	669 673	—	9 644	20	6 588	68
6. Für Bekiesen sämtlicher Schulhöfe mit Bessunger Kies	1 800	—	1 910	13	110	13	—	—
7. Für Reinigung und Unterhaltung der Bedürfnisanstalten:								
a) Abfuhr wasserhaltiger Latrinenmasse	800	—	797	35	—	—	2	65
b) Instandhaltung der Ölpissoirs	1 380	—	1 301	97	—	—	78	03
c) Gebühren für Überwachung der nach System Brix & Gibian eingebauten Abortgruben im Leibnizschulhaus und im Schulhaus am Feldbergplatz . .	30	—	30	—	—	—	—	—
d) Für Beschaffung von Klosettpapier für die Aborte der Schulhäuser	200	—	115	50	—	—	84	50
8. Für Reinigung der Hausentwässerungsanlagen . . .	450	—	423	80	—	—	26	20
XI. Mirte für Schulräume	914	29	914	29	—	—	—	—
XII. Lieferung von Lernmitteln an arme Schulkinder	19 500	—	23 480	—	3 980	—	—	—
Die vorgesehenen Mittel waren unzureichend. Die Kreditergänzung erfolgte durch St.-V.-Beschl. vom 21. Oktober 1908.								
XIII. Schulversäumnisstrafen (erlassene und durch Haft verbüßte Posten)	443	48	443	—	—	—	—	48
Verausgabung genehmigt durch St.-V.-Beschl. vom 21. Oktober 1908.								
XIV. Verzinsung und Tilgung der für die Schulbauten aufgewendeten Kapitalien	146 394	75	146 369	78	—	—	24	97
Summe . . .	838 530	—	845 458	82	6 928	82	—	—
43. Fortbildungsschule.								
Einnahme.								
I. Schulversäumnisstrafen	700	—	756	40	56	40	—	—
Ausgabe.								
I. Kosten der Unterrichtserteilung	10 240	—	13 649	—	3 409	—	—	—
Die neue Unterrichtseinteilung beanspruchte mehr als ungenommen. Der Kredit wurde durch St.-V.-Beschl. v. 21. Oktober 1908 um 2 104 ℳ ergänzt und zwar um 1 452 ℳ 70 ₰ zu Lasten der Ersparnisse bei pos. III. 1 und um 651 ℳ 30 ₰ zu Lasten des Reservefonds. Außerdem stand aus dem Vorjahr noch ein Kreditübertrag von 1 305 ℳ zur Verfügung für den Zuschuß der Stadt zu den Kosten der kaufmännischen Fortbildungsschule der Handelskammer für das Schuljahr 1906/07.								
II. Schulversäumnisstrafen (erlassene und durch Haft erledigte Posten)	60	—	70	—	10	—	—	—
Verausgabung genehmigt durch St.-V.-Beschl. vom 21. Oktober 1908.								
III. Schulbedürfnisse:								
1. Für literarische Gegenstände und Lehrmittel	2 200	—	747	30	—	—	1 452	70
Summe . . .	12 500	—	14 466	30	1 966	30	—	—

	Betrag nach				Mithin gegen den Voranschlag			
	dem Voranschlag		der Rechnung		mehr		weniger	
	ℳ	₰	ℳ	₰	ℳ	₰	ℳ	₰
44. Gewerbeschule.								
Einnahme	23 400	—	23 400	—	—	—	—	—
Ausgabe	23 400	—	23 400	—	—	—	—	—
45. Realgymnasium und Ober-Realschule.								
Einnahme	600	—	1 260	—	660	—	—	—
Außer der im Voranschlag vorgesehenen Mietentschädigung für die Dienstwohnung des Direktors des Realgymnasiums mit 600 ℳ ist auch eine Mietentschädigung für die Dienstwohnung des Direktors der Oberrealschule mit 660 ℳ vereinnahmt worden.								
Ausgabe.								
I. Unterhaltung der Gebäude:								
1. Schulhaus in der Steingasse:								
a) Unterhaltung in Dach und Fach	1 000	—	668	32	—	—	331	68
b) Unterhaltung der Zentralheizungsanlage	200	—	199	95	—	—	—	05
c) Instandhaltung des Ölpissoirs	400	—	367	55	—	—	32	45
d) Reinigung der Hausentwässerung	40	—	36	40	—	—	3	60
e) Überwachungsgebühr für die zwei Abortgruben . .	20	—	20	—	—	—	—	—
f) Ersatz von Aufwendungen für bauliche Herstellungen	4 400	—	4 400	—	—	—	—	—
g) Ölen der Fußböden der Lehrsäle	190	—	—	—	—	—	190	—
h) Herstellung des Anstrichs und des Verputzes in den Gängen im Erdgeschoß und I. Obergeschoß . . .	250	—	216	28	—	—	33	72
i) Herstellung des Anstrichs usw. in den Sälen Nr. 2, 4, 26 und 27	290	—	290	53	—	53	—	—
k) Desgleichen im Chemiesaal	140	—	111	89	—	—	28	11
l) „ „ Physiksaal mit 2 Schrankzimmern .	330	—	263	63	—	—	66	37
m) „ „ Zeichensaal	200	—	186	15	—	—	13	85
n) Herstellung eines Zugangs zu den Mädchenaborten .	400	—	309	33	—	—	90	67
o) Herrichtung eines Zimmers und des Ganges in der Wohnung des Pedellen, des Dienstzimmers desselben und der Waschküche	210	—	196	97	—	—	13	03
2. Schulhaus in der Schulstraße:								
a) Unterhaltung in Dach und Fach	500	—	1 480	12	980	12	—	—
Durch St.-V.-Beschl. v. 15. April 1908 wurde für Ausführung der zur Einrichtung von zwei weiteren Klassenräumen erforderlichen Änderungen ein Kredit von 1 160 ℳ bewilligt.								
zu übertragen . . .	8 570	—	8 747	12	980	65	803	53

Ferner: 45. Realgymnasium und Ober-Realschule.

	Betrag nach				Mithin gegen den Voranschlag			
	dem Voranschlag		der Rechnung		mehr		weniger	
	M	Pf	M	Pf	M	Pf	M	Pf
Übertrag . . .	8 570	—	8 747	12	980	65	803	53
b) Unterhaltung des Direktorwohnhauses	100	—	55	71	—	—	44	29
c) Unterhaltung der Zentralheizungsanlage	300	—	303	09	3	09	—	—
d) Für Reinigung der Hausentwässerungsanlage . . .	100	—	93	60	—	—	6	40
e) „ Unterhaltung der Ölpissoirs und Schülerklosetts	600	—	530	77	—	—	69	23
f) Ölen der Fußböden einschl. der Terrazzoböden . .	510	—	249	38	—	-	260	62
g) Überwachungsgebühr der nach dem System Brix und Gibian eingebauten Abortgrube	10	—	10	—	—	—	—	—
h) Brandversicherungsbeiträge	—	—	265	71	265	71	—	—
i) Abfuhr wasserhaltiger Latrine	—	—	112	72	112	72	—	—
3. Schulräume im Hause Rosengasse Nr. 12.								
a) Anteilige Kosten an der baulichen Unterhaltung des Hauses	165	—	—	—	—	—	165	—
Im Rj. 1907 wurden die Schulräume im Hause Rosengasse Nr. 12 nicht mehr für Zwecke der Realschule benutzt. Die Kosten der baulichen Unterhaltung erscheinen daher sämtlich unter der Rubrik 42. X. 3. I. — Vergleiche die Erläuterung zu Rubrik 42. X. 3. I.								
4. Für Bekiesen der Schulhöfe	300	—	252	—	—	—	48	—
II. Mieten	2 524	57	2 524	57	—	—	—	—
III. Zuschuß zu den Kosten des Realgymnasiums und der Ober-Realschule	40 205	—	50 121	99	9 916	99	—	—
Die Ergänzung des Kredits erfolgte durch St.-V.-Beschl. v. 21. Oktober 1908.								
IIIa. Unterhaltung und Ergänzung von Mobilien.								
1. Schulhaus in der Steingasse:								
a) Anstrich des alten Mobiliars	350	—	—	—	—	—	350	—
b) Beschaffung von 10 neuen Schiefertafeln mit Gestell	500	—	249	—	—	—	251	—
c) Ergänzung von Mobiliar im Chemiesaal und in dem Ober- und Unterprimasaal, sowie Erneuerung des Podiums im Chemiesaal	1 200	—	—	—	—	—	1 200	—
d) Beschaffung von Schulbänken und Ausbesserung von alten Bänken	4 291	—	2 683	24	—	—	1 607	76
Die noch verfügbaren Kredite der Positionen a—d wurden mit Zustimmung der St.-V.-V. v. 21. Oktober 1908 auf das Rj. 1908 übertragen.								
IV. Mobilienversicherung	99	43	95	21	—	—	4	22
V. Verzinsung und Tilgung der für die Ober-Realschule aufgewendeten Kapitalien . . .	40 000	—	36 140	17	—	—	3 859	83
Summe . . .	99 825	—	102 434	28	2 609	28	—	—

	Betrag nach				Mithin gegen den Voranschlag			
	dem Voranschlag		der Rechnung		mehr		weniger	
	M	₰	M	₰	M	₰	M	₰
46. Gymnasium.								
Ausgabe.								
I. Gymnasialgebäude:								
Brandversicherungsbeiträge	250	—	149	10	—	—	100	90
47. Höhere Mädchenschule.								
Einnahme.								
I. Schulgeld	66 820	—	69 036	83	2 216	83	—	—
II. Geldanschlag der Dienstwohnungen und Miete von Kellern	675	—	1 036	67	361	67	—	—
Die Dienstwohnungen des Direktors und des Schuldieners in dem Neubau der Höheren Mädchenschule sind denselben mit Wirkung vom 1. Oktober 1907 überwiesen worden. Hier erscheinen die Geldanschläge für ½ Jahr mit 395 M in Einnahme. Dagegen kommt nach den Erläuterungen der Einnahmen bei Rubrik 42. II der Geldanschlag für die unter pos. 2 des Voranschlags aufgeführte Schuldienerwohnung vom 1. Dezember 1907 ab in Wegfall, wodurch ein Ausfall von 33 M 33 ₰ entstanden ist.								
III. Ersatz von Gehalten rc.	16 380	—	17 799	11	1 419	11	—	—
IV. Ersatz von Heizungskosten	—		120	—	120	—	—	—
Von dem Direktor sind für Benutzung der Zentralheizung zur Beheizung einer Anzahl Räume seiner Dienstwohnung von der Heizperiode 1907/08 ab für jede Heizperiode 120 M zu zahlen.								
Summe	83 875	—	87 992	61	4 117	61	—	—
Ausgabe.								
I. Gehalte rc. des Lehrpersonals:								
a) Gehalte rc.	110 205	—	109 512	95	—	—	692	05
Eine Lehrerstelle war mit einem erhöhten Gehalte vorgesehen, doch kam der Inhaber dieser Stelle erst vom 1. Januar 1908 ab in den Genuß des erhöhten Gehaltes. Für Erteilung von israelitischem Religionsunterricht wurde weniger als vorgesehen beansprucht. Desgleichen wurden die definitiven Gehalte für drei zur Anstellung gelangte provisorische Lehrerinnen erst vom 13. Juli 1907 ab in Anspruch genommen. Für die den akademisch gebildeten Lehrern nach dem Gesetze vom 28. März 1907 zu gewährenden Wohnungsgeldzuschüsse waren 60 M weniger als vorgesehen erforderlich. Gestorben ist am 21. Februar 1908 eine Lehrerin. Während der Erkrankung dieser Lehrerin sowie nach deren Ableben war eine Aushilfe zur Erteilung von katholischem Religionsunterricht								
zu übertragen	110 205	—	109 512	95	—	—	692	05

Ferner: 47. Höhere Mädchenschule.	Betrag nach				Mithin gegen den Voranschlag			
	dem Voranschlag		der Rechnung		mehr		weniger	
	ℳ	₰	ℳ	₰	ℳ	₰	ℳ	₰
Übertrag . . .	110 205	—	109 512	95	—	—	692	05
notwendig, wofür 68 ℳ aufzuwenden waren. Ausgeschieden aus dem Schuldienste ist eine Lehrerin nach vorausgegangener Beurlaubung. Deren Stelle wurde provisorisch verwaltet, wodurch 370 ℳ 84 ₰ Kosten entstanden. Durch St.-V.-Beschl. vom 5. März 1908 war hierfür ein Kredit von 375 ℳ bewilligt worden. An den Schullehrerpensionsfonds waren nur 413 ℳ 93 ₰ statt der vorgesehenen 460 ℳ abzuliefern.								
II. Schulbedürfnisse:								
1. Für Reinigung der Schullokale:								
a) bis c) Gehalte ꝛc. der Schuldiener	3 150	—	2 999	46	—	—	150	54
Die im Laufe des Jahres erfolgten anderweiten Besetzungen der Schuldiener- und Hilfsschuldienerstelle bedingten die Weniger-Ausgabe. Vergleiche auch die Erläuterung bei Rubrik 42 pos. IV. 1.								
d) Für regelmäßige gründliche Reinigung der Schullokale	2 500	—	2 647	91	147	91	—	—
2. Für Unterhaltung von Mobilien	600	—	218	15	—	—	381	85
3. „ Anschaffung von Büchern einschließlich Buchbinderkosten und Lehrmitteln	1 600	—	1 063	16	—	—	536	84
4. Für Schreibmaterialien, Kreide, Tinte, Schwämme ꝛc. .	150	—	75	12	—	—	74	88
5. „ Programme und Drucksachen	1 200	—	1 187	39	—	—	12	61
6. „ Heizungsmaterialien	2 500	—	4 192	74	1 692	74	—	—
Der Kredit wurde durch St.-V.-Beschl. vom 29. Juli 1908 um 1692 ℳ 74 ₰ ergänzt.								
7. Für Beleuchtung einschl. der Anschaffung von Glühkörpern ꝛc.	700	—	638	42	—	—	61	58
8. Schulfeierlichkeiten	100	—	15	—	—	—	85	—
9. „ Verschiedenes, Porti ꝛc.	105	—	111	05	6	05	—	—
10. Kosten der Feierlichkeiten gelegentlich der Einweihung der Neubauten der Höhrren Mädchenschule am 15. Oktober 1907.	—	—	470	54	470	54	—	—
Die Krediteröffnung erfolgte mit Zustimmung des Kuratoriums der Höheren Mädchenschule durch die Bürgermeisterei zu Lasten der bei anderen Positionen bestehenden Ersparnisse.								
III. Jugendspiele	500	—	402	—	—	—	98	—
IV. Mobilienversicherung	26	—	49	28	23	28	—	—
Die Versicherung der Mobilien, Lehrmittel ꝛc. der neuerbauten Höheren Mädchenschule vom 28. August 1907 ab bedingten die Mehrausgabe.								
zu übertragen . . .	123 336	—	123 583	17	2 340	52	2 039	35

Ferner: 47. **Höhere Mädchenschule.**

	Betrag nach				Mithin gegen den Voranschlag			
	dem Voranschlag		der Rechnung		mehr		weniger	
	ℳ	₰	ℳ	₰	ℳ	₰	ℳ	₰
Übertrag . . .	123 836	—	123 583	17	2 340	52	2 093	35
V. Gebäude:								
1. Brandversicherungsbeiträge	274	—	216	71	—	—	57	29
2. Baukosten:								
a) Unterhaltung des Schulhauses in der Alten Universitätsstraße in Dach und Fach	700	—	352	57	—	—	347	43
b) Unterhaltung der Dampfheizung in demselben Schulhause	200	—	178	47	—	—	21	53
c) Unterhaltung des Schulhauses in der Bauhofstraße in Dach und Fach	400	—	38	72	—	—	361	28
d) Ölen der Fußböden in den beiden Schulhäusern . .	185	—	70	13	—	—	114	87
e) Unterhaltung der Zentralheizung im Neubau der Höheren Mädchenschule	—	—	188	45	188	45	—	—
Durch die im Laufe des Jahres erfolgte Eröffnung der neuen Höheren Mädchenschule wurden die Ausgaben verursacht.								
3. Für Wasserverbrauch	100	—	234	92	134	92	—	—
4. Gasverbrauch der Lüftungsanlage im Latrinengebäude des Schulhauses in der Alten Universitätsstraße	130	—	142	86	12	86	—	—
5. Abfuhr wasserhaltiger Latrine	70	—	70	97	—	97	—	—
6. Reinigung der Hausentwässerungsanlagen	70	—	73	60	3	60	—	—
7. Überwachungsgebühren für zwei Abortgruben in der neuen Höheren Mädchenschule	—	—	20	—	20	—	—	—
Den Ausgaben stehen bei Rubrik 65. III 10 entsprechende Einnahmen gegenüber.								
VI. Uneinbringliche Posten an Schulgeld	—		16	50	16	50	—	—
Verausgabung genehmigt durch St.-V.-Beschluß vom 21. Oktober 1908.								
Summe . . .	125 465	—	125 187	07	—	—	277	93

	Betrag nach				Mithin gegen den Voranschlag			
	dem Voranschlag		der Rechnung		mehr		weniger	
	ℳ	₰	ℳ	₰	ℳ	₰	ℳ	₰
48. Landwirtschaftliche Winterschule.								
Ausgabe.								
1. Miete für den I. und II. Stock des Anwesens Schulstraße Nr. 25	2 500		2 500	—	—	—		
2. Für kleinere Ausbesserungen in den vorerwähnten Schulräumen	100		137	60	37	60		
Die Instandsetzung der in den gemieteten Schulräumen eingefrorenen Wasserleitung bedingte die Mehrausgabe. Die Kreditergänzung erfolgte durch die Bürgermeisterei.								
Summe . . .	2 600	—	2 637	60	37	60	—	
49. Öffentliche Lehranstalt der Großh. Handelskammer.								
Ausgabe.								
1. Miete für das Schullokal	2 300		2 300	—	—	—		
2. An die Handelskammer Mainz den Zuschuß der Stadt	4 200		4 200	—	—	—	—	
3. Für Heizung und Beleuchtung	500		780	47	280	47	—	
4. „ Reinigung	200		520	—	320	—	—	
5. Feuerversicherungsprämie	2		1	84	—	—	—	16
6. Für kleinere Ausbesserungen in den Schulräumen . .	100		551	17	431	17	—	—
7. Erneuerung des Anstrichs im Saal 2 und in den Vorplätzen des 1. und 2. Stocks	240		170	31	—	—	69	69
Die Mehrausgaben der Rubrik 49 betragen insgesamt 981 ℳ 79 ₰. Die Kreditergänzung in dieser Höhe erfolgte durch St.-V.-Beschl. vom 21. Oktober 1908.								
Summe . . .	7 542	—	8 523	79	981	79	—	—
50. Großherzogliches Lehrerinnen-Seminar.								
Einnahme.								
I. Schulgeld	8 260	—	8 850	01	590	01	—	—
Ausgabe.								
I. Lehrpersonal und Schulbedürfnisse.								
1. Vergütung für die Leitung des Seminars	600	—	600	—	—		—	
2. und 3. Anteile des Seminars an den Gehalten des Lehrpersonals und den Kosten für Schulbedürfnisse . . .	16 380	—	17 799	11	1 419	11	—	
Den Mehrausgaben stehen bei Rubrik 47. III der Einnahme entsprechende Mehreinnahmen gegenüber. Die Kreditergänzung erfolgte durch die Bürgermeisterei.								
Summe . . .	16 980	—	18 399	11	1 419	11	—	—

54. Stadtbibliothek.

	Betrag nach				Mithin gegen den Voranschlag			
	dem Voranschlag		der Rechnung		mehr		weniger	
	ℳ	₰	ℳ	₰	ℳ	₰	ℳ	₰
Einnahme.								
I. Gutenberg-Museum	7 345	26	9 392	46	2 047	20	—	—
In Einnahme erscheinen:								
1. Beitrag des Staates für das Rechnungsjahr 1907 . . . 2 500,00 ℳ								
2. Beitrag der Stadt für das Rechnungsjahr 1907 . . . 2 500,00 „								
3. Beitrag der Gutenberg-Gesellschaft aus den Überschüssen des Jahres 1905/06 . . . 2 000,00 „								
4. Jahresbeitrag der bürgerlichen Kollegien in Stuttgart . . . 50,00 „								
5. Zinsen von dem angelegten Gründungskapital . . . 2 342,46 „								
zusammen . . . 9 392,46 ℳ								
Von der Gutenberg-Gesellschaft wurde dem Gutenberg-Museum aus den Überschüssen des Jahres 1906/07 ebenfalls ein Beitrag von 2000 ℳ überwiesen. Die Verrechnung dieses Betrags konnte jedoch im Rechnungsjahr 1907 nicht mehr erfolgen, da die Überweisung erst nach Bücherschluß stattfand.								
Ausgabe.								
I. Gehalte der Angestellten	21 450		20 033	33	—	—	1 416	67
Der Oberbibliothekar trat mit Wirkung vom 1. Nov. 1907 in den Ruhestand. Die Stelle blieb vorerst unbesetzt. An die Witwenkasse war ein Vakanzüberschuß von 1 250 ℳ abzuliefern.								
II. Anschaffung von Büchern	8 750	—	8 810	27	60	27	—	—
III. Beitrag der Stadt zur Errichtung eines Gutenberg-Museums	2 500		2 500	—	—	—	—	—
IV. Archiv	350	—	273	70	—		76	30
V. Münzkabinett	500	—	255	20	—		244	80
VI. Bureaukosten:								
1. Für Schreibmaterialien	80	—	81	95	1	95	—	—
2. „ Drucksachen	300	—	168	12	—	—	131	88
3. „ außergewöhnliche Buchbinderarbeiten	700	—	725	30	25	30	—	—
4. und 4a. Für Unterhaltung und Neuanschaffung von Mobiliar	1 000		1 011	54	11	54	—	—
5. Für Reinigung der Arbeits- und Ausstellungsräume ꝛc.	240	—	240	—	—	—	—	—
6. „ Heizung	650	—	599	32	—		50	68
7. Verschiedene Ausgaben, Porti ꝛc.	250		245	39	—	—	4	61
VII. Feuerversicherung	930	—	922	97	—	—	7	03
zu übertragen	37 700	—	35 867	09	99	06	1 931	97

Ferner: 54. Stadtbibliothek.	Betrag nach				Mithin gegen den Voranschlag			
	dem Voranschlag		der Rechnung		mehr		weniger	
	ℳ	₰	ℳ	₰	ℳ	₰	ℳ	₰
Übertrag . . .	37 700	—	35 867	09	99	06	1 931	97
VIII. Fonds für das Gutenberg-Museum:								
1. Für Drucksachen	500	—	18	80	—	—	481	20
2. „ Ausstellungs-Mobiliar	200	—	35	03	—	—	164	97
3. „ die Gutenberg-Bibliothek	500	—	492	95	—	—	7	05
4. „ Anschaffungen für das Museum	5 000	—	4 836	38	—	—	163	62
5. „ Reinigung	120		120	—	—	—	—	—
6. „ zeitweise Schreibhilfe	500	—	524	—	24	—	—	—
7. „ Verschiedenes, Porti 2c.	100	—	—	—	—	—	100	—
8. Verzinsliche Anlage des Überschusses der Einnahmen über die Ausgaben	425	26	3 365	30	2 940	04	—	—
Nach Anlage des vorbemerkten Überschusses wird der Fonds des Museums im ganzen 70 582 ℳ 26 ₰ betragen.								
Summe . . .	45 045	26	45 259	55	214	29	—	—
55. Öffentliche Kunstsammlungen.								
Einnahme.								
I. Eintrittsgelder	1 300	—	1 671	—	371	—	—	—
II. Erlös für Verzeichnisse der Gemäldegalerie	80	—	132	80	52	80	—	—
III. Kupferstichsammlung:								
1. Laske'sche Stiftung.								
a) Zinsen von angelegten Kapitalien	2 865	13	2 865	13	—	—	—	—
IV. Vergütung für Heizmaterial	25	—	25	—	—	—	—	—
V. Michael Emanuel Oppenheim-Stiftung	—	—	1 854	38	1 854	38	—	—
Der Zinsenertrag des neu zugegangenen Vermächtnisses Oppenheim erscheint hier in Einnahme. Vergl. auch die Erläuterungen bei pos. II. 6 der Ausgabe.								
Summe . . .	4 270	13	6 548	31	2 278	18	—	—
Ausgabe.								
I. Verwaltungskosten:								
1., 2. und 2a. Gehalt und Vergütungen	4 950	—	4 950	—	—	—	—	—
3. Tagegelder für Aufsicht in den Sammlungen	4 400	—	4 614	40	214	40	—	—
4. Für Reinigung der Gänge und Säle 2c.	850	—	850	—	—	—	—	—
5. „ Anschaffung und Unterhaltung von Mobilien 2c.	1 200	—	1 183	95	—	—	16	05
6. „ Gasverbrauch der Ganglampe	30	—	22	62	—	—	7	38
7. Für Abfuhr wasserhaltiger Latrinenmasse	50	—	92	85	42	85	—	—
zu übertragen . . .	11 480	—	11 713	82	257	25	23	43

Ferner: 55. Öffentliche Kunstsammlungen.

	Betrag nach				Mithin gegen den Voranschlag			
	dem Voranschlag		der Rechnung		mehr		weniger	
	ℳ	₰	ℳ	₰	ℳ	₰	ℳ	₰
Übertrag . . .	11 480	—	11 713	82	257	25	23	43
II. Gemäldegalerie:								
1. und 2. Für Anschaffung von Gemälden und Rahmen und für Renovation von Gemälden	6 100	—	4 983	45	—	—	1 116	55
Mit Zustimmung der St.-V.-V. vom 16. Oktober 1907 war ein Kreditrest von 2 577 ℳ 60 ₰ aus dem Rj. 1906 hierher übertragen worden. Es beträgt sonach der Gesamtkredit 8 677 ℳ 60 ₰. Der nach Abzug der Ausgaben verbleibende Kreditrest von 3 694 ℳ 15 ₰ wurde durch St.-V.-Beschluß vom 21. Oktober 1908 auf das Rj. 1908 übertragen.								
3. Für Aufnahme alter Mainzer Bauwerke	300	—	300	—	—	—	—	—
4. „ die Warmwasserheizung rc.	1 150	—	1 131	74	—	—	18	26
5. „ das Aufziehen der astronomischen Uhr	68	57	68	57	—	—	—	—
6. Michael Emanuel Oppenheim-Stiftung	—	—	1 854	38	1 854	38	—	—
Der am 20. Februar 1907 verstorbene Privatmann Max Oppenheim hat durch letztwillige Verfügung vom 19. September 1906 der Stadt Mainz eine Summe von 100 000 ℳ zugewendet, welche der Stadt mit 88 000 ℳ am 1. Oktober 1907 und mit 12 000 ℳ am 1. Januar 1908 ausgeliefert wurde. Die Zinsen dieser Stiftung, welche den Namen „Michael Emanuel Oppenheim-Stiftung" führen soll, sollen zur Anschaffung von guten Originalgemälden der niederländischen Schule für die städtische Gemäldesammlung Verwendung finden. Um dieses zu ermöglichen, soll der Ankauf immer erst nach Ablauf von 5 Jahren stattfinden und der vom ersten Jahre an schon sich ergebende Zinsenbetrag weiter verzinslich angelegt werden. Da der erste Ankauf mithin erst im Rj. 1913 erfolgen kann, wurden die Zinsenerträgnisse des Rj. 1907 bei der Städt. Sparkasse mit 1 854 ℳ 38 ₰ verzinslich angelegt.								
III. Kupferstichsammlung.								
1. Laske'sche Stiftung:								
a) Lebenslängliche Rente	1 200	—	1 200	—	—	—	—	—
b) Unterhaltung der Grabstätte	85	—	85	—	—	—	—	—
c) Verwaltungskosten	16	—	14	—	—	—	2	—
d) Stiftungsgemäße Verwendung des restlichen Zinsenerträgnisses	1 564	13	1 854	40	290	27	—	—
Aus dem Vorjahre stand noch ein Kredit von 320 ℳ 05 ₰ zur Verfügung. Die in 1907 verbliebenen Mittel im Betrage von 320 ℳ 05 ₰ + 2 ℳ = 322 ℳ 05 ₰ — 290 ℳ 27 ₰ =								
zu übertragen . . .	21 963	70	23 205	36	2 401	90	1 160	24

Feuer: 55. Öffentliche Kunstsammlungen.	Betrag nach dem Voranschlag ℳ	₰	Betrag nach der Rechnung ℳ	₰	Mithin gegen den Voranschlag mehr ℳ	₰	weniger ℳ	₰
Übertrag . . .	21 963	70	23 205	36	2 401	90	1 160	24
31 ℳ 78 ₰ werden zur Verwendung im Jahre 1908 reserviert, weshalb mit Zustimmung der St.-V.-V. vom 21. Oktober 1908 auf das Rechnungsjahr 1908 ein Kredit in gleicher Höhe übertragen worden ist.								
IV. Altertumsverein:								
1. und 2. Zuschüsse der Stadt	3 200	—	3 200	—	—	—	—	—
3. Geldanschlag für die Lokale	400	—	400	—	—	—	—	—
4. Ausgrabung römischer Baureste vor dem Gautor	1 500	—	1 530	66	30	66	—	—
Aus dem Vorjahre stand ein Kredit von 84 ℳ 09 ₰ zur Verfügung. Der Gesamtkredit betrug mithin 1584 ℳ 09 ₰.								
Der nach Abzug der Ausgaben verbliebene Kreditrest von 53 ℳ 43 ₰ wurde mit Zustimmung der St.-V.-V. vom 21. Oktober 1908 auf das Rechnungsjahr 1908 übertragen.								
V. Römisch-Germanisches Museum:								
1. Geldanschlag der unentgeltlich überlassenen Räume	460	—	460	—	—	—	—	—
2. Für Beleuchtung	100	—	241	07	141	07	—	—
3. Für Heizung	950	—	950	—	—	—	—	—
Außer vorstehenden Heizungskosten sind im Rechnungsjahr 1906 weitere 849 ℳ 24 ₰ Kosten (siehe Rubrik 55. I. 8 jener Rechnung) entstanden. Die mit dem Vorstande des Römisch-Germanischen Zentralmuseums wegen Übernahme dieser Kosten seither gepflogenen Verhandlungen konnten bis zum Bücherschlusse nicht beendigt werden.								
4. Tilgung der Kosten für Beschaffung von Schränken	2 000	—	3 000	—	1 000	—	—	—
Ein weiterer Zuschuß von 5000 ℳ ist vom Rj. 1907 ab in Teilbeträgen von je 1000 ℳ zu tilgen. Die Kreditergänzung erfolgte durch St.-V.-Beschl. vom 10. Juli 1907.								
VI. Naturhistorisches Museum	4 800	—	4 800	—	—	—	—	—
VII. Verein für plastische Kunst	400	—	400	—	—	—	—	—
VIII. Geschwister Schick-Fonds	—	—	—	—	—	—	—	—
IX. Feuerversicherung	2 050	43	2 076	43	26	—	—	—
X. Germanisches National-Museum zu Nürnberg	100	—	100	—	—	—	—	—
Summe . . .	37 924	13	40 363	52	2 439	39	—	—

56. Stadttheater.

	Betrag nach				Mithin gegen den Voranschlag			
	dem Voranschlag		der Rechnung		mehr		weniger	
	ℳ	₰	ℳ	₰	ℳ	₰	ℳ	₰
Einnahme.								
I. Theatergebäude:								
1. Miete von Lokalen	280	—	280	—	—	—	—	—
2. Geldanschlag der Dienstwohnung des Theatermeisters	100		100	—	—	—	—	—
3. Ersatz der Kosten für Reinigung	—	—	2 000	—	2 000	—	—	—
Der Theaterdirektor hat von der ihm nach § 2 des Vertrages zustehenden Befugnis, vom 1.—15. September außer Abonnement mit seinem eigenen Personal täglich zu spielen, keinen Gebrauch gemacht. Es war hiernach der im § 8 des Vertrages vorgesehene Betrag von 2000 ℳ zu entrichten.								
4. Sonstige Einnahmen	—	—	237	—	237	—	—	—
Für Überlassung des Theaters am 22., 24., 25. April und 12. Mai 1907 zu Theateraufführungen wurde der bemerkte Betrag als Miete und Ersatz der Reinigungskosten erhoben.								
Summe	380	—	2 617	—	2 237	—	—	—
Ausgabe.								
I. Theatergebäude:								
1. Gemeinde-Grundsteuern	1 700	—	1 855	10	155	10	—	—
2. Brandversicherungsbeiträge	4 420	—	2 651	76	—	—	1 768	24
3. Baukosten:								
a) Für Unterhaltung des Gebäudes in Dach und Fach	3 000		2 963	92		—	36	08
b) Erneuerung und Reparatur der Bühnenutensilien, Bühnenmaschinerien und der Mobilien im Zuschauerraum und den Probesälen	2 000	—	1 933	44	—	—	66	56
c) Unterhaltung des eisernen Bühnenvorhanges	150		150	61	—	61	—	—
d) Für Aufpolsterung und teilweise Erneuerung der Stühle und Rücklehnen im Parterre, Balkon, sowie I. und II. Rang	990	—	989	92	—		—	08
e) Erneuerung des Dachkandels	1 140		—	—	—	—	1 140	—
Die Arbeiten sollen erst mit dem Umbau des Stadttheaters zur Ausführung kommen. Der Kredit wurde daher mit Zustimmung der St.-V.-V. v. 21. Oktober 1908 auf das Rj. 1908 übertragen.								
4. Für Reinigung der Hausentwässerungsanlage	30		26	—	—	—	4	—
II. Gehalte der Theaterangestellten:								
1.—5. Gehalte rc.	9 125	—	9 125	—	—	—	—	—
6. Taglohn für den Malergehilfen	1 100	—	1 082	80	—	—	17	20
zu übertragen	23 655	—	20 778	55	155	71	3 032	16

Ferner: 56. Stadttheater.	Betrag nach				Mithin gegen den Voranschlag			
	dem Voranschlag		der Rechnung		mehr		weniger	
	ℳ	₰	ℳ	₰	ℳ	₰	ℳ	₰
Übertrag . . .	23 655	—	20 778	55	155	71	3 032	16
7. Für Kontrollierung der Einnahmen und Ausgaben des Stadttheaters	700	—	700	—	—	—	—	—
8. Kosten der außerordentlichen Billettkontrolle während der Theatersaison 1907/08	—	—	6	—	6	—	—	—
Die Krediteröffnung erfolgte durch die Bürgermeisterei.								
III. Reinigung und Wasserverbrauch:								
1. Reinigung und Unterhaltung der Bedürfnisanstalten:								
a) Für die Abfuhr wasserhaltiger Latrinenmasse . . .	1 600	—	1 776	65	176	65	—	—
b) „ Instandhaltung der Ölpissoirs	400	—	290	15	—	—	109	85
2. Für Reinigung während des Sommers und Winters .	2 700	—	3 003	13	303	13	—	—
Die Mehrausgaben entstanden durch die Kosten für Entstaubung der Polstermöbel ꝛc. des Stadttheaters mittels des Luftsaug-Apparates der Vacuum-Reiniger-Gesellschaft.								
3. Für den Wasserverbrauch	200	—	223	46	23	46	—	—
IV. Heizung und Beleuchtung:								
1. Unterhaltung der Heizungsanlage	400	—	400	69	—	69	—	—
2. Für die elektrische Beleuchtung der Wohnung des Theatermeisters und des Ganges vor derselben . . .	200	—	240	66	40	66	—	—
3. Unterhaltung der elektrischen Lichtanlage ꝛc.	635	—	545	29	—	—	89	71
4. „ ꝛc. der Akkumulatorenbatterie	220	—	173	40	—	—	46	60
5. Für unvorhergesehene Veränderungen der elektrischen Beleuchtungsanlage	200	—	6	58	—	—	193	42
V. Orchester	50 000	—	50 000	—	—	—	—	—
VI. Unterhaltung des Bühneninventars:								
1. Miete für ein Dekorationsmagazin	2 400	—	2 400	—	—	—	—	—
2. Für Anschaffung ꝛc. von Dekorationen ꝛc.	10 000	—	8 585	30	—	—	1 414	70
Aus dem Vorjahr war ein Kreditrest von 1 597 ℳ 94 ₰ hierher übertragen worden. Der Ende 1907 verbliebene Kreditrest von 3 012 ℳ 64 ₰ wurde mit Zustimmung der St.-V.-V. v. 21. Oktober 1908 auf das Rechnungsjahr 1908 übertragen.								
VII. Feuerversicherung	5 100	50	5 042	12	—	—	58	38
VIII. Verzinsung und Tilgung der Kosten der Umbauarbeiten und der elektrischen Beleuchtungsanlage	17 333	50	17 333	50	—	—	—	—
IX. Kosten der Begutachtung der Umbaupläne für das Stadttheater	—	—	1 103	80	1 103	80	—	—
Lt. St.-V.-Beschl. v. 11. Juli 1907 = 1 103 ℳ 80 ₰ Kredit.								
Summe . . .	115 744	—	112 609	28	—	—	3 134	72

	Betrag nach				Mithin gegen den Voranschlag			
	dem Voranschlag		der Rechnung		mehr		weniger	
	ℳ	₰	ℳ	₰	ℳ	₰	ℳ	₰
57. Orchesterfonds.								
Ausgabe	48 186	—	55 629	39	7 443	39	—	—
Zur Deckung des Mehrzuschusses wurden durch die Beschlüsse der St.-V.-V. v. 18. Dezember 1907 und 25. März 1908 die erforderlichen Mittel zu Lasten des Reservefonds zur Verfügung gestellt.								
Die Erläuterungen des Mehr und Weniger der einzelnen Positionen sind auf Seite 481 u. ff. zu ersehen.								
58. Stadthalle.								
Einnahme.								
I. Mieten:								
1. Wirtschaftsräume	12 000	—	12 000	—	—	—	—	—
2. Keller	1 577	—	1 623	67	46	67	—	—
Die eine Hälfte der Abteilung Nr. 9 war noch bis 15. Mai 1907 und die Abteilung Nr. 12 in der Zeit vom 15. Dezember 1907 bis 15. März 1908 vermietet, wodurch eine Mehreinnahme entstand von 110 ℳ 40 ₰, dagegen entstand infolge Kündigung der anderen Hälfte der Abteilung Nr. 9 auf 1. September 1907 ein Mietausfall von 63 ℳ 73 ₰.								
3. Saal und Nebenräume	8 000	—	9 589	57	1 589	57	—	—
Hier wird auf die Ausführungen auf Seite 260 dieses Rechenschaftsberichts verwiesen.								
II. Ersatz der Kosten für Heizung, Beleuchtung und Reinigung:								
1. der Hallenräume	3 350	—	4 528	02	1 178	02	—	—
2. „ Keller	180	—	165	14	—	—	14	86
III. Gebühren für Benutzung der Kleiderablage	3 000	—	2 824	90	—		175	10
IV. Gebühren für Besichtigung der Stadthalle	300	—	284	—	—	—	16	—
V. Sonstige Einnahmen	—	—	50	20	50	20	—	—
Von dem früheren Pächter waren für Instandsetzung und Ergänzung des Inventars die bemerkten Kosten zu ersetzen.								
Summe	28 407	—	31 065	50	2 658	50	—	—

	Betrag nach				Mithin gegen den Voranschlag			
	dem Voranschlag		der Rechnung		mehr		weniger	
	ℳ	₰	ℳ	₰	ℳ	₰	ℳ	₰
Ferner: 58. Stadthalle.								
Ausgabe.								
I. Unterhaltung des Gebäudes:								
1. Gemeinde-Grundsteuern	1 960	—	2 133	36	173	36	—	—
2. Brandversicherungsbeiträge	711	—	426	60	—	—	284	40
3. Baukosten:								
a) Für Unterhaltung in Dach und Fach	2 200	—	2 338	14	138	14	—	—
b) Desgleichen des Musikzeltes einschl. der Beleuchtungsanlage	100	—	81	16	—	—	18	84
c) Für Unterhaltung der Einfriedigungen ꝛc.	400	—	73	98	—	—	326	02
d) „ „ der Beleuchtungseinrichtungen im Garten	200	—	254	10	54	10	—	—
e) Für Unterhaltung der Luft- und Wasserheizung, sowie der Ventilations-Einrichtungen für den Saal	600	—	598	17	—	—	1	83
f) Anstrich der äußeren Türen und Fenster gegen den Halleplatz und die Terrasse	510	—	454	17	—	—	55	83
g) Herrichtung des Bühnenraumes	230	—	224	68	—	—	5	32
h) Belegen der Aufgangssockeltreppen mit neuem Linoleum	345	—	250	80	—	—	94	20
i) Liefern und Anbringen eines neuen Bühnenvorhanges	400	—	800	—	400	—	—	—
Der Kredit wurde durch St.-V.-Beschl. v. 18. Dezember 1907 um 400 ℳ ergänzt.								
k) Neuanstrich der Spaliereinfriedigung	760	—	—	—	—	—	760	—
Die Arbeiten fallen erst im Rj. 1908 gelegentlich der beabsichtigten Neugestaltung des Gartens ausgeführt werden. Der Kredit wurde daher durch St.-V.-Beschl. v. 21. Oktober 1908 auf das Rj. 1908 übertragen.								
l) Neueindecken des stadtseitigen Zinkdaches	1 500	—	2 998	12	1 498	12	—	—
Aus dem Vorjahr stand ein Kreditübertrag von 1 500 ℳ zur Verfügung.								
4. Reinigung der Hausentwässerung	30	—	28	60	—	—	1	40
II. Verwaltungskosten:								
1. Gehalt des Hausverwalters	2 275	—	2 275	—	—	—	—	—
2. Für Unterhaltung des Mobiliars, sowie für Drucksachen ꝛc.	600	—	504	53	—	—	95	47
3. Stempelabgabe für den Automaten zur Entnahme von Besichtigungskarten	10	—	12	50	2	50	—	—
Die Stempelabgabe war für 1 1/4 Jahr zu entrichten.								
4. Reinigung und Unterhaltung der Bedürfnisanstalten:								
a) Für Wasserverbrauch zur Spülung der Klosetts	60	—	135	52	75	52	—	—
b) „ die Abfuhr wasserhaltiger Latrinenmasse	450	—	413	09	—	—	36	91
c) „ Instandhaltung der Pissoirs	725	—	712	84	—	—	12	16
zu übertragen	14 066	—	14 715	36	2 341	74	1 692	38

	Betrag nach				Mithin gegen den Voranschlag			
	dem Voranschlag		der Rechnung		mehr		weniger	
Ferner: 58. Stadthalle.	M	₰	M	₰	M	₰	M	₰
Übertrag . . .	14 066	—	14 715	36	2 341	74	1 692	38
5. Heizung der Aufenthaltsräume für den Hausverwalter .	240	—	239	60	—	—	—	40
6. Beleuchtung des Eingangs und des Wiegeraumes der Zollkeller unter der Stadthalle	50	—	48	60	—	—	1	40
7. Feuerversicherungsprämie	36	—	33	55	—	—	2	45
III. Kosten der Heizung, Reinigung, Beleuchtung rc.:								
1. Für Brennmaterialien und für Bedienung der Heizanlage	1 700	—	2 050	47	350	47	—	—
Der Kredit wurde durch die Bürgermeisterei zu Lasten der gegenüberstehenden Mehreinnahmen entsprechend ergänzt.								
2. Für Reinigung des Saales rc.	1 300	—	1 456	40	156	40	—	—
3. „ Kerzen zur Notbeleuchtung	100	—	154	52	54	52	—	—
4. „ Bedienung des Gasmotors	50	—	5	54	—	—	44	46
5. „ Wnsser zum Kühlen der Ventilationsluft	70	—	34	08	—	—	35	92
6. „ Unterhaltung der elektrischen Batterie zum Zünden der Kronleuchter	70	—	70	—	—	—	—	—
7. Für die Heizung der Weinkeller unter der Halle . .	180	—	165	14	—	—	14	86
Bemerkt wird, daß die Kosten der Kellerheizung sich auf 49,9667 ₰ für das qm Fläche, gegen 22,738 ₰ im Vorjahre, stellen.								
8. Für die Abfuhr von Abfällen (Schlacken rc.)	60	—	84	75	24	75	—	—
IV. Bedienung der Kleiderablage:								
1. An den Hausverwalter für die Beaufsichtigung und Bedienung der Kleiderablage	300	—	282	49	—	—	17	51
2. Für das Bedienungspersonal einschließlich der Kassierer sowie für Ersnß der Auslagen der Oberaufsicht bei den einzelnen Veranstaltungen	1 200	—	1 178	50	—	—	21	50
3. Für Drack von Nummern, für Kordel und sonstige Anschaffungen	50	—	5	40	—	—	44	60
4. Feuerversicherungsprämie	24	19	22	30	—	—	1	89
V. Verzinsung und Tilgung der Baukosten . . .	29 246	81	29 246	81	—	—	—	—
Summe . . .	48 743	—	49 793	51	1 050	51	—	—
59. Volkskonzerte und Volksvorträge.								
Einnahme	1 600	—	1425	22	—	—	174	78
Ausgabe.								
I. Volkskonzerte	1 000	—	1 000	—	—	—	—	—
II. Volksvorträge	600	—	425	22	—	—	174	78
Der Restkredit von 174 M 78 ₰ wurde mit Zustimmung der St.-V.-V. v. 21. Oktober 1908 auf das Rj. 1908 übertragen.								
Summe . . .	1 600	—	1 425	22	—	—	174	78

	Betrag nach				Mithin gegen den Voranschlag			
	dem Voranschlag		der Rechnung		mehr		weniger	
	ℳ	₰	ℳ	₰	ℳ	₰	ℳ	₰
61. Öffentliche Monumente.								
Ausgabe.								
1. Für die laufende Unterhaltung der Monumente . . .	380	—	200	50	—	—	179	50
2. Aufstellen eines kunsthistorischen Brunnens auf dem Bischofsplatze . . .	—	—	450	75	450	75	—	
Lt. St.-B.-Beschl. v. 3. Oktober 1907 = 450 ℳ Kredit.								
Summe . . .	380	—	651	25	271	25	—	—
62. Unterhaltung der Straßen.								
Einnahme.								
I. Beiträge zur Straßenunterhaltung:								
1. Beitrag für Wiedereröffnung eines Reuls am Ignaz-Kirchhof	—	—	—	—	—	—	—	—
2. Zinsen von dem Erneuerungsfonds für Holzpflaster . .	531	44	531	44	—	—	—	—
3. Ersatz der Kosten für Unterhaltung des Pflasters längs der Straßenbahngleise . . .	5 000	—	2 724	03	—	—	2 275	97
Hier wird auf die Erläuterung zu pos. II. 12 der Ausgabe verwiesen.								
4. Ersatz der Kosten für Herstellungen für Rechnung von Privaten . . .	2 750	—	5 677	68	2 927	68	—	—
5. Ersatz von Kostea für Beschaffung von Grund zur Straßenauffüllung . . .	3 000	—	—	—	—	—	3 000	—
Nach pos. II. 14 der Ausgabe sind keine Aufwendungen gemacht worden.								
II. Ersatz von Vorschüssen:								
1. Für gesetzte Trottoirkanten . . .	25 000	—	31 648	77	6 648	77	—	—
2. „ Straßenbaumaterialien . . .	85 000	—	123 130	32	38 130	32	—	—
Die Mehreinnahme entspricht der Mehrausgabe.								
III. Verschiedene Einnahmen:								
1. Ersatzleistung für Beschädigungen . . 12 ℳ 10 ₰								
2. Ersatz für an Private 2c. abgegebene Baumaterialien . . . 955 „ 21 „								
3. Vertragsstrafen . . . 3 „ — „	500	—	970	31	470	31	—	—
Summe . . .	121 781	44	164 682	55	42 901	11	—	—
Ausgabe.								
I. Gehaltsanteile der technischen Aufsichtsbeamten	14 000	—	13 179	—	—	—	821	—
II. Unterhaltung der Pflasterung, der Trottoirs und der Chaussierungen auf Straßen, Wegen und Plätzen:								
1. Lieferung von Straßenbaumaterialien 2c. . . .	32 000	—	31 820	79	—	—	179	21
2. Fuhrlöhne für diese Materialien 2c. . . .	29 000	—	16 706	70	—	—	12 293	30
Von dem Kreditrest wurde ein Betrag von 2 350 ℳ mit Zustimmung der St.-B.-B. vom 21. Oktober 1908 für die Ab-								
zu übertragen . . .	75 000	—	61 706	49	—	—	13 293	51

Ferner: **62. Unterhaltung der Straßen.**	Betrag nach dem Voranschlag ℳ	₰	Betrag nach der Rechnung ℳ	₰	Mithin gegen den Voranschlag mehr ℳ	₰	Mithin gegen den Voranschlag weniger ℳ	₰
Übertrag . . .	75 000	—	61 706	49	—	—	13 293	51
fuhr von Kehricht von chaussierten Straßen im Stadtteil Mainz-Mombach auf das Rj. 1908 übertragen.								
3. Arbeitslöhne für Erd- und Pflasterarbeiten	113 150	—	114 104	38	954	38	—	—
Durch St.-V.-Beschl. v. 8. Jaunar 1908 wurde für Umpflasterung der Rheinallee zwischen Frauenlob- und Feldbergstraße ein weiterer Kredit von 1 000 ℳ bewilligt.								
4. Arbeitslöhne und Materiallieferungen bei Unterhaltung der Brücken und polizeilichen Anstalten	5 275	—	4 209	65	—	—	1 065	35
5. Trottoir-Ergänzungen	3 600	—	4 449	10	849	10	—	—
Aus dem Vorjahr stand ein Kreditübertrag von 2 734 ℳ 46 ₰ zur Verfügung. Der Ende 1907 verbliebene Kreditrest von 1 885 ℳ 36 ₰ wurde für die Fertigstellung des Fußsteiges in der Gärtnergasse längs des Postneubaues mit Zustimmung der St.-V.-V. vom 21. Oktober 1908 auf das Rj. 1908 übertragen.								
6. Ausbesserung der Asphalt-Trottoirs	12 000	—	11 671	85	—	—	328	15
7. Unterhaltung des Inventars	6 000	—	5 837	67	—	—	162	33
7a. Für Anschaffung von zwei Handsprengwagen . . .	460	—	440	—	—	—	20	—
7b. Für Beschaffung von Dienstjoppen und Mützen für die Obleute und Straßenreiniger	1 000	—	656	85	—	—	343	15
8. Unterhaltung des Holzpflasters	9 400	—	7 443	67	—	—	1 956	33
Der Kreditrest von 1 956 ℳ 33 ₰ wurde mit Zustimmung der St.-V.-V. vom 21. Oktober 1908 auf das Rj. 1908 übertragen.								
8a. Teeren verschiedener Holzpflasterstrecken	1 500	—	1 380	79	—	—	119	21
9. Ausgießen von Pflasterfugen mit Pechmasse	2 000	—	756	17	—	—	1 243	83
Der Kreditrest von 1 243 ℳ 83 ₰ wurde mit Zustimmung der St.-V.-V. vom 21. Oktober 1908 auf das Rj. 1908 übertragen.								
10. Teeren und Westrumitbehandlung von chaussierten Straßen	1 800	—	1 799	32	—	—	—	68
10a. Für Beschaffung eines größeren fahrbaren Kessels .	500	—	485	—	—	—	15	—
11. Für Herstellungen auf Kosten von Privaten	2 500	—	5 161	49	2 661	49	—	—
Der Mehrausgabe steht eine Mehreinnahme gegenüber; siehe pos. I. 4 der Einnahme.								
12. Unterhaltung des Pflasters längs der Straßenbahngleise	5 000	—	2 848	14	—	—	2 151	86
Von den Ausgaben hat die Städt. Straßenbahn 2724 ℳ 03 ₰ ersetzt. Bezüglich des Ersatzes für Unterhaltung des Pflasters längs der Gleise der Dampfstraßenbahn schweben noch Verhandlungen. Die Aufwendungen für letztere Unterhaltung belaufen sich im Rj. 1905 auf 1029 ℳ 88 ₰, im Rj. 1906 auf 1315 ℳ 13 ₰. und im Rj. 1907 auf 124 ℳ 11 ₰.								
zu übertragen . . .	239 185	—	222 950	57	4 464	97	20 699	40

Ferner: 62. Unterhaltung der Straßen.	Betrag nach				Mithin gegen den Voranschlag			
	dem Voranschlag		der Rechnung		mehr		weniger	
	ℳ	₰	ℳ	₰	ℳ	₰	ℳ	₰
Übertrag . . .	239 185	—	222 950	57	4 464	97	20 699	40
13. Für Unterhaltung der seitherigen Kreisstraßen sowie verschiedener im Festungsgelände liegender Straßen .	10 550	—	10 555	14	5	14	—	—
14. Für gelegentliche Beschaffung von geeignetem Grund zur Auffüllung von Straßen und Plätzen	3 000	—	—	—	—	—	3 000	—
15. Einbau von Straßensinkkasten in der Mainzer Straße im Stadtteil Mainz-Mombach	—	—	357	12	357	12	—	—
Lt. St.-Beschl. vom 11. Sept. 1907 = 480 ℳ Kredit.								
III. Entschädigungen wegen Veränderungen an Straßenfluchtlinien	500	—	—	—	—	—	500	—
IV. Regulierung und Umbau von Straßen:								
Für die in 1907/08 auszuführenden Straßenregulierungen sind im Voranschlag 45 000 ℳ unter dem Vorbehalt eingestellt worden, daß die in Aussicht genommenen Regulierungen von der St.-B.-V. nach Vorlage eines Kostenanschlags und spezieller Pläne im einzeln besonders genehmigt werden. Ein weiterer Kredit von 25 647 ℳ 77 ₰ stand aus dem Vorjahr zur Verfügung. Zu Lasten dieser Gesamtkredite sind die nachfolgenden Regulierungen ꝛc. gutgeheißen worden. Die für dieselben gemachten Aufwendungen betrogen, wie nachstehend nachgewiesen, 45 968 ℳ 68 ₰ oder 24 679 ℳ 09 ₰ weniger	45 000	—			968	68	—	—
1. Für Regulierung und Neupflasterung der den Neubau der Höheren Mädchenschule umgebenden Straßenzüge mit Stampfasphalt			21 827	91				
Kreditbewilligung 29 100 ℳ; laut St.-B.-Beschluß vom 26. Juni 1907.								
2. Neupflasterung der Reich-Klarastraße zwischen Hinterer Flachsmarktstraße und Mitternacht mit Gußasphalt . .			470	—				
Kreditbewilligung 6 700 ℳ; laut St.-B.-Beschluß vom 26. Juni 1907.								
3. Herstellung des Straßendurchbruches Kappelhofgasse — Rheinstraße			2 299	83				
Kreditbewilligung 2300 ℳ; laut St.-B.-Beschluß vom 20. März 1907.								
4. Asphaltierung der Klarastraße			12 490	53				
Kreditbewilligung 16 000 ℳ; laut St.-B.-Beschluß vom 26 Juni 1907.								
zu übertragen . . .	298 235	—	270 951	10	5 795	91	24 199	40

Ferner: 62. Unterhaltung der Straßen.

	Betrag nach				Mithin gegen den Voranschlag			
	dem Voranschlag		der Rechnung		mehr		weniger	
	ℳ	₰	ℳ	₰	ℳ	₰	ℳ	₰
Übertrag . . .	298 235	—	270 951	10	5 795	91	24 199	40
5 Verbreiterung der Fahrstraße in der Schusterstraße längs des Tietz'schen Warenhauses			79	12				
Kreditbewilligung 1 800 ℳ; laut St.-V.-Beschluß vom 17. Juni 1907.								
6. Instandsetzung des Durchganges am Mauritzenbogen .			774	78				
Kreditbewilligung 800 ℳ; laut St.-V.-Beschluß vom 11. September 1907.								
7. Instandsetzung der Alicestraße zwischen Mathildenterrasse und Aliceplatz			8 026	51				
Kreditbewilligung 8000 ℳ; laut St.-V.-Beschluß vom 8. Januar 1908.								
Der verbliebene Kreditrest von 24 679 ℳ 09 ₰ wurde mit Zustimmung der St.-V.-V. vom 21. Oktober 1908 auf das Rechnungsjahr 1908 übertragen und zwar 6230 ℳ und 1720 ℳ 88 ₰ für Fertigstellung der unter pos. 2 und 5 genannten Arbeiten und der Restbetrag für die im Rechnungsjahr 1908 weiter vorzunehmenden Straßenregulierungen ꝛc.								
V. Beiträge zur Straßenunterhaltung	531	44	531	44	—	—	—	—
VI. Vorlagen der Stadtkasse:								
1. Für Trottoirkanten	25 000	—	29 230	61	4 230	61	—	—
2. Für Beschaffung von Straßenbaumaterialien	85 000	—	123 130	32	38 130	32	—	—
Zu pos. 1 und 2: Den Mehrausgaben stehen die Mehreinnahmen bei pos. II. 1 und 2 gegenüber.								
VII. Miete für Straßenterrain	2	—	2	—	—	—	—	—
VIII. Baumagazin am Rheintor:								
1. Gemeinde-Grundsteuern	140	—	152	30	12	30	—	—
2. Brandversicherungsbeiträge	9	—	5	05	—	—	3	95
3. Geldanschlag der von dem Tiefbauamt benutzten Lagerplätze	13 170	—	13 170	—	—	—	—	—
IX. Feuerversicherung	21	—	18	01	—	—	2	99
X. Notstandsarbeiten	—	—	5 125	69	5 125	69	—	—
Durch die Beschlüsse der St.-V.-V. vom 20. November 1907, 24. Januar und 19. Februar 1908 waren Kredite von 8400 ℳ, 5000 ℳ und 4000 ℳ zur Verfügung gestellt worden. Die Ausgaben betrugen im ganzen 13 707 ℳ 96 ₰. Hiervon wurde der Wert der gewonnenen Materialien ꝛc. mit 8582 ℳ 27 ₰ in Abzug gebracht. Im übrigen vergleiche man die Ausführungen auf Seite 142 u. ff. dieses Rechenschaftsberichts.								
Summe . . .	422 108	44	451 196	93	29 088	49	—	—

	Betrag nach				Mithin gegen den Voranschlag			
	dem Voranschlag		der Rechnung		mehr		weniger	
	ℳ	₰	ℳ	₰	ℳ	₰	ℳ	₰
63. Unterhaltung des Rheinufers.								
Ausgabe.								
I. Aufsicht	2 000	—	2 178	25	178	25	—	—
Entsprechend der für die Aufsicht über die Uferbauarbeiten verwendeten Zeit waren 2178 ℳ 25 ₰ zu verausgaben.								
II. Unterhaltung des Ufers:								
1. Für Unterhaltung des Steinwurfs rc.	2 000	—	1 995	43	—	—	4	57
1a. Für den Einbau von drei Treppen in die rheinseitige Uferböschung im alten Winterhafen	450	—	449	93	—	—	—	07
2. Für außerordentliche Instandsetzung des Steinwurfs an verschiedenen Stellen	1 000	—	997	52	—	—	2	48
3. Für außerordentliche Instandsetzung der Kaimauer	500	—	498	74	—	—	1	26
III. Unterhaltung der Straßen:								
1. Für Unterhaltung der Straßen und Rampen	2 500	—	2 495	57	—	—	4	43
2. Umpflasterung der Fahrstraße zwischen Holztor und Weintor (7. Rate)	3 000	—	2 998	05	—	—	1	95
3. Anstrich des Geländers an der Rheinpromenade	1 000	—	778	23	—	—	221	77
4. Umpflasterung der Drehbrücke am Zoll- und Binnenhafen	—	—	—	—	—	—	—	—
Die Pflasterungsarbeiten konnten noch nicht vorgenommen werden, da eine Beschlußfassung über die Verstärkung der Brücke und Führung des Hafenbahngleises noch nicht herbeigeführt worden ist. Der aus dem Vorjahr zur Verfügung gestandene Kredit von 4 800 ℳ wurde daher mit Zustimmung der St.-V.-V. vom 21. Oktober 1908 auf das Rj. 1908 übertragen.								
Summe	12 450	—	12 391	74	—	—	58	26
63a. Baggerungen.								
Einnahme.	—	—	—	—	—	—	—	—
Von dem Großh. Staat war für 1907 ein Ersatz nicht zu leisten.								
Ausgabe.								
1. Für Unterhaltung der Baggermaschine	800	—	790	16	—	—	9	84
2. „ Baggerungen im Hafengebiete	18 150	—	31 105	09	12 955	09	—	—
Durch St.-V.-Brschl. vom 13. November 1907 wurde ein weiterer Kredit von 13 000 ℳ bewilligt.								
3. Dienstkleider für die Baggerarbeiter	100	—	22	50	—	—	77	50
Summe	19 050	—	31 917	75	12 867	75	—	—

64. Spaziergänge.	Betrag nach				Mithin gegen den Voranschlag			
	dem Voranschlag		der Rechnung		mehr		weniger	
	ℳ	₰	ℳ	₰	ℳ	₰	ℳ	₰
Einnahme.								
I. Gebäude	150	—	137	50	—	—	12	50
Die Wohnung im Gärtnerhaus in der Anlage wuede für 1. Junuae 1908 gekündigt, da dieselbe zu Geschäftsräumen der Stadtgärtnerei benötigt wurde.								
II. Nutzungen	120	—	270	50	150	50	—	—
Für die Nutzungen an Laub, Gras und Nüssen wurden 150 ℳ 50 ₰ mehr erzielt.								
III. Ersatz von Heizungskosten	200	—	200	—	—	—	—	—
IV. Verschiedene Einnahmen:								
1. Ersatz für Beschädigung rc. von Bäumen	30	—	226	85	196	85	—	—
Summe	500	—	834	85	334	85	—	—
Ausgabe.								
I. Gehalte der Angestellten:	7 550	—	7 550	—	—	—	—	—
II. Bureaubedürfnisse:								
1. Scherib- und Zeichenutensilien	150	—	157	43	7	43	—	—
2. Drucksachen	100	—	83	54	—	—	16	46
3. Zeitschriften und Bücher	120	—	146	70	26	70	—	—
4. Buchbinderarbeiten	40	—	25	05	—	—	14	95
5. Unterhaltung rc. des Mobiliars	70	—	63	60	—	—	6	40
6. Für Gasbeleuchtung	50	—	30	62	—	—	19	38
7. „ Heizmaterialien	120	—	82	—	—	—	38	—
8. Porto und Fracht	200	—	188	47	—	—	11	53
III. Gebäude:								
1. Gemeinde-Grundsteuern	75	—	76	66	1	66	—	—
2. Brandversicherungsbeiträge	38	—	22	22	—	—	15	78
3. Stener- und Futterkosten für einen Hund	44	—	44	—	—	—	—	—
4. Baukosten:								
a) Für Unterhaltung der Gärtnerwohnung in der Anlage	130	—	115	72	—	—	14	28
b) „ „ des Palmenhauses	300	—	198	88	—	—	101	12
c) Füe Unterhaltung des Wohnhauses rc. und der Gärtnerei am Gonsenheimertor	500	—	498	39	—	—	1	61
d) Unterhaltung der Heizungsanlage des Palmenhauses in der Anlage	100	—	106	52	6	52	—	—
e) Unterhaltung des Abortgebäudes	50	—	2	10	—	—	47	90
f) Abfuhr wasserhaltiger Latrinenmasse aus dem im unteren Teile der Anlage errichteten Abortgebäude	80	—	81	05	1	05	—	—
g) Herstellung von zwei Aborten am Gärtnerwohnhaus am Gonsenheimertor einschl. der Grube	1 100	—	959	05	—	—	140	95
zu übertragen	10 817	—	10 432	—	43	36	428	36

Ferner: 64. Spaziergänge.	Betrag nach dem Voranschlag ℳ	₰	Betrag nach der Rechnung ℳ	₰	Mithin gegen den Voranschlag mehr ℳ	₰	weniger ℳ	₰
Übertrag . . .	10 817		10 432	—	43	36	428	36
b) Errichtung eines Geräteschuppens aus Fachwerk mit Baumrindeverkleidung für die Stadtgärtnerei in der Anlage	1 200		—	—	—	—	1 200	—
Der Kredit wurde mit Zustimmung der St.-V.-V. vom 21. Oktober 1908 auf das Rj. 1908 übertragen.								
5. Betriebskosten des Palmenhauses in der Anlage . . .	2 000		2 254	—	254	—	—	—
Infolge des strengen und lang anhaltenden Winters mußte das Palmenhaus länger und gründlicher geheizt werden, als in den früheren Jahren, wodurch die Mehrausgaben entstanden sind. Die Kreditergänzung erfolgte im Einverständnis mit der Deputation für die Unterhaltung der Anlagen und Spaziergänge durch die Bürgermeisterei.								
IV. Laufende Unterhaltungsarbeiten:								
1. Lieferung von Bäumen, Sträuchern 2c.	6 200	—	6 525	45	325	45	—	—
Die vorgesehenen Mittel waren unzureichend. Die Kerditergänzung erfolgte mit Zustimmung der Deputation für die Unterhaltung der Anlagen und Spaziergänge durch die Bürgermeisterei.								
. Taglöhne für Gartner und Handarbeiter	43 480	—	43 302	45	—	—	177	55
Fuhrlöhne für Materialien und Wasser	2 100	—	2 074	97	—	—	25	03
2 Beschaffung und Beifuhr von Gießwasser	2 800	—	2 476	44	—	—	323	56
3. Anschaffung von Arbeitsgeräten und Unterhaltung des Inventars	3 000	—	2 985	08	—	—	14	92
6. Reparatur und Anstrich von Bänken	850	—	846	70	—	—	3	30
7. Schutzvorrichtungen und deren Unterhaltung	1 800	—	1 794	23	—	—	5	77
8. Unterhaltung der Instrumente von 5 Wetterhäuschen .	100	—	71	60	—	—	28	40
9. Unterhaltung der Baumpflanzungen auf den seitherigen Kreisstraßen	500	—	499	84	—	—	—	16
V. Außerordentliche Arbeiten	—	—	—	—	—	—	—	—
VI. Überwachung der Anlagen:								
1. Für 4 Anlageschützen	4 470	—	4 458	84	—	—	11	16
2. Für Anschaffung 2c. der Dienstmäntel 2c. der Schützen .	200	—	192	95	—	—	7	05
3. Für Bewachung der Anlage zur Nachtzeit durch die Mainzer Wach- und Schließgesellschaft	240	—	240	—	—	—	—	—
VII. Pacht von Grundstücken	25	—	270	—	245	—	—	—
Für Überlassung verschiedener Grundstücke ist dem Grundstücksfonds vom Rj. 1907 ab ein Geldanschlag von jährlich 245 ℳ zu vergüten.								
VIII. Mobilienversicherung	19	69	17	62	—	—	2	07
zu übertragen . . .	79 801	69	78 442	17	867	81	2 227	33

	Betrag nach				Mithin gegen den Voranschlag			
	dem Voranschlag		der Rechnung		mehr		weniger	
Ferner: 64. Spaziergänge.	ℳ	₰	ℳ	₰	ℳ	₰	ℳ	₰
Übertrag . . .	79 801	69	78 442	17	867	81	2 227	33
IX. Verzinsung und Tilgung der Kapitalaufwendungen	5 242	31	5 242	31	—	—	—	—
X. Beschäftigung Arbeitsloser	—	—	6 197	62	6 197	62	—	—
Durch die Beschlüsse der St.-V.-V. vom 20. November 1907, 24. Januar und 19. Februar 1908 touren Kredite von 3 600 ℳ, 1 500 ℳ und 2 000 ℳ zur Verfügung gestellt worden. Siehe auch die Ausführungen auf Seite 151.								
XI. Abfuhr der Erde aus dem Gelände hinter der Wagenhalle der Straßenbahn nach einem Lagerplatze im Gebiete der Nordwestfront zur Verwendung für die gärtnerische Anlegung von Plätzen sowie für Baumpflanzungen	—	—	1 081	26	1 081	26	—	—
Durch St.-V.-Beschluß vom 26. Juni 1907 wurde ein Kredit von 2000 ℳ bewilligt. Die entstandenen Kosten betrugen 1 838 ℳ 26 ₰. Infolge Verwendung eines Teiles des gewonnenen Grundes bei Erbauung von Straßen in der Neustadt konnten hier 757 ℳ abgeschrieben und den in Betracht kommenden Rubriken der Vermögensrechnung zur Last gesetzt werden.								
Summe . . .	85 044	—	90 963	36	5 919	36	—	—
65. Reinigungswesen.								
Einnahme.								
I. Straßenreinigung:								
1. Für Kehricht	3 000	—	4 132	—	1 132	—	—	—
2. Für Reinigung der Trottoirs um das Großherzogliche Palais in Mainz	140	—	140	—	—	—	—	—
2a. Für Reinigung des Trottoirs vor dem Posthaus-Neubau	—	—	124	—	124	—	—	—
Die Reinigung des Trottoirs von Schnee und Eis wurde vom Winterhalbjahr 1907/08 ab mit Zustimmung der Deputation für das Reinigungswesen zum Preise von 25 ₰ für das qm Reinigungsfläche übernommen.								
3. Für abgängige Gegenstände und sonstige nicht vorherzusehende Einnahmen	150	—	189	80	39	80	—	—
II. Abfuhr der Haushaltungsabfälle:								
1. Für Abholung und Abfuhr von Haushaltungsabfällen .	1 000	—	1 650	97	650	97	—	—
2. „ desgleichen aus städtischen und Fonds-Gebäuden .	868	—	1 667	18	799	18	—	—
3. „ Abholen und Abfuhr von Metzgerei- und sonstigen gewerblichen Abfällen	2 800	—	3 213	75	413	75	—	—
zu übertragen . . .	7 958	—	11 117	70	3 159	70	—	—

Ferner: 65. Reinigungswesen.	Betrag nach				Mithin gegen den Voranschlag			
	dem Voranschlag		der Rechnung		mehr		weniger	
	ℳ	₰	ℳ	₰	ℳ	₰	ℳ	₰
Übertrag . . .	7 958	—	11 117	70	3 159	70	—	—
4. und 5. Für Abholen des Kehrichts und der Feuerungsabfälle aus dem Realgymnasium ꝛc. und dem Gymnasium	140	—	—	—	—	—	140	—
An Stelle der Pauschalvergütung wird vom Rj. 1907 ab eine Gebühr von 2 ℳ 50 ₰ für jedes cbm erhoben. Diese Gebühren sind in den Einnahmen von pos. 1 enthalten.								
6. Für abgängige Gegenstände und sonstige nicht vorherzusehende Einnahmen	100	—	520	69	420	69	—	—
7. Anteil des Tiefbauamtes an den Kosten für Unterhaltung des Abladeplatzes vor dem Gautor für die Mitbenutzung dieses Platzes zur Ablagerung des Kanalschlammes.	152	—	200	—	48	—	—	—
Siehe die Erläuterung zu Rubrik 68. III. 1. c. Ausgabe.								
8. Pacht für das Recht zum Sammeln brauchbarer Gegenstände auf dem Abladeplatz	—	—	612		612	—	—	—
Vom 1. März 1907 ab wurde das Recht zum Sammeln der auf dem Abladeplatz vor dem Gautor vorhandenen Glas- und Metallabfälle gegen einen monatlichen Pacht von 51 ℳ verpachtet. Die Gebühren für Abladen von gewerblichen Abfällen auf dem erwähnten Abladeplatz mit 861 ℳ sind in den Einnahmen der pos. II. 3 enthalten.								
9. Verkauf der Kreszenz der Äcker am Fort Hechtsheim	—	—	625		625	—	—	—
Die Äcker wurden in 1907 gekauft, siehe Rubrik 14. II. der Vermögensrechnung. Für den Ertrag der Äcker wurden 625 ℳ gelöst.								
III. Latrinenreinigung:								
1. Erlös aus Latrinenmasse	60 000	—	54 503	43	—	—	5 496	57
2. Für die Abfuhr wasserhaltiger Latrinenmasse	40 000	—	32 420	50	—	—	7 579	50
2a. Für desgleichen im Stadtteil Mainz-Mombach . . .	—	—	884	13	884	13	—	—
Laut Beschluß der Reinigungs-Deputation vom 26. Juli 1907 wurde das Reinigungsamt zur Abfuhr von Latrine gegen eine Entschädigung von 25 ₰ für jedes hl ermächtigt.								
3. Vertragsstrafen	10	—	—	—	—	—	10	—
4. Für Entfernung unbrauchbaren Bodensatzes . .	1 000	—	1 784	38	784	38	—	—
5. „ Abfuhr der Abortkübel	100	—	54	50	—	—	45	50
6. „ Prüfung von Latrinengewölben	1 200	—	1 272	29	72	29	—	—
7. „ abgängige Gegenstände ꝛc.	200	—	460	82	260	82	—	—
8. Miete für Latrinenfässer ꝛc.	4 000	—	3 053	14	—	—	946	86
9. Miete von Gelände an den Latrinensammelgruben . .	70	—	70	—	—	—	—	—
10. Überwachungs- und Bedienungsgebühren für die Abortgruben nach System Brix & Gibian	530	—	550	—	20	—	—	—
Durch Zgang zweier Gruben in der neuen Höheren Mädchenschule — Rubrik 47. V. 7. — und einer Grube im								
zu übertragen . . .	115 460	—	108 128	58	6 887	01	14 218	43

Ferner: 65. Reinigungswesen.

	Betrag nach				Mithin gegen den Voranschlag			
	dem Voranschlag		der Rechnung		mehr		weniger	
	ℳ	₰	ℳ	₰	ℳ	₰	ℳ	₰
Übertrag . . .	115 460	—	108 128	58	6 887	01	14 218	43
Hause Gaustraße Nr. 18 (Schottenhof) — Rubrik 2 pos. 51 der Rechnung des Orchesterfonds — ist eine Mehreinnahme von 30 ℳ bedingt. Da jedoch im Voranschlag die Gebühren für Gruben in nicht städtischen Gebäuden um 10 ℳ zu hoch eingestellt waren, beträgt die Mehreinnahme nur 20 ℳ.								
IV. Pferdehaltung:								
1. Ersatz der Kasten für die Pferdehaltung	101 605	70	95 698	32	—	—	5 907	38
Von diesen Kosten sind übernommen worden:								
auf Rubrik 65 I. 5 — Ausgabe — 18 490,07 ℳ								
„ „ 65 I. 7b — „ — 6 004,76 „								
„ „ 65 I. 8b — „ — 1 219,79 „								
„ „ 65 II. 2 — „ — 642,60 „								
„ „ 65 II. 5 — „ — 41 065,62 „								
„ „ 65 III. 2 — „ — 11 412,01 „								
„ „ 65 III. 15 — „ — 16 220,87 „								
„ „ 65 V. 2k — „ — 148,18 „								
„ „ 65 V. 4k — „ — 297,86 „								
„ „ 65 V. 5 — „ — 196,56 „								
2. Für Abfuhr wasserhaltiger Latrinenmasse	20 200	—	20 276	15	76	15	—	—
3. „ „ des Abraums ꝛc. im Hafengebiet . . .	500	—	512	—	12	—	—	—
4. „ „ der Schlacken aus dem Schlacht- und Viehhof	250	—	305	—	55	—	—	—
4a „ „ des Düngers „ „ „ „ „	—	—	1 305	—	1 305	—	—	—
Lt. St.-V.-Beschl. vom 29. Mai 1907 sind die gesamten Dungmengen aus dem Schlacht- und Viehhof fernerhin durch das städt. Reinigungsamt gegen eine feste Vergütung von 1800 ℳ jährlich nach dem städt. Lagerplatz am Rheinacker in der Gemarkung Mombach abzufahren. Die Abfuhr erfolgt seit 10. Juli 1907. In Ausgabe siehe Rubrik 16. III. 6.								
5. Für Abfuhr des Abraums vom Friedhof	500	—	859	50	359	50	—	—
6. „ Fuhrleistungen für sonstige städtische Verwaltungszweige	400	—	569	95	169	95	—	—
7. Für Pferdemist	1 192	30	1 257	38	65	08	—	—
8. „ den täglichen Transport des Speisewagens vom Rochushospital nach der Anstalt für Genesende . . .	600	—	600	—	—	—	—	—
9. Erlös aus alten Hufeisen	250	—	877	53	627	53	—	—
10. Erlös aus abgängigen Pferden	2 500	—	776	—	—	—	1 724	—
11. Abfuhr von Haushaltungsabfällen und Straßenkehricht aus dem Stadtteil Mainz-Mombach	—	—	1 320	—	1 320	—	—	—
zu übertragen . . .	243 458	—	232 485	41	10 877	22	21 849	81

Ferner: 65. Reinigungswesen.	Betrag nach				Mithin gegen den Voranschlag			
	dem Voranschlag		der Rechnung		mehr		weniger	
	M.	₰	M.	₰	M.	₰	M.	₰
Übertrag . . .	243 458	—	232 485	41	10 877	22	21 849	81
V. Verwaltungskosten:								
1. Geldanschlag der Dienstwohnungen	760	—	760	—	—	—	—	—
2. Erlös für verkaufte Latrinebezugsanweisungen rc.	300	—	264	50	—	—	35	50
3. Sonstige Einnahmen	3	—	9	20	6	20	—	—
Die Mehreinnahme ist durch Abgabe von Wasser aus der Wasserversorgungsanlage des Reinigungsamtes an Private entstanden.								
Summe . . .	244 521	—	233 519	11	—	—	11 001	89
Ausgabe.								
I. Straßenreinigung:								
1. Taglöhne bei der regelmäßigen Straßenreinigung	118 270	—	99 426	48	—	—	18 843	52
2. Anschaffung und Unterhaltung von Dienstkleidern	1 819	—	1 784	81	—	—	34	19
3. Für Besen und Kehrwalzen	7 700	—	5 235	20	—	—	2 464	80
4. Für Unterhaltung des Inventars, Anschaffung neuer Schippen und Pickel rc.	5 280	—	5 289	18	9	18	—	—
5. Anteil an der Pferdehaltung	18 720	—	18 490	07	—	—	229	93
6. Für Wasserverbrauch bei der gewöhnlichen Straßenreinigung	2 000	—	1 348	31	—	—	651	69
7. Für Straßenbegießung im Sammer 1907	16 000	—	12 019	18	—	—	3 980	82
8. Außerordentliche Straßenreinigung zur Winterszeit	12 500	—	10 261	92	—	—	2 238	08
II. Abfuhr der Haushaltungsabfälle:								
1. Taglöhne beim Laden der Haushaltungsabfälle und Planieren derselben auf den Ablagerungsplätzen	33 340	—	33 058	79	—	—	281	21
2. Für Abdecken der auf den neuen Abladeplatz vor dem Gautor abgefahrenen Haushaltungsabfälle mit Mutterboden	2 000	—	1 914	22	—	—	85	78
3. Anschaffung und Unterhaltung von Kitteln, Schürzen und Mützen für die Kehrichtlader	875	42	722	31	—	—	153	11
4. Unterhaltung des Inventars	4 630	—	4 524	54	—	—	105	46
4a. Für Beschaffung von fünf Kehrichtwagen	—	—	3 483	85	3 483	85	—	—
Aus dem Vorjahr stand ein Kredit von 3661 M 89 ₰ zur Verfügung.								
5. Anteil an der Pferdehaltung	41 071	20	41 065	62	—	—	5	58
6. Pacht für die Grundstücke in der Gemarkung Bretzenheim Flur VII Nr. 74, 49 und 77/78.	459	—	509	—	50	—	—	—
Für Benutzung eines Teiles des dem Grundstücksfonds gehörigen Ackers Flur XVI Nr. 61 1/10 als Kehrichtabladeplatz ist vom Rj. 1907 ab ein weiterer Pacht von jährlich 50 M zu entrichten.								
7. Gemeindegrundsteuern für die angekauften Grundstücke in der Gemarkung Bretzenheim	10	—	5	24	—	—	4	76
zu übertragen . . .	264 674	62	239 138	72	3 543	03	29 078	93

Ferner: 65. **Reinigungswesen.**

	Betrag nach				Mithin gegen den Voranschlag			
	dem Voranschlag		der Rechnung		mehr		weniger	
	ℳ	₰	ℳ	₰	ℳ	₰	ℳ	₰
Übertrag . . .	264 674	62	239 138	72	3 543	03	29 078	93
8. Verzinsung und Tilgung des für die Kehrichtwagen aufgewendeten Kapitals	850	38	850	38	—	—	—	—
9. Uneinbringliche Kosten für Abfuhr von gewerblichen Abfällen	—	—	16	38	16	38	—	—
Ausgäbliche Verrechnung genehmigt durch St.-V.-Beschl. v. 21. Oktober 1908.								
III. Latrinenreinigung:								
1a. Taglöhne beim Reinigen der Latrinen	33 900	—	29 415	97	—	—	4 484	03
1b. Für Überkleider rc. des Maschinenpersonals . . .	470	—	440	40	—	—	29	60
2. Anteil an der Pferdehaltung	14 259	50	11 412	01	—	—	2 847	49
2a. Für Fuhrleistungen durch Private	—	—	476	50	476	50	—	—
Da infolge starken Schneefalls der gesamte Pferdebestand des städtischen Reinigungsamts für die Schneeabfuhr notwendig war, mußte im Monat Februar 1908 die Beförderung der Dampfluftpumpe zum Teil durch Pferde eines Privatunternehmers erfolgen.								
3. Vergütung für die Abfuhr wasserhaltiger Latrinenmasse	40 000	—	32 419	16	—	—	7 580	84
4. Für Unterhaltung des Inventars	9 300	—	9 252	21	—	—	47	79
4a. „ Beschaffung einer Radfabrikationsmaschine	—	—	898	63	898	63	—	—
Aus dem Vorjahre stand ein Kredit von 900 ℳ zur Verfügung.								
5. Für Anschaffung rc. von Schläuchen rc.	5 500	—	5 493	40	—	—	6	60
6. „ Brennmaterialien	3 000	—	3 050	27	50	27	—	—
7. „ Desinfektionsmittel	200	—	58	80	—	—	141	20
8. Kosten der Prüfung von Latrinengruben	1 200	—	1 199	24	—	—	—	76
9. Für Schmiermittel und Beleuchtung	1 000	—	999	68	—	—	—	32
10. Miete für Benutzung von Eisenbahngelände zur Errichtung von Latrinesammelgruben	171	75	171	75	—	—	—	—
11. Gemeinde-Grundsteuern von den Latrinesammelgruben in den Gemarkungen Bodenheim, Kastel und Kostheim . .	20	31	18	23	—	—	2	08
12. Für Verzinsung und Tilgung der für die Sammelgruben rc. aufgewendeten Kapitalien	3 868	44	3 868	43	—	—	—	01
13. Miete für Eisenbahnwagenuntergestelle	525	—	435	56	—	—	89	44
Im Laufe des Jahres mußte ein Eisenbahnwagen wegen betriebsgefährlicher Beschaffenheit des Unterwagengestells ausgeschieden werden.								
14. Für Unterhaltung der Sammelgruben rc.	2 300	—	1 896	61	—	—	403	39
15. Fuhrlöhne zur Beförderung von Latrine an die Gruben rc.	25 000	—	19 223	02	—	—	5 776	98
16. Fracht rc. für mit der Bahn versandte Latrine . . .	14 000	—	12 068	60	—	—	1 931	40
zu übertragen . . .	420 240	—	372 803	95	4 984	81	52 420	86

Ferner: 65. Reinigungswesen.

	Betrag nach				Mithin gegen den Voranschlag			
	dem Voranschlag		der Rechnung		mehr		weniger	
	ℳ	₰	ℳ	₰	ℳ	₰	ℳ	₰
Übertrag . . .	420 240	—	372 803	95	4 984	81	52 420	86
17. Spesen beim Verkauf von Latrine aus den Sammelgruben	750	—	337	19	—	—	412	81
18. Uneinbringliche Latrineabfuhrkosten ꝛc.	—	—	321	47	321	47	—	—
Verausgabung durch St.-V.-Beschl. v. 21. Oktober 1908 genehmigt.								
IV. Pferdehaltung:								
1a. Löhne für 45 Fuhrleute	56 670	—	52 075	54	—	—	4 594	46
1b. Lohn für einen Hof- und Stallarbeiter	1 280	—	1 269	30	—	—	10	70
1c. Lohn für einen Nachtwächter	1 380	—	1 377	50	—	—	2	50
2. Für Anschaffung und Unterhaltung von Fuhrmannskitteln	1 265	—	1 208	85	—	—	56	15
3. Für Unterhaltung der Pferde und Pferdegeschirre . .	53 905	—	53 806	22	—	—	98	78
4. „ ärztliche Behandlung der Pferde:								
a) Vergütung an den Tierarzt	500	—	500	—	—	—	—	—
b) für Medikamente	318	—	317	85	—	—	—	15
5. Für Anschaffung von Stroh zur Stallstreu	4 180	—	4 127	82	—	—	52	18
6. „ Ersatz von alten Pferden und Anschaffung neuer Pferde	8 500	—	9 673	75	1 173	75	—	—
Aus dem Vorjahr stand ein weiterer Kredit von 3530 ℳ zur Verfügung. Die am Schlusse des Rj. 1907 verfügbar gebliebenen Mittel von 2356 ℳ 25 ₰ wurden mit Zustimmung der St.-V.-V. v. 21. Oktober 1908 auf das Rj. 1908 übertragen.								
V. Verwaltungskosten:								
1a—g. Gehalte ꝛc. der Angestellten des Reinigungsamtes	24 425	—	23 758	33	—	—	666	67
Die neugeschaffene Stelle eines Aufsehers wurde erst am 1. September 1908 provisorisch besetzt. Hierdurch entstand die Wenigerausgabe.								
1h. Für Dienstmäntel ꝛc. der Aufsichtsbeamten	250	—	60	45	—	—	189	55
2. Bureaukosten:								
a) Schreibmaterialien	250	—	269	54	19	54	—	—
b) Drucksachen	1 100	—	908	52	—	—	191	48
c) Buchbinderarbeiten	250	—	240	90	—	—	9	10
d) Unterhaltung der Mobilien	600	—	595	36	—	—	4	64
e) Reinigung der Handtücher	300	—	299	70	—	—	—	30
f) Brennmaterialien für die Ofenheizung	525	—	444	07	—	—	80	93
g) Beleuchtung einschl. der Beschaffung von Glühkörpern ꝛc.	1 200	—	1 258	26	58	26	—	—
h) Reinigung der Bureauräume	325	—	303	30	—	—	21	70
i) Verschiedene Ausgaben, Porti ꝛc.	200	—	129	12	—	—	70	88
k) Gestellung eines Wagens für den Kassenbeamten . .	300	—	148	18	—	—	151	82
l) Für Benutzung der Straßenbahn durch Angestellte .	300	—	309	10	9	10	—	—
zu übertragen . . .	579 013	—	526 544	27	6 566	93	59 035	66

Ferner: 65. Reinigungswesen.	Betrag nach dem Voranschlag M.	₰	Betrag nach der Rechnung M.	₰	Mithin gegen den Voranschlag mehr M.	₰	Mithin gegen den Voranschlag weniger M.	₰
Übertrag . . .	579 013	—	526 544	27	6 566	93	59 035	66
3. Feuerversicherung	124	14	135	08	10	94	—	—
4. Gebäude:								
a) Gemeinde-Grundsteuern	300	—	277	25	—	—	22	75
b) Brandversicherungsbeiträge	135	—	79	48	—	—	55	52
c) Unterhaltung der Gebäude	1 200	—	1 430	74	230	74	—	—
Die Wiederherstellung der durch den Sturm beschädigten Dächer der Reinigungsanstalt bedingte die Mehrausgabe. Die Kreditergänzung erfolgte durch die Bürgermeisterei.								
d) Unterhaltung und Betriebskosten der Wasserversorgungsanlage	900	—	674	40	—	—	225	60
e) Unterhaltung der Hofbefestigung	200	—	199	50	—	—	—	50
f) „ „ Entwässerungsanlage	120	—	119	78	—	—	—	22
g) „ „ elektrischen Lichtanlage	150	—	126	75	—	—	23	25
h) „ und Beleuchtung einer Turmuhr	100	—	36	28	—	—	63	72
i) Für Unterhaltung der Rasenflächen	50	—	48	05	—	—	1	95
k) Anfuhr von Wasser nach dem Betriebsplatz für die Haushaltungen	300	—	297	86	—	—	2	14
l) Unterhaltung der Wagenhalle ꝛc. an der Fintherstraße	160	—	112	35	—	—	47	65
m) Steuer und Futter für einen Hund	140	—	140	—	—	—	—	—
5. Unterhaltung eines Bureaus ꝛc. in der Stadt	1 000	—	707	42	—	—	292	58
6. Mieten	1 509	—	1 509	—	—	—	—	—
VI. Verzinsung und Tilgung der für den Neubau der Reinigungsanstalt aufgewendeten Kapitalien	19 666	86	18 445	80	—	—	1 221	06
Summe . . .	605 068	—	550 884	01	—	—	54 183	99
66. Straßenbeleuchtung.								
Ausgabe.								
I. Gasbeleuchtung	112 500	—	111 387	42	—	—	1 112	58
II. Elektrische Beleuchtung:								
1. Beleuchtung des Bahnhofplatzes und der Gaßner-Allee	3 000	—	2 749	77	—	—	250	23
2. Für Beleuchtung der Verbindungstreppe zwischen Walpoden- und Terrassenstraße	175	—	178	70	3	70	—	—
III. Sonstige Beleuchtung:								
1. Petroleumbeleuchtung	2 400	—	1 979	23	—	—	420	77
Am Ende des Rechnungsjahres 1907 waren 58 Petroleumstraßenlaternen vorhanden.								
2. Spiritusgasglühlicht-Beleuchtung	2 700	—	2 309	88	—	—	390	12
IV. Rohrleitungen und Laternen:								
1. Aufstellung von Kandelabern und Anbringung von Wandarmen mit Laternen	2 000	—	2 276	32	276	32	—	—
zu übertragen . . .	122 775	—	120 881	32	280	02	2 173	70

Ferner: 66. Straßenbeleuchtung.

	Betrag nach				Mithin gegen den Voranschlag			
	dem Voranschlag		der Rechnung		mehr		weniger	
	ℳ	₰	ℳ	₰	ℳ	₰	ℳ	₰
Übertrag . . .	122 775	—	120 881	32	280	02	2 173	70
1a. Vermehrung der Straßenlaternen in verschiedenen Straßen der Altstadt	2 000	—	1 936	78	—	—	63	22
2. Unterhaltung des Anstrichs an Gaskandelabern und Wandarmen	1 000	—	675	86	—	—	324	14
3. Reinigung der Kandelaber	1 200	—	1 149	50	—	—	50	50
4. Aufstellung von Kandelabern in den Straßen der Neustadt	12 000	—	10 346	41	—	—	1 653	59
Aus dem Vorjahre stand ein weiterer Kredit von 2493 ℳ 51 ₰ zur Verfügung. Der Ende des Rechnungsjahres verbliebene Kreditrest von 4147 ℳ 10 ₰ wurde mit Zustimmung der St.-V.-V. v. 21. Oktobre 1908 auf das Rj. 1908 übertragen.								
4a. Aufstellung von Kandelabern in der verlängerten Rheinallee bis zur Zwerchallee	3 000	—	2 999	57	—	—	—	43
4b. Weiterführung der Gasleitung in der Weisenauerstraße bis zur Gemarkungsgrenze und Aufstellung zweier Gaslaternen	890	—	877	76	—	—	12	24
4c. Verbesserung der Beleuchtung an den Haupthalte- und Kreuzungsstellen der Straßenbahn	—	—	—	—	—	—	—	—
Aus dem Vorjahre stand ein Kredit von 1222 ℳ 01 ₰ zur Verfügung, welcher nicht beansprucht wurde. Derselbe wuedr mit Zustimmung der St.-V.-V. v. 21. Okt. 1908 auf das Rj. 1908 übertragen.								
4d. Versetzen einer Gaslaterne im Gonsenheimertor und Aufstellung zweier Gaslaternen auf der Gonsenheimer Chaussee	—	—	—	—	—	—	—	—
Laut St.-V.-Beschl. v. 5. Febr. 1908 ist ein Kredit von 220 ℳ genehmigt worden. Da die Arbeiten erst im Rj. 1908 zur Ausführung kommen sollen, wurde der Kredit mit Zustimmung der St.-V.-V. v. 21. Okt. 1908 auf das Rj. 1908 übertragen.								
5. Aufstellung und Unterhaltung von Holzpfosten und Laternen der provisorischen Straßenbeleuchtung	500	—	499	40	—	—	—	60
Summe . . .	143 365	—	139 366	60	—	—	3 998	40

67. Brunnen und Wasserleitungen.

	ℳ	₰	ℳ	₰	ℳ	₰	ℳ	₰
Einnahme	66	—	12	—	—	—	54	—

Die unter pos. 1 und 2 des Voranschlags aufgeführten Personen haben den Bezug von Wasser aus der städt. Rohrleitung mit Wirkung vom 1. Juni bezw. 1. August 1907 aufgegeben, wodurch gegen den Voranschlag ein Ausfall von 54 ℳ entstanden ist.

	Betrag nach				Mithin gegen den Voranschlag			
	dem Voranschlag		der Rechnung		mehr		weniger	
	M	₰	M	₰	M	₰	M	₰
Ferner: 67. Brunnen und Wasserleitungen.								
Ausgabe.								
I. Unterhaltung der Wasserleitungen, der Lauf- und Pumpbrunnen:								
1. Für Unterhaltung der Pumpbrunnen	1 500	—	1 469	21	—	—	30	79
2. „ Veränderungen und Ausbesserungen an den Leitungen und Ventilbrunnen	4 000	—	4 223	93	223	93	—	—
3. Für Aufstellung eines Ventilbrunnens am Hohenzollernplatz	560	—	542	18	—	—	17	82
II. Speisung von Brunnen	11 980	—	11 752	70	—	—	227	30
Für die Brunnen am oberen Ende der Anlage und am Gonsenheimertor sowie für den Ventilbrunnen im Zollhofen wurden nur 365 M 37 ₰ beansprucht. Für den Wasserverbrauch des nach pos. I. 3 neu aufgestellten und am 13. September 1907 dem Betrieb übergebenen Brunnens waren 132 M und für den Wasserverbrauch des auf Kosten des Tierschutzvereins am Glacis vor dem Gautor aufgestellten und am 8. Mai 1907. in Betrieb genommenen Laufbrunnens 215 M 33 ₰ aufzuwenden. Unter pos. 2, 2a, 2b und 3 des Voranschlags waren im ganzen für die vorbemerkten Brunnen 940 M vorgesehen.								
III. Für Wasseruntersuchungen	1 000	—	718	80	—	—	281	20
Summe	19 040	—	18 706	82	—	—	333	18
68. Unterhaltung und Reinigung der Kanäle.								
Einnahme.								
I. Kanalreinigung:								
1. Für Reinigung der Sinkkasten und Siphons:								
a) für Reinigung in städtischen und Fonds-Gebäuden	1 800	—	1 907	25	107	25	—	—
b) „ „ „ sonstigen Gebäuden	10 223	40	10 996	40	773	—	—	—
2. Für Reinigung der Siphons ꝛc. im Großh. Palais	41	60	41	60	—	—	—	—
3. „ „ „ Straßensinkkasten im Hauptbahnhof und Südbahnhof	25	—	25	—	—	—	—	—
4. Geldanschlag der Dienstwohnung des Maschinisten bei der Pumpstation	210	—	210	—	—	—	—	—
II. Ersatz von Vorschüssen:								
1. Für Kanalbaumaterialien	35 000	—	14 915	89	—	—	20 084	11
2. Ersatz der Kosten für die von der Stadt ausgeführte Entwässerungsanlage des Gebietes Gaugasse 57	86	64	86	64	—	—	—	—
Summe	47 386	64	28 182	78	—	—	19 203	86

Ferner: 68. **Unterhaltung und Reinigung der Kanäle.**

	Betrag nach dem Voranschlag ℳ	₰	Betrag nach der Rechnung ℳ	₰	Mithin gegen den Voranschlag mehr ℳ	₰	weniger ℳ	₰
Ausgabe.								
I. Verwaltungskosten:								
1. Gehaltsanteile	6 000	—	5 174	25	—	—	825	75
Entsprechend der von den Angestellten verwendeten Zeit waren hier nur 5 174 ℳ 25 ₰ zu verausgaben.								
2. Sonstige Kosten:								
a) Brandversicherungsbeiträge / b) und c) Feuerversicherungsprämie	90	—	66	22	—	—	23	78
d) Bauliche Unterhaltung der Kaponnièren	—	—	33	45	33	45	—	—
Die Abfallrohre der Kaponnièren am Feldbergtor wurden von einem Unbekannten abgerissen und mußten ersetzt werden, wodurch 33 ℳ 45 ₰ Kosten entstanden.								
II. Unterhaltung der Kanäle und Kanaleinläufer:								
1. Für Untersuchung und Unterhaltung der provisorischen und definitiven Kanäle zc.	12 550	—	12 543	29	—	—	6	71
2. Dienstkleider für Kanalarbeiter	120	—	55	60	—	—	64	40
3. Vermehrung von Sinkkasten in verschiedenen Straßen	1 000	—	989	48	—	—	10	52
IIa. Wiederherstellung schadhafter Tonrohrkanäle	5 000	—	4 997	77	—	—	2	23
III. Kanalreinigung:								
1. Reinigung der Kanalstrecken:								
a) Taglöhne	11 250	—	9 509	18	—	—	1 740	82
b) Kosten der Abfuhr des Kanalschlammes	1 500	—	437	50	—	—	1 062	50
c) Anteil an den Unterhaltungskosten des für die Abfuhr der Haushaltungsabfälle zc. neuhergerichteten Abladeplatzes vor dem Gautor (In Einnahme siehe Rubrik 65. II. 7)	152	—	200	—	48	—	—	—
Die Vergütung wurde durch Beschluß der Deputation für das Reinigungswesen vom 27. Juni 1907 von jährlich 152 ℳ auf 200 ℳ erhöht.								
d) Spülung der Kanäle, Wasserverbrauch zc.	450	—	363	60	—	—	86	40
e) Anschaffung und Unterhaltung des Inventars	2 000	—	1 720	70	—	—	279	30
f) Dienstkleider für Kanalreiniger	180	—	54	30	—	—	125	70
g) Für Unterhaltung eines militärfiskalischen Weges am Fort Hechtsheim nach der Abladestelle für Kanalschlamm	700	—	643	42	—	—	56	58
2. Reinigung der Straßensinkkasten und Kanaleinläufer:								
a) Taglöhne	5 800	—	5 477	94	—	—	322	06
b) Mietfuhrwerk für die Kanaleimerwagen zur Entleerung der Straßensinkkasten	9 000	—	9 471	—	471	—	—	—
Die anhaltende nasse Witterung veranlaßte die Mehrausgabe. Die Kreditergänzung erfolgte durch die Bürgermeisterei.								
zu übertragen	55 792	—	51 737	70	552	45	4 606	75

	Betrag nach				Mithin gegen den Voranschlag			
	dem Voranschlag		der Rechnung		mehr		weniger	
	M	₰	M	₰	M	₰	M	₰
Ferner: 68. Unterhaltung und Reinigung der Kanäle.								
Übertrug . . .	55 792	—	51 737	70	552	45	4 606	75
c) Unterhaltung des Inventars	1 000	—	652	20	—	—	347	80
d) Dienstkleider für die Arbeiter	120	—	35	50	—	—	84	50
3. Reinigung von Hausentwässerungen:								
a) Gehaltsanteile	975	—	467	50	—	—	507	50
b) Arbeitslöhne	7 300	—	7 204	95	—	—	95	05
c) Fuhrlöhne	900	—	898	94	—	—	1	06
d) Unterhaltung des Inventars	500	—	280	71	—	—	219	29
e) Dienstkleider für die Arbeiter	75	—	16	10	—	—	58	90
f) Uneinbringliche Gebühren für Siphonreinigung . . Verausgabung genehmigt lt. St.-V.-Beschl. v. 21. Oktober 1908.	—	—	44	04	44	04	—	—
4. Betriebskosten der Pumpstationen:								
a) Löhne für Bedienung der Maschinen	5 500	—	3 345	44	—	—	2 154	56
b) Für Brennmaterial und Stromverbrauch	9 000	—	5 683	53	—	—	3 316	47
c) „ Putz- und Schmiermittel ꝛc.	500	—	393	—	—	—	107	—
d) für Unterhaltung der Maschinen und Pumpen, sowie der Gebäulichkeiten	2 000	—	1 198	21	—	—	801	79
e) Unterhaltung des Gebäudes der neuen Pumpstation am Schloßtor in Dach und Fach	200	—	78	75	—	—	121	25
f) Überwachungsgebühr für die Abortgrube im Gebäude der neuen Pumpstation	10	—	10	—	—	—	—	—
g) Anschaffung für die Werkstätte ꝛc.	300	—	282	22	—	—	17	78
h) Brandversicherungsbeiträge von den Gebäuden der Pumpstation am Raimunditor	3	64	2	10	—	—	1	54
i) Brandversicherungsbeiträge von dem Gebäude der neuen Pumpstation am Schloßtor	40	—	23	52	—	—	16	48
k) Gemeindegrundsteuern der beiden Pumpstationen . .	—	—	171	64	171	64	—	—
Die beiden Pumpstationen wurden in diesem Jahre zum ersten Male zur Steuer herangezogen.								
IV. Unterhaltung der sonstigen Entwässerungsanstalten:								
1. Füe Unterhaltung des Wildgrabens, Zeybachs und Gonsbachs	1 500	—	1 499	80	—	—	—	20
V. Kosten der Bearbeitung der Projekte für eine definitive Pumpstation und die Kläranlagen ꝛc.								
1. Gehaltsanteile	5 800	—	3 213	—	—	—	2 587	—
Entsprechend der von dem Personal des Tiefbauamts für die Brarbeitung der Projekte verwendeten Zeit waren hier nur 3213 M zu verausgaben.								
zu übertragen . . .	91 515	64	77 238	85	768	13	15 044	92

Ferner: 68. Unterhaltung und Reinigung der Kanäle.	Betrag nach				Mithin gegen den Voranschlag			
	dem Voranschlag		der Rechnung		mehr		weniger	
	M.	₰	M.	₰	M.	₰	M.	₰
Übertrag . .	91 515	64	77 238	85	768	13	15 044	92
2. Für Vorarbeiten und Versuche bei Aufstellung der Projekte.	1 200	—	1 201	76	1	76	—	—
Aus dem Vorjahre stand noch ein Kreditübertrag von 382 M. 07 ₰ zur Verfügung. Die am Schlusse des Rj. 1907 verfügbar verbliebenen Mittel von 380 M. 31 ₰ wurden mit Zustimmung der St.-V.-V. v. 21. Oktober 1908 auf das Rj. 1908 übertragen.								
VI. Vorlagen der Stadtkasse:								
1. Beschaffung von Kanalbaumaterialien	35 000	—	14 915	89	—	—	20 084	11
Summe . . .	127 715	64	93 356	50	—	—	34 359	14
70. Feuerlöschwesen.								
Einnahme.	—	—	93	90	93	90	—	—
Die Einnahme ist durch Veräußerung von unbrauchbaren Schläuchen entstanden.								
Ausgabe.								
I. Türmer:								
1. Gehalt des Türmers zu St. Stephan	1 400	—	1 400	—	—	—	—	—
II. Feuerwehr:								
1. Vergütungen	19 164	—	19 061	—	—	—	103	—
Durch die Aufrechnung von Krankengeld auf die Vergütung des Feuerwehrwachtmeisters wurden 7 M. 50 ₰ erspart. Die weiteren Ersparnisse sind bei pos. 1 d — i erzielt worden.								
2. Wochenlöhne für ständig in Dienst stehende Feuerwehrleute	9 864	—	9 360	86	—	—	503	14
3. Jährliche Vergütung für Anschaffung von Uniformröcken ꝛc.	1 836	—	1 836	—	—	—	—	—
4. Für Beleuchtung und Reinigung der Lokale	1 000	—	810	78	—	—	189	22
5. „ Brennmaterialien	260	—	325	58	65	58	—	—
Der Kredit wurde durch die Bürgermeisterei um 65 M. 58 ₰ ergänzt.								
6. Für Bureaubedürfnisse ꝛc.	380	—	663	23	283	23	—	—
Durch die erstmalige Inbetriebnahme von zwei Feuerwachen während der Dauer eines ganzen Jahres sowie durch die Errichtung eines Hilfsalarmwerkes auf dem Stadthause entstanden unter den pos. II. 6, III. 3 und IV. 1 Mehrausgaben. Die Kredite dieser Rubriken wurden durch die Bürgermeisterei entsprechend ergänzt.								
7. Unterstützung der Witwe des verunglückten Feuerwehrmannes Kach	282	40	282	40	—	—	—	—
zu übertragen . . .	34 186	40	33 739	85	348	81	795	36

Ferner: 70. **Feuerlöschwesen.**	Betrag nach				Mithin gegen den Voranschlag			
	dem Voranschlag		der Rechnung		mehr		weniger	
	ℳ	₰	ℳ	₰	ℳ	₰	ℳ	₰
Übertrag . . .	34 186	40	33 739	85	348	81	795	36
8. Versicherung der Feuerwehrleute gegen Unfälle:								
a) Versicherung sämtlicher Mitglieder der Feuerwehr auf den Fall des Todes oder der Invalidität . .	—	—	—	—	—	—	—	—
b) Versicherung der Feuerwehrleute gegen vorübergehende Erwerbsunfähigkeit	200	—	24	03	—	—	175	97
Beim Zurückschieben eines Gerätewagens auf der Feuerwache II zog sich ein Feuerwehrmann eine Verletzung der linken Hand zu, wodurch derselbe während 9 Arbeitstagen erwerbsunfähig war.								
III. Signal-Einrichtungen:								
1. Unterhaltung der Feuertelegraphen	345	—	345	—	—	—	—	—
2. Für Unterhaltung des Kontrollapparates zwischen dem Stephansturm und dem Stadttheater	15	—	15	—	—	—	—	—
3. Für Ausbesserungen an den Feuertelegraphen bei gewaltsamen Beschädigungen der Leitungen ꝛc. sowie für Ausbesserungen und Veränderungen an den Feuerschellen	500	—	583	28	83	28	—	—
Vergleiche die Erläuterung bei pos. II. 6.								
4. Für Instandhaltung ꝛc. des Läutewerks auf dem Schulhause in der Schulstraße	10	—	10	—	—	—	—	—
5. Stundenschlag- und Alarmwerk auf dem Quintinsturm:								
a) Für Unterhaltung desselben	230	—	74	30	—	—	155	70
b) „ Stromverbrauch	30	—	2	48	—	—	27	52
c) „ Unterhaltung des Uhrraumes und der Glocke .	50	—	—	—	—	—	50	—
d) „ Abänderung der Einstellvorrichtung	300	—	—	—	—	—	300	—
Die Arbeiten konnten im Rj. 1907 nicht ausgeführt werden, weshalb der Kredit mit Zustimmung der St.-V.-V. v. 21. Okt. 1908 auf das Rj. 1908 übertragen wurde.								
e) Kosten der Auseinandernahme und des Transportes des Stundenschlag- und Alarmwerks auf dem Quintinsturm	—	—	169	28	169	28	—	—
Durch die baulichen Veränderungen an dem Turm sind die Kosten notwendig geworden.								
IV. Ausrüstungsstücke und Löschgeräte:								
1. Für Unterhaltung der Ausrüstungsstücke ꝛc.	2 000	—	2 286	65	286	65	—	—
Vergleiche Erläuterung bei pos. II. 6.								
1a. Für Ersatz von Schläuchen	1 000	—	—	—	—	—	1 000	—
1b. „ „ der Metz'schen Verschraubungen durch Storzkuppelungen	5 300	—	5 297	65	—	—	2	35
zu übertragen . . .	44 166	40	42 547	52	888	02	2 506	90

Ferner: 70. Feuerlöschwesen.	Betrag nach				Mithin gegen den Voranschlag			
	dem Voranschlag		der Rechnung		mehr		weniger	
	ℳ	₰	ℳ	₰	ℳ	₰	ℳ	₰
Übertrag . . .	44 166	40	42 547	52	888	02	2 506	90
2. Für Reinigen der Geeäte	500	—	465	87	—	—	34	13
3. Überwachung und Unterhaltung der Feuerlöscheinrichtungen in den städt. Gebäuden	500	—	—	—	—	—	500	—
4. Feuerversicherung	280	60	228	26	—	—	52	34
5. Prämie für Instandhaltung der Akkumulatoren-Batterie des Automobilfahrzeugs	656	—	656	—	—	—	—	—
V. Kosten der Übungen und Brände:								
1. Für den Transport der Drehleiter und der mechanischen Schiebeleiter bei Übungen, sowie Kosten der Brände	1 000	—	731	59	—	—	268	41
Durch die Übungen sind keine Kosten entstanden. Die Kosten der Brände betragen 731 ℳ 59 ₰.								
2. Für Stromverbrauch zum Laden der Batterien des Elektro-Automobilfahrzeugs	1 250	—	391	49	—	—	858	51
VI. Sp itzenlokale:								
1. Miete an den Schulfonds für das Spritzenmagazin im Realschulhof	51	43	51	43	—	—	—	—
2. Miete an den Hospizienfonds für Räume zur Unterbringung von Feuerwehrgerätschaften	480	—	480	—	—	—	—	—
3. Brandversicherungsbeiträge	19	57	11	21	—	—	8	36
4. Für Brennmaterial für die Ofenheizungen	150	—	194	92	44	92	—	—
Der Kredit war unzureichend und wurde durch die Bürgermeisterei entsprechend ergänzt.								
5. Für bauliche Unterhaltung	250	—	258	29	8	29	—	—
6. Für Herstellung der Fassade am Spritzenmagazin im Hofe des Realgymnasiums	430	—	260	76	—	—	169	24
VII. Tilgung der Kosten für größere Aufwendungen	9 050	—	9 050	—	—	—	—	—
Summe . . .	58 784	—	55 827	34	—	—	3 456	66
71. Fernsprechanlagen.								
Ausgabe.								
1. Jahresvergütung für Benutzung der städtischen Fernsprechanlage	10 300	—	8 907	30	—	—	1 392	70
2. Für Veränderungen bei einzelnen Fernsprechstellen	250	—	54	50	—	—	195	50
3. Vergütung für weitere Fernsprechanschlüsse außerhalb des städtischen Fernsprechnetzes	683	—	890	56	207	56	—	—
Für fünf weitere Fernsprechanschlüsse waren 803 ℳ Gebüheen zu entrichten. Vorgesehen hierfür waren nur 683 ℳ. Ferner war für einen sechsten Fernsprechanschluß vom 14. September 1907 ein Jahresgebühr von 160 ℳ zu bezahlen.								
zu übertragen . . .	11 233	—	9 852	36	207	56	1 588	20

Ferner: 71. **Fernsprechanlagen.**	Betrag nach				Mithin gegen den Voranschlag			
	dem Voranschlag		der Rechnung		mehr		weniger	
	ℳ	₰	ℳ	₰	ℳ	₰	ℳ	₰
Übertrag . . .	11 233	—	9 852	36	207	56	1 588	20
4. Vergütung der zur Bedienung der Vermittlungsstelle im Stadthaus angenommenen Fernsprechgehilfinnen . . .	4 060	—	4 419	67	359	67	—	—
Einer Fernsprechgehilfin, welche in der Zeit vom 1. bis einschl. 20. April 1907 beurlaubt war, wurde für diese Zeit die Vergütung aus jährlich 960 ℳ nicht ausbezahlt. Nach Aufrechnung der Vertretungskosten mit 40 ℳ wurden 13 ℳ 33 ₰ Ersparnisse erzielt. Dagegen verursachten die übrigen Stellvertretungen einen Mehraufwand von 168 ℳ.								
Ersparnisse wurden weiter erzielt durch die Aufrechnung von 90 ℳ Krankengeld auf die Vergütung einer Fernsprechgehilfin sowie infolge Ausscheidens einer Fernsprechgehilfin mit einer Jahresvergütung von 840 ℳ und Annahme einer solchen gegen eine geringere Jahresvergütung. Infolge Aufhebung der städt. Fernsprechanlage wurden die mit den Fernsprechgehilfinnen s. Zeit eingegangenen Dienstverhätnisse mit Wirkung vom 1. April 1908 an gelöst. Zwei längere Zeit im Fernsprechdienst der Stadt Mainz beschäftigt gewesenen Gehilfinnen, welche in den Dienst der Reichstelegraphenverwaltung übernommen werden sollten, wurden aus Billigkeitsgründen je zwei Monatsgehalte mit zusammen 320 ℳ vergütet, da ihre Übernahme in den Reichstelegraphendienst ohne ihr Verschulden sich längere Zeit hinzog.								
5. Bureaubedürfnisse der Vermittlungsstelle	60	—	49	25	—	—	10	75
6. Feuerversicherungsprämie	16	—	12	98	—	—	3	02
7. Gebühren für den Nachtfernsprechdienst	—	—	—	—	—	—	—	—
Summe . . .	15 369	—	14 334	26	—	—	1 034	74
73. Vergütungen der Landesbrandversicherungsanstalt.								
Einnahme	45 700	—	46 224	—	524	—	—	—
Ausgabe	—	—	—	—	—	—	—	—
74. Überweisungen der Städtischen Sparkasse.								
Einnahme.								
1. Zinsen aus den s. Z. verfügbar gebliebenen Überweisungen	1 966	86	1 983	41	16	55	—	—
2. Überweisungen aus der Sparkasse für das Jahr 1907 .	74 000	—	73 560	49	—	—	439	51
3. Entnahme aus dem Kapitalbestand der s. Z. verfügbar gebliebenen Überweisungen	5 372	29	9 456	45	4 084	16	—	—
Ende des Rechnungsjahres 1906 war der Bestand aus verfügbaren Mitteln der Vorjahre 57 332 ℳ 93 ₰. Nach Abhebung der bemerkten 9 456 ℳ 45 ₰ verbleibt Ende des Rechnungsjahres 1907 ein Bestand von 47 876 ℳ 48 ₰.								
Summe . . .	81 339	15	85 000	35	3 661	20	—	—

	Betrag nach				Mithin gegen den Voranschlag			
	dem Voranschlag		der Rechnung		mehr		weniger	
	ℳ	₰	ℳ	₰	ℳ	₰	ℳ	₰
Ferner: **74. Überweisungen der Städtischen Sparkasse.**								
Ausgabe.								
I. Deckung von Ausgaben für gemeinnützige Zwecke.	56 899	15	59 560	35	2 661	20	—	—
Deckung fanden, entsprechend den Ansätzen des Voranschlags, die Ausgaben folgender Rubriken der Betriebsrechnung und zwar:								
1. der Rubrik 18. IV. mit . . . . 25 247 ℳ 72 ₰								
2. „ „ 37. „ . . . . . 1 407 „ 15 „								
3. „ „ 42. VI. „ . . . . . 8 000 „ — „								
4. „ „ 44. „ . . . . . 23 400 „ — „								
5. „ „ 59. „ . . . . . 1 425 „ 22 „								
6. „ „ 75. II. „ . . . . . 80 „ 26 „								
II. Zuschuß an das Pfandhaus	4 500	—	4 500	—	—	—	—	—
III. Beihilfen an Vereine ꝛc.	19 940	—	20 940	—	1 000	—	—	—
Außer den im Voranschlag aufgeführten Beihilfen gelangte lt. St.-V.-Beschl. v. 5. März 1908 eine weitere Beihilfe von 1000 ℳ an den Mainzer Damen-Turn- und Spielklub zur Auszahlung.								
Summe . . .	81 839	15	85 000	35	3 661	20	—	—
75. Verschiedene gemeinnützige Anstalten.								
Einnahme.								
I. Benutzung der Anschlagsäulen und -Tafeln . .	2 000	—	2 000	—	—	—	—	—
II. Zuschuß aus den Überweisungen der Städtischen Sparkasse . . . . Zur Deckung der Ausgaben von pos. V.	138	—	80	26	—	—	57	74
Summe . . .	2 138	—	2 080	26	—	—	57	74
Ausgabe.								
I. Öffentliche Waschanstalten:								
1. Für Unterhaltung der Waschschiffe am Rheinufer . .	1 000	—	888	22	—	—	111	78
II. Uhren und Glocken:								
1. Unterhaltung der elektrischen Uhren	1 028	57	1 028	57	—	—	—	—
2. Für Herstellung der Leitungen der elektrischen Uhren bei gewaltsamen Beschädigungen	451	43	110	80	—	—	340	63
3. Für das Aufziehen der Uhr auf der Karmeliterkirche .	120	—	120	—	—	—	—	—
4. „ die elektrische Beleuchtung der Uhr am Stadttheater	80	—	101	76	21	76	—	—
III. Öffentliche Bedürfnisanstalten:								
1. Brandversicherungsbeiträge	14	—	8	12	—	—	5	88
2. Für Unterhaltung der Bedürfnishäuschen	2 000	—	1 250	18	—	—	749	82
3. „ Reinhaltung der Bedürfnisanstalten:								
a) Gehaltsanteile	975	—	700	25	—	—	274	75
b) Taglöhne ꝛc.	2 900	—	2 228	74	—	—	671	26
zu übertragen . . .	8 569	—	6 436	64	21	76	2 154	12

Ferner: **75. Verschiedene gemeinnützige Anstalten.**

	Betrag nach				Mithin gegen den Voranschlag			
	dem Voranschlag		der Rechnung		mehr		weniger	
	ℳ	₰	ℳ	₰	ℳ	₰	ℳ	₰
Übertrag . . .	8 569	—	6 436	64	21	76	2 154	12
c) Kosten der Wasser- und Ölspülung	700	—	920	36	220	36	—	—
Der Kredit wurde durch die Bürgermeisterei um 205 ℳ 36 ₰ zu Lasten der Ersparnisse bei anderen Unterpositionen ergänzt.								
d) Anschaffung und Unterhaltung des Inventars . .	200	—	119	60	—	—	80	40
e) Dienstkleider für die Reiniger	75	—	6	90	—	—	68	10
4. Kosten der Überwachung der Bedürfnishäuschen auf dem Höfchen, Meßplatz und dem Frauenlobplatz:								
a) Vergütung an die Wartefrauen	850	—	849	—	—	—	1	—
b) Kosten der Heizung und Beleuchtung der drei Anstalten	520	—	340	40	—	—	179	60
IV. Musikzelte auf öffentlichen Plätzen:								
1. Musikzelt auf dem Schillerplatz:								
a) Brandversicherungsbeiträge	6	—	3	10	—	—	2	90
b) Unterhaltung in Dach und Fach	50	—	—	—	—	—	50	—
2. Musikzelt auf der Kaiserstraße:								
a) Brandversicherungsbeiträge	6	—	3	06	—	—	2	94
b) Unterhaltung in Dach und Fach	50	—	—	—	—	—	50	—
V. Wärme- und Unterstandshalle an der Münsterstraße:								
1. Gemeinde-Grundsteuern	8	—	8	22	—	22	—	—
2. Brandversicherungsbeiträge	7	—	3	72	—	—	3	28
3. Für Gas- und Wasserverbrauch	20	—	7	68	—	—	12	32
4. Baukosten:								
a) Unterhaltung in Dach und Fach	100	—	58	04	—	—	41	96
5. Reinigung der Entwässerungsanlage	3	—	2	60	—	—	—	40
VI. Öffentlicher Wetterdienst	16	—	16	—	—	—	—	—
Summe . . .	11 180	—	8 775	32	—	—	2 404	68
76. Provinzial- und Kreisanstalten.								
Ausgabe.								
I. Beitrag zur Kreiskasse	235 000	—	231 630	23	—	—	3 369	77
77. Natural-Leistungen für die bewaffnete Macht.								
Einnahme	4 000	—	1 110	37	—	—	2 889	63
Ausgabe	9 000	—	2 290	92	—	—	6 709	08
Auf Seite 77 des Rechenschaftsberichtes ist eine übersichtliche Darstellung der von der Stadt in Anspruch genommenen Quartierleistungen gegeben.								

	Betrag nach				Mithin gegen den Voranschlag			
	dem Voranschlag		der Rechnung		mehr		weniger	
	ℳ	₰	ℳ	₰	ℳ	₰	ℳ	₰
79. Schloßfreiheitsfonds.								
Einnahme	—	—	5 411	68	5 411	68	—	—
Ausgabe	584	—	—	—	—	—	584	—
Im Rechnungsjahr 1907 hat das Betriebskonto des Schloßfreiheitsfonds statt mit einem Fehlbetrag, wie vorgesehen, mit einem Überschuß, wie oben angegeben, abgeschlossen.								
82. Schuldentilgung.								
Einnahme	76 816	64	76 245	01	—	—	571	63
Hier erscheinen in Rechnung folgende Tilgungsbeträge u. zwar:								
1. von dem Hauptsteueramtsgebäude . . 601,60 ℳ								
2. „ dem Wohn- und Dienstgebäude im Hafen . . . . 570,43 „								
3. „ der Eichanstalt . . . . . . 542,76 „								
4. „ den Hafenanstalten . . . . 13 460,71 „								
5. „ dem Lagerhaus . . . . 4 132,74 „								
6. „ dem Getreidespeicher . . . . . 2 117,78 „								
7. „ der Revisionshalle I . . . . . 740,63 „								
8. „ dem Spritlager . . . . 191,66 „								
9. „ dem Schlacht- und Viehhof . . . 17 728,48 „								
10. „ der Hafenbahn . . . . 165,20 „								
11. „ den Polizeigebäuden . . . . . 1 403,80 „								
12. „ dem Verwaltungsgebäude in der Stiftstraße . . . . 742,63 „								
13. „ dem Friedhof . . . . 455,14 „								
14. „ den Volksschulen . . . . . . 21 120,79 „								
15. „ der Oberrealschule . . . . . . 4 608,32 „								
16. „ dem Stadttheater . . . . . . 973,79 „								
17. „ der Stadthalle . . . . 4 417,14 „								
18. „ den Gartenanlagen . . . . . . 751,96 „								
19. „ dem neuen Reinigungsamt . . . 1 202,40 „								
20. „ „ „ Abladeplatz am Fort Hechtsheim ꝛc. . . . . 144,24 „								
21. „ den Oktroigebäuden . . . . . . 172,81 „								
Betrag wie oben ausgeworfen . 76 245,01 ℳ								
Ausgabe.								
1. Tilgung des Darlehens für den Bau der Rhein-Donnersbergbahn — 32. Tilgungsrate —	6 063	67	6 063	67	—	—	—	—
2. Tilgung des Anlehens lit. G	23 000	—	22 000	—	—	—	1 000	—
3. „ „ „ „ H	24 400	—	23 000	—	—	—	1 400	—
zu übertragen . . .	53 463	67	51 063	67	—	—	2 400	—

	Betrag nach				Mithin gegen den Voranschlag			
	dem Voranschlag		der Rechnung		mehr		weniger	
Ferner: 82. Schuldentilgung.	M	₰	M	₰	M	₰	M	₰
Übertrag . . .	53 463	67	51 063	67	—	—	2 400	—
4. Tilgung des Anlehens lit. J	25 000	—	24 300	—	—	—	700	—
5. " " " " K	29 900	—	29 700	—	—	—	200	—
6. " " " " L	27 900	—	25 900	—	—	—	2 000	—
7. " " " " M	41 600	—	41 600	—	—	—	—	—
8. " " " " N	27 800	—	25 600	—	—	—	2 200	—
9. " " " " O	16 500	—	13 500	—	—	—	3 000	—
10. " " " " P	—	—	—	—	—	—	—	—
11. Einlösung von in früheren Jahren ausgelosten, aber bis Ende des Rechnungsjahres 1906 noch nicht eingelaufenen Schuldverschreibungen	—	—	6 800	—	6 800	—	—	—
Aus dem Rechnungsjahr 1906 war für obigen Zweck ein Kredit von 9 700 M hierher übertragen worden, wovon nur 6 800 M verausgabt wurden. Um die Ende des Rechnungsjahres 1907 noch rückständigen Schuldverschreibungen im Betrage von 2900 M aus vorderen Jahren und im Betrage von 10 500 M aus diesem Jahre, siehe pos. 2—9, in folgenden Jahren einlösen zu können, wurde mit Zustimmung der St.-V.-V. v. 21. Oktober 1908 ein Kredit von 13 400 M auf das Rj. 1908 übertragen.								
Summe . . .	222 163	67	218 463	67	—	—	3 700	—
83. Kapitalzinsen.								
Einnahme.								
I. Ersatz der Zinsen von aufgewendeten Kapitalien für Gemeinde-Gebäude und -Anstalten: In Einnahme erscheinen hier die Zinsen von folgenden Kapitalaufwendungen und zwar:								
1. von dem Hauptsteueramtsgebäude	3 592	53	3 592	53	—	—	—	—
2. " " Wohn- und Dienstgebäude im Hofen . . .	3 415	69	3 415	69	—	—	—	—
3. " der Eichanstalt	3 241	09	3 241	09	—	—	—	—
4. " dem Hafen	82 293	64	82 293	64	—	—	—	—
5. " " Lagerhaus	22 816	54	22 816	54	—	—	—	—
6. " " Getreidespeicher	14 012	87	14 012	87	—	—	—	—
7. " der Revisionshalle I	4 079	38	4 079	38	—	—	—	—
8. " dem Sprillager	1 282	85	1 282	85	—	—	—	—
9. " den Güterhallen	7 189	27	7 189	27	—	—	—	—
10. " dem Schlacht- und Viehhof	96 193	13	96 193	13	—	—	—	—
11. " " Hilfspumpwerk im Schlacht- und Viehhof . .	525	—	—	—	—	—	525	—
12. " " Fürstenbergerhofbad	1 380	84	1 380	84	—	—	—	—
13. " " Gartenfeldbad	1 837	22	1 837	22	—	—	—	—
14. " " Gutenbergbad	4 188	03	4 188	03	—	—	—	—
zu übertragen . . .	246 048	08	245 523	08	—	—	525	—

Ferner: 83. Kapitalzinsen.

	Betrag nach dem Voranschlag		Betrag nach der Rechnung		Mithin gegen den Voranschlag mehr		Mithin gegen den Voranschlag weniger	
	M.	₰	M.	₰	M.	₰	M.	₰
Übertrag	246 048	08	245 523	08	—	—	525	—
15. von der Hafenbahn	21 861	61	13 253	18	—	—	8 608	43
16. „ den Polizeigebäuden	8 382	85	8 382	85	—	—	—	—
17. „ dem Verwaltungsgebäude in der Stiftstraße	5 205	04	5 205	04	—	—	—	—
18. „ dem Friedhof	3 081	33	3 081	33	—	—	—	—
19. „ den Volksschulen	125 271	08	125 248	99	—	—	22	09
20. „ der Oberrealschule	34 825	—	31 531	85	—	—	3 293	15
21. „ dem Stadttheater	9 688	51	9 688	51	—	—	—	—
22. „ der Stadthalle	24 329	67	24 329	67	—	—	—	—
23. „ den Gartenanlagen	4 490	35	4 490	35	—	—	—	—
24. „ den Aufwendungen für die Kehrichtwagen	117	14	117	14	—	—	—	—
25. „ den Aufwendungen für die Latrinesammelgruben rc.	249	61	249	61	—	—	—	—
26. „ dem neuen Abladeplatz am Fort Hechtsheim rc.	2 166	—	2 027	11	—	—	138	89
27. „ dem neuen Reinigungsamt	9 333	47	9 334	38	—	91	—	—
28. „ den Oktroigebäuden	1 031	95	1 031	95	—	—	—	—
29. „ dem Wasserwerk	47 901	18	48 003	27	102	09	—	—
30. „ „ Gaswerk	108 619	79	104 426	38	—	—	4 193	41
31. „ „ Elektrizitätswerk	110 994	67	110 384	69	—	—	609	98
32. „ der Straßenbahn	122 528	16	127 524	13	4 995	97	—	—
33. „ „ Wasenmeisterei	352	67	352	67	—	—	—	—
II. Zinsen von dem Schloßfreiheitsfonds	62 106	21	57 589	57	—	—	4 516	64
IIa. Zinsen von dem Grundstücksfonds	102 000	—	104 568	82	2 568	82	—	—
III. Zinsen von Restkaufgeldern	28 000	—	28 113	14	113	14	—	—
IV. Zinsen von Straßen- und Kanalbaukosten rc.	256	64	2 078	57	1 821	93	—	—
V. Zinsen von sonstigen ausstehenden Kapitalien	446	—	4 921	11	4 475	11	—	—
Hier erscheinen die 3½ %igen Dividenden von den 10 Aktien der Hessischen Landeshypothekenbank über je 1000 M. für das Geschäftsjahr 1907 mit 350 M., die 2 %igen statt der eingestellten 1½ %igen Dividenden von dem Stammanteil der Stadt an dem Aktienkapital des Instituts für physikalische Heilmethoden mit 80 M., 6 % Gewinnanteil von dem Stammanteil bei der Mainzer Volksbank mit 36 M. und die 4 % Zinsen von dem der früheren Gemeinde Mombach gewährten Darlehen im Betrage von 112 000 M. vom 3. April 1907 ab mit 4455 M. 11 ₰ in Einnahme.								
VI. Zinsen aus Konto-Korrente-Verhältnissen:								
1. Mit den Bankhäusern Mendelssohn & Co. und Konsorten	130 000	—	152 945	68	22 945	68	—	—
2. Mit dem Bankhaus Bamberger & Cie.	100	—	2 639	92	2 539	92	—	—
VII. Verschiedene Einnahmen:								
1. Zinsen von rückständigen Umlagen, die der Stadt in einem Verteilungsverfahren zugesprochen worden sind	—	—	1	48	1	48	—	—
Summe	1209 387	01	1227 044	47	17 657	46	—	—

Ferner: 83. Kapitalzinsen.

	Betrag nach				Mithin gegen den Voranschlag			
	dem Voranschlag		der Rechnung		mehr		weniger	
	M	₰	M	₰	M	₰	M	₰
Ausgabe.								
I. Zinsen von Schuldverschreibungen auf Inhaber:								
1. Zinsen des Anlehens lit. G	40 652	50	39 971	75	—	—	680	75
2. „ „ „ „ H	77 136	50	76 893	25	—	—	243	25
3. „ „ „ „ J	96 267	50	96 034	75	—	—	232	75
4. „ „ „ „ K	89 636	75	89 057	50	—	—	579	25
5. „ „ „ „ L	91 652	75	90 615	—	—	—	1 037	75
6. „ „ „ „ M	160 457	50	160 343	75	—	—	113	75
7. „ „ „ „ N	172 284	—	170 255	75	—	—	2 028	25
8. „ „ „ „ O	118 120	—	117 980	—	—	—	140	—
9. „ „ „ „ P	160 000	—	159 310	—	—	—	690	—
10. „ „ „ „ Q	105 000	—	104 903	75	—	—	96	25
11. „ „ „ „ R	240 000	—	236 130	—	—	—	3 870	—
12. Einlösung von Zinsscheinen, welche in früheren Jahren fällig geworden, aber bis Ende des Rechnungsjahres 1906 noch nicht eingelöst waren	—	—	7 437	75	7 437	75	—	—
Zwecks Einlösung fraglicher Zinsscheine im Betrage von 8 713 M war ein Kredit in gleicher Höhe aus dem Rj. 1906 hierher übertragen worden. Eingelöst wurden jedoch nur Zinsscheine im Betrage von 7 437 M 75 ₰. Für verjährte Zinsscheine aus dem Jahre 1902/03 war ferner ein Betrag von 169 M 75 ₰ an dem Soll in Abzug zu bringen.								
Um die Ende des Rj. 1907 rückständig verbliebenen Zinsscheine im Betrage von 1105 M 50 ₰ aus früheren Jahren und im Betrage von 9712 M aus diesem Jahre, siehe pos. 1—11, in folgenden Jahren einlösen zu können, ist mit Genehmigung der St.-V.-V. v. 21. Oktober 1908 ein Kredit von 10 817 M 50 ₰ auf das Rj. 1908 übertragen worden.								
II. Zinsen von Schuldverschreibungen auf Namen	47 180	86	46 498	77	—	—	682	09
Von dem Anlehen bei dem Stadterweiterungsfonds waren in dem Rj. 1907 weniger Zinsen zu vergüten, da sich das genannte Anlehen durch die Ende 1906 erfolgte Rückzahlung mit 119 488 M 35 ₰ vom 1. April 1907 ab auf 1 328 536 M 28 ₰ vermindert hat.								
IIa. Zinsen an den Grundstücksfonds	—	—	1 764	23	1 764	23	—	—
Nach § 4 der Satzungen für die Bildung und Verwaltung eines Grundstücksfonds ist der verfügbare Kapitalbestand dieses Fonds in der Regel bei der Stadtkasse verzinslich anzulegen, und es sollen dafür möglichst dieselben Zinsen und Bedingungen gewährt werden, wie sie der Stadtkasse im Kontokorrentverkehr für ihre eigenen Gelder zukommen. Hiernach waren dem Grundstücksfonds unter Zugrundelegung der am Ende eines jeden Monats								
zu übertragen	1 398 388	36	1 397 196	25	9 201	98	10 394	09

Ferner: 83. Kapitalzinsen.

	Betrag nach				Mithin gegen den Voranschlag			
	dem Voranschlag		der Rechnung		mehr		weniger	
	ℳ	₰	ℳ	₰	ℳ	₰	ℳ	₰
Übertrag . . .	1398388	36	1397196	25	9 201	98	10 394	09
vorhandenen Mittel im Rj. 1907 = 1764 ℳ 23 ₰ zu vergüten. Die Krediteröffnung erfolgte durch die Bürgermeisterei zu Lasten der bei Rubrik 83. IIa gegenüberstehenden Mehreinnahmen.								
III. Zinsen von Stiftungskapitalien	10 902	58	10 902	58	—	—	—	—
IV. Zinsen von dem Anlehen bei der Hauptstaatskasse für den Bau der Rhein-Donnersberg-Eisenbahn	3 637	88	3 637	88	—	—	—	—
V. Zinsen von Kautionen	140	—	140	—	—	—	—	—
VI. Zinsea von Hypotheken und Restkaufpreisen	42 267	20	41 991	—	—	—	276	20
Infolge Abtragung der unter pos. 13 und 15 des Voranschlags bezeichneten Restkaufpreise waren anstatt der vorgesehenen Zinsen von 171 ℳ 50 ₰ und 350 ℳ nur die Zinsen bis Ende Dezember und Juli 1907 mit 128 ℳ 63 ₰ und 116 ℳ 67 ₰ zu zahlen, wodurch eine Wenigerausgabe von 276 ℳ 20 ₰ entstanden ist.								
VII. Provisionen für Einlösung von Schuldverschreibungen und Zinsscheinen	2 700	99	2 555	37	—	—	145	62
VIII. Herstellung neuer Zinsscheine ꝛc.	—	—	30	80	30	80	—	—
Durch die Beschaffung von 5850 Stück Obligations-Ziehungsnummer-Röllchen für die Auslosungen der Schuldverschreibungen des Anlehens lit. Q entstanden 30 ℳ 80 ₰ Kosten.								
VIIIa. Begebung eines weiteren Teiles des Anlehens lit. Q	—	—	114	—	114	—	—	—
Von dem noch unbegebenen Teil des Anlehens lit. Q sollten Schuldverschreibungen über 57 000 ℳ zur Ausgabe gelangen, weshalb eine Abstempelung dieser Stücke vorzunehmen und die Reichsstempelabgabe von 2 ‰ zu entrichten war. Von der Ausgabe dieser Schuldverschreibungen wurde später aber abgesehen.								
IX. Kosten der Bekanntmachungen über die städt. Anlehen	950	—	882	60	—	—	67	40
X. Zinsen der schwebenden Schuld	—	—	—	—	—	—	—	—
Summe . . .	1458987	01	1457450	48	—	—	1 536	53
84. Reservefonds.								
Ausgabe								
1. Zur Bestreitung unvorhergesehener Ausgaben oder Ergänzung speziell vorgesehener Kredite	98 201	74	—	—	—	—	98 201	74
Nach den bestehenden Bestimmungen sind die im Laufe des Rechnungsjahres zu Lasten des Reservefonds gemachten und nach-								
zu übertragen . . .	98 201	74	—	—	—	—	98 201	74

Ferner: **84. Reservefonds.**

	Betrag nach				Mithin gegen den Voranschlag			
	dem Voranschlag		der Rechnung		mehr		weniger	
	M	₰	*M*	₰	*M*	₰	*M*	₰
Übertrag . . .	98 201	74	—	—	—	—	98 201	74

stehend näher bezeichneten Ausgaben nicht unter dieser Rubrik, sondern unter denjenigen Rubriken zu verrechnen, wohin sie ihrer Natur nach gehören. Diese Ausgaben erscheinen daher in jenen Rubriken als Mehrausgabe; dagegen ist bei Vergleichung der Rechnungsergebnisse mit den Ansätzen des Voranschlags der gesamte Betrag des Reservefonds als Wenigerausgabe aufzuführen. Im Rj. 1907 haben die unvorhergesehenen Ausgaben den Betrag des Reservefonds überschritten und wurde letzterer deshalb durch Beschluß der St.-V.-V. v. 21. Oktober 1908 um 27 682 *M* 30 ₰ zu Lasten der bei verschiedenen Rubriken erzielten Mehreinnahmen ergänzt.

Mit Genehmigung der Stadtverordneten-Versammlung wurden bei nachstehenden Rubriken, wie bereits dort erläutert, die voranschlagsmäßigen Kredite aus dem Reservefonds um die beigesetzten Beträge ergänzt und zwar:

							M	₰
Rubrik	3. IV. 3f	durch	Beschluß	v. 19. II.	1908	950	*M*	— ₰
„	„ XXIII. 4	„	„	„ 3. X.	1907	320	„	— „
„	„ XXVII. 3a	„	„	„ 24. I.	1908	450	„	— „
„	6. II. 3	„	„	„ „ „	„	1 400	„	— „
„	„ „ „	„	„	„ 27. V.	„	2 200	„	— „
„	14. V. 6	„	„	„ 13. XI.	1907	480	„	— „
„	„ „ 7	„	„	„ 29. VII.	1908	816	„	74 „
„	„ „ 9b	„	„	„ 13. XI.	1907	480	„	— „
„	„ XI. 8	„	„	„ 11. VII.	„	6 500	„	— „
„	15. II. 11	„	„	„ 24. I.	1908	300	„	„
„	16. V. 3r	„	„	„ 23. VIII.	1907	2 300	„	— „
„	„ IXa.	„	„	„ 29. V.	„	400	„	— „
„	„ XIII. 1h	„	„	„ 27. „	1908	274	„	— „
„	21. IV. 1	„	„	„ 29. VII.	„	1 094	„	68 „
„	„ „ 7a	„	„	„ 18. XII.	1907	354	„	„
„	24. I. 6	„	„	„ 17. IV.	„	600	„	— „
„	„ IX. A. 3k	„	„	„ 11. IX.	„	840	„	— „
„	„ XXI.	„	„	„ 30. X.	„	641	„	27 „
„	„ XXIII.	„	„	„ 29. V.	„	200	„	— „
„	„ XXIV.	„	„	„ 23. VIII.	1907	1 000	„	— „
„	„ XXV.	„	„	„ 11. IX.	„	100	„	— „
„	„ XXVI.	„	„	„ 23. VIII.	„	1 000	„	— „
„	„ XXVII.	„	„	„ 26. VI.	„	1 500	„	— „
„	„ XXVIII.	„	„	„ 20. XI.	„	500	„	— „
		zu übertragen . . .				24 700	*M*	69 ₰

	dem Voranschlag *M*	₰	der Rechnung *M*	₰	mehr *M*	₰	weniger *M*	₰
zu übertragen	98 201	74	—	—	—	—	98 201	74

	Betrag nach				Mithin gegen den Voranschlag			
	dem Voranschlag		der Rechnung		mehr		weniger	
Ferner: 84. Reservefonds.	ℳ	₰	ℳ	₰	ℳ	₰	ℳ	₰
Übertrag . . . 24 700 ℳ 69 ₰	98 201	74	—	—	—	—	98 201	74
Rubrik 24. XXVIII. durch Beschluß v. 1. VII. 1908 150 „ — „								
„ „ XXXI. „ „ „ 30. XII. „ 50 „ — „								
„ „ XXXII. „ „ „ 25. III. 1908 500 „ — „								
„ „ XXXIII. „ „ „ 24. II. „ 600 „ — „								
„ „ XXXIV. „ „ „ 11. IX. 1907 100 „ — „								
„ 25. I. 2 „ „ „ 11. VII. „ 400 „ — „								
„ „ „ „ „ „ „ 5. II. 1908 76 „ 80 „								
„ 30. II. 1 „ „ „ 17. IV. 1907 3 267 „ 77 „								
„ „ „ „ „ „ „ 31. VII. „ 525 „ — „								
„ „ „ 2e „ „ „ 17. IV. „ 420 „ — „								
„ 34. I. „ „ „ 27. III. „ 1 478 „ 13 „								
„ „ „ „ „ „ 17. IV. „ 1 698 „ 75 „								
„ „ „ „ „ „ 29. V. „ 1 200 „ — „								
„ „ „ „ „ „ 30. X. „ 2 666 „ 67 „								
„ „ IV. „ „ „ 5. II. 1908 127 „ 50 „								
„ 40. IV. 3 „ „ „ 13. XI. 1907 500 „ — „								
„ „ V. 2 „ „ „ 17. VII. „ 100 „ — „								
„ 42. I. „ „ „ 20. II. „ 150 „ — „								
„ „ „ „ „ „ 23. VIII. „ 600 „ — „								
„ „ „ „ „ „ 21. X. 1908 1 828 „ 57 „								
„ „ III. 16 „ „ „ 27. III. 1907 130 „ — „								
„ „ IV. 1 „ „ „ 11. VII. „ 200 „ — „								
„ „ „ 2 „ „ „ 21. X. 1908 1 591 „ 24 „								
„ „ X. 3k3 „ „ „ 18. XII. 1907 500 „ — „								
„ „ XII. „ „ „ 21. X. 1908 3 980 „ — „								
„ 43. I. „ „ „ „ „ „ 651 „ 30 „								
„ 45. I. 2a „ „ „ 15. IV. „ 1 160 „ — „								
„ „ III. „ „ „ 21. X. „ 9 916 „ 99 „								
„ 47. I. „ „ „ 5. III. „ 375 „ — „								
„ „ II. 6 „ „ „ 29. VII. „ 1 692 „ 74 „								
„ 49. „ „ „ 21. X. „ 981 „ 79 „								
„ 55. V. 4 „ „ „ 10. VII. 1907 1 000 „ — „								
„ 56. IX. „ „ „ 11. VII. „ 1 103 „ 80 „								
„ 57. „ „ „ 18. XII. „ 1 070 „ — „								
„ „ „ „ „ 25. III. 1908 7 447 „ 34 „								
„ 58. I. 3i „ „ „ 18 XII. 1907 400 „ — „								
„ 61. 2 „ „ „ 3. X. „ 450 „ — „								
„ 62. II. 3 „ „ „ 8. I. 1908 1 000 „ — „								
„ „ „ 15 „ „ „ 11. IX. 1907 480 „ — „								
zu übertragen . . . 75 270 ℳ 08 ₰	98 201	74	—	—	—	—	98 201	74

		Betrag nach				Mithin gegen den Voranschlag			
		dem Voranschlag		der Rechnung		mehr		weniger	
		ℳ	₰	ℳ	₰	ℳ	₰	ℳ	₰
Ferner: 84. Reservefonds.									
Übertrag . .	75 270 ℳ 08 ₰	98 201	74	—	—	—		98 201	74
Rubrik 62. X. durch Beschluß v. 20. XI. 1907	8 400 „ — „								
„ „ „ „ „ „ 24. I. 1908	5 000 „ — „								
„ „ „ „ „ „ 19. II. „	4 000 „ — „								
„ 63 a. 2 „ „ „ 13. XI. 1907	13 000 „ — „								
„ 64 X. „ „ „ 20. XI. „	3 600 „ — „								
„ „ „ „ „ „ 24. I. 1908	1 500 „ — „								
„ „ „ „ „ „ 19. II. „	2 000 „ — „								
„ „ XI. „ „ „ 26. VI. 1907	2 000 „ — „								
„ 66. IV. 4 d „ „ „ 5. II. 1908	220 „ — „								
	114 990 ℳ 08 ₰								
Außerdem wurde von der Bürgermeisterei von der laut Beschluß der Stadtverordneten-Versammlung vom 14. April 1875 eingeräumten Befugnis, unvorhergesehene Ausgaben bis zum Betrage von 1000 ℳ für jeden einzelnen Fall zu Lasten des Reservefonds anzuweisen, Gebrauch gemacht und zwar wurden bei nachstehenden Rubriken, wie bereits dort erläutert, die voranschlagsmäßigen Kredite aus dem Reservefonds um die beigesetzten Beträge wie folgt ergänzt:									
Rubrik 3. V. 3a um	135 ℳ 29 ₰								
„ 13. I. 1 „	65 „ 47 „								
„ „ „ 2 „	— „ 05 „								
„ 14. IV. 2a „	366 „ 20 „								
„ „ V. 10 „	63 „ — „								
„ 15. VI. 3a „	250 „ — „								
„ 16. II. 8 „	125 „ — „								
„ „ IV. 4 „	622 „ „								
„ „ V. 8 „	96 „ — „								
„ „ VI. 2d „	55 „ — „								
„ 18. III. 9a „	153 „ 44 „								
„ 24. IV. 1 „	608 „ 20 „								
„ „ „ 5 „	902 „ 87 „								
„ „ „ 6 „	404 „ 80 „								
„ „ XIII. „	618 „ 31 „								
„ „ XXXV. „	534 „ 05 „								
„ 25. III. 1 „	230 „ 09 „								
„ „ „ 2 „	573 „ 62 „								
zu übertragen . . .	120 793 ℳ 47 ₰	98 201	74	—	—	—	—	98 201	74

	Betrag nach				Mithin gegen den Voranschlag			
	dem Voranschlag		der Rechnung		mehr		weniger	
Ferner: 84. Reservefonds.	ℳ	₰	ℳ	₰	ℳ	₰	ℳ	₰
Übertrag . . 120 793 ℳ 47 ₰	98 201	74	—	—	—	—	98 201	74
Rubrik 25. III. 7 um . . . . 873 „ 99 „								
„ „ V. 10 „ . . . . 263 „ 27 „								
„ 28. II. „ . . . . 480 „ 95 „								
„ „ IV. „ . . 60 „ 16 „								
„ 42. III. 9 „ . . . . . 856 „ 35 „								
„ „ „ 17 „ . . . . 100 „ — „								
„ „ IV. 1a „ . . . . . . 453 „ 61 „								
„ „ „ „ „ . . . 509 „ 81 „								
„ „ „ „ „ . . . . 48 „ 35 „								
„ „ V. 1b „ . . 174 „ 32 „								
„ „ VII. 5c „ . . . 212 „ 50 „								
„ 48. 2 „ . . . . . . 37 „ 60 „								
„ 56. II. 8 „ . . . . . . 6 „ — „								
„ 65. V. 4c „ . 250 „ — „								
„ 70. II. 5 „ . 65 „ 58 „								
„ „ „ 6 „ . . . . 283 „ 23 „								
„ „ III. 3 „ . . . . . 83 „ 28 „								
„ „ IV. 1 „ . . . . . 286 „ 65 „								
„ „ VI. 4 „ . . . . 44 „ 92 „								
Summe . . . 125 884 ℳ 04 ₰								
2. Zur Bestreitung der Teuerungszulagen, die etwa den Beamten, Lehrern und Orchestermitgliedern auch für das Rj. 1907 von der St.-V.-V. bewilligt werden . . .	57 000	—	—	—	—	—	57 000	—
Die Teuerungszulagen wurden nicht bewilligt, dagegen wurde mit Zustimmung der St.-V.-V. v. 14. Juli 1908 eine Neuregelung der Gehaltsverhältnisse der Beamten, Lehrer und Orchestermitglieder mit Wirkung vom 1. April 1907 ab vorgenommen. Die den Beamten 2c. auf Grund dieser Neuregelung für das Rj. 1907 bewilligten Nachzahlungen wurden im Rj. 1908 verrechnet. Zur Bestreitung dieser Nachzahlungen wurde mit Zustimmung der St.-V.-V. v. 21. Oktober 1908 aus Mitteln des Überschusses des Rj. 1907 ein Betrag von 152 319 ℳ 52 ₰ auf das Rj. 1908 übertragen.								
3. Zur Bestreitung des Fehlbetrages, der sich beim Abschluß des Voranschlags der Gemeinde Mombach für 1907 ergeben sollte	20 000	—	—	—	—	—	20 000	—
Ein Fehlbetrag hat sich nicht ergeben. Der Kredit wurde daher nicht beansprucht.								
Summe . . .	175 201	74	—	—	—	—	175 201	74

	Betrag nach				Mithin gegen den Voranschlag			
	dem Voranschlag		der Rechnung		mehr		weniger	
	ℳ	₰	ℳ	₰	ℳ	₰	ℳ	₰
85. Überschüsse der Betriebsrechnungen.								
Einnahme	419 365	08	419 365	08	—	—	—	—
Ausgabe	—	—	499 481	29	499 481	29	—	—
Die Ausgabe stellt den wirklichen Rechnungsüberschuß aus diesem Rechnungsjahr dar, der mit Genehmigung der St.-V.-V. v. 21. Oktober 1908 vorbehaltlich des späteren Ersatzes durch die Vermögens-Rechnung zur Bestreitung außerordentlicher, zu Lasten der Kapitalaufnahme bewilligter Ausgaben verwendet wurde.								
86. Oktroi.								
I. Brutto-Betrag der Abgaben	745 000	—	740 528	44	—	—	4 471	56
II. Rückvergütungsgebühren	150	—	93	—	—	—	57	—
III. Defraudationsstrafen	300	—	259	05	—	—	40	95
IV. Ersatz von Gehalten	1 400	—	1 400	—	—	—	—	—
V. Gebäude	1 750	—	1 750	—	—	—	—	—
VI. Verschiedene Einnahmen	—	—	5	60	5	60	—	—
Hier erscheint der Erlös für veräußertes altes Eisen mit 5 ℳ 60 ₰ in Einnahme.								
Summe . . .	748 600	—	744 036	09	—	—	4 563	91
Ausgabe.								
I. Gehalte der Angestellten:								
1.—5. Gehalte ꝛc. des definitiv angestellten Personals und der Hilfsaufseher	89 400	—	87 988	66	—	—	1 411	34
Für die Tagegelder der Hilfsaufseher waren 2047 ℳ 50 ₰ mehr aufzuwenden. Von den Gehalten und Tagegeldern wurden 47 ℳ 50 ₰ von der Hafenverwaltung und 3411 ℳ 34 ₰ vom Stadtteil Mainz-Mombach übernommen und an den Ausgaben abgesetzt.								
6. Vergütungen an Aufseher für Dienstleistungen als Erheber ꝛc.	1 281	—	1 155	35	—	—	125	65
Von dem Stadtteil Mainz-Mombach wurde ein Kostenanteil von 125 ℳ 65 ₰ übernommen, wodurch die Weniger-Ausgaben bedingt sind.								
7. Für Kontrollierung des Oktroi von dem in der Stadt bereiteten Bier ꝛc.	342	86	342	86	—	—	—	—
8. Für Erhebung von Oktroi durch das Hauptsteueramt .	1 209	14	1 308	09	99	85	—	—
9. „ die Oktroiaufsicht im Zoll- und Binnenhafen . .	400	—	400	—	—	—	—	—
10. „ Dienstmäntel und Dienstmützen	260	—	248	70	—	—	11	30
zu übertragen . . .	92 893	—	91 444	56	99	85	1 548	29

Ferner: **86. Oktroi.**

	Betrag nach				Mithin gegen den Voranschlag			
	dem Voranschlag		der Rechnung		mehr		weniger	
	M	₰	M	₰	M	₰	M	₰
Übertrag . . .	92 893	—	91 444	56	99	85	1 548	29
II. **Bureaukosten:**								
1. Für Schreibmaterialien	255	—	233	25	—	—	21	75
2. „ Drucksachen	1 370	—	1 520	85	150	85	—	—
3. „ Buchbinderarbeiten	100	—	63	40	—	—	36	60
4. „ Unterhaltung des Mobiliars	600	—	200	79	—	—	399	21
4a. „ Beschaffung von Gaskochern an sämtlichen Oktroierhebestellen	170	—	123	78	—	—	46	22
5. Für Heizung	1 200	—	999	40	—	—	200	60
6. „ Beleuchtung einschl. der Beschaffung von Glühkörpern rc.	780	—	362	29	—	—	417	71
7. „ Reinigung der Erhebestellen	1 510	—	1 387	25	—	—	122	75
8. Verschiedene Ausgaben, Porti rc.	72	—	41	61	—	—	30	39
9. Für Benutzung der städt. Straßenbahn durch Oktroibedienstete	240	—	268	50	28	50	—	—
10. Mobilienversicherung	3	—	2	46	—	—	—	54
III. **Oktroi-Defraudationsstrafen**	300	—	259	05	—	—	40	95
IV. **Oktroi-Rückvergütungen:**								
1. An das Militär	—	—	—	—	—	—	—	—
2. Für in der Armeekonservenfabrik Mainz hergestellte Konserven, die von den innerhalb des Oktroi-Bezirkes der Stadt Mainz untergebrachten Truppen der Garnison Mainz in diesem Bezirk verzehrt werden	500	—	861	61	361	61	—	—
3. Für ausgeführtes Bier	130 000	—	129 259	31	—	—	740	69
4. Für ausgeführte Stein- und Holzkohlen	700	—	869	06	169	06	—	—
V. **Gebäude:**								
1. Gemeinde-Grundsteuern	193	24	210	32	17	08	—	—
2. Brandversicherungsbeiträge	84	—	48	50	—	—	35	50
3. Baukosten	1 460	—	740	58	—	—	719	42
3a. Neuanstrich des Oktroihäuschens am Eisern-Tor	100	—	78	52	—	—	21	48
3b. Wasserverbrauch in den beiden Oktroi-Erhebestellen am Aliceplatz und Bahnhofsplatz	—	—	23	52	23	52	—	—
4. Reinigung der Entwässerungsanlagen der Oktroigebäude am Neutor, Gautor und Bingertor	30	—	28	60	—	—	1	40
5. Rekognitionsgebühren	2	—	2	—	—	—	—	—
6. Verzinsung und Tilgung der Baukapitalien	1 204	76	1 204	76	—	—	—	—
Summe . . .	233 767	—	230 233	97	—	—	3 533	03

87. Kommunalsteuern.

	Betrag nach				Mithin gegen den Voranschlag			
	dem Voranschlag		der Rechnung		mehr		weniger	
	M	₰	M	₰	M	₰	M	₰
Einnahme.								
I. Kommunal-Hundesteuer	17 020	—	17 162	34	142	34	—	—
Unter der Einnahme sind 18 M 50 ₰ Erlös für verkaufte Duplikat-Hundemarken enthalten.								
II. Umlagen	2922629	39	3042267	20	119 637	81	—	—
Die Einnahme setzt sich zusammen wie folgt: 1. Umlagen laut Hebregister für 1907 2 919 763 M 32 ₰ 2. Nachträge für 1907 . . . . . 110 223 „ 78 „ 3. Nachträge aus früheren Jahren, infolge seitheriger geringerer Veranlagung: a) von Kapitalrentensteuerpflichtigen . 1 834 M 61 ₰ b) von Gewerbesteuerpflichtigen . 354 „ 43 „ c) von Einkommensteuerpflichtigen . 9 807 „ 11 „ 12 016 „ 15 „ 4. Wiederzahlbar gewordene, früher als uneinbringlich verrechnete Umlagen . 263 „ 95 „ im gunzen . . . 3 042 267 M 20 ₰								
Summe . . .	2939649	39	3059429	54	119 780	15	—	—
Ausgabe.								
I. Kommunal-Hundesteuer	120	—	110	—	—	—	10	—
II. Umlagen:								
1. Gebühren des Steuerkommissariats	4 700	—	4 539	19	—	—	160	81
2. Erlassene Posten	130 000	—	167 038	95	37 038	95	—	—
Die Niederschlagung von Umlagen erfolgte wegen: a) zu hohen Ansatzes mit . . . 39 656 M 10 ₰ b) Wegzugs, Todesfalls ꝛc. mit . . 127 382 „ 85 „ Betrag wie neben . . 167 038 M 95 ₰								
3. Uneinbringliche Posten	56 000	—	54 506	91	—	—	1 493	09
Unter der Ausgabe sind auch 3 702 M 55 ₰ uneinbringliche Posten aus früheren Jahren enthalten, die bisher als Ausstandsposten nachgeführt worden sind. Bezüglich des Verhältnisses der erlassenen und uneinbringlichen Posten zur Soll-Einnahme wird auf die Angaben Erite 276 u. 277 verwiesen. Die ausgäbliche Verrechnung der unter pos. 2 und 3 aufgeführten Beträge wurde von der St.-V.-V. vom 21. Oktober 1908 gutgeheißen.								
Summe . . .	190 820	—	226 195	05	35 375	05	—	—

b) Vermögensrechnung.

	Betrag nach				Mithin gegen den Voranschlag			
	dem Voranschlag		der Rechnung		mehr		weniger	
	M	₰	M	₰	M	₰	M	₰
Einnahme.								
1. Rechnungsrest aus früheren Jahren . . .	—	—	5747674	03	5747674	03	—	—
Der Rechnungsrest aus dem Rechnungsjahr 1906 steht hier in Einnahme.								
2. Ersatzposten	—	—	—	—	—	—	—	—
3. An- und Verkauf von Grundstücken.								
I. Verkauf von Teilen der Stadtmauer auf dem Kästrich	—	—	4 530	40	4 530	40	—	—
Lt. St.-V.-Beschl. vom 9. Januar und 12. Juni 1907 sind die hinter den Gebieten Kästrich Nr. 47, 53, 55, 57, 67 und 71 hinziehenden Teile der alten Stadtmauer zum Preise von 28 M für jedes qm verkauft worden.								
7. Erbauung von Schulhäusern	4 400	—	4 400	—	—	—	—	—
8. Wiederherstellung des kurfürstlichen Schlosses . .	27 000	—	154 090	—	127 090	—	—	—

Außer den im Voranschlag eingestellten Beträgen von . . . . 27 000 M
sind noch vereinnahmt worden:

1. von der Betriebsrechnung eine weitere Ersatzleistung; siehe die Erläuterung zu pos. XI der Ausgabe . . . . 1 000 „
2. Zuschüsse für die II. Bauperiode:
   a) vom Gr. Hess. Staate (abschläglich) . 52 500 „
   b) „ Reich . . . . 73 500 „
   Der Rest des Zuschusses des Gr. Hess. Staats mit 21 000 M erscheint in der Rechnung für 1908 in Einnahme.
3. Erlös für veräußerte Altmaterialien . . . 90 „

Betrag wie oben . . . 154 090 M

	Betrag nach				Mithin gegen den Voranschlag			
	dem Voranschlag		der Rechnung		mehr		weniger	
	ℳ	₰	ℳ	₰	ℳ	₰	ℳ	₰
10. Straßenbahnen.								
I. Erlös aus Materialien ꝛc. . . . . Für Materialien ꝛc. der früheren Straßenbahn wurden 20 ℳ 08 ₰ vereinnahmt.	—	—	20	08	20	08	—	—
II. Kostenersatz der für Rechnung von Privaten ausgeführten Arbeiten . . . . In Einnahme erscheinen der Kostenersatz der für Rechnung von Privaten gelegentlich der Gleisverlegungen ausgeführten Arbeiten mit 3580 ℳ 33 ₰ und die Verwaltungsgebühren mit 214 ℳ 82 ₰.	—	—	3 795	15	3 795	15	—	—
III. Ersatz der Kosten für Anbringung von Telephonschutznetzen . . . . Hier erscheinen die von der Kaiserlichen Oberpostkasse Darmstadt ersetzten Kosten für Anbringung von Telephonschutznetzen auf der Strecke Kaiser Wilhelm-Ring zwischen Bahnhofsplatz und Boppstraße in Einnahme.	—	—	503	40	503	40	—	—
IV. Eesatz von Kosten für den Bau der elektrischen Straßenbahn nach der Ingelheimer Au . . . Lt. St.-V.-Beschl. vom 8. Junuae 1908 ist ein Teil der Kosten mit 30 000 ℳ für den bemerkten Bahnbau auf Rubrik 28 — siehe die Erläuterung zu pos. 28. I. 2 (Ausgabe) jeure Rubrik — übernommen worden.	—	—	30 000	—	30 000	—	—	—
V. Sonstige Einnahmen . . . . Für Rillengleis ꝛc. wurden 263 ℳ 47 ₰ + 26 ℳ 35 ₰ + 400 ℳ erzielt.	—	—	689	82	689	82	—	—
Summe . . .	—	—	35 008	45	35 008	45	—	—
14. Erbauung sonstiger Gemeinde-Gebäude und -Anstalten.								
I. Errichtung eines Musikzeltes im Stadthallegarten	1 000	—	1 000	—	—	—	—	—
II. Ersatz der Kasten für die Feuerwehr	9 050	—	9 050	—	—	—	—	—
III. Ersatz von Kosten für besondere Aufwendungen im Schlacht- und Viehhof . . . . Eine Tilgung wie unter pos. 2 des Voranschlags vorgesehen, war nicht erforderlich, da der restliche Betrag der Baukapitalien bereits im Rechnungsjahr 1906 von der Betriebsrechnung ersetzt wurde.	16 980	—	1 980	—	—	—	15 000	—
IV. Ersatz der Kosten für Instandsetzung des Eisern-Turmes	3 400	—	3 270	38	—	—	129	62
Summe . . .	30 430	—	15 300	38	—	—	15 129	62

	Betrag nach				Mithin gegen den Voranschlag			
	dem Voranschlag		der Rechnung		mehr		weniger	
	M	₰	M	₰	M	₰	M	₰
16. Straßenverbreiterungen in der Altstadt . . .	—	—	—	—	—	—	—	—
17. Kanalisation der Altstadt	—	—	—	—	—	—	—	—
19. Erbauung von Straßen und Kanälen in der Neustadt.								
I. Ersatz von Straßen- und Kanalbaukosten ꝛc. . Die Einnahme setzt sich wie folgt zusammen: 1. aus dem im Voranschlag eingestellten Betrag von . . . . 300 M — ₰ 2. aus Ersatzleistungen von Straßen- und Kanalbaukosten, insoweit diese Kosten im Rechnungsjahr 1907 abgerechnet werden konnten . . . . 74 731 „ 72 „ 3. aus Ersatzleistungen Dritter für von der Stadt gestelltes Straßengelände in der Dalbergstraße . . . . 259 „ 20 „ zusammen . . . 75 290 M 92 ₰	300	—	75 290	92	74 990	92	—	—
II. Durchführung des Kaiser Wilhelm-Ring zwischen Ostein- und Dalbergstraße. . . . . Vereinnahmt ist die 1. Rate des Restkaufpreises für das im Vorjahr verkaufte städtische Gelände; siehe die Erläuterung unter pos. 5 im vorj. Rechenschaftsbericht, Seite 412.	—	—	1 212	—	1 212	—	—	—
III. Durchführung der Kurfürstenstraße zwischen Leibniz- und Bonifaziusstraße . . . . . . Hier wird zunächst auf die Erläuterung zur Ausgabe pos. IV. d verwiesen. Vereinnahmt wurden: 1. ein Kaufpreisteil für das Baugelände im Bauq. 39 mit . . . . 46 440 M 2. an Beiträgen zu den Durchbruchskosten . . 7 010 „ 3. für Abbruchsmaterialien . . . . 200 „ zusammen . . . 53 650 M	—	—	53 650	—	53 650	—	—	—
Summe . . .	300	—	130 152	92	129 852	92	—	—
20. Erbauung von Straßen und Kanälen im Gelände der Nordwestfront.								
I. Ersatz von Kanalbaukosten . . . . Hier erscheinen die von der Kreiskasse zu ersetzenden Beiträge	—	—	9 250	—	9 250	—	—	—

	Betrag nach				Mithin gegen den Voranschlag			
	dem Voranschlag		der Rechnung		mehr		weniger	
	ℳ	₰	ℳ	₰	ℳ	₰	ℳ	₰
Ferner: **20. Erbauung von Straßen und Kanälen im Gelände der Nordwestfront.**								
für die frühere Herstellung des Kanalstranges in der Zwerchallee und für die Erbauung eines Kanals in einem in der Gemarkung Mombach liegenden Teile der Mombacherstraße mit 7100 ℳ + 2150 ℳ in Einnahme. Vergl. pos. II. 2 im vorj. Rechenschaftsbericht, Seite 443, und die Erläuterung im Rechenschaftsbericht für 1905, Seite 451.								
21. Auflassung der Festungsumwallung. . . .	—	—	21 500	—	21 500	—	—	—
In Einnahme erscheint von der Reichshauptkasse die Hälfte der Einnahme für Festungsgelände aus dem Rechnungsjahr 1906 zur teilweisen Tilgung der Straßenbaukosten.								
23. Stromkorrektion.								
I. Verkauf von Baugelände am Rheinufer zwischen Raimunditor und Binnenhafen . . .	4 212	—	4 212	—	—	—	—	—
25. Hafenbau.								
I. Errichtung einer Werkstätte im Zollhofen . .	1 000	—	1 000	—	—	—	—	—
II. Beschaffung eines Güterwagens	1 080	—	1 080	—	—	—	—	—
Summe . . .	2 080	—	2 080	—	—	—	—	—
28. Ingelheimer Au.								
I. Verkauf von Gelände	33 536	91	240 892	02	207 355	11	—	—
Die unter Ord.-Nr. 1, 3, 8, 10 und 17 des Voranschlags aufgeführten Restkaufpreise sind ganz abgetragen worden. Von den unter pos. 18, 19, 20 und 22 des Voranschlags aufgeführten Verkäufen sind die Anzahlungen im Rechnungsjahr 1906 verrechnet. Von dem letzterwähnten Verkauf erscheint nur eine weitere Tilgungsrate in diesem Jahre. Der unter Ord.-Nr. 21 des Voranschlags bemerkte Verkauf ist nicht perfekt geworden. Außer den übrigen im Voranschlag eingestellten Abtragungen erscheinen auch noch ein Kaufpreis und eine Anzahlung auf einen Kaufpreis von im Rechnungsjahr 1907 verkauften Bauplätzen in Einnahme.								
zu übertragen . . .	33 536	91	240 892	02	207 355	11	—	—

	Betrag nach				Mithin gegen den Voranschlag			
	dem Voranschlag		der Rechnung		mehr		weniger	
Ferner: 28. Ingelheimer Au.	M	₰	M	₰	M	₰	M	₰
Übertrag . . .	33 536	91	240 892	02	207 355	11	—	—
II. Kostenersatz für an Private abgegebene Materialien	—	—	15 332	64	15 332	64	—	—
Für zwei Käufer von Plätzen an der Ingelheimstraße waren 2 Drehscheiben und 2 Prellböcke zu Lasten des von der St.-V.-V. am 25. April 1907 bewilligten Kredits beschafft und eingebaut worden. Hier erscheinen die Ersatzleistungen mit 13 668 M 48 ₰ nebst 1 366 M 84 ₰ Verwaltungsgebühren in Einnahme. Außerdem wurden für weiter abgegebene Gleisbaumaterialien rc. 270 M 30 ₰ und 27 M 02 ₰ Verwaltungsgebühren vereinnahmt.								
Summe . . .	33 536	91	256 224	66	222 687	75	—	—
34. Überschüsse der Betriebsrechnungen	—	—	499 481	29	499 481	29	—	—
Siehe die Erläuterung zur Rubrik 85 der Betriebsrechnung.								
35. Kapitalmittel.								
I. Zurückzuempfangende Kapitalien	—	—	—	—	—	—	—	—
II. Stiftungen und Vermächtnisse	—	—	574 200	—	574 200	—	—	—
Hier erscheinen in Einnahme: 1. der Wert des Vermächtnisses des Joseph David Heidelberger im Betrag von . . . . 100 000 M 2. die lt. St.-V.-Beschl. vom 16. Oktober 1907 zurückerhobenen bei der Städt. Sparkasse seither verzinslich angelegten Kapitalien verschiedener Stiftungen mit zusammen . . 327 200 „ 3. der Kapitalwert des Vermächtnisses des Max Oppenheim zur Erhöhung des Stiftungskapitals der bereits bestehenden Samuel Oppenheim-Stiftung im Betrage von . . 5 000 „ 4. der Wert eines weiteren Vermächtnisses des Max Oppenheim — Michael Emanuel Oppenheim-Stiftung — für die Gemälde-Galerie im Betrage von . . . . 100 000 „ 5. der Kapitalwert des Vermächtnisses der Geschwister Martin und Rosalie Meyer im Betrage von . . . . 30 000 „ 6. der Kapitalwert des Vermächtnisses der Emilie von Zachert im Betrage von . . 3 000 „ 7. die Abfindungssumme der Großh. Hess. Staatsregierung zur Unterhaltung der neu hergerichteten Grabstätten für die Gebeine ehemaliger französischer Soldaten im Betrage von . . . . 2 000 „ 8. die Kapitalwerte von 2 Stiftungen für Grabunterhaltungen (Petry und Meyer) mit 2000 M und 5000 M = ... 7 000 „ zusammen . . . 574 200 M								
zu übertragen . . .	—	—	574 200	—	574 200	—	—	—

Ferner: 35. Kapitalmittel.	Betrag nach				Mithin gegen den Voranschlag			
	dem Voranschlag		der Rechnung		mehr		weniger	
	ℳ	₰	ℳ	₰	ℳ	₰	ℳ	₰
Übertrag . . .	—	—	574 200		574 200	—	—	—
III. Bar-Kautionen	—	—	—	—	—	—	—	—
IV. Ersatz der für Gemeinde-Gebäude und -Anstalten aufgewendeten Kapitalien:								
1. aus der Betriebs-Rechnung:								
a) von dem Hafen	21 406	86	21 406	86	—	—	—	—
b) „ „ Getreidespeicher	7 284	06	7 284	06	—	—	—	—
c) „ den Güterhallen	4 487	58	4 487	58	—	—	—	—
d) „ dem Schlacht- und Viehhof	25 690	73	25 690	73	—	—	—	—
e) „ „ Fürstenbergerhofbad	2 779	16	2 779	16	—	—	—	—
f) „ „ Gartenfeldbad	1 072	78	1 072	78	—	—	—	—
g) „ „ Gutenbergbad	1 701	97	1 701	97	—	—	—	—
h) „ der Hafenbahn	46 590	86	33 630	83	—	—	12 960	03
i) „ dem Stadttheater	6 671	20	6 671	20	—	—	—	—
k) „ den Kehrichtwagen	733	24	733	24	—	—	—	—
l) „ „ Latrinesammelgruben	3 618	83	3 618	82	—	—	—	01
m) „ dem neuen Reinigungsamt	1 702	01	1 702	01	—	—	—	—
n) „ „ neuen Abladeplatz am Fort Hechtsheim ꝛc.	5 116	67	4 035	66	—	—	1 081	01
2. aus den Betriebs-Überschüssen der Werke:								
a) von dem Wasserwerk	66 435	07	66 497	84	62	77	—	—
b) von dem Gaswerk	137 575	34	133 423	17	—	—	4 152	17
c) von dem Elektrizitätswerk: Planmäßige gewöhnliche Tilgung 188 287 ℳ 13 ₰ Außerordentliche Tilgung der für Elektrizitätsmesser aufgewendeten Kapitalien . . . . 3 754 „ 50 „	188 801	90	192 041	63	3 239	73	—	—
d) von der Straßenbahn: Planmäßige gewöhnliche Tilgung 28 076 ℳ 73 ₰ Außerordentliche Tilgung auf die Abfindungssumme an die Südd. Eisenbahngesellschaft . . . . . 29 468 „ 74 „	26 067	70	57 545	47	31 477	77	—	—
Die Entschädigungssumme an die Süddeutsche Eisenbahn-								
zu übertragen . . .	547 735	96	1 138 523	01	608 980	27	18 193	22

Ferner: 35. Kapitalmittel.	Betrag nach dem Voranschlag ℳ	₰	Betrag nach der Rechnung ℳ	₰	Mithin gegen den Voranschlag mehr ℳ	₰	weniger ℳ	₰
Übertrag . . .	547 735	96	1138523	01	608 980	27	18 193	22
gesellschaft betrug nach der Erläuterung auf Seite 417 des vorjährigen Rechenschaftsberichts Ende des Rechnungsjahres 1906 restlich . . . . 935 737 ℳ 31 ₰ Hiervon gehen ab: 1. die unter Rubrik 10. I dieser Rechnung verrechneten Einnahmen mit . 20 ℳ 08 ₰ 2. der obengenannte außerordentliche Tilgungsbetrag mit 29 468 „ 74 „ 3. der unter Rubrik 5. VI der Straßenbahnrechnung für 1907 verausgabte Tilgungsbetrag mit . 8 988 „ 66 „ 38 477 ℳ 48 ₰ sodaß die Restentschädigung Ende des Rechnungsjahres 1907 beträgt . . . . 897 259 ℳ 83 ₰								
V. Kapitalüberweisung durch den Schloßfreiheitsfonds . . . . Der Überschuß des Kapitalkontos des Schloßfreiheitsfonds für das Rechnungsjahr 1907 erscheint hier in Einnahme.	29 546	85	152 966	97	123 420	12	—	—
VI. Aufzunehmende Kapitalien . . . . Kapitalien waren in diesem Jahre nicht aufzunehmen.	991 989	49	—	—	—	—	991 989	49
Summe . . .	1569272	30	1291489	98	—	—	277 782	32

Ausgabe

	Betrag: der zur Verfügung gestellten Kredite ℳ	₰	Betrag: der wirklichen Ausgabe in 1907 ℳ	₰	Verfügbarbleibender u. laut Stadtverordnetenbeschluß v. 21. Oktbr. 1908 auf das Rechnungsjahr 1908 zu übertragender Kreditrest ℳ	₰
1. Rechnungsrest aus früheren Jahren . . .	—	—	—	—	—	—
2. Ersatzposten	—	—	—	—	—	—
3. An- und Verkauf von Grundstücken.						
I. Erwerbung von Gelände in den Bauquadraten 89 und 94	—	—	—	—	—	—
II. Erwerbung von Gelände in den Bauquadraten 90 und 93	54 442	—	54 442	—	—	—
III. Erwerbung von Gelände in den Bauquadraten 97, 98, 100 und 101	69 210	—	69 210	—	—	—
IV. Erwerbung von Gelände in dem Bauquadrat 76	50 000	—	50 000	—	—	—
V. Erwerbung von Gelände in dem Bauquadrat 86	10 000	—	10 000	—	—	—
VI. Eewerbung von Grundstücken in der Gemarkung Bretzenheim . . . . Die unter Rubrik 83. VI. 13 und 15 des Voranschlags zur Betriebsrechnung — Ausgabe — bemerkten Restkaufpreise sind vom 1. Junuae 1908 bezw. 1. August 1907 zurückgezahlt worden.	14 900	—	14 900	—	—	—
VII. Beitrag zu den Kosten der Instandsetzung des Quintinskirchturmes. Kredit laut St.-V.-Beschluß vom 8. November 1906 . . In Ausgabe erscheinen der Beitrag der Stadt zur Beseitigung der Bauschäden und die Hälfte des Stempelbetrags für den notariell abgeschlossenen Vertrag mit 13 ℳ 70 ₰ in Ausgabe. Die Kosten der notariellen Beurkundungen werden erst in dem Rj. 1908 verrechnet.	15 013	70	15 013	70	—	—
VIII. Ankauf des Hauses Schlossergasse Nr. 42. Kredit laut St.-V.-Beschluß vom 20. Febraur 1907 . . Außer dem Kaufpreis von 7000 ℳ erscheinen hier noch die Stempel- und Notariats-Gebühren mit 97 ℳ 10 ₰ in Ausgabe.	7 097	10	7 097	10	—	—
IX. Ankauf des Hauses Schlossergasse Nr. 44 Kredit lt. St.-V.-Beschl. vom 10. Oktober 1906 . . . . In Ausgabe erscheinen die Notariatsgebühren für einen erforderlich gewordenen Nachtragsakt. Der Kaufpreis und die sonstigen Kosten sind bereits im Rechnungsjahr 1906 verausgabt. (Vergleiche auch die Erläuterung zu Rubrik 3. XI Seite 419 des vorjährigen Rechenschaftsberichts).	31	10	31	10	—	—
zu übertragen . . .	—	—	220 693	90		

Ferner: 3. An- und Verkauf von Grundstücken.

	Betrag: der zur Verfügung gestellten Kredite ℳ	₰	Betrag: der wirklichen Ausgabe in 1907 ℳ	₰	Verfügbar bleibender u. laut Stadtverordnetenbeschluß v. 21. Oktbr. 1908 auf das Rechnungsjahr 1908 zu übertragender Kreditrest ℳ	₰
Übertrag . . .	—	—	220 693	90		
X. Ankauf des Hauses Schlossergasse Nr. 40.						
Kredit lt. St.-V.-Beschl. vom 26. Juni 1907	6 873	05	6 873	05	—	—
Außer dem Kaufpreis von 6750 ℳ erscheinen noch die Stempelkosten mit 54 ℳ 40 ₰, die Notariatsgebühren mit 34 ℳ 90 ₰ und die Vermittelungsgebühren mit 33 ℳ 75 ₰ in Ausgabe.						
XI. Ankauf des Hauses Stallgasse Nr. 14.						
Kredit lt. St.-V.-Beschl. vom 26. Juni 1907	16 318	10	16 318	10	—	—
Es erscheinen hier der Kaufpreis mit 16 000 ℳ, die Stempelkosten mit 192 ℳ, die Notariatsgebühren mit 46 ℳ 10 ₰ und die Vermittelungsgebühren mit 80 ℳ in Ausgabe.						
XII. Erwerbung des Hauses Rosengasse Nr. 10 . .	1 667	10	1 667	10	—	—
Laut St.-V.-Beschl. vom 13. November 1907 hat die Stadt das Anwesen Rosengasse Nr. 10 zum Preise von 63 000 ℳ erworben. Hier erscheinen die Stempelkosten mit 1260 ℳ, die Vermittelungsgebühren mit 315 ℳ und die Notariatsgebühren mit 92 ℳ 10 ₰ in Ausgabe.						
Von dem Kaufpreis sind 23 000 ℳ erst am 1. Oktober 1908, dem Tage der Besitzeinweisung, zu entrichten. Der Rest bleibt vorerst gegen eine 4¼%ige Verzinsung stehen.						
Summe . . .	—	—	245 552	15		

4. Gaswerk.

	Betrag: der zur Verfügung gestellten Kredite ℳ	₰	Betrag: der wirklichen Ausgabe in 1907 ℳ	₰	Verfügbar bleibender Kreditrest ℳ	₰
I. Erweiterung des Stadtrohrnetzes.						
Kredit laut Voranschlag	35 000	—	13 559	51	—	—
II. Gasmesser.						
Kredit laut Voranschlag	55 000	—	35 853	72	—	—
Für unbrauchbar gewordene Gasmesser wurde in diesem Rechnungsjahre ein Erlös nicht erzielt.						
III. Maschinelle Anlagen im Gaswerk auf der Ingelheimer Au.						
Kredit laut Voranschlag	10 000	—	—	—	10 000	—
IV. Errichtung einer Koksgasanlage.						
1. Für Anschüttung des Terrains.						
Kreditübertrag aus dem Rechnungsjahr 1906	16 800	—	—	—	16 800	—
2. Für den baulichen Teil.						
Kreditübertrag aus dem Rechnungsjahr 1906	17 553	79				
3. Für den gastechnischen Teil.			187 596	97	3 988	30
Kreditübertrag aus dem Rechnungsjahr 1906	174 031	48				
zu übertragen . . .	—	—	237 010	20		

Ferner: **4. Gáswerk.**	Betrag				Verfügbarbleibender u. laut Stadtverordnetenbeschluß v. 21. Oktbr. 1908 auf das Rechnungsjahr 1908 zu übertragender Kreditrest	
	der zur Verfügung gestellten Kredite		der wirklichen Ausgabe in 1907			
	ℳ	₰	ℳ	₰	ℳ	₰
Übertrag . . .	—	—	237 010	20		
V. Erweiterung des Gaswerkes auf der Ingelheimer Au.						
1. Beschaffung eines zweiten Kohlenbrechers und eines Brecherwerkes.						
Kredit lt. St.-V.-Beschl. vom 3. Oktober 1907 . . .	26 000	—	24 358	72	—	—
Summe . . .	—	—	261 368	92		
5. Wasserwerk.						
I. Vorarbeiten:						
1. Vergütung für einen Ingenieur.						
Kredit laut Voranschlag	4 500	—	4 500	—	—	—
2. Vörnahme von Grundwasserstandsbeobachtungen und Ergänzungen der Vorarbeiten für ein einheitliches Wässerwerk.						
Kredit laut Voranschlag	7 500	—				
Hierzu IV. Vornahme von Pumpversuchen in der Rheinniederung bei Laubenheim.			3 400	75	6 247	64
Kreditübertrag uns dem Rechnungsjahr 1906	2 148	39				
3. Vorarbeiten im Mönchwald.						
Kredit laut St.-V.-Beschl. vom 15. November 1907 .	20 000	—	3 263	89	16 736	11
II. Rohrnetz:						
1. Legung von Wasserleitungsröhren in der Pankratiusstraße und in der Werderstraße.						
Kredit laut Voranschlag	5 300	—				
2. Legung von Wasserleitungsröhren auf dem Sömmerringplatz, in der Feldbergstraße und der Mozartstraße.						
Kredit laut Voranschlag	7 200	—				
3. Legung von Wasserleitungsröhren im Rheingauwall.						
Kredit laut Voranschlag	4 000	—				
4. Legung von Wasserleitungsröhren in der Alicestraße zwischen Terrassenstraße und Aliceplatz.						
Kredit laut Voranschlag	5 800	—				
5. Legung von Wasserleitungsröhren im Kaisee Wilhelm-Ring (linke Seite) von der Lessingstraße abwärts bis zum Weifert'schen Gebiete sowie Verbindung mit dem rechtsseitigen Rohrstrang.						
Kredit laut Voranschlag	3 000	—				
6. Herstellung von Straßenleitungen im Gebiete der Nordwestfront, im Industriegebiete der Ingelheimer Au und am Fort Kael.						
Kredit laut Voranschlag	35 000	—				
zu übertragen . . .	60 300	—	11 164	64		

Ferner: **5. Wasserwerk.**	Betrag: der zur Verfügung gestellten Kredite ℳ	₰	Betrag: der wirklichen Ausgabe in 1907 ℳ	₰	Verfügbar bleibender u. laut Stadtverordnetenbeschluß v. 21. Oktbr. 1908 auf das Rechnungsjahr 1908 zu übertragender Kreditrest ℳ	₰
Übertrag . . .	60 300	—	11 164	64		
7. Für kleinere Anschlüsse, unvorhergesehene Teilstrecken und Ergänzung der Hydranten Kredit laut Voranschlag	7 700	—				
8. Legung von Wasserleitungsröhren in der verlängerten Rheinallee von dem Bahndamm der Wiesbadener Linie bis zur Gemarkungsgrenze. Kreditübertrag aus dem Rechnungsjahr 1906	7 148	44				
9. Rohrlegungen in der Barbarossastraße und Hohenstaufenstraße. Kreditübertrag aus dem Rechnungsjahr 1906	1 600	—				
10. Legung eines Rohrstranges in der Colmarstraße. Kreditübertrag aus dem Rechnungsjahr 1906	974	72				
	77 723	16	67 406	29	7 937	90
In der Ausgabe sind 2377 ℳ 75 ₰ für Rohrlegungen im Stadtteil Mainz-Mombach enthalten. Diese Rohrlegungen waren im Voranschlag des Wasserwerks Mainz-Mombach vorgesehen. Die entstandenen Kosten sind in der Rechnung des gen. Wasserwerks f. 1907 verausgabt und die Ersatzleistung ist daselbst auch vereinnahmt worden. Vergl. die Rubriken 8 und 27 jener Rechnung. Von dem auf das Rechnungsjahr 1908 zu übertragenden Kreditrest werden 1087 ℳ 22 ₰ für Legung von Wasserleitungsröhren in der Pankratiusstraße, Werderstraße und der Feldbergstraße, 5250 ℳ 68 ₰ für Herstellung von Straßenleitungen im Industriegebiet der Ingelheimer Au und am Fort Karl und 1600 ℳ für Legung von Wasserleitungsröhren in der Barbarossa- und Hohenstaufenstraße benötigt.						
III. **Wassermesser.** Kredit laut Voranschlag	12 000	—	11 765	—	—	—
In den Ausgaben sind 210 ℳ für Beschaffung von Wassermessern für den Stadtteil Mainz-Mombach enthalten. Gleiche Verrechnungsweise wie bei den Kosten für die Rohrlegungen daselbst, siehe pos. II.						
IV. **Vornahme von Pumpversuchen in der Rheinniederung bei Laubenheim.** Es wird auf die Erläuterung bei pos. I. verwiesen.						
Summe . . .	—	—	90 335	93		

6. Elektrizitätswerk.	Betrag: der zur Verfügung gestellten Kredite ℳ	₰	Betrag: der wirklichen Ausgabe in 1907 ℳ	₰	Verfügbar bleibender u. laut Stadtverordnetenbeschluß vom 21. Oktbr. 1908 auf das Rechnungsjahr 1908 zu übertragender Kreditrest ℳ	₰
I. Erweiterung des Kabelnetzes.						
Kredit laut Voranschlag	100 000	—				
Kreditübertrag aus dem Rechnungsjahre 1906	31 704	94				
	131 704	94	54 345	55	77 359	39
Ia. Transformatorenstationen.						
Kredit laut Voranschlag	23 000	—	10 281	10	12 718	90
II. Kabelanschlüsse.						
Kredit laut Voranschlag	8 000	—	4 216	87	—	—
III. Elektrizitätsmesser.						
Kredit laut Voranschlag	82 000	—	16 939	29	—	—
IV. Maschinen- und Kesselhaus.						
1. Für eine automatische Kohlenförderanlage.						
Kredit laut Voranschlag	38 000	—				
Kredit lt. St.-V.-Beschl. vom 5. April 1908	6 350	—				
	44 350	—	44 152	97	—	—
2. Für die Verstärkung der Erregeranlage.						
Kredit laut Voranschlag	30 000	—	—	—	—	—
Der Kredit wird nicht beansprucht. Im Voranschlag für 1908 ist ein Kredit für den Austausch der Erregeranlage vorgesehen.						
3. Für Ausrüstung zweier Kessel mit Überhitzern.						
Kreditübertrag aus dem Rechnungsjahr 1906	12 036	81	8 901	88		—
V. Ausrüstung der Zählerwerkstätte.						
Kredit laut Voranschlag	2 000	—	785	51	1 214	49
VI. Erweiterung des Elektrizitätswerkes durch Aufstellung einer 1200 PS. Dampfdynamomaschine.						
1. Baukosten.						
Kreditübertrag aus dem Rechnungsjahr 1906	46 369	92	4 581	41	41 788	51
2. Maschineller Teil — Unvorhergesehenes.						
Kreditübertrag aus dem Rechnungsjahr 1906	12 349	82	9 440	19	—	—
VII. Erweiterung der Umformerstation.						
Kreditübertrag aus dem Rechnungsjahr 1906	38 477	84	35 467	46	—	—
VIII. Kabelverlegung im Stadtteil Mainz-Mombach.						
Kredit laut St.-V.-Beschl. vom 20. November 1907 . .	36 800	—	31 621	45	5 178	55
Summe . . .		—	220 733	68		

	Betrag				Verfügbar bleibender u. laut Stadtverordnetenbeschluß v. 21. Oktbr. 1908 auf das Rechnungsjahr 1908 zu übertragender Kreditrest	
	der zur Verfügung gestellten Kredite		der wirklichen Ausgabe in 1907			
	ℳ	₰	ℳ	₰	ℳ	₰
7. Erbauung von Schulhäusern.						
I. Erbauung eines Schulhauses für die Höhere Mädchenschule auf dem Gebiete des ehemaligen Reichklaraklosters.						
1. Baukosten.						
Kreditübertrag aus dem Rechnungsjahr 1906	624 916	98	602 755	56	22 161	42
Ferner sind noch bis zum Bücherschlusse Abschlagszahlungen im Betrage von 11 840 ℳ geleistet worden, welche auf das Rechnungsjahr 1908 übertragen worden sind.						
2a. Mobiliar.						
Kredit lt. St.-V.-Beschl. vom 10. April 1907	66 388	—	60 473	79	5 914	21
2b. Lehrmittel.						
Kredit lt. St.-V.-Beschl. vom 10. April 1907	16 888	—	9 164	15	2 500	—
Von dem vorhandenen Kreditrest werden nur noch 2 500 ℳ für Beschaffung einiger Apparate und für Drucklegung eines Lehrmittelverzeichnisses beansprucht.						
II. Erbauung eines Schulhauses für die Oberrealschule.						
1. Baukosten.						
Kreditübertrag aus dem Rechnungsjahr 1906	11 130	96	2 232	83	—	—
2. Mobiliar und Lehrmittel.						
Kreditübertrag aus dem Rechnungsjahr 1906	16 275	98	8 172	91	8 103	07
III. Erbauung eines Schulhauses an der Colmarstraße.						
1. Baukosten.						
Kreditübertrag aus dem Rechnungsjahr 1906	664 210	16	119 717	24	544 492	92
Außer den bemerkten Ausgaben sind auch noch Abschlagszahlungen im Gesamtbetrage von 230 900 ℳ geleistet worden, die auf das Rechnungsjahr 1908 übertragen worden sind.						
Summe . . .	—	—	802 516	48		

		Betrag: der zur Verfügung gestellten Kredite M	Pf	Betrag: der wirklichen Ausgabe in 1907 M	Pf	Verfügbar bleibender u. laut Stadtverordnetenbeschluß v. 21. Oktbr. 1908 auf das Rechnungsjahr 1908 zu übertragender Kreditrest M	Pf
8. Wiederherstellung des kurfürstlichen Schlosses.							
a) II. Bauperiode.							
I. Räumungsarbeiten und provisorische Aufstellung				5 713	47		
II. Arbeiten am Äußern				49 637	48		
Bis zum Bücherschluß ist ferner noch eine Abschlagszahlung im Betrage von 800 M geleistet worden, welche auf das Rechnungsjahr 1908 übertragen worden ist.							
III. Arbeiten im Innern	Kreditübertrag aus dem Rechnungsjahr 1906	257 086	07	19 750	34	167 082	79
IV. Herstellung von Bauzäunen, Bauhütten, Schuppen, sowie Reinigung, Heizung und Beleuchtung der Bauhütten				296	33		
V. Umgebungsarbeiten, Abbrucharbeiten, Terrain-Regulierung, Pflaster-Arbeiten, Weganlagen, Bepflanzungen, Einfriedigungen und dergleichen				2 826	67		
VI. Bauleitung				11 703	38		
VII. Bureaugebäude				75	61		
b) Sonstige Kosten.							
XI. Zuschuß zu den Kosten der Beschaffung von Schränken für das Römisch-Germanische Zentralmuseum		5 000	—	5 000	—	—	—
Außer dem im Vorjahr bereits bewilligten Zuschuß von 10 000 M ist mit Zustimmung der St.-V.-V. laut Beschluß vom 10. Juli 1907 ein weiterer Beitrag von 5000 M mit der Maßgabe geleistet worden, daß dieser letztere Beitrag ebenso wie der erstere der Vermögensrechnung aus der Betriebsrechnung in 5 jährlichen Teilzahlungen, beginnend mit 1907, ersetzt wird. Vergl. auch die Erläuterung zur Einnahme.							
Summe . . .		—	—	95 003	28		
9. Stadttheater.							
I. Bauliche Herstellungen zur Erhöhung der Sicherheit im Stadttheater.							
Kredit laut Voranschlag		4 000	—				
Kreditübertrag aus dem Rechnungsjahr 1906		3 140	66				
		7 200	66	6 932	12	—	—

10. Straßenbahnen.

	Betrag				Verfügbar bleibender u. laut Stadtverordnetenbeschluß v. 21. Oktbr. 1908 auf das Rechnungsjahr 1908 zu übertragender Kreditrest	
	der zur Verfügung gestellten Kredite		der wirklichen Ausgabe in 1907			
	ℳ	₰	ℳ	₰	ℳ	₰
I. Vorarbeiten.						
1. Für Projektbearbeitung und Bauleitung. Kredit laut Voranschlag	8 600	—	2 920	—	—	—
2. Für Bureaubedürfnisse. Kredit laut Voranschlag	1 100	—	747	91	—	—
3. Taglöhne für Meßgehilfen bei Tracierung der Gleisstrecken ꝛc. Kredit laut Voranschlag	500	—	7	80	—	—
II. Bahnanlage.						
1. Ausbau des zweiten Gleises auf dem Kaiser Wilhelm-Ring, zwischen Bahnhofsplatz und Boppstraße ꝛc. Kredit laut Voranschlag	48 000	—	47 991	83	—	—
2. Ausbau des zweiten Gleises Ecke Rheinallee und Kaiser Karl-Ring. Kredit laut Voranschlag	16 000	—	13 766	18	2 233	82
3. Ausbau der Schleife auf dem Bismarckplatz und deren Verbindung mit dem Gleise in der Hattenbergstraße. Kredit laut Voranschlag	14 000	—	14 140	20	—	—
Siehe die Erläuterung bei pos. 4.						
4. Ausbau des zweiten Gleises im Kaiser Karl-Ring zwischen Rheinallee und Bismarckplatz. Kredit laut Voranschlag	23 000	—	12 161	75	10 698	05
Bei dem Kreditübertrag ist die Überzahlung bei pos. 3 mit 140 ℳ 20 ₰ berücksichtigt.						
4a. Anbringung eines Schutzdaches unter der Eisenbahnbrücke an der Anlage. Kreditübertrag aus dem Rechnungsjahr 1906	196	05	53	32	—	—
5. Oberbau einschließlich Gleisverlegung. (Strecken der I. Bauperiode.) Kreditübertrag aus dem Rechnungsjahr 1906	93 617	25	2 059	23	89 346	61
Bei dem Kreditübertrag ist die mit Zustimmung der Straßenbahndeputation geleistete Überzahlung von pos. 7 mit 2474 ℳ 88 ₰ und die Einnahme für abgegebenes Rillengleis mit 263 ℳ 47 ₰ berücksichtigt worden.						
6. Elektrische Streckenausrüstungen, Telephonschutznetze ꝛc. (Strecken der I. Bauperiode.) Kreditübertrag aus dem Rechnungsjahre 1906	48 024	29	73	05	47 951	24
7. Wagenpark. Kreditübertrag aus dem Rechnungsjahre 1906	22 267	12	24 742	—	—	—
Siehe die Erläuterung bei pos. 5.						
8. Uniformierung. Kreditübertrag aus dem Rechnungsjahre 1906	1 482	48	—	—	1 482	48
zu übertragen	—	—	118 663	27		

Ferner: 10. **Straßenbahnen.**	Betrag: der zur Verfügung gestellten Kredite		Betrag: der wirklichen Ausgabe in 1907		Verfügbar bleibender u. laut Stadtverordnetenbeschluß v. 21. Oktbr. 1908 auf das Rechnungsjahr 1908 zu übertragender Kreditrest	
	ℳ	₰	ℳ	₰	ℳ	₰
Übertrag . . .	—	—	118 663	27		
9. Bauleitung, Unvorhergesehenes.						
Kreditübertrag aus dem Rechnungsjahr 1906	11 012	57	—	—	11 012	57
10. Auffüllung des tiefliegenden Geländes im Gebiete des Straßenbahndepots wegen Erweiterung der Werkstätte und Wagenhalle.						
Kredit lt. St.-V.-Beschl. vom 12. Juni 1907 . . .	30 000	—	28 698	04	—	—
III. **Erbauung einer elektrischen Straßenbahn nach der Ingelheimer Au.**						
Kreditübertrag aus dem Rechnungsjahr 1906	17 744	35	11 751	—	5 993	35
IV. **Erbauung einer elektrischen Straßenbahn von Kastel nach Kostheim.**						
Kreditübertrag aus dem Rechnungsjahr 1906	134 268	09				
Kreditergänzungen für entstandene Mehrkosten bei Ausführung der Straßenüberführung über die Bahnstrecke Kastel-Frankfurt:						
Lt. St.-V.-Beschl. vom 23. August 1907	22 500	—				
" " " " 25. März 1908	5 051	65				
	161 819	74	125 500	39	36 319	35
V. **Erbauung einer elektrischen Straßenbahn von Mombach nach Gonsenheim.**						
1. Baukosten.						
Kreditübertrag aus dem Rechnungsjahr 1906	458 955	26	242 042	88	220 492	71
Außer den vorstehenden Ausgaben sind bis zum Bücherschluß auch noch Abschlagszahlungen im Gesamtbetrage von 142000 ℳ geleistet worden, die auf das Rechnungsjahr 1908 übertragen worden sind.						
2. Grunderwerb.						
Kredit lt. St.-V.-Beschl. vom 10. April 1907 . . .	2 342	80	2 342	80	—	—
Hier erscheinen die Kaufpreise für das zur Verbreiterung der Kreisstraße an der Einmündung in die Mombacherstraße erworbene Gelände. Die Notariats- und Stempelkosten werden erst in 1908 verausgabt werden.						
VI. **Erweiterung der Straßenbahnwagenhalle.**						
1. Baukosten.						
Kredit lt. St.-V.-Beschl. vom 13. November 1907 . .	170 000	—	4 280	36	165 719	64
Bis zum Bücherschluß ist außer den angeführten Ausgaben noch eine Abschlagszahlung im Betrage von 3200 ℳ geleistet worden, die auf das Rechnungsjahr 1908 übertragen worden ist.						
zu übertragen . . .	—	—	533 278	74		

	Betrag				Verfügbarbleibender u. laut Stadtverordnetenbeschluß v. 21. Oktbr. 1908 auf das Rechnungsjahr 1908 zu übertragender Kreditrest	
	der zur Verfügung gestellten Kredite		der wirklichen Ausgabe in 1907			
	ℳ	₰	ℳ	₰	ℳ	₰
Ferner: 10. Straßenbahnen.						
Übertrag . . .	—	—	533 278	74		
2. Gleisverlegung und Oberleitung.						
Kredit lt. St.-V.-Beschl. vom 13. November 1907 . .	40 900	—	3 842	10	37 057	90
3. Werkstätteneinrichtung.						
Kredit lt. St.-V.-Beschl. vom 13. November 1907 . .	9 100	—	—	—	9 100	—
VII. Beschaffung eines Prüfstandes zum Prüfen der Wagenmotoren und Automaten.						
Kreditübertrag aus dem Rechnungsjahr 1906	850	—	—	—	850	—
VIII. Einführung der Zentralheizung in eine Wohnung im Verwaltungsgebäude der Straßenbahn.						
Kredit lt. St.-V.-Beschl. vom 5. Februar 1908	500	—	458	34		
Summe . . .	—	—	537 579	18		
11. Krankenhäuser.						
Kreditübertrag aus dem Rechnungsjahre 1906	4 771	55				
Kredit laut St.-V.-Beschl. vom 21. Oktober 1908 . . .	2 360	24				
	7 131	79	7 131	79	—	—
14. Erbauung sonstiger Gemeinde-Gebäude und -Anstalten.						
I. Kosten der Abfuhr der Haushaltungsabfälle.						
1. Für Beschaffung von 10 Pferden zu je 1 600 ℳ. Kredit laut Voranschlag	16 000	—	16 000	—	—	—
2. Für Beschaffung von Zug- und Stallgeschirr. Kredit laut Voranschlag	2 000	—	2 003	48	—	—
3. Für Erweiterung der Stallung der Reinigungsanstalt um 16 Stände	19 000	—	18 999	41	—	—
4. Für Errichtung einer provisorischen Stallung in der Wagenhalle der Reinigungsanstalt. Kredit laut Voranschlag	400	—	398	66	—	—
5. Pachtentschädigung für die seitherigen Pächter der Hospizienäcker. Kredit laut Voranschlag	1 250	—	1 250	—	—	—
6. Für Beschaffung von Laternen zur Beleuchtung des Abladeplatzes. Kredit laut Voranschlag	120	—	115	—	—	—
7. Für den Ankauf der in Privatbesitz befindlichen, an die Hospizienäcker angrenzenden Grundstücke. Kredit laut Voranschlag	10 080	—	9 848	47	—	—
zu übertragen . . .	—	—	48 615	02		

	Betrag der zur Verfügung gestellten Kredite ℳ	₰	Betrag der wirklichen Ausgabe in 1907 ℳ	₰	Verfügbar bleibender u. laut Stadtverordnetenbeschluß v. 21. Oktbr. 1908 auf das Rechnungsjahr 1908 zu übertragender Kreditrest ℳ	₰
Ferner: 14. Erbauung sonstiger Gemeinde-Gebäude und -Anstalten.						
Übertrag . . .		—	48 615	02		—
8. Herstellung eines kleinen Aufenthaltsraumes für den Aufsichtsbeamten in der Nähe der Futterstallung am Gautor. Kredit laut Voranschlag	400	—	396	64	—	—
9. Für einen Fernsprecher für den Aufenthaltsraum eines Aufsichtsbeamten vor dem Gautor. Kredit laut Voranschlag	500	—	—	—		—
10. Für Unterhaltung eines militärfiskalischen Weges ꝛc. Kredit laut Voranschlag	4 000	—	1 366	73	2 633	27
11. Für Vermessungsarbeiten Kredit laut Voranschlag	400	—	298	90	—	—
II. Erwerbung von Gelände zur Erweiterung des christlichen Friedhofes. Kredit laut St.-V.-Beschl. vom 10. April 1907 . . .	119 961	15	119 961	15	—	—
III. Verbesserung der Feuerschutzverhältnisse.						
1. Für einen Umformer, sowie für die Beleuchtungsanlage für die Wache einschließlich Hausanschluß. Kreditübertrag aus dem Rechnungsjahr 1906	678	73	521	81	—	—
2. Einrichtungsgegenstände für das Bureau. Kreditübertrag aus dem Rechnungsjahr 1906	488	05	—	—	—	—
3. Anlage einer Weckerlinie und Unvorhergesehenes. Kreditübertrag aus dem Rechnungsjahr 1906	630	—	387	96	—	—
IV. Errichtung eines Pumpwerks für das untere Kanalsystem als Ersatzbau für die provisorische Pumpstation am Raimunditor.						
1. Maschinelle Einrichtungen. Kreditübertrag aus dem Rechnungsjahr 1906	528	35	457	02	—	—
2. Erbauung der Kanäle. Kreditübertrag aus dem Rechnungsjahr 1906	409	67	—	—	—	—
3. Unvorhergesehenes. Kreditübertrag aus dem Rechnungsjahr 1906	2 216	62	140	46	—	—
V. Aufstellung eines Pumpwerkes im Schlacht- und Viehhof. Kreditübertrag aus dem Rechnungsjahr 1906	14 839	—	14 492	98	346	02
VI. Ausbau der Kirche des ehemaligen Reichklaraklosters zu einem naturhistorischen Museum.						
Kreditübertrag aus dem Rechnungsjahr 1906	136 293	89				
Kredit lt. St.-V.-Beschl. vom 5. Februar 1908	3 500	—				
	139 793	89	72 210	33	67 583	56
Außer den vorstehenden Ausgaben sind auch noch Abschlags-						
zu übertragen . . .		—	258 849	—		—

	Betrag				Verfügbarbleibender u. laut Stadtverordnetenbeschluß v. 21. Oktbr. 1908 auf das Rechnungsjahr 1908 zu übertragender Kreditrest	
	der zur Verfügung gestellten Kredite		der wirklichen Ausgabe in 1907			
	M	Pf	M	Pf	M	Pf
Ferner: **14. Erbauung sonstiger Gemeinde-Gebäude und -Anstalten.**						
Übertrag . . .	—	—	258 849	—		
zahlungen von 16 020 M geleistet worden, welche auf das Rechnungsjahr 1908 übertragen worden sind.						
VII. Instandsetzung des Eisernturmes.						
Kreditübertrag aus dem Rechnungsjahr 1906	6 097	22	5 791	18	—	—
VIII. Überbauung der Stadthalleterrasse.						
Kredit lt. St.-V.-Beschl. vom 10. Juli 1907	170 000	—				
Kredit lt. St.-V.-Beschl. vom 5. März 1908	3 000	—				
Kredit lt. St.-V.-Beschl. vom 15. April 1908	6 997	—				
Kredit lt. St.-V.-Beschl. vom 29. April 1908	6 000	—				
	185 997	—	27 618	25	158 378	75
Bis zum Bücherschluß sind noch Abschlagszahlungen im Gesamtbetrage von 87 450 M geleistet worden, die auf das Rechnungsjahr 1908 übertragen worden sind.						
Summe . . .	—	—	292 258	43		
16. Straßenverbreiterungen in der Altstadt.						
I. Verbreiterung der Gärtnergasse längs des Gebietes des Postneubaues.						
Kredit laut Voranschlag	10 000	—	10 000	—	—	—
II. Straßengelände anö dem Gebiete der ehemaligen Flachsmarktkaserne.						
Kredit laut Voranschlag	33 360	—	33 360	—	—	—
III. Erwerbung von Gelände zwecks Verbreiterung der Dominikanerstraße, Insel und Vorderen Präsenzgasse längs der Gebiete Dominikanerstraße Nr. 1, Insel Nr. 6 und Vordere Präsenzgasse Nr. 3.						
Kredit lt. St.-V.-Beschl. vom 26. Juni 1907	8 098	30	8 098	30	—	—
In Ausgabe erscheinen die Entschädigung von 8000 M und die Kosten der Beurkundung mit 98 M 30 Pf.						
IV. Erwerbung von Gelände zur Verbreiterung der Stephansstraße.						
Kredit lt. St.-V.-Beschl. vom 5. Oktober 1906	330	—	330	—	—	—
Hier erscheint nur die Vergütung für das Gelände. Die Kosten der Beurkundung werden erst im Rj. 1908 verausgabt.						
V. Erwerbung von Gelände zur Durchführung des Alignements der Goldenbrunnengasse.						
Kredit lt. St.-V.-Beschl. vom 5. März 1908	4 607	80	4 607	80		
Verausgabt wurden die Vergütung für das Gelände mit 4500 M, die Vermittlungsgebühren mit 40 M und die Kosten der Beurkundung mit 67 M 80 Pf						
Summe . . .	—	—	56 396	10		

	Betrag: der zur Verfügung gestellten Kredite ℳ	₰	Betrag: der wirklichen Ausgabe in 1907 ℳ	₰	Verfügbar bleibender u. laut Stadtverordnetenbeschluß v. 21. Oktbr. 1908 auf das Rechnungsjahr 1908 zu übertragender Kreditrest ℳ	₰
17. Kanalisation der Altstadt.						
Anschluß des Aliceheims an das Kanalnetz	8 513	24	8 513	24	—	—
Laut St.-V.-Beschl. vom 19. Februar 1908 soll der Aliceverein nur in dem Maße zu den Kosten des Kanalbaues herangezogen werden, in dem er heranzuziehen wäre, wenn er erst jetzt einen Anschluß begehrte, das ist mit einem Betrage von 1 486 ℳ 76 ₰. Da der genannte Verein z. Zt. 10 000 ℳ bezahlt hat, so wurden demselben 8 513 ℳ 24 ₰ wieder zurückbezahlt.						
19. Erbauung von Straßen und Kanälen in der Neustadt.						
I. 1. Auffüllung der Uhlandstraße zwischen Rack- und Leibnizstraße in voller Länge, sowie Herstellung einer 5 m breiten Chaussierung daselbst und Auffüllung der Uhlandstraße längs des Bauquadrats 75.						
Kredit laut Voranschlag	10 500	—				
Kreditübertrag aus dem Rechnungsjahr 1906	1 385	61				
(siehe pos. 27 im Vorjahre)	11 885	61	21	61	11 864	—
I. 2. Auffüllung der projektierten Straße zwischen den Baublöcken 98 und 100.						
Kredit laut Voranschlag	10 000	—	—	—	10 000	—
I. 3. Auffüllung der den Platz P begrenzenden Straßen						
Kredit laut Voranschlag	24 000	—	—	—	24 000	—
I. 4. Ausbau des Bismarckplatzes.						
Kredit laut Voranschlag	11 000	—	7 043	04	3 956	96
I. 5. Pflasterung des Fußwegs in der Mombacherstraße längs des Grundstücks der Mainzer Aktienbierbrauerei.						
Kredit laut Voranschlag	1 700	—	1 272	42	—	—
I. 6. Pflasterung der Fußwege an den Häusern Nr. 49—55 in der Wallstraße.						
Kredit laut Voranschlag	1 700	—	884	34	—	—
I. 7. Fertigstellung des Fußsteigs vor dem Hause Kurfürstenstraße Nr. 5 ¹/₁₀.						
Kredit laut Stadtverordnetenbeschluß vom 17. April 1907	221	—	213	03	—	—
zu übertragen . . .	—	—	9 434	44		

Ferner: 19. **Erbauung von Straßen und Kanälen in der Neustadt.**	Betrag: der zur Verfügung gestellten Kredite ℳ	₰	Betrag: der wirklichen Ausgabe in 1907 ℳ	₰	Verfügbar bleibender u. laut Stadtverordnetenbeschluß v. 16. Oktbr. 1908 auf das Rechnungsjahr 1908 zu übertragender Kreditrest ℳ	₰
Übertrag . . .	—	—	9 434	44		
I. 8. **Ausbau des Barbarossa-Ringes** vor den Häusern Nr. 21 und 27 und der anschließenden Strecke **der Barbarossastraße** vor den Häusern Nr. 3 und 5 sowie des restlichen Teiles **der Werderstraße**, zwischen Garthe- und Barbarossastraße. Kreditübertrag aus dem Rechnungsjahr 1906 . . . . . (siehe pos. 7 im Vorjahre)	10 426	48	2 008	13	—	—
In den Ausgaben ist ein Betrag von 725 ℳ 91 ₰ enthalten, der nach der Abrechnung noch für rückständige kleinere Ausführungen erforderlich ist. Dieselbe erscheint unter Rubrik 19 dieser Rechnung in Einnahme und wird gleichzeitig bei der sog. Sammelrubrik, siehe pos. V., als Kredit vorgetragen. Vergleiche die Erläuterung zu jener Rubrik.						
I. 9. **Ausbau der die Alice-Kaserne umgebenden Straßen und zwar: des Barbarossa-Rings, der Goethe-, Moltke-, Kreyßig-, Holstein- und Corneliusstraße sowie des Barbarossa-Ringes zwischen Holsteinstraße und Bismarckplatz.** Kreditübertrag aus dem Rechnungsjahr 1906 . . . . (siehe pos. 8 im Vorjahre)	1 435	23	—	—	1 435	23
I. 11. **Ausbau der Goethestraße und des Barbarossa-Ringes** vor den Neubauten Goethestraße Nr. 1, 3 und 5 und Barbarossa-Ring Nr. 1 und 3 **sowie der Pankratiusstraße** bis einschließlich des Hinterbaues von A. Bernhart. Kreditübertrag aus dem Rechnungsjahr 1906	1 524	61	1 524	61	—	—
Nach der Abrechnung ist der hier verausgabte Betrag noch für rückständige kleinere Ausführungen erforderlich. Derselbe erscheint unter Rubrik 19 dieser Rechnung in Einnahme und wird gleichzeitig bei der sog. Sammelrubrik, siehe pos. V., als Kredit vorgetragen. Vergleiche die Erläuterungen zu jener Rubrik.						
I. 12. **Ausbau der Goethestraße und der Bruchstraße** und zwar vor den Häusern Goethestraße Nr. 38/40. Kreditübertrag aus dem Rechnungsjahr 1906 . . . . (siehe pos. 11 im Vorjahre)	4 707	94	—	—	4 707	94
zu übertragen . . .	—	—	12 967	18		

Ferner: 19. Erbauung von Straßen und Kanälen in der Neustadt.	Betrag: der zur Verfügung gestellten Kredite ℳ	₰	Betrag: der wirklichen Ausgabe in 1907 ℳ	₰	Verfügbar bleibender u. laut Stadtverordnetenbeschluß v. 21. Oktbr. 1908 auf das Rechnungsjahr 1908 zu übertragender Kreditrest ℳ	₰
Übertrag . . .	—	—	12 967	18		
I. 13. Ausbau des hochgelegenen Teiles der Goethestraße zwischen Pankratiusstraße und Kaiser Wilhelm-Ring vor den Häusern Goethestraße Nr. 2 und 4 und einer anschließenden Teilstrecke der Pankratiusstraße sowie der Uhlandstraße zwischen Kaiser Wilhelm-Ring und Pankratiusstraße und der Pankratiusstraße vor dem Hause Nr. 44.						
Kreditübertrag aus dem Rechnungsjahr 1906 (siehe pos. 12 im Vorjahre)	12 337	95	5 444	41	6 893	54
I. 14. Ausbau der Hattenbergstraße ꝛc. sowie Hebung der Hattenbergstraße.						
Kreditübertrag aus dem Rechnungsjahr 1906 (siehe pos. 1 im Vorjahre)	2 960	23	—	—	—	
Der verbliebene Kreditrest, dessen Inanspruchnahme bestehender Verhältnisse halber in absehbarer Zeit nicht möglich ist, wird unter dem Vorbehalte besonderer Anforderung bei Ermöglichung des restlichen Ausbaues vorerst nicht weiter übertragen.						
I. 15. Ausbau eines Teiles des Hohenzollernplatzes, eines weiteren Teiles der Rackstraße daselbst und eines angrenzenden Teiles der Goethestraße, Herstellung des Hohenzollernplatzes als Spielplatz mit Anpflanzung zweier Baumreihen, Ausbau des Kaiser Wilhelm-Rings vor den Gebieten Nr. 76, 78, 80, 82, der Uhlandstraße vor den Anwesen Nr. 10 und 12, sowie der Rackstraße vor letzterem Gebiet, Ausbau der das Bauquadrat 76 umziehenden Straßen und Ausbau der Rackstraße längs der Gebiete Uhlandstraße Nr. 5 und Hohenzollernplatz Nr. 2.						
Kreditübertrag aus dem Rechnungsjahr 1906 (siehe pos. 13 im Vorjahre)	4 771	46	2 751	89	233	28
I. 16. Ausbau der Josephstraße zwischen Forster- und Wallaustraße.						
Kreditübertrag aus dem Rechnungsjahr 1906 (siehe pos. 14 im Vorjahre)	1 297	21	1 297	21	—	—
Gleiche Erläuterung wie zu pos. 11.						
I. 17a. Ausbau des Kaiser Karl-Rings zwischen Beethovenstraße und Rheinallee.						
Kreditübertrag aus dem Rechnungsjahr 1906 (siehe pos. 15a im Vorjahre)	913	90	913	90	—	—
Gleiche Erläuterung wie zu pos. 11.						
zu übertragen . . .	—	—	23 374	59		

	Betrag: der zur Verfügung gestellten Kredite ℳ	₰	Betrag: der wirklichen Ausgabe in 1907 ℳ	₰	Verfügbar bleibender u. laut Stadtverordnetenbeschluß v. 21. Oktbr. 1906 auf das Rechnungsjahr 1908 zu übertragender Kreditrest ℳ	₰
Ferner: **19. Erbauung von Straßen und Kanälen in der Neustadt.**						
Übertrag . . .	—	—	23 374	59		
I. 17b. **Ausbau der rechten Seite des Kaiser Karl-Rings zwischen Kreyßig- und Mozartstraße, sowie des anschließenden Teils der Mozartstraße längs des Gebietes Kaiser Karl-Ring Nr. 36.** Kreditübertrag aus dem Rechnungsjahr 1906 (siehe pos. 15b im Vorjahre) . . . . Gleiche Erläuterung wie zu pos. 11.	1 306	94	1 306	94	—	—
I. 17c. **Ausbau des Kaiser Karl-Ringes zwischen Beethoven- und Mozartstraße.** Kreditübertrag aus dem Rechnungsjahr 1906 (siehe pos. 3 im Vorjahre)	2 063	32	90	—	—	—
I. 18. **Herstellung einer Rampe zwischen den Punkten 70 und 71 am Kaiser Wilhelm-Ring.** Kreditübertrag aus dem Rechnungsjahr 1906 (siehe pos. 16a im Vorjahre)	10 845	65	—	—	10 845	65
I. 19. **Ausbau des Kaiser Wilhelm-Rings vor den Neubauten Nr. 59, 61, 63, 65 und 72, ferner der Colmarstraße vor den Gebieten Nr. 4 und 6 und Kaiser Wilhelm-Ring Nr. 65 und 72.** Kreditübertrag aus dem Rechnungsjahr 1906 (siehe pos. 18 im Vorjahre)	2 093	29	—	—	2 093	29
I. 20. **Ausbau des Kaiser Wilhelm-Rings längs der Neubauten Nr. 71, 73 und 75 und der Uhlandstraße vor den Neubauten Nr. 4 und Kaiser Wilhelm-Ring Nr. 75.** Kreditübertrag aus dem Rechnungsjahr 1906 (siehe pos. 19 im Vorjahre)	1 459	29	—	—	1 459	29
I. 21. **Ausbau der Lessingstraße zwischen Kaiser Wilhelm-Ring u. der Grenze des Grundstücks der Mainzer Lederwerke, Ausbau der Pankratiusstraße, der Lessingstraße und des Kaiser Wilhelm-Rings längs der Gebiete Lessingstraße Nr. 1, 3, 5, 7 und Kaiser Wilhelm-Ring Nr. 56 und 58.** Kreditübertrag aus dem Rechnungsjahre 1906 (siehe pos. 20 und 34 im Vorjahre) . . . . Für die noch auszuführenden Arbeiten sind nur 1 428 ℳ 99 ₰ erforderlich.	3 722	98	1 407	25	1 428	99
zu übertragen . . .	—	—	26 178	78		

Ferner: 19. **Erbauung von Straßen und Kanälen in der Neustadt.**

	Betrag: der zur Verfügung gestellten Kredite ℳ	₰	Betrag: der wirklichen Ausgabe in 1907 ℳ	₰	Verfügbar bleibender u. laut Stadtverordnetenbeschluß v. 21. Oktbr. 1908 auf das Rechnungsjahr 1908 zu übertragender Kreditrest ℳ	₰
Übertrag . . .	—	—	26 178	78		
I. 22. **Ausbau der Lennigstraße.** Kreditübertrag aus dem Rechnungsjahr 1906 (siehe pos. 36 im Vorjahre)	6 830	25	376	34	6 453	91
I. 23. **Ausbau der Mainstraße vor dem Hause Nr. 30.** Kreditübertrag aus dem Rechnungsjahr 1906 (siehe pos. 21 im Vorjahre)	890	37	—	—	890	37
I. 24. **Ausbau von Straßen einschließlich Baumpflanzung an der neuen Kavalleriekaserne am Mombachertor.** Kreditübertrag aus dem Rechnungsjahr 1906 (siehe pos. 22 im Vorjahre) . . . . Gleiche Erläuterung wie zu pos. 14.	14 978	—	—	—	—	—
I. 25. **Ausbau der Mozartstraße** längs des Gebietes Nr. 19. Kreditübertrag aus dem Rechnungsjahr 1906 (siehe pos. 23 im Vorjahre) . . . . Gleiche Erläuterung wie zu pos. 11.	104	83	104	83		—
I. 26. **Ausbau der Nackstraße** zwischen Lennigstraße und Colmarstraße. Kreditübertrag aus dem Rechnungsjahr 1906 (siehe pos. 35 im Vorjahre) . . . . Die restlichen Arbeiten erfordern nur noch einen Kostenaufwand von 1 427 ℳ 85 ₰.	7 083	31	1 491	64	1 427	85
I. 27. **Ausbau der Nahestraße** auf der Teilstrecke zwischen Nahestraße Nr. 5 und Rheinallee. Kreditübertrag aus dem Rechnungsjahr 1906 (siehe pos. 37 im Vorjahre) . . . . Für noch zu betätigende Arbeiten sind nur 178 ℳ 64 ₰ erforderlich.	9 369	—	7 247	48	178	64
I. 28. **Ausbau der Neckarstraße** zwischen Raupelsweg und Wallaustraße, einer daranschließenden **Teilstrecke der Sömmerringstraße** bis zur Grenze des Gebietes Nr. 3, sowie Ausbau der **Wallaustraße und Neckarstraße** längs des Hauses Wallaustraße 51/53 sowie der einseitigen Anschüttung des anschließenden Straßendammes der Neckarstraße bis zur Neckarstraße Nr. 1, ferner Ausbau der **Sömmerringstraße** vor dem Anwesen Nr. 6. Kreditübertrag aus dem Rechnungsjahr 1906 (siehe pos. 24 im Vorjahre)	8 014	05				
zu übertragen . .	8 014	05	35 399	07		

	Betrag: der zur Verfügung gestellten Kredite ℳ	₰	Betrag: der wirklichen Ausgabe in 1907 ℳ	₰	Verfügbar bleibender u. laut Stadtverordnetenbeschluß v. 21. Oktbr. 1908 auf das Rechnungsjahr 1908 zu übertragender Kreditrest ℳ	₰
Ferner: 19. Erbauung von Straßen und Kanälen in der Neustadt.						
Übertrag . . .	8 014	05	35 399	07		
Hierzu für den Ausbau der Sömmerringstraße vor dem Gebiete Nr. 14. Kreditübertrag aus dem Rechnungsjahr 1906 (siehe pos. 5 im Vorjahre)	2 751	45				
Für den Ausbau der Neckarstraße vor dem Neubau Nr. 2¹/₁₀ wurde ein Kredit lt. St.-V.-Beschl. vom 12. Juni 1907 in Höhe von 1 600 ℳ zu Lasten der Ersparnisse bei den für vorstehende Ausführungen bewilligten Krediten zur Verfügung gestellt.						
	10 765	50	1 207	51	5 059	64
Mit dem Betrage von 5 059 ℳ 64 ₰ können die restlichen Arbeiten ausgeführt werden.						
I. 29. Ausbau der Pankratiusstraße zwischen Clemens- und Lessingstraße. Kreditübertrag aus dem Rechnungsjahre 1906 (siehe pos. 38 im Vorjahre)	4 206	37	2 350	29	—	—
I. 30. Ausbau der Raimundistraße zwischen Frauenlobstraße und Hauptweg. Kreditübertrag aus dem Rechnungsjahr 1906 (siehe pos. 25 im Vorjahre) . . . . Gleiche Erläuterung wie bei pos. 14.	1 773	16	—	—	—	—
I. 31. Ausbau der Richard-Wagnerstraße vor den Gebieten Nr. 9, 11 und 13, desgleichen der Kreyßigstraße vor den Gebieten Nr. 1 und Richard Wagnerstraße Nr. 13. Kreditübertrag aus dem Rechnungsjahr 1906 (siehe pos. 26 im Vorjahre) . . . . Gleiche Erläuterung wie zu pos. 11.	1 137	58	1 137	58	—	—
I. 33. Ausbau der Wallaustraße zwischen Feldberg- und Mainstraße, der Feldbergstraße zwischen Wallaustraße und Sömmerringplatz und der ganzen Platzstraße an der Südostseite des Sömmerringplatzes und des angrenzenden Teils der Forsterstraße längs des an der Ecke der beiden Straßenzüge errichteten Neubaues. Kreditübertrag aus dem Rechnungsjahr 1906 (siehe pos. 28 im Vorjahre)	33 528	21	13 353	53	20 174	68
zu übertragen . . .	—	—	53 447	98		

Ferner: 19. **Erbauung von Straßen und Kanälen in der Neustadt.**	Betrag: der zur Verfügung gestellten Kredite ℳ	₰	Betrag: der wirklichen Ausgabe in 1907 ℳ	₰	Verfügbar bleibender u. laut Stadtverordnetenbeschluß v. 21. Oktbr. 1908 auf das Rechnungsjahr 1908 zu übertragender Kreditrest ℳ	₰
Übertrag . . .		—	53 447	98		
I. 34. Ausbau der Forsterstraße vor dem Hause Nr. 23. Kredit laut St.-V.-Beschl. vom 12. Juni 1907 . . .	950	—	949	97	—	—
I. 35. Ausbau der Lessingstraße vor den Häusern Nr. 7 und 9. Kredit laut St.-V.-Beschl. vom 12. Juni 1907 . . . Für die noch auszuführenden restlichen Arbeiten sind noch 287 ℳ 52 ₰ erforderlich.	2 500	—	2 188	87	287	52
I. 36. Ausbau der Pankratiusstraße längs der Gebiete Nr. 26—30 und der Uhlandstraße vor Haus Nr. 2. Kredit laut St.-V.-Beschl. vom 12. Juni 1907 . . . Mit dem Betrage von 892 ℳ 16 ₰ können die restlichen Arbeiten ausgeführt werden.	6 000	—	2 649	34	892	16
I. 37. Ausbau der Gonsenheimerstraße vor dem Gebiete Nr. 1. Kredit laut St.-V.-Beschl. vom 12. Juni 1907 . . .	2 500	—	1 598	50	901	50
I. 38. Ausbau des Kaiser Wilhelm-Rings vor den Gebieten Nr. 7 und 9. Kredit laut St.-V.-Beschl. vom 12. Juni 1907 . . .	1 750	—		—	1 750	—
I. 39. Ausbau der Colmarstraße und des Kaiser Wilhelm-Rings vor den Häusern Colmarstraße Nr. 3 und Kaiser Wilhelm-Ring Nr. 67. Kredit laut St.-V.-Beschl. vom 12. Juni 1907 . . . Für die noch auszuführenden Arbeiten sind nur 495 ℳ 77 ₰ erforderlich.	3 300	—	2 369	93	495	77
I. 40. Ausbau von Straßen im Gebiete der Lederwerke und zwar der Nackstraße, der Lessingstraße am Lessingplatz, der Forsterstraße, der Neckarstraße, der Lessingstraße und Leibnizstraße. Kredit laut St.-V.-Beschl. vom 24. Januar 1908 . .	109 300	—				
Ferner Ausbau der Bonifaziusstraße zwischen Gabelsberger- und Colmarstraße Kredit laut St.-V.-Beschl. vom 25. März 1908 . . .	31 200	—				
	140 500	—	37 773	49	102 726	51
II. 1. Erbauung gemauerter Kanäle in den den Platz P umgebenden Straßen. Kredit laut Voranschlag	12 500	—	—	—	12 500	—
II. 2. Erbauung von Kanälen im Gebiete der Lederwerke. Kredit laut St.-V.-Beschl. vom 17. April 1908 . .	49 700	—	48 002	60	1 697	40
zu übertragen . . .		—	148 980	68		

Ferner: **19. Erbauung von Straßen und Kanälen in der Neustadt.**

	Betrag: der zur Verfügung gestellten Kredite ℳ	₰	Betrag: der wirklichen Ausgabe in 1907 ℳ	₰	Verfügbar bleibender u. laut Stadtverordnetenbeschluß v. 21. Oktbr. 1908 auf das Rechnungsjahr 1908 zu übertragender Kreditrest ℳ	₰
Übertrag . . .	—	—	148 980	68		
II. 3. Erbauung von Kanälen in den das Bauquadrat 103 umgebenden Straßen und zwar der Beethovenstraße, der Moselstraße, des Beethovenplatzes, sowie am Platz P zwischen Beethovenstraße und Wallaustraße. Kreditübertrag aus dem Rechnungsjahr 1906 (siehe pos. 13 im Vorjahre) . . .	9 657	61	9 100	68	—	—
II. 4. Erbauung von Kanälen in der Forsterstraße, am Frauenlobplatz und in der Wallaustraße. Kreditübertrag aus dem Rechnungsjahr 1906 (siehe pos. 8 im Vorjahre) . . .	1 776	46	183	88	1 592	58
II. 5. Erbauung von Kanälen in der Forsterstraße zwischen Kurfürsten- und Josephstraße, in der Josephstraße zwischen Forster- und Bonifaziusstraße und in der Bonifaziusstraße zwischen Joseph- und Kurfürstenstraße. Kreditübertrag aus dem Rechnungsjahr 1907 (siehe pos. 4 im Vorjahre) . . .	10 757	98	6 304	27	4 453	71
II. 6. Erbauung von Kanälen in der Kurfürstenstraße zwischen Bopp- und Wallaustraße, in der Leibnizstraße zwischen Frauenlob- und Kurfürstenstraße und in der Bonifaziusstraße zwischen Frauenlob- und Kurfürstenstraße. Kreditübertrag aus dem Rechnungsjahr 1906 (siehe pos. 5 im Vorjahre) . . .	7 760	69	681	58	7 079	11
II. 7. Erbauung von Kanälen in den das Bauquadrat 105 umziehenden Straßen (Mosel-, Lahn- und Wallaustraße). Kreditübertrag aus dem Rechnungsjahr 1906 (siehe pos. 6 im Vorjahre) . . .	4 685	66	—	—	4 685	66
II. 8. Erbauung eines Kanals in der Rackstraße zwischen Kurfürsten- und Josephstraße. Kreditübertrag aus dem Rechnungsjahr 1906 (siehe pos. 7 im Vorjahre) . . .	1 423	08	11	—	1 412	08
II. 9. Erbauung eines Kanals in der Nahestraße zwischen Rheinallee und Wallaustraße. Kreditübertrag aus dem Rechnungsjahr 1906 (siehe pos. 3 im Vorjahre) . . .	404	19	—	—	404	19
zu übertragen . . .	—	—	165 262	09		

Ferner: 19. Erbauung von Straßen und Kanälen in der Neustadt.

	Betrag: der zur Verfügung gestellten Kredite ℳ	₰	der wirklichen Ausgabe in 1907 ℳ	₰	Verfügbarbleibender u. laut Stadtverordnetenbeschluß v. 21. Oktbr. 1908 auf das Rechnungsjahr 1908 zu übertragender Krediten ℳ	₰
Übertrag . . .	—	—	165 262	09		
II. 10 Erbauung definitiver Kanäle in der Neckarstraße, der Straße 7, der Feldbergstraße und dem Raupelsweg.						
Kreditübertrag aus dem Rechnungsjahr 1906 (siehe pos. 9 im Vorjahre) . . .	819	25				
Kreditergänzung laut St.-V.-Beschl. v. 19. Februar 1908	583	68				
	1 402	93	1 402	93	—	—
II. 11. Erbauung von Kanälen in der Pankratiusstraße zwischen Colmar- und Goethestraße sowie in der Colmarstraße, Uhlandstraße und Goethestraße zwischen Kaiser Wilhelm-Ring und Pankratiusstraße, sowie in der Goethestraße zwischen dem Hohenzollernplatz und der Moltkestraße.						
Kreditübertrag aus dem Rechnungsjahr 1906 (siehe pos. 10 im Vorjahre) . . .	10 488	92	2 272	24	8 216	68
II. 12. Erbauung eines Kanals in der Raimundistraße zwischen Frauenlobstraße und Hauptweg.						
Kreditübertrag aus dem Rechnungsjahr 1906 (siehe pos. 11 im Vorjahre) . . .	300	—	—	—	300	—
II. 13. Erbauung eines Kanals in der Wallaustraße zwischen Joseph- und Illstraße.						
Kreditübertrag aus dem Rechnungsjahr 1906 (siehe pos. 12 im Vorjahre) . . .	2 188	74	—	—	2 188	74
II. 14. Erbauung der Kanäle in der Nackstraße zwischen Joseph- und Lennigstraße und in der Lessingstraße zwischen Kaiser Wilhelm-Ring und Nackstraße.						
Kreditübertrag aus dem Rechnungsjahr 1906 (siehe pos. 14 im Vorjahre) . . .	2 720	36	496	78	—	—
III. 1. Für Ausguß der Pflasterfugen.						
Kredit lt. Voranschlag . . .	3 500	—	3 373	48	—	—
III. 2. Befestigung der Bonifaziusstraße zwischen Frauenlob- und Kurfürstenstraße mit Stampfasphalt.						
Kredit lt. Voranschlag . . .	13 500	—	9 085	72	—	—
III. 3. Pflasterung des Kaiser Wilhelm-Ring zwischen Ostein- und Boppstraße.						
Kredit lt. Voranschlag . . .	69 250	—	60 413	45	—	—
III. 4. Auspflasterung des Gleises im Kaiser Karl-Ring zwischen Bismarckplatz und Rheinallee.						
Kredit lt. Voranschlag . . .	14 500	—	10 098	53	4 401	47
zu übertragen . . .	—	—	252 405	22		

Ferner: 19. Erbauung von Straßen und Kanälen in der Neustadt.	Betrag: der zur Verfügung gestellten Kredite ℳ	₰	Betrag: der wirklichen Ausgabe in 1907 ℳ	₰	Verfügbar bleibender u. laut Stadtverordnetenbeschluß v. 21. Oktbr. 1908 auf das Rechnungsjahr 1908 zu übertragender Kreditrest ℳ	₰
Übertrag . . .	—	—	252 405	22		
IV. Erwerbung von Gelände ꝛc. zum Straßenbau.						
a) Für Erwerbung des aus dem Grundstück Gartenfeldstraße 17 in das Straßenkreuz Gartenfeldstraße — Frauenlobstraße fallenden Geländes.						
Kreditübertrag aus dem Rechnungsjahre 1906	2 688	—	—	—	2 688	—
Die Errichtung des Aktes konnte auch in 1907 noch nicht stattfinden.						
b) Für Freilegung des Straßengeländes an der Ecke der Wallau- und Feldbergstraße entlang des Kempnich'schen Grundstücks — freiwilliger Zuschuß an Kempnich und Beitrag für die Straßenkreuzstücke.						
Kreditübertrag aus dem Rechnungsjahre 1906	3 660	—	—	—	3 660	—
Da die z. Z. gezeichneten freiwilligen Beiträge bis zum Bücherschluß noch nicht vollständig eingegangen waren, konnte die Schlußabrechnung noch nicht aufgestellt werden.						
c) Erwerbung von Platzgelände am Platz ℳ.						
α) Kredit lt. St.-V.-Beschl. vom 18. Dezbr. 1907 für Erwerbung von Fl. X. Nr. $304^{1}/_{10}$	20 880	20	20 880	20	—	—
Verausgabt wurden der Kaufpreis mit 20 500 ℳ und die Kosten der Beurkundung mit 380 ℳ 20 ₰.						
β) Kredit lt. St.-V.-Beschl. vom 18. Dezbr. 1907 für Erwerbung von Fl. X. Nr. $364^{9}/_{10}$	25 588	40	25 579	15	—	—
In Ausgabe erscheinen der Kaufpreis mit 25 000 ℳ, die Kosten der Beurkundung mit 463 ℳ 40 ₰ und die Vermittlungsgebühren mit 125 ℳ.						
d) Durchführung der Kurfürstenstraße zwischen Leibnizstraße und Bonifaziusstraße	156 998	93	157 007	88	—	—
Um diese Durchführung zu ermöglichen, sind mit Zustimmung der St.-V.-V. v. 11. Juli 1907 die Grundstücke Fl. X Nr. $129^{1}/_{10}$, $129^{6}/_{10}$ und Fl. X $127^{5}/_{10}$ sowie Fl. X Nr. 126 zu 21 000 ℳ bezw. 67 000 ℳ und 65 000 ℳ erworben worden. Das nach Abzug des erforderlichen Straßengeländes verbliebene Baugelände einschl. der angrenzenden Hälfte des Hauptwegs ist gleichzeitig zum Preis von 72 ℳ für jedes qm frei von Straßen- und Kanalbaukosten sowie Durchbruchskosten verkauft worden. An freiwilligen Beiträgen sind 10 250 ℳ zu erheben, wovon ein Teil gestundet worden ist. Ferner sind für die Materialien der niederzulegenden Gebäude						
zu übertragen . . .	—	—	455 872	45		

Ferner: 19. Erbauung von Straßen und Kanälen in der Neustadt.

	Betrag der zur Verfügung gestellten Kredite ℳ	₰	Betrag der wirklichen Ausgabe in 1907 ℳ	₰	Verfügbar bleibender u. laut Stadtverordnetenbeschluß v. 21. Oktbr. 1908 auf das Rechnungsjahr 1908 zu übertragender Kreditrest ℳ	₰
Übertrag . . .	—	—	455 872	45		
200 ℳ vereinnahmt worden. Außerdem ist für überschüssiges Straßengelände ein noch festzustellender Betrag (32 ℳ für jedes qm) zu vereinnahmen. Der Anteil an den Durchbruchskosten für das Grundstück Fl. X Nr. 124, veranschlagt zu 2000 ℳ, wird erst bei Bebauung dieses Grundstücks fällig. Zu Lasten der Stadt werden alsdann noch verbleiben die obenbemerkten Straßenbau- ꝛc. Kosten, der Beitrag für Straßenkreuzgelände, der Anteil für die Straßenkreuzungsstücke an den Durchbruchskosten und der Zuschuß der Stadt, letzterer veranschlagt zu 13 110 ℳ. In Ausgabe erscheinen hier die bemerkten Ankaufspreise, die Kosten der Beurkundungen mit 3 233 ℳ 63 ₰ und die Vermittlungsgebühren mit 765 ℳ. Die Anzahlungen auf den Kaufpreis für das verkaufte Gelände und die übrigen in 1907 zu vereinnahmenden Beträge erscheinen unter Rubrik 19 dieser Rechnung in Einnahme.						
e) Durchführung der Leibnizstraße zwischen Kurfürsten- und Josephstraße.						
Kredit lt. St.-V.-Beschl. v. 5. März 1908	8 600	—	8 600	—	—	—
Zur Ermöglichung dieser Durchführung war für Niederlegung von Gebäulichkeiten eine Entschädigung von 4 200 ℳ zu leisten und 220 qm Straßengelände zu 4 400 ℳ zu erwerben. Die Entschädigung wird auf die in dieser Straßenstrecke angrenzenden Grundbesitzer und die Stadt für Straßenkreuzstücke ausgeschlagen. Die Vorlage für das Straßengelände kommt bei Bebauung des dahinterliegenden Baugeländes zur Vereinnahmung.			464 472	45		
f) Durchführung der Kurfürstenstraße zwischen Rock- und Leibnizstraße.						
Wie aus den Erläuterungen zu pos. f auf Seite 372 des Rechenschaftsberichts für 1904/05 zu entnehmen ist, betragen die restlichen Vorlagen der Stadt für einen Angrenzer, dem Ratenzahlung bewilligt worden war 88 ℳ Hiervon sind in diesem Jahr noch . . . . . 6 „ ersetzt worden. Der Rest von . . . . 82 ℳ ist lt. St.-V.-Beschl. vom 21. Oktober 1908 niedergeschlagen worden.						
Der eingegangene Betrag von 6 ℳ ist an der Ausgabe zu kürzen	—	—	6	—		
verbleiben zu übertragen . . .	—	—	464 466	45		

	Betrag				Verfügbar bleibender, u laut Stadtverordnetenbeschluß v. 21. Oktbr. 1908 auf das Rechnungsjahr 1908 zu übertragender Kreditrest	
	der zur Verfügung gestellten Kredite		der wirklichen Ausgabe in 1907			
	ℳ	₰	ℳ	₰	ℳ	₰
Ferner: 19. Erbauung von Straßen und Kanälen in der Neustadt.						
Übertrag . . .	—	—	464 466	45		
V. Für Ausführung noch rückständiger Arbeiten an Straßenstrecken, über welche definitive Abrechnungen bereits aufgestellt sind.						
1. Straßenbau	21 092	82	878	24	20 210	85
Kreditübertrag aus dem Rechnungsjahr 1906 = 14081 ℳ 84 ₰. Als weitere Kredite sind hier einzusetzen: a) nach der Erläuterung zur Rubrik 19. I. 8 = 725 ℳ 91 ₰ b) „ „ „ „ „ „ „ 11 = 1524 „ 61 „ c) „ „ „ „ „ „ „ 16 = 1297 „ 21 „ d) „ „ „ „ „ „ „ 17a = 913 „ 90 „ e) „ „ „ „ „ „ „ 17b = 1306 „ 94 „ f) „ „ „ „ „ „ 25 = 104 „ 83 „ g) „ „ „ „ „ „ „ 31 = 1137 „ 58 „ zusammen . . . 21 092 ℳ 82 ₰						
In dem Kreditübertrag aus dem Rechnungsjahr 1906 ist für den Ausbau der Kurfürstenstraße zwischen Gartenfeldstraße und Leibnizstraße noch ein Kreditrest von 3 ℳ 73 ₰ enthalten. Da die Arbeiten beendet siad, wird dieser Betrag nicht mehr weiter übertragen.						
Summe . . .	—	—	465 344	69		
20. Erbauung von Straßen und Kanälen im Gelände der Nordwestfront.						
I. Straßen.						
1. Herstellung einer Chaussierung in der Straße 4 zwischen Mozart- und Hattenbergstraße.						
Kredit lt. Voranschlag	11 000	—				
Kreditübertrag aus dem Rechnungsjahr 1906 (siehe pos. 1 im Vorjahre)	2 278	83				
	13 278	83	9 887	87	—	—
2. Befestigung der Fußwege im Rheingauwall, in der Rheinallee, Straße 4 und Straße 4a vorbehaltlich der Genehmigung der speziellen Vorlagen.						
Kredit lt. Voranschlag	48 000	—	—	—	48 000	—
3. Lieferung und Setzen von Bäumen in verschiedenen Straßen einschl. Herstellung der Baumlöcher sowie Beifuhr guter Erde.						
Kredit lt. Voranschlag	8 000	—	7 994	60	—	—
zu übertragen . . .	—	—	17 882	47		

	Betrag				Verfügbar bleibender u. laut Stadtverordnetenbeschluß v. 31. Oktbr. 1908 auf das Rechnungsjahr 1908 zu übertragender Kreditrest	
	der zur Verfügung gestellten Kredite		der wirklichen Ausgabe in 1907			
	ℳ	₰	ℳ	₰	ℳ	₰
Ferner: **20. Erbauung von Straßen und Kanälen im Gelände der Nordwestfront.**						
Übertrag . . .	—	—	17 882	47		
4. Ausbau der Rheinallee zwischen Straße 6 und Zwerchallee. Kreditübertrag aus dem Rechnungsjahr 1906 (siehe pos. 4 im Vorjahre)	8 966	71				
Kredit lt. St.-V.-Beschl. vom 10. April 1907	22 800	—				
	31 766	71	19 005	89	12 760	82
5. Erbauung einer neuen Straße im Zage der Hattenbergstraße zwischen Rheingauwall und Mombacherstraße. Kreditübertrag aus dem Rechnungsjahr 1906 (siehe pos. 3 im Vorjahre)	3 536	27	—	—	3 536	27
6. Ausbau der auf ehemals militärfiskalischem Gelände liegenden Straßen. Kreditübertrag aus dem Rechnungsjahr 1906 (siehe pos. 5 im Vorjahre)	130 730	64	53 125	93	77 604	71
7. Befestigung der Fahr- und Gehwege der vier Straßenunterführungen im Bereiche der Umgehungsbahn. Kreditübertrag aus dem Rechnungsjahr 1906 (siehe pos. 2 im Vorjahre)	6 656	22	6 291	29	—	—
II. Kanäle.						
1. Kanalisierung des Gebietes der Nordwestfront. Kreditübertrag aus dem Rechnungsjahr 1906	58 267	43	730	26	57 537	17
2. Erbauung eines Hauptkanals in der Rheinallee zwischen Straße 6 und Zwerchallee. Kreditübertrag aus dem Rechnungsjahr 1906 (siehe pos. 3 im Vorjahre)	21 881	16	237	45	—	—
III. Baureifmachung des Baublocks A im Gebiete der Nordwestfront. Kredit laut St.-V.-Beschl. vom 11. September 1907 . .	13 000	—	11 551	88	1 448	12
Summe . . .	—	—	108 825	17		
21. Auflassung der Festungsumwallung.						
I. Kasten der Vorarbeiten.						
1. Kosten der Vorarbeiten, der geometrischen Aufnahme des Geländes, Bearbeitung des Projektes rc. Kredit laut Voranschlag	10 000					
Kredit laut St.-V.-Beschl. vom 17. April 1907 . . .	4 800					
Kredit laut St.-V.-Beschl. vom 25. März 1908 . . .	2 500					
	17 300	—	12 995	99	—	—
2. Bureaubedürfnisse. Kredit laut Voranschlag	1 200	—	1 196	86	—	—
zu übertragen . . .	—	—	14 192	85		

Ferner: 21. Auflassung der Festungsumwallung.

	Betrag: der zur Verfügung gestellten Kredite ℳ	₰	Betrag: der wirklichen Ausgabe in 1907 ℳ	₰	Verfügbarbleibender u. laut Stadtverordnetenbeschluß v. 21. Oktbr. 1908 auf das Rechnungsjahr 1908 zu übertragender Kreditrest ℳ	₰
Übertrag . . .	—	—	14 192	85		
IV. Baureifmachung des Geländes von Fort Karl und Fort Karthaus.						
1. Einebnung.						
Kreditübertrag aus dem Rechnungsjahr 1906	32 209	93	20 301	62	11 908	31
2. Straßenbau.						
Kreditübertrag aus dem Rechnungsjahr 1906	365 700	—	5 747	99	359 952	01
Außerdem sind noch Abschlagszahlungen im Gesamtbetrage von 2 900 ℳ geleistet worden, die noch nicht definitiv verrechnet werden konnten und daher auf das Rechnungsjahr 1908 übertragen worden sind.						
3. Kanalbau.						
Kreditübertrag aus dem Rechnungsjahr 1906	214 520	85	122 227	11	92 293	74
Summe . . .	—	—	162 469	57		
22. Eingemeindungen.						
I. Vorarbeiten.						
Kredit nach dem Voranschlag	2 000	—				
Kredit laut St.-V.-Beschl. vom 17. April 1907	4 800	—				
	6 800	—	3 716	91	—	—
II. Vorarbeiten für die Kanalisation des Stadtteils Mainz-Mombach.						
Kredit laut St.-V.-Beschl. vom 26. Juni 1907	3 000	—	1 672	46	1 327	54
Summe . . .	—	—	5 389	37		
23. Stromkorrektion.						
VII. Straßenanlagen.						
1. Asphaltierung der Fußwege vor verschiedenen Neubauten.						
Kredit nach dem Voranschlag	1 000	—				
Kreditübertrag aus dem Rechnungsjahr 1906	685	09				
	1 685	09	1 685	04	—	—
25. Hafenbau.						
VIII. Maschinelle Betriebseinrichtungen.						
1. Für die Beschaffung eines Krans mit Selbstgreifer zur Kohlenentladung.						
Kreditübertrag aus dem Rechnungsjahr 1906	43 589	31	464	55	43 124	76
Außerdem sind noch Abschlagszahlungen im Gesamtbetrage von 85 000 ℳ, die auf das Rechnungsjahr 1907 übernommen worden waren, aber hier nicht definitiv verrechnet werden konnten, auf das Rechnungsjahr 1908 übernommen worden.						
zu übertragen . . .	—	—	464	55		

Ferner: 25. Hafenbau.

	Betrag: der zur Verfügung gestellten Kredite ℳ	₰	Betrag: der wirklichen Ausgabe in 1907 ℳ	₰	Verfügbarbleibender u. laut Stadtverordnetenbeschluß v. 21. Oktbr. 1908 auf das Rechnungsjahr 1908 zu übertragender Kreditrest ℳ	₰
Übertrag . . .	—	—	464	55		
IX. Herrichtung von Kohlenlagerplätzen.						
Kreditübertrag aus dem Rechnungsjahre 1906	864	56		—	864	56
X. Winterhafen.						
1. Für Herstellung eines Verbindungskanals zwischen dem alten Winterhafen und dem Rhein.						
Kredit laut Voranschlag	4 600	—	4 570	47		—
Summe . . .	—	—	5 035	02		
28. Ingelheimer Au.						
I. Anschüttungen und Befestigung der Ufer und Böschungen.						
1. Befestigung der Ufer am Floßhafen am militärfiskalischen Platze unterhalb des Werkplatzes der Firma Dülken, Kauihold & Co.						
Kredit laut Voranschlag	17 000	—	148	06	16 851	94
2. Herstellung von Industriegelände.						
Kreditübertrag aus dem Rechnungsjahr 1906	421 469	28				
Kredit lt. St.-V.-Beschl. v. 3. Oktober 1907	23 000	—				
	444 469	28	254 928	83	189 540	45
In den Ausgaben sind die 30 000 ℳ enthalten, welche von den Kosten des Baues der elektrischen Straßenbahn nach der Ingelheimer Au lt. St.-V.-Beschl. v. 8. Januar 1908 auf die Kosten der Erschließung der Ingelheimer Au übernommen werden sollen. In Einnahme siehe Rubrik 10. IV. dieser Rechnung. Es wurden bis zum Bücherschluß außerdem noch Abschlagszahlungen im Gesamtbetrage von 24 000 ℳ geleistet, die auf das Rechnungsjahr 1908 übertragen worden sind.						
II. Straßen- und Kanalanlagen.						
1. Ausbau einer Umleitungsstraße über das Vorland unter der linksseitigen Flutöffnung der Kaiserbrücke.						
Kredit lt. Voranschlag	3 600	—	3 146	12	453	88
2. Erbauung eines gemauerten Kanals in der Ingelheimstraße						
Kredit lt. Voranschlag	48 000	—	33 381	90		—
3. Straßenbau.						
Kreditübertrag aus dem Rechnungsjahr 1906	406	95	—	—	406	95
III. Bahnanlagen.						
Kreditübertrag aus dem Rechnungsjahr 1906	74 624	18				
Kredit lt. St.-V.-Beschl. v. 3. Oktober 1907	14 000	—				
Kredit lt. St.-V.-Beschl. v. 25. April 1907 (Beschaffung von 2 Drehscheiben für Private, siehe pos. II der Einnahme)	15 000	—				
Kredit lt. St.-V.-Beschl. v. 26. Juni 1907	35 000	—				
Kredit lt. St.-V.-Beschl. v. 10. Juli 1907	15 500	—				
Bei der Kreditübertragung ist eine Einnahme von 270 ℳ 30 ₰ berücksichtigt worden.	154 124	18	72 755	24	81 639	24
Summe . . .	—	—	869 860	15		

	Betrag				Verfügbar bleibender u. laut Stadtverordnetenbeschluß v. 21. Oktbr. 1908 auf das Rechnungsjahr 1908 zu übertragender Kreditrest	
	der zur Verfügung gestellten Kredite		der wirklichen Ausgabe in 1907			
	ℳ	₰	ℳ	₰	ℳ	₰
32. Jubiläum der Landesuniversität Gießen.						
Kredit lt. Voranschlag	10 000	—	10 000	—	—	—
34. Überschüsse der Betriebsrechnungen.						
Nach dem Voranschlage waren in Ausgabe zu stellen . .	419 365	08	419 365	08	—	—
35. Kapitalmittel.						
I. Auszuleihende Kapitalien	574 200	—	574 200	—	—	—
Die bei pos. II der Einnahme dieser Rubrik bemerkten Stiftungskapitalien, welche teils bei der Städt. Sparkasse, teils in Hypotheken angelegt worden sind, erscheinen hier in Ausgabe.						
II. Zurückzuzahlende Kapitalien	—	—	—	—	—	—
III. Kapitalrückzahlung an den Stadterweiterungsfonds.						
Kredit laut Voranschlag	73 894	13	45 732	42	—	—
Zur Deckung des Fehlbetrags beim Kapitalkonto des Stadterweiterungsfonds waren 45 732 ℳ 42 ₰ zurückzuzahlen.						
Summe . . .	—	—	619 932	42		

c) Stadterweiterungsfonds.

Einnahme.

	Betrag nach dem Voranschlag ℳ	₰	Betrag nach der Rechnung ℳ	₰	Mithin gegen den Voranschlag mehr ℳ	₰	Mithin gegen den Voranschlag weniger ℳ	₰
3. Zurückempfangene Kapitalien	73 894	13	45 732	42	—	—	28 161	71
4. Erlös aus Gelände. 1. Abtragungen auf die Restkaufpreise für die in früheren Rechnungsjahren verkauften Bauplätze, sowie Anzahlungen und Kaufpreise für in 1907 verkauftes Gelände	4 504	86	20 459	86	15 955	—	—	—
5. Ersatz von Straßenbaukosten	—	—	12 239	68	12 239	68	—	—
7. Überschuß aus dem Betriebs-Konto	57 250	—	58 375	81	1 125	81	—	—

3. Zurückempfangene Kapitalien

Die Ausgaben des Kapitalkontos zuzüglich des an den Schloßfreiheitsfonds zur teilweisen Deckung des Fehlbetrags dessen Betriebskontos abzulieiernden Betrags von 57 756 ℳ 93 ₰ betragen . . . . 136 807 ℳ 77 ₰

Die Einnahmen des Kapitalkontos einschließlich des an das Kapitalkonto abzuführenden Überschusses des Betriebskontos mit 58 375 ℳ 81 ₰ betragen . . . . 91 075 „ 35 „

Hiernach ergibt sich eine Mehrausgabe von 45 732 ℳ 42 ₰ welcher Betrag von der Vermögens-Rechnung zurückerhoben wurde.

4. Erlös aus Gelände.

1. Abtragungen auf die Restkaufpreise für die in früheren Rechnungsjahren verkauften Bauplätze, sowie Anzahlungen und Kaufpreise für in 1907 verkauftes Gelände . .

Hier erscheinen in Einnahme:

a) die im Voranschlag unter Ord.-Nr. 1, 3 und 4 voegesehenen Abtragungen mit . . . . 4 504 ℳ 86 ₰

b) die erst in diesem Jahre eingegangene 8. Rate für den Bauplatz Flur V Nr. 475 1/10 . . . . 2 560 „ — „

c) Anzahlungen für verkauftes Böschungsgelände an der Wallstraße . . 2 307 „ — „

d) Kaufpreis für den Bauplatz Flur X Nr. 279 74/100 . . . . 11 088 „ — „

20 459 ℳ 86 ₰

5. Ersatz von Straßenbaukosten

Hier erscheint der Ersatz des Wertes für Pflastersteine, die durch Asphaltierung von Trottoirs in Straßen des Stadterweiterungsgebietes frei geworden und anderweit verwendet worden sind, in Einnahme.

7. Überschuß aus dem Betriebs-Konto.

Mit Genehmigung der Stadtverordneten-Versammlung vom 21. Oktober 1908 wurde der Überschuß des Betriebs-Kontos dem Kapital-Konto zugeführt . . . .

	Betrag nach				Mithin gegen den Voranschlag			
	dem Voranschlag		der Rechnung		mehr		weniger	
	M	₰	M	₰	M	₰	M	₰
8. Rechnungsrest aus früheren Jahren.								
Nachgeführte Ausstände des Vorjahres	—	—	629	07	629	07	—	—
9. Steuer vom Gartenfeld.								
1. Am 1. Oktober 1907 fällig gewesene Tilgungsrenten	39 300	—	39 378	22	78	22	—	—
2. Außerordentliche Kapital-Abtragungen	—	—	618	86	618	86	—	—
Summe	39 300	—	39 997	08	697	08	—	—
13. Zinsen von ausgeliehenen Kapitalien	47 180	86	46 498	77	—	—	682	09
In Einnahme erscheinen 3½% Zinsen von dem Darlehen an die Stadt im Betrage von 1 328 536 M 23 ₰ für das Rechnungsjahr 1907. Ende des Rechnungsjahres 1906 wurden von der Vermögensrechnung nicht wie vorgesehen 100 000 M, sondern 119 488 M 35 ₰ zurückerhoben. An Zinsen zu 3½% erscheinen daher 682 M 09 ₰ weniger in Einnahme.								
14. Zinsen von Restkaufschillingen.								
Von Restkaufpreisen für veräußerte Bauplätze	2 600	—	3 534	47	934	47	—	—
Durch die Zinsen für die Restkaufpreise für das im Rechnungsjahr 1907 verkaufte Gelände gingen statt der vorgesehenen 2 600 M im ganzen 3 510 M 04 ₰ ein. An Verzugszinsen wurden 24 M 43 ₰ vereinnahmt.								
16. Miete von Grundstücken	68	—	68	—	—	—	—	—
17. Nebennutzungen von Grundstücken.	2	—	—	—	—	—	2	—
Eine Einnahme wurde nicht erzielt.								
18. Zufällige Einnahmen.								
1. Ersatz der Umlagen von verkauften Bauplätzen ꝛc.	1	—	—	—	—	—	1	—
2. Ersatz der außerordentlichen Kommunalsteuern von verschiedenen an die Hessische Ludwigs-Eisenbahn-Gesellschaft abgetretenen Grundstücken	907	35	907	35	—	—	—	—
3. Ersatz der außerordentlichen Kommunalsteuer von Teilen des Kellerwegs und des Hauptwegs, welche den angrenzenden Grundbesitzern auf Grund des § 4 des Ortsbaustatuts vom 1. August 1898 in Eigentum überwiesen worden sind	—	—	390	48	390	48	—	—
4. Zinsen für die in einem Konkursverfahren angemeldeten außerordentlichen Kommunalsteuern	—	—	—	59	—	59	—	—
Summe	908	35	1 298	42	390	07	—	—

Ausgabe.

	Betrag nach				Mithin gegen den Voranschlag			
	dem Voranschlag		der Rechnung		mehr		weniger	
	ℳ	₰	ℳ	₰	ℳ	₰	ℳ	₰
25. Tilgung der Anleihen.								
Rückzahlung auf das 3%ige Anlehen bei Großh. Staatsregierung	70 248	99	70 248	99	—	—	—	—
26. Ankauf von Grundstücken und Vertragsleistungen .	—	—	—	—	—	—	—	—
27. Erbauung von Straßen und Kanälen.								
I. Straßenbauten.								
1. Pflasterung der Stiftstraße	7 800	—	7 484	32	—	—	315	68
2. Asphaltierung von Trottoirs	—	—	617	54	617	54	—	—
Aus dem Rechnungsjahr 1906 waren gemäß St.-V.-Beschlusses vom 15. Oktober 1907 hierher übertragen worden . . . . 6 651,92 ℳ Verwendet wurden im Rechnungsjahr 1907 617,54 „ Der Kreditrest von 6 034,38 ℳ konn erst nach Fertigstellung der Neubauten verwendet werden und wurde auf das Rechnungsjahr 1908 übertragen. — Vergleiche St.-V.-Beschluß vom 21. Oktober 1908.								
3. Befestigung der Fußsteige um das Rondell in der Kaiserstraße mit Mosaikpflaster . . .	—	—	—	—	—	—	—	—
Mit Genehmigung der St.-V.-V. vom 21. Oktober 1908 wurde der noch aus dem Rechnungsjahr 1906 verfügbare Kreditrest von 4707 ℳ 38 ₰ auf das Rechnungsjahr 1908 weiter übertragen.								
4. Pflasterung der Längsseiten des Kirchplatzes	—	—	—	—	—	—	—	—
Der noch aus dem Rechnungsjahr 1906 verfügbare Kreditrest von 5426 ℳ 88 ₰ wurde mit Genehmigung der St.-V.-V. vom 21. Oktober 1908 auf das Rechnungsjahr 1908 weiter übertragen.								
II. Kanalbauten.								
1. Für Vermehrung von Straßensinkkasten . .	350	—	699	97	349	97	—	—
Zur Bestreitung der Ausgaben stand ferner noch ein Kreditrest von 350 ℳ zur Verfügung, der mit Genehmigung der St.-V.-V. vom 16. Oktober 1907 aus dem Rechnungsjahr 1907 hierher übertragen worden war.								
Summe . . .	8 150	—	8 801	83	651	83	—	—

	Betrag nach				Mithin gegen den Voranschlag			
	dem Voranschlag		der Rechnung		mehr		weniger	
	M	₰	M	₰	M	₰	M	₰
32. Überweisung an den Schloßfreiheitsfonds . .	57 250	—	57 756	95	506	95	—	—
Der Überschuß des Betriebs-Kontos für das Rechnungsjahr 1907, welcher an das Kapital Konto abgeführt worden ist, beträgt . . . . 58 375 M 81 ₰ Hiervon gehen ab die darin enthaltenen außerordentlichen Abtragungen von Gartenfeldsteuern mit . . . . 618 „ 86 „ sodaß an das Betriebs-Konto des Schloßfreiheitsfonds nur . . . . 57 756 M 95 ₰ abzuliefern sind. (Vergl. die Erläuterung zur Rubrik 27 der Rechnung des Schloßfreiheitsfonds.)								
34. Zinsen der Anleihen.								
Von dem Restbetrag des 3%igen Anlehens bei Großh. Staatsregierung	32 608	15	32 608	15	—	—	—	—
37. Steuern und öffentliche Lasten.								
1. Gemeinde-Grundsteuern	15	—	18	53	3	53	—	—
38. Bauleitung, Inventar, Verwaltungskosten.								
1. Für Provisionen bei Geländeverkäufen	180	—	86	19	—	—	93	81
2. Verschiedene Ausgaben	6	06	7	50	1	44	—	—
Summe . . .	186	06	93	69	—	—	92	37
40. Überschuß an das Kapital-Konto	57 250	—	58 375	81	1 125	81	—	—
Der Überschuß des Betriebs-Kontos wurde dem Kapital-Konto überwiesen. (Siehe die Erläuterung zur Rubrik 7.)								

d) Schloßfreiheitsfonds.

	Betrag nach				Mithin gegen den Voranschlag			
	dem Voranschlag		der Rechnung		mehr		weniger	
	ℳ	₰	ℳ	₰	ℳ	₰	ℳ	₰
A. Kapital-Konto.								
Einnahme.								
3. Erlös aus verkauften Grundstücken.								
I. Aus den neugebildeten Bauquadraten . . . . Hier erscheinen Abtragungen von den in früheren Rechnungsjahren verkauften Bauplätzen sowie ein Kaufpreis für das im Rechnungsjahre 1907 verkaufte Baugelände in Einnahme.	16 156	57	127 137	57	110 981	—	—	—
II. Aus dem Gelände der Militärgebäude:								
1. Reichklarakloster	—	—	—	—	—	—	—	—
2. Flachsmarktkaserne	33 360	—	33 360	—	—	—	—	—
5. Schlachthaus-Grundstück	1 530	28	1 530	28	—	—	—	—
Summe . . .	51 046	85	162 027	85	110 981	—	—	—
4. Erlös von Baumaterialien . . . . . Die Einnahme besteht in dem Erlös von im Rechnungsjahr 1907 verwerteten Abbruchmaterialien der niedergelegten Schloßkaserne.	—	—	11 340	20	11 340	20	—	—
8. Kapitalaufnahme	—	—	—	—	—	—	—	—
Ausgabe.								
13. Herstellung verkäuflicher Bauplätze.								
III. Im Gebiete der Bauquadrate I und II, der Schloßkaserne und des Schloßplatzes.								
1. Ausbau von Straßen . . . . Mit Genehmigung der St.-V.-V. vom 21. Oktober 1908 wurde der Kreditrest von 379 ℳ 14 ₰ auf das Rechnungsjahr 1908 übertragen.	3 000	—	2 620	86	—	—	379	14
2. Asphaltierung der Albinistraße	17 500	—	16 203	76	—	—	1 296	24
3. Asphaltierung von Trottoirs in der Rheinallee zwischen Diether von Isenburg- und Kaiserstraße . . . . . Aus dem Rechnungsjahr 1906 war laut Beschl. der St.-V.-V. vom 16. Oktober 1907 ein Kredit von 599 ℳ 34 ₰ hierher übertragen worden. Ferner hatte die St.-V.-V. lt. Beschl. vom 11. Juli 1907 noch einen Kredit von 700 ℳ zu Lasten der Kapitalaufnahme bewilligt.	—	—	1 190	78	1 190	78	—	—
zu übertragen . . .	20 500	—	20 015	40	1 190	78	1 675	38

	Betrag nach dem Voranschlag ℳ	₰	Betrag nach der Rechnung ℳ	₰	Mithin gegen den Voranschlag mehr ℳ	₰	Mithin gegen den Voranschlag weniger ℳ	₰
Übertrag . . .	20 500	—	20 015	40	1 190	78	1 675	38
4. Versetzen von Sinkkasten in den neuen Straßen . . .	—	—	385	68	385	68	—	—

Aus dem Rechnungsjahr 1906 war laut Beschl. der St.-V.-V. vom 16. Oktober 1907 ein Kredit von . . . 3 931 ℳ 36 ₰ hierher übertragen worden.

Verwendet wurden im Rechnungsjahr 1907 385 „ 68 „

der Kreditrest von 3 545 ℳ 68 ₰ wurde auf das Rechnungsjahr 1908 übertragen.

Vergl. St.-V. Beschl. vom 21. Oktober 1908.

	Betrag nach dem Voranschlag ℳ	₰	Betrag nach der Rechnung ℳ	₰	Mithin gegen den Voranschlag mehr ℳ	₰	Mithin gegen den Voranschlag weniger ℳ	₰
Summe . . .	20 500	—	20 401	08	—	—	98	92
14. Notariatskosten und Vermittlungsgebühren . .	1 000	—	—	—	—	—	1 000	—
20. Kapitalabtragungen	29 546	85	152 966	97	123 420	12	—	—

Bei dem Kapital-Konto belaufen sich:

die Einnahmen auf . . . . 173 368 ℳ 05 ₰

die Ausgaben auf . . . . 20 401 „ 08 „

Mithin ergibt sich eine Mehreinnahme von 152 966 ℳ 97 ₰ welche an die städt. Vermögensrechnung zur teilweisen Deckung des in früheren Jahren aufgenommenen Darlehens abgeführt wurde.

B. Betriebs-Konto.

Einnahme.

21. Rechnungsrest aus früheren Jahren.

	Betrag nach dem Voranschlag ℳ	₰	Betrag nach der Rechnung ℳ	₰	Mithin gegen den Voranschlag mehr ℳ	₰	Mithin gegen den Voranschlag weniger ℳ	₰
Nachgeführte Ausstände des Vorjahres	—	—	—	—	—	—	—	—

23. Zinsen von Restkaufpreisen.

	Betrag nach dem Voranschlag ℳ	₰	Betrag nach der Rechnung ℳ	₰	Mithin gegen den Voranschlag mehr ℳ	₰	Mithin gegen den Voranschlag weniger ℳ	₰
Von Restkaufpreisen für veräußerte Bauplätze	4 000	—	5 956	52	1 956	52	—	—

Von den unter Rubrik 3 des Voranschlags erwähnten Restkaufpreisen gingen statt der vorgesehenen 4000 ℳ im ganzen 5 942 ℳ 58 ₰ Zinsen ein. Die Mehreinnahmen sind darauf zurückzuführen, daß weniger Restkaufpreise als angenommen zur Abtragung gekündigt wurden. An Verzugszinsen wurden 13 ℳ 94 ₰ vereinnahmt.

	Betrag nach dem Voranschlag ℳ	₰	Betrag nach der Rechnung ℳ	₰	Mithin gegen den Voranschlag mehr ℳ	₰	Mithin gegen den Voranschlag weniger ℳ	₰
24. Miete von Gebäuden	1 420	—	2 091	67	671	67	—	—

Die Einnahmen setzen sich wie folgt zusammen:

1. für vermietete Räume im Hause Hintere Bleiche Nr. 6 (Lappenhaus) . . . . . 220 ℳ — ₰
2. für vermietete Räume in der ehemaligen Welschnonnenkaserne . . . . 1 871 „ 67 „

zusammen 2 091 ℳ 67 ₰

	Betrag nach				Mithin gegen den Voranschlag			
	dem Voranschlag		der Rechnung		mehr		weniger	
	ℳ	₰	ℳ	₰	ℳ	₰	ℳ	₰
25. Miete von Grundstücken	91	—	91	—	—	—	—	—
27. Zuschüsse	57 834	—	57 756	95	—	—	77	05
Der hier abzuliefernde Überschuß des Stadterweiterungsfonds betrug 57 756 ℳ 95 ₰. Von der städtischen Betriebsrechnung war kein Zuschuß zu leisten. Siehe auch die Erläuterung zur Rubrik 32.								
Ausgabe.								
29. Zinsen von aufgenommenen Kapitalien . . .	62 106	21	57 589	57	—	—	4 516	64
Das Darlehen der städt. Vermögensrechnung betrug am Ende des Rechnungsjahres 1906 nur 1 678 776 ℳ 33 ₰, von welchem Betrag noch der am 1. April 1907 von der Vermögens-Rechnung ersetzte Wert des aus dem Gebiete der ehemaligen Flachsmarktkaserne abgetretenen Straßengeländes mit 33 360 ℳ abzusetzen war, sodaß der städtischen Betriebs-Rechnung nur $3^{1}/_{2}$% Zinsen von 1 645 416 ℳ 33 ₰ vergütet wurden.								
30. Steuern, Umlagen und sonstige öffentliche Lasten.								
1. Gemeindegrundsteuern	50	79	376	78	325	99	—	—
Die Steuerkapitalien der noch vorhandenen Bauplätze wurden erhöht. Hierdurch und durch die Erhöhung der Ausschlagsziffer ist die Mehrausgabe entstanden.								
2. Brandversicherungsbeiträge	178	—	106	64	—	—	71	36
Summe . . .	228	79	483	42	254	63	—	—
31. Unterhaltung der Gebäude.								
1. Unterhaltung in Dach und Fach:								
a) Welschnonnenkaserne	400	—	2 299	34	1 899	34	—	—
Für die Einführung der Gas- und Wasserleitung sowie die Herstellung der Entwässerungsanlage stand noch ein Kredit von 1 800 ℳ zur Verfügung, der durch Beschluß der St.-V.-V. vom 27. März 1907 bewilligt worden war.								
b) Lappenhaus	500	—	51	92	—	—	448	08
2. Für Reinigung der Entwässerungsanlagen	45	—	36	40	—	—	8	60
3. Für Wasserverbrauch in dem Hause Welschnonnengasse Nr. 7	25	—	5	16	—	—	19	84
4. Schornsteinfegergebühren	40	—	10	15	—	—	29	85
Summe . . .	1 010	—	2 402	97	1 392	97	—	—

	Betrag nach				Mithin gegen den Voranschlag			
	dem Voranschlag		der Rechnung		mehr		weniger	
	ℳ	₰	ℳ	₰	ℳ	₰	ℳ	₰
32. Rückerstattung von Zuschüssen	—	—	5 411	68	5 411	68	—	—
Es betragen beim Betriebs-Konto: a) die Einnahmen einschließlich der vom Stadterweiterungsfonds überwiesenen 57 756 ℳ 95 ₰ = 65 896 ℳ 14 ₰ b) die Ausgaben . . . . 60 484 „ 46 „ ergibt eine Mehreinnahme von . . . . . 5 411 ℳ 68 ₰ die an die städtische Betriebs-Rechnung zur teilweisen Deckung der in früheren Jahren erhaltenen Zuschüsse abzuliefern war.								
33. Sonstige Ausgaben.								
Für Buchbinderarbeiten	—	—	8	50	8	50	—	—

e) Grundstücksfonds.

A. Kapital-Konto.

	Betrag nach				Mithin gegen den Voranschlag			
	dem Voranschlag		der Rechnung		mehr		weniger	
	M	Pf	M	Pf	M	Pf	M	Pf
Einnahme.								
1. Rechnungsrest aus früheren Jahren . . .	—	—	101 831	65	101 831	65	—	—
Der aus dem Rechnungsjahr 1906 verbliebene Rest, der in barem Vorrat bestand, betrug nach Seite 265 des vorjährigen Rechenschaftsberichts 101 831 M 65 Pf.								
3. Veräußerung von Grundbesitz	14 574	—	361 782	25	347 208	25	—	—
Kaufpreise und Anzahlungen für das im Rechnungsjahr 1907 verkaufte Gelände.								
4. Bildung und Verstärkung des Fonds.								
a) Darlehen aus der Vermögensrechnung, falls durch den Erlös für im Laufe des Jahres zum Verkauf gelangende Grundstücke oder durch Mehreinnahmen oder Ausgabeersparnisse des Betriebskontos die unter Rubrik 14 der Ausgabe vorgesehene Überweisung an das Betriebskonto nicht gedeckt werden könnte	71 426	—	—	–	—	—	71 426	—
Aus dem Erlös für verkauftes Gelände konnte die Überweisung an das Betriebskonto gedeckt werden, weshalb ein Darlehen nicht erforderlich war.								
Ausgabe.								
10. Erwerbung von Grundbesitz.								
1. Ankauf der Grundstücke Flur XVIII Nr. $167^{5}/_{10}$ und Flur XIX Nr. 46, 50 und 53	—	—	71 317	92	71 317	92	—	—
Laut Beschluß der St.-V.-V. vom 17. April 1907.								
2. Ankauf der Grundstücke Flur XVIII Nr. 156 und Flur XIX Nr. $54^{8}/_{10}$	—	—	19 976	31	19 976	31	—	—
Laut Beschl. der St.-V.-V. vom 12. Juni 1907.								
3. Ankauf des Grundstücks Flur XVIII Nr. $173^{9}/_{10}$	—	—	470	42	470	42	—	—
Laut Beschl. der St.-V.-V. vom 27. Februar 1907. Das Grundstück wurde zum Preise von 30 624 M erworben. Der Kaufpreis ist vom 16. August 1907 ab mit $3^{3}/_{4}$ % zu verzinsen und bleibt bis 16. August 1912 unkündbar stehen. Die Zinsen erscheinen unter Rubrik 26 in Ausgabe.								
4. Ankauf der Grundstücke Flur XII Nr. $66^{4}/_{10}$ und $66^{5}/_{10}$	—	—	16 761	30	16 761	30	—	—
Laut Beschl. der St.-V.-V. vom 29. Mai 1907.								
zu übertragen . . .	—	—	108 525	95	108 525	95	—	—

Ferner: **10. Erwerbung von Grundbesitz.**	Betrag nach dem Voranschlag ℳ	₰	Betrag nach der Rechnung ℳ	₰	Mithin gegen den Voranschlag mehr ℳ	₰	Mithin gegen den Voranschlag weniger ℳ	₰
Übertrag . . .	—	—	108 525	95	108 525	95	—	—
5. Ankauf des Grundstücks Flur XIX Nr. 39 . . Hier erscheinen nur noch die Notariatskosten in Ausgabe. Alle übrigen Kosten sind bereits im vorigen Jahre unter Rubrik 10ᵃ verrechnet worden. — Siehe Seite 457 der Verwaltungsrechenschaft für 1906.	—	—	30	02	30	02	—	—
6. Ankauf der Grundstücke Flur VII Nr. 115, 116, 117, 118 und 195, Gemarkung Bretzenheim . . Laut Beschl. der St.-V.-V. vom 27. Februar 1907. Die Stempelkosten und Vermittelungsgebühren erscheinen unter Rubrik 10ᵃ der vorjährigen Rechnung. — Siehe Seite 457 der Verwaltungsrechenschaft für 1906.	—	—	8 881	—	8 881	—	—	—
7. Erwerbung und Austausch von Gelände am Fort Elisabeth . . . . Laut Beschl. der St.-V.-V. vom 12. Juni 1907. Die Notariatskosten werden im Rechnungsjahr 1908 verausgabt.	—	—	37 377	63	37 377	63	—	—
8. Erwerbung der Grundstücke Flur VII Nr. 144 und 145, Gemarkung Bretzenheim, Flur XVIII Nr. 168, Flur XIX Nr. 34 und 57, Gemarkung Mainz . . . . Laut Beschl. der St.-V.-V. vom 30. Oktober 1907.	—	—	51 414	85	51 414	85	—	—
9. Ankauf der Grundstücke Flur VII Nr. 127¹/₁₀ und 129, Gemarkung Bretzenheim . . . . . Laut Beschl. der St.-V.-V. vom 30. Oktober 1907.	—	—	9 588	90	9 588	90	—	—
10. Erwerbung des Grundstücks Flur XXI Nr. 13 Laut Beschl. der St.-V.-V. vom 25. März 1908. Nach den Bedingungen über den Verkauf dieses Grundstücks von dem Hospizienfonds an die Stadt soll dem genannten Fonds zu geeigneter Zeit und in entsprechender Lage Naturalersatz geleistet werden. Bis zu diesem Zeitpunkt ist der Hospizienfonds durch angemessene Verzinsung schadlos zu halten. Die Zinsen erscheinen zum erstenmal im Rechnungsjahr 1908 in Ausgabe.	—	—	121	—	121	—	—	—
Summe . . .	—	—	215 939	35	215 939	35	—	—

	Betrag nach				Mithin gegen den Voranschlag			
	dem Voranschlag		der Rechnung		mehr		weniger	
	ℳ	₰	ℳ	₰	ℳ	₰	ℳ	₰
11. Kosten für Verbesserung oder Aufschließung von Grundstücken.								
1. Baureifmachung des Geländes der Bauquadrate 123 und 124	—	—	—	—	—	—	—	—
Für Herstellung eines Gleisanschlusses mit Drehscheibe und Weiche, anschließend an die Gleise des Freiladebahnhofs der Staatsbahn, wurde laut Beschl. der St.-V.-V. vom 16. Oktober 1907 ein Kredit von 14 127 ℳ 03 ₰ hierher übertragen. Im Rechnungsjahr 1907 wurde nichts verausgabt. Der Kredit wurde mit Genehmigung der St.-V.-V. vom 21. Oktober 1908 auf das Rechnungsjahr 1908 übertragen.								
14. Überweisungen an das Betriebs-Konto . . .	86 000	—	83 623	45	—	—	2 376	55
Nach den Erläuterungen bei Rubrik 24 waren dem Betriebs-Konto zur Deckung seiner Ausgaben nur 83 623 ℳ 45 ₰ zu überweisen.								
B. Betriebs-Konto.								
Einnahme.								
20. Ertrag des Grundbesitzes.								
I. Pächte und Mieten.	13 537	—	16 186	80	2 649	80	—	—
Die Mehreinnahme ist teils durch die Verpachtung der im Rechnungsjahr 1907 erworbenen Grundstücke, teils durch Neuververpachtungen von Gelände im Gebiete der Nordwestfront und Vermietung weiterer Räume im ehemaligen Pferdebahndepot entstanden.								
II. Nutzungen	147	—	119	—	—	—	28	—
III Ersatz von Steuern	—	—	—	—	—	—	—	—
IV. Sonstige Einnahmen	—	—	200	—	200	—	—	—
Entschädigung für den am 17. Junuar 1908 durch Brand in dent ehemaligen Pferdebahndepot entstandenen Schaden.								
Summe . . .	13 684	—	16 505	80	2 821	80	—	—
21. Zinsen von Restkaufpreisen und sonstigen Kapitalausständen.								
I. Zinsen von Restkaufpreisen	5 246	—	6 908	90	1 752	90	—	—
II. Zinsen von Kapitalausständen	1 000	—	1 764	23	764	23	—	—
Zinsen von den der städtischen Betriebsrechnung im Rechnungsjahr 1907 überlassenen verfügbaren Mittel des Fonds.								
III. Sonstige Zinsen.	—	—	1 000	—	1 000	—	—	—
Der Kaufpreis für die Grundstücke Flur XIX Nr. 46, 50 und 53 im Betrage von 50 000 ℳ war nach den vereinbarten Bedingungen erst am 1. November 1907 fällig, die Zahlung erfolgte aber bereits am 1. Mai 1907. Für diese frühere Zahlung vergütete der Verkäufer der Stadt 4 % Zinsen.								
Summe . . .	6 246	—	9 763	13	3 517	13	—	—

	Betrag nach				Mithin gegen den Voranschlag			
	dem Voranschlag		der Rechnung		mehr		weniger	
	ℳ	₰	ℳ	₰	ℳ	₰	ℳ	₰
24. Überweisungen aus dem Kapital-Konto . . .	86 000	—	83 623	45	—	—	2 376	55
Es betragen bei dem Betriebs-Konto: a) die Ausgaben . . . . 109 892 ℳ 38 ₰ b) „ Einnahmen . . . . 26 268 „ 93 „ Ergibt eine Mehrausgabe von 83 623 ℳ 45 ₰ die durch Überweisung aus dem Kapital-Konto — siehe Rubrik 14 — zu decken war.								
Ausgabe.								
26. Kapitalzinsen	102 000	—	105 286	57	3 286	57	—	—
a) 2% Zinsen von dem dem Grundstücksfonds von der Vermögensrechnung überwiesenen Stammkapital . . . . . 104 568 ℳ 82 ₰ b) $3^3/_4$% von 30 624 ℳ — Kaufpreis für das Grundstück Flur XVIII Nr. $173^9/_{10}$ — vom 16. August 1907 bis Ende März 1908 . . . . . 717 „ 75 „ Vergl. auch die Erläuterung zu Rubrik 10[3]. 105 286 ℳ 57 ₰								
27. Gemeindesteuern und sonstige öffentliche Lasten.								
I. Gemeinde-Grundsteuern	1 651	26	1 721	88	70	62	—	—
II. Brandversicherungsbeiträge	145	—	108	44	—	—	36	56
III. Außerordentliche Kommunalsteuern . . .	1 833	74	2 200	—	366	26	—	—
IV. Beitrag zur Landwirtschaftskammer . . .	—	—	90	54	90	54	—	—
V. Beiträge zur land- und forstwirtschaftlichen Berufsgenossenschaft	—	—	95	15	95	15	—	—
Summe . . .	3 630	—	4 216	01	586	01	—	—
28. Unterhaltung der Gebäude.								
I. Für Unterhaltung des Anwesens Rheinallee Nr 35 . .	300	—	247	30	—	—	52	70
29. Sonstige Ausgaben	—	—	142	50	142	50	—	—
a) Für Buchbinderarbeiten. . . . . . . 7 ℳ 50 ₰ b) „ Vermittlung der Vermietung eines Lagerplatzes . . . . 135 „ — „ zusammen . . . 142 ℳ 50 ₰								

f) Orchesterfonds.

	Betrag nach				Mithin gegen den Voranschlag			
	dem Voranschlag		der Rechnung		mehr		weniger	
2. Gebäude.	ℳ	₰	ℳ	₰	ℳ	₰	ℳ	₰
Einnahme.								
I. Haus Stephansplatz Nr. 1	8 670	—	8 770	—	100	—	—	—
Der Mietpreis der Wohnung im I. Stock des Eckpavillons wurde vom 1. Oktober 1907 von 400 ℳ auf 600 ℳ jährlich erhöht.								
II. Haus Stephansstraße Nr. 13	2 800	—	3 200	—	400	—	—	—
Die für den 1. Oktober 1907 gekündigte Wohnung im III. Stock wurde von diesem Zeitpunkt an wieder vermietet, wodurch die Mehreinnahme bedingt ist.								
III. Haus Gaugasse Nr. 18	3 000	—	3 000	—	—	—	—	—
Die Verhältnisse haben sich seit der Aufstellung des Voranschlags nicht geändert. Die Wohnung im I. Stock war in der Zeit vom 1. April 1907 bis 31. März 1908 und die Wohnung im II. Stock in der Zeit vom 1. Oktobre 1907 bis 31. März 1908 unvermietet.								
Summe . . .	14 470	—	14 970	—	500	—	—	—
Ausgabe.								
1. Für Gemeinde-Grundsteuern	850	—	927	54	77	54	—	—
2. „ Brandversicherungsbeiträge	354	—	212	18	—	—	141	82
3. „ Abfuhr wasserhaltiger Latrinenmasse	425	—	—	—	—	—	425	—
Die Abortgrube wurde mit einer Trenn- und Kläranlage nach System Brix und Gibian eingerichtet und an die städtischen Kanäle unter den hierfür festgesetzten Bedingungen angeschlossen. In 1907 wurde keine wasserhaltige Latrine abgefahren. Die Verausgabung der Überwachungsgebühr s. pos. 5e.								
4. Für Beleuchtung der Torfahrten und Hauseingänge . .	125	—	99	34	—	—	25	66
5. „ Baukosten:								
a) Für Unterhaltung in Dach und Fach	2 500	—	1 999	52	—	—	500	48
b) „ Herstellungen in verschiedenen Wohnungen . .	1 980	—	3 037	92	1 057	92	—	—
Für die Mehrausgabe wurde durch St.-V.-Beschluß vom 18. Dezember 1907 ein Kredit in Höhe von 1070 ℳ zu Lasten des Reservefonds der Betriebsrechnung eröffnet.								
c) Für Herstellung der Wohnung im I. Stock des Hauses Gaustraße Nr. 18	980	—	956	79	—	—	23	21
d) Für Reinigung der Entwässerungsanlage	60	—	54	60	—	—	5	40
e) Überwachungsgebühr für die Latrinengrube	—	—	10	—	10	—	—	—
Für die regelmäßige Überwachung der Latrinengrube durch das Aufsichtspersonal hat der Orchesterfonds die durch St.-V.-Beschluß vom 23. November 1904 festgesetzte Gebühr von jährlich 10 ℳ an Rubrik 65 der Betriebsrechnung abzuführen. (s. auch die Erläuterung zu pos. 3.)								
zu übertragen . . .	7 274	—	7 297	89	1 145	46	1 121	57

	Betrag nach				Mithin gegen den Voranschlag			
	dem Voranschlag		der Rechnung		mehr		weniger	
Ferner: 2. Gebäude.	ℳ	₰	ℳ	₰	ℳ	₰	ℳ	₰
Übertrag . . .	7 274	—	7 297	89	1 145	46	1 121	57
6. Gebühren für Bekanntmachung der unvermieteten Wohnungen im Wohnungs-Anzeiger	20	—	4	—	—	—	16	—
7. Für Schornsteinfegergebühren	115	—	112	40	—	—	2	60
8. „ Wasserverbrauch	220	—	201	48	—	—	18	52
9. „ den Hausmeister:								
a) bare Vergütung nebst freier Wohnung	200	—	200	—	—	—	—	—
b) Beitrag zur Ortskrankenkasse und zur Invalidenversicherung	10	—	7	30	—	—	2	70
Summe . . .	7 839	—	7 823	07	—	—	15	93
3. Orchester.								
Einnahme.								
1. Von der Stadt für Überlassung des Orchesters zu theatralischen Aufführungen gemäß des Theatervertrags, für 1907/08	50 000	—	50 000	—	—	—	—	—
2. Von dem Verein „Liedertafel" für Überlassung des Orchesters zu drei Konzert-Aufführungen im Winter 1907/08, nach Abzug von 270 ℳ zu Gunsten des Orchesterpensionsfonds	1 530	—	1 530	—	—	—	—	—
3. Für Mitwirkung des städtischen Orchesters bei 10 Opernvorstellungen in Worms im Winter 1907/08 1000 ℳ — ₰ abzüglich 15% zu Gunsten des Orchesterpensionsfonds von den vorbemerkten 1000 ℳ und von 3472 ℳ Honorar, welches den Mitgliedern der städtischen Kapelle für diese Mitwirkungen vergütet worden ist 670 „ 80 „ (Beschluß der Verwaltungs-Kommission der Schott-Braunrasch-Stiftung vom 15. November 1898.)	—	—	329	20	329	20	—	—
Summe . . .	51 530	—	51 859	20	329	20	—	—
Ausgabe.								
1. Besoldungen der Orchestermitglieder . . .	105 425	—	104 016	69	—	—	1 408	31
Die Orchestermitglieder Bergmann und Hohnstädter sind am 16. September 1907 in den Ruhestand getreten. Der Gehalt berechnet sich für die zwei Genannten bis zu diesem Zeitpunkt aus jährlich 2 500 ℳ und 2 300 ℳ auf 1 041 ℳ 67 ₰ und 958 ℳ 34 ₰. An die Stelle des 1. Klarinettisten Bergmann trat mit Wirkung vom 16. September 1907 der seitherige 2. Klarinettist Unger und an dessen Stelle Wilh. Sadowsky, ebenfalls mit Wirkung vom 16. September 1907								
zu übertragen . . .	105 425	—	104 016	69	—	—	1 408	31

Ferner: 3. Orchester.

	Betrag nach				Mithin gegen den Voranschlag			
	dem Voranschlag		der Rechnung		mehr		weniger	
	M	Pf	M	Pf	M	Pf	M	Pf
Übertrag . . .	105 425	—	104 016	69	—	—	1 408	31
ab. Die Gehaltsbezüge des Unger berechnen sich daher für 1907 auf 1975 M Im Voranschlag waren 1850 M eingestellt. An Sadowsky wurden bis Ende des Rechnungsjahres 1907 933 M 33 Pf bezahlt. Als Vertreter der 2. Violine wurde für den in den Ruhestand getretenen Hohnstädter der Geiger Oskar Ermisch mit Wirkung vom 16. September 1907 ab in den Verband des städtischen Orchesters gegen eine jährliche Vergütung von 1200 M auf Probe angenommen. Die an ihn bezahlten Gehaltsbezüge beliefen sich bis Eude des Rechnungsjahres 1907 auf 700 M. Die Stelle des 2. Konzertmeisters wurde mit Wirkung vom 1. Juli 1907 ab zuerst probeweise, dann definitiv dem Geiger Max von Lorenzo gegen ein Jahresgehalt von 2000 M übertragen. Zur Auszahlung gelangten an ihn 1583 M 33 Pf. Durch diese Veränderungen wurden 1408 M 81 Pf gespart.								
2. Entschädigung für Kleideraufwand	4 800	—	4 758	33	—	—	41	67
Wenigerausgabe bedingt darch den bei pos. 1 erwähnten Personalwechsel.								
3. Für Partiturmusiker und Vertretung erkrankter Mitglieder	1 250	-	1 223	—	—	—	27	—
4. Verwaltungskosten	250	—	246	24	—	—	3	76
Summe . . .	111 725	—	110 244	26	—	—	1 480	74

4. Musikalien, Instrumente, Mobilien.

	Voranschlag M	Pf	Rechnung M	Pf	mehr M	Pf	weniger M	Pf
Einnahme	—	—	—	—	—	—	—	—
Ausgabe.								
1. Anschaffung von Musikalien	1 000	-	943	18	—	—	56	82
2. Reparatur und Anschaffung von Musikinstrumenten . .	400	—	406	25	6	25	—	—
2a. Vergütung an den Harfenisten Suppantschitsch für Verwendung seines eigenen Instrumentes	150	—	150	—	—	—	—	—
3. Unterhaltung der Notenpulte und sonstige Mobilien . .	40	—	30	21	—	—	9	79
4. Feuerversicherung	240	—	250	80	10	80	—	—
5. Beitrag der Stadt Mainz zur Tonsetzer-Genossenschaft .	500	—	500	—	—	—	—	—
Summe . . .	2 330	—	2 280	44	—	—	49	56

	Betrag nach				Mithin gegen den Voranschlag			
	dem Voranschlag		der Rechnung		mehr		weniger	
	ℳ	₰	ℳ	₰	ℳ	₰	ℳ	₰
5. Symphonie-Konzerte.								
Einnahme.								
1. Abonnement	16 400	—	17 050	—	650	—	—	—
2. Kasseneinnahme	2 800	—	2 832	—	32	—	—	—
Summe	19 200	—	19 882	—	682	—	—	—
Ausgabe.								
1. Remunerierung der Solisten	5 000	—	4 700	—	—	—	300	—
2. Repräsentationskosten	300	—	300	—	—	—	—	—
3. Verstärkung des Orchesters	2 500		2 510	—	10	—	—	—
4. Herrichtung der Bühne und Bedienung der Beleuchtungseinrichtungen	500	—	500	—	—	—	—	—
5. Heizung und Beleuchtung	1 000	—	900	11	—	—	99	89
6. Remunerierung des Kassierers und der Billeteure	245	—	265	—	20	—	—	—
7. Hilfeleistung beim Sammeln der Abonnements ꝛc.	230	—	199	—	—	—	31	—
8. Druck der Abonnements- und Kassekarten, Programme ꝛc.	600	—	590	99	—	—	9	01
9. Stempel zu den Erlaubnisscheinen	20	—	20	—	—	—	—	—
Summe	10 395	—	9 985	10	—	—	409	90
Die Konzerte lieferten einen Überschuß von 9896 ℳ 90 ₰ gegen 9449 ℳ 50 ₰ im Vorjahre.								
6. Sommer-Konzerte.								
Einnahme.								
1. Abonnement	7 000	—	5 088	—	—	—	1 912	—
2. Kasseneinnahme	6 700	—	6 425	10	—	—	274	90
Summe	13 700	—	11 513	10	—	—	2 186	90
Ausgabe.								
1. Remunerierung der Kassierer und Billeteure	1 000	—	1 327	80	527	80	—	—
Es wurden im Berichtsjahre 159 Konzerte abgehalten statt wie in früheren Jahren durchschnittlich 100 Konzerte, wodurch die Mehrkosten entstanden sind.								
2. Hilfeleistung beim Sammeln der Abonnements	135	—	80	—	—	—	55	—
3. Für das Aus- und Einräumen der Instrumente und Noten, für sonstige Transportkosten, sowie für Herrichtung des Podiums in der Stadthalle	550	—	465	85	—	—	84	15
4. Miete der Stadthalle — für 61 Konzerte je 25 ℳ —	750	—	1 525	—	775	—	—	—
5. Beleuchtung bei Konzerten in der Stadthalle	2 500	—	4 333	82	1 833	82	—	—
Der Mehrverbrauch ist durch die Vermehrung der Konzerte bedingt.								
zu übertragen	4 935	—	7 932	47	3 136	62	139	15

	Betrag nach				Mithin gegen den Voranschlag			
	dem Voranschlag		der Rechnung		mehr		weniger	
Ferner: 6. Sommer-Konzerte.	ℳ	₰	ℳ	₰	ℳ	₰	ℳ	₰
Übertrag . . .	4 935	—	7 932	47	3 136	62	139	15
6. Für Reinigung der Stadthalle	250	—	455	82	205	82	—	—
Es fanden 61 Konzerte gegen 31 im Vorjahre in der Stadthalle statt, wodurch die Mehrkosten der Reinigung entstanden sind.								
7. Für den Druck der Einladungen, der Abonnements- und Kassekarten, Programme ꝛc.	1 550	—	2 679	01	1 129	01	—	—
(Siehe die Erläuterung zu pos. 1.)								
8. Stempel zu den Erlaubnisscheinen	225	—	368	—	143	—	—	—
(Siehe die Erläuterung zu pos. 1)								
9. Bedienung des Gasmotors für Ventilation der Stadthalle und elektrische Beleuchtung des Hallegartens . .	50	50	59	63	9	13	—	—
10. Für besondere Veranstaltungen bei den Konzerten, einschließlich Vergütung für den Leiter derselben . . .	1 500	—	2 414	87	914	87	—	—
11. Tilgungsanteil der für die Errichtung eines Musikzeltes im Stadthallegarten aufgewendeten Kosten	500	—	500	—	—	—	—	—
Summe . . .	9 010	50	14 409	80	5 399	30	—	—
Die Konzerte ergaben ein Defizit von 2 896 ℳ 70 ₰ gegen einen Überschuß von 4 156 ℳ 83 ₰ im Vorjahre.								
(Vergl. die Erläuterung zu Rubrik 9.)								
7. Orchesterpensionsfonds.								
Einnahme.								
1. Zinsen aus 1907 von den Einlagen bei der Sparkasse . . . . 127 ℳ 93 ₰								
2. Zinsen von Hypotheken . . . . 4940 „ 13 „								
3. Ertrag eines Sommer-Konzertes . . . 305 „ 81 „								
4. Ertrag eines Symphonie-Konzertes . . 97 „ 45 „								
5. Ertrag einer Theatervorstellung . . . 400 „ — „								
6. 15% von den Honoraren, welche die Kapelle für Mitwirkung bei Aufführungen erhalten hat, die von anderen Unternehmern oder Gesellschaften veranstaltet worden sind . . . . 970 „ 80 „								
7. Strafgelder von Orchestermitgliedern . — „ — „								
8. Verzugszinsen von Hypothekkapitalien . 10 „ 31 „	6 660	—	6 852	43	192	43	—	—
9. Zurückempfangene Kapitalien:								
a) von der Städtischen Sparkasse	—	—	6 285	71	6 285	71	—	—
b) Hypathek auf das Anwesen Stadthausstraße 27 . .	—	—	41 714	29	41 714	29	—	—
(Siehe Erläuterung zu pos. 5 der Ausgabe.)								
Summe . . .	6 660	—	54 852	43	48 192	43	—	—

Ferner: 7. Orchesterpensionsfonds.

Ausgabe.

	Betrag nach dem Voranschlag ℳ	₰	Betrag nach der Rechnung ℳ	₰	Mithin gegen den Voranschlag mehr ℳ	₰	weniger ℳ	₰
1. Ruhegehalte an Orchestermitglieder und Sterbequartale an deren Hinterbliebenen	7 391	50	10 459	39	3 067	89	—	—
Die Pension der Orchestermitglieder Truka, Schäfer und Hiob wurde infolge des bei der Pensionierung gefaßten Beschlusses der Schott-Braunrasch-Kommission auf Grund des § 4 des Nachtrags zu den Satzungen der Pensionsanstalt des städtischen Orchesters von 2. Juni 1907 rückwirkend vom 16. September 1906 ab auf jährlich 1840 ℳ erhöht. Hier erscheint der Unterschied zwischen den früheren und den nach den neuen Bestimmungen zustehenden Ruhegehalten und bei dem am 7. Oktober 1906 verstorbenen Orchestermitglied Hiob der Unterschied zwischen dem ausgezahlten und dem sich aus der neuen Pension berechnenden Sterbequartal in Ausgabe. Durch die Pensionierung der Orchestermitglieder Bergmann und Hohnstädter mit Wirkung vom 16. September 1907 ab mit einem jährlichen Ruhegehalt von 2025 ℳ und 1863 ℳ ist die weitere Mehrausgabe bedingt.								
2. Witwengelder	2 760	—	2 760	—	—	—	—	
3. Waisengeld für das minderjährige Kind des Orchestermitgliedes Klose	600	—	600	—	—	—	—	—
4. Bei der Städtischen Sparkasse wurden auf Einlagebuch Nr. 41 895 zu 3½% verzinslich angelegt	1 800	—	1 774	06	—	—	25	94
5. Anderweite Kapitalausleihungen	—	—	48 000	—	48 000	—	—	—
Das auf das Gebiet Stadthausstraße 27 aus Mitteln des Orchesterpensionsfonds gegebene hypothekarische Darlehen von 41 714 ℳ 29 ₰ wurde am 1. August 1907 zurückgezahlt und mit dem von der Städtischen Sparkasse Mainz zurückerhobenen Betrag von 6 285 ℳ 71 ₰ (s. pos. 9 a und b der Einnahme), zusammen 48 000 ℳ an den Besitzer des Anwesens Frauenlobstraße 90 als 4¼%iges hypothekarisches Darlehen gegen Verpfändung dieses Anwesens im I. Range wieder ausgeliehen.								
Der Kapitalbestand des Orchester-Pensionsfonds betrug am Schlusse des Rechnungsjahres 1907 = 120 730 ℳ 43 ₰.								
Summe	12 551	50	63 598	45	51 041	95	—	—

	Betrag nach				Mithin gegen den Voranschlag			
	dem Voranschlag		der Rechnung		mehr		weniger	
8. Kapitalvermögen.	ℳ	₰	ℳ	₰	ℳ	₰	ℳ	₰
Einnahme.								
Zinsen des Vermächtnisses Gernck für 1907	105	—	105	—	—	—	—	—
Ausgabe.	—	—	—	—	—	—	—	—
9. Zuschuß aus der Stadtkasse.								
Einnahme.								
Zur Deckung der Ausgaben war für das Rechnungsjahr 1907 ein Zuschuß aus der Stadtkasse erforderlich von	48 186	—	55 629	39	7 443	39	—	—

Der Mehrbetrag gegen den Voranschlag ist durch den schlechteren Besuch der Sommerkonzerte, wadarch die Einnahmen geringer wurden, und die größeren Ausgaben, die im Interesse der Hebang des Besuchs der Sommerkonzerte gemacht wurden, verursacht. Durch St.-V.-Beschluß vom 25. März 1908 wurde der Zuschuß aus der Stadtkasse um den erforderlichen Beteng zu Lasten des Reservefonds der Betriebsrechnung ergänzt.

Im Vorjahre betrug der Zuschuß 47 362 ℳ 99 ₰.

III. Übersicht des Aufwandes für größere Bau-Unternehmungen.

1. Rubrik 4: Städtisches Gaswerk — Altes Werk.

	Bis Ende 1906 ℳ	₰	1907 ℳ	₰	Im ganzen ℳ	₰
Verausgabt wurden:						
Kaufpreis des Hauses Petersplatz Nr. 7 als Geschäftshaus für das Städtische Gaswerk einschl. Provision und Notariatsgebühren	86 319	77	—	—	86 319	77
Umänderungen und bauliche Herstellungen desselben	16 094	62	—	—	16 094	62
Übernahme der Inventarbestände, Gasmesser ꝛc.	71 006	29	—	—	71 006	29
Entschädigung an Gebr. Puricelli einschl. Taxationsgebühren . .	201 400	—	—	—	201 400	—
Schienenverbindung mit der Bahn	22 986	54	—	—	22 986	54
Erbauung eines V Gasometers	97 095	45	—	—	97 095	45
Anschaffung von neuen Apparaten	8 833	92	—	—	8 833	92
Provisorische Straßenbeleuchtung der Neustadt	16 648	55	—	—	16 648	55
Restliche Erweiterung des Gaswerks	316 490	43	—	—	316 490	43
Erweiterung des Stadtrohrnetzes einschl. des Rohrnetzes auf der Ingelheimer Au und Aufstellen von Kandelabern . . .	351 973	19	13 559	51	365 532	70
Anschaffung von Gasmessern	525 015	71	35 853	72	560 869	43
Anschaffung einer Koks-Brech- und Sortiermaschine	11 079	16	—	—	11 079	16
Nruban der Retortenöfen	86 490	18	—	—	86 490	18
Teleskopierung des V. Gasbehälters	36 934	34	—	—	36 934	34
Wert des Geländes der Gasfabrik an der Weisenauerstraße . .	90 000	—	—	—	90 000	—
	1 938 368	15	49 413	23	1 987 781	38

	Bis Ende 1906 ℳ	₰	1907 ℳ	₰	Im ganzen ℳ	₰
Diesen Ausgaben stehen folgende Einnahmen aus dem Betrieb des Gaswerks gegenüber:						
Ersatz der den früheren Pächtern vergüteten Materialvorräte .	7 976	87	—	—	7 976	87
Rückzahlungen auf die aufgenommenen Kapitalien	1 324 491	43	54 752	76	1 379 244	19
	1 332 468	30	54 752	76	1 387 221	06

2. Rubrik 4: Erbauung eines neuen Gaswerks auf der Ingelheimer Au.

	Bis Ende 1906 ℳ	₰	1907 ℳ	₰	Im ganzen ℳ	₰
Verausgabt wurden:						
Kosten der Vorarbeiten	19 196	35	—	—	19 196	35
Gelände-Erwerbungskosten des neuen Werkes	398 796	—	—	—	398 796	—
Baukosten des neuen Weekes	2 132 764	34	—	—	2 132 764	34
Errichtung einer Koksgasanlage	131 614	73	187 596	97	319 211	70
Beschaffung eines zweiten Kohlenbrechers und eines Brecherwerkes	—	—	24 358	72	24 358	72
	2 682 371	42	211 955	69	2 894 327	11

	Bis Ende 1906 ℳ	₰	1907 ℳ	₰	Im ganzen ℳ	₰
Folgende Einnahmen stehen diesen Ausgaben gegenüber:						
Rückzahlungen auf die aufgenommenen Kapitalien	733 656	69	78 670	41	812 327	10
Vertragsstrafen	6	—	—	—	6	—
	733 662	69	78 670	41	812 333	10

3. Rubrik 5: Wasserwerk.

	Bis Ende 1906 ℳ	₰	1907 ℳ	₰	Im ganzen ℳ	₰
Verausgabt wurden:						
Kosten der Vorarbeiten	103 993	51	4 500	—	108 493	51
Ausbau des Rohrnetzes einschl. des Rohrnetzes auf der Ingelheimer Au	930 142	79	67 406	29	997 549	08
Verlegung von Rohrstrecken auf Rechnung von Privaten	7 203	90	—	—	7 203	90
Kosten der Hausanschlüsse	221 652	82	—	—	221 652	82
Anschaffung von Wassermessern	201 002	23	11 765	—	212 767	23
Erweiterung des Rautert'schen Wasserwerks	166 865	65	—	—	166 865	65
Ankauf des Rautert'schen Wasserwerks, einschl. der Expertengebühren, der Notariatskosten 2c.	637 668	62	—	—	637 668	62
Legung eines provisorischen Rohrnetzes im Gartenfeld	20 040	82	—	—	20 040	82
Vergrößerung der Leistungsfähigkeit des Wasserwerks durch die Weisenauer Anlage	263 255	60	—	—	263 255	60
Pumpversuche in der linken Mainebene bei Rüsselsheim	31 580	80	—	—	31 580	80
Tiefbohrungen im Neutorgraben und in der Anlage	15 824	89	—	—	15 824	89
Hydrologische Untersuchung der Rheinebene bei Laubenheim	19 451	39	—	—	19 451	39
Pumpversuche in der Rheinniederung bei Laubenheim	62 028	36	3 400	75	65 429	11
Pumpversuche im Mönchwald	—	—	3 263	89	3 263	89
Erbauung eines Hochbehälters am Hechtsheimerberg und Verlegung einer Fallrohrleitung von da nach der Stadt	291 050	90	—	—	291 050	90
Einbau einer Zubringerpumpe in dem Werk an der Walpodenstraße	30 928	10	—	—	30 928	10
	3 002 690	38	90 335	93	3 093 026	31

	Bis Ende 1906 ℳ	₰	1907 ℳ	₰	Im ganzen ℳ	₰
Vorstehenden Ausgaben stehen folgende Einnahmen gegenüber:						
Beitrag der Hauseigentümer in der Quintinsgasse zu den Kosten der Verlegung des Rohrstranges daselbst	1 350	—	—	—	1 350	—
Kostenersatz der auf Rechnung von Privaten verlegten Rohrstrecken	7 203	90	—	—	7 203	90
Kostenersatz der auf Rechnung von Privaten ausgeführten Hausanschlüsse	236 630	49	—	—	236 630	49
Aus der Betriebsrechnung Ersatz der Kosten für Legung eines provisorischen Rohrnetzes	20 040	82	—	—	20 040	82
Für verkaufte Wassermesser	124	86	—	—	124	86
Verschiedene Einnahmen	756	50	—	—	756	50
Beitrag des Militärfiskus zu den Kosten der Rohrlegung in den Glaciswegen vom Gautor nach den Forts Elisabeth und Joseph	8 396	37	—	—	8 396	37
Aus dem Betrieb des Wasserwerks:						
Rückzahlungen auf die aufgenommenen Kapitalien	1 310 649	43	66 497	84	1 377 147	27
	1 585 152	37	66 497	84	1 651 650	21

4. Rubrik 6: Erbauung eines Elektrizitätswerks auf der Ingelheimer Au sowie einer Umformerstation in der Rheinallee.

	Bis Ende 1906 ℳ	₰	1907 ℳ	₰	Im ganzen ℳ	₰
Verausgabt wurden:						
Grund und Boden	93 084	—	—	—	93 084	—
Baukosten des Werks	2 208 099	92	53 840	36	2 261 940	28
Sachverständigengebühren	21 000	—	—	—	21 000	—
Erweiterung des Kabelnetzes	319 042	80	96 248	10	415 290	90
Beschaffung von Strommessern	159 532	40	16 939	29	176 471	69
Kabelanschlüsse (Anteile der Stadt vom Jahre 1900/01 ab)	45 264	60	4 216	87	49 481	47
Aufstellung eines vierten Maschinenaggregats	267 246	96	—	—	267 246	96
Einbau von Überhitzern für die Dampfkessel	9 000	—	—	—	9 000	—
Beschaffung von Einrichtungen und Apparaten für die Erweiterung des Werks	15 525	08	—	—	15 525	08
Verlegung der Werkstätten-, der Eich- und Aufbewahrungsräume in die Nebenräume der Umformerstation	4 007	30	—	—	4 007	30
Wert des Geländes der Umformerstation	36 551	70	—	—	36 551	70
Baukosten für die Umformerstation	66 458	78	—	—	66 458	78
Für Fernleitung zur Umformerstation	29 524	50	—	—	29 524	50
Für elektrische Einrichtung der Umformerstation	79 582	92	35 467	46	115 050	38
Für Bauleitung, Unvorhergesehenes und dergl. für die Umformerstation	7 773	65	—	—	7 773	65
Erweiterung des Werks	446 983	70	14 021	60	461 005	30
	3 808 678	31	220 733	68	4 029 411	99
Diesen Ausgaben stehen folgende Einnahmen gegenüber:						
Ersatz für drei an die Bahn abgegebene Transformatorhäuschen	1 811	98	—	—	1 811	98
Vertragsstrafen	1 110	34	—	—	1 110	34
Ersatz für eine s. Z. beschaffte, jedoch anderweit verwendete Weiche	5 093	—	—	—	5 093	—
Kostenersatz der auf Rechnung von Privaten ausgeführten Hausanschlüsse	76 260	78	—	—	76 260	78
Rückzahlungen auf die aufgenommenen Kapitalien	935 643	93	192 041	63	1 127 685	56
	1 019 920	03	192 041	63	1 211 961	66

5. Rubrik 7: Erbauung eines Schulhauses für die Oberrealschule.

	Bis Ende 1906 ℳ	₰	1907 ℳ	₰	Im ganzen ℳ	₰
Verausgabt wurden:						
Für Baukosten	573 569	04	2 232	83	575 801	87
Für Grund und Boden	310 480	80	—	—	310 480	80
Für Aufstellung des Portals vom ehemaligen Gautor im Hofe	1 500	72	—	—	1 500	72
Für Mobiliar- und Lehrmittelbeschaffung	88 544	02	8 172	91	96 716	93
	974 094	58	10 405	74	984 500	32
Diesen Ausgaben stehen folgende Einnahmen gegenüber:						
Vertragsstrafen	690	85	—	—	690	85

	Bis Ende 1906		1907		Im ganzen	
	ℳ	₰	ℳ	₰	ℳ	₰

6. Rubrik 7: Erbauung eines Schulhauses für die Höhere Mädchenschule.

Verausgabt wurden:	Bis Ende 1906 ℳ	₰	1907 ℳ	₰	Im ganzen ℳ	₰
Für Baukosten	64 083	02	602 755	56	666 838	58
„ Grund und Boden	328 896	—	—	—	328 896	—
„ Mobiliar- und Lehrmittelbeschaffung	—	—	69 637	94	69 637	94
	392 979	02	672 393	50	1 065 372	52

7. Rubrik 7: Erbauung eines Schulhauses in der Colmarstraße.

	Bis Ende 1906 ℳ	₰	1907 ℳ	₰	Im ganzen ℳ	₰
Verausgabt wurden: Für Baukosten	7 789	84	119 717	24	127 507	08

8. Rubrik 10: Straßenbahn.

Verausgabt wurden:	Bis Ende 1906 ℳ	₰	1907 ℳ	₰	Im ganzen ℳ	₰
Für Vorarbeiten zur Erwerbung des Pferdebahnunternehmens und Umwandlung desselben in elektrischen Betrieb sowie für Vorarbeiten zum Bau neuer Straßenbahnlinien	71 113	91	3 675	71	74 789	62
„ Erwerbung des Pferdebahnunternehmens	1 416 989	46	—	—	1 416 989	46
„ das Gelände der Wagenhalle, des Verwaltungsgebäudes ꝛc.	242 016	—	—	—	242 016	—
„ Baukosten der Wagenhalle	230 669	18	36 820	50	267 489	68
„ Baukosten des Verwaltungsgebäudes	75 483	64	458	34	75 941	98
„ Einfriedigung, Kanalisation, Wasserleitung und Beleuchtung	31 853	91	—	—	31 853	91
„ Pflasterung der Zufahrtsgleise zur Schiebebühne ꝛc.	4 497	94	—	—	4 497	94
„ Oberbau einschließlich Gleisverlegung	773 312	29	2 059	23	775 371	52
„ Errichtung von Nebengebäuden im Betriebsbahnhof	13 299	05	—	—	13 299	05
„ elektrische Streckenausrüstung (einschl. Rheinbrücke), Telephonschutznetze, Reserveteile für Oberleitung, Werkzeuge zur Streckenunterhaltung	351 609	37	73	05	351 682	42
„ Ausrüstung der Reparaturwerkstätte	27 728	40	—	—	27 728	40
„ den Wagenpark	437 732	88	24 742	—	462 474	88
„ Uniformierung	10 517	52	—	—	10 517	52
„ Bauleitung, Unvorgesehenes ꝛc. bei der Bahnanlage	76 688	63	—	—	76 688	63
„ Anschaffung von Kletterweichen	1 530	30	—	—	1 530	30
„ Rückerstattung von Pensionskassebeiträgen	5 357	48	—	—	5 357	48
„ Errichtung eines provisorischen Wagenschuppens auf dem Bismarckplatze	2 995	41	—	—	2 995	41
„ Erbauung einer elektr. Straßenbahn nach der Ingelheimer Au	79 255	65	11 751	—	91 006	65
„ Versetzen von 2 Oktroihäuschen vom Bahnhofsplatz nach dem Bismarckplatz und der Ingelheimer Au, sowie Anbringung eines Schutzdachs unter der Eisenbahnbrücke an der Anlage	1 944	68	53	32	1 998	—
„ Erbauung einer elektr. Straßenbahn Kastel—Kostheim	130 731	91	125 500	39	256 232	30
„ „ „ „ „ Mombach—Gonsenheim	15 044	74	244 385	68	259 430	42
„ Erweiterungsbauten an bestehenden Strecken	22 999	82	88 059	96	111 059	78
	4 023 372	17	537 579	18	4 560 951	35

	Bis Ende 1906 ℳ	₰	1907 ℳ	₰	Im ganzen ℳ	₰
Diesen Ausgaben stehen folgende Einnahmen gegenüber:						
Erlös aus verkauften Pferden ꝛc.	96 502	74	20	08	96 522	82
Wert des früheren Pferdebahn-Depots	277 000	—	—	—	277 000	—
Kostenersatz der auf Rechnung von Privaten ausgeführten Arbeiten	9 724	01	3 795	15	13 519	16
Abschreibung auf die Entschädigungssumme	107 749	41	29 468	74	137 218	15
Tilgung der Baukapitalien	42 973	35	28 076	73	71 050	08
Anteil an dem Vermögen der Pensionskasse für Beamte Deutscher Privateisenbahnen	8 602	86	—	—	8 602	86
Ersatz der Kosten für Anbringung von Telephonschutznetzen	11 989	96	503	40	12 493	36
Sonstige Einnahmen	378	69	689	82	1 068	51
Kostenersatz für den Bau der elektrischen Straßenbahn nach der Ingelheimer Au (siehe Rubrik 28 in Ausgabe)	—	—	30 000	—	30 000	—
	554 921	02	92 553	92	647 474	94

9. Rubrik 14: Errichtung eines Kanal-Pumpwerks.

	Bis Ende 1906 ℳ	₰	1907 ℳ	₰	Im ganzen ℳ	₰
Verausgabt wurden: Für Unterbau	83 044	19	—	—	83 044	19
„ Kanäle	58 590	33	—	—	58 590	33
„ Maschinenhaus	38 665	99	—	—	38 665	99
„ maschinelle Einrichtungen	51 427	46	457	02	51 884	48
„ Unvorhergesehenes	2 783	38	140	46	2 923	84
	234 511	35	597	48	235 108	83
Diesen Ausgaben stehen folgende Einnahmen gegenüber:						
Vertragsstrafen und sonstige Einnahmen	51	90	—	—	51	90

10. Rubrik 14: Stadthalle.

	Bis Ende 1906 ℳ	₰	1907 ℳ	₰	Im ganzen ℳ	₰
Kosten des Hauptbaues und dessen innere Einrichtung	718 670	30	—	—	718 670	30
Überbauung der Terrasse	—	—	27 618	25	27 618	25
	718 670	30	27 618	25	746 288	55

11. Rubrik 19: Erbauung von Straßen und Kanälen in der Neustadt.

	Bis Ende 1906 ℳ	₰	1907 ℳ	₰	Im ganzen ℳ	₰
Verausgabt wurden:						
Für Bauleitung, Aufsicht	33 785	50	—	—	33 785	50
Für Erbauung von Straßen	1 844 142	57	100 978	08	1 945 120	65
Für Erbauung von Kanälen einschl. eines Teils des Wildgrabenkanals	743 690	72	68 455	96	812 146	68
Für Erwerbung von Straßengelände	432 982	—	212 061	23	645 043	23
Für bauliche Herstellungen am israelitischen Friedhof an der Mombacherstraße	4 257	16	—	—	4 257	16
Zur Durchführung eines eingeleiteten Enteignungsverfahrens	4 500	—	—	—	4 500	—
Rückvergütung zu viel bezahlter Straßenbaukosten	48	82	—	—	48	82
Zuschüsse der Stadt für die planmäßige Durchführung verschiedener Straßenstrecken	34 813	73	—	—	34 813	73
Für Pflasterung von Straßen	219 514	18	82 971	18	302 485	36
	3 317 734	68	464 466	45	3 782 201	13

	Bis Ende 1906 ℳ	₰	1907 ℳ	₰	Im ganzen ℳ	₰
Diesen Ausgaben stehen folgende Einnahmen gegenüber:						
Von dem Reichsmilitärfiskus die vereinbarte Pauschalsumme für die demselben abgelegenen Leistungen zu den Straßen- und Kanalbaukosten in der Mombacherstraße längs der neuen Golden-Roßkaserne	41 724	—	—	—	41 724	—
Von demselben desgleichen längs der Kavalleriekaserne vor dem Mombachertor	69 240	—	—	—	69 240	—
Von der Süddeutschen Immobilien-Gesellschaft die vereinbarte Pauschsumme für die von der Stadt betätigte der genannten Gesellschaft abgelegene Fortbewegung von Grund aus der Straße 45	3 000	—	—	—	3 000	—
Revisionsersatzposten	22	—	—	—	22	—
Rückersatz des geleisteten Depositums zur Durchführung eines Enteignungsverfahrens	4 500	—	—	—	4 500	—
Ersatz von Straßen- und Kanalbaukosten	1 053 011	04	75 031	72	1 128 042	76
Ersatz von Geländeerwerbungskosten	112 705	03	48 111	20	160 816	23
Ersatz von Durchbruchskosten	8 118	51	7 010	—	15 128	51
Vertragsstrafen	354	—	—	—	354	—
	1 292 674	58	130 152	92	1 422 827	50

12. Rubrik 20: Erbauung von Straßen und Kanälen im Gelände der Nordwestfront.

	ℳ	₰	ℳ	₰	ℳ	₰
Verausgabt wurden:						
Für Erbauung von Straßen	190 801	39	96 305	58	287 106	97
„ Erbauung von Kanälen	431 697	88	967	71	432 665	59
„ Verlängerung des Gonsbachauslasses nach dem Floßhafen	5 734	69	—	—	5 734	69
„ Baureifmachung der Baublöcke	124 588	79	11 551	88	136 140	67
„ Notariatskosten	1 765	—	—	—	1 765	—
	754 587	75	108 825	17	863 412	92
Diesen Ausgaben stehen folgende Einnahmen gegenüber:						
Ersatz der Kosten für Ausbau einer Kreisstraße nach dem Floßhafen im Zuge der Zwerchallee	19 997	24	—	—	19 997	24
Ersatz der Kosten für Verlegung der Mombacherstraße zwecks Herstellung einer schienenfreien Kreuzung der Alzeyer Linie mit der Mombacher-Landstraße	11 245	50	—	—	11 245	50
Ersatz der Kosten für Befestigung der Fahr- und Gehwege der vier Straßenunterführungen im Bereiche der Umgehungsbahn	9 485	42	—	—	9 485	42
Beiträge der Kreiskasse für Herstellung des Kanalstranges in der Zwerchallee und Mombacherstraße	—	—	9 250	—	9 250	—
Erlös für Abbruchmaterialien rc.	12 418	62	—	—	12 418	62
Wert des den einzelnen Fonds überwiesenen Geländes rc.	989 669	50	—	—	989 669	50
Vertragsstrafen	150	—	—	—	150	—
	1 042 966	28	9 250	—	1 052 216	28

13. Rubrik 21: Auflassung der Festungsumwallung.

	Bis Ende 1906 ℳ	₰	1907 ℳ	₰	Im ganzen ℳ	₰
Verausgabt wurden:						
Für Vorarbeiten einschl. der Kosten für Bureaubedürfnisse	40 592	15	14 192	85	54 785	—
Für Honorar für Mitwirkung bei Aufstellung des Entwurfs eines Bebauungsplanes	1 950	—	—	—	1 950	—
Für Baureifmachung des Geländes von Fort Karl und Karthaus:						
a) für Einebnungsarbeiten	2 790	07	20 301	62	23 091	69
b) Straßenbaukosten	—	—	5 747	99	5 747	99
c) Kanalbaukosten	479	15	122 227	11	122 706	26
	45 811	37	162 469	57	208 280	94
Diesen Ausgaben stehen folgende Einnahmen gegenüber:						
Ersatzleistungen der Reichshauptkasse	—	—	21 500	—	21 500	—

14. Rubrik 23: Stromkorrektion.

	Bis Ende 1906 ℳ	₰	1907 ℳ	₰	Im ganzen ℳ	₰
Verausgabt wurden:						
Für Vorarbeiten zur Stromkorrektion	2 703	46	—	—	2 703	46
Regulierung des südwestlichen Ufers der Petersau	215 190	44	—	—	215 190	44
Verbreiterung des linken Rheinufers vom Raimunditor abwärts	457 206	18	—	—	457 206	18
Wiedereröffnung des Wachsbleicharmes	147 948	02	—	—	147 948	02
Regulierung des rechtsseitigen Ufers der Ingelheimer Au	176 771	55	—	—	176 771	55
Festungsabschluß am neuen Rheintor	518 575	35	—	—	518 575	35
Anlage des Floßhafens	169 048	50	—	—	169 048	50
Kosten des der Stadt zufallenden fiskalischen Geländes	12 910	04	—	—	12 910	04
Entschädigung an die Besitzer der Schiffmühlen	25 000	—	—	—	25 000	—
Ankauf eines Dampfbaggers	43 240	28	—	—	43 240	28
Straßenanlagen	515 966	37	1 685	04	517 651	41
Bauleitung, Aufsicht ꝛc. ꝛc.	37 286	27	—	—	37 286	27
Regulierung der Maarau	4 460	45	—	—	4 460	45
Ankauf und Austausch von Gelände	340 827	49	—	—	340 827	49
Provisionen für Geländeverkäufe	9 177	85	—	—	9 177	85
Rückerstattung einer Anzahlung auf einen Kaufpreis	1 650	—	—	—	1 650	—
	2 677 962	25	1 685	04	2 679 647	29
Diesen Ausgaben stehen folgende Einnahmen gegenüber:						
Der von den Hess. Landständen nachträglich bewilligte Staatsbeitrag	762 000	—	—	—	762 000	—
Beiträge der Hessischen Ludwigsbahn	351 000	—	—	—	351 000	—
Beiträge der Königlich Preußischen Fortifikation	172 928	57	—	—	172 928	57
Revisionsersatzposten	118	—	—	—	118	—
Erlös aus Holz bezw. Ersatz von Abholzungskosten	661	85	—	—	661	85
Rückersatz von Kosten für Bauleitung ꝛc.	1 696	—	—	—	1 696	—
Erlös aus verkauftem und städtischen Fonds überwiesenem Gelände	2 451 813	41	4 212	—	2 456 025	41
Erlös für den verkauften Dampfbagger „Giesendamm"	24 266	65	—	—	24 266	65
	3 764 484	48	4 212	—	3 768 696	48

	Bis Ende 1906		1907		Im ganzen	
	ℳ	₰	ℳ	₰	ℳ	₰
15. Rubrik 25: Hafenbau.						
Verausgabt wurden:						
Planausarbeitung, Bauleitung und Aufsicht	32 737	37	—	—	32 737	37
Anschüttungs- und Planierungsarbeiten	346 518	71	—	—	346 518	71
Kaibauten	1 047 451	65	—	—	1 047 451	65
Drehbrücke und Hafeneinfahrt	245 287	40	—	—	245 287	40
Erbauung der Gebäude im Hafen:						
1. Verwaltungsgebäude	104 853	31	—	—	104 853	31
2. Lagerhaus	673 731	96	—	—	673 731	96
3. Revisionshalle I und Ölkeller	120 500	30	—	—	120 500	30
4. Maschinen- und Kesselhaus, sowie Lokomotivschuppen	95 833	72	—	—	95 833	72
5. Erdölhalle	14 080	67	—	—	14 080	67
6. Güterhallen	217 968	13	—	—	217 968	13
7. Getreidespeicher	344 886	95	—	—	344 886	95
8. Wohn- und Dienstgebäude	101 632	26	—	—	101 632	26
9. Spritlager	32 766	98	—	—	32 766	98
10. Errichtung einer Werkstätte	2 946	90	—	—	2 946	90
Gleisanlagen	364 184	18	—	—	364 184	18
Pflasterung und Kanalisierung des Zollhafengebietes	135 499	50	—	—	135 499	50
Maschinelle Betriebseinrichtungen	425 189	32	464	55	425 653	87
Schächte und Rohrgräben	10 056	40	—	—	10 056	40
Dezimalwagen	1 460	—	—	—	1 460	—
Herrichtung von Kohlenlagerplätzen und anderen Lagerplätzen	252 886	60	—	—	252 886	60
Einfriedigung des Hafens	17 809	96	—	—	17 809	96
Elektrische Beleuchtungsanlage	38 273	11	-	—	38 273	11
	4 626 555	38	464	55	4 627 019	93
16. Rubrik 28: Ingelheimer Au.						
Verausgabt wurden:						
Bahnverbindung zwischen Zollhafen und dem neuen Gaswerksgrundstück	95 627	98	—	—	95 627	98
Bahnverbindung zwischen dem Gaswerksgrundstück und dem Werkplatz der Firma Düllen, Kaufhold & Cie.	53 521	90	—	—	53 521	90
Erweiterung der Bahnanlagen einschl. der Kosten für Erwerbung der Wallgrabenbrücke neben dem Rheintor	119 919	19	72 755	24	192 674	43
Anschüttungen und Befestigung der Uferböschungen	*)967 933	04	225 076	89	1 193 009	93
Straßen- und Kanalanlagen	78 079	82	41 528	02	119 607	84
Anteil an den Kosten für den Bau der elektrischen Straßenbahn nach der Ingelheimer Au (siehe Rubrik 10 in Einnahme)	—	—	30 000	—	30 000	—
Vermittlungsgebühren	4 997	31	—	—	4 997	31
Herstellung der Normaltiefe im Wachsbleich- u. Mombacher Stromarm	33 076	84	—	—	33 076	84
Erwerbung von Gelände	16 332	—	—	—	16 332	—
	1 369 488	08	369 360	15	1 738 848	23
Diesen Ausgaben stehen folgende Einnahmen gegenüber:						
Erlös aus verkauftem Gelände	1 078 208	76	240 892	02	1 319 100	78
Vertragsstrafen	36	—	—	—	36	—
Für Einbau &c. von Privatanschlüssen an das Hafenbahngleis &c.	19 116	09	15 332	64	34 448	73
	1 097 360	85	256 224	66	1 353 585	51

*) Anmerkung: Die in den Jahren 1898/99 und 1899/1900 verausgabten Kosten im Betrage von 85 248 ℳ 97 ₰ waren bisher in dieser Übersicht nicht aufgenommen.

Soll.

IV. Bilanz des Stadterweiterungsfonds

	Ausgaben					
	von 1873 bis 1906		für 1907		im ganzen	
	ℳ	₰	ℳ	₰	ℳ	₰
I. Ankauf von Grundstücken:						
a) an die Festungskasse für das Gelände der Gartenfronte	6 857 142	87	—	—	6 857 142	87
b) für sonstige Grundstücke	856 149	76	—	—	856 149	76
c) für Aufgabe der Belastung über die Unverkäuflichkeit des Böschungsgeländes an der Wallstraße	37 000	—	—	—	37 000	—
II. Erbauung von Straßen und Kanälen	3 746 150	11	8 801	83	3 754 951	94
III. Anlage öffentlicher Plätze	2 369	76	—	—	2 369	76
IIIa. Ersatzposten	31	80	—	—	31	80
IV. Ausgeliehene Kapitalien	4 948 285	02	—	—	4 948 285	02
V. An die Mainzer Sparkasse Rückzahlung des f. Z. zedierten Ehrhardt'schen Kaufpreises	42 530	—	—	—	42 530	—
VI. Zinsen der Anleihen	5 892 398	50	32 608	15	5 925 006	65
VII. Zinsen von Kaufschillingen	1 181	26	—	—	1 181	26
VIII. Kursverlust und Provision von dem Anlehen bei dem Reichs-Invalidenfonds	19 345	97	—	—	19 345	97
IX. Provision und Kosten bei dem Verkaufe von Wertpapieren	4 639	10	—	—	4 639	10
X. Unterhaltung der Gebäude	33 775	37	—	—	33 775	37
XI. Unterhaltung der Grundstücke	11 404	12	—	—	11 404	12
XII. Steuern und öffentliche Lasten	90 899	95	18	53	90 918	48
XIII. Bauleitung, Aufsicht, Inventar ꝛc.	138 469	80	93	69	138 563	49
XIV. Nachlässe, Herauszahlungen	5 057	57	—	—	5 057	57
XV. Überschuß an das Kapitalkonto	577 628	99	58 375	81	636 004	80
XVI. Rückerstattung der aus der Stadtkasse zur teilweisen Deckung des Defizits des Betriebskontos f. Z. geleisteten Zuschüsse	1 792 267	24	—	—	1 792 267	24
XVII. Überweisungen an den Schloßfreiheitsfonds	377 515	96	57 756	95	435 272	91
XVIII. Rechnungsrest bezw. Ausstände	—	—	929	63	929	63
					25 592 827	74

Activa.	Betrag			
	im einzelnen		im ganzen	
	ℳ	₰	ℳ	₰
I. Kapitalwert nebst zugeschlagenen Zinsen der außerordentlichen Kommunalsteuer von dem Grundbesitze in der Neustadt nach dem Stande am 1. Oktober 1907	—	—	518 336	66
II. Darlehen an die Stadt Mainz zu 3½ %:				
Stand am Schlusse des Rechnungsjahres 1906	1 328 536	23		
Im Rechnungsjahre 1907 wurden zurückerhoben	45 732	42	1 282 803	81
III. Guthaben bei dem Schloßfreiheitsfonds:				
Stand am Schlusse des Rechnungsjahres 1906	377 515	96		
Im Rechnungsjahre 1907 wurden neu überwiesen	57 756	95	435 272	91
IV. Restkaufpreise für verkauftes Gelände	—	—	85 697	26
V. Baugelände:				
394 qm verkäufliche Bauplätze auf der Gartenfronte	23 032	—		
2657 qm Böschungsgelände an der Wallstraße	26 570	—	49 602	—
			2 371 712	64

am Schlusse des Rechnungsjahres 1907.

Haben.

	Einnahmen					
	von 1878 bis 1906		für 1907		im ganzen	
	M	₰	M	₰	M	₰
I. Zurückempfangene Kapitalien	3 619 748	79	45 732	42	3 665 481	21
II. Erlös aus verkauftem Gelände	14 209 359	46	20 459	86	14 229 819	32
III. Ersatz von Straßen- und Kanalbaukosten	319 779	62	12 239	68	332 019	30
IV. Überschuß aus dem Betriebskonto	577 628	99	58 375	81	636 004	80
V. Kursgewinn bei dem Verkaufe von Wertpapieren	12 765	76	—	—	12 765	76
VI. Kursgewinn von dem Anlehen lit. J.	13 860	—	—	—	13 860	—
VII. Außerordentliche Kommunalsteuer vom Grundbesitze in der Neustadt	1 327 947	70	39 997	08	1 367 944	78
VIII. Zuschuß aus der Stadtkasse zur teilweisen Deckung des Defizits des Betriebskontos	1 792 267	24	—	—	1 792 267	24
IX. Zinsen von angelegten Kapitalien	1 182 752	67	46 498	77	1 229 251	44
X. „ „ Kaufschillingen	959 618	50	3 534	47	963 152	97
XI. „ „ Straßen- und Kanalbaukosten	2 641	65	—	—	2 641	65
XII. Miete von Gebäuden	97 375	58	—	—	97 375	58
XIII. Miete von Grundstücken	139 576	17	68	—	139 644	17
XIV. Nebennutzungen von Grundstücken	51 240	72	—	—	51 240	72
XV. Zufällige Einnahmen	40 944	83	1 298	42	42 243	25
XVI. Ersatzposten	426	06	—	—	426	06
Saldo	—	—	—	—	1 016 689	49
					25 592 827	74

Passiva.	Betrag			
	im einzelnen		im ganzen	
	M	₰	M	₰
I. Anlehen bei Großh. Staatsschuldentilgungskasse zu 3% 2 571 428,87 M Abtragung bis Ende 1907 1 554 739,08 „	—	—	1 016 689	49
II. Für Straßen- und Kanalbauten, welche von Ende 1907 ab auf Stadterweiterungsgelände noch auszuführen sind	—	—	119 000	—
Saldo	—	—	1 236 023	15
			2 371 712	64

Soll.

V. Bilanz des Schloßfreiheitsfonds

	Ausgaben					
	bis Ende **1906**		für **1907**		im ganzen	
	ℳ	₰	ℳ	₰	ℳ	₰
I. Für das Grundstück der Militärbäckerei im Bauquadrat 105:						
a) Geländeerwerb einschl. Gartenfeldsteuer	247 595	67	—	—	247 595	67
b) Straßen- und Kanalbaukosten	—	—	—	—	—	—
II. Für die Kaserne am Barbarossa-Ring (Alicekaserne):						
a) Geländeerwerb einschl. Gartenfeldsteuer	1 245 718	51	—	—	1 245 718	51
b) Straßen- und Kanalbaukosten	26 870	78	—	—	26 870	78
c) Beitrag zum Kasernenbau	1 942 000	—	—	—	1 942 000	—
III. Erwerbung von sonstigem Gelände	1 748 520	—	—	—	1 748 520	—
IV. Herstellung verkäuflicher Bauplätze:						
a) im Gebiete des Reichklaraklosters	6 002	69	—	—	6 002	69
b) „ „ der Flachsmarktkaserne	3 884	80	—	—	3 884	80
c) „ „ zwischen Kaiserstraße und Schloßplatz	295 362	17	20 401	08	315 763	25
V. Notariats- und Vermittlungsgebühren	23 743	48	—	—	23 743	48
VI. Kosten des Bebauungsplanes	11 451	71	—	—	11 451	71
VII. Kapitalabtragungen	1 938 763	53	152 966	97	2 091 730	50
VIII. Zinsen von aufgenommenen Kapitalien	753 653	62	57 589	57	811 243	19
IX. Steuern, Umlagen und sonstige öffentliche Lasten	1 792	12	483	42	2 275	54
X. Unterhaltung der Gebäude	1 563	16	2 402	97	3 966	13
XI. Rückerstattung von Zuschüssen	4 251	88	5 411	68	9 663	56
XII. Sonstige Ausgaben	—	—	8	50	8	50
XIII. Rechnungsrest bezw. Ausstände	—	—	—	—	—	—
					8 490 438	31

Activa.	Betrag			
	im einzelnen		im ganzen	
	ℳ	₰	ℳ	₰
I. Restkaufpreise	—	—	123 250	09
II. Baugelände:				
1. im Gebiete der Schloßfreiheit:				
a) für städtische Zwecke	792 450	—		
b) für verkäufliches Baugelände	1 029 004	—		
2. im Gebiete der Flachsmarktkaserne:				
a) Baugelände	—	—		
b) Straßengelände	—	—		
3. im Gebiete des Reichklaraklosters:				
a) Baugelände	100 192	—		
b) Straßengelände	89 144	—		
4. Welschnonnenkaserne	66 500	—		
5. Lappenhaus	50 000	—		
6. Schlachthausgrundstück (Rest)	42 432	—	2 169 722	—
III. Saldo	—	—	137 298	63
			2 430 270	72

am Schlusse des Rechnungsjahres 1907.

Haben.

	Einnahmen bis Ende 1906 ℳ	₰	für 1907 ℳ	₰	im ganzen ℳ	₰
I. Erlös aus verkauften Grundstücken:						
a) aus den neugebildeten Bauquadraten zwischen Kaiserstraße und Schloßplatz	2 759 891	23	127 137	57	2 887 028	80
b) aus dem Gelände des Reichklaraklosters	612 132	32	—	—	612 132	32
c) „ „ „ der Flachsmarktkaserne	426 216	—	33 360	—	459 576	—
d) „ „ „ der Welschnonnenkaserne	—	—	—	—	—	—
e) „ „ „ des Lappenhauses	—	—	—	—	—	—
f) „ „ „ des Schlachthausgrundstücks	19 726	35	1 530	28	21 256	63
II. Erlös von Baumaterialien	54 407	58	11 340	20	65 747	78
III. Kapitalaufnahme bei der Stadt (Vermögensrechnung)	3 617 539	86	—	—	3 617 539	86
IV. Zinsen von Restkaufpreisen	114 075	80	5 956	52	120 032	32
V. Zuschüsse zur teilweisen Deckung des Fehlbetrages des Betriebskontos:						
a) vom Stadterweiterungsfonds	377 515	96	57 756	95	435 272	91
b) von der Stadt (Betriebsrechnung)	261 602	01	—	—	261 602	01
VI. Miete von Grundstücken	1 401	95	91	—	1 492	95
VII. „ „ Gebäuden	6 665	06	2 091	67	8 756	73
					8 490 438	81

Passiva.

	Betrag im einzelnen ℳ	₰	im ganzen ℳ	₰
I. Schuldigkeit an die Stadtkasse:				
1. Darlehen bei der Vermögensrechnung	1 525 809	36		
2. Zuschüsse zur Deckung des Fehlbetrags des Betriebskontos 261 602 ℳ 01 ₰ — 9 663 ℳ 56 ₰	251 938	45	1 777 747	81
II. Schuldigkeit bei dem Stadterweiterungsfonds (Zuschüsse zur Deckung des Fehlbetrags des Betriebskontos)	—	—	435 272	91
III. Für Straßen- und Kanalbauten im Gebiet der Schloßfreiheit			167 250	—
IV. Wert des Geländes aus dem Schloßplatz, welches in das Unternehmen einbezogen wurde. (Ein Betrag wird vorerst nicht in Ansatz gebracht.)	—	—	—	—
V. Anteil des Schloßfreiheitsfonds an der dem hessischen Staat zu zahlenden Abfindungssumme für die Aufgabe des Rechts der Benutzung des Gymnasialgebäudes in der Gymnasiumstraße (Der Betrag wird fällig noch betätigtem Umbau des Justizgebäudes in der Klarastraße zu einem neuen Gymnasium.)	—	—	50 000	—
			2 430 270	72

Soll. VI. Bilanz des Grundstücksfonds

	Ausgaben.					
	bis Ende 1906		für 1907		im ganzen	
	ℳ	₰	ℳ	₰	ℳ	₰
I. Erwerbung von Grundbesitz	5 202 785	67	215 939	35	5 418 725	02
II. Kosten für Verbesserung oder Aufschließung von Grundstücken	46 655	54	—	—	46 655	54
III. Auszuleihende Kapitalien	—	—	—	—	—	—
IV. Kapitalabtragungen	—	—	—	—	—	—
V. Überweisungen an das Betriebs-Konto	75 891	81	83 623	45	159 515	26
VI. Vermittlungsgebühren bei Verkäufen	807	26	—	—	807	26
VII. Kapitalzinsen	104 568	82	105 286	57	209 855	39
VIII. Gemeindesteuern und sonstige öffentliche Lasten	3 832	25	4 216	01	8 048	26
IX. Unterhaltung der Gebäude	995	24	247	30	1 242	54
X. Sonstige Ausgaben	—	—	142	50	142	50
XI. Rechnungsrest, bestehend in bar und in Zahlungen für 1908	—	—	164 051	10	164 051	10
					6 009 042	87

Activa.	Betrag			
	im einzelnen		im ganzen	
	ℳ	₰	ℳ	₰
I. Grundstücke:				
a) in der Gemarkung Mainz	5 125 179	89		
b) " " " Mainz — Nordwestfront —	806 337	50		
c) " " " Bretzenheim	317 643	30		
d) " " " Budenheim	7 273	29		
e) " " " Mombach	357 736	59	6 614 170	57
II. Restkaufpreise	—	—	139 200	—
III. In bar und Zahlungen für 1908	—	—	164 051	10
			6 917 421	67

am Schlusse des Rechnungsjahres 1907.

Haben.

	Einnahmen					
	bis Ende 1906		für 1907		im ganzen	
	ℳ	₰	ℳ	₰	ℳ	₰
I. Veräußerung von Grundbesitz	198 670	—	361 782	25	560 452	25
II. Bildung und Stärkung des Fonds	5 228 441	10	—	—	5 228 441	10
III. Ersatzposten	860	83	—	—	860	83
IV. Ertrag des Grundbesitzes	15 350	71	16 505	80	31 856	51
V. Zinsen von Restkaufpreisen und sonstigen Kapitalausständen	18 153	79	9 763	13	27 916	92
VI. Überweisungen aus dem Kapital-Konto	75 891	81	83 623	45	159 515	26
					6 009 042	87

Passiva.	Betrag			
	im einzelnen		im ganzen	
	ℳ	₰	ℳ	₰
I. Schuldigkeit an die Stadtkasse	—	—	5 228 441	10
II. Kaufpreis für Flur XVIII Nr. 173 $^{8}/_{10}$	—	—	30 624	—
III. Noch zu leistender Naturalersatz an den Hospizienfonds für das überwiesene Grundstück Flur XXI Nr. 13	—	—	20 750	—
IV. Saldo	—	—	1 637 606	57
	—	—	6 917 421	67

VII. Schulden- und Vermögensstand der Stadt

Schulden.

A. Betriebs- und

		ℳ	₰	ℳ	₰
I. Schuldverschreibungen auf Inhaber.					
1. Anlehen lit. G im Betrage v. 1 500 000 ℳ, verzinslich zu 3½ %, Rest Ende 1906	1 173 000 ℳ				
abgetragen in 1907	23 000 „	1 150 000	—		
2. „ „ H im Betrage v. 2 500 000 ℳ, verzinslich zu 3½ %, Rest Ende 1906	2 203 900 ℳ				
abgetragen in 1907	24 400 „	2 179 500	—		
3. „ „ J im Betrage v. 3 000 000 ℳ, verzinslich zu 3½ %, Rest Ende 1906	2 750 800 ℳ				
abgetragen in 1907	25 300 „	2 725 500	—		
4. „ „ K im Betrage v. 3 000 000 ℳ, verzinslich zu 3½ %, Rest Ende 1906	2 576 000 ℳ				
abgetragen in 1907	29 900 „	2 546 100	—		
5. „ „ L im Betrage v. 3 000 000 ℳ, verzinslich zu 3½ %, Rest Ende 1906	2 632 600 ℳ				
abgetragen in 1907	27 900 „	2 604 700	—		
6. „ „ M im Betrage v. 5 000 000 ℳ, verzinslich zu 3½ %, Rest Ende 1906	4 584 500 ℳ				
abgetragen in 1907	41 600 „	4 542 900	—		
7. „ „ N im Betrage v. 5 000 000 ℳ, verzinslich zu 3½ %, Rest Ende 1906	4 922 400 ℳ				
abgetragen in 1907	27 800 „	4 894 600	—		
8. „ „ O im Betrage v. 3 000 000 ℳ, verzinslich zu 4 %, Rest Ende 1906	2 953 000 ℳ				
abgetragen in 1907	16 500 „	2 936 500	—		
9. „ „ P, verzinslich zu 4 %		1 000 000	—		
10. „ „ Q. „ „ 3½ %, im Betrage von 6 000 000 ℳ, wovon erst	begeben wurden	3 000 000	—		
11. „ „ R. „ „ 4 %		6 000 000	—	36 579 800	—
II. Schuldverschreibungen auf Namen		—	—	—	—
III. Anlehen bei Großh. Hauptstaatskasse zwecks Zahlung des gesetzlichen Zuschusses zu dem Bau der Rhein-Donnersberg-Bahn zu 3 %		242 538	63		
abgetragen bis Ende 1907		127 339	70	115 198	93
IV. Anlehen bei dem Stadterweiterungsfonds zu 3½ %		1 328 536	23		
in 1907 zurückbezahlt		45 732	42	1 282 803	81
V. Stiftungen und Vermächtnisse.					
1. Stiftungskapitalien, welche z. Zt. nicht verzinslich angelegt, sondern zur Bestreitung von Ausgaben zu Lasten der Kapitalaufnahme verwendet worden sind, siehe F. „Stiftungsvermögen"		291 219	12		
2. Fonds zur Unterstützung der durch die Pulverexplosion am 18. November 1857 Beschädigten:					
Kapitalbestand am 1. April 1907	15 775 ℳ 81 ₰				
Hierzu die Zinsen zu 4½ % für 1907	709 „ 91 „				
zusammen . .	16 485 ℳ 72 ₰				
Ab die für 1907 gezahlten Renten	1 622 „ 91 „	14 862	81	306 081	93
VI. Kautionen (bar gestellte), und zwar:					
1. des Pächters der Ingelheimer Au zu 4 %		—	—	3 500	—
VII. Hypotheken und Restkaufpreise.					
1. Hypothek auf dem zur Stadthauserweiterung erworbenen Hause Stadthausstraße 22, verzinslich **zu 4 %, unkündbar bis 1. Mai 1910**		70 000	—		
2. Restkaufpreise für das Gelände in den Bauquadraten 89 und 94		297 713	60		
3. „ „ „ „ „ „ „ **90 und 93** . .	435 536 ℳ — ₰				
abgetragen bis Ende 1907	381 094 „ — „	54 442	—		
zu übertragen . . .		422 155	60	38 287 384	67

Mainz am Ende des Rechnungsjahres 1907.

Vermögen.

Vermögensrechnung.

		ℳ	₰	ℳ	₰
I. Verzinsliche Kapitalien.					
1. Kapitalanlagen bei der Städtischen Sparkasse:					
a) Erneuerungsfonds für das Holzpflaster: siehe Rubrik 82; Stand Ende 1907	15 716 ℳ 10 ₰				
b) Fonds für die Selbstversicherung der der Stadt zur Aufbewahrung, zur Bearbeitung oder zum Transport übergebenen Sachen; siehe Rubr. 14. XVI; Stand Ende 1907	17 421 „ 08 „				
c) Reservefonds der Städtischen Bauunfallversicherung; siehe Rubr. 28. III. 2; Stand Ende 1907	26 831 „ 20 „				
d) Der nicht verwendete Betrag aus den Überweisungen der Städtischen Sparkasse; siehe Rubrik 74; Stand Ende 1907	47 876 „ 48 „	107 844	86		
2. Restkaufschillinge und sonstige Forderungen:					
a) gestundete Straßenbaukosten und Straßendurchbruchskosten nach Rubrik 19 der Vermögensrechnung bezw. Rubrik 83. IV der Betriebsrechnung . .	8 910 ℳ 82 ₰				
b) Straßen- und Kanalbaukosten, die bis zum Fälligkeitstermin von den anliegenden Grundbesitzern verzinst werden; siehe Rubrik 83. IV. der Betriebsrechnung	5 754 „ 98 „				
c) von verkauftem Baugelände nach Rubrik 16 der Vermögensrechnung .	21 400 „ — „				
d) „ „ „ „ „ 19 „ „ .	87 829 „ 60 „				
e) „ „ „ „ „ 23 „ „ .	8 424 „ — „				
f) „ „ „ „ „ 28 „ „ .	680 375 „ 22 „	812 694	62		
3. Stammanteil der Stadt an dem Aktienkapital des Instituts für physikalische Heilmethoden .		4 000	—		
4. 10 Aktien der Landeshypothekenbank Lit. D. Nr. 23—32 zu 1000 ℳ		10 000	—		
5. Stammanteil der Stadt Mainz bei der Mainzer Volksbank		600	—		
6 Aufwendungen für den Schloßfreiheitsfonds:					
Nach pos. C beträgt die Kapitalschuld dieses Fonds		1 525 809	36		
7. Aufwendungen für das städtische Wasserwerk:					
Nach pos. G beträgt die Kapitalschuld des Wasserwerks		1 212 755	33		
8. Aufwendungen für das städtische Gaswerk:					
Nach pos. H beträgt die Kapitalschuld des Gaswerks		2 682 554	33		
9. Aufwendungen für das städtische Elektrizitätswerk:					
Nach pos. J beträgt die Kapitalschuld des Elektrizitätswerks		2 817 450	33		
10. Aufwendungen für die städtische Straßenbahn:					
Nach pos. K beträgt die Kapitalschuld der Straßenbahn		4 061 921	79		
11. Darlehen an den Grundstücksfonds (siehe pos. D)		5 228 441	10		
12. Darlehen an die Gemeinde Mombach		112 000	—	18 576 071	72
II. Unverzinsliche Forderungen.					
1. Guthaben bei dem Schloßfreiheitsfonds (Zuschuß aus der Betriebsrechnung zur teilweisen Deckung des Fehlbetrags des Betriebskontos des Schloßfreiheitsfonds)		257 350	13		
Abgang in 1907		5 411	68	251 938	45
III. Kassenvorrat.					
Rechnungsrest der Vermögensrechnung Ende 1907 und zwar:					
a) Ausstände		28 460	05		
b) Vorlagen		554 110	—		
c) Vorschüsse an das Gas- und Elektrizitätsamt		240 274	75		
d) „ „ „ Wasserwerk		6 192	42		
e) auf Giro-Konto bei der Reichsbank		118 431	80		
f) Guthaben beim Bankhaus Bamberger & Cie.		255 717	85		
g) Guthaben bei den Bankhäusern Mendelssohn & Cie. und Kons.		1 674 828	20		
h) bar und Zahlungen für das Rechnungsjahr 1908		505 651	23	3 383 666	30
zu übertragen . .		—	—	22 211 676	47

ferner A. Betriebs- und

	M	Pf	M	Pf
Übertrag . .	422 155	60	38 287 384	67
Ferner VII. **Hypotheken und Restkaufpreise.**				
4. Restkaufpreise für das Gelände in den Bauquadraten 97, 98, 100 und 101 — 553 680 M — Pf; abgetragen bis Ende 1907 — 484 470 „ — „	69 210	—		
5. Kaufpreis für das Haus Bauhofstraße 7, verzinslich zu 4 %, unkündbar bis 1. April 1908, alsdann kündbar von 5 zu 5 Jahren	90 000	—		
6. Hypothek auf dem Anwesen Flur X Nr. $293\,{}^{4}/_{10}$ in der Rheinallee, verzinslich zu 4½ %, unkündbar bis 1. Oktober 1910	18 000	—		
7. Restkaufpreis für das Gelände Flur X Nr. $397\,{}^{1}/_{10}$, verzinslich zu 3½ %, unkündbar bis 1. April 1909	200 000	—		
8. Restkaufpreis für das Gelände Flur XXI Nr. 38, verzinslich zu 3½ %, vom 1. April 1908 ab zu 4 %	81 000	—		
9. Restkaufpreis für das Gelände Flur X Nr. $398\,{}^{1}/_{10}$, $398\,{}^{2}/_{10}$ und 399 = 200 000 M, verzinslich zu 3½ %, fällig in 4 gleichen Jahreszielen am 1. April 1906 und am gleichen Tage der 3 folgenden Jahre; bis Ende 1907 wurden drei Raten mit je 50 000 M abgetragen; Rest = . . .	50 000	—		
10. Restkaufpreis für das Gelände Flur X Nr. $319\,{}^{1}/_{10}$ und $319\,{}^{2}/_{10}$ = 30 000 M, verzinslich zu 3½ %, fällig in 3 gleichen Jahreszielen am 1. April 1906 und am gleichen Tage der 2 folgenden Jahre; in 1907 wurde die letzte Rate mit 10 000 M abgetragen;	—	—		
11. Restkaufpreis für das Gelände Flur VII Nr. $149\,{}^{3}/_{10}$, Gewarkung Bretzenheim, verzinslich zu 3½ %	3 000	—		
12. Restkaufpreis für das Gelände Flur VII Nr. 102, $102\,{}^{5}/_{10}$, 120, 121, 122, 123, 124, $140\,{}^{5}/_{10}$, 141, 142, 150 und 151, Gemarkung Bretzenheim, verzinslich zu 3½ %	10 000	—		
13. Restkaufpreis für das Gelände Flur VII Nr. 132, Gemarkung Bretzenheim, verzinslich zu 3½ %	4 000	—		
14. „ „ „ „ „ VII „ 113, „ „ „ „ 3½ %	1 100	—		
15. „ „ „ „ „ VII „ 101, „ „ „ „ 3½ % = 4 900 M wurde in 1907 abgetragen.	—	—		
16. Restkaufpreis für das Gelände Flur VII „ 188, „ „ „ „ 3½ %	4 700	—		
17. „ „ „ „ „ VII „ $83\,{}^{9}/_{10}$ u. 84, „ „ „ „ 3½ % = 10 000 M wurde in 1907 abgetragen.	—	—		
18. Restkaufpreis für das Gelände Flur XVIII Nr. 176 und Flur XIX Nr. $52\,{}^{1}/_{10}$, verzinslich zu 3½ %	10 000	—		
19. „ „ „ „ „ XIX „ $29\,{}^{3}/_{10}$, $54\,{}^{1}/_{10}$ und $54\,{}^{2}/_{10}$, „ „ 3½ %	36 000	—		
20. „ „ „ „ „ XIX „ 43 „ „ 3½ %	9 000	—		
21. „ „ „ „ „ XIX „ $54\,{}^{3}/_{10}$ und Flur XX Nr. 7 u. 8, „ „ 3½ %	24 000	—		
22. „ „ „ „ „ XXI „ 15 und 16, „ „ 3½ %	29 000	—		
23. „ „ „ „ in Flur II, III und IV der Gemarkung Mombach und Flur VIII und IX der Gemarkung Budenheim und zwar 2 008 M 64 Pf unverzinslich und 71 500 M verzinslich zu 3½ %, zusammen 73 588 M 64 Pf, wovon 71 500 M in 1906 abgetragen wurdra	2 088	64	1 063 254	24
VIII. **Überschüsse der Betriebsrechnungen.**				
Das Guthaben der Betriebsrechnung bei der Vermögensrechnung beträgt:				
Ende des Rechnungsjahres 1897/98 — Rest — . . . . . . 332 961 M 59 Pf				
„ „ „ 1898/99 — Rest — . . . . . . 195 931 „ 06 „				
„ „ „ 1899/1900 — Rest — . . . . . . 364 905 „ 71 „				
„ „ „ 1900/01 — Rest — . . . . . . 64 211 „ 40 „				
„ „ „ 1903/04 — Rest — . . . . . . 90 701 „ 07 „				
zusammen . . 1 048 710 M 83 Pf				
Hiervon wurden im Rechnungsjahre 1904 zurückerhoben . . . . . . 40 371 „ 63 „	1 008 339	20		
Dagegen gehen noch zu:				
1. aus dem Rechnungsjahr 1906 . . . . 362 810 M 39 Pf				
2. „ „ „ 1907 . . . . 499 481 „ 29 „	862 291	68	1 870 630	88
zu übertragen . .	—	—	41 221 269	79

Vermögensrechnung.

	M	Pf	M	Pf
Übertrag . .	—	—	22 211 676	47
IV. Mobilien (Wert nach der am 1. April 1908 neu aufgenommenen Feuerversicherung).				
1. Sechs Zentesimalbrückenwagen	8 200	—		
2. Mobilien und Gerätschaften der Hafenverwaltung, die Dampf- und Portalkranen, Maschinen, Baggermaschine, elektrische Beleuchtungsanlage ꝛc.	394 600	—		
3. Maschinelle Einrichtungen und Bureaueinrichtung im Getreidespeicher	130 200	—		
4. Mobilien und Gerätschaften ꝛc. des Schlacht- und Viehhofes	429 700	—		
5. Mobilien des Fürstenbergerhofbades	3 000	—		
6. Mobilien des Gartenfeldbades	4 200	—		
7. Mobilien des Gutenbergbades (Einrichtung = 17 500 M siehe Va. 29)	4 200	—		
8. Einrichtung der städtischen Apotheke	10 000	—		
9. Mobilien und Gerätschaften ꝛc. der Hafenbahnverwaltung, Lokomotiven	59 600	—		
10. Mobiliar im Stadthause	71 950	—		
11. Mobiliar der Wohnungsinspektion und des Bureaus für Statistik und Einquartierungswesen	2 000	—		
12. Mobiliar im Hause Klarastraße 15 (Hochbauamt)	32 500	—		
13. Mobiliar des Amts für Maschinenwesen	4 400	—		
14. Mobiliar im Verwaltungsgebäude in der Stiftstraße (Tiefbauamt)	42 900	—		
15. Mobiliar des Tiefbauamts im Hause Stiftstraße Nr. 7	9 000	—		
16. Mobiliar im Stadtkasselokal	13 300	—		
17. Mobilien ꝛc. des Polizeiamts und der Polizeistationen	20 000	—		
18. Mobiliar des Gewerbe- und Kaufmannsgerichts	5 200	—		
19. Mobiliar des Arbeitsamtes	1 500	—		
20. Mobilien des Ortsgerichts einschl. des Wertes der Grundbücher und Parzellenkarten	23 000	—		
21. Mobilien und Gerätschaften der Friedhofverwaltung	5 500	—		
22. Mobilien, Lehrmittel und Turngeräte der Volksschulen	345 500	—		
23. Mobilien, Lehrmittel und Turngeräte der Oberrealschule	102 000	—		
24. Mobilien, Lehrmittel und Turngeräte der Höheren Mädchenschule	102 700	—		
25. Mobilien und Lehrmittel der Handelslehranstalt	3 600	—		
26. Stadtbibliothek, Archiv, Münzkabinett und Gutenberg-Museum	1 043 700	—		
27. Städtisches Altertums-Museum	513 150	—		
28. Gemäldegalerie einschl. der astronomischen Uhr	942 548	—		
29. Mobilien des kurfürstlichen Schlosses, einschl. der Kunsttische, Repositorien und Glasschränke	66 900	—		
30. Möbel, Garderobe, Bibliothek, musikalische Instrumente, Dekorationen, Maschinerien ꝛc. des Stadttheaters	493 150	—		
31. Mobilien, die Küchen- und Kellereinrichtung, sowie die Vorhänge, Teppiche ꝛc. der Stadthalle	38 050	—		
. Mobilien, Gerätschaften und Werkzeuge des Straßenbaues	43 600	—		
. Mobilien, Gerätschaften und Werkzeuge der Stadtgärtnerei	21 800	—		
32. Gartenbänke auf den öffentlichen Straßen und Plätzen	7 800	—		
33. Mobilien und Gerätschaften ꝛc. der Reinigungsanstalt	281 000	—		
. Maschinen und Gerätschaften der Pumpstationen	111 300	—		
. Löschgeräte der Feuerwehr	119 400	—		
30. Waschanstalten vor dem Fischtor, dem Mühltor und dem Feldbergtor (Abschätzungswert)	11 290	—		
39. Mobilien und Gerätschaften der Oktroiverwaltung, sowie 10 Aufseherhäuschen	4 000	—	5 476 438	—
zu übertragen . .	—	—	27 688 114	47

ferner A. Betriebs- und

	ℳ	₰		₰
Übertrag . .	—	—	41 221 269	79
zu übertragen . .	—	—	41 221 269	79

Vermögensrechnung.

	ℳ	₰	ℳ	₰	ℳ	₰
V. **Immobilien.** Übertrag . . .	—	—	—	—	27 688 114	47
a) **Gebäude:**						
1. Stadthaus	476 400	—				
2. Verwaltungsgebäude in der Stiftstraße mit Grund und Boden	129 600	—				
3. Stadtkassenlokal (ohne Grund und Boden)	30 000	—				
4. Karmeliterkloster	495 331	—				
5. Kurfürstliches Schloß	2 249 949	—				
6. Wirtschaftsgebäude 2c. in der Anlage	120 732	—				
7. Professorenhäuser in der Betzelgasse	180 348	—				
8. Zollamtsgebäude im Hafen	145 680	—				
9. Wohn- und Dienstgebäude im Hafen	142 012	—				
10. Ehemaliges Stationsgebäude der Nassauischen Staatsbahn (ohne Grund und Boden)	15 000	—				
11. Haus Rheinstraße 57	16 192	—				
12. Wert des Straßengeländes in der Forsterstraße zwischen Kurfürstenstraße und Josephstraße, welches von dem Besitzer eines bis jetzt noch unbebauten Bauplatzes bei demnächstiger Bebauung dieses Platzes zu vergüten ist	4 598	84				
13. Türme (ohne Grund und Boden) . . . . 82 000 ℳ — ₰ Abgang in 1907 — Quintinsturm . . . . 20 000 „ — „	62 000	—				
14. Eiserner Turm	1 500	—				
15. Wirtschaftsgebäude auf der Ingelheimer Au (ohne Grund und Boden) . .	75 000	—				
16. Wachthäuschen auf dem Meßplatz (ohne Grund und Boden)	4 850	—				
17. Eichanstalt	92 694	—				
18. Maschinen- und Kesselhaus im Hafen nebst Lokomotivschuppen	140 048	—				
19. 6 Wiegerhäuschen im Hafen (ohne Grund und Boden)	3 800	—				
20. Brückenwärterhäuschen im Zollhafen (ohne Grund und Boden)	1 580	—				
21. Brückenwärterhäuschen im Winterhafen (ohne Grund und Boden) . . .	1 850	—				
22. Lagerhaus im Binnenhafen	861 264	—				
23. Getreidespeicher	421 136	—				
24. Revisionshalle mit Ölkeller	193 024	—				
25. Lager für Petroleum 2c.	63 513	—				
26. Spritlager	79 668	—				
27. Lagerhallen am Rheinufer (ohne Grund und Boden)	204 220	—				
28. Schlacht- und Viehhof . . . . 2 751 678 ℳ — ₰ Zugang in 1907 . . . . 7 000 „ — „	2 758 678	—				
29. Badeanstalten (Einrichtung des Gutenbergbades = 17 500 ℳ seither unter IV. 7)	207 616	—				
30. Polizeigebäude	362 626	—				
31. Genesungsheim an der Wallstraße nebst Einrichtung	97 294	—				
32. Leichenhaus und Aufseher-Wohnhaus (ohne Grund und Boden)	84 500	—				
33. Volksschullokale . . . . 3 772 228 ℳ — ₰ Zugang in 1907 . . . . 120 000 „ — „ Ferner Schulhaus in der alten Universitätsstraße . . 545 744 „ — „	4 437 972	—				
34. Oberrealschule (mit Grund und Boden)	868 480	—				
35. Höhere Mädchenschule . . . . 1 035 744 ℳ — ₰ Zugang in 1907 . . . . 600 000 „ — „ zusammen . . . 1 635 744 ℳ — ₰ Hiervon ab Schulhaus in der Alten Universitätsstraße . 545 744 „ „ „	1 090 000	—				
36. Stadttheater	1 895 160	—				
37. Stadthalle (mit Musiktempel) . . . . 1 036 308 ℳ — ₰ Zugang in 1907 . . . . 27 600 „ — „	1 063 908	—				
38. Baumaterialien-Magazine (ohne Grund und Boden)	4 200	—				
39. Stadtgärtnerei	93 500	—				
40. Reinigungsanstalt . . . . 255 726 ℳ — ₰ Zugang in 1907 . . . . 28 050 „ — „	283 776	—				
zu übertragen . .	19 459 699	84	—	—	27 688 114	47

ferner A. Betriebs- und

	ℳ	₰	ℳ	₰
Übertrag . .	—	—	41 221 269	79
Summe A. Betriebs- und Vermögensrechnung . .	—	—	41 221 269	79

Vermögensrechnung.

		ℳ	₰	ℳ	₰	ℳ	₰
ferner a) Gebäude: Übertrag		19 459 699	84	—	—	27 688 114	47
41. Neue Pumpstation		38 665	—				
42. Spritzenmagazine und Steigturm		12 898	—				
43. Bedürfnisanstalten		41 364	—				
44. Musikzelte auf dem Schillerplatz und auf der Kaiserstraße (ohne Grund und Boden)		12 500	—				
45. Wärme- und Unterstandshalle in der Münsterstraße (ohne Grund und Boden)		6 200	—				
46. **Oktroihäuser einschl. der Aufseherhäuschen**		105 998	—				
47. **Schuldienerwohnung in der Weißgasse**		10 668	—				
48. Oberlehrerwohnung daselbst		14 808	—				
49. Wasenmeisterei in der Gemarkung Bretzenheim — aufgewendete Kosten —		45 576	25				
50. **Haus Schlossergasse Nr. 15**		10 000	—				
51. „ **Schlossergasse Nr. 19**		7 000	—				
52. „ **Stallgasse Nr. 4**		10 000	—				
53. „ **Schlossergasse Nr. 25**		26 000	—				
54. „ **Rosengasse Nr. 12 (ehemalige Entbindungsanstalt)**		200 000	—				
55. „ **Emmeransstraße Nr. 34/36** (niedergelegt in 1907)		—	—				
56. „ **Stallgasse Nr. 10**		10 250	—				
57. „ **Schlossergasse Nr. 18**		5 500	—				
58. „ **Schlossergasse Nr. 20**		7 500	—				
59. „ **Alte Universitätsstraße Nr. 11½₀**		30 000	—				
60. „ **Schlossergasse Nr. 44**		9 500	—				
61. „ „ „ 46		10 000	—				
62. „ „ „ 36		10 500	—				
63. Kaponnieren am Rheinufer		40 000	—				
64. **Haus Schlossergasse Nr. 42**		7 000	—				
65. „ „ „ 40		6 750	—				
66. „ **Stallgasse** „ 14		16 000	—	20 154 377	09		
b) Grundstücke:							
1. Baugelände	712 610 ℳ 75 ₰						
Abgang im Jahre 1907	39 108 „ — „	673 502	75				
2. **Hofreitegründe**		3 914	80				
3. **Material- und Lagerplätze**		329 327	20				
4. **Feldgüter**		89 325	02				
5. **Gärten innerhalb der Stadt**		—	—				
6. Reule und Durchgänge		—	—				
7. Stadtmauer	55 553 ℳ 40 ₰						
Abgang in 1907	9 060 „ 80 „	46 492	60				
8. Begräbnisplätze	63 046 ℳ 67 ₰						
Zugang in 1907	115 613 „ 50 „	178 660	17				
9. **Brunnen und Brunnenstuben**		249 650	—				
10. **Flutgräben und Bäche**		—	—				
11. **Rheinufer und Rheinpromenade**		—	—				
12. **Zu Hafenzwecken benutztes Gelände**		2 456 170	50				
13. **Rheinhäfen: Wasserflächen**		397 378	—	4 424 421	04		
c) Bahnanlagen		575 000	—				
Zugang in 1907		72 000	—	647 000	—	25 225 798	13
VI. Nutzbare Rechte.							
Der im 25fachen Betrage der Jahreseinnahme bestehende **Kapitalwert des Jagdrechtes und der Grundrenten**		—	—	—	—	5 832	50
Summe A. Betriebs- und Vermögensrechnung		—	—	—	—	52 919 745	10

B. Stadterweiterungs-

	ℳ	₰	ℳ	₰
I. **Anlehen bei Großh. Staatsschuldentilgungskasse zu 3%**	2 571 428	57		
Abtragung bis Ende 1907	1 554 739	08	1 016 689	49
Summe B. Stadterweiterungsfonds	.	.	1 016 689	49

C. Schloßfreiheits-

	ℳ	₰	ℳ	₰
I. **Schuldigkeit an die Stadtkasse** (Darlehen von der Vermögensrechnung)	1 678 776	33		
Abgang in 1907	152 966	97	1 525 809	36
II. **Schuldigkeit an dieselbe** (Zuschüsse zur teilweisen Deckung des Fehlbetrags des Betriebskontos)	257 350	13		
Abgang in 1907	5 411	68	251 938	45
III. **Schuldigkeit an den Stadterweiterungsfonds** (desgleichen)	377 515	96		
Zugang in 1907	57 756	95	435 272	91
Summe C. Schloßfreiheitsfonds	—	—	2 213 020	72

D. Grundstücks-

	ℳ	₰	ℳ	₰
I. **Schuldigkeit an die Stadtkasse** (Darlehen von der Vermögensrechnung)	—		5 228 441	20
II. **Kaufpreis für Flur XVIII Nr. 173a/10**	—	—	30 624	–
III. **Noch zu leistender Naturalersatz an den Hospizienfonds für Flur XXI Nr. 13**	—	—	20 750	–
Summe D. Grundstücksfonds	—	—	5 279 815	[illegible]

E. Orchester-

	ℳ	₰	ℳ	₰
Nichts	—	—	—	—
Summe E. Orchesterfonds	—	—	—	—

Fonds.

	ℳ	₰	ℳ	₰
I. **Außerordentliche Kommunalsteuer von dem Grundbesitze in der Neustadt.**				
Kapitalwert nach dem Stande am 1. Oktober 1907	—	—	518 336	66
II. **Restkaufpreise für verkauftes Gelände**	—	—	85 697	36
III. **Verzinsliche Kapitalien.**				
Darlehen an die Stadt Mainz. Stand Ende 1906	1 328 536	23		
Im Jahre 1907 wurden zurückerhoben	45 782	42	1 282 803	81
IV. **Guthaben bei dem Schloßfreiheitsfonds**	377 515	96		
Zugang im Jahre 1907	57 756	95	435 272	91
V. **Baugelände.**				
Nach der Bilanz des Stadterweiterungsfonds, Seite 496, waren Ende 1907 an Baugelände vorhanden 894 qm. Dieses Gelände hat nach der Abschätzung einen Wert von	—	—	23 032	—
VI. **Böschungsgelände an der Wallstraße**	—	—	26 570	—
Summe B. Stadterweiterungsfonds	—	—	2 371 712	64

Fonds.

	ℳ	₰	ℳ	₰
I. **Restkaufpreise für verkauftes Baugelände**	—	—	123 250	09
II. **Baugelände.**				
Nach der Bilanz des Schloßfreiheitsfonds, Seite 498, ist der Wert des Baugeländes und der Gebäulichkeiten angenommen zu	—	—	2 169 722	—
Summe C. Schloßfreiheitsfonds	—	—	2 292 972	09

Fonds.

	ℳ	₰	ℳ	₰
I. **Grundstücke.**				
Nach der Bilanz des Grundstücksfonds, Seite 500, ist der Wert der Grundstücke und der Gebäulichkeiten angenommen zu	—	—	6 614 170	57
II. **Restkaufpreise für verkauftes Gelände**	—	—	139 200	—
III. **Vervorrat**	—	—	164 051	10
Summe D. Grundstücksfonds	—	—	6 917 421	67

Fonds.

	ℳ	₰	ℳ	₰
I. **Verzinsliche Kapitalien.**				
Vermächtnis des Rentners Gerott	—	—	3 000	—
II. **Immobilien.**				
Schott'sche Häuser	—	—	461 640	—
III. **Mobilien.**				
Musikalische Instrumente, Noten, Mobilien nach dem am 1. April 1908 neu aufgenommenen Brandversicherungswerte	—	—	15 600	—
Summe E. Orchesterfonds	—	—	480 240	—

	F. Stiftungs-			
	ℳ	₰	ℳ	₰
Nichts	—	—	—	-
	—	—	—	-

Fonds.

	Kapitalanlagen bei der Stadtkasse		bei der Städtischen Sparkasse		in Wertpapieren und Hypotheken ꝛc.		im ganzen	
	M	₰	M	₰	M	₰	M	₰
I. Stiftungen zur Unterstützung von Armen.								
1. Vermächtnis der Freifrau von Eberstein	20 571	43	—	—	—	—	20 571	43
2. „ des Rentners Lazarus Hamburg	32 571	43	—	—	—	—	32 571	43
3. „ der Frau Elise Schmutz, Witwe von Georg Friedrich Stöhr	17 142	86	—	—	—	—	17 142	86
4. Desgleichen von derselben	17 142	86	—	—	—	-	17 142	86
5. Vermächtnis der Witwe Deninger, geborene Dohm	5 142	86	—		—	—	5 142	86
6. „ von Paul Christ	7 619	03	—	—	—	—	7 619	03
7. „ des Großh. Bezirksgerichtsrats Dr. Arens	—	—	10 042	86	7 100	—	17 142	86
8. „ des Samuel Oppenheim — Zugang in 1907 = 5000 M	—	—	14 500	-	—	—	14 500	—
9. Vermächtnis des Rentners Adam Heinrich Knecht	—	-	3 028	57	10 000	-	13 028	57
10. „ des Rentners Adolf Du Mont	7 600		—	—	—	—	7 600	—
11. „ von Peter Schmitt III.	9 771	43	—	—	—	—	9 771	43
12. „ des Rentners Heinrich Scharhag	—		—	·	5 700	—	5 700	—
13. „ des Rentners Karl Friedrich Eduard Wachter	—	-	3 500	—	—	—	3 500	—
14. Michael Kleemann'sche Stiftung	—	—	2 400	-	27 600	—	30 000	
15. Vermächtnis des Rentners Friedrich Karl Küchen	—	—	300	-	—	—	300	—
16. Schenkung der Erben des Weinhändlers Julius Walther	—	—	1 000	—	—	—	1 000	—
17. „ des S. Marx aus dem Nachlaß des Dr. Noirs	—	—	2 000	-	—	—	2 000	-
18. „ des Joh. Bopt. Amelburger	—	-	1 500	—	—	—	1 500	—
19. „ des Geh. Kommerzienrats Karl Franz Deninger	—	—	—	-	100 000	—	100 000	—
20. „ der Victor Salm Witwe	—	—	1 000	-	—	—	1 000	—
21. „ des Rentners Peter Zuckmayer	—	—	—	-	5 000	—	5 000	—
22. Vermächtnis des Johann Weifert	—	—	—	—	50 000		50 000	—
23. „ des Simon Kapp — für den Zigarrenspitzenverein	—	—	10 000	—	—	—	10 000	—
24. „ des Dr. Joseph Röder	—	—	—	-	10 000	—	10 000	-
25. „ des Joseph David Heidelberger	—	—	27 000	—	73 000	—	100 000	—
26. „ der Emilie von Zachert	—	—	3 000	—	—	—	3 000	—
II. Stiftungen zur Unterstützung von Witwen.								
1. Vermächtnis der Frau Klara Kiehl, Witwe von Christian Lindner	13 714	28	—	—	—	—	13 714	28
2. „ des Rentners Heinrich Nohaschek in Aschaffenburg	4 457	40	—	—	—		4 457	40
3. „ der Frau Andreas Munsch Witwe	—	—	—	—	7 200	—	7 200	—
4. Valentin Pfister-Stiftung	—	·	6 322	24	8 444	—	14 766	24
III. Stiftungen zum Besten von Waisen.								
1. Ludwig-Mathilde-Stiftung	3 428	57	—	—	—	—	3 428	57
2. Prälat Schmitt-Stiftung	—	—	667	50	10 200	—	10 867	50
3. Vermächtnis der Joseph Belz II. Ehefrau von Laubenheim	—	—	—	—	8 000	—	8 000	—
4. Wendel-Weiler-Stiftung	—	—	—	·	10 000	—	10 000	—
IV. Vermächtnisse zur Gewährung von Heirats-Aussteuern.								
1. Vermächtnis der Frau Betty von Braunrasch, Witwe von Franz Schott	20 571	43	—	—	—	—	20 571	43
V. Stiftungen zur Unterstützung von Handwerkern.								
1. Vermächtnis des Rentners Großmann	43 626	86	—	—	—	—	43 626	86
2. „ des Rentners Fr. Deninger	428	57	—	—	—	—	428	57
3. „ der Witwe Johann Schmitt V.	13 714	29	—	—	—	—	13 714	29
4. „ der Erben von Karl Deninger	1 714	29	—	—	—	—	1 714	29
5. „ der Frau Klara Kiehl, Witwe von Christian Lindner	13 714	28	—	—	—	—	13 714	28
zu übertragen	232 931	87	86 261	17	332 244	—	651 437	04

	ferner F. Stiftungs-			
	ℳ	₰	ℳ	₰
	–	–	–	–
	–	–	–	–

Fonds.

	Kapitalanlagen						
	bei der				in Wertpapieren und Hypotheken ꝛc.		im ga
	Stadtkasse		Städtischen Sparkasse				
	ℳ	₰	ℳ	₰	ℳ	₰	ℳ
Übertrag . .	232 931	87	86 261	17	332 244	—	651 43
ferner V. **Stiftungen zur Unterstützung von Handwerkern.**							
6. Vermächtnis der Frau Betty von Braunrasch, Witwe von Franz Schott	13 714	28	—	—	—	—	13 71
7. Simon Lorch-Stiftung	—	—	—	-	16 000	—	16 00
8. Vermächtnis der Peter Oberle Witwe	—	—	6 000	—	—	—	6 00
9. „ der Ehegatten Valentin Lorenz Kajetan Süß und Anna Maria geb. Becker	—	—	6 000	—	—	—	6 00
10. Vermächtnis von Johann Anselm Schott	—	—	—	—	12 000	—	12 00
11. Wendel Weiler-Stiftung	—	-	764	51	43 500	—	44 26
VI. **Stiftungen für Bildungszwecke.**							
1. Vermächtnis der Frau Elise Schmutz, Witwe von Georg Friedrich Stöhr	6 857	14	—	—	—	—	6 85
2. Reichhuber'scher Technikerfonds	21 000	—	—	—	—	—	21 00
3. Joseph Leo Reinach'sche Stiftung	3 969	—	—		—	—	3 96
4. Vermächtnis des Privatmanns Karl Schion	—	—	4 140	-	—	—	4 14
5. „ „ Kaufmanns Georg Schwarz	—	—	9 200	-	—	—	9 20
6. „ „ Weinhändlers Gustav Hirich	—	—	—	—	100 000	—	100 00
7. „ der Eheleute Ignaz Krämer	—	—	15 000	—	—	—	15 00
VII. **Dotation der Sparkasse.**							
Stiftungskapital der Stadt	3 428	57	—	—	—	—	3 42
VIII. **Vermächtnisse zur Errichtung einer Blindenanstalt.**							
Vermächtnisse des Konrad Moritz, Philipp David Engelbach, Wilhelm Städel und Anna Maria Engelbach zuzüglich der bis Ende 1907 kapitalisierten Zinsen . . .	—	—	120 238	34	—	-	120 23
IX. **Fonds zur Unterstützung von Wasserbeschädigten,** zuzüglich der bis Ende 1907 kapitalisierten Zinsen	—	—	48 265	35	—	—	48 26
X. **Stiftungen zur Pflege der Musik und Kunst.**							
Vermächtnis des Rentners Adam Heinrich Knecht . . .	—	—	1 628	58	—	—	1 62
„ „ „ Joseph Seemann	—	—	25	—	50 000	—	50 02
XI. **Stiftungen für Unterhaltung gemeinnütziger Anstalten.**							
Martin und Rosalie Mayer-Stiftung	—	—	30 000	—	—	—	30 00

ferner F. Stiftungs-

	ℳ	₰	ℳ	₰
	–	–	–	
	–	–	–	–

ferner **Vermögen.**

8.

Kapitalanlagen

Stiftungen zur Unterhaltung von Grabstätten.

1.	Vermächtnis	des Rentners Großmann	
2.	„	der Eheleute Emig	
3.	„	von Adolf Feigel Witwe . . .	
4.	„	der Gräflichen Familie von Eltz . . .	
5.	„	von Adam Müller	
6.	„	der Frau Kathinka Zitz	
7.	„	der Familie Wilhelm Hofmann . .	1
8.	„	der Theodor Maas Erben	
9.	„	der J. N. Boudin Witwe (s. auch Ord.-Nr. 39) .	
10.	„	der Frau Johanna Hastenteufel . . .	
11.	„	der Andreas Munsch Witwe . . .	
12.	„	von Georg Ludwig Färber	
13.	„	der Familie Le Ronz	
14.	„	von Philipp Heinrich Ampt Eheleute . .	1
15.	„	von Konrad Janz	
16.	„	der Peter Oberle Witwe	1
17.	„	des Veteranenvereins	—
18.	„	der Christian Ring Witwe . . .	
19.	„	der Georg Mödel Witwe	
20.	„	von Joh. Bapt. Amelburger Eheleute . .	
21.	„	der Georg Mazière Witwe . . .	
22.	„	des Heinrich Ad. Schneber . . .	
23.	„	der Johannes Simon Witwe . . .	
24.	„	der Wilhelm Hoch Witwe	
25.	„	der Joh. Boot Heimen Witwe . . .	
26.	„	der Elisabeth Wolf Witwe	
27.	„	der Thomas Hofmeister Witwe . . .	
28.	„	des Karl Franz Deninger	
29.	„	der Luise Steuernagel	
30.	„	der Dr. Karl Gaßner Erben	
31.	„	der Friedrich Schöller Witwe . . .	
32.	„	der Barbara Nicolai	
33.	„	des Franz Joseph Seemann . . .	
34.	„	des Valentin Pfister	
35.	„	der Eheleute Ignaz Krämer . . .	
36.	„	des Joh. Gottfr. Stumpf u. Bernh. Bornemann	
37.	„	der Eleonore Josephine Held . . .	
38.	„	der Katharina Josephine Christine Verbellé	
39.	„	der Vereinigung ehemaliger Boudin-Schüler (siehe auch Ordn.-Nr. 9) . . .	
40.	„	des Simon Kapp	
41.	„	des Pfarrer Meinhardt	
42.	„	der Margarete Marcuse Wwe. und deren Erben	
43.	„	der Therese Petry	
44.	Beitrag	der Hessischen Staatsregierung für die Unterhaltung der Grabstätten ehemaliger französischer Soldaten	
45.	Vermächtnis	der Emilie von Zachert	
		Summe XV . .	

ferner F. Stiftungs-

	ℳ	₰	ℳ	₰
	—	—	—	—
Summe F. Stiftungsfonds	—	—	—	—

G. Städtisches

		Ursprungs-Kapital ℳ	₰	Tilgungen bis Ende 1907 ℳ	₰	Restschuld Ende 1907 ℳ	₰
Kapitalschuld bei der Stadt:							
Für die Gebäude Walpodenstraße 19 und 21		370 000	—	159 900	—	210 100	—
Für das Stadtrohrnetz, Ausgaben bis Ende 1906 . .	932 755 ℳ 33 ₰						
Zugang in 1907	67 406 „ 29 „	1 000 161	62	318 222	14	681 939	48
Für die Wassermesser, Ausgaben bis Ende 1906 . . .	201 002 ℳ 23 ₰						
Zugang in 1907	11 765 „ — „	212 767	23	150 515	84	62 251	39
Für die in 1899/1900 genehmigten Erweiterungsbauten:							
a) Provisorische Anlagen		179 774	52	137 945	39	41 829	13
b) Definitive Anlagen, abzüglich 126 ℳ 50 ₰ Einnahme		290 924	40	74 289	07	216 635	33
Summe G. Städtisches Wasserwerk . .		2 053 627	77	840 872	44	1 212 755	33

Fonds.

	Kapitalanlagen bei der Stadtkasse		bei der Städtischen Sparkasse		in Wertpapieren und Hypotheken rc		im ganzen	
	ℳ	₰	ℳ	₰	ℳ	₰	ℳ	₰
XVI. Fonds zur Unterstützung der durch die Pulverexplosion am 18. November 1857 Beschädigten.								
Stand Ende März 1908	14 862	81	—	—	—	—	14 862	81
XVII. Fonds für das Gutenberg-Museum.								
Stand Ende des Rechnungsjahres 1907	—	—	70 582	26	—	—	70 582	26
XVIII. Stiftungen für Kunstsammlungen.								
a) Lasle-Stiftung.								
Stand Ende des Rechnungsjahres 1907	—	—	18 574	30	57 254	—	75 828	30
b) Michael Emanuel Oppenheim-Stiftung.								
Stand Ende des Rechnungsjahres 1907	—	—	13 854	38	88 000	—	101 854	38
c) Geschwister Schick-Fonds.								
Die Höhe dieses Fonds steht noch nicht fest.								
Summe XVIII	—	—	32 428	68	145 254	—	177 682	68
Hierzu: Summe I—XIV	281 900	86	365 429	47	1 590 806	86	2 238 137	19
„ XV	9 318	26	8 325	—	60 000	—	77 643	26
„ XVI	14 862	81	—	—	—	—	14 862	81
„ XVII	—	—	70 582	26	—	—	70 582	26
Summe F. Stiftungsfonds	306 081	93	476 765	41	1 796 060	86	2 578 908	20

Wasserwerk.

	ℳ	₰	ℳ	₰
I. **Wert der Gebäude** Walpodenstraße 19 und 21 nach der Abschätzung Ende 1902/03	—	—	288 000	—
II. **Wert der Brunnen, Pumpwerke, Maschinen rc.** Stand Ende 1906	330 928	10		
Zugang in 1907	—	—	330 928	10
III. **Wert der Weisenauer Anlage und Druckrohrleitung nach dem neuen Hochbehälter,** nach der Abschätzung Ende 1902/03	—	—	258 000	—
IV. **Hochbehälter am Hechtsheimerberg und Fallrohrleitung nach der Stadt** nach der Abschätzung Ende 1902/03	—	—	290 000	—
V. **Wasserleitungsrohrnetz.** Stand Ende 1906	930 759	48		
Zugang in 1907	67 406	29	998 165	77
VI. **Wassermesser.** Stand Ende 1906	161 707	40		
Zugang in 1907	11 765	—	173 472	40
VII. **Mobilien** (Abschätzung)	—	—	1 500	—
Summe G. Städtisches Wasserwerk	—	—	2 340 066	27

H. Städtisches

		Ursprungs-Kapital ℳ	₰	Tilgungen bis Ende 1907 ℳ	₰	Restschuld Ende 1907 ℳ	₰
Kapitalschuld bei der Stadt:							
Für das Geschäftshaus einschl. Provision rc.		86 319	77	19 319	77	67 000	–
Für Anschaffung von Gasmessern. Ausgaben bis Ende 1906	521 286 ℳ 06 ₰						
Zugang in 1907	35 853 „ 72 „	557 139	78	327 416	11	229 723	67
Für neugelegte Rohrstrecken. Ausgaben bis Ende 1906	351 973 ℳ 19 ₰						
Zugang in 1907	13 559 „ 51 „	365 532	70	168 501	04	197 031	66
Für das Werk an der Weisenauer Straße:							
Restliche Erweiterungsbauten — Hochbauten		172 550	53	155 295	54	17 254	99
Für das neue Werk auf der Ingelheimer Au:							
Aufwendungen bis Ende 1907 nach Abzug der unmittelbaren Einnahmen		2 588 109	41	803 928	75	1 784 180	66
Für das Gelände des Werkes an der Weisenauer-Straße		90 000	—	450	—	89 550	–
Für die Koksgasanlage, Aufwendungen bis Ende 1907		306 211	70	8 398	35	297 813	35
Summe H. Städtisches Gaswerk		4 165 863	89	1 483 309	56	2 682 554	33

J. Städtisches

		Ursprungs-Kapital ℳ	₰	Tilgungen bis Ende 1907 ℳ	₰	Restschuld Ende 1907 ℳ	₰
Kapitalschuld bei der Stadt:							
Für den Bau des Werks (Aufwendungen bis Ende 1906 nach Abzug der unmittelbaren Einnahmen)	3 064 354 ℳ 30 ₰						
Zugang in 1907	165 494 „ 62 „	3 229 848	92	1 092 799	09	2 596 977	7[illegible]
Für die in 1904 genehmigten Erweiterungsbauten:							
Aufwendungen bis Ende 1906	447 006 ℳ 36 ₰						
Zugang in 1907	12 921 „ 60 „	459 927	96				
Für die Umformerstation:							
Aufwendungen bis Ende 1906	219 891 ℳ 55 ₰						
Zugang in 1907	35 467 „ 46 „	255 359	01	34 886	47	220 472	54
Summe J. Städtisches Elektrizitätswerk		3 945 135	89	1 127 685	56	2 817 450	33

Gaswerk.

	ℳ	₰	ℳ	₰
I. Altes Werk an der Weisenauerstraße.				
a) Gebäude . . . . } Stand Ende 1905	400 000	—		
b) Innere Einrichtungen . . . . } Stand Ende 1905	250 000	—		
c) Mobilien, Werkzeuge und Geräte . . . } Stand Ende 1905	10 000	—		
d) Grund und Boden, Zugang in 1906	90 000	—	750 000	—
II. Neues Werk auf der Ingelheimer Au.				
a) Gebäulichkeiten mit Grund und Boden, Pflasterung, Kanalisation und Einfriedigung, Stand Ende 1905	1 363 000	—		
b) Maschinen, Apparate, Retortenöfen und Gasbehälter . . . . „ „ 1907	814 858	72		
c) Dampf-, Gas- und Wasserleitungen . . . . „ „ 1905	70 811	38		
d) Gleisanlagen . . . . „ „ „	62 000	—		
e) Mobilien und Geräte . . . . „ „ „	21 500	—		
f) Zuleitung zur Stadt . . . . „ „ „	230 000	—		
g) Cyanwäscher . . . . „ „ „	27 443	62		
h) Koksgasanlage, Aufwendungen bis Ende 1907	306 211	70	2 895 825	42
III. Verwaltungsgebäude, Petersplatz 7	—	—	100 000	—
IV. Gasmesser, Stand Ende 1906	448 629	18		
Zugang in 1907	35 853	72	484 482	90
V. Stadtrohrnetz, Stand Ende 1906	758 122	10		
Zugang in 1907	13 559	51	771 681	61
VI. Kandelaber und Laternen, Stand Ende 1906	215 930	40		
Zugang in 1907	14 000	—	229 930	40
VII. Anteil an dem Stammkapital der „Wirtschaftlichen Vereinigung deutscher Gaswerke“				
= 1200 ℳ, worauf vorerst nur 25% eingezahlt worden sind	300	—		
hiervon ab 25% Einzahlung auf 3 zurückgegebene Aktien zu 200 ℳ	150	—	150	—
Summe H. Städtisches Gaswerk . .	—	—	5 232 070	33

Elektrizitätswerk.

	ℳ	₰	ℳ	₰
I. Grund und Boden nebst Gebäulichkeiten und Laufkran, Stand Ende 1906	867 253	08		
Zugang in 1907	3 481	41	870 734	49
II. Dampfkessel, Rohrleitungen, Speisepumpen, Akkumulatoren, Werkzeuge, Mobilien ꝛc., Stand Ende 1906	364 403	88		
Zugang in 1907	48 090	36	412 494	24
III. Dampfdynamos, Erregeranlage und Schalttafeln, Stand Ende 1906	662 511	62		
Zugang in 1907	9 440	19	671 951	81
IV. Gleisanlagen nach der Abschätzung Ende 1902/03	—	—	19 500	—
V. Kabelnetz und Transformatoren, Stand Ende 1906	1 252 615	34		
Zugang in 1907	96 248	10	1 348 863	44
VI. Kabelanschlüsse, Stand Ende 1906	89 162	16		
Zugang in 1907	4 216	87	93 379	03
VII. Elektrizitätsmesser, Stand Ende 1906	252 405	26		
Zugang in 1907	16 939	29	269 344	55
VIII. Gebäude der Umformerstation nebst Grund und Boden, Stand Ende 1905 . . .	—	—	103 010	48
IX. Fernleitungen, elektrische Einrichtung, Bauleitung ꝛc., Stand Ende 1906 . . .	116 881	07		
Zugang in 1907	35 467	46	152 348	53
Summe J. Städtisches Elektrizitätswerk . .	—	—	3 941 626	57

K. Städtische

Kapitalschuld bei der Stadt:				Ursprungs-Kapital ℳ	₰	Tilgungen bis Ende 1907 ℳ	₰	Restschuld Ende 1907 ℳ	₰
Entschädigungssumme an die Süddeutsche Eisenbahngesellschaft nebst den entstandenen Kosten nach Abzug der unmittelbaren Einnahmen				1 043 466	64	146 206	81	897 259	83
Kaufpreis für den Grund und Boden der Wagenhalle, des Verwaltungsgebäudes, der Werkstätten ꝛc.				242 016	—	3 758	78	238 257	22
Für Gebäude, Aufwendungen bis Ende 1906	344 153	ℳ	60 ₰						
Zugang in 1907 nach Abzug der unmittelbaren Einnahmen	35 831	„	72 „	379 985	32	4 741	58	375 243	74
Für den Wagenpark, Aufwendungen bis Ende 1906 . . .	452 732	ℳ	88 ₰						
Zugang in 1907	9 742	„	— .	462 474	88	6 590	82	455 884	06
Für den Oberbau, Kabel, Oberleitungen ꝛc., Aufwendungen bis Ende 1906 nach Abzug der unmittelbaren Einnahmen	1 127 436	ℳ	47 ₰						
Zugang in 1907	93 241	„	12 „	1 220 677	59	16 785	67	1 203 891	92
Für maschinelle Anlagen, Aufwendungen bis Ende 1906 .	41 014	ℳ	51 ₰						
Zugang in 1907	458	„	34 „	41 472	85	5 973	73	35 499	12
Für Uniformierung. Aufwendungen bis Ende 1907				10 517	52	10 517	52	—	—
Für Vorarbeiten. Bauleitung, Unvorhergesehenes, Aufwendungen bis Ende 1906 nach Abzug der unmittelbaren Einnahmen . . .	146 553	ℳ	58 ₰						
Zugang in 1907	3 675	„	71 „	150 229	29	6 999	54	143 229	75
Für die Erbauung einer elektrischen Straßenbahn nach der Ingelheimer Au, Aufwendungen bis Ende 1906 nach Abzug der unmittelbaren Einnahmen	84 205	ℳ	65 ₰						
Zugang in 1907	6 751	„	— .						
	90 956	ℳ	65 ₰						
Hiervon ab zu Lasten der Herstellung von Industriegelände .	30 000	„	— „	60 956	65	679	94	60 276	71
Für die Erbauung einer elektrischen Straßenbahn nach Kostheim. Aufwendungen bis Ende 1906	165 581	ℳ	91 ₰						
Zugang in 1907	90 650	„	39 „	256 232	30	827	91	255 404	39
Für die Erbauung einer elektrischen Straßenbahn nach Gonsenheim, Aufwendungen bis Ende 1906	132 044	ℳ	74 ₰						
Zugang in 1907 nach Abzug der unmittelbaren Einnahmen	265 590	„	53 „	397 635	27	660	22	396 975	05
Summe K. Städtische Straßenbahn . .				4 265 664	31	203 742	52	4 061 921	79

Straßenbahn.

	ℳ	₰	ℳ	₰
I. **Aufwendungen für den Bau der Bahn bis Ende 1907**	—	—	3 111 523	38
II. **Reservefonds der Straßenbahn,** Stand Ende 1906	2 026	25		
Zugang in 1907	1 062	16	3 088	41
III. **Erneuerungsfonds der Straßenbahn,** Stand Ende 1906	178 316	43		
Zugang in 1907	99 832	36	278 148	79
Summe K. Städtische Straßenbahn . .	—	—	3 392 760	58

Hauptzusammenstellung

der

Schulden und des Vermögens der Stadt Mainz.

Um einen vollständigen Überblick über die Schuldenlast und über den Vermögensstand der Gesamtgemeinde zu erhalten, müssen die bei den einzelnen Fonds als durchlaufende Posten aufgeführten Beträge ausgeschieden werden. Ferner ist noch der Schulden- und Vermögensstand der Armen- und Hospiziendeputation, der Schulfonds, der städtischen Witwen- und Waisenanstalt, des Orchesterpensionsfonds und des Stadtteils Mainz-Mombach zu berücksichtigen.

Hiernach betragen alsdann	die Schulden:			das Vermögen:		
a) für die Betriebs- und Vermögensrechnung einschl. eines für Stadterweiterungszwecke aufgenommenen Anlehens .	39 084 524	ℳ 59	₰	35 026 874	ℳ 41	₰
b) für den Stadterweiterungsfonds	—	„ —	„	653 635	„ 92	„
c) „ „ Schloßfreiheitsfonds	—	„ —	„	2 292 972	„ 09	„
d) „ „ Grundstücksfonds	30 624	„	„	6 896 671	„ 67	„
e) „ „ Orchesterfonds	—	„ —	„	480 240	„ —	„
f) „ die Stiftungen	—	„ —	„	2 578 908	„ 20	„
g) „ das Wasserwerk	—	„ —	„	2 340 066	„ 27	„
h) „ „ Gaswerk	—	„ —	„	5 232 070	„ 33	„
i) „ „ Elektrizitätswerk	—	„ —	„	3 941 626	„ 57	„
k) „ die Straßenbahn	—	„ —	„	3 392 760	„ 58	„
l) „ „ Armendeputation	8 142	„ 56	„	403 639	„ 94	„
m) „ „ Hospiziendeputation	11 200	„ 72	„	6 295 382	„ 39	„
n) „ „ städtische Witwenkasse	—	„ —	„	210 367	„ 36	„
o) „ den Orchesterpensionsfonds	—	„ —	„	120 730	„ 43	„
p) „ „ Altenauer-Schulfonds	—	„ —	„	185 975	„ 04	„
q) „ „ Exjesuiten- und Welschnonnen-Schulfonds . .	—	„ —	„	1 707 076	„ 75	„
r) „ „ Stadtteil Mainz-Mombach (Hauptrechnung, Gas- und Wasserwerk; siehe Seite 550 u. ff.).	730 494	„ 33	„	1 639 840	„ 22	„
Einer Schuldenlast von	39 864 986	ℳ 20	₰			
steht mithin ein Vermögen von				73 398 838	ℳ 17	₰

gegenüber, wobei das Vermögen der Städtischen Sparkasse (4 397 447 ℳ 73 ₰) und der Reservefonds des Pfandhauses (48 221 ℳ 81 ₰) nicht mit eingerechnet ist.

VIII. Summarische Übersicht

der

Einnahmen und Ausgaben

der Hauptrechnung*)

des Stadtteils Mainz-Mombach

für die Zeit vom 1. April 1907 bis 31. März 1908.

---

*) Die Rechnungsergebnisse der Gas- und Wasserwerke Mainz-Mombach sind in den Rechenschaftsberichten des Städtischen Gaswerks und des Städtischen Wasserwerks Mainz enthalten.

Ord.-Nr.	Bezeichnung der Einnahmen und Ausgaben	Betrag nach dem Voranschlag ℳ	₰	Betrag nach der Rechnung ℳ	₰	Mithin nach der Rechnung mehr ℳ	₰	Mithin nach der Rechnung weniger ℳ	₰
	I. Einnahme.								
	Ordentliche.								
1	Rest aus vorderen Jahren: a. Kassevorrat	12 757	79	121	75	—	—	12 636	04
	b. Ausstände	242	21	233	15	—	—	9	06
2	Von Gebäuden	2 030	—	1 863	93	—	—	166	07
3	„ verliehenen Gütern	9 462	—	9 467	—	5	—	—	—
4	Aus Gras und anderen Naturalien	40	—	21	15	—	—	18	85
5	Von Waldungen	850	—	850	45	—	45	—	—
7	„ Jagden, Fischereien und Teichen	321	—	321	—	—	—	—	—
10	„ verkauften Baumaterialien und Mobilien	30	—	20	50	—	—	9	50
11	Kapitalzinsen	17 770	—	18 441	78	671	78	—	—
12	Rekognitionsgebühren	31	50	31	—	—	—	—	50
13	Von der Gemeindeapotheke	1 800	—	2 005	—	205	—	—	—
18	Miete von Markt- und anderen öffentlichen Plätzen	670	—	1 215	20	545	20	—	—
19	Faßeich-, Meß- und Wag-Gebühren	800	—	638	52	—	—	161	48
21	Oktroi	15 000	—	19 822	40	4 822	40	—	—
24	Für Anschaffung und Unterhaltung des Faselviehs	—	—	12	—	12	—	—	—
25	Vom Wasserwerk	1 850	—	3 364	04	1 514	04	—	—
26	„ Gaswerk	4 200	—	3 843	76	—	—	356	24
27	Von Erbbegräbnissen	600	—	700	—	100	—	—	—
28	Für Hilfsbedürftige	1 500	—	2 353	86	853	86	—	—
33	Einquartierungsgelder	500	—	—	—	—	—	500	—
34	Strafen wegen Schulversäumnissen	180	—	212	60	32	60	—	—
35	Forst-, Feld-, Polizei- und Defraudationsstrafen	32	—	67	21	35	21	—	—
36	Kommunalhundesteuer	900	—	1 005	33	105	33	—	—
37	Ersatzposten	200	—	1 330	08	1 130	08	—	—
38	Gebühren für administrative Verrichtungen	550	—	671	30	121	30	—	—
39	Gebühren für die Fleischbeschau	—	—	658	60	658	60	—	—
40	Zuschuß aus der Stadtkasse	20 000	—	—	—	—	—	20 000	—
	Summe der ordentlichen Einnahme	92 316	50	69 271	61	—	—	23 044	89
	Außerordentliche.								
41	Zurückempfangene Kapitalien	4 030	23	12 942	94	8 912	71	—	—
42	Neu aufgenommene Kapitalien	101 900	—	—	—	—	—	101 900	—
43	Von verkauften Häusern und Gütern	—	—	2 915	67	2 915	67	—	—
45	Stiftungen und Vermächtnisse	3 000	—	—	—	—	—	3 000	—
49	Ersatz der Kosten für Straßenanlage	5 000	—	327	44	—	—	4 672	56
	Summe der außerordentlichen Einnahme	113 930	23	16 186	05	—	—	97 744	18

Ord.-Nr.	Bezeichnung der Einnahmen und Ausgaben	Betrag nach dem Voranschlag M.	₰	Betrag nach der Rechnung M.	₰	Mithin nach der Rechnung mehr M.	₰	Mithin nach der Rechnung weniger M.	₰
	ferner **I. Einnahme.**								
	Umlagen.								
53	Auf die doppelten Grundzahlen und ganzen Einkommensteuerbeträge der Einwohner und Forensen	114 980	—	122 748	99	7 768	99	—	—
54	Auf desgleichen der evangel. Einwohner	1 450	—	1 554	10	104	10	—	—
55	Auf desgleichen der kathol. Einwohner	4 350	—	4 448	17	98	17	—	—
59	Beitrag zur land- und forstw. Berufsgenossenschaft	490	49	490	49	—	—	—	—
	Summe der Umlagen	121 270	49	129 241	75	7 971	26	—	—
	Wiederholung.								
	Ordentliche Einnahme	92 316	50	69 271	61	—	—	23 044	89
	Außerordentliche Einnahme	113 930	23	16 186	05	—	—	97 744	18
	Umlagen	121 270	49	129 241	75	7 971	26	—	—
	Hauptsumme aller Einnahmen	327 517	22	214 699	41	—	—	112 817	81
	II. Ausgabe.								
	Ordentliche.								
63	Kommunalsteuern	460	—	408	66	—	—	51	34
64	Brandversicherungsbeiträge	280	—	169	82	—	—	110	18
65	Kapitalzinsen	34 000	—	32 675	62	—	—	1 324	38
65a	Verzinsung und Tilgung der Eisenbahnschuld	209	91	209	91	—	—	—	—
66	Unterhaltung und Kosten der gemeinheitlichen Gebäude	2 000	—	1 313	47	—	—	686	53
67	" " " " " Güter	50	—	86	48	36	48	—	—
68	" " " " " Waldungen	330	—	254	84	—	—	75	16
70	Für Abfuhr von Hauskehricht	1 200	—	1 284	09	84	09	—	—
72	Rückvergütung von Jagdpacht	16	05	16	05	—	—	—	—
73	Beiträge zur Kranken-, Invaliden-, Unfall- und Haftpflicht-Versicherung	1 570	—	1 251	68	—	—	318	32
74	Kasten der Kirche, des Pfarrhauses und des Gottesdienstes	5 850	—	6 052	12	202	12	—	—
75	Kosten der Schulhäuser und Schulen	7 150	—	8 651	14	1 501	14	—	—
76	Unterhaltung und Kosten des Friedhofs	600	—	377	18	—	—	222	82
77	Unterhaltung der Straßen, Brücken und Wege	5 000	—	4 501	24	—	—	498	76
78	Reinigung der Straßen und Plätze	3 950	—	4 022	12	72	12	—	—
79	Unterhaltung der Baumpflanzungen an Straßen und Wegen	200	—	113	20	—	—	86	80
80	Für Straßenbeleuchtung	7 100	—	6 821	34	—	—	278	66
81	Wasserleitungen und Brunnen	—	—	12	—	12	—	—	—
82	Bäche und Entwässerungsanstalten	1 550	—	607	26	—	—	942	74
	zu übertragen	71 515	96	68 828	22	1 907	95	4 595	69

Ord.-Nr.	Bezeichnung der Einnahmen und Ausgaben	Betrag nach dem Voranschlag ℳ	₰	Betrag nach der Rechnung ℳ	₰	Mithin nach der Rechnung mehr ℳ	₰	weniger ℳ	₰
	Übertrag . . .	71 515	96	68 828	22	1 907	95	4 595	69
	ferner **II. Ausgabe.**								
	ferner Ordentliche.								
83	Unterhaltung der Gemarkungs-, Flur- u. Gewanngrenzen	1 700	—	1 524	79	—	—	175	21
84	Feuerlöschanstalten	1 540	—	937	—	—	—	603	—
85	Für Faßeich-, Meß- und Waganstalten	700	—	1 177	74	477	74	—	—
87	Für Oktroi-Verwaltung und -Rückvergütung	4 200	—	4 589	32	389	32	—	—
88	Anschaffung und Unterhaltung des Faselviehs	1 100	—	1 139	37	39	37	—	—
89	Beitrag zu den Kosten des Gewerbevereins	400	—	400	—	—	—	—	—
90	Für die Gasleitung	—	—	4	10	4	10	—	—
91	Kosten der Fernsprechanlage	340	—	294	80	—	—	45	20
93	Für die Gemeindebleiche	100	—	103	26	3	26	—	—
94	Unterhaltung Hilfsbedürftiger	14 000	—	9 932	35	—	—	4 067	65
97	Einquartierungsgelder	750	—	—	—	—	—	750	—
98	Beiträge zur Kreiskasse	9 500	—	9 145	41	—	—	354	59
99	Wachekosten	150	—	17	55	—	—	132	45
100	Wert- und Schadenersatz von Feldstraßen	15	—	66	26	51	26	—	—
101a	Für die land- und forstw. Berufsgenossenschaft	490	49	490	37	—	—	—	12
102	Besoldungen	72 700	—	67 515	33	—	—	5 184	67
104	Diäten und Gebühren	1 000	—	2 589	72	1 589	72	—	—
106	Gerichtskosten	200	—	—	—	—	—	200	—
107	Botenlohn und Verkündigungskosten	540	—	353	59	—	—	186	41
108	Zeitungen, Formularien und Buchbinderkosten	1 250	—	879	95	—	—	370	05
109	Kosten der Fleischbeschau	—	—	658	60	658	60	—	—
110	Für Feierlichkeiten	100	—	917	17	817	17	—	—
111	Für Vertilgung schädlicher Tiere	500	—	308	65	—	—	191	35
112	Uneinbringliche Posten und Nachlässe	3 000		3 711	22	711	22	—	—
113	Betriebskapital und indisponibler Überschuß vorhergehender Jahre	15 440	92	—	—	—	—	15 440	92
114	Reservefonds	459	49	—	—	—	—	459	49
	Summe der ordentlichen Ausgabe . . .	201 691	86	175 584	77	—	—	26 107	09
	Außerordentliche.								
115	Zurückgezahlte Kapitalien	20 925	36	14 313	60	—	—	6 611	76
116	Ausgeliehene Kapitalien	9 900	—	450	—	—	—	9 450	—
117	Ankauf von Grundstücken	25 000	—	10 217	16	—	—	14 782	84
121	Erbauung von Schulhäusern	—	—	1 480	60	1 480	60	—	—
122	Erbauung von Straßen, Brücken und Wegen	70 000	—	9 151	02	—	—	60 848	98
	Summe der außerordentlichen Ausgabe . . .	125 825	36	35 612	38	—	—	90 212	98

Ord.-Nr.	Bezeichnung der Einnahmen und Ausgaben	Betrag nach dem Voranschlag ℳ	₰	Betrag nach der Rechnung ℳ	₰	Mithin nach der Rechnung mehr ℳ	₰	Mithin nach der Rechnung weniger ℳ	₰
	ferner II. **Ausgabe.**								
	Wiederholung.								
	Ordentliche Ausgabe	201 691	86	175 584	77	—	—	26 107	09
	Außerordentliche Ausgabe	125 825	36	35 612	38	—	—	90 212	98
	Hauptsumme aller Ausgaben	327 517	22	211 197	15	—	—	116 320	07
	Abschluß.								
	Die Einnahme beträgt	327 517	22	214 699	41	—	—	112 817	81
	Die Ausgabe beträgt	327 517	22	211 197	15	—	—	116 320	07
	Verglichen, bleibt ein Rest von	—	—	3 502	26	3 502	26	—	—
	der besteht: a) in bar und Vorlagen mit . 2 919 ℳ 33 ₰ b) in Ausständen mit . . . 582 „ 93 „ Betrag wie oben . . . 3 502 ℳ 26 ₰								

IX. Erläuterung der in der summarischen Übersicht (Seite 526 bis 529) dargestellten Unterschiede zwischen den Ansätzen des Voranschlags und den Ergebnissen der Rechnung.

Stadtteil Mainz-Mombach.

Hauptrechnung.

I. Einnahme.

	Betrag nach				Mithin gegen den Voranschlag			
	dem Voranschlag		der Rechnung		mehr		weniger	
	ℳ	₰	ℳ	₰	ℳ	₰	ℳ	₰
1. Rest aus vorderen Jahren.								
a) Kassevorrat	12 757	79	121	75	—	—	12 636	04
b) Ausstände	242	21	233	15	—	—	9	06
Summe	13 000	—	354	90	—	—	12 645	10

Der aus dem Rechnungsjahr 1905 verbliebene und im Voranschlag für 1907 vorgesehene Rechnungsrest von 13 000 ℳ wurde im Rechnungsjahr 1906 bis auf den in Einnahme stehenden Betrag verbraucht.

	ℳ	₰	ℳ	₰	ℳ	₰	ℳ	₰
2. Von Gebäuden.								
a) Miete von Gebäuden	230	—	230	—	—	—	—	—
b) Miete für das Lokal der Freibank	—	—	33	93	33	93	—	—

Da der Schlachthauszwang im Stadtteil Mainz-Mombach erst am 1. Dezember 1907 eingeführt wurde, so fand bis zu diesem Zeitpunkt auch die Benützung des Freibanklokales daselbst noch statt, weshalb zu Lasten der vereinnahmten Fleischbeschaugebühren (vergl. Rubriken 39 und 109) an Freibankmiete der angesetzte Betrag zu vereinnahmen war.

	ℳ	₰	ℳ	₰	ℳ	₰	ℳ	₰
c) Geldanschlag für 4 Lehrerwohnungen	1 600	—	1 416	67	—	—	183	33

Die Dienstwohnung des Oberlehrers Faustmann wurde infolge dessen Pensionierung am 15. Oktober 1907 geräumt und bis zum Ablauf des Rechnungsjahres nicht mehr benützt. Es kam deshalb der Geldanschlag hierfür in der angegebenen Zeit in Wegfall.

	ℳ	₰	ℳ	₰	ℳ	₰	ℳ	₰
d) Geldanschlag der Wohnung des Schuldieners	100	—	83	33	—	—	16	67

Diese Wohnung wurde am 1. Februar 1908 geräumt, um später als Magazin für das Gas- und Wasserwerk zu dienen. Der Geldanschlag hierfür fiel deshalb für die Monate Februar und März 1908 aus.

	ℳ	₰	ℳ	₰	ℳ	₰	ℳ	₰
e) Geldanschlag für das Bureau rc. des Gemeinde-Einnehmers	100	—	100	—	—	—	—	—
Summe	2 030	—	1 863	93	—	—	166	07

	Betrag nach				Mithin gegen den Voranschlag			
	dem Voranschlag		der Rechnung		mehr		weniger	
	ℳ	₰	ℳ	₰	ℳ	₰	ℳ	₰
3. Von verliehenen Gütern.								
a) Pacht für Gemeindegrundstücke	9 299	—	9 304	—	5	—	—	—
Von den zur Anlage der Rheinstraße in 1906 angekauften Parzellen sind 169 qm erübrigt, die einen nicht vorgesehenen Pachterlös von 5 ℳ ergaben.								
b) Geldanschlag des Schulguts	163	—	163	—	—	—	—	—
Summe . . .	9 462	—	9 467	—	5	—	—	—
4. Aus Gras und anderen Naturalien.								
Für Gras-, Laub-, Weiden- und Obstnutzung	40	—	21	15	—	—	18	85
5. Von Waldungen.								
a) Erlös für versteigertes Holz	848	50	848	50	—	—	—	—
b) Geldanschlag für zur Anheizung der Entwässerungs-Maschine verwendetes Holz	—	—	1	95	1	95	—	—
c) Holzwert und Schadenersatz	1	50	—	—	—	—	1	50
Summe . . .	850	—	850	45	—	45	—	—
7. Von Jagden, Fischereien und Teichen . . .	321	—	321	—	—	—	—	—
10. Von verkauften Baumaterialien und Mobilien	30	—	20	50	—	—	9	50
Der vereinnahmte Betrag ist für abgegebene Parzellensteine erlöst.								
11. Kapitalzinsen.								
a) Von den an Private auf Hypothek geliehenen Kapitalien	5 215	82	5 356	82	141	—	—	—
Die Stückzinsen von dem abgetragenen Kapital des Michael Rüger III. von Friesenheim für die Zeit vom 11. Nov. 1907 bis 31. März 1908 bilden die Mehreinnahme.								
b) Von der Bezirkssparkasse Mainz	2	73	3	08	—	35	—	—
Die Mehreinnahme besteht in Stückzinsen aus 1908 von einer zurückgenommenen Einlage.								
c) Von der Spar- und Darlehnskasse Mainz-Mombach (aus dem Vermächtnis des Nik. Kohl III.)	49	45	55	83	6	38	—	—
Die aus 1906 noch ausstehenden Zinsen erscheinen hier als Mehreinnahme.								
zu übertragen . . .	5 268	—	5 415	73	147	73	—	—

	Betrag nach				Mithin gegen den Voranschlag			
	dem Voranschlag		der Rechnung		mehr		weniger	
Ferner: **11. Kapitalzinsen.**	ℳ	₰	ℳ	₰	ℳ	₰	ℳ	₰
Übertrag . . .	5 268	—	5 415	73	147	73		–
d) Von derselben Kasse von den auf Kanto-Korrent vorübergehend angelegten Gemeindegeldern aus 1907 und 1908	—	—	703	46	703	46	—	–
e) Aus dem Vermächtnis für Fried. Nik. Kahl Ehefrau und 1 Konf.	84	78	—	—	—	—	84	78
Der Schenkungsbetrag ist noch nicht eingegangen, sondern wird erst nach dem Ableben des Fried. Nik. Kohl zahlbar.								
f) Zinsenersatz seitens des Wasserwerks Mainz-Mombach .	9 973	40	9 916	26	—	—	57	14
g) „ „ „ Gaswerks „ .	2 443	82	2 406	33	—	—	37	49
Summe . . .	17 770	—	18 441	78	671	78	—	—
12. Rekognitionsgebühren	31	50	31	—	—	—	—	50
Die von Veit Mumm Wwe. zu entrichtende Gebühr war im Voranschlag um 50 ₰ zu hoch angesetzt.								
13. Von der Gemeinde-Apotheke	1 800	—	2 005	—	205	—	—	–
Der gesteigerte Geschäftsumsatz bedingte eine höhere Pachteinnahme.								
18. Miete von Markt- und anderen öffentl. Plätzen.								
a) Von Peter Brodbecker für Benützung eines Straßenteils	1	—	1	—	—	—	—	–
b) Platzmiete für Karussell, Buden rc. während der Kirchweihe	650	—	1 161	—	511	—	—	–
c) Desgleichen für während des Jahres aufgestellte Verkaufsbuden	19	—	18	20	—	—	—	80
d) Desgleichen für ein Zirkuszelt und ein Karussell . .	—	—	35	—	35	—	—	–
Summe . . .	670	—	1 215	20	545	20	—	—
19. Faßeich-, Meß- und Waggebühren. . . .	800	—	638	52	—	—	161	48
Die geringere Einnahme ist damit zu begründen, daß infolge der außerordentlichen Reparatur der Fuhrwerkswage deren Benützung einige Zeit nicht erfolgen konnte.								
21. Oktroi.								
a) Durch die Erhebestelle in Mainz-Mombach			7 672	41				
b) „ „ Erhebestellen in der Stadt	15 000	—	12 148	49	4 822	40	—	–
c) Erlös für Oktroireglements			1	50				
Summe . . .	15 000	—	19 822	40	4 822	40	—	–

	Betrag nach				Mithin gegen den Voranschlag			
	dem Voranschlag		der Rechnung		mehr		weniger	
	M	₰	M	₰	M	₰	M	₰
24. Für Anschaffung und Unterhaltung des Faselviehs.								
Erlös für zwei abgängige Ziegenböcke	—	—	12	—	12	—	—	—
25. Vom Wasserwerk.								
Betriebsüberschuß	1 850	—	3 364	04	1 514	04	—	—
26. Vom Gaswerk.								
a) Betriebsüberschuß	4 200	—	3 787	88	—	—	412	12
b) Nachzahlungen für Leitungsanschlüsse auf Grund der Revisions-Beschlüsse Gr. Oberrechnungskammer zur Rechnung für 1905	—	—	55	88	55	88	—	—
Summe	4 200	—	3 843	76	—	—	356	24
27. Ertrag von Erbbegräbnissen	600	—	700	—	100	—	—	—
Es wurden abgegeben: 11 Plätze zu 20 M = 220 M 12 „ zu 40 „ = 480 „								
28. Für Hilfsbedürftige.								
Ersatz von Unterstützungskosten	1 500	—	2 353	86	853	86	—	—
Unter der Mehreinnahme sind 515 M 42 ₰ Ersatz aus der städt. Armenkasse für in der Stadt Mainz zuständige Unterstützte enthalten. Der weitere Betrag bezieht sich auf verschiedene anderweitige Ersatzleistungen.								
33. Einquartierungsgelder	500	—	—	—	—	—	500	—
Einquartierung hat nicht stattgefunden.								
34. Strafen wegen Schulversäumnissen	180	—	212	60	32	60	—	—
35. Forst-, Feld-, Polizei- und Defraudationsstrafen	32	—	67	21	35	21	—	—
Hierunter 95 ₰ Personenstandsstrafen; im übrigen vgl. Rubrik 100.								
36. Kommunalhundesteuer	900	—	1 005	33	105	33	—	—

	Betrag nach				Mithin gegen den Voranschlag			
	dem Voranschlag		der Rechnung		mehr		weniger	
	M	Pf	M	Pf	M	Pf	M	Pf
37. Ersatzposten.								
a) Krankengelder für erkrankte Gemeindebedienstete . .	60	—	58	—	—	—	2	—
b) Sonstige Ersatzleistungen	140	—	1 272	08	1 132	08	—	—
Die Einnahme setzt sich wie folgt zusammen:								
1. für beschädigte Straßenlaternen . . . . 126 M 63 Pf								
2. infolge Revisionsbemerkungen zur Rechnung für 1905 . . . . 23 „ 76 „								
3. für Taglohnvergütungen für Hilfeleistung bei der Abfuhr von Haus- und Straßenkehricht . . . . 369 „ 09 „								
4. für Invalidenversicherungsbeiträge für die Schutzleute Fleck und Gen. infolge definitiver Anstellung derselben v. 1. April 1907 an . . . . 75 „ 60 „								
5. Zuschuß der Staatskasse zu den Kleiderkosten des Polizeipersonals . . . . . 540 „ 73 „								
6. Teuerungszulage für Wassermeister Bopp aus 1906 und 1907 (zu Lasten des Gaswerks und des Wasserwerks Mainz-Mombach) . . . . 117 „ — „								
7. Sonstige Beträge . . . . 19 „ 27 „								
1 272 M 08 Pf								
Summe . . .	200	—	1 330	08	1 130	08	—	—
38. Gebühren für administrative Verrichtungen . .	550	—	671	30	121	30	—	—
Vereinnahmt wurden:								
a) von der Ortsverwaltung . . . . . . 45 M 15 Pf								
b) von der Polizeiverwaltung (VII. Bezirk) . 9 „ — „								
c) vom Standesamt . . . . 133 „ 50 „								
d) vom Ortsgericht . . . . 475 „ 15 „								
Ferner für ausgestellte Arbeitsbücher-Duplikate und Gesindebücher . . . . 8 „ 50 „								
Betrag wie oben 671 M 30 Pf								
39. Gebühren für die Fleischbeschau.								
Der Schlachthauszwang wurde in Mainz-Mombach erst am 1. Dezember 1907 eingeführt. Bis zu diesem Zeitpunkt wurde daselbst die Fleischbeschau noch in der seitherigen Weise vorgenommen und an Gebühren hierfür vereinnahmt für 181 St. Großvieh zu 1 M = ... 181,00 M 1194 „ Kleinvieh „ 40 Pf = ... 477,60 „	—	—	658	60	658	60	—	—
Die Verwendung dieser Gebühren s. unter Rubrik 109.								

	Betrag nach				Mithin gegen den Voranschlag			
	dem Voranschlag		der Rechnung		mehr		weniger	
	ℳ	₰	ℳ	₰	ℳ	₰	ℳ	₰
40. Zuschuß aus der Stadtkasse	20 000	—	—	—	—	—	20 000	—
Ein solcher wurde nicht erforderlich.								
41. Zurückempfangene Kapitalien.								
a) Von dem Wasserwerk Mainz-Mombach	3 238	30	3 545	10	306	80	—	—
b) Von dem Gaswerk Mainz-Mombach	791	93	1 329	77	537	84	—	—
Die der Amortisation zugeschlagenen Zinsersparnisse waren im Voranschlag nicht berücksichtigt. Auch waren in letzterem die Anlagekosten des Gaswerks zu niedrig angesetzt.								
c) Von Michael Rüger III in Friesenheim	—	—	8 057	14	8 057	14	—	—
d) Von der Bezirkssparkasse Mainz; Einlage-Rückempfang	—	—	10	93	10	93	—	—
Summe	4 030	23	12 942	94	8 912	71	—	—
42. Neu aufgenommene Kapitalien	101 900	—	—	—	—	—	101 900	—
Zur Deckung der entstandenen außerordentlichen Ausgaben wurden die außerordentlichen Einnahmen (Rubr. 41, 43 und 49) sowie, soweit erforderlich, der Überschuß der ordentlichen Einnahmen in Anspruch genommen, so daß eine Kapitalaufnahme nicht erforderlich wurde.								
43. Von verkauften Häusern und Gütern.								
a) Rückersatz von in 1906 zuviel bezahlten Kaufschillingsbeträgen für Straßengelände (Dietzestraße und Kreisstraße Mombach-Gonsenheim)	—	—	122	—	122	—	—	—
b) Kaufpreis nebst Zinsen für die lt. Akt vom 17. Juli 1908 mit Genehmigung des Gemeinderats zu Mombach vom 17. August 1906 an die chem. Fabrik dahier abgetretene, bei Anlage der neuen Rheinstraße erübrigte Wegparzelle Flur XI Nr. 433 1/10 = 161 qm am Sandköppel	—	—	2 793	67	2 793	67	—	—
Summe	—	—	2 915	67	2 915	67	—	—
45. Stiftungen und Vermächtnisse	3 000	—	—	—	—	—	3 000	—
Die im Voranschlag bemerkten Legate werden erst nach dem Ableben des Friedrich Nikolaus Kahl III. dahier zahlbar und waren daher noch nicht zu vereinnahmen.								

	Betrag nach				Mithin gegen den Voranschlag			
	dem Voranschlag		der Rechnung		mehr		weniger	
	ℳ	₰	ℳ	₰	ℳ	₰	ℳ	₰
49. Ersatz der Kosten für Straßenanlagen. . . .	5 000	—	327	44	—	—	4 672	56
Aus Anlaß der Erteilung von Baugenehmigungen waren zu erheben: für 24.39 m Gossenpflaster in der Schillerstraße = 195 ℳ 12 ₰ „ 16,54 „ „ „ „ Emrichruhstr. = 132 „ 32 „								
53. Auf die doppelten Grundzahlen und ganzen Einkommensteuerbeträge der Einwohner und Forensen . . .	114 980	—	122 748	99	7 768	99	—	—
Die Einnahme besteht in: a) Umlagen lt. Hebregister für 1907 = 115 226 ℳ 40 ₰ b) Nachträge für 1907 . . . . . . 7 477 „ 12 „ c) Wieder zahlbar gewordene, früher als uneinbringlich verrechnete Umlage . 25 „ 47 „ d) Ersatz des nach Revisionsbeschluß zur Rechnung für 1905 zu unrecht verausgabten Steuererlasses . . . 20 „ — „ im ganzen 122 748 ℳ 99 ₰								
54. Auf desgleichen der evangel. Einwohner. . .	1 450	—	1 554	10	104	10	—	
55. Auf desgleichen der kathol. Einwohner. . .	4 350	—	4 448	17	98	17	—	—
In der Einnahme sind an wieder zahlbar gewordenen, früher als uneinbringlich verrechneten Umlagen 1 ℳ 88 ₰ enthalten.								
59. Beiträge zur land- und forstw. Berufsgenossenschaft	490	49	490	49	—	—	—	—

II. Ausgabe.

63. Kommunalsteuern:

	ℳ	₰	ℳ	₰	ℳ	₰	ℳ	₰
Gemeindegrundsteuer	460	—	408	66	—	—	51	34

	Betrag nach				Mithin gegen den Voranschlag			
	dem Voranschlag		der Rechnung		mehr		weniger	
64. Brandversicherungsbeiträge.	ℳ	₰	ℳ	₰	ℳ	₰	ℳ	₰
a) Brandversicherungsbeiträge für die Gemeinde-Gebäude	265	—	159	22	—	—	105	78
b) Versicherung des Mobiliars der Apotheke	9	—	9	10	—	10	—	—
c) Gebühren für Ausfertigung von Brandversicherungsurkunden	6		1	50	—	—	4	50
Summe . . .	280	—	169	82	—	—	110	18
65. Kapitalzinsen.								
a) Von den in Beilage 1 zum Voranschlag aufgeführten Schuldkapitalien	27 903	64	28 220	51	316	87	—	—
Der Zinsfuß für die bei der Bezirkssparkasse Mainz entliehenen Kapitalien ist teilweise vom 1. Januar 1908, teilweise vom 1. April 1908 an von 3,6 % bezw. 3,8 % auf 4% erhöht worden. Dieser Umstand sowie 49 ℳ 11 ₰ Verzugszinsen infolge verspäteter Zahlung der Tilgungsquoten verursachten die Mehrausgabe.								
b) Von dem bei der Stadt Mainz entliehenen Kapital	4 480	-	4 455	11	—	—	24	89
Die Verzinsung begann erst am 3. April 1907.								
c) Von dem zur Neuaufnahme vorgesehenen Betrag . .	1 616	36	—	—	—	—	1 616	36
Eine Neuaufnahme hat nicht stattgefunden.								
Summe . . .	34 000	—	32 675	62	—	—	1 324	38
66. Unterhaltung und Kosten der gemeinheitlichen Gebäude.								
I. Gemeindehaus.								
a) Für Unterhaltung und äußere Renovation . . .	400	—	121	98	—	—	278	02
b) „ Reinigung	240	—	243	—	3	—	—	—
c) „ Wasserverbrauch	20	—	7	76	—	—	12	24
d) „ Gasverbrauch	74	—	192	14	118	14	—	—
Der Betrag im Voranschlag war nur schätzungsweise und ohne jede Grundlage angegeben.								
e) für Heizungsmaterial	400	—	345	04	—	—	54	96
f) „ sonstige Bedürfnisse (Inventarstücke) . . .	166	—	162	51	—	—	3	49
II. Gemeinde-Apotheke	250	—	186	56	—	—	63	44
III. Winkler'sche Hofreite	15	—	9	48	—	—	5	52
IV. Für allgemeine Bedürfnisse	435	—	—	—	—	—	390	—
Unterhaltung der Turmuhr ꝛc.	—	—	45	—				
Summe . . .	2 000	—	1 313	47	—	—	686	53
67. Unterhaltung und Kosten der Güter.								
Beitrag zur Hessischen Landwirtschaftskammer:								
von Gemeindegütern . . . . 83 ℳ 82 ₰								
von Schulgütern . . . . 2 „ 66 „	50	—	86	48	36	48	—	—

	Betrag nach				Mithin gegen den Voranschlag			
	dem Voranschlag		der Rechnung		mehr		weniger	
	ℳ	₰	ℳ	₰	ℳ	₰	ℳ	₰
68. Unterhaltung und Kosten der Waldungen.								
a) Holzerntekosten	176	70	182	70	6	—	—	—
b) Kulturen	140	—	70	97	—	—	69	03
c) Unterhaltung der Waldwege	10	—	—	—	—	—	10	—
d) Für Formularpapier	3	30	1	17	—	—	2	13
Summe	330	—	254	84	—	—	75	16
70. Abfuhr von Hauskehricht.								
a) Für Besorgung der Abfuhr	1 200	—	1 140	—	84	09	—	—
b) „ Taglohnarbeiten hierbei			144	09				
Summe	1 200	—	1 284	09	84	09	—	—
72. Rückvergütung von Jagdpacht	16	05	16	05	—	—	—	—
73. Beiträge zur Kranken-, Invaliden-, Unfall- und Haftpflichtversicherung.								
a) Beiträge zur Kranken- und Invalidenversicherung für Bedienstete und Arbeiter	1 100	—	973	44	—	—	126	56
b) Beitrag zur land- und forstw. Berufsgenossenschaft	40	—	41	72	1	72	—	—
c) Desgleichen zur Tiefbau-Berufsgenossenschaft	110	—	13	19	—	—	96	81
Vom 1. April 1907 ab ist der Stadtteil Mainz-Mombach der städt. Bauunfallversicherung zugeteilt.								
d–f) Haftpflichtversicherungsprämie	290	36	174	86	—	—	115	50
Die Versicherung bei der „Allianz“ ist abgelaufen und die letztmalige Prämie in 1906 verausgabt, weshalb die hier noch vorgesehenen Beträge von 60 ℳ 20 ₰ und 55 ℳ 50 ₰ unverwendet blieben.								
g) Für Einbruchsdiebstahl-Versicherung der Gemeindekasse hier Prämie für 2 Jahrgänge	15	—	30	20	15	20	—	—
h) Zufällige Bedürfnisse (Unfallzeugengebühren)	14	64	18	27	3	63	—	—
Summe	1 570	—	1 251	68	—	—	318	32
74. Kosten der Kirche, des Pfarrhauses und des Gottesdienstes.								
a) Evangelische Parochialumlagen	1 450	—	1 550	53	100	53	—	—
b) Katholische „	4 350	—	4 443	76	93	76	—	—
zu übertragen	5 800	—	5 994	29	194	29	—	—

	Betrag nach				Mithin gegen den Voranschlag			
	dem Voranschlag		der Rechnung		mehr		weniger	
	ℳ	₰	ℳ	₰	ℳ	₰	ℳ	₰
Ferner: **74. Kosten der Kirche des Pfarrhauses und des Gottesdienstes.**								
Übertrag . . .	5 800	—	5 994	29	194	29	—	—
Die Ausgaben setzen sich zusammen bei: pos. a / pos. b 1. Barablieferung an die Kirchenkassen . . . 1 350 ℳ 15 ₰ / 4 201 ℳ 33 ₰ 2. Registerfertigungsgebühren . . . . 25 „ 45 „ / 25 „ 45 „ 3. Erlassene und niedergeschlagene Beträge . 174 „ 93 „ / 216 „ 98 „ 1 550 ℳ 53 ₰ / 4 443 ℳ 76 ₰ Als Ausstand werden nachgeführt . . . . 3 ℳ 57 ₰ und 4 ℳ 41 ₰								
c) Entschädigung für Benützung der Kirchenglocken zum bürgerlichen Geläute	50	—	57	83	7	83	—	—
Summe . .	5 850	—	6 052	12	202	12	—	—
75. Kosten der Schulhäuser und Schulen.								
a) Beiträge zum Provinzialschulfonds	68	60	68	60	—	—	—	—
„ „ Schullehrerpensionsfonds	400	—	400	—	—	—	—	—
b) Unterrichtserteilung in der Fortbildungsschule	600	—	676	—	76	—	—	—
c) Miete für den Turnsaal	300	—	300	—	—	—	—	—
d) Für Brennmaterial	1 500	—	1 837	53	337	53	—	—
e) „ Gasverbrauch	30	—	132	84	102	84	—	—
f) „ Wasserverbrauch	42	—	20	48	—	—	21	52
Die Bedürfnisse pos. e und f wurden ohne jegliche Grundlage im Voranschlag schätzungsweise angenommen.								
g) Unterhaltung der Schulgebäude und Lehrerwohnungen	2 000	—	2 552	96	552	96	—	—
Durch Umwandlung der Dienstwohnung des Oberlehrers Faustmann in einen Schulsaal wurde die Mehraufwendung hauptsächlich verursacht.								
h) Unterhaltung und Ergänzung des Mobiliars	500	—	185	88	—	—	314	12
i) Für Schreibmaterialien, Lehr- und Lernmittel . .	522	—	553	10	31	10	—	—
k) „ Bücher und Hefte für die Schulkinder	1 000	—	1 472	15	472	15	—	—
l) „ sonstige Bedürfnisse	187	40	451	60	264	20	—	—
Vom 6. Januar 1908 an wurden zum Reinigen der Schulsäle Putzfrauen herangezogen, deren Vergütung die Mehrausgabe verursachte.								
Summe . . .	7 150	—	8 651	14	1 501	14	—	—

	Betrag nach				Mithin gegen den Voranschlag			
	dem Voranschlag		der Rechnung		mehr		weniger	
	ℳ	₰	ℳ	₰	ℳ	₰	ℳ	₰
76. Unterhaltung und Kosten des Friedhofs.								
a) Für Unterhaltung der Einfriedigung und Wege	200	—	171	48	—	—	28	52
b) „ „ des Leichen- und Friedhofshauses	100	—	16	60	—	—	83	40
c) „ „ der Gräber	72	—	28	—	—	—	44	—
Für das Grab des Nikolaus Kohl III. wurden 4 ℳ weniger, als vorgesehen, aufgewendet. Für Unterhaltung der Gräber der Fried. Nik. Kohl Ehefrau und des Mich. Schirmer wurde nichts aufgewendet, da die Stiftungsbeträge hierfür erst später eingehen. Siehe Rubr. 45.								
d) Für Fahren des Leichenwagens	195	—	143	—	—	—	52	—
e) „ sonstige Bedürfnisse	33	—	18	10	—	—	14	90
Summe	600	—	377	18	—	—	222	82
77. Unterhaltung der Straßen, Brücken und Wege.								
a) Geländepacht zur Verbreiterung des Wegs nach dem Bahnhof	46	40	46	40	—	—	—	—
b) desgleichen an der Jörgstraße	35	40	—	—	—	—	35	40
Über weitere Gewährung aber Ablehnung dieser Vergütung schweben noch Verhandlungen.								
c) Pacht für Weggelände neben der Kreisstraße Mombach-Gonsenheim	86	40	86	40	—	—	—	—
d) Für Straßenunterhaltung (Taglohnsarbeiten)	2 000	—	2 285	07	285	07	—	—
e) Fuhrlöhne	1 500	—	936	56	—	—	563	44
f) Unterhaltungsmaterial	500	—	476	21	—	—	23	79
g) Für Wasserverbrauch	60	—	—	—	—	—	60	—
h) Unterhaltungsarbeit durch Handwerksleute	500	—	568	03	68	03	—	—
i) Unterhaltung der Wegbaugeräte	200	—	77	50	—	—	122	50
k) Für sonstige Bedürfnisse	71	80	25	07	—	—	46	73
Summe	5 000	—	4 501	24	—	—	498	76
78. Reinigung der Straßen und Plätze.								
a) Arbeitslöhne für Reinigung	1 500	—	1 292	83	—	—	207	17
b) Abfuhr des Straßenkehrichts	1 800	—	1 680	—	—	—	120	—
c) Fahren des Gießfasses	400	—	614	17	214	17	—	—
d) Wasserverbrauch (hierfür ist nichts verrechnet)	100	—	—	—	—	—	100	—
e) Reinigungsmaterial und Zufälliges	150	—	435	12	285	12	—	—
Die Kosten für außerordentl. Reparatur des Straßensprengwagens sowie für Beseitigung von Schnee und Eis verursachten die Mehrausgabe.								
Summe	3 950	—	4 022	12	72	12	—	—

	Betrag nach				Mithin nach dem Voranschlag			
	dem Voranschlag		der Rechnung		mehr		weniger	
	M	₰	*M*	₰	*M*	₰	*M*	₰
79. Unterhaltung der Baumpflanzungen an Straßen und Wegen	200	—	113	20	—	—	86	80
80. Für Straßenbeleuchtung.								
a) Gasverbrauch	5 040	—	5 055	12	15	12	—	—
b) Für Laternenwärter	1 440	—	1 440	—	—	—	—	—
c) „ Glühkörper und Zylinder	300	—	111	15	—	—	188	85
d) „ Unterhaltung der Laternen	200	—	178	12	—	—	21	88
e) „ sonstige Bedürfnisse	120	—	36	95	—	—	83	05
Summe	7 100	—	6 821	34	—	—	278	66
81. Wasserleitungen und Brunnen	—	—	12	—	12	—	—	—
Die nicht vorgesehene Ausgabe gründet sich auf Revisionsbeschlüsse Gr. Oberrechnungskammer zur Rechnung für 1905.								
82. Bäche und Entwässerungsanstalten.								
a) Rekognitionsgebühren	5	—	5	—	—	—	—	—
b) Unterhaltung des Entwässerungsmaschinenhauses, der Maschinen ꝛc.	245	—	240	48	—	—	4	52
c) Beseitigung von Hochwassergefahr. Hochwassergefahr ist nicht eingetreten.	1 000	—	80	41	—	—	919	59
d) Unterhaltung der Entwässerungsanstalten	300	—	281	37	—	—	18	63
Summe	1 550	—	607	26	—	—	942	74
83. Unterhaltung der Gemarkungs-, Flur- u. Gewanngrenzen.								
a) Für die neuen Grundbücher und Parzellenkarten. Die Mehrausgabe entstand durch Gebühren für Ablieferung des neuen Grundbuchs.	1 476	04	1 482	79	6	75	—	—
b) Für Unterhaltung der Grenzen. Durch Beschl. der St.-V.-V. vom 16. Oktober 1907 mit Genehmigung Großh. Ministeriums des Innern vom 13. November 1907 sind die Gebühren der Feldgeschworenen für den Stadtteil Mainz-Mombach auf 6 *M* für den ganzen und 3 *M* für den halben Tag festgesetzt.	223	96	42	—	—	—	181	96
Summe	1 700	—	1 524	79	—	—	175	21

	Betrag nach				Mithin nach dem Voranschlag			
	dem Voranschlag		der Rechnung		mehr		weniger	
	M	*₰*	*M*	*₰*	*M*	*₰*	*M*	*₰*
84. Feuerlöschanstalten.								
a) Beitrag an die freiw. Feuerwehr	100	—	100	—	—	—	—	—
b) Unterhaltung und Ergänzung der Löschgeräte	300	—	93	30	—	—	206	70
c) Desgleichen der Uniform- und Ausrüstungsstücke	540	—	713	45	173	45	—	—
d) Beitrag für den Provinzialfeuerwehrtag	600	—	—	—	—	—	600	—
Da die Veranstaltungen einen Fehlbetrag nicht ergaben, wurde ein Beitrag nicht geleistet.								
e) Brandhilfe und sonstige Kosten	—	—	30	25	30	25	—	—
Hierunter 25 *M* Vergütung für Besuch des Feuerwehrtags in Frankfurt a. M.								
Summe	1 540	—	937	—	—	—	603	—
85. Für Faßeich-, Meß- und Waganstalten.								
a) Wiegegebühren	400	—	—	—	—	—	400	—
Die Funktionen eines Wiegemeisters an der Fuhrwerkswage wurden von den hier stationierten Oktroibeamten mitversehen. Eine Vergütung hierfür ist unter Rubrik 87 enthalten.								
b) Unterhaltung und Prüfung der Fuhrwerkswage	180	—	1 177	74	997	74	—	—
Die Mehrausgabe war durch die außerordentl. Reparatur der Wage veranlaßt.								
c) Unterhaltung des Wiegehäuschens	20	—	—	—	—	—	20	—
d) Beleuchtung desselben	12	—	—	—	—	—	12	—
e) Wiegekarten und Bücher	88	—	—	—	—	—	88	—
Ausgaben zu c—e sind unter Rubrik 87 enthalten.								
Summe	700	—	1 177	74	477	74	—	—
87. Für Oktroiverwaltung und -Rückvergütung	4 200	—	4 589	32	389	32	—	—

Verausgabt sind für:

a) Gehalte und Uniformierung des Oktroiaufsichtspersonals 3 411,34 + 79,70 *M* =	3 491,04 *M*
b) Vergütung an Aufseher für Dienstleistungen als Erheber	125,65 „
c) Schreibmaterial	1,20 „
d) Reinigung der Erhebestelle	125,65 „
e) Beleuchtung der Erhebestelle	11,88 „
f) Unterhaltung der Oktroierhebstelle	82,49 „
g) Errichtung eines Erhebehäuschens	653,35 „
h) Anfertigung von Schildern	98,06 „
Betrag wie oben	4 589,32 *M*

	Betrag nach				Mithin nach dem Voranschlag			
	dem Voranschlag		der Rechnung		mehr		weniger	
	ℳ	₰	ℳ	₰	ℳ	₰	ℳ	₰
88. Anschaffung und Unterhaltung des Faselviehs.								
a) Unterhaltung des Faselochsen	600	—	600	—	—	—	—	—
b) „ dreier Ziegenböcke	440	—	440	—	—	—	—	—
c) Ankauf von Zuchttieren und sonstige Bedürfnisse	60	—	99	37	39	37	—	—
Für Ankauf dreier Ziegenböcke mußten 98,42 ℳ aufgewendet werden.								
Summe	1 100	—	1 139	37	39	37	—	—
89. Beitrag zu den Kosten des Gewerbevereins	400	—	400	—	—	—	—	—
90. Für die Gasleitung	—	—	4	10	4	10	—	—
Die Ausgabe gründet sich auf einen Revisions-Beschluß Gr. Oberrechnungskammer zur Rechnung für 1905.								
91. Kosten der Fernsprechanlage.								
a) Pauschgebühren	280	—	283	—	3	—	—	—
b) Gesprächsgebühren	40	—	11	80	—	—	28	20
c) Zufällige Bedürfnisse	20	—	—	—	—	—	20	—
Summe	340	—	294	80	—	—	45	20
93. Für die Gemeindebleiche	100	—	103	26	3	26	—	—
94. Unterstützung Hilfsbedürftiger.								
I. Beiträge zu wohltätigen Vereinen	200	—	100	—	—	—	100	—
Von den vorgesehenen Beiträgen wurden nicht verausgabt diejenigen zum Hilfsverein für Geisteskranke, zum Verein für Beschäftigung Arbeitsloser und für Rettungs-Anstalten, da seitens der Stadt Mainz entsprechend höhere Beiträge bezahlt wurden.								
II. Den kathol. Krankenschwestern.								
a) Mietebeitrag	400	—	400	—	—	—	—	—
b) für Kohlen (wird nichts mehr gewährt)	40	—	—	—	—	—	40	—
III. Der evangel. Diakonissenstation, Mietebeitrag	200	—	200	—	—	—	—	—
IV. Pflegegelder an Krankenanstalten	1 600	—	769	30	—	—	830	70
Infolge Ablebens eines ständigen Pfleglings der Provinzialsiechenanstalt Heidesheim, Übernahme des Pfleggeldes für Gertrude Lemb auf die Kreiskasse, sowie nur teilweise Inanspruchnahme des Kredits für vorübergehende Verpflegungen entstand die Ersparnis.								
zu übertragen	2 440	—	1 469	30	—	—	970	70

Ferner: 94. Unterstützung Hilfsbedürftiger.

	Betrag nach				Mithin nach dem Voranschlag			
	dem Voranschlag		der Rechnung		mehr		weniger	
	M	Pf	M	Pf	M	Pf	M	Pf
Übertrag . . .	2 440	—	1 469	30	—	—	970	70
V. Pfleggelder an Private	2 000	—	1 412	03	—	—	587	97
Die für die einzelnen Pfleglinge im Voranschlag angesetzten Kredite wurden nur zum Teil in Anspruch genommen; auch blieb der für sonstige Fälle reservierte Kredit unverwendet, sodaß die angegebene Ersparnis entstand.								
VI. Hausmietebeiträge	3 000	—	279	08	—	—	2 720	92
Als Folge der Organisation der Armenpflege im Stadtteil Mainz-Mombach wurden die früher üblichen Hausmieteunterstützungen vom 1. Mai 1907 an nicht mehr gewährt und an deren Stelle, soweit notwendig, entsprechende bare Unterstützungen gegeben. Es kamen deshalb von den vorgesehenen Hausmietebeiträgen nur die auf April 1907 entfallenden Beträge zur Verausgabung, wodurch die bemerkte Ersparnis entstand.								
VII. Wöchentliche und sonstige Unterstützungen . .	5 500	—	5 877	75	377	75	—	—
Mit der Organisation der Armenpflege im Stadtteil Mainz-Mombach wurden die in der Stadt Mainz üblichen Unterstützungssätze auch hier angewendet, wodurch manche Unterstützung wesentlich geschmälert wurde. Andererseits wurden die für die seitherigen Hausmietebeiträge gegebenen Unterstützungen ebenfalls unter der Position VII verrechnet, was deren Überschreitung, wie angegeben, verursachte.								
VIII. Armenpraxis der Ärzte	400	—	494	40	94	40	—	—
Die Verausgabung von Forderungen der Ärzte Dr. Fuld und Dr. Collischonn aus dem Rechnungsjahr 1906 war Anlaß der Mehrausgabe. Durch Beschluß der Stadtverordneten-Versammlung vom 30. Dezember 1907 wurde Dr. Fuld in Mainz-Mombach zum Armenarzt daselbst gegen eine jährliche Vergütung von 270 M bestellt.								
IX. Armenpraxis der Hebammen	40	—	34	50	—	—	5	50
X. Medikamente, Heilmittel ꝛc.	200	—	287	19	87	19	—	—
In dem verausgabten Betrag sind noch rückständige Kosten aus 1906 enthalten, welche die Mehrausgabe verursachten.								
XI. Beerdigungskosten	50	—	78	10	28	10	—	—
XII. Vornahme von Desinfektionen	370	—	—	—	—	—	370	—
Die notwendigen Desinfektionen wurden durch das städt. Reinigungsamt oder auch durch die Interessenten selbst vorgenommen, wofür Kosten nicht entstanden. Im Einverständnis mit dem auf Gemeindekosten ausgebildeten Desinfektor Karl Perschmann in Mainz-Mombach ist auf dessen Mitwirkung bei den Desinfektionen, welche bei Aufstellung des Voranschlags in Aussicht genommen war, verzichtet worden.								
Summe . . .	14 000	—	9 932	35	—	—	4 067	65

	Betrag nach				Mithin nach dem Voranschlag			
	dem Voranschlag		der Rechnung		mehr		weniger	
	ℳ	₰	ℳ	₰	ℳ	₰	ℳ	₰
97. Einquartierungsgelder	750	—	—	—	—	—	750	—
Vergl. Rubrik 33.								
98. Beiträge zur Kreiskasse	9 500	—	9 145	41	—	—	354	59
99. Wachekosten	150	—	17	55	—	—	132	45
100. Wert- und Schadenersatz von Feldstrafen . .	15	—	66	26	51	26	—	—
Vergl. Rubrik 35.								
101a. Beitrag zur land- und forstw. Berufsgenossenschaft	490	49	490	37	—	—	—	12
In 1905 waren 12 ₰ zuviel abgeliefert, die hier in Aufrechnung gebracht wurden.								
102. Besoldungen.								
a) Für Verwaltung der Gemeindewaldungen	121	99	121	99	—	—	—	—
b) „ Pfarrer	240	—	240	—	—	—	—	—
c) „ Schullehrer	41 350	—	40 996	11	—	—	353	89
Oberlehrer Faustmann trat am 16. Oktober 1907 in den Ruhestand. Seine Stelle wurde durch Schulverwalter Lang verwaltet. Ebenso wurde die Stelle der am 23. Oktober 1907 verstorbenen Lehrerin Mayer durch Schulverwalter Becker verwaltet. Die hierdurch entstandenen Ersparnisse wurden aber herabgemindert durch Gewährung höheren Gehalts an 4 Schulverwalterinnen und 2 Lehrerinnen.								
d) Für Angestellte der Verwaltung	10 600	—	9 050	60	—	—	1 549	40
Ein weiterer Bureaugehilfe wurde nicht eingestellt, wodurch die Ersparnis entstand.								
e) Für Gemeindediener	1 400	—	1 366	75	—	—	33	25
Wenigerverbrauch für die Uniform veranlaßte die Ersparnis								
f) Für Polizeipersonal	8 640	—	4 555	75	—	—	4 084	25
Die vorgesehenen Stellen für einen Wachtmeister und zwei Schutzleute wurden nicht besetzt und es blieben daher die hierfür angesetzten Gehalte nebst Kosten für Uniform erspart.								
g) Für Feldschützen	3 310	—	2 547	—	—	—	763	—
Von dem für einen 3. Feldschützen vorgesehenen Gehalt wurde nur ein Teil verwendet, da ein Hilfsschütze nur zeitweise herangezogen war.								
zu übertragen . . .	65 661	99	58 878	20	—	—	6 783	79

	Betrag nach				Mithin nach dem Voranschlag			
	dem Voranschlag		der Rechnung		mehr		weniger	
Ferner: **102. Besoldungen.**	ℳ	₰	ℳ	₰	ℳ	₰	ℳ	₰
Übertrag . . .	65 661	99	58 878	20	—	—	6 783	79
b) Für Ärzte	—	—	107	50	107	50	—	—
Nach Beschl. der St.-V.-V. v. 30. Dezember 1907 wurde Dr. Fuld in Mainz-Mombach für den dortigen Bezirk zum Schularzt bestellt gegen eine jährliche Vergütung von 430 ℳ.								
i) Für Baupersonal	4 450	—	6 088	80	1 638	80	—	—
Von dem Gehalt des Gemeindetechnikers Schliffer war ein Teil zu Lasten des Gas- und Wasserwerks vorgesehen, während entsprechend der Beschäftigung des Genannten sein Gehalt ganz zu Lasten des Stadtteils verrechnet wurde, was hier die Mehrausgabe verursachte.								
k) Für Schuldiener, Glöckner	1 657	—	1 615	33	—	—	41	67
Die eingetretene Regelung des Schuldienergehaltes veranlaßte die Ersparnis.								
l) Teuerungszulagen	931	01	825	50	—	—	105	51
Summe . . .	72 700	—	67 515	33	—	—	5 184	67
104. Diäten und Gebühren.								
a) Für Fertigen der Umlageregister	200	—	223	64	23	64	—	—
b) Impfgebühren	250	—	267	20	17	20	—	—
c) Konferenzgebühr des Lehrpersonals	250	—	—	—	—	—	250	—
d) Vergütung des Gemeindetechnikers für Benutzung seines Fahrrades	75	—	75	—	—	—	—	—
e) Gebühren der Feldgeschworenen und sonstige Bedürfnisse	225	—	2 023	88	1 798	88	—	—
Die Gebühren für Fortführung der Grundbücher und Parzellenkarten bei Legalisierung des neuen Grundbuchs (1 593 ℳ) sowie Gebühren der Steuerveranlagungskommissionen und für Revision der Bierpressionen veranlaßten die Mehrausgabe.								
Summe . . .	1 000	—	2 589	72	1 589	72	—	—
106. Gerichtskosten	200	—	—	—	—	—	200	—
107. Botenlohn und Verkündigungskosten.								
a) Portoauslagen einschl. Abonnement für Benützung der elektr. Straßenbahn durch die Boten der Ortsverwaltung	240	—	275	50	35	50	—	—
b) Einrückungsgebühren	300	—	78	09	—	—	221	91
Für Veröffentlichung der Bekanntmachungen in den Mainzer Blättern sind besondere Gebühren nicht entstanden.								
Summe . . .	540	—	353	59	—	—	186	41

	Betrag nach				Mithin nach dem Voranschlag			
	dem Voranschlag		der Rechnung		mehr		weniger	
	M	₰	M	₰	M	₰	M	₰
108. Zeitungen, Formularien und Buchbinderkosten.								
a) Darmstädter Zeitung	13	—	9	80	—	—	3	20
b) Mainzer Tagblatt	9	—	9	—	—	—	—	—
c) Zeitschrift für Staats- und Gemeindeverwaltung	7	12	7	12	—	—	—	—
d) „ Süddeutscher Polizeitelegraph	12	—	—	—	—	—	12	—
e) Renkel's Steckbriefregister	20	—	15	—	—	—	5	—
f) Werke der Gesetzgebung	80	—	35	97	—	—	44	03
g) Für das Adreßbuch	59	—	—	—	—	—	59	—
h) Formularien und Drucksachen	500	—	377	64	—	—	122	36
i) Bureaugegenstände und Schreibmaterialien	400	—	261	73	—	—	138	27
k) Einbände und sonstige Bedürfnisse	149	88	163	69	13	81	—	—
Summe	1 250	—	879	95	—	—	870	05
109. Kosten der Fleischbeschau.	—	—	658	60	658	60	—	—
Vergl. Erläuterungen zu Rubrik 39.								
110. Für Feierlichkeiten.	100	—	917	17	817	17	—	—
Die Kosten der Eingemeindungsfeier mit 915 M 67 ₰ veranlaßten die Mehrausgabe.								
111. Für Vertilgung schädlicher Tiere.								
a) Vertilgung wilder Kaninchen	50	—	—	—	—	—	50	—
b) Abschießen schädlicher Vögel	30	—	20	—	—	—	10	—
c) Verwendung von Raupenleim	180	—	—	—	—	—	180	—
d) Vertilgung der Blutlaus	30	—	10	—	—	—	20	—
e) Schnakenvertilgung	210	—	278	65	68	65	—	—
Summe	500	—	308	65	—	—	191	35
112. Uneinbringliche Posten und Nachlässe.	3 000	—	3 711	22	711	22	—	—

Die Ausgabe setzt sich zusammen aus:

a) erlassenen Umlagen (auf Grund der Erlaß-verzeichnisse Gr. Steuerkommissariats) . 2361 M 46 ₰

b) niedergeschlagenen Umlagen, infolge Uneinbringlichkeit, Wegzug ꝛc. . . . . 1309 „ 06 „

3670 M 52 ₰

Es sind dies zu a: 1,93 %, zu b: 1,06 % zus. 2,99 % der Einnahme (Rubrik 53).

c) Erlassene und niedergeschlagene sonstige Einnahmen . . . . 40 M 70 ₰

Summe . . . 3711 M 22 ₰

	Betrag nach				Mithin nach dem Voranschlag			
	dem Voranschlag		der Rechnung		mehr		weniger	
	ℳ	₰	ℳ	₰	ℳ	₰	ℳ	₰
115. Zurückgezahlte Kapitalien.								
a) Bei der Bezirkssparkasse Mainz	12 863	28	12 595	34	—		267	94
Infolge der bei Rubrik 65 bemerkten Erhöhung des Zinsfußes wurden die Tilgungsbeträge entsprechend ermäßigt, was hier eine Ersparnis ergab.								
b) Bei der Landeskreditkasse in Darmstadt	544	94	545	11	—	17	—	—
c) „ „ Kreissparkasse Bingen	1 173	14	1 173	15	—	01	—	
d) „ „ Stadt Mainz	1 344	—	—	—	—	—	1 344	—
Mit Rücksicht auf die erfolgte Eingemeindung wurde in diesem Jahre die vorgesehene Tilgung unterlassen.								
e) Aus Ersatzleistung für Straßenbaukosten	5 000	—	—	—	—	—	5 000	—
Die Einnahmen nach Rubrik 49 sind nicht zur Schuldentilgung, sondern zur Deckung anderer außerordentlicher Ausgaben verwendet.								
Summe . . .	20 925	36	14 313	60	—	—	6 611	76
116. Ausgeliehene Kapitalien.								
a) Kohl'sches Vermächtnis (vgl. Rubr. 45)	3 000	—	—		—	—	3 000	—
b) Für das Wasser- und das Gaswerk	6 900	—	—	—	—	—	6 900	—
Eine Verrechnung fand nicht statt.								
c) An die Städt. Sparkasse Mainz Einlage zur Bildung der früher anderweit verwendeten Vermächtnisse von Jörg und Riga zur Unterhaltung der Grabstätten		—	450	—	450	—	—	—
Summe . . .	9 900	—	450	—	—	—	9 450	—
117. Ankauf von Grundstücken.								
a) Für die zur Sicherung der Quell- und Pumpanlagen des Wasserwerks Mainz-Mombach mit Genehmigung der St.-V.-V. vom 18. Dezember 1907 angekauften Parzellen Flur I Nr. 40 und 42 = 830 qm Acker	25 000	—	9 457	77	—	—	14 782	84
b) Kosten für Beurkundung von Geländeankäufen . . .			759	39				
Summe . . .	25 000	—	10 217	16	—	—	14 782	84
121. Erbauung von Schulhäusern	—	—	1 480	60	1 480	60	—	—
Restliches Architekten-Honorar für Vorarbeiten zum Schulhausneubau (Genehmigung der St.-V.-V. vom 16. Oktober 1907) und Kosten für andere Vorarbeiten bilden die Ausgabe.								

	Betrag nach				Mithin nach dem Voranschlag			
	dem Voranschlag		der Rechnung		mehr		weniger	
	ℳ	₰	ℳ	₰	ℳ	₰	ℳ	₰
122. Erbauung von Straßen, Brücken und Wegen . .	70 000	—	9 151	02	—	—	60 848	98

Für gründliche Ausbesserung und die nötige Neueindeckung der chaussierten Fahrbahnen sowie die notwendige Instandsetzung der Gossenpflasterungen ist durch St.-V.-Beschl. vom 18. Dezember 1907 ein Kredit zur Verfügung gestellt von . . . . 15 000 ℳ — ₰
Hiervon sind verwendet . . . . 8 603 „ 89 „

Der nicht verbrauchte Kredit von . . . . 6 396 ℳ 11 ₰ ist mit Zustimmung der St.-V.-V. vom 21. Oktober 1908 auf Rubrik 24. I der städt. Vermögensrechnung für 1908 übertragen worden. Ferner sind noch verausgabt 547 ℳ 12 ₰ Kosten, die nicht zu Lasten vorstehend bezeichneten Kredits verrechnet werden können.

X. Schulden- und Vermögensstand des Stadtteils

Schulden.

A. Hauptrechnung

	ℳ	₰	ℳ	₰
I. Anlehen auf Schuldscheine.				
1. Bei der Bezirkssparkasse Mainz von 726 000 ℳ, verzinslich zu 4 %, Rest Ende 1906 .	661 808	29		
abgetragen in 1907	12 595	34	649 212	95
2. Bei der Landeskreditkasse in Darmstadt von 45 000 ℳ, verzinslich zu 3½ %, Rest Ende 1906 .	42 283	22		
abgetragen in 1907	545	11	41 738	11
3. Bei der Kreissparkasse Bingen von 45 000 ℳ, verzinslich zu 3¾ %, Rest Ende 1906 . .	40 716	42		
abgetragen in 1907	1 173	15	39 543	27
4. Bei der Stadt Mainz von 112 000 ℳ, verzinslich zu 4 %	—	—	112 000	—
II. Schenkungen.				
1. An die kathol. Kirchengemeinde Mainz-Mombach ein 3975 qm großes Gelände als Kirchenbauplatz nach ortsgerichtlicher Schätzung im Werte von 47 700 ℳ Anmerkung. Diese Schenkung ist davon abhängig gemacht, daß bis längstens 1. Januar 1915 mit dem Bau einer Kirche auf diesem Platze begonnen wird.				
2. An die evangel. Kirchengemeinde Mainz-Mombach zum Bau einer Kirche, bar 20 300 ℳ. Anmerkung. Auch hier ist die Schenkung davon abhängig gemacht, daß bis spätestens 28. Dezember 1914 mit dem Bau der Kirche begonnen sein muß.				
Summe A. Hauptrechnung . . .	—	—	842 494	33

Mainz-Mombach am Ende des Rechnungsjahres 1907.

Vermögen.

des Stadtteils.

		ℳ	₰	ℳ	₰
I. Verzinsliche Kapitalien.					
1. Darlehen an Private gegen hypothekarische Sicherheit, verzinslich zu $4^1/_2$%		107 850	01		
2. Einlage bei der Bezirkssparkasse Mainz, verzinslich zu $3^1/_2$% (Schulkapital)		68	20		
3. Einlage bei der Städt. Sparkasse Mainz, verzinslich zu $3^1/_2$% (Stiftung zur Unterhaltung der Grabstätten von Jörg und Riga)		450	—		
4. Einlage bei der Spar- und Darlehenskasse Mombach, verzinslich zu $3^1/_2$% (Stiftung des Nik. Kohl III. zur Grabunterhaltung)		1 413	—		
5. Aufwendungen für das Wasserwerk Mainz-Mombach; siehe pos. B.		257 409	42		
6. Aufwendungen für das Gaswerk Mainz-Mombach; siehe pos. C.		61 994	65	429 185	28
II. Unverzinsliche Forderungen und Kassevorrat.					
Rechnungsrest Ende 1907		—		3 502	26
III. Mobilien.					
1. Eine Fuhrwerkswage		2 000	—		
2. Mobilien und Einrichtung im Gemeindehaus		9 700	—		
3. Desgleichen der Gemeindeapotheke		9 000	—		
4. Mobilien und Lehrmittel ꝛc. der Volksschule		16 500	—		
5. Mobilien ꝛc. im Leichenhaus nebst Totenwagen		2 700	—		
6. Gerätschaften für den Straßenbau		3 360	—		
7. Maschinen und Gerätschaften der Entwässerungsanstalt		31 150	—		
8. Löschgeräte nebst Ausrüstung der Feuerwehr		10 000	—	84 410	—
IV. Immobilien.					
a. Gebäude.					
1. Volksschulgebäude		215 870	—		
2. Apotheke (Grund und Boden unter pos. b. 7 enthalten)		37 000	—		
3. Entwässerungsmaschinenhaus (ohne Grund und Boden)		32 040	—		
4. Gemeindehaus		32 150	-		
5. Leichen- und Friedhofshaus		17 000	—		
6. Ehemaliges Winkler'sches Haus		4 570	—		
7. Wiege- und Oktroihäuschen (ohne Grund und Boden)		860	—		
		339 490	—		
b. Grundstücke.					
1. Verpachtete Grundstücke	490 180 ℳ				
2. Schulgut	7 714 „				
3. Schulhausbauplatz	36 720 „				
4. Lagerplatz und Hofreitegrund	43 500 „				
5. Friedhof	36 000 „				
6. Alter Friedhof (siehe pos. II. 1. der Schulden)	47 700 „				
7. Sonstige Grundstücke	33 919 „	695 733	—		
c. Waldungen		52 800	—	1 088 023	—
V. Nutzbare Rechte.					
Kapitalwert des Jagdrechts (25facher Betrag des Jahrespachts)		—	—	7 623	75
Summe A. Hauptrechnung		—	—	1 612 744	29

B. Wasserwerk

	Ursprungs-Kapital		Tilgungen bis Ende 1907		Restschuld Ende 1907	
	ℳ	₰	ℳ	₰	ℳ	₰
Kapitalschuld bei dem Stadtteil.						
1. Für das Häulein'sche Anwesen	66 914	27	802	97	66 111	30
2. Für das Pumphaus rc.	50 250	—	1 878	60	48 371	40
3. Für die Motoren rc.	11 390	20	425	83	10 964	37
4. Für Wassermesser	14 937	50	558	45	14 379	05
5. Für das Rohrnetz und andere, nicht unter vorstehenden Ziffern enthaltene Anlagekosten	125 735	22	8 151	92	117 583	30
Summe B. Wasserwerk Mainz-Mombach	269 227	19	11 817	77	257 409	42

C. Gaswerk

	ℳ	₰	ℳ	₰	ℳ	₰
Kapitalschuld bei dem Stadtteil.						
1. Für das Rohrnetz	74 722	—	12 727	35	51 504	65
2. Für Gasmesser					10 490	—
Summe C. Gaswerk Mainz-Mombach	74 722	—	12 727	35	61 994	65

Mainz-Mombach.

	ℳ	₰	ℳ	₰
I. Hänlein'sches Anwesen	—	—	67 000	—
II. Pumphaus, Gang- und Hochbehälter	—	—	50 250	—
III. Maschinenanlage und Pumpen	—	—	11 000	—
IV. Wasserleitungsrohrnetz	—	—	125 000	—
V. Wassermesser	—	—	15 000	—
VI. Fernmeldeanlage, Mobilien und Vorratsteile	—	—	3 350	—
Summe B. Wasserwerk Mainz-Mombach	—	—	271 600	—

Mainz-Mombach.

	ℳ	₰	ℳ	₰
I. Rohrnetz	—	—	52 860	—
II. Gasmesser	—	—	12 640	—
III. Kandelaber und Straßenlaternen	—	—	10 000	—
Summe C. Gaswerk Mainz-Mombach	—	—	75 500	—

Alphabetisches Sachregister.

(Die Ziffern bezeichnen die Seiten.)

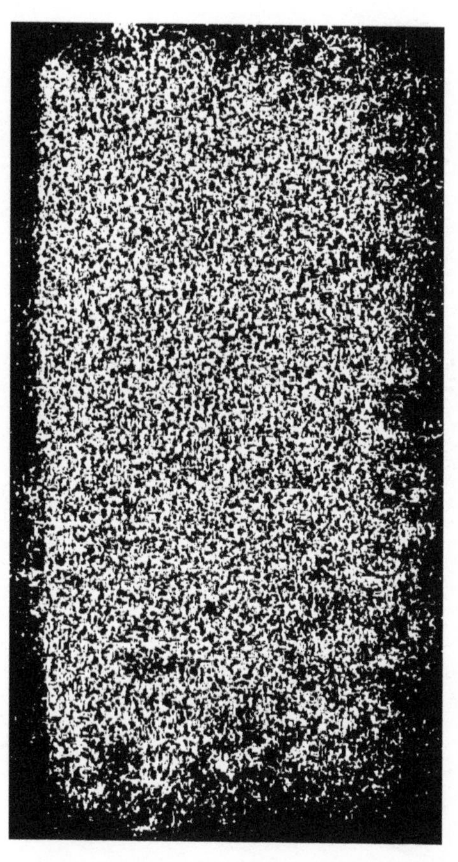

Lightning Source UK Ltd.
Milton Keynes UK
UKHW011139271218
334507UK00011B/578/P